KB009660

일 러 두 기

어휘의 수록

1. 현재 사회에서 널리 쓰는 표준어를 중심으로, 일상생활과 학습 · 실무에 필요한 고유어 · 한자어 · 외래어 · 전문어 · 신어 및 속담 · 속어 · 관용구 등을 망라하였다.
2. 어말 어미 · 선어말 어미 · 조사 · 접두사 · 접미사 등 문법 형태소도 독립 표제어로 올렸다. 이들 형태소가 우리말의 문법적 특질을 이루고 있기 때문이다.
3. 인명(人名) · 지명(地名) · 서명(書名) 등의 고유 명사와 방언, 비표준어는 싣지 않음을 원칙으로 하였다. 본문에 나오는 중요한 인명이나 서명은 부록에서 설명하였다.

표 제 어

1. 표제어는 단어뿐만 아니라 어미 · 조사 · 접사 등 형식 형태소도 독립 표제어로 올렸다.
2. 전문어는 둘 이상의 단어로 된 구도 표제어로 올렸다.
3. 전문어 이외의 구는 표제어로 올리지 않았다. 따라서 '떼 짓다, 물 긷다, 밥 짓다, 제사 지내다' 등은 표제어로 제시되지 않으며 쓸 때는 띄어 써야 한다.
4. 복합어는 표제어로 올렸다. 복합어와 구의 구별은 기본적으로 국립국어연구원에서 편찬한 '표준국어대사전'의 처리 방식에 따라 '표제어' 또는 '구'로 구분하여 실었다.
5. 명사에 접미사 '**-하다**'가 붙어서 동사 또는 형용사가 되는 말은 그 명사의 약물 끝에 약호로만 보였다. 이런 경우에 접미사 '**-히**'가 붙어서 부사가 될 때에는 역시 그 다음에 약호로 표시하였다.

   보기 : **감:동** (感動) 명하자 …. ***위험** (危險) 명하형 …. ***행:복** (幸福) 명하형 ….
   ***부지런** 명하형히부 …. ***불행** (不幸) 명하형히부 …. ***안전** (安全) 명하형히부 ….

   그러나 다양(多樣), 분주(奔走), 상쾌(爽快), 소중(所重) 등과 같이 명사로는 쓰이지 않고 '**-하다**'와 결합한 형태로만 쓰이는 한자어는 '**-하다**'형을 표제어로 올렸다.

   보기 : **다양-하다** (多樣-) 형여불 …. ***상:쾌-하다** (爽快-) 형여불 ….
6. 어근(語根)에 접미사 '**-롭다**' · '**-스럽다**' · '**-같다**' · '**-없다**'가 붙어서 형용사가 되는 말의 경우, 그 부사형 '**-로이**' · '**-스레**' · '**-같이**' · '**-없이**'는 풀이 끝에 부표제어로 올렸다.

   보기 : ***슬기-롭다** 〔-로우니, -로워〕 형ㅂ불 …. **슬기-로이** 부
   ***자랑-스럽다** 〔-스러우니, -스러워〕 형ㅂ불 …. **자랑-스레** 부
   한결-같다 [-갇따] 형 …. **한결-같이** [-가치] 부
   틀림-없다 [-업따] 형 …. **틀림-없이** [-업씨] 부
7. '**-하다**' 접미사를 스스로 갖는 표제어에서, 접미사 '**-히**'가 붙어 부사로 되는 경우에는 풀이 끝에 부표제어로 올렸다. 다만, 접미사 '**-이**'가 붙어 부사로 되는 경우에는 따로 표제어로 올렸다.

   보기 : **알뜰-하다** 형여불 …. **알뜰-히** 부
   반듯-이 부 ….
   반듯-하다 [-드타-] 형여불 ….
8. 대등한 뜻을 나타내는 접미사 '**-거리다**', '**-대다**'와 '**-뜨리다**', '**-트리다**' 및 '**-스름하다**', '**-스레하다**'가 붙어서 이루어진 말들은 각각 별도 표제어로 올렸으나 '**-거리**

민중 실용 국어사전

[개 정 판]

민중서림 편집국 편

사전전문
민 중 서 림

개정판 머리말

엣센스 국어사전보다는 부피를 대폭 줄이면서도 학생들이나 일반 사회인들이 널리 사용할 수 있는 실용적인 사전을 만든다는 취지 아래 민중실용국어사전을 처음으로 펴낸 지 6년이 되었다.

제5판 엣센스 국어사전의 개정 작업을 하면서 띄어쓰기, 맞춤법, 구와 복합어의 처리, 단어의 품사 등 몇몇 부분에서 달라진 점들이 있어 개정 필요성을 느끼던 차에 이제 개정 작업을 완료하여 이렇게 새로운 모습으로 내놓게 되었다.

이번 개정 작업은 엣센스 국어사전을 바탕으로 삼아 수록 어휘 수를 줄이는 대신 풀이와 용례에 주안점을 두어 작업하였다.

우리는 이 사전을 만들면서

1. 뜻풀이는 보다 쉽고 간결하면서 정확을 기하였으며 현재 쓰이는 뜻을 보완하였다. 또 이해를 돕기 위한 많은 용례를 실어 그 말의 실제 쓰이는 용법을 보였다.
2. 문법적으로 용법이 까다로운 말들과 학습에 긴요한 말들은 따로 선으로 둘러 자세히 설명함으로써 이해를 도왔다.
3. 삽화를 넣어 뜻풀이의 이해를 도왔으며 부록으로 한글 맞춤법·표준어 규정·외래어 표기법 등 어문 규범들과 교육·인명용 한자 사전 등 국어 생활에 도움이 되는 자료들을 풍부하게 실었다.

이 사전이 간편하면서도 독자들의 다양한 요구에 적절하게 부응할 수 있는, 편리하고 유용한 일상 언어생활의 친근한 벗이 되기를 기대한다.

끝으로 우리는 이번의 개정 보완에 그치지 않고 앞으로도 계속 보다 알찬 국어사전을 만들기 위해 힘쓸 것을 다짐하며 이제까지 우리를 따뜻이 격려해 주신 많은 독자들의 성원에 다시 한번 심심한 감사를 드린다.

2003년 1월 10일

민중서림 편집국

다, -뜨리다, -스름하다' 가 붙은 말에만 주석을 달고, '-대다, -트리다, -스레하다' 가 붙은 말은 동의어로 처리하였다.

보기 : **반짝-거리다** 자타 …. **반짝-대다** 자타 반짝거리다.
떨어-뜨리다 타 …. **떨어-트리다** 타 떨어뜨리다.
푸르스름-하다 형 여불 …. **푸르스레-하다** 형 여불 푸르스름하다.

9. 접미사 '-거리다' 를 가지는 의태어 · 의성어의 파생어는 풀이 끝에 부표제어로 실었다.

보기 : **덜렁-거리다** 자타 …. 작 달랑거리다.
덜렁-덜렁 부 하 자타

10. 뜻을 미루어 알 수 있는 복합어는 따로 올리지 않고 용례로써 보이기도 하였다.

보기 : **고압** (高壓) 명 **1** …. ¶ ~가스.
자매 (姉妹) 명 **1** …. **2** …. ¶ ~품 / ….

11. 둘 이상의 단어로 된 복합어에는 원칙적으로 붙임표(-)를 붙이되, 한자 결합어 가운데 고사 성어(古事成語)나 성구(成句) · 관용구(慣用句)에는 붙임표를 붙이지 않았다.

가. 붙임표를 붙인 경우

보기 : ***앞-서다** [압써-] 자 …. ***민주-주의** (民主主義)[-/-이] 명 ….

나. 붙임표를 붙이지 않은 경우

보기 : **일석이조** (一石二鳥)[-썩-] 명 ….
춘하추동 (春夏秋冬) 명 ….

12. 우리말의 기본 어휘 3290 어에 *표를 하였다. 그 중 특히 중요한 표제어는 글자 크기를 키워서 구분하였다.

보기 : ***사랑** 명 하타 **1** 아끼고 위하는 따뜻한 마음. …
***가다** 一 자 거라불 **1** 앞을 향하여 움직이다. ¶ 가도 가도 끝이 없다. **2** 목적…

여기에 참고한 자료는 다음과 같다. 국립국어연구원 : 한국어 연수 교재 '한국어의 기본 단어와 관용 표현' (1994) ; 김광해 : 국어 어휘론 개설(1993) ; 김영채 : 한국어 어휘 빈도 조사(1986) ; 이충우 : 한국어 교육용 어휘 연구(1994) ; 임지룡 : 국어 의미론(1995).

어휘의 배열

1. 초성의 차례

ㄱ ㄲ ㄴ ㄷ ㄸ ㄹ ㅁ ㅂ ㅃ ㅅ ㅆ ㅇ ㅈ ㅉ ㅊ ㅋ ㅌ ㅍ ㅎ

2. 중성의 차례

ㅏ ㅐ ㅑ ㅒ ㅓ ㅔ ㅕ ㅖ ㅗ ㅘ ㅙ ㅚ ㅛ ㅜ ㅝ ㅞ ㅟ ㅠ ㅡ ㅢ ㅣ

3. 종성의 차례

ㄱ ㄲ ㄳ ㄴ ㄵ ㄶ ㄷ ㄹ ㄺ ㄻ ㄼ ㄽ ㄾ ㄿ ㅀ ㅁ ㅂ ㅄ ㅅ ㅆ ㅇ ㅈ ㅊ ㅋ ㅌ ㅍ ㅎ

4. 같은 자모의 표제어는 우선 어법의 차례로, 어법이 같은 것은 고유어 · 한자어 · 외래어의 차례로, 고유어는 단 · 장음의 차례 및 현대어 · 고어의 차례로, 그리고 한자어는 한자 획수의 적고 많은 차례로 각각 실었으며, 음과 글자가 같고 뜻이 다른 것은 어깨번호를 붙였다.

어법의 표시

1. 문법 체계와 용어는 1985학년도부터 시행한 '통일 학교 문법' 에 따랐다.
2. 모든 어휘의 품사와 어법은 별도 표시의 약호로 나타내었다. (viii 쪽 약호 참조)
3. 외래어는 그 원말의 품사를 돌아보지 않고, 우리말에서의 역할로 보아 품사를 매겼다.

보기 : **드라마틱-하다** (dramatic-) 형여불 …. **스마트-하다** (smart-) 형여불 ….
랑데부 (프 rendez-vous) 명하자 ….

맞 춤 법

고유어나 한자어의 맞춤법은 문교부가 제정 고시한 '한글 맞춤법' (1988.1.19.)을 따랐고, 아울러 국어연구소 편 '한글 맞춤법 해설' (1988.6.30.)을 참고하였다.

발음의 표시

1. 발음 표시는 문교부에서 제정 고시한 '표준어 규정' (1988.1.19.)의 제 2 부 '표준 발음법' 을 따랐다. 그리고 낱낱의 단어의 발음 표시는 국립국어연구원의 '표준국어대사전' (1999), 남광우 · 이철수 · 유만근 공저 '한국어 표준 발음 사전' (1984.11.30.), 한국방송공사 편저 '표준 한국어 발음 대사전' (1993) 등을 참고하였다.
2. 표제어 장단음의 표시는 국립국어연구원에서 편찬한 '표준국어대사전' 을 따름을 원칙으로 하였다.
3. 원음과 다르게 발음되는 말에는 실제의 발음을 표시하였다.

   보기 : ***나뭇-잎** [-문닙] 명 …. **맏-이** [마지] 명 ….
   ***넓다** [널따] 형 …. ***밟다** [밥따] 타 ….
   ***붙이다** [부치-] 타 **1** 맞닿아 떨어지지 않게 하다. ¶ 봉투에 우표를 …. ***옮기다** [옴-] 타 …. ***풀-잎** [-립] 명 ….

   다만, 연음되는 부분은 표시하지 않았다. 따라서 **높이다, 먹이, 석유**의 발음은 [노피다], [머기], [서규]이나 본 사전에서는 발음을 따로 보여 주지 않았다.
4. 받침 'ㄱ, ㄷ, ㅂ' 뒤에 연결되는 'ㄱ, ㄷ, ㅂ, ㅅ, ㅈ' 은 예외 없이 항상 된소리로 발음하기 때문에 본 사전에서는 발음을 생략하였다. 따라서 **국수** [국쑤], **먹다** [먹따], **박복** [박뽁], **곧장** [곧짱], **닫다** [닫따], **곱돌** [곱똘], **합격** [합껵], **협조** [협쪼] 등의 표제어에는 따로 발음을 표시하지 않았다.
5. 길게 발음되는 음절은 그 글자 오른편에 ':' 표로 나타내었다.

   보기 : ***벌:리다**[2] 타 …. **기:나-길다** 형 ….
   가:능 (可能) 명하형 …. ***방:송** (放送) 명하타 ….
6. 단어의 첫 음절에서만 긴소리가 나타나는 것을 원칙으로 하였으나, 합성어에서 다음과 같은 경우 둘째 음절 이하에서도 긴소리를 인정하였다.

   가. 첩어 성격의 말 : **재:삼-재:사** (再三再四)
   나. 대립형 : **반:신-반:의** (半信半疑)
   다. 강조형 : **전무후:무-하다** (前無後無-)
7. 'ㄴ' 음이나 'ㄹ' 음이 덧나서 두 가지 이상으로 발음할 수 있는 말들은 '/' 로 두 가지 이상의 발음을 표시하였다. '/' 의 왼쪽에는 원칙적인 발음을, 오른쪽에는 허용하는 발음을 보였다.

   보기 : **검:열** (檢閱)[-녈 / -] 명하타 …. **금융** (金融) [-늉 / -] 명 ….
   기어-가다 [- / -여-] 자타 …. ***맛-있다** [마딛따 / 마싣따] 형 ….
   이들-이들 [-리- / -] 부하형 ….
8. 외래어와 옛말은 그 음의 장단 및 발음 표시를 하지 않았고, 비표준어 · 방언도 발음 표시를 하지 않았다.

어원의 표시

1. 우리말화된 외국어의 약자는 ( ) 안에 넣어 주고, 그 원어를 보일 경우에는 품사 뒤 〔 〕 안에 묶어서 표시하였다.

   보기 : **와이엠시에이** (YMCA) 명 〔Young Men's Christian Association〕 ….

2. 외래어는 ( ) 안에 각각 로마자·중국 글자·일본 가나를 넣어 주고, 영어 이외의 외래어에서는 원어의 국명을 밝혔다.

   보기 : **뮤지컬** (musical) 명 …. **게놈** (독 Genom) 명 ….
   자장면 (중 炸醬麵) 명 …. **우동** (일 うどん) 명 ….

3. 우리말에서 쓰이는 영어 기타 외국어의 조어(造語)는 두 구성 요소 사이에 '+'를 넣어 이를 표시하였다.

   보기 : **올드-미스** (old+miss) 명 …. **포-볼** (four+ball) 명 ….

4. 외국어의 원어와 우리말의 표기가 서로 다를 때에는 '←' 표를 달아 외국어의 원말을 나타내었다.

   보기 : **아파트** (←apartment) 명 ….
   아세트-산 (←acetic酸) 명 〖화〗….

5. 취음자(取音字)인 한자(漢字)가 있는 말은 주석 끝 주의 난에 그 한자를 보여 주었다.

   보기 : **고의** [-/-이] 명 …. 주의 '袴衣'로 쓴은 취음.
   장단 명 …. 주의 '長短'으로 쓴은 취음.

뜻 풀 이

1. 뜻풀이는 간결·명확을 기했으며, 이해를 돕기 위해 주석 끝에 동의어와 용례, 어감의 대소 강약(大小強弱), 준말, 반대어, 참고어 등을 밝혔다.

2. 한 어휘의 뜻이 여럿일 경우에는 원칙적으로 어원에 가까운 것 또는 일반적인 것으로부터 **1 2 3**…의 순으로, 이를 다시 세분하여 뜻풀이를 할 때는 ㉠㉡㉢의 순으로 벌였다. 또, 한 표제 항목을 둘 이상의 품사로 나누어 해설할 때에는 각각 그 품사 표시 앞에 ㊀ ㊁ ㊂…의 번호를 붙였다.

   보기 : ***나무** 명 **1** …. **2** …. ***단**:[1] ㊀명 …. ㊁의명 ….
   의[2] [-/에] 조 **1** …. ㉠…. ㉡…. **2** ….

3. 원말과 변한말에 있어서는 변한말에 주석을 달았다.

   보기 : **나:인** 명 〔←내인(內人)〕 〖역〗 궁궐 안에서 ….
   논란 (論難)[놀-] 명하타 〔←논난〕 잘못을 ….

4. 대등한 뜻을 나타내는 접미사 '**-거리다, -대다**'와 '**-뜨리다, -트리다**' 및 '**-스름하다, -스레하다**'가 붙어서 이루어진 말들은 '**-거리다, -뜨리다, -스름하다**'가 붙은 말에 주석을 달고 '**-대다, -트리다, -스레하다**'에서는 동의어로 처리하였다.

   보기 : **비틀-거리다** 자타 이리저리 쓰러질 듯이…. **비틀-대다** 자타 비틀거리다.
   빠:-뜨리다 타 **1** 물·허방 또는 나쁜 데에…. **빠:-트리다** 타 빠뜨리다.
   파르스름-하다 형여불 약간 파랗다.… **파르스레-하다** 형여불 파르스름하다.

5. 원말과 준말에 있어서는 원말에 주석을 다는 것을 원칙으로 하였다.

   보기 : **세:자** (世子) 명 '왕세자'의 준말. **왕-세자** (王世子) 명 왕위를 …. 준세자.

6. 비표준어는 그에 해당하는 표준어의 잘못으로 처리하였다.

   보기 : **가얏-고** (伽倻-) 명 〖악〗 '가야금'의 잘못. **아지랭이** 명 '아지랑이'의 잘못.
   우뢰 명 '우레[1]'의 잘못.

7. 고사 성어(古事成語)나 성구(成句)는 품사 뒤 〔 〕 안에 그 유래 또는 본래의 뜻과 출전(出典)을 보였다.

   보기 : **사:면-초가**(四面楚歌) 명 〔중국…〕

   새옹지마(塞翁之馬) 명 〔어떤 늙은이가…〕
8. 연대는 서기(西紀)로, 도량형은 미터법으로 표시함을 원칙으로 하였다.
9. 화학 원소의 주석 끝에는, [ ] 안에 원자 번호 · 원소 기호 · 원자량을 보였다.
10. 전문어 표시 : 주석 첫머리 《 》 안의 전문어 표시는 혼동의 염려가 없는 것은 별도 표시의 약어로, 그 외의 것은 그대로나 그에 가까운 명칭을 사용하였다.
11. 주석이 다 끝난 다음에 어원(語源) · 발음(發音) · 어법(語法) 등에 관한 주의 사항을 주의 난에, 주석의 내용상의 참고 사항을 참고 난에 설명하였다.

   보기 : ***있다** [읻따] 一형 **1** 어떤 장소에 존재하다. … 二보형 …. 주의[1] …

   간[1] (間) 一명 …. 주의 '초가삼간·윗간·육간대청' 따위는 '간'.

   보기 : **대:웅-전**(大雄殿) 명 《불》…. 참고 대웅전은 '아미타불'을 본존으로 하는 '극락전(極樂殿)', ….

용언의 활용

용언의 활용형은 불규칙 활용을 하는 용언과 학교 문법에서 규칙 활용으로 본 'ㄹ 불규칙', '으 불규칙' 활용을 하는 용언에만 보였다.

ㄷ 불규칙 : ***듣다**[3] 〔들으니, 들어〕 타ㄷ불 ….

ㅂ 불규칙 : ***덥:다** 〔더우니, 더워〕 형ㅂ불 ….

ㅅ 불규칙 : ***낫:다**[1] [낟따]〔나으니, 나아〕 자ㅅ불 ….

ㅎ 불규칙 : ***파:랗다** [-라타]〔파라니, 파라오〕 형ㅎ불 ….

러 불규칙 : ***이르다**[1] 〔이르니, 이르러〕 자러불 ….

르 불규칙 : ***이르다**[2] 〔이르니, 일러〕 자타르불 ….

우 불규칙 : **푸다** 〔푸고, 퍼서〕 타우불 ….

여 불규칙 : '**하다**' 또는 접미사 '**-하다**'로 끝나는 용언들로 어미 '**-아**'가 '**-여**'로 활용하며 활용형을 생략하였다.

거라 불규칙 : '**가다**' 또는 '**-가다**'로 끝나는 용언들로 활용형을 생략하였다.

너라 불규칙 : '**오다**' 또는 '**-오다**'로 끝나는 용언들로 활용형을 생략하였다.

ㄹ 불규칙(ㄹ 탈락 용언) : ***날다**[1] 〔나니, 나오〕 一자 ….

으 불규칙(으 탈락 용언) : ***따르다**[1] 〔따르니, 따라〕 자타 ….

관련 어휘

1. 동의어는 뜻풀이 뒤 용례 앞에 보였다.
2. 반대말은 용례 뒤에 '↔' 표로 보였다.
3. 어감이 큰 말, 작은 말, 여린 말, 센 말, 거센 말은 각각 ㉢, ㉦, ㉠, ㉥, ㉮ 기호를 사용하여 용례 뒤에 보였다.
4. 표제어와 관련이 있는 참조어는 주석 · 용례 따위의 뒤에 '*' 표로 보였다.
5. 표제어의 준말은 '㊟'이라는 약물로 나타내었다.

속담과 관용구

1. 속담은 그 첫머리에 나오는 말의 표제어 뜻풀이 뒤에 별행으로 [ ] 안에 넣어 실었다. 이때 뜻이 둘 이상인 경우에는 ㉠㉡…으로 갈라놓았다.

   보기 : **번개** 명 ….

   [번개가 잦으면 천둥을 한다] ㉠어떤 일의 징조가 잦으면 결국 그 일이 생기기 마련이다. ㉡나쁜 일이 잦으면 결국 큰 봉변을 당한다.

2. 관용구는 그 첫머리에 나오는 말 표제어 뜻풀이 뒤나 속담 뒤에 별행을 잡아 고딕체로 실었다. 이때 뜻이 둘 이상인 경우에는 ㉠㉡…으로 갈라놓았다.

   보기 : *어깨 명 ….

   어깨를 나란히 하다 구 ㉠나란히 서다. 나란히 서서 걷다. ¶어깨를 나란히 하고 정답게 걷다. ㉡어깨를 겨누다. 어깨를 겨루다. ㉢같은 목적으로 함께 일하다.

외래어의 한글 표기

원칙적으로 문교부가 제정 고시한 '외래어 표기법'(1986.1.7.)에 따랐으며, 각 낱말의 표기에는 문교부에서 펴낸 '편수 자료 Ⅱ-1 외래어 표기 용례(일반 외래어)'(1987.11.17.)와 국어연구소에서 펴낸 '외래어 표기 용례집(일반 용어)'(1988.8.30.)을 비롯하여, '편수 자료 Ⅱ-2 외래어 표기 용례(지명 · 인명)'(1987.11.17.), '편수 자료 Ⅱ-3 인문 사회 과학'(1987.11.17.), '편수 자료 Ⅲ 기초 과학'(1987.11.17.), '편수 자료 응용 과학'(1988.6.25.) 등을 참고하였다. 또한 외국어와 우리말이 결합된 말들의 표기는 국립국어연구원에서 발간한 '표준국어대사전'을 참고하여 나타내었다.

부 록

1. 우리말 어문 규범의 가장 중요한 기준이 되는 '한글 맞춤법'(1988.1.19.)과 '표준어 규정'(1988.1.19.)을 수록하였다. 이 규범집은 당시 문교부에서 제정 고시하여 1989년 3월 1일부터 시행한 것으로 현재 국어의 근본이 되는 규정집이다.
2. 1990년 문화부에서 공표한 '표준어 모음'과 2000년 7월 7일 문화 관광부에서 제정 고시한 '국어의 로마자 표기법'을 수록하였다.
3. 2000년 12월 30일 교육부(教育部)에서 새로 조정하여 공표한 '한문 교육용 기초 한자' 1,800자(字)《중학교용 900자, 고등학교용 900자》와 대법원에서 공표한 인명용 한자를 포함하여 약 3000 자의 표제 한자를 수록한 교육·인명용 한자 사전을 실었다.

약 호

1. 품사와 어법

명	명사	준	준말
의명	의존 명사	두	접두사
인대	인칭 대명사	미	접미사
지대	지시 대명사	선어미	선어말 어미
수	수사	어미	어미
자	자동사	구	관용구
불자	불완전 자동사	ㄷ불	ㄷ 불규칙
타	타동사	ㅂ불	ㅂ 불규칙
불타	불완전 타동사	ㅅ불	ㅅ 불규칙
보동	보조 동사	ㅎ불	ㅎ 불규칙
형	형용사	러불	러 불규칙
보형	보조 형용사	르불	르 불규칙
관	관형사	우불	우 불규칙
부	부사	여불	여 불규칙
감	감탄사	거라불	거라 불규칙
조	조사	너라불	너라 불규칙

하자 —-하다 자 여불
하타 —-하다 타 여불
하자타 —-하다 자타 여불
하자형 —-하다 자 형 여불
하타형 —-하다 타 형 여불
하형 —-하다 형 여불
하형자타 —-하다 형 자 타 여불
히부 —-히 부

2. 전문어

〔가〕	가톨릭교	〔심〕	심리
〔건〕	건축	〔악〕	음악
〔경〕	경제	〔어〕	어류
〔공〕	공업 · 공학	〔언〕	언어학
〔광〕	광물 · 광업	〔역〕	역사 · 고제
〔교〕	교육	〔연〕	연극 · 연예
〔군〕	군사	〔윤〕	윤리
〔기〕	기독교	〔의〕	의학
〔논〕	논리	〔인〕	인쇄
〔농〕	농업	〔전〕	전기
〔동〕	동물	〔정〕	정치
〔문〕	문학	〔조〕	조류
〔물〕	물리	〔종〕	종교
〔민〕	민속	〔지〕	지리 · 지학
〔법〕	법률	〔천〕	천문
〔불〕	불교	〔철〕	철학
〔사〕	사회	〔충〕	곤충
〔생〕	생물 · 생리	〔컴〕	컴퓨터
〔성〕	성서	〔한의〕	한의학
〔수〕	수학	〔해〕	해사 · 항해
〔식〕	식물	〔화〕	화학

3. 용 법

〈궁〉	궁중어	〈속〉	속어
〈비〉	비어	〈옛〉	옛말
〈소아〉	소아어	〈학〉	학생어

4. 외래어

그	그리스 어	에	에스파냐 어
네	네덜란드 어	이	이탈리아 어
노	노르웨이 어	일	일본어
독	독일어	중	중국어
라	라틴 어	페	페르시아 어
러	러시아 어	포	포르투갈 어
미	미국어	프	프랑스 어
산	산스크리트 어	히	히브리 어
아랍	아랍 어		

5. 기 호

( )	표제어의 원어 표시
:	장음 표시(표제어에서 장음 글자의 오른편에 붙임)
[ ]	발음 표시(표제어 · 한자 다음)
	화학 원소의 번호 · 기호 · 원자량
〔 〕	용언의 활용형 표시
	외래어의 원어 표시
	앞말과 대체되는 말에
	어원의 표시
-	접사나 어미의 표시
	복합어의 표시
	발음란에서 변동 없는 부분의 생략 표시
—-	표제어 부분의 되풀이 표시
←	원말 앞에
(=)	주석 중 일부의 보충 설명
《부》	뜻풀이와 용례에 대한 전체적인 보충 설명 및 기호 표시
《 》	사동 · 피동의 표시
[ ]	속담의 표시
¶	예문 시작 표시
~	예문에서 표제어 부분의 생략
/	여러 예문의 구분
	발음란에서 두 가지 이상의 발음이 있을 때 그 사이에
*	참고되는 말 앞에
㉮큰	어감이 큰 말 앞에
㉮작	어감이 작은 말 앞에
㉮여	어감이 보통인 말 앞에
㉮센	어감이 센 말 앞에
㉮거	어감이 거센 말 앞에
↔	상대어 · 반대어 앞에
㉮준	준말 앞에
☞	박스물 참조 표시
*	기본 단어의 표시
+	표제어가 우리말에서 쓰는 외래어의 조어(造語)일 때
㊀	앞에 있는 말 표제어의 ㊀번의 뜻과 뜻이 같을 때
1, 2	앞에 있는 말 표제어 **1**, **2** 번의 뜻과 뜻이 같을 때

ㄱ (기역) **1** 한글 자모의 첫째 글자. **2** 자음의 하나. 혀뿌리를 높여 연구개를 막았다가 뗄 때 나는 무성 파열음. 받침일 때는 혀뿌리를 떼지 않고 발음함.

ㄱㄴ-순 (-順)[기영니은-] 명 가나다순.

ㄱ-자 (-字)[기역-] 명 'ㄱ' 자처럼 생긴 모양을 이르는 말. ¶ ~집 / 낫 놓고 ~도 모른다《속담》.

가[1] 명 〔악〕 음계의 제6음. 곧, 라(la).

***가:**[2] 명 **1** 복판으로부터 바깥쪽으로 향하여 끝진 곳. 또는 그 안팎. 가장자리. ¶장독대 ~에 감나무가 서 있었다. **2** 일부 명사 뒤에 붙어, '주변'의 뜻을 나타냄. ¶개울~ / 연못~ / 호숫~.

가: (可) 명하형 **1** 옳거나 좋음. **2** 허용되거나 가능함. ¶ 연소자 관람 ~ / 분할 상환도 ~. ↔불가(不可). **3** 회의 따위에서, 찬성하는 의사 표시. ¶ ~가 부(否)보다 압도적으로 많다. ↔부(否). **4** 성적을 매기는 등급의 하나《'수·우·미·양·가' 다섯 등급 중의 가장 낮은 등급》.

가 (家) 명 〔법〕 예전에, 같은 호적에 들어 있는 친족 집단.

가[3] 조 **1** 받침 없는 체언에 붙어, 그 말을 주격이 되게 하는 격조사. ¶해~ 뜬다. **2** 받침 없는 체언에 붙어, 그것이 다른 것으로 변하여 가는 대상이나, 그것이 아님을 나타내는 보격 조사《그 뒤에 '되다', '아니다'가 옴》. ¶꽃이 열매~ 된다 / 나는 바보~ 아니다 / 상관으로서~ 아니라 선배로서 충고한다. **3** 연결 어미 '-지'나 '-게' 따위에 붙어, 부정하는 뜻을 강조하는 보조사. ¶별반 크지~ 않다 / 길게~ 아니라 널찍이 잡도록 해라. **4** 받침 없는 일부 부사에 붙어, 부정의 뜻을 강조하는 보조사. ¶도대체~ 돼먹지 않았다 / 원체~ 잘못된 일이다. **5** '부터'와 같은 보조사 뒤에 붙어, 이를 강조하는 뜻을 나타내는 보조사. ¶너부터~ 틀렸어. *이[6].

가:- (假) 두 **1** 임시적인. 시험적인. ¶ ~건물 / ~계약 / ~매장. **2** 가짜의. 거짓의. ¶ ~문서(文書).

-가 (家) 미 **1** 그 방면에 남보다 뛰어난 사람. 또는 그것을 직업으로 하는 사람. ¶전문~ / 행정~. **2** 특히 그 성질을 가진 사람. ¶정열~ / 민완~. **3** 집안·가문을 나타내는 말. ¶세도~ / 명문~. **4** 어떤 것을 많이 가지고 있는 사람. ¶장서~ / 자본~ / 재산~.

-가 (哥) 미 **1** 성에 붙여 부르는 말. ¶저는 최~입니다. **2** 성에 붙여 낮게 일컫는 말. ¶홍~야.

-가 (街) 미 **1** 도시의 특별한 지역을 나타내는 말. ¶주택~ / 상점~ / 유흥~. **2** 큰 동(洞)이나 거리를 다시 나눌 때 쓰는 말. ¶종로 3~ / 명륜동 1~.

-가 (歌) 미 노래의 이름이나 종류를 나타내는 말. ¶애국~ / 흥부~ / 응원~ / 주제~.

-가 (價) [까] 미 **1** 일부 명사 뒤에 붙어, '값'을 나타내는 말. ¶공정~ / 소매~ / 상한~. **2**〔화〕 숫자 뒤에 붙어, '원자가(原子價)'를 나타내는 말. ¶2~ 알코올.

가:가-대소 (呵呵大笑) 명하자 소리를 내어 크게 웃음.

가가호호 (家家戶戶) 一명 집집. 한 집 한 집. 二부 집집마다. 집집이. ¶~ 찾아다니며 공지 사항을 알리다.

가감 (加減) 명하타 **1** 더하거나 빼는 일. 또는 그렇게 하여 알맞게 맞추는 일. 더하고 빼기. ¶ 젊은이들의 속내를 ~ 없이 그려냈다. **2**〔수〕 더하기와 빼기. 더하기 빼기.

가감-법 (加減法)[-뻡] 명 〔수〕 **1** 덧셈과 뺄셈을 하는 방법. **2** 연립 1차 방정식에서, 미지수의 계수(係數)를 곱하거나 나누어 같게 만든 후, 더하거나 빼어 그 미지수를 없애는 방법.

가감승제 (加減乘除) 명 〔수〕 '더하기·빼기·곱하기·나누기'를 아울러 이르는 말.

가객 (歌客) 명 **1** 노래를 잘하는 사람. **2** 가인(歌人).

가갸 명 반절본문(反切本文)의 첫 두 글자인 가와 갸.

[가갸 뒷다리〔뒷자(字)〕도 모른다] ㉠문자를 깨치지 못하여 무식하다는 말. ㉡일반적으로, 사리(事理)에 어두운 사람을 비웃는 말.

가:-건물 (假建物) 명 임시로 지은 건물.

가:검-물 (可檢物) 명 병균의 유무나 성분을 검사하기 위하여 거두는 물질. ¶설사 환자의 배설물을 ~로 수거하다.

***가:게** 명 〔←가가(假家)〕 **1** 작은 규모의, 물건을 파는 집. 가겟방. 전방(廛房). ¶ ~를 차리다. **2** 길가·장터 같은 데에서 물건을 벌여 놓고 파는 곳.

[가게 기둥에 입춘이라] 격에 맞지 않음을 비유한 말.

가:게-채 명 가게로 쓰는 집채.

가:겟-방 (-房)[-게빵 / -겓빵] 명 **1** 가게로 차려 쓰는 방. **2** 가게1.

가:겟-집 [-게찝 / -겓찝] 명 **1** 가게를 벌이고 장사를 하는 집. **2** 가게로 쓰는 집. *살림집.

가격 (加擊) 명하타 손이나 주먹 따위로 치거나 때림. ¶급소를 ~해 제압하다.

***가격** (價格) 명 〔경〕 돈으로 나타낸 상품의 가치. 값. ¶시중 ~ / ~을 인하하다 / ~을 올리다 / 공산품의 ~이 오르다.

가격 지수 (價格指數) 〔경〕 어떤 시기를 기준으로 삼아 다른 시기의 물품 가격 변동을 수치로 나타낸 것.

가격-표 (價格表) 명 상품의 가격을 적은 일람표.

가격-표 (價格票) [명] 판매할 상품의 가격을 적어 놓은 쪽지.
가:결 (可決) [명][하타] 회의에서, 제출된 의안을 좋다고 인정하여 결정함. ¶안건을 만장일치로 ~하다 / 예산안이 국회에서 심의 ~되었다. ↔부결(否決).
가:경 (佳景) [명] 아름다운 경치. 좋은 경치.
가:경 (佳境) [명] **1** 한창 재미있게 된 판. 묘미를 느끼는 고비. **2** 경치 좋은 곳.
가:경-지 (可耕地) [명] 경작할 수 있는 토지.
가계 (家系)[-/-게] [명] 대대로 이어 내려온 한 집안의 계통.
***가계** (家計)[-/-게] [명] 집안 살림의 형편. 살림살이. 생계(生計). ¶~가 쪼들리다 / ~를 꾸려 나가기가 힘들다.
가계-부 (家計簿)[-/-게-] [명] 집안 살림의 수입·지출을 적는 장부.
가계-비 (家計費)[-/-게-] [명] 집안 살림에 드는 비용.
가계 수표 (家計手票)[-/-게-] 은행에 가계 종합 예금 계좌를 가진 사람이 그 은행 앞으로 발행하는 소액 수표.
가:-계약 (假契約)[-/-게-] [명][하타] 정식으로 계약을 맺기 전에 임시로 맺는 계약. ¶우선 ~이라도 맺어 둡시다.
가:-계정 (假計定)[-/-게-] [명] 〖경〗 부기에서, 아직 확정되지 않은 계정을 장부 정리상 임시로 기장해 두는 계정 과목(《가수금(假受金)·가지급금(假支給金)·미결산 계정 따위》).
가곡 (歌曲) [명] **1** 〖악〗 서양 음악에서, 시에 곡을 붙인 성악곡. ¶슈만 ~. **2** 우리나라 재래 음악인 정가(正歌)의 한 가지. ☞정가(正歌).
가곡-집 (歌曲集) [명] 가곡을 모아 엮은 책이나 음반. ¶슈베르트 ~.
가공 (加工) [명][하타] **1** 원료나 다른 제품에 손을 더 대어 새로운 제품을 만드는 일. ¶식품 ~ / 원료를 ~하여 해외에 수출하다. **2** 〖법〗 남의 소유물에 공작을 더하여 새 물건으로 만드는 일.
가:공 (架空) [명][하타] **1** 어떤 시설물을 공중에 건너질러 설치함. ¶~ 전력선. **2** 현실적 근거가 없거나 사실이 아닌 것을 상상으로 꾸며 냄. ¶~의 인물을 설정하다.
가공 무:역 (加工貿易) 〖경〗 외국에서 원자재나 반제품을 들여와서 가공하여 완제품으로 만든 후, 다시 수출하는 방식의 무역.
가:공-선 (架空線) [명] 공중에 가로질러 설치한 전선(電線). 가공 케이블.
가공 식품 (加工食品) 농산물·축산물·수산물 등을 가공 처리하여 먹기에 편하고 보존이 간편하게 만든 식품.
가공-업 (加工業) [명] 상품으로 만들기 위해 재료를 가공하는 산업.
가:공-적 (架空的) [관][명] 근거가 없거나 사실이 아닌, 꾸며 낸 (것). ¶~(인) 이야기.
가공-품 (加工品) [명] 원재료나 반제품을 가공하여 만든 제품.
가:공-하다 (可恐-) [형][여불] (주로 '가공할'의 꼴로 쓰여) 두려워하거나 놀랄 만하다. ¶핵무기의 가공할 파괴력 / 가공할 만한 언론의 위력.
가:과 (假果) [명] 〖식〗 헛열매. ↔진과(眞果).
가:관 (可觀) [명] **1** 경치 따위가 볼 만함. ¶그 경치가 참으로 ~이다. **2** 언행이 꼴답지 않아 비웃을 만함. ¶거드럭거리는 꼴이 ~이다.
가:교 (架橋) [명][하자] **1** 다리를 놓음. ¶~ 공사. **2** 서로 떨어져 있는 것을 이어 주는 사물이나 사실. ¶사랑의 ~ 역할을 하다.
가:교 (假橋) [명] 임시로 놓은 다리. 임시 다리.
가:교 (駕轎) [명] 〖역〗 **1** 임금이 타던 가마(《말을 앞뒤에 한 마리씩 두어 끌게 함》). **2** 쌍가마[2].

가교(駕轎)1

가:-교사 (假校舍) [명] 임시로 쓰는 학교 건물. 임시 교사.
가:-교실 (假教室) [명] 임시로 쓰는 교실.
가구 (家口) [一][명] **1** 집안 식구. **2** 집안의 사람 수효. **3** 한 집을 차린 독립적 생계. ¶맞벌이 ~. [二][의명] 세대를 세는 단위. 세대. ¶여러 ~가 세들어 살다.
***가구** (家具) [명] 집안 살림에 쓰이는 기구(《책상·장롱·탁자 따위》). *집물(什物)·세간.
가구-재 (家具材) [명] 가구를 만드는 재료(《특히, 목재를 이름》).
가구-점 (家具店) [명] 가구를 파는 가게.
가구-주 (家口主) [명] 한 가구의 주장이 되는 사람. 세대주.
가군 (家君) [명] **1** 남에게 자기 아버지를 일컫는 말. 가부(家父). 가친(家親). **2** 남에게 자기 남편을 일컫는 말. 가부(家夫).
가권 (家券)[-꿘] [명] 집문서.
가권 (家眷) [명] 집안 식구.
가권 (家權)[-꿘] [명] 집안을 다스리는 권리. *가장권(家長權).
가극 (歌劇) [명] 오페라.
가극-단 (歌劇團) [명] 가극 상연(上演)을 위하여 조직한 단체.
가금 (家禽) [명] 집에서 기르는 날짐승(《닭·오리 따위》).
가급 (加給) [명][하타] 정한 액수 이외에 금품을 더 줌.
가:급-적 (可及的) [명][부] 될 수 있는 대로, 형편이 닿는 대로의 뜻. ¶~이면 현지인을 고용할 것 / ~ 빨리 오너라.
가:긍-스럽다 (可矜-) 〔-스러우니, -스러워〕 [형][ㅂ불] 가긍한 데가 있다. ¶그 아이들이 ~. **가:긍-스레** [부]
가:긍-하다 (可矜-) [형][여불] 불쌍하고 가엾다. **가:긍-히** [부]
가:기 (佳期) [명] **1** 좋은 때. **2** 기후나 경치가 좋은 시절. **3** 처음 사랑을 맺게 되는 시기.
가기 (嫁期) [명] 시집갈 만한 나이. ¶~를 놓치다. *혼기(婚期).
가까스로 [부] 간신히. 겨우. ¶~ 살아나다 / ~ 위기를 넘기다.
가까워-지다 [자] **1** 가깝게 되다. **2** 서로의 사이가 친밀하여지다. ¶그와 나는 요즘 퍽 가까워졌다.
***가까이** [一][명] **1** 가까운 곳. 근처. ¶철로 ~에서 놀지 마라. **2** 어떤 기준에 다다를 정도. ¶소득의 절반 ~를 세무 당국에 신고하지 않았다. [二][부] **1** 근처에. ¶~ 다가오

다. **2** 사귀는 관계가 친하게. ¶그 친구와는 형제처럼 ~ 지내는 사이이다. **3** 어떤 때에 거의 미칠 만큼. ¶밤 12시 ~ 되어서야 집에 돌아왔다/나이가 마흔 ~ 되어 보였다. ↔멀리. **—-하다** 타여불 **1** 친밀하게 사귀다. ¶여자 친구를 ~/가까이할 사람이 아니다. **2** 무엇을 즐기거나 좋아하다. ¶책을 ~. ↔멀리하다.

***가깝다** 〔가까우니, 가까워〕 형ㅂ불 **1** 거리나 동안이 짧다. ¶육지에 가까운 곳/가까운 장래/종말에 ~. **2** 성질이나 상태가 비슷하다. ¶하는 짓이 어린애에 ~. **3** 어떤 기준에서 멀지 않다. ¶천만 원 가까운 돈/불가능에 ~. **4** 사귀는 사이가 친밀하다. ¶아주 가까운 사이이다. **5** 촌수가 멀지 않다. ¶가까운 친척. **6** 신변(身邊)에서 멀지 않다. ¶가까운 예를 들면. ↔멀다.

가깝디-가깝다 〔-가까우니, -가까워〕 형ㅂ불 매우 가깝다.

***가꾸다** 타 **1** 식물이 잘 자라도록 손질하고 보살피다. ¶국화를 ~/정원을 ~. **2** 얼굴이나 몸을 잘 매만져 꾸미다. 치장하다. ¶얼굴을 예쁘게 ~. **3** 좋은 상태로 유지하기 위해 아끼고 잘 보살피다. ¶고유문화를 잘 가꾸고 발전시키다.

가꾸러-뜨리다 타 가꾸로 엎어지게 하다. 큰거꾸러뜨리다.

가꾸러-지다 자 **1** 가꾸로 엎어지다. ¶술에 취하여 ~. **2** 싸움에 지다. **3** 〈속〉 죽다. 큰거꾸러지다.

가꾸러-트리다 타 가꾸러뜨리다.

가꾸로 부 차례나 방향, 또는 형편 등이 반대로 되게. ¶옷을 ~ 입다. 큰거꾸로.

가꾸로 박히다 구 머리를 땅으로 향하고 떨어지다.

***가끔** 부 동안이 조금씩 뜨게. 이따금. ¶어쩌다 ~ 만나는 친구.

가끔-가끔 부 여러 번 가끔.

가끔-가다 부 가끔가다가.

가끔-가다가 부 가끔 어쩌다가. ¶~ 선생님한테 꾸지람을 듣는다.

가나 (일 かな〔假名〕) 명 일본 고유의 소리글자《모두 50자임》.

가나다-순 (-順) 명 '가나다…'의 차례를 따라 매기는 순서. ㄱㄴ순. 기역니은순.

가나-오나 부 오나가나. ¶~ 돈 걱정.

***가난** 명하형히부 생활이 넉넉하지 못하고 쪼들림. 빈곤. ¶~한 살림/~에 찌들다/~에서 벗어나다.

[가난 구제는 나라도 못한다] 남의 가난한 살림을 구제하기는 끝이 없다. [가난한 집 신주 굶듯] 줄곧 굶는다는 말. [가난한 집 제사 돌아오듯] 치르기 힘든 일이 자주 닥친다.

가난(이) 들다 구 ㉠가난하게 되다. ㉡쓸 만한 것이 귀하여져서 구해도 없다. ¶인재(人材) 가난이 들었다.

가난-뱅이 명 가난한 사람.

가:납 (假納) 명하타 임시로 바침.

가납 (嘉納) 명하타 **1** 권하는 말을 기꺼이 들음. ¶진언을 ~하시다. **2** 바치는 물건을 고맙게 받음. ¶헌상물을 ~하다.

가:납사니 명 **1** 쓸데없는 말을 잘하는 사람. **2** 말다툼을 잘하는 사람.

가내 (家內) 명 **1** 한 집안. 가족. ¶~ 경제/~ 평안〔균안〕하신지요. **2** 한 집의 안. ¶~ 부업으로 살림에 보탬이 되다.

가내 공업 (家內工業) 단순한 기술과 기구를 써서 집 안에서 하는 소규모 생산 공업.

가내 노동 (家內勞動) 업자(業者)로부터 필요한 기구·재료 등을 제공받아, 보통 자기 집의 안에서 가공 또는 제조하여 다시 업자에게 납부하는 노동 형태.

가냘프다 〔가냘프니, 가냘파〕 형 **1** 몸 따위가 가늘고 연약하다. ¶가냘픈 몸. **2** 소리가 가늘고 약하다. ¶가냘픈 목소리.

가녀리다 형 몹시 가늘고 연약하다. 가냘프다. ¶가녀린 어깨/소녀의 가녀린 몸매.

가년-스럽다 〔-스러우니, -스러워〕 형ㅂ불 보기에 몹시 궁상스러운 듯하다. 큰거년스럽다. **가년-스레** 부

가노 (家奴) 명 《역》 집 안에서 사사로이 부리던 남자 종.

가누다 타 **1** 몸이나 정신을 겨우 가다듬어 바로잡다. ¶그는 몸도 가누지 못할 만큼 취해 있었다. **2** 일을 돌보아 처리해 내다. ¶여자의 몸으로 집안일을 잘 가누어 갔다. 큰거누다.

가느-다랗다 [-라타]〔-다라니, -다라오〕 형ㅎ불 〔←가늘다랗다〕 아주 가늘다. ¶가느다란 실/눈을 가느다랗게 뜨다. ↔굵다랗다.

가느스름-하다 형여불 조금 가늘다. **가느스름-히** 부

가는-귀 명 작은 소리를 잘 듣지 못하는 귀. ¶~ 먹은 친구.

가는-눈 명 **1** 가늘게 생긴 눈. **2** 가늘게 조금만 뜬 눈. ¶~을 뜨다.

가는-대 명 **1** 아기살. **2** 《역》 적진에 격서(檄書)를 보낼 때 쓰던 화살.

가는-허리 명 잔허리.

***가늘다** 〔가느니, 가느오〕 형 **1** 긴 물체의 굵기나 너비가 얇거나 좁다. ¶가는 철사/눈을 가늘게 뜨고 째려보다. **2** 소리가 작다. 소리가 약하다. ¶가는 목소리. **3** 빛이나 연기 따위가 희미하고 약하다. ¶문틈으로 가는 햇살이 비껴 들어왔다. **4** 사이가 좁고 촘촘하다. ¶가는 모시. **5** 흔들리는 정도가 아주 약하다. ¶손끝이 가늘게 떨리다. **6** 가루 따위의 알갱이가 자디잘다. ¶가는 모래/고춧가루를 가늘게 빻다. ↔굵다.

가늘디-가늘다 〔-가느니, -가느오〕 형 몹시 가늘다.

가늠 명하타 **1** 목표나 기준에 알맞게 헤아리는 일. ¶총을 잘 ~해 쏘다. **2** 일이 되어 가는 모양이나 형편을 살펴보고 하는 짐작. ¶도대체 이 일은 ~을 할 수가 없다.

가늠(을) 보다〔잡다〕 구 ㉠목표를 겨누어 보다. ㉡사물의 형편을 살피다. ¶시간을 가늠 보아 달아나다. ㉢물건의 무게를 달 때에 저울눈이 바른지를 보다.

가늠-구멍 [-꾸-] 명 소총의 가늠자 위쪽에 뚫어 놓은 작은 구멍. 총의 앞부분 끝에 달린 가늠쇠와 함께 목표물을 조준하는 데 씀. 조문(照門).

가늠-쇠 명 총의 가늠을 보기 위해 총구(銃口) 가까이에 붙인 삼각형의 작은 쇳조각. 조성(照星). *가늠자.

ㄱ

가늠-자 명 사격을 정확히 하기 위하여 총신의 위쪽에 붙여 놓은 가늠 보는 장치. 가늠구멍 등으로 이루어져, 가늠쇠와 마주 대함. 조척(照尺). ¶ ~를 들여다보고 조준을 하다.

가:능 (可能) 명하형 할 수 있음. 될 수 있음. 가망이 있음. ¶실행 ~한 계획. ↔불가능.

가:능-성 (可能性)[-썽] 명 앞으로 실현될 수 있는 성질. 그렇게 될 것 같은 가망. ¶인간이란 무한한 ~을 지니고 있다 / ~이 크다. *현실성.

***가다** 一자거라불 **1** 앞을 향하여 움직이다. ¶가도 가도 끝이 없다. **2** 목적지를 향해 떠나가다. ¶외국으로 가는 배. **3** 학교·군대 등에 몸담아 들어가다. 어떤 일에 종사하거나 일을 보러 다니다. ¶학교 갈 나이 / 시청에 ~. **4** 지향(志向)하는 방향으로 나아가다. ¶통일로 가는 길. **5** 소식·연락·말 등이 전달되다. ¶기별이 ~. **6** 기계 따위가 제대로 움직이다. ¶시계가 고장나서 가지 않는다. **7** 시선이 어떤 곳에 쏠리다. ¶눈길이 그에게만 간다. **8** 도착하다. 도달하다. ¶미국에 가면 전화해라. **9** 피해나 손해 등이 어떤 대상에 미치다. ¶남에게 피해가 안 가도록 조심하다. **10** 짐작·이해·판단 등을 하게 되다. ¶동정이 ~ / 짐작이 ~ / 만족이 ~ / 이해가 ~. **11** 값이 어느 정도에 이르다. ¶땅 한 평에 얼마나 가나. **12** 어떤 상태나 형편 등이 계속되거나 유지되다. ¶이 상태로는 오래 못 간다. **13** 금이나 주름 같은 것이 생기다. ¶그릇에 금이 ~ / 주름살이 간 얼굴. **14** 힘이나 손질·품 따위가 들다. ¶손이 많이 가는 일. **15** 어떤 수준이나 정도에 이르다. ¶당대 최고 가는 문인. **16** 어떤 때나 지경에 이르다. ¶내년쯤 가서 수출이 가능해지겠다. **17** 시간이 지나거나 흐르다. ¶시간 가는 줄 모르다. **18** 사람이 죽다. ¶저승으로 ~. **19** 불이 꺼지거나 전기가 나가다. ¶전깃불이 ~. **20** 음식물 따위가 상하여 변하거나 맛이 없어지다. ¶맛이 ~ / 물이 간 생선/입맛이 ~. ↔오다. 二타거라불 **1** 어떤 목적을 위하여 떠나거나 그 과정으로 들어가다. ¶유학을 ~ / 시집을 ~. **2** 어떤 곳을 통과하여 움직이다. ¶산길을 ~. **3** 어떤 기간을 지속해 나가다. ¶한번 정한 마음이 사흘을 못 간다. ↔오다. 三보동거라불 동사의 부사형 어미 '-아'나 '-어'의 뒤에 붙어 그 동작이 계속 진행됨을 나타내는 말. ¶실력을 자꾸 쌓아 ~ / 물가가 해마다 높아 간다 / 일이 잘돼 간다 / 쉬어 가며 일하다 / 시들어 가는 꽃. ↔오다.
[가는 날이 장날] 우연히 갔다가 의외로 공교로운 일을 만났을 때 쓰는 말. [가는 말이 고와야 오는 말이 곱다] 자기가 남에게 잘 대해 주어야 남도 자기에게 잘 대해 준다는 말.

가다가 부 이따금. 간혹. 어쩌다가.

가다-가다 부 '가다가'보다 조금 간격을 두고 이따금. ¶~ 좋은 일도 있긴 하다.

가다듬다 [-따] 타 **1** 정신·마음 따위를 바로 차리다. ¶기억을 가다듬어 대답하다. **2** 태도나 매무새 따위를 바르게 하다. ¶옷 매무새를 가다듬고 절을 하다. **3** 목청이나 숨을 고르다. ¶가쁜 호흡을 ~ / 무대에 서기 전에 목청을 ~. **4** 흐트러진 조직이나 대열을 다시 갖추다. ¶전열을 ~.

가-다랑어 명 〖어〗 고등엇과의 바닷물고기. 길이 1m가량, 모양은 방추형으로 등은 검은 청자색, 배는 은백색임. 중요한 식용 어종으로 횟감이나 통조림 등으로도 많이 씀.

가닥 一명 **1** 한곳에서 갈려 나간 낱낱의 줄. ¶여러 ~으로 꼰 실. **2** 빛이나 흐름 따위의 줄기. **3** ('한 가닥'의 꼴로 쓰여) 아주 약간. ¶한 ~의 희망. 二의명 줄이나 줄기를 세는 말. ¶실 두 ~.

가닥-가닥 명부 여러 가닥. 가닥마다.

가닥가닥-이 부 가닥마다. 가닥가닥.

가-단조 (-短調)[-쪼] 명 〖악〗 '가' 음을 으뜸음으로 하는 단조.

가담 (加擔) 명하자 한편이 되어 일을 함께 함. ¶시위에 ~하다.

가:당-찮다 (可當-)[-찬타] 형 **1** 도무지 사리에 맞지 않다. ¶가당찮은 변명을 늘어놓다. **2** 쉽사리 감당할 수 없을 만큼 대단하다. ¶가당찮게 춥다. **가:당-찮이** [-찬-] 부

가:당-하다 (可當-) 형여불 **1** 대체로 사리에 맞다. **2** 정도나 수준 따위가 비슷하게 맞다. **가:당-히** 부

가대기 명 가까운 거리에서 쌀가마니 따위의 무거운 짐을 갈고리로 찍어 당겨 어깨에 메고 나르는 일.

가-대인 (家大人) 명 자기 아버지의 경칭.

가댁-질 명하자 서로 피하고 잡고 하는, 아이들의 장난.

가도 (家道) 명 **1** 가정 도덕. 집안에서 마땅히 지켜야 할 도덕적 규범. **2** 한 집안의 살림 형편. 가계(家計).

가:도 (街道) 명 **1** 큰 길거리. 가로(街路). **2** 도시 사이를 잇는 큰길. ¶경춘 ~를 달리다. **3** 막힘이 없이 탄탄한 진로를 비유적으로 이르는 말. ¶출세 ~를 달리다.

가:-도관 (假導管) 명 〖식〗 헛물관.

가:도-교 (架道橋) 명 육교(陸橋)1.

가독 (家督) 명 집안의 대를 이어 나갈 맏아들의 신분을 이르는 말.

가:동 (可動) 명 움직일 수 있음. ¶~ 장치.

가동 (稼動) 명하자타 기계 따위를 움직여 일함. 또는 일하게 함. ¶공장의 기계들이 ~을 멈추다 / 24시간 공장을 ~하고 있다 / 난방 장치가 ~되다 / 에어컨을 ~시키다.

가동-가동 一감 어린아이에게 가동질을 시킬 때 하는 소리. 二부하자타 가동거리는 모양.

가동-거리다 자타 가동질을 하다. 가동질을 시키다.

가:동-교 (可動橋) 명 선박의 통행 등을 위하여 다리의 전부 또는 일부를 움직일 수 있게 만든 다리《승개교·선개교·도개교 따위》. 개폐교(開閉橋).

가동-대다 자타 가동거리다.

가동-력 (稼動力)[-녁] 명 가동하는 능력.

가동-률 (稼動率)[-뉼] 명 일정 기간에 생산 설비가 실제 가동한 시간의 비율. ¶불경기로 공장 ~이 점점 떨어진다.

가:동-성 (可動性)[-썽] 명 **1** 움직일 수 있는 성질. **2** 움직이기 쉬운 성질.

가동-질 명하자타 어린아이의 겨드랑이를 치켜들고 올렸다 내렸다 할 때, 아이가 다리를 오그렸다 폈다 하는 짓. 또는 그렇게 시키는 짓.

가:두 (街頭) 명 도시의 큰 길거리. ¶～ 시위/～ 검문/시위대가 ～로 진출하다.

***가두다** 타 **1** 한정된 곳에 집어넣어 밖으로 나오지 못하게 하다. ¶죄인을 독방에 ～. **2** 물 따위를 일정한 곳에 괴어 있게 하다. ¶논물을 ～.

가:-두리 명 물건의 가에 둘린 언저리.

가:두-판매 (街頭販賣) 명 길거리에 벌여 놓고 팔거나 돌아다니며 파는 일. 준가판(街販).

가둥-거리다 자타 몸피 작은 사람이 엉덩잇짓을 자꾸 하다. **가둥-가둥** 부하자타

가둥-대다 자타 가둥거리다.

가드 (guard) 명 **1** 농구의 후위(後衛). **2** 권투에서 두 손을 들어 막는 자세.

가드락-거리다 자 경망스럽게 자꾸 버릇없이 굴다. 큰거드럭거리다. 센까드락거리다. 준가들거리다. **가드락-가드락** 부하자

가드락-대다 자 가드락거리다.

가드-레일 (guardrail) 명 **1** 철도에서, 바퀴의 탈선 따위를 막기 위해 본선(本線) 레일과 평행되게 설치한 보조 레일. **2** 커브길이나 벼랑길 등의 바깥쪽, 인도와 차도의 경계 등에 설치한 띠 모양의 사고 방지용 철책이나 시설물.

가드-펜스 (guard fence) 명 차도와 보도의 경계나, 고속도로의 중앙 분리대에 설치한 철망 따위의 시설물.

***가득** 부 분량이나 수효가 한도에 꽉 찬 모양. ¶장내를 ～ 메운 관중들/술을 ～ 따르다. 큰그득. 센가뜩.

가득 (稼得) 명하타 가동하여 결과를 얻음.

가득-가득 부하형히부 각각 모두 가득한 모양. 큰그득그득. 센가뜩가뜩.

***가득-하다** [-드카-] 형여불 분량·수효가 한도에 차다. 큰그득하다. 센가뜩하다. **가득-히** [-드키] 부. ¶한잔 ～ 붓다.

가든-가든 부하형히부 각각 모두 가든한 모양. 큰거든거든. 센가뜬가뜬.

가든-그리다 타 가든하게 거두어 싸다. 큰거든그리다.

가든-파티 (garden party) 명 많은 손님을 초청하여, 정원에서 먹고 마시는 모임. 원유회.

가든-하다 형여불 가볍고 단출한 느낌이 있다. ¶가든한 몸차림. 큰거든하다. 센가뜬하다. **가든-히** 부

가들-거리다 자 '가드락거리다'의 준말. **가들-가들** 부하자

가들-대다 자 가들거리다.

가들막-거리다 자 신이 나서 잘난 체하며 자꾸 버릇없이 굴다. 큰거들먹거리다. 센까들막거리다. **가들막-가들막** 부하자

가들막-대다 자 가들막거리다.

가들막-하다 [-마카-] 형여불 거의 가득하다. 큰그들먹하다.

가:-등기 (假登記) 명 〖법〗 본등기(本登記)를 할 조건이 갖추어지지 않았을 때에 임시로 하는 등기.

가뜩 부 **1** 아주 꽉 차게. 큰그뜩. 여가득. **2** 가뜩이나.

가뜩-가뜩 부하형 각각 모두 가뜩한 모양. 큰그뜩그뜩. 여가득가득.

가뜩-이 부 **1** 가뜩1. ¶물을 ～ 따라라. 큰그뜩이. **2** 가뜩이나.

가뜩-이나 부 그러지 않아도 매우. ¶～ 힘들어 죽겠는데, 왜 너까지 말썽이냐.

가뜩-하다 [-뜨카-] 형여불 분량이나 수효가 한도에 꽉 차다. ¶마당이 구경꾼으로 ～. 큰그뜩하다. 여가득하다.

가뜬-가뜬 부하형히부 모두가 다 가뜬한 모양. 큰거뜬거뜬. 여가든가든.

가뜬-하다 형여불 몸이나 마음이 가볍고 상쾌하다. ¶샤워를 하자 심신이 가뜬했다/가뜬한 복장을 하다. 큰거뜬하다. 여가든하다. **가뜬-히** 부

가라-말 명 〖동〗 털빛이 검은 말.

가라사대 불자 말씀하시기를(('가로되'의 높임말)). ¶공자 ～.

***가라-앉다** [-안따] 자 **1** 뜬 것이 바닥에 내려앉다. ¶먼지가 ～/거센 파도로 배가 가라앉았다. **2** 상태가 수그러들거나 진정되다. ¶흥분이 ～/무릎 통증이 ～/소란이 ～. **3** 부기(浮氣)가 내리다. ¶부은 다리가 ～. 준갈앉다.

가라-앉히다 [-안치-] 타 (('가라앉다'의 사동)) 가라앉게 하다. ¶들뜬 마음을 ～/포격으로 적선을 ～. 준갈앉히다.

가라오케 (일 からオケ) 명 노래의 반주 음악만을 녹음한 테이프나 음반. 또는 그것을 트는 장치.

가라지 명 〖식〗 밭에 난 강아지풀. 준가랒.

***가락**[1] 一명 **1** 물레로 실을 자을 때, 실이 감기는 쇠꼬챙이. **2** 가늘고 길게 토막이 난 물건의 낱개. ¶엿의 ～이 굵다/윷의 ～. 二의명 가늘고 길게 토막이 난 물건을 세는 말. ¶엿 다섯 ～.

가락(을) 내다 구 윷을 놀 때, 윷가락을 잘 던져 마음먹은 대로 엎기도 하고 잦히기도 하다.

***가락**[2] 명 **1** 〖악〗 소리의 길이와 높낮이의 어울림. ¶가야금의 아름다운 ～. **2** 일의 능률이나 기분. ¶옛날 ～이 되살아나다.

가락(을) 떼다 구 ㉠풍류를 치다. ㉡신나는 일에 첫 동작을 시작하다.

가락(이) 나다 구 일이 궤도에 올라 호조(好調)를 나타내다.

가락(이) 맞다 구 노래나 하는 짓이 서로 척척 잘 들어맞다.

가락-가락 부 가락마다. 가락가락이.

가락가락-이 부 가락가락.

가락-국수 명 발을 굵게 뽑은 국수의 하나. 또는 그것을 삶아서 맑은장국에 만 음식.

가락지 명 **1** 손가락에 치장으로 끼는 두 짝의 고리. ¶～를 낀 손. *반지. **2** 기둥머리를 둘러 감은 쇠테.

가락지1

가람 (伽藍) 명 〖불〗 '승가람마(僧伽藍摩)'의 준말.

가:랑 (佳郞) 명 얌전한 신랑. 얌전한 소년.

가랑-가랑[1] 부하형 **1** 액체가 가장자리까지 거의 찰 듯 찰 듯한 모양. ¶눈물이 ～ 맺히다. **2** 국물은 많고 건더기가 적어서 조화되

지 않은 모양. **3** 물을 많이 먹어서 배 속에 물이 가득히 괴어 있는 모양. (큰)그렁그렁. ㉮카랑카랑.

가랑-거리다 [자타] '가르랑거리다'의 준말.

가랑-가랑[2] [부하자타] **1** '가르랑가르랑'의 준말. **2** 숨이 곧 끊어질 듯한 모양. 또는 그러한 숨소리. ¶약한 숨이 ~ 붙어 있다.

가랑-눈 [명] 조금씩 잘게 내리는 눈. 분설(粉雪). 세설(細雪). *가랑비.

가랑-니 [명] 서캐에서 깨어 나온 지 얼마 안 되는 새끼 이.

가랑-대다 [자타] 가랑거리다.

가랑-머리 [명] 두 가랑이로 갈라 땋아 늘인 머리. ¶~를 한 소녀.

가랑-무 [명] 밑동이 두세으로 가랑이진 무.

가랑-비 [명] 가늘게 내리는 비. 세우(細雨).

[가랑비에 옷 젖는 줄 모른다] 아무리 사소한 것이라도 그것이 거듭되면 무시하지 못할 정도로 크게 된다는 말.

가랑이 [명] **1** 원 몸의 끝이 갈라져 벌어진 부분. ¶~를 벌리고 앉다. **2** 바지 따위에서 다리가 들어가게 된 곳. ¶~가 터지다.

가랑이(가) 찢어지다〔째지다〕 [구] ㉠몹시 가난하다. ¶가랑이가 찢어지게 가난하다. ㉡하는 일이 힘에 부치다.

가랑이-지다 [자] 끝이 가랑이로 갈라지다.

가랑이-표(-標) [명] 〖인〗 '<'의 이름. 문장에서는 '큰말표'로 쓰고, 수식(數式)에서는 '부등호'로 씀. *거꿀가랑이표.

가랑-잎 [-닙] [명] 활엽수의 마른 잎. (준)갈잎.

[가랑잎에 불 붙기] 성질이 조급하고 아량이 적음을 비유한 말. [가랑잎이 솔잎더러 바스락거린다고 한다] 자기의 허물은 생각지 않고 남을 나무란다는 말.

가랖 [-랍] [명] 〖식〗 '가라지'의 준말.

가래[1] [一명] 흙을 떠서 던지는 기구. [二의명] 가래로 흙을 뜨는 양(量)이나 횟수를 세는 말. ¶한 ~ / 흙 서너 ~를 퍼서 삼태기에 담다.

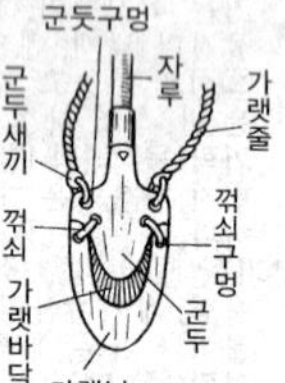

군둣구멍
자루
가랫줄
군두새끼
꺾쇠
꺾쇠구멍
가랫바닥
군두
가랫날

가래[1]

가래[2] [명] 〖생〗 목구멍이나 기관(氣管)에서 나오는 끈적끈적한 분비물. 담(痰). 가래침. ¶~를 뱉다 / ~가 끓다.

가래[3] [명] 가래나무의 열매. 호두 비슷하나 먹지 못함. 추자(楸子).

가래[4] [一명] 떡·엿 따위를 둥글고 길게 늘여 놓은 토막. ¶떡을 ~로 뽑다. [二의명] 떡이나 엿의 토막을 세는 말.

가래-꾼 [명] 가래질을 하는 사람. 가래질꾼.

가래-나무 [명] 〖식〗 가래나뭇과의 낙엽 활엽 관목. 산기슭이나 골짜기에 남. 핵과(核果)는 가을에 익음. 목질(木質)이 단단하여 가구재·조각재 따위로 씀. 추목(楸木).

가래다 [타] **1** 맞서서 옳고 그름을 따지다. **2** 남의 일을 방해하다.

가래-떡 [명] 둥글려 길고 가늘게 만든 흰떡.

가래-엿 [-엳] [명] 둥글려 길고 가늘게 만든 엿. 가락엿.

가래-질 [명하자] 가래로 흙 따위를 퍼서 옮기는 일.

가래질-꾼 [명] 가래꾼.

가래-침 [명] **1** 가래가 섞인 침. **2** 가래[2].

가래-톳 [-톧] [명] 허벅다리 윗부분의 림프샘이 부어 생긴 멍울. ¶~이 서다.

가랫-날 [-랜-] [명] 가래 끝에 끼우는 삽 모양의 쇠《양쪽에 꺾쇠구멍이 있음》.

가:량(假量) [명하타] 대강 헤아려 짐작함. 어림짐작. ¶~을 할 수 없는 금액.

*__-가량__(假量) [미] 수량을 대강 어림쳐서 나타내는 말. 쯤. ¶열 명~ 모였다 / 식수(食水)가 얼마~ 필요한가.

가량-맞다 [-맏따] [형] 조촐하지 못하여 격에 맞지 아니하다. (큰)거령맞다.

가량-스럽다〔-스러우니, -스러워〕 [형ㅂ불] 조촐하지 못하여 격에 맞지 않은 데가 있다. (큰)거령스럽다. **가량-스레** [부]

가:량-없다(假量-)[-업따] [형] **1** 어림짐작이 없다. **2** 어림짐작도 할 수 없다. ¶높이가 ~. **가:량-없이** [-업씨] [부]

가려-내다 [타] **1** 분간하여 추리다. ¶불량품을 ~. **2** 잘잘못이나 범인 따위를 밝혀내다. ¶진범을 ~ / 시비를 ~.

가려-먹다 [자타] 입에 맞는 음식만 골라서 먹다. 편식(偏食)하다.

가려움 [명] 가려운 느낌.

가려워-하다 [자여불] 가려움을 느끼다.

가려-잡다 [타] 골라잡다.

가려-지다[1] [자] 가려서 보이지 않다.

가려-지다[2] [자] 잘잘못이 분명하게 밝혀지다.

가력(家力) [명] 살림살이를 해 나가는 재력. 터수. ¶~이 넉넉하다.

가:련-하다(可憐-) [형여불] 신세가 딱하고 가엾다. ¶늙고 병든 가련한 노인. **가:련-히** [부]. ¶~ 여기다.

가:렴(苛斂) [명하타] 세금 따위를 가혹하게 거둠.

가:렴-주구(苛斂誅求) [명] 세금을 혹독하게 징수하고, 강제로 재물을 빼앗음. ¶~로 백성들이 도탄에 빠지다.

*__가렵다__〔가려우니, 가려워〕 [형ㅂ불] 피부에 긁고 싶은 느낌이 있다. ¶등이 ~ / 가려운 곳을 자꾸 긁다.

가려운 데를 긁어 주다 [구] 꼭 필요한 것을 잘 알아 만족시켜 주다.

가:령(假令) [부] 예를 들면. 이를테면《가정하여 말할 때 쓰는 말》. ¶~ 내가 복권에 당첨됐다고 하자.

가례(家禮) [명] 한 집안의 예법.

가례(嘉禮) [명] **1** 왕의 성혼(成婚)·즉위 또는 세자·세손·태자의 성혼·책봉 때 하던 예식. **2** 경사스러운 예식.

*__가로__ [명부] **1** 좌우로 건너지른 상태. 또는 그 길이. ¶옷장의 ~ 너비를 재다 / 고개를 ~ 젓다 / 직선을 ~로 긋다. ↔세로. **2** 옆으로 퍼진 모양새.

가로 뛰고 세로 뛰다 [구] 감정이 북받쳐 이리저리 날뛰다.

가로 지나 세로 지나 [구] 이렇게 되든지 저렇게 되든지. 외로 지나 바로 지나.

가로(街路) [명] 시가지의 도로.

가로-거치다 [자] 앞에서 거치적거려 일에 방해가 되다.

가로-결 명 널빤지나 종이 따위의, 가로로 난 결. ↔세로결.
가로-글씨 명 글줄을 왼쪽에서 오른쪽 또는 오른쪽에서 왼쪽으로 써 나가는 글씨. 횡서(橫書). ↔세로글씨.
가로-금 명 가로로 그은 금. 가로줄. 횡선. ↔세로금.
가로-꿰지다 자 1 물건의 옆면이 터지다. 2 터져서 속의 것이 밖으로 드러나다. 3 성격이나 언동이 빗나가다. ¶가로꿰진 아이를 바로잡아 주다. 4 일이 중도에서 잘못되다. ¶잘되어 가던 계획이 실수로 그만 가로꿰지고 말았다.
가로-나비 명 피륙 같은 것의 폭의 넓이.
가로-놓다 [-노타] 타 가로질러 놓다.
가로-놓이다 [-노-] 자 1《'가로놓다'의 피동》가로질러 놓이다. 2 장애물이나 어려움 따위가 앞에 버티고 있다. ¶어려운 일이 가로놓여 있다.
가로-누이다 타《'가로눕다'의 사동》옆으로 눕게 하다.
가로-눕다 〔-누우니, -누워〕 자ㅂ불 1 옆으로 눕다. 2 바닥에 기다랗게 눕거나, 누운 것같이 놓이다.
가로다 불자 ('가로되·가론'의 꼴로 쓰여) '말하다'의 뜻을 예스럽게 이르는 말.
가로-다지 명 1 가로로 된 방향. ¶~로 놓다. 2 가로지른 물건.
가로-닫이 [-다지] 명 가로로 여닫게 된 창이나 문. *내리닫이[2].
가로-대 명 1 가로지른 나무 막대기. 2 천칭(天秤)의 가로놓인 저울대. 3〔수〕엑스축(X軸). 횡축. ↔세로대.
가로-등 (街路燈) 명 밤에 길을 밝히기 위해 달아 놓은 등.
가로-띠 명 가로로 두르거나 뻗친 띠. 횡대(橫帶). ↔세로띠.
가로-막 (-膜) 명〔생〕횡격막(橫隔膜).
가로-막다 타 1 앞을 가로질러 막다. ¶길을 ~. 2 말이나 행동, 일 따위를 제대로 하지 못하게 방해하다. ¶말을 ~. 3 앞이 보이지 않도록 가리다. ¶시야를 ~.
가로-막히다 [-마키-] 자《'가로막다'의 피동》가로막음을 당하다. ¶남북이 38선으로 ~.
가로-맡다 [-맏따] 타 1 남의 일을 가로채서 맡다. ¶싸움을 ~. 2 남의 일에 참견하다.
가로-무늬 [-니] 명 가로로 난 무늬. 횡문(橫紋). ↔세로무늬.
가로무늬-근 (-筋)[-니-] 명〔생〕무수한 가로무늬가 있는 근육 조직. 마음대로 움직일 수 있음. 횡문근(橫紋筋). ↔민무늬근(筋). *수의근(隨意筋).
가로-변 (街路邊) 명 도시의 큰길가.
가로-새다 자 중간에서 슬그머니 빠져나가다. ¶수업 중 ~.
가로-서다 자 1 옆으로 서다. 2 몹시 놀라거나 화가 나서 눈동자가 한쪽으로 쏠리다.
가로-세로 一명 가로와 세로. ¶바둑판의 ~의 줄. 二부 가로로 또는 세로로. 이리저리 여러 방향으로. ¶~ 길게 뻗은 도시의 도로.
가로-수 (街路樹) 명 길을 따라 줄지어 심은 나무. ¶~를 따라 산책을 하다.
가로-쓰기 명 글씨를 가로로 써 나가는 방식. 횡서. ↔세로쓰기.
가로-장 명 가로로 건너지른 나무. 가로대.
가로-젓다 〔-저으니, -저어〕 타ㅅ불 거절이나 부정의 뜻으로, 머리를 좌우로 흔들다.
가로 좌:표 (-座標)〔수〕엑스 좌표(X座標). 횡좌표(橫座標). ↔세로 좌표.
가로-줄 명 1 가로로 그은 줄. 횡선. ↔세로줄. 2 모를 심을 때 가로로 치는 못줄.
가로-지르다 〔-지르니, -질러〕 타르불 1 가로로 건너지르다. ¶빗장을 ~. 2 어떤 곳을 질러 건너가다. ¶큰길을 가로질러 가다.
가로-질리다 자《'가로지르다'의 피동》가로지름을 당하다.
가로-채기 명〔컴〕인터럽트.
가로-채다 타 1 갑자기 옆에서 쳐서 빼앗다. ¶핸드백을 ~. 2 남의 것을 옳지 못한 방법으로 빼앗다. ¶남의 땅을 ~. 3 남이 말하는 중간에 끼어들어 말을 가로막고 못하게 하다. ¶사회자의 말을 가로채고 자기 말만 한다.
가로-채이다 자타《'가로채다'의 피동》가로챔을 당하다.
가로-축 (-軸) 명〔수〕엑스축(X軸).
가로-타다 타 1 산길 같은 데를 가로질러 타고 가다. ¶산길을 가로타고 가다. 2 몸을 모로 하고서 타다. ¶자전거 뒷자리에 가로타고 가다.
가로-퍼지다 자 1 옆으로 자라다. 옆으로 커지다. 2 살이 쪄서 퉁퉁해지다. ¶가로퍼진 몸.
가로-획 (-劃) 명 글자에서 가로로 긋는 획. ↔세로획.
가록 (家祿) 명 세습적(世襲的)으로 대대로 물려받는 녹. 세록(世祿).
가료 (加療) 명 병이나 상처를 치료함.
***가루** 명 썩 잘고 보드랍게 부스러진 것. 분말(粉末). ¶고운 ~ / ~를 내다 / 체로 ~를 치다.
[가루는 칠수록 고와지고 말은 할수록 거칠어진다] 말이 많음을 경계하는 말.
가루-눈 명 가루 모양의 눈. *함박눈.
가루다 자타 1 자리를 함께 나란히 하다. 2 맞서 견주다.
가루-받이 [-바지] 명하자〔식〕수분(受粉).
가루-분 (-粉) 명 가루로 된 분.
가루-붙이 [-부치] 명 1 음식물의 재료가 되는 가루. 2 가루를 재료로 하여 만든 음식. 가루음식.
가루-비누 명 1 가루로 된 비누. 2 합성 세제(合成洗劑)를 흔히 이르는 말.
가루-약 (-藥) 명 가루로 된 약. 분말약. 산약(散藥). *알약·물약.
가루-우유 (-牛乳) 명 가루로 된 우유. 분유(粉乳).
가루-음식 (-飮食) 명 가루붙이2.
가루-체 명 가루를 치는 데 쓰는 체.
***가르다** 〔가르니, 갈라〕 타르불 1 무엇을 베거나 쪼개다. ¶배를 ~ / 수박을 갈라 먹다. 2 따로따로 구별되게 하다. ¶크기에 따라 ~ / 편을 ~. 3 나누다. ¶몫을 반씩 ~. 4 양쪽으로 헤쳐서 열다. ¶물살을 ~ / 화살이 바람을 가르며 날아갔다. 5 옳고 그름을 따져 구분하다. ¶흑백을 ~.

ㄱ

가르랑-거리다 자타 가래가 목구멍 안에 생겨 숨쉬는 대로 떨려 소리가 자꾸 나다. 또는 그런 소리를 자꾸 내다. ㉔그르렁거리다. ㊅가랑거리다. **가르랑-가르랑** 부 하자타. ¶목구멍에서 ~ 가래 걸린 소리가 나다.

가르랑-대다 자타 가르랑거리다.

가르마 명 이마에서 정수리까지의 머리털을 양쪽으로 가른 금. ¶~를 타다.

*__가르치다__ 타 **1** 지식·기능 따위를 깨닫거나 익히게 하다. ¶음악을 ~ / 헤엄치는 법을 가르치고 있다. **2** 아직 모르는 일을 알도록 일러 주다. ¶비밀을 가르쳐 주다. **3** 도리나 바른길을 일깨우다. ¶역사가 가르치는 교훈. **4** 버릇 따위를 고치어 바로잡다. ¶예의범절을 ~.

가르침 명 가르쳐서 알게 하는 일. ¶~을 청하다 / ~을 받다 / 공맹(孔孟)의 ~.

가름 명하타 **1** 따로따로 나누는 일. **2** 사물이나 상황을 구별하거나 분별하는 일. ¶선수들의 투지가 승패를 ~한다.

> **'가름'과 '갈음'**
>
> 가름 '가르다(分)'의 어간에 명사형 어미 '-ㅁ'이 연결된 형태로 '나누는 것'을 뜻한다. ㉥둘로 가름.
>
> 갈음 '갈다(代替)'의 어간에 명사형 어미 '-음'이 연결된 형태로 '대신하는 것'을 뜻한다. ㉥이것으로 축사에 갈음한다.

가름-끈 명 책갈피에 끼워, 읽던 곳이나 특정한 곳의 표시로 삼는 끈. 책의 등 쪽에 달려 있음. 보람줄. 갈피끈. *서표(書標).

가름-대 [-때] 명 주판의 윗알과 아래알을 가르려고 댄 나무.

가름-솔 [-쏠] 명 솔기를 중심으로 하여 시접을 좌우 양쪽으로 갈라 붙인 솔기.

가리[1] 명 밑이 없는 통발 비슷하게 대로 엮어 만든 고기 잡는 기구.

가리[2] 명 '갈비[1]2'의 잘못.

가리[3] ㊀명 단으로 묶은 곡식·땔나무 등을 쌓은 더미. ㊁의명 볏단·땔나무 등의 스무 뭇을 일컫는 말. ¶볏짚 한 ~.

가리[4] 명 '가리새'의 준말.

가리(를) 틀다 구 ㉠잘되어 가는 일을 안되도록 방해하다. ㉡남의 횡재에 무리하게 한몫을 청하다.

가리[5] ㊀명 벗긴 삼을 말리기 위해 몇 꼭지씩 한데 묶은 것. ㊁의명 벗긴 삼을 널어 말리려고 몇 꼭지씩 묶은 것을 세는 단위.

가리-가리 부 여러 가닥으로 찢어진 모양. ㊅갈가리.

가리-개 명 머리맡이나 사랑방의 구석에 치는 두 폭의 병풍. 곡병(曲屛).

가리끼다 자 사이에 가려서 거리끼다.

가리-나무 명 솔가리를 긁어모은 땔나무.

*__가리다__[1] ㊀자 보이거나 통하지 않게 막히다. ¶사람이 가려서 안 보인다. ㊁타 보이거나 통하지 않게 가로막다. ¶앞을 ~ / 수건으로 눈을 ~.

가리다[2] 타 **1** 여럿 가운데서 어떤 것을 골라 내거나 뽑다. ¶최강자를 ~ / 불량품을 가려서 버리다. **2** 낯선 사람을 싫어하다. ¶낯을 가리는 아이. **3** 빚·외상값 따위를 셈하여 갚다. **4** 머리를 대강 빗다. **5** 분별·구별하다. ¶옥석을 ~ / 시비를 ~ / 밤낮을 가리지 않고 일하다. **6** 음식을 골라 먹다. ¶음식을 가리지 말고 골고루 먹어야 한다. **7** 똥오줌을 눌 데에 가서 누다. ¶아직도 대소변을 못 가리냐.

가리다[3] 타 곡식·땔나무 등의 단을 쌓아 더미를 짓다. ¶마당에 낟가리를 가려 놓다.

가리마 명 옛날에 부녀자가 큰머리 위에 덮어쓰던 검은 헝겊. 차액(遮額).

가리-맛 [-맏] 명 《조개》 가리맛조개. ㊅갈맛·맛.

가리맛-살 [-맏쌀] 명 가리맛조개의 속에 든 회백색의 살. ㊅맛살.

가리맛-조개 [-맏쪼-] 명 《조개》 긴맛과의 바닷조개. 길이 10 cm, 높이 3 cm, 폭 2.3 cm 내외로 원통 모양임. 식용하며 한국·일본·중국 등지에 분포함. 가리맛.

가리비 명 《조개》 가리빗과의 바닷조개. 부채 모양으로 둥글넓적하며 길이 20 cm, 높이 19 cm, 폭 50 cm 내외로 껍데기는 고랑이 지고 담갈색임. 살은 먹고 껍데기는 세공(細工)에 씀.

가리사니 명 **1** 사물을 판단할 만한 지각. ¶~ 없는 사람. **2** 사물을 분간할 수 있는 실마리. ¶~를 잡을 수 없다.

가리-새 명 일의 갈피와 조리. ㊅가리[4].

가리어-지다 [-/-여-] 자 무엇이 사이에 가리게 되다. ¶범죄가 비밀에 ~.

가리온 명 털은 희고 갈기가 검은 말.

가리우다 타 《'가리다'의 사동》 가리게 하다.

가리워-지다 자 '가리어지다'의 잘못.

가리이다 자 《'가리다㊁'의 피동》 가림을 당하다.

가리-질 명하자 가리로 물고기를 잡는 일.

*__가리키다__ 타 **1** 손가락 따위로 어떤 방향이나 대상을 지시하거나 알려 주다. ¶손짓으로 북쪽을 ~ / 시곗바늘은 정각 여섯 시를 가리키고 있다 / 길을 가리켜 주다. **2** (주로 '…을 가리켜'의 꼴로 쓰여) 특별히 집어서 지적하다. ¶자네 같은 사람을 가리켜 무골호인이라 하네.

가린-스럽다 [-스러우니, -스러워] 형ㅂ불 보기에 다랍게 인색하다. **가린-스레** 부

가마[1] 명 '가마솥'의 준말.

[가마 밑이 노구솥 밑을 검다 한다] 제 흉은 모르고 남의 흉을 본다.

가마[2] 명 숯·질그릇·기와·벽돌 등을 굽는, 아궁이와 굴뚝이 있는 시설.

가마[3] 명 사람 머리의 정수리나 마소 따위 짐승의 대가리에 소용돌이 모양으로 난 자리. 선모(旋毛).

가:마[4] 명 지난날, 조그만 집 모양으로 만들어, 그 안에 한 사람이 타고, 앞뒤에서 멜빵에 걸어 메는 탈것. 승교(乘轎). ¶~를 메다 / ~를 타다.

[가마 타고 시집가기는 (다) 틀렸다] 제 격식대로 하기는 틀렸다는 말.

가마(를) 태우다 구 그럴듯하게 추어올리다. ¶가마를 태워서 어물어물 넘기려 들지 마라.

가마[5] ㊀명 '가마니'의 준말. ㊁의명 **1** 갈모·쌈지 따위의 100개. ¶쌈지 한 ~. **2** '가마

니'의 준말. ¶쌀 두 ~.

가:마-꾼 [명] 가마를 메는 사람. 교군.

가마니 (←일 かます) [一][명] 곡식·소금 등을 담는, 짚으로 만든 섬. ¶~를 치다. [준]가마. [二][의명] 물건을 담는 가마니를 세는 말. ¶한 섬은 두 ~다. [준]가마.

가마니-때기 [명] 〈속〉 헌 가마니 조각. 낡은 가마니의 낱개. [준]가마때기.

가마득-하다 [-드카-] [형][여불] **1** 거리가 아주 멀어서 아득하다. ¶가마득한 지평선 너머. **2** 아주 오래되어 아득하다. ¶가마득한 옛날. [센]까마득하다. **가마득-히** [-드키] [부]

가마-때기 [명] '가마니때기'의 준말.

-가마리 [미] 명사 뒤에 붙어 늘 그 말의 대상이 되는 사람임을 나타내는 말. ¶놀림~/맷~/걱정~/웃음~/욕~.

가마솥

가마-솥 [-솓] [명] 음식을 끓이거나 밥을 짓는 데 쓰는 무쇠로 만든 솥. 대개 크고 우묵함. [준]가마.

가마솥에 든 고기 [구] 꼼짝없이 죽게 된 신세의 비유.

가마솥-더위 [-솓떠-] [명] 가마솥 속처럼 뜨겁고 숨 막히는 더위.

가마아득-하다 [-드카-] [형][여불] '가마득하다'의 본딧말. [센]까마아득하다. **가마아득-히** [-드키] [부]

가마우지 [명] 〔조〕 가마우짓과에 속하는 새의 총칭. 깃이 검고 부리가 길며 발가락 사이에 물갈퀴가 있음. 물고기를 잡아먹는 겨울 철새로 한국·일본 등지에 분포함. 노자(鸕鷀). [준]우지.

가마-터 [명] 그릇을 굽는 가마가 있던 옛터. 요지(窯址).

가마-통 [명] **1** 한 가마니에 드는 분량. 보통, 대두(大斗) 닷 말. **2** 빈 가마니.

가막-부리 [명] 제도(製圖)에 쓰는 기구의 하나. 끝을 까마귀 부리 모양으로 강철로 만들어, 먹물이나 물감을 찍어 줄을 긋는 데 씀. 강필(鋼筆). 오구(烏口).

가막부리

가막-조개 [명] 〔조개〕 참조갯과에 속하는 조개. 모양은 둥글고 높이와 길이가 각 5cm 가량, 폭은 3cm 내외임. 껍데기는 갈색, 가장자리는 자색이며 해안의 얕은 진흙 속에 살고, 식용함. 가무라기. 모시조개.

가만 [一][부] 가만히. ¶제발 ~ 놔 둬/~ 보고만 있다. [二][감] 남의 말이나 행동을 막을 때 쓰는 말. ¶~, 조용히.

가만-가만 [부][하형][히부] 아주 조용하게. 남이 모르게 살그머니. ¶~ 걸어라/~ 뒤를 밟다.

가만-두다 [타] 손을 대거나 상관하지 않고 그대로 두다. ¶이번에 또 실패하면 널 가만두지 않겠다.

가만-있다 [-읻따] [자] **1** 조용히 있다. ¶떠들지 말고 가만있어/아무것도 모르면 가만있어. **2** ('가만있어'·'가만있자'·'가만있어라' 따위의 꼴로 쓰여) 떠오르지 않는 기억이나 생각을 더듬을 때 별 뜻이 없이 하는 말. ¶가만있자, 누구시더라/가만있어, 그것이 무엇이었더라.

가만-하다 [형][여불] 움직임이 매우 조용하다. 그다지 드러나지 않다. ¶가만한 미소/죽은 듯 가만하고 있다.

***가만-히** [부] **1** 움직임이 없이. 손을 쓰지 않고. ¶꼼짝 않고 ~ 앉아 있다/~ 앉아서 당할 수만은 없다. **2** 소리 없이. 조용히. ¶~ 속삭이다/떠들지 말고 ~ 있어라. **3** 넌지시. 살그머니. 지그시. ¶~ 눌러라/~ 안으로 들어가다. **4** 마음속으로 곰곰이. ¶지난 일을 ~ 생각해 보다.

가:말다 〔가마니, 가마오〕 [타] 일을 맡아 알아서 처리하다.

가:망 (可望) [명] 가능성 있는 희망. ¶회복할 ~이 없다.

가:망-성 (可望性) [-썽] [명] 가망이 있는 상태나 정도. ¶~이 없으니 포기해라.

가:맣다[1] [-마타] 〔가마니, 가마오〕 [형][ㅎ불] 아주 감다. 매우 감다. ¶가맣게 탄 얼굴. [큰]거멓다. [센]까맣다.

가:맣다[2] [-마타] 〔가마니, 가마오〕 [형][ㅎ불] **1** 거리나 동안 따위가 아주 멀어서 아득하다. ¶고향길이 ~/아직도 날짜가 ~. **2** 도무지 기억이 없다. ¶가맣게 잊었던 일. [센]까맣다.

가:-매장 (假埋葬) [명][하타] 시체를 임시로 묻음. ¶그 난리통에 제대로 장례도 못 치르고 ~으로 모셨다.

가:매-지다 [자] 빛이 가맣게 되다. [큰]거메지다. [센]까매지다.

가맹 (加盟) [명][하자] 동맹이나 연맹에 가입함. ¶~ 국가/유엔에 ~하다.

가맹-국 (加盟國) [명] 동맹이나 연맹에 가입한 나라.

가맹-점 (加盟店) [명] 고객을 위한 봉사 조직에 든 상점이나 가게. ¶카드 ~.

가:면 (假面) [명] **1** 나무·종이 등으로 만들어 얼굴에 쓰는 물건《얼굴을 가리거나 극중의 인물이 되기 위해 씀》. 탈. **2** 거짓으로 꾸민 표정.

가면(을) 벗다 [구] 거짓으로 꾸민 모습을 버리고 정체(正體)를 드러내다. 탈을 벗다.

가면(을) 쓰다 [구] 본심을 감추고, 겉으로는 그렇지 않은 것처럼 꾸미다. 탈을 쓰다.

가:면-극 (假面劇) [명] 〔연〕 가면을 쓰고 하는 연극. 탈놀음.

가:면-무 (假面舞) [명] 탈춤.

가:면-무도회 (假面舞蹈會) [명] 가면을 쓰고 하는 무도회. *가장무도회.

가:-면허 (假免許) [명] 정식 면허가 나올 때까지 임시로 주는 면허.

가:멸다 〔가머니, 가며오〕 [형] 재산이 많다. 살림이 넉넉하다.

가:멸-차다 [형] 재산이 아주 많고 살림이 풍족하다.

가:명 (佳名) [명] **1** 아름다운 이름. **2** 좋은 평판이나 명성.

가명 (家名) [명] **1** 한 집안의 명성이나 명예. ¶~을 더럽히다. **2** 집의 이름. 한 집안의 이름.

가:명 (假名) [명] 실제의 이름이 아닌 가짜 이름. ↔실명(實名)·본명(本名).

가모 (家母) [명] **1** 남에게 자기 어머니를 일컫는 말. **2** 한 집안의 주부. ↔가부(家父).

가묘 (家廟) [명] 한 집안의 사당.

ㄱ

가:묘 (假墓) 명 임시로 만들어 놓은 무덤.
가무 (歌舞) 명하자 **1** 노래와 춤. ¶ ~를 즐기다. **2** 노래하고 춤을 춤.
가무러-지다 자 **1** 정신이 가물가물하여지다. ¶ 한 대 얻어맞고 가무러졌다. **2** 등잔불이나 촛불 따위가 꺼질 듯 말 듯 하게 되다. 센까무러지다.
가무러-치다 자 잠깐 동안 정신을 잃고 죽은 것처럼 되다. ¶ 너무나 놀란 나머지 가무러쳤다. 센까무러치다.
가무리다 타 몰래 훔쳐서 혼자 차지하다. ¶ 물건을 받고 그 물목을 가무려 버렸다.
가무스레-하다 형여불 가무스름하다.
가무스름-하다 형여불 조금 검다. ¶ 가무스름하게 난 아랫수염. 큰거무스름하다. 센까무스름하다. 준가뭇하다. **가무스름-히** 부
가무음곡 (歌舞音曲) 명 노래와 춤과 음악. ¶ 국상(國喪) 중에는 ~을 삼갈 것.
가무잡잡-하다 [-짜파-] 형여불 얼굴이나 피부가 약간 짙게 가무스름하다. ¶ 가무잡잡한 얼굴 / 살갗이 가무잡잡하게 그을리다. 큰거무접접하다. 센까무잡잡하다.
가무족족-하다 [-쪼카-] 형여불 빛깔이 고르지 못하고 깨끗하지 못하게 거무스름하다. 큰거무죽죽하다.
가무칙칙-하다 [-치카-] 형여불 곱지 않고 짙게 감다. 큰거무칙칙하다.
가무퇴퇴-하다 형여불 흐리터분하게 가무스름하다. 큰거무튀튀하다.
가문 (家門) 명 **1** 집안과 문중. ¶ ~의 명예 / ~을 빛내다 / ~을 욕되게 하다. **2** 집안의 사회적 지위. ¶ 훌륭한 ~.
 가문(을) 흐리다 구 한 집안이나 문중의 명예를 더럽히다.
가문 (家紋) 명 한 가문의 표지(標識)로 정한 문장(紋章)《옛날 유럽 귀족이나 일본 등에서 볼 수 있음》.
가문비-나무 명 〖식〗 소나뭇과의 상록 침엽 교목. 높이는 30 m가량, 나무껍질은 회흑색에 비늘 모양임. 깊은 산에 나며 재목은 건축재·펄프 원료 등으로 씀. 가문비.
가:-문서 (假文書) 명 가짜로 꾸며 만든 문서. *위조문서.
***가물** 명 가뭄. ¶ ~에 단비/~을 타다/~이 들다.
 [가물에 돌 친다] 가뭄에 강바닥에 있는 돌을 미리 치워서 물길을 낸다는 뜻으로, 무슨 일이든지 미리 준비를 해야 한다는 말. [가물에 콩 나듯] 일이나 물건이 드문드문 나타난다는 말.
 가물-거리다 자 **1** 불빛 같은 것이 아주 약해서 희미하게 사라질 듯 말 듯하다. ¶ 가물거리는 촛불. **2** 멀리 있는 물건이 희미하게 보일 듯 말 듯하다. ¶ 바다가 눈물과 안개 속에 ~. **3** 정신이 맑지 못하여 의식 등이 있는 둥 만 둥하다. ¶ 가물거리는 기억. 큰거물거리다. 센까물거리다. **가물-가물** 부하자형
 가물다 〔가무니, 가무오〕 자 오랫동안 비가 오지 않다. ¶ 날이 몹시 ~.
 가물-대다 자 가물거리다.
 가물-철 명 **1** 비가 오지 아니하고 가뭄이 계속되는 때. **2** 가뭄철.
 가물치 명 〖어〗 가물칫과의 민물고기. 길이 60 cm가량, 빛은 짙은 암청갈색이며, 배는 흼. 번식기에는 물가의 얕은 곳으로 옮김. 식용 또는 산모의 보혈약 등으로 씀. 뇌어(雷魚).
***가뭄** 명 오랫동안 계속해서 비가 오지 않는 날씨. 가물. ¶ ~이 들다 / ~ 피해가 심하다 / 오랜 ~ 끝에 단비가 촉촉이 내리다.
 가뭄-더위 명 가뭄에 의한 여름날의 더위.
 가뭄-철 명 해마다 으레 가뭄이 드는 계절. 가물철.
 가뭇-가뭇 [-묻까묻] 부하형 점점이 감은 모양. 큰거뭇거뭇. 센까뭇까뭇.
 가뭇-없다 [-묻업따] 형 **1** 눈에 띄지 않다. **2** 간 곳을 알 수 없다. **3** 소식이 없다. **4** 흔적이 없다. **가뭇-없이** [-묻업씨] 부. ¶ 봄기운이 ~ 사라지다.
 가뭇-하다 [-무타-] 형여불 '가무스름하다'의 준말. 큰거뭇하다. 센까뭇하다.
 가미 (加味) 명하타 **1** 음식에 양념·식료품·향신료 등을 넣어 맛이 더 나게 함. ¶ 냉면에 식초를 ~하다. **2** 다른 요소를 보태어 넣음. ¶ 법에 인정을 ~하다.
 가:미 (佳味·嘉味) 명 **1** 좋은 맛. **2** 맛있는 음식. 진미(珍味).
 가:발 (假髮) 명 머리털 따위로 여러 가지 머리 모양을 만들어 쓰거나 붙이는 가짜 머리.
***가방** 명 〔네 kabas〕 **1** 물건을 넣어 들거나 메고 다니는 휴대 용구의 하나《가죽이나 천, 비닐 따위로 만듦》. **2** 책가방.
 가배 (嘉俳·嘉排) 명 〖역〗 신라 유리왕(儒理王) 때, 나라 안의 여자들을 두 편으로 갈라 길쌈 겨루기를 하여 진 편에서 8월 보름날에 음식을 내고 놀던 놀이. 이 풍습이 지금의 추석이 됨. 가우(嘉優). 가위.
 가백 (家伯) 명 남에게 자기 맏형을 일컫는 말. 사백(舍伯).
 가벌 (家閥) 명 한 집안의 사회적 지위. 가문(家門). 문벌(門閥).
 가법 (加法) [-뻡] 명 '덧셈'의 구용어. ↔감법(減法).
 가법 (家法) 명 한 집안의 법도나 규율.
 가벼이 부 가볍게. 대수롭지 않게. ¶ 그를 ~ 보지 마라 / 조국을 위해 이 한 목숨 ~ 버리겠다.
 가:변 (可變) 명 상태나 모양 따위가 바뀌거나 달라질 수 있음. ↔불변.
 가:변 비:용 (可變費用) 〖경〗 생산량의 증감에 따라 변화하는 비용《원료비·노무비·동력비·기계 수선비 따위》. ↔불변 비용.
 가:변-성 (可變性) [-썽] 명 일정한 조건에서 변할 수 있는 성질. ↔불변성.
 가:변 자본 (可變資本) 〖경〗 생산에 드는 자본 가운데 노동력에 대한 임금 등으로 지출되는 자본. ↔불변 자본.
 가:변 저:항기 (可變抵抗器) 〖물〗 전기 저항의 값을 가감(加減)할 수 있는 저항기《전류·전압의 조정에 씀》. 가감 저항기.
 가:변-적 (可變的) 관명 바꿀 수 있거나 바뀔 수 있는 (것). ¶ ~ 상황을 고려하다.
 가:변 차로 (可變車路) 자동차가 많이 다니는 길에서 교통량에 따라 중앙선이 변경·조절되는 차로《차량 통행이 많은 쪽은 늘리고 적은 쪽은 줄임》.

*가볍다 〔가벼우니, 가벼워〕 형ㅂ불 1 무게가 적게 나가다. ¶나무는 돌보다 ~. 2 중대하지 않다. 중요하지 않다. ¶사태를 가볍게 보다. 3 경솔하다. 행동에 생각이 부족하다. ¶입이 ~/궁둥이가 ~. 4 책임이나 부담이 많지 않다. ¶책임이 ~. 5 가뜬하고 경쾌하다. ¶가벼운 옷차림. 6 심하지 않다. 심각하지 않다. ¶가벼운 상처/가벼운 농담/죄질이 ~. 7 닿는 정도가 약하다. ¶가벼운 노크 소리. 8 식사 따위가 담박하고 간단하다. ¶포장마차에서 가볍게 한잔하다. 9 몸이나 손발 따위의 움직임이 날쌔고 재다. ¶가벼운 발걸음. 10 내용이 단순하고 미치는 영향이 적다. ¶가벼운 읽을거리. 11 다루기가 수월하다. ¶상대방을 가볍게 쓰러뜨리다/4 대 1로 가볍게 이겼다. 큰거볍다. ↔무겁다.

가보 (家譜) 명 한 집안의 계보. 족보.

가보 (家寶) 명 대를 이어 전하는 한 집안의 보물. ¶~로 물려주다/집안 대대로 전해 내려오는 ~.

가보 (←일 かぶ) 명 노름판에서 아홉 끗의 일컬음. ¶~를 잡다.

가복 (家僕) 명 여염집에서 부리던 사내종.

가:본 (假本) 명 옛 책·그림 등의 가짜. ↔진본(眞本).

가봉 (加俸) 명하타 정한 봉급 외에 특별히 따로 더 줌. 또는 그런 봉급. ¶~이 붙다. ↔감봉(減俸).

가:봉 (假縫) 명하타 양복 따위를 완전히 만들기 전에 몸에 잘 맞는지 보기 위하여 임시로 듬성듬성 시쳐 놓는 바느질. 시침바느질.

가:부 (可否) 명 1 옳고 그름. 가불가. ¶~를 가리다/~를 논하다. 2 표결에서 찬성과 반대. ¶~ 동수/~를 묻다.

가부 (家父) 명 1 남에게 자기 아버지를 일컫는 말. 가친(家親). ↔가모. 2 가부장.

가부 (家夫) 명 1 남에게 자기 남편을 일컫는 말. 가군(家君). 2 남편이 아내에게 대해 자기를 일컫는 말.

가:부-간 (可否間) 부 옳거나 그르거나. 찬성하거나 반대하거나. 아무러하든지. ¶~, 결정을 내자.

가부-장 (家父長) 명 〖역〗 봉건 사회에서, 가장권(家長權)의 주체가 되던 사람《반드시 아버지가 아니며, 가족에 대해서 절대적 권력을 가짐》. 가부(家父).

가부장-제 (家父長制) 명 부계(父系)의 가족 제도에서, 가부장이 그의 가족 전원에 대하여 지배권을 가지는 가족 형태.

가부-좌 (跏趺坐) 명하자 〖불〗 좌선할 때 책상다리를 하고 앉는 자세. ¶~를 틀다.

가:분 (可分) 명 나눌 수 있음. ↔불가분.

가분-가분 부하형히부 1 여럿의 무게가 모두 들기 좋은 정도로 가벼운 모양. 2 말이나 동작이 진중하지 아니하고 가벼운 모양. 큰거분거분. 센가뿐가뿐.

*가:-분수 (假分數)[-쑤] 명 〖수〗 분자가 분모보다 크거나 같은 분수《7/7, 8/7 따위》. ↔진(眞)분수.

가분-하다 형여불 1 들기 좋을 만큼 가볍다. 2 몸이나 마음이 부담이 없이 가볍고 상쾌하다. ¶몸이 ~/마음이 ~. 큰거분하다. 센가뿐하다. 가분-히 부

가:불 (假拂) 명하타 '가지급'의 구칭.

가:-불가 (可不可) 명 1 옳음과 그름. 가부(可否). 2 가함과 불가함.

가불-거리다 자타 격에 맞지 않게 자꾸 까불다. 큰거불거리다. 센까불거리다. 가불-가불 부하자타

가불-대다 자타 가불거리다.

가붓-이 부 가붓하게. 큰거붓이. 센가뿟이.

가붓-하다 [-부타-] 형여불 가분한 듯하다. 큰거붓하다. 센가뿟하다.

가빈 (家貧) 명하형 집안이 가난함.

[가빈에 사양처(思良妻)라] 가난할 때 어진 아내 생각을 한다는 뜻으로, 비상시에야 비로소 진부(眞否)를 안다는 말.

가빈 (家殯) 명하자 집 안에 빈소를 차림.

가빠 명 〔포 capa〕 1 비올 때 입는 비옷의 하나. 2 비나 눈이 올 때 짐 따위를 덮는 방수포의 넓은 조각.

가빠-지다 자 힘에 겨워 숨쉬기가 어려워지다. ¶숨이 점점 ~.

가뿐-가뿐 부하형히부 1 모두가 다 가뿐한 모양. 2 말이나 동작이 가벼운 모양. ¶~ 걷다. 큰거뿐거뿐. 여가분가분.

가뿐-하다 형여불 1 들기 좋을 정도로 아주 가볍다. ¶보따리가 ~. 2 몸과 마음이 아주 가볍고 상쾌하다. ¶열이 가시자 온몸이 한결 가뿐해졌다. 큰거뿐하다. 여가분하다. 가뿐-히 부

가뿟-이 부 가뿟하게. 큰거뿟이. 여가붓이.

가뿟-하다 [-뿌타-] 형여불 가뿐한 듯하다. 큰거뿟하다. 여가붓하다.

가쁘다 〔가쁘니, 가빠〕 형 1 몹시 숨이 차다. ¶가쁜 숨을 몰아쉬다. 2 힘에 겨워 어렵고 괴롭다.

가삐 부 가쁘게. ¶숨을 ~ 내쉬다.

가사 (家事) 명 1 집안 살림에 관한 일. 집안일. ¶주부의 ~ 활동/~를 돌보다. 2 한 집안의 사사로운 일. ↔국사(國事).

가:사 (假死) 명 〖의〗 정신을 잃고 호흡과 맥박이 미약해져 얼핏 보기에 죽은 것같이 된 상태. ¶~ 상태.

가사 (袈裟) 명 〖불〗 승려가 장삼(長衫) 위에, 왼쪽 어깨에서 오른쪽 겨드랑 밑으로 걸치는 법복(法服).

가사(袈裟)

*가사 (歌詞) 명 〖악〗 가곡·가요·오페라 따위의 노래 내용이 되는 글. 노랫말. ¶응원가 ~를 모집하다.

가사 (歌辭) 명 〖문〗 고려 말에서 조선 초기에 발생한 시가의 하나. 시와 산문의 중간 형태. *가사체.

가:사 (假使) 부 가령(假令).

가사 노동 (家事勞動) 주부를 중심으로 여자들 손으로 이루어지는, 의식주·육아·재봉·세탁·청소 등의 노동.

가사-체 (歌辭體) 명 〖문〗 가사의 문체. 4음보의 3·4조 또는 4·4조를 기초로 한 운문으로, 산문에 가까움.

가산 (加算) 명하타 1 더하여 셈함. ¶이자를 ~하다. 2 더하기. ↔감산(減算).

가산 (家產) 명 한 집안의 재산. ¶~이 기울

ㄱ

다 / ~을 탕진하다.
가산-금 (加算金) 명 〖법〗 세금·수도·전기·전화 요금 따위의 공공요금을 납부 기한까지 내지 않은 경우, 그 세액 또는 공공요금의 일정률에 해당하는 금액을 덧붙여 내게 하는 금액. ¶ ~을 부과하다.
가산-세 (加算稅)[-쎄] 명 〖법〗 납세 의무자가 신고 의무를 다하지 않거나 세금을 연체하였을 때, 본래의 세금 외에 덧붙여 물리는 세금. ¶공과금의 연체에 대하여 ~를 물리다.
가:살 명 가량스러운 야살. 말과 행동이 얄망궂고 되바라져 잘 어울리지 않는 태도. ¶ ~을 떨다 / ~을 부리다 / ~을 피우다.
가살(을) 빼다 구 거만하게 가살스러운 태도를 짓다.
가살(을) 쓰다 구 ㉠경망스럽게 가살을 부리다. ㉡정신없고 부산스러운 행동을 하다. ¶가살을 쓰고 다니다.
가:살-스럽다 〔-스러우니, -스러워〕 형 ㅂ불 보기에 가량스럽고 야살스러운 데가 있다. **가:살-스레** 부
가:살-이 명 '가살쟁이'의 준말.
가:살-쟁이 명 가살스러운 사람. 준가살이.
가:살-지다 형 가살을 부리는 태도가 있다.
가삼 (家蔘) 명 밭에 심어 가꾼 인삼. ↔산삼(山蔘).
가:상 (假相) 명 **1** 〖불〗 현재의 덧없고 헛된 모습. 이승. ↔진여(眞如). **2** 〖철〗 실재(實在)가 아닌 물상(物象).
가:상 (假象) 명 〖철〗 거짓 현상. 객관적 실재가 없는 주관적 환상. ↔실재.
가:상 (假想) 명하타 가정하여 그렇게 된 경우의 일을 생각함. ¶공습을 ~한 방공 연습 / ~의 세상.
가상 (嘉尙) 명하타형히부 **1** 착하고 아름답게 여겨 칭찬함. ¶그의 공을 ~하다. **2** 착하고 갸륵함. ¶어린 나이에 참으로 그 뜻이 ~하구나 / 그의 선행을 ~히 여기다.
가상 (嘉賞) 명하타 아랫사람이 한 일을 윗사람이 칭찬함.
가:상-공간 (假想空間) 명 실제가 아닌 허상으로 만들어진 공간.
가:상기억 장치 (假想記憶裝置) 〖컴〗 보조 기억 장치를 주기억 장치의 확장으로 생각하여 큰 주기억 장치가 있다고 생각하는 기억 장치. 용량에 제한이 있는 실제의 주기억 장치를 용량에 제한이 없는 매우 큰 용량을 가진 기억 장치처럼 생각하고 프로그램을 만들 수 있음.
가상-스럽다 (嘉尙-)〔-스러우니, -스러워〕 형ㅂ불 보기에 기특하다. **가상-스레** 부
가:상-현실 (假想現實) 명 상상의 세계를 실제의 세계처럼 생각하고 보이게 하는 현실《전투기 조종사가 되어 가상의 적들과 싸우는 체험을 하는 따위가 있음》.
가새-지르다 〔-지르니, -질러〕 타르불 어긋매끼다. 교차되게 하다.
가새-표 (-標) 명 가위표.
가서 (家書) 명 **1** 자기 집에서 온 편지. 가신(家信). **2** 자기 집에 보내는 편지. **3** 자기 집의 장서(藏書).
가:-석방 (假釋放) 명하타 〖법〗 징역 또는 금고형을 치르고 있는 죄수에 대하여, 수감 태도가 양호할 때, 형기가 끝나기 전에 행정 처분으로 석방하는 일. ¶ ~으로 풀려 나오다.
가:석-하다 (可惜-)[-서카-] 형여불 애틋하게 아깝다. **가:석-히** [-서키] 부. ¶ ~ 여기다.
가:-선 (-縇) 명 **1** 옷 따위의 가장자리를 다른 헝겊으로 가늘게 싸서 돌린 선. ¶ ~을 두르다. **2** 쌍꺼풀이 진 눈시울의 주름진 금. ¶ ~이 지다.
가:선 (架線) 명 **1** 전선 등을 공중에 건너질러 맴. 또는 그 가설하여 놓은 전선. ¶ ~ 공사를 하다. **2** 전기 철도에서, 전기 기관차나 전차에 전력을 공급하기 위한 전선.
가:설 (架設) 명하타 전선이나 교량 따위를 공중에 건너질러 설치함. ¶철교 ~ 공사 / 전선을 ~하다.
가:설 (假設) 명하타 임시로 설치함. ¶ ~ 공사 / 판자로 ~한 계단.
가:설 (假說) 명 〖논〗 어떤 사실을 설명하거나 어떤 이론 체계를 연역하기 위하여 설정한 가정(假定). ¶ ~을 세우다.
가:설-극장 (假設劇場) 명 임시로 꾸며 놓은 극장.
가:성 (苛性) 명 〖화〗 동식물의 세포 조직이나 여러 가지 물질을 강하게 침식(浸蝕)하는 성질.
가:성 (假性) 명 〖의〗 원래의 질병과는 다르면서 증세는 비슷하게 나타나는 성질. ¶ ~ 뇌염 환자. ↔진성(眞性).
가:성 (假聲) 명 **1** 일부러 지어내는 목소리. **2** 세청.
가:성 근:시 (假性近視) 〖의〗 지나치게 바투 보거나, 장시간 눈을 써서 근시와 비슷한 시력 장애를 일으키는 일종의 굴절성(屈折性) 근시 상태.
가:성 소다 (苛性soda) 〖화〗 '수산화나트륨'의 속칭. 준소다.
가세 (加勢) 명하자 힘을 보탬. 거듦. ¶학생 시위에 시민들이 ~하다.
가세 (家勢) 명 집안 살림의 형편. 터수. ¶ ~가 기울다.
가:소-롭다 (可笑-)〔-로우니, -로워〕 형 ㅂ불 같잖아서 우습다. ¶그가 입후보하다니, 실로 가소롭기 짝이 없구나. **가:소-로이** 부. ¶그를 ~ 생각했다.
가:소-성 (可塑性)[-썽] 명 〖물〗 소성(塑性). ¶ ~ 물질.
가속 (加速) 명하타 속도를 더함. ¶낙하 물질에 ~이 붙다 / 공해 등으로 산림의 황폐화가 ~되고 있다. ↔감속.
가속 (家屬) 명 **1** 한 집안에 딸린 가족. 식솔. **2** '아내'의 낮춤말.
가속-기 (加速器) 명 가속 장치.
가-속도 (加速度) 명 **1** 〖물〗 단위 시간 안에 속도가 증가하는 율. 또는 그 변하는 속도. ¶ ~ 원리. **2** 일의 진행 속도가 차차 더해지는 일. ¶ ~가 붙다.
가속도 운:동 (加速度運動) 〖물〗 시간의 경과에 따라 그 속도를 더하는 물체의 운동. 가속 운동.
가속 입자 (加速粒子) 〖물〗 가속 장치에 의하여 가속된 양성자·중성자·전자 따위의 입자.

가속 장치 (加速裝置) 물체의 속도를 증가하기 위한 장치《㉠내연 기관의 기화기(氣化器)로부터 실린더로 들어가는 혼합 가솔린의 양을 조정하는 장치. ㉡핵물리학에서 하전(荷電) 입자를 인공적으로 가속하여 고(高)에너지 입자를 생기게 하는 장치》. 가속기(加速器).

가속 페달 (加速pedal) 액셀러레이터(accelerator). ¶ ~을 밟다.

가속-화 (加速化)[-소콰] 명하자타 어떤 일이 진행되는 속도가 더욱 빨라짐. 또는 속도를 더함. ¶중소기업의 자금난이 ~하다 / 통화량의 증가가 주가 상승을 ~하고 있다.

가솔 (家率) 명 집안의 식솔.

가솔린 (gasoline) 명 석유의 휘발 성분을 이루는 무색의 투명한 액체《내연 기관의 연료로 쓰고, 도료·고무 공업 등에도 씀》. 휘발유.

가솔린 기관 (gasoline機關) 가솔린을 연료로 하는 내연 기관. 가솔린 엔진. 휘발유 기관.

가솔린 엔진 (gasoline engine) 가솔린 기관(機關).

가솔린 자동차 (gasoline自動車) 가솔린을 연료로 하는 자동차. 보통의 자동차를 말하며, 디젤 자동차와의 구별에 씀.

가:쇄 (假刷) 명하타 〖인〗 교정용으로 대강 찍는 인쇄. 또는 그 인쇄물.

가수 (加數)[-쑤] 명하타 **1** 액수나 수효를 늘림. **2**〖수〗보태는 수. 덧수.

가:수 (假受) 명하타 (돈이나 물건 따위를 사유가 확정될 때까지) 임시로 받아 둠.

가:수 (假需) 명 '가수요'의 준말. ↔실수(實需).

가:수 (假數) 명 〖수〗 로그(log)에서, 소수점 이하의 부분. ↔진수(眞數)·정수(整數).

가:수 (假睡) 명하자 **1** 의식이 반쯤 깨어 있는 옅은 잠. ¶ ~ 상태에 빠지다. **2** 잠자리가 아닌 곳에서 잠깐 잠. 가매(假寐).

***가수** (歌手) 명 노래 부르는 것을 직업으로 삼는 사람. ¶오페라 ~.

가:수-금 (假受金) 명 부기(簿記)에서, 가수(假受)한 돈.

가수 분해 (加水分解) 〖화〗 **1** 무기 염류가 물의 작용으로 산과 염기로 분해하는 반응. 용액은 산성 또는 알칼리성을 띠게 됨. 또는 그렇게 하는 일. 가수 해리(解離). **2** 유기 화합물이 물과 작용하여 알코올과 유기산으로 분해하는 일.

가수 분해 효:소 (加水分解酵素) 〖화〗 생체 내의 가수 분해 반응을 촉매하는 효소의 총칭. 에스테라아제·아밀라아제·카르보히드라아제·프로테아제의 네 군(群)으로 크게 나뉨. 수해(水解) 효소. 히드롤라아제(hydrolase).

가:-수요 (假需要) 명 〖경〗 앞으로의 가격 인상이나 물자 부족을 예상하고, 당장 실제 수요가 없는데도 생산자·판매업자로 향하는 수요. ¶아파트 분양에 ~가 몰리면서 청약률이 크게 높아졌다. ㈜가수(假需). ↔실수요.

가숙 (家塾) 명 개인이 설립한 글방. 사숙.

***가스** (gas) 명 **1** 기체의 총칭. **2** 연료로 사용되는 기체. 특히 도시가스의 일컬음. **3** '독가스'의 준말. **4** 배 속에서 음식물이 부패·발효하여 생기는 기체. ¶배 속에 ~가 찼다.

가스-계량기 (gas計量器)[-/-게-] 명 〖물〗 가스의 통과량 등을 기록하는 장치.

가스-관 (gas管) 명 가스를 보내는 강철관. 가스 파이프.

가스-난로 (gas煖爐) [-날-] 명 가스를 연료로 하는 난로. 가스스토브.

가스-등 (gas燈) 명 석탄 가스를 도관(導管)으로 통하게 하여 불을 켜는 등. 가스램프. 와사등(瓦斯燈).

가스-라이터 (gas lighter) 명 액화 가스를 연료로 하여 불을 붙이는 라이터.

가스-램프 (gas lamp) 명 가스등(燈).

가스-레인지 (gas range) 명 연료용 가스를 사용하여 음식 따위를 조리하는 기구.

가스-버너 (gas burner) 명 가스를 연료로 하는 버너.

가스-보일러 (gas boiler) 명 가스를 연료로 하여 물을 끓이는 난방 기구.

가스-실 (gas室) 명 **1**〖군〗 흔히 방독면을 쓰는 훈련 등을 시키려고 최루성 가스를 살포해 둔 방. **2** 독가스로 사형수를 처형하는 방.

가스 중독 (gas中毒) 이산화탄소·일산화탄소·독가스 따위의 독 있는 가스를 마심으로써 일어나는 중독. ¶연탄 ~.

가스-총 (gas銃) 명 최루 가스 따위의 독 있는 가스를 내뿜는 총.

가스-통 (gas桶) 명 도시가스 또는 화학 공업용 원료 가스를 저장하는 통.

가스펠 송 (gospel song) 〖악〗 미국 흑인들 사이에서 불리어지는 종교적인 노래. 흑인 영가(靈歌)와 재즈를 기반으로 발생함.

가슬-가슬 부하형 **1** 성질이 까다로워서 온순하지 아니한 모양. **2** 살결이 거친 모양. ¶~한 손. **3** 베옷이나 어떤 물건의 거죽이 매끄럽지 아니하고 촉감에 거슬리는 모양. ㉷거슬거슬. ㉶까슬까슬.

***가슴** 명 **1** 동물 특히, 포유동물의 몸통의 앞쪽 상반부, 배와 목 사이의 부분. ¶~에 안기다 / ~을 펴다 / ~을 웅크리다. **2** 심장 또는 폐. ¶~에 통증을 느끼다 / ~이 두근거리다. **3** 마음이나 생각. ¶~을 쓸어내리다《안심하다》/ ~이 뭉클하다 / ~이 찡하다 / ~에 맺히다 / ~이 섬뜩하다. **4** 옷의 가슴에 해당되는 부분. 옷가슴. ¶~에 꽃을 달다 / ~을 풀어헤치다. **5** 젖가슴. ¶~이 풍만한 여인 / ~이 봉긋하다.

가슴에 못(을) 박다 구 마음속 깊이 원통한 생각을 맺히게 하다.

가슴에 불이 붙다 구 마음속으로 고민하여 감정이 격해지다.

가슴을 앓다 구 뜻대로 되지 않아 마음의 고통을 느끼다.

가슴을 에다 구 마음이 몹시 쓰리고 아프다.

가슴을 짓찧다 구 마음에 심한 고통을 받다.

가슴을 태우다 구 몹시 애태우다.

가슴이 내려앉다 구 ㉠몹시 놀라거나 위태로운 일 등으로 맥이 풀리다. ㉡몹시 슬퍼서 가슴이 무너지는 듯하다.

가슴이 뜨끔하다 구 어떤 충격을 받아 깜짝 놀라거나 양심의 가책을 받다.

가슴이 무너져 내리다 구 심한 충격으로

마음을 다잡기 힘들게 되다.

가슴이 미어지다 구 슬픔·감동·고통 등으로 가슴이 터지는 듯하다.

가슴(이) 설레다 구 기쁨·기대 또는 불안 등으로 가슴이 두근거리다.

가슴(이) 아프다 구 마음이 몹시 쓰리다. ¶가슴 아픈 사연.

가슴이 찔리다 구 양심의 가책을 받다. ¶그 말을 듣는 순간 가슴이 찔려 고개를 들 수가 없었다.

가슴이 찢어지다 구 슬픔·괴로움·미움·분함 등으로, 가슴이 째지는 듯한 고통을 느끼다.

가슴이 콩알만 해지다 구 불안하고 초조하여 마음을 펴지 못하게 되다.

가슴이 타다 구 마음속으로 고민하여 몹시 애가 타다.

가슴이 터지다 구 슬픔·괴로움·미움·분함 따위로 가득 차 견디기 힘든 고통을 느끼다. ¶그때 일만 생각하면 지금도 가슴이 터진다.

가슴-골 [-꼴] 명 가슴 한가운데로 길게 고랑이 진 곳. *등골[2].

가슴-관 (-管) 명 〖생〗 파충류 이상의 척추동물에서 볼 수 있는 굵은 림프관. 가슴 위쪽에서 대정맥(大靜脈)과 합함. 흉관.

가슴-둘레 명 가슴을 둘러 잰 길이. 흉위(胸圍).

가슴-등뼈 명 〖생〗 흉추(胸椎).

가슴-살 [-쌀] 명 가슴에 붙은 살.

가슴-속 [-쏙] 명 마음속. 흉중(胸中). ¶~ 깊이 간직한 추억 / ~에 있는 말을 털어놓다 / ~에서 우러나온 말.

가슴-앓이 [-알-] 명 **1** 가슴 속이 켕기고 쓰리며 아픈 병. 흉복통. **2** 괴로움으로 마음을 앓는 일.

가슴-지느러미 명 〖어〗 물고기의 가슴에 붙은 지느러미.

가슴츠레 부하형 졸려서 눈이 흐릿하고 자꾸 눈이 감길 듯한 모양. 졸리거나 술에 취하여 눈에 정기가 없는 모양. ¶술에 취한 그녀는 ~한 눈으로 거울을 본다. 큰거슴츠레.

가슴-통 명 **1** 가슴의 앞쪽 전부. ¶~이 넓다. **2** 가슴둘레의 크기.

가슴-패기 명 〈속〉 가슴. ¶~를 쥐어박다.

가습-기 (加濕器) 명 수증기를 내어 방 안의 습도를 조절하는 장치.

***가시**[1] 명 **1** 식물의 줄기나 잎에 바늘처럼 뾰족하게 돋아난 부분. ¶장미의 ~. **2** 물체나 동물의 표면에 가늘고 빳빳하게 돋아난 것. ¶철조망의 ~. **3** 물고기의 잔뼈. ¶목에 ~가 걸리다. **4** 살에 박힌 나무·대 등의 뾰족한 거스러미. ¶손가락에 ~가 박히다. **5** 사람의 마음을 찌르는 것. ¶~ 돋친 말.

가시(가) 세다 구 앙칼지고 고집이 세다.

가시[2] 명 음식물에 생긴 구더기. ¶된장에 ~가 생기다.

가시[3] 명 가시나무의 열매《도토리 비슷함》.

가:시 (可視) 명 눈으로 볼 수 있음. ¶~ 현상 / ~신호.

가:시-거리 (可視距離) 명 **1** 눈으로 볼 수 있는 목표물까지의 수평 거리. **2** 방해를 받지 않고 텔레비전 방송을 수상(受像)할 수 있는 거리.

가시-고기 명 〖어〗 큰가시고깃과의 바닷물고기. 길이는 5cm 정도이고, 방추형이며 등지느러미의 앞부분이 톱날처럼 가시를 이룸.

가:시-광선 (可視光線) 명 〖물〗 눈으로 볼 수 있는 보통 광선. ↔불(不)가시광선.

가:시-권 (可視圈) [-꿘] 명 보이는 범위. 볼 수 있는 범위. ¶목표물이 ~에서 완전히 벗어나다.

가시-나무 명 **1** 가시가 있는 나무. **2** 〖식〗 참나뭇과의 상록 활엽 교목. 높이는 16-20m 가량이며, 껍질은 적록색. 봄에 황갈색 꽃이 피고 가을에 도토리 같은 열매 '가시'가 익음. 가구재·땔감 등으로 쓰고 열매는 식용함.

가시-눈 명 날카롭게 쏘아보는 눈.

가시다 一자 어떤 상태가 변해 없어지거나 달라지다. ¶홍분이 ~ / 핏기가 ~. 二타 물 따위로 깨끗이 씻다. 부시다. ¶입 안을 ~ / 컵을 물로 ~.

가시-덤불 명 **1** 가시가 많은 덤불. ¶~에 긁히다. **2** 가시밭2.

가시랭이 명 풀이나 나무의 가시 부스러기.

가시-밭 [-받] 명 **1** 가시덤불이 얽혀 있는 곳. **2** 어렵고 험난한 환경 등의 비유.

가시밭-길 [-받낄] 명 **1** 가시덤불이 우거진 험한 길. 형로(荊路). **2** 괴롭고 어려운 과정의 비유. ¶온갖 험난한 ~을 헤쳐 나온 시베리아 한인들.

가시-버시 명 '부부'의 낮춤말.

가:시-적 (可視的) 관명 눈으로 직접 확인할 수 있는 (것). ¶~(인) 성과를 거두다.

가시-철 (-鐵) 명 가시철사에 끼우는 가시 모양의 쇠.

가시-철사 (-鐵絲) [-싸] 명 가시철을 끼워서 꼰 철사《철조망에 씀》. 가시줄.

가:식 (假飾) 명하타 말이나 행동을 거짓으로 꾸밈. ¶~ 없이 말하다.

가신 (家臣) 명 **1** 〖역〗 정승의 집안일을 맡아보던 사람. **2** 큰 정치적 세력을 가진 권력자에게 붙어 그를 가까이 섬기고 돕는 사람. 배신(陪臣).

가신 (家神) 명 〖민〗 집에 딸려 집을 지킨다는 귀신《성주대감·제석신(帝釋神)·조왕신(竈王神)·문신(門神)·업신(業神)·터주신(神)·측신(廁神)·조상신(祖上神)·삼신(三神) 등이 있음》. ¶~ 신앙.

가:신-하다 (可信-) 형여불 믿을 만하다.

가실 (家室) 명 **1** 한 집안이나 안방. **2** 한 집안 사람. 가족. **3** 남 앞에서 자기 아내를 점잖게 이르는 말.

가심 명하타 깨끗이 가시는 일.

가십 (gossip) 명 신문·잡지에서 유명인의 사생활을 흥미 위주로 다룬 기사. ¶~난(欄) / ~ 기사가 실리다.

가악 (歌樂) 명 노래와 음악.

가압 (加壓) 명하자타 압력을 가함. ↔감압.

가:-압류 (假押留) [-암뉴] 명하타 〖법〗 채무자의 재산에 대한 강제 집행을 할 목적으로 그 재산을 임시로 압류하는 법원의 처분. ¶~ 명령 / ~ 법원.

가액 (加額) 명하자 돈의 액수를 더함. 또는

그 돈.

가액 (價額) 명 값에 상당하는 금액.

***가야-금** (伽倻琴) 명 〔악〕 우리나라 고유의 현악기. 오동나무로 길게 공명판을 만들어 바탕을 삼고, 그 위에 12 줄을 맸음. 손가락으로 뜯어 소리를 냄.

가야금

가:약 (可約) 명하타 〔수〕 약분할 수 있음.

가:약 (佳約) 명 **1** 아름다운 약속. **2** 사랑하는 사람과 만날 약속. **3** 부부가 되자는 약속. 혼약. ¶ ~을 맺다.

가얏-고 (伽倻-) 명 〔악〕 '가야금'의 잘못.

가:언 (假言) 명 〔논〕 어떤 조건을 가정한 말. 가설(假說).

가언 (嘉言·佳言) 명 본받을 만한 좋은 말.

가:언-적 (假言的) 관명 〔논〕 어떤 가정·조건 아래에서 말하는 (것). 가설적. ↔정언적(定言的).

가:언적 명:령 (假言的命令)[-정-녕] 〔논〕 일정한 목적 달성을 조건으로 하는 명령. 가언적 명법(命法). ↔정언적 명령.

가:언적 삼단 논법 (假言的三段論法)[-뻡] 〔논〕 가언적 판단을 전제로 하는 삼단 논법.

가:언적 판단 (假言的判斷) 〔논〕 조건 또는 원인, 귀결 또는 결과와의 관계를 나타내는 판단(《'A가 B라면 C는 D이다' 따위》).

가업 (家業) 명 대대로 이어서 하는 한 집안의 생업. ¶ ~을 잇다.

가:-없다 [-업따] 형 그지없다. 헤아릴 수 없다. ¶ 가없는 부모의 은혜. **가:-없이** [-업씨] 부. ¶ ~ 넓고 푸른 가을 하늘.

가:역 (可逆) 명 〔물〕 물질의 상태가 한 번 바뀐 다음 다시 본디의 상태로 돌아갈 수 있는 것.

가:역 반:응 (可逆反應) 〔화〕 화학 반응에서, 두 물질이 반응하여 다른 두 물질이 생길 경우, 이들의 온도·농도를 바꾸면 원래의 두 물질로 복귀하는 반응.

가:역 변:화 (可逆變化) 〔물〕 어떤 물질을 다른 상태로 변화시켰다가 다시 원상태로 환원시킬 때, 그대로 모든 것이 원상태로 되는 경우의 변화.

가:연 (可燃) 명 불에 잘 탈 수 있음. ↔불연(不燃).

가:연 (佳緣) 명 **1** 아름다운 인연. **2** 사랑을 맺게 된 연분. ¶ ~을 맺다.

가:연-물 (可燃物) 명 불에 타기 쉬운 물건. 가연성 물질.

가:연-성 (可燃性)[-썽] 명 불에 타기 쉬운 성질. 가연질. ¶ ~ 물질.

***가열** (加熱) 명하타 **1** 어떤 물질에 열을 가함. ¶ 물을 ~하여 수저를 소독하다. **2** 어떤 사건에 열기를 더함. ¶ 선거가 막바지에 이르자 유세는 더욱 ~되었다.

가열-기 (加熱器) 명 〔물〕 증기·가스·전기 등으로 열을 가하는 장치.

가:열-하다 (苛烈-) 형여불 싸움이나 경기 따위가 가혹하고 격렬하다. **가:열-히** 부

가:엽다 〔가여우니, 가여워〕 형ㅂ불 가엾다. ¶ 가여운 아이 / 아이, 가여워라.

***가:엾다** [-엽따] 형 불쌍하고 딱하다. ¶ 가엾은 생각이 들다 / 졸지에 고아가 된 그 애가 너무나 가엾어 보인다. **가:엾이** [-엽씨] 부. ¶ 불쌍한 사람들을 ~ 여겨 보살펴 주다.

> **'가엽다'와 '가엾다'**
>
> 두 단어 모두 표준어이다. 따라서 그 활용형 '가엽다, 가여운, 가여워'와 '가엾다, 가엾은, 가엾어'는 모두 맞춤법에 맞는 표기이다.

가:-예산 (假豫算) 명 〔법〕 새 회계 연도 개시까지 예산안 통과가 불가능할 때, 임시로 편성하는 잠정적인 예산. 잠정 예산.

가오리 명 〔어〕 가오릿과의 바닷물고기의 총칭. 몸은 가로로 넓적하고 꼬리가 긺. 요어(鰩魚). *홍어(洪魚).

가옥 (家屋) 명 사람이 사는 집.

가온-음 (-音) 명 〔악〕 음계의 제3음. 장조와 단조를 구별하는 입장에 있는 음. 중음.

가외 (加外) 명 일정한 기준이나 정도 이외에 더함. ¶ ~ 수입 / ~로 돈이 더 들었다.

가:외 (可畏) 명 두려워할 만함. ¶ 후생(後生)이 ~라.

가욋-돈 (加外-)[-외똔 / -웯똔] 명 가외로 드는 돈. ¶ 이번 달에는 ~ 지출이 많았다.

가욋-사람 (加外-)[-외싸- / -웯싸-] 명 필요한 사람 이외의 사람.

가욋-일 (加外-)[-웬닐] 명 필요 밖의 일. 또는 일정한 일 이외에 하는 일. ¶ 근무 시간이 지났는데 사장님은 우리에게 ~을 시켰다.

가요 (歌謠) 명 '대중가요'의 준말. ¶ ~를 부르다 / 외국 ~.

가요-계 (歌謠界)[- / -게] 명 주로, 대중가요에 관한 것을 업으로 삼는 사람들. 곧, 작사가·작곡가·가수들의 사회.

가요-곡 (歌謠曲) 명 〔악〕 **1** 악장에 맞춰 부르는 속요의 곡조. **2** 대중가요.

가요-제 (歌謠祭) 명 새 가요의 발표나 가수의 노래 실력을 겨루는 연예 행사.

가:용 (可用) 명 쓸 수 있음. ¶ ~ 노동력.

가:용 (可溶) 명 액체에 잘 녹음.

가:용 (可鎔) 명 금속이 열에 잘 녹음.

가용 (家用) 명 **1** 집에서 필요하여 씀. ¶ ~으로 빚은 술. **2** 집안의 씀씀이. 집안 살림에 드는 비용. ¶ ~을 절약하다 / 이 돈은 ~에 보태 쓰도록 해라.

가:용-성 (可溶性)[-썽] 명 액체에 녹을 수 있는 성질(《물에 소금, 알코올에 기름의 성질 따위》). ↔불용성.

가우스 (gauss) 의명 〔물〕 독일의 물리학자 가우스가 제창한, 자기력선속의 밀도를 나타내는 단위. 기호 : G.

가운 (家運) 명 집안의 운수(運數). ¶ ~이 기울다 / ~이 걸려 있다.

가운 (gown) 명 **1** 실내에서 입는 긴 겉옷. **2** 판검사들의 법복(法服)이나 졸업식, 종교 의식 때에 입는 긴 망토 모양의 예복. **3** 의사·간호사들이 입는 위생복.

***가운데** 명 **1** 일정한 공간이나 길이가 있는 사물의 어느 한쪽에 치우치지 않은 부분. ¶ 연못 ~ / ~가 움푹 팬 도로. **2** 양쪽의 사이. ¶ 세 건물 중 ~ 건물이 가장 높다. **3** 여럿이 있는 그 범위의 안. ¶ 이 책들 ~에

ㄱ

서 한 권만 골라 가져라. 4 순서에서, 처음이나 마지막이 아닌 중간. ¶성적이 ~ 정도인 학생. 5 ('-ㄴ'·'-는' 뒤에 쓰여) 일이나 상태가 이루어지는 범위의 안. ¶바쁜 ~에도 친구 결혼식에 참석했다.

ㄱ

가운뎃-발가락 [-데빨까-/-덴빨까-] 명 다섯 발가락 중 한가운데의 발가락.

가운뎃-소리 [-데쏘-/-덴쏘-] 명 〖언〗 한 음절의 가운데에 오는 모음(('말'에서의 'ㅏ' 따위)). 중성(中聲). *첫소리·끝소리.

가운뎃-손가락 [-데쏜까-/-덴쏜까-] 명 다섯 손가락 가운데 제일 긴 셋째 손가락. 장지(長指). 중지(中指).

가운뎃-점 (-點)[-데쩜/-덴쩜] 명 〖언〗 쉼표의 하나. 열거된 여러 단위가 대등하거나 밀접한 관계임을 나타낼 때, 각 단위 사이에 찍는 점((·)). 중점(中點).

-가웃 [-욷] 미 되·말·자를 세고 절반 정도가 남는 뜻을 나타내는 말. ¶두 되~.

***가위**[1] 명 1 두 개의 날을 교차시켜 옷감·종이·가죽·머리털 따위를 자르는 데 쓰는 기구. ¶색종이를 ~로 오리다. 2 가위바위보에서, 집게손가락과 가운뎃손가락 또는 엄지손가락을 벌려 내민 것.

가위[2] 명 음력 팔월 보름 명절. 추석. 중추.

가위[3] 명 꿈에 나타나는 무서운 것. 또는 무서운 내용의 꿈.

가:위 (可謂) 부 1 가히 이르자면. 2 과연. 참. 그야말로. ¶~ 놀랄 만한 일이로다 / ~ 천하의 절경이다.

가위-눌리다 자 자다가 무서운 꿈을 꾸고 놀라서 몸짓을 하거나 소리를 지르다.

가위-다리 명 1 가위의 손잡이. 2 길쭉한 두 물건을 서로 어긋매껴 '×' 모양으로 걸친 형상.

가위다리(를) 치다 구 '×' 모양으로 서로 어긋매껴 놓다.

가위바위보 명 손을 내밀어 그 모양으로 순서나 승부를 정하는 방법((집게손가락과 가운뎃손가락을 내민 것을 가위, 주먹을 쥔 것을 바위, 손가락을 모두 편 것을 보로 하고, 가위는 보에, 바위는 가위에, 보는 바위에 각각 이기는 것으로 정함)).

가위-질 명하자 1 가위로 자르거나 오리는 일. 2 신문이나 영화의 어떤 내용이 잘려 나가는 일.

가위-춤 명 빈 가위를 자꾸 벌렸다 오므렸다 하는 일. ¶~을 추며 장사를 하는 고물상 아저씨.

가위-표 (-標) 명 틀린 것을 표하거나, 글자 빠진 데를 메우는 데 쓰는 '×' 표의 이름. 가새표. ↔동그라미표.

가윗-날 [-윈-] 명 한가윗날. 추석날.

가윗-밥 [-위빱/-윋빱] 명 가위질할 때 베어 내버리는 쪼가리.

가으-내 부 〔←가을내〕 온 가을 동안 죽. ¶~ 피부병으로 고생했다. *겨우내.

***가을**[1] 명 네 철 중의 셋째((여름과 겨울 사이)). 준갈.

[가을 중 싸대듯 (한다)] 바빠서 분주히 싸다닌다.

가을[2] 명하자 가을걷이를 함.

가을-갈이 명하자타 가을에 논을 미리 갈아 두는 일. 추경(秋耕). 준갈갈이. ↔봄갈이.

가을-걷이 [-거지] 명하자타 가을에 익은 곡식을 거두는 일. 추수. 준갈걷이.

가을-꽃 [-꼳] 명 가을에 피는 꽃((국화·코스모스 따위)). 추화(秋花).

가을-날 [-랄] 명 가을철의 날. 추일(秋日).

가을-바람 [-빠-] 명 가을에 부는 선선하고 서늘한 바람. 추풍(秋風).

가을-볕 [-뼏] 명 가을철에 내리쬐는 볕.

가을-보리 명 가을에 씨를 뿌려 이듬해 초여름에 거두는 보리. 추맥. 준갈보리. *봄보리.

가을-봄 명 가을과 봄. 준갈봄.

가을-비 [-삐] 명 가을철에 오는 비. 추우.

가을-빛 [-삗] 명 가을을 느낄 수 있는 경치. 추색(秋色). ¶~이 완연하다.

가을-일 [-릴] 명하자 가을걷이하는 일.

가을-장마 [-짱-] 명 가을철에 여러 날 계속해서 오는 비.

가을-철 명 가을의 계절. 추절(秋節).

가이드 (guide) 명 1 관광이나 여행에서 안내를 맡은 사람. 2 '가이드북'의 준말.

가이드-라인 (guideline) 명 1 〖경〗 정부가 어떤 부문에 대한 정책을 뒷받침하기 위하여 설정한 규제의 범위. 특히, 중앙은행이 단기 외자(短期外資)의 유입(流入)을 규제하는 조항을 일컬음. 2 강요하지는 않지만 자주적으로 지키는 것이 요청되는 목표치(目標値). ¶봉급 인상의 ~을 10 % 대에 두다. 3 언론 보도에 대한 정부의 보도 지침.

가이드-북 (guidebook) 명 1 여행 안내서. 관광 안내서. 2 학습이나 상품 등의 정보 따위를 다룬 소개서. 안내 책자. 준가이드.

가이-없다 형 '가없다'의 잘못.

가:인 (佳人) 명 1 아름다운 여자. 미인. ¶당대의 재사(才士) ~들이 다 모이다. 2 이성으로서 애정을 느끼게 하는 사람.

가인 (家人) 명 1 집안 사람. 2 남에게 자기 집안 사람을 일컫는 말.

가인 (歌人) 명 노래를 잘 짓거나 잘 부르는 사람. 가객(歌客).

가:일 (佳日·嘉日) 명 1 날씨나 일진 등이 좋은 날. ¶양춘(陽春) ~. 2 좋은 일이 있는 날. 가신(嘉辰).

가-일층 (加一層) 一부 한층 더. 더한층. ¶~ 매진하다 / 승리를 위해 ~ 분발하다. 二명하타 한층 더함. ¶직원들에게 ~의 노력을 당부하다.

가입 (加入) 명하자타 1 단체나 조직에 들어감. ¶스포츠 센터 회원에 ~하다 / 봉사 활동 ~ 조건은 건강한 정신과 신체를 지녔으면 된다. ↔탈퇴(脫退). 2 이미 있는 것에 새로 더 넣음.

가자 (加資) 명하타 〖역〗 정삼품 통정대부(通政大夫) 이상의 품계. 또는 그 품계를 올리던 일.

가자미 명 〖어〗 가자밋과의 바닷물고기. 몸이 납작하여 타원형에 가깝고, 넙치보다 작으며, 두 눈은 오른편에 몰려 붙었음. 가어(加魚). 접어(鰈魚).

가:작 (佳作) 명 1 잘된 작품. 2 당선 다음가는 작품. ¶이번 대회에서 ~으로 입선한 작품.

가잠 (家蠶) 명 집에서 치는 누에. 집누에.

가잠-나룻 [-룯] 명 짧고 숱이 적게 난 구레나룻.

*__가장__ (家長) 명 1 한 가정을 이끌어 나가는 사람. ¶~ 노릇을 하다 / ~으로서의 체통을 지키다. 2 '남편'의 높임말.

__가장__ (家藏) 명하타 자기 집에 간직함. 또는 그 물건.

__가:장__ (假裝) 명하자타 1 태도를 거짓으로 꾸밈. ¶태연을 ~하다. 2 임시로 변장함. ¶손님을 ~하여 음식점의 청결 상태를 점검하다.

*__가장__ 부 여럿 가운데 어느 것보다 더. 제일. ¶세계에서 ~ 긴 강 / 승객이 ~ 붐빌 때.

__가장-권__ (家長權)[-꿘] 명 〖법〗 가족 제도에서, 가장이 가족에 대하여 행사하는 지배권. 가부장권.

__가장귀__ 명 나뭇가지의 갈라진 부분.

__가장귀-지다__ 자 나뭇가지가 갈라져서 가장귀가 생기다.

__가:장-무도회__ (假裝舞蹈會) 명 사람들이 갖가지로 가장하고 춤을 추는 모임. *가면무도회.

__가장이__ 명 나뭇가지의 몸.

__가:장자리__ 명 무엇의 둘레나 끝에 가까운 부분. 가. ¶도로의 ~ / 침대 ~에 걸터앉다 / 그릇의 ~를 행주로 닦다. *언저리.

__가-장조__ (-長調)[-쪼] 명 〖악〗 '가' 음을 으뜸음으로 하는 장조. 에이(A)장조.

__가:장-행렬__ (假裝行列)[-녈] 명 경축일 따위에 사람들이 여러 모습으로 알아보지 못하게 꾸미고 다니는 행렬.

__가:재__ 명 〖동〗 가잿과의 절지동물. 개울 상류의 돌 밑에 살며 새우와 게의 중간형임. 맨 앞 큰 발에 집게발톱이 있고, 뒷걸음질을 잘함. 페디스토마의 중간 숙주로 알려짐. [가재는 게 편이라] 모양이 비슷하고 서로 인연이 있는 것끼리 편을 든다는 말.

__가재(를) 치다__ 구 샀던 물건을 도로 무르다.

__가재__ (家財) 명 1 한 집안의 재물이나 재산. 2 집안 세간. 가구(家具).

__가:재-걸음__ 명 1 뒤로 기어가는 걸음. ¶~을 치다. 2 일이 지지하고 진보가 없음. ¶그가 하는 일은 늘 ~이다.

__가재기__ 명 튼튼하지 못하게 만든 물건.

__가재-도구__ (家財道具) 명 집안 살림에 쓰는 온갖 기구. 가재기물(器物).

__가전__ (家傳) 명하자 집안에 대대로 전해 내려옴. 또는 그 물건.

__가전__ (家電) 명 가전제품.

__가전-제품__ (家電製品) 명 가정에서 사용하는, 전기를 이용한 각종 기계·기구의 총칭 《라디오·텔레비전·냉장고·선풍기·세탁기·믹서·전기밥솥 따위》. ¶혼수용 ~을 장만하다.

__가:절__ (佳節) 명 1 좋은 시절. 2 좋은 명절.

__가점__ (加點)[-쩜] 명하자 1 글자나 글에 점을 더해 찍음. 2 성적 따위를 낼 때에 점수를 더 줌. 또는 그 점수.

__가:정__ (苛政) 명 가혹한 정치. 학정(虐政).

__가정__ (家政) 명 1 집안 살림을 다스리는 일. 2 가정생활을 처리하는 수단과 방법.

*__가정__ (家庭) 명 1 한 가족이 생활하는 집. 2 부부를 중심으로 혈연관계자가 함께 살고 있는 사회의 가장 작은 집단. ¶결혼하여 한 ~을 이루다.

__가:정__ (假定) 명하자타 1 임시로 정함. 2 〖논〗 사실이 아니거나, 사실인지 아닌지 아직 분명하지 않은 것을 사실인 것처럼 인정함. 또는 그 인정한 것.

__가정-교사__ (家庭敎師) 명 남의 집에서 돈을 받고 그 집 자녀를 가르치는 사람.

__가정-교육__ (家庭敎育) 명 가정에서의 생활을 통해 집안 어른들이 자녀들에게 주는 영향이나 가르침.

__가정 방:문__ (家庭訪問) 교사가 학생의 가정 환경을 이해하고 가정과 긴밀한 연락을 갖기 위해, 그 가정을 방문하는 일. ¶선생님께서 ~을 오셨다.

__가:정-법__ (假定法)[-뻡] 명 1 〖언〗 영문법에서, 동사가 의미하는 내용이 가정 내지 요망(要望)임을 나타내는 동사의 형태. 2 가설(假說)을 세우고 논리적으로 푸는 방법.

__가정 법원__ (家庭法院) 〖법〗 가정이나 소년에 관한 사건을 전문으로 다루는 하급 법원《가사(家事) 심판과 조정, 소년 보호 및 호적에 관한 사무를 관장함》.

__가정-부__ (家政婦) 명 고용되어 돈을 받고 집안일을 하는 여자. ¶~를 들이다.

__가정-생활__ (家庭生活) 명 1 가정에서 하는 생활. 2 가장(家長)과 그 식구가 한집안을 이루어 사는 생활.

__가정-의례__ (家庭儀禮)[- / -이-] 명 가정에서 치르는 관혼상제에 관한 의례.

__가정-적__ (家庭的) 관명 1 가정생활에 성실한 (것). ¶~인 남편. 2 가정과 같은 분위기가 감도는 (것). ¶~(인) 분위기.

__가정-주부__ (家庭主婦) 명 주부(主婦).

__가정-집__ (家庭-)[-찝] 명 개인의 살림집.

__가정 통신__ (家庭通信) 학생 지도를 위하여 교사와 학부모 사이에 주고받는 소식.

__가정-환경__ (家庭環境) 명 태어나서 자란 집안의 분위기나 조건. ¶~이 좋다.

__가제__ (家弟) 명 남에게 제 아우를 일컫는 말. 사제(舍弟).

__가제__ (家祭) 명 집에서 지내는 제사.

__가제__ (독 Gaze) 명 부드럽고 성긴 외올 무명베《소독하여 의료용으로 씀》. 거즈.

__가:-제본__ (假製本) 명 책의 내용물을 실이나 철사로 철하고 표지로만 그냥 싸서 임시로 매어 보는 제본.

*__가져-가다__ [-저-] 타거라불 1 한 곳에서 다른 곳으로 옮겨 가다. ¶깨지는 물건이니 조심해서 가져가거라. 2 어떤 결과나 상태로 끌어가다. ¶일을 바람직한 방향으로 ~ / 화제를 다른 방향으로 ~.

__가져다-주다__ [-저-] 타 1 한 곳에서 가지고 와서 주다. ¶책 한 권을 ~. 2 어떤 결과를 생기게 하다. ¶큰 변화를 ~. 준갖다주다.

*__가져-오다__ [-저-] 타너라불 1 한 곳에서 다른 곳으로 옮겨 오다. ¶회사에 컴퓨터를 ~. 2 어떤 상태로 끌어오다. ¶좋은 결과를 ~.

__가:-조약__ (假條約) 명 확정 이전에 임시로 체결되고, 비준·재가를 거치지 아니한 조약. 잠정 조약.

__가:-조인__ (假調印) 명하타 약정 내용이 외교 교섭에서 대충 확정되었을 때, 정식 조인에 앞서 임시로 합의의 증거로 대표의 머리글자를 서명하는 일. ¶조약에 ~하다.

ㄱ

*가족 (家族) 명 1 부부를 중심으로 한집안을 이루는 사람들. ¶~ 수당 / ~을 부양하다 / ~의 품으로 돌아오다. 2 가족 제도에서, 한집안의 친족.
가족-계획 (家族計劃)[-/-께-] 명 부부가 자녀의 수나 터울을 계획적으로 조정하는 일. ¶~을 세우다. *산아 제한(産兒制限).
가족-법 (家族法) 명 〖법〗 민법의 '친족법'과 '상속법'의 통칭.
가족-적 (家族的) 관명 1 한 가족에 관한 (것). 2 가족끼리의 사이처럼 친밀한 (것). ¶~인 분위기.
가족 제:도 (家族制度) 가족의 구성이나 기능, 사회의 규범이나 관습에 따라 체계화된 가족의 형태. 대가족 제도·소가족 제도·핵가족 제도 등이 있음.
가존 (家尊) 명 자기 아버지 또는 남의 아버지의 존칭.
가:주 (佳酒·嘉酒) 명 좋은 술. 미주(美酒).
가주 (家主) 명 1 한 집안의 주인. 2 집의 임자. 집주인.
*가죽 명 1 동물의 몸을 싸고 있는 질긴 껍질. ¶악어 ~ / ~을 벗기다. 2 동물의 몸에서 벗겨 낸 껍질을 다루어서 가공한 것. 피혁. ¶~ 지갑 / ~ 제품 / ~ 구두 / ~ 가방.
가죽-신 명 가죽으로 만든 신. 갖신.
가죽-옷 [-옫] 명 가죽을 다루어서 지은 옷.
가죽-점퍼 (-jumper) 명 가죽으로 만든 점퍼.
가중 (加重) 명하타 1 더 무겁게 함. ¶부담이 ~되다 / 자금 압박을 ~시키다. 2 〖법〗 여러 번 죄를 저질렀을 때, 형벌을 더 무겁게 하는 일.
가중-치 (加重値) 명 일반적으로 평균치를 산출할 때 개별치(個別値)에 부여되는 중요도. ¶입사 시험에서 토익 성적에 ~를 부여하는 회사가 늘고 있다.
가:중-하다 (苛重-) 형여불 가혹하고 부담이 무겁다. ¶가중한 세금. 가:중-히 부
가증 (加症) 명하자타 딴 증세가 일어남. 딴 증세를 일으킴.
가증 (加增) 명하자타 증가한 데에 더 증가함. 불은 데에다 더 보탬.
가:증-스럽다 (可憎-) 〔-스러우니, -스러워〕 형ㅂ불 보기에 몹시 괘씸하고 얄밉다. ¶다 아는 사실을 뻔뻔하게 거짓말하는 그가 더욱 가증스러웠다. 가:증-스레 부
가:증-하다 (可憎-) 형여불 행동이나 태도가 몹시 괘씸하고 얄밉다.
*가지[1] 명 1 나무나 풀의 원줄기에서 갈라져 벋은 줄기. ¶~를 꺾다. 2 근본에서 갈라져 나간 것.
[가지 많은 나무가 바람 잘 날이 없다] 자식 많은 어버이는 근심이 끊일 날이 없다.
가지(를) 치다 구 하나의 근본에서 딴 갈래가 생기다.
가지[2] 명 1 〖식〗 가짓과의 한해살이풀. 인도 원산으로 높이는 1m가량, 온몸에 털이 나 있고 잎은 달걀꼴임. 담자색·남색·백색 등의 꽃이 핌. 2 1의 열매. 길고 구붓한 원통 모양으로 기름에 볶거나 쪄서 무쳐 반찬으로 먹음.
[가지 나무에 목맨다] 몹시 딱하거나 서러워 목맬 나무의 크고 작음을 가리지 않고 죽으려 한다.
*가지[3] 의명 사물을 종류별로 구별하여 헤아리는 말. ¶여러 ~ 방법 / 실례를 몇 ~ 들다.
가지-가지[1] ㊀명 여러 종류. 여러 가지. ¶취미도 ~다. 준갖가지. ㊁관 여러 가지의. 여러 종류의. ¶~ 생각이 난다. 준갖가지.
가지-가지[2] 부 나무의 가지마다. ¶~ 예쁜 꽃이 피었다.
가지가지-로 부 온갖 종류로. 여러 가지로. ¶자식들이 크니까 ~ 속을 썩인다. 준갖가지로.
가지-각색 (-各色) 명 서로 다른 여러 가지. 가지가지. 각양각색. ¶옷차림이 ~이다.
가:-지급 (假支給) 명하타 1 올릴 과목이나 금액이 확정되지 않았을 때, 임시로 하는 지급. 2 치를 돈 따위의 일부 또는 전액을 기일 전에 임시로 하는 지급. 가불(假拂).
*가지다 ㊀타 1 손에 쥐거나 몸에 지니다. ¶손에 가진 게 뭐냐 / 돈은 얼마나 가졌니. 2 제 것이 되게 하다. 소유하다. ¶많은 부동산을 가지고 있다. 3 마음에 지니다. ¶꿈을 ~ / 좀 더 관심을 가져라. 4 관련이나 관계를 맺다. 유지하다. ¶영향력을 가진 사람 / 긴밀한 협조 관계를 가지고 있다. 5 모임이나 행사를 치르다. 행하다. ¶간부 회의를 ~. 6 아이나 새끼를 배다. ¶아이를 ~. 7 '을〔를〕 가지고'의 꼴로 쓰여, ㉠수단이나 기구를 나타내는 말. ¶찹쌀을 가지고 술을 빚다. ㉡무엇을 대상으로 함을 나타내는 말. ¶왜 저 애만 가지고 법석들이냐. ㊁보동 어미 '-아'·'-어' 뒤에서 '가지고'의 꼴로, 그 동작이나 상태를 그대로 지니고 있음을 나타내는 말. ¶돈을 받아 가지고 왔다 / 저래 가지고는 성공하지 못한다. 준갖다.
가지런-하다 형여불 여러 끝이 고르게 되어 있다. ¶서가에 책들이 가지런하게 꽂혀 있다 / 아이가 가지런한 하얀 이를 내보였다. 가지런-히 부. ¶신발을 ~ 정돈하다.
가지-치기 명하자타 나뭇가지의 일부를 자르고 다듬음. 전정. 전지(剪枝).
가직이 부 가직하게. ↔멀찍이.
가직-하다 [-지카-] 형여불 거리가 좀 가깝다. ¶여기서 가직한 거리에 느티나무 교목이 한 그루 있다. ↔멀찍하다. 준가직다.
가집 (家集) 명 한집안의 가족이나 조상들의 시문집.
가:-집행 (假執行)[-지팽] 명하타 〖법〗 법원이 직권 또는 당사자의 신청에 따라 아직 미확정인 판결의 취지를 임시로 강제 집행하는 일.
가:짓-말 [-진-] 명하자 사실과 다르게 꾸며서 하는 말. 큰거짓말.
가:짓말-쟁이 [-진-] 명 가짓말을 잘하는 사람. 큰거짓말쟁이.
가:짓-부렁 [-진뿌-] 명 가짓부렁이. 큰거짓부렁.
가:짓-부렁이 [-진뿌-] 명 〈속〉 거짓말. 큰거짓부렁이.
가짓-수 (-數)[-지쑤/-짇쑤] 명 종류의 수효. 벌여 놓은 개수(個數). ¶반찬이 ~만 많았지 먹을 게 별로 없었다.
가:짜 (假-) 명 진짜처럼 꾸민 것. 진짜가

아닌 것. ¶ ~ 신분증 / ~가 더 판을 치는 세상 / 서류를 ~로 꾸미다. ↔진짜.

가:차 (假借) 명하타 **1** 임시로 빌림. **2** 사정을 보아줌. **3** 한자 육서(六書)의 하나. 뜻은 다르나 음이 같은 다른 글자를 빌려 쓰는 법. ☞육서.

가:차-없다 (假借–)[–업따] 형 조금도 사정을 보아주거나 너그러움이 없다. ¶ 가차없는 처벌. **가:차-없이** [–업씨] 부. ¶ 지위 고하를 막론하고 ~ 처벌하다.

가창 (歌唱) 명하자 노래. 노래를 부름. ¶ ~ 지도 / 저 여가수는 ~력(力)이 뛰어나다.

가:책 (呵責) 명하타 자신의 잘못을 스스로 꾸짖어 책망함. ¶ 양심의 ~을 느끼다.

가:책 (苛責) 명하타 몹시 심하게 꾸짖음. 가혹하게 책망함.

가:-처분 (假處分) 명하타 〖법〗 판결이 날 때까지 동산 또는 부동산을 상대방이 처분하지 못하도록 금지하는 법적인 조치.

가:철 (假綴) 명하타 책·서류를 임시로 대강 매어 둠.

가:첨-석 (加檐石) 명 비석 위에 지붕처럼 덮어 얹은 돌. 개석(蓋石).

가첩 (家牒) 명 한 집안의 족보책.

가:청 (可聽) 명 들을 만함. 들을 수 있음. ¶ ~ 지역을 넓히다.

가:청-음 (可聽音) 명 귀로 들을 수 있는 범위의 음《주파수 20–20,000 Hz, 음의 크기 0–130 폰(phone) 사이의 음》.

가-추렴 명하타 〔←가출렴(加出斂)〕 추렴 뒤에 그것으로 부족할 때 더 추렴하는 일.

가축 명하타 물품이나 몸가짐 따위를 알뜰히 매만져서 잘 간직하여 거둠. ¶ 오래 쓰고 못 쓰고는 ~하기 나름이다.

***가축** (家畜) 명 집에서 기르는 짐승《소·말·개·닭 따위》. ¶ ~의 사료 / ~을 기르다.

가출 (家出) 명하자 가정을 버리고 집을 나감. ¶ ~한 자식 / ~ 소녀의 무작정 상경.

가:-출소 (假出所)[–쏘] 명하자 '가석방'을 일반적으로 이르는 말.

가취 (嫁娶) 명하자 시집가고 장가듦. 혼인.

***가치** (價値) 명 **1** 값. 값어치. ¶ 상품 ~ / 달러 ~가 떨어지다. **2** 사물이 지니고 있는 의의나 중요성. ¶ 반푼어치의 ~도 없는 책 / ~가 떨어지다. **3** 〖철〗 대상이 주관의 요구를 충족시키는 성질. 또는 정신 행위의 목표로 간주되는 진·선·미 따위. **4** 〖경〗 욕망을 충족시키는 재화의 중요 정도《사용 가치와 교환 가치가 있음》.

가치-관 (價値觀) 명 인간이 삶이나 세계에 대하여 옳고 그름, 좋고 나쁨 등의 가치를 매기는 관점이나 기준.

가치작-거리다 자 일에 방해되게 자꾸 여기저기 걸리고 닿다. 큰거치적거리다. 센까치작거리다. **가치작-가치작** 부하자

가치작-대다 자 가치작거리다.

가친 (家親) 명 남에게 자기 아버지를 일컫는 말.

가칠 (加漆) 명하자타 칠한 위에 더 칠함.

가:칠 (假漆) 명하타 **1** 옻칠 이외에 인공적으로 만든 칠《니스·페인트 따위》. **2** 단청(丹靑)할 때 애벌로 칠함. 또는 그런 칠.

가칠-가칠 부하형 여러 군데가 모두 가칠한 모양. ¶ ~한 촉감 / 얼굴이 ~하다. 큰거칠거칠. 센까칠까칠.

가칠-하다 형여불 살이 빠져 살갗이 거칠고 윤기가 없다. ¶ 얼굴이 많이 가칠해졌구나. 큰거칠하다. 센까칠하다.

가칫-거리다 [–칟꺼–] 자 작고 단단한 것이 살갗 따위에 자꾸 조금씩 닿아 걸리다. 큰거칫거리다. 센까칫거리다. **가칫-가칫** [–칟까칟] 부하자

가칫-대다 [–칟때–] 자 가칫거리다.

가칫-하다 [–치타–] 형여불 여위고 윤기가 없어 좀 거칠다. 큰거칫하다. 센까칫하다.

가:칭 (假稱) 명하타 어떤 이름을 임시 또는 거짓으로 정하여 부름. 또는 그 이름. ¶ ~ 녹색 평화당의 발기인 대회.

가:타-부타 (可–否–) 부하자 좋다느니 싫다느니. 옳다느니 그르다느니. ¶ ~ 말이 없으니 그 속을 알 수가 있나.

가:탁 (假託) 명하자 거짓 핑계를 댐.

가:탄-스럽다 (可歎––·可嘆–) 〔–스러우니, –스러워〕 형ㅂ불 보기에 탄식할 만한 데가 있다. **가:탄-스레** 부

가:탄-하다 (可歎–·可嘆–) 형여불 (주로 '가탄할'의 꼴로 쓰여) 탄식할 만하다.

가탈 명 **1** 일이 순조롭게 나아가는 것을 방해하는 조건. ¶ 무슨 일이 그렇게 ~이 많은가. **2** 이러니저러니 트집을 잡아 까다롭게 구는 일. ¶ ~을 부리다. 센까탈.

가탈-거리다 자 사람이 타거나 짐을 싣기 어려울 정도로 말이 비틀거리며 걷다. **가탈-가탈** 부하자

가탈-대다 자 가탈거리다.

가탈-스럽다 형ㅂ불 '까다롭다'의 잘못.

가탈-지다 자 까다로운 조건이 생기다. 센까탈지다.

가택 (家宅) 명 살고 있는 집. 살림하는 집. ¶ ~연금.

가택 수색 (家宅搜索) 법관·검사·경찰관 등이 범인·피의자의 가택을 직권으로 뒤져 범인·증거물을 찾는 일. 가택 수사. ¶ ~ 영장.

가토 (加土) 명하자 **1** 풀이나 나무 뿌리 위에 흙을 더 덮어 북돋아 줌. 또는 그 흙. **2** 무덤 위에 흙을 더 덮거나 얹음.

가톨릭 (Catholic) 명 **1** 가톨릭교. **2** 가톨릭교도.

가톨릭-교 (Catholic敎) 명 **1** 정통 교의를 믿는 기독교《로마 가톨릭교와 그리스 정교로 나뉨》. **2** 특히, 로마 가톨릭교의 일컬음. 천주교.

가톨릭-교도 (Catholic敎徒) 명 〖가〗 가톨릭교를 믿는 사람. 천주교도.

가통 (家統) 명 집안의 계통이나 내림. ¶ ~을 잇기에는 나이가 너무 어리다.

가트 (GATT) 명 〔General Agreement on Tariffs and Trade〕 〖경〗 관세 무역 일반 협정《1947 년 관세의 차별 대우를 없애기 위해 발족하였으나 1995 년 WTO 의 출범(出帆)으로 소멸함》.

가파르다 〔가파르니, 가팔라〕 형르불 몹시 비탈지다. ¶ 가파른 언덕길 / 가파른 계단.

가:판 (街販) 명하타 '가두판매'의 준말. ¶ 내일 조간신문이 벌써 ~에 나와 있다 / ~대에서 신문을 사다.

가:편 (可便) 명 의안을 표결할 때 찬성하는

편. ↔부편(否便).

가편 (加鞭) [명][하자] 채찍질하여 걸음을 더 재촉함.

가:표 (可票) [명] 투표에서 찬성을 나타내는 표. ¶ ~를 던지다. ↔부표(否票).

가풀-막 [명] 〔←가팔막〕 가파르게 비탈진 곳. ¶ ~을 기어오르다.

가풀막-지다 [형] 땅이 가풀막으로 되어 있다. ¶ 가풀막진 언덕길.

가:품 (佳品) [명] 품질이 좋은 물건.

가품 (家品) [명] **1** 가풍(家風). **2** 한집안 사람들의 공통된 성품.

가풍 (家風) [명] 한 집안에 전해 내려오는 풍습이나 범절. 가품(家品). ¶ ~이 엄하다.

가풍 (歌風) [명] 시가(詩歌)에서 풍기는 특징이나 품격. ¶ 서정적인 ~.

가필 (加筆) [명][하자] 글이나 그림 따위를 고침. ¶ ~ 수정하다.

가-하다 (加-) [타][여불] **1** 더하다. 가산(加算)하다. ¶ 원금에 이자를 ~. **2** 어떤 행동이나 작용을 미치어 그 영향을 입게 하다. ¶ 타격을 ~ / 박차를 ~ / 열을 ~.

가:-하다 (可-) [형][여불] **1** (어떤 안건·문제가) 자기 뜻에 맞아 좋다. ¶ 이 안이 ~고 여기는 분은 손을 드십시오. **2** (도리에 맞아) 옳다. ¶ 상을 내리심이 가합니다. **3** 가능하다. 타당하다. ¶ 논증이 가한 문제.

가학 (加虐) [명][하타] 남을 못살게 괴롭힘.

가학 (家學) [명] **1** 한 집안에 대대로 전해 오는 학문. ¶ ~을 계승하다. **2** 집에서 배운 글.

가학-성 (加虐性) [명] 남을 학대함으로써 쾌감을 느끼는 병적인 특성. ¶ ~ 색욕 이상.

가학-증 (加虐症) [명] 사디즘.

가:합-하다 (可合-)[-하파-] [형][여불] 무던하여 합당하다. ¶ 가합한 혼처가 나서다.

가항 (街巷) [명] 길거리.

가해 (加害) [명][하자] 남에게 상처를 입히거나 손해를 끼침. ↔피해.

가해-자 (加害者) [명] 남에게 상처를 입히거나 손해를 끼친 사람. ¶ 그가 이 사건의 ~이다. ↔피해자.

가행 (家行) [명] 한 집안의 행실과 품행.

가행 (嘉行) [명] 착하고 갸륵한 행동. 선행.

가:향 (佳香) [명] 좋은 향기. 가방(佳芳).

가향 (家鄕) [명] 자기 집이 있는 고향.

가:현 (假現) [명][하자] 신이나 부처가 사람의 모습으로 잠시 이 세상에 나타남.

가형 (加刑) [명][하자타] 형벌을 더함.

가형 (家兄) [명] 남에게 자기의 형을 일컫는 말. 사형(舍兄).

가호 (加護) [명][하자타] **1** 보호하여 줌. **2** 신이나 부처가 힘을 베풀어 보호하고 도와줌. ¶ 신의 ~.

가호 (家戶) [一][명] 호적상의 집. [二][의명] 한 지역의 집 수를 세는 말. ¶ 그 마을은 100여 ~중 스무 ~나 수해를 당했다.

가:혹 (苛酷) [명][하형][히부] 몹시 모질고 혹독함. ¶ ~한 처분 / ~한 시련을 겪다.

가:화 (佳話) [명] 아름답고 좋은 이야기.

가화 (家禍) [명] 집안에 일어난 재앙.

가화-만사성 (家和萬事成) [명] 집안이 화목하면 모든 일이 다 잘되어 감.

가환 (家患) [명] 집안의 근심·걱정이나 병.

가획 (加劃) [명][하자] 글자의 획수를 더함.

가:효 (佳肴·嘉肴) [명] 맛 좋은 안주나 요리. ¶ 옥반(玉盤) ~는 만성고(萬姓膏)라.

가훈 (家訓) [명] 집안 어른들이 그 자손들에게 주는 가르침의 말. ¶ ~을 잘 받들다.

가:희 (佳姬)[-히] [명] 아리따운 젊은 여자. 미희(美姬).

가희 (歌姬)[-히] [명] 직업적으로 노래를 부르는 여자. 여자 가수.

가:-히 (可-) [부] **1** (주로 '-ㄹ 만하다', '-ㄹ 수 있다', '-ㅁ직하다' 따위와 함께 쓰여) '능히', '넉넉히', '크게 틀림없이' 의 뜻을 나타냄. ¶ 부채춤은 ~ 세계에 자랑할 만하다 / ~ 짐작할 수 있다. **2** (주로 부정어와 함께 쓰여) '마땅히', '과연', '결코' 등의 뜻을 나타냄. ¶ 이런 경사스러운 날에 ~ 술과 노래가 없을쏘냐.

***각** (角) [명] **1** 뿔. ¶ 사슴의 ~이 돋다. **2** 면이 만나 이루는 모서리. ¶ ~이 지다. **3** 〖수〗 두 직선의 한 끝이 서로 만나는 곳. **4** '각도(角度)' 의 준말. ¶ ~이 크다. **5** 〖악〗 동양 음악의 오음(五音)의 하나. **6** 〖악〗 짐승의 뿔로 만든 취악기(吹樂器)의 하나.

각 (刻) [一][명][하타] **1** '조각(彫刻)' 의 준말. **2** 새김[1]3. [二][의명] 〖역〗 시간의 단위. 1각은 약 15분 동안. ¶ 일 ~이 여삼추(如三秋)라.

각 (脚) [명] **1** 다리. 종아리. **2** 짐승을 잡아 그 고기를 나눌 때, 몇 등분한 것 가운데 한 부분.

각(을) 뜨다 [구] 잡은 짐승의 몸을 몇 부분으로 가르다.

***각** (各) [관] 각각의. 낱낱의. ¶ ~ 학교 / ~ 가정 / ~ 지방.

각- (各) [두] '각각의·낱낱의·따로따로의' 의 뜻. ¶ ~살림.

각-가지 (各-) [관][명] 여러 가지. 많은 종류. 각종(各種). ¶ ~ 물건 / ~ 생각.

***각각** (各各) [一][부] 저마다. 제각기. 따로따로. ¶ 생각이 ~ 다르다. [二][명] 사람이나 물건의 하나하나. ¶ ~의 의견을 말하다.

각각-으로 (刻刻-) [부] 매 시각 급박하게. ¶ ~ 변하는 세계 정세.

각개 (各個) [명] 여럿에서 따로 떼어 낸 하나하나. 낱낱. ¶ ~ 동작 / ~ 격파.

각개 전:투 (各個戰鬪) 〖군〗 각 개인의 전투력을 기준으로 하는 전투.

각거 (各居) [명][하자] 따로따로 떨어져 삶. ¶ 부부가 ~하다.

각-거리 (角距離) [명] 〖물〗 관측자로부터 두 물체에 이르는 두 직선이 이루는 각도의 크기. 또는 그 크기로 알 수 있는 두 점 사이의 거리.

각계 (各界)[-/-께] [명] 사회의 각 방면. ¶ ~ 인사를 만날 예정이다.

각계-각층 (各界各層)[-/-께-] [명] 사회 각 분야의 여러 계층. ¶ ~의 저명인사.

각고 (刻苦) [명][하자] 무엇을 이루기 위해 고생을 견디며 몹시 애를 씀. ¶ ~의 노력을 기울이다.

각고-면려 (刻苦勉勵)[-멸-] [명][하자] 고생을 무릅쓰고 부지런히 힘씀. ¶ ~하여 내 집을 장만하다. ㊟각려(刻勵).

각골 (刻骨) [명][하자] 고마움 또는 원한이 마음속 깊이 새겨짐.

각골-난망 (刻骨難忘)[-란-] 명하타 은혜가 뼈에 사무쳐 잊혀지지 않음.
각공 (刻工) 명 각수(刻手).
각-괄호 (角括弧) 명 〖인〗 대(大)괄호.
각광 (脚光) 명 **1** 무대 앞 아래쪽에서 배우를 비추는 광선. **2** 사회의 주목을 끄는 일. **각광(을) 받다** 구 많은 사람의 관심과 주목을 끌다.
***각국** (各國) 명 각 나라. 또는 여러 나라. ¶ ~ 대표.
각궁 (角弓) 명 쇠뿔·양뿔 따위로 꾸민 활.
각근 (恪勤) 명하자히부 부지런히 힘씀.
각급 (各級) 명 (여러 급으로 되어 있는 조직체 안에서의) 각각의 등급. ¶ ~ 학교 / ~ 기관장 회의.
각기 (脚氣) 명 〖의〗 비타민 B의 결핍에서 오는 영양실조 증상의 하나. 다리가 붓고 맥이 빨라짐. 각기병.
***각기** (各其) 명부 각각 저마다. ¶ 쌍둥이도 성격과 좋아하는 것이 ~ 다르다.
각-기둥 (角-) 명 〖수〗 한 직선에 평행하는 셋 이상의 평면과, 이 직선과 만나는 두 평행 평면을 면으로 하는 다면체(多面體). 구용어 : 각주(角柱). 각도(角壔).
각기-병 (脚氣病)[-뼝] 명 〖의〗 각기.
각다귀 명 **1** 〖충〗 각다귓과의 곤충. 모기와 비슷하나 크기가 더 크고 다리가 길. 애벌레는 머루라고 하며 벼나 보리의 뿌리를 잘라 먹는 해충임. 한국·일본·중국 등지에 분포함. 꾸정모기. **2** 남의 것을 착취하는 악한의 비유.
각다분-하다 형여불 일을 해 나가는 데 매우 힘들고 고되다.
각단 명 일의 갈피와 단서. ¶ 일이 어찌 되는 판인지 ~을 모르겠다.
각담 명 논밭의 돌·풀을 추려 한 편에 나직이 쌓아 놓은 무더기.
각담 (咯痰) 명하자 객담(喀痰).
각대 (角帶) 명 각띠.
각대 (脚帶) 명 다른 것과 구별하기 위하여, 가금류(家禽類)나 날짐승의 발에 두르는 띠《대개 얇은 알루미늄 판을 씀》. 다리띠.
***각도** (角度) 명 **1** 〖수〗 각의 크기. ¶ ~를 재다. 준각(角). **2** 생각의 방향이나 관점. ¶ 여러 ~로 접근하다 / 문제를 보는 ~가 서로 다르다.
각도 (刻刀) 명 새김칼.
***각도-기** (角度器) 명 각도를 재는 도구. 분도기(分度器). ¶ 전원(全圓) ~.
각등 (角燈) 명 손으로 들고 다니는 네모진 등. 랜턴.
각-띠 (角-) 명 〖역〗 벼슬아치가 예복에 두르던 띠의 총칭. 각대(角帶).
각력 (角力)[강녁] 명하자 **1** 힘을 서로 겨룸. **2** 씨름1.
각력 (脚力)[강녁] 명 **1** 다릿심. **2** 걷는 힘.
각령 (閣令)[강녕] 명 〖법〗 의원 내각제에서, 법률의 위임 또는 직권으로 법률을 시행하기 위하여 내각에서 발하는 명령. 대통령 중심제 나라의 대통령령에 해당함.
각론 (各論)[강논] 명 하나의 큰 주제를 구성하는 낱낱에 대한 논의. ¶ ~으로 들어가다. *총론.
각료 (閣僚)[강뇨] 명 내각을 구성하는 각 장관. ¶ 긴급 ~ 회의.
각루 (刻漏)[강누] 명 물시계의 한 가지. 가는 구멍에서 새어 나오는 물의 양(量)을 가지고 시간을 측정하는 장치. 누각(漏刻).
각막 (角膜)[강-] 명 눈알의 앞쪽에 약간 볼록하게 나와 있는 얇고 투명한 막.
각막-염 (角膜炎)[강망념] 명 〖의〗 삼눈의 한 가지. 각막에 염증이 생겨 각막이 흐려지는 병.
각목 (角木)[강-] 명 네모지게 깎은 나무.
각목 (刻木)[강-] 명하자 나무를 오리어 새기거나 깎거나 함.
각물 (各物)[강-] 명 각가지 물건.
각박-하다 (刻薄-)[-빠카-] 형여불 **1** 쌀쌀맞고 인정이 없다. ¶ 각박한 세상 인심. **2** 아주 인색하다. **3** 땅이 거칠고 기름지지 아니하다. 메마르다. ¶ 각박한 땅. **각박-히** [-빠키] 부
각반 (脚絆) 명 걸음을 걸을 때 거뜬하게 하려고 발목에서 무릎 아래까지 감는 헝겊띠. ¶ ~을 차다.
각방 (各方) 명 **1** 여러 방면. ¶ ~으로 알아보다. **2** 각각의 편. ¶ ~과의 협의.
각방 (各房) 명 각각의 방. 따로따로의 방. ¶ 부부가 ~을 쓰다.
각-배 (各-) 명 **1** 어미는 같으나 낳은 시기가 다른 새끼. **2** 〈속〉 이복(異腹). ↔한배.
각-벌 (各-) 명 옷이나 서류 등의 따로따로의 한 벌.
각별 (各別·恪別) 명하형히부 아주 특별함. ¶ ~한 사이 / 장남인 형은 할머니의 관심이 ~하다 / ~히 조심하다.
각별-나다 (各別-)[-라-] 형 각별하다. ¶ 우정이 ~.
각본 (刻本) 명 조각한 판목으로 인쇄한 책. 판본(版本).
각본 (脚本) 명 **1** 연극의 꾸밈새·무대 모양·배우의 대사 따위를 적은 글. 극본. **2** 어떤 일을 하려고 미리 짠 계획. ¶ ~을 꾸미다 / ~대로 되어 가고 있다.
각부 (各部) 명 **1** 각 부분. ¶ 수영은 신체 ~를 발달시킨다. **2** 각각의 부. ¶ 행정 ~ 장관을 임명하다.
각분 (各分) 명하타 따로따로 나눔. ¶ 요리 학원에서 만든 음식을 ~하여 가져가다.
각-뿔 (角-) 명 〖수〗 다각형의 각 변을 밑변으로 하고, 다각형의 평면 밖에 있는 한 점을 공통의 꼭짓점으로 삼는 여러 삼각형으로 에워싸인 입체. 구용어 : 각추.
각뿔-대 (角-臺) 명 각뿔을 그 밑면에 평행하는 평면으로 잘라 꼭짓점이 있는 부분을 없앤 나머지 입체.
각-사탕 (角砂糖) 명 각설탕.
각-살림 (各-) 명하자 (부자 또는 형제가) 각각 따로 차린 살림. ¶ ~을 내다.
각상 (各床) 명하자 **1** 육류·채류(菜類)를 각각 따로 차린 음식상. **2** 한 사람이 먹게 따로 차린 음식상. ¶ ~을 차리다 / 안방과 마루에 따로 ~을 보게 하다. ↔겸상.
각색 (各色) 명 **1** 각각의 빛깔. 여러 가지 빛깔. ¶ ~ 무늬. **2** 각종. ¶ ~ 나물.
각색 (脚色) 명하타 **1** 소설·서사시 등을 고쳐 각본으로 만듦. ¶ 원작 소설을 ~해 영화를 만들다. **2** 사실을 과장하여 재미있게

꾸미는 일.

각생 (各生) 명하자 바둑에서, 양편 말이 다 같이 삶. ¶ 양 대마(大馬)가 ~하다.

각서 (覺書) 명 **1** 의견이나 희망을 상대편에 전달하기 위한 약식·비공식의 외교 문서. ¶ ~를 교환하다. **2** 약속을 지키겠다는 내용을 적은 문서. ¶ ~를 쓰다 / ~를 받다.

각석 (角石) 명 네모나게 떠내거나 자른 석재(石材).

각석 (刻石) 명하타 글자·무늬 따위를 돌에 새김. 또는 그 돌.

각선-미 (脚線美) 명 주로 여자의 다리 곡선에서 느끼는 아름다움. ¶ ~를 돋보이게 하는 미니스커트 / ~를 드러내며 걷다.

각설 (却說) ㊀명하자 말이나 글 따위에서, 화제를 돌림. ㊁부 '각설하고'의 준말.

각설-이 (却說-) 명 〘민〙 '장타령꾼'을 낮잡아 이르는 말. ¶ ~ 떼가 몰려다니다.

각설이 타령 (却說-) 〘민〙 장타령.

각-설탕 (角雪糖) 명 네모반듯하게 굳혀 만든 흰 설탕. 각사탕. 모사탕.

각설-하고 (却說-) 부 화제를 돌려 다른 말을 꺼낼 때 쓰는 접속 부사. ¶ ~, 당신의 계획을 들어 봅시다. ㊟각설.

각섬-석 (角閃石) 명 보통, 흑갈색이고 기둥 모양의 결정체인 광물《화강암·안산암 따위의 화성암에 들어 있음》.

각성 (各姓) 명 **1** 각기 다른 성. **2** 각기 성이 다른 사람.

각성 (覺醒) 명하자 **1** 눈을 떠서 정신을 차림. **2** 깨달아 정신을 바로 차림. ¶ ~을 촉구하다.

각성-바지 (各姓-) 명 **1** 어머니는 같고 아버지가 다른 형제. **2** 성이 각각 다른 사람.

각성-제 (覺醒劑) 명 중추 신경을 흥분시켜 잠이 오지 않게 하는 약.

각소 (各所) 명 각 군데. 여러 군데. ¶ 각개 ~에 배치하다.

각-속도 (角速度) 명 〘물〙 물체의 회전 운동에서, 회전의 중심과 물체의 한 점을 연결한 선분이 기선(基線)과 이루는 각의 시간적 변화의 율(率).

각수 (刻手) 명 나무나 돌 등에 조각하는 일을 업으로 하는 사람. 각공(刻工).

각시 명 **1** 새색시. **2** '아내'를 달리 이르는 말. ¶ ~를 얻다.

각심 (各心) 명하자 **1** 각 사람의 마음. **2** 각기 마음을 달리함. ¶ ~ 먹고 헤어졌다.

각암 (角岩) 명 〘광〙 갈색 혹은 짙은 잿빛의 석영질(石英質)의 수성암《아주 단단함》.

각양 (各樣) 명 서로 다른 여러 가지 모양. ¶ ~의 옷차림.

각양-각색 (各樣各色) 명 서로 다른 여러 가지. 각색각양. ¶ 배우들의 머리 모양이 ~이다.

각오 (覺悟) 명하타 앞으로 닥쳐올 일에 대한 마음의 준비. ¶ 비장한 ~ / 새롭게 ~를 다지다 / 죽음을 ~하다.

각운 (脚韻) 명 〘문〙 시가(詩歌)에서, 구(句)나 행(行) 끝에 규칙적으로 같은 운의 글자를 다는 일. 또는 그 운. *두운(頭韻)·요운(腰韻).

각-운동 (角運動) 명 〘물〙 물체가 한 정직선(定直線)의 주위로 언제나 같은 거리를 두고 도는 운동.

각원 (閣員) 명 내각을 구성하는 인원. 각료(閣僚).

각위 (各位) 명 **1** 여러분. ¶ 회원 ~께서는 조용하시기 바랍니다. **2** 각각의 자리 또는 지위. **3** 각각의 신위(神位).

각의 (閣議)[-/-이] 명 내각의 회의. ¶ ~를 소집하다 / 법안이 ~에서 통과되다.

각인 (各人) 명 각각의 사람.

각인 (刻印) 명하자 **1** 도장을 새김. **2** 마음이나 기억 속에 뚜렷하게 새겨짐. ¶ 뇌리에 ~되다.

각인-각색 (各人各色) 명 사람마다 모두 다름. 각인각양. ¶ ~의 의견.

각-일각 (刻一刻) 부 각각(刻刻)으로. 시간이 지남에 따라 점점. ¶ 출발 시간이 ~ 다가오다 / ~ 변하다.

*__각자__ (各自) ㊀명 각각의 자신. ¶ ~의 일은 ~가 알아서 한다 / ~의 소신대로 행동하라. ㊁부 제각기. ¶ 점심은 ~ 지참할 것.

각자 (刻字) 명하자 글자를 새김. 또는 그 글자.

각자 병:서 (各自竝書) 같은 자음 두 글자를 가로로 나란히 붙여 씀. 곧, 'ㄲ·ㄸ·ㅃ·ㅆ·ㅉ·ㆀ·ㆅ·ㆆㆆ' 따위. *합용(合用) 병서.

각장 (各葬) 명하타 부부를 각각 딴 자리에 장사 지냄. ↔합장(合葬).

각재 (角材) 명 네모지게 켠 재목. *통나무.

각적 (角笛) 명 짐승의 뿔로 만든 피리. 뿔피리.

각조 (各條) 명 각각의 조항이나 조목.

각종 (各種) 명 온갖 종류. 또는 여러 종류. 각색. 각가지. ¶ ~ 성인병 / 이 달에는 ~ 행사가 많다.

각주 (角柱) 명 **1** 네모진 기둥. **2** 〘수〙 '각기둥'의 구용어.

각주 (脚註·脚注) 명 본문 아래쪽에 따로 단 풀이. ¶ ~를 달다. ↔두주(頭註).

각주구검 (刻舟求劍) 명 〔배에서 칼을 강에 떨어뜨리고 뱃전에 빠뜨린 자리를 표시해 두었다가 배가 정박한 뒤에 칼을 찾으려 했다는 고사(故事)에서 유래 : 여씨춘추(呂氏春秋)〕 어리석고 미련하며 융통성이 없음의 비유.

각지 (各地) 명 각 지방. 여러 곳. 각처. ¶ 세계 ~를 여행하다.

각지 (各紙) 명 여러 신문.

각지 (各誌) 명 여러 잡지.

각질 (角質) 명 **1** 〘동〙 동물의 몸을 보호하는 비늘·뿔·털·부리 따위를 형성하는 물질《케라틴이 주성분임》. **2** 딱딱하게 굳은 피부.

각처 (各處) 명 여러 곳. 각지. ¶ 세계 ~로 뻗어 나가다.

각추 (角錐) 명 **1** 〘수〙 '각뿔'의 구용어. **2** 모난 송곳.

각-추렴 (各-) 명하타 〔←각출렴(各出斂)〕 각 사람에게서 돈이나 물건을 거둠. 각수렴.

각축 (角逐) 명하자 서로 이기려고 경쟁함. ¶ 우승을 노리고 ~을 벌이다.

각축-장 (角逐場) 명 각축을 벌이는 곳. ¶ 양 진영의 ~이 되다.

각축-전 (角逐戰) 명 각축을 벌이는 싸움. ¶ ~이 벌어지다 / ~을 벌이다.

각출 (各出) 명하자타 **1** 각각 나옴. **2** 각각 내놓음. ¶ 기부금을 ~하다.

각층 (各層) 명 **1** 각각의 층계나 층. ¶ ~마다 서는 승강기. **2** 각각의 계층. 또는 여러 계층.

각칙 (各則) 명 **1** 각가지 규칙이나 법칙. **2** 〖법〗 법률·명령·규칙·조약 따위에서, 특정한 경우에만 적용되는 것으로 규정한 부분. *총칙.

각-테 (角-) 명 뿔로 만든 안경테. 뿔테. ¶ ~ 안경.

각파 (各派) 명 **1** 한 문중에 속한 각각의 파. ¶ ~의 자손. **2** 당파·학파 따위에 속한 각각의 파. ¶ 여당의 ~ 대표.

각판 (刻板) 명하타 〖인〗 **1** 서화를 새기는 널조각. **2** 서화를 널조각에 새김. 판각(板刻).

각하 (却下)[가카] 명하타 국가 기관에 대한 행정상 또는 사법상의 신청을 물리치는 처분. 특히 민사 소송에서는 법원이 당사자나 기타의 관계인의 소송에 관한 신청을, 형식적인 면에서 부적법한 것으로 하여 물리치는 재판을 말함. *기각.

각하 (閣下)[가카] 명 **1** 높은 지위에 있는 사람에 대한 경칭. ¶ 대통령 ~. **2** 〖가〗 주교와 대주교에 대한 경칭.

각-하다 (刻-)[가카-] 타여불 연장으로 나무나 돌에 무엇을 새기다.

각항 (各項)[가캉] 명 각 항목. ¶ 상기(上記) ~.

각혈 (咯血)[가결] 명하자 〖의〗 폐병 따위로 폐·기관지 점막 등에서 출혈이 일어나 입으로 피를 토함. 객혈(喀血).

각호 (各戶)[가코] 명 **1** 각각의 집. ¶ 동사무소에서 ~마다 우편함을 달아 주었다. **2** 각각의 가구(家口). ¶ ~의 구성원. **3** 호적상의 각 집.

각화 (角化)[가콰] 명하자 **1** 〖동〗 동물 조직의 일부, 특히 표층의 세포가 케라틴화(化)하여 각질층을 만드는 일. **2** 〖식〗 잎·줄기·열매 따위의 표피가 굳어지는 일.

간 명하타 **1** 음식물에 짠맛을 내는 물질《소금·간장·된장 따위》. ¶ ~을 치다 / 소금으로 ~을 하다. **2** 짠맛의 정도. ¶ ~이 맞다 / 국의 ~을 보다.

간도 모르다 구 일의 내막을 짐작도 못하다.

간이 오르다 구 간이 배어들다.

간 (刊) 명 간행(刊行)·출판의 뜻. ¶ 민중서림 ~ 국어 대사전 / 2000 년 ~.

***간**: (肝) 명 〖생〗 배의 오른쪽 위 횡격막의 아래에 접해 있는 암적갈색의 대분비선(大分泌腺)《쓸개즙의 분비, 양분의 저장, 요소(尿素)의 생성, 해독 작용 등의 기능을 가짐》. 간장(肝臟).

[간에 붙었다 쓸개에 붙었다 한다] 지조 없이 형편에 따라 아무에게나 아첨하다.

[간이 뒤집혔나 허파에 바람이 들었나] 마음의 평정을 잃고 까닭 없이 웃음을 나무라는 말.

간 빼 먹고 등치다 구 남을 을러대어 놀라게 해서 재물을 빼앗아 가지다.

간에 기별도 안 간다 구 양이 적어 먹은 것 같지 않다. ¶ 빵 한 조각으로 저녁을 때우라니, 간에 기별도 안 가겠다.

간에 바람 들다 구 하는 행동이 실없다.

간에 불 붙었다 구 ㉠당한 일이 다급하여, 간이 타는 것 같다. ㉡몹시 울화가 나다.

간에 차지 않다 구 ㉠간에 기별도 안 간다. ㉡마음에 흡족히 여겨지지 않다.

간을 녹이다 구 ㉠매우 애타게 하다. ㉡감언이설이나 애교 따위로 매우 매혹되게 하다.

간(을) 졸이다 구 몹시 걱정되고 불안스러워 마음을 놓지 못하다.

간이 녹다 구 몹시 놀라거나 실망하거나 애가 타서, 간이 녹아 없어지는 듯하다.

간(이) 떨어지다 구 순간적으로 몹시 놀라다. ¶ 어이쿠 깜짝야, 간 떨어지겠다.

간(이) 붓다 구 배짱이 늘다. 지나치게 대담해지다. ¶ 감히 나한테 도전하다니, 이놈이 간이 부은 모양이구나.

간이 콩알만 하다 구 몹시 겁에 질리다. ¶ 혹시 암이 아닌가 해서 간이 콩알만 해졌다.

간이 크다 구 매우 대담하다.

간[1] (間) ㊀명 '칸'의 잘못. ㊁의명 '칸'의 잘못. 주의 '초가삼간·윗간·육간대청' 따위는 '간'.

***간**[2] (間) 의명 **1** 사이. ¶ 서울과 인천 ~의 국도. **2** '관계'의 뜻. ¶ 부모와 자식 ~의 정. **3** (주로 '간에'의 꼴로 쓰여) '어느 쪽이든지 관계없이'의 뜻을 나타내는 말. ¶ 있고 없고 ~에 / 누구든지 ~에.

간[3] (間) 의명 **1** 길이의 단위. 한 간은 여섯 자로 1.8182 m 에 해당함. **2** 넓이의 단위. 한 간은 보통 여섯 자 제곱의 넓이임.

-간 (間) 미 **1** '장소'의 뜻. ¶ 방앗~ / 대장~ / 외양~ / 마구~. **2** '동안'의 뜻. ¶ 이틀~ / 며칠~ / 한 달~ / 4 년~ / 다년~. **3** 둘의 '사이' 또는 '관계'의 뜻. ¶ 부부~ / 부자~ / 내외~. **4** '어느 쪽이든지 관계없이'의 뜻. ¶ 좌우~ / 피차~ / 가부~ / 다소~.

간각 명 사물을 이해하는 힘. ¶ ~이 부족하다.

간각 (刊刻) 명하타 글씨나 그림을 새김.

간:간 (間間) 부 '간간이'의 준말. ¶ 말소리가 ~ 들리다.

간:간-이 (間間-) 부 **1** 시간적인 사이를 두고 가끔씩. 이따금씩. ¶ ~ 들려오는 뱃고동 소리 / 그런 일도 ~ 있다. **2** 공간적인 거리를 두고 듬성듬성. ¶ 집이 ~ 있다. 준 간간.

간간-하다[1] 형여불 **1** 마음이 간질간질하게 재미있다. **2** 간질간질하고 아슬아슬하게 위태롭다. **간간-히**[1] 부

간간-하다[2] 형여불 입맛이 당기게 약간 짠 듯하다. ¶ 맛이 좀 ~. 큰 건건하다. **간간-히**[2] 부

간:-거르다 (間-)〔간거르니, 간걸러〕 타르불 차례에서 하나씩 사이를 두다.

간:-거리 (間-) 명하타 일정한 사이를 걸러 함. ¶ 사흘 ~로 부부 싸움을 하다.

간:격 (間隔) 명 **1** 물건 사이의 거리. 뜬 사이. ¶ 이보(二步) ~. **2** 시간적으로 벌어진 사이. ¶ 두 시간 ~. **3** 인간관계가 벌어진 정도. 틈. ¶ 하찮은 일로 그와는 ~이 생겼다. **4** 의견이나 생각의 차이.

간결-체 (簡潔體) 명 〖문〗 문체의 하나. 내용을 간결하고 명쾌하게 나타내는 문체.

↔만연체.

간결-하다 (簡潔-) 형여불 표현이 간단하고 요령이 있다. ¶간결한 문장.

간경 (刊經) 명하타 〔불〕 불경을 간행함.

간:경 (肝經) 명 **1** 〔생〕 간에 붙은 인대(靭帶). **2** 〔한의〕 간에 딸린 경락(經絡).

간경 (看經) 명하자 〔불〕 불경을 소리 내지 않고 속으로 읽음. ↔독경.

간:-경변증 (肝硬變症)[-쯩] 명 〔의〕 간의 조직 세포의 장애로 간이 굳어지고 오므라드는 병《복수(腹水)가 차고 빈혈·전신 쇠약 따위를 일으킴》.

간경-하다 (簡勁-) 형여불 글이나 말이 간결하고 힘차다. ¶간경한 필치(筆致).

간계 (奸計)[-/-게] 명 간사한 꾀. ¶적의 ~에 걸리다[빠지다] / ~를 꾸미다.

간고 (艱苦) 명하형히부 **1** 가난하고 고생스러움. ¶~한 생활 형편 / ~를 이겨 내다. **2** 몹시 힘들고 어려움. ¶~한 독립 투쟁.

간:곡-하다 (懇曲-)[-고카-] 형여불 간절하고 정성스럽다. ¶간곡하신 말씀 / 간곡한 부탁. **간:곡-히** [-고키] 부. ¶~ 타이르다.

간곳-없다 [-곧업따] 형 갑자기 자취를 감추어 온데간데가 없다. ¶평소의 온유한 안색은 간곳없고 표독스러운 눈으로 그를 노려보았다. **간곳-없이** [-곧업씨] 부. ¶~ 사라지다.

간과 (干戈) 명 **1** 병장기(兵仗器)의 총칭. 간척(干戚). **2** 전쟁.

간과 (看過) 명하타 주의 깊게 보지 않고 대충 보아 넘김. ¶~할 수 없는 사태.

간:관 (諫官) 명 〔역〕 사간원·사헌부의 관원의 통칭. 간신(諫臣). 언관(言官).

간:괘 (艮卦) 명 팔괘(八卦)의 하나. 상형(象形)은 '☶'으로, 산을 상징함. ㊉간(艮). ☞팔괘.

간교 (奸巧) 명하형히부 간사하고 교활함. ¶~한 술책 / ~하게 굴다.

간교-스럽다 (奸巧-)〔-스러우니, -스러워〕 형ㅂ불 보기에 간교하다. **간교-스레** 부

간:구 (懇求) 명하타 간절히 바람. ¶살려 달라고 신에게 ~하다.

간구-하다 (艱苟-) 형여불 가난하고 구차하다. ¶살림이 ~. **간구-히** 부

간-국 [-꾹] 명 짠맛이 우러난 물. 간물.

간균 (桿菌) 명 〔생〕 막대 모양으로 생긴 세균. 크기는 3-4 미크론. 티푸스균·디프테리아균·적리균·대장균·페스트균·결핵균 따위임. 막대 박테리아.

간극 (間隙) 명 **1** 사물 사이의 틈. ¶~을 메우다 / 벽에 ~이 생기다. **2** 시간이나 때의 틈. ¶닷새 간의 ~이 생기다. **3** 두 가지 현상이나 사건 사이의 틈.

간-기 (-氣)[-끼] 명 짠 기운. ¶갯바람 속에 밴 ~.

간기 (刊記) 명 책을 펴낸 때·곳·간행자 등을 적은 부분.

간:기 (肝氣) 명 〔한의〕 어린아이가 소화 불량으로 식욕이 떨어지고 얼굴이 해쓱해져, 푸른 젖을 토하고 푸른 대변을 누며 자꾸 우는 증세.

간:기 (癎氣)[-끼] 명 〔한의〕 간질.

간나위 명 간사스러운 사람.

간난 (艱難) 명하형히부 **1** 몹시 힘들고 고생스러움. ¶온갖 ~을 겪다. **2** '가난'의 본딧말.

간난-신고 (艱難辛苦) 명 갖은 고생을 다 겪음. ¶~ 끝에 성공을 거두다.

간:년 (間年) 명하자 한 해를 거름.

간:념 (懇念) 명 간절한 마음.

간:뇌 (肝腦) 명 간과 뇌(腦). 전하여, 육체와 정신.

간:뇌 (間腦) 명 대뇌와 소뇌 사이에 있는 뇌의 한 부분《내장·혈관의 활동을 조절함》. 사이골.

간:능 (幹能) 명 일을 잘하는 재간과 능력.

간:-니 명 〔생〕 젖니가 빠지고 나는 이. 대생치(代生齒).

간닥-거리다 자타 가로로 조금씩 움직이거나 움직이게 하다. **간닥-간닥** 부하자타

간닥-대다 자타 간닥거리다.

간:단 (間斷) 명하자 잠깐 끊임. 잠시 그침.

간단간단-히 (簡單簡單-) 부 매우 간단히. 여럿을 모두 간단히. ¶주의 사항을 ~ 설명하다.

간단명료-하다 (簡單明瞭-)[-뇨-] 형여불 간단하고 분명하다. ㊉간명(簡明)하다. **간단명료-히** 부

간:단-없다 (間斷-)[-업따] 형 그치거나 끊어짐이 없다. 끊임없다. ¶간단없는 노력. **간:단-없이** [-업씨] 부. ¶~ 비가 내리 퍼붓는다.

***간단-하다** (簡單-) 형여불 **1** 복잡하지 않고 간략하다. ¶간단하고도 요령 있는 대답. **2** 간편하고 단출하다. ¶간단한 복장. **3** 단순하고 손쉽다. ¶간단한 문제 / 작업이 그다지 간단하지 않다. **간단-히** 부. ¶~ 설명하다 / 일이 ~ 끝나다.

간:담 (肝膽) 명 **1** 간과 쓸개. **2** 속마음.

간담이 내려앉다 구 몹시 놀람의 비유.

간담이 떨어지다 구 몹시 놀람의 비유.

간담이 서늘하다 구 몹시 놀라서 마음이 섬뜩하다.

간:담-회 (懇談會) 명 정답게 서로 이야기를 나누는 모임. ¶기자 ~를 가지다.

간당-거리다 자 조금 할가워서 가볍고 순하게 자꾸 흔들리다. ㉺건덩거리다. **간당-간당** 부하자

간당-대다 자 간당거리다.

간당-이다 자 조금 할가워서 가볍고 순하게 흔들리다. ㉺건덩이다.

간대 (竿-)[-때] 명 '간짓대'의 준말.

간대로 부 (주로 뒤에 '아니다·않다' 따위의 부정어와 호응하여) 그다지 쉽사리. ¶삶이란 ~ 되는 것이 아니다 / 하늘을 보니 ~ 비가 그치지는 않겠다.

간댕-거리다 자 가늘게 붙은 물체가 옆으로 천천히 자꾸 움직이다. ㉺근뎅거리다. **간댕-간댕** 부하자

간댕-대다 자 간댕거리다.

간댕-이다 자 간댕간댕 흔들리며 움직이다. ㉺근뎅이다.

간:-덩이 (肝-)[-떵-] 명 〈속〉 간.

간덩이(가) 붓다 구 터무니없이 배짱을 부리다. ¶만취 상태에서 차를 몰다니, 정말 간덩이가 부은 놈이구나.

간덩이(가) 크다 구 마음이 다부져서 웬만한 사물에 놀라지 아니하다. 배짱이 크다.

간데라 (←네 kandelaar) [명] 함석 따위로 만든 호롱에 석유를 넣어 켜 들고 다니는 등.
간데-없다 [-업따] [형] 갑자기 자취를 감추어 온데간데가 없다. **간데-없이** [-업씨] [부]. ¶조금 전에 사다 놓은 빵이 ~ 사라졌다.
간:독 (簡牘) [명] **1** 옛날 중국에서 종이가 없었던 때에 글씨를 쓰던 대쪽과 얇은 나무쪽. **2** 편지. **3** 편지틀.
간동-간동 [부][하타][형] 간동하게 잘 수습하는 모양. [큰]건둥건둥.
간동-그리다 [타] 간동하게 수습하다. [큰]건둥그리다.
간동-하다 [형][여불] 잘 정돈되어 단출하다. [큰]건둥하다. **간동-히** [부]
간두 (竿頭) [명] **1** 대막대기 끝. **2** '백척(百尺)간두'의 준말.
간:-두다 [타] '그만두다'의 준말.
간드랑-거리다 [자] 작은 물체가 매달려 옆으로 가볍게 자꾸 흔들리다. [큰]근드렁거리다. **간드랑-간드랑** [부][하자]
간드랑-대다 [자] 간드랑거리다.
간드러-지다 [형] 예쁘고 맵시 있게 가늘고 부드럽다. ¶여인들의 간드러진 웃음소리/노래를 간드러지게 부르다. [큰]건드러지다.
간드작-거리다 [자] 무엇에 붙어 있는 물체가 가볍게 자꾸 움직이다. [큰]근드적거리다. **간드작-간드작** [부][하자]
간드작-대다 [자] 간드작거리다.
간들-거리다 [자] **1** 바람이 부드럽게 불다. **2** 사람이 간드러진 태도를 보이다. **3** 간드러지게 자꾸 움직이다. [큰]건들거리다. **4** 물체가 이리저리 자꾸 흔들리다. ¶나뭇잎이 바람에 ~. [큰]근들거리다. **간들-간들** [부][하자]
간들-대다 [자] 간들거리다.
간:-디스토마 (肝distoma) [명] 흡충류의 편형동물. 길이 6-20mm, 납작하고 긴 나뭇잎 모양이며 우렁이 따위를 거쳐 제2 중간 숙주인 붕어·잉어 등에 기생하고 다시 사람·개·고양이 등의 간에 기생함. 간흡충.
간략-하다 (簡略-) [갈랴카-] [형][여불] 간단하고 짤막하다. ¶요점만 간략하게 말하다. **간략-히** [갈랴키] [부]
간류 (幹流) [갈-] [명] **1** 본류. 주류. **2** 사조(思潮)의 으뜸되는 줄기.
간:릉 (幹能) [갈-] [명][하형] 재치 있고 능청스러움. ¶~을 부리다.
간만 (干滿) [명] 밀물과 썰물. 간조와 만조. ¶~의 차.
간:망 (懇望) [명][하타] 간절히 바람.
간:명 (肝銘) [명][하타] 마음속에 깊이 새김.
간명-하다 (簡明-) [형][여불] '간단명료하다'의 준말. ¶간명한 해설. **간명-히** [부]
간-물 [명] **1** 소금기가 섞인 물. 간장 탄 물. ¶배추김치에 ~이 골고루 배다. **2** 간국.
간물 (乾物) [명] '건물(乾物)'의 본딧말.
간물-때 [명] 간조(干潮). ↔찬물때.
간:발 (間髮) [명] 순간적이거나 아주 적음을 나타내는 말.
 간발의 차 [구] 아주 근소한 차이. ¶달리기에서 ~로 금메달을 따다.
간:발 (簡拔) [명][하타] 여러 사람 가운데서 뽑아 냄. 간탁(簡擢).
간-밤 [명] 지난밤. ¶~에 비가 왔다.
간:벌 (間伐) [명][하타] 나무의 발육을 돕기 위하여 나무를 솎아 베어 냄. 솎아베기.
간법 (簡法) [-뻡] [명] 간단한 방법.
간병 (看病) [명][하타] 환자의 곁에서 돌보고 시중을 듦. 병구완. ¶딸의 정성어린 ~으로 그의 건강은 날로 좋아졌다.
간:병 (癎病) [명] 〖의〗 어린아이가 경련을 일으키는 병. 경기(驚氣). 경풍(驚風).
간:부 (姦夫) [명] 간통한 남자. ¶~와 공모하여 남편을 독살하다. ↔간부(姦婦).
간:부 (姦婦) [명] 간통한 여자. ↔간부(姦夫).
간부 (幹部) [명] 단체나 조직 등에서 활동의 중심이 되는 사람. ¶~ 사원.
간:빙-기 (間氷期) [명] 〖지〗 빙하기와 빙하기 사이에 기후가 온화해져서 빙하가 고위도 지방까지 물러가는 시기《현재는 제4 간빙기에 해당함》.
간사 (奸詐) [명][하형][히부] 거짓으로 남의 비위를 맞춤. ¶~한 인간/~를 떨다.
간사 (幹事) [명] 단체의 사무를 주장으로 맡아 처리하는 직임. 또는 그런 일을 하는 사람. ¶동창회 ~.
간사-스럽다 (奸邪-) 〔-스러우니, -스러워〕 [형][ㅂ불] 간교하고 바르지 못한 태도가 있다.
 간사-스레 [부]
간사-스럽다 (奸詐-) 〔-스러우니, -스러워〕 [형][ㅂ불] **1** 교활하게 남을 속이는 태도가 있다. **2** 지나치게 붙임성이 있고 아양을 떠는 면이 있다. ¶간사스러운 목소리를 내다.
 간사-스레 [부]
간:사위 [명] **1** 면밀하고 변통성 있는 수단. ¶~가 있다〔좋다〕. **2** 자신의 이익을 위하여 쓰는 교묘한 수단.
간사-하다 (奸邪-) [형][여불] 간교하고 행실이 바르지 못하다. ¶사람의 마음이란 이토록 간사한 것인가. **간사-히** [부]
간산 (看山) [명][하자] **1** 묏자리를 잡으려고 산을 둘러봄. **2** 성묘(省墓).
간살 [명] 간사스럽게 아첨하고 아양을 떠는 태도. ¶~을 떨다/상사에게 ~을 부리다.
간살-스럽다 〔-스러우니, -스러워〕 [형][ㅂ불] 간살을 부리는 태도가 있다. **간살-스레** [부]
간살-쟁이 [명] 간살을 잘 부리는 사람.
간상 (奸商) [명] 간사한 방법으로 부당한 이익을 보는 장사치. ¶~ 모리배.
간상-세포 (桿狀細胞) [명] 눈의 망막에 있는 막대기 모양의 세포《명암을 식별하는 작용을 함》. 간상체(桿狀體). 간체(桿體).
간색 (看色) [명][하타] **1** 물건의 좋고 나쁨을 알려고 견본 삼아 일부분을 봄. **2** 구색(具色)을 맞추려고 조금씩 내어 놓은 물건.
간:색 (間色) [명] **1** 빨강, 노랑, 파랑, 흰색, 검정 가운데 둘 이상의 색을 섞어 낸 색. 중간색(中間色). ↔정색(正色). **2** 〖미술〗 두 원색을 혼합하여 생기는 색. 제2차색. **3** 그림에서, 명암(明暗)을 조화시키기 위하여 칠하는 빛.
간색-대 (看色-) [명] 색대.
간서 (刊書) [명][하자] 책을 펴냄. 또는 그 펴낸 책.
간:-석기 (-石器) [명] 〖역〗 돌을 갈아서 만든 신석기 시대의 석기. 마제(磨製) 석기. *뗀석기.
간석-지 (干潟地) [명] 밀물과 썰물이 드나드는 개펄.

간:선 (間選) 명하타 '간접 선거'의 준말. ↔ 직선.
간선 (幹線) 명 도로·철도·전신 등의 주요한 선. 본선. ¶~ 도로. ↔지선(支線).
간:선-제 (間選制) 명 간접 선거로 뽑는 제도. ↔직선제.
간섭 (干涉) 명하자타 **1** 남의 일에 참견함. ¶인사(人事)에 ~하다. **2** 〖물〗 광파(光波)·음파(音波) 따위의 파동이 한 점에서 만날 때 서로 작용하여 강해지거나 약해지는 현상. ¶빛의 ~ 현상을 이용하다.
간섭-계 (干涉計)[-/-께] 명 〖물〗 광파(光波)의 간섭 현상을 이용하여 빛의 파장·굴절률 따위를 측정하는 장치.
간섭-무늬 (干涉-)[-섬-니] 명 〖물〗 빛의 간섭 현상으로 나타나는 동심원(同心圓) 모양의 줄무늬.
간섭-색 (干涉色) 명 〖물〗 두 개의 백색광이 간섭할 때, 광파(光波)의 조성이 변하기 때문에 나타나는 빛깔. 비눗방울이나 기름막 따위의 빛깔.
간성 (干城) 명 나라를 지키는 믿음직한 군대나 인물. ¶국토 방위의 ~.
간:성 (間性) 명 〖생〗 **1** 암수의 중간적 성질을 나타내는 생물 개체(個體). **2** 종(種)이 다른 동물을 교배시켜 얻는 동물《말과 당나귀를 교배시켰을 때의 노새 따위》. 중성(中性).
간:세 (間世) 명하자 여러 대를 통하여 드물게 있음. ¶~의 인물.
간:-세포 (間細胞) 명 〖생〗 어떤 조직에서 특유한 역할을 하는 세포 사이에 끼어서 다른 기능을 하는 세포. 중간 세포. 간질(間質) 세포.
간소-하다 (簡素-) 형여불 단순하고 꾸밈이 없다. ¶간소한 옷차림 / 결혼식을 간소하게 치르다. **간소-히** 부
간소-화 (簡素化) 명하타 복잡한 것을 간략하게 함. ¶행정의 ~ / 절차를 ~하다 / 출입국 심사가 ~되다.
간수 명하타 물건 따위를 잘 거두어 보호하거나 보관함. ¶물건은 ~할 탓이다.
간수 (-水) 명 소금이 습기를 만나 저절로 녹아 흐르는 물. 두부를 만들 때 씀. 고염(苦塩). 노수(滷水).
간수 (看守) 명하타 **1** 보살피고 지킴. **2** '교도관(矯導官)'의 구칭. **3** 철도의 건널목을 지키는 사람.
간:식 (間食) 명 끼니와 끼니 사이에 먹는 음식. ¶~으로 삶은 감자를 먹다.
간신 (奸臣·姦臣) 명 간사한 신하.
간:신 (諫臣) 명 **1** 왕에게 옳은 말로 간하는 신하. **2** 간관(諫官).
간신-적자 (奸臣賊子) 명 간사한 신하와 불효한 자식.
간신-히 (艱辛-) 부 가까스로. 겨우. ¶~ 도망치다 / 터져 나오려는 웃음을 ~ 참다.
간실-간실 부하자 간사한 말과 행동으로 남의 비위를 맞추는 모양.
간악 (奸惡) 명하형히부 간사하고 악독함. ¶~한 무리들을 제거하다.
간악-무도 (奸惡無道)[-앙-] 명하형 간사하고 사람의 도리에 어긋남. 간사하고 무지막지함.
간악-스럽다 (奸惡-)[-스러우니, -스러워] 형ㅂ불 간사하고 악독한 태도가 있다. **간악-스레** 부
간:암 (肝癌) 명 〖의〗 간에 생기는 암.
간:언 (間言) 명 남을 이간하는 말. ¶중간에서 ~을 놓아 두 사람 사이를 멀게 하다.
간언(이) 들다 구 잘 어울리는 일에 간언이 끼어들다.
간:언 (諫言) 명 웃어른이나 임금에게 하는 충고. ¶~을 올리다.
간여 (干與) 명하자 관계하여 참견함. 간예(干預). ¶군인이 정치에 ~하는 것을 막다.
간:열 (肝熱) 명 〖한의〗 어린아이가 소화 불량으로 열이 높고 때때로 놀라며 몹시 쇠약해지는 병.
간:염 (肝炎) 명 〖의〗 간에 생기는 염증을 통틀어 이르는 말. 발열·황달·전신 권태·소화 장애 따위의 증상을 보임. 주로 음식물과 혈액을 통한 바이러스로 감염됨. 간장염. ¶B형 ~.
간:엽 (肝葉) 명 간의 좌우 두 개의 조직《모양이 잎사귀 같음》. 간잎.
간요 (簡要) 명하형히부 **1** 간략한 요점. **2** 간단하고 요령이 있음.
간:요-하다 (肝要-) 형여불 매우 중요하다. **간:요-히** 부
간웅 (奸雄·姦雄) 명 간사한 영웅. ¶난세의 ~ 조조(曹操).
간:원 (懇願) 명하타 간절히 원함.
간:월 (間月) 명하자 한 달씩 거름. 간삭(間朔). *간일(間日).
간:유 (肝油) 명 대구·명태 따위 생선의 간에서 추출한 맑고 노란 기름《비타민 A·D가 많이 들어 있어 영양제 등에 씀》. 어간유(魚肝油).
간:음 (間音) 명 〖언〗 한 단어 또는 한 어절(語節) 안의 두 모음이 동화하여 변화한 음. 속소리. 중음(中音).
간:음 (姦淫·姦婬) 명하자타 부부 아닌 남녀가 성관계를 맺음.
간:음-화 (間音化) 명하자 〖언〗 모음 동화의 하나. 한 단어나 한 어절(語節) 안의 두 모음이 하나의 중간음으로 변하는 동화 현상. 'ㅏ·ㅓ·ㅗ·ㅜ'에 'ㅣ'가 후행(後行)하여 'ㅐ·ㅔ·ㅚ·ㅟ'로 변하는 경우 등.
간:의 (簡儀)[-/-이] 명 〖역〗 조선 세종 때 이천·장영실 등이 만든, 천체의 운행과 현상을 관측하던 기계.
간:이 (簡易) 명 간단하고 이용하기 쉬움. ¶~ 화장실 / ~ 숙박소 / (지퍼가 달린) ~ 옷장.
간:이 계:산서 (簡易計算書)[-/-게-] 〖경〗 부가 가치세가 면제된 재화나 용역을 공급할 때, 공급자가 교부하는 계산서의 하나. 발행의 편의를 위하여 공급 받은 사람의 등록 번호·성명·공급 가액 등을 별도로 기재하지 않음.
간:이-식당 (簡易食堂) 명 간편한 설비만을 갖추고 간단하고 값싼 식사를 제공하는 작은 식당.
간:이-역 (簡易驛) 명 일반 역과는 달리 설비를 거의 또는 전혀 하지 않고 정거만 하는 역. 간이 정거장.
간:인 (間印) 명하자 철한 서류의 종잇장 사

이마다 걸쳐 도장을 찍음. 또는 그 도장.

간:일 (間日) 명하자 **1** 하루씩 거름. **2** 며칠씩 거름. *간월(間月).

간자 명 어른의 '숟가락'의 높임말.

간:자 (間者) 명 간첩(間諜).

간자미 명 〖어〗 가오리의 새끼.

간자-숟가락 명 두껍고 곱게 만든 숟가락. *잎숟가락.

간:작 (間作) 명하자타 사이짓기. ¶뽕나무 밭에 감자를 ~하다.

간잔지런-하다 형여불 **1** 졸리거나 술에 취해 눈시울이 가늘게 처지다. **2** 매우 가지런하다. ¶간잔지런하게 기른 코밑수염. **간잔지런-히** 부

***간장** (-醬) 명 음식의 간을 맞추는 짜고 특유한 맛이 있는 흑갈색의 액체. ¶요즘에는 집에서 ~을 담가 먹는 사람이 드물다 / 튀김을 ~에 찍어 먹다 / 국이 싱거워 ~을 치다. 준장.

간장 (肝腸) 명 **1** 간과 창자. **2** 애가 타서 녹을 듯한 마음.

간장을 끊다 구 몹시 슬프고 애달프다. ¶구슬픈 두견 소리 일촌 간장을 끊는구나.

간장을 녹이다 구 ㉠감언이설·아양 등으로 상대방의 환심을 사다. ㉡애타게 하다.

간장을 태우다 구 애를 태우다.

간장이 썩다 구 마음이 몹시 상하다. 애가 타다. 속 썩다.

간장이 타다 구 조바심과 걱정으로 속이 타는 듯하다. 애가 타다.

간:장 (肝臟) 명 〖생〗 간(肝).

간장-독 (-醬-)[-똑] 명 간장을 담아 두는 독.

간:-장지 (簡壯紙) 명 편지지를 만드는 두껍고 질이 좋은 한지(韓紙).

간적 (奸賊) 명 간악한 도둑. ¶~을 치다.

간:절-하다 (懇切-) 형여불 무엇을 바라는 마음이 더없이 절실하다. ¶간절한 소원 / 먹고 싶은 생각은 간절하지만 체중 조절 중이라 참는다 / 지켜보는 눈길이 ~. **간:절-히** 부. ¶~ 타이르다.

간:접 (間接) 명 **1** 바로 대하지 않고 중간에 세운 사람이나 물건을 통하여 연결되는 관계. ¶~으로 듣다. **2** 무엇이라고 똑똑하게 밝히지 아니하고 에두름. ↔직접.

간:접 경험 (間接經驗) 〖철〗 직접 체험하지 아니하고, 언어나 문자 따위 중간 매개를 통하여 얻는 경험.

간:접 금융 (間接金融)[-늉 / -] 자금의 공급자와 수요자 사이에 은행 등 금융 기관이 개입하는 금융 방식.

간:접 높임말 (間接-)[-점-] 〖언〗 높임의 대상과 관계가 있는 인물이나 소유물 등을 높이는 말. '계씨(季氏)'·'진지'·'아드님' 등. ↔직접 높임말.

간:접 민주제 (間接民主制)[-점-] 유권자가 선출한 대의원을 매개로 국민이 국가 의사의 결정과 집행에 참여하는 민주 제도의 한 형태. 대표 민주제. 대의 제도. ↔직접 민주제.

간:접-비 (間接費) 명 〖경〗 원가 계산상, 제조 또는 판매에 관하여 공통으로 소요되는 비용.

간:접 선:거 (間接選擧) 선거권자가 먼저 선거 위원을 선정하고, 그 선거 위원이 다시 당선자를 선거하는 일. ↔직접 선거. 준간선.

간:접-세 (間接稅) 명 납세자가 사실상 부과된 세금을 내는 것이 아니고, 소비자 등이 부담하게 되어 있는 세. 부가 가치세·특별소비세·주세·직물류세 따위. ↔직접세. 준간세(間稅).

간:접 인용 (間接引用) 〖언〗 문장에서, 다른 사람의 말이나 글 따위를 자기의 말로 바꾸어 나타내는 일《앞뒤에 따옴표를 하지 않으며, 뒤에 부사격 조사 '고'가 옴》. ↔직접 인용.

간:접-적 (間接的) 관명 바로 대하지 않고 매개를 통하여 연결되는 (것). ¶~인 영향 / ~으로 시사하다 / 친구한테 ~으로 들은 얘기라 잘 모르겠다. ↔직접적.

간:접 화법 (間接話法)[-저퐈뻡] 〖언〗 남의 말을 전할 때 그 말을 원형 그대로 전하지 않고 뜻을 풀어 자기 말로 해서 전하는 화법. ↔직접 화법.

간:접-흡연 (間接吸煙)[-저프변] 명 담배를 피우지 않는 사람이 주위에 있는 흡연자의 담배 연기를 들이마심으로써 그 영향을 불가피하게 받게 되는 일.

간조 (干潮) 명 조수가 빠져 바다의 수면이 가장 낮게 된 상태. 간물때. ↔만조.

간종-간종 부하타 계속 간종그리는 모양. 큰건중건중.

간종-그리다 타 흐트러진 것을 가닥가닥 골라서 가지런하게 하다. 간종이다. ¶책상 위의 서류를 ~. 큰건중그리다.

간종-이다 타 간종그리다. 큰건중이다.

간주 (看做) 명하자 그렇다고 침. 그렇게 여김. ¶일부러 그런 행동을 한 것이 아니라고 ~된다 / 이의가 없으면 동의한 것으로 ~하겠습니다.

간:주 (間奏) 명 〖악〗 **1** 한 곡(曲) 중간에 끼워 연주하는 일. **2** 간주곡.

간:주-곡 (間奏曲) 명 〖악〗 **1** 극 또는 악극의 막간에 연주하는 가벼운 곡. **2** 두 악곡·가곡·시 낭독 사이에 하는 짧은 기악곡. 간주악.

간:-주지 (簡周紙) 명 예전에, 편지지로 쓰던 두루마리.

간증 (干證) 명하타 〖기〗 자신의 종교적 체험을 고백하고 하나님의 존재를 증언하는 일. ¶일부 교인들은 그의 ~을 듣고 눈물까지 흘렸다.

간:증 (癎症)[-쯩] 명 간질의 증세.

간지 (干支) 명 천간(天干)과 지지(地支). 십간(十干)과 십이지(十二支).

간지 (干支)

'천간'의 '천(天)'은 하늘, '간(干)'은 줄기〔幹〕, '지지'의 '지(地)'는 땅, '지(支)'는 가지〔枝〕의 뜻을 나타냄.

천간…오행(五行)을 배당하고 음양(陰陽)을 나타냄.

갑(甲) – 목·양　　을(乙) – 목·음
병(丙) – 화·양　　정(丁) – 화·음
무(戊) – 토·양　　기(己) – 토·음
경(庚) – 금·양　　신(辛) – 금·음

임(壬) - 수·양　　계(癸) - 수·음
지지…짐승을 상징하며 음양을 나타냄.
자(子) - 쥐·양　　축(丑) - 소·음
인(寅) - 범·양　　묘(卯) - 토끼·음
진(辰) - 용·양　　사(巳) - 뱀·음
오(午) - 말·양　　미(未) - 양·음
신(申) - 원숭이·양　　유(酉) - 닭·음
술(戌) - 개·양　　해(亥) - 돼지·음

간지 (奸智) [명] 간사한 지혜. ¶~에 능하다.
간:지 (間紙) [명] **1** 접어서 맨 책의 종이가 얇아 힘이 없을 때, 그 접은 각 장의 속에 넣어 받치는 딴 종이. **2** 속장. **3** 〖인〗 덜 건조된 인쇄면이 다른 지면이나 인쇄면에 달라붙는 것을 막기 위하여 사이에 넣는 얇은 종이.
간:지 (簡紙) [명] 편지지로 쓰는, 두껍고 질기며 품질이 좋은 종이.
간-지다 [형] **1** 붙은 데가 가늘어 곧 끊어질 듯하다. ¶가는 덩굴에 간지게 매달려 있는 호박. **2** 간드러진 멋이 있다. ¶간지게 넘어가는 노랫가락.
간지럼 [명] 간지러운 느낌. ¶~을 잘 타다 / ~을 태우다.
간지럽다 〔간지러우니, 간지러워〕 [형][ㅂ불] **1** 무엇이 살에 닿아 가볍게 스칠 때 자리자리한 느낌이 있다. ¶머리카락이 목에 닿아 ~. [큰]근지럽다. **2** 거북하거나 단작스러운 일을 보는 것처럼 마음에 자리자리한 느낌이 있다. ¶간지럽게 아양을 떨다 / 낯이 ~. **3** 어떤 일을 하고 싶어 참고 견디기 어렵다. ¶얘기하고 싶어 입이 간지러웠지만 참았다.
간지럽-히다 [-러피-] [타] 간질이다.
***간직** [명][하타] **1** 물건 따위를 잘 간수하여 둠. ¶유품을 장롱 속에 고이 ~하다. **2** 생각이나 기억 따위를 잊지 않음. ¶선생님 말씀을 마음속에 깊이 ~하다.
간:질 (癎疾) [명] 〖한의〗 발작적으로 경련·의식 상실 등의 증상을 일으키는 질환. 전간(癲癎). 간기.
간질-거리다 [一][자] 자꾸 간지러운 느낌이 나다. [큰]근질거리다. [二][타] 자꾸 간질이다.
간질-간질 [부][하자형]. ¶속셈이 빤하여 얼굴이 ~하다.
간질-대다 [자타] 간질거리다.
간질이다 [타] 살갗을 간지럽게 하다. ¶겨드랑이를 ~.
간짓-대 [-지때 / -짇때] [명] 긴 대나무 장대. ¶~ 끝에 기를 달다. [준]간대.
간책 (奸策) [명] 간사한 계책. ¶~을 쓰다.
간:책 (簡冊·簡策) [명] 옛날에 종이 대신에 글씨를 쓰던 대쪽. 또는 그것으로 엮어서 만든 책.
간척 (干拓) [명][하타] 호수나 바닷가에 제방을 쌓아 그 안의 물을 빼내고 육지나 경작지를 만듦. ¶대규모 ~ 사업을 벌이다.
간척-지 (干拓地) [명] 간척 공사를 하여 만든 땅《경작지·목축지 따위》. ¶~ 조성.
***간:첩** (間諜) [명] 몰래 적이나 경쟁 상대의 정보를 알아내어 자기편에 보고하는 사람. 첩자. 스파이. 간자(間者). ¶밀파 ~ / ~을 침투시키다.
간:청 (懇請) [명][하타] 간절히 청함. ¶~을 물리치다 / ~을 들어주다.
간체-자 (簡體字) [명] 중국에서, 문자 개혁에 따라 1956년 이래 자체를 간략화하여 제정한 한자《'廣'을 '广', '雲'을 '云'으로 쓰는 따위》. 간화자(簡化字).
***간-추리다** [타] **1** 흐트러진 것을 가지런히 바로잡다. ¶흩어진 서류를 ~. **2** 말이나 글에서 요점을 골라 정리하다. ¶요점을 ~ / 생각을 ~ / 소설책의 줄거리를 ~.
간취 (看取) [명][하타] 무엇의 내용이나 사정을 알아차림. ¶그들의 속셈을 ~하다.
간:친 (懇親) [명][하자] 다정하게 사귀어 친밀하게 지냄.
간:택 (揀擇) [명][하타] **1** 〖역〗 조선 시대에, 왕·왕자·왕녀의 배우자를 고르던 일. ¶~령(令)이 내리다 / 좌상(左相)의 여식을 세자빈으로 ~하다. **2** 가려서 선택함.
간:통 (姦通) [명][하자] 〖법〗 배우자가 있는 사람이 배우자 이외의 이성과 성적 관계를 맺는 일.
간:투-사 (間投詞) [명] 감탄사.
간특-스럽다 (奸慝-) 〔-스러우니, -스러워〕 [형][ㅂ불] 보기에 간사하고 사악하다. ¶하는 짓이 ~. **간특-스레** [부]
간특-하다 (奸慝-) [-트카-] [형][여불] 간사하고 사악하다. ¶간특한 술책.
간파 (看破) [명][하타] 속내를 알아차림. ¶남의 속셈을 ~하다 / 약점을 ~하다.
간판 (看板) [명] **1** 상점 따위에서 사람들의 눈에 잘 뜨이게 상호·상표명·영업 종목 등을 써서 내건 표지(標識). ¶~을 걸다. **2** 무엇을 대표할 만한 사람이나 사물을 비유적으로 이르는 말. ¶그는 한국 농구 팀의 ~선수이다. **3** 〈속〉 외모·학벌·경력 따위, 남 앞에 내세울 만한 것. ¶~이 좋은 청년 / ~을 따기 위해 대학에 들어가다.
간편-하다 (簡便-) [형][여불] 간단하고 편리하다. ¶활동하기에 간편한 옷. **간편-히** [부]
간-피다 [자] 바닷물에 미역 감고 난 뒤에 피부에 소금기가 남게 되다.
간:필 (簡筆) [명] 편지 쓰기에 알맞은, 초필(抄筆)보다 굵은 붓.
간-하다 [타][여불] **1** 음식에 맛을 내기 위하여 간을 치다. ¶소금으로 미역국을 ~. **2** 생선·야채 따위를 소금에 절이다. ¶고등어를 간하여 냉동실에 보관하다.
간:-하다 (諫-) [타][여불] 어른이나 임금께 잘못을 고치도록 말하다. ¶건강을 위해 술을 절제하도록 ~.
간행 (刊行) [명][하타] 책 따위를 인쇄하여 발행함. 출판. ¶~ 연대 / 수필집을 ~하다. *상재(上梓).
간행-본 (刊行本) [명] 간행한 책.
간:헐 (間歇) [명][하자] 주기적으로 쉬었다 일어났다 함.
간:헐-류 (間歇流) [명] 〖지〗 간헐 하천.
간:헐 온천 (間歇溫泉) 〖지〗 간헐천.
간:헐-적 (間歇的) [-쩍] [관][명] 일정한 시간 간격을 두고 되풀이되는 (것). ¶~인 발작 / 대포 소리가 ~으로 울려왔다. ↔연속적.
간:헐-천 (間歇泉) [명] 〖지〗 일정한 기간을 두고 뜨거운 물이나 수증기가 주기적으로 분출하는 온천. 간헐 온천.
간:헐 하천 (間歇河川) 〖지〗 큰비가 올 때

만 골짜기를 흐르는 내. 간헐류(流).
간호 (看護) 명하타 환자나 노약자 등을 보살펴 돌봄. ¶환자를 정성껏 ~하다.
***간호-사** (看護師) 명 〖의〗 일정한 법적 자격을 갖추어, 의사를 돕고 환자의 간호에 종사하는 사람. 구칭 : 간호원(員).
간:혹 (間或) 부 이따금. 간간이. 어쩌다가. 혹간. ¶~ 눈에 띄다 / 일하다 보면 실수도 ~ 있는 법이다. 준혹(或).
간흉 (奸凶) 명하형 간사하고 흉악함. 또는 그런 사람.
간힐-하다 (奸黠-) 형여불 간사하고 꾀가 많다.
간힘 명 숨 쉬는 것을 억지로 참아 고통을 이기려고 애쓰는 힘. ¶~을 쓰다.
간힘(을) 주다 구 참고 이겨 내려고 간힘을 아랫배에 내리밀다.
***갇히다** [가치-] 자 《'가두다'의 피동》 가둠을 당하다. ¶감옥에 ~ / 폭풍우로 비행기가 결항되어 제주도에 갇혔다.
갈[1] 명 〖식〗 '갈대'의 준말.
갈:[2] 명 '가을'의 준말. ¶~ 봄 여름 없이 꽃이 피네.
갈:-가리 부 '가리가리'의 준말. ¶옷이 ~ 찢기다 / 그는 편지를 ~ 찢어 버렸다.
갈강-거리다 자 '갈그랑거리다'의 준말. 큰글겅거리다. **갈강-갈강** 부하자
갈강-대다 자 갈강거리다.
갈개 명 괸 물을 빠지게 하거나 경계를 짓기 위해 얕게 판 작은 도랑.
갈걍갈걍-하다 형여불 얼굴이 파리하나 단단하고 굳센 기상이 있어 보이다.
갈건 (葛巾) 명 갈포로 만든 두건.
갈겨-먹다 타 **1** 남의 음식을 빼앗아 먹다. **2** 남의 재물을 가로채어 가지다.
갈겨-쓰다 [-쓰니, -써] 타 글씨를 서둘러서 급하게 쓰다. ¶갈겨쓴 편지라서 읽기 어렵다.
갈고 (羯鼓) 명 〖악〗 아악의 타악기. 장구와 거의 같되, 양 마구리를 다 말가죽으로 메우고 대(臺) 위에 올려놓고 두 개의 채로 침《합주의 완급을 조절함》. 양장고.
갈:고-닦다 타 학문이나 재주 따위를 힘써 배우고 익히다. ¶그동안 갈고닦은 검도 실력을 유감없이 발휘하다.
갈고랑-쇠 명 **1** 갈고랑이 모양으로 생긴 쇠. **2** 성질이 괴팍하고 꼬부장한 사람.
갈고랑-이 명 **1** 끝이 뾰족하고 꼬부라진 물건. 흔히 쇠로 만들어 물건을 걸고 끌어당기는 데 씀. **2** 갈고랑쇠에 긴 나무 자루를 박은 무기. 준갈고리.
갈고리 명 '갈고랑이'의 준말.
갈고리-눈 명 눈꼬리가 위로 째져 치켜 올라간 눈. ¶뱁새눈처럼 쭉 째진 ~.
갈고리-바늘 명 미늘이 없는 갈고리 모양의 낚싯바늘. 은어 낚시에 씀.
갈고쟁이 명 가장귀진 나무의 옹이 밑과 우듬지를 잘라 버리고 만든 갈고랑이. 준갈고지.
갈구 (渴求) 명하타 간절히 바라며 구함. ¶평화를 ~하다.
갈그랑-거리다 자 거칠게 가르랑거리다. 큰글그렁거리다. 준갈강거리다. **갈그랑-갈그랑** 부하자. ¶~ 가래 끓는 소리가 나다.
갈그랑-대다 자 갈그랑거리다.
갈근 (葛根) 명 칡의 뿌리《한약재로 씀》.
갈급 (渴急) 명하형히부 목마른 듯이 몹시 조급함. ¶명예에 ~하다 / 돈에 ~이 나다.
갈급령-나다 (渴急令-)[-급녕-] 자 몹시 조급한 마음이 일어나다.
갈급-증 (渴急症) 명 목이 마른 듯이 몹시 조급히 구는 마음. 준갈증.
갈:기 명 말·사자 따위의 목덜미에 난 긴 털. ¶말의 ~를 쓸어 주다.
갈기-갈기 부 여러 가닥으로 찢어진 모양. ¶가슴이 ~ 찢어지다 / 강아지가 신문을 ~ 찢어 놓았다.
갈기다 타 **1** 몹시 세게 때리거나 후려치다. ¶따귀를 서너 대 ~. **2** 날카로운 연장으로 곁가지 따위를 후려쳐서 베다. **3** 총·대포 따위를 냅다 쏘다. ¶기관총을 드르륵 ~. **4** 글씨를 함부로 급하게 쓰다. ¶막 갈겨서 쓴 글씨라 알아보기 힘들다. **5** 똥·오줌 따위를 함부로 싸다.
갈깃-머리 [-긴-] 명 **1** 상투나 낭자, 딴머리 따위에서, 원머리에 함께 묶이지 아니하고 아래로 따로 처지는 머리털. **2** '갈기'의 잘못.
갈-까마귀 명 〖조〗 까마귓과의 새. 까마귀보다 약간 작으며, 빛은 검은데 목·가슴·배는 흼.
갈-꽃 [-꼳] 명 〖식〗 '갈대꽃'의 준말.
갈:-나무 [-라-] 명 〖식〗 '떡갈나무'의 준말. 준갈.
***갈다**[1] 〔가니, 가오〕 타 **1** 먼저 것 대신에 다른 것으로 바꾸다. ¶이름을 ~ / 어항의 물을 갈아 넣다 / 아궁이의 연탄을 ~. **2** 어떤 자리에 있는 사람을 다른 사람으로 바꾸다. ¶임원들을 ~.
***갈:다**[2] 〔가니, 가오〕 타 **1** 문질러서 날을 세우거나 겉을 매끄럽게 하다. ¶숫돌에 칼을 ~ / 옥도 갈아야 보석이다. **2** 잘게 부수기 위하여 단단한 물건에 대고 문지르거나 단단한 물건 사이에 넣어 으깨다. ¶사과를 강판에 ~ / 맷돌에 녹두를 ~. **3** 윗니와 아랫니를 마주 대고 문지르다. ¶이를 바득바득 ~. **4** 벼루에 먹을 문질러 풀다. ¶벼루에 먹을 ~.
***갈:다**[3] 〔가니, 가오〕 타 **1** 쟁기 따위로 흙을 파 뒤집다. ¶밭을 ~. **2** 경작(耕作)하다. 농사짓다. ¶밭에 채소를 ~.
갈-대 [-때] 명 〖식〗 볏과의 여러해살이풀. 습지나 물가에 나는데 높이 1-3m, 줄기가 곧고 단단하며 마디가 있음. 준갈.
갈대-꽃 [-때꼳] 명 갈대의 꽃《흰 털이 많고 솜같이 부드러움》. 준갈꽃.
갈대-밭 [-때받] 명 갈대가 많이 난 곳. 노전(蘆田). 준갈밭.
갈데-없다 [-떼업따] 형 (주로 '갈데없는'의 꼴로 쓰여) 오로지 그렇게 될 수밖에 없다. ¶말씨가 갈데없는 경상도 사투리다.
갈데-없이 [-떼업씨] 부 오로지 그렇게 틀림없이. ¶이제 범인은 ~ 붙잡혔다.
갈등 (葛藤)[-뜽] 명 **1** 입장이나 견해, 이해관계가 달라 대립하는 상태. ¶세대 간의 ~ / ~을 빚다 / ~을 일으키다. **2** 마음속에 감정 따위가 뒤얽히어 풀기 어려운 상태.
갈라-내다 타 합쳐 있던 것을 각각 따로 떼

어 내다.

갈라-놓다 [-노타] [타] **1** 사이가 멀어지게 하다. ¶두 사람 사이를 ~. **2** 각각 떼어 둘 이상으로 구분하다. ¶조선 시대를 전기와 후기로 갈라놓는 중대한 사건.

갈라-붙이다 [-부치-] [타] 둘로 갈라서 이쪽 저쪽에 붙이다. ¶머리를 얌전하게 ~.

갈라-서다 [자] **1** 관계를 끊고 따로따로 되다. ¶부부간의 불화로 ~. **2** 갈라서 따로 서다. ¶양편으로 ~.

***갈라-지다** [자] **1** 하나였던 것이 쪼개지거나 금이 가다. ¶지진으로 땅이 ~. **2** 둘 이상으로 나누어지다. ¶국토가 남북으로 ~ / 의견이 여러 가지로 ~. **3** 서로 사이가 멀어지다. ¶형제 사이가 ~. **4** 목소리가 쉬거나 탁해지다.

갈락토오스 (galactose) [명] 〖화〗 단당류(單糖類)의 하나. 백색 결정으로 물에 잘 녹음. 다당류(多糖類)의 구성 성분으로 식물 점액(粘液)이나 우무 속에, 또 이당류(二糖類)인 젖당의 구성 성분으로 포유류의 젖 속에 함유됨.

갈래 [一][명] 하나에서 둘 이상으로 갈라져 나간 부분이나 가닥. ¶한 조상에서 나온 ~들 / ~가 지다. [二][의명] 갈라져 나간 부분이나 가닥을 세는 말. ¶길이 세 ~로 갈리다 / 머리를 두 ~로 땋아 늘이다.

갈래-갈래 [부] 여러 가닥이나 갈래로. ¶~ 늘어선 철로가 얽혀 있는 역 구내.

갈래-꽃 [-꼳] [명] 〖식〗 매화·벚꽃·뽕나무·참나무 등의 꽃같이 꽃잎이 기부(基部)에서부터 서로 떨어져 있는 꽃. 이판화(離瓣花). ↔통꽃.

갈래다 [자] **1** 정신이 갈리어 갈피를 잡기가 어렵게 되다. ¶정신이 ~. **2** 길이 갈리어 바른길을 찾기 어렵게 되다. **3** 짐승이 갈 바를 모르고 왔다 갔다 하다. ¶밤중에는 짐승들이 갈래니 밖으로 나오지 마라.

갈륨 (gallium) [명] 〖화〗 희유 금속 원소의 하나. 회백색의 고체로 알루미늄과 성질이 비슷함. [31번 : Ga : 69.72]

갈리다[1] [자] 거칠고 쉰 목소리가 나다. ¶목이 갈리도록 소리치다.

갈리다[2] [자] 《'가르다'의 피동》 몇 갈래로 나누어지다. ¶야당의 표가 ~ / 길이 세 갈래로 갈려서 어디로 가야 할지 모르겠다 / 의론이 구구하게 ~.

갈리다[3] [一][자] 《'갈다'의 피동》 다른 사람이나 사물로 바뀌다. ¶주인이 ~ / 이번에 장관이 또 갈렸다. [二][타] 《'갈다[1]'의 사동》 새 것으로 갈아대게 하다. ¶동생에게 연탄불을 ~.

갈리다[4] [一][자] 《'갈다[2]'의 피동》 문질러 갊을 당하다. ¶분해서 이가 ~ / 먹이 잘 ~. [二][타] 《'갈다[2]'의 사동》 문질러 갈게 하다.

갈리다[5] [一][자] 《'갈다[3]'의 피동》 논밭이 갊을 당하다. ¶경운기를 사용하니 밭이 잘 갈린다. [二][타] 《'갈다[3]'의 사동》 논밭을 갈게 하다. ¶아직도 소에게 땅을 갈리고 있다니.

갈림-길 [-낄] [명] **1** 몇 갈래로 갈린 길. 기로. ¶마을 어귀의 ~에서 친구와 헤어지다. **2** 어느 한쪽을 선택해야 할 상황. ¶인생의 ~에 서다 / 선택의 ~에서 망설이다.

갈림-목 [명] 여러 갈래로 갈라지는 길목.

갈마-들다 [-드니, -드오] [자] 서로 번갈아 들다. ¶기쁨과 슬픔이 ~.

갈마-들이다 [타] 《'갈마들다'의 사동》 갈마들게 하다.

갈마-보다 [타] 서로 번갈아 보다. ¶그는 두 사람을 갈마보며 동의를 구하였다.

갈마-쥐다 [타] **1** 한 손에 쥔 것을 다른 손에 바꾸어 쥐다. ¶그는 가방을 왼손으로 갈마쥐면서 악수를 청했다. **2** 쥔 것을 놓고 다른 것으로 바꾸어 쥐다.

갈망 [명][하타] 일을 감당하여 수습하고 처리함. ¶제 몸 ~도 못하면서 일을 벌이다.

갈망 (渴望) [명][하타] 목마른 사람이 물을 바라듯이 간절히 바람. 열망. ¶영적인 구원에 대한 인간의 ~ / 통일을 ~하는 7천만 겨레.

갈매 [명] **1** 갈매나무의 열매《짙은 초록빛이며 팥알만 함》. 서리자(鼠李子). **2** 짙은 초록색. 심록. ¶~ 무명 치마를 입다.

***갈매기** [명] 〖조〗 갈매깃과의 바닷새. 머리와 몸은 대체로 희며 등은 담회색, 다리·부리는 녹황색임. 물갈퀴로 헤엄을 잘 치며 물고기를 잡아먹음. 백구(白鷗).

갈매기-살 [명] 돼지 갈비 양쪽의 기름이 없는 고기. 맛이 좋음. 안창고기.

갈매-나무 [명] 〖식〗 갈매나뭇과의 작은 낙엽 활엽수. 골짜기·개울가에서 자라며 높이는 2m가량, 가시가 돋고 늦봄에 꽃이 핌. 나무껍질·과실은 물감 또는 약재로 씀. 서리(鼠李).

갈모 (-帽) [명] 〔←갓모〕 갓 위에 덮어 쓰는 기름종이로 만든 우비(雨備)《고깔과 비슷하게 생김》. 입모(笠帽).

갈모

갈무리 [명][하타] **1** 물건을 잘 정돈하여 간수함. ¶가을에 거둔 양식을 ~하다. **2** 일을 처리하여 마무리함.

갈:-묻이 [-무지] [명][하타] 논밭을 갈아엎어, 묵은 끄트러기 따위가 묻히게 함.

갈:-물 [명] 떡갈나무 껍질에서 빼낸 검붉은 물감.

갈-바람[1] [명] 서풍 또는 남서풍《뱃사람 말》.

갈:-바람[2] [-빠-] [명] '가을바람'의 준말.

갈:-바래다 [타] 흙 속의 벌레 알 따위를 죽이려고 논밭을 갈아엎어 볕에 쬐고 바람에 쐬다.

갈-밭 [-받] [명] '갈대밭'의 준말.

갈보 [명] 몸을 팔며 천하게 노는 여자.

갈분 (葛粉) [명] 칡뿌리를 짓찧어 물에 담가 가라앉은 앙금을 말린 가루.

갈-붙이다 [-부치-] [타] 남을 헐뜯어 사이가 벌어지게 하다.

갈비[1] [명] **1** 늑골(肋骨). **2** 소나 돼지, 닭 따위의 가슴통을 이루는 굵은 뼈와 살을 식용으로 일컫는 말. ¶~를 뜯다 / ~를 굽다. **3** 〈속〉 갈비씨.

갈비(가) 휘다 [구] 갈빗대(가) 휘다.

갈비[2] [명] 〖건〗 지붕의 앞 추녀 끝에서 뒤 추녀 끝까지의 너비.

갈비-구이 [명] 소나 돼지의 갈비를 토막 쳐서 양념하여 구운 음식.

갈비-뼈 [명] 〖생〗 늑골1.

갈비-씨 (-氏) [명] 몸이 바싹 마른 사람을 놀림조로 이르는 말. 갈비.
갈비-찜 [명] 소나 돼지 따위의 갈비를 양념하여 만든 찜.
갈비-탕 (-湯) [명] 토막 친 쇠갈비를 물에 넣어 끓인 음식.
갈빗-대 [-비때 / -빋때] [명] 갈비뼈 낱낱의 뼈대. ¶교통사고로 ~ 두 대가 부러졌다.
갈빗대(가) 휘다 [구] 갈빗대가 휘어질 정도로 짐이나 책임이 무겁고 힘에 겹다. 갈비(가) 휘다. ¶빚을 갚느라 ~.
갈-삿갓 [-삳깓] [명] 쪼갠 갈대를 결어 만든 삿갓.
갈색 (褐色)[-쌕] [명] 검은빛을 띤 주황색. 다색(茶色). ¶햇볕에 그을려 얼굴이 ~으로 타다.
갈-서다 [자] 나란히 서다. ¶갈서서 걷다.
갈수 (渴水)[-쑤] [명] 오랫동안 가물어서 하천의 물이 마름. ¶~량(量).
갈수-기 (渴水期)[-쑤-] [명] 갈수가 되는 시기《우리나라에서는 겨울이 이에 해당함》.
갈수록 [-쑤-] [부] 점점 더욱더. ¶세상살이가 ~ 힘들어진다.
[갈수록 태산] 점점 힘들고 견디기 어려움.
갈쌍 [부][하자타형] 눈에 눈물이 가득해 넘칠 듯한 모양. [큰]글썽.
갈쌍-거리다 [자타] 자꾸 갈쌍이다. ¶눈에 눈물이 ~. [큰]글썽거리다. **갈쌍-갈쌍** [부][하자타형]
갈쌍-대다 [자타] 갈쌍거리다.
갈쌍-이다 [자타] 눈에 눈물이 가득하게 고이다. 또는 그렇게 되게 하다. ¶눈에 눈물을 ~. [큰]글썽이다.
갈씬-거리다 [자] 겨우 닿을락 말락 하다. ¶발걸음을 옮길 때마다 치맛자락이 땅바닥에 ~. **갈씬-갈씬** [부][하자]
갈씬-대다 [자] 갈씬거리다.
갈씬-하다 [자][여불] 겨우 조금 닿고 말다.
갈아-대다 [타] 묵은 것 대신 새것으로 바꾸어 대다. ¶대팻날을 ~ / 구두창을 ~.
갈아-들다 〔-드니, -드오〕 [자] 묵은 것을 대신해 새것이 들어오다. ¶한 달 사이에 여섯 사람이나 갈아들었다.
갈아-들이다 [타] 《'갈아들다'의 사동》 갈아들게 하다. ¶가정부를 ~.
갈아-먹다 [타] 농사를 짓다. ¶겨우 땅이나 갈아먹으며 산다.
갈아-붙이다[1] [-부치-] [타] 새것으로 바꾸어 붙이다. ¶고약을 ~.
갈아-붙이다[2] [-부치-] [타] 분할 때 또는 결심을 굳게 할 때, 이를 바짝 갈다. ¶이를 바득바득 갈아붙이며 대들다.
갈아-서다 [자] 묵은 것을 대신해 새것이 들어서다.
갈아-세우다 [타] 《'갈아서다'의 사동》 갈아서게 하다. ¶기둥을 ~ / 회장을 ~.
갈아-엎다 [-업따] [타] 땅을 갈아서 흙을 뒤집어엎다. ¶쟁기로 논을 ~.
갈아-입다 [타] 입고 있던 옷을 벗고 딴 옷으로 바꾸어 입다. ¶주섬주섬 옷을 ~.
갈아-입히다 [-이피-] [타] 갈아입게 하다. ¶오줌 싼 아이에게 새 옷을 ~.
갈아-주다 [타] **1** 장수에게 이익을 붙여 주고 물건을 사다. ¶어머니는 행상에게 달걀 한 꾸러미를 갈아주셨다. **2** 새것으로 갈음하여 주다. ¶기저귀를 ~.
갈아-타다 [타] 탔던 것에서 내려 다른 것으로 바꿔 타다. ¶버스를 ~.
갈-앉다 [-안따] [자] '가라앉다'의 준말.
갈-앉히다 [-안치-] [타] '가라앉히다'의 준말. ¶흥분된 마음을 ~.
갈음 [명][하자타] 다른 것으로 바꾸어 대신함. ¶여러분에게 행운이 가득하기를 기원하는 것으로 축사를 ~합니다. ☞가름.
갈음-옷 [-옫] [명] **1** 갈아입는 깨끗한 옷. **2** 나들이할 때 입는 옷.
갈음-질 [명][하자] 연장을 날이 서게 숫돌에 가는 일.
갈이[1] [명] 갈이틀이나 갈이 기계로 나무 그릇 따위를 만드는 일.
갈이[2] [一][명] 논밭을 쟁기로 파 뒤집는 일. ¶해가 지기 전에 ~를 마쳤다. [二][의명] 하루에 소 한 마리가 갈 만한 논밭의 넓이《보통, 2천 평》. ¶하루 ~.
갈이[3] [명] 낡거나 못 쓰게 된 것을 떼어 내고 새것으로 갈아대는 일.
갈이-그릇 [-름] [명] 갈이틀이나 갈이 기계로 갈아서 만든 나무 그릇.
갈이 기계 (-機械)[- / -게] 갈이틀을 개량한 선반의 한 가지.
갈이-질 [명][하타] 갈이칼로 나무 그릇을 깎아 만드는 일.
갈이-칼 [명] 갈이 기계나 갈이틀로 나무 그릇을 깎아 만들 때 쓰는 쇠 연장.
갈이-틀 [명] 둥근 나무를 갈리어 만드는 틀《굴대가 돌 때 그릇이 갈림》.
갈:-잎 [-립] [명] '가랑잎'의 준말.
갈:잎-나무 [-림-] [명] 〖식〗 **1** 낙엽수(落葉樹). ↔늘푸른나무. **2** 떡갈나무.
갈조-류 (褐藻類)[-쪼-] [명] 〖식〗 갈조식물.
갈조-식물 (褐藻植物)[-쪼싱-] [명] 〖식〗 녹갈색 또는 담갈색의 바닷말. 한류 깊은 곳에 많이 남《다시마·미역 따위》. 갈색 조류.
갈증 (渴症)[-쯩] [명] **1** 목이 말라 물 마시고 싶은 느낌. ¶~ 해소 음료 / ~을 달래다 / ~이 심하다. **2** '갈급증'의 준말.
갈지자-걸음 (-之字-)[-찌짜-] [명] 좌우로 비틀거리며 걷는 걸음. ¶술에 취해서 ~을 걷다.
갈지자-형 (-之字形)[-찌짜-] [명] 직선이 좌우로 빗꺾여 '之' 자 모양으로 그어 나간 형상. 지그재그.
갈쭉-하다 [-쭈카-] [형][여불] 액체 속에 섞인 물건이 많아서 좀 걸다. ¶갈쭉한 전복죽. [큰]걸쭉하다. **갈쭉-히** [-쭈키] [부]
갈채 (喝采) [명][하자] 기뻐서 크게 소리 질러 칭찬함. ¶뜨거운 ~를 받다 / ~를 보내다.
갈-청 [명] 갈대의 줄기 속에 있는 얇고 흰 막. 가부(葭莩). 갈대청.
갈:-초 (-草) [명] 겨울에 마소에 먹이려고 초가을에 베어서 말린 풀. [준]초.
갈취 (喝取) [명][하타] 남의 것을 억지로 빼앗음. ¶~를 당하다 / 금품을 ~하다.
갈치 [명] 〖어〗 갈칫과의 바닷물고기. 띠처럼 길고 얄팍하며 길이 1m 이상, 비늘은 없고 은백색의 가루 같은 것이 덮여 있음. 등지느러미가 후두부에서 꼬리까지 뻗고, 배지느러미·꼬리지느러미는 없음. 도어(刀魚).
갈치다 [타] '가르치다'의 준말.

갈치-자반 명 소금에 절인 갈치를 토막 쳐서 굽거나 찌거나 한 반찬.

갈퀴 명 마른 풀·나뭇잎 따위를 긁어모으는 데 쓰는 기구(대쪽이나 철사 따위를 엮어 만듦).

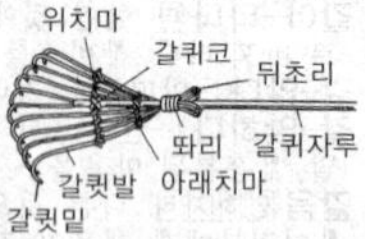

갈퀴-나무 명 낙엽·검불 따위를 갈퀴로 긁어모은 땔나무.

갈퀴-눈 명 화가 나서 눈시울에 모가 난 험상궂은 눈. ¶~으로 노려보다.

갈퀴다 타 갈퀴로 긁어모으다. ¶낙엽을 마당 구석으로 ~.

갈퀴-지다 형 생김새가 갈퀴처럼 구부정하다. ¶갈퀴진 손등.

갈퀴-질 명하자 갈퀴로 낙엽·솔가리 따위를 긁어모으는 일.

갈탄 (褐炭) 명 〖광〗 탄화 작용이 불충분한 갈색의 석탄. 갈색탄.

갈탕 (葛湯) 명 갈분(葛粉)에 꿀이나 설탕을 넣어 끓인 물.

갈파 (喝破) 명하타 **1** 큰소리로 꾸짖어 상대이 기세를 누름. **2** 잘못된 주장을 따져 진리를 밝힘. ¶진리를 ~하다.

갈-파래 명 〖식〗 갈파랫과의 해조(海藻). 김 비슷하나 더 푸르고 물결이 잔잔한 바닷가에 많이 남. 말려서 먹기도 함. 청태(靑苔).

갈팡-질팡 부하자 방향을 못 정하고 이리저리 헤매는 모양. ¶~하는 정부 시책 / 산속에서 길을 잃고 ~하다.

갈포 (葛布) 명 칡 섬유로 짠 베. ¶~ 치마.

갈:-풀 명 모낼 논에 거름하기 위해 베는 부드러운 나뭇잎·풀 따위. 준풀. **—-하다** 자여불 **1** 갈풀로 쓰기 위하여 나뭇잎이나 풀을 베다. **2** 갈풀을 베어다가 논에 넣다. 준풀하다.

갈피 명 **1** 일의 갈래가 구별되는 어름. ¶~를 못 잡다 / 큰 충격으로 마음의 ~를 잡을 수가 없다. **2** 겹치거나 포갠 물건의 하나하나의 사이. ¶노트 ~에 끼우다.

갈피-갈피 부 갈피마다. 또는 여러 갈피로. ¶~ 끼워 놓은 꽃잎들.

갉다 [각따] 타 **1** 날카롭고 긴 끝으로 바닥이나 거죽을 박박 긁다. ¶쥐가 벽을 ~. **2** 갈퀴 따위로 좀스럽게 긁어모으다. ¶낙엽을 갈퀴로 갉아 모으다. **3** 남을 헐뜯다. ¶비열하게 뒤에서 사람을 갉지 마라. **4** 남의 재물을 좀스럽게 훑어 들이다. ¶약자를 갉아 재물을 모으다. 큰긁다.

갉아-먹다 [갈가-] 타 **1** 남의 재물을 조금씩 빼앗아 가지다. **2** 무엇을 조금씩 손상시키다. 큰긁어먹다.

갉이 [갈기] 명 〖공〗 금속 세공품을 갉아 윤이 나게 하는 쇠 연장.

갉작-거리다 [각짝-] 타 계속해서 자꾸 갉다. ¶손톱으로 머리를 ~. 큰긁적거리다.

갉작-갉작 [각짝깍짝] 부 하타

갉작-대다 [각짝-] 타 갉작거리다.

갉죽-거리다 [각쭉-] 타 계속해 자꾸 둔하게 갉다. 큰긁죽거리다. **갉죽-갉죽** [각쭉깍쭉] 부하타

갉죽-대다 [각쭉-] 타 갉죽거리다.

갉히다 [갈키-] 一 자 《'갉다'의 피동》 갉음을 당하다. ¶이빨에 갉힌 자국. 二 타 《'갉다'의 사동》 갉게 하다. 큰긁히다.

***감:**[1] 명 감나무의 열매(가을에 익는데 빛이 붉음. 껍질을 벗기어 말려 '곶감'을 만듦).

***감:**[2] 一 명 어떤 일·물건의 재료 또는 바탕이 되는 사물(事物). 특히, '옷감'의 뜻으로 씀. ¶이 옷은 ~이 질기다 / ~을 끊다 / 구김이 잘 가는 ~. 二 의명 옷감의 수를 세는 단위. ¶치마 한 ~을 뜨다.

감:[3] 명 (주로 '내다', '못 내다' 앞에 붙어) 감히 어떤 일을 해 볼 마음을 나타내는 말. ¶워낙 벅찬 일이라 ~을 못 내고 있다.

감: (感) 명 **1** 느낌이나 생각. ¶오히려 때늦은 ~이 있다. **2** '감도(感度)'의 준말. ¶~이 좋은 전화기 / ~이 멀다.

감(을) 잡다 구 어떤 일에 관하여 눈치로 대충 알아채거나 확신을 가지다. ¶그는 재빨리 감을 잡고 도망치기 시작했다.

-감 미 **1** 바탕이 되는 재료의 뜻. ¶이불~ / 양념~ / 안줏~. **2** 어떤 자격에 알맞은 사람이라는 뜻. ¶사윗~ / 사장~ / 며느릿~. **3** 어떤 일의 대상이 되는 사물이나 도구. ¶놀림~ / 장난~ / 놀잇~ / 구경~.

-감 (感) 미 느낌 또는 느끼는 마음의 뜻. ¶거리~ / 친밀~ / 사명~.

감:가 (減價) [-까] 명하타 값을 줄임.

감:가-상각 (減價償却) [-까-] 명 〖경〗 손익 계산 또는 자산 평가를 정확히 하려고 토지를 제외한 고정 자산의 가치 감소를 사용 연도에 따라 계산하여 그 자산 가격을 줄여 가는 일.

감:각 (感覺) 명하타 **1** 사물을 느껴서 받아들이는 힘. ¶패션 ~ / ~이 둔하다 / ~이 낡았다. **2** 감각 기관을 통하여 바깥의 어떤 자극을 알아차림(시각·청각·미각·후각·촉각 따위). ¶~이 예민하다 / 손발의 ~을 잃다.

감:각 기관 (感覺器官) 〖생〗 동물의 몸에서 외부의 자극을 받아들이고 느끼는 기관.

감:각-론 (感覺論) [-강논] 명 〖철〗 모든 인식의 근원이 오로지 감각에 있다고 주장하는 학설.

감:각 신경 (感覺神經) 〖생〗 **1** 감각 기관이 외부로부터 받은 자극을 신경 중추에 전달하는 신경. 지각 신경. **2** 중추부에 자극을 전달하는 말초 신경의 총칭. 구심성 신경.

감:각-적 (感覺的) 관명 **1** 감각이나 자극에 예민한 (것). **2** 감각을 자극하는 (것). ¶~인 문체 / 텔레비전의 광고가 매우 ~이다.

감:각-점 (感覺點) 명 〖생〗 피부에 분포되어 압력·온도·통증 등에 반응을 나타내는 점 (통점·압점·냉점·온점 따위).

감:각 중추 (感覺中樞) 〖생〗 감각의 기본이 되는 신경 중추(고등 동물에서는 대뇌 피질에 분포되어 있음).

감감 부하형히부 **1** 아주 멀어서 아득한 모양. ¶~ 멀어져 가다. **2** 어떤 사실을 전혀 모르거나 가맣게 잊은 모양. ¶친구가 죽은 줄은 ~ 모르고 있었다. **3** 소식이나 연락이 없는 모양. ¶그 뒤로 소식이 ~하다.

감감-무소식 (-無消息) 명 감감소식. ¶외국으로 떠나고는 ~이다. 센깜깜무소식.

감감-소식 (-消息) 명 소식이나 연락이 전

혀 없는 상태. 감감무소식. ¶외지로 떠난 자식이 ~이라 걱정이 된다. (센)깜깜소식.

감:개(感慨) 명하자 어떤 일에 대하여 깊이 감동한 느낌. 마음속 깊이 사무치는 느낌. ¶~ 어린 표정을 짓다.

감:개-무량(感慨無量) 명하형 사물에 대한 감동이나 느낌이 한이 없음. ¶친구를 10년 만에 만나니 ~하다.

***감:격**(感激) 명하자 **1** 몹시 고맙게 느낌. ¶~의 눈물 / 작은 친절에 ~하다. **2** 마음에 깊이 느껴 크게 감동함. ¶~과 흥분의 도가니로 화하다.

감:격-스럽다(感激-)〔-스러우니, -스러워〕 형ㅂ불 감격할 만하다. ¶너무나 감격스러워서 아무 말도 못했다. **감:격-스레** 부

감:격-적(感激的) 관명 감격스러운 (것). ¶지금 장면은 이 영화에서 가장 ~(인) 장면이다.

감고(甘苦) 명하타 **1** 단것과 쓴것. 단맛과 쓴맛. **2** 괴로움과 즐거움. **3** 고생을 달게 여김.

감과(柑果) 명 〖식〗 속 열매껍질의 일부가 주머니 모양이고, 속에 액즙이 있는 과실《귤·감자·유자 따위》.

감:관(感官) 명 감각 기관과 그 작용을 통틀어 이르는 말.

감:광(減光) 명하자타 〖천〗 지구의 대기에 별이나 태양의 빛이 흡수되어 감소하는 현상.

감:광(感光) 명하자 〖화〗 물질이 빛을 받아 화학적 변화를 일으키는 일.

감:광-도(感光度) 명 〖화〗 감광 재료의 감광 능력을 수량적으로 표시한 값《흔히 아사(ASA), 딘(DIN) 따위로 표시함》. ¶~가 높다.

감:광-성(感光性)[-썽] 명 〖화〗 브롬화은·요오드화은 같은 물질이 빛을 받아 화학 변화를 일으키는 성질.

감:광-판(感光板) 명 〖화〗 감광제를 바른 불연성(不燃性) 유리판이나 셀룰로이드 판《사진 건판·필름 등》.

감:광 필름(感光film) 〖화〗 불연성(不燃性) 셀룰로이드 판에 감광제를 바른 사진 촬영용 필름.

감:괘(坎卦) 명 팔괘(八卦)의 하나. 상형(象形)은 '☵'으로 물을 상징함. ☞팔괘.

감국(甘菊) 명 **1** 〖식〗 국화과의 여러해살이풀. 산에 나는데 높이 약 30-60 cm, 자흑색이며 가을에 노란 꽃이 핌. **2** 〖한의〗 감국의 꽃을 약재로 이르는 말. 현기증·두통 따위에 씀.

감:군(減軍) 명하자 군사력을 줄임. ¶주한 미군의 ~ 계획. ↔증군(增軍).

감:-궂다[-굳따] 형 태도나 모습이 불량스럽고 험상궂다. ¶감궂게 생긴 얼굴.

감귤(柑橘) 명 〖식〗 귤·밀감의 총칭.

감금(監禁) 명하타 사람을 일정한 곳에 가두어 드나들지 못하게 함. ¶지하 독방에 ~되다.

감:급(減給) 명하타 급료나 급여를 정한 것보다 줄여서 줌.

***감:기**(感氣) 명 바이러스로 말미암아 일어나는 호흡기 계통의 염증성(炎症性) 질환《코가 막히고 머리가 아프며 기침이 나고 열이 오름》. 고뿔. 감모(感冒). ¶~에 걸리다 / ~가 들다.

[감기 고뿔도 남을 안 준다] 매우 인색하다는 말.

감기다[1] 一자 《'감다[1]'의 피동》 눈이 감아지다. ¶졸려서 눈이 저절로 ~. 二타 《'감다[1]'의 사동》 눈을 감게 하다. ¶죽은 자의 눈을 ~.

감기다[2] 一자 《'감다[3]'의 피동》 **1** 노끈·실 따위가 감아지다. ¶실패에 감긴 실. **2** 옷 따위가 몸에 달라붙다. **3** 사람이 달라붙어 떨어지지 아니하다. **4** 음식이 감칠맛이 나다. 二타 《'감다[3]'의 사동》 노끈·실 따위를 감게 하다.

감기다[3] 타 《'감다[2]'의 사동》 **1** 머리·몸을 물에 씻게 하다. ¶어머니는 딸의 머리를 감기고는 곱게 빗겨 주었다. **2** 머리·몸을 물로 씻어 주다. ¶멱을 ~ / 할머니의 머리를 감겨 드리다.

감:-꼬치 명 곶감을 꿰 꽂은 나무 꼬챙이.

감꼬치 빼 먹듯 구 벌지는 못하고, 있는 재물을 하나씩 하나씩 축내어 가기만 하는 모양을 비유적으로 이르는 말.

감:-나무 명 〖식〗 감나뭇과의 낙엽 활엽 교목. 높이 10 m 정도이며, 초여름에 담황색 꽃이 핌. 과실은 식용, 나무는 조각·가구재로 씀.

감:납(減納) 명하타 세금·납부금 따위를 정한 것보다 줄여서 바침.

감내(堪耐) 명하타 어려움을 참고 견딤. ¶중학생인 네가 ~하기엔 벅찬 것 같다.

감:-내다 타 〈속〉 (어려운 일 따위를) 해내다.

감:-노랗다[-라타]〔감노라니, 감노라오〕 형ㅎ불 감은빛을 띠면서 노랗다. ¶감노랗게 변해 버린 낡은 널빤지. (큰)검누렇다.

감:-노르다〔감노르니, 감노르러〕 형러불 감은빛을 띠면서 노르다. (큰)검누르다.

감:는-줄기 명 〖식〗 스스로 서지 못하고 다른 물건을 의지하여 감아 벋어 올라가는 덩굴진 줄기. 전요경(纏繞莖).

***감:다**[1] [-따] 타 **1** 아래위 눈시울을 한데 붙이다. ¶눈을 ~. **2** 못 본 체하다. ¶비참한 현실에 눈을 ~. ↔뜨다.

***감:다**[2] [-따] 타 머리나 몸을 물로 씻다. ¶창포물에 머리를 ~ / 미역을 ~.

***감:다**[3] [-따] 타 **1** 실·끈 따위를 무엇에 말다. ¶붕대를 손에 ~. **2** 가늘고 긴 것이 무엇을 빙 두르다. ¶목에 팔을 감고 매달리다. **3** '입다'의 낮은말. ¶비단옷을 감고 다니면 제일인가. **4** 시계태엽이나 테이프 따위를 작동하도록 돌리다. ¶태엽을 ~ / 테이프를 되돌려 ~.

감:다[4] [-따] 형 빛이 석탄 빛깔이나 먹빛과 같다. (큰)검다. (센)깜다.

감당(堪當) 명하타 **1** 일을 맡아서 능히 해냄. ¶이 일은 ~하기 어렵다 / 빚이 ~할 수 없을 만큼 늘어나다. **2** 능히 견디어 이겨 냄. ¶슬픔을 ~ 못하고 통곡하다.

감:도(感度) 명 **1** 외부의 자극에 대하여 느끼는 정도. **2** 필름·라디오·텔레비전 등이 빛이나 전파 등에 대하여 느끼는 정도. ¶~가 좋은 라디오. (준)감(感).

감독(監督) 명하타 **1** 일이나 사람 등을 보살

펴 지도하고 단속함. 또는 그렇게 하는 사람. ¶시험 ~/공사장 ~/부하를 ~하다. **2**〖법〗 어떤 사람이나 기관이 다른 사람이나 기관을 감시하고 지시·명령 또는 제재를 하는 일. **3** 연극·영화 등에서, 연출을 하는 사람. ¶영화 ~을 교체하다. **4** 운동 경기에서, 팀을 지도하는 사람. ¶야구 ~.

감독-관청(監督官廳)명 **1** 하급 관청에 대하여 감독권을 가진 상급 관청. **2** 지방 자치 단체나 민간 단체에 대하여 그 사업에 관한 감독권을 가진 행정 관청.

감:-돌[-똘]명〖광〗 어느 정도 이상으로 유용한 광물을 지닌 광석(鑛石). ↔버력[2].

감:-돌다〔감도니, 감도오〕⊟자 **1** 어떤 둘레를 여러 번 빙빙 돌다. ¶산봉우리에는 흰구름만 감돌고 있었다. **2** 생각 따위가 머리에서 떠나지 않다. ¶아름다운 선율이 귓가에 ~. **3** 어떤 기운이나 분위기가 주위에 가득 차다. ¶팽팽한 긴장감이 ~. ⊟타 길이나 물굽이가 모퉁이를 따라 돌다. ¶바위를 감돌아 흐르는 냇물.

감:돌아-들다〔-드니, -드오〕타 감돌아서 들어오다.

감:돌아-치다타 매우 힘차게 감돌다.

감:돌-이명 사소한 이익을 탐내어 덤벼드는 사람을 낮잡아 이르는 말.

감:동(感動)명하자 깊이 느껴 마음이 움직임. ¶~을 불러일으키다/깊은 ~을 받다.

감:동-사(感動詞)명〖언〗감탄사.

감:동-적(感動的)관명 감동할 만한 (것). ¶~인 장면을 연출하다.

감동-젓[-젇]명 푹 삭힌 곤쟁이젓.

감:득(感得)명하타 **1** 깊이 느끼어 앎. ¶진리를 ~하다. **2** 영감으로 깨달아 앎.

감:등(減等)명하타 **1** 등수·등급을 낮춤. ¶비리로 인해 ~되다. **2**〖역〗 은전(恩典)·특별한 사연으로 형벌을 가볍게 함.

감:때-사납다〔-사나우니, -사나워〕형ㅂ불 **1** 사람이 억세고 사납다. ¶너무 감때사나워 부리기 힘들다. **2** 사물이 험하고 거칠다. ¶정붙이고 살기엔 자못 감때사나운 고장이다.

감:-떡명 찹쌀과 곶감의 가루에 잣과 호두를 넣어 경단처럼 만들어서 꿀을 바른 떡.

감:람(橄欖)[-남]명〖식〗 감람나무의 열매. 푸른빛이 나는 타원형의 핵과로 맛이 좀 쓰고 떫으나 먹을수록 단맛이 남.

감:람-나무(橄欖-)[-남-]명 **1**〖식〗 감람과의 상록 교목. 높이는 10m가량, 잎이 가죽처럼 두툼하고 거칠며, 봄에 황백색 세잎꽃이 핌. 열매인 감람의 씨로 기름을 짬. **2** 올리브.

감:람-석(橄欖石)[-남-]명〖광〗 철·마그네슘 따위의 규산염으로 된 광물《빛은 올리브색·백색·회색 따위를 띠고, 투명한 것은 보석으로 씀》.

감:람-유(橄欖油)[-남뉴]명 **1** 감람의 씨로 짠 기름《식용·약용 및 공업용》. 감람기름. **2** 올리브유.

감:량(減量)[-냥]명하자타 수량이나 무게를 줄임. ¶쓰레기 ~/체중 ~에 실패하다.

감로(甘露)[-노]명 **1** 달콤한 이슬《천하가 태평할 때 하늘이 내린다 하였음》. **2** 생물에게 이로운 이슬. **3**〖불〗 도리천(忉利天)에 있다는 달콤하고 신령스러운 액체. **4** 여름에 단풍나무·떡갈나무 따위의 잎에서 떨어지는 달콤한 액즙《진드기가 단 즙을 만들어 배설한 것임》.

감로-수(甘露水)[-노-]명 **1** 설탕을 달게 타서 끓인 물. **2** 깨끗하고 맛이 좋은 물.

감로-주(甘露酒)[-노-]명 소주에 용안육·대추·포도·살구 씨·구기자·두충·숙지황 등을 넣어 우린 달고 진한 술.

감:루(感淚)[-누]명 감격의 눈물. ¶~를 금하지 못하다.

감률(甘栗)[-뉼]명 **1** 맛이 단 밤. 단밤. **2** 뜨거운 모래 속에 넣어서 익힌 군밤.

감리(監理)[-니]명하타 감독하고 관리함. ¶공사 ~를 맡다.

감리-교(監理敎)[-니-]명 기독교 신교의 한 파. 18세기 초 영국에서 창시됨.

감:마(減摩·減磨)명하자타 **1** 닳아서 줄어듦. **2** 마찰을 적게 함.

감마(ㄱ Γ, γ)⊟명 그리스 자모의 셋째 글자. ⊟의명 질량의 단위. 기호는 γ.

감마-선(γ線)명〖물〗 방사성 물질에서 나오는 방사선의 하나. 극히 파장이 짧은 전파로 물질을 투과하는 힘이 몹시 강한 전자기파(電磁氣波)《암 치료, 주물·용접부의 내부 결함 탐사, 물성(物性) 연구에 씀》.

감:면(減免)명하타 형벌이나 세금, 부담 따위를 덜어 주거나 면제함. ¶세금의 ~/형을 ~하다.

감:명(感銘)명하자 감격하여 마음에 깊이 새김. ¶깊은 ~을 받다.

감:모(減耗)명하자 닳거나 줄어들어 축이 남. 또는 그 축.

감:-물명 날감의 떫은 즙《염료나 방부제로 씀》. ¶~이 들다/~을 먹이다.

감미(甘味)명 단맛. ¶~가 돌다. ↔고미(苦味).

감미-롭다(甘味-)〔-로우니, -로워〕형ㅂ불 **1** 맛이 달다. 달콤하다. ¶감미로운 과실. **2** 정서적으로 달콤한 느낌이 있다. ¶감미로운 음악. **감미-로이**부

감미-료(甘味料)명 설탕·사카린·포도당·물엿 따위의 단맛을 내는 데 쓰는 재료.

감미-하다(甘美-)형여불 **1** 달콤하여 맛이 좋다. **2** 감각에 달콤한 느낌이 있다.

감:-발명하자 **1** 발감개. ¶짚신 ~을 풀다. **2** 발감개를 한 차림새.

감:발(感發)명하자 감동하여 분발함. ¶마땅히 ~하고 힘써 실업을 발달시킬지어다.

감방(監房)명 교도소에서 죄수를 가두어 두는 방. ¶~에 갇힌 몸/~ 신세를 지다.

감:배(減配)명하타 배당·배급을 줄여서 내어 줌. ¶식량을 ~하다.

감:법(減法)[-뻡]명〖수〗 '뺄셈'의 구용어. ↔가법(加法). 준감(減).

감별(鑑別)명하타 **1** 잘 살펴서 구별함. ¶병아리의 암수를 ~하다. **2** 작품의 가치와 진위를 판단함.

감병(疳病)[-뼝]명〖한의〗 젖이나 음식 조절을 잘못하여 어린아이에게 생기는 병. 얼굴이 누렇게 뜨고 몸이 여위며 배가 불러 끓고, 영양 장애나 소화 불량 따위의 증상이 나타남. 감기(疳氣). 감질(疳疾). 준감(疳).

감:복 (感服) 명하자 마음에 깊이 느껴 진심으로 탄복함. ¶그의 능란한 수완에 ~했다.
감:봉 (減俸) 명하타 봉급의 지급액을 줄임. ¶무단 결근으로 ~ 처분을 받다. ↔가봉(加俸).
감:분 (感奮) 명하자 감격하여 분발함.
감:-빛 [-삗] 명 익은 감과 같이 붉은빛.
감:-빨다 〔감빠니, 감빠오〕 타 **1** 감칠맛 있게 빨다. 맛있게 먹다. ¶알사탕을 감빨면서 입맛을 다시다. **2** 이익을 탐내다. ¶남의 재물을 감빠는 무리.
감:-빨리다 자 **1** 《'감빨다'의 피동》 감빪을 당하다. **2** 입맛이 당기다. **3** 이익이 탐나서 욕심이 생기다.
감:사 (敢死) 명하자 **1** 죽기를 두려워하지 않음. **2** 죽음을 결심함.
***감:사** (感謝) 명하형자타히부 **1** 고마움을 나타내는 인사. ¶~의 표시. **2** 고맙게 여김. 고마워함. ¶~의 마음을 전하다 / 와 주셔서 ~합니다.
감사 (監司) 명 〔역〕 관찰사(觀察使). ¶평안 ~도 저 싫으면 그만이다.
감사 (監事) 명 **1** 단체의 서무를 맡아보는 사람. **2** 공공 단체나 법인의 회계·업무 등을 감사(監査)하는 기관. 또는 그 사람.
감사 (監査) 명하타 감독하고 검사함. ¶국정을 ~하다.
감사 (鑑査) 명하타 잘 살펴서 적부(適否)·우열·진위(眞僞) 따위를 분별함.
감:-사납다 〔감사나우니, 감사나워〕 형ㅂ불 **1** 억세고 사나워서 휘어잡기 힘들다. ¶감사납게 생긴 얼굴. **2** (논밭 따위의) 상태가 험하고 거칠어 일하기 어렵다. ¶잡초가 우거진 감사나운 밭.
감사-원 (監査院) 명 국가의 세입·세출의 결산 및 공무원의 직무에 관한 감찰(監察)을 하는 대통령 직속의 헌법 기관.
감:사-장 (感謝狀)[-짱] 명 감사의 뜻을 적어 인사로 주는 글. ¶~을 수여하다.
감:사-패 (感謝牌) 명 감사의 뜻을 나타낸 글을 적은 패. ¶~를 받다.
감:산 (減産) 명하자타 **1** 생산이 줆. 또는 생산을 줄임. ¶쌀 수확량이 작년보다 ~하다. ↔증산. **2** 자산(資産)이 줆. 또는 자산을 줄임.
감:산 (減算) 명하타 〔수〕 빼기. 뺄셈. ↔가산(加算).
감:상 (感想) 명 마음에 일어나는 느낌이나 생각. ¶책을 읽은 ~을 말하다〔글로 쓰다〕.
감:상 (感傷) 명하자 **1** 마음에 느끼어 슬퍼함. ¶~에 젖다 / ~에 빠지다. **2** 감정이 하찮은 자극에도 쉽게 흔들려 움직이는 심적 경향. ¶가을은 ~의 계절.
***감상** (鑑賞) 명하타 예술 작품을 깊이 음미하고 이해함. ¶고전 음악을 ~하다.
감:상-록 (感想錄)[-녹] 명 느낌이나 생각을 적은 기록.
감:상-문 (感想文) 명 감상을 쓴 글.
감:상-적 (感傷的) 관명 마음이 느끼기 쉽고 슬퍼하기 쉬운 (것). ¶~인 생각에 빠지다.
감:상-주의 (感傷主義)[-/-이] 명 〔문〕 지적인 면에 치중하지 않고, 감상을 문예 작품에 강조하여 나타내려는 주의.
감색 (紺色) 명 검은빛을 띤 남빛. ¶~ 양복을 입은 남자.
감:성 (感性) 명 **1** 자극에 대하여 느끼는 능력. 감수성(感受性). **2** 〔철〕 대상을 감각하고 지각하여 표상을 만들어 내는 인간의 인식 능력. ↔오성(悟性).
감:성-적 (感性的) 관명 **1** 감성에 관한 (것). **2** 감성이 예민한 (것). ¶~ 사고방식.
감:성 지수 (感性指數) 감성의 척도. 감정을 다스리고 이해하는 능력을 수치로 나타낸 것. 이큐(EQ). *지능 지수.
감:세 (減稅) 명하자 세금의 액수를 줄이거나 세율을 낮춤. ¶저소득층에 대한 ~ 방침. ↔증세.
감:소 (減少) 명하자타 수량이 줆. 또는 수량을 줄임. ¶인구 ~율 / 충격을 ~시키다. ↔증가.
감:속 (減速) 명하자타 속도를 줄임. 또는 속도가 줆. ¶눈길에서는 ~ 운행할 것. ↔가속(加速)·증속(增速).
감:속 기어 (減速gear) 감속 장치에 쓰는 기어《톱니 수에 따라 감속함》. 감속 톱니바퀴.
감:속 장치 (減速裝置) 기구나 기계의 회전 속도를 늦추는 장치.
감:속-재 (減速材) 명 〔물·화〕 원자로에서, 핵분열의 속도를 늦추는 재료《흑연·중수(重水) 따위》.
감:손 (減損) 명하자타 물건 따위가 줄어짐. 또는 물건 따위를 줄임. ¶물품이 운반 도중에 ~하는 경우가 있다.
감:쇄 (減殺) 명하자타 줄어 없어짐. 덜어서 적게 함. ¶소비 욕구가 ~되다 / 흥미를 ~시키다.
감:쇠 (減衰) 명하자타 힘·세력 따위가 줄어 약해짐. ¶정열이 날이 갈수록 ~해 간다.
감수 (甘水) 명 맛이 단 물. 맛이 좋은 먹는 물.
감수 (甘受) 명하타 책망이나 고통 따위를 불만 없이 달게 받음. ¶비난을 ~하다.
감:수 (減水) 명하자 강·호수 등의 물이 줆. ¶가뭄으로 인한 ~ 현상. ↔증수(增水).
감:수 (減收) 명하자 거두어들이는 것이 줆. 수확이 줆. ¶흉작으로 쌀 100만 석의 ~가 예상된다. ↔증수(增收).
감:수 (減數) 명하자타 **1** 뺄셈에서 빼내려는 수. **2** 수를 줄임. 수를 뺌. 수가 줆.
감:수 (減壽) 명하자 수명이 줄어짐. ¶지나친 음주는 ~의 원인이 된다.
감:수 (感受) 명하타 〔심〕 외부의 자극을 감각 신경에 의해 받아들임.
감수 (監修) 명하타 책의 저술·편찬을 지도·감독함. ¶권위 있는 학자의 ~를 받다.
감:수 분열 (減數分裂) 〔생〕 염색체가 반으로 줄어드는 세포 분열. 주로 정자·난자가 형성될 때 일어남. 생식 세포 분열.
감:수-성 (感受性)[-썽] 명 외부의 자극을 받아들이고 느끼는 성질. ¶예민한 ~ / ~이 풍부하다.
감숭-감숭 부하형 드물게 난 짧은 털이 가무스름한 모양. ㉷검숭검숭.
감숭-하다 형여불 잔털 따위가 드물게 나서 가무스름하다. ¶제법 턱 밑이 ~. ㉷검숭하다.
감시 (監視) 명하타 단속하기 위하여 주의하

여 지켜봄. ¶~를 받다〔당하다〕/~의 눈길을 피하다.
감시-망(監視網) 명 감시하기 위하여 펴 놓은 그물같은 조직. ¶삼엄한 ~을 뚫고 도주하다.
감:식(減食) 명하자타 식사의 양이나 횟수를 줄임. ¶살을 빼기 위한 ~.
감식(鑑識) 명하타 **1** 사물의 가치나 진위를 살펴 알아냄. **2** 범죄 수사에서 필적·지문·혈흔 따위에 관한 과학적인 감정과 식별. ¶지문 ~을 의뢰하다.
감:실(龕室) 명 **1** 사당 안에 신주를 모셔 두는 장. **2** 〖건〗 닫집. **3** 〖가〗 성체(聖體)를 모시는 작은 궤.
감실-감실[1] 부하형 조금 가뭇가뭇한 모양. ¶~한 눈썹.
감실-거리다 자 (사람이나 물체 또는 빛 따위가) 먼 곳에서 자꾸 어렴풋이 움직이다. 큰검실거리다. **감실-감실**[2] 부하자. ¶푸른 연기가 ~ 피어오른다.
감실-대다 자 감실거리다.
감심(甘心) 명하자 괴로움·책망을 달게 여김. 또는 그 마음.
감:심(感心) 명하자타 깊이 마음에 느낌. ¶선생님의 이야기를 ~해서 경청하다.
감:싸고-돌다 〔-도니, -도오〕 타 어느 한쪽을 지나치게 편들거나 두둔하여 행동하다. ¶귀엽다고 감싸고돌기만 하니 아이의 버릇이 나빠지지.
감:-싸다 타 **1** 휘감아 싸다. ¶상처를 붕대로 ~. **2** 흉이나 약점을 덮어 주다. ¶허물을 ~/남의 약점을 감싸 주다. **3** 편들거나 두둔하다. ¶어머니는 늘 동생을 감싼다.
감아-쥐다 타 휘감아 쥐다. ¶머리채를 ~/단도 자루를 단단히 ~. *거머쥐다.
감안(勘案) 명하타 여러 사정을 참고하여 생각함. ¶사정을 ~하다/고령임을 ~해서 관대히 보아 넘기다.
감:압(減壓) 명하자타 압력을 줄임. 압력이 줄어 내림. ↔가압.
감:액(減額) 명하타 액수를 줄임. 또는 줄인 액수. ↔증액.
감언(甘言) 명 남의 비위에 들기 좋은 달콤한 말. 미언(美言). ¶~으로 꾀어내다.
감언-이설(甘言利說)[-니-] 명 남의 비위에 맞도록 꾸민 달콤한 말과 이로운 조건을 내세워 꾀는 말. ¶~로 꾀다/~에 넘어가다.
감역(監役) 명하타 토목·건축 따위의 공사를 감독함.
감:연-하다(敢然-) 형여불 결단성 있고 용감하다. **감:연-히** 부. ¶~ 난국에 임하다.
감:염(感染) 명하자 **1** 나쁜 풍속이나 버릇 따위에 영향을 받음. ¶악습(惡習)에 ~되다. **2** 〖의〗 병원체가 몸 안에 들어옴. ¶전염병에 ~되다.
감:염-증(感染症)[-쯩] 명 병원체가 생물체에 옮아 증식함으로써 일어나는 병의 총칭. 전염병보다 뜻이 넓음.
감영(監營) 명 〖역〗 조선 때에, 감사가 직무를 보던 관아. ¶경기 ~.
***감옥**(監獄) 명 죄인을 가두어 두는 곳. 교도소. ¶~에 갇히다.
감옥-살이(監獄-) 명하자 **1** 감옥에 갇혀 지내는 생활. ¶반평생을 ~하다. **2** 자유롭지 못한 생활. 준옥살이.
감우(甘雨) 명 **1** 꼭 필요한 때 알맞게 내리는 비. 단비. **2** 가뭄 끝에 오는 반가운 비.
감:원(減員) 명하타 사람의 수를 줄임. 인원을 줄임. ¶~ 대상자/~ 바람으로 직장을 잃었다/불경기로 많은 근로자들이 ~되었다. ↔증원(增員).
감:은(感恩) 명하자 은혜를 고맙게 여김. ¶부모님의 노고에 진심으로 ~하다.
감:읍(感泣) 명하자 감격하여 흐느낌. ¶성은에 ~하다/~하여 마지않다.
감:응(感應) 명하자 **1** 어떤 느낌을 받아 마음이 움직임. ¶외부에 ~되기 쉬운 마음. **2** 신심(信心)이 부처나 신령에 통함. ¶신불이 ~하였다. **3** 〖물·전〗 유도(誘導)2.
***감자** 명 〔←감저(甘藷)〕 〖식〗 가짓과의 여러해살이풀. 칠레 원산으로 세계 각지의 온대 및 한대에서 널리 재배되는데, 땅속의 덩이줄기 감자는 녹말이 많아 식용함. 마령서(馬鈴薯). ¶~떡/~튀김/~를 쪄 먹다.
감:자(減資) 명하자 〖경〗 회사 자본금의 액수를 줄이는 일. ↔증자(增資).
감:작(減作) 명하자 농작물의 수확이 줆.
감:-잡히다 [-자피-] 자 남과 시비를 가릴 때, 약점을 잡히다. ¶급한 성미에 감잡힐 소리를 해 놓고, 말문이 막혔다.
감잣-국 [-자꾹/-잗꾹] 명 감자를 넣고 끓인 국. 감저탕(甘藷湯).
감장[1] 명 가만 물감이나 빛깔. ¶~ 고무신. 큰검정. 센깜장.
감장[2] 명하타 남의 도움을 받지 않고 제힘으로 꾸려 감. ¶제 몸 하나 ~을 못하는 사람이 어떻게 남의 일을 돌보겠다는 거냐.
감장(甘醬) 명 맛이 단 간장《곧, 진간장》.
감적(監的) 명하자 화살이나 총알이 표적에 맞고 안 맞음을 살핌. ¶~수/~호.
감:전(感電) 명하자 전기가 통하는 도체에 몸의 일부가 닿아 충격을 받음《전기의 양이 많을 때는 화상을 입거나 죽음》. ¶~사(死)/젖은 손으로 플러그를 만지면 ~의 위험이 있다.
감:점(減點)[-쩜] 명하타 점수가 깎임. 또는 그 점수. ¶한 문제를 틀리면 5점이 ~된다.
감:-접이 명 피륙을 짤 때 처음과 끝에 올이 풀리지 않도록 휘갑친 부분.
***감:정**(感情) 명 **1** 느끼어 일어나는 마음이나 기분. ¶~에 호소하다/~이 메마르다. **2** 〖심〗 슬픔·기쁨·좋음·싫음 따위의 심리 상태. ¶불쾌한 ~을 얼굴에 드러내다.
감정을 잡다 구 연기를 하거나 노래를 할 때, 등장인물의 성격이나 노래의 분위기에 맞는 감정을 담아 표현하다.
감정을 해치다 구 남을 불쾌하게 만들다.
감:정(憾情) 명 원망하거나 성내는 마음. ¶~을 내다/~이 나다/~을 품다/~이 풀리다/내게 무슨 ~이 있느냐.
감정(을) 사다 구 상대방의 감정을 언짢게 만들다. ¶남의 감정을 살 언동은 삼갈 것.
감정(鑑定) 명하타 **1** 사물의 특성이나 참과 거짓, 좋고 나쁨을 감별하여 판정함. ¶술맛〔보석〕을 ~하다. **2** 〖법〗 법원의 명령에 따라, 재판에 관련된 특정한 사항에 대하여 그 분야의 전문가가 의견과 지식을 진술·보고하는 일. ¶필적을 ~하다.

감정 가격(鑑定價格)[-까-] 담보가 될 물건을 평가하여 매기는 가격. 감정가(價).

감정-서(鑑定書) 명 1 〖법〗 감정의 경과 및 결과를 적은 문서. 2 미술 작품·골동품·보석 따위의 진짜·가짜 여부를 판단하여 보증하는 문서.

감:정-싸움(憾情-) 명 서로 미워하는 마음으로 벌이는 다툼. ¶~으로 번지다 / ~으로 확대되다.

감:정 이입(感情移入) 〖철〗 예술 작품·자연 풍경 따위에 자신의 감정이나 정신을 불어넣어 자기와 대상이 서로 통한다고 느끼는 심적 작용.

감정-인(鑑定人) 명 1 감정하는 사람. 감정가(家). 2 〖법〗 소송에서, 법원의 명령에 따라 감정을 맡아 하는 전문가.

감:정-적(感情的) 관명 쉽게 감정에 치우치거나 흥분하는 (것). ¶~으로 대응하다.

감:죄(減罪) 명하타 죄를 가볍게 덜어 줌.

감주(甘酒) 명 단술.

감:지(感知) 명하타 (직감적으로) 느끼어 앎. ¶상대방의 불순한 의도를 ~하다.

감:지-기(感知器) 명 온도·압력·소리·빛 등의 물리량을 검출하는 소자(素子) 또는 장치. 센서(sensor). ¶도난 방지를 위한 ~를 설치하다.

감:지덕지(感之德之) 부하타 매우 고맙게 여기는 모양. ¶이런 상황에서는 살아 있다는 것만 해도 ~해야 한다.

감질(疳疾) 명 1 〖한의〗 감병. 2 먹고 싶거나 갖고 싶거나 하고 싶어 애타는 마음. 3 바라는 마음에 못 미쳐서 성에 차지 않음.

감질-나다(疳疾-)[-라-] 형 먹고 싶거나 가지고 싶어 애타는 마음이 생기다. ¶가뭄이 들었다고 수돗물이 감질나게 나온다.

감질-내다(疳疾-)[-래-] 자 1 먹고 싶거나 가지고 싶어 애타는 마음을 품다. 2 감질이 나게 하다.

감-쪼으다(鑑-)〔감쪼으니, 감쪼아〕 타 웃어른에게 글이나 물건을 살펴보게 하다.

감쪽-같다[-깓따] 형 꾸민 일이나 고친 물건이 조금도 알아차리지 못할 정도로 흔적이 없다. ¶위장술이 감쪽같아 탄로 나지 않았다. **감쪽-같이**[-까치] 부. ¶~ 속아 넘어가다.

감찰(監察) 명하타 1 단체의 규율과 구성원의 행동을 감독하여 살핌. 또는 그 직무. ¶산하 기관을 ~하다. 2 감사 기관이 행정 기관의 직무 집행 상황이나 위법, 비위 사실을 살피는 일.

감찰(鑑札) 명 어떤 영업이나 행위를 허가한 표로 관청에서 내주는 증표. ¶영업 ~.

감:천(感天) 명하자 지극한 정성에 하늘이 감동함. ¶지성이면 ~이라.

감청(紺靑) 명 짙고 산뜻한 남빛. 또는 그 물감.

감:청(敢請) 명하타 어려움을 무릅쓰고 감히 청함.

감청(監聽) 명하타 기밀을 보호하고 여러 참고 자료를 얻기 위해 통화 내용을 엿듣는 일.

감쳐-물다[-처-]〔-무니, -무오〕 타 아래위 두 입술을 서로 약간 겹치도록 붙이면서 입을 꼭 다물다. ¶입을 ~.

감초(甘草) 명 1 〖식〗 콩과의 여러해살이 약용 식물. 중국 북부·몽골 원산. 높이는 1m 가량, 여름에 나비 모양의 자주 꽃이 핌. 2 감초의 뿌리《한방에서 약의 작용을 순하게 하기 때문에 모든 처방에 널리 씀》.

감:촉(感觸) 명하자타 피부에 닿아 일어나는 느낌. 만질 때의 느낌. 촉감. ¶피부에 닿는 ~이 까실까실하다 / ~이 부드럽다.

***감추다** 타 1 남이 보거나 찾아내지 못하도록 숨기다. ¶서랍 깊숙한 곳에 돈을 ~ / 문 뒤로 몸을 감추었다. 2 어떤 사실이나 감정 따위를 남이 모르게 하다. ¶잘못을 ~ / 기쁨을 감추지 못하다 / 불안한 모습을 감추지 못했다. 3 어떤 사물·현상 따위가 없어지거나 사라지다. ¶다른 데로 종적을 감추었다.

감:축(減縮) 명하타 수량을 줄임. ¶예산의 ~ / 노사가 인원 ~에 합의하다.

감:축(感祝) 명하타 1 감사하고 축하함. 2 경사를 축하함. ¶장관 취임을 ~합니다.

감치(監置) 명하타 법원이 법정 질서를 어지럽힌 사람을 법에 따라 일정한 장소에 가둠. 또는 그 벌.

감:치다[1] 자 1 어떤 사람·일이 잊혀지지 않고 늘 마음에 감돌다. ¶그때의 일이 머릿속에 감치고 잊혀지지 않는다. 2 음식 맛이 맛깔스럽게 당기다. ¶혀를 감치고 드는 알싸한 맛.

감:치다[2] 타 1 바느질감의 가장자리나 솔기를 실올이 풀리지 않게 안으로 두 번 접어 용수철이 감긴 모양으로 꿰매 나가다. ¶옷단을 ~. 2 두 헝겊의 가장자리를 마주 대고 감아 꿰매다. 3 휘감아 붙들어 매다. ¶치마를 감치며 일어서다.

감:칠-맛[-맏] 명 1 음식이 입에 당기는 맛. ¶~이 나는 술. 2 사람의 마음을 끌어당기는 힘. ¶~이 나는 이야기 / ~이 있는 문장 / 목소리가 ~ 있게 부드럽다.

감:침-질 명하타 바늘로 감치는 일.

감:탄(感歎·感嘆) 명하자 마음속으로 감동하여 찬탄함. ¶~의 소리가 절로 나오다 / 그녀의 효성에 ~하지 않는 사람이 없다.

감:탄-문(感歎文) 명 〖언〗 말하는 사람이 듣는 사람을 그다지 의식하지 않거나 전혀 고려하지 않고 거의 독백(獨白) 상태에서 자신의 느낌을 표현하는 문장. 감탄형 종결 어미로 문장을 끝냄.

감:탄-법(感歎法)[-뻡] 명 〖언〗 종결 어미에 나타나는 서법(敍法)의 하나. 어떠한 사실에 대하여 말하는 사람이 마음속에 크게 느낀 바를 표현하는 법《'-구나'·'-도다'·'-어라' 따위를 씀》.

감:탄 부호(感歎符號) 〖언〗 느낌표.

감:탄-사(感歎詞) 명 〖언〗 품사의 하나. 감동·응답·부름·놀람 따위를 나타내는 말. 감동사. 간투사(間投詞). 느낌씨. ¶~를 연발하다.

감:탄-스럽다(感歎-)〔-스러우니, -스러워〕 형ㅂ불 마음속 깊이 느끼어 탄복할 만하다. ¶그의 효성이 ~.

감탕 명 1 갖풀과 송진을 끓여 만든 풀《새를 잡거나 나무를 붙이는 데 씀》. 2 갯가나 냇가 따위에, 아주 곤죽같이 된 진흙. ¶물이 덜 빠진 ~을 쑤셔서 게를 잡고 있다.

감탕-나무 [명] 〖식〗 감탕나뭇과의 상록 활엽 교목. 산에 나는데 높이는 10m쯤 되고 잎은 두껍고 윤이 나며 어긋남. 봄에 황록색 꽃이 피며, 재목은 도장·조각·세공재로 쓰고 나무껍질로는 끈끈이를 만듦.

감탕-밭 [-반] [명] 곤죽 같은 진흙땅.

감태-같다 [-갇따] [형] 머리가 까맣고 윤기가 나다.

감:퇴 (減退) [명][하자] 능력이나 기운이 줄어 약해짐. ¶식욕 ~ / 기억력 ~ / 일할 의욕이 ~하다. ↔증진.

감투 [명] **1** 머리에 쓰던 옛 의관의 하나. 말총·가죽·헝겊 따위로 탕건 비슷하게 만들되 턱이 없이 민틋함. **2** 〈속〉 탕건. **3** 〈속〉 벼슬이나 지위. ¶~를 버리다.

감투를 벗다 [구] 〈속〉 벼슬자리를 그만두다.

감투(를) 쓰다 [구] 〈속〉 벼슬을 하다.

감:투 (敢鬪) [명][하자] 용감하게 싸움. 감전(敢戰). ¶~상(賞) / ~ 정신.

감투-싸움 [명] 벼슬자리를 놓고 벌이는 다툼. ¶~이 치열하다.

감:-파랗다 [-라타] 〔감파라니, 감파라오〕 [형][ㅎ불] 조금 밝고 짙은 빛을 띠면서 파랗다. ㊄검퍼렇다.

감:-파래지다 [자] 감파랗게 되다. ¶사고 소식에 얼굴이 ~.

감:-파르다 〔감파르니, 감파르러〕 [형][러불] 조금 밝고 짙은 빛이 나며 파랗다. ㊄검푸르다.

감:-편 [명] 감의 껍질을 벗겨 잘게 채 쳐서 짜낸 즙(汁)에 녹말과 꿀을 치고 조려서 굳힌 떡. 시병(柹餠).

감:편 (減便) [명][하타] 항공기·자동차 따위의 정기편의 횟수를 줄임. ↔증편(增便).

감표 (監票) [명][하자] 투표 및 개표를 감시·감독함.

감표 (鑑票) [명][하타] 어떤 표의 진짜와 가짜를 가려 알아냄.

감풀 [명] 썰물 때는 보이고 밀물 때는 안 보이는 비교적 넓고 평탄한 모래톱.

감:하 (減下) [명][하타] (분량·수량 등을) 내리깎음. 줄여 버림.

감:-하다 (減-) [一][자][여불] 줄다. [二][타][여불] 줄이다. 덜다. 빼다. ¶1할을 ~ / 소작료를 감해 주다.

감-하다 (鑑-) [타][여불] '보다'의 공대말. 윗사람께서 살펴보시다.

감:행 (敢行) [명][하타] 위험을 무릅쓰고 실행함. ¶적전 상륙을 ~하다.

감:형 (減刑) [명][하타] 〖법〗 대통령의 사면권(赦免權)에 의해서 일정한 범죄인의 확정된 형의 일부를 줄여 줌. ¶사형을 무기 징역으로 ~하다.

감호 (監護) [명][하타] 감독하여 보호함.

감:화 (感化) [명][하자타] 좋은 영향을 받아 올바른 방향으로 마음이 변함. ¶덕으로써 ~시키다.

감:화-원 (感化院) [명] 〖법〗 보호 처분을 받은 비행(非行) 소년이나 소녀를 수용하여, 감화·선도하기 위한 시설. *소년원.

감:회 (感懷) [명] 지난 일에 대한 생각이나 느낌. ¶~가 새롭다 / ~에 젖다 / ~가 없을 수 없다.

감:획 (減劃) [명][하타] 글씨, 특히 한자의 획수를 줄임.

감:-흙 [-흑] [명] 사금광에서 파낸, 금이 섞인 흙. ㊅감.

감:흥 (感興) [명] 마음에 깊이 감동되어 일어나는 흥겨운 느낌. ¶~이 일다 / 서정적인 ~을 자아내는 가을 풍경.

감:-히 (敢-) [부] **1** 두려움이나 송구함을 무릅쓰고. ¶~ 아뢰다. **2** 말이나 행동이 주제넘게. ¶누구 앞이라고 ~ 그런 말을 하느냐. **3** (주로 '못하다' 등과 함께 쓰여) 함부로. 만만하게. ¶어려워서 ~ 말도 못하다.

***갑** (甲) [명] **1** 차례의 첫째. **2** 천간(天干)의 첫째. 등급의 제1위. **3** 둘 이상의 사물이 있을 때 그 하나의 이름 대신에 쓰는 말. ¶이하 피고를 ~, 원고를 을이라 칭한다.

갑 (匣) [一][명] 물건을 넣는 작은 상자. ¶반지를 빈 ~에다 넣다. [二][의명] 작은 상자를 세는 단위. ¶담배 열 ~.

갑 (岬) [명] 〖지〗 곶.

갑각 (甲殼) [명] 〖동〗 게·새우 따위의 딱딱한 등딱지.

갑각-류 (甲殼類) [-깡뉴] [명] 〖동〗 절지동물의 한 강(綱). 대개 물속에 살며 딱딱한 등딱지로 덮였음《게·가재·새우 따위》.

갑갑-증 (-症) [명] 갑갑한 증세. ¶~이 나서 못 견디겠다.

갑갑-하다 [-까파-] [형][여불] **1** 훤히 트이거나 너르게 펴지지 않아 옹색하고 답답하다. ¶이 집은 앞이 막혀 ~. **2** 너무 더디거나 지루하여 견디기에 지겹다. ¶더듬거리는 그의 말씨가 ~. **3** 가슴이나 배 속이 꽉 막힌 듯 불편하다. ¶먹은 게 체했는지 속이 ~. **4** 마음먹은 대로 일이 되지 않아 답답하다. **갑갑-히** [-까피] [부]

[갑갑한 놈이 송사(訟事)한다] 제게 필요해야 움직인다는 말.

갑골 (甲骨) [명] 거북의 등딱지와 짐승의 뼈.

갑골 문자 (甲骨文字) [-짜] 거북의 등딱지와 짐승의 뼈에 새긴 중국 고대의 상형 문자. 은허(殷墟) 문자. 갑골문.

갑과 (甲科) [명] 〖역〗 과거의 성적 등급에서 첫째 등급. 1등인 장원, 2등인 방안(榜眼), 3등인 탐화(探花)의 세 사람이 이 등급에 속함.

갑근-세 (甲勤稅) [-쎄] [명] '갑종 근로 소득세'의 준말.

갑남을녀 (甲男乙女) [감-려] [명] 갑이란 남자와 을이란 여자의 뜻으로, 평범한 사람들을 이르는 말.

갑년 (甲年) [감-] [명] 예순한 살 되는 해. 환갑의 해.

갑론을박 (甲論乙駁) [감논-] [명][하자] 여럿이 서로 자기 주장을 내세우고 상대방의 주장을 반박함. ¶~으로 결론을 못 내리다.

갑문 (閘門) [감-] [명] **1** 운하·방수로 따위에서 수면을 일정하게 하기 위한 수량(水量) 조절용의 문. **2** 선박을 높낮이의 차가 큰 수면으로 오르내리게 하는 장치. 물문.

갑변 (甲邊) [명] 본전에 곱쳐서 받는 높은 이자. 갑리(甲利).

갑부 (甲富) [명] 첫째가는 큰 부자. 수부(首

富). ¶장안의 ~.

갑사 (甲紗) [명] 품질이 좋은 비단. 얇고 성겨서 여름 옷감으로 많이 씀. ¶~댕기.

갑상-선 (甲狀腺) [명] 〖의〗 내분비샘의 하나. 후두(喉頭)의 앞쪽 아랫부분에 있음. 티록신을 분비하여 체내의 물질대사를 촉진함. 목밑샘.

갑석 (-石) [명] 돌 위에 다시 포개어 얹은 납작한 돌.

갑시다 [자] 물이나 바람 따위가 갑자기 목구멍으로 들어갈 때 숨이 막히다. ¶아무리 갈증이 나더라도 갑시지 않도록 천천히 마셔라.

갑신-정변 (甲申政變) [명] 〖역〗 조선 고종 21년(1884) 갑신년에 김옥균·박영효 등의 개화당이 민씨 일파를 몰아내고 국정을 쇄신하기 위하여 일으킨 정변.

갑오-개혁 (甲午改革) [명] 〖역〗 조선 고종 31년(1894) 갑오년에 개화당 정권이 정치 제도를 근대적으로 개혁한 일.

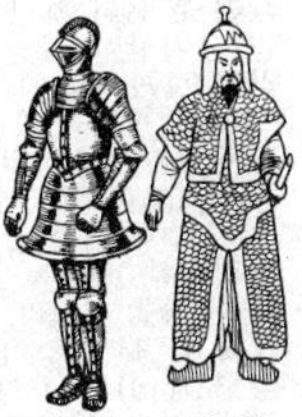

갑옷

갑오-경장 (甲午更張) [명] 〖역〗 '갑오개혁'의 전 용어.

갑옷 (甲-)[-옫] [명] 예전에, 군인이 싸울 때 화살·창검을 막기 위해 입던 옷《쇠나 가죽의 미늘을 붙였음》. 갑의(甲衣). [준] 미늘.

갑옷-미늘 (甲-)[-온-] [명] 갑옷에 단, 비늘 모양의 가죽 조각이나 쇳조각.

갑-이별 (-離別)[감니-] [명][하][자][타] 서로 사랑하다가 갑자기 하는 이별.

***갑자기** [부] 생각할 새도 없이 급히. 예고나 조짐 없이. 별안간. ¶~ 들이닥치다 / ~ 활기를 띠다 / ~ 날씨가 추워지다. [큰]급자기.

갑작-스럽다 〔-스러우니, -스러워〕 [형][ㅂ불] 생각할 사이도 없이 급하다. ¶갑작스러운 죽음. [큰]급작스럽다. **갑작-스레** [부]

갑절 [명] 어떤 수량의 두 배. 배(倍). ¶크기가 ~이나 된다. *곱절.

갑종 근:로 소:득 (甲種勤勞所得)[-글-] 〖법〗 근로의 제공으로 받는 봉급·보수·수당·상여·연금·퇴직금 등의 근로 소득.

갑종 근:로 소:득세 (甲種勤勞所得稅)[-글-] 〖법〗 갑종 근로 소득에 대하여 원천 징수하는 소득세의 하나. [준]갑근세.

갑주 (甲胄) [명] 갑옷과 투구.

갑창 (甲窓) [명] 추위나 밝은 빛을 막으려고, 미닫이 안쪽에 덧끼우는 미닫이.

갑충 (甲蟲) [명] 〖충〗 딱정벌레목(目)의 곤충의 총칭《온몸이 딱딱한 껍데기로 덮인 개똥벌레·딱정벌레·풍뎅이 따위》. 딱정벌레.

갑판 (甲板) [명] 큰 배나 군함 위에 철판·나무 따위로 깐 평평한 바닥.

***값** [갑] [명] **1** 사람이나 사물이 지니고 있는 중요성이나 의의. 가치. ¶~이 있는 삶을 살다. **2** 물건을 사고팔 때 주고받는 돈. 대금. ¶~을 치르다. **3** 사고파는 물건에 매긴 액수. 가액. 가격. ¶~을 올리다 / 부르는 게 ~이다. **4** 어떤 일에 대한 보람이나 대가(代價). ¶노력한 ~으로 시험에 합격했다. **5** 문자나 식이 나타내는 수. 또는 그런 수치. ¶방정식에서 x의 ~을 구하다.

[값도 모르고 싸다 한다] 내용·사정도 모르면서 이러니저러니 말한다.

값(을) 놓다 [구] 값을 정하다. 값을 지정하여 말하다. ¶값을 놓기만 하고 사지는 않는다.

값(을) 보다 [구] 값을 어림하여 보다.

값(을) 부르다 [구] 살 값 혹은 팔 값을 말하다. 호가(呼價)하다.

값(이) 닿다 [구] 사거나 팔기에 알맞은 값에 이르다. ¶값이 닿기 전에는 팔 수 없다.

값-가다 [갑까-] [자] '값나가다'의 준말.

값-나가다 [감-] [자] 값이 많은 액수에 이르다. 귀하다. ¶도둑이 들어 값나가는 물건을 모조리 훔쳐 갔다. [준]값가다.

값-나다 [감-] [자] 금나다.

값-비싸다 [갑삐-] [형] **1** 물건 따위의 값이 높다. 금높다. ¶값비싼 옷. **2** 들이는 공이나 노력이 많다. ¶값비싼 대가를 치르다. ↔값싸다.

값-싸다 [갑-] [형] **1** 물건 따위의 값이 낮다. **2** 가치나 보람이 적고 보잘것없다. ¶값싼 동정은 받기 싫다. ↔값비싸다.

[값싼 갈치자반] 값이 싸면서도 쓸 만한 물건이라는 말.

값-어치 [가버-] [명] 값에 해당하는 가치. ¶~(가) 있는 일 / 공부한 ~를 하다.

값-없다 [가법따] [형] **1** 너무 귀해 값을 칠 수 없다. ¶값없는 공기 / 아무 데서나 살 수 없는 값없는 물건. **2** 하찮아서 값이 나가지 않다. 무가치하다. ¶값없는 일로 시간을 허비했다. **값-없이** [가법씨] [부]

값-있다 [가빋따] [형] 많은 가치나 보람이 있다. ¶값있는 물건 / 값있는 생활을 하다.

값-지다 [갑찌-] [형] **1** 값이 많이 나갈 만하다. ¶값진 보석. **2** 가치가 있고 보람이 크다. ¶값진 희생을 치르다.

값-하다 [가파-] [자][여불] 그 값에 맞는 일을 하다. ¶선생님의 가르침에 값하는 행동.

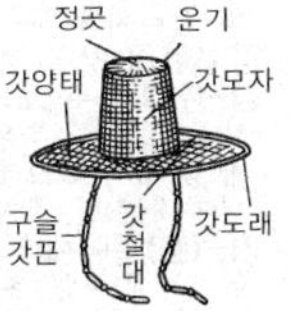

갓[1]1

갓[1] [갇] [명] **1** 옛날에, 어른이 된 남자가 머리에 쓰던 의관의 하나《말총으로 만듦》. ¶~을 쓴 점잖은 노인 / ~을 벗다. **2** 갓 모양의 물건《전등의 갓 따위》.

갓[2] [갇] [명] 〖식〗 겨잣과의 두해살이풀. 겨자의 한 변종. 줄기와 잎은 먹으며, 씨는 겨자씨와 같이 쓰나 매운 맛이 적고 향기가 있음. 개채(芥菜).

갓[3] [갇] [의명] 말린 식료품 등의 열 모숨을 한 줄로 엮은 것을 셀 때 쓰는 단위. ¶조기 두 ~ / 고사리 한 ~.

갓[4] [갇] [부] 금방. 이제 막. ¶~ 태어난 아이 / ~ 열여덟이 되다 / 기차에서 ~ 내렸다.

갓:-길 [가낄 / 갇낄] [명] 고속도로나 자동차 전용 도로의 유효 폭 밖의 가장자리 길. ¶~ 주행 금지.

갓-김치 [갇낌-] [명] 갓으로 담근 김치. 개저(芥菹).

갓-끈 [갇-] 명 갓에 다는 끈.
갓난-아기 [간-] 명 태어난 지 얼마 안 된 아기를 귀엽게 일컫는 말.
갓난-아이 [간-] 명 낳은 지 얼마 안 되는 아이. 갓난이. ¶ ~에게 젖을 빨리다. 준갓난애.
갓난-애 [간-] 명 '갓난아이'의 준말.
갓-두루마기 [갇뚜-] 명 **1** 갓과 두루마기. **2** 갓을 쓰고 두루마기를 입은 사람. **—-하다** 자여불 갓을 쓰고 두루마기를 입다.
갓-망건 (-網巾)[간-] 명 갓과 망건. **—-하다** 자여불 갓과 망건을 쓰다.
갓모 [간-] 명 사기그릇을 만들 때 쓰는 물레의 밑구멍에 끼우는, 사기로 된 고리.
갓-싸개 [갇-] 명 갓의 겉을 바르는 얇은 모시베. **—-하다** 타여불 얇은 모시베로 갓의 겉을 바르다.
갓-양태 [갇냥-] 명 갓의 밑 둘레 밖으로 둥글넓적하게 된 부분. 갓양. 준양·양태.
갓-장이 [갇짱-] 명 갓을 만들거나 고치는 것을 업으로 하는 사람.
갓-쟁이 [갇쨍-] 명 갓을 쓴 사람.
갓-털 [갇-] 명 〖식〗 꽃받침이 변해서 된 것으로, 씨방의 맨 끝에 붙은 솜털 같은 털. 관모(冠毛).
***강** (江) 명 넓고 길게 흐르는 큰 물줄기. ¶ 얼었던 ~이 풀리다.
　강 건너 불구경 구 자기에게 관계없는 일이라 하여 무시하고 방관하는 모양.
　강 건너 불 보듯 구 강 건너 불구경.
강 (綱) 명 〖생〗 문(門)의 아래, 목(目)의 위인 생물학 분류의 단위《짐승강(綱)·개구리강 따위》.
강: (講) 명하타 **1** 예전에, 서당이나 글방에서 배운 글을 선생·시관(試官) 또는 웃어른 앞에서 윔. **2** '강의'의 준말.
　강(을) 바치다 구 배운 글을 스승이나 시관 또는 웃어른 앞에서 외어 올리다. ¶얼마나 공부가 늘었는지 강을 바쳐 보아라.
　강(을) 받다 구 자기가 듣는 앞에서 글을 외어 바치게 하다.
강 (鋼) 명 강철(鋼鐵).
강- 투 **1** 아주 호되거나, 억척스러움을 나타내는 말. ¶ ~추위 / ~다짐. **2** 일부 명사 앞에 붙어서, '그것으로만 이루어진'의 뜻을 나타내는 말. ¶ ~굴 / ~조밥 / ~술.
강- (強) 투 '매우 세거나 매우 고됨'을 뜻하는 말. ¶ ~슛 / ~펀치 / ~행군 / ~타자.
강-가 (江-)[-까] 명 강의 가장자리에 닿은 땅. 강변(江邊). ¶ ~에서 노닐다 / ~를 거닐다.
강:가 (降嫁) 명하자 지체가 자기만 못한 사람에게 시집감.
강:간 (強姦) 명하타 폭행·협박 따위의 수단을 써서 부녀자를 간음함.
강강-술래 명 여자들이 손을 잡고 원을 그리며 빙빙 돌면서 추는 민속춤. 또는 그 춤에 맞추어 부르는 노래. 중요 무형 문화재 제8호.
강:개 (慷慨) 명하형 의롭지 못한 것을 보고, 의기가 복받쳐 원통하고 슬픔.
강건-하다 (剛健-) 형여불 **1** 기상이나 뜻이 꿋꿋하고 굳세다. ¶ 성품이 ~. **2** 글씨나 문장이 강하고 씩씩하다. ¶ 강건한 문체. **강건-히** 부
강건-하다 (強健-) 형여불 몸이 튼튼하고 건강하다. ¶ 강건한 신체 / 기골이 ~. ↔병약(病弱)하다. **강건-히** 부
강견 (強肩) 명 힘이 센 어깨. 특히 야구에서 멀리까지 공을 던질 수 있음을 일컬음.
강경 (強硬·強勁) 명하형히부 굳세게 버티어 굽히지 않음. ¶ ~한 태도에 주춤하다.
강경-책 (強硬策) 명 강경한 방책이나 대책. ¶ ~을 쓰다.
강경-파 (強硬派) 명 강경한 행동을 주장하는 파. 경파(硬派). ¶ ~와 온건파의 대립.
강계 (疆界)[-/-게] 명 나라의 경계. 강경(疆境). ¶ ~를 정하다.
강고-하다 (強固-) 형여불 굳세고 튼튼하다. ¶ 의지가 ~. **강고-히** 부
강골 (強骨) 명 **1** 단단하고 꿋꿋한 성품. **2** '강골한'의 준말. ↔약골(弱骨).
강골-한 (強骨漢) 명 잘 굽하지 않는 기질을 가진 사람. 준강골.
강공 (強攻) 명하타 세찬 기세로 적극적으로 공격함. ¶ ~책(策) / ~으로 맞서다.
강관 (鋼管) 명 강철로 만든 관. 강철관.
강:관 (講官) 명 〖역〗 강연(講筵) 때 임금에게 강의하던 관원.
강괴 (鋼塊) 명 녹인 강철을 거푸집에 부어 굳힌 강철 덩어리.
강교 (江郊) 명 강이 흐르고 있는 교외.
강구 (江口) 명 **1** 강물이 바다로 흘러 들어가는 어귀. 강어귀. **2** 나루.
강:구 (講究) 명하타 좋은 대책과 방법을 찾으려고 노력함. ¶ 대책을 ~하다 / 적절한 방법을 ~하다.
강국 (強國) 명 경제력·군사력이 강한 나라. 강대국. ¶ 4 대(大) ~.
강군 (強軍) 명 힘이 센 군대.
강-굽이 (江-)[-꿉-] 명 강물이 굽이쳐 흐르는 곳.
강궁 (強弓) 명 탄력이 매우 세고 큰 활.
강:권 (強勸) 명하타 싫어하는 것을 억지로 권함. ¶ 술 마시기를 ~하다 / ~에 못이겨 모임에 가입하다.
강권 (強權)[-꿘] 명 **1** 강한 권력. **2** 국가가 사법적·행정적으로 갖는 강력한 권력. ¶ ~ 발동/~ 정치.
강기 (剛氣) 명 굳세고 꿋꿋한 기상. ¶ ~ 있는 젊은이.
강기 (強記) 명하타 오래도록 잘 기억함. ¶ 어릴 때의 일도 기억하는 ~를 지니다.
강기 (綱紀) 명 **1** 나라의 법률이나 풍속의 기율. ¶ 나라의 ~를 세우다〔바로잡다〕. **2** 강상(綱常)과 기율. 사람이 지킬 도리와 기율. ¶ 남녀의 ~가 어지러워졌다. **—-하다** 타여불 강기를 세워 나라를 다스리다.
강기-숙정 (綱紀肅正) 명 강기를 엄하고 바르게 함. ¶ ~을 단행하다.
강-기슭 (江-)[-끼슥] 명 강물에 잇닿은 가장자리 땅. 강안(江岸). ¶ ~에 배를 대다.
강-나루 (江-) 명 강을 건너는 목.
강남 (江南) 명 **1** 강의 남쪽 지역. **2** 중국 양쯔 강의 남쪽 땅《흔히 남쪽의 먼 곳이라는 뜻으로 씀》. ¶ ~ 갔던 제비. **3** 서울에서, 한강의 남쪽 지역.
***강낭-콩** 명 〖식〗 콩과의 한해살이 덩굴풀.

여름에 백색·황갈색·흑색의 씨가 여묾. 중요한 재배 식물임.
강냉이 명 〖식〗 옥수수. ¶~를 튀기다.
강녕-하다 (康寧-) 형여불 몸이 건강하고 마음이 편안하다. ¶선생님 그간 강녕하셨습니까. **강녕-히** 부
강다리 一명 **1** 물건을 버틸 때 어긋맞게 괴는 나무. ¶~를 괴다. **2**〖건〗 도리 바깥쪽으로 내민 추녀 끝의 처짐을 막기 위해 추녀의 안쪽 위 끝에 비녀장을 하는 단단한 나무. 二의명 쪼갠 장작의 100 개비를 이르는 말.
강-다짐 명하타 **1** 밥을 국이나 물에 말지 않고 그냥 먹음. ¶아침밥을 ~으로 몇 술 떠먹고 나왔다. **2** 까닭 없이 억눌러 꾸짖음. ¶이유도 묻지 않고 ~만 한다. **3** 보수도 주지 않고 억지로 남을 부림. ¶하인을 ~으로 부리다.
강단 (剛斷) 명 **1** 어떤 일을 야무지게 결정하고 처리하는 힘. ¶일을 ~ 있게 처리하다. **2** 굳세고 꿋꿋하게 어려움을 견디어 나가는 힘. ¶~을 기르다 / ~이 있다 / ~이 세다.
강:단 (講壇) 명 강의나 강연·설교 따위를 하는 사람이 올라서게 만든 자리. ¶~에 서다.
강단-성 (剛斷性)[-썽] 명 강단이 있는 성질.
강단-지다 (剛斷-) 형 강단성이 있다. ¶세상을 강단지게 살아가다 / 몸이 강단지게 생겼다.
강-담 명 흙을 쓰지 않고 돌로만 쌓은 담.
강:당 (講堂) 명 강의나 의식을 행하는 건물 또는 방. ¶학교 ~.
강대-국 (強大國) 명 군사력이 강하고 영토가 넓어 힘이 센 나라. 강국(強國). ↔약소국.
강대-하다 (強大-) 형여불 나라나 조직 등의 힘이 세고 크다. ¶세력이 ~ / 강대한 나라. **강대-히** 부
강-더위 명 오랫동안 가물고 볕만 내리쬐는 찌는 더위.
강도 (剛度) 명 〖물〗 금속성 물질의 단단한 정도.
강도 (強度) 명 **1** 강한 정도. ¶~ 높은 훈련 / 빛의 ~ / 매질의 ~를 늦추다. **2**〖물〗 전기장(電氣場)·전류·방사능 따위의 양의 세기 또는 크기. 세기.
강:도 (強盜) 명 폭행·협박 등의 수단으로 남의 재물을 빼앗는 도둑. 또는 그런 행위. ¶~질을 일삼다.
강:독 (講讀) 명하타 글을 읽고 그 뜻을 밝힘. ¶한문 ~ / 불교 경전을 ~하다.
강동 (江東) 명 **1** 강의 동쪽. **2** 서울에서, 한강의 동쪽 지역.
강동 부 조금 짧은 다리로 가볍게 뛰는 모양. 큰겅둥. 센깡똥.
강동-거리다 자 **1** 조금 짧은 다리로 계속해서 가볍게 뛰다. **2** 침착하지 못하고 채신없이 경솔하게 행동하다. 큰겅둥거리다. 센깡똥거리다. **강동-강동** 부하자
강동-대다 자 강동거리다.
강동-하다 형여불 아랫도리가 너무 드러날 정도로 입은 옷이 짧다. ¶강동한 미니스커트. 큰겅둥하다. 센깡똥하다.
강-둑 (江-)[-뚝] 명 강물이 넘치지 않게 쌓아 놓은 둑. 제방(堤防). ¶~길 / ~을 쌓다 / ~을 따라 거닐다.
강:등 (降等) 명하자타 등급·계급이 낮아짐. 또는 등급·계급을 낮춤. ¶2 계급 ~되다.
강-똥 명 몹시 된 똥.
강력-범 (強力犯)[-녁-] 명 흉기나 폭력을 쓰는 범행. 또는 그 범인.
강력-분 (強力粉)[-녁-] 명 글루텐의 함량에 따라 나눈 밀가루 종류의 하나. 찰기가 강하고, 주로 빵이나 마카로니를 만드는 데 씀. 강력밀가루. ↔박력분(薄力粉).
강력-하다 (強力-)[-녀카-] 형여불 **1** 힘·작용이 세다. ¶강력한 군비 / 강력하게 추진하다. **2** 가능성이 크다. ¶강력한 우승 후보. **강력-히** [-녀키] 부. ¶~ 주장하다.
강렬-하다 (強烈-)[-녈-] 형여불 강하고 세차다. ¶강렬한 펀치 / 강렬한 첫인상 / 충동이 강렬하게 일다. **강렬-히** [-녈-] 부
강:령 (降靈)[-녕] 명하자 〖종〗 천도교에서, 한울님의 영(靈)이 인간의 몸에 내리는 일.
강령 (綱領)[-녕] 명 **1** 일의 으뜸이 되는 큰 줄거리. **2** 정당이나 단체 등이 그 기본 이념·목적·방침·계획 또는 운동의 순서 등을 요약해서 열거한 것. ¶미국 공화당의 ~ / 행동 ~.
강:론 (講論)[-논] 명하타 **1** 학술·도의의 뜻을 풀이하여 설명하고 토론함. ¶역사학 ~을 듣다. **2**〖가〗 설교. ¶신부님의 ~.
강:림 (降臨)[-님] 명하자 신이 하늘에서 인간 세계에 내려옴.
강-마르다 〔강마르니, 강말라〕 형르불 **1** 물기가 없이 바싹 마르다. ¶강마른 논바닥 / 강마른 날씨. **2** 살이 없이 몹시 마르다. ¶강마른 얼굴. **3** 성미가 부드럽지 못하고 메마르다. ¶강마른 성미.
강만 (江灣) 명 강과 만.
강:매 (強買) 명하타 물건을 강권에 못 이겨 억지로 삼.
강:매 (強賣) 명하타 물건을 강제로 떠맡겨 팖. ¶불량품을 ~하다 / ~ 행위를 금하다.
강-모 명 마른논에 호미나 꼬챙이로 땅을 파면서 심는 모.
강모 (剛毛) 명 **1** 뻣뻣하고 억센 털. **2** 딱딱하고 억센 포유동물의 털(《돼지털 따위》). **3**〖동〗 절지동물·환형동물에 생기는 딱딱한 털. **4** 섬유의 길이가 13 cm 가량 되는 양털.
강목 명 **1**〖광〗 채광할 때, 유용한 광물이 나오지 않아 헛수고가 되는 작업. **2** 아무런 소득 없이 허탕만 침을 이르는 말.
강목(을) 치다 구 ㉠채광(採鑛)에서 유용한 광물이 나오지 않아 허탕을 치다. ㉡아무런 소득 없이 허탕을 치다.
강목 (綱目) 명 대략적인 줄거리와 자세한 조목.
강:무 (講武) 명하자 무예를 강습함.
*__강-물__ (江-) 명 강에 흐르는 물. 강수(江水). ¶~이 붇다.
[강물도 쓰면 준다] 많다고 함부로 헤프게 쓰지 말라는 말.
강:미 (講米) 명 〖역〗 조선 때, 글방 선생에게 보수 대신 주던 곡식.
강-바닥 (江-)[-빠-] 명 강의 밑바닥.

강-바람 명 비는 안 오고 몹시 부는 바람.
강-바람 (江-)[-빠-] 명 강에서 부는 바람. 강풍(江風). ¶시원한 ~을 쐬다.
강:박 (強迫) 명하타 **1** 남의 뜻을 억지로 꺾거나, 자기 뜻에 억지로 따르게 함. **2** (마음에 느끼는) 심한 압박. ¶입학시험에 대한 ~ 속에 하루하루를 보낸다.
강:박-감 (強迫感) 명 무엇에 눌리거나 쫓기는 느낌.
강:박 관념 (強迫觀念) 〖심〗 의식 속에서 없애려 해도 없앨 수 없는 억눌린 생각. ¶~에 사로잡히다.
강박-하다 (強薄-)[-바카-] 형여불 강포하고 야박하다. ¶큰 가뭄이 들어 인심이 강박할 대로 강박해졌다. **강박-히** [-바키] 부
강-밥 명 국이나 반찬 없이 맨밥으로 먹는 밥. ¶~ 몇 술로 점심을 때우다.
강-밭다 [-받따] 형 몹시 야박하고 인색하다. ¶강밭은 사람 / 강밭기로 이름난 구두쇠다.
강-배 (江-)[-빼] 명 강에서 쓰는 배《바닥이 평평하게 되어 있음》.
강변 (江邊) 명 강가. ¶~을 거닐다.
강:변 (強辯) 명하자타 이유를 붙여서 굳이 변명함. ¶지고도 지지 않았다고 ~하다.
강변-도로 (江邊道路) 명 강변을 따라서 낸 도로. 준강변로(路).
강-병 (-病) 명 꾀병.
강병 (強兵) 명 **1** 강한 군사. **2** 군비·병력 등을 강화함.
강보 (襁褓) 명 포대기. ¶~에 싸인 아기.
강-보합 (強保合) 명 〖경〗 주가 따위의 시세가 약간 상승한 채로 반락(反落)하지 않고 보합 상태를 유지하는 일. ↔약(弱)보합.
강:복 (降福) 명하자 〖가〗 하느님이 인간에게 복을 내리는 일.
강복-하다 (康福-)[-보카-] 형여불 건강하고 행복하다. ¶강복한 말년을 보내다.
강북 (江北) 명 **1** 강의 북쪽. **2** 중국 양쯔 강의 북쪽. **3** 서울에서, 한강의 이북 지역.
강-비탈 (江-)[-삐-] 명 강가의 비탈.
강:사 (講士) 명 강연을 하는 사람. 연사(演士). 변사(辯士).
강:사 (講師) 명 학원·학교 등에서 위탁을 받아 강의를 하는 사람. ¶요즘에는 대학에서 ~ 자리도 얻기 어렵다.
강삭 (鋼索) 명 여러 가닥의 강철 철사를 합쳐 꼬아 만든 줄. 와이어. 와이어로프. 강선삭(綱線索).
***강산** (江山) 명 **1** 강과 산. ¶십 년이면 ~도 변한다. **2** 나라의 영토. ¶해방의 기쁨이 삼천리 ~에 넘치게 되었다.
강산 (強酸) 명 〖화〗 산(酸) 중에서 그 수용액의 해리도(解離度)가 커서 산의 특성인 수소 이온을 많이 발생시키는 산《염산·질산·황산 따위》. 강한 산. ↔약산(弱酸).
강:상 (降霜) 명하자 서리가 내림. 또는 그 서리.
강상 (綱常) 명 삼강(三綱)과 오상(五常). 곧, 사람이 지킬 도리. ¶~을 바로잡다.
강-샘 명하자 상대의 이성(異性)이 다른 이성을 좋아함을 미워하는 샘. 질투. 투기. ¶~을 내다 / ~을 부리다 / ~이 나다.
강:생 (降生) 명하자 신이 인간으로 태어남. 강세(降世). ¶예수 그리스도의 ~.
강:서 (江西) 명 **1** 강의 서쪽. **2** 서울에서, 한강의 서쪽 지역.
강:서 (講書) 명하자 옛글의 뜻을 강론함.
강:석 (講席) 명 강의·강연·설교를 하는 자리. 강연(講筵). 강좌(講座). ¶~에 나가다.
강:석 (講釋) 명하타 강의하여 뜻을 풀이함.
강선 (腔線·腔綫) 명 탄환이 회전하면서 나가도록 총포의 구멍 안에 판 나선상(螺旋狀)의 홈.
강선 (鋼船) 명 강철로 만든 배.
강선 (鋼線) 명 강철로 만든 줄.
강:설 (降雪) 명하자 눈이 내림. 또는 그 눈.
강설 (強雪) 명 세차게 오는 눈. ¶~로 교통이 마비되어 꼼짝달싹을 못하고 있다.
강:설 (講說) 명하타 강론하여 설명함. 강의.
강:설-량 (降雪量) 명 일정한 기간에 일정한 곳에 내린 눈의 양.
강-섬 (江-) 명 강 가운데 있는 섬.
강성 (剛性) 명 〖물〗 물체에 압력을 가해도 모양·부피가 변하지 않는 단단한 성질.
강성 (強性) 명 강한 성질. ¶~ 발언 / ~ 일변도의 외교 정책.
강성-하다 (強盛-) 형여불 세력이 강하고 활동이 왕성하다.
강-섶 (江-)[-섭] 명 강줄기나 강기슭의 옆. ¶~으로 난 길.
강세 (強勢) 명 **1** 강한 세력이나 기세. ¶구기 종목에서 ~를 보이다. **2** 〖경〗 물가나 주가 따위 시세가 올라가는 기세. ¶~를 보인 주가. **3** 〖언〗 어떤 부분을 강하게 발음하는 일. 스트레스. ↔약세.
강-소주 (-燒酒) 명 안주 없이 마시는 소주.
강-속구 (強速球) 명 야구에서, 투수가 던지는 강하고 빠른 공.
강:송 (講誦) 명하타 글을 소리 내어 읽고 욈.
강:수 (降水) 명 비·눈·우박 등으로 지상에 내린 물.
강수 (強手) 명 바둑·장기에서, 격렬한 싸움을 거는 수. ¶~로 버티다 / ~를 두다.
강:수-량 (降水量) 명 비·눈·우박 등으로 지상에 내린 물의 총량. ¶연평균 ~.
강-술 명 안주 없이 마시는 술.
강습 (強襲) 명하자타 **1** 적의 방어를 무릅쓰고 습격을 강행함. ¶적진을 ~하다. **2** 야구에서, 세차게 엄습함. ¶내야 ~ 안타.
강:습 (講習) 명하타 어떤 일정 기간, 특정한 학문과 기예를 배우고 익히거나 가르침. ¶~생 / ~소 / 요리 ~을 받다.
강:습-회 (講習會)[-스푀] 명 어떠한 학술이나 기예를 강습하기 위하여 단기간 설치하는 모임. ¶꽃꽂이 ~.
강:시 (僵屍·殭屍) 명 얼어 죽은 송장. ¶눈이 쌓인 산속에서 길을 잃어 ~가 될 뻔한 일도 있었다.
강:신 (降神) 명하자타 **1** 제사 때, 초헌하기 전에 먼저 신이 내리게 하는 뜻으로, 향을 피우고 술을 잔에 따라 모사(茅沙) 위에 붓는 일. **2** 〖민〗 주문(呪文)이나 다른 술법으로 신을 내리게 함. ¶~술(術).
강심 (江心) 명 강의 한복판. 또는 그 물속. ¶~수(水) / 이 물고기는 ~에만 산다.

강-심장 (強心臟) 명 극히 대담하거나 유들유들하여 웬만한 일에는 놀라거나 겁을 내지 않는 성격. 또는 그런 사람.
강심-제 (強心劑) 명 병으로 쇠약한 심장의 기능을 강하게 하는 약. ¶~ 주사를 놓다.
***강아지** 명 개의 새끼.
강아지-풀 명 〔식〕 볏과의 한해살이풀. 들·밭·길가에 나는데, 높이 30–70 cm, 잎은 선형, 여름에 강아지 꼬리 모양의 초록색 꽃이 핌. 구황(救荒) 식물로 씨는 식용함.
강안 (江岸) 명 강기슭.
강:압 (降壓) 명하타 압력·전압을 낮춤. ¶전압을 220 V에서 110 V로 ~하다. ↔승압.
강:압 (強壓) 명하타 강한 힘이나 권력으로 내리누르거나 억압함. ¶일제의 ~에도 불구하고.
강:압-적 (強壓的) 관명 남을 힘으로 억누르는 (것). ¶~ 수단 / ~으로 일을 시키다.
강약 (強弱) 명 강함과 약함. ¶소리의 ~.
강약 부호 (強弱符號) 〔악〕 셈여림표.
강어 (江魚) 명 강에서 사는 물고기.
강-어귀 (江-) 명 강구(江口)1.
강역 (疆域) 명 한 나라의 영토.
강:연 (講筵) 명 **1** 강석. **2** 〔역〕 임금 앞에서 경서를 강론하던 일.
강:연 (講演) 명하타 일정한 주제로 청중 앞에서 이야기함. ¶~회 / ~을 듣다.
강-염기 (強塩基)[-념-] 명 〔화〕 수용액 중에서 대부분이 전리(電離)되며, 수산화물 이온을 많이 내는 염기《수산화나트륨·수산화칼륨 등》. 강알칼리(強alkali). 강한 염기. ↔약염기.
강옥-석 (鋼玉石) 명 〔광〕 천연의 산화알루미늄 광물《굳기가 금강석 다음 감. 보석 연마제로 쓰이는데, 붉은 것을 루비, 푸른 것을 사파이어, 노랑·초록·흑색의 것을 에머리(emery)라 함》. 커런덤. ㊟강옥(鋼玉).
강:요 (強要) 명하자타 강제로 요구함. ¶기부금을 내도록 ~하다 / 무조건 복종을 ~받다.
강요 (綱要) 명 일의 으뜸 줄기가 될 만한 요점. 골자(骨子). ¶정치학 ~.
강:우 (降雨) 명 비가 내림. 또는 내린 비.
강:우-량 (降雨量) 명 일정한 기간 동안 일정한 곳에 내린 비의 양.
강-울음 명 억지로 우는 울음.
강:원 (講院) 명 〔불〕 사찰에 설치되어 있는 경학 연구의 전문 교육 기관.
강월 (江月) 명 강물에 비친 달.
강유 (剛柔) 명 굳셈과 부드러움. ¶~를 겸비한 선비.
강음 (強音) 명 세게 내는 소리. 세게 나오는 소리.
강:의 (講義)[-/-이] 명하타 대학 등에서, 교수가 학생들을 가르치는 수업. ¶역사 ~/ ~를 듣다 / ~를 받다.
강:의-록 (講義錄)[-/-이-] 명 강의의 내용을 적어 놓은 책. ¶통신 ~/ ~으로 자습하다.
강:의-실 (講義室) 명 대학에서 강의를 하는 교실.
강인-하다 (強靭-) 형여불 억세고 질기다. ¶강인한 체력 / 강인한 인상을 풍기다. **강인-히** 부
강자 (強者) 명 힘이나 세력이 강한 사람이나 생물. ¶유통업계의 새 ~로 떠오르다. ↔약자(弱者).
강-자성 (強磁性) 명 〔물〕 물체가 외부 자기장에 의하여 강하게 자기화(磁氣化)되어, 자기장을 없애도 자기화가 그대로 남아 있는 성질.
강장 (強壯) 명하형 몸이 건강하고 혈기가 왕성함. ¶~ 식품 / ~ 효과.
강장 (強將) 명 강한 장수. 맹장(猛將).
강장 (腔腸) 명 〔동〕 강장동물의 체강(體腔)《고등 동물의 체강과 소화기를 겸함》.
강장-동물 (腔腸動物) 명 원시적인 다세포 동물의 하나. 물에서 생활하는데, 몸은 대개 종 모양이거나 원통형이고 강장을 갖추며 입의 주위에 촉수가 있음《말미잘·산호·해파리 등》.
강장-제 (強壯劑) 명 〔약〕 온몸의 신진대사를 촉진하고 영양을 도와 체력을 증진시키는 약.
강재 (鋼材) 명 공업용·건설용으로 사용되는 강철《크게 조강(條鋼)·강판(鋼板)·강관(鋼管) 등으로 나뉨》.
강적 (強敵) 명 강한 적수. 만만찮은 상대. ¶~을 만나다.
강전 (強電) 명 〔물〕 **1** 산업용으로 쓰이는 대전력(大電力)·고전압(高電壓)·대전류(大電流)의 일컬음. **2** 전기 에너지의 전송 및 기계적 에너지·열에너지 등의 다른 에너지로의 변환을 다루는 전기 공학 부문. ↔약전(弱電).
강-전해질 (強電解質) 명 〔화〕 전리도(電離度)가 1에 가까운 전해질《소금·염산 따위》. 강한 전해질. ↔약(弱)전해질.
강:점 (強占) 명하타 남의 영토나 물건을 강제로 차지함. ¶일제의 한반도 ~.
강점 (強點)[-쩜] 명 남보다 우세한 점. ¶~을 살리다 / 민주주의의 ~을 부각시키다. ↔약점(弱點).
강:점-기 (強占期) 명 남의 영토나 물건 따위를 강제로 차지한 시기. ¶일제(日帝) ~.
강정 명 **1** 술을 친 찹쌀가루 반죽을 손가락 마디만큼씩 썰어서 기름에 튀기고 꿀을 발라, 깨·콩가루·송홧가루 등을 묻힌 한과. **2** 깨·콩·잣 등을 물엿으로 굳힌 한과.
강:제 (強制) 명하타 원하지 않는 일을 억지로 시키는 것. ¶~ 노역 / 술자리에서 ~로 노래를 시키다.
강제 (鋼製) 명 강철로 만든 제품.
강:제-력 (強制力) 명 강제하는 힘이나 권력.
강:제-적 (強制的) 관명 당사자의 의사를 무시하고 억지로 시키는 (것). ¶~ 방법 / ~으로 이루어진 합의. ↔자발적.
강:제 집행 (強制執行)[-지팽] 채무자에 대한 채권자의 청구권을 법률에 의거, 국가의 강제 수단에 의하여 실현하는 일. 또는 그 절차.
강:조 (強調) 명하타 어떤 것을 특별히 강하게 주장하거나 두드러지게 함. ¶일의 중요성을 ~하다 / 이 그림은 명암을 ~했다.
강-조밥 명 좁쌀로만 지은 밥.
강:조-법 (強調法)[-뻡] 명 수사법의 한 가지. 표현하려는 내용을 강하고 뚜렷하게

나타내어 읽는 사람에게 뚜렷한 인상이 느껴지게 하는 표현 방법《과장법(誇張法)·반복법(反復法)·영탄법(詠嘆法) 등》.

강졸 (強卒) 명 강한 졸병. ↔약졸(弱卒).

강:좌 (講座) 명 **1** 대학에서 교수가 맡아 강의하는 학과목. ¶형법 ~. **2** 대학의 강의 형식을 따른 강습회나 출판물·방송 프로그램 따위. ¶음악 ~ / 교양 ~.

강주 (強酒) 명 독한 술.

강-주정 (-酒酊) 명하자 일부러 취한 체하고 하는 주정. 건주정.

강-줄기 (江-)[-쭐-] 명 강물이 뻗어 나간 줄기.

강중 부 짧은 다리로 힘 있게 높이 솟구어 뛰는 모양. 큰겅중. 센깡쭝. 거깡충.

강중-거리다 자 짧은 다리로 자꾸 솟구어 뛰면서 걷다. 큰겅중거리다. 센깡쭝거리다. **강중-강중** 부하자

강중-대다 자 강중거리다.

강즙 (薑汁) 명 생강을 짓찧거나 갈아서 짜낸 물. 생강즙.

강지 (剛志) 명 굽히지 않는 굳센 의지.

강:직 (降職) 명하자타 직위가 낮아짐. 직위를 낮춤. ↔승직(昇職).

강직 (強直) 명 〖의〗 **1** 근육을 연속적으로 자극할 때, 근육이 지속적으로 크게 수축되는 일. **2** 관절을 이루는 뼈·연골 또는 근육 따위가 뻣뻣하게 굳어져 움직이지 못하게 된 상태.

강직-하다 (剛直-)[-지카-] 형여불 마음이 굳세고 곧다. ¶강직한 성질. **강직-히** [-지키] 부

강진 (強震) 명 강한 지진《벽이 갈라지고, 비석 등이 넘어지며, 굴뚝이 무너질 정도의 지진으로 진도(震度)는 5임》. ☞진도.

강짜 명하자 〈속〉 강샘. ¶~를 내어서 무엇 하나 / ~를 부리다.

강철 (鋼鐵) 명 **1** 0.035-1.70 % 의 탄소가 함유된 철《열처리에 의해서 강도나 인성이 높아짐》. 스틸(steel). **2** 아주 단단하고 굳셈을 비유하는 말. ¶~ 같은 의지.

강철-판 (鋼鐵板) 명 강철로 만든 철판. 강판(鋼板).

강:청 (強請) 명하타 무리하게 억지로 청함. ¶~에 못 이겨 마지못해 동의하다.

강체 (剛體) 명 〖물〗 어떤 힘으로도 모양과 부피를 바꿀 수 없는 가상적인 물체.

강촌 (江村) 명 강가의 마을.

강-추위 명 몹시 심한 추위.

강치 명 〖동〗 강칫과의 바다짐승. 태평양 여러 섬 근처에 사는데, 물개·물범과 비슷하며 길이는 2 m 가량, 빛은 흑갈색, 잘 때 꼭 한 마리가 망을 봄. 해려(海驢).

강타 (強打) 명하타 **1** 힘 주어 세게 침. ¶복부를 ~하다. **2** 큰 타격을 가함. ¶폭풍이 서해안을 ~하다. **3** 야구나 배구에서, 타자나 공격수가 공을 세게 침. 통타(痛打). ¶초구를 ~해 담장을 넘기다.

강-타자 (強打者) 명 **1** 공을 멀리 세게 잘 치는 선수. 슬러거. **2** 타율이 높은 타자.

강:탈 (強奪) 명하타 남의 물건이나 권리 따위를 억지로 빼앗음. ¶국권을 ~하다 / 금품을 ~당하다.

강-태공 (姜太公) 명 〈속〉 〔중국 주(周)나라의 재상 '여상(呂尙)'의 속칭인 '태공망(太公望)'에서 유래한 말〕 낚시꾼.

강토 (疆土) 명 국경 안에 있는 땅. 경토(境土). ¶아름다운 우리 ~.

강파르다 〔강파르니, 강팔라〕 형르불 **1** 몸이 파리하다. **2** 성질이 까다롭고 고집이 세다. 강팔지다. ¶성미가 강팔라서 대하기가 어렵다. **3** 인정이 야박하다. ¶세상인심이 강팔라 간다. **4** 경사가 가파르다. ¶강파른 비탈길.

강:판 (降板) 명하자 야구에서, 투수가 자꾸 안타(安打)를 맞거나 하여 경기 도중에 마운드에서 물러남. ↔등판(登板).

강판 (薑板) 명 무·생강·과일 따위를 갈아 즙을 내거나 채를 만들 때 쓰는 기구. ¶~에 감자를 갈다.

강퍅-하다 (剛愎-)[-파카-] 형여불 성미가 까다롭고 고집이 세다. **강퍅-히** [-파키] 부

강:평 (講評) 명하타 작품이나 발표회 또는 실습 등의 성과를 평하는 일. 또는 그 비평. ¶교생 실습에 대한 ~.

강포-하다 (強暴-) 형여불 완강하고 포악하다. ¶강포한 침략자의 만행. **강포-히** 부

강폭 (江幅) 명 강의 너비. ¶~을 넓히다.

강-풀 명 물에 개지 않은 된풀.

강풀(을) 치다 구 풀을 먹인 위에 또 된풀을 칠하다.

강풍 (江風) 명 강바람.

강풍 (強風) 명 **1** 세차게 부는 바람. **2** 〖기상〗 센바람.

강필 (鋼筆) 명 가막부리.

강하 (江河) 명 **1** 강과 하천. **2** 중국 양쯔 강과 황허 강.

강:하 (降下) 명하자타 **1** 하강(下降) 1. ¶낙하산 ~ 훈련. **2** 온도·기압 등이 낮아짐.

강-하다 (剛-) 형여불 **1** 굳고 단단하다. ¶쇠도 너무 강하면 부러진다. **2** 성격이 곧고 단단하다. ¶강한 성격. ↔유(柔)하다.

***강-하다** (強-) 형여불 **1** 힘이 세다. ¶강한 어조로 말하다. **2** 수준이나 정도가 높다. ¶그는 자존심이 ~. **3** 무엇에 견디거나 대처하는 능력이 뛰어나다. ¶추위에 강한 품종 / 의지가 ~. ↔약하다.

강:학 (講學) 명하타 학문을 닦고 연구함. 여럿이 모여 공통된 주제를 놓고 질문하고 대답하며 토의하는 일.

강한 상호 작용 (強-相互作用) 〖물〗 매우 짧은 거리(=약 10^{-15} m)에 있는 소립자인 기본 입자 사이에 작용하는 상호 작용.

강항 (江港) 명 강가에 있는 항구.

강:해 (講解) 명하타 글이나 학설을 강론하여 해석함. 또는 그 해석. ¶성리학 ~.

강:행 (強行) 명하타 **1** 어려움을 무릅쓰고 행함. ¶빗속에서 경기를 ~하다. **2** 강제로 시행함. ¶개혁〔구조 조정〕을 ~하다.

강:-행군 (強行軍) 명하자 **1** 무리함을 무릅쓰고 먼 거리를 급히 가는 행군. **2** 짧은 시간 안에 끝내려고 무리하게 일을 함. ¶납품 날짜를 지키기 위하여 며칠째 ~을 계속했다.

강호 (江湖) 명 **1** 강과 호수. **2** 세상. **3** 속세를 떠난 선비·시인·은자(隱者) 등이 사는 곳. ¶~에 묻혀 살다.

강호 (強豪) 명 힘이나 실력이 뛰어난 사람

이나 팀. ¶모래판의 새로운 ~/축구의 ~인 브라질 팀과 맞붙다.
강호-가 (江湖歌) 명 속세를 떠나 자연에 묻혀 삶을 찬양한 가사·시조 등의 총칭.
강-호령 (-號令) 명하자 까닭 없이 꾸짖는 호령.
강:혼 (降婚) 명하자 지체가 높은 사람이 지체가 낮은 사람과 혼인함. 낙혼(落婚). ↔앙혼(仰婚).
강화 (強化) 명하타 **1** 힘을 길러 강하게 함. ¶왕권을 ~하다/체력 ~ 훈련. **2** 수준이나 정도를 더 높임. ¶검문검색이 ~되다. ↔약화(弱化).
강:화 (講和) 명하자 교전국끼리 싸움을 그만두고 서로 평화롭게 지냄. ¶~ 조약/~를 청하다.
강:화 (講話) 명하타 강의하듯이 쉽게 풀어서 이야기함. 또는 그런 이야기.
강화도 조약 (江華島條約) 〖역〗 조선 말 고종(高宗) 13년(1876)인 병자년 2월 27일에 일본과 체결한 12개조의 조약. 한일 간의 수호, 사신 교환, 부산·인천·원산의 개항 등을 내용으로 함. 병자수호조규. 병자수호조약.
강-회 (-膾) 명 미나리·파 따위를 데쳐 돌돌 감아 초고추장을 찍어 먹는 회.
강:회 (講會) 명 〖불〗 신자가 모여 행하는 법회.
강희-자전 (康熙字典)[-히-] 명 중국 최대의 자전. 청(淸)나라 강희 55년(1716)에 장옥서(張玉書)·진정경(陳廷敬) 등 30인의 학자가 편찬함. 고문(古文) 1,995자와 함께 총자수 49,030자. 42권 12집 119부.
갖-가지 [갇까-] 관명 '가지가지'의 준말. ¶~ 색깔/~ 상념에 잠기다/~를 갖추다.
갖가지-로 [갇까-] 부 '가지가지로'의 준말. ¶진열장에 상품을 ~ 진열했다.
***갖다** [갇따] 一타 '가지다'의 준말. ¶가정을 ~/자신감을 갖고 대답하다. 二보동 '가지다'의 준말. ¶그렇게 게을러 갖고 시험에 붙겠니. 三준 가지어다가. ¶책을~ 다오.
갖-바치 [갇빠-] 명 예전에, 가죽신 만드는 것을 업으로 삼던 사람.
[갖바치 내일모레] 약속 날짜를 자꾸 미루는 것을 이르는 말.
갖-신 [갇씬] 명 가죽신.
갖-옷 [갇옫] 명 모피로 안을 댄 옷.
갖은 관 골고루 갖춘. 가지가지의. ¶~ 양념/~ 수단을 다 쓰다/~ 곤욕을 겪다.
갖은-것 [-걷] 명 온갖 것.
갖은-떡 명 **1** 여러 가지 모양으로 만든 떡. **2** 격식과 모양을 제대로 갖추어 잘 만든 산병(散餠).
갖은-소리 명 **1** 온갖 소리. ¶~로 사정하다. **2** 골고루 갖추고 있는 체하는 말. ¶주제넘게 무슨 ~냐.
갖은-자 (-字) 명 같은 글자로서 획을 많게 쓰는 한문 글자《'一'·'二'·'十'에 대한 '壹'·'貳'·'拾' 따위》.
갖-저고리 [갇쩌-] 명 모피로 안을 댄 저고리.
갖추 [갇-] 부 갖게. 고루 갖추어. ¶~ 장만하다/음식을 ~ 차리다.
갖추-갖추 [갇-갇-] 부 골고루 갖게. 골고루 갖추어. 여럿이 모두 있는 대로. ¶너희들의 공을 ~ 적어 위에 올렸다.
***갖추다** [갇-] 타 필요한 것을 미리 골고루 준비하다. ¶여장(旅裝)을 ~/자격을 ~/서류를 다 갖추고 신청을 했다.
갖추-쓰다 [갇-][-쓰니, -써] 타 글자, 특히 한자의 획을 빼지 않고 바르게 갖추어 쓰다.
갖춘-꽃 [갇-꼳] 명 〖식〗 꽃받침·꽃잎·암술·수술을 완전히 갖춘 꽃《무궁화꽃·벚꽃 따위》. 완전화(完全花). ↔안갖춘꽃.
갖춘-잎 [갇-닙] 명 〖식〗 잎새·잎자루·턱잎의 세 가지를 고루 갖춘 잎《벚꽃·제비꽃 따위》. 완전엽(完全葉). ↔안갖춘잎.
갖-풀 [갇-] 명 쇠가죽을 끈끈하도록 고아 말린 접착제. 아교. 아교풀.
***같다** [갇따] 형 **1** 서로 다르지 않다. ¶같은 말/수입과 지출이 ~. **2** 서로 딴 것이 아니다. ¶같은 학교에 다니다. ↔다르다. **3** '-ㄴ 것·-는 것·-ㄹ 것·-을 것' 등의 뒤에 쓰여, 추측이나 불확실한 단정을 나타내는 말. ¶비가 올 것 ~/무슨 일이 난 것 ~. **4** ('같으면'의 꼴로 쓰여) '…라면'의 뜻으로 가정하여 비교함을 나타내는 말. ¶당신 같으면/옛날 같으면. **5** 닮아서 비슷하다. 또는 …답다. ¶샛별 같은 눈/사람 같은 사람. **6** ('같으니·같으니라고'의 꼴로 쓰여) 못마땅하거나 남을 욕할 때 그와 다름없다는 뜻을 나타내는 말. ¶나쁜 놈 같으니/괘씸한 놈 같으니라고. **7** ('같아서'·'같아서는'의 꼴로 쓰여) '지금의 마음이나 형편으로는'의 뜻을 나타내는 말. ¶마음 같아서는 도와주고 싶은데.
같은 값에 구 이렇게나 저렇게나 마찬가진데. ¶~ 왜 어려운 한자말을 쓸까.
같은 값이면 구 이리하든지 저리하든지 마찬가지일 것 같으면.
[같은 값이면 다홍치마] 같은 값이면 품질이 좋은 것을 가진다는 말.
같아-지다 자 같게 되다. 닮게 되다. ¶성격이 자랄수록 아버지와 같아진다.
***같이** [가치] 一부 **1** 어떤 상황이나 행동이 다르지 않게. ¶이것과 ~ 했다. **2** 함께. ¶나와 ~ 가자. **3** 바로 그대로. ¶예상한 바와 ~ 사태는 심각해졌다. 二조 **1** 명사·대명사에 붙어서 그 정도로 어떠하거나 어찌함을 나타내는 부사격 조사. ¶눈~ 희다/방바닥이 얼음장~ 차갑다. **2** 때를 나타내는 일부 명사 뒤에 붙어, 그때를 강조하는 부사격 조사. ¶새벽~ 출발하다.
같이-하다 [가치-] 타여불 **1** 어떤 일이나 행동을 함께하다. ¶점심을 ~. **2** 같은 사정에 처하다. 같은 조건으로 삼다. ¶운명을 ~/의견을 ~. ↔달리하다.
같-잖다 [갇짠타] 형 **1** 격에 맞지 않아 눈꼴사납다. 그럴싸하나 실상은 그렇지 못하다. ¶같잖은 놈. **2** 초들어 말해야 할 만큼 대단치 않다. ¶같잖은 일을 가지고 뭘 그러나. **같-잖이** [갇짠-] 부
같-지다 [갇찌-] 자 씨름에서, 두 사람이 같이 넘어지다.
***갚다** [갑따] 타 **1** 꾸거나, 빌리거나, 받은 것을 도로 돌려주다. ¶빚을 ~. **2** 은혜·원한

등을 그에 상당하게 돌려주다. ¶신세〔원수〕를 ~.

갚음 명하타 갚는 일. 대갚음. ¶자네에게 신세를 ~할 날이 있어야 할 텐데.

개[1] 명 강·내에 바닷물이 드나드는 곳. ¶재 넘고 ~ 건너 잘도 간다.

개[2] 명 윷놀이에서, 윷짝이 두 개는 엎어지고 두 개는 잦혀진 때의 이름《두 끗임》.

*** 개**:[3] 명 **1** 〖동〗 갯과의 짐승. 가축으로, 이리·늑대와 비슷하나 성질이 온순하고 영리함. 품종이 많음. **2** 행실이 형편없는 사람을 낮추어 이르는 말. ¶술만 먹으면 ~가 된다. **3** 남의 앞잡이가 되어 끄나풀 노릇을 하는 사람.

[개같이 벌어서 정승같이 먹는다] 천한 직업일지라도 부지런히 벌어서 떳떳하게 산다. [개 꼬리 삼 년 두어도 황모 못 된다] 본디 나쁜 것은 좋아지지 않는다. [개 눈에는 똥만 보인다] 어떤 것을 좋아하면 모든 것이 그것같이만 보인다. [개 못된 것은 들에 가서 짖는다] 덜된 사람은 쓸데없는 짓을 잘한다. [개 발에 편자] 격에 맞지 않는 것. [개 보름 쇠듯] 명절 같은 날에 제대로 못 먹고 지내 버리는 모양. [개 새끼도 주인을 보면 꼬리를 친다] 사람이 개만 못하여 주인을 몰라보느냐고 나무라는 말. 개도 주인을 알아본다.

개 발싸개 같다 구 〈속〉 보잘것없이 허름하고 빈약하다.

개 발에 땀 나다 구 매우 어려운 일을 이루기 위하여 부지런히 움직이다.

*** 개** (個·箇·介) 의명 **1** 낱으로 된 물건의 수효를 세는 말. ¶사탕 한 ~ / 감 두 ~. **2** 〖광〗 지금(地金) 열 냥쭝을 단위로 일컫는 말.

개:- 투 **1** 참 것이나 좋은 것이 아니고 함부로 된 것이라는 뜻. ¶~꿈 / ~떡 / ~머루. **2** '정도가 심함'의 뜻을 더하는 말. ¶~망신 / ~망나니.

-개 미 어떤 말에 붙어, 도구나 물건 또는 사람의 뜻을 나타내는 말. ¶가리~ / 덮~ / 지우~ / 코흘리~ / 오줌싸~.

개:가 (改嫁) 명하자 과부나 이혼한 여자가 다시 결혼함. 재가(再嫁).

개:가 (凱歌) 명 **1** '개선가'의 준말. **2** 큰 승리나 성과. 또는 이기거나 큰 성과가 있을 때의 환성. ¶~를 부르다.

개가를 올리다 구 ㉠환성을 지르다. 싸움에 이기다. ㉡큰 성과를 거두다.

개:-가죽 명 〈속〉 낯가죽.

개:각 (介殼) 명 조개껍데기처럼, 연체동물의 외투막에서 분비한 석회질이 단단히 굳어서 된 겉껍데기.

개:각 (改閣) 명하자 내각(內閣)의 장관들을 바꿈. ¶~ 발표 / ~을 단행하다.

개:간 (改刊) 명하타 책의 내용을 고쳐 간행함. 개판(改版).

개간 (開墾) 명하타 거친 땅을 일구어 농사를 지을 수 있도록 만듦. ¶황무지를 ~하다.

개감-스럽다 〔-스러우니, -스러워〕 형ㅂ불 음식을 욕심껏 먹어 대는 꼴이 보기에 흉하다. **개감-스레** 부

개:갑 (介甲) 명 **1** 게·거북 등의 단단한 겉껍데기. **2** 갑옷.

개강 (開講) 명하타 강의·강습회 등을 시작함. ¶~ 일자 / 언제 ~하느냐. ↔종강.

개:개 (個個·箇箇) 명 하나하나. 낱낱. ¶~의 사건 / ~의 물건 / ~의 사람.

개개다 자 성가시게 달라붙어 손해를 끼치다. ¶내게 개개지 마라.

개개비 명 〖조〗 휘파람샛과의 작은 새. 휘파람새보다 조금 크며 등과 날개는 갈색, 배는 회백색인데, 늦은 봄에 날아와 갈대밭에서 '개개개' 하고 시끄럽게 욺.

개개-빌다 〔-비니, -비오〕 자 잘못을 용서하여 달라고 간절히 빌다. ¶허리를 굽신거리며 개개빌었다.

개:개-인 (個個人) 명 한 사람 한 사람. 낱낱의 사람. ¶학생 ~의 능력을 자유롭게 발전시키다.

개:개-풀리다 자 개개풀어지다2.

개:개-풀어지다 자 **1** 끈끈한 기가 있던 것이 녹아서 다 풀어지다. **2** 졸리거나 술에 취하여 눈의 정기가 없어지다. 개개풀리다. ¶피로하여 눈이 ~.

개:견 (概見) 명하타 대충 살펴봄.

개:결-하다 (介潔-) 형여불 성품이 굳고 깨끗하다. ¶개결한 선비의 기개를 지키다. **개:결-히** 부

개경 (開京) 명 〖역〗 '개성'의 고려 때 이름.

개:고 (改稿) 명하자 원고를 고쳐 씀. 또는 그 원고.

개:-고기 명 **1** 개의 고기. 구육(狗肉). **2** 〈속〉 성질이 고약하고 막된 사람.

개골-개골 부하자 개구리가 잇따라 우는 소리. 큰개굴개굴.

개골-산 (皆骨山)〔-싼〕 명 '금강산'의 겨울 동안의 별칭.

개-골창 명 수채 물이 흐르는 작은 도랑.

개:과 (改過) 명하자 잘못을 뉘우치고 고침.

개:과 (蓋果) 명 〖식〗 과피(果皮)가 가로 벌어져서 위쪽이 뚜껑같이 되는 열매. 쇠비름·채송화 등의 열매. *열과(裂果).

개:과-천선 (改過遷善) 명하자 과거의 잘못을 뉘우치고 마음을 바로잡아 착하게 됨.

개관 (開館) 명하자타 **1** 도서관·박물관·영화관 등의 시설을 차려 놓고 처음으로 문을 엶. ¶박물관을 ~하다. ↔폐관(廢館). **2** '관(館)'의 호칭이 붙는 기관에서 문을 열어 그날의 일을 시작함. ↔폐관(閉館).

개:관 (概觀) 명하타 전체를 대강 살펴봄. ¶근대사의 ~.

개:괄 (概括) 명하타 중요한 내용이나 줄거리를 대강 추려 냄. ¶내용을 ~해서 설명하다.

개교 (開校) 명하자 새로 학교를 세우고 수업을 시작함. ¶~기념일. ↔폐교(廢校).

개구 (開口) 명하자 **1** 입을 벌림. **2** 입을 열어 말함. ↔함구(緘口).

*** 개구리** 명 〖동〗 개구릿과·청개구릿과·맹꽁잇과·무당개구릿과에 속하는 동물의 총칭. 올챙이가 자란 것으로, 네 발에 물갈퀴가 있고 수컷은 울음주머니를 부풀려 소리를 냄.

[개구리도 옴쳐야 뛴다] 아무리 급해도 준비할 시간이 있어야 한다. [개구리 올챙이 적 생각 못한다] 어렵게 지내던 지난날을 생각지 않고 잘된 때에 호기만 부린다.

개구리-밥 명 〖식〗 개구리밥과의 여러해살이 물풀. 논·연못에 나는데, 수면에 뜬 엽상체 중앙에서 다수의 가는 수염뿌리가 늘어지고, 여름에 담녹색의 잔꽃이 핌. 전체를 약으로 씀. 부평초.
개구리-참외 명 〖식〗 박과의 한해살이풀. 껍질 거죽이 푸른 바탕에 개구리 등처럼 얼룩얼룩하고, 살은 감참외처럼 붉고 맛이 좋음.
개구리-헤엄 명 **1** 머리를 물속에 넣고 치는 헤엄. **2** 평영(平泳).
개:-구멍 명 울타리나 대문 밑을 터놓고 개가 드나들게 한 구멍.
[개구멍으로 통량(統涼)갓을 굴려 낼 놈] 교묘하게 사기 수단을 써서 남을 속여 먹는 사람.
개:구멍-바지 명 밑을 터서 오줌이나 똥을 누기에 편하게 만든 어린아이의 바지.
개:구멍-받이 [-바지] 명 남이 개구멍으로 들이밀거나 대문 밖에 버리고 간 것을 받아서 기른 아이.
개구쟁이 명 지나치게 짓궂은 장난을 하는 아이. ¶동네 ~들이 다 모인 것 같다.
개국 (開局) 명하자 **1** 우체국·방송국 등의 '국'이라는 호칭이 붙는 기관을 개설함. **2** 바둑의 승부를 시작함.
개국 (開國) 명하자타 **1** 새로 나라를 세움. **2** 나라의 문호를 열어 외국과 교류를 시작함. ↔쇄국(鎖國).
개국 공신 (開國功臣) 새로 나라를 세울 때에 공훈이 많은 신하.
개굴-개굴 부하자 개구리가 잇따라 우는 소리. 작개골개골.
개그 (gag) 명 주로 텔레비전 등에서 시청자·관객을 웃기기 위하여 하는 대사나 몸짓.
개그-맨 (gagman) 명 직업적으로 개그를 하는 사람.
개근 (皆勤) 명하자타 일정한 기간 동안 하루도 빠짐없이 출석하거나 출근함. ¶~상.
개:금 (改金) 명하타 〖불〗 불상(佛像)에 금칠을 다시 함.
개기 (開基) 명하타 **1** 공사를 하려고 터를 닦기 시작함. **2** 〖불〗 개산(開山)1.
개기다 자 〈속〉 명령이나 지시를 따르지 않고 버티거나 대들다.
개:-기름 명 얼굴에 번질번질하게 끼는 기름. ¶~이 번지르르 흐르다.
개기-식 (皆旣蝕) 명 〖천〗 개기 월식·개기 일식의 통칭. ↔부분식(部分蝕). 준개기.
개기 월식 (皆旣月蝕)[-씩] 〖천〗 월식에서, 달 전체가 지구의 본(本)그림자 속에 들어가 달이 해의 빛을 완전히 받지 못하게 되는 현상. *월식.
개기 일식 (皆旣日蝕)[-씩] 〖천〗 일식에서, 해와 지구 사이에 달이 끼어 해가 완전히 보이지 아니하게 되는 현상. *일식.
개:-꼴 명 체면이 아주 엉망이 된 꼬락서니. ¶~이 되도록 망신을 당하다.
개:-꽃 [-꼳] 명 **1** 먹지 못하는 철쭉을 참꽃에 대하여 일컫는 말. ↔참꽃. **2** 〖식〗 국화과의 한해살이풀. 줄기 높이 30-60 cm, 잎은 깃꼴로 완전히 갈라지며, 7-8월에 줄기와 가지 끝에 흰 꽃이 핌. 산에 야생함.
개:-꿀 명 벌집에 들어 있는 채로의 꿀.
개:-꿈 명 대중없이 어수선하게 꾸는 꿈.
***개:나리**[1] 명 〖식〗 물푸레나뭇과의 낙엽 활엽 관목. 집 부근에 울타리용으로 심는데, 봄에 노란 네잎꽃이 핌. 연교(連翹).
개:-나리[2] 명 〖식〗 들에 저절로 나는 '나리'의 총칭.
개:-나발 명 〈속〉 사리에 전혀 맞지 않는 가당찮은 소리. ¶그 따위 ~ 같은 소리 하지도 마라.
개나발(을) 불다 구 〈속〉 사리에 전혀 맞지도 않는 가당찮은 소리를 하다.
개년 (個年) 의명 숫자 다음에 쓰여, 연수(年數)를 나타내는 말. ¶10~/5~ 계획.
개:념 (概念) 명 **1** 어떤 사물 현상에 대한 일반적인 지식. ¶아직 어려서 돈에 대한 ~이 없다. **2** 여러 관념 속에서 공통 요소를 뽑아내어 종합한 하나의 관념.
개:념-적 (概念的) 관명 개념을 나타내는 (것). 실재가 아니고 순 이론적인 (것). ¶~으로 파악하다.
개:-놈 명 행실이 나쁘거나 매우 못된 사람을 낮추어 이르는 말. ¶~의 새끼.
***개:다**[1] 자 **1** 비나 눈이 그치고 구름·안개가 흩어져서 날이 맑아지다. ¶날이 ~/비가 ~. **2** 언짢거나 우울한 마음이 홀가분해지다. ¶너를 보니 쌓였던 시름이 말끔히 개는구나.
개:다[2] 타 가루나 덩이진 것에 물이나 기름 따위를 치면서 저어 이기어 풀다. ¶떡밥을 ~/밀가루를 물에 개어 반죽하다.
개:다[3] 타 옷이나 이부자리를 접어 포개다. 개키다. ¶담요를 ~.
개:다리-상제 (-喪制) 명 예절에 어긋나는 행동을 하는 상제를 욕하는 말.
개:다리-소반 (-小盤) 명 네모반듯하고 다리가 민틋한 막치 소반.
개당 (個當) 명부 낱낱마다. 하나에. ¶~ 「200 원.
개더 (gather) 명 천에 홈질을 한 뒤 잡아당겨 만든 잔주름.
개도-국 (開途國) 명 '개발도상국'의 준말.
개독 (開櫝) 명하타 제사 때 신주(神主)를 모신 독을 엶.
개:-돼지 명 **1** 개와 돼지. 또는 개나 돼지. **2** '미련하고 못난 사람'을 비유하는 말. ¶~ 같은 녀석/~만도 못한 놈.
개:두 (蓋頭) 명 **1** 가첨석(加檐石). **2** 너울[1]. **3** 〖역〗 조선 때의 상복(喪服)의 한 가지. 국상(國喪) 때에 왕비 이하 나인이 머리에 씀. 여립모(女笠帽). **4** 지난날, 다리를 많이 넣어서 틀어 얹던 부인의 머리.
개:-두량 (改斗量) 명하타 말이나 되로 한 번 된 곡식을 다시 됨.
개:떡 명 **1** 노깨·메밀의 속나깨 또는 거친 보리 싸라기 등을 반죽하여 납작납작한 반대기를 지어 밥 위에 얹어 찐 떡. **2** 보잘것없는 것. ¶~ 같은 자식/~같이 여기다.
개:똥 명 **1** 개의 똥. **2** 〈비〉 보잘것없고 천한 것. ¶~ 같다/~같이 여기다.
[개똥도 약에 쓰려면 없다] 평소 흔하던 것도 소용이 있어 찾으면 없다. [개똥이 무서워 피하나 더러워 피하지] '똥이 무서워 피하나 더러워 피하지'와 같은 뜻.
개똥도 모른다 구 〈속〉 개똥같이 천하고 흔한 것도 모른다. 아무것도 모른다.

개:똥-갈이 명 하타 개똥 거름을 주어 밭을 가는 일.

개:똥-밭 [-받] 명 **1** 땅이 건 밭. **2** 개똥이 많이 있는 더러운 곳.
[개똥밭에 인물 난다] '개천에서 용 난다'와 같음.

개:똥-벌레 명 〘충〙 반딧불이.

개:똥-지빠귀 명 〘조〙 지빠귓과의 새. 날개 길이 13 cm, 꽁지 10 cm 정도, 부리는 약간 길고 끝이 굽음. 등은 흑갈색, 배는 흼. 다른 새의 울음소리를 잘 흉내 냄. 준 지빠귀.

개:똥-참외 명 길가나 들에 저절로 자라서 열린 참외《보통 참외보다 작고 맛이 없음》.

개:똥-철학 (-哲學) 명 대수롭지 않은 생각을 철학인 듯이 내세우는 것을 얕잡아 이르는 말.

개:-띠 명 개해에 태어난 사람의 띠. 술생(戌生).

개:략 (概略) 명 하타 내용을 대강 추려 줄임. 또는 그 추려 줄인 것. 개요. ¶~을 말하다.

개:략-적 (概略的) 관 명 대충 추려 간략하게 줄인 (것). ¶~ 설명 / ~인 보고.

개:량 (改良) 명 하타 나쁜 점을 고쳐 좋게 함. ¶농기구 ~ / 품종 ~ / 화장실을 수세식으로 ~하다.

개:량-복 (改良服) 명 재래의 모양을 개량한 신형의 옷《개량 한복 따위》.

개:량-종 (改良種) 명 재래의 것을 개량한 품종. ↔재래종.

개:량-품 (改良品) 명 재래의 품질·성능 등을 개량한 물품.

개런티 (guarantee) 명 **1** 보증. 보증인. **2** 출연 사례금. 출연료.

개:력 (改曆) 명 하자 **1** 역법을 고침. **2** 묵은 해를 보내고 새해를 맞이함.

개력-하다 [-려카-] 자 여불 산천이 변하여 옛 모습이 없어지다.

개:령 (改令) 명 하타 명령을 고쳐 내림.

개로 (皆勞) 명 하자 모두 일함. ¶국민 ~.

개:론 (概論) 명 하타 내용을 대강 추려서 서술함. 또는 그런 글이나 책. ¶법학 ~.

개름-하다 형 여불 귀여우면서도 조금 긴 듯하다. ¶개름한 얼굴.

개막 (開幕) 명 하자타 **1** 연극·음악회·행사 등을 시작함. ¶~식(式) / ~을 알리는 종소리. ↔폐막. **2** 중요한 일의 시작. ¶우주 시대의 ~.

개:-망나니 명 하는 짓이나 성질이 못된 사람을 욕으로 이르는 말.

개:-망신 (-亡身) 명 하자 아주 큰 망신. ¶~을 당하다.

개맹이 명 똘똘한 기운이나 정신. ¶~가 없는 얼굴 / ~가 풀린 눈으로 쳐다보다. 주의 소극적·부정적으로만 씀.

개:-머루 명 〘식〙 포도과의 낙엽 활엽 덩굴나무. 골짜기·개울가에 나는데, 잎은 원심형, 여름에 녹색 꽃이 피고 과실은 가을에 익음.

개:-머리 명 〘군〙 총의 밑동을 이룬 넓적한 나무 부분.

개:머리-판 (-板) 명 총의 개머리 밑바닥에 붙은 쇠판.

개:명 (改名) 명 하자 이름을 고침. 또는 그 고친 이름. ¶~ 신고.

개명 (開明) 명 하자 사람의 지혜가 열리고 문화가 발달함. ¶~ 천지 / ~의 물결 / ~한 나라.

개무-하다 (皆無-) 형 여불 전혀 없다.

개문 (開門) 명 하자 문을 엶. ¶~ 발차(發車). ↔폐문(閉門).

개문-영입 (開門迎入) [-녕-] 명 하자 문을 열어 반가이 맞아들임.

개미[1] 명 연줄을 억세게 하기 위하여 먹이는, 사기·유리의 고운 가루를 부레풀에 탄 물질. ¶연줄에 ~를 먹이다.

***개:미**[2] 명 〘충〙 개밋과의 곤충의 총칭. 여왕(女王)개미와 수개미는 날개가 있으나 일개미는 없음. 땅속이나 썩은 나무 속에 집을 짓고 집단적 사회생활을 함.
[개미 금탑(金塔) 모으듯] 재물 따위를 부지런히 조금씩 모음. [개미 쳇바퀴 돌듯] 아무 진보가 없음. 또는 끝 간 데를 모름.
개미 새끼 하나 볼 수 없다 구 사람은 커녕 개미 새끼도 찾아볼 수 없다.
개미 새끼 한 마리 얼씬도 못한다 구 개미 새끼조차 얼씬 못할 정도로, 경계가 삼엄하거나 출입이나 접근이 엄격히 금지되어 있다.

개:미-구멍 명 **1** 개미가 뚫은 구멍. 의공(蟻孔). **2** 개미집.
[개미구멍으로 공든 탑 무너진다] 조그마한 실수나 방심으로도 큰일이 깨짐을 이르는 말.

개:미-굴 (-窟) 명 **1** 개미가 뚫은 굴. 의혈(蟻穴). **2** 개미집. **3** 복잡하게 얽힌 것을 비유적으로 이르는 말. ¶~ 같은 골목길.

개:미-누에 명 알에서 갓 깨어난 누에.

개:미-떼 명 개미들의 떼. 의군(蟻軍). ¶구경꾼들이 ~같이 모여들었다.

개:미-산 (-酸) 명 〘화〙 포름산(酸).

개:미-집 명 개미가 사는 굴. 개미구멍. 개미굴.

개:미-핥기 [-할끼] 명 〘동〙 개미핥깃과의 포유동물. 라틴 아메리카에 분포함. 몸의 길이 1.5 m가량, 머리가 길고 뾰족하며 이가 없고, 온몸이 회흑색의 거친 털로 덮임. 깊은 숲 속에 살며 앞발톱으로 개미집을 파헤쳐 긴 혀로 개미를 잡아먹음. 앤티터(anteater).

개:미-허리 명 개미의 허리처럼 가는 허리.

개:밋-둑 [-미뚝 / -믿뚝] 명 개미집을 짓기 위해 날라 놓은 흙가루가 땅 위에 쌓인 둑. 개미총. 의봉(蟻封).

개-바자 명 갯버들의 가지로 엮어 발처럼 만든 물건.

***개발** (開發) 명 하타 **1** 토지나 천연자원 따위를 개척하여 유용하게 만듦. ¶유전 ~ / 국토를 ~하다. **2** 지식이나 소질 등을 더 나은 상태로 이끄는 것. ¶기술 ~ / 능력 ~. **3** 산업이나 경제 등을 발전시켜 인간 생활에 유용하게 함. ¶첨단 산업의 ~. **4** 새로운 것을 고안하여 실용화함. ¶신제품 ~ / 새로운 프로그램을 ~하다.

> **'개발(開發)'과 '계발(啓發)'**
>
> **개발** '기술·경제·국토·제품' 따위 물질적인 대상이나, '능력·재능' 따위의 단어와 어

> 울려 상태를 개선한다는 뜻으로 쓰인다.
> **계발** '능력·재능' 따위 사람의 속성을 가리키는 말과 어울려 잠재되어 있는 속성을 더 낫게 한다는 뜻으로 쓰인다.

개발도상-국 (開發途上國) [명] '저개발국'의 고친 이름《소득이 적고 주로 1차 산업에 의존하고 있음이 특징》. [준]개도국(開途國).
개:발-새발 [부] 개의 발과 새의 발이라는 뜻으로, 글씨를 아무렇게나 갈겨 써 놓은 모양.
개:발-코 [명] 개의 발처럼 너부죽하고 뭉툭하게 생긴 코.
개:-밥 [명] 개에게 먹이는 밥.
[개밥에 도토리] 따돌림을 받아 외톨로 고립된 처지를 이르는 말.
개:밥-바라기 [명] 〈속〉〔천〕 저녁에 서쪽 하늘에 보이는 금성. 태백성(太白星). *샛별.
개방 (開放) [명][하타] **1** 문이나 어떤 공간을 자유롭게 드나들 수 있게 열어 놓음. ¶등산로를 ~하다. ↔폐쇄. **2** 경계나 금하던 것을 풀고 교류가 자유롭게 이루어지도록 허가함. ¶문호 ~/시장 ~.
개방 경제 (開放經濟) 외국과의 상품·서비스·자본 등의 거래를 제한하지 아니하는 경제.
개방 대:학 (開放大學) 정상적인 대학 교육의 기회를 놓친 사람들을 위해 특별히 설치한 대학. 교육 시기·연령·장소·학습 방법에 제한을 두지 않는 것이 특징임.
개방 도시 (開放都市) 완전히 무장을 해제한 도시《국제법상 공격이 금지되어 있음》.
개방 사회 (開放社會) 교통·통신 등의 발달로 사회 구성원 사이에 정보가 자유롭게 통하는 사회.
개방-적 (開放的) [관][명] 툭 터놓고 숨기지 않는 (것). 열려 있는 (것). ¶~ 사회/~인 사람.
개방 정책 (開放政策) 다른 나라와 서로 조약을 맺어 자유로이 통상하는 정책. ↔쇄국 정책.
개:-백장 [명] **1** 개 잡는 것을 업으로 삼는 사람. **2** '말이나 행동이 막된 사람'을 욕으로 이르는 말. 개백정.
개버딘 (gabardine) [명] 날실에 소모사(梳毛絲), 씨실에 소모사 또는 면사를 써서 능직으로 촘촘하게 짠 옷감《춘추복 또는 레인코트 감 등으로 씀》.
개벌 (皆伐) [명][하타] 산림의 나무를 일시에 모두 베어 냄.
개:-벼룩 [명] 〔충〕 벼룩과의 곤충. 개의 몸에 붙어 사는데, 벼룩 비슷하나 뛰는 힘이 약함.
개벽 (開闢) [명][하자] **1** 세상이 처음으로 생김. ¶천지가 ~하다. **2** 천지가 어지럽게 뒤집혀짐. **3** '새로운 사태가 열림'을 비유해 이르는 말.
개:변 (改變) [명][하타] 더 좋게 고쳐 바꿈. ¶사회 제도의 ~/낡은 시설을 ~하다.
개:별 (個別) [명] 하나하나씩 따로 떨어진 것. 따로따로인 것. ¶~ 행동/~ 심사.
개:별-적 (個別的)[-쩍] [관][명] 하나씩 따로따로인 (것). ¶~으로 만나다.
개:별 지도 (個別指導) **1** 학습하는 개인의 소질·성격·능력·환경에 맞춰 하는 교육 지도. **2** 교육자와 피교육자가 1대 1의 관계에서 이루어지는 개인 지도.
개병 (皆兵) [명] 전국민이 병역 의무를 갖는 일. 국민 개병.
개복 (開腹) [명][하자] 수술하려고 배를 쨈. ¶~ 수술.
개봉 (開封) [명][하타] **1** 봉한 것을 떼거나 엶. ¶편지를 ~하다. **2** 새 영화를 처음으로 상영함. ¶~관/~ 박두/그 영화는 내일 ~된다.
개-부심 [명][하자] 장마로 큰물이 난 뒤, 한동안 쉬었다가 몰아서 내리는 비가 명개를 부셔 냄. 또는 그 비.
개:-불상놈 (-常-) [명] 〈비〉 언행이 고약하고 더러운 사람을 욕으로 일컫는 말.
개비 [一][명] 가늘게 쪼갠 나무토막이나 기름한 토막의 낱개. ¶~가 굵다. [二][의명] 가늘고 길게 만든 토막을 세는 단위. ¶성냥 한 ~/담배 두 ~.
개:비 (改備) [명][하타] 헌것을 갈아 내고 다시 장만하여 갖춤. ¶새것으로 ~하다/생산 설비가 최신 기계로 ~되었다.
개:-뼈다귀 [명] **1** 개의 뼈다귀. **2** 〈속〉 별 볼일 없으면서 끼어드는 사람을 경멸하여 이르는 말. ¶어디서 굴러먹다 온 ~야.
개:-뿔 [명] 〈속〉 있으나마나 한 것의 비유. ¶~이나 아는 게 있어야지. *쥐뿔.
개뿔도 모르다 [구] 아무것도 모르다.
개뿔도 아니다 [구] 아무것도 아니다.
개뿔도 없다 [구] 돈이나 명예·능력 따위를 전혀 갖고 있지 않다.
개:산 (改刪) [명][하타] 시나 문장 따위의 잘못된 것을 고침.
개산 (開山) [명][하자타] 〔불〕 **1** 절을 처음으로 세움. 개기(開基). **2** '개산조사'의 준말.
개:산 (概算) [명][하타] **1** '어림셈'의 구용어. **2** 겉가량으로 어림잡은 수. 개수(概數).
개산-조사 (開山祖師) [명] 〔불〕 절을 처음 세우거나 종파를 새로 연 사람. 개산시조(始祖). [준]개산(開山)·개조(開祖).
개:-살구 [명] 개살구나무의 열매. 맛이 시고 떫음.
[개살구도 맛 들일 탓] 떫은 개살구도 맛을 붙이면 그런대로 먹을 수 있게 된다는 뜻으로, 모든 일은 자기가 하기 나름이라는 말.
개:살구-나무 [명] 〔식〕 장미과의 낙엽 활엽 교목. 산기슭의 양지 및 촌락 부근에 나는데, 높이 5-7m, 살구나무에 비해 나무껍질에 코르크층이 발달했음.
개:-살이 (改-) [명][하자] 〈속〉 개가(改嫁).
개:-상 (-床) [명] 타작하는 데 쓰는 농기구. 굵은 통나무 네댓 개를 가로 대어 엮고 다리 넷을 박은 것.

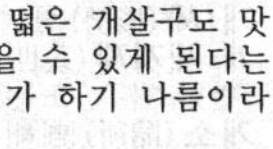
개상

개:상-반 (-床盤) [명] 개다리소반. ¶모 떨어진 ~에 먹다 남은 콩나물.
개:상-질 (-床-) [명][하자] 개상에 볏단이나 밀단을 태질쳐서 이삭을 떠는 일.
개:-새끼 [명] 〈비〉 성질이나 행실이 못된 사람을 욕하는 말.

개:서 (改書) 명하타 새로 고쳐 씀. ¶주식의 명의(名義)를 ~하다.
개서 (開書) 명하타 편지를 뜯음.
개석 (開析) 명 〖지〗 풍화·침식 작용으로 지표의 일부가 깎여 판 지형을 나타내는 일.
개:석 (蓋石) 명 **1** 〖역〗 무덤의 석실(石室) 위에 덮던 돌. **2** 가첨석(加檐石).
개:선 (改善) 명하타 좋게 고침. ¶처우 ~/체질 ~/근무 여건을 ~하다. ↔개악.
개:선 (改選) 명하타 의원이나 임원 등을 새로 뽑음. ¶임원을 ~하다.
개:선 (凱旋) 명하자 싸움에 이기고 돌아옴.
개:선-가 (凱旋歌) 명 승리를 축하하는 노래. 준개가(凱歌).
개:선-문 (凱旋門) 명 전쟁에서 이기고 돌아오는 군사를 환영하고 기념하기 위하여 공원이나 주요한 가로·광장 등에 세운 문.
개:선-장군 (凱旋將軍) 명 **1** 싸움에서 이기고 돌아온 장군. **2** 어떤 일에 성공한 사람을 비유해서 이르는 말.
개:선-책 (改善策) 명 더 좋게 고치는 방법. ¶범죄 예방에 대한 ~을 마련하다.
개:선-충 (疥癬蟲) 명 〖동〗 옴벌레.
개:설 (改設) 명하타 새로 수리하거나 기구를 바꾸어 설치함.
개설 (開設) 명하타 **1** 기관이나 시설, 제도 따위를 새로 설치함. ¶지방에 지점을 ~하다. **2** 〖경〗 은행에서, 새로운 계좌를 만들거나 신용장을 발행하는 일.
개:설 (槪說) 명하타 내용을 줄거리만 잡아 대강 설명함. 또는 그 책. ¶철학 ~.
***개:성** (個性) 명 사람마다의 고유한 특성. ¶~이 강하다/~을 살리다.
개성 (開城) 명하자 **1** 성문을 엶. **2** 항복함.
개:성 교:육 (個性教育) 각 개인의 개성을 존중하고 재질을 충분히 발휘하게 하려는 교육. ↔획일 교육.
개:성-적 (個性的) 관명 개인이나 개체가 독특한 특징을 가지고 있는 (것). ¶~(인) 얼굴/~인 문체.
개:세 (蓋世) 명하자 위력·기상이 온 세상을 뒤덮음.
개:세 (慨世) 명하자 세상을 개탄함.
개:세 (槪勢) 명 대강의 형세.
개:세지재 (蓋世之才) 명 온 세상을 뒤덮을 만한 재주. 또는 그런 재주를 가진 사람.
개소 (開所) 명하자 사무소나 연구소 등과 같은 기관을 설치하여 처음으로 사무를 봄. ¶~식(式).
개소 (個所·箇所) 의명 군데. ¶초소를 사오 ~ 설치하다.
개:-소리 명하자 조리 없고 당치 않은 상대방의 말을 욕으로 이르는 말. ¶~ 마라.
개소리(를) 치다 구 당치 않은 말을 마구 지껄이다.
개:소리-괴소리 명 조리 없이 아무렇게나 지껄이는 말. ¶~ 지껄이다.
개:-소주 (-燒酒) 명 개를 통째로 여러 가지 한약재와 함께 소주 고듯 고아 낸 액즙(液汁). 강장제로 복용함.
개수 명 '개숫물'의 준말.
개:수 (改修) 명하타 **1** 고쳐 수정함. ¶실록을 ~하다. **2** 낡은 시설 따위를 고쳐 지음. ¶~ 공사.
***개:수** (個數·箇數)[-쑤] 명 하나씩 낱으로 세는 물건의 수효. ¶짐의 ~를 세다/~가 많다.
개수-대 (-臺) 명 부엌에서 설거지를 하도록 된 대(臺) 모양의 장치. 싱크대.
개:-수작 (-酬酌) 명하자 〈속〉 사리에 맞지 않는 엉뚱한 말이나 행동. ¶~ 떨지 마.
개수-통 (-桶) 명 개숫물을 담는 통. 설거지통.
개숫-물 [-순-] 명 음식 그릇을 씻는 물. 설거지물. 준개수.
개시 (開市) 명하자 **1** 시장을 처음 열어 물건의 매매를 시작함. ↔폐시(閉市). **2** 그날 장사를 시작한 후로 처음으로 이루어지는 거래. 마수걸이. ¶~니까 싸게 드립니다. **3** 개점(開店)2.
개시 (開始) 명하타 처음으로 시작함. ¶행동 ~/공격을 ~하다.
개시 (皆是) 부 모두 다.
개식 (開式) 명하자 의식(儀式)을 시작함. ¶~사(辭). ↔폐식(閉式).
개:신 (改新) 명하타 고쳐 새롭게 함.
개신-거리다 자 게으르거나 약한 사람이 맥없이 움직이다. 큰기신거리다. **개신-개신** 부하자
개:신-교 (改新教) 명 〖기〗 프로테스탄트1.
개신-대다 자 개신거리다.
개:심 (改心) 명하자 나쁜 마음을 고침. 그른 마음을 고쳐 먹음.
개심 (開心) 명하자 〖불〗 지혜를 일깨워 열어 줌.
개:-싸움 명 **1** 개끼리의 싸움. 투견(鬪犬). **2** 더러운 욕망을 채우려는 추잡한 싸움.
개:악 (改惡) 명하타 고쳐서 도리어 나빠지게 함. ↔개선(改善).
개안 (開眼) 명하자 **1** 〖불〗 불상을 만든 뒤에 처음으로 불공을 드리는 의식. **2** 〖불〗 불도의 진리를 깨달음. **3** 각막 이식(移植)으로 시력을 되찾는 일. ¶~ 수술. **4** 새로운 것을 깨달음.
개암 명 개암나무의 열매. 도토리 비슷하며 맛이 밤과 비슷함. 진자(榛子).
개암-나무 명 〖식〗 자작나뭇과의 낙엽 활엽 관목. 산기슭의 양지에 나는데, 높이 2-3m, 봄에 꽃이 피고 가을에 열매를 맺음. 과실은 식용 또는 약용함.
개암-들다 〔-드니, -드오〕 자 해산 뒤에 후더침이 나다.
개-어귀 명 강물이나 냇물이 바다로 들어가는 어귀. 포구.
개업 (開業) 명하자타 **1** 영업이나 사업을 시작함. ¶~ 인사/병원을 ~하다. **2** 영업을 하고 있음. ¶신정 연휴로 오늘은 ~한 식당이 없을 것이다. **3** 그날의 영업을 시작함. ↔폐업(閉業).
개업-의 (開業醫)[-/-이] 명 자기 병원을 경영하고 있는 의사.
개:역 (改譯) 명하타 번역한 것을 고쳐 다시 번역함. ¶~한 성경.
개:연 (蓋然) 명 확실하지 않으나 그럴 것 같은 상태. *필연(必然).
개:연-성 (蓋然性)[-썽] 명 절대적으로 확실하지 않으나 아마 그럴 것이라고 생각되는 성질. ¶~이 크다〔높다〕. *필연성.

개:연-적 (蓋然的) 관명 그럴 법한 (것). 어느 정도 확실한 (것). ¶~ 논의/~인 이야기/~ 사실.
개:연-하다 (慨然-) 형여불 억울하고 원통하여 몹시 분하다. ¶그는 개연한 어조로 말했다. **개:연-히** 부
개열 (開裂) 명하자타 열매 따위가 터져 열림. 또는 터뜨려 엶.
개열-과 (開裂果) 명 〔식〕 열과(裂果).
개염 명 부러운 마음으로 시샘하여 탐내는 욕심. ¶~을 내다/~을 부리다/~이 나다. 큰게염.
개염-스럽다 〔-스러우니, -스러워〕 형ㅂ불 보기에 개염이 있다. **개염-스레** 부
개:오 (改悟) 명하자 잘못을 뉘우쳐 깨달음.
개오 (開悟) 명하자 〔불〕 개심(開心)하여 진리를 깨달음.
개:와 (蓋瓦) 명하타 **1** 지붕에 기와를 임. **2** '기와'의 잘못.
개:요 (概要) 명 대강의 요점. ¶사건의 ~를 설명하다.
개:요-도 (概要圖) 명 대강의 주요한 구조나 내용을 나타낸 도면.
개운 (開運) 명하자 좋은 운수가 열림.
개운-하다 형여불 **1** 몸이나 기분이 상쾌하고 가볍다. ¶목욕을 하고 나니 몸이 ~. **2** 음식의 맛이 산뜻하고 시원하다. ¶개운한 맛/개운한 동치미 국물. **개운-히** 부
*__개울__ 명 골짜기나 들에 흐르는 작은 물줄기.
개울-가 [-까] 명 개울의 언저리.
개울-물 명 개울에 흐르는 물. ¶시원한 ~.
개:원 (改元) 명하자 〔역〕 **1** 연호를 고침. **2** 왕조 또는 임금이 바뀜.
개원 (開院) 명하자타 **1** 학원·병원 등을 처음으로 엶. 또는 처음으로 열림. ¶이 학원은 ~한 지 얼마 안 됐다. **2** 국회 등에서 회기를 맞이하여 회의를 엶. ↔폐원(閉院).
개원 (開園) 명하자타 **1** 동물원·식물원·유치원 따위를 새로 만들어 엶. 또는 열림. **2** 동물원·식물원 등이 문을 열어 그날 업무를 시작함.
*__개월__ (個月) 의명 달수를 세는 단위. ¶2년 3~.
개으르다 〔개으르니, 개을러〕 형르불 일하기를 싫어하는 성미나 버릇이 있다. 큰게으르다. 준개르다.
개으름 명 개으른 버릇이나 태도. ¶~을 부리다/~을 피우다. 큰게으름. 준개름.
개으름-뱅이 명 〈속〉 개으름쟁이. 큰게으름뱅이. 준개름뱅이.
개으름-쟁이 명 습성이나 태도가 개으른 사람. 큰게으름쟁이. 준개름쟁이.
개을러-빠지다 형 몹시 개으르다. 큰게을러빠지다. 준갤러빠지다.
개을러-터지다 형 개을러빠지다. 큰게을러터지다. 준갤러터지다.
개을리 부 움직이거나 일하기를 싫어하는 모양. ¶공부를 ~ 하다. 큰게을리.
개-음절 (開音節) 명 〔언〕 모음 또는 이중모음으로 끝나는 음절. ↔폐(閉)음절.
개:의 (介意) [-/-이] 명하타 마음에 두고 생각함《주로 부정어와 함께 씀》. ¶남의 말에 ~치 않다.
개:의 (改議) [-/-이] 명하타 **1** 고쳐 의논함. **2** 회의에서 다른 사람의 동의를 고쳐 제의함. 또는 그 의제.
개의 (開議) [-/-이] 명하자 사건의 토의를 시작함. ¶회의는 오후 2시에 ~한다.
개:의 (概意) [-/-이] 명 내용의 개략적인 뜻. ¶~를 파악하다.
개:인 (改印) 명하자 **1** 도장을 본디 모양과 다르게 고침. **2** 신고된 인감을 변경함. ¶~ 신고.
*__개:인__ (個人) 명 국가나 사회에 대하여, 이를 구성하는 낱낱의 사람. ¶~상(賞)/~ 자격으로 참여하다. ↔단체.
개:인-감정 (個人感情) 명 개인들 서로 간의 감정. ¶~을 가지고 업무를 처리하다.
개:인 경:기 (個人競技) 권투·수영·육상 등 개인의 기량이나 힘을 겨루는 경기. ↔단체 경기.
개:인 교:수 (個人教授) 개인별 또는 개인 상대로 가르침. 또는 그러한 사람. ¶~를 받다.
개:인-기 (個人技) 명 개인의 기술. 특히, 운동 경기에서의 개인의 기량.
개:인 기업 (個人企業) 〔경〕 (국영 기업이나 회사 기업에 대하여) 일개인이 경영하는 기업.
개:인-별 (個人別) 명 개인마다 따로따로. ¶~로 나누다/성적을 ~로 관리하다.
개:인 소:득 (個人所得) 임금·이윤·이자·연금 등으로 개인이 얻는 소득.
개:인-숭배 (個人崇拜) 명 독재자를 우상화하고 떠받들어 모시는 일.
개:인-연금 (個人年金) [-년-] 명 〔경〕 생명보험 회사·은행 등이 개인을 대상으로 취급하는 연금 지급형의 보험이나 신탁.
개:인용 컴퓨터 (個人用computer) [-뇽-] 개인이나 가정에서의 이용을 목적으로 만들어진 마이크로컴퓨터. 퍼스널 컴퓨터. 피시(PC).
개:인-위생 (個人衛生) 명 개인을 대상으로 하는 위생. ↔공중위생.
개:인-적 (個人的) 관명 개인과 관계되거나 개인에 한하는 (것). 공적(公的)이 아니고 사적(私的)인 (것). ¶~인 행동〔생각〕.
개:인-전 (個人展) 명 화가나 조각가가 자신의 작품만을 모아 놓고 개최하는 전시회.
개:인-전 (個人戰) 명 운동 경기에서, 개인끼리 하는 경기. ↔단체전.
개:인 정보 (個人情報) 〔법〕 살아 있는 개인에 관한 정보《성명·주민 등록 번호 등으로 개인을 식별할 수 있음》.
개:인-주의 (個人主義) [-/-이] 명 **1** 〔윤〕 개인의 권리와 자유를 중히 여겨 개인을 기초로 하여 모든 행동을 규정하려는 윤리주의. ↔전체주의. **2** 개인의 자유 활동의 영역이 개인 사이에 침범되지 않음을 이상으로 삼는 주의. **3** 이기주의.
개:인-차 (個人差) 명 각 개인의 신체적·정신적 능력이나 특성의 차이. ¶~가 크다.
개:인-택시 (個人taxi) 명 회사 조직이 아닌 개인이 직접 운전하면서 영업 행위를 하는 택시업 형태.
개:인-플레이 (個人play) 명 전체의 이익을 돌보지 않고, 또는 전체적으로 협력하지 않고 각 개인이 각자 행동하는 일.

개:인 혼:영 (個人混泳) 경영(競泳) 종목의 하나. 한 선수가 접영(蝶泳)·배영(背泳)·평영(平泳)·자유형(自由型)의 차례로 헤엄침. 거리는 200 m·400 m 가 있음.

개:인 회:사 (個人會社) 자본이나 주식의 전부 또는 대부분을 어떤 개인이 소유한 회사.

개:인 휴대 통신 서비스 (個人携帶通信 service) 휴대용 단말기를 통하여 음성·데이터·화상(畫像) 정보를 전달하는 이동 통신 서비스. 피시에스(PCS).

개:입 (介入) 명하자 자신과 직접적인 관계가 없는 일에 끼어듦. ¶군사 ～/제삼자의 ～/깊이 ～하다/분쟁에 ～하다.

개:-자리 명 **1** 불기를 빨아들이고 연기를 머무르게 하기 위해 방구들 윗목 밑에 깊게 파 놓은 고랑. **2** 과녁 앞에 웅덩이를 파 놓고 사람이 들어가 화살의 맞고 안 맞음을 살피는 자리. **3** 강이나 내의 바닥이 패어 깊어진 곳.

개자리(가) 지다 구 모를 낼 때, 모포기가 한 부분만 성기게 심어져서 층이 지다.

개:작 (改作) 명하타 작품을 고쳐 다시 씀. 또는 그 작품. ¶원작을 ～하다.

개:-잘량 명 방석처럼 깔고 앉으려고 털이 붙은 채로 손질하여 만든 개 가죽. 준잘량.

개:-잠 명 개처럼 머리와 팔다리를 오그리고 자는 잠. ¶～을 자다.

개:-잠 (改-) 명 아침에 깨었다가 도로 드는 잠. ¶새벽에 깨었다가 ～이 들었다.

개:잠-자다 (改-) 자 아침에 깨었다가 다시 자다.

개:-잡년 (-雜-)[-잠-] 명 '행실이 더러운 여자'를 욕으로 이르는 말.

개:-잡놈 (-雜-)[-잠-] 명 '행실이 더러운 남자'를 욕으로 이르는 말.

개:장 (改葬) 명하타 **1** 다시 장사 지냄. **2** 이장(移葬).

개:장 (改裝) 명하타 **1** 포장·장식 등을 다시 새롭게 꾸밈. **2** 군함 등의 장비나 장치를 뜯어고침. ¶～ 공사.

개장 (開場) 명하자타 **1** 어떤 장소를 열어 입장을 하게 함. ¶놀이 공원을 ～하다. **2** 증권 거래소·시장 등을 엶. ¶상설 시장이 ～되다. ↔폐장(閉場).

개:-장국 (-醬-)[-꾹] 명 개고기를 고아 끓인 국. 준개장.

개:재 (介在) 명하자 사이에 끼어 있음. ¶개인적인 감정이 ～된 처사다.

개:전 (改悛) 명하자 잘못을 뉘우치고 마음을 바르게 고쳐먹음. ¶～의 정을 보이다.

개전 (開戰) 명하자 전쟁을 시작함. ↔종전(終戰).

개점 (開店) 명하자타 **1** 새로 가게를 엶. 개업. **2** 가게 문을 열고 그날의 영업을 시작함. ¶백화점은 10시에 ～합니다. ↔폐점.

개점-휴업 (開店休業) 명 개점은 하고 있으나 거래가 없어 휴업한 것이나 같은 상태.

개:정 (改正) 명하타 고쳐 바르게 함. ¶헌법이 ～되다.

개:정 (改定) 명하타 고쳐 다시 정함. ¶맞춤법을 ～하다.

개:정 (改訂) 명하타 글자나 글의 틀린 곳을 고쳐 바로잡음. ¶～ 증보판을 내다.

개정 (開廷) 명하자 재판을 시작하려고 법정을 엶. ¶재판장이 ～을 선포하다. ↔폐정(閉廷).

개:정-안 (改正案) 명 개정한 안건. 또는 개정할 안건. ¶～을 상정하다.

개:정-판 (改訂版) 명 전에 출판한 책의 내용을 고쳐 다시 낸 책.

개:제 (改題) 명하타 제목을 다르게 바꿈.

개:제-하다 (愷悌-·豈弟-) 형여불 용모와 기상이 화락하고 단아하다.

개:조 (改造) 명하타 고쳐서 다시 만듦. ¶인간 ～/집을 ～하다.

개조 (開祖) 명 **1** 어떤 일을 처음으로 시작하여 그 일파의 원조가 되는 사람. **2** '개종조(開宗祖)'의 준말. **3** '개산조사(開山祖師)'의 준말.

개:조 (個條·箇條) 의명 낱낱의 조목을 세는 단위. ¶칠 ～로 이루어진 휴전안.

개:종 (改宗) 명하자 믿던 종교를 바꿔 다른 종교를 믿음. 개교(改敎). ¶～자/천주교로 ～하다.

개종 (開宗) 명하자 〔불〕 한 종파를 처음으로 엶.

개종-조 (開宗祖) 명 〔불〕 한 종파를 처음으로 연 사람. 준개조.

개:좆-같다 [-졷깐따] 형 〈비〉 사물을 같잖게 깔보아 욕으로 일컫는 말. ¶개좆같은 놈. **개:좆-같이** [-졷까치] 부

개:좆-부리 [-졷뿌-] 명 〈비〉 감기. 준개좆불.

개:-죽음 명하자 아무 가치 없이 죽는 죽음. ¶～을 당하다.

개:중 (個中·箇中) 명 (주로 '개중에'의 꼴로 쓰여) 여럿 있는 그 가운데. ¶～에 몇 명은 안면이 있는 사람이다.

개지[1] 명 **1** '버들개지'의 준말. **2** '강아지'의 잘못.

개:지[2] 명 〔불〕 사월 초파일에 다는 등(燈)에 모양을 내기 위해, 모서리나 밑에 붙여 늘어뜨린 색종이 조각.

개:-지랄 명하자 〈비〉 남이 하는 짓을 밉게 보아 욕하는 말.

개진 (開陳) 명하타 자기의 의견이나 생각 등을 말함. ¶의견을 ～하다.

개짐 명 여자가 월경할 때 샅에 헝겊 등으로 차는 물건. *생리대(生理帶).

개:-짐승 명 언행이 매우 안 좋은 사람을 욕하여 이르는 말. ¶～만도 못하다.

개:차 (蓋車) 명 유개차.

개:-차반 명 〈비〉 개가 먹는 똥이라는 뜻으로, 말과 행동이 몹시 더러운 사람을 욕하는 말.

개:찬 (改撰) 명하타 책을 고쳐 다시 지음.

개:찬 (改竄) 명하타 글·구절을 고쳐 바로잡음. ¶증서의 ～.

개:찰 (改札) 명하타 개표(改票). ¶지하철 ～구(口)/줄을 서서 ～을 기다리다/기차표를 ～하다.

개찰 (開札) 명하타 입찰 결과를 조사함.

개창 (開創) 명하타 처음으로 창설함. ¶새로운 왕조〔종파〕를 ～하다.

***개척** (開拓) 명하타 **1** 산야·황무지를 일구어 논밭을 만듦. ¶불모지를 ～하다. **2** 진로나 영역을 새로이 열어 나감. ¶외국에 시장을

~하다 / 운명을 ~하다.

개척-자 (開拓者) 명 **1** 미개지(未開地)를 개척하는 사람. ¶신대륙의 ~들. **2** 새 분야를 열어 나가는 사람. ¶국문법 연구의 ~.

개천 (-川) 명 **1** 개골창 물이 흘러 나가도록 판 내. **2** 내[3].

[개천에서 용 난다] 미천한 집안에서도 훌륭한 인물이 난다.

개천-가 (-川-)[-까] 명 개천의 언저리. 개천 주변. 천변. 냇가.

개천-절 (開天節) 명 우리나라의 건국을 기념하는 국경일(10월 3일).

개청 (開廳) 명하자타 **1** 신설된 관청이 사무를 시작함. **2** 관청을 신설함.

개:체 (改替) 명하타 기계나 시설 따위를 다른 것으로 바꿈. ¶낡은 수도관을 새것으로 ~하다.

개:체 (個體·箇體) 명 **1** 독립하여 존재하는 낱낱의 물체. 개물(個物). ↔집합체. **2** 〖생〗 하나의 생물로서 완전한 기능을 갖는 최소의 단위. ↔군체(群體).

개:체-군 (個體群) 명 〖생〗 한 장소에서 동시에 생활하는 생물 개체의 집단.

개:초 (蓋草) 명하타 **1** 이엉. ¶~를 얹다. **2** 이엉으로 지붕을 임.

개최 (開催) 명하타 모임·행사 따위를 엶. ¶처음 ~되는 박람회.

개:축 (改築) 명하타 다시 고쳐서 짓거나 쌓음. ¶~ 공사 / 담장을 ~하다.

개:충 (個蟲) 명 〖동〗 이끼벌레나 강장동물처럼 군체(群體)를 구성하는 동물의 한 개체.

개:칙 (概則) 명 개략의 규칙.

개:칠 (改漆) 명하자타 **1** 다시 고쳐 칠함. **2** 글씨를 쓸 때 한 번 그은 획에 다시 붓을 대어 고쳐 칠함.

개:칭 (改稱) 명하타 조직이나 기관의 이름을 바꿈. ¶형무소가 교도소로 ~되다.

개컬-간 (-間) 명 윷놀이에서, 개나 걸 둘 중의 하나. ¶~에 아무거나 나오면 상대편 말을 잡을 수 있다.

개:코-같다 [-갇따] 형 〈비〉 같잖고 보잘것없다. 개좆같다. ¶그런 개코같은 소리는 하지도 마라. **개:코-같이** [-가치] 부

개:코-망신 (-亡身) 명하자 아주 큰 망신. 개망신. ¶괜히 섣불리 아는 체했다가 ~을 당했다.

개키다 타 이부자리·옷 등을 잘 포개어 접다. 개다. ¶일어나자마자 이불을 ~.

개:탄 (慨歎·慨嘆) 명하자타 매우 걱정스럽게 여기어 탄식함. ¶금전만능의 세태를 ~하다.

개탕 (開鐋) 명 〖건〗 **1** 장지·빈지·판자 등을 끼우기 위해 판 홈. **2** '개탕대패'의 준말.

개탕(을) 치다 구 개탕을 만들다.

개탕-대패 (開鐋-) 명 개탕을 치는 대패.

개탕대패

개토 (開土) 명하자 뫼를 쓰거나 집을 지을 때, 땅을 파기 시작함. ¶~제(祭).

개통 (開通) 명하타 도로·철도·전화 등이 완성되어 통함. ¶~식 / 지하철이 ~되다.

개:-판 명 〈속〉 무질서하고 난잡한 상태. ¶방 안이 ~이다 / 술 마시고 ~을 치다.

개:판 (改版) 명하타 **1** 인쇄에서 원판을 고치어 다시 판을 짬. **2** 출판물의 내용을 고쳐 판을 새로이 하여 펴냄. 또는 그 출판물. 개간(改刊).

개펄 명 갯가의 개흙 땅. ¶바닷물이 빠지자 ~이 드러나다. 준펄.

개:편 (改編) 명하타 기구·조직·책 따위를 고쳐서 다시 짬. ¶교과서를 ~하다 / 행정 구역을 ~하다.

개평 명 노름이나 내기에서, 남의 몫에서 조금 얻어 가지는 공것. ¶~을 얻다.

개평(을) 떼다 구 개평을 얻어 가지다. ¶노름판에서 개평을 떼어 먹고산다.

개평(을) 뜯다 구 졸라서 억지로 개평을 떼어 가지다.

개:평 (概評) 명하타 비평을 대충 함. 또는 그렇게 한 비평. ¶작품에 대한 ~.

개평-꾼 명 개평을 떼는 사람. ¶노름판의 ~이 되다.

개:폐 (改廢)[-/-페] 명하타 고치거나 없애 버림. ¶정부 기구를 ~하다 / 악법을 ~하다.

개폐 (開閉)[-/-페] 명하타 문 따위를 열고 닫음. ¶자동 ~ 장치.

개폐-기 (開閉器)[-/-페-] 명 〖전〗 스위치.

개:표 (改票) 명하자 차표 또는 입장권 따위를 입구에서 검사하는 일. 개찰(改札). ¶~ 시간이 1분 남았다.

개표 (開票) 명하타 투표함을 열고 투표 결과를 조사함. ¶~에 들어가다.

개표-구 (開票區) 명 개표하기 위해 정해진 단위 구역.

개표-소 (開票所) 명 개표가 이루어지는 장소. 선거 관리 위원회가 각 개표구의 구청·시청·군청 소재지 등에 설치함.

개-풀 명 갯가에 난 풀. ¶~을 뜯다.

개피-떡 명 흰떡이나 쑥떡을 얇게 밀어 팥·콩 따위 소를 넣고 반달같이 만든 떡.

***개학** (開學) 명하자 학교에서 방학이 끝나고 다시 수업을 시작함. ¶내일이 ~ 날이다.

개함 (開函) 명하타 함이나 상자를 엶. ¶투표함을 ~하다.

개항 (開港) 명하타 **1** 항구를 개방하여 외국 선박의 출입을 허가함. **2** 항구나 공항(空港)을 열어 업무를 시작함. ¶신공항의 ~이 임박하다.

개항-장 (開港場) 명 외국과 통상 무역을 하도록 개방한 항구 및 공항(空港).

개:헌 (改憲) 명하타 헌법을 고침.

개:헌-안 (改憲案) 명 개헌하고자 하는 사항을 조항의 형식으로 초안한 문서. ¶국회에서 ~을 통과시키다.

개:-헤엄 명 개가 헤엄치듯이 손바닥을 아래로 엎어 팔을 물속 앞쪽으로 내밀어 물을 끌어당기면서 치는 헤엄.

개:혁 (改革) 명하타 제도나 기구 따위를 새롭게 뜯어고침. ¶의식 ~ / 종교 ~ / 구시대의 잘못된 관행을 ~하다.

개:혁-파 (改革派) 명 개혁을 주장하는 파. ¶급진적 ~ / 보수파와 ~의 대립.

개:호 (介護) 명하타 곁에서 돌보아 줌. ¶병실에서 숙식하며 환자를 ~하다.

개:호 (改號) 명하타 **1** 호(號)나 당호(堂號)

를 고침. **2** 개원(改元)1.

개호주 명 범의 새끼.

개혼 (開婚) 명하자 한 집안의 여러 자녀 중에서 처음으로 혼인을 치름. 초혼. ↔필혼(畢婚).

개:화 (改化) 명하자 나쁜 것을 고치고 착한 것을 좇음.

개화 (開化) 명하자 **1** 외국의 더 발전된 문화나 제도를 받아들임. ¶ ~파 / ~의 물결 / ~된 나라. **2**〖역〗갑오개혁 때, 정치 제도를 근대적으로 개혁한 일.

개화 (開花) 명하자 **1** 꽃이 핌. ¶ ~와 결실 / 진달래의 ~ 시기가 예전보다 이르다. **2** 문화·예술 등이 한창 번영함. ¶ 민족 문화의 찬란한 ~.

개화-기 (開化期) 명〖역〗1876 년의 강화도 조약 체결 이후 국권 피탈에 이르기까지, 종래의 봉건적인 사회 질서를 타파하고 근대적 사회로 개화하여 가던 시기.

개화-기 (開花期) 명 **1** 식물의 꽃이 피는 시기. ¶ ~에 비가 내려 수확이 줄어들다. **2** 문화나 예술 등이 한창 번영하는 시기의 비유.

개화-당 (開化黨) 명〖역〗조선 고종 21년(1884)에 갑신정변을 일으킨 김옥균(金玉均)·박영효(朴泳孝)·홍영식(洪英植) 등을 중심으로 한 당파《일본의 힘을 빌려 구제도를 혁신하고 서양 문물 제도를 수입하여 개화한 나라를 만들려고 하였음》.

개화-사상 (開化思想) 명〖역〗조선 말에, 봉건적인 사상·풍속 등을 없애고 근대화를 꾀하려던 사상.

개화 운:동 (開化運動)〖역〗조선 말에, 개화당이 주동이 되어 새로운 문명을 받아들이기 위하여 벌이던 사회적 운동.

개활-지 (開豁地)[-찌] 명 앞이 시원하게 탁 트인 너른 땅.

개활-하다 (開豁-) 형여불 **1** 막힘 없이 앞이 트여 시원하게 너르다. ¶ 개활한 고원. **2** 도량이 넓고 원만하다.

개:황 (概況) 명 대강의 상황. ¶ 기상 ~을 알아보다.

개회 (開會) 명하자타 회의나 회합 따위를 시작함. ¶ ~사(辭) / ~를 선언하다. ↔폐회(閉會).

개회-식 (開會式) 명 회의나 집회를 시작할 때의 의식. ¶ 국회 ~.

개흉 (開胸) 명하자〖의〗흉곽 외과 등에서, 흉강(胸腔) 안의 기관을 수술하기 위해 가슴을 째어 여는 일. ¶ ~술.

개:-흘레 명〖건〗집의 벽 밖으로 새로 물리어 칸을 늘이든지 벽장을 만들든지 하여 조그맣게 달아 낸 칸살.

개-흙 [-흑] 명 강가나 개천가에 있는 거무스름하고 미끈미끈한 흙.

객 (客) 명 **1** 찾아온 사람. 손. ¶ 낯선 ~이 찾아오다. **2** 집을 떠나 여행길을 가는 사람. 나그네. ¶ 지나가는 ~이 하룻밤 재워 주기를 청하다.

-객 (客) 미 어떤 사람의 뜻을 나타내는 말. ¶ 관광~ / 입장~ / 불평~.

객거 (客居) 명하자 집을 떠나 객지에서 머물러 있음. 여우(旅寓).

객고 (客苦) 명하자 **1** 객지에서 고생을 겪음. 또는 그 고생. ¶ ~가 심하다 / ~에 시달리다. **2** 쓸데없이 고생을 겪음. 또는 그 고생. ¶ ~를 치르다.

객공 (客工) 명 **1** 임시로 고용한 직공. **2** '객공잡이'의 준말.

객공-잡이 (客工-) 명 제품 하나에 일정액의 삯을 받거나 일하는 시간·능률 등에 따라 삯을 받는 사람. 준객공.

객관 (客觀) 명 **1**〖철〗인식의 내용이나 대상. **2**〖철〗정신적·육체적 자아에 대한 공간적 외계《세계나 자연 따위》. **3** 자기 의식에서 벗어나 제삼자의 입장에서 사물을 보는 일. ↔주관.

객관-성 (客觀性)[-썽] 명 주관의 영향을 받지 않은, 누가 보아도 타당한 성질. 보편타당성. ¶ 판정의 ~ / ~이 결여되다 / ~을 잃은 일방적인 주장. ↔주관성.

객관-식 (客觀式) 명 '객관식 고사법'의 준말. ↔주관식.

객관식 고사법 (客觀式考査法)[-뻡] 주관에 따라 평가의 차이가 없도록 하는 시험 방법《진위법(眞僞法)·결합법·선다법(選多法) 등》. 객관적 테스트. ↔주관식 고사법. 준객관식.

객관-적 (客觀的) 관명 객관을 기초로 한 (것). 제삼자의 입장에서 사물을 보고 생각하는 (것). ¶ ~ 사실 / ~으로 판단하다. ↔주관적.

객관-화 (客觀化) 명하타 **1** 주관적인 것을 객관적인 것이 되도록 하는 일. **2** 경험을 조직하고 통일하여 보편타당성을 가진 지식을 만드는 일.

객귀 (客鬼) 명 **1** 객지에서 죽은 사람의 혼령. **2** 떠돌아다니는 귀신.

객기 (客氣) 명 쓸데없이 부리는 혈기나 허세. ¶ ~를 부리다 / 취중에 ~로 호언장담을 하다.

객-꾼 (客-) 명 뜻밖에 참가한 사람을 달갑지 않다는 뜻으로 이르는 말. ¶ 웬 ~이 이리 많이 모였지.

객년 (客年)[갱-] 명 지난해.

객담 (客談) 명하자 쓸데없는 이야기. 객설(客說). ¶ 남의 일로 ~을 늘어놓다.

객담 (喀痰) 명하자 가래를 뱉음. 또는 그 가래. 각담(咯痰).

객동 (客冬) 명 지난겨울.

객랍 (客臘)[갱납] 명 구랍(舊臘).

객례 (客禮)[갱네] 명 손님을 대하는 예의.

객론 (客論)[갱논] 명하자 객설(客說).

객반위주 (客反爲主) 명하자 손님이 도리어 주인 노릇을 함. 주객전도.

객비 (客費) 명 **1** 객지에서 드는 비용. ¶ ~를 절약하다. **2** 쓸데없는 곳에 드는 비용.

객사 (客死) 명하자 객지에서 죽음. ¶ ~를 면하다.

객사 (客舍) 명 객지의 숙소. 객관(客館).

객상 (客床) 명 원식구 이외의, 손님을 위하여 따로 차리는 밥상.

객상 (客商) 명 고향을 떠나 객지에서 하는 장사. 또는 그 사람.

객석 (客席) 명 극장 따위에서, 손님이 앉는 자리. ¶ ~을 꽉 메운 관중.

객선 (客船) 명 **1** 손님을 태우는 배. 여객선. **2** 다른 곳에서 온 배.

객설 (客說) 명하자 객쩍게 말함. 객담(客談). 객론(客論). 객소리.
객설-스럽다 (客說-)〔-스러우니, -스러워〕형ㅂ불 듣기에 객쩍은 말 같다. 객설과 다를 바 없다. **객설-스레** 부
객세 (客歲) 명 지난해.
객-소리 (客-) 명하자 객설. ¶ ~를 늘어놓다 / ~를 주고받다.
객수 (客水) 명 **1** 쓸데없는 비. **2** 딴 데서 들어온 겉물. **3** 끼니때 외에 마시는 물.
객수 (客愁) 명 객지에서 느끼는 쓸쓸한 마음. 여수(旅愁). 객한(客恨). ¶ ~를 달래다 / ~에 젖다.
객-숟가락 (客-) 명 **1** 손님을 대접하는 데 쓰는 숟가락. **2** 식사 때, 밥을 빼앗아 먹으러 오는 남의 숟가락. 준객술.
객-스럽다 (客-)〔객스러우니, 객스러워〕형ㅂ불 보기에 객쩍은 데가 있다. **객-스레** 부
객승 (客僧) 명 〔불〕 절에 손님으로 잠시 와 있는 스님.
객-식구 (客食口) 명 본식구 외에 집에서 묵고 있는 딴 식구. 군식구. ¶ ~가 많다.
객실 (客室) 명 **1** 손님을 거처하게 하거나 접대하는 방. ¶ ~로 안내하다. **2** 여관·열차·배 따위에서, 손님이 드는 방이나 칸. ¶ ~을 잡다 / 백여 개의 ~을 갖춘 호텔.
객심 (客心) 명 **1** 객지에서 느끼는 쓸쓸한 마음. **2** 딴마음. ¶ ~을 먹다.
객심-스럽다 (客甚-)〔-스러우니, -스러워〕형ㅂ불 보기에 몹시 객쩍은 데가 있다. **객심-스레** 부
객연 (客演) 명하자 전속이 아닌 배우가 임시로 고용되어 출연함. ¶ 방송극에 ~ 출연하다.
객열 (客熱) 명 합병증으로 몸에 나는 열.
객용 (客用) 명 손님이 쓰는 물건.
객우 (客寓) 명하자 **1** 손님이 되어 몸을 의탁함. **2** 손님이 되어 임시로 머무는 집.
객우 (客遇) 명하타 손님으로서 대우함.
객원 (客員) 명 **1** 어떤 일에 직접적인 책임이 없이 참가한 사람. **2** 어떤 단체에서 정식으로 임명되지 않은 채 임시로 일하는 사람. ¶ ~ 교수 / ~ 지휘자 / ~으로 일하다.
객월 (客月) 명 지난달.
객인 (客人) 명 **1** 손님1. **2** 객쩍은 사람.
객장 (客場) 명 은행이나 증권 회사 등의 점포에서, 고객이 거래 업무를 보는 장소. ¶ ~이 붐비다.
객점 (客店) 명 지난날, 길손이 음식이나 술을 사 먹기도 하고 쉬기도 하던 집. 여점(旅店).
객정 (客情) 명 객회(客懷).
객주 (客主) 명 〔역〕 조선 때, 상인의 물건을 맡아서 팔거나 흥정을 붙여 주던 상인. 또는 그런 일을 하던 집.
객줏-집 (客主-)[-쭈찝 / -줃찝] 명 지난날, 객주 영업을 하던 집. ¶ ~에 묵다.
[객줏집 칼도마 같다] 얼굴 모양이 이마와 턱이 나오고 눈 아래가 움푹 들어간 것의 비유.
객지 (客地) 명 자기 집을 멀리 떠나 임시로 있는 곳. ¶ ~ 생활 / ~로만 떠돌아다니다.
객-쩍다 (客-) 형 말이나 행동이 쓸데없고 싱겁다. ¶ 객쩍은 소리 / 객쩍게 시간을 허비하지 말고 일해라. **객쩍-이** 부. ¶ ~ 행동하다.
객차 (客車) 명 손님을 태우는 기차의 칸. 여객 열차. ↔화차.
객창 (客窓) 명 여창(旅窓).
객청 (客廳) 명 제사 때, 손님이 거처하도록 마련한 방이나 대청.
객체 (客體) 명 **1** 〔법〕 의사나 행위가 미치는 목적물. **2** 〔철〕 작용의 대상이 되는 쪽. ↔주체.
객초 (客草) 명 손님을 대접하기 위한 담배.
객출 (喀出) 명하타 뱉어 냄.
객침 (客枕) 명 **1** 손님용의 베개. **2** 객지에서의 외로운 잠자리.
객토 (客土) 명하자 토질을 개량하기 위해 성질이 다른 흙을 다른 곳에서 가져다 논밭에 섞는 일. 또는 그 흙. ¶ 논에 ~를 하다 / ~를 붓다.
객혈 (喀血·咯血·嗝血)[개켤] 명하자 〔의〕 각혈.
객호 (客戶)[개코] 명 다른 지방에서 옮겨 와서 사는 사람의 집.
객-화차 (客貨車)[개콰-] 명 객차와 화차.
객회 (客懷)[개쾨] 명 객지에서 느끼는 외롭고 쓸쓸한 심정. 객의(客意). 객정(客情). 여정(旅情). ¶ ~를 품다 / ~를 풀다.
갤러리 (gallery) 명 **1** 화랑(畫廊). **2** 골프 경기의 관람자.
갤런 (gallon) 의명 용량의 단위《영국에서는 4.54 l, 미국에서는 3.78 l에 해당함》.
갬:-대 [-때] 명 나물 따위를 캐는 데 쓰는 나무 칼.
갭 (gap) 명 능력이나 의견, 현상 따위에 존재하는 큰 차이. 간격. 틈. ¶ 세대 간의 ~ / 이상과 현실 사이의 ~이 크다.
갭직-갭직 부하형 여럿이 다 갭직한 모양.
갭직-하다 [-찌카-] 형여불 생각보다 조금 가벼운 듯하다.
갯-가 [개까 / 갣까] 명 **1** 바닷물이 드나드는 물가. ¶ ~에는 해물이 지천으로 많다. **2** 물이 흐르는 곳의 가장자리. ¶ 강 ~.
갯-가재 [개까- / 갣까-] 명 〔동〕 갯가잿과의 동물. 연안의 진흙 속에 사는데, 새우 비슷하며 몸길이 15 cm 정도, 머리 위에 크고 작은 2 쌍의 촉각과 낫 모양의 다리가 한 쌍 있음.
갯:-값 [개깝 / 갣깝] 명 〈비〉 형편없이 헐한 값. 똥값. ¶ ~에 넘기다 / ~으로 팔다.
갯-고랑 [개꼬- / 갣꼬-] 명 바닷물이 드나드는 갯가의 고랑. 준갯골.
갯-논 [갠-] 명 바닷가의 개펄에 둑을 쌓고 만든 논.
갯-돌 [개똘 / 갣똘] 명 **1** 재래종 벌의 벌통 밑을 받치는 돌. **2** 개천에 있는 큼직한 둥근 돌.
갯-둑 [개뚝 / 갣뚝] 명 바닷물을 막기 위해 바닷가에 쌓아 놓은 둑.
갯-마을 [갠-] 명 갯가에 자리 잡고 있는 마을. 포촌(浦村).
갯-물 [갠-] 명 바닷물이 드나드는 곳에 흐르는 물.
갯-바닥 [개빠- / 갣빠-] 명 개천이나 개의 바닥. ¶ ~이 밭이랑처럼 이랑이 져 있다.
갯-바람 [개빠- / 갣빠-] 명 바다에서 육지로

부는 바람. ¶건건찝찔한 ~이 불어오다.

갯-바위 [개빠-/갣빠-] 명 갯가에 있는 바위. ¶~에 붙은 굴.

갯-밭 [개빧/갣빧] 명 갯가의 개흙 밭.

갯-버들 [개뻐-/갣뻐-] 명 〖식〗 버드나뭇과의 낙엽 활엽 관목. 개울가에 나며 높이 1-2 m 임. 꽃은 3월에 잎보다 먼저 핌. 가지와 잎은 풋거름으로 쓰고, 하천의 방수용으로 적합함. 땅버들. 등류(藤柳).

갯-벌 [개뻘/갣뻘] 명 바닷물이 드나드는 모래톱. ¶~에서 조개를 줍다. *개펄.

갯-솜 [개쏨/갣쏨] 명 〖동〗 해면(海綿) 1.

갯-지렁이 [개찌-/갣찌-] 명 〖동〗 갯지렁잇과의 환형동물. 지네 비슷한데 납작하고 길이 5-12 cm, 빛은 담홍색임. 민물이 흘러 들어오는 해변에 떠 사는데, 낚싯밥으로 씀. 갯지네.

갱 (坑) 명 〖광〗 **1** 광물을 파내기 위해 땅속을 파 들어간 굴. ¶~ 안을 들락날락하는 광차. **2** '갱도(坑道)'의 준말.

갱(을) 달다 구 ㉠광맥을 향해 갱도를 뚫다. ㉡사금광에 도랑을 내다.

갱: (羹) 명 무와 다시마 등을 넣어 끓인, 제사에 쓰는 국. 메탕.

갱 (gang) 명 강도. 강도의 무리. ¶~ 두목.

갱구 (坑口) 명 〖광〗 갱도의 입구. 굿문.

갱내 (坑內) 명 〖광〗 광물을 캐기 위하여 파놓은 구덩이의 안. ¶~ 사고가 빈번하다 / ~에 들어가다.

갱:년-기 (更年期) 명 주로 여성의 육체가 성숙기에서 노년기로 접어드는 시기《보통은 45-50세의 시기》. ¶~에 접어들다.

갱:년기 장애 (更年期障礙) 〖생〗 갱년기의 여성에게 일어나는 신체적·생리적 장애《귀울음·발한·두통·수족 냉감 따위의 증상이 있음》.

갱도 (坑道) 명 **1** 큰 굴을 뚫을 때 땅속으로 낸 길. **2** 〖광〗 광산에서 갱 안에 뚫어 놓은 길. 준갱(坑).

갱목 (坑木) 명 갱내나 갱도에 버티어 대는 통나무. 동바리.

갱문 (坑門) 명 갱도의 출입구에 설치한 문.

갱미 (杭米·粳米) 명 멥쌀.

갱부 (坑夫) 명 갱내에서 채굴 작업에 종사하는 인부. *광부(鑛夫).

갱사 (坑舍) 명 〖광〗 굿막.

갱살 (坑殺) 명하타 구덩이에 산 채로 넣고 묻어 죽임.

갱:생 (更生) 명하자타 **1** 거의 죽을 지경에서 다시 살아남. 갱소(更蘇). ¶~ 불능의 난치병. **2** 생활 태도나 정신을 바로잡아 본래의 바람직한 상태로 되돌아감. ¶자력(自力)~ / ~의 길을 걷다.

갱:생 보:호 (更生保護) 〖법〗 전과자에 대하여 선행을 장려하고 재범을 방지하는 관찰 보호와 자활을 위한 생업의 지도, 취업 알선 등의 직접 보호를 베푸는 일.

갱신 명하타 (주로 '없다'·'못하다' 따위와 함께 쓰여) 몸을 움직이는 일. ¶기운이 없어 ~을 할 수 없다.

갱:신 (更新) 명하자타 **1** 다시 새로워짐. 다시 새롭게 함. **2** 〖법〗 법적인 문서의 효력이나 기간이 만료되었을 때, 다시 새로 바꾸거나 기간을 연장하는 일. ¶계약을 ~하다 / 면허 ~을 받다 / 신분증이 ~되다. *경신(更新).

> **'갱신(更新)'과 '경신(更新)'**
>
> '更'은 '고친다'는 뜻으로는 '경'으로, '다시'라는 뜻으로는 '갱'으로 읽는다. 면허증이나 계약서의 기간만을 다시 연장할 때는 '갱신'으로, 운동 경기에서 신기록이 수립되어 기록이 고쳐졌을 때는 '경신'으로 쓴다.
> 예 면허증을 갱신하다.
> 100 m 세계 기록을 경신하다.

갱연-하다 (鏗然-) 형여불 쇠붙이·돌 등의 단단한 물체가 부딪치는 소리나 거문고 따위를 타는 소리가 맑고 곱다. ¶갱연한 거문고 소리. **갱연-히** 부. ¶~ 울리는 산사(山寺)의 종소리.

갱-엿 [-녇] 명 검은엿.

갱 영화 (gang映畫) [-녕-] 암흑가를 배경으로 하는, 갱의 이야기를 다룬 영화.

갱유 (坑儒) 명하자 〖역〗 진시황이 수많은 유생(儒生)을 구덩이에 묻어 죽인 일.

갱정 (坑井) 명 〖광〗 광석의 운반이나 통풍을 위하여 수평 갱도를 연결하여 수직이나 경사지게 판 갱도.

갱정 (更正) 명하타 '경정(更正) 1'의 잘못.

갱:지 (更紙) 명 좀 거칠고 품질이 낮은 누런 종이《주로 신문지나 시험지로 씀》.

갱:-지미 (羹-) 명 놋쇠로 만든 국그릇《반병두리보다 좀 작음》. 갱기(羹器).

갱:진 (更進) 명하자타 **1** 다시 앞으로 나아감. **2** 다시 바침.

갱:-짜 (更-) 명 **1** 한 창녀를 두 번째 상관하는 일. **2** 두 번째에 해당하는 일.

갱충-맞다 [-맏따] 형 갱충쩍다.

갱충-쩍다 형 행동 따위가 조심성이 없고 아둔하다. 갱충맞다.

갱:탕 (羹湯) 명 국1.

갸기 명 몹시 얄밉게 보이는 교만한 태도. 교기(驕氣). ¶~를 부리다.

갸:륵-하다 [-르카-] 형여불 마음씨나 행동이 착하고 장하다. ¶갸륵한 마음씨 / 정성이 ~. **갸:륵-히** [-르키] 부. ¶~ 여기다.

갸름-하다 형여불 좀 가늘고 긴 듯하다. ¶갸름한 얼굴의 미인. 큰기름하다.

갸우듬-하다 형여불 조금 갸웃하다. ¶갸우듬하게 고개를 숙이고 인사하다. 큰기우듬하다. 센꺄우듬하다. **갸우듬-히** 부. ¶고개를 ~ 하고 아버지의 얼굴을 들여다보다.

갸우뚱 부하형자타 물체가 한쪽으로 약간 기우는 모양. ¶의심스러운 표정으로 고개를 ~했다.

갸우뚱-거리다 자타 몸이나 물체가 이쪽저쪽으로 기울어지게 자꾸 흔들리다. 또는 흔들다. ¶풍랑으로 배가 좌우로 ~. 큰기우뚱거리다. 센꺄우뚱거리다. **갸우뚱-갸우뚱** 부하형자타

갸우뚱-대다 자타 갸우뚱거리다.

갸울다 [갸우니, 갸우오] ㅡ형 수평이나 수직에서 한쪽이 약간 비스듬하다. ㅡ자 비스듬하게 한쪽이 약간 낮아지거나 비뚤어지다. 큰기울다. 센꺄울다.

갸울어-뜨리다 타 힘 있게 갸울이다. 큰기울어뜨리다.

갸울어-지다 자 한쪽으로 조금 갸울게 되다. 큰기울어지다.
갸울어-트리다 타 갸울어뜨리다.
갸울-이다 타 《'갸울다■'의 사동》 갸울게 하다. 큰기울이다.
갸웃 [-욷] 부하타형 조금 갸운 모양. 또는 갸울인 모양. ¶고개를 ~하다. 큰기웃. 센꺄웃.
갸웃-거리다 [-욷꺼-] 타 무엇을 보려고 자꾸 고개를 갸울이다. 큰기웃거리다. 센꺄웃거리다. **갸웃-갸웃** [-욷꺄욷] 부하타형
갸웃-대다 [-욷때-] 타 갸웃거리다.
갸웃-이 부 갸웃하게. ¶고개를 ~ 왼쪽으로 기울이다.
갸자 명 음식을 나르는 데 쓰는 들것《두 사람이 가마를 메듯이 나름》.
갸자
갹금 (醵金) 명하자 돈을 얼마씩 냄. ¶사원 일동의 ~.
갹출 (醵出) 명하자타 어떤 일을 위해 여러 사람이 돈이나 물건을 나누어 냄. ¶의연금을 ~하다.
갈갈 부하자 암탉의 알겯는 소리나 갈매기 등이 우는 소리. ¶암탉이 ~하고 알 날 자리를 본다.
갈쭉-갈쭉 부하형 여럿이 다 보기 좋을 정도로 조금 긴 모양. 큰길쭉길쭉.
갈쭉-이 부 갈쭉하게. 큰길쭉이.
갈쭉-하다 [-쭈카-] 형여불 폭보다 길이가 좀 길다. ¶갈쭉한 턱. 큰길쭉하다.
걔: 준 그 아이. ¶~가 온다 / ~한테 물어 보자.
***거**[1] 一의명 '것'의 준말. ¶세상이란 다 이런 ~지. 二지대 '그것'의 준말. ¶~ 뭐이더라. 三감 '그것'의 뜻. ¶~, 참 좋구나.
거[2] 준 거기. ¶~ 누구시오.
거:가 (巨家) 명 **1** 문벌이 높은 집안. **2** '거가대족'의 준말.
거가 (車駕) 명 **1** 임금의 수레. **2** 임금의 행차. 왕가(王駕).
거가 (居家) 명하자 늘 자기 집에 있음.
거:가-대족 (巨家大族) 명 지체 높고 번창한 집안. 거실세족. 준거가·거족(巨族).
거:각 (巨閣) 명 크고 웅장한 집.
거간 (居間) 명하자 **1** 물건을 팔고 사는 사람 사이에 들어 흥정을 붙임. ¶~을 서다. **2** '거간꾼'의 준말.
거간-꾼 (居間-) 명 거간을 업으로 하는 사람. 준거간.
거:개 (擧皆) 명부 거의 모두. 대부분. ¶모인 사람은 ~가 학생과 교원들이다.
거:거-익심 (去去益甚) 명하형 갈수록 더욱 심함. 거익심언.
거:구 (巨軀) 명 큰 몸뚱이. 거체(巨體). ¶육 척 장신의 ~ / ~의 사나이.
거:국 (擧國) 명 **1** 온 나라. 전국. **2** 여야 구별 없이 모든 정치 세력을 합치는 것. ¶~ 연립 내각.
거:국-일치 (擧國一致) 명하자 온 국민이 뭉치어 하나가 됨.
거:국-적 (擧國的) 관명 온 국민이 함께 참여하는 (것). ¶온 국민의 ~ 참여와 지지가 필요하다.
거:금 (巨金) 명 아주 많은 돈. 큰돈. ¶~을 희사하다 / ~을 몸에 지니다.
거:금 (距今) 부 지금으로부터 과거로 거슬러 올라가서. ¶~ 5백년 전.
***거기** 一지대 **1** 그곳. ¶~가 우리 고향이다 / ~서 뭘 하나. 준게. **2** 앞에서 말한 것을 가리키는 말. ¶~까지는 미처 생각을 못했다. 二부 그곳에. ¶~ 서 있거라. 작고기. 三인대 상대를 약간 낮추어 이르는 제2인칭(人稱) 대명사. ¶~만 좋다면야 딴말 않겠네.
거꾸러-뜨리다 타 **1** 거꾸로 엎어지게 하다. **2** 세력 따위를 꺾다. **3** 죽이다. 작가꾸러뜨리다.
거꾸러-지다 자 **1** 거꾸로 엎어지다. ¶돌부리에 걸려 ~. **2** 세력 따위가 힘을 잃거나 꺾이어 무너지다. ¶부패한 정부는 결국 거꾸러지고 만다. **3** 〈속〉 죽다. ¶저런 놈은 빨리 거꾸러져야 할 텐데. 작가꾸러지다.
거꾸러-트리다 타 거꾸러뜨리다.
***거꾸로** 부 차례나 방향이 반대로 바뀌게. ¶옷을 ~ 입다 / 시곗바늘을 ~ 돌리다. 작가꾸로.
거꾸로 박히다 구 머리를 아래로 향하고 떨어지다. 거꾸로 떨어지다.
거꿀-가랑이표 (-標) 명 〖인〗 '>'의 인쇄상의 이름. 문장(文章)에서는 '작은말표'로, 수식(數式)에서는 '부등호(不等號)'로 쓰이는 부호. *가랑이표.
거꿀-달걀꼴 명 달걀을 거꾸로 세운 형상. 도란형(倒卵形). 거꿀알꼴.
거꿀-삼발점 (-三-點) [-쩜] 명 수식(數式)·인쇄 등에서 '왜냐하면'의 뜻으로 쓰이는 '∵'의 이름.
거나 조 받침 없는 체언에 붙어 사람·시간·장소·사물 등을 가리지 아니하는 뜻을 나타내는 접속 조사. ¶우유~ 홍차~ 다 괜찮다. 준건. *이거나.
-거나 어미 '이다' 또는 용언의 어간에 붙어서 가리지 않는 뜻을 나타내는 연결 어미. ¶물이~ 불이~ 가리지 않는다 / 보~ 말~ 상관 없다 / 맛이 좋~ 나쁘~ 다 먹어라. 준-건.
거나-하다 형여불 술에 어지간히 취해 있다. ¶거나하게 취한 얼굴. 준건하다.
거:냉 (去冷) 명하타 〔←거랭(去冷)〕 약간 데워 찬 기운만 없앰. ¶약주를 화로에 ~하여 잔에 따르다.
거:년 (去年) 명 지난해. 작년.
거년-스럽다 〔-스러우니, -스러워〕 형ㅂ불 보기에 궁상스럽다. 작가년스럽다. **거년-스레** 부
거누다 타 몸이나 정신을 겨우 가다듬어 안정된 상태로 지탱하다. ¶풀리는 다리를 거누며 언덕을 오르다. 작가누다.
거느리다 타 **1** 부양해야 할 손아랫사람들을 데리고 있다. ¶식솔을 ~. **2** 부하나 군대 따위를 통솔하여 이끌다. ¶선수단을 ~ / 대군을 ~. **3** 누구를 데리고 함께 행동하다. ¶과장이 수련의를 거느리고 회진하다.
거늑-하다 [-느카-] 형여불 넉넉하여 흐뭇하다. ¶횡재수가 뻗친 것같이 뱃속이 거늑했다.

-거늘 [어미] '이다' 또는 용언의 어간에 붙는 연결 어미. **1** '이미 사실이 이러이러하기에 그에 응하여'의 뜻을 나타냄. ¶오늘이 장날이~ 한밑천 잡아야겠다. **2** '이미 사실이 이러이러한데 그와는 딴판으로'의 뜻을 나타냄. ¶그리 일렀~ 이 무슨 실책이냐.

-거니 [어미] '이다' 또는 용언의 어간에 붙는 연결 어미. **1** ㉠'이미 이러이러한데'의 뜻을 나타냄. 뒤에는 의문이 딸림. ¶나는 젊었~ 돌인들 무거우랴 / 권력을 가진 사람이~ 무슨 짓인들 못하랴. ㉡혼자 속으로 '이러이러하리라'고 여기는 뜻을 나타냄. ¶지금도 살았~ 싶다 / 사람이 아닌 동물이~ 생각하면 된다. **2** 여러 동작이 잇따라 되풀이될 때 각 동사 어간에 붙이는 연결 어미. ¶술잔을 주~ 받~ 하다가 대취하다.

-거니와 [어미] '이다' 또는 용언의 어간에 붙는 연결 어미. **1** 사리가 상반되는 구절을 잇는 데 씀. ¶나는 그러하~ 너는 왜 그러냐. **2** 이미 있는 사실을 인정하고, 그보다 더한 사실을 말할 때 씀. ¶얼굴도 곱~ 마음씨도 곱다.

거니-채다 [자] 낌새를 알아채다. ¶며느리는 벌써 거니채고 고개를 떨어뜨린다.

거:닐다 〔거니니, 거니오〕 [자] 가까운 거리를 이리저리 한가로이 걷다. ¶공원을 ~.

거:담 (祛痰·去痰) [명][하자] 가래를 없어지게 함. ¶~제(劑).

거:당 (擧黨) [명] 하나의 정당 전체. ¶~적인 행사.

거:대 (巨大) [명][하형] 엄청나게 큼. ¶~ 기업 / ~한 바위 / 몸집이 ~하다.

거:대 도시 (巨大都市) 인구 천만 이상 되는 큰 도시.

거덕-치다 [형] 모양이 상스럽거나 거칠어 어울리지 않다.

거덜 [명] (주로 '나다'·'내다'와 함께 쓰여) **1** 재산이나 살림 따위가 여지없이 허물어지거나 없어지는 것. ¶노름으로 살림이 ~났다. **2** 옷·신 따위가 다 해지거나 닳아 떨어지는 것. **3** 하려던 일이 여지없이 결딴이 나는 것. ¶잘못하여 가게를 ~ 냈다.

거덜-거덜 [부][하형] 살림이나 하는 일이 결딴나려고 흔들리어 위태로운 모양. ¶자금난으로 회사가 ~하다.

거:도 (巨盜) [명] 큰 도둑. 거적(巨賊).

거:도 (巨濤) [명] 큰 파도.

거:도 (鋸刀) [명] 자루를 한쪽에만 박아 혼자 당겨 켜는 톱. 톱칼.

거:독 (去毒) [명][하타] 〔한의〕 약재의 독기를 없애 버림.

거:동 (擧動) [명][하자] **1** 몸을 움직이는 동작이나 태도. ¶~이 수상하다 / ~을 주시하다 / ~이 불편하다. **2** '거둥'의 본딧말.

거:두 (巨頭) [명] 국가나 커다란 조직에서, 중요한 지위에 있어 실권을 가지고 있는 사람. ¶~ 회담 / 친일파의 ~ / 학계의 ~.

거:두 (擧頭) [명][하자] **1** 머리를 듦. **2** 굽죄임이 없이 머리를 번듯이 들고 남을 대함.

***거두다** [타] **1** 곡식이나 열매 따위를 수확하다. ¶벼를 ~. **2** 널린 것이나 흩어져 있는 물건 따위를 한데 모아들이다. ¶빨래를 ~. ㈜걷다[3]. **3** 어떤 결과·성과를 올리거나 얻다. ¶승리를 ~. **4** 세금·돈 따위를 징수하다. ¶세금을 ~ / 기부금을 거두어 모으다. ㈜걷다[3]. **5** 기르거나 보살피다. ¶아이를 ~ / 식솔을 ~. **6** 멈추어 끝을 내다. ¶그는 어제 숨을 거두었다. **7** 시체·유해 따위를 수습하다. ¶시신을 ~. **8** 벌여 놓거나 차려 놓은 것을 정리하다. ¶천막을 거두어라. **9** 말·웃음 따위를 그치거나 그만두다. ¶웃음을 거두고 정색을 하다.

거두어-들이다 [타] **1** 심어 가꾼 농작물을 거두어 수확하다. ¶누렇게 익은 벼를 ~. **2** 여러 사람에게서 돈이나 물건 따위를 받아 오다. ¶세금을 ~. **3** 말·생각·제안 따위를 취소하다. ¶이미 내뱉은 말은 거두어들일 수가 없다. ㈜거둬들이다.

거:두-절미 (去頭截尾) [명][하타] **1** 머리와 꼬리를 자름. **2** 어떤 일의 요점만 말함. ¶~하고 요점만 말하겠소.

거둠-질 [명][하자타] **1** 거두어들이는 일. ¶가을이라 ~이 한창이다. **2** 물건을 욕심껏 탐내어 가지는 짓.

거:둥 [명][하자] 〔←거동(擧動)〕 임금의 나들이. ¶~을 납시다.

거:둥-길 [-낄] [명] 임금이 거둥하는 길. [거둥길 닦아 놓으니까 깍정이가 먼저 지나간다] 애써서 이루어 놓은 공이 하찮은 일로 보람 없이 되었음을 이르는 말.

거둬-들이다 [타] '거두어들이다'의 준말.

거드럭-거리다 [자] 거만스럽게 잘난 체하며 버릇없이 굴다. ¶거드럭거리는 걸음걸이. ㉶가드락거리다. ㉹꺼드럭거리다. ㈜거들거리다. **거드럭-거드럭** [부][하자]

거드럭-대다 [자] 거드럭거리다.

거:드름 [명] 거만한 태도. ¶~을 부리다 / ~을 빼다 / ~을 피우다.

거:드름-쟁이 [명] '거드름 피우는 사람'을 얕잡아 이르는 말.

-거드면 [어미] '-거든'과 '-으면'이 합쳐진 연결 어미《예스러운 표현》. ¶혹시나 일이 잘 안 되~ 어쩌나.

-거든 [어미] **1** 가정으로 조건 삼아 말할 때 쓰는 연결 어미. ¶좋~ 가져라 / 너도 사람이~ 부모님 말씀을 들어라. ㈜-건. **2** '하물며'의 뜻으로 말할 때 앞의 구절에 쓰는 연결 어미. ¶짐승도 은혜를 알~, 하물며 사람이야 말해 무엇하랴 / 열등생이 합격이~ 우등생이야 더 말할 나위 없다. **3** '까닭이 이러이러한데 어찌 결과가 그렇지 아니하랴'의 뜻으로 말할 때, 까닭을 이루는 구절에 쓰이는 연결 어미. ¶그 떠버리가 왔~, 조용할 리가 있나 / 그가 호걸이~ 어찌 겁을 내랴. **4** 이상함을 나타내는 느낌으로 쓰는 어미. ¶도무지 까닭을 모르겠~ / 참 알 수 없는 일이~.

거든-거든 [부][하형][히부] 모두가 다 거든한 모양. ¶짐들을 ~ 들다. ㉶가든가든. ㉹거뜬거뜬.

거든그-뜨리다 [타] '거든그리다'의 힘줌말.

거든-그리다 [타] 거든하게 거두어 싸다. ㉶가든그리다.

거든그-트리다 [타] 거든그뜨리다.

거든-하다 [형][여불] **1** 생각보다 가볍고 단출한 느낌이 있다. **2** 마음이 후련하고 상쾌하

다. ¶ 일을 해결하고 나니 마음이 ~. 작가든하다. 센거뜬하다. **거든-히** 부

거들 (girdle) 명 배와 허리의 몸매를 예쁘게 보이게 하려고 입는 여자의 속옷.

거들

거:들다 〔거드니, 거드오〕 타 **1** 남이 하는 일을 도와주다. ¶ 이삿짐 나르는 일을 ~. **2** 남의 말이나 행동에 끼어들어 참견하다. ¶ 곁에서 한마디 ~ / 싸움을 ~.

거들떠-보다 타 (주로 부정어 앞에 쓰여) 아는 체하거나 관심 있게 보다. ¶ 친구들은 그를 거들떠보지도 않는다.

거들-뜨다 〔-뜨니, -떠〕 자 눈을 위로 치켜 뜨다. ¶ 살며시 눈을 거들떠 보다가 눈과 눈이 마주쳤다.

-거들랑 어미 **1** '-거든'과 '을랑'이 합쳐 된 연결 어미. 가정·조건의 뜻을 나타냄. ¶ 시험에 붙~ 한턱 내게 / 상대가 여럿이~ 피하도록 하게. **2** 듣는 사람은 모르고 있을 내용을 가르쳐 준다는 뜻을 나타내는 종결 어미. ¶ 그 무렵 나는 일선에 있었~. 준-걸랑.

거들먹-거리다 자 신이 나서 잘난 체하며 거만하게 행동하다. ¶ 입선이 되었다고 ~. 작가들막거리다. 센꺼들먹거리다. **거들먹-거들먹** 부하자

거들먹-대다 자 거들먹거리다.

거듬-거듬 부하타 흩어져 있거나 널려 있는 것을 대강대강 거둬 나가는 모양. ¶ 큰 종이들만 ~ 주워 모으다.

***거듭** 부 여러 번 되풀이하여. ¶ ~ 강조하다 / ~ 사과를 드립니다. **—-하다** 〔-드파-〕 타여불 어떤 일을 자꾸 되풀이하다. ¶ 실패를 ~ / 해를 ~.

거듭-거듭 부 자꾸 여러 번 되풀이하여. ¶ ~ 당부하다 / 같은 말을 ~ 되뇌다.

거듭-나다 〔-듬-〕 자 〔기〕 (예수를 믿음으로써) 영적(靈的)으로 다시 새사람이 되다.

거듭-되다 자 어떤 일이나 상황이 계속 되풀이되다. ¶ 거듭되는 실패 / 난관이 거듭될수록 희망을 잃지 말아야 한다.

거듭-제곱 명하타 〔수〕 같은 수·식을 거듭 곱함. 또는 그 값. 두제곱·세제곱 따위. 누승(累乘). 멱(冪).

거듭제곱-근 (-根) 명 〔수〕 제곱근·세제곱근·네제곱근 따위의 총칭. 누승근. 멱근(冪根). 루트.

거뜬-거뜬 부하형히부 모두가 다 거뜬한 모양. 작가뜬가뜬. 여거든거든.

거뜬-하다 형여불 **1** 힘들지 않고 쉽다. ¶ 어려운 일을 거뜬하게 해치웠다 / 밥 한 사발을 거뜬하게 먹어 치우다. **2** 몸이나 마음이 후련하고 개운하다. ¶ 그 약을 먹었더니 몸이 거뜬해졌다 / 배탈이 거뜬하게 나았다. 작가뜬하다. 여거든하다. **거뜬-히** 부. ¶ ~ 감당해 내다 / 한 달은 ~ 살 수 있는 생활비가 나온다.

-거라 어미 ('오다'를 제외한 동사의 어간에 붙어) 해라할 자리에 쓰여, 명령의 뜻을 나타내는 종결 어미. '어라'보다 예스러운 느낌을 줌. ¶ 빨리 가~ / 어서 내려가~ / 일찍 자~ / 많이 먹~ / 가만히 있~ / 거기 좀 앉~. *-너라.

거란 (契丹) 명 〔역〕 5세기 중엽 이래 내몽골 지방에서 유목하던 부족《몽골계와 퉁구스계의 혼혈종》.

거:란지-뼈 명 소의 꽁무니뼈. 준거란지.

거랑 명하자 〔광〕 〔←걸량(乞糧)〕 일정한 광구나 구덩이를 갖지 못하고 남의 광구나 구덩이의 버력탕 같은 데서 감돌을 고르거나 사금을 채취하여 조금씩 돈을 버는 일.

거:래 (去來) 명하타 **1** 돈이나 물건을 주고받거나 사고팖. ¶ ~가 뜸하다 / ~를 트다 / ~를 끊다 / ~가 활발하다 / 오랫동안 ~한 은행 / 물건이 비싼 값에 ~되다. **2** 이웃과의 친분 관계를 이루기 위하여 오고 감. ¶ 눈인사나 할 뿐 별 ~ 없이 지내다. **3** 서로 자기의 이익에 도움이 될 사물이나 행위를 교환하는 일. ¶ 정치적인 ~.

거:래-량 (去來量) 명 **1** 물건 따위를 사고파는 수량. **2** 증권 시장에서 사고파는 주식이나 채권의 액면 가격.

거:래-선 (去來先) 명 거래처.

거:래-소 (去來所) 명 〔경〕 상품·유가 증권 등을 대량으로 거래하는 기관. ¶ 증권 ~.

거:래-처 (去來處) 명 돈이나 물건을 계속적으로 거래하는 상대방. ¶ ~에 물건을 배달하다.

거:랭 (去冷) 명하타 '거냉(去冷)'의 본딧말.

거:량 (巨量) 명 **1** 많은 분량. **2** 많이 먹는 음식의 양.

거:레 명하자 까닭 없이 어정거려 몹시 느리게 꿈적이는 짓. ¶ 옷 입고 불 켜고 ~하고 나오는 동안에…….

거령-맞다 〔-맏따〕 형 조촐하지 못하여 격에 어울리지 아니하다. 작가량맞다.

거령-스럽다 〔-스러우니, -스러워〕 형ㅂ불 거령맞다. 작가량스럽다. **거령-스레** 부

거:례-법 (擧例法) 〔-뻡〕 명 앞서 말한 이론을 증명하기 위해 예를 들어 설명하는 수사법.

거:론 (擧論) 명하타 어떤 것을 이야기의 주제나 문제로 삼음. ¶ 더 이상 ~할 여지가 없다.

거루다 타 배를 강가나 냇가로 대다.

***거:룩-하다** 〔-루카-〕 형여불 성스럽고 위대하다. ¶ 거룩한 마음 / 거룩하신 하느님 / 거룩한 뜻을 받들다. **거:룩-히** 〔-루키〕 부

거룻-배 〔-루빼 / -룯빼〕 명 돛이 없는 작은 배. ¶ ~로 화물을 실어 나르다. 준거루.

거룻배

거류 (居留) 명하자 **1** 임시로 머물러 삶. **2** 남의 나라 영토에 머물러 삶.

거류-민 (居留民) 명 남의 나라 영토에 머물러 사는 사람.

거류민-단 (居留民團) 명 거류민이 조직한 자치 단체. 준민단(民團).

거류-지 (居留地) 명 조약에 의해 한 나라가 그 영토의 일부를 외국인의 거주 및 영업을 위하여 지정한 지역.

거르다[1] 〔거르니, 걸러〕 타르불 체나 거름종

이 따위를 사용하여 국물을 짜내고 찌꺼기나 건더기를 받쳐 내다. ¶술을 ~.

거르다[2] 〔거르니, 걸러〕 타 르불 차례를 건너뛰다. ¶점심 식사를 ~ / 때를 ~ / 하루 걸러 발행되는 신문 / 한 집 걸러 두 번째 집.

***거름** 명 비료. ¶~을 주다 / ~을 뿌리다 / 밭에 ~을 내다. **—-하다** 자 여불 논밭에 거름을 주다.

거름-더미 [-떠-] 명 거름을 쌓아 놓은 더미.

거름-발 [-빨] 명 거름 기운. 거름기. ¶이 곳에서는 감자만이 ~을 받는다.

거름발 나다 구 거름의 효과가 나다.

거름-종이 명 〘화〙 찌꺼기나 건더기가 있는 액체를 거르는 종이. 여과지.

거름-흙 [-흑] 명 **1** 기름진 흙. 비토(肥土). **2** 거름을 놓았던 자리에서 그러모은 흙.

***거리**[1] 명 '길거리'의 준말. ¶환락의 ~ / ~의 소음 / ~를 누비다 / ~를 헤매다.

거:리 (巨利) 명 큰 이익.

***거:리** (距離) 명 **1** 두 곳 사이의 떨어진 길이. ¶~가 멀다 / ~를 재다. **2** 사람과 사귀는 데 있어서의 간격. ¶~를 두지 말고 지내자. **3** 어떤 시간 동안에 갈 수 있는 공간적 간격. ¶걸어서 10분 ~에 지하철역이 있다. **4** 비교하는 대상 사이의 차이. ¶그의 말은 사실과 거리가 있다. **5** 〘수〙 두 점을 잇는 직선의 길이.

거리[2] 의명 **1** 내용이 될 만한 재료. ¶일할 ~가 적다. **2** (주로 시간을 나타내는 명사 뒤에 쓰여) 그 시간 동안에 해낼 만한 일. ¶반나절 ~도 안 되는 일을 종일 하고 있다. **3** (주로 수를 나타내는 말 뒤에 쓰여) 제시한 수가 처리할 만한 것. ¶그 과일은 한 입 ~밖에 안 된다.

거리[3] 의명 **1** 〘민〙 무당의 굿의 한 장면. ¶한 ~ 놀다 / 굿 열두 ~. **2** 〘연〙 연극의 한 막. 또는 그 각본. ¶첫째 ~.

거리[4] 의명 오이·가지 등을 셀 때 50개를 한 단위로 일컫는 말. ¶오이 두 ~.

-거리 미 **1** 날수, 달, 해를 나타내는 말에 붙어, 어떤 현상이 주기적으로 나타나는 그 동안을 뜻하는 말. ¶하루~ / 이틀~ / 달~ / 해~. **2** 어떤 말을 조금 속되게 표현하는 말. ¶떼~ / 짓~ / 패~.

-거리- 미 의태어·의성어의 어근에 붙어 그 동작이나 소리가 잇따라 계속됨을 나타내는 말. -대-. ¶방실~다 / 윙윙~고.

거:리-감 (距離感) 명 사이가 뜬 느낌. ¶~을 주다 / ~이 있다 / ~을 느끼다 / ~을 갖고 대하다.

거리-거리 명부 여러 길거리. 또는 각각의 길거리. ¶~가 사람의 물결이다 / 가로수가 ~에 늘어서 있다.

거리-굿 [-굳] 명 길에서 하는 굿.

거리끼다 자타 **1** 일이나 행동 등을 하는 데 방해가 되다. ¶일하는 데 거리끼는 것들을 우선 치우자. **2** 어떤 일이 마음에 걸려 꺼림칙하다. ¶마음에 ~ / 양심에 거리끼지 않다 / 거리끼는 것이 많다.

거리낌 명 **1** 일이나 행동 따위를 하는 데 걸려서 방해가 됨. ¶두 사람의 혼사는 축복 속에 아무 ~ 없이 진행되었다. **2** 마음에 걸려서 꺼림칙하게 생각됨. ¶~이 없다 / 양심에 ~을 느끼다 / 누구에게나 ~ 없도록 바르게 살자.

-거리다 미 접미사 '-거리-'에 어미 형성 접미사 '-다'가 합친 말. -대다. ¶넘실~ / 출렁~ / 앙앙~.

거리-제 (-祭) 명 〘민〙 **1** 음력 정월에 길거리에 있는 장승에게 지내는 제사. **2** 상여가 나갈 때에, 거리에서 친척이나 친지가 상여 옆에 제물을 차려 놓고 지내는 제사.

거마 (車馬) 명 수레와 말. 차마.

거마-비 (車馬費) 명 교통비. 차비.

거:만 (巨萬·鉅萬) 명 재산·금액이 아주 많음을 이르는 말. ¶~의 부(富) / ~의 돈을 벌다 / ~의 군량을 싣고 가다.

거:만 (倨慢) 명하형히부 겸손하지 않고 뽐냄. 잘난 체하고 남을 업신여김. 교만. 오만. ¶~한 표정 / ~을 떨다 / ~을 부리다 / ~히 굴다.

거:만-스럽다 (倨慢-) 〔-스러우니, -스러워〕 형 ㅂ불 보기에 거만한 태도가 있다. ¶그는 거만스럽게 팔짱을 끼고 먼 산을 바라보고 있다. **거:만-스레** 부

거망 명 '거망빛'의 준말. ¶~이 들다.

거망-빛 [-삗] 명 아주 짙게 검붉은 빛. 준 거망.

거머-당기다 타 마구 휘감아 당기다. ¶머리채를 ~.

거머-들이다 타 힘차게 휘몰아 들이다. ¶수단과 방법을 가리지 않고 많은 재산을 수중에 ~.

거:머리 명 **1** 〘동〙 거머릿과의 환형동물. 몸길이 3-4cm. 논·못에 사는데 몸이 길고 납작하며, 주둥이와 배 끝에 흡반이 있어 다른 동물을 만나면 흡반으로 그 살에 달라붙어 피를 빨아 먹음. **2** 남에게 달라붙어 괴롭게 구는 사람. ¶~같이 따라다니다 / ~ 같은 탐관오리. **3** 아이의 두 눈썹 사이 살 속에 파랗게 비치는 힘줄.

거머-삼키다 타 마구 휘몰아 급히 삼키다. ¶아이가 과자를 거머삼키듯이 먹다.

거머-안다 [-따] 타 힘 있게 휘몰아 안다.

거머-잡다 타 손으로 휘감아 잡다. ¶풀을 한 움큼 거머잡고 낫을 대었다. 준검잡다.

거머-쥐다 타 휘감아 움켜쥐다. ¶멱살을 ~ / 뜻밖의 행운을 ~. 준검쥐다.

거머-채다 타 휘감아 잡아채다. ¶낚싯대를 ~ / 좋아하는 여자를 ~.

거:멀 명하자타 '거멀장'의 준말.

거:멀-못 [-몯] 명 나무 그릇 등의 금 간 데나 벌어질 염려가 있는 곳에 거멀장처럼 걸쳐 박는 못.

거:멀-쇠 [-쐬] 명 목재를 한데 대어 붙일 때, 단단히 맺는 데 쓰는 쇠.

거멀쇠

거:멀-장 명하자타 **1** 가구나 나무 그릇의 맞추어 짠 모퉁이에 걸쳐 대는 쇳조각. **2** 물건 사이를 벌어지지 않게 연결시키는 일. 준거멀.

거:멓다 [-머타] 〔거머니, 거머오〕 형 ㅎ불 꽤 검다. 작가맣다. 센꺼멓다.

거:메-지다 자 빛이 거멓게 되다. ¶얼굴이 ~. 작가매지다. 센꺼메지다.

거:목 (巨木) 명 큰 나무《큰 인물의 비유로 도 씀》. ¶ ~이 쓰러지다《큰 인물이 세상을 떠나다》.
거무레-하다 형여불 엷게 거무스름하다. ¶ 눈자위가 ~. 센꺼무레하다.
거무스레-하다 형여불 거무스름하다.
거무스름-하다 형여불 조금 검다. ¶ 거무스름한 얼굴. 작가무스름하다. 센꺼무스름하다. 준거뭇하다.
거무접접-하다 [-쩌파-] 형여불 넓적한 얼굴이 칙칙하게 거무스름하다. ¶ 안색이 ~. 작가무잡잡하다.
거무죽죽-하다 [-쭈카-] 형여불 빛깔이 고르지 못하여 우중충하게 거무스름하다. 작가무족족하다.
거무칙칙-하다 [-치카-] 형여불 검고 칙칙하다. ¶ 거무칙칙한 옷감. 작가무칙칙하다.
거무튀튀-하다 형여불 흐리터분하게 거무스름하다. ¶ 햇볕에 그을려 ~. 작가무퇴퇴하다.
***거문-고** 명 〖악〗 오동나무의 긴 널을 속이 비게 짜고 그 위에 여섯 개의 줄을 친 현악기《줄을 튀겨 소리를 냄》. 현학금(玄鶴琴).

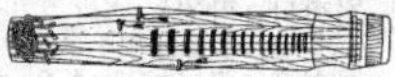

거문고

거:물 (巨物) 명 **1** 큰 물건. **2** 어떤 분야에서 사회적으로 영향력이 큰 사람. ¶ 재계의 ~.
거물-거리다 자 **1** 약한 불빛 같은 것이 어슴푸레하게 사라질락 말락 움직이다. ¶ 방안의 불이 ~. **2** 멀리 있는 물건이 희미하게 보일 듯 말 듯 움직이다. **3** 정신이 희미하여 의식이 날 듯 말 듯하다. 작가물거리다. 센꺼물거리다. **거물-거물** 부하자. ¶ 정신이 ~하다.
거:물-급 (巨物級)[-끕] 명 거물의 부류. 또는 그 부류에 속하는 사람. ¶ ~ 인사 / ~이 출마하다.
거물-대다 자 거물거리다.
거뭇-거뭇 [-묻꺼묻] 부하형 군데군데 검은 모양. ¶ ~ 검버섯이 끼다. 작가뭇가뭇. 센꺼뭇꺼뭇.
거뭇-하다 [-무타-] 형여불 '거무스름하다'의 준말. 작가뭇하다. 센꺼뭇하다.
***거미** 명 〖동〗 거미목의 절지동물의 총칭. 가슴과 배 사이가 우묵하게 들어가서 주머니 같으며, 몸은 머리, 가슴과 배로 구분됨. 4쌍의 다리가 있고, 항문 근처의 방적돌기에서 거미줄을 내어 그물 같은 집을 쳐 놓고 벌레가 걸리면 잡아서 양분을 빨아 먹고 삶.
[거미도 줄을 쳐야 벌레를 잡는다] 준비가 있어야 그 결과를 얻을 수 있다. [거미 알 까듯] 좁은 곳에 많은 수가 밀집하여 있는 모양. [거미 알 슬듯] ㉠동식물이 많이 번식하는 모양. ㉡어수선하게 흩어져 있는 모양.
거미-줄 명 **1** 거미가 뽑아내는 가는 줄. 또는 그 줄로 친 그물. ¶ ~에 걸린 나방. **2** 범인을 잡기 위해 쳐 놓은 수사망의 비유. ¶ 범인은 경찰이 곳곳에 쳐 놓은 ~을 뚫고 유유히 사라졌다.
거미줄 같다 구 이리저리 배치하거나 늘어놓은 것이 마치 거미줄을 쳐 놓은 것 같다. ¶ 거미줄 같은 도로망.
거미줄(을) 치다 구 ㉠거미가 실을 뽑아 집을 짓다. ㉡죄인을 잡기 위하여 어느 구역에 비상선을 거미줄처럼 치다.
거미-집 명 거미가 벌레를 잡기 위해 거미줄을 쳐서 얽은 그물.
거반 (居半) 명부 '거지반(居之半)'의 준말. ¶ ~ 다했다 / 그의 말은 ~이 거짓말이다.
거:방-지다 형 몸집이 크고, 행동이 점잖고 무게가 있다. ¶ 거방진 허우대.
거:-베 명 부대 같은 것을 만드는, 발이 아주 굵은 베.
거벼이 부 거볍게. ¶ ~ 보다.
거:벽-스럽다 (巨擘-)〔-스러우니, -스러워〕 형ㅂ불 사람 됨됨이가 무게가 있고 억척스럽다. **거:벽-스레** 부
거볍다 〔거벼우니, 거벼워〕 형ㅂ불 **1** 무게가 적다. **2** 대단하지 않다. ¶ 거벼운 상처. **3** 경솔하다. ¶ 행동이 ~. **4** 홀가분하다. ¶ 거벼운 마음으로 길을 떠나다. 작가볍다.
거:병 (擧兵) 명하자 군사를 일으킴. ¶ ~하여 반란을 일으키다.
거:보 (巨步) 명 **1** 크게 내디디는 걸음. **2** 큰 공적이나 훌륭한 업적. ¶ 경제 발전에 ~를 남기다.
거보를 내디디다 구 크게 발전하기 시작하다. ¶ 새 역사 창조의 ~.
거-봐 감 거봐라.
거-봐라 감 일이 자기 말과 같이 되었을 때 아랫사람에게 하는 소리. ¶ ~, 내 말이 맞지 않니.
거:부 (巨富) 명 거대한 부(富). 또는 특히 큰 부자. ¶ ~를 쌓다 / 벤처 기업으로 ~가 되다.
거:부 (拒否) 명하타 받아들이지 않고 물리침. ¶ 진술을 완강히 ~하다.
거:부-권 (拒否權)[-꿘] 명 **1** 거부할 수 있는 권리. **2** 입법부를 통과한 의안에 대하여 대통령이 동의를 거절하는 권리. **3** 국제 연합 안전 보장 이사회의 상임 이사국에 부여된, 결의 성립을 방해·거부할 수 있는 권리. 비토.
거:부 반:응 (拒否反應) **1** 〖의〗 남의 조직이나 장기를 이식하였을 때, 면역 반응에 의하여 그 정착(定着)에 장애가 생겨 배제되는 현상. **2** 어떤 사물이나 사람에 대하여 기피하는 감정이나 태도를 나타내는 일. 거절 반응.
***거북** 명 〖동〗 거북과의 파충류의 총칭. 바다나 민물에 사는데, 몸이 거의 타원형으로 납작하고, 등과 배에 단단한 딱지가 있고, 발은 지느러미 모양임. 해귀(海龜).
거북의 털 구 도저히 얻을 수 없는 물건.
거:북살-스럽다 〔-스러우니, -스러워〕 형ㅂ불 몹시 거북스럽다. ¶ 목에 매고 있는 넥타이가 거북살스럽게 느껴진다. **거:북살-스레** 부
거북-선 (-船) 명 〖역〗 조선 선조 때 이순신이 만들어 왜적을 쳐부순 세계 최초의 철갑선《모양이 거북 비슷함》. 귀선(龜船).
거:북-스럽다 〔-스러우니, -스러워〕 형ㅂ불 거북한 느낌이 있다. ¶ 동생네 집에서 살기가 ~. **거:북-스레** 부

거북-이 명 〈속·소아〉 거북.
거북이-걸음 명 거북이처럼 아주 느리게 걷는 걸음. 또는 매우 느리고 굼뜨게 가는 일이나 그 속도. ¶어디서 사고가 났는지 차가 모두 ~을 하고 있다.
거북이 운:행 (-運行) 〈속〉 자동차 따위가 아주 느리게 움직여 다님을 이르는 말.
거북-점 (-占) 명 **1** 거북의 등딱지를 불에 태워서 그 갈라지는 틈을 보고 길흉을 판단하는 점. **2** 거북패로 보는 점. ¶~을 치다. **—-하다** 자 여불 거북의 등딱지를 태워서 길흉을 판단하다.
거:북-하다 [-부카-] 형 여불 **1** 몸이 편하지 아니하다. ¶속이 ~/몸이 거북해서 가지 못했다. **2** 서먹서먹하여 마음이 편하지 아니하다. ¶어른과 한방에 거처하기가 ~. **3** 말하거나 행하기 어렵다. 난처하다. ¶거절하기 ~.
거분-거분 부 하형 히부 여럿의 무게가 다 거분한 모양. ¶발걸음이 ~하다. 작가분가분. 센거뿐거뿐.
거분-하다 형 여불 들기 좋을 만큼 가볍다. ¶푹 쉬었더니 다리가 ~. 작가분하다. 센거뿐하다. **거분-히** 부
거불-거리다 자타 가볍게 자꾸 흔들려 움직이다. 또는 그렇게 하다. ¶바람에 촛불이 ~/채신없이 다리를 거불거리고 있다. 작가불거리다. 센꺼불거리다. **거불-거불** 부 하자타. ¶모깃불이 ~ 타고 있다.
거불-대다 자타 거불거리다.
거붓-이 부 거붓하게. 작가붓이. 센거뿟이.
거붓-하다 [-부타-] 형 여불 거분한 듯하다. ¶보따리가 거붓해 보여 들어 보니 꽤 무거웠다. 작가붓하다. 센거뿟하다.
거뿐-거뿐 부 하형 히부 모두가 다 거뿐한 모양. 작가뿐가뿐. 여거분거분.
거뿐-하다 형 여불 꽤 거분하다. 작가뿐하다. 여거분하다. **거뿐-히** 부
거뿟-이 부 거뿟하게. 작가뿟이. 여거붓이.
거뿟-하다 [-뿌타-] 형 여불 거뿐한 듯하다. 작가뿟하다. 여거붓하다.
거:사 명 〔←걸사(乞士)〕 예전에, 노는계집을 데리고 돌아다니면서 노래와 춤을 팔아 돈을 벌던 사람.
거:사 (巨事) 명 거창한 일. 큰일. ¶~를 도모하다.
거사 (居士) 명 **1** 〚불〛 속인으로서 법명을 가진 남자. **2** 숨어 살며 벼슬을 하지 않는 선비. **3** 〈속〉 아무 일도 하지 아니하고 놀고 지내는 사람.
거:사 (擧事) 명 하자 반란이나 혁명 같은 큰 일을 일으킴. ¶~를 모의하다/~에 실패하다.
거:산 (巨山) 명 크고 높은 산.
거:상 (巨商) 명 밑천을 많이 가지고 크게 하는 장사. 또는 그 사람.
거상 (居喪) 명 하자 **1** 상중에 있음. ¶아직 ~인 사람이 어찌 그런 일을 할 수 있는가. **2** 〈속〉 상복. ¶~을 입다/어미의 ~을 벗고 의병에 참가하다.
거서간 (居西干) 명 〚역〛 신라 시조 박혁거세의 왕호. 거슬한.
거:석 (巨石) 명 큰 돌.
거:석-문화 (巨石文化) [-성-] 명 〚역〛 고인돌·선돌 등의 유물로 대표되는 신석기 시대 문화의 총칭.
거:선 (巨船) 명 매우 큰 배.
거:성 (巨姓) 명 대성(大姓).
거:성 (巨星) 명 **1** 〚천〛 반지름과 광도가 매우 큰 항성(恒星)《알데바란·폴룩스 따위》. ↔왜성(矮星). **2** 큰 인물. ¶문단의 ~.
거:성 (去聲) 명 **1** 사성의 하나. 가장 높은 소리. **2** 한자음의 사성의 하나. 슬픈 듯이 멀리 굽이치는 소리《이에 딸린 한자는 모두 측자(仄字)임》. 제삼성.
거:세 (去勢) 명 하타 **1** 동물의 생식 기능을 잃게 함. ¶소를 ~하다. **2** 저항·반대를 못하도록 세력을 꺾어 버림. ¶반대 세력을 ~하다.
거세다 형 **1** 거칠고 억세거나 세차다. ¶바다의 물결이 ~/거센 바람이 불어오다/성격이 거세어서 남자들과 싸워도 지지 않는다. **2** 목소리가 크고 힘차다. ¶거센 목소리로 화를 내다.
거센-말 명 〚언〛 어감을 거세게 하기 위해 거센소리를 쓰는 말《'감감하다'에 대한 '캄캄하다' 따위》.
거센-소리 명 〚언〛 ㅊ·ㅋ·ㅌ·ㅍ 등과 같은 파열음. 곧, 거센 숨을 따라서 나는 소리. 격음(激音). *된소리.
거소 (居所) 명 **1** 살고 있는 곳. 거처. ¶~를 옮기다. **2** 〚법〛 생활의 본거지는 아니나 얼마 동안 계속 머물러 있는 장소.
거:송 (巨松) 명 큰 소나무. ¶~이 울창하게 우거진 숲.
거:수 (巨樹) 명 아주 큰 나무.
거:수 (擧手) 명 하자 손을 위로 들어 올림. ¶~로 표결하다.
거:수-경례 (擧手敬禮) [-녜] 명 하자 오른손을 들어 모자 챙 옆이나 눈썹 언저리에 갖다 붙여서 하는 경례. ¶~를 올리다〔붙이다〕/~를 하다. 준거수례.
거스러미 명 **1** 손거스러미. **2** 나뭇결 등이 얇게 터져 가시처럼 일어나는 부분. ¶판자의 ~.
거스러-지다 자 **1** 성질이 거칠어지다. **2** 잔털 등이 거칠게 일어나다.
거스르다[1] 〔거스르니, 거슬러〕 타 르불 **1** 남의 뜻, 가르침, 명령 따위를 따르지 않다. 어기다. ¶부모의 말씀을 ~/지시를 ~/하늘의 뜻을 ~. **2** 자연스러운 흐름을 따르지 않고 그와 반대되는 길을 잡다. ¶바람을 거슬러 나아가다/시대를 거스르는 구시대의 법. **3** 마음이나 기분을 상하게 하다. ¶신경을 ~/비위를 ~.
거슬러 올라가다 구 ㉠강 따위를 흐름의 방향과 반대로 올라가다. ¶배를 타고 강을 ~. ㉡현재에서 과거로 되돌아가서 생각하다. ¶옛날로 ~. ㉢사물의 계통을 더듬어 근본으로 되돌아가다. ¶그 일의 시초로 거슬러 올라가서 생각하다.
거스르다[2] 〔거스르니, 거슬러〕 타 르불 셈할 돈을 빼고 나머지 돈을 돌려주거나 받다. ¶잔돈을 거슬러 주다.
거스름 명 '거스름돈'의 준말.
거스름-돈 [-똔] 명 거슬러 주는 돈. 우수리. ¶~을 내주다. 준거스름.
거슬-거슬 부 하형 **1** 성질이 거친 모양. ¶~

한 사람. **2** 살결이 기름기가 없이 거친 모양. ¶~한 손바닥. **3** 어떤 물건의 거죽이 매끄럽지 아니하고 거친 모양. ¶~한 종이. ㉯가슬가슬. ㉥꺼슬꺼슬.

거슬리다 자 순순히 받아들여지지 않고 언짢게 느껴지다. ¶귀에 ~/비위에 ~/눈에 거슬리는 간판.

거슴츠레 부하형 졸리거나 술에 취해서 눈에 정기가 없고 감길 듯한 모양. 게슴츠레. ¶졸려서 ~한 눈을 비비다/눈을 ~ 뜨다. ㉯가슴츠레.

거:시(巨視) 명 일부 명사 앞에 쓰여, 어떤 대상을 전체적으로 크게 봄. *미시(微視).

거:시 경제학(巨視經濟學) 〔경〕 국민 소득·투자·소비·물가 수준 등 국민 경제 전반에 걸친 통계량을 토대로 하여 경기 변동이나 경제 성장 등 사회 전체의 집단적인 경제 활동의 법칙성을 규명하려는 연구 분야. ↔미시 경제학.

거시기 一인대지대 말하는 중에 사람이나 사물의 이름이 생각나지 않을 때 그 이름 대신으로 쓰는 군말. ¶~가 어디 살더라. 二감 말하다가 말이 막힐 때 나오는 소리. ¶~, 지금 무엇이라고 했던가.

거:시-적(巨視的) 관명 사물이나 현상을 전체적으로 파악·이해하는 (것). 대국적인 관점에서 파악하는 (것). ¶~ 안목으로 앞날을 내다보다. ↔미시적.

거:식(擧式) 명하자 식을 올림.

거:식-증(拒食症) 명 〔의〕 먹는 것을 거부하거나 두려워하는 병적 증상.

거실(居室) 명 **1** 거처하는 방. **2** 아파트나 양옥에서 가족이 일상 모여서 생활하는 공간. 리빙 룸. ¶~에서 텔레비전을 보다.

거:안-제미(擧案齊眉) 명하자 밥상을 눈썹과 가지런하도록 공손히 들어 남편 앞에 가지고 간다는 뜻으로, 남편을 깍듯이 공경함을 이름.

거:암(巨岩) 명 아주 큰 바위.

거:액(巨額) 명 아주 많은 액수의 돈. ¶~의 예산/~의 사례비를 챙기다.

거:역(拒逆) 명하자타 윗사람의 뜻이나 명령을 따르지 않고 거스름. ¶부모의 뜻을 ~하다.

거:오-하다(倨傲-) 형여불 거만스럽고 오만하다. ¶성격이 거오하고 방자하다.

거우다 타 건드려 성나게 하다. ¶녀석이 거워 놓은 비위가 가라앉지 않다.

거우듬-하다 형여불 조금 기울어진 듯하다. ¶허리를 거우듬하게 뒤로 젖히다. ㉰거운하다. **거우듬-히** 부

거우르다 〔거우르니, 거울러〕 타르불 속에 든 것을 기울여 쏟다. 쏟아지도록 좀 기울어지게 하다. ¶주전자를 거울러서 술을 따르다.

거운-하다 [-우타-] 형여불 '거우듬하다'의 준말.

***거울** 명 **1** 물체의 모양을 비추어 보는 물건 《보통, 유리 뒤에 수은을 발라 만듦》. ¶얼굴을 ~에 비춰 보다. **2** 어떤 일을 그대로 드러내거나 보여 주는 것. ¶눈은 마음의 ~이다. **3** 비추어 보아 모범이나 교훈이 될 만한 사실. ¶여성의 ~.

거울-삼다 [-따] 타 지나간 일이나 남의 일을 본보기로 삼다. ¶실패를 거울삼아 더욱 분발하자.

거웃[1] [-욷] 명 생식기의 주위에 난 털. 음모(陰毛).

거웃[2] [-욷] 명 논밭을 갈아 넘긴 골《물갈이에서는 두 거웃이 한 두둑, 마른갈이나 밭에서는 네 거웃이 한 두둑임》.

***거위**[1] 명 〔조〕 오릿과의 새. 기러기의 변종으로 몸빛이 희고 목이 길며, 헤엄을 잘 치는데 날지 못함. 가안(家雁). 백아(白鵞).

거위[2] 명 〔동〕 회충(蛔蟲).

거위-걸음 명 거위가 걷는 것처럼 어기적어기적 걷는 걸음. ¶아기가 ~을 걷다.

거위-배 명 회충으로 말미암은 배앓이. 횟배. ¶~를 앓다.

거:유(巨儒·鉅儒) 명 **1** 이름난 유학자. 대유(大儒). **2** 학식이 많은 선비.

***거:의** [-/-이] 명부 어느 한도에 매우 가까운 정도(로). ¶~가 한복 차림이다/상점들은 ~가 문을 닫은 상태이다/~ 틀림없다/일이 ~ 마무리되었다.

거:의-거의 [-/-이-이] 부 '거의'보다 그 뜻을 더 강하게 나타내는 말. ¶일이 ~ 다 되었다.

거:인(巨人) 명 **1** 몸이 아주 큰 사람. ¶키가 2미터가 넘는 ~. ↔왜인(矮人). **2** 비범한 인물. 위인. ¶학계의 ~/~적인 발자취를 남기다.

거:작(巨作) 명 규모가 크고 뛰어난 예술 작품.

거:장(巨匠) 명 주로 예술 분야에서 특별히 뛰어난 사람. 대가(大家). ¶당대의 ~ 피카소.

거저 부 **1** 대가나 조건 없이 그냥. 무료로. ¶~ 가져라. **2** 노력 등이 별로 드는 일 없이. ¶사랑은 ~ 얻어지는 것이 아니다. **3** 아무것도 가지지 않고. ¶돌잔치에 ~ 갈 수야 없지. *공으로.

거저-먹기 명 힘들이지 않고 성과를 얻는 일. ¶이런 일은 ~다.

거저-먹다 타 힘들이지 않고 어떤 것을 차지하거나 일을 하여 놓다. ¶공들이지 않고 남의 돈을 거저먹자는 심보다.

거적 명 짚을 두툼하게 엮거나, 새끼로 날을 하여 짚으로 쳐서 자리처럼 만든 물건. ¶~을 덮다/~을 깔고 앉다/~을 뒤집어쓴 걸인.

거적 쓴 놈 내려온다 구 졸려서 눈꺼풀이 내려 감긴다는 말.

거적-눈 [-정-] 명 윗눈시울이 축 처진 눈. ¶~을 둥그렇게 뜨다.

거적-때기 명 거적의 낱개. 또는 그 조각. ¶구석에 ~를 깔다.

거적-문(-門)[-정-] 명 문짝 대신에 거적을 친 문. ¶오뉴월 ~도 아니고 왜 문을 열어 놓고 다니느냐.

[거적문에 돌쩌귀] 격에 맞지 않아 어울리지 않음을 이르는 말.

거적-자리 명 거적을 깔아 놓은 자리. 또는 자리로 쓰는 거적.

거:절(拒絶) 명하타 요구·부탁·물건 등을 받아들이지 않고 물리침. ¶뇌물을 ~하다/제의가 ~당하다.

거:절 반:응(拒絶反應) 거부 반응.

거:점 (據點)[-쩜] 명 어떤 활동의 근거가 되는 중요한 지점. ¶적의 ~을 분쇄하다.
거:조 (擧措) 명 말이나 행동의 태도. 행동거지. ¶~가 문란하다 / 그를 대하는 ~가 백팔십도로 달라졌다.
거:족 (巨足) 명 진보나 발전의 속도·정도가 뚜렷하게 빠름을 일컫는 말. ¶~의 진보를 이루다.
거:족 (擧族) 명 온 겨레. 민족 전체.
거:족-적 (擧族的) 관명 온 겨레가 참여하거나 관계되는 (것). ¶~인 행사 / ~인 구국 투쟁.
거주 (居住) 명하자 일정한 곳에 자리를 잡고 머물러 삶. 또는 그곳. 주거. ¶국내 ~ 외국인 / ~가 일정하지 않다.
거:-주다 타 '그어주다'의 준말.
거주-민 (居住民) 명 일정한 지역에 사는 사람들. ¶농촌 지역의 ~이 줄다.
거주-소 (居住所) 명 **1** 거주하는 곳. 준주소. **2** 거소와 주소의 병칭.
거주-자 (居住者) 명 일정한 곳에 자리잡고 거주하는 사람.
거주-지 (居住地) 명 현재 거주하고 있는 장소. ¶본적지와 ~ / ~를 옮기다.
거죽 명 물체의 겉 부분.
거죽-감 명 옷 따위의 거죽으로 쓰이는 감. ↔안찝.
거:중-기 (擧重機) 명 예전에, 무거운 물건을 들어 올리는 데 쓰던 재래식 기계.
거중 조정 (居中調停) **1** 중간에 들어 조정함. **2**〔법〕 제삼국이 분쟁 당사국 사이에 들어 분쟁 해결을 알선함.
거즈 (gauze) 명 가제(Gaze).
거:증 (擧證) 명하타 증거를 듦. 사실의 유무를 증명함. 입증. ¶그의 짓임을 ~하다.
거:증 책임 (擧證責任)〔법〕 소송에서, 자기에게 유리한 사실을 주장하기 위해 증거를 들어 법원으로 하여금 심증을 얻게 하는 책임《형사 소송에서는 검사에게, 민사 소송에서는 원칙적으로 원고에게 책임이 있음》. 입증 책임.
*** 거:지** 명 **1** 남에게 빌어먹고 사는 사람. **2** 남을 천대하고 멸시하는 뜻으로 욕하는 말.
[거지가 도승지를 불쌍타 한다] 불행한 처지에 있으면서 도리어 그렇지 않은 사람을 동정한다. [거지도 손 볼 날이 있다] 아무리 가난한 집이라도 손님을 맞을 때가 있으니 깨끗한 옷가지 정도는 장만해 두어야 한다는 말. [거지 옷 해 입힌 셈 친다] 대가나 보답을 바라지 않고 자선을 베풂을 이르는 말.
거:지 (巨指) 명 엄지가락1.
거지 (居地) 명 살고 있는 땅. 거주지.
거:지 (擧止) 명 '행동거지'의 준말.
거:-지게 명 길마 양옆에 하나씩 덧얹고 짐을 싣는 지게.

거지게

거:지-꼴 명 거지와 같은 초라한 차림새나 꼴. ¶~이 되다 / 행색은 ~이지만 기백은 대단하다.
거지-반 (居之半) 명부 절반 이상. 거의. ¶일이 ~ 끝났다. 준거반(居半).
***거:짓** [-짇] 명 사실과 어긋남. 사실 아닌 것을 사실같이 꾸밈. ¶~과 참 / ~ 없는 고백 / ~으로 말하다. ↔참.
거:짓-꼴 [-짇-] 명 거짓으로 꾸민 모양.
거:짓-되다 [-짇뙤-] 형 사실과 다르다. 진실되지 아니하다. ¶거짓된 증언 / 거짓되고 허황한 소문.
***거:짓-말** [-진-] 명하자 **1** 사실과 다르게 꾸며 대어 하는 말. ¶새빨간 ~ / 입에 침도 안 바르고 ~을 해 댄다. ↔정말. **2** (주로 '거짓말같이, 거짓말처럼'의 꼴로 쓰여) 전과 딴판임. ¶아이는 수술하고 나서 ~처럼 건강해졌다. 작가짓말.
거짓말을 밥 먹듯 하다 구 거짓말을 자주 또는 예사로 하다.
거:짓말-쟁이 [-진-] 명 거짓말을 잘하는 사람. 작가짓말쟁이.
거:짓-부렁 [-짇뿌-] 명 '거짓부렁이'의 준말. 작가짓부렁.
거:짓-부렁이 [-짇뿌-] 명 〈속〉 거짓말. 작가짓부렁이. 준거짓부렁.
거:찰 (巨刹) 명 큰 절. 대찰(大刹).
거:-참 감 어이없을 때 나오는 감탄사. ¶~ 안됐다. *그것참.
거:창-하다 (巨創-·巨刱-) 형여불 규모나 크기가 엄청나게 크다. ¶거창한 일 / 거창한 계획 / 거창한 토목 공사 / 별것 아닌 것을 가지고 거창하게 떠벌렸다. **거:창-히** 부
거:처 (去處) 명 간 곳. 갈 곳. ¶~를 분명히 정하고 떠나자.
거처 (居處) 명하자 한 군데 정하여 두고 늘 기거함. 또는 그곳이나 방. ¶~를 정하다 / ~를 옮기다 / 판잣집에서 임시로 ~하다.
거청-숫돌 [-숟똘] 명 거센 숫돌. ¶먼저 ~로 갈고 나서 다시 고운 숫돌로 갈아야 날이 곱게 선다.
거총 (据銃) 명하자 사격할 때 목표를 겨누기 위해 총의 개머리판을 어깨 앞쪽에 댐. 또는 그 구령(口令).
거추-꾼 명 일을 거추하여 주는 사람.
거추-없다 [-업따] 형 행동이 어울리지 아니하여 싱겁다. **거추-없이** [-업씨] 부. ¶진눈깨비가 ~ 쏟아져 길바닥은 온통 진창이 됐다.
거:추장-스럽다 〔-스러우니, -스러워〕 형ㅂ불 **1** 주체하기가 어렵도록 다루기가 거북하다. ¶거추장스러운 짐 / 방 안은 입고 있는 점퍼가 거추장스러울 만큼 훈훈하다. **2** 일 따위가 성가시고 귀찮다. **거:추장-스레** 부
거추-하다 타여불 **1** 보살펴 거두다. ¶이모가 아이들을 거추했다. **2** 도와서 주선하다.
거:출 (醵出) 명하타 갹출(醵出).
거춤-거춤 부 일을 대강대강 하는 모양. ¶우선 방부터 ~ 치웠다.
거충-거충 부 대충 쉽고 빠르게. ¶설거지를 ~ 해치우다.
거:취 (去就) 명 **1** 어디로 가거나 다니거나 하는 일. ¶그의 ~를 아는 사람이 없다. **2** 어떤 일에 대하여 취하는 입장이나 태도. ¶~를 분명히 하다.
거치 (据置) 명하타〔경〕 공채·사채·예금 등

을 일정한 기간 상환 또는 지급하지 않는 일. ¶5년 ~10년 분할 상환의 차관.

거:치 (鋸齒) 명 톱니.

***거치다** 一자 무엇에 걸려서 스치거나 닿다. ¶돌이 발길에 ~. *거치적거리다. 二타 **1** 지나는 길에 잠깐 들르다. ¶유럽을 거쳐 아프리카로 가다. **2** 과정을 밟다. 경유하다. ¶예선 심사를 ~/초등학교를 거쳐 중학교에 입학하다.

> **'거치다'와 '걷히다'**
>
> 발음은 [거치다]로 같으나 표기와 뜻이 다르다.
>
> **거치다** '경유하다'를 뜻하는 동사로, '대전을 거쳐서 부산에 갔다'와 같이 쓰인다.
>
> **걷히다** '걷다'의 피동사로, '안개가 걷힌다, 세금이 잘 걷힌다'와 같이 쓰인다.

거치렁이 명 거친 벼.

거치적-거리다 자 움직임에 방해되게 자꾸 여기저기 걸리거나 닿다. ¶거치적거리는 물건/아무것도 거치적거릴 것 없는 자유인. 작가치작거리다. 센꺼치적거리다. **거치적-거치적** 부하자

거치적-대다 자 거치적거리다.

거칠-거칠 부하형 반드럽지 않고 거친 모양. ¶~한 감촉/~한 표면/표피가 ~하다. 작가칠가칠. 센꺼칠꺼칠.

***거칠다** [거치니, 거치오] 형 **1** 나무나 피부의 결이 곱지 않다. ¶나뭇결이 ~/살결이 ~/손이 ~. **2** 천 따위의 올이 사이가 성기고 굵다. ¶거친 삼베/거칠게 짜다. **3** 가루나 알갱이 따위가 곱지 않고 굵다. **4** 솜씨나 일이 야무지지 못하다. ¶일이 ~/문장이 ~/솜씨가 ~. **5** 땅이 손질이 되지 않아 잡풀이 많이 나고 지저분하다. ¶밭이 ~/거친 땅을 일구어 옥토로 만들다. **6** 말이나 행동, 성격이 사납고 공격적인 면이 있다. ¶거친 욕설을 퍼붓다/그의 손길을 거칠게 뿌리쳤다. **7** 격렬하다. 세다. 고르지 않다. ¶거친 물결/바람이 거칠게 불다/숨소리가 ~. **8** 날씨 따위가 험하고 거세다. ¶거친 바다/날씨가 거칠어 모든 배의 출입이 금지되었다. **9** 음식이 입에 맞지 않고 부드럽지 않다. ¶거친 음식.

거칠-하다 형여불 살이 빠져 피부나 털이 윤기가 없이 거칠다. ¶거칠한 피부. 작가칠하다. 센꺼칠하다.

거침-새 명 어떤 일이 중간에 걸리거나 막히는 상태. ¶일에 ~가 많다/~ 없이 쏘아붙이다.

거침-없다 [-업따] 형 **1** 일이나 행동 따위가 중간에 걸리거나 막힘이 없다. ¶거침없는 말소리. **2** 거리낌 없다. ¶거침없는 행동. **거침-없이** [-업씨] 부. ¶~ 떠들어 대다/혼사는 ~ 맺어졌다.

거칫-거리다 [-칟꺼-] 자 살갗에 조금씩 거칠게 걸리다. 작가칫거리다. 센꺼칫거리다. **거칫-거칫** [-칟꺼칟] 부하자

거칫-대다 [-칟때-] 자 거칫거리다.

거칫-하다 [-치타-] 형여불 살갗이나 털 따위가 여위고 윤기가 없어 부스스하고 거칠다. ¶잠을 못 잤는지 얼굴이 ~. 작가칫하다. 센꺼칫하다.

거쿨-지다 형 몸집이 크고 언행이 시원시원하다. ¶목소리가 매우 ~.

거탈 명 실속이 아닌, 다만 겉으로 드러난 태도. ¶~만 보고 사람을 평가하다/~을 벗겨 내어 창피를 주려던 속셈.

거:포 (巨砲) 명 **1** 큰 대포. **2** 야구나 배구 등에서, 홈런이나 장타를 잘 치거나 공격력이 뛰어난 선수.

거푸 부하타 잇따라 거듭. ¶~ 술잔을 비우다/~ 혀를 차다.

거푸-거푸 부 여러 번 거푸. ¶~ 마시다/~ 한숨을 내쉬다.

거푸-집 명 주물을 부어서 만드는 물건의 바탕으로 쓰는 모형. 주형(鑄型).

거푼-거리다 자 **1** 물체의 한 부분이 바람에 날려 자꾸 가볍게 흔들리다. **2** 자꾸 앉았다 섰다 하다. **3** 자꾸 뒤집히다. **거푼-거푼** 부하자

거푼-대다 자 거푼거리다.

거풀-거리다 자 물체의 한 부분이 바람에 날려 자꾸 무겁게 흔들리다. **거풀-거풀** 부하자

거풀-대다 자 거풀거리다.

거품 명 **1** 액체가 기체를 머금어서 속이 비어 둥글게 부푼 방울. ¶비누 ~/~이 일다/~을 걷어 내다. **2** 입가에 내뿜어진, 속이 빈 침방울. **3** 일시적으로 나타났다 곧 사라지는 현상. ¶~이 빠진 부동산 경기/~을 빼다.

거품(을) 물다 구 몹시 흥분하여 화를 내다. ¶입에 거품을 물고 대들다.

거품(을) 치다 구 찬 공기 등을 쐬어 거품을 없애다.

거품 경제 (-經濟) 〖경〗 투기 행위 따위로 일시적으로 호경기와 이상 시세를 보이는 경제.

거풋-거리다 [-푿꺼-] 자 물체의 한 부분이 가볍고 빠르게 거풀거리다. **거풋-거풋** [-푿꺼푿] 부하자

거풋-대다 [-푿때-] 자 거풋거리다.

거:피 (去皮) 명하타 껍질을 벗겨 버림. ¶~한 팥/녹두를 ~하다.

거-하다 (居-) 자여불 살고 있다. 사람이 일정한 곳에 머물러 있다.

거:-하다 형여불 **1** 산이 크고 웅장하다. **2** 나무나 풀이 무성하다. **3** 지형이 깊어 으슥하다. **4** 규모가 매우 크다. ¶일이 성사되면 내가 거하게 한 잔 사겠다.

거:한 (巨漢) 명 몸집이 큰 사나이.

거:함 (巨艦) 명 매우 큰 군함.

거:해 (巨海) 명 큰 바다. 대해(大海).

거:행 (擧行) 명하타 **1** 명령대로 시행함. ¶분부대로 ~하겠습니다. **2** 식을 치름. ¶졸업식을 ~하다.

거:화 (炬火) 명 횃불.

거:화 (擧火) 명하자 **1** 횃불을 켬. **2** 〖역〗 조선 때 임금에게 직접 아뢰고자 하는 사람이 남산 위에 횃불을 켜서 그 뜻을 알리던 일. **3** 〖역〗 횃불을 올려 변방의 형편을 중앙에 알리던 일.

걱실-거리다 자 성질이 너그러워 언행을 시원시원하게 하다. **걱실-걱실** 부하자형. ¶~한 성격.

걱실-대다 자 걱실거리다.

***걱정** 명하타 **1** 근심으로 속을 태우는 일. ¶ 앞날을 ~하다 / ~을 끼치다 / ~이 많다 / 몸이 약해 ~이다. **2** 아랫사람의 잘못을 나무라는 말. ¶ ~을 듣다.

[걱정도 팔자] 하지 않아도 될 걱정을 하거나 상관없는 일에 참견하는 사람을 조롱하는 말.

걱정이 태산이다 구 극복해야 할 걱정이 태산처럼 크다.

걱정-가마리 [-까-] 명 늘 꾸중을 들어 마땅한 사람.

걱정-거리 [-꺼-] 명 걱정이 되는 일. ¶ ~가 많다 / 새로운 ~가 생기다.

걱정-꾸러기 명 **1** 늘 걱정거리가 많은 사람. **2** 늘 남의 걱정을 많이 듣는 사람.

걱정-스럽다 〔-스러우니, -스러워〕 형ㅂ불 걱정이 되어 마음이 편하지 못하다. ¶ 할머니의 병세가 ~ / 걱정스러운 얼굴을 하고 있다. **걱정-스레** 부

건 (巾) 명 **1** 헝겊 따위로 만들어 머리에 쓰는 물건의 총칭. **2** '두건(頭巾)'의 준말. ¶ 상복 입고 ~을 쓴 사람.

건 (件) ㊀명 특정한 일이나 사건. ¶ 그 ~에 대하여. ㊁ [껀] 의명 사건·서류·안건 따위를 세는 단위. ¶ 소송 두 ~.

건: (腱) 명 〖생〗 힘줄1.

건: (鍵) 명 **1** 열쇠. **2** 풍금·피아노 등의 면에 붙어 있는 손가락으로 치게 된 물건.

건 준 **1** 것은. ¶ 내 ~ 좋다. **2** 그것은. ¶ ~ 잘못이다.

건- (乾) 투 마른. 말린. ¶ ~대구 / ~어물.

-건 어미 **1** 용언의 어간에 붙어 '-거든'의 뜻을 나타내는 연결 어미. ¶ 좋~ 사라 / 애긴 술이 깨~ 해라. **2** '-거나'의 준말. ¶ 오~ 말~ / 좋~ 나쁘~.

건:각 (健脚) 명 **1** 튼튼한 다리. **2** 튼튼해 잘 걸음. 또는 그런 사람. ¶ ~을 자랑하다 / 이름난 ~들이 모두 참가했다.

***건:강** (健康) 명하형히부 정신적·육체적으로 아무 탈이 없고 튼튼함. ¶ ~이 나쁘다 / ~이 악화되다 / ~을 되찾다 / ~하게 자라다 / 흡연은 ~에 해롭다.

건:강-관리 (健康管理) [-괄-] 명 건강의 유지·증진 및 질병의 예방 따위를 꾀하는 일.

건:강-미 (健康美) 명 건강한 육체의 아름다움. ¶ ~가 넘치다.

건:강-식 (健康食) 명 건강의 유지와 회복을 위하여 특별히 고안된 식사. ¶ ~ 위주의 식단.

건:강-식품 (健康食品) 명 건강 증진에 유효한 식품의 총칭《자연식품, 순정(純正) 식품, 강화식품 외에 로열 젤리, 영양 드링크 등도 포함됨》.

건:강 진:단 (健康診斷) 〖의〗 체격·체력·발육·영양·질병 등의 건강 상태에 대하여 실시하는 검사《병의 조기 발견이나 예방, 건강의 유지와 증진을 꾀함》. ¶ ~을 받다.

건:강-체 (健康體) 명 병이 없고 튼튼한 몸. ¶ 잔병 한 번 치른 일 없는 ~.

건:강-하다 (健剛-) 형여불 건전하고 강직하다. ¶ 건강한 의지의 사나이.

건개 (乾疥) 명 마른옴.

건건-이 명 간단한 반찬. ¶ 겨우 ~ 하나 차려 놓고 밥을 먹었다.

건건-이 (件件-) [-껀-] 부 건(件)마다. 일마다. ¶ 내가 하는 일은 ~ 방해를 한다.

건건찝찔-하다 형여불 **1** 감칠맛이 적고 조금 짜기만 하다. ¶ 건건찝찔한 국. **2** 관계는 있으나 가깝지는 않은 것을 농으로 일컫는 말. ¶ 친하다기보다는 그저 건건찝찔한 사이이다.

건건-하다 형여불 맛이 좀 짜다. ¶ 건건한 음식. ㉺간간하다. **건건-히** 부

건계 (乾季) [-/-게] 명 건조기(乾燥期). ↔우계(雨季).

건:고 (建鼓) 명 〖악〗 아악기의 하나. 네 발이 달린 받침 위에 통이 긴 북을 가로 올려놓았음. 궁중 조하악(朝賀樂)과 연례악(宴禮樂)에 사용되었고, 우리나라 북 중에서 가장 큼.

건고

건곡 (乾穀) 명 제철에 거두어 말린 곡식.

건곤 (乾坤) 명 **1** 하늘과 땅. 천지. **2** 음양3. **3** 건(乾)과 곤(坤).

건곤-일색 (乾坤一色) [-쌕] 명 하늘과 땅이 한 빛깔임. ¶ 눈이 내려 쌓이니 ~이로다.

건곤-일척 (乾坤一擲) 명하자 운명과 흥망을 걸고 단판걸이로 승부나 성패를 겨룸. ¶ ~의 혈투를 벌이다.

건과 (乾果) 명 〖식〗 '건조과(乾燥果)'의 준말.

건괘 (乾卦) 명 팔괘의 하나. 상형(象形)은 '☰'으로 하늘을 상징함.

건:교-부 (建交部) 명 '건설 교통부'의 준말.

건:구 (建具) 명 문·창같이 칸을 막기 위해 다는 물건의 총칭. 창호(窓戶).

건구 (乾球) 명 〖물〗 건습구(乾濕球) 습도계에서 축축한 헝겊으로 싸지 않은 보통 온도계의 구부(球部). ↔습구(濕球).

건:구-상 (建具商) 명 건구를 만들어 파는 가게. 또는 그러한 사람이나 직업.

건-구역 (乾嘔逆) 명 헛구역.

건:국 (建國) 명하자타 새로 나라를 세움. 또는 나라가 세워짐. 입국(立國). 조국(肇國). ¶ ~ 신화 / ~이념 / 고조선의 ~ / 주몽(朱蒙)이 고구려를 ~하였다.

건:군 (建軍) 명하자 군대를 창설함. 창군. ¶ ~의 정신.

건기 (件記) [-끼] 명 발기.

건기 (乾期) 명 '건조기'의 준말.

건:너 명 **1** 공간 너머의 맞은편 또는 방향. ¶ 강 ~로 소리치다. **2** (공간적·시간적으로) 뛰어넘은 곳이나 때. ¶ 하루 ~ 한 번씩 / 소문이 한 입 ~ 두 입 ~ 온 마을에 금세 퍼져 갔다.

***건:너-가다** 자타거라불 건너서 저쪽으로 가다. ¶ 강을 ~ / 횡단보도를 ~ / 미국으로 건너가 공부하다. ↔건너오다.

건:너-긋다 [-귿따] 〔-그으니, -그어〕 타ㅅ불 여기서 저기까지 죽 건너서 긋다.

***건:너다** 자타 **1** 어떤 것을 사이에 두고 한 편에서 맞은편으로 가다. ¶ 배로 강을 건넜다. **2** 말이 입에서 입으로 전해지다. ¶ 소문이 한 입 건너고 두 입 건너서 퍼졌다. **3** 끼니·당번·차례 따위를 거르다. ¶ 바빠서 오늘 낮 한 끼를 건넜다.

건:너-다니다 ⓣ 어떤 곳을 건너서 왔다 갔다 하다. ¶매일 육교를 ~.

건:너다-보다 ⓣ **1** 이쪽에서 저쪽을 바라보다. ¶맞은편 마을을 ~. **2** 부러워하거나 탐내서 넘보다. ¶남의 재산을 ~. ㊅건너보다.

[건너다보니 절터] 남의 것을 얻고자 하나 뜻대로 할 수 없다.

건:너-뛰다 ⓣ **1** 일정한 공간을 사이에 두고 건너편으로 뛰다. ¶도랑을 ~. **2** 차례를 거치지 않고 거르다. ¶재미없는 곳을 건너뛰고 읽었다.

건:너-서다 ⓙⓣ 건너서 맞은편에 옮아 서다. ¶철둑을 건너서면 마을이 보인다.

건:너-오다 ⓙⓣ(너라불) 건너서 이쪽으로 오다. ¶안방으로 ~/배를 타고 강을 ~/불교가 한국으로 건너온 시기를 살펴보았다. ↔건너가다.

건:너-지르다 〔-지르니, -질러〕 ⓙⓣ(르불) 긴 물건의 양쪽 끝을 두 곳에 가로 대어 놓다. ¶계곡에 구름다리를 건너질러 놓다.

건:너-짚다 [-집따] ⓣ **1** 팔을 내밀어 멀리 짚다. **2** 앞질러서 짐작으로 알아차리다. ¶함부로 건너짚지 말고 잘 알아보아라.

건:너-편 (-便) ⓜ 마주 대하고 있는 저편. ¶길 ~에서 기다려라.

건:넌-방 (-房) ⓜ 대청을 건너 안방의 맞은편에 있는 방.

건:널-목 ⓜ **1** 철로와 도로가 만나는 곳. ¶~에는 신호기가 설치되어 있다. **2** 강·길·내 따위에서 건너다니게 된 일정한 곳. ¶차도에서는 꼭 ~으로 건너라.

건:넛-마을 [-넌-] ⓜ 건너편에 있는 마을. ¶고개 너머 ~로 빠지는 길.

건넛마을 불구경하듯 ⓖ 강 건너 불구경. *강.

건:넛-방 (-房)[-너빵/-넌빵] ⓜ 건너편에 있는 방.

건:넛-산 (-山)[-너싼/-넌싼] ⓜ 건너편에 있는 산.

[건넛산 보고 꾸짖기] 본인에게 직접 욕하거나 꾸짖기가 거북할 때 다른 사람을 빗대어 간접적으로 꾸짖어서 당사자가 알게 한다는 말.

건:넛-집 [-너찝/-넌찝] ⓜ 건너편에 있는 집.

건:네다 ⓣ **1** 남에게 말을 붙이다. ¶여자에게 수작을 ~/옆 사람에게 말을 건네지 마라. **2** 돈이나 물건 따위를 남에게 옮기어 주다. ¶중도금을 ~. **3** 《'건너다'의 사동》 건너가게 하다.

건:네-받다 ⓣ 돈이나 물건 따위를 남에게서 옮기어 받다. ¶형에게서 건네받은 돈으로 밑천을 삼았다. ↔건네주다.

건:네-오다 ⓣ **1** 돈이나 물건 따위가 남에게서 옮기어 오다. **2** 상대방이 말을 걸어오다. ¶그녀는 바쁜 나에게 말을 자꾸 건네왔다.

건:네-주다 ⓣ **1** 건너게 하여 주다. ¶배로 사람을 ~. **2** 돈이나 물건 따위를 남에게 옮기어 주다. ¶월급 봉투를 아내에게 ~. ↔건네받다.

건-다짐 ⓜ 속뜻 없이 겉으로만 하는 다짐.

건달 (乾達) ⓜ **1** 하는 일도 없이 건들거리는 짓. 또는 그런 사람. ¶시장에 ~들이 판을 치고 있다. **2** 돈도 없이 난봉을 부리고 돌아다니는 사람. **3** 아무것도 가진 것이 없는 빈털터리.

건답 (乾畓) ⓜ **1** 조금만 가물어도 물이 잘 마르는 논. **2** 물이 실려 있지 않은 논.

건대 (巾帶) ⓜ 상복에 쓰는 삼베 두건과 띠.

-건대 (어미) 동사 어간에 붙어, 뒤에 오는 말이 자기가 보거나 듣거나 바라거나 생각하는 따위의 내용임을 미리 밝힐 때 쓰는 연결 어미. ¶간절히 바라~/주위를 살펴보~/듣~ 합격했다지.

건-대구 (乾大口) ⓜ 배를 갈라 창자를 빼내고 말린 대구.

건더기 ⓜ **1** 국물이 있는 음식 속에 들어 있는 국물 이외의 것. ¶~만 먹고 국물은 남겼다. **2** 액체에 섞여 있는, 녹거나 풀리지 않은 덩어리. **3** 〈속〉 일의 내용. 속내. ¶말할 ~가 있어야지.

건둥-건둥 ⓑⓗⓣⓗ **1** 말끔히 가다듬어 수습하는 모양. ¶물건들을 ~ 치우다. **2** 일을 꼼꼼하게 하지 않고 대충대충 해치우는 모양. ¶책을 ~ 훑어보다. ㊋간동간동. ㊍껀둥껀둥.

건둥-그리다 ⓣ 건둥하게 수습하다. ㊋간동그리다. ㊍껀둥그리다.

건둥-하다 ⓗ(여불) 흐트러짐이 없이 하나로 정돈되어 시원스럽게 훤하다. ㊋간동하다. ㊍껀둥하다. **건둥-히** ⓑ

건드러-지다 ⓗ 목소리나 맵시 따위가 멋들어지게 가늘고 아름답고 부드럽다. ¶건드러지게 한 곡조 뽑다. ㊋간드러지다.

건드레-하다 ⓗ(여불) 술 따위에 거나하게 취하여 정신이 흐릿하다. ¶건드레하게 술에 취하다.

건:드리다 ⓣ **1** 손으로 만지거나 물건을 대어 조금 움직이게 하다. ¶기계를 함부로 건드리지 마라. **2** 남의 마음을 상하게 하거나 화나게 하다. ¶비위를 ~/그를 잘못 건드렸다가는 혼난다. **3** 여자를 꾀어 육체적 관계를 맺다. **4** 어떤 일에 손을 대다. ¶이 일 저 일을 건드려 보다.

건들-거리다 ⓙ **1** 싱겁고 멋없게 행동하다. ¶양반이랍시고 건들거리며 걷는다. **2** 바람이 부드럽게 살랑살랑 불다. ¶가을바람이 시원스레 건들거린다. **3** 일 없이 빈둥거리다. ¶공부는 하지 않고 어디를 그렇게 건들거리고 돌아다니느냐. ㊋간들거리다. **건들-건들** ⓑⓗⓙ

건들-대다 ⓙ 건들거리다.

건들-바람 ⓙ **1** 첫가을에 선들선들 부는 바람. **2** 풍력 계급의 하나. 초속 5.5–7.9 m로 부는 바람. ☞풍력 계급.

건듯 [-듣] ⓑ 일을 정성껏 하지 않고 대강대강 빠르게 하는 모양. ㊍건뜻.

건듯-건듯 [-듣껀듣] ⓑ 일을 정성껏 하지 않고 빠르게 대강대강 해치우는 모양. ㊍건뜻건뜻.

건:-땅 ⓜ 기름진 땅.

건뜻 [-뜯] ⓑ 일에 정성을 들이지 않고 대강대강 빠르게 하는 모양. ㊌건듯.

건뜻-건뜻 [-뜯껀뜯] ⓑ 일을 정성껏 하지 않고 빠르게 대강대강 하는 모양. ¶일을 그렇게 ~ 하면 안 된다. ㊌건듯건듯.

건량(乾量)[걸-] [명] 곡물·과실 등 마른 물건의 양을 되는 단위《부셸(bushel) 따위》. ↔액량(液量).

건량(乾糧)[걸-] [명] **1** 먼 길을 가는 데 갖고 다니기 쉽게 만든 양식. **2**〖역〗흉년에 죽을 쑤어 주지 않고 대신 주던 곡식.

건류(乾溜)[걸-] [명][하타]〖화〗공기를 차단하고 고체를 가열한 후 차게 식혀 휘발성 화합물과 비휘발성 화합물을 나눠 얻는 일《석탄에서 석탄 가스·타르·코크스 따위를 얻는 방법 따위》. ¶석탄을 ~하면 가스가 발생한다. ↔증류(蒸溜).

건:립(建立)[걸-] [명][하타] **1** 건물·동상·탑 따위를 만들어 세움. ¶쓰레기 소각장 ~을 반대하다/교정에 새로 기념탑을 ~하다/절은 대부분 산중에 ~되어 있다. **2** 기관이나 조직 따위를 만들어 세움. ¶새 왕조를 ~하다.

-건마는 [어미] '이다'나 용언의 어간 뒤에 붙어, 이미 말한 사실과 일치되지 않는 일을 말하려 할 때 붙이는 연결 어미. ¶나이는 먹었~ 아직도 철이 없다/그들은 형제이~ 사이가 나쁘다. [준]-건만.

-건만 [어미] '-건마는'의 준말. ¶학자이~ 아는 게 없다/알고 있겠~ 모른 척한다.

건:망(健忘) [명] **1** 잘 잊어버림. **2**〖의〗'건망증'의 준말.

건:망-증(健忘症)[-쯩] [명]〖의〗기억을 잘 못하거나 잘 잊어버리는 증상. ¶~이 심하다. [준]건망.

건-모(乾-) [명] **1** 마른논에 못자리를 하였다가 물을 대거나 비가 온 뒤에 뽑아서 내는 모. **2** 마른논에 내는 모.

건목 [명] 거칠게 대강 만드는 일. 또는 그렇게 만든 물건.

건목(을) 치다 [구] ㉠다듬지 않고 건목만 얼추 만들다. ¶건목 친 재목. ㉡대강 짐작하여 정하다.

건목(乾木) [명] 베어서 바짝 말린 재목.

건몰다 〔건모니, 건모오〕 [타] 일을 정성 들이지 않고 건성건성 빨리 해 나가다. ¶일을 건몰아서 한 달 안에 끝냈다.

건-몸 [명] 공연히 혼자서 애쓰며 안달함. ¶왜 너 혼자 ~을 다느냐.

***건:물**(建物) [명] 사람이 살거나, 일을 하거나, 물건을 넣어 두거나 하기 위해 지은 집 따위의 총칭. 건축물. ¶~을 짓다/고층 ~이 들어서다.

건물(乾物) [명] 마른 식품.

건물-로(乾-) [부] **1** 쓸데없이. 공연히. ¶~ 애를 태우고 있다. **2** 까닭도 모르고 건으로. ¶~ 따라다닌다. **3** 힘들이지 않고. ¶~ 생긴 돈.

건:반(鍵盤) [명] 피아노·오르간 같은 악기에서 손가락으로 치는 부분. 키보드. ¶~ 악기/~을 두드리다.

건:-반사(腱反射) [명]〖생〗힘줄의 기계적 자극에 따라 근육이 반사적으로 수축하는 현상.

건-밤 [명] 한숨도 자지 않고 뜬눈으로 새운 밤. ¶~을 새웠더니 몹시 졸립구나.

건방 [명] 젠체하여 주제넘은 태도. ¶~을 떨다/~을 피우는 꼴이 가관이다.

건방-지다 [형] 젠체하며 지나치게 주제넘다. ¶건방진 태도/건방지게 굴다.

건배(乾杯) [명][하자] 건강·행복 따위를 빌면서 서로 술잔을 높이 들어 마시는 일. ¶축하의 ~를 들다.

건-빵(乾-) [명] 딱딱하게 구운 마른과자의 하나《군대의 야전 식량으로 주로 씀》.

건사 [명][하타] **1** 제게 딸린 것을 잘 보살피고 돌봄. ¶제 몸뚱아리 하나 ~ 못하는 놈. **2** 물건을 잘 거두어 지킴. ¶감자를 썩지 않게 잘 ~하여라.

건삼(乾蔘) [명] 잔뿌리와 줄기를 자르고 껍질을 벗겨 말린 인삼. ↔수삼(水蔘).

건색(乾色) [명] **1** (주로 '건색으로'의 꼴로 쓰여) 가공하거나 손질을 하지 않은 본디 그대로의 재료. **2** 건재(乾材).

건생(乾生) [명][하자] 식물이 바위 위·나무 위·모래밭 따위의 마른 곳에서 자람. ↔습생(濕生).

***건:설**(建設) [명][하타] **1** 건물이나 시설물 따위를 새로 만들어 세움. ¶~ 공사/~ 중인 아파트/강 상류에 댐을 ~하다. **2** 조직·단체 등을 새로이 이룩함. ¶복지 국가를 ~하기 위해 노력하다. ↔파괴.

건:설 교통부(建設交通部) 전에 중앙 행정 기관의 하나. 국토 종합 개발 계획의 수립·조정, 국토 및 수자원의 보전·이용·개발 및 개조, 도시·도로·주택의 건설, 해안·하천 및 간척과 육운(陸運)·항공에 관한 사무를 맡아봄. [준]건교부.

건:설-업(建設業) [명]〖건〗토목이나 건축에 관한 공사 및 그에 따르는 업무를 맡아 하는 영업. 토건업(土建業).

건:설-적(建設的)[-쩍] [관][명] 어떤 일을 좋은 방향으로 이끄는 (것). 생산적. ¶~(인) 제안/문제를 ~으로 해결해 나가다. ↔파괴적.

건성 [一][명] (주로 '건성으로'의 꼴로 쓰여) 성의 없이 대충 겉으로만 함. ¶남의 말을 ~으로 듣다/그저 ~으로만 들여다보다. [二][부] 성의 없이 대충 겉으로만. ¶책을 ~ 읽고 있다.

건성(乾性) [명] **1** 건조한 성질. ¶~ 피부라늘 푸석푸석하다. **2** 수분을 그다지 필요로 하지 않는 성질. ↔습성.

건성-건성 [부] 정성 들이지 않고 대강대강 일을 하는 모양. ¶~ 해치우다.

건성-유(乾性油)[-뉴] [명]〖화〗공기 중에 두면 산소를 흡수해 말라서 굳어 버리는 식물성 기름. 건조유. [준]건유(乾油).

건수(件數)[-쑤] [명] 사물이나 사건의 수. ¶교통사고 ~/~를 올리다.

건습(乾濕) [명] 건조와 습기. 마름과 젖음.

건습-계(乾濕計)[-/-께] [명] '건습구 습도계'의 준말.

건습구 습도계(乾濕球濕度計)[-/-계]〖물〗건구(乾球)와 습구(濕球) 온도계를 나란히 놓고, 물이 증발하는 정도를 재어 공기 중의 습도를 측정하는 계기. [준]건습계.

건:승(健勝) [명][하형] 탈이 없이 건강함. ¶~을 빌다.

건시(乾柿) [명] 곶감.

건시나 감이나 [구] 대동소이하다는 말.

건식(乾式) [명] 작업 과정에서, 액체나 용제(溶劑)를 쓰지 않는 방식. ↔습식(濕式).

건식 (乾食) 명하자 1 음식물을 말려 먹음. 2 국 따위가 없이 마른반찬으로 밥을 먹음.
건:실-하다 (健實-) 형여불 1 생각·태도 따위가 건전하고 착실하다. ¶그는 건실한 청년이다. 2 몸이 건강하다. ¶몸이 그다지 건실하지 못하다. **건:실-히** 부. ¶～ 생활하다.
건:아 (健兒) 명 건강하고 씩씩한 사나이. ¶대한의 ～.
건어 (乾魚) 명 '건어물'의 준말.
건-어물 (乾魚物) 명 생선·조개류 따위를 말린 식품. 준건어.
건:원 (建元) 명하타 1 나라를 세운 임금이 연호(年號)를 정함. 2〔역〕신라 때의 다(大)년호.
건:위 (健胃) 명하자 위를 튼튼하게 함. 또는 튼튼한 위. ¶～ 소화제.
건:위-제 (健胃劑) 명 위를 튼튼하게 하는 약제.
건-으로 (乾-) 부 1 턱없이. 건물로. ¶값을 ～ 비싸게 부르다. 2 실상이 없이. 공연히. ¶～ 너털웃음 치다. 3 매나니로. ¶돈도 없이 ～ 시작하려 들다.
건:의 (建議)[-/-이] 명하타 의견이나 바라는 사항을 내놓음. 또는 그 의견이나 바라는 사항. ¶～ 사항/～를 받아들이다/～된 사항을 처리하다.
건:의-문 (建議文)[-/-이-] 명 건의하는 내용을 적은 글. ¶～이 채택되다.
건:의-서 (建議書)[-/-이-] 명 건의하는 내용을 적은 문서. ¶～를 제출하다.
건:의-안 (建議案)[-/-이-] 명 건의의 초안 또는 의안.
건잠-머리 명하자 일을 시킬 때 대강의 방법을 일러 주고, 필요한 여러 도구를 챙겨 주는 일.
건:장-하다 (健壯-) 형여불 몸이 크고 튼튼하다. ¶건장한 청년. **건:장-히** 부
건:재 (建材) 명 건축에 쓰이는 재료.
건:재 (健在) 명하자 힘이나 능력이 줄어들지 않고 그대로임. ¶아직 ～하다/자신의 ～를 과시하다.
건재 (乾材) 명〔한의〕한약의 재료인 말린 약재. 건색(乾色).
건:재-상 (建材商) 명 건축 재료를 파는 상점. 또는 그 사람.
건:전 (健全) 명하형히부 1 생각이나 행동, 상태가 건실하고 올바름. ¶～한 판단/～가요를 부르다. 2 건강하고 병이 없음. ¶～한 정신은 ～한 신체에 깃들인다.
건-전지 (乾電池) 명〔물〕1차 전지의 전해액을 적당히 흡수체에 흡수시켜 휴대나 다루기에 편리하게 만든 전지《라디오·장난감 등에 씀》. ↔습전지.
건:제 (建制) 명하타 1 제도나 법률 따위를 설치하고 제정함. 2 군대에서 편제표에 정해진 조직을 유지함.
건제 (乾製) 명하타 물기 없이 만듦.
건제-품 (乾製品) 명 식료품 따위를 오래 둘 수 있도록 말린 제품. 건조품.
건:조 (建造) 명하타 배·건물 따위를 설계하여 만듦. ¶조형물 ～/유조선을 ～하다/피라미드를 ～하다.
건조 (乾燥) 명하자타형 1 습기·물기가 없어짐. 습기·물기가 없음. ¶～가 덜 된 재목/잘 ～된 목재/공기가 ～하다. 2 분위기·표현 등이 여유나 윤기 없이 메마름. ¶～한 문체/생활이 ～하다.
건조-과 (乾燥果) 명 1〔식〕익으면 껍질이 마르는 과실《밤·호두 따위》. 2 말린 과실《곶감·건포도 따위》. 준건과(乾果).
건조-기 (乾燥期) 명 기후가 건조한 시기. 건계(乾季). 준건기.
건조-기 (乾燥器·乾燥機) 명 물체 속에 포함되어 있는 수분을 제거하여 말리는 장치. 드라이어.
건조 기후 (乾燥氣候)〔지〕강수량이 증발량보다 적어 매우 건조한 기후. ↔습윤(濕潤) 기후.
건조-대 (乾燥臺) 명 물건 따위를 말리려고 설치한 대. ¶～에 세탁물을 널다.
건조-림 (乾燥林) 명 기후나 토질이 건조한 땅에 생기는 숲《회양나무·야자 숲 따위》.
건:조-물 (建造物) 명 1 지어 만든 물건. 2 건조한 가옥·창고·건물 따위의 총칭.
건조 주:의보 (乾燥注意報)[-/-이-] 실효 습도가 60% 이하, 그날의 최소 습도가 30% 이하인 상태가 2일 이상 계속되리라고 예상될 때 발표하는 기상 주의보.
건조-증 (乾燥症)[-쯩] 명〔한의〕땀·침·대소변 등이 잘 나오지 않고 피부가 건조해지는 병증.
건조-체 (乾燥體) 명 비유나 수사가 없거나 적은 문체《기사문·설명문 등》. 평명체(平明體). ↔화려체.
건-주정 (乾酒酊) 명하자 술에 취한 체하고 하는 주정. 강주정. ¶～을 피우다.
건중-건중 부하타 자꾸 건중그리는 모양. 작간종간종.
건중-그리다 타 사물을 대강대강 가리고 추려서 가지런히 하다. 건중이다. 작간종그리다.
건중-이다 타 건중그리다. 작간종이다.
건지[1] 명 '건더기'의 변한말.
건지[2] 명 물의 깊이를 재는 데 쓰는 돌을 매단 줄.
건지다 타 1 물속에 있거나 떠 있는 것을 집어내거나 끌어내다. ¶국 건더기를 건져 먹다. 2 곤경에서 구해 내다. ¶목숨만 겨우 ～. 3 손해 본 것이나 투자한 밑천 따위를 도로 찾다. ¶본전의 일부만 ～.
건:책 (建策) 명하자타 어떤 일을 대비하여 미리 방책이나 계획을 세움.
건천 (乾川) 명 조금만 가물어도 이내 물이 마르는 내.
건초 (乾草) 명 베어서 말린 풀. ¶～ 더미/～를 보관하다.
*__건:축__ (建築) 명하타 집·성·다리 등을 세우거나 쌓아 만드는 일. ¶～ 시공(施工)/～ 자재(資材)/～ 설계/오래 전에 ～된 집/도서관을 ～하다.
건:축-가 (建築家) 명 건축에 대한 전문적인 지식과 기술이 있는 사람.
건:축 공학 (建築工學) 건축학의 한 부문. 구조·재료·시공법 등에 대한 학문.
건:축 구조 (建築構造)〔건〕각종의 건축 재료를 사용하여 건축물을 형성하는 일. 또는 그 구조물.

건:축 면:적 (建築面積)[-충-] 〖건〗 건평(建坪).
건:축-물 (建築物)[-충-] 명 건축한 큰 집이나 시설. 영조물.
건:축-비 (建築費) 명 건물을 짓는 데 드는 비용.
건:축-사 (建築士) 명 국가시험에 합격하고 면허를 받아 건축물의 설계와 공사 감리 등의 업무를 행하는 사람.
건:축 양식 (建築樣式)[-충냥-] 일정한 지역이나 시대에 나타나는 건축물의 공통된 조형적 특징.
건:축-업 (建築業) 명 건축 공사를 담당하여 소득을 얻는 직업.
건:축-학 (建築學)[-추칵] 명 건축에 관한 사항을 연구하는 학문. 조영학.
건:투 (健鬪) 명하자 씩씩하게 잘 싸움. ¶ ~를 빌다 / 더욱더 ~해 주시기를 바랍니다.
건:평 (建坪) 명 건물이 차지한 밑바닥의 평수. 넓은 뜻으로는, 2층 이상도 포함한 건물 바닥 면적의 합계 평수. 건축 면적.
건:폐-율 (建蔽率)[-/-페-] 명 〖건〗 대지 면적에 대한 건물 바닥 면적의 비율.
건포 (乾布) 명 마른 수건이나 헝겊.
건포 (乾脯) 명 쇠고기·생선 등을 저며서 말린 포.
건-포도 (乾葡萄) 명 포도를 말린 식품.
건:필 (健筆) 명 **1** 힘 있게 글씨를 잘 씀. 또는 그런 사람. **2** 글을 잘 짓거나 의욕적으로 씀. 또는 그런 사람. 건호(健毫).
건:학 (建學) 명하자 학교를 일으켜 세움. ¶ ~ 이념.
건:함 (建艦) 명하자 군함을 만듦.
걷:기 명 걷는 일. ¶ 만보(萬步) ~ 운동.
걷다[1] 자 **1** 구름이나 안개 따위가 흩어져 없어지다. ¶ 잔뜩 끼었던 구름이 ~. **2** 비가 그치고 맑게 개다. ¶ 장마가 걷고 햇빛이 들다.
*__걷:다__[2] 〔걸으니, 걸어〕 자타ㄷ불 **1** 두 다리를 번갈아 옮겨 앞으로 가다. ¶ 성큼성큼 ~ / 밤길을 ~ / 걸어서 10분 거리에 학교가 있다. **2** 일정한 방향으로 나아가다. ¶ 정도를 ~ / 사양화의 길을 ~. **3** 전문직에 종사하다. ¶ 교육자의 길을 ~.
[걷기도 전에 뛰려고 한다] 쉽고 작은 일도 해낼 수 없으면서 어렵고 큰일을 하려고 나섬을 이르는 말. '기도 못하면서 뛰려 한다'와 같은 뜻.
걷다[3] 타 **1** 덮거나 가린 것 또는 널려 있는 것을 치우다. ¶ 상보(床褓)를 ~. **2** 늘어진 것이나 퍼진 것을 말아 올리거나 치우다. 또는 깔려 있는 것을 접거나 개키다. ¶ 커튼을 ~ / 소매를 ~ / 돗자리를 ~. **3** '거두다'의 준말. ¶ 회비를 ~ / 곡식을 ~.
걷-몰다 [건-] 〔걷모니, 걷모오〕 타 거듬거듬 몰아치다. ¶ 양 떼를 ~.
걷어-들다 〔-드니, -드오〕 타 **1** 늘어진 것을 걷어서 추켜잡다. ¶ 옷자락을 ~. **2** 거두어서 손에 들다. ¶ 읽던 책을 걷어들고 나가다.
걷어-들이다 타 **1** 널어 놓은 것을 걷어서 안으로 들이다. ¶ 빨래를 ~. **2** 받을 돈을 받아 모으다. ¶ 일숫돈을 ~.
걷어-붙이다 [-부치-] 타 소매나 바짓가랑이 따위를 말아 올리다. ¶ 소매를 걷어붙이고 일하다.
걷어-잡다 타 **1** 걷어 올려서 잡다. **2** 마음을 도사려 먹다.
걷어-쥐다 타 걷어잡아서 쥐다. ¶ 치맛자락을 ~.
걷어-지르다 〔-지르니, -질러〕 타르불 **1** 옷자락·휘장 등을 걷어서 내려오지 못하게 꽂아 놓다. **2** 발로 내질러 차다. ¶ 옆구리를 ~.
걷어-차다 타 **1** 발로 몹시 세게 차다. ¶ 물려고 달려드는 개를 ~. **2** 저버리어 내치다. ¶ 사귀던 여자를 ~.
걷어-차이다 자 《'걷어차다'의 피동》 남에게 걷어참을 당하다. ¶ 사귀던 여자에게 ~ / 발길에 걷어차여 땅에 나뒹굴다.
걷어-치우다 타 **1** 흩어진 것을 거두어 치우다. ¶ 이불을 ~. **2** 하던 일을 중도에서 그만두다. ¶ 사업을 ~.
-걷이 [거지] 미 **1** 곡식을 거두는 일. ¶ 가을~ / 밭~. **2** 〖건〗 보가 기둥에 얹히는 곳의 안팎을 깎는 일. ¶ 도래~ / 소마~.
걷-잡다 타 (흔히 '없다', '못하다'와 함께 쓰여) 한 방향으로 치우쳐 흘러가는 형세나 마음을 바로잡거나 진정시키다. ¶ 불안한 정국을 걷잡기란 쉬운 일이 아니다 / 치미는 분노를 걷잡을 수 없다 / 북받치는 눈물을 걷잡지 못하다.

> **'걷잡다'와 '겉잡다'**
>
> **걷잡다** 형세나 마음 따위를 거두어 붙잡다.
> 예 걷잡을 수 없는 사태.
> **겉잡다** 겉가량하여 어림치다.
> 예 모인 사람은 겉잡아 만 명 이상은 된다.

걷히다 [거치-] 자 《'걷다[1·3]'의 피동》 **1** 구름·안개 등이 없어지다. ¶ 안개가 ~. **2** 돈·곡식 등이 거두어지다. ¶ 외상값이 잘 걷히지 않다. **3** 가려 있거나 펼친 것이 없어지다. ¶ 장벽이 ~. ☞거치다.
걸[1] 명 윷놀이에서, 세 짝은 잦혀지고, 한 짝은 엎어진 때의 이름《끗수는 세 끗임》. ☞윷짝.
걸[2] 준 것을. ¶ 준 ~ 도로 빼앗다.
걸:개-그림 명 벽 따위에 걸 수 있도록 괘도(掛圖) 비슷하게 꾸며 만든 그림.
걸걸-하다 형여불 **1** 목소리가 좀 쉰 듯하면서 우렁차고 힘차다. ¶ 걸걸한 목소리. **2** 성질이나 행동이 조심성이 없고 거칠다. ¶ 걸걸한 성미.
걸걸-하다 (傑傑-) 형여불 외모가 헌칠하고 성질이 쾌활하다. ↔옹졸하다.
걸:고-넘어지다 타 자신과 상관도 없는 사람을 옭아 넣다. ¶ 사사건건 남을 ~.
걸귀 (乞鬼) 명 **1** 새끼를 낳은 암퇘지. **2** 〈속〉 음식을 지나치게 탐하는 사람.
걸귀(가) 들린 듯이 구 음식을 지나치게 탐하는 모양. ¶ ~ 먹어 치우다.
걸귀 같다 구 '게걸스럽게 음식을 탐하다'를 비유하여 이르는 말.
걸:-그물 명 물고기 떼가 지나다니는 바다 속에 띠처럼 길게 쳐서 고기가 그물코에 걸리거나 말려들도록 장치한 그물. 자망(刺網). 자리.

걸:기 명 유도·씨름 따위에서 상대의 발이나 팔을 걸어서 넘어뜨리는 기술.

***걸:다**[1] 〔거니, 거오〕 타 **1** 물건을 매달거나 늘어지게 걸치다. ¶옷걸이에 옷을 ~/벽에 액자를 ~/메달을 목에 ~. **2** 가장자리를 기대어 걸쳐 놓다. ¶솥을 ~. **3** 회의 같은 데에 올리어 맡기다. ¶안건을 회의에 ~. **4** 돈 따위를 계약이나 상금, 내기의 담보로 내놓다. ¶계약금을 ~/판돈을 ~/상금을 걸고 공모하다. **5** 말이나 시비·싸움·수작 따위를 붙이다. ¶말을 ~/연애를 ~/재판을 걸었으나 패소했다. **6** 전화를 하다. ¶집에 전화를 걸었다. **7** 문에 자물쇠를 채우거나 빗장을 질러 열리지 않게 하다. ¶빗장을 ~/대문을 ~. **8** 실패했을 때 그것을 희생할 각오로 일을 단행하다. ¶목숨을 걸고 덤비다. **9** 희망·기대 따위를 품다. ¶희망을 ~. **10** 기계 장치를 작동시키다. ¶자동차의 시동을 ~. **11** 기구·기계 따위를 이용할 수 있도록 한 곳에 차려 놓다. ¶베틀을 걸어 놓다. **12** '내걸다'의 준말. ¶국기를 ~. **13** 어떤 상태에 빠지도록 하다. ¶최면을 걸어 잠들게 하다. **14** 발이나 도구 따위로 상대편을 넘어뜨리려고 하다. ¶발을 걸어 넘어뜨리다.

걸:다[2] 〔거니, 거오〕 형 **1** 땅이 기름지다. ¶밭이 ~. ↔메마르다. **2** 손으로 하는 일이 잘 되어 가는 듯하다. ¶손이 ~. **3** 액체가 묽지 않고 진하다. ¶국물이 ~/풀을 걸게 쑤다. **4** 음식의 가짓수가 많고 푸짐하다. ¶잔치가 ~. **5** 하는 말에 거리낌이 없다. ¶입이 ~.

걸:-대 [-때] 명 물건을 높은 곳에 걸 때 쓰는 장대.

-걸랑 어미 '-거들랑'의 준말. ¶일이 끝나~ 쉬게.

걸러-뛰다 타 차례를 걸러 건너뛰다. ¶과장에서 막바로 부장으로 걸러뛰었다.

***걸레** 명 **1** 더러운 곳이나 물기 등을 닦는 데 쓰는 헝겊《헌옷 따위》. ¶~로 훔치다. **2** 걸레같이 너절하고 허름한 물건이나 사람. ¶~ 같은 자식.

걸레-질 명하타 걸레로 더러운 것을 훔치는 일. ¶~을 치다/~을 여러 번 하다.

걸려-들다 〔-드니, -드오〕 자 **1** 그물이나 낚시 따위에 잡히다. ¶새가 그물에 걸려들었다. **2** 붙들리다. ¶일제 검거에 ~. **3** 꾐이나 계략 등에 빠지다. ¶사기에 ~/상대의 함정에 걸려들었다.

걸로 준 것으로. ¶이왕이면 큰 ~ 고르자.

***걸리다**[1] 자 **1** 어떤 것이 그곳에 멈추어 있다. ¶달이 중천에 ~/가시가 목에 ~. **2** 물건에 매달려 있다. ¶못에 ~/연이 전깃줄에 ~. **3** 그물·낚시 등에 잡히다. ¶그물에 ~/낚시에 고기가 ~. **4** 꾸며 놓은 구렁에 빠지다. ¶덫에 ~/계략에 ~. **5** 장래나 운명이 달려 있다. ¶장래가 걸린 문제/이 일에 민족의 운명이 걸려 있다. **6** 관계하거나 부딪히다. ¶싸움패에 걸리면 달아나라. **7** 마음에 꺼림칙하게 여겨지다. ¶집안일이 마음에 ~. **8** 병이 들다. ¶폐병에 ~. **9** 전화나 목소리가 이쪽으로 오다. ¶집에서 전화가 걸려 왔다. **10** 시간이 들다. ¶부산까지 사흘 걸린다. **11** 기계·장치 따위가 작동되다. ¶시동이 ~/제동이 ~. **12** 상금 같은 것이 붙다. ¶현상금이 ~. **13** 단속이나 검문을 받을 처지에 놓이다. ¶통금에 ~. **14** 바라던 것이 손에 들어오다. ¶공술이라도 걸릴까 하고 기웃거리다.

걸리다[2] 타 야구에서, 투수가 작전상 일부러 강타자를 볼 넷으로 1루에 나아가게 하다.

걸리다[3] 타 **1** 《'걷다[2]'의 사동》 걸음을 걷게 하다. ¶어린아이를 ~. **2** 윷놀이에서, 말을 걸밭으로 올리다.

걸림-돌 [-똘] 명 걸어갈 때 방해가 되는 돌의 뜻으로, 일의 장애가 되는 요소를 비유하는 말. ¶근대화의 ~.

걸:립 (乞粒) 명하자 〖민〗 동네 경비를 마련하기 위해 패를 짜 각처로 돌아다니며 풍악을 치고 돈이나 곡식을 얻는 일.

걸립(을) 놀다 구 무당이 굿하는 열두 거리의 한 거리로, 걸립신을 위하는 굿거리를 하다.

걸:-망 (-網) 명 망태기 모양의 걸머지고 다니는 바랑. 걸낭.

걸:-맞다 [-맏따] 형 두 편이 서로 어울리다. ¶걸맞은 부부/옷에 걸맞지 않은 모자/덩치에 걸맞지 않게 겁이 많았다.

걸머-맡다 [-맏따] 타 남의 일이나 채무 따위를 안아 맡다.

걸머-메다 타 걸머지어 어깨에 메다. 걸메다. ¶총을 어깨에 ~.

걸머-잡다 타 이것저것을 한데 걸치어 붙잡다.

걸머-쥐다 타 걸치어 움켜잡다. ¶코트를 걸머쥐고 급히 나갔다.

걸머-지다 타 **1** 짐바에 걸어 등에 지다. ¶짐을 ~. **2** 책임이나 임무 등을 떠맡다. ¶겨레의 앞날을 걸머질 청년들.

걸물 (傑物) 명 **1** 훌륭한 인물. ¶재계(財界)를 주름잡는 ~. **2** 뛰어난 물건.

걸:상 (-床) [-쌍] 명 걸터앉도록 만든 기구.

걸:쇠 [-쐬] 명 **1** 문을 잠그고 빗장으로 쓰는 'ㄱ' 자 모양의 쇠. **2** 다리쇠. **3** 들쇠1.

걸식 (乞食) [-씩] 명하자 음식을 빌어먹음. ¶~을 다니다.

걸신 (乞神) [-씬] 명 빌어먹는 귀신의 뜻으로, 굶주리어 염치없이 음식을 지나치게 탐하는 마음의 비유.

걸신-들리다 (乞神-) [-씬-] 자 굶주리어 음식에 대한 욕심이 몹시 나다. ¶걸신들린 듯이 먹어 치우다.

걸신-스럽다 (乞神-) [-씬-] 〔-스러우니, -스러워〕 형ㅂ불 굶주려 음식에 몹시 탐욕스럽다. **걸신-스레** [-씬-] 부

***걸어-가다** 자타거라불 **1** 탈것을 타지 않고 걸어서 나아가다. ¶학교에 ~/황톳길을 ~. **2** 어떤 분야의 일을 계속 해 나가다. ¶교육자의 길을 ~.

걸어-앉다 [-안따] 자 높은 곳에 궁둥이를 붙이고 두 다리를 늘어뜨리고 앉다. 준걸앉다. *걸터앉다.

걸어-오다[1] 자타너라불 **1** 탈것을 타지 않고 걸어서 오다. ¶이쪽으로 걸어오는 사람/빨리 걸어오너라/먼 길을 걸어오느라 수고했다. **2** 경험해 오다. 살아오다. ¶자신

이 걸어온 길을 돌이켜 보다.

걸어-오다² 타 말이나 수작 따위를 상대방에서 먼저 붙여 오다. ¶싸움을 ~.

*__걸음__ 一명 1 두 발을 번갈아 옮겨 놓는 동작. ¶~을 재촉하다〔멈추다〕. 2 내왕하는 일. ¶~이 뜸하다. 二의명 두 발을 번갈아 옮겨 놓는 횟수를 세는 단위. ¶두어 ~ 앞서 걷다.

걸음아 날 살려라 구 있는 힘을 다하여 아주 빨리 도망침. 종짓굽아 날 살려라.

걸음-걸이 명 걸음을 걷는 모양새. 걸음발. ¶~가 활기차다.

걸음-마 一명 1 어린아이가 걸음을 배울 때의 걸음걸이. 2 중요한 사업이 이제 막 시작하는 단계. ¶우리나라의 정보화는 아직 ~ 단계이다. 二감 어린아이에게 걸음을 익히게 할 때 발을 떼어 놓으라고 재촉하는 소리.

걸음-발 [-빨] 명 1 걸음을 걷는 발. ¶~을 옮겨 놓다. 2 걸음걸이.

걸음-새 명 걷는 모양새. ¶활발한 ~.

걸이 명 씨름에서, 다리로 상대방의 오금을 걸어 내미는 기술.

-걸이 미 물건을 걸어 두는 기구의 뜻. ¶양복~/옷~.

걸인 (乞人) 명 거지.

걸작 (傑作)[-짝] 명 1 매우 훌륭한 작품. 걸작품. ↔졸작. 2 유별나거나 우스워 남의 눈에 띄는 언행이나 사람. ¶그의 대답이 ~이었다.

걸작-품 (傑作品)[-짝-] 명 걸작 1.

걸쩍지근-하다 형여불 음식을 닥치는 대로 먹고, 욕도 함부로 하여 입이 매우 걸다. ¶걸쩍지근하게 욕을 해 대다.

걸쭉-하다 [-쭈카-] 형여불 액체가 묽지 않고 꽤 걸다. ¶걸쭉한 콩국. 작갈쭉하다. **걸쭉-히** [-쭈키] 부

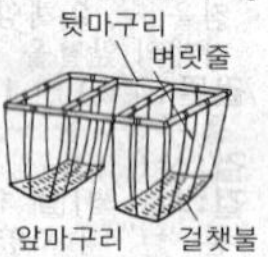

걸:-차다 형 땅이 매우 기름지다.

걸:채 명 소의 길마 위에 덧얹고 곡식 단 등을 싣는 기구.

뒷마구리
벼릿줄
앞마구리
걸챗불
걸채

걸:챗-불 [-채뿔/-챈뿔] 명 걸채에 물건을 넣도록 옹구처럼 달린 물건. 발챗불.

걸출 (傑出) 명하형 남보다 훨씬 뛰어남.

*__걸:치다__ 一자 1 가로질러 걸리다. ¶빨랫줄이 마당에 걸쳐 있다. 2 시간·공간·횟수를 거쳐 이어지다. 미치다. ¶여러 방면에 걸친 방대한 연구/교섭이 이틀에 걸쳐 진행되다. 3 해나 달이 기울어져 산이나 고개 따위에 얹히다. ¶서산마루에 걸쳐 있는 해. 二타 1 어떤 물체를 다른 물체에 얹어 놓다. ¶판자를 걸쳐 놓다/사다리를 ~/엉덩이를 ~/다리를 철봉에 ~. 2 옷이나 이불 따위를 아무렇게나 입거나 뒤집어쓰다. ¶누더기를 ~. 3 기분 좋게 술을 마시다. ¶소주 한잔을 ~.

걸:터-앉다 [-안따] 자 어떤 물체에 온몸의 무게를 실어 걸치고 앉다. ¶마루 끝에 ~.

걸:터-타다 자 소·말 따위의 등에 모로 앉아 두 다리를 늘어뜨리고 타다.

걸핏-하면 [-피타-] 부 조금이라도 일만 있으면 곧. 툭하면. ¶그녀는 뭐가 서러운지 ~ 운다.

검: 명 귀신.

검: (劍) 명 무기로 쓰는 크고 긴 칼.

검:객 (劍客) 명 검술에 능한 사람. 검사(劍士). 검술사.

검:거 (檢擧) 명하타 〔법〕 법을 어긴 사람을 수사 기관에서 잡음. ¶유괴범을 ~하다/용의자가 ~되다.

검기다 타 1 검게 더럽히다. 2 그림의 윤곽에서부터 안쪽으로 차차 진하게 칠하다.

검:-누렇다 [-러타]〔검누러니, 검누러오〕 형ㅎ불 검은빛을 약간 띠면서 누렇다. 작감노랗다.

검:-누르다 〔검누르니, 검누르러〕 형러불 검은빛을 띠면서 누르다. 작감노르다.

*__검:다__ [-따] 형 1 빛이 먹빛 같이 어둡고 짙다. ¶검게 탄 얼굴. 작감다. 센껌다. ↔희다. 2 마음이 정직하지 못하고 엉큼하다. ¶뱃속이 ~.

[검은 고기 맛 좋다 한다] ㉠겉모양만 가지고 내용을 속단하지 말라는 뜻. ㉡피부가 검은 사람을 놀리는 말. [검은 머리 파뿌리 되도록] 검던 머리가 파뿌리처럼 허옇게 셀 때까지의 뜻으로, '부부가 의좋게 오래 삶'을 이르는 말.

검댕 명 그을음이나 연기가 엉겨서 생긴 검은 물질. ¶~이 앉은 남포등.

검:도 (劍道) 명 1 검술을 닦는 무예의 한 부문. 격검(擊劍). 2 호구(護具)를 몸에 착용하고 죽도(竹刀)로 상대편을 치거나 찔러서 승패를 겨루는 운동 경기. ¶체력 단련을 위해 ~를 배우다.

검둥-개 명 털빛이 검은 개. 검정개.

[검둥개는 돼지 편이다] '가재는 게 편이다'와 같은 뜻. [검둥개 멱 감기듯] ㉠어떤 일을 해도 별 효과가 없다는 말. ㉡악인이 제 잘못을 뉘우치지 못함의 비유.

검-둥이 명 1 검둥개를 귀엽게 일컫는 말. 2 살빛이 검은 사람. 3 〈속〉 흑인. 센껌둥이. ↔흰둥이.

검:디-검다 [-띠-따] 형 몹시 검다.

검:류-계 (檢流計)[-뉴-/-뉴게] 명 매우 약한 전류의 유무나 세기를 측정하는 계기. 갈바노미터.

검:무 (劍舞) 명 칼춤.

검:문 (檢問) 명하타 검사하기 위하여 따져 물음. ¶불심(不審) ~/경찰의 ~을 받다.

검:문-검:색 (檢問檢索) 명 검사하기 위하여 따져 묻고 검사하여 찾아냄. ¶~을 벌이다.

검:문-소 (檢問所) 명 군인이나 경찰이 통행인과 그 소지품 및 차량 등을 검사하기 위해 교통의 요소에 만든 곳.

검:박-하다 (儉朴-)[-바카-] 형여불 검소하고 꾸밈이 없다.

검:-버섯 [-섣] 명 주로 노인의 피부에 나는 거무스름한 얼룩점. ¶~이 낀 얼굴/~이 피다.

검:법 (劍法)[-뻡] 명 검도에서 칼 쓰는 기술이나 방법. 검술.

검부러기 명 검불의 부스러기.

검불 명 마른 풀이나 낙엽·지푸라기 따위.

검:-붉다 [-북따] 형 검은빛을 띠면서 붉다. ¶검붉은 얼굴.

검:사(劍士) 명 검객(劍客).
***검:사**(檢事) 명 〖법〗 범죄를 수사하고 공소를 제기하여 형벌의 집행을 감독하는 사법관. 검찰관. ¶담당 ~를 만나 보다.
***검:사**(檢査) 명하타 자세히 살피고 조사함. ¶소지품 ~ / 적성 ~ / ~를 마친 제품.
검:사-필(檢査畢) 명 검사를 마침. ¶~ 도장을 찍다.
검:산(檢算) 명하자타 계산이 맞는지를 검사함. 또는 그러기 위해 따로 하는 계산. 험산(驗算). ¶~해서 착오가 없도록 해라.
검:색(檢索) 명하타 **1** 범죄나 사건을 밝히기 위하여 살펴 조사함. ¶~을 당하다. **2** 책이나 컴퓨터에서 필요한 자료를 찾아내는 일. ¶자료를 ~하다.
검:색 엔진(檢索engine) 〖컴〗 인터넷에서, 사이트들을 검색하기 위한 프로그램.
검:소(儉素) 명하형히부 사치하지 않고 수수함. ¶~와 절약의 미덕을 갖추었다 / 옷차림이 ~하다.
검:속(檢束) 명하타 〖법〗 예전에, 공공의 안전을 해롭게 하거나 죄를 지을 염려가 있는 사람을 경찰에서 잠시 가두던 일.
검수(黔首) 명 머리에 아무것도 쓰지 않고 검은 맨머리라는 뜻으로, 백성. 서민.
검:수(檢水) 명하자 수질(水質)이 좋은지 나쁜지를 검사하는 일.
검:수(檢數) 명하타 물건의 개수를 헤아리고 검사함.
검:술(劍術) 명 검을 가지고 싸우는 기술.
검숭-검숭 부하형 드물게 난 짧은 털 따위가 거무스름한 모양. 작감숭감숭.
검숭-하다 형여불 드물게 난 짧은 털 따위가 거무스름하다. 작감숭하다.
검:시(檢屍) 명하타 〖법〗 변사자의 시체를 검사하는 일.
검:시(檢視) 명하자타 **1** 사실을 조사하여 봄. **2** 시력(視力)을 검사함. **3** 검시(檢屍).
검:시-관(檢視官) 명 검시를 하는 관리.
검:안(檢案) 명하자타 **1** 형적이나 상황을 조사하고 따짐. **2** 의사가 사망 사실을 의학적으로 확인하는 일.
검:안(檢眼) 명하자 시력을 검사함.
검:압(檢壓) 명하자 압력을 검사함.
검:압-기(檢壓器) 명 **1** 압력계. **2** 기압계. **3** 물질의 증기 압력을 재는 기기. 증기 압력계.
검:약(儉約) 명하타 돈이나 물건을 아껴 씀.
검:약-가(儉約家) 명 검약하는 사람.
검:역(檢疫) 명하타 전염병을 막기 위하여, 여객·화물 등에 대해 전염병의 유무를 진단·검사하고 소독하는 일. ¶수입 농산물의 ~ / 입항한 배를 ~하다.
검:역-관(檢疫官) 명 검역소에서 검역 사무를 보는 공무원.
검:역-소(檢疫所) 명 검역 사무를 보기 위해 주요한 항구나 공항에 마련된 관청.
검:열(檢閱)[-녈 / -] 명하타 **1** 사람이나 사물을 살피어 검사함. **2** 출판물·영화·우편물 따위의 내용을 미리 심사하여 그 발표를 통제하는 일(《치안 유지·사상 통제를 위한 조치》). ¶~된 우편물 / 보도 자료를 ~하다. **3** 군대에서 훈련이나 장비의 상태, 그 밖의 군사 사항을 살펴보는 일.
검은-돈 명 뇌물의 성격을 띠거나 그 밖의 정당하지 못한 방법으로 주고받는 돈. ¶~의 출처를 추적하다 / ~이 정치권으로 흘러 들어갔다는 의혹이 있다.
검은-빛[-빋] 명 검은 빛깔. 흑색. ↔흰빛.
검은-손 명 속셈이 음흉한 손길. 마수(魔手). ¶~을 뻗치다.
검은-엿[-녇] 명 검은빛의 엿(《이것을 늘여 여러 번 켜면 흰엿이 됨》). 갱엿. ↔흰엿.
검은-자 명 〖생〗 '검은자위'의 준말.
검은-자위 명 〖생〗 눈알의 검은 부분. 준검은자. *흰자위.
검은-콩 명 껍질 색이 검은 콩. 흑태(黑太). 검정콩.
검:인(檢印) 명 **1** 서류나 물건을 검사한 표시로 찍는 도장. ¶~이 찍힌 물건인지 확인해라. **2** 저자가 저서의 발행 부수를 확인하기 위해 판권장에 찍는 도장.
검:-인정(檢認定) 명하타 **1** 검사하여 인정함. ¶~ 교과서. **2** 검정과 인정.
검:전-기(檢電器) 명 물체나 전기 회로 중의 전기의 유무나 전기량 따위를 검사하는 계기나 장치. 디텍터(detector).
***검정** 명 검은빛이나 물감. 작감장. 센껌정.
검:정(檢定) 명하타 **1** 자격이나 조건 등을 검사하여 결정함. ¶합격 여부의 타당성을 ~하다. **2** '검정고시'의 준말.
검:정-고시(檢定考試) 명 어떤 자격에 필요한 지식·학력·기술의 유무를 검정하기 위해 실시하는 시험. 검정 시험. 준검정.
검정-말[1] 명 털빛이 검은 말. 흑마(黑馬).
검정-말[2] 명 〖식〗 자라풀과의 여러해살이 물풀. 줄기는 가늘고 뭉쳐나는데 마디가 많고 높이 60 cm쯤 됨. 가을에 담자색 꽃이 핌. 연못이나 개울에 남. 검정마름.
검:정-필(檢定畢) 명 검정을 마침.
검:증(檢證) 명하타 **1** 검사하여 증명함. ¶~된 가설. **2** 〖법〗 법관이 증거 물품이나 장소 따위를 실지로 조사함. ¶현장 ~을 실시하다.
검:지(-指) 명 집게손가락.
검:진(檢診) 명하타 〖의〗 건강 상태와 질병의 유무를 검사하고 진찰하는 일. ¶정기적인 ~을 받다.
검:-질기다 형 성질이나 행동이 매우 끈덕지고 질기다. ¶검질기게 따지다.
검:차(檢車) 명하타 차량의 고장이나 정비 상태를 검사함.
검:찰(檢察) 명하타 **1** 검사하여 밝힘. **2** 〖법〗 범죄를 수사하여 증거를 수집함. **3** '검찰청'의 준말.
검:찰-관(檢察官) 명 **1** 검사(檢事). **2** 군사 법원에서 검찰 직무를 행사하는 법무관.
검:찰-청(檢察廳) 명 법무부에 속하여 검찰 사무를 통괄하는 관청(《대검찰청·고등 검찰청·지방 검찰청이 있는데 각각 대법원·고등 법원·지방 법원에 대응함》). 검찰.
검:출(檢出) 명하타 **1** 검사하여 찾아냄. **2** 화학 분석에서, 시료(試料) 속의 어떤 원소나 성분의 유무를 알아냄. ¶철분을 ~하다 / 수입 식품에서 세균이 ~되었다.
검:치다 타 **1** 모서리를 중심으로 하여 좌우 양쪽으로 걸쳐서 접거나 휘어 붙이다. **2** 한 물체의 두 곳이나 두 물체를 맞대고 걸쳐

서 붙이다.
검:침 (檢針) 명하타 전력·수도·가스 따위의 사용량을 알기 위하여 계량기의 눈금을 검사함.
검탄 (黔炭) 명 품질이 나쁘고 화력이 약한 숯. ↔백탄.
검:토 (檢討) 명하타 사실이나 내용을 자세히 따져 봄. ¶내용을 ~하다 / ~할 문제를 가리다.
검:파 (檢波) 명하타 〔물〕 1 전파가 어떤 곳에 도달해 있나 없나를 검사함. 2 고주파 전류를 정류하여 신호 전류를 끌어냄.
검:파-기 (檢波器) 명 변조된 전파에서 본디의 신호를 끌어내는 장치《광석 검파기·진공 검파기 등》. 디텍터. 라디오디텍터.
검:-퍼렇다 [-러타] 〔검퍼러니, 검퍼러오〕 형ㅎ불 검은 듯 퍼렇다. 작감파랗다.
검:표 (檢票) 명하타 차표·비행기표나 입장권, 투표 따위를 조사함. 검찰(檢札). ¶기차표를 ~하다.
검:-푸르다 〔검푸르니, 검푸르러〕 형러불 검은빛이 나면서 푸르다. ¶검푸른 바다에 외로운 등대. 작감파르다.
겁 (劫) 명 〔불〕 천지가 한 번 개벽한 때부터 다음 개벽할 때까지의 동안이란 뜻으로, 계산할 수 없는 무한히 긴 시간. ↔찰나.
***겁** (怯) 명 무서워하거나 두려워하는 마음. ¶~에 질려서 하얘진 얼굴 / ~이 많다 / ~을 (집어)먹다.
겁간 (劫姦) 명하타 폭력으로 부녀자와 강제로 성관계를 맺음. 강간. 겁탈(劫奪).
겁겁-하다 (劫劫-)[-꺼파-] 형여불 1 성미가 급하여 참을성이 없다. 2 급급(汲汲)하다. **겁겁-히** [-꺼피] 부
겁-결 (怯-) 명 (주로 '겁결에'의 꼴로 쓰여) 겁이 나서 어쩔 줄 모르는 참. ¶~에 악 소리를 지르다.
겁-나다 (怯-)[검-] 자 무섭거나 두려워서 주저하는 마음이 생기다. ¶요즘은 밤에 나다니기가 겁난다.
겁-내다 (怯-)[검-] 타 무서워 망설이는 마음을 나타내다. ¶정의를 위해서는 총칼을 겁낼 그가 아니다.
겁략 (劫掠·劫略)[검냑] 명하타 위협이나 폭력으로 남의 것을 빼앗음. 약탈.
겁-먹다 (怯-)[검-] 자 무섭거나 두려워하는 마음을 가지다. ¶공연히 겁먹고 달아나다.
겁-보 (怯-) 명 겁이 많은 사람.
겁약-하다 (怯弱-)[-야카-] 형여불 겁이 많고 마음이 약하다. **겁약-히** [-야키] 부
***겁-쟁이** (怯-) 명 겁이 많은 사람.
겁-주다 (怯-) 자타 상대방에게 겁을 먹도록 하다. ¶겁주지 말고 말로 하라고.
겁탈 (劫奪) 명하타 1 위협하거나 폭력을 써서 빼앗음. 2 겁간(劫姦). ¶폭한에게 ~을 당하다.
***것** [걷] 의명 1 사물·일·현상 따위를 추상적으로 가리키는 말. ¶입을 ~ / 밀가루로 된 ~. 2 사람을 얕잡아 이르거나 동물을 이르는 말. ¶되지도 못한 ~들. 3 ('-ㄹ / 은 것이다'의 꼴로 쓰여) 말하는 이의 확신·결정·결심·추측을 나타내는 말. ¶담배는 몸에 해로운 ~이다 / 내일은 비가 올 ~이다 / 임무를 완수할 ~이다. 4 ('-ㄹ / 을 것'의 꼴로 쓰여) 명령하는 글을 끝맺는 말. ¶잔디밭에 들어가지 말 ~ / 손을 깨끗이 씻을 ~. 준거.
-것다 [걷따] 어미 ('이다'의 어간, 용언의 어간 또는 어미 '-으시-'·'-었-' 뒤에 붙어) 1 인정된 동작이나 상태를 다지어 말할 때 쓰는 종결 어미. ¶제멋대로 했~. 2 원인이나 조건 따위가 충분함을 들 때에 쓰는 연결 어미. ¶실력 있~, 열심히 공부했~, 시험에 떨어질 리가 있나. 3 경험으로나 이치로 미루어 보아 사실이 으레 그러한 것이거나 그러할 것임을 인정하는 종결 어미. ¶꽃도 한창이라, 고궁은 사람들로 메워지~.
겅그레 명 솥에 무엇을 찔 때, 그 물건이 물에 잠기지 않도록 물 위에 놓는 나뭇개비 따위. ¶~를 놓고 떡을 쪘다.
겅둥 부 긴 다리로 치신없이 가볍게 뛰는 모양. 작강동. 센껑뚱.
겅둥-거리다 자 1 긴 다리로 치신없이 자꾸 가볍게 뛰다. 2 침착하지 못하고 자꾸 건성으로 매우 가볍게 행동하다. 작강동거리다. 센껑뚱거리다. **겅둥-겅둥** 부하자
겅둥-대다 자 겅둥거리다.
겅둥-하다 형여불 아랫도리가 너무 드러날 정도로 입은 옷이 짧다. 작강동하다. 센껑뚱하다.
겅성드뭇-이 부 겅성드뭇하게.
겅성드뭇-하다 [-무타-] 형여불 많은 수효가 듬성듬성 흩어져 있다.
겅중 부 긴 다리를 모으고 힘 있게 높이 솟구쳐 뛰는 모양. 작강중. 센껑쭝. 거껑충.
겅중-거리다 자 긴 다리를 모으고 힘 있게 솟구쳐 뛰면서 계속 걷다. 작강종거리다. 센껑쭝거리다. 거껑충거리다. **겅중-겅중** 부하자
겅중-대다 자 겅중거리다.
***겉** [걷] 명 밖으로 드러난 쪽. 바깥 부분. 표면. 거죽. ¶~은 멀쩡하다 / 사람을 ~만 보고 판단하지 마라. ↔속.
[겉 다르고 속 다르다] 말이나 행동이 서로 달라 사람의 됨됨이가 바르지 못함을 이르는 말.
겉- [걷] 투 1 수량·정도를 추측하는 명사나 동사 앞에 붙어, 겉만 보고 대략 어림잡는다는 뜻. ¶~짐작 / ~잡다. 2 일부 명사나 동사·형용사 앞에 붙어, 실속보다는 겉으로만 그렇다는 뜻. ¶~치레 / ~늙다 / ~약다. 3 일부 동사 앞에 붙어, 겉으로만 어름어름 적당히 한다는, 대강의 뜻. ¶~마르다 / ~날리다. 4 낟알이나 과일을 나타내는 명사 앞에 붙어, 껍질을 벗기지 아니한 채로 그냥의 뜻. ¶~보리 / ~수수. 5 일부 동사 앞에 붙어, 한데 어울리거나 섞이지 않고 따로 한다는 뜻. ¶~돌다 / ~놀다.
겉-가량 (-假量)[걷까-] 명하타 겉으로만 보고 대강 치는 셈. *속가량.
겉-가죽 [걷까-] 명 겉을 싸고 있는 가죽. 표피(表皮). 외피(外皮). ↔속가죽.
겉-감 [걷깜] 명 옷이나 이불 따위의 겉에 대는 감. ↔안감.
겉-겨 [걷껴] 명 곡식의 겉에서 맨 처음 벗긴 굵은 겨. ↔속겨.
겉-귀 [걷뀌] 명 외이(外耳). ↔안귀.

겉-꺼풀 [건-] 명 겉으로 드러난 꺼풀. ↔속꺼풀.
겉-껍데기 [건-] 명 겉으로 드러난 껍데기. 외각(外殼). ↔속껍데기.
겉-껍질 [건-] 명 겉으로 드러난 껍질. ¶밤의 ~을 벗겨 내다. ↔속껍질.
겉-날리다 [건-] 타 겉으로만 어름어름하여 되는대로 일을 날려서 하다. ¶시간이 없다고 일을 겉날려서는 안 된다.
*__겉-넓이__ [건널비] 명 〘수〙 물체 겉면의 넓이. 겉면적. 표면적.
겉-놀다 [건-] 〔겉노니, 겉노오〕 자 **1** 서로 어울리지 않고 따로 놀다. **2** 나사나 못 따위가 잘 맞지 않아 흔들리고 움직이다.
겉-눈 [건-] 명 조금 떴으나 겉으로는 감은 것처럼 보이는 눈. ¶슬쩍 ~을 감고 자는 체했다.
겉-눈썹 [건-] 명 눈두덩 위에 가로 난 눈썹. ↔속눈썹.
겉-늙다 [건늑따] 자 나이에 비해 더 늙은 티가 나다. ¶앓고 나더니 십 년은 겉늙어 보이는 것 같다.
겉-대 [걷때] 명 푸성귀의 거죽에 붙은 줄기나 잎. ↔속대¹.
겉-대중 [걷때-] 명 겉으로만 보아서 어림친 대중. ↔속대중.
겉-더께 [걷떠-] 명 몹시 찌든 물체의 겉에 앉은 때. ↔속더께.
겉-돌다 [걷똘-] 〔겉도니, 겉도오〕 자 **1** 한데 섞이지 아니하고 따로따로 되다. ¶물 위에 겉도는 기름. **2** 말이 주제에서 벗어나다. **3** 남들과 잘 어울리지 못하고 따로 지내다. ¶축에 끼지 못하고 ~. **4** 바퀴나 나사 따위가 헛돌다. ¶눈길에서 바퀴가 ~.
겉-뜨물 [건-] 명 곡식을 첫 번에 대강 씻어 낸 뜨물. ↔속뜨물.
겉-마르다 [건-] 〔겉마르니, 겉말라〕 자 르불 **1** 속에는 물기가 있고 겉만 대강 마르다. ¶세탁물이 ~. **2** 곡식 따위가 제대로 여물기 전에 마르다. ¶벼가 ~.
겉-멋 [건먿] 명 실속은 없이 겉으로만 부리는 멋. ¶공연히 ~만 들어서.
겉-면 (-面)[건-] 명 겉으로 드러난 면. 표면. 외면.
겉-모습 [건-] 명 겉으로 드러나 보이는 모습. 외용(外容). ¶~이 그럴듯하다.
겉-모양 (-模樣·-貌樣)[건-] 명 겉으로 보이는 모양. 외모(外貌). ¶~을 내다 / ~만 보고 평가할 수 없다.
겉-물 [건-] 명 잘 섞이지 못하고 위로 떠서 따로 도는 물. 웃물.
 겉물(이) 돌다 구 액체의 위에 겉물이 떠서 돌다.
겉-바르다 [걷빠-] 〔겉바르니, 겉발라〕 타 르불 속의 잘못된 것을 그대로 두고 겉만 흠이 없이 꾸미다. ¶허물을 겉발라 속이다.
겉-발림 [걷빨-] 명 하자 겉만 그럴듯하게 발라맞춤.
겉-보기 [걷뽀-] 명 겉으로 드러나 보이는 모양새. 외관(外觀). ¶~와는 달리 마음이 옹졸하다.
겉-보리 [걷뽀-] 명 **1** 껍질을 벗기지 않은 보리. 피맥(皮麥). **2** 보리를 쌀보리에 상대하여 일컫는 이름. ↔쌀보리.
 [겉보리 단 거꾸로 묶은 것 같다] 모양이 없거나 어설픈 것을 이르는 말. [겉보리 서 말만 있으면 처가살이하랴] ㉠여북하면 처가살이를 하겠느냐는 말. ㉡처가살이는 할 것이 못 된다는 말.
겉-봉 (-封)[걷뽕] 명 **1** 편지를 봉투에 넣고 다시 싸서 봉한 종이. **2** 봉투의 겉면. ¶편지 ~에 우편 번호와 주소를 쓰다. **3** 서류나 잡지 따위를 싸서 봉하는 종이.
겉-봉투 (-封套)[걷뽕-] 명 이중 봉투에서 겉쪽 봉투. 겉봉. ↔안봉투.
겉-불꽃 [걷뿔꼳] 명 〘화〙 불꽃의 가장 바깥 부분《산소 공급이 안쪽보다 잘되어 완전 연소되며 빛은 약하나 온도는 매우 높음》. 산화성 불꽃. 산화염(焰). 외염(外焰). ↔속불꽃. *불꽃.
겉-살 [걷쌀] 명 얼굴·손같이 옷에 싸이지 않고 늘 겉으로 드러나 있는 살. ↔속살.
겉씨-식물 (-植物)[걷-싱-] 명 〘식〙 종자식물을 크게 둘로 나누었을 때의 한 무리. 밑씨가 씨방 안에 있지 않고 벗어져 드러나 있는 식물. 소나무·전나무 등 670 여 종이 있음. 나자식물. ↔속씨식물.
겉-약다 [건냑-] 형 실상은 약지 못하면서 겉보기에만 약다.
겉-어림 [건-] 명하타 겉으로만 보고 잡는 어림. ↔속어림.
겉-옷 [거돋] 명 겉에 입는 옷. ↔속옷.
겉-자락 [걷짜-] 명 **1** 저고리·두루마기·치마 따위를 여몄을 때, 맨 겉으로 나오는 옷자락. ↔안자락. **2** 〔건〕 단청에서, 기둥머리 바깥쪽에 옷자락처럼 그린 무늬.
겉-잠 [걷짬] 명 **1** 겉눈 감고 자는 체하는 일. **2** 깊이 들지 않은 잠. 수잠. 선잠. ¶~이 들다가 눈을 떴다.
겉-잡다 [걷짭-] 타 겉가량으로 대강 어림잡다. ¶겉잡아서 이틀이면 넉넉하다. ☞걷잡다.
겉-장 (-張)[걷짱] 명 **1** 여러 장 가운데 맨 겉에 있는 종이. **2** 책의 표지. ↔속장.
겉-절이 [걷쩔-] 명 열무·배추 따위를 절여 곧바로 무쳐 먹는 반찬. 생절이. 엄저.
겉-절이다 [걷쩔-] 타 **1** 김치를 담글 때 배추의 억센 잎을 부드럽게 하려고 소금을 뿌려 애벌로 절이다. **2** 겉절이를 하다.
겉-짐작 [걷찜-] 명하타 겉만 보고 어림치는 짐작. ↔속짐작.
겉-쪽 [건-] 명 표면.
겉-치레 [건-] 명하자타 겉만 보기 좋게 꾸밈. 눈치레. ¶~뿐이고 실속은 없다. ↔속치레.
겉-치장 (-治粧)[건-] 명하자 겉 부분을 꾸밈. 또는 그 꾸밈새. ↔속치장.
겉-칠 (-漆)[건-] 명하타 겉에 칠을 함. 또는 그 칠.
겉-켜 [건-] 명 여러 층으로 된 것의 겉을 이루고 있는 층. 표층(表層).
겉-표지 (-表紙)[건-] 명 책의 거죽을 싼 표지.
겉-핥다 [건할따] 타 내용을 제대로 파악하지 못하고 겉만 대충 넘기다. ¶수박 겉핥듯이 / 겉핥기식 공부.
*__게:__¹ 명 〘동〙 갑각류 십각목(十脚目)에 속하는 절지동물의 총칭. 바다 또는

민물에 사는데, 몸이 납작하고 등과 배는 딱지로 싸였으며, 한 쌍의 집게발과 네 쌍의 발로 옆으로 기어다님. 식용함.
[게도 구럭도 다 잃었다] 아무 소득 없이 도리어 손해를 보았다. [게 새끼는 집고 고양이 새끼는 할퀸다] 타고난 천성이나 본성은 속일 수 없다. [게 잡아 물에 넣다] 아무 소득 없이 헛수고만 하다.
게 눈 감추듯 ㉮ 음식을 허겁지겁 빨리 먹어 치움을 비유하는 말. ¶한 그릇을 ~ 다 먹어 버렸다.

게² ㊀지대㉥ '거기'의 준말. ¶~ 앉아라. ㊁인대 상대자를 좀 얕잡아 일컫는 말. ¶~ 누군고.

게³ ㊀ '에게'의 준말《내·네·제 등 받침 없는 말에 씀》. ¶내~ 맡겨라.

게⁴ ㊟ 것이. ¶살 ~ 많다.

-게 어미 **1** 하게할 자리에서 동사 및 '있다'의 어간에 붙어서, 무슨 동작을 시키는 종결 어미. ¶부지런히 들~/자네가 하~. **2** 용언의 어간에 붙어서 그 아래에 오는 동사나 형용사의 내용이나 정도를 제한하는 연결 어미. ¶아름답~ 꾸미다/지나치~ 술을 마시다. **3** '만일 그리하면 이렇게 되지 않겠느냐'의 뜻을 나타내는 종결 어미. ¶그렇게 되면 좋~. **4** 동사 어간에 붙어, 어떤 목표나 행동이 미침을 나타내는 연결 어미. ¶편히 자~ 놔두어라. *-도록. **5** 용언의 어간에 붙어, 물음을 나타내는 종결 어미. ¶그러다가 언제 가~/얼마나 크~.

게:-거품 명 **1** 게가 토하는 거품 같은 침. **2** 사람이나 동물이 몹시 흥분하거나 괴로울 때 입에서 부걱부걱 나오는 거품 같은 침. ¶~을 물고 열변을 토하다/~을 뿜어내며 으르렁댔다.

게걸 명 염치없이 마구 먹으려고 하거나 가지려고 탐내는 마음.

게걸-들리다 자 몹시 먹고 싶거나 하고 싶은 욕심에 사로잡히다. ¶게걸들린 것처럼 끊임없이 먹다.

게걸-스럽다 〔-스러우니, -스러워〕 형ㅂ불 게걸들린 태도가 있다. **게걸-스레** 부

게:-걸음 명 게처럼 옆으로 걷는 걸음.
게걸음(을) 치다 ㉮ ㉠옆으로 걸어 나아가다. ㉡걸음이나 사업이 느리거나 발전이 되지 않다.

게게 부 **1** 코나 침을 보기 흉하게 흘리는 모양. ¶침을 ~ 흘리다. **2** 눈이나 몸에 기운이 없어 축 늘어진 모양. ¶~ 풀어진 눈.

-게끔 어미 '-게4'보다 센 뜻으로 쓰는 연결 어미. ¶추위에 떨지 않~ 옷을 두둑이 껴입어라.

-게나 어미 '-게1'를 좀 친밀히 쓰는 종결 어미. ¶놀러 오~/많이 먹~.

게놈 (독 Genom) 명 생물의 생존에 필요한 최소한도의 염색체의 한 조(組).

게다 부 '게다가'의 준말.

게다가 부 **1** '거기에다가'의 뜻. ¶~ 놓아라. **2** 그런 데다가 또 그 위에. ¶추운 날씨에 ~ 눈까지 왔다. ㊟게다.

게:-딱지 명 **1** 게의 등딱지. **2** 집이 작고 허술함을 비유하는 말. ¶~ 같은 오막살이/~만 한 초가집이 모여 있다.

게르마늄 (독 Germanium) 명 〖화〗 희유금속 원소의 하나. 회백색의 푸슬푸슬한 결정. 반도체로서 결정(結晶) 정류기·트랜지스터의 주요 재료로 씀. [32번 : Ge : 72.59]

게르만 (독 German) 명 **1** 아리안 인종의 한 지족. 중유럽 삼림 지대에 살던 미개 민족으로 4세기경의 대이동 후 동·서·북의 세 갈래로 갈라져 현대에 이름. **2** 독일 민족.

게릴라 (에 guerilla) 명 **1** 정규군이 아니고 유격전에 종사하는 소규모 무장 집단. 유격대. **2** 유격전. 또는 그 전법.

게릴라-전 (guerilla戰) 명 유격전.

게마인샤프트 (독 Gemeinschaft) 명 공동 사회. ↔게젤샤프트.

게서¹ 조 '에게서'의 준말《받침 없는 말에 씀》. ¶내~ 가지고 간 책.

게서² ㊟ 거기에서. ¶~ 놀아라.

게스트 (guest) 명 손님이라는 뜻으로, 라디오나 텔레비전 방송 등에 특별히 초대된 출연자.

게슴츠레 부하형 거슴츠레. ¶~ 눈을 뜨다.

게:시 (揭示) 명하타 여러 사람에게 알리기 위해 내걸거나 붙여 보게 함. 또는 그 글. ¶공고를 ~하는 기간/인사 발령이 ~되다.

게:시-판 (揭示板) 명 게시를 붙이게 만든 판(板). 게시 사항을 쓰는 판. 알림판. ¶공고문을 ~에 붙이다.

게:양 (揭揚) 명하타 기(旗) 따위를 높이 걺. ¶국기 ~/태극기를 ~하다.

게:양-대 (揭揚臺) 명 기 따위를 높이 걸기 위하여 만들어 놓은 대. ¶국기 ~.

게염 명 부러워하고 시새워서 탐내는 욕심. ㉶개염.
게염(을) 부리다 ㉮ 게염을 행동으로 나타내다.

게우다 타 **1** 먹었던 것을 도로 토하다. ¶아기가 젖을 ~. **2** 부당하게 차지하였던 남의 재물을 도로 내어 놓다. ¶가로챈 공금을 게워 냈다.

***게으르다** 〔게으르니, 게을러〕 형르불 행동이 느리고 움직이기 싫어하는 성미나 버릇이 있다. ㉶개으르다. ㊟게르다.

게으름 명 게으른 습성이나 태도. ¶귀찮아하며 ~을 피우다/성가시다고 ~을 부리다. ㉶개으름. ㊟게름.

게으름-뱅이 명 〈속〉 게으름쟁이. ㉶개으름뱅이.

게으름-쟁이 명 습성과 태도가 게으른 사람. ㉶개으름쟁이.

게을러-빠지다 형 몹시 게으르다. 게을러터지다. ㉶개을러빠지다.

게을러-터지다 형 게을러빠지다. ㉶개을러터지다.

게을리 부 게으르게. ㉶개을리.

게이 (gay) 명 남성의 동성애자. ↔레즈비언.

게이지 (gauge) 명 **1** 표준 치수. 표준 규격. **2** 치수·용적·수량 등을 헤아리는 계기(計器). **3** 뜨개질에서, 일정한 면적 안에 들어가는 코와 단의 수.

게이트 (gate) 명 **1** 승마에서, 문 모양의 장애물의 총칭. **2** 〖전〗 둘 이상의 입력이 일정한 조건을 충족시킬 때만 하나의 출력을 얻는 회로. **3** 비행장에서, 승객의 출입을 체크하는 곳. **4** 경마장에서, 출발점의 칸막

이《출발 신호와 함께 열림》.

게임 (game) [명] **1** 운동 경기나 시합. **2** 규칙을 정해 놓고 승부를 겨루는 놀이. ¶ 컴퓨터 ~. **3** 경기의 횟수를 세는 단위.

게임-기 (game機) [명] 소형 컴퓨터를 이용하여 게임을 즐길 수 있도록 만든 전자 장치.

게:-장 (-醬) [명] **1** 게젓. **2** 게젓을 담근 간장. **3** 암게의 딱지 속에 붙은 노란 장.

게:재 (揭載) [명][하타] 글이나 그림 따위를 신문·잡지 등에 실음. 등재(登載). ¶ 학술지에 논문을 ~하다 / 사진도 ~되었다.

게:-젓 [-젇] [명] 끓이어 식힌 간장이나 소금물에 산 게를 담가 삭힌 음식. 게장.

게정 [명] 불평을 품고 떠드는 말과 행동. ¶ ~을 부리다 / ~을 피우다.

게젤샤프트 (독 Gesellschaft) [명] 이익 사회. ↔게마인샤프트.

게:-트림 [명][하자] 거만스럽게 거드름 피우며 하는 트림.

겔 (독 Gel) [명] 〖화〗 콜로이드 용액이 유동성을 잃어 약간의 탄성과 견고성을 가져 고체로 된 물질《한천·젤라틴·두부 따위》.

-겠- [겓] [선어미] (용언이나 '이다'의 어간 또는 어미 '-시-'나 '-았〔었〕-' 등에 붙어) **1** 미래의 일이나 추측의 뜻을 나타내는 선어말 어미. ¶ 내일은 도착할 수 있~다 / 그이는 참 좋~네. **2** 가능성을 나타내는 선어말 어미. ¶ 그만한 것이라면 아이들도 들~다. **3** 화자의 의견이나 의지를 나타내는 선어말 어미. ¶ 나는 장래 과학자가 되~다 / 네가 와 주면 고맙~다. **4** 듣는 이의 의사를 물어 보는 선어말 어미. ¶ 같이 가시~어요.

겨 [명] 볏과에 속한 곡식에서 벗겨 낸 껍질의 총칭.

[겨 묻은 개가 똥 묻은 개를 나무란다] 자기 결점은 모르고 남의 결점만 나무란다.

겨끔-내기 [명] (주로 '겨끔내기로'의 꼴로 쓰여) 서로 번갈아 하기. ¶ ~로 질문을 던지다.

겨:냥 [명][하타] **1** 목표물을 겨눔. ¶ ~이 빗나가다 / 여름 대목을 ~해 내놓은 공포 영화 / 휴가철을 ~한 기행 서적. **2** 어떤 물건에 겨누어 정한 치수와 양식.

겨냥(을) 대다 [구] 활이나 총을 쏠 때에 목표에 맞도록 어림을 잡다.

겨냥(을) 보다 [구] 실물에 맞는지를 겨누어 맞춰 보다.

겨누다 [타] **1** 목표물이 있는 곳의 방향과 거리를 똑바로 잡다. ¶ 과녁을 향하여 총을 ~. **2** 한 물체의 길이·넓이 등을 알기 위해 다른 물체와 마주 대어 보다.

겨드랑 [명] '겨드랑이'의 준말.

겨드랑-눈 [명] 〖식〗 제눈 중에서 잎의 밑동 부분에 생기는 눈. 보통 잎의 기부(基部) 위쪽에 생기는데 잎꼭지 안쪽에 생기는 일도 있음. 액아(腋芽). *곁눈².

겨드랑-이 [명] **1** 양편 팔 밑의 오목한 곳. **2** 옷의 겨드랑이에 닿는 부분. ㊟겨드랑.

***겨레** [명] **1** 같은 핏줄을 이어받은 민족. ¶ 우리 ~ 고유의 문화. **2** 겨레붙이.

겨레-말 [명] 한 겨레가 공통으로 쓰는 말.

겨레-붙이 [-부치] [명] 서로 혈연관계가 있는 사람.

겨루기 [명] 태권도에서, 기본 기술과 품세를 조화 있게 활용하여 실전에 응용할 수 있도록 두 사람이 맞서 기량을 겨루는 일. 맞서기. 대련(對鍊).

***겨루다** [타] 서로 버티어 승부를 다투다. ¶ 한판 승부를 ~.

겨룸 [명][하타] 겨루는 일.

***겨를** [의명] ('-ㄹ, -을'의 뒤에 쓰여) 일을 하다가 쉬게 되는 틈. 짬. 여가. ¶ 숨 돌릴 ~도 없다. ㊟결.

겨릅 [명] '겨릅대'의 준말.

겨릅-대 [명] 껍질을 벗긴 삼대. ㊟겨릅.

겨리 [명] 소 두 마리가 끄는 쟁기. *호리.

겨릿소 쟁기

겨리

겨리-질 [명][하타] 겨리를 부리어 논밭을 가는 일.

겨릿-소 [-리쏘 / -릳쏘] [명] 겨리를 끄는 소.

겨-반지기 (-半-) [명] 겨가 많이 섞인 쌀.

***겨우** [부] **1** 어렵게 힘들여. 가까스로. 근근. ¶ 이제야 ~ 졸업 작품을 완성했다 / 그때는 ~ 입에 풀칠이나 할 정도였다. **2** 기껏해야 고작. ¶ 가진 것이 ~ 이것뿐이냐.

겨우-내 [부] 〔←겨울내〕 한겨울 동안 죽. ¶ ~ 산속 절에서 지냈다.

겨우-살이¹ [명] **1** 겨울철에 입고 먹고 지낼 옷이나 양식 따위. **2** 겨울을 남. 월동. 과동(過冬). ¶ ~ 준비를 하다.

겨우-살이² [명] 〖식〗 겨우살잇과에 속하는 상록 기생 관목. 잎은 혁질로 긴 타원형이고 초봄에 한두 개의 담황색 꽃이 줄기 끝에 나며, 녹황색 과실이 가을에 익음. 참나무 등에 기생하며 줄기·잎은 약재로 씀.

***겨울** [명] 일 년 네 철의 끝 철. 가장 추운 계절로 입동부터 입춘까지의 동안. ¶ 벌써 ~에 접어들었다. ㊟결.

겨울-나다 [-라-] [자] 월동하다.

겨울-날 [-랄] [명] 겨울철의 날이나 날씨.

겨울-눈 [-룬] [명] 〖식〗 여름이나 가을에 생겨 겨울을 넘기고 그 이듬해 봄에 자라는 싹. 동아(冬芽). ↔여름눈.

겨울 방학 (-放學) [-빵-] 학교에서, 몹시 추운 때에 수업을 일정 기간 쉬는 일. 동기(冬期) 방학.

겨울-새 [-쌔] [명] 가을에서 겨울에 걸쳐 북쪽에서 날아와 겨울을 지내고, 이듬해 봄에 다시 북쪽으로 가서 번식하며 여름을 나는 철새《우리나라에서는 기러기·물오리·백조 따위》. ↔여름새.

겨울-잠 [-짬] [명] 〖동〗 동면(冬眠). ↔여름잠.

***겨울-철** [명] 겨울의 절기. 동절(冬節).

겨워-하다 [타][여불] 힘겹게 여기다. ¶ 떠맡은 일을 ~.

겨자 [명] **1** 〖식〗 십자화과의 한해 또는 두해살이풀. 아시아가 원산지로 밭에서 재배하며, 높이는 1m가량임. 잎은 무 잎과 비슷하나 쭈글쭈글함. 봄에 네잎꽃이 누렇게 피고, 씨는 매우 작으면서 황갈색으로 맵고 향기로워 양념과 약재로 씀. **2** 겨자씨로 만든 양념.

겨자-씨 명 **1** 겨자의 씨. 양념·약재로 쓰고 기름을 짬. **2** 몹시 작은 것의 비유.

격 (格) 一명 **1** 환경과 사정에 자연스럽게 어울리는 분수나 품위. ¶ ~에 맞다 / ~이 높다. **2** 〔언〕 문장 속에서 체언이나 명사구가 서술어에 대하여 가지는 자격《주격·목적격 따위》. 二의명 **1** (어미 '-은, -는' 뒤에 쓰여) '셈, 식'의 뜻을 나타내는 말. ¶ 쇠귀에 경 읽는 ~이다 / 엎친 데 덮친 ~이다. **2** (일부 명사 뒤에 쓰여) '자격'의 뜻을 나타내는 말. ¶ 이 회사의 사장 ~.

격 (隔) 명 사이를 가로막는 간격. ¶ ~이 나다.

격(을) 두다 구 사람과 사람 사이에 일정한 간격을 두다. ¶ 그는 친구에게도 격을 두고 대한다.

격감 (激減) 명하자 급격하게 줆. 많이 줆. ¶ 판매량이 반으로 ~했다. ↔격증(激增).

격구 (擊毬) 명 〔역〕 **1** 구장(毬場)에서 말을 타거나 걸어 다니면서 막대기로 공을 치던 무예 또는 운동. 격방(擊棒). **2** 타구(打毬).

격구1

격납-고 (格納庫)[경-] 명 비행기 등을 넣어 두거나 정비하는 건물.

격년 (隔年)[경-] 명하자 **1** 사람 사이의 관계에서 한 해 이상 서로 통하지 않고 지냄. **2** 한 해를 거름. 해거리. ¶ 사내 체육 대회를 ~으로 개최하다.

격노 (激怒)[경-] 명하자 격렬하게 성냄. 격분(激忿). ¶ 무책임한 언동에 ~하다.

격돌 (激突) 명하자 세차게 부딪침. ¶ 두 팀은 결승에서 ~하게 되었다.

격동 (激動) 명하자타 **1** 정세 따위가 급격하게 움직임. ¶ ~기(期) / ~하는 세계. **2** 몹시 흥분하여 충동을 느낌. 또는 그렇게 되게 함.

격동-적 (激動的) 관명 매우 격렬하게 움직이고 변화하는 (것). ¶ ~(인) 리듬.

격랑 (激浪)[경낭] 명 **1** 거센 파도. ¶ ~에 씻긴 바위 / ~을 헤치며 나아가다. **2** 모진 시련을 비유하는 말. ¶ 온갖 ~을 겪었다.

격려 (激勵)[경녀] 명하타 마음이나 기운을 북돋우어 힘쓰도록 함. 분기시킴. ¶ ~를 아끼지 않다 / 시합을 앞둔 동생을 ~하다.

격려-사 (激勵辭)[경녀-] 명 격려하는 말.

격렬-하다 (激烈-)[경녈-] 형여불 말이나 행동이 몹시 세차고 사납다. ¶ 선수끼리 격렬한 몸싸움을 하다. **격렬-히** [경녈-] 부. ¶ ~ 대항하다.

격론 (激論)[경논] 명하자 몹시 세찬 논쟁. ¶ ~을 벌이다.

격류 (激流)[경뉴] 명 **1** 매우 세차게 흐르는 물. **2** 사회적 발전이나 사조 따위의 거센 흐름을 비유하는 말. ¶ 현대사의 ~에 휘말리다.

격률 (格率)[경뉼] 명 **1** 〔철〕 행위의 규범이나 윤리의 원칙. 준칙(準則). **2** 〔수·논〕 논리적으로 분명한 명제 또는 공리.

격리 (隔離)[경니] 명하타 **1** 다른 것과 통하지 못하도록 사이를 막거나 떼어 놓음. ¶ 담으로 ~된 곳. **2** 전염병 환자 등을 따로 옮겨서 떼어 놓음. ¶ ~ 수용 / 환자를 가족과 ~시키다. **3** 〔생〕 생물 개체의 생식 범위가 한정되어 있는 일.

격막 (隔膜)[경-] 명 칸막이 구실을 하는 막.

격막 (膈膜)[경-] 명 〔생〕 **1** '횡격막'의 준말. **2** 동물체의 기관이나 조직 따위를 가르고 있는 막.

격멸 (擊滅)[경-] 명하타 적을 쳐서 없앰. ¶ 적은 아군에게 ~되었다.

격무 (激務)[경-] 명 몹시 고되고 바쁜 업무. 극무(劇務). ¶ ~에 시달리다.

격문 (檄文)[경-] 명 **1** 특별한 경우에 군병을 모집하거나, 널리 일반에게 알려 부추기는 글. 격(檄). 격서. **2** 급히 여러 사람들에게 알리려고 각처로 보내는 글. 격서. ¶ ~을 띄우다.

격물 (格物)[경-] 명하자 사물의 이치를 연구하여 궁극에 도달함《주자학의 용어》.

격물-치지 (格物致知)[경-] 명하자 **1** 주자학의 용어《사물의 이치를 연구하여 후천적인 지식을 명확히 함》. **2** 양명학의 용어《의지가 존재하는 바 사물에 의해서 부정을 바로잡고 양지(良知)를 닦음》. **3** 대학의 용어《실제 사물의 이치를 연구하여 지식을 완전하게 함》. 준격치(格致).

격발 (激發) 명하자타 감정이 격렬히 일어남. 또는 격동하여 일으킴.

격발 (擊發) 명하자타 탄환을 발사하기 위해 방아쇠를 당김.

격벽 (隔壁) 명하자 **1** 벽 하나를 사이에 둠. **2** 칸을 막은 벽《특히 배의 내부 칸막이벽》.

격변 (激變) 명하자 상황 따위가 급격하게 변함. ¶ 정세의 ~ / ~하는 세계.

격 변화 (格變化) 〔언〕 **1** 주로 인도유럽 어족의 언어에서, 어미에 의한 격의 변화. **2** 곡용(曲用).

격분 (激忿) 명하자 격노(激怒).

격분 (激憤) 명하자 몹시 분개함. ¶ ~을 누를 길이 없다.

격분 (激奮) 명하자 몹시 흥분함.

격살 (擊殺) 명하타 무기 따위로 쳐서 죽임. ¶ 적에게 ~되다.

격상 (格上) 명하자타 자격·등급·지위 등의 격이 높아짐. 또는 격을 높임. ¶ 전무로 ~하다 / 신분이 ~되다. ↔격하(格下).

격서 (檄書) 명 격문.

격세 (隔世) 명하자 **1** 세대를 거름. **2** 심하게 변천하여 매우 다르게 느껴지는 세대. ¶ ~의 느낌.

격세 유전 (隔世遺傳) 〔생〕 생물의 성질·체질 등의 열성 형질이 일대(一代) 또는 여러 대를 걸러 나타나는 유전. 잠복(潛伏) 유전.

격세지감 (隔世之感) 명 오래지 않은 동안에 몰라보게 변하여 아주 다른 세상이 된 것 같은 느낌. 격세감.

격식 (格式) 명 격에 맞는 법식. ¶ ~을 차리다 / ~에 얽매이다.

격심-하다 (激甚-) 형여불 매우 심하다. ¶ 격심한 타격을 입다. **격심-히** 부

격앙 (激昂) 명하자 감정·기운이 거세게 일어남. ¶ ~해서 언성을 높이다.

격야 (隔夜) 명하자 하룻밤을 거르거나 하룻밤씩 거름.

격양 (激揚) [명][하자] 감정이나 기운이 세차게 일어나 들날림. 감격하여 분기(奮起)함. ¶ ~된 목소리.
*__격언__ (格言) [명] 인생에 대하여 교훈이나 경계가 될 만한 짧은 말. *금언.
격원-하다 (隔遠-) [형][여불] 동떨어지게 멀다. **격원-히** [부]
격월 (隔月) [명][하자] 한 달씩 거르거나 한 달을 거름.
격월-간 (隔月刊) [명] 한 달씩 걸러 발간함. 또는 그런 잡지나 책. *월간(月刊).
격음 (激音) [명] 〔언〕 거센소리.
격의 (隔意)[-/-이] [명] 서로 터놓지 않는 속마음. 격심(隔心). ¶ ~ 없이 이야기하다.
격일 (隔日) [명][하자] 하루씩 거름. 또는 하루를 거름. ¶ ~ 근무.
격일제 (隔日制)[-쩨] [명] 일 따위를 하루씩 걸러서 하는 제도.
격자 (格子) [명] 바둑판처럼 가로세로를 일정한 간격으로 직각이 되게 짠 구조나 물건. 또는 그런 형식.
격자-무늬 (格子-)[-니] [명] 바둑판처럼 가로세로로 줄이 진 무늬. 석쇠무늬.
격자-창 (格子窓) [명] 창살을 격자로 짠 창.
격전 (激戰) [명][하자] 격렬한 전투. 격렬하게 싸움. ¶ ~을 벌이다.
격전-지 (激戰地) [명] 격렬한 전투가 벌어진 곳. 격전장(場). ¶ ~ 순례 행군.
격절 (隔絶) [명][하자] 서로 사이가 동떨어져 연락이 끊어짐.
격절 (擊節) [명][하자] 두들겨서 박자를 맞춤.
격정 (激情) [명] 격렬한 감정. 강렬하고 갑작스러워 누르기 힘든 감정. ¶ ~에 사로잡히다 / ~을 누르다.
격정-적 (激情的) [관][명] 감정이 세차게 일어나는 (것). ¶ ~ 어조 / 춤을 ~으로 추다.
격조 (格調) [명] **1** 문예 작품 따위에서 체제에 맞는 격식과 운치에 어울리는 가락. ¶ ~ 높은 시(詩). **2** 사람의 품격과 취향.
격조 (隔阻) [명][하자] **1** 멀리 떨어져 서로 통하지 못함. **2** 오랫동안 서로 소식이 막힘. ¶ 그간 참으로 ~했습니다.
격 조사 (格助詞) 〔언〕 체언 뒤에 붙어 그 체언이 문장의 구성으로서 다른 말에 대하여 갖는 일정한 자격을 나타내는 조사《주격 조사·목적격 조사 등》. 자리토씨.
격주 (隔週) [명][하자] 일주일씩 거름. 또는 일주일을 거름. ¶ ~ 휴무제.
격증 (激增) [명][하자] 급격하게 늘거나 불어남. ¶ ~된 교통량. ↔격감(激減).
격지 [명] 여러 겹으로 쌓여 붙은 켜.
격지 (隔地) [명] 멀리 떨어진 지방.
격지 (隔紙) [명] 물건을 포개어 쌓을 때 켜와 켜 사이에 끼우는 종이.
격지-격지 [부] **1** 여러 켜로. **2** 각 켜마다.
격-지다 (隔-) [자] 뜻이나 성미가 서로 맞지 않아 사이가 멀어지다.
격진 (激震) [명] 〔지〕 격렬한 지진. 가옥이 30% 이상 쓰러지고 산이 무너지며 땅이 심하게 갈라질 정도《진도는 7》. 극진. ☞ 진도.
격차 (隔差) [명] 임금이나 빈부, 기술 수준 따위가 서로 벌어져 다른 정도. ¶ 소득 ~를 줄이다 / 빈부 ~가 심화되다.
격찬 (激讚) [명][하타] 매우 높이 칭찬함. ¶ ~을 아끼지 않다 / 그의 작품을 걸작품이라고 ~하다.
격추 (擊墜) [명][하타] 날아가는 적의 비행기를 쏘아 떨어뜨림. ¶ 적기를 ~하다.
격침 (擊沈) [명][하타] 배를 공격하여 침몰시킴. ¶ 배가 어뢰에 ~되다 / 적함을 ~하다.
격통 (激痛) [명] 심한 아픔. ¶ ~을 느끼다.
격퇴 (擊退) [명][하타] 적을 쳐서 물리침. 격양(擊攘). ¶ 적의 공격을 ~하다 / 침략군이 ~되다.
격투 (格鬪) [명][하자] 서로 맞붙어 치고받으며 싸움. 박전(搏戰). ¶ ~를 벌이다 / 도둑을 ~ 끝에 붙잡다.
격투 (激鬪) [명][하자] 세차게 싸움. 또는 그런 싸움.
격투-기 (格鬪技) [명] 격투의 우열을 겨루는 경기《권투·유도·레슬링·태권도 따위》.
격파 (擊破) [명][하타] **1** 쳐부숨. ¶ 적진이 ~되다 / 적의 주력 부대를 ~하다. **2** 태권도 등에서, 벽돌·기왓장 따위를 머리나 맨발·맨손으로 쳐서 깨뜨리는 일. ¶ ~ 시범을 보이다.
격하 (格下)[겨카] [명][하자타] 자격이나 등급, 지위 따위의 격이 낮아짐. 또는 격을 낮춤. ¶ 지위가 ~되다 / 2 위에서 3 위로 ~하다. ↔격상(格上).
격-하다 (隔-)[겨카-] [타][여불] 시간이나 공간에 사이를 두다. ¶ 하루를 ~.
격-하다 (激-)[겨카-] [一][자][여불] 갑자기 화를 내거나 몹시 흥분하다. ¶ 격한 어조로 꾸짖다. [二][형][여불] 기세나 감정 등이 급하고 거세다. ¶ 성질이 ~.
격화 (激化)[겨콰] [명][하자] 격렬하게 됨. ¶ 수출 경쟁이 ~하다.
*__겪다__ [격따] [타] **1** 어려운 일이나 경험될 만한 일을 치르다. ¶ 갖은 고초를 ~ / 불편을 ~. **2** 손님이나 여러 사람을 청해 음식을 대접하다. ¶ 손님을 ~. **3** 사람을 사귀어 지내다. ¶ 많은 사람을 겪어 보다.
겪이 [명] 음식을 차려 남을 대접하는 일.
견 (絹) [명] 얇고 성기며 무늬 없이 희게 짠 깁《밑에 종이를 붙여서 족자·병풍·부채 따위를 만드는 데 씀》.
견갑 (堅甲) [명] **1** 튼튼하게 만든 갑옷. **2** 단단한 껍데기.
견갑-골 (肩胛骨) [명] 〔생〕 척추동물의 상지골을 몸통에 연결하는 뼈. 어깨 뒤쪽에 있는, 좌우 각 하나의 넓적하고 삼각형인 뼈. 어깨뼈. 주걱뼈. [준]견골.
견강-부회 (牽強附會) [명][하자] 당치도 않은 말을 억지로 끌어다 붙임.
견결-하다 (堅決-) [형][여불] 의지나 태도가 굳세다. **견결-히** [부]
견고-하다 (堅固-) [형][여불] 굳고 튼튼하다. ¶ 견고한 수비. **견고-히** [부]
견공 (犬公) [명] 개를 의인화(擬人化)하여 일컫는 말.
견과 (堅果) [명] 〔식〕 껍데기가 굳고 단단하며 열매가 익어도 벌어지지 않는 과실류《밤·호두 따위》. 각과(殼果).
*__견디다__ [자][타] **1** 살림살이에 곤란을 겪지 않고 잘 꾸려 나가다. ¶ 그럭저럭 견뎌 가다. **2** 쉽게 해어지거나 닳지 않고 본디의 상태

나 형태를 잘 유지하다. ¶구두가 오래 ~/ 고물차가 얼마나 견딜까. **3** 잘 참아 내다. 잘 배겨 내다. ¶추위를 잘 견디는 작물/ 더위를 참고 ~.

견딜-성 (-性)[-썽] 명 잘 참아 견뎌 내는 성질. 인내성.

견딜-힘 명 잘 참고 견뎌 내는 힘. 인내력.

견:모 (見侮) 명하자 업신여김을 당함.

견-모 (絹毛) 명 **1** 견사와 모사. **2** 견직물과 모직물.

견:문 (見聞) 명하타 **1** 보고 들음. 문견(聞見). **2** 보고 들어서 얻은 지식. ¶~이 넓다/~을 넓히다.

견:문-록 (見聞錄)[-녹] 명 보고 들은 지식을 적은 글.

견:물생심 (見物生心) 명 물건을 보면 가지고 싶은 욕심이 생김.

견:본 (見本) 명 전체 상품의 품질·효용 등을 알리기 위하여 본보기로 보이는 물건.

견:본-쇄 (見本刷) 명 〔인〕 견본으로 사용하기 위한 인쇄. 또는 그 인쇄물.

견비 (肩臂) 명 어깨와 팔.

견비-통 (肩臂痛) 명 〔한의〕 어깨나 어깨에서 팔까지의 부분이 아프고 저린 신경통.

견사 (絹紗) 명 **1** 견(絹)과 사(紗). **2** 견으로 짠 사.

견사 (絹絲) 명 깁이나 비단을 짜는 명주실. 비단실. ¶인조 ~.

견사 (繭絲) 명 **1** 누에고치와 실. **2** 고치의 실. 생명주실.

견:성 (見性) 명하자 〔불〕 모든 망상과 미혹을 버리고 자기 본연의 천성을 깨달음.

견:성-성불 (見性成佛) 명 〔불〕 자기 본성을 깨달아 부처가 됨.

견:습 (見習) 명하타 '수습(修習)'의 구용어.

견:습-공 (見習工) 명 '수습공(修習工)'의 구용어.

견:식 (見識) 명 견문과 학식. 식견. ¶풍부한 ~/~이 넓다.

견실-하다 (堅實-) 형여불 튼튼하고 충실하다. 굳고 착실하다. ¶영업 방침이 ~. **견실-히** 부

견우 (牽牛) 명 **1** '견우성(星)'의 준말. **2** 〔식〕 나팔꽃.

견우-성 (牽牛星) 명 독수리자리의 수성(首星) 알타이르(Altair)의 속칭《칠석에 은하수를 건너 직녀성과 만난다는 전설이 있음》. 준견우.

견우-직녀 (牽牛織女)[-징-] 명 견우와 직녀. 또는 견우성과 직녀성.

견원지간 (犬猿之間) 명 개와 원숭이의 사이처럼 몹시 사이가 나쁜 두 사람의 관계를 비유적으로 이르는 말.

견유-학파 (犬儒學派) 명 〔철〕 키니코스학파.

견인 (堅忍) 명하타 굳게 참고 견딤.

견인 (牽引) 명하타 끌어당김. ¶고장 차량을 ~하다.

견인-력 (牽引力)[-녁] 명 **1** 끌어당기는 힘. **2** 차량을 움직이는 원동력이 되는 끄는 힘.

견인불발 (堅忍不拔) 명하자 굳게 참고 견뎌 마음이 흔들리지 않음.

견인-자동차 (牽引自動車) 명 짐 실은 차량을 끄는 원동력을 갖추고 있는 자동차《트랙터·레커차(wrecker車) 따위》. 견인차.

견인-차 (牽引車) 명 **1** 견인자동차. **2** 앞장서서 여러 사람을 이끌어 가는 사람의 비유. ¶연구 개발에 ~ 역할을 한 사람.

견장 (肩章) 명 군인·경찰관 등의 제복 어깨에 붙이는 표장《직위·계급에 따라 다름》. ¶~을 달다.

견:적 (見積) 명하타 어떤 일에 드는 비용 등을 미리 어림잡아 계산함. 또는 그 계산. ¶~을 내다/~을 뽑아서 제출하다.

견:적-서 (見積書) 명 견적한 것을 적어 넣은 서류.

견제 (牽制) 명하타 **1** 한 쪽이 지나치게 세력을 펴지 못하게 통제함. ¶~ 세력/혁신 세력을 ~하다. **2** 〔군〕 적을 자기 쪽에 유리한 지점으로 이끌어 적의 전술 활동을 방해함. 견철(牽掣). ¶~ 사격.

견제-구 (牽制球) 명 야구에서, 도루(盜壘)를 꾀하는 상대편 주자를 아웃시키려고 투수나 포수가 누수(壘手)에게 던지는 공.

***견주다** 타 둘 이상의 사물을 질이나 양 따위에서 어떠한 차이가 있는지 알기 위하여 맞대어 보거나 비교하다. ¶키를 견주어 보다/실력을 ~/그와 견줄 만한 사람이 없다.

견지 명 낚싯줄을 감았다 풀었다 하는 데 쓰는, 대나무로 만든 납작한 외짝 얼레.

견지

견:지 (見地) 명 사물을 관찰하고 판단하는 입장. 관점. ¶대국적 ~/교육적 ~.

견지 (堅持) 명하타 어떤 견해나 입장을 계속 유지함. ¶신중한 입장을 ~하다.

견직 (絹織) 명 '견직물'의 준말.

견-직물 (絹織物)[-징-] 명 명주실로 짠 피륙. 비단. 준견직(絹織).

견진 성:사 (堅振聖事) 〔가〕 칠성사(七聖事)의 하나. 영세를 받은 신자에게 은총을 더하기 위해 주교가 신자의 이마에 성유를 바르고 성신과 그 칠은(七恩)을 받도록 하는 성사.

견:책 (見責) 명하자 책망을 당함.

견책 (譴責) 명하타 **1** 허물이나 잘못을 꾸짖고 나무람. ¶상사에게 ~을 당하다/불량 학생이 ~되다. **2** 〔법〕 공무원 등에 대한 징계 처분의 하나《잘못을 꾸짖고 주의를 줌》. ¶~ 처분.

견:출 (見黜) 명하자 내쫓김.

견:출-지 (見出紙)[-찌] 명 책이나 서류 따위에서 분류를 목적으로 붙이는 작은 종이 쪽지.

견치 (犬齒) 명 송곳니.

견:칫-돌 [-치똘/-칟똘] 명 〔건〕 석축을 쌓는 데 쓰는, 사각뿔 모양의 석재. 간지석(間知石).

견포 (絹布) 명 비단으로 짠 베.

***견:학** (見學) 명하타 실지로 현장에 가서 보고 배우는 것. ¶공장 ~을 다녀오다/자동차 공장을 ~하다.

견:해 (見解) 명 사물이나 현상에 대한 의견이나 생각. ¶피상적인 ~/~를 피력하다/~를 달리하다.

견:해-차 (見解差) 명 두 사람 이상의 사이

에서 나타나는 생각의 차이. ¶ ~가 크다 / ~를 좁히다.

겯:거니-틀거니 부 서로 버티고 대항하는 모양.

겯:고-틀다 〔-트니, -트오〕 타 서로 지지 않으려고 버티어 겨루다.

겯:다[1] 〔결으니, 결어〕 一자ㄷ불 **1** 기름기 따위가 흠뻑 묻어 배다. ¶ 때에 결은 옷 / 술에 결은 사람. **2** 한 가지 일을 오래 하여 손에 익다. 二타ㄷ불 물건을 기름 따위에 담그거나 발라 흠뻑 묻어 배게 하다. ¶ 장판지를 기름에 ~.

겯:다[2] 〔결으니, 결어〕 타ㄷ불 **1** 대·갈대·싸리채 등의 오리로 어긋매끼게 엮다. ¶ 대오리로 바구니를 ~. **2** 여러 개의 긴 물체가 자빠지지 않도록 어긋매끼게 걸어 세우다. ¶ 비계를 ~. **3** 서로 어긋매끼도록 짜거나 걸치다. ¶ 어깨를 ~. **4** 실꾸리를 만들기 위해서 실을 어긋맞게 감다. ¶ 실꾸리를 ~.

겯다[3] 〔결으니, 결어〕 타ㄷ불 암탉이 알을 낳을 무렵에 골골 소리를 내다. *알겯다.

겯-지르다 〔겯지르니, 겯질러〕 타르불 **1** 서로 마주 엇결리게 걸다. **2** 엇결어 딴 쪽으로 지르다. ¶ 짐을 겯질러 묶다.

겯-질리다 자 **1** 《'겯지르다'의 피동》 겯지름을 당하다. **2** 겯지른 상태로 되다. **3** 일이 이리저리 엇결리어 서로 거리끼다. **4** 일이 힘에 겨워서 기운이 결리고 질리다.

***결**[1] 명 나무·돌·살갗·비단 따위의 굳고 무른 조직의 부분이 모여 이룬 바탕의 모양. ¶ ~이 고운 비단 / ~이 센 나무.

결[2] 명 **1** '성결'의 준말. ¶ ~이 고운 사람. **2** '결기'의 준말. ¶ ~이 솟다.

결을 삭이다 구 성난 마음을 풀어 가라앉히다.

결(이) 바르다 구 성결이 곱다. 성미가 곧다. 마음씨가 바르다. ¶ 대쪽같이 결이 바른 선비.

결(이) 삭다 구 성이 난 마음이 풀려 부드러워지다.

결[3] 의명 **1** (주로 '결에'의 꼴로 쓰여) '때·김·사이·짬' 등의 뜻. ¶ 어느 ~에 다 해치웠나 / 지나는 ~에 들렀다. **2** '겨를'의 준말. ¶ 쉴 ~이 없이 바쁘다.

결(缺) 명 빠져서 부족함. ¶ 20 명 정원에 둘이 ~이다.

결(結) 一명 '결전(結錢)'의 준말. 二의명 〔역〕 조세를 계산하기 위한 논밭의 면적 단위.

-결 미 **1** '얼핏 스쳐가는 짧은 동안'을 뜻하는 말. ¶ 꿈~ / 잠~ / 얼떨~. **2** '물·바람' 따위의 높고 낮은 층이 섞여 이룬 상태를 뜻하는 말. ¶ 물~ / 바람~ / 숨~.

결-가부좌 (結跏趺坐) 명하자 〔불〕 완전히 책상다리를 하고 앉는 가부좌. *반가부좌(半跏趺坐).

결가부좌

결강 (缺講) 명하자 강의를 거름. ¶ 김 교수는 ~하는 일이 없다.

결격 (缺格)[-껵] 명하자 필요한 자격을 갖추고 있지 못함. ¶ ~ 사유 / ~자 / 사장으로서는 ~이다. ↔적격(適格).

결곡-하다 [-고카-] 형여불 생김새나 마음씨가 깨끗하고 여무져서 빈틈없다.

***결과** (結果) 명 **1** 열매를 맺음. 또는 그 열매. 결실(結實). **2** 어떤 원인으로 결말이 생김. 또는 그 상태. ¶ 원인과 ~ / 좋은 ~가 나오다 / 조그만 실수가 이런 ~를 초래했다. ↔원인(原因).

결과-론 (結果論) 명 〔윤〕 어떤 행위를 평가함에 원인이나 과정은 따지지 않고 결과만을 가지고 하는 논의.

결과-적 (結果的) 관명 결과와 관련된 (것). ¶ 이 결정이 ~으로는 모두에게 유리했다.

결교 (結交) 명하자 교분을 맺음. 서로 사귐.

결구 (結句)[-꾸] 명 **1** 문장, 특히 편지의 끝을 맺는 어구. **2** 한시 등의 끝 구절.

결구 (結構) 명하타 **1** 얽거나 짜서 만듦. 또는 그 물건. **2** 짜서 이루어진 얽이의 모양새.

***결국** (結局) 명 일이 마무리되는 마당. 일의 마지막 판. ¶ ~은 같은 것이다 / ~ 성공했다 / 환경오염은 ~ 인류 전체의 문제다.

결권 (結卷) 명 **1** 〔불〕 경전의 마지막 권. **2** 책의 마지막 권.

결궤 (決潰) 명하자타 물결이 세어 방죽 따위가 무너짐. 물결이 방죽 같은 것을 터뜨려 무너뜨림. 궤결.

결근 (缺勤) 명하자 출근을 않고 빠짐. ¶ ~이 잦다 / 독감으로 ~하다. ↔출근(出勤).

결기 (-氣)[-끼] 명 **1** 몹시 급한 성질. ¶ ~를 부리다. **2** 성이 나서 과단성(果斷性) 있게 내지르는 기상. ¶ ~가 세다. 준결.

결-김 [-낌] 명 (주로 '결김에'의 꼴로 쓰여) 화가 난 나머지. ¶ ~에 재떨이를 던지다 / ~에 손에 든 서류를 팽개치다.

결-나다 [-라-] 자 결기가 일어나다. ¶ 결나서 설쳐 대다.

결-내다 [-래-] 자 결기를 내다. 성미를 부리다. ¶ 하찮은 일에도 결내는 사람.

결단 (決斷)[-딴] 명하타 딱 잘라 결정하거나 단정을 내림. 또는 그런 결정이나 단정. ¶ ~을 내리다 / ~이 서지 않다.

결단 (結團)[-딴] 명하타 단체를 결성함. ↔해단.

결단-력 (決斷力)[-딴녁] 명 결단을 내릴 수 있는 능력. ¶ ~ 있는 지도자.

결단-성 (決斷性)[-딴썽] 명 결단력이 있는 성질. ¶ ~ 있는 판단.

결단-코 (決斷-)[-딴-] 부 어떠한 일이 있어도 반드시. 꼭. 절대로. ¶ ~ 이 일을 해내고야 말겠다 / ~ 그런 일은 없다. *결코.

결당 (結黨)[-땅] 명하타 **1** 도당을 맺음. **2** 정당을 결성함. ¶ 신당이 ~되다.

결딴 명 **1** 일이나 사물이 아주 망그러져 도무지 손을 쓸 수 없게 된 상태. **2** 살림이 망하여 거덜난 상태.

결딴-나다 자 **1** 일이나 물건이 망그러져서 도무지 손을 쓸 수 없는 상태가 되다. ¶ 시계가 땅에 떨어져 ~. **2** 살림이 망하여 거덜나다. ¶ 집안이 망하여 ~.

결딴-내다 타 《'결딴나다'의 사동》 결딴나게 하다. 망치다.

결락 (缺落) 명하자 한 귀퉁이가 떨어짐. 있어야 할 것이 빠짐. 또는 그 빠진 것.

결렬 (決裂) 명하자 **1** 갈가리 찢어짐. **2** 회담이나 교섭 등을 할 때 의견이 맞지 않아 각각 갈라섬. ¶협상이 ~되다.

결례 (缺禮) 명하자 예의범절에 벗어나는 짓을 함. 또는 예의를 갖추지 못함. 실례(失禮). ¶지난번의 ~를 용서하십시오.

결론 (決論) 명하타 의론의 가부와 시비를 따지어 결정함. 또는 그 결정된 의론.

결론 (結論) 명하타 **1** 말이나 글의 끝맺는 부분. 맺음말. **2** 최종적으로 판단을 내림. 또는 그 판단. ¶~이 나다 / ~을 내리다 / ~을 얻다. **3** 추리에서 어떤 명제를 전제로 하여 그로부터 이끌어 낸 판단.

결론-적 (結論的) 관명 결론이 되는 (것). ¶~인 몇 가지 사실.

결론-짓다 (結論-)[-짇따][-지으니, -지어] 타ㅅ불 결론을 내리다. 말이나 글의 끝을 맺다. ¶그것이 옳다고 결론지을 수밖에 없다.

결루 (缺漏) 명하자 **1** 들어가야 할 것이 빠짐. 또는 그 빠진 것. 부족한 점. 탈락. 궐루(闕漏). **2** 〖불〗 계(戒)를 지키지 아니함으로써, 허물이 밖으로 드러남. **3** 〖불〗 번뇌.

결리다 자 **1** 몸의 한 부분이 움직일 때 당겨서 딱딱 마치는 것처럼 아프다. ¶옆구리가 ~. **2** 남에게 눌려 기를 펴지 못하다. ¶그의 위엄에 결려 눈을 내리깔았다.

결막 (結膜) 명 〖생〗 눈꺼풀의 안과 눈알의 겉을 이어서 싼 무색투명의 얇은 껍질.

결막-염 (結膜炎)[-망념] 명 〖의〗 결막에 생기는 염증. 눈이 충혈되며 발갛게 붓고 눈곱이 낌.

결말 (結末) 명 어떤 일이 마무리되는 끝.

결말-나다 (結末-)[-라-] 자 일이 마무리되어 끝나다. ¶결말난 일로 괴로워하다.

결말-내다 (結末-)[-래-] 타 일을 마무리하여 끝내다.

결말-짓다 (結末-)[-짇따][-지으니, -지어] 타ㅅ불 결말이 나도록 만들다.

결맹 (結盟) 명하자 **1** 맹약을 맺음. 연맹이나 동맹을 결성함. 체맹(締盟). **2** 굳은 약속을 맺음.

결명-자 (決明子) 명 〖한의〗 결명차의 씨《간열(肝熱)·눈병 등의 치료재로 씀》.

결명-차 (決明茶) 명 〖식〗 콩과의 한해살이풀. 북아메리카 원산. 높이 1.5 m 가량, 잎은 거꿀달걀꼴, 여름에 노란 꽃이 핌. 삭과(蒴果)는 약용함. 결명. 마제결명.

결문 (結文) 명 문장의 결말. 또는 그 문구. 말문(末文).

결미 (結尾) 명 **1** 글의 끝 부분. **2** 일의 끝.

결박 (結縛) 명하타 몸이나 손 따위를 묶음. ¶범인을 ~하다 / 현행범이 ~되다 / 두 손을 ~ 당하다.

결박(을) 짓다 구 결박을 단단히 하다. ¶죄인을 결박 지어 끌고 가다.

결발 (結髮) 명하자 머리를 묶음. 상투를 틀거나 쪽을 찜.

결발-부부 (結髮夫婦) 명 총각과 처녀가 혼인한 부부.

결백 (潔白) 명하형 **1** 행동이나 마음이 깨끗함. **2** 잘못이나 죄를 저지른 것이 없음. ¶~을 입증하다.

결번 (缺番) 명하자 **1** 당번을 거름. 또는 그 거른 번(番). **2** 그 번호가 있어야 할 곳에 번호가 없음. 또는 그 번호. ¶그 전화번호는 ~이다 / 전학으로 ~이 생겼다.

결벽 (潔癖) 명 **1** 남달리 깨끗함을 좋아하는 성질. ¶~이 심하다. **2** 부정이나 악을 극단으로 미워하는 성질.

결벽-증 (潔癖症) 명 병적으로 깨끗한 것에 집착하는 증상. ¶~이 심한 사람.

결별 (訣別) 명하자 **1** 기약 없는 작별. ¶친구와 ~하다. **2** 관계를 완전히 끊음. ¶단호히 ~을 선언하다. *이별.

결본 (缺本) 명 낙질이 된 책 중의 그 빠진 책. 또는 그 빠진 책이 있는 한 질. 궐본(闕本).

결부 (結付) 명하타 서로 밀접하게 관련시킴. ¶이론을 현실에 ~하여 말하다 / 금전 문제와 ~시키지 마라.

결빙 (結氷) 명하자 물이 얼어 얼음이 됨. 동빙(凍氷). ¶~ 구간을 통제하다. ↔해빙.

결빙-기 (結氷期) 명 물이 어는 시기.

결빙-점 (結氷點)[-쩜] 명 〖물〗 어는점.

결사 (決死)[-싸] 명하자 죽기를 각오하고 있는 힘을 다할 것을 결심함.

결사 (結社)[-싸] 명하타 여러 사람이 공동 목적을 이루기 위하여 단체를 조직함. 또는 그 단체. ¶~의 자유 / 비밀 ~.

결사 (結辭)[-싸] 명 끝맺는 말.

결사-대 (決死隊)[-싸-] 명 죽기를 각오한 사람들로 이루어진 부대나 무리.

결사-적 (決死的)[-싸-] 관명 일을 행함에 있는 힘을 다하는 (것). ¶~으로 덤비다.

결산 (決算)[-싼] 명하타 **1** 일정한 기간 내의 수입과 지출을 마감한 계산. 곧, 이익과 손실 또는 흑자와 적자를 계산하는 일. ¶1년 ~을 내서 보고하다. **2** 비유적으로, 일정한 동안의 활동이나 업적들을 종합하여 정리하거나 마무리함. 또는 그 활동이나 업적. ¶금년도 문화계를 ~하다.

결산-서 (決算書)[-싼-] 명 일정한 기간 동안의 영업의 개황과 재정 상태를 결산한 문서. ¶~를 작성하다.

결석 (缺席)[-썩] 명하자 출석해야 할 경우에 출석하지 않음. 궐석(闕席). ¶그는 몸이 약하여 ~이 잦다. ↔출석.

결석 (結石)[-썩] 명 〖의〗 몸 안의 장기(臟器) 속에 생기는 돌 같은 단단한 물질《담석(膽石) 따위》.

결선 (決選)[-썬] 명하타 **1** 선거에서 표를 많이 얻은 두 사람을 놓고 당선자를 가리기 위해 다시 투표를 하는 것. **2** 운동 경기에서 마지막 우승자를 가리는 시합. ¶~에 오르다 / ~에 진출하다. *예선(豫選).

결성 (結成)[-썽] 명하타 조직이나 단체를 형성함. ¶노조를 ~하다 / 협의회가 ~되다 / 주요 야당은 연합 전선 ~을 발표했다.

결성-식 (結成式)[-썽-] 명 조직이나 단체 따위를 짜서 만들 때 행하는 의식.

결세 (結稅)[-쎄] 명 〖역〗 고려·조선 때, 토지의 결(結)에 따라 매겼던 조세.

결속 (結束)[-쏙] 명하자타 뜻이 같은 사람이 서로 결합함. ¶굳건하게 ~된 동지들 / 함께 ~을 다짐하다.

결손 (缺損)[-쏜] 명 **1** 축이 남. ¶~을 보충하다. **2** 계산상의 손실《수입보다 지출이 많아지는 일》. ¶~을 보다 / ~을 메우다 / 많은 ~이 났다.

결손-금 (缺損金)[-쏜-] 명 일정한 기간 동안 지출이 수입을 초과한 때의 그 초과액.

결손-액 (缺損額)[-쏜-] 명 계산상으로 손실을 본 액수.

결승 (決勝)[-씅] 명하자 **1** 최후의 승패를 결정함. **2** '결승전'의 준말. ¶~에 진출하다 / ~에서 이기다.

결승 (結繩)[-씅] 명 끈이나 새끼 따위로 매듭을 맺음. 또는 그 매듭.

결승 문자 (結繩文字)[-씅-짜] 문자가 없었던 시대에, 끈이나 새끼 따위로 매듭을 맺어 의사의 소통과 기호로 삼았던 문자.

결승-선 (決勝線)[-씅-] 명 경주 등의 결승을 판가름하는 지점에 그은 선. 골라인.

결승-전 (決勝戰)[-씅-] 명 운동 경기 따위에서, 최종적인 승부를 결정하는 싸움. 준 결승.

결승-점 (決勝點)[-씅쩜] 명 **1** 육상·수영 등에서 마지막 승부가 결정되는 지점. **2** 승부를 결정하는 득점. ¶~을 내주다.

결시 (缺試)[-씨] 명하자 시험 보러 나오지 않음. ¶아파서 ~할 수밖에 없었다.

결식 (缺食)[-씩] 명하자 끼니를 거름.

결식-아동 (缺食兒童)[-씩-] 명 끼니를 거르는 아동.

결실 (結實)[-씰] 명하자 **1** 열매가 맺힘. ¶가을은 ~의 계절이다. **2** 일의 결과가 잘 맺어짐. 또는 그런 성과. ¶노력의 ~ / ~을 거두다.

결실-기 (結實期)[-씰-] 명 열매를 맺는 시기. 결과기(結果期).

***결심** (決心)[-씸] 명하자타 마음을 굳게 정함. 단단히 마음먹음. 또는 그 마음. ¶굳은 ~ / ~이 흔들리다 / 약속만은 지키기로 ~했다.

결심 (結審)[-씸] 명하자타 〖법〗 재판의 심리를 끝내고 결판을 지음. 또는 그런 상태. ¶~ 공판.

결안 (結案) 명 〖역〗 **1** 사법 사건의 처리가 끝난 문서. **2** 사형(死刑)을 결정한 문서.

결어 (結語) 명 끝맺는 말.

결여 (缺如) 명하타 빠져서 없거나 모자람. ¶예술성이 ~된 작품.

결연 (結緣) 명하자 인연을 맺음. ¶자매(姉妹)~을 맺다.

결연-하다 (決然-) 형여불 태도가 매우 굳세고 꿋꿋하다. ¶죽음을 두려워하지 않는 결연한 태도를 보이다. **결연-히** 부. ¶눈보라에도 아랑곳하지 않고 ~ 출발했다.

결옥 (決獄) 명하타 〖역〗 죄를 판결함.

결원 (缺員) 명하자 정원(定員)에서 사람이 빠져 모자람. 또는 그 모자라는 인원. 궐원(闕員). ¶~을 보충하다.

결의 (決意)[-/-이] 명하자타 뜻을 정하여 마음을 굳게 먹음. 또는 그 마음. ¶~를 다지다.

결의 (決議)[-/-이] 명하타 회의에서, 의안이나 제의 등의 가부를 결정함. 또는 그 결정 사항. ¶만장일치로 ~되다.

결의 (結義)[-/-이] 명하자 남남끼리 부자·형제 같은 친족의 의리를 맺음.

결의 기관 (決議機關)[-/-이-] 의결 기관.

결의-문 (決議文)[-/-이-] 명 결의한 사항을 적은 글.

결의-안 (決議案)[-/-이-] 명 결의에 부칠 의안. ¶~을 채택하다.

결의-형제 (結義兄弟)[-/-이-] 명 결의하여 형제의 의를 맺음. 또는 그 형제.

결인 (結印) 명 〖불〗 진언종의 수행자가 수행할 때 손가락 끝을 이리저리 맞붙이는 형식.

결자 (缺字)[-짜] 명 인쇄물 같은 데의 빠진 글자. 탈자.

결자해지 (結者解之)[-짜-] 명하자 맺은 사람이 풀어야 한다는 뜻으로, 자기가 저지른 일은 자기가 해결해야 한다는 말.

결장 (缺場)[-짱] 명하자 출전해야 할 경기 따위에 나오지 않음.

결장 (結腸)[-짱] 명 〖생〗 맹장과 직장 사이에 있는 큰창자의 한 부분.

결재 (決裁)[-째] 명하타 상관이 부하가 제출한 안건을 검토하여 승인함. 재결(裁決). ¶~ 서류 / ~가 나다 / 사장의 ~를 받다 / 국장에게 ~를 올리다.

결재-권 (決裁權)[-째꿘] 명 결재할 수 있는 권한.

결전 (決戰)[-쩐] 명하자 승부를 결정짓는 싸움. 결판을 내는 싸움. ¶드디어 ~의 날이 다가왔다.

결절 (結節)[-쩔] 명 **1** 맺혀서 이루어진 마디. **2** 〖의〗 강낭콩 알만 한 크기로 단단하게 맺혀서 피부 위에 볼록하게 돋아난 것.

결점 (缺點)[-쩜] 명 잘못되거나 부족하여 완전하지 못한 점. 단점. ¶~을 들춰내다.

***결정** (決定)[-쩡] 명하타 **1** 결단하여 정함. 또는 그 정해진 내용. ¶떠나기로 ~이 나다 / 결혼하기로 ~했다 / 최종적으로 ~을 보다 / 후보자로 ~되다. **2** 법원이 행하는 판결 및 명령 이외의 재판.

결정 (結晶)[-쩡] 명하자 **1** 〖광·화〗 물질이 일정한 법칙에 따라 몇 개의 평면으로 둘러싸여 규칙적 형태를 이룬 고체. 또는 그런 고체로 응결하는 일. **2** 애써 노력하여 이룬 최고의 보람이나 결과. ¶노력의 ~.

결정-계 (結晶系)[-쩡-/-쩡게] 명 〖광〗 결정체를 결정축의 수와 위치 및 길이에 따라 종류별로 나눈 것《등축(等軸)·정방(正方)·사방(斜方)·단사(單斜)·삼사(三斜)·육방(六方) 등 여섯 정계(晶系)로 나뉨》. 준 정계(晶系).

결정 구조 (結晶構造)[-쩡-] 〖광〗 결정을 이루고 있는 원자·분자·이온의 배열 상태.

결정-권 (決定權)[-쩡꿘] 명 **1** 결정할 수 있는 권리. ¶그가 최종 ~을 갖고 있다. **2** 〖법〗 보통 합의체의 의결에서 가부가 동수인 경우 이를 결정하는 권한.

결정-론 (決定論)[-쩡논] 명 〖철〗 자연적 여러 현상이나 역사적 사건들, 특히 사람의 의지는 여러 가지 원인에 의하여 전적으로 규정되는 것이며, 선택의 자유에 의한 것이 아니라는 이론.

결정-적 (決定的)[-쩡-] 관명 일이 그렇게 될 것이 거의 확실하여 움직일 수 없거나 이에 가까운 (것). ¶~ 계기 / 그의 합격은 ~이다.

결정-짓다 (決定-)[-쩡짇따] 〔-지으니, -지어〕 자타ㅅ불 어떤 일이 결정되도록 만들다. 결정을 내리다. ¶추진 계획을 ~/마음을 결정지으니 속이 후련하다.

결정-체 (結晶體)[-쩡-] 명 1〘화〙결정하여 일정한 형체를 이룬 물체. 2 애쓴 결과로 얻은 보람. ¶최신 과학의 ~.

결정-타 (決定打)[-쩡-] 명 1 야구·권투 따위에서, 승부를 판가름하는 결정적인 한 번의 타격. ¶마지막 라운드에서 ~를 날리다. 2 비유적으로, 어떤 일에 결정적 영향을 끼치는 하나의 행동. ¶~를 맞다.

결정-투표 (決定投票)[-쩡-] 명 양편의 득표수가 같을 때, 의장이나 제삼자가 가부를 결정짓는 투표. 캐스팅 보트.

결정-판 (決定版)[-쩡-] 명 더 이상 수정 증보할 여지가 없도록 완벽한 것으로 내는 출판. 또는 그 출판물.

결정-형 (結晶形)[-쩡-] 명 결정이 나타내는 외형.

결제 (決濟)[-쩨] 명하타 1 일을 처리하여 끝을 냄. 2 증권 또는 대금 수수(授受)에 의해서 매매 당사자 간의 거래 관계를 끝맺음. ¶수입 대금의 ~/어음의 ~/요금이 자동으로 ~되다.

결제 (結制)[-쩨] 명하자 〘불〙 1 안거(安居) 제도를 준수함. 2 안거를 시작함.

결-증 (-症)[-쯩] 명 몹시 급한 성질 때문에 일어나는 화증.

결집 (結集)[-찝] 명하자타 1 한데 뭉침. ¶~된 목소리를 내다/세력을 ~하다. 2〘불〙석가가 죽은 뒤에 제자들이 석가의 언행을 모아 경전을 만든 일.

결찌 명 연분이 닿는 먼 친척. 곁붙이.

결착 (決着·結着) 명하자 결말이 나서 낙착됨. ¶~을 내다.

결체 (結締) 명하타 맺어서 졸라맴.

결체 (結體) 명하자 형체를 결합함. 또는 결합한 형체.

결체 조직 (結締組織)〘생〙결합 조직.

결초-보은 (結草報恩) 명하자 〔춘추 시대, 진(晉)의 위과(魏顆)가 부친 사후, 서모(庶母)를 순사(殉死)시키지 않고 재가(再嫁)시켰는데, 뒤에 진(秦)과 싸울 때 서모의 아버지 혼령이 나타나 적군의 앞길에 풀을 묶어 적이 걸려 넘어지게 하여 위과가 승리하도록 했다는 고사에서〕 죽어 혼령이 되어도 은혜를 잊지 않고 갚음을 이르는 말.

*__결-코__ (決-) 부 (부정하는 말과 함께 쓰여) 어떤 경우에도 절대로. ¶~ 용납 않겠다/이것은 ~ 우연한 일이 아니다. *결단코.

결탁 (結託) 명하자 1 마음을 결합하여 서로 의탁함. 2 주로 떳떳하지 못한 일에 마음이 맞아 한통속이 됨. ¶밀수 조직과 ~된 상인/기업가와 ~해서 자금을 끌어들이다.

결투 (決鬪) 명하자 결판을 내기 위한 싸움. ¶악당과 ~를 벌이다/~를 신청하다.

결판 (決判) 명하자 잘잘못이나 승부를 가려 판정함.

결판-나다 (決判-) 자 시비나 승부의 결정이 끝나다.

결판-내다 (決判-) 타 시비나 승부의 결정을 끝내다.

결핍 (缺乏) 명하자 있어야 할 것이 없어지거나 모자람. ¶비타민 시(C)의 ~/몸 안에 산소가 ~되다.

결-하다 (決-) 타여불 1 결정하다. 2 승부를 내다. ¶자웅을 ~.

결-하다 (缺-) 一타여불 1 갖추지 못하다. 2 해야 할 일을 하지 않다. ¶강의를 ~. 二형여불 있어야 할 것이 빠져 있다. 부족하다.

결함 (缺陷) 명 부족하고 불완전하여 흠이 되는 부분. ¶성격상의 ~/기계 ~으로 사고가 났다.

결합 (結合) 명하자타 맺어서 합함. 둘 이상이 서로 관계를 맺고 합쳐서 하나가 됨. ¶여러 원인이 ~된 사건/물과 기름은 쉽게 ~하지 않는다.

결합 법칙 (結合法則)〘수〙a, b, c를 세 개의 실수 또는 복소수로 할 때 성립하는 법칙(($(a+b)+c=a+(b+c)$ 따위)). 결합률.

결합 조직 (結合組織)〘생〙동물체의 기관 및 이들 사이에 있으며 섬유나 기질(基質)로 이들을 결합하고 지지하는 조직. 연골(軟骨)·경골(硬骨)·혈액(血液)을 포함함. 결조직. 결체 조직.

결합-체 (結合體) 명 둘 이상의 서로 다른 개체가 결합하여 이룬 한 조직체. ¶사회는 여러 요소의 총체적 ~이다.

결항 (缺航) 명하자 정기적으로 다니는 배나 비행기가 운항을 거름. ¶태풍으로 배가 ~되다.

*__결핵__ (結核) 명〘의〙'결핵병'의 준말.

결핵-균 (結核菌) 명〘의〙결핵병의 병원균. 길이 1-4μ, 폭 0.3-0.5μ 정도의 간균(桿菌)으로 저항력과 번식력이 강함.

결핵-병 (結核病) 명〘의〙결핵균에 의해 일어나는 만성 전염병((폐·신장·내장이나 뼈·피부·후두 등을 침투함)). 티비(TB). 준결핵.

결행 (決行) 명하타 결단하여 실행함. ¶새벽에 ~된 상륙 작전.

*__결혼__ (結婚) 명하자 남녀가 정식으로 부부 관계를 맺음. 혼인(婚姻). ¶~ 연령/~ 상대를 고르다. ↔이혼.

결혼-기념식 (結婚記念式) 명 결혼 생활을 기념하는 의식. 결혼한 후의 햇수에 따라 지혼식(紙婚式)(1년)·목혼식(木婚式)(5년)·석혼식(錫婚式)(10년)·은혼식(銀婚式)(25년)·진주혼식(眞珠婚式)(30년)·산호혼식(珊瑚婚式)(35년)·모직혼식(毛織婚式)(40년)·금혼식(金婚式)(50년)·다이아몬드혼식(diamond婚式)(75년) 등 다양함.

결혼-반지 (結婚斑指) 명 결혼의 표상으로 신랑과 신부가 주고받는 반지.

결혼-식 (結婚式) 명 남녀가 부부 관계를 맺는 서약을 하는 의식. 혼례식(婚禮式). 예식. 혼례. ¶~을 올리다.

결혼-식장 (結婚式場) 명 결혼 예식을 올리는 장소. 예식장. ¶~은 하객들로 꽉 차 있었다.

결획 (缺畫) 명하자 1 한자의 획을 빠뜨림. 2 왕이나 귀인의 이름자와 같은 한자를 쓸 때, 쓰기를 꺼려 한두 획을 일부러 빠뜨리는 일(('玄'을 '玄'으로 쓰는 따위)). 궐획(闕畫).

결후 (結喉) 명〘생〙성년 남자의 목의 중간쯤에 후두 연골이 조금 튀어 나온 부분.

겸 (兼) 의명 명사나 어미 '-ㄹ' 뒤에 쓰여 한 가지 일 외에 또 다른 일을 아울러 함을 나타내는 말. ¶아침 ~ 점심을 먹다/뽕도 딸 ~ 임도 볼 ~ / 산책 ~ 외출했네.

겸관(兼官) 명하타 1 겸직(兼職). 2〖역〗조선 때, 수령의 자리가 비었을 때 이웃 고을의 수령이 임시로 맡아봄.

겸무(兼務) 명하타 한 사람이 동시에 둘 이상의 일을 겸해 봄. 또는 그 직무.

겸병(兼併) 명하타 1 한데 합쳐 하나로 함. 2 한데 합쳐 소유함.

겸비(兼備) 명하타 두 가지 이상을 아울러 갖춤. ¶재색 ~ / 학덕을 ~하다 / 문무를 ~한 청년.

겸사(謙辭) 명하자타 1 겸손한 말. 2 겸손하게 사양함.

겸사-겸사(兼事兼事) 부하자 한 번에 여러 가지 일을 아울러 하는 모양. ¶구경도 하고 볼일도 보려고 ~ 왔네.

겸사-말(謙辭–) 명〖언〗겸양어.

겸상(兼床) 명하자 두 사람이 한 상에 마주 앉게 차린 상. 또는 마주 앉아 식사하는 일. ¶할아버지와 ~으로 밥을 먹었다. ↔각상·독상·외상(床).

겸손(謙遜) 명하형히부 남을 높이고 자기를 낮추는 태도가 있음. ¶~한 자세 / ~의 미덕을 보이다. ↔교만.

겸손-법(謙遜法)[–뻡] 명 공손법.

겸애(兼愛) 명하자 가리지 않고 모든 사람을 똑같이 사랑함.

겸양(謙讓) 명하자타 겸손한 태도로 사양함. ¶~의 미덕.

겸양-법(謙讓法)[–뻡] 명〖언〗공손법.

겸양-어(謙讓語) 명〖언〗자기를 낮춤으로써 상대편을 높이는 말《저희·여쭈다 등》. 겸사말. 겸양사. ↔예사말.

겸어(謙語) 명 겸손한 말.

겸업(兼業) 명하타 본업 외에 다른 업무를 겸하여 봄. 또는 그 업무.

겸연-쩍다(慊然–) 형 쑥스럽거나 미안하여 어색하다. 계면쩍다.

겸연-하다(慊然–·歉然–) 형여불 1 미안하여 면목이 없다. 계면하다. 2 쑥스럽고 어색하다.

겸용(兼用) 명하타 하나를 가지고 여러 가지로 겸하여 씀. ¶책상 ~ 테이블 / 팩스와 전화를 ~하다.

겸유(兼有) 명하타 겸하여 가짐. ¶미모와 지성을 ~하다.

겸임(兼任) 명하타 여러 가지 직무를 아울러 맡아봄.

겸자(鉗子) 명〖의〗기관·조직·기물 등을 고정시키거나 압박하는 데 쓰는 금속제 외과 수술 용구《가위 모양인데 날이 없음》.

겸전(兼全) 명하타 여러 가지를 완전히 갖춤. ––하다 형여불 여러 가지가 완전히 갖추어져 있어 훌륭하다.

겸직(兼職) 명하타 직무를 겸함. 또는 그 직무. 겸관.

겸-하다(兼–) 타여불 1 본무 외에 다른 직무를 더 맡아 하다. ¶수상이 외상을 ~. 2 두 개 이상을 아울러 가지다. ¶문무를 ~.

겸허(謙虛) 명하형히부 잘난 체하지 않고 겸손한 태도가 있음. ¶~한 자세로 임하다 / 질타를 ~히 받아들이다.

겹 一명 (주로 '겹으로'의 꼴로 쓰여) 1 넓고 얇은 물건이 포개진 것. 또는 그 켜. ¶~으로 꼰 실. 2 비슷한 일이 거듭됨. ¶같은 일이 ~으로 닥쳤다 / 또 한 ~ 더 겹쳐 물난리가 났다. ↔홑. 二의명 겹으로 된 것을 세는 단위. ¶두 ~으로 접다.

겹-것[–껏] 명 1 겹으로 된 물건의 총칭. 2 겹옷.

겹-겹 명 (주로 '겹겹으로'의 꼴로 쓰여) 여러 겹. ¶~으로 둘러싸다.

겹겹-이 부 여러 겹으로 거듭된 모양. ¶~ 에워싸다 / ~ 옷을 껴입다.

겹-글자(–字)[–짜] 명 같은 자가 겹쳐 된 글자《한글의 'ㄲ·ㅆ·ㄸ'이나 한자의 '比·磊' 등》.

겹-꽃[–꼳] 명 1〖식〗여러 겹의 꽃잎으로 된 꽃. 천엽화(千葉花). 중판화(重瓣花). ↔홑꽃. 2〖건〗겹으로 된 꽃무늬.

겹-꽃잎[–꼰닙] 명〖식〗여러 겹으로 된 꽃잎. 중판(重瓣). 겹잎. ↔홑꽃잎.

겹낫-표(–標)[겸낟–] 명〖언〗세로쓰기에 쓰는 따옴표 '『 』'의 이름.

겹-눈[겸–] 명〖동〗곤충·새우·게 등에 있는 눈으로, 여러 개의 작은 눈이 한 묶음으로 된 눈. 복안(複眼). ↔홑눈.

겹:다〔겨우니, 겨워〕형ㅂ불 1 감정이 거세게 일어나 참기 힘들다. ¶흥에 겨워 야단들이다 / 행복에 겨워 울음을 터뜨리다. 2 정도나 양이 지나쳐서 감당하기 어렵다. ¶힘에 겨운 일. 3 때가 지나거나 기울어서 늦다. ¶한낮이 겨워서야 돌아왔다.

겹-닿소리[–따쏘–] 명〖언〗복자음(複子音). ↔홑닿소리.

겹-말[겸–] 명 같은 뜻의 말이 겹쳐 된 말《초가집·처갓집·역전 앞 등》.

겹-문장(–文章)[겸–] 명〖언〗홑문장이 한 성분으로 안기어 들어가 있거나 서로 이어지거나 하여 여러 겹으로 된 문장《'안은문장'과 '이어진문장'으로 나뉨》. ↔홑문장.

겹-바지 명 솜을 두지 않고 겹으로 지은 바지. ↔홑바지.

겹-받침[–빧–] 명 서로 다른 두 개의 자음으로 된 받침《ㄳ·ㄵ·ㄺ·ㄻ·ㅄ 따위》. *쌍받침.

겹받침 'ㄺ', 'ㄼ'의 발음

'ㄺ'의 경우

(1) 어말 또는 자음 앞에서 [ㄱ]으로 발음
예 닭[닥], 맑다[막따], 늙지[늑찌]

(2) 다만, 용언의 어간 말음일 때에는 'ㄱ' 앞에서 [ㄹ]로 발음
예 맑고[말꼬], 읽거나[일꺼나], 낡거든[날꺼든]

(3) 모음으로 시작되는 조사나 어미, 접미사와 결합되는 경우에는 뒤의 자음만을 뒤 음절 첫소리로 옮겨 발음
예 닭을[달글], 읽으면[일그면]

(4) 뒤에 'ㅏ, ㅓ, ㅗ, ㅜ, ㅟ'로 시작되는 실질 형태소가 올 때에는 대표음 [ㄱ]으로 바뀐 다음 뒤 음절 첫소리로 옮겨 발음
예 닭 앞에[다가페]

'ㄼ'의 경우

(1) 어말 또는 자음 앞에서 [ㄹ]로 발음
예 여덟[여덜], 넓다[널따], 짧게[짤께]

(2) 다만, '밟다'의 'ㄼ'은 자음 앞에서 [ㅂ]

으로 발음하고 '넓-'은 다음의 경우에 [ㅂ]으로 발음
예 밟다[밥따], 밟고[밥꼬], 밟는[밥는→밤는], 넓죽하다[넙쭈카다], 넓둥글다[넙뚱글다], 넓적하다[넙쩌카다]
(3) 모음으로 시작되는 조사나 어미, 접미사와 결합되는 경우에는 뒤의 자음만을 뒤 음절 첫소리로 옮겨 발음
예 넓어[널버], 밟아[발바], 밟으니[발브니]

겹-버선 명 솜을 두지 않고 겹으로 지은 버선.
겹-사돈 (-査頓) 명하자 사돈 관계에 있는 사람끼리 또 사돈 관계를 맺은 사이. 또는 그런 사람. 맺어진 사돈.
겹-살림 명하자 **1** 한 가족이 나뉘어 따로 차리는 살림. ¶직장 관계로 시골과 서울에서 ~을 한다. **2** 첩을 얻어 따로 차리는 살림. ¶~을 차리다.
겹-소리 명 [언] 복음(複音)2.
겹-실 명 두 올 이상으로 드린 실. 겹올실. 복사(複絲). ↔홑실.
겹-씨방 (-房) 명 〔식〕 두 개 이상의 심피(心皮)가 그 가에서 서로 결합하여 된 씨방. 복자방(複子房). ↔홑씨방.
겹-열매 [겸녈-] 명 〔식〕 여러 개의 꽃이 꽃차례를 이룬 채 성숙하여 하나의 열매와 같이 생긴 과실《오디·무화과 등》. 복과(複果). 복화과. ↔홑열매.
겹-옷 [-옫] 명 솜을 두지 않고 거죽과 안을 맞추어서 지은 옷. 겹것. ↔홑옷.
겹-이불 [겸니-] 명 솜을 두지 않고 거죽과 안을 맞추어 만든 이불. ↔홑이불.
겹-잎 [겸닙] 명 〔식〕 **1** 한 잎자루에 여러 개의 낱잎이 붙어 겹을 이룬 잎《탱자나무·아카시아의 잎 따위》. 복엽(複葉). **2** 겹꽃잎. ↔홑잎.
겹-자락 명 양복 윗옷이나 외투의 앞여밈을 깊게 겹치게 하고, 두 줄로 단추를 단 옷. 더블브레스트. ↔홑자락.
겹-저고리 명 솜을 두지 않고 겹으로 지은 저고리.
겹-질리다 자타 몸의 근육과 관절이 생긴 방향대로 움직이지 않거나 너무 빨리 움직여 다치다. ¶잘못 짚어 팔목이 겹질렸다 / 겹질린 발목이 부어올랐다.
겹-창 (-窓) 명 겹으로 짠 창문. 이중창.
겹-처마 명 〔건〕 처마 끝의 서까래 위에 짧은 서까래를 다시 잇대어 달아낸 처마.
겹쳐-지다 [-처-] 자 여럿이 서로 포개어져 덧놓이다. ¶여러 겹으로 겹쳐진 종이.
겹-치기 명 두 가지 이상의 일을 겹쳐서 맡아 하는 일. ¶~로 출연하다.
***겹-치다** ⊟자 **1** 여럿이 포개어지거나 덧놓이다. **2** 일이 한꺼번에 일어나다. ¶공휴일이 일요일과 겹쳤다 / 몸살 기운에 감기까지 겹쳐서 출근을 못했다. ⊟타 여럿을 포개거나 덧놓다. ¶신문을 겹쳐 놓다.
겹-치마 명 겹으로 된 치마. ↔홑치마.
겹-혼인 (-婚姻) [겨폰-] 명 사돈의 관계가 있는 사람끼리 다시 맺는 혼인.
겹-홀소리 [겨폴쏘-] 명 〔언〕 이중 모음.
경 (更) 명 일몰로부터 일출까지를 5등분하여 일컫는 시간의 이름. 곧, 초경은 오후 7-9시, 이경은 9-11시, 삼경은 11시부터 그 이튿날 오전 1시, 사경은 1-3시, 오경은 3-5시.
경 (卿) ⊟명 영국에서, 귀족의 작위를 받은 사람을 높여 이르는 말. ¶처칠 ~. ⊟인대 임금이 이품(二品) 이상의 관원에 대하여 일컫는 말.
경 (景) ⊟명 **1** '경치(景致)'의 준말. **2** '경황(景況)'의 준말. ⊟의명 연극이나 그림 등에서 장면을 세는 단위. ¶제1~. *막(幕)·장(場).
경 (經) 명 **1** '경서(經書)'의 준말. **2** '불경(佛經)'의 준말. **3** 〔기〕 기도문. **4** 판수가 외는 기도문과 주문(呪文). **5** 직물의 날. **6** 〔지〕 '경도(經度)'의 준말. **7** 〔지〕 '경선(經線)'의 준말.
경 (境) 명 지경(地境)2. ¶무아의 ~.
경 (黥) 명 **1** 〔역〕 도둑을 다스리던 형벌의 하나. **2** 호된 고통이나 꾸지람.
경을 팥 다발같이 치다 구 호되게 고통을 겪다.
경 (頃) 의명 중국의 지적(地積) 단위로 100 묘(畝)《10,000 m^2에 상당함》.
경 (京) 수관 조(兆)의 만 배. 곧, 10^{16}.
경- (輕) 두 '가벼운·간편한' 등의 뜻. ¶~기관총 / ~공업 / ~음악.
-경 (頃) 미 어떤 시간의 전후를 어림잡아 막연히 일컫는 말. ¶다섯 시~.
경-가극 (輕歌劇) 명 오페레타.
경각 (頃刻) 명 아주 짧은 시간. 눈 깜박하는 사이. 경각간. ¶~을 다투다 / 생명이 ~에 달렸다.
경:각 (警覺) 명하타 정신을 차리고 조심함.
경:각-심 (警覺心) 명 정신을 가다듬어 조심하는 마음. ¶국민에게 교통사고에 대한 ~을 불러일으키다.
경간 (驚癎) 명 〔한의〕 놀라면 발작되는 간질《어린아이에 많음》.
경감 (輕減) 명하타 부담이나 고통을 덜어 가볍게 함. ¶세금을 ~하다 / 기계 자동화로 인건비가 대폭 ~되었다.
경:감 (警監) 명 경찰 공무원 계급의 하나 《경정의 아래, 경위의 위》.
경개 (梗槪) 명 전체의 내용을 간단하게 추린 줄거리.
경개 (景槪) 명 경치(景致). ¶산천 ~가 아름답도다.
경거 (輕擧) 명하자 경솔하게 행동함.
경거-망동 (輕擧妄動) 명하자 경솔하고 망령되게 행동함. 경동(輕動). ¶절대 ~을 삼가라 / ~을 일삼다.
경:건-하다 (敬虔-) 형여불 공경하는 마음으로 깊이 삼가고 조심하는 태도가 있다. ¶경건한 마음으로 기도를 올리다. **경:건-히** 부
경계 (境界) [-/-게] 명 **1** 사물이 어떤 표준 밑에 서로 분간되는 자리. ¶꿈과 현실의 ~. **2** 지역이 구분되는 한계. ¶담 하나를 ~로 이웃하다.
경:계 (警戒) [-/-게] 명하타 **1** 잘못이 없도록 미리 조심함. ¶수상한 사람을 ~의 눈초리로 지켜보았다. **2** 타일러 주의시킴. ¶자신의 이익만을 생각하는 이기주의를 ~해야 한다. **3** 〔군〕 적의 기습이나 간첩 활

동 등의 피해를 막기 위하여 주변을 살피면서 지킴. ¶삼엄한 ~를 뚫고 그곳을 빠져나왔다.

경:계-경보 (警戒警報)[-/-게-] 명 경계하라고 알리는 경보. 황색경보.

경:계-망 (警戒網)[-/-게-] 명 경계를 위하여 인원을 그물처럼 펴 놓은 것.

경계-석 (境界石)[-/-게-] 명 경계의 표지로 세운 돌. 계석(界石).

경계-선 (境界線)[-/-게-] 명 경계가 되는 선. 준선(線).

경:계-심 (警戒心)[-/-게-] 명 경계하여 조심하는 마음. ¶~을 품다.

경고 (硬膏) 명 굳어서 보통 온도에서는 녹지 않으나 체온에는 녹아 피부에 달라붙는 고약. 플라스터. ↔연고(軟膏).

경:고 (警告) 명하타 주의하라고 경계하여 알림. ¶~를 세 번 받아 퇴장당하다 / 담배가 건강에 해롭다고 ~하다.

경:고-문 (警告文) 명 경고하는 글.

경:고-장 (警告狀)[-짱] 명 경고하는 내용을 적은 서류.

경골 (脛骨) 명 〖생〗 하지골(下肢骨)의 하나로 하퇴부 안쪽에 있는 긴 뼈. 정강이뼈.

경골 (硬骨) 명 **1** 〖생〗 척추동물의 견고한 결합(結合) 조직《칼슘이 잘 침착(沈着)되어 질이 견고(堅固)함》. 굳뼈. ↔연골(軟骨). **2** 강직하여 남에게 굽히지 않는 사람.

경골 (頸骨) 명 경추(頸椎).

경-공업 (輕工業) 명 부피에 비하여 무게가 가벼운 물건을 생산하는 공업. 섬유·화학·식료품 등의 소비재 생산에 주력함. ↔중(重)공업.

경과 (經過) 명하자타 **1** 시간이 지나감. ¶유효 기간이 ~되다. **2** 단계·시기·장소를 거침. ¶그 동안의 ~를 보고하다. **3** 일이 되어 가는 과정이나 변천하는 과정. ¶수술의 ~가 좋다.

경관 (京官) 명 〖역〗 조선 때, 서울 안 각 관아의 관원 및 개성·강화·수원·광주(廣州) 등의 유수(留守). ↔외관(外官).

경관 (景觀) 명 자연이나 지역의 풍경. ¶주변 ~이 수려하다.

경:관 (警官) 명 '경찰관(警察官)'의 준말.

경구 (耕具) 명 토지를 경작하는 데 쓰는 기구《괭이·써레·쟁기·호미 따위》.

경구 (硬球) 명 야구나 테니스 등에서 쓰는 좀 딱딱하게 만든 공.

경구 (經口) 명 **1** 약·영양제 등을 입으로 먹는 일. **2** 세균 따위가 입을 통하여 몸 안으로 들어가는 일. ¶~ 감염.

경:구 (警句)[-꾸] 명 삶에 대한 느낌이나 생각을 간결하게 표현한 구《도덕상·예술상의 진리를 날카롭게 표현한 구》. 캐치프레이즈.

경-구개 (硬口蓋) 명 〖생〗 입천장 앞쪽의 단단한 부분. ↔연(軟)구개.

경구개-음 (硬口蓋音) 명 〖언〗 경구개와 혓바닥과의 사이에서 나는 음. 파찰음(破擦音) 'ㅈ·ㅉ·ㅊ' 등이 있음. 구개음. 상악음(上顎音). ↔연(軟)구개음.

경국 (傾國) 명하자 **1** 나라의 힘을 기울임. **2** 나라를 위태롭게 함. **3** '경국지색'의 준말.

경국 (經國) 명하자 나라를 다스림. ¶~의 대업(大業).

경국지색 (傾國之色) 명 임금이 혹하여 나라가 어지러워도 모를 만한 미인이라는 뜻으로, 뛰어나게 아름다운 미인. 준경국.

경궁 (勁弓) 명 센 활.

경-금속 (輕金屬) 명 비중이 대개 4-5 이하인 가벼운 금속《알루미늄·마그네슘·알칼리 금속 및 이들을 주체로 한 합금 등》. ↔중금속(重金屬).

경기 (京畿) 명 〖지〗 **1** 서울을 중심으로 한 가까운 주위의 지방. **2** '경기도'의 준말.

경기 (景氣) 명 〖경〗 경제 활동의 상태《호경기·과잉 생산·공황(恐慌)·불경기 등의 국면이 있음》. ¶~ 회복 / ~ 부진 / ~ 침체 / ~를 타다 / ~가 좋다.

***경:기** (競技) 명하자 일정한 규칙 아래 승부를 겨루는 일. ¶야구 ~ / 유도 ~ / ~를 관전하다 / 흥미진진한 ~를 펼치다.

경기 (驚氣)[-끼] 명하자 〖한의〗 경풍(驚風). ¶어린아이가 갑자기 ~를 일으켰다.

경-기구 (輕氣球) 명 기구(氣球).

경:기-력 (競技力) 명 운동 경기를 해 나가는 능력. ¶그 팀은 ~이 크게 향상되었다.

경기 변:동 (景氣變動) 〖경〗 자유 경쟁에 따르는 각 생산 부문간의 불균등한 발전으로 호경기·불경기·공황·과잉 생산이 주기적으로 반복되는 경제 현상. 경기 순환.

경-기병 (輕騎兵) 명 가볍게 장비를 차린 날쌘 기병.

경기 예:측 (景氣豫測) 〖경〗 경기 변동에 관한 객관적인 자료를 기초로, 장래의 변동을 예측하는 일.

경:기-장 (競技場) 명 운동 경기를 위한 종합적 시설을 갖춘 곳. ¶실내 ~ / 축구 ~.

경기적 실업 (景氣的失業) 〖경〗 경기 변동에 따라, 불황기에 생기는 전형적인 실업 형태.

경기 지수 (景氣指數) 〖경〗 경기 변동의 방향을 나타내는 지수《경기 예측에 씀》.

경난 (經難) 명하자 어려운 일을 겪음. 어려운 고비를 넘김. 또는 그 어려움.

경내 (境內) 명 일정한 지역의 안. ¶절의 ~를 거닐다. ↔경외(境外).

경-노동 (輕勞動) 명 육체적으로 힘이 덜 드는 노동. ↔중(重)노동.

경:단 (瓊團) 명 수수나 찹쌀가루 따위로 둥글게 빚어 삶아 고물을 묻히거나 꿀 등을 바른 떡. 또는 그런 모양의 것.

경당 (經堂) 명 〖불〗 경장(經藏)2.

경:대 (敬待) 명하타 공경하여 접대함.

경:대 (鏡臺) 명 거울을 달아 세운 화장대.

경도 (京都) 명 서울.

경도 (硬度) 명 물체의 단단한 정도. 굳기.

경도 (經度) 명 **1** 월경(月經). **2** 지구상의 위치를 표시하는 좌표의 하나《본초 자오선(本初子午線)을 중심으로 동쪽을 동경(東經), 서쪽을 서경(西經)이라 함》. 준경(經). ↔위도(緯度). *경선(經線).

경도 (傾度) 명 경사도(傾斜度).

경도 (傾倒) 명하자 **1** 넘어져 엎드러짐. **2** 기울여 쏟음. **3** 마음을 기울여 사모하거나 열중함. ¶칸트에 ~하다 / 한때 문학에 ~되기도 했다.

경도 (驚倒) 명하자 놀라 거꾸러짐.

경도-계 (硬度計)[-/-게] 명 〔광〕 광물의 굳기를 재는 기구. 굳기계(計).
경도-선 (經度線) 명 〔지〕 경선(經線).
경독 (耕讀) 명하자 농사짓기와 글읽기. 농사를 지으며 틈틈이 책을 봄.
경동 (傾動) 명 〔지〕 단층(斷層)으로 인하여 땅덩어리가 기울어져 움직이는 운동.
경동 (輕動) 명하자 **1** 경솔하게 행동함. **2** 경거망동.
경동 (驚動) 명하자 놀라서 움직임.
경-동맥 (頸動脈) 명 〔생〕 목을 거쳐 얼굴이나 머리로 피를 보내는, 대동맥의 분맥.
경락 (經絡)[-낙] 명 〔한의〕 몸 안의 경맥과 낙맥. 침과 뜸을 놓는 자리인 경혈(經穴)들의 연결로 이 자리를 침과 뜸으로 자극하면 그에 따르는 병이 낫게 됨.
경:락 (競落)[-낙] 명 경매로 동산 또는 부동산의 소유권을 얻는 일.
경략 (經略)[-냑] 명하타 **1** 국가를 경영하고 통치함. **2** 침략하여 차지한 나라나 지방을 다스림.
경량 (輕量)[-냥] 명 가벼운 무게. ¶ ~ 골재. ↔중량(重量).
경량-급 (輕量級)[-냥끕] 명 체급 경기에서 체중이 가벼운 편에 드는 급. ¶ ~ 유도선수. ↔중량급.
경력 (經歷)[-녁] 명하자 **1** 겪어 지내 온 일들. ¶ 그는 아직 ~이 짧다 / 꾸준히 ~을 쌓았다. **2** 여러 가지 일을 겪어 지내 옴.
경력-자 (經歷者)[-녁-] 명 어떤 일을 한 경력을 가진 사람. ¶ ~ 우대.
경련 (痙攣)[-년] 명하자 〔의〕 근육이 갑자기 수축하거나 떠는 현상. ¶ 얼굴에 ~이 일어났다 / ~을 일으키며 쓰러졌다.
경련-증 (痙攣症)[-년쯩] 명 〔의〕 신체 부위에서 경련이 생기는 증세.
경:례 (敬禮)[-녜] ㊀명하자 경의를 표하기 위해 인사하는 일. 또는 그 동작. ㊟예(禮). ㊁감 〔군〕 상급자나 국기 등에 경의를 표하라는 구령.
경:로 (敬老)[-노] 명하자 노인을 공경함. ¶ ~ 잔치 / ~ 사상을 갖도록 지도하다.
경로 (經路)[-노] 명 **1** 지나는 길. ¶ 여행 ~. **2** 일이 되어 가는 형편이나 순서. ¶ 사회의 발달 ~를 더듬어 봤다.
경:로-당 (敬老堂)[-노-] 명 노인을 공경하고 위로하는 뜻에서, 노인들이 모여 어울릴 수 있도록 지은 집.
경:로-석 (敬老席)[-노-] 명 버스·지하철 등에서 노인을 공경하는 뜻으로, 노인들만 앉도록 마련한 자리.
경론 (經論)[-논] 명 부처의 말을 적은 경(經)과 이를 해석하는 논(論).
경륜 (經綸)[-뉸] 명하타 **1** 포부를 가지고 어떤 일을 조직적으로 계획함. 또는 그 포부나 계획. ¶ ~이 있는 사람 / ~을 쌓다. **2** 나라를 다스림.
경:륜 (競輪)[-뉸] 명하자 자전거 경기. ¶ ~ 대회가 열리다.
경륜-가 (經綸家)[-뉸-] 명 정치적 수완이나 조직적 수완이 있는 유능한 사람.
경리 (經理)[-니] 명하타 **1** 일을 경영하여 처리함. **2** 회계·급여에 대한 사무를 처리함. 또는 그 부서나 사람. ¶ ~과 / ~ 사무 / ~를 맡다.
경마 명 남이 탄 말을 몰기 위해 잡는 고삐.
경마(를) 잡다 구 남이 탄 말의 고삐를 잡고 몰고 가다. 경마(를) 들다.
경마(를) 잡히다 구 경마를 잡게 하다.
경:마 (競馬) 명하자 말을 타고 빨리 달리기를 겨루는 경기《경마장에서 하는 데 돈을 걸고 함》.
경:마-장 (競馬場) 명 경마를 하는 경기장. 마장.
경망 (輕妄) 명하형히부 행동이나 말이 경솔하고 방정맞음. ¶ ~한 짓 / ~을 떨다.
경망-스럽다 (輕妄-)[-스러우니, -스러워] 형ㅂ불 경망한 데가 있다. ¶ 경망스럽게 웃다. **경망-스레** 부
경:매 (競買) 명하타 같은 종류의 물건을 파는 사람이 많을 때, 가장 싸게 팔겠다고 하는 사람에게서 물건을 사들이는 일. ¶ ~에 붙이다.
경:매 (競賣) 명하타 **1** 사겠다는 사람이 많을 때 값을 제일 높게 부르는 사람에게 파는 일. ¶ ~ 가격 / ~에 붙이다. **2** 〔법〕 경매 청구 권리자의 신청으로 법원 또는 집행관이 동산·부동산을 공매(公賣) 방법으로 파는 일.
경맥 (硬脈) 명 〔의〕 혈압이 높아서 긴장 정도가 센 맥박. ↔연맥(軟脈).
경:면 (鏡面) 명 **1** 거울의 표면. ¶ ~ 반사. **2** 맑고 고요한 수면의 비유.
경멸 (輕蔑) 명하타 얕잡아 보아 업신여김. ¶ ~에 찬 눈초리 / ~하는 듯한 웃음이 그의 얼굴에 나타났다.
경:모 (景慕) 명하타 우러러 사모함.
경모 (傾慕) 명하타 마음을 다하여 사모함.
경:모 (敬慕) 명하타 존경하고 사모함. ¶ ~의 정을 표하다.
경모 (輕侮) 명하타 업신여겨 모욕함.
경묘-하다 (輕妙-) 형여불 경쾌하고 교묘하다. ¶ 경묘한 필치. **경묘-히** 부
경:무 (警務) 명 경찰에 관한 사무.
경:무-관 (警務官) 명 경찰 공무원 계급의 하나. 치안감의 아래, 총경의 위임.
경문 (經文) 명 **1** 〔불〕 불경에 있는 글. ¶ ~을 소리 내어 읽다. **2** 〔기〕 기도할 때 외는 글. **3** 〔종〕 도교(道敎)의 서적.
경물 (景物) 명 사철에 따라 달라지는 풍물.
경물-시 (景物詩) 명 〔문〕 풍물을 읊은 시.
경미 (粳米) 명 멥쌀.
경미-하다 (輕微-) 형여불 정도가 가벼워 대수롭지 않다. ¶ 경미한 손실 / 죄가 ~.
경박-스럽다 (輕薄-)[-스러우니, -스러워] 형ㅂ불 보기에 경박한 데가 있다.
경박-하다 (輕薄-)[-바카-] 형여불 말과 행동이 신중하지 못하고 가볍다. ¶ 경박한 말투 / 경박한 짓을 하지 마라. **경박-히** [-바키] 부
경:배 (敬拜) 명하자 **1** 존경하여 공손히 절함. **2** 종교적 신앙의 대상을 공경하여 절하거나 받듦. **3** 주로 한문 투의 편지 글 끝에 쓰는 말.
경벌 (輕罰) 명 가벼운 벌.
경범 (輕犯) 명 '경범죄'의 준말.
경범-죄 (輕犯罪)[-쬐] 명 〔법〕 가벼운 위법 행위《즉결 심판에서 처벌함》.

경:보(競步) 명 육상 경기의 하나. 한쪽 발이 땅에서 떨어지기 전에 다른 발이 땅에 닿게 하여 빨리 걷는 경기. 워킹.
경:보(警報) 명 위험이 닥칠 때 경계하라고 미리 알리는 일. 또는 그 보도나 신호. ¶ ~가 울리다 / ~를 발령하다.
경:보-기(警報器) 명 소리·광선으로 사고·위험·고장의 발생을 알리는 기기(機器). ¶ 도난 ~를 설치하다.
경:복(景福) 명 크나큰 복.
경:복(敬服) 명하자 존경하여 복종함.
경:복(慶福) 명 경사스럽고 복됨. 또는 그런 일.
경본(京本) 명 〖역〗 **1** 옷 모양 따위의, 서울에서 유행하던 본. **2** 서울에서 출판되던 책.
경:부(經部) 명 '경(經)·사(史)·자(子)·집(集)' 중 경의 부류. 갑부(甲部).
경부(頸部) 명 〖생〗 **1** 목이 있는 부분. **2** 목처럼 가늘게 되어 있는 부분. ¶ 자궁 ~.
경비(經費) 명 **1** 어떤 일을 하는 데 드는 비용. ¶ 여행 ~를 마련하다. **2** 국가나 지방 자치 단체의 행정 활동에 드는 비용. ¶ ~ 절감(節減).
경:비(警備) 명하타 **1** 사고가 나지 않도록 미리 살피고 지키는 일. ¶ 야간 ~를 서다. **2** '경비원'의 준말.
경:비-대(警備隊) 명 〖군〗 경비의 임무를 맡은 부대.
경:비-망(警備網) 명 경비하기 위하여 여러 곳에 그물처럼 연결해 놓은 조직. ¶ ~을 뚫고 도주한 범인 / 삼엄한 ~을 펼쳤다.
경:비-병(警備兵) 명 경비의 임무를 가진 병사. 또는 그런 군대.
경:비-원(警備員) 명 경비의 책임을 맡은 사람. 준경비.
경:비-정(警備艇) 명 바다와 강을 경비하기 위하여 쓰는 작은 함정.
경-비행기(輕飛行機) 명 비행 훈련·스포츠·보도 취재·사무 연락 등에 사용하는 소형 비행기.
경사(京師) 명 서울.
경사(經史) 명 경서(經書)와 사기(史記).
경사(經師) 명 〖불〗 경스승.
경사(傾斜) 명 비스듬히 기울어짐. 또는 그 정도. 기울기. ¶ 가파른 ~ / ~가 심하다.
경사(經絲) 명 날실[2]. ↔위사.
경:사(慶事) 명 축하할 만한 기쁜 일. ¶ 앞집에 ~가 났다.
경:사(警査) 명 경찰 공무원 계급의 하나 《경위의 아래, 경장의 위》.
경-사대부(卿士大夫) 명 조선 때, 영의정·좌의정·우의정 이외의 벼슬아치의 총칭.
경사-도(傾斜度) 명 기울어진 정도. 경도(傾度). ¶ ~가 큰 언덕.
경:사-롭다(慶事-) 〔-로우니, -로워〕 형 ㅂ불 경사가 될 만하다. ¶ 오늘은 매우 경사로운 날이다. **경:사-로이** 부
경사-면(傾斜面) 명 비스듬히 기울어진 면. 비탈면.
경:사-스럽다(慶事-) 〔-스러우니, -스러워〕 형ㅂ불 경사로 여겨 기뻐할 만하다. ¶ 결혼이란 참으로 경사스러운 일이다. **경:사-스레** 부
경사자집(經史子集) 명 중국 서적의 경서·사서·제자(諸子)·문집(文集)의 총칭.
경사-지(傾斜地) 명 경사진 땅.
경사-지다(傾斜-) 자 한쪽으로 기울어지다. 비탈지다. ¶ 경사진 길.
경산(經産) 명 아이를 낳은 경험이 있음. *초산(初産).
경산-부(經産婦) 명 아이를 낳은 경험이 있는 부인. *초산부.
경:삿-날(慶事-)[-산-] 명 경사가 있는 날이나 경사스러운 날.
경상(卿相) 명 〖역〗 **1** 육경(六卿)과 삼상(三相). **2** 재상(宰相)1.
경상(經常) 명 일정한 상태로 계속하여 변하지 않음. ¶ ~ 사업비.
경상(輕傷) 명하자 조금 다침. 또는 그 상처. ¶ ~이니까 염려하지 마라 / 그저 ~을 입었을 뿐이다. ↔중상(重傷).
경상 거:래(經常去來) 〖경〗 **1** 국제간의 거래에서, 자본 거래 이외의 부분. 곧, 상품 매매나 서비스의 수수(授受), 물물 교환, 증여 따위. **2** 기업 등이 일상적으로 행하는 거래.
경상 계:정(經常計定)[- / -게-] 〖경〗 규칙적·계속적으로 반복되는 거래를 기록하는 계정.
경상-비(經常費) 명 회계 연도마다 규칙적·계속적으로 지출되는 경비.
경상 수입(經常收入) 〖경〗 국제간 거래에서, 회계 연도마다 규칙적·계속적으로 들어오는 수입.
경상 수지(經常收支) 〖경〗 국제간 거래에서 경상 거래에 의한 수지. 기업에서는 통상의 영업 활동의 과정에서 생기는 수입과 지출의 차액을 말함. ¶ ~ 비율.
경상-적(經常的) 관명 변함없이 일정한 (것). ¶ ~인 수입.
경색(梗塞) 명하자 **1** 소통되지 못하고 막힘. ¶ 금융 ~ / 남북 관계가 ~되다. **2** 〖의〗 동맥이 혈전(血栓) 따위로 막혀 혈액 순환이 잘되지 않아 세포 조직이 영양을 받지 못해 죽는 일. 심근 경색·뇌경색 따위.
경색(景色) 명 **1** 경치(景致). **2** 정경이나 광경.
경서(經書) 명 유교의 경전(經典)《사서·오경 등》. 준경.
경선(經線) 명 〖지〗 지구를 그 양극을 지나는 평면으로 잘랐을 때, 평면과 지구 표면이 만나는 가상적인 곡선. 경도선. 날줄. ↔위선(緯線).
경:선(競選) 명 둘 이상의 후보가 경쟁하는 선거. ¶ ~을 치러 회장으로 선출됐다.
경성(京城) 명 **1** 도읍의 성. 서울. **2** 서울의 옛 이름.
경성(硬性) 명 단단한 성질. ↔연성(軟性).
경성(傾性) 명 〖식〗 식물에 자극을 주었을 때, 자극의 방향과 관계없이 기관(器官)의 구조에 따라 어떤 일정한 방향으로 운동을 일으키는 성질. 경화성(傾化性).
경성 헌:법(硬性憲法)[-뻡] 개정 절차가 보통 법률보다 까다로운 헌법. 경질 헌법. ↔연성(軟性) 헌법.
경세(經世) 명하자 세상을 다스림.
경:세(警世) 명하자 세상 사람들을 깨우침.

¶ ~의 문장.
경세-가 (經世家) [명] 세상을 다스려 나갈 경륜과 자질이 있는 사람.
경세-제민 (經世濟民) [명][하자] 세상을 다스리고 백성을 구제함. [준]경제(經濟).
경-소리 (經-)[-쏘-] [명] 불경을 읽거나 외는 소리.
경솔 (輕率) [명][하형][히부] 언행이 조심성이 없고 가벼움. ¶자기의 ~을 뉘우치다 / 일을 ~하게 처리했다.
경:-쇠 (磬-) [명] **1**〔악〕옥이나 돌로 만든 아악기. 경(磬). 석경(石磬). **2** 판수가 경을 읽을 때 흔드는 방울. **3**〔불〕부처 앞에 절할 때 흔드는 작은 종.
경수 (硬水) [명]〔화〕센물. ↔연수(軟水).
경수 (經水) [명]〔한의〕월경(月經).
경수 (輕水) [명] 중수(重水)에 대해 보통의 물을 일컫는 말.
경수-로 (輕水爐) [명]〔물〕천연수를 감속재와 냉각수로 사용하는 원자로.
경-수소 (輕水素) [명]〔화〕수소의 동위 원소 중에서, 질량수(質量數)가 2 또는 3의 중수소(重水素)에 대해 질량수가 1인 보통의 수소.
경-수필 (輕隨筆) [명]〔문〕수필 중에서 논리성보다는 주관적·감성적인 상념을 중점적으로 표현한 수필. 미셀러니.
경술 (經術) [명] 유가의 경서에 관한 학문.
경술-국치 (庚戌國恥) [명]〔역〕1910년 8월 29일 우리나라의 통치권을 일본에 빼앗기고 식민지가 된 국치(國恥)의 사실을 일컫는 말. 국권 피탈.
경-스승 (經-)[-쓰-] [명]〔불〕경문의 뜻을 풀어 가르치는 법사(法師). 경사(經師). 강주(講主).
경승 (景勝) [명] 경치가 좋음. 또는 그런 곳.
경-승용차 (輕乘用車) [명] 배기량 800cc 이하의, 소형 자동차보다 작은 자동차. [준]경차(輕車).
경승-지 (景勝地) [명] 경치가 좋은 곳.
경승지지 (景勝之地) [명] 경승지.
경시 (京試) [명]〔역〕조선 때, 삼 년마다 서울에서 보던 소과(小科)의 초시(初試).
경시 (輕視) [명][하타] 대수롭지 않게 여김. ¶인명을 ~하는 풍조가 있다 / 전통 문화가 ~되어서는 안 된다. ↔중시(重視).
경식 (硬式) [명] **1** 단단한 재료를 쓰는 방식. **2** 야구·테니스에서 단단한 공을 사용하는 방식. ↔연식(軟式).
경신 (更新) [명][하타] **1** 이제까지 있던 것을 고쳐 새롭게 함. **2** 기록 경기 따위에서, 종전의 기록을 깨뜨림. ¶국내 기록이 여러 번 ~되었다 / 주가가 사상 최고치를 ~했다. ☞갱신(更新).
경:신 (敬信) [명][하타] 존경하여 믿음.
경:신 (敬神) [명][하자] 신을 공경함.
경신 (輕信) [명][하타] 경솔히 믿음.
경악 (驚愕) [명][하자] 깜짝 놀람. ¶뜻밖의 사고에 ~을 금치 못하다.
경악-스럽다 (驚愕-)〔-스러우니, -스러워〕[형][ㅂ불] 깜짝 놀랄 만하다.
경:앙 (景仰) [명][하타] 덕을 사모해 우러러봄. ¶세상 사람의 ~을 받다.
경:앙 (敬仰) [명][하타] 존경하여 우러러봄.
경:애 (敬愛) [명][하타] 공경하고 사랑함. ¶~하는 동지 여러분.
경야 (經夜) [명][하자] **1** 밤을 지샘. **2** 장사 전에 죽은 사람의 관 옆에서 가까운 친척이나 친구들이 밤샘을 하는 일.
경-양식 (輕洋食) [명] 간단한 서양식 일품요리.
경:어 (敬語) [명] 상대를 공경하는 뜻을 나타내는 말. 높임말. 공대말. 존경어.
경:어-법 (敬語法)[-뻡] [명]〔언〕높임법.
경:업 (競業) [명][하자] 영업상 경쟁함.
경역 (境域) [명] **1** 경계의 지역. **2** 경계 안의 땅.
경연 (硬軟) [명] **1** 단단함과 부드러움. **2** 굳음과 무름.
경연 (硬鉛) [명]〔화〕5-10%의 안티몬을 함유한 납의 합금.
경연 (經筵) [명]〔역〕고려·조선 때, 임금의 앞에서 경서를 강론하게 하던 일. 또는 그런 자리. 경악(經幄). 경유(經帷).
경:연 (慶宴) [명] 경사스러운 잔치.
경:연 (競演) [명][하타] 예술·기능 따위의 실력을 겨룸. ¶무용 ~ 대회.
경:연-회 (競演會) [명] 경연을 목적으로 하는 공연회나 발표회.
경:염 (競艶) [명][하자] 여자들이 모여 아름다움을 겨룸. ¶~ 대회(大會).
경-염불 (經念佛)[-념-] [명][하자]〔불〕경문을 읽으며 부처의 공덕을 생각함.
경엽 (莖葉) [명]〔식〕**1** 줄기와 잎. **2** 줄기에서 나는 잎.
경영 (經營) [명][하타] **1** 기업·사업을 관리하고 운영함. ¶~이 부실하다 / 소유와 ~을 분리하다. **2** 계획을 세워 어떤 일을 해 나감. ¶천하를 ~하다.
경:영 (競泳) [명][하자] 일정한 거리를 헤엄쳐서 그 빠르기를 겨룸. 또는 그런 경기.
경영-권 (經營權)[-꿘] [명]〔경〕기업가가 자기의 기업체를 관리·경영하는 권리《재산권의 일종임》. ¶~을 인수하다.
경영-난 (經營難) [명] 기업을 경영해 나가는 데 생기는 어려움. ¶~에 빠지다.
경영-인 (經營人) [명] 기업이나 사업을 관리하고 운영하는 사람. ¶전문 ~.
경영-자 (經營者) [명]〔경〕기업·사업을 관리하고 운영하는 사람이나 기관. ¶최고 ~.
경영-주 (經營主) [명] 기업을 경영하는 주인.
경영-진 (經營陣) [명] 기업의 경영을 책임진 사람들의 진용.
경영-층 (經營層) [명] 경영을 맡은 계층.
경영-학 (經營學) [명] 기업의 조직과 관리·운영에 관하여 연구하는 학문.
경영 합리화 (經營合理化)[-함니-]〔경〕기업 경영에서 극소의 비용으로 일정한 생산을 하기 위해 업무 조직·생산 계획·생산 방법·노무 관리 등을 개선하는 일.
경옥 (硬玉) [명] 알칼리 휘석의 하나. 규산·산화알루미늄·나트륨으로 된 광물로 굳기는 수정과 같음《보통, 옥이라 하며 짙은 푸른빛의 것은 비취옥(翡翠玉)이라 함》.
경:옥 (瓊玉) [명] 아름다운 옥.
경외 (京外) [명] **1** 서울과 지방. 경향(京鄕). **2** 서울 밖의 지방.
경:외 (敬畏) [명][하타] 공경하면서 두려워함.

¶신을 ~하다.
경외 (境外) 명 일정한 경계의 밖. ↔경내.
경:외-감 (敬畏感) 명 공경하면서 두려워하는 감정.
경:외-심 (敬畏心) 명 공경하면서 두려워하는 마음. ¶자연에 대하여 ~을 품다.
경우 (耕牛) 명 논밭을 갈 때에 부리는 일소.
***경우** (境遇) 명 **1** 사리나 도리. ¶~가 밝다 / ~에 어긋난다. **2** 놓여 있는 조건이나 놓이게 된 형편이나 사정. ¶만일의 ~ / 비가 올 ~에는 실내에 모인다.
경운-기 (耕耘機) 명 동력을 이용하여 땅을 갈아 일구는 농사 기계.
경:원 (敬遠) 명하타 **1** 공경하면서 가까이하지 않음. ¶사장을 ~하다. **2** 겉으로는 존경하는 체하면서 실제로는 꺼리어 멀리함. ¶엄한 선배를 ~하며 피해 다닌다.
경:원-시 (敬遠視) 명하타 겉으로는 가까운 체하면서 실제로는 멀리하고 꺼림칙하게 여김.
경위 (涇渭) 명 사리의 옳고 그름과 시비의 분간. ¶~가 분명한 사람 / ~가 밝다 / ~를 따지다.
경위 (經緯) 명 **1** 직물의 날과 씨. **2** 일이 진행되어 온 과정. ¶사건의 ~를 설명하다.
경:위 (警衛) 명하타 **1** 경계하고 호위함. 또는 그 사람. **2** 경찰 공무원 계급의 하나《경감의 아래, 경사의 위》.
경위-도 (經緯度) 명 경도와 위도. 준경위.
경위-서 (經緯書) 명 일이 벌어진 경위를 적은 서류. ¶~를 제출하다.
경위-선 (經緯線) 명 경선과 위선. 준경위.
경유 (經由) 명하타 **1** 어떤 곳을 거쳐서 지나감. ¶미국을 ~하여 귀국하다. **2** 사무 절차에서 어떤 부서를 거침. ¶간부 회의를 ~하다.
경유 (輕油) 명 **1** 중유(重油)보다 가볍고 등유(燈油)보다 무거운 석유 유분. 디젤 엔진용 연료·기계 세척용으로 씀. **2** 콜타르를 증류할 때, 맨 처음 얻는 가장 가벼운 기름. 방향족 탄화수소의 혼합물로 벤젠·톨루엔 따위의 원료로 씀.
경음 (硬音) 명 〖언〗 된소리.
경-음악 (輕音樂) 명 〖악〗 작은 규모의 악단이 연주하는 대중적인 가벼운 음악《재즈·샹송·팝송 따위》.
경음-화 (硬音化) 명 〖언〗 '된소리되기'의 한자말.
경의 (更衣)[-/-이] 명하자 옷을 갈아입음.
경:의 (敬意)[-/-이] 명 존경하는 뜻. ¶~를 표하다.
경이 (驚異) 명하자 놀랍고 신기하게 여김. ¶~의 눈으로 바라보다.
경이-감 (驚異感) 명 놀랍고 신기한 느낌. ¶~을 불러일으키다.
경이-롭다 (驚異-) [-로우니, -로워] 형ㅂ불 놀랍고 신기한 데가 있다. ¶경이로운 기록. **경이-로이** 부
경이-적 (驚異的) 관명 무척 놀랍게 여길 만한 (것). 놀랄 만한 (것). ¶~인 경제 발전을 이루다.
경인 (京仁) 명 서울과 인천. ¶~선(線).
경:일 (慶日) 명 경사스러운 날.
경-입자 (輕粒子) 명 〖물〗 전자·중성미자·미크론 중간자와 같이 질량이 적은 소립자(素粒子)의 총칭. 렙톤(lepton).
경-자동차 (輕自動車) 명 배기량이 일반 자동차에 비하여 작은 차량. 일반적으로 차체가 작고 가벼워 에너지 효율이 높다.
경작 (耕作) 명하타 땅을 갈아 농사를 지음. 경가(耕稼). 경농(耕農). ¶~ 면적.
경작-권 (耕作權) 명 지주의 소유권에 의한 위협 없이 경작할 수 있는 소작인의 권리.
경작-물 (耕作物)[-장-] 명 경작하는 농산물.
경작-자 (耕作者) 명 논밭을 갈아 직접 농사를 짓는 사람.
경작-지 (耕作地) 명 논밭과 같이 농사를 짓는 땅. 준경지(耕地).
경장 (更張) 명하타 **1** 고쳐서 확장함. **2** 사회적·정치적으로 부패한 제도를 고쳐 새롭게 함. **3** 거문고의 줄을 팽팽하게 고쳐 맴.
경장 (經藏) 명 〖불〗 **1** 삼장(三藏)의 하나인 불경. **2** 절에서, 대장경을 넣어 두는 집. 경당(經堂).
경장 (輕裝) 명하자 옷이나 휴대품 따위를 홀가분하게 차림. 또는 그런 차림새.
경:장 (警長) 명 경찰 공무원 계급의 하나《경사의 아래, 순경의 위》.
경:쟁 (競爭) 명하자 서로 이기거나 앞서려고 겨루어 다툼. ¶~ 관계에 있는 회사 / 치열한 ~을 벌이고 있다.
경:쟁 가격 (競爭價格)[-까-] 〖경〗 **1** 시장에서 수요자·공급자 간의 경쟁으로 이루어지는 가격. ↔독점 가격. **2** 경쟁 입찰에서 결정된 가격.
경:쟁-국 (競爭國) 명 국제적으로 서로 유리한 입장을 차지하려고 다투는 상대국.
경:쟁-력 (競爭力)[-녁] 명 경쟁에서 이길 수 있는 힘이나 능력. ¶국제 ~을 기르다.
경:쟁-률 (競爭率)[-뉼] 명 경쟁의 비율. ¶높은 ~을 뚫고 합격하다.
경:쟁-심 (競爭心) 명 경쟁에서 이기려는 마음. 경쟁의식. ¶~이 강한 사람.
경:쟁-자 (競爭者) 명 경쟁의 상대자. 라이벌(rival). ¶~를 물리치다.
경:적 (警笛) 명 주의나 경계를 하도록 소리를 내는 장치. 또는 그 소리. ¶요란한 ~을 울리고 가는 자동차.
경전 (耕田) 명하자 논밭을 가는 일. 또는 그 논밭.
경전 (經典) 명 **1** 성인(聖人)이 지은 글. 또는 성인의 언행을 적은 글. ¶유교의 ~. **2** 종교의 교리를 기록한 책. ¶불교 ~.
경점 (更點)[-쩜] 명 **1** 〖역〗 조선 때, 북과 징을 쳐서 시각을 알리던 경(更)과 점(點)《하룻밤을 다섯 경으로 나누고, 한 경은 다시 다섯 점으로 나누어 경에는 북, 점에는 징을 쳤음》. **2** 절에서 초경, 이경, 삼경, 사경, 오경에 맞추어 치는 종.
[경점 치고 문지른다] 일을 그르친 다음에 자기 잘못을 얼버무리려는 것을 이름.
경정 (更正) 명하타 **1** 잘못된 점이나 미비한 점을 바르게 고침. **2** 〖법〗 납세 의무자의 신고가 없거나 신고액이 너무 적을 때, 정부가 과세 표준과 과세액을 변경하는 일.
경정 (更定) 명하타 다시 고쳐 정함.
경정 (更訂) 명하타 책의 내용 등을 고쳐 바

로잡음.
경정(輕艇) 명 가볍고 속력이 빠른 배.
경:정(警正) 명 경찰 공무원 계급의 하나《총경의 아래, 경감의 위임》.
경-정맥(頸靜脈) 명 목의 정맥.
경정 예:산(更正豫算)[-녜-] 어떤 연도의 예산안이 국회를 통과한 다음, 필요에 따라 변경된 예산. ¶추가 ~.
***경제**(經濟) 명하타 **1** 인간 생활의 유지·발전에 필요한 재화를 획득·이용하는 모든 활동《재화의 생산·교환·분배·소비는 모두 경제의 한 부분임》. ¶~ 교류 / ~가 안정되다 / 현재는 ~ 사정이 허락지 않는다. **2** 돈·시간·노력을 적게 들이는 일. **3** '경제학'의 준말.
경제 개발(經濟開發) 산업을 일으켜 국가 경제를 발전시키는 일.
경제 개:혁(經濟改革) 〖경〗 **1** 경제 분야에서 실시하는 개혁. **2** 종전의 경제 제도나 경제 질서를 새로운 것으로 바꾸는 일.
경제-계(經濟界)[-/-게] 명 경제 활동이 활발히 행하여지는 분야. 특히, 실업가들의 세계.
경제 계:획(經濟計劃)[-/-게-] 국가 경제를 일정한 시기에 일정한 목표에 이르게 하기 위해 세우는 지속적·종합적 계획. * 계획 경제.
경제 공:황(經濟恐慌) 경제계가 급격한 혼란 상태에 빠져 산업이 침체하고 실업이 격증하며 기업이 도산하는 현상. 준공황.
경제-권(經濟圈)[-꿘] 명 국제적·국내적으로 밀접한 경제 관계가 있는 일정한 범위 안의 지역. ¶아시아 ~.
경제-권(經濟權)[-꿘] 명 경제 행위를 주장(主掌)하는 권리. ¶우리 가정의 ~은 남편이 쥐고 있다.
경제-난(經濟難) 명 경제상의 곤란. ¶심각한 ~을 극복했다.
경제-력(經濟力) 명 경제 행위를 하여 나가는 힘. 개인의 경우는 수입이나 재산의 정도를, 국가나 기업의 경우는 생산력이나 축적된 자본의 정도를 말함. ¶~이 커지다 / ~이 있는 사람.
경제-면(經濟面) 명 **1** 재정·금융·경제에 관한 기사를 싣는 신문의 지면. ¶일간지의 ~. **2** 경제에 관한 방면. ¶정치면과 ~을 아울러 관찰했다.
경제-사(經濟史) 명 경제 조직·경제 활동의 역사를 연구하는 학문.
경제 사:범(經濟事犯) 〖법〗 개인·기업·공공 단체 또는 국가의 경제적 법익(法益)을 침해하였거나 침해하려는 범죄. 또는 그러한 죄를 범한 사람. 경제범.
경제 사회 이:사회(經濟社會理事會) 국제 연합의 한 상설 기관《국제적인 경제·사회·교육·위생 문제 등에 관한 연구·보고·제안·권고를 행함》.
경제-성(經濟性)[-썽] 명 경제적인 면에서 본 합리성 또는 경제적으로 이익을 낼 수 있는가를 가늠하는 측면. ¶제품의 ~을 높이다 / ~을 고려한 신상품.
경제 성장(經濟成長) 국민 소득·국민 총생산과 같은 국민 경제의 기본적 지표가 시간적 경과와 더불어 상승하는 일.
경제 성장률(經濟成長率)[-뉼] 〖경〗 일정 기간, 보통 1년간의 국민 총생산이나 1인당 실질 국민 소득의 증가율. 측정의 척도로 국민 총생산을 씀. 준성장률.
경제-속도(經濟速度) 명 선박·항공기·자동차 등이 가장 적은 연료 소비로 가장 많은 거리를 갈 수 있는 속도. 경제속력.
경제-속력(經濟速力)[-송녁] 명 경제속도.
경제 수역(經濟水域) 연안국(沿岸國)이 어업과 자원 등을 보유·관할할 수 있는 해역《보통, 연안에서 200해리(海里)까지를 이름》. ¶~을 설정하다.
경제-인(經濟人) 명 **1** 경제계에서 활동하는 사람. ¶~ 연합회. **2** 경제 원칙에 따라 이익의 극대화를 위하여 행동하는 사람.
경제-재(經濟財) 명 경제적 가치가 있으며 경제 행위의 대상이 되는 재화. ↔자유재.
***경제-적**(經濟的) 관명 **1** 경제에 관한 (것). ¶~으로 도움을 주다. **2** 비용·노력·시간을 적게 들이는 (것). ¶~ 집단 / ~인 사람.
경제 정책(經濟政策) 국민 경제의 이익을 보호·증진하기 위한 국가의 방책.
경제 제:재(經濟制裁) 특정 국가에 대한 경제적인 압박 수단《재외 자산의 동결, 경제 봉쇄 따위》.
경제 특구(經濟特區) 〖경〗 외국의 자본이나 기술을 집중적으로 받아들이기 위하여 설치되는 경제 특별 지구. 참여하는 외국 기업에 대해서는 경제면에서의 여러 가지 혜택이 주어짐. 1980년 중국이 시작함.
경제-학(經濟學) 명 경제 현상을 대상으로 생산·교환·분배의 법칙을 연구하는 사회 과학의 총칭. 준경제.
경제 행위(經濟行爲) 〖경〗 경제적 욕망을 채우기 위하여 재화를 획득·사용하는 행위《생산·교환·분배·소비 등》.
경제 협력(經濟協力)[-혐녁] 국가 간에 차관이나 기술 등을 제공하여 경제 활동을 서로 돕는 일. 준경협.
경제 활동(經濟活動) 〖경〗 재화나 용역의 생산과 소비, 소득이나 부(富)의 분배 등 경제 분야에 관련된 모든 개별적인 행동.
경조(京兆) 명 서울. 수도(首都).
경:조(敬弔) 명하타 삼가 조상함.
경:조(慶弔) 명하타 **1** 경사스러운 일과 궂은일. **2** 경사를 축하하고 흉사를 조문함.
경:조-사(慶弔事) 명 경사와 흉사.
경조-하다(輕佻-) 형여불 말이나 행동이 경솔하다. **경조-히** 부
경조-하다(輕躁-) 형여불 성미가 급하고 행동이 경솔하다.
경종(耕種) 명하타 논밭을 갈고 씨를 뿌려 가꿈. ¶전통적인 ~ 양식.
경:종(警鐘) 명 **1** 다급한 일이나 위험을 알리는 종이나 사이렌 따위의 신호. **2** 경계하여 주는 주의나 충고.
경종을 울리다 구 잘못이나 위험에 대하여 미리 주의를 환기시키다. ¶자연 파괴의 심각성에 대해 ~.
경죄(輕罪) 명 가벼운 죄. ↔중죄(重罪).
경주(傾注) 명하자타 **1** 기울여 쏟음. **2** 마음이나 힘을 한곳에 쏠리게 함. ¶전력을 ~하고 있다 / 모든 노력이 ~되어야 성공할 수 있다.

경:주 (競走) 명하자 일정한 거리를 달려 빠르기를 겨루는 일. 또는 그 경기. ¶자동차 ~/달리기 ~에서 일등을 했다.
경:주-마 (競走馬) 명 경주에 출전시키기 이한 말.
경중 (輕重) 명 1 가벼움과 무거움. 또는 그 정도. ¶죄의 ~을 묻다. 2 큰 일과 작은 일. 또는 중요함과 중요하지 않음. ¶일의 ~을 가리다/사안의 ~을 따져서 처리하다.
경증 (輕症)[-쯩] 명 가벼운 병의 증세. ¶~ 환자. ↔중증(重症).
경지 (耕地) 명 '경작지'의 준말. ¶~가 넓다/~로 이용하다.
경지 (境地) 명 1 경계가 되는 땅. 2 경험한 결과 도달한 지경·상태. ¶성인(聖人)의 ~에 이르다. 3 독자적으로 개척한 새로운 분야나 부분. ¶새로운 ~를 개척하다.
경직 (硬直) 명하자 1 몸 따위가 굳어서 꼿꼿하게 됨. ¶사후(死後) ~/~된 근육을 풀어 주다. 2 사고방식·태도 따위가 부드럽지 못하고 융통성 없이 딱딱함. ¶~된 분위기를 완화시키다.
경직-성 (硬直性) 명 1 몸 따위가 굳어서 빳빳해지는 성질. 2 생각·태도 따위가 부드럽지 못하고 엄한 성질. ¶관료 정치의 ~.
경직-하다 (勁直-·硬直-·骾直-)[-지카-] 형여불 뜻이 굳세고 곧다.
경진 (輕震) 명 가벼운 지진《진도는 2》.
경:진 (競進) 명하자 1 다투어 앞으로 나아감. 2 제품·상품 따위의 우열을 가림. ¶컴퓨터~ 대회에 참가하다.
경질 (更迭·更佚) 명하타 어떤 직위의 사람을 다른 사람으로 바꿈. ¶총리 ~/ 장관을 ~하다.
경질 (硬質) 명 단단하고 굳은 성질. ↔연질.
경차 (輕車) 명 '경승용차'의 준말.
***경:찰** (警察) 명 〖법〗 1 국민의 생명·신체·재산의 보호와 범죄의 예방과 수사, 피의자의 체포, 공안을 유지하기 위한 행정. 또는 그 기관. ¶~에 신고하다. 2 '경찰관'의 준말. ¶~에게 도움을 청하다.
경:찰 공무원 (警察公務員) 〖법〗 경찰 업무에 종사하는 공무원.
***경:찰-관** (警察官) 명 '경찰 공무원'의 통칭.
경:찰-국가 (警察國家) 명 경찰권이 전(全) 통치 조직 중 우위를 차지하고 국민 생활의 세부에까지 간섭하는 국가 조직. 경찰국. ↔법치 국가(法治國家).
경:찰-권 (警察權)[-꿘] 명 공공의 질서 유지를 위하여 경찰 기관을 통하여 국민에게 명령·강제하는 국가 권력의 작용.
경:찰-력 (警察力) 명 경찰의 물리적인 힘. ¶~을 투입하다/~을 강화하다.
경:찰-봉 (警察棒) 명 경찰관이 지니고 다니는 둥근 방망이. 경봉(警棒).
***경:찰-서** (警察署)[-써] 명 지방 경찰청의 하부 기구로, 각각 그 관할 구역 내의 경찰 사무를 다루는 관서. ¶수상한 사람을 ~에 신고하다. 준서(署).
경:찰-차 (警察車) 명 경찰이 업무를 위하여 사용하는 차.
경:찰-청 (警察廳) 명 행정 안전부 장관에 속하여 경찰에 관한 사무를 통괄하는 기관. 1991년에 제정된 경찰법에 의거 '치안본부'가 바뀐 이름임.
경책 (輕責) 명하타 가볍게 꾸짖음.
경:책 (警責) 명하타 정신을 차리도록 꾸짖음. ¶~을 맞다.
경:책 (警策) 명 〖불〗 좌선(坐禪)할 때, 졸거나 자세가 흐트러진 사람의 어깨를 쳐서 깨우치게 하는 데 쓰는, 나무나 갈대로 만든 긴 막대기《독경 때는 죽비(竹篦) 대용으로도 씀》.
경천-동지 (驚天動地) 명하자 하늘이 놀라고 땅이 흔들린다는 뜻으로, 세상을 몹시 놀라게 함을 비유한 말. ¶~의 대사건.
경:천-애인 (敬天愛人) 명하자 하늘을 공경하고 사람을 사랑함.
경첩 명 〔←겹첩〕 여닫이문에서, 돌쩌귀처럼 문짝을 다는 데 쓰는 철물《두 쇳조각을 맞물려 만듦》. 접철(摺鐵). 합엽(合葉).

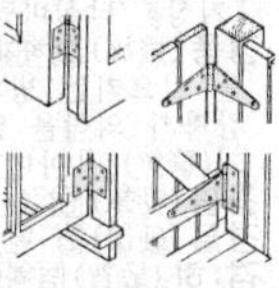

경첩

경청 (傾聽) 명하타 귀를 기울이고 주의해 들음. ¶그의 연설은 ~할 만하다.
경:청 (敬聽) 명하타 공경하는 마음으로 들음.
경추 (頸椎) 명 포유류에서 척추 윗부분의 일곱 개의 뼈. 목등뼈.
경:축 (慶祝) 명하타 경사를 축하함. ¶~ 행사/광복절을 ~하다.
경:축-사 (慶祝辭) 명 경사스러운 일을 축하하기 위한 모임에서 공식적으로 하는 인사말. ¶~를 낭독하다.
***경치** (景致) 명 자연의 아름다운 모습. 경개(景槪). 경관(景觀). 경광(景光). 경물(景物). 경색(景色). 풍광. ¶빼어난 ~를 자랑하다. 준경(景).
경-치다 (黥-) 자 1 혹독한 형벌을 받다. 호된 고통을 겪다. ¶경칠 놈 같으니라고/호되게 ~. 2 (주로 '경치게'의 꼴로 쓰여) 몹시 심한 상태를 못마땅하게 여기는 말. ¶봄날 치곤 경치게 덥네.
[경쳐 포도청이라 ; 경치고 포도청 간다] 심한 고통, 어려운 일을 당할 때 쓰는 말.
경칠-수 (黥-數)[-쑤] 명 심한 꾸지람을 듣거나 벌을 받을 운수.
경칩 (驚蟄) 명 이십사절기의 셋째. 우수(雨水)의 다음《양력 3월 5일경》.
경:칭 (敬稱) 명하타 사람을 공경하여 부르는 이름. ¶~을 쓰다.
경쾌-하다 (輕快-) 형여불 마음이나 움직임 따위가 홀가분하고 상쾌하다. ¶경쾌한 복장/경쾌한 발걸음. **경쾌-히** 부
경:탄 (敬歎) 명하자 존경하여 감탄함.
경탄 (驚歎) 명하자타 몹시 놀랍게 여겨 감탄함. ¶뛰어난 솜씨에 ~을 금치 못하다/~의 눈길을 보내다.
경토 (耕土) 명 1 경작하기에 적당한 땅. 2 토질이 부드러워 갈고 맬 수 있는 땅 표면의 흙. 표토(表土).
경통 (經痛) 명 〖의〗 월경 때에, 배와 허리 또는 온몸이 아픈 증상. 경통증.
경파 (硬派) 명 강경파. ↔연파(軟派).
경판 (京板) 명 서울에서 판각(板刻)함. 또는 그 각판. ¶~ 춘향전.

경판 (經板) 명 경서를 새긴 나무 판.
경판-본 (京板本) 명 서울에서 판각(板刻)한 책. *완판본(完板本).
경품 (景品) 명 **1** 일정한 액수의 상품을 사는 손님에게 곁들여 주는 물품. ¶~ 증정 / ~으로 세제를 나누어 주다. **2** 어떤 모임에서 제비를 뽑아 선물로 주는 물품. ¶~을 타다.
경품-권 (景品券)[-꿘] 명 당첨이 되면 경품을 받을 수 있도록 주는 표. 덧거리표. ¶~을 모으다.
경풍 (輕風) 명 **1** 가볍게 솔솔 부는 바람. **2** 〖기상〗 '남실바람'의 구용어.
경풍 (驚風) 명하자 〖한의〗 어린아이가 경련을 일으키는 병의 총칭. 풍(風)으로 인해 갑자기 의식을 잃거나 깜짝깜짝 놀람. 경기(驚氣). ¶아이가 ~을 일으키다.
경필 (勁筆) 명 힘찬 필력(筆力).
경필 (硬筆) 명 펜.
경:하 (敬賀) 명하타 공경하여 축하함.
경:하 (慶賀) 명하타 경사스러운 일을 축하함. ¶졸업을 ~해 마지않는다.
경-하다 (輕-) 형여불 **1** 가볍다. **2** 가치·비중 따위가 적다. ¶목숨을 경하게 여기지 마라. **3** 언행이 경솔하다. **4** 병세·죄과·형벌 따위가 대수롭지 않다. ¶병세(病勢)가 ~ / 그는 저지른 죄에 비해 경한 처벌을 받았다. ↔중(重)하다. **경-히** 부
경학 (經學) 명 유교의 경서(經書)를 연구하는 학문.
경:합 (競合) 명하자 **1** 서로 맞서 겨룸. ¶3명의 후보자들이 치열한 ~을 벌이다. **2** 〖법〗 단일한 사실·요건에 대하여 평가 또는 평가의 효력이 중복되는 일. 특히, 형법에서 동일한 행위가 몇 개의 죄명에 해당하는 일.
경-합금 (輕合金) 명 〖화〗 알루미늄이나 마그네슘을 주성분으로 하는 비중이 2.5-3.5인 합금. 잘 부식되지 않고 강하여 항공기의 재료로 씀.
경행 (京行) 명하자 서울로 감.
경:행 (慶幸) 명 경사스럽고 다행한 일.
경향 (京鄕) 명 서울과 시골. ¶~ 각지.
경향 (傾向) 명 마음·현상·사상·형세 등이 한쪽으로 기울어져 쏠림. 또는 그런 방향. ¶일반적인 ~ / 형식을 중시하는 ~이 있다.
경향-성 (傾向性)[-썽] 명 〖심〗 현상·사상·행동 따위가 어떤 방향으로 기울어지거나 쏠리는 성향.
***경험** (經驗) 명하타 **1** 실제로 해 보거나 겪어 봄. 또는 거기서 얻은 지식·기능. ¶산 ~ / 좋은 ~ / ~을 쌓다. **2** 〖철〗 감각이나 지각을 통해 얻어지는 내용.
경험 과학 (經驗科學) 경험적 사실을 대상으로 하는 학문. 곧, 실증적인 모든 과학.
경험-담 (經驗談) 명 직접 경험한 일에 대한 이야기. ¶~을 늘어놓다.
경험-론 (經驗論)[-논] 명 **1** 경험을 바탕으로 한 논의나 견해. **2** 〖철〗 모든 인식은 감각적 경험에 의한다고 생각하며 인식에서의 초경험적·이성적(理性的) 계기를 인정하지 않는 인식론적 입장. 경험주의.
경험-자 (經驗者) 명 어떤 일에 대한 경험이 있는 사람.
경험-적 (經驗的) 관명 경험에 바탕을 둔 (것). ¶~ 판단.
경험-주의 (經驗主義)[-/-이] 명 경험론2.
경혈 (經穴) 명 〖한의〗 14 경맥(經脈)에 속한 혈(穴). 침을 놓거나 뜸을 뜨기에 적당한 자리. 준혈(穴).
경혈 (經血) 명 월경(月經) 때 나오는 피.
경혈 (驚血) 명 놀란 피《어혈(瘀血)이 엉긴 것으로 멍든 피를 이름》.
경협 (經協) 명 '경제 협력'의 준말.
경:호 (警護) 명하타 경계하고 보호함. ¶~ 임무를 맡다 / 대통령을 ~하다.
경:호-원 (警護員) 명 다른 사람의 신변의 안전을 돌보는 일을 주된 임무로 하는 사람. 경호인.
경화 (硬化) 명하자 **1** 단단히 굳어짐. ¶동맥 ~. **2** 의견·태도 등이 강경하여짐. ¶야당의 태도가 ~되다. **3** 금속을 급랭(急冷) 등의 처리로 경도를 높임. ↔연화(軟化).
경화 (硬貨) 명 〖경〗 **1** 금속으로 주조한 화폐. **2** 금이나 다른 통화와 항시 바꿀 수 있는 화폐《미국의 달러 따위》. ↔연화(軟貨).
경-화기 (輕火器) 명 소총·경기관총 등과 같이 비교적 중량이 가벼운 화기. ↔중화기.
경화-증 (硬化症)[-쯩] 명 〖의〗 몸의 조직·기관이 단단하게 변화하는 병《동맥 경화증·간 경화증 따위》.
경환 (輕患) 명 가벼운 질환. ↔중환(重患).
경-환자 (輕患者) 명 가벼운 질환에 걸린 사람. ↔중환자.
경황 (景況) 명 흥미를 가질 만한 여유나 상황. ¶그런 데 신경을 쓸 ~이 없다.
경황 (驚惶) 명하자 놀라 당황함.
경황-없다 (景況-)[-업따] 형 분주하거나 마음이 상하여 다른 일을 생각할 여유나 흥미가 전혀 없다. **경황-없이** [-업씨] 부
***곁** [걷] 명 **1** 어떤 사람·물체의 옆. 또는 공간적·심리적으로 가까운 데. ¶책상 ~에 책장을 놓다 / 내 ~에 앉아라. **2** 가까이에서 도와주거나 보살펴 줄 만한 사람. ¶~이 없다.
곁(을) 비우다 구 보호하거나 지키는 사람이 없는 상태가 되게 하다. ¶환자의 곁을 비우면 안 된다.
곁(을) 주다 구 다른 사람으로 하여금 자기에게 가까이할 수 있도록 속을 터 주다. ¶곁을 주지 않는 사람.
곁(이) 비다 구 보호하거나 지킬 사람이 곁에 없다.
곁- [걷] 두 곁에 달렸거나, 거기서 갈려 나왔음을 뜻하는 말. ¶~방 / ~가지.
곁-가닥 [걷까-] 명 곁으로 갈라진 가닥.
곁-가지 [걷까-] 명 가지에서 다시 곁으로 돋은 작은 가지. ¶~를 치다.
곁-길 [걷낄] 명 **1** 큰길에서 곁으로 갈라진 길. ¶~로 빠지다. **2** 기본 방향에서 벗어난 딴 방향. ¶이야기가 ~로 새고 말았다.
곁-꾼 [걷-] 명 곁에서 남의 일을 거들어 주는 사람.
곁-눈[1] [걷-] 명 얼굴은 돌리지 않고 눈알만 돌려서 옆을 보는 눈.
곁눈(을) 주다 구 ㉠곁눈질로 상대자에게 뜻을 알리다. ㉡곁눈으로 은근히 정을 나타내다.

곁눈(을) 팔다 구 주의를 집중시켜 한곳을 보지 않고 다른 데를 보다. 또는 관심이 딴 데로 쏠리다. ¶곁눈 팔지 말고 공부해라.
곁-눈[2] [견-] 명 〘식〙 잎겨드랑이에 생기는 눈. 측아(側芽). *꼭지눈.
곁눈-질 [견-] 명하타 **1** 곁눈으로 보는 짓. ¶옆의 아가씨를 힐끔 ~하다. **2** 곁눈으로 뜻을 알리는 짓.
곁-다리 [견따-] 명 **1** 부수적인 것. ¶~만 많았지 택할 것이 없다. **2** 당사자가 아닌 곁에 있는 사람. ¶친구가 가는 곳에 ~로 따라가다.
곁다리(를) 끼다 구 상관없는 사람이 곁에서 말참견하다.
곁다리(를) 들다 구 당사자가 아닌 사람이 참견하여 말하다.
곁-두리 [견뚜-] 명 농부·일꾼이 끼니 외에 참참이 먹는 음식.
곁-들다 [견뜰-] 〔곁드니, 곁드오〕 자타 **1** 어떤 공간이나 상황 따위에 끼어들다. ¶노래에 춤이 곁들어 흥겨운 분위기를 돋운다. **2** 곁에서 부축하여 들다. **3** 남이 하는 일이나 말을 곁에서 거들어 주다. ¶농사일을 ~.
곁-들이다 [견뜰-] 타 **1** 곁에서 거들게 하다. **2** 주된 음식에 다른 음식을 어울리게 담다. ¶요리에 야채를 곁들여 내어 놓다. **3** 주된 일 이외에 다른 일을 겸해 하다. ¶시 낭송에 음악을 곁들여 들려 주었다.
곁-따르다 [견-] 〔곁따르니, 곁따라〕 자타 어떤 것에 덧붙어서 따르다. ¶싸움에는 늘 사상자가 곁따른다 / 경호원이 요인을 곁따라 보호하고 있다.
곁-말 [견-] 명 바로 말하지 않고 빗대어 하는 말(('싱겁다'를 '고드름장아찌 같다' 고 하는 따위)).
곁-방 (-房) [견빵] 명 **1** 안방에 딸려 붙은 방. 협실(夾室). **2** 남의 집 한 부분을 빌려 사는 방. 측실(側室). 곁간. *협호(夾戶).
곁방-살이 (-房-) [견빵-] 명하자 남의 집 곁방에서 사는 살림.
곁-부축 [견뿌-] 명하타 **1** 겨드랑이를 붙들어 걸음을 돕는 일. 부액(扶腋). 부축. **2** 곁에서 말이나 일을 도와주는 일.
곁-뿌리 [견-] 명 〘식〙 고등 식물의 원뿌리에서 갈라져 나간 작은 뿌리. 측근(側根). 옆뿌리. 부근(副根).
곁-사돈 (-査頓) [견싸-] 명 직접 사돈 간이 아니고 같은 항렬의 방계 간의 사돈. *친사돈.
곁-상 (-床) [견쌍] 명 한 상에 다 차리지 못해 덧붙여 차리는 작은 상.
곁-줄기 [견쭐-] 명 **1** 원줄기에 뻗어 난 부수적인 줄기. **2** 〘식〙 덩굴 식물의 원줄기 곁에서 벋은 가는 줄기.
곁-집 [견찝] 명 곁으로 붙어 있는 집.
[곁집 잔치에 낯을 낸다] 자기 물건은 쓰지 않고 남의 물건으로 생색을 낸다는 말.
곁-채 [견-] 명 몸채 곁에 딸린 딴 집채.
계: (系) [- / 게] 명 **1** 〘수〙 어떤 명제나 정리로부터 옳다는 것이 쉽게 밝혀지는 다른 명제나 정리. **2** 지질 시대의 기(紀)에 대응하는 지층임을 나타내는 말.
계: (戒·誡) [- / 게] 명 **1** 죄악을 저지르지 못하게 하는 규정. **2** 〘불〙 불교에 귀의한 사람이 지켜야 할 행동 규칙. **3** 한문 문체의 하나. 훈계를 목적으로 지은 글.
계: (計) [- / 게] 명 합계. 총계. ¶~를 내다.
계: (係) [- / 게] 명 사무 담당의 작은 갈래 ((과(課)의 아래)).
계: (界) [- / 게] 명 **1** 〘생〙 생물 분류상의 가장 큰 단위((동물계·식물계 따위)). **2** 〘지〙 지질 시대의 대(代)에 해당하는 지층. 대층(代層).
***계:** (契) [- / 게] 명 한국 전래의 협동 조직의 하나. 주로 경제적인 도움을 주고받거나 친목을 꾀하기 위하여 모임. ¶~ 모임 / ~가 깨지다.
[계 타고 집 판다] 운수가 좋아 처음에는 이(利)를 보았으나 잘못하면 그로 인하여 도리어 더 큰 손해를 본다는 말.
계(를) 타다 구 계에서, 자기 차례가 되어 곗돈을 받게 되다. ¶계를 타서 혼수를 마련하다.
-계 (系) [- / 게] 미 그런 계통에 속함의 뜻. ¶기독교~의 학교 / 독일~의 미국인.
-계 (届) [- / 게] 미 어떤 사실을 신고하는 문서를 나타내는 말. ¶결근~ / 사망~.
-계 (係) [- / 게] 미 '사무나 작업 분담의 단위'의 뜻. ¶경리~ / 인사~.
-계 (界) [- / 게] 미 그러한 사회나 분야를 가리키는 말. ¶실업~ / 언론~.
-계 (計) [- / 게] 미 계량·측정하는 계기의 뜻. ¶우량~ / 온도~.
계:가 (計家) [- / 게-] 명하타 바둑을 다 둔 뒤에 이기고 진 것을 가리기 위해 집수를 헤아림. 또는 그런 일. ¶~ 바둑.
계:간 (季刊) [- / 게-] 명 잡지 따위를 계절에 따라 1년에 네 번 발간함. 또는 그 간행물.
계:간-지 (季刊誌) [- / 게-] 명 〘문〙 계간으로 내는 잡지.
계:고 (戒告) [- / 게-] 명하타 〘법〙 **1** 일정한 기일 내에 행정상의 의무를 이행하도록 서면으로 재촉함. **2** 공무원의 가벼운 위법 행위에 대한 징계 처분.
계:고 (啓告) [- / 게-] 명하타 상신(上申).
계고 (階高) [- / 게-] 명 **1** 층계의 높이. **2** 품계가 높음. **3** 건물의 층 사이의 높이.
계:고 (稽古) [- / 게-] 명하타 옛일을 자세히 살피어 공부하고 익힘.
계:고-장 (戒告狀) [-짱 / 게-짱] 명 〘법〙 (행정상의) 의무 이행을 재촉하는 뜻으로 통지하는 문서. ¶무허가 건물을 철거하겠다고 ~을 보내다.
계곡 (溪谷) [- / 게-] 명 물이 흐르는 골짜기.
계:관 (桂冠) [- / 게-] 명 '월계관'의 준말.
계관 (鷄冠) [- / 게-] 명 **1** 닭의 볏. 볏. **2** 〘식〙 맨드라미.
계:관 시인 (桂冠詩人) [- / 게-] 〘문〙 영국 왕실에서 국가적으로 뛰어난 시인에게 내리는 명예 칭호.
계:교 (計巧) [- / 게-] 명 요리조리 생각해 보고 낸 꾀. ¶~를 부리다 / ~를 꾸미다 / ~에 말려들어 큰 손해를 보았다.
계:교 (計較) [- / 게-] 명하타 비교하여 서로 대어 봄.
계:구 (戒具) [- / 게-] 명 피고인이나 죄인의

폭행·도주의 방지를 위하여 신체를 구속하는 기구《수갑·족쇄·포승 따위》.

계구 (鷄口)[-/게-] 명 닭의 주둥이라는 뜻으로, 작은 단체의 우두머리를 비유.

계급 (階級)[-/게-] 명 **1** 지위·관직 등의 등급. ¶한 ~ 승진하다. **2** 신분·재산 등이 비슷한 사람들로 형성되는 집단. ¶유한 ~. **3** 사회 경제 체제에서 생산 수단의 소유 관계에 따라 나누어지는 사회적 집단. ¶노동자 ~.

계급 문학 (階級文學)[-금-/게금-] 〖문〗 계급의식을 갖고 쓰는 문학.

계급-의식 (階級意識)[-/게-이-] 명 자기가 속하고 있는 계급의 지위·성격·사명 등을 자각하고, 또 이것을 실현하려는 의식. 계급관념.

계급-장 (階級章)[-/게-] 명 계급을 표시하기 위해 다는 표장.

계급-적 (階級的)[-/게-] 관명 계급과 관계되는 (것). ¶~인 이해.

계급 제:도 (階級制度)[-/게-] **1** 사회적 지위의 구별에 관한 국가 제도. **2** 서로 대립하는 계급이 있어서 지배·피지배, 착취·피착취 등의 관계를 이루는 사회 제도.

계급-투쟁 (階級鬪爭)[-/게-] 명하자 서로 이해관계가 다른 계급, 특히 지배 계급과 피지배 계급 사이에 일어나는 대립 투쟁.

계:기 (計器)[-/게-] 명 길이·면적·무게·양이나 온도·시간·강도 따위를 재는 기구의 총칭. ¶~ 속도.

계:기 (契機)[-/게-] 명 어떤 일이 일어나는 결정적인 원인이나 기회. ¶위기를 전화위복(轉禍爲福)의 ~로 삼다.

계:기 (繼起)[-/게-] 명하자 어떤 일이나 현상이 잇따라 일어남.

계:기-반 (計器盤)[-/게-] 명 계기판.

계:기-판 (計器板)[-/게-] 명 기계 장치의 작동 상태를 알리거나 재는 눈금을 새긴 판. 계기반.

계:녀 (季女)[-/게-] 명 막내딸.

***계단** (階段)[-/게-] 명 **1** 오르내리기 위해 건물 등에 만든 층층대. 층계. ¶비상 ~/~을 올라가다. **2** 일을 이루는 데 밟아야 할 순서. 단계(段階). **3** 층층대의 단을 세는 단위. ¶한 ~ 한 ~ 천천히 내려가다.

계단 경작 (階段耕作)[-/게-] 평지가 귀한 곳에서 비탈진 땅을 계단같이 층지게 만들어 하는 경작. 계단갈이.

계단-석 (階段席)[-/게-] 명 계단 모양으로 뒤로 갈수록 높아지게 만든 좌석.

계단-식 (階段式)[-/게-] 명 **1** 계단을 본뜬 방식. ¶~ 논. **2** 한 단계씩 순서를 밟아서 일을 이루어 가는 방식. ¶~ 학습법.

계단-참 (階段站)[-/게-] 명 층계참.

계:도 (系圖)[-/게-] 명 대대의 계통을 표시한 도표.

계:도 (啓導)[-/게-] 명하타 남을 깨치어 이끌어 줌.

계란 (鷄卵)[-/게-] 명 달걀.

계란이나 달걀이나 구 다 마찬가지라는 말.

계:략 (計略)[-/게-] 명 어떤 일을 이루기 위한 꾀나 수단. ¶~을 꾸미다/~을 써서 쫓아내다.

***계:량** (計量)[-/게-] 명하타 **1** 수량을 헤아림. **2** 부피·무게 따위를 잼. 계측(計測).

계:량-기 (計量器)[-/게-] 명 계량하는 데 쓰는 기구·기계. 계기(計器). 미터.

계:량-적 (計量的)[-/게-] 관명 수량으로 나타낸 (것). ¶~ 분석.

계:량-컵 (計量cup)[-/게-] 명 조리할 때에 재료의 분량을 재는 데 쓰는 컵《보통 180ml·200ml·500ml·1리터·2리터들이가 있음》.

계:루 (繫累·係累)[-/게-] 명하자 **1** 일이나 사물에 얽매임. ¶보안 사범으로 재판에 ~된 사람. **2** 다른 일이나 사물에 얽매어 당하는 괴로움.

계류 (溪流·谿流)[-/게-] 명 산골짜기를 흐르는 시냇물.

계:류 (繫留)[-/게-] 명하자타 **1** 밧줄 등으로 붙잡아 매어 놓음. ¶배가 안벽에 ~되어 있다. **2** 사건이 해결되지 않고 걸려 있음. ¶법원에 ~ 중인 사건.

계:류-장 (繫留場)[-/게-] 명 〖해〗 배를 대고 매어 놓는 장소.

계륵 (鷄肋)[-/게-] 명 **1** 〔닭 갈비의 뜻. 먹을거리도 안 되고 그렇다고 내버리기는 아깝다는 뜻 : 조조(曹操)가 한 말로 후한서(後漢書)에 나옴〕 그다지 큰 가치는 없으나 버리기에는 아까운 사물을 일컫는 말. **2** 몸이 몹시 연약함의 비유.

계:림 (桂林)[-/게-] 명 **1** 계수나무의 숲. **2** 아름다운 숲. 미림(美林). **3** 문인(文人)들의 사회.

계림 (鷄林)[-/게-] 명 〖지〗 **1** 신라 탈해왕(脫解王) 때부터 부르던 신라의 이칭. **2** 경주(慶州)의 옛 이름. **3** 우리나라의 별칭.

계:면 (界面)[-/게-] 명 **1** 〖악〗 '계면조(調)'의 준말. **2** 맞닿은 두 물질의 경계면.

계:면-돌다 [-/게-] [-도니, -도오] 자 〖민〗 무당이 쌀이나 돈을 구걸하며 집집마다 돌아다니다.

계:면-떡 [-/게-] 명 〖민〗 무당이 굿을 끝내고 구경꾼에게 나누어 주는 떡.

계:면-조 (界面調)[-쪼/게-쪼] 명 〖악〗 국악에서 슬프고 애타는 느낌을 주는 음계《서양 음악의 단조(短調)와 비슷함》. 준계면.

계면-쩍다 [-/게-] 형 '겸연(慊然)쩍다'의 변한말. ¶계면쩍게 웃다.

계:면 활성제 (界面活性劑)[-썽-/게-썽-] 〖화〗 용액의 표면 장력(表面張力)을 작게 하는 작용을 하는 물질. 비누·합성 세제(洗劑)·알코올 등. 표면 활성제.

계:명 (戒名)[-/게-] 명 〖불〗 **1** 중이 계(戒)를 받을 때 스승으로부터 받는 이름. **2** 법명(法名)2. ↔속명(俗名)2.

계명 (階名)[-/게-] 명 **1** 계급·품계의 이름. **2** 〖악〗 계이름.

계:명 (誡命)[-/게-] 명 종교에서 신도가 반드시 지켜야 할 조건《기독교의 십계명 따위》. ¶~을 따르다/~을 어기다.

계:명-성 (啓明星)[-/게-] 명 〖천〗 샛별.

계명워리 [-/게-] 명 행실이 얌전하지 못한 여자를 낮잡아 이르는 말.

계:모 (季母)[-/게-] 명 아버지의 막내아우의 아내.

계:모 (計謀)[-/게-] 명 계략(計略).
계:모 (繼母)[-/게-] 명 의붓어머니. ¶어머니를 여의고 ~ 밑에서 자랐다. *서모.
계:몽 (啓蒙)[-/게-] 명하타 사람을 가르쳐서 깨우침. 계명(啓明). ¶청소년을 ~하다.
계:몽-주의 (啓蒙主義)[-/게-이] 명〖철〗 16세기 말에서 18세기 후반에 걸쳐 유럽 전역에 일어난, 구시대의 묵은 사상을 타파하려던 혁신적 사상 운동의 입장(《프랑스 혁명의 준비적 역할을 함》).
계:문 (啓門)[-/게-] 명하자 제사 지낼 때, 숟가락을 제삿밥 가운데에 꽂고 젓가락 끝이 동쪽으로 가게 놓은 다음 닫았던 방문을 엶.
계:문 (啓聞)[-/게-] 명하타〖역〗 관찰사·어사 등이 임금에게 글로 써서 아뢰던 말.
*계:발 (啓發)[-/게-] 명하타 능력이나 소질, 정신 따위를 널리 일깨워 발전시킴. 개발(開發). ¶창의성이 ~되다/소질을 ~하다.
계:보 (系譜)[-/게-] 명 1 조상 때부터의 혈통과 집안 역사를 적은 책. 2 혈연관계나 학풍, 사조(思潮) 따위가 계승되어 온 연속성. ¶자연주의 문학의 ~.
계:보-기 (計步器)[-/게-] 명 걸음의 수를 재는 계기. 측보기(測步器). 보도계(步度計).
계:부 (季父)[-/게-] 명 아버지의 막내아우. *백부.
계:부 (繼父)[-/게-] 명 의붓아버지.
계:-부모 (繼父母)[-/게-] 명 계친자(繼親子)의 관계에 있는 아버지나 어머니. 곧, 계부와 계모.
계:비 (繼妃)[-/게-] 명 임금의 후취(後娶)인 비(妃).
계:사 (戒師)[-/게-] 명〖불〗 1 계법을 일러주는 스님. 2 계법을 받은 스님. 3 계법을 지키는 스님.
계:사 (繫辭)[-/게-] 명 1 본문에 딸려 그 말을 설명하는 말. 2 명제(命題)의 주사(主辭)와 빈사(賓辭)를 연결하여 긍정이나 부정의 뜻을 나타내는 말(《'국화는 식물이다'에서 '이다'와 같은 말》).
계:사 (繼嗣)[-/게-] 명 계후(繼後).
계사 (鷄舍)[-/게-] 명 닭장.
*계:산 (計算)[-/게-] 명하타 1 수를 헤아림. ¶~이 맞다. 2〖수〗 수나 식을 푸는 일. 3 어떤 일을 예상 또는 고려함. ¶소요 시간을 ~에 넣고 계획하다. 4 값을 치름. ¶~을 마치고 떠나다. 5 어떤 일에 대하여 이해득실을 따짐. ¶의도적으로 ~된 발언.
계:산-기 (計算器·計算機)[-/게-] 명 계산을 빠르고 정확하게 하기 위하여 사용하는 기기(機器).
계:산-대 (計算臺)[-/게-] 명 은행이나 식당·상점 등에서 계산을 하기 위하여 마련한 대(臺).
계:산-서 (計算書)[-/게-] 명 1 계산한 내용을 자세히 적은 서류. ¶세금 ~/임금의 지급 내역이 ~에 명기되어 있다. 2 물건 값의 청구서. ¶계산대에서 값을 치르고 ~를 받다.
계:산-자 (計算-)[-/게-] 명〖수〗 로그(log)의 원리를 이용해 곱하기·나누기·세제곱근 풀이·제곱근풀이 따위와 같은 복잡한 계산을 간단히 할 수 있는 자 모양의 기구. 고정된 어미자와 움직이는 아들자로 구성됨. 계산척. 셈자.
계:산-적 (計算的)[-/게-] 관명 1 수를 헤아리는 일에 관한 (것). ¶~인 착오. 2 어떤 일에 대하여 이해득실을 따지는 (것). ¶만사에 ~인 사람.
계삼-탕 (鷄蔘湯)[-/게-] 명〖한의〗 어린 햇닭의 내장을 빼고 인삼·대추·찹쌀 따위를 넣어 곤 보약. 삼계탕.
계:상 (計上)[-/게-] 명하타 계산하여 올림. ¶예산에 여비를 ~하다.
계:상 (啓上)[-/게-] 명하타 윗사람에게 말씀을 올림.
계:석 (界石)[-/게-] 명 경계석(境界石).
계:선 (界線)[-/게-] 명 1 경계나 한계를 나타내는 선. 2〖수〗 기선(基線)2.
계:선 (繫船)[-/게-] 명하자〖해〗 선박을 매어 둠. 또는 그 배. ¶~ 작업.
계:선-거 (繫船渠)[-/게-] 명〖해〗 계선독.
계:선 독 (繫船dock)[-/게-] 간만의 차가 큰 곳에 수문(水門)을 설치하고 칸막이하여, 그 안에 배를 계류하는 시설. 습독(濕dock). *부양식(浮揚式) 독.
계:선 부표 (繫船浮標)[-/게-]〖해〗 배가 항만 안에서 닻을 내리지 않을 때, 배를 잡아 매려고 바닷물에 띄운 부표.
계성 (鷄聲)[-/게-] 명 닭의 울음소리.
계:속 (繫屬·係屬)[-/게-] 명하자 1 매여 딸림. 2〖법〗 어떤 사건이 소송 중에 있는 일. 소송 계속.
*계:속 (繼續)[-/게-] 一명하자타 1 끊이지 않고 늘 잇대어 나아감. ¶~되는 장마/불볕 더위가 ~되다/독재에 대한 항쟁을 ~하다. 2 끊어졌던 일을 다시 이어서 해 나감. ¶중단된 사업을 다시 ~하다. 二부 끊이지 않고 잇따라. ¶실업자 수가 ~ 늘고 있다.
계:속-비 (繼續費)[-/게-] 명〖법〗 일정한 경비의 총액을 여러 회계 연도에 나누어 계속 지출하는 경비.
계:속-성 (繼續性)[-/게-] 명 끊이지 않고 이어 나가는 성질. ¶~ 있는 정책.
계:속-적 (繼續的)[-/게-] 관명 끊이지 않고 이어 나가는 (것). ¶~인 발전.
계:손 (系孫)[-/게-] 명 촌수(寸數)가 먼 손자나 그 후대의 자손. 원손(遠孫).
계:수 (季嫂)[-/게-] 명 1 아우의 아내. 제수(弟嫂). 2 형제가 여럿일 경우, 막내의 아내.
계:수 (係數)[-/게-] 명 1〖물〗 하나의 수량을 다른 여러 양의 함수로 나타내는 관계식에서, 물질의 종류에 따라 달라지는 비례 상수(常數)(《팽창 계수 등》). 2〖수〗 기호 문자와 숫자로써 된 곱에서, 숫자를 기호 문자에 대하여 일컫는 말.
계:수 (計數)[-/게-] 명 수를 계산함. 또는 그 결과로 얻은 값. ¶~에 밝은 사람.
계:수 (桂樹)[-/게-] 명 계수나무.
계수 (溪水)[-/게-] 명 시냇물.
계:수 (繫囚)[-/게-] 명 옥에 갇힌 죄수.
계:수 (繼受)[-/게-] 명 이어받거나 넘겨받음. ¶과업을 ~하다.

계:수-관 (計數管)[-/게-] 명 〔물〕 방사선의 입자 및 광양자(光量子)의 도달을 검출하는 장치(《가이거·뮐러 계수관, 비례 계수관 따위》).
계:수-기 (計數器)[-/게-] 명 **1** 수의 기본 관념을 주기 위한 아동 학습 용구(《작은 알들을 몇 개의 쇠줄에 꿰어 놓은 것》). **2** 주화 따위의 수효를 세는 기계.
계:수-나무 (桂樹-)[-/게-] 명 〔식〕 계수나뭇과의 교목. 중국 남부, 동인도에서 남. 특이한 방향이 있으며, 가지와 껍질은 한약재·과자·향료 따위의 원료로 씀. 계수.
계:수-법 (繼受法)[-뻡/게-뻡] 명 〔법〕 다른 나라의 법률을 채용하거나 그것에 의지하여 제정한 법률. ↔고유법.
계승 (階乘)[-/게-] 명 〔수〕 n이 하나의 자연수일 때, 1에서 n까지의 모든 자연수의 곱을 n에 대하여 일컫는 말(《$n!$로 나타냄. $n!=1\times2\times3\times\cdots\times n$》).
계:승 (繼承)[-/게-] 명하타 이전부터 계속되어 온 일의 뒤를 이어받음. 수계(受繼). 승계(承繼). ¶왕위 ~/가업을 ~하다/민족 문화의 전통을 ~하다.
계:시 (計時)[-/게-] 명하자 경기·바둑 따위에서, 스톱워치를 써서 경과한 시간을 잼. 또는 그 시간.
계:시 (啓示)[-/게-] 명하자 **1** 깨우쳐 보이거나 알게 함. **2** 〔종〕 사람의 지혜로 알지 못하는 진리를 신(神)이 가르쳐 알게 함. 묵시(默示). ¶신의 ~를 받다.
계:시다 [-/게-] 一형 '윗사람이 있다'는 뜻의 공대말. ¶ 어머니는 방에 계신다. 二보동 '-고' 뒤에 쓰여, 윗사람이 무엇을 진행하고 있음의 공대말. ¶바느질을 하고 ~. 三보형 '-아'·'-어' 뒤에 쓰여, 윗사람의 지속적인 상태를 나타내는 공대말. ¶ 의자에 앉아 ~.
계:시 종교 (啓示宗敎)[-/게-] 신의 은총을 바탕으로 하는 종교(《기독교·유대교·이슬람교 따위》).
계:실 (繼室)[-/게-] 명 후실(後室).
계:심 (戒心)[-/게-] 명하자 마음을 놓지 않고 경계함.
계:씨 (季氏)[-/게-] 명 남의 사내 아우를 높여 일컫는 말.
계:약 (契約)[-/게-] 명하타 **1** 약속. 약정(約定). **2** 〔법〕 일정한 법률적 효과를 발생시킬 목적으로 두 사람 이상의 의사 표시의 합치에 의해 성립하는 법률 행위. ¶~ 체결/~을 맺다/~이 파기되다/집을 매매하기로 ~하다. **3** 〔성〕 하느님과 인간 사이에 맺어진 약속.
계:약-금 (契約金)[-/게-] 명 〔법〕 '계약 보증금'의 준말. ¶~을 걸다/~을 치르다.
계:약-급 (契約給)[-/게-] 명 근로자와 사용자가 노동조합의 개입 없이 정한 임금.
계:약 보증금 (契約保證金)[-/게-] 〔법〕 계약 이행의 담보로 당사자의 한쪽이 상대방에게 제공하는 보증금. 약조금. ¶~으로 매매가의 10%를 주다〔받다〕. 준계약금.
계:약-서 (契約書)[-/게-] 명 계약의 성립을 증명하는 문서. ¶전세 ~.
계:약-설 (契約說)[-/게-] 명 '사회 계약설'의 준말.
계:약-자 (契約者)[-/게-] 명 계약을 맺은 사람. ¶계약서에 ~가 서명하고 날인하다.
계:엄 (戒嚴)[-/게-] 명 **1** 경계를 엄중히 함. 또는 그런 경계. **2** 〔법〕 전쟁이나, 국가의 비상사태를 당하여 일정 지역을 병력으로써 경계하며, 그 지역 안의 행정·사법권의 일부나 전부를 계엄 사령관이 관할하는 일. ¶대통령이 ~을 선포하다.
계:엄-령 (戒嚴令)[-녕/게-녕] 명 〔법〕 국가 원수가 계엄 실시를 선포하는 명령.
계:열 (系列)[-/게-] 명 **1** 한 갈래로 이어지는 계통이나 조직. ¶인문 ~. **2** 〔경〕 생산·판매·자본·기술·중역 파견 등에 의한 대기업 상호간 또는 대기업과 중소기업 간에 볼 수 있는 기업 결합. ¶~ 회사.
계:열 기업 (系列企業)[-/게-] 〔경〕 동일 계열에 있는 기업의 집단. 또는 그 기업.
계:열-사 (系列社)[-싸/게-싸] 명 큰 회사나 그룹에 딸려 있는 회사. 계열 회사. ¶~ 사장단 회의.
계:열-화 (系列化)[-/게-] 명하자타 기업 사이에 계열을 이루거나 이루게 함.
계:영 (繼泳)[-/게-] 명하자 4명이 한 조가 되어 일정한 거리를 왕복하면서 빠르기를 겨룸. 또는 그 종목.
계:옥 (繫獄)[-/게-] 명하타 옥에 매어 가두어 둠.
계:원 (係員)[-/게-] 명 한 계(係)에서 일하는 사람. ¶담당 ~.
계:원 (契員)[-/게-] 명 계에 든 사람. *계주(契主).
계:월 (計月)[-/게-] 명하타 달수를 헤아림. 계삭(計朔).
계:월 (桂月)[-/게-] 명 **1** 계수나무가 있는 달이란 뜻으로, '달'을 운치 있게 일컫는 말. **2** 음력 8월.
계:위 (繼位)[-/게-] 명하자 왕위를 이어받음.
계육 (鷄肉)[-/게-] 명 닭고기.
계:율 (戒律)[-/게-] 명 〔불〕 계와 율. 불자(佛者)가 지켜야 할 행동 규범. ¶~을 범하다. 준율(律).
계:율-종 (戒律宗)[-/게-] 명 〔불〕 부처의 계율을 실천함을 위주로 하는 종파. 율종(律宗). 남산종.
계-이름 (階-)[-/게-] 명 〔악〕 음계를 이루는 자리의 이름. 양악의 '도레미파솔라시', 아악(雅樂)의 '궁상각치우(宮商角徵羽)'. 계명(階名). *음이름.
계이름-부르기 (階-)[-/게-] 명 〔악〕 계이름에 따라 소리의 높이나 선율(旋律)을 나타내는 방법. 계명창법(階名唱法).
계:일 (計日)[-/게-] 명하타 날수를 계산함.
계:자 (季子)[-/게-] 명 막내아들.
계:자 (啓字)[-짜/게짜] 명 〔역〕 '啓' 자를 새긴 나무 도장(《임금의 재가(裁可)를 맡은 서류에 찍음》).

계자(啓字)

계:장 (係長)[-/게-] 명 한 계(係)의 책임자. 또는 그 직책.

계:쟁(係爭)[-/게-] 명하자 〖법〗 문제를 해결하거나 목적물의 권리를 얻기 위한 당사자끼리 법적인 방법으로 다툼.
계:전(繼傳)[-/게-] 명하타 이어 전함.
계:전-기(繼電器)[-/게-] 명 어떤 회로의 전류가 끊어지고 이어짐에 따라 회로를 여닫는 장치. 릴레이.
***계:절**(季節)[-/게-] 명 일 년을 봄·여름·가을·겨울의 넷으로 나눈 그 한 철. ¶신록의 ~/가을은 독서의 ~이다.
계절(階節)[-/게-] 명 무덤 앞에 평평하게 만들어 놓은 땅.
계:절-병(季節病)[-뼝/게-뼝] 명 〖의〗 계절에 따라 유행하는 병《여름철의 식중독, 겨울철의 감기 따위》.
계:절-적(季節的)[-쩍/게-쩍] 관명 계절에 따라 영향을 받거나 변화하는 (것). ¶~ 특성/수요의 ~ 변동으로 실업이 늘었다.
계:절적 실업(季節的失業)[-쩍-/게-쩍-] 자연적 원인 또는 특정 상품에 대한 수요의 계절적 변동으로 생기는 실업《농한기의 농민이나 겨울철의 제빙업자 등》.
계:절-풍(季節風)[-/게-] 명 〖지〗 계절에 따라 여름에는 해양에서 대륙으로, 겨울에는 대륙에서 해양으로 방향을 바꾸어 부는 바람. 몬순.
계:정(計定)[-/게-] 명 〖경〗 부기 원장에서, 같은 종류나 동일 명칭의 자산·부채·손익 등의 증감을 계산·기록하기 위해 설정한 단위. ¶~ 과목.
계:정-계좌(計定計座)[-/게-게-] 명 〖경〗 부기에서, 계정마다 금액의 증감을 차변·대변으로 나누어 기록·계산하는 자리. 준 계좌(計座).
계제(階梯)[-/게-] 명 **1** 계단과 사닥다리라는 뜻으로, 일이 진행되는 순서나 절차. **2** 어떤 일을 할 수 있게 된 형편이나 기회. ¶이것저것 가릴 ~가 아니다.
계:좌(計座)[-/게-] 명 **1** '계정계좌'의 준말. **2** '예금 계좌'의 준말.
계:주(季主)[-/게-] 명 〖민〗 무당이, 굿하는 집이나 단골로 다니는 집의 안주인을 일컫는 말. ↔대주(大主)1.
계:주(契主)[-/게-] 명 계를 조직하고 관리하는 사람. *계원.
계:주(繼走)[-/게-] 명 '계주 경기'의 준말.
계:주 경:기(繼走競技)[-/게-] 이어달리기. 준계주.
계:주-자(繼走者)[-/게-] 명 이어달리기 경주를 하는 사람. 릴레이 선수.
***계:집**[-/게-] 명 〈속〉 **1** 여자. ¶~에 미치다. **2** 여편네. ↔사내.
[계집 때린 날 장모 온다] 일이 공교롭게도 잘 안 되어서 낭패를 본다.
계집을 보다 구 여자를 사귀어 관계를 가지다.
계:집-아이[-/게-] 명 어린 여자 아이. 여아(女兒). 준계집애. ↔사내아이.
계:집-애[-/게-] 명 '계집아이'의 준말.
계:집-종[-/게-] 명 여자 종. 비녀(婢女). ↔사내종.
계:집-질[-/게-] 명하자 자기 아내 이외의 여자와 정을 통하는 일. ¶~로 가산을 탕진하다.
계차(階次)[-/게-] 명 계급의 차례.
계:책(計策)[-/게-] 명하타 어떤 일을 이루기 위하여 꾀나 방법을 생각해 냄. 또는 그 꾀나 방법. ¶~을 꾸미다/좋은 ~이 머리에 떠오르다.
계:촌(計寸)[-/게-] 명하타 일가의 촌수를 따짐. 또는 그렇게 하여 친족 관계를 찾음.
계:추(季秋)[-/게-] 명 **1** 음력 9월. **2** 늦가을.
계:추(桂秋)[-/게-] 명 **1** 음력 8월. **2** 가을.
계:추리[-/게-] 명 삼의 겉껍질을 긁어 버리고 만든 실로 짠 삼베의 하나. 황저포(黃紵布).
계:춘(季春)[-/게-] 명 **1** 음력 3월. **2** 늦봄.
계:측(計測)[-/게-] 명하타 시간이나 물건의 양 따위를 재어 수치로 나타냄.
계층(階層)[-/게-] 명 **1** 사회를 형성하는 여러 층. ¶상류 ~/소외 ~/사회에는 여러 ~의 사람들이 있다. **2** 층계.
계:칙(戒飭)[-/게-] 명하타 경계하여 타이름. 규칙(規飭).
계:친(繼親)[-/게-] 명 계부나 계모.
계:-친자(繼親子)[-/게-] 명 자식과 아버지의 후처 또는 자식과 어머니의 후부가 같은 적(籍)에 있을 때의 친자 관계.
계:통(系統)[-/게-] 명 **1** 일정한 체계에 따라 관련된 부분들의 통일적 조직. ¶순환기 ~. **2** 일의 체계나 순서. ¶~을 밟아 추진하다. **3** 일정한 분야나 부문. ¶사무 ~. **4** 하나의 공통적인 것에서 갈라져 나온 갈래. ¶~이 같은 품종.
계:통(繼統)[-/게-] 명하자 임금의 계통(系統)을 이음.
계:통-도(系統圖)[-/게-] 명 사물의 계통 관계를 표시한 도면.
계:통-수(系統樹)[-/게-] 명 〖생〗 생물의 발생과 진화의 관계를 나무의 줄기와 가지로 비유하여 나타낸 그림. 계통나무.
계:통-적(系統的)[-/게-] 관명 계통과 관계가 있는 (것). 계통이 있는 (것). ¶~ 관련성이 있다/~으로 연구하다.
계:투(繼投)[-/게-] 명하자 야구에서, 이제까지의 투수와 교체해 새 투수가 이어 던지는 일. ¶~ 작전/중간 ~.
계:파(系派)[-/게-] 명 정당이나 기타 집단의 내부에서 출신이나 연고, 특수한 이권 등에 의해 결합된 배타적 모임. ¶~ 정치/당내 최대 ~의 리더.
계:표(計票)[-/게-] 명하자 표의 수를 셈. ¶~ 잘못으로 당락이 바뀌다.
계:피(桂皮)[-/게-] 명 계수나무의 껍질《향수나 향료의 원료 및 약제로 씀》.
계:핏-가루(桂皮-)[-피까-/게핀까-] 명 계피를 곱게 빻은 가루. 음식의 향료로 씀. 계피말(桂皮末).
계:하(季夏)[-/게-] 명 **1** 음력 6월. **2** 늦여름.
계:하(啓下)[-/게-] 명하타 〖역〗 임금의 재가를 받음.
계:행(戒行)[-/게-] 명하자 〖불〗 계율을 잘 지켜 닦는 행위.

계:행(啓行)[-/게-] 명하자 1 앞서서 끌어 줌. 2 여행길을 떠남.
계:행(繼行)[-/게-] 명하자타 1 계속하여 서 나아감. 2 계속해서 행함.
계:호(戒護)[-/게-] 명하자타 1 경계하여 지킴. 2 교도소 안의 보안을 유지함.
***계:획**(計劃·計畫)[-/게-] 명하타 어떤 일을 하려고 미리 그 방법이나 절차 등을 생각하여 안(案)을 세우는 일. 또는 그 내용. ¶작업 ~/여름 휴가 ~을 세우다/그것은 사전에 ~된 일이다.
계:획 경제(計劃經濟)[-/게-]〔경〕국가 경제 전체적 부문이 국가 의사에 따라 통일적·계획적으로 이루어지는 구조. *자유 경제.
계:획-량(計劃量)[-휑냥/게휑냥] 명 계획한 분량. ¶~을 완수하다.
계:획-서(計劃書)[-/게-] 명 계획한 내용을 적은 문서. ¶학습 진행 ~를 작성하다.
계:획-성(計劃性)[-/게-] 명 모든 일을 계획하여 처리하려고 하는 성질. ¶~ 없게 일을 진행하다.
계:획-안(計劃案)[-/게-] 명 계획에 대한 구상. 계획을 적어 놓은 서류. ¶~이 이사회의 승인을 얻어 확정되다.
계획-적(計劃的)[-/게-] 관명 어떤 일을 미리 계획을 세워서 하는 (것). 계획이 서 있는 (것). ¶~인 범죄.
계:획-표(計劃表)[-/게-] 명 계획을 적은 표. ¶~를 짜다.
계:후(季候)[-/게-] 명 계절과 기후.
계:후(繼後)[-/게-] 명하자 양자로 대를 잇게 함. 또는 그 양자. 계사(繼嗣).
곗:-날(契-)[곈-/겐-] 명 계원들이 모여 결산하는 날.
곗:-돈(契-)[계똔/곋똔/게똔/겓똔] 명 1 계원이 내는 돈. ¶~을 붓다. 2 계에서, 차례가 되어 타는 돈. 3 계에서 소유하고 있는 돈. ¶~을 떼이다.
고[1] 명 옷고름·노끈 등을 맬 때, 풀리지 않게 한 가닥을 고리처럼 맨 것.
고(考) 명 죽은 아버지의 일컬음. ↔비(妣). *현고(顯考).
고(股) 명 1 '고본(股本)'의 준말. 2〔수〕직각 삼각형의 직각을 낀 두 변 가운데 긴 변. *구(勾)·현(弦).
고(苦) 명 1 괴로움. 2〔불〕심신이 괴로움. 마음대로 되지 않음《사고(四苦) 또는 팔고(八苦)가 있음》. ↔낙.
고(庫) 명 곳간.
고(高) 명 높이.
고(鼓) 명〔악〕북[2].
고(膏) 명 식물·과일을 끓여서 곤 즙(汁).
고(孤) 인대 예전에, 왕후(王侯)가 스스로를 겸손히 일컫던 말.
고[2] 관 이미 말한 것이나 말 받는 사람이 이미 짐작하고 있는 것을 얕잡아서 가리키는 말. ¶~ 자식/~ 모양 ~ 꼴. ㊔그.
고:(故) 관 이미 세상을 떠난 사람이 된. ¶~ 김○○ 선생 6주기 추모식.
고[3] 조 1 두 가지 이상의 사물이나 사실을 아울러 설명할 때, 받침 없는 체언 뒤에 쓰이는 접속 조사. ¶개~ 돼지~/여기에서~ 저기에서~ 떠들썩하다. *이고·며. 2 종결어미 '-다'·'-라'·'-자'·'-냐'·'-마'의 뒤에 붙어서 앞말이 간접 인용임을 나타내는 부사격 조사. ¶가자~ 약속하다/좋다~ 말했다/도와주마~ 말했다.
고:-(古) 두 '오랜·오래된'의 뜻. ¶~서적/~시조.
고-(高) 두 '높은·훌륭한'의 뜻. ¶~혈압/~성능/~소득.
-고(高) 미 어떤 일을 한 결과 얻어진 물질의 양이나 돈의 액수를 나타내는 접미사. ¶생산~/판매~.
-고 어미 1 두 가지 이상의 동작·성질·사실 등을 대등하게 또는 대조적으로 잇따라 나타내는 연결 어미. ¶이것은 말이~ 저것은 여우다/ 밥을 먹~ 떡을 먹자/예술은 길~ 인생은 짧다. 2 두 동작을 말할 때, 앞의 동사 어간에 붙는 연결 어미. ㉠뒤에 일어나는 동작에 선행(先行)됨을 나타냄. ¶문을 열~ 들어오다. ㉡뒤에 일어나는 동작의 수단이나 방법을 나타냄. ¶자동차를 몰~ 오다/밥만 먹~ 살 수는 없다. ㉢뒤에 일어나는 동작의 근거·이유·조건 등을 나타냄. ¶너를 믿~ 왔다/독약을 먹~ 죽었다. 3 동사 어간에 붙어서 '있다' 앞에서 동작의 진행, '나다' 앞에서 동작의 끝남, '싶다' 앞에서 동작의 욕망을 각각 나타내는 연결 어미. ¶지금 글을 쓰~ 있다/시험을 치르~ 나니 마음이 홀가분하다/학교에 가~ 싶다. 4 동작이나 상태 등을 강조하기 위하여 어간을 겹쳐 쓸 때, 앞 어간에 붙는 연결 어미. ¶쌓이~ 쌓인 시름. *-디. 5 물음이나 항변 따위의 뜻을 나타내는 종결 어미. 손아랫사람에게 씀. ¶남은 일은 누가 하~. *-느냐·-냐.
고:가(古家) 명 지은 지 오래된 집. 고옥.
고:가(古歌) 명 옛 노래. 옛 가사.
고가(高架) 명 높이 건너질러 가설하는 것. ¶~ 사다리.
고가(高價)[-까] 명 비싼 가격. 또는 값비싼 것. ¶~의 사치품. ↔저가(低價).
고가-교(高架橋) 명 지상으로 높다랗게 놓은 다리. 구름다리.
고가 도:로(高架道路) 땅 위에 기둥 따위를 높이 세우고 그 위에 가설한 도로.
고가-주(高價株)[-까-] 명 상장 주식의 주가 평균보다 주가가 높은 주식.
고가-차(高架車) 명 사다리를 갖춘 소방 자동차. ¶아파트 화재에 ~가 출동해서 진화를 했다.
고가 철도(高架鐵道)[-또] 지상에 받침대를 높이 건설하고 그 위에 가설한 고속 철도.
고가-품(高價品)[-까-] 명 값이 비싼 물건.
고각(高角) 명〔수〕올려본각.
고각(高閣) 명 높다랗게 지은 집이나 누각.
고각(鼓角) 명〔역〕군중(軍中)에서 호령할 때에 쓰던 북과 나발.
고간(股間) 명 샅1.
고간(苦諫) 명하타 어려움을 무릅쓰고 간절히 간함.
고갈(枯渴) 명하자 1 물이 말라 없어짐. ¶지하수가 ~되다. 2 돈이나 물건 따위가 다 써서 없어짐. ¶자원의 ~. 3 정서·감정이 메마르게 됨. ¶현대인들의 감정이 ~되다.

*고개[1] 명 1 목의 뒷등. ¶~가 아프다/~가 뻣뻣하다. 2 머리[1]1. ¶~를 갸우뚱하다/~를 뒤로 돌리다.
고개가 수그러지다 구 존경하는 마음이 일어나다. ¶선생님을 뵈면 저절로 고개가 수그러진다.
고개를 갸웃거리다 구 어떤 일에 대하여 의심스러워하다.
고개(를) 들다 구 ㉠숙였던 머리를 쳐들다. ㉡눌렸거나 숨겨져 있던 생각이나 의심이 머리에 떠오르다. 또는 기운이나 기미가 생기다. ¶사치 풍조가 다시 고개를 들다.
고개(를) 숙이다 구 ㉠기세가 꺾이다. ㉡상대방에게 승복하거나 아첨·겸양하는 뜻으로 머리를 수그리다.
고개(를) 젓다 구 고개를 옆으로 흔들어 부정(否定)·거절 등의 뜻을 나타내다.
고개 하나 까딱하지 않다 구 마음의 동요도 없이 꼼짝도 하지 않다.
고개[2] 명 1 산·언덕을 넘어 다니게 된 비탈진 곳. ¶이 ~만 넘으면 산장이 있다. 2 중년 이후 열 단위의 나이를 인생의 한 고비라는 뜻으로 일컫는 말. ¶육십 ~를 바라보다. 3 일의 중요한 고비.
고개-턱 명 고개의 마루터기.
고객 (孤客) 명 외로운 나그네.
고객 (顧客) 명 1 가게에 물건을 사러 오는 손님. ¶백화점의 ~. 2 단골손님. ¶~이 줄다.
고갯-길 [-개낄/-갣낄] 명 고개를 넘을 수 있게 나 있는 길. ¶솔밭 사이의 ~을 오르기 시작했다.
고갯-마루 [-갠-] 명 고개에서 가장 높은 부분. ¶~에 올라서니 마을 전체가 한눈에 들어왔다.
고갯-짓 [-개찓/-갣찓] 명하자 고개를 흔들거나 끄덕이는 짓. ¶~으로 대답하다.
고갱이 명 1 〖식〗 풀이나 나무의 줄기 한가운데에 있는 연한 심. 수(髓). ¶배추 ~. 2 사물의 핵심.
고-거 인대지대 '고것'의 준말. ㊔그거.
고거리 명 소의 앞다리에 붙은 살.
고:-건물 (古建物) 명 지은 지가 오래된 건물. 낡은 건물.
고검 (高檢) 명 '고등 검찰청'의 준말.
고-것 [-걷] 인대지대 '그것'을 얕잡거나 귀엽게 일컫는 말. ㊔그것. ㊟고거.
고견 (高見) 명 1 훌륭한 의견. 2 남의 의견의 존칭. ¶선생님의 ~을 듣고 싶습니다.
고결 (高潔) 명하형 성품이 고상하고 순결함. ¶그는 성품이 ~하고 강직하여 후배의 존경을 받았다.
고경 (苦境) 명 괴롭고 힘든 상황.
고계 (苦界) [-/-게] 명 〖불〗 괴로움이 있는 세계《지옥·아귀·축생·수라·인간 천상의 육도(六道)를 이르는 말》.
고고 (考古) 명하타 옛 유물과 유적으로 고대의 사실을 연구 고찰함.
고고 (呱呱) 명 아이가 세상에 나오면서 처음 우는 울음소리. ¶~의 소리.
고고 (go-go) 명 로큰롤 음악에 맞춰 몸을 심하게 흔들며 추는 춤. 또는 그 음악. ¶~ 댄스.
고고지성 (呱呱之聲) 명 고고(呱呱)의 소리. 산성(產聲). ¶~을 울리다.
고고-하다 (孤高-) 형여불 혼자 세상일에 초연하여 고상하다. ¶고고한 선비의 모습을 연상하다.
고고-학 (考古學) 명 고대의 유물과 유적을 통하여 옛사람들의 생활이나 문화 따위를 연구하는 학문.
고고학-적 (考古學的) 관명 고고학과 관련이 있는 (것). ¶~인 가치가 크다.
고공 (高空) 명 1 높은 공중. ¶~ 정찰. ↔저공(低空). 2 높이 1,500-2,000 m 위의 하늘.
고공-병 (高空病) [-뼝] 명 〖의〗 고공에 있어서 기상의 변화, 산소의 결핍 등으로 생기는 병. 고도병.
고공-비행 (高空飛行) 명하자 15,000-20,000 m 이상의 하늘을 비행하는 일.
고공-품 (藁工品) 명 짚·풀줄기 등의 재료를 가지고 손으로 엮어 만든 공예품. ¶농한기에 공동으로 제작한 ~을 마을 회관에 전시하다.
고:과 (考課) 명하타 군인·공무원·학생·회사원 등의 근무 성적이나 태도·능력 등을 조사 보고함.
고:과-표 (考課表) 명 근무 성적·학업 성적 따위를 기록한 표(表).
고관 (高官) 명 직위가 높은 관리나 벼슬.
고관-대작 (高官大爵) 명 지위가 높고 훌륭한 벼슬. 또는 그 지위의 사람.
고굉 (股肱) 명 1 다리와 팔이란 뜻으로, 온몸을 이르는 말. 2 '고굉지신'의 준말.
고굉지신 (股肱之臣) 명 임금이 가장 믿고 중히 여기는 신하. ㊟고굉.
고교 (高校) 명 '고등학교'의 준말. ¶~ 시절이 떠오르다.
고구 (考究) 명하타 자세히 살펴 연구함.
*고:구마 명 〖식〗 메꽃과의 여러해살이풀. 중앙 아메리카 원산으로 난대(暖帶)에서 재배함. 줄기는 길게 뻗으며, 덩이뿌리는 녹말이 많아 식용하며 공업용으로도 씀. 감저(甘藷).
고:국 (故國) 명 남의 나라에 있는 사람이 자기 나라를 이르는 말. ¶~의 발전에 감동하다/~ 땅에 묻히다.
고:군 (故君) 명 1 죽은 임금. 2 죽은 남편.
고군 (孤軍) 명 도움을 받지 못하게 고립된 군사나 군대.
고군-분투 (孤軍奮鬪) 명하자 1 운동 경기나 싸움에서 많은 수의 상대와 힘들게 싸움. ¶~ 끝에 사지(死地)에서 생환하다. 2 남의 도움을 받지 않고 적은 인원으로 힘에 벅찬 일을 잘해 나감.
고:궁 (古宮·故宮) 명 옛 궁궐.
고귀-하다 (高貴-) 형여불 1 지위가 높고 귀하다. ¶고귀한 가문에서 태어나다. 2 물건 따위가 귀하고 값이 비싸다. 3 훌륭하고 귀중하다. ¶고귀한 목숨.
고글 (goggles) 명 강풍·먼지·광선 따위로부터 눈을 보호하는 데 쓰는 큰 안경《스키·겨울 등산·오토바이 등을 탈 때 씀》.
고:금 (古今) 명 옛날과 지금. ¶~의 명작/~을 통하여 가장 위대한 예술품.
고금 (孤衾) 명 홀로 덮는 이불. 곧, 혼자 쓸쓸히 자는 잠자리.

고:금-독보 (古今獨步) 명 고금을 통하여 그와 비교할 사람이 없을 만큼 훌륭함.
고:금-동서 (古今東西) 명 동서고금.
고-금리 (高金利)[-니] 명 높은 금리. 고리(高利). ↔저금리.
고:금-천지 (古今天地) 명 옛날부터 지금에 이르기까지의 온 세상. ¶그런 일이 ~에 어디 있느냐.
고급 (高級) 명하형 **1** 물건의 품질이 뛰어나고 값이 비쌈. ¶~ 의상. **2** 지위·신분·수준 따위가 높음. ¶~ 관리 / ~한 문화. ↔저급(低級).
고급-스럽다 (高級-)〔-스러우니, -스러워〕 형ㅂ불 품질이 뛰어나고 값이 비싼 듯하다. ¶이 반지에 비해 그것이 훨씬 고급스러워 보인다.
고급 언어 (高級言語) 〖컴〗 사용자가 평소에 자주 말하는 일상 생활어이지만 컴퓨터가 처리하기에는 불편한 언어《베이식·포트란·코볼 따위》.
고급 장:교 (高級將校) 〖군〗 영관급 이상의 장교. ¶~ 출신의 예비역.
***고기**[1] 명 **1** 먹을거리로 쓰는 온갖 동물의 살. ¶~를 굽다. **2** '물고기'의 준말. ¶~를 낚다.
[고기 값이나 하지] 개죽음을 하지 마라. [고기는 씹어야 맛을 안다] ㉠겉으로만 핥아서는 진미를 모른다. ㉡바로 알려면 실제로 겪어 보아야 한다. [고기는 씹어야 맛이요, 말은 해야 맛이라] 할 말은 시원히 다 해 버려야 좋다.
고기 맛본 중 구 금지된 쾌락을 뒤늦게 맛보고 재미를 붙인 사람의 비유.
고기[2] ㊀지대 그곳. ¶~에 무엇이 있냐. ㊁부 그곳에. ¶~ 있다. 큰거기.
고기다 ㊀자 고김살이 생기다. ㊁타 헝겊이나 종이를 몹시 비비어 금이 나게 하다. 큰구기다. 센꼬기다.
고기-밥 명 **1** 물고기에게 주는 밥. **2** 미끼.
고기밥(이) 되다 구 물에 빠져 죽다.
고기-소 명 식용할 목적으로 기르는 소. 육우(肉牛).
고-기압 (高氣壓) 명 주위의 기압보다 높은 기압《날씨가 맑음》. ↔저(低)기압.
고기작-거리다 타 자꾸 고김살이 나게 고기다. ¶종이를 ~. 큰구기적거리다. 센꼬기작거리다. **고기작-고기작** 부하타
고기작-대다 타 고기작거리다.
***고기-잡이** 명하자 **1** 낚시나 그물 따위로 물고기를 잡음. 어렵(漁獵). ¶~로 생활하다. **2** 어부(漁夫).
고기잡이-배 명 어선.
고김-살 [-쌀] 명 고기어서 생긴 금. 큰구김살. 센꼬김살.
고깃-간 (-間)[-기깐 / -긷깐] 명 쇠고기·돼지고기 등을 파는 가게. 정육점. 푸줏간.
고깃-거리다 [-긷꺼-] 타 고김살이 많이 나게 자꾸 고기다. 큰구깃거리다. 센꼬깃거리다. **고깃-고깃**[1] [-긷꼬긷] 부하타. ¶~ 해진 지폐.
고깃-고깃[2] [-긷꼬긷] 부하형 고기어서 금이 많이 난 모양. ¶~한 천 원짜리 지폐. 큰구깃구깃. 센꼬깃꼬깃.
고깃-국 [-기꾹 / -긷꾹] 명 고기를 넣어 끓인 국. 육탕(肉湯). ¶~을 끓이다.
고깃-대다 [-긷때-] 타 고깃거리다.
고깃-덩어리 [-기떵- / -긷떵-] 명 **1** 덩어리로 된 짐승의 고기. **2** 〈속〉 사람의 몸.
고깃-덩이 [-기떵- / -긷떵-] 명 '고깃덩어리'의 준말.
고깃-배 [-기빼 / -긷빼] 명 어선. ¶~가 만선으로 돌아오다.
고깃-점 (-點)[-기쩜 / -긷쩜] 명 고기의 작은 조각. ¶잔칫집에 가면 술에 ~은 얻어먹을 수 있을 것이다.
고:까 명 〈소아〉 꼬까.
고-까지로 부 겨우 고만한 정도로. ¶학교에서 ~ 배웠느냐. 큰그까지로.
고-까짓 [-짇] 관 겨우 고만한 정도의. ¶~ 일로 화를 내다니. 큰그까짓. 준고깟.
고깔 명 스님·무당·농악대들이 머리에 쓰는 건(巾)의 하나《베 조각 따위로 세모지게 만듦》. ¶~ 쓴 여승.

고깔

고깝다 〔고까우니, 고까워〕 형ㅂ불 야속하고 섭섭한 느낌이 있다. ¶너무 고깝게 생각지 말기를 바라네.
고깟 [-깓] 관 '고까짓'의 준말. ¶~ 놈쯤이야. 큰그깟.
고꾸라-뜨리다 타 고부라져 쓰러지게 하다. ¶앞으로 밀어 ~. 센꼬꾸라뜨리다.
고꾸라-지다 자 **1** 앞으로 고부라져 쓰러지다. ¶앞으로 푹 ~. **2** 〈속〉 죽다. 센꼬꾸라지다.
고꾸라-트리다 타 고꾸라뜨리다.
고난 (苦難) 명 괴로움과 어려움. 고초(苦楚). ¶~을 극복하다 / 온갖 ~을 겪다.
고-난도 (高難度) 명 피겨 스케이팅이나 체조·다이빙 따위의 경기에서 기술적으로 해내기가 매우 어려운 정도. ¶~의 묘기를 보이다.
고내기 명 자배기보다 운두가 높고 아가리가 넓은 오지그릇.
고냥 부 **1** 고 모양 고대로. **2** 고대로 줄곧. ¶~ 앉아서 쳐다본다. 큰그냥.
고녀 (鼓女) 명 생식기의 기능이 완전하지 못한 여자. ↔고자(鼓子).
고념 (顧念) 명하타 **1** 남을 돌보아 줌. **2** 남의 허물을 덮어 줌.
고논 명 **1** 봇도랑에서 맨 먼저 물이 들어오는 물꼬가 있는 논. **2** 바닥이 깊고 물길이 좋아 기름진 논. 고래실.
고뇌 (苦惱) 명하자 정신적으로 고민하고 괴로워함. ¶~에서 벗어나다 / 인생의 ~가 서리다 / 이상과 현실 사이에서 ~하다.
고누 명 놀이의 하나. 땅·종이 위에 말밭을 그려, 서로 상대방의 말을 많이 따먹음으로써 승부를 다툼. 고누두기.
-고는[1] 어미 (동사의 어간 등의 뒤에 붙어, '-고는 하다'의 꼴로 쓰여) 같은 동작을 되풀이함을 나타내는 연결 어미. ¶그는 일요일마다 나를 찾아오~ 했었다. 준-곤[1].
-고는[2] 어미 앞의 내용이 뒤에 오는 내용의 전제나 조건이 됨을 나타내는 연결 어미《흔히, 뒤에 부정의 말이 옴》. ¶나는 남에게 빚지~ 못사는 성미다 / 그를 빼놓~ 일

이 진행되지 않는다. ㊌-곤[2].

고니 명 〖조〗 오릿과의 물새의 하나. 떼 지어 해만(海灣)·연못에 사는데, 날개는 50-55 cm, 온몸이 희며, 부리는 검음. 천연기념물 제 201 호. 백조(白鳥).

고:다 타 **1** 고기나 뼈 따위를 뭉그러지도록 삶다. ¶고기를 ~. **2** 졸아서 진액만 남도록 끓이다. ¶엿을 ~. **3** 소주를 만들다. ¶술을 ~.

고다리 명 지겟다리 위에 뻗친 가지.

고-다지 부 고러하도록. 고러한 정도로까지. ¶~ 가고 싶으냐. ㉷그다지.

고단(高段) 명 무술·바둑·장기 등에서, 단수가 높음《특히 5 단 이상을 가리킴》.

고-단위(高單位) 명 높은 단위. ¶~ 항생제.

고단-하다 형여불 몸이 지쳐서 느른하다. ¶몸이 ~ / 고단해서 일찍 잠자리에 들었다.

고단-히 부

고단-하다(孤單-) 형여불 단출하고 외롭다. ¶고단한 신세.

고달 명 **1** 칼·창·송곳 등의 몸뚱이가 자루에 박힌 부분. **2** 쇠붙이 등의 대롱으로 된 물건의 부리.

고-달이 명 물건을 들거나 걸어 놓기 위하여 노끈 등으로 고리처럼 만들어 놓은 것.

고달프다 〔고달프니, 고달파〕 형 몸이나 처지가 대단히 고단하다. ¶고달픈 인생 / 마음이 고달프니 몸도 피곤하다.

고달피 부 고달프게.

고:담(古談) 명 옛날이야기.

고담(高談) 명 **1** 큰 소리로 하는 말. ¶~ 대소(大笑)하다. **2** 남의 말의 높임말.

고담-준론(高談峻論)[-줄-] 명하자 **1** 고상하고 준엄한 언론. **2** 잘난 체하며 과장하여 떠벌이는 말.

고담-하다(枯淡-) 형여불 글이나 그림, 인품 등이 꾸밈이 없고 수수하다.

고답-적(高踏的) 관명 속세에 초연하여 현실과 동떨어진 것을 고상하게 여기는 (것).

고:당(古堂) 명 낡은 당집.

고당(高堂) 명 **1** 높게 지은 집. **2** 남의 부모의 높임말. **3** 남의 집의 높임말.

고대[1] 명 '깃고대'의 준말.

고:대(古代) 명 **1** 옛 시대. 상세(上世). 상대(上代). **2** 역사의 시대 구분에서 원시 시대와 중세의 사이《우리나라는 고조선 때부터 통일 신라 시대까지를 이름》.

고대(苦待) 명하타 몹시 기다림. ¶합격 통지가 오기만을 ~하고 있다 / 비가 오기를 ~하다.

고대(高大) 명하형 높고 큼.

고대(高臺) 명 **1** 높은 지대. **2** 높이 쌓은 대. ¶~에 오르다.

고대[2] 부 지금 막. ¶~ 있었던 물건이 없다.

고대-광실(高臺廣室) 명 굉장히 크고 좋은 집. ¶~ 부럽지 않다.

고:대 국가(古代國家) 〖역〗 원시 사회와 중세 봉건 사회의 중간에 해당되는 국가.

고:대 국어(古代國語) 국어사에서, 고려 이전의 국어. 특히, 삼국 시대 및 통일 신라 시대의 국어를 일컬음. *중세 국어·근대 국어.

고-대로 부 변함없이 고 모양으로. 고것과 같이. ¶~ 베끼다. ㉷그대로.

고:대 사회(古代社會) 원시 사회와 봉건 사회의 중간 단계에 있는 사회.

고:대 소:설(古代小說) 주로 19 세기 이전 신소설이 나오기 전의 소설.

고:덕(古德) 명 〖불〗 덕행이 높은 옛 스님.

고덕(高德) 명하형 덕이 높음. 또는 그런 덕행.

고데(일 こて〔鏝〕) 명하자 머리털을 지져서 다듬을 때 쓰는 가위 모양의 쇠 기구. 또는 그 기구로 머리를 다듬는 일.

고:도(古都) 명 옛 도읍. ¶~의 자취.

고도(孤島) 명 육지에서 멀리 떨어진 작은 외딴 섬. ¶절해의 ~.

***고도**(高度) 명하형 **1** 높이. ¶~ 1만 m. **2** 수준이나 정도 따위가 높거나 뛰어남. ¶~의 기술 / ~한 문명. **3** 〖천〗 지평에서 천체까지의 각거리.

고도-계(高度計)[-/-게] 명 비행기 따위에서 높낮이를 측정하는 계기(計器).

고도리 명 고등어의 새끼.

고도-성장(高度成長) 명하자 발전의 속도나 규모가 높은 정도로 빨리 이루어짐.

고도-화(高度化) 명하자타 정도가 높아짐. 또는 정도를 높임. ¶~된 전자 공업.

고독(孤獨) 명하형히부 쓸쓸하고 외로움. ¶~한 노년 생활.

고동 명 **1** 기계를 움직여 활동시키는 장치. ¶수도의 ~. **2** 틀어서 나는 기적 등의 소리. ¶배의 ~ 소리. **3** 사물의 제일 중요한 데. ¶지금 바쁘니 ~만 말해라.

고동(을) 틀다 구 기계를 활동시키는 고동을 돌리다.

고동(鼓動) 명 **1** 민심을 격동시킴. 고무(鼓舞). **2** 피가 도는 데 따라 심장이 뜀. ¶심장의 ~ 소리.

고:동-색(古銅色) 명 **1** 검누른 빛. **2** 적갈색. 고동빛.

고동-치다(鼓動-) 자 **1** 심장이 벌떡벌떡 뛰다. **2** 마음이 약동하다. ¶첫 출근하는 날, 기대와 두려움으로 가슴이 마구 고동쳤다.

고되다 형 하는 일이 괴롭고 힘들다. ¶일은 고되지만 보람이 있다.

고두(叩頭) 명하자 머리를 조아려 경의를 나타냄. 고수(叩首).

고두-밥 명 아주 되게 지은 밥.

고두-사죄(叩頭謝罪) 명하자 머리를 조아려 사죄함.

고둥 명 〖조개〗 소라·우렁이 등 연체동물 복족류(腹足類)에 속하는 조개의 총칭《대개 말려 있는 껍데기를 가지는 종류임》.

고드름 명 낙숫물 따위가 흘러내리다가 얼어붙어 공중에 길게 매달려 있는 얼음. 빙주(氷柱). ¶~을 따다.

고들개[1] 명 소의 처녑에 붙은 너털너털한 고기《회에 씀》.

고들개[2] 명 채찍의 열 끝에 굵은 매듭이나 추(錘)같이 달린 물건.

고들개-철편(-鐵鞭) 명 〖역〗 포교가 가지던 고들개 달린 철편《자루와 고들개가 쇠로 됨》.

고들개철편

고들-고들 부하형 밥알 따위가 물기가 적어

서 속은 무르고 겉은 말라 있는 상태. ¶밥이 ~하다. ㉠구들구들. ㉦꼬들꼬들.

고들-빼기 명 〖식〗 국화과의 두해살이풀. 들이나 논밭에 남. 높이 60 cm 정도, 잎은 긴 타원형. 여름에서 가을에 노란 꽃이 핌. 어린잎은 먹음. 고채(苦菜).

고등(高等) 명하형 (흔히 명사 앞에 쓰여) 등급·수준·정도가 높음. 또는 그런 정도.

고등 검:찰청(高等檢察廳) 명 〖법〗 고등 법원에 대응하여 설치된 검찰청. ㉦고검.

고등 고:시(高等考試) 행정 고급 공무원·외교관 및 사법관 시보(試補)의 임용 자격에 관한 고시(《1963 년에 폐지되었으며 현재는 사법 시험과 행정 고등 고시·외무 고등 고시·기술 고등 고시 따위로 구분됨》). ㉦고시(高試).

고등 교:육(高等教育) 초등·중등 교육의 윗 단계의 교육. 전문대학 이상의 교육.

고등 동:물(高等動物) 복잡한 체제를 갖추고 소화·순환·호흡·비뇨·생식·신경·운동 등의 기관을 가진 동물. ↔하등 동물.

고등 법원(高等法院) 〖법〗 지방 법원의 위, 대법원의 아래인 중급 법원. 지방 법원의 재판에 대한 항소·항고 사건 따위를 다룸. ㉦고법(高法).

고등 식물(高等植物) [-싱-] 〖식〗 뿌리·잎·줄기의 세 부분을 갖추고 체제가 복잡하게 발달한 식물.

고등어 명 〖어〗 고등엇과의 바닷물고기. 몸은 방추형으로 길이 40-50 cm, 등은 녹색, 배는 은백색임. 식용함.

***고등-학교**(高等學校) 명 중학교 교육의 기초 위에 중등 교육 또는 실업 교육을 하는 학교(《수업 연한은 3 년》). ㉦고교.

고등-학생(高等學生) 명 고등학교에 다니는 학생. ㉦고교생.

고딕(Gothic) 명 **1** 〖건〗 '고딕식'의 준말. **2** 〖인〗 활자의 획이 굵은 글자의 체. 고딕체.

고딕 건:축(Gothic建築) 〖건〗 고딕식으로 된 건축.

고딕-식(Gothic式) 명 〖건〗 13-15 세기에 걸쳐 서유럽에서 유행한 건축 양식. 직선적이고 창과 출입구의 위가 뾰족한 아치에 특색이 있으며 소박 견실함. ㉦고딕.

고딕-체(Gothic體) 명 고딕(Gothic) 2.

고라니 명 〖동〗 사슴과의 동물. 노루의 일종으로 몸길이 약 90 cm, 등은 적갈색, 배·턱 밑은 흼. 산기슭이나 강가의 갈대밭에 삶. 마록(馬鹿).

고락(苦樂) 명 괴로움과 즐거움. ¶~을 함께 한 전우.

고란-초(皐蘭草) 명 〖식〗 고란초과의 상록 여러해살이풀. 산지의 벼랑에 나는데, 높이 10-30 cm, 잎은 피침형임.

고랑[1] ㊀명 두둑의 사이. 두두룩한 두 땅의 사이. ¶밭에 ~을 파고 거름을 주다. ㊁의명 밭 따위를 세는 단위. ¶보리밭 한 ~. ㉦골.

고랑[2] 명 '쇠고랑'의 준말. ¶~을 차다.

고랑-창 명 폭이 좁고 깊은 고랑. ㉦골창.

***고래**[1] 명 **1** 〖동〗 큰고랫과의 포유동물. 동물 중 최대형으로 바다에 사는데, 길이 약 10 m, 방추형이며 피하에는 두꺼운 지방층이 있음. 머리는 크며 눈은 작고 수면에 떠서 폐호흡을 함. **2** 〈속〉 술을 몹시 많이 마시는 사람. 술고래.

[고래 싸움에 새우 등 터진다] 남의 싸움에 제삼자가 피해를 봄.

고래 등 같다 구 집이 굉장히 크고 드높아 웅장하다.

고래[2] 명 '방고래'의 준말.

고:래(古來) 명 '자고이래(自古以來)'의 준말. 예로부터 지금까지의 동안.

고래[3] 준 **1** 고리하여. ¶~ 그러면 앞으로 어떻게 할 거냐. **2** 고러하여. ¶주제가 ~ 가지고서 되겠느냐. ㉠그래[2].

고래-고래 부 화가 나서 욕하거나 꾸짖을 때 목소리를 높여 크게 소리 지르는 모양. ¶~ 고함을 지르다.

고래도 준 **1** 고리하여도. ¶~ 나를 이기지는 못할 거야. **2** 고러하여도. ¶아무리 ~ 소용없다. ㉠그래도.

고:래-로(古來-) 부 '자고이래로'의 준말. 예로부터. ¶~ '암탉이 울면 집안이 망한다'고 했거늘.

고랭-지(高冷地) 명 표고(標高)가 1,000 m 이상으로 높고 한랭한 지방. ¶~ 채소.

고랭지 농업(高冷地農業) 표고가 높아 여름철에 서늘한 고원 지대에서 하는 농업. *한랭지(寒冷地) 농업.

고량(高粱) 명 〖식〗 수수.

고량-주(高粱酒) 명 수수를 원료로 하여 빚은 중국식 증류주. 배갈. 고량소주.

고량-진미(膏粱珍味) 명 살찐 고기와 좋은 곡식으로 만든 맛있는 음식.

고러고러-하다 형여불 여럿이 모두 그와 같다. ¶고러고러한 꼬마 녀석들이 양지바른 곳에 모여 놀고 있다. ㉠그러그러하다.

고러다 준 고렇게 하다. ¶~ 큰일 나지, 조심해라. ㉠그러다.

고러-하다 형여불 고와 같다. 고것과 다름없다. ㉠그러하다. ㉦고렇다.

고렇다 [-러타] [고러니, 고러오] 형ㅎ불 그와 같다. ¶고렇고 고런 어린 놈들이 마당에서 놀고 있다. ㉠그렇다.

고려(考慮) 명하타 생각하고 헤아려 봄. ¶개인차를 ~하여 평가하다 / 생활환경을 ~해서 집을 사다.

고려(顧慮) 명하타 **1** 다시 돌이켜 생각함. **2** 앞일을 걱정함.

고려 가사(高麗歌詞) 〖문〗 고려 시대의 속요. 고려 가요. 고려 속요(俗謠).

고려 가요(高麗歌謠) 〖문〗 고려 가사. ㉦여요(麗謠).

고려 대:장경(高麗大藏經) 고려 때, 부처의 힘으로 외적의 침입을 물리쳐 나라의 안전을 꾀하고자 간행한 대장경. 현재 남아 있는 것은 해인 장경(海印藏經)으로, 조각된 판목수(板木數)가 8 만여 장이나 되어 '팔만대장경'이라고도 함.

고려-인삼(高麗人蔘) 명 우리나라에서 나는 인삼의 통칭.

고려-자기(高麗瓷器) 명 고려 시대에 만든 자기(《푸른빛·흰빛·잿빛 따위의 여러 종류 가운데 청자(青瓷)가 가장 유명함》).

고려-장(高麗葬) 명 예전에, 늙고 병든 사람을 산 채로 구덩이 속에 버려 두었다가 죽으면 그 속에 매장하던 일.

고령 (高嶺) 명 높은 재. 높은 고개.
고령 (高齡) 명 썩 많은 나이. 고년(高年).
고령-자 (高齡者) 명 나이가 썩 많은 사람.
고령-토 (高嶺土) 명 〔공〕 산화알루미늄과 규산 무수물과의 함수 화합물. 진흙 형태로 산출됨《도자기·시멘트 따위의 원료로 씀》. 고량토. 카올린.
고령-화 (高齡化) 명 노인의 인구 비율이 높은 상태로 나타나는 일. ¶ ~ 시대의 도래.
고령화 사회 (高齡化社會) 의학의 발달 따위로 고령자의 인구 비율이 점점 높아져 가고 있는 사회.
고:로 (古老) 명 경험이 많고 옛일을 잘 아는 늙은이.
고로 (孤老) 명 외로운 늙은이.
고:로 (故老) 명 **1** 옛날 인습에 젖은 늙은이. **2** 고로(古老).
고-로 (故-) 부 '그러므로'·'까닭에'의 뜻의 접속 부사. ¶ 거리가 먼 ~ 그곳에 갈 수가 없다.
고로롱-거리다 자 늙거나 오랜 병으로 몸이 약하여져서 늘 골골거리다. **고로롱-고로롱** 부하자
고로롱-대다 자 고로롱거리다.
고로쇠-나무 명 〔식〕 단풍나뭇과의 낙엽 활엽 교목. 산의 숲 속에 나는데, 높이 10-15m, 봄에 잎에 앞서 흰 꽃이 핌. 장식·가구재로 쓰며 나무의 즙은 약용함.
고론 (高論) 명 **1** 고상한 언론. ¶ ~ 탁설. **2** 남의 언론의 높임말.
고롱-고롱 부하자 '고로롱고로롱'의 준말.
고료 (稿料) 명 '원고료(原稿料)'의 준말. ¶ 싸구려 ~를 받고 번역 일을 하다.
고루 (高樓) 명 높은 다락집.
고루 (鼓樓) 명 큰 북을 단 다락집.
***고루** 부 **1** 고르게. ¶ 아이들에게 사탕을 ~ 나누어 주다. **2** 두루 빼놓지 않고. ¶ 물건을 ~ 갖추다.
고루-고루 부 **1** 모두 고르게. ¶ 잔치 음식을 ~ 나누어 먹다. **2** 두루두루 빼놓지 않고. ¶ ~ 뒤섞다. 준골고루.
고루-하다 (固陋-) 형여불 낡은 관념이나 습관에 젖어 융통성 없이 옛 것만 고집하고 새로운 것을 받아들이지 아니하다. ¶ 고루한 사람 / 사고방식이 ~. **고루-히** 부
고루-하다 (孤陋-) 형여불 보고 들은 것이 없어 견문이 좁다.
***고르다**[1] 〔고르니, 골라〕 타르불 쓸 것이나 좋은 것을 가려내다. ¶ 며느릿감을 ~ / 하나를 고르니 나머지가 더 좋아 보인다.
고르면 찌 고른다 구 너무 고르면 쭉정이를 고르는 결과가 된다.
***고르다**[2] 〔고르니, 골라〕 一형르불 **1** 높고 낮거나, 크고 작거나, 더하거나 덜함의 차이 없이 한결같다. ¶ 성적이 고르지 못하다. **2** 정상적이고 순조롭다. ¶ 고르지 못한 날씨. 二타르불 **1** 높낮이가 없도록 평평하게 만들다. ¶ 땅을 ~. **2** 제 기능을 발휘하도록 다듬거나 손질하다. ¶ 가야금 줄을 ~.
고른-값 [-갑] 명 〔수〕 평균값.
고른-쌀 명 돌이나 뉘 등 잡것을 골라낸 쌀. 석발미(石拔米).
***고름**[1] 명 종기가 덧나서 생기는 누르스름한 액체. 농(膿). 농액(膿液). 농즙(膿汁). ¶ ~을 짜내다.
고름[2] 명 '옷고름'의 준말. ¶ ~을 단정히 매다.
고름-집 [-찝] 명 고름이 누렇게 맺힌 곳. ¶ ~을 째고 고름을 짜내다.
고리[1] 명 **1** 무엇에 끼우기 위하여 만든 둥근 물건. 주로 쇠붙이로 만듦. ¶ ~를 이어서 사슬을 만든다. **2** '문고리'의 준말. **3** 조직·현상을 서로 연결하는 각각의 구성 부분이나 이음매. ¶ 정경 유착의 ~를 끊다.
고리[2] 명 **1** 껍질을 벗긴 고리버들의 가지. **2** 고리나 대오리로 엮어 상자같이 만든 물건. 고리짝. **3** '소줏고리'의 준말. **4** 소주 열 사발.

고리[2]2

고리 (高利) 명 **1** 비싼 이자. ¶ ~의 사채 / ~로 빚을 내다. ↔저리. **2** 큰 이익.
고리[3] 부 고 곳으로. ¶ ~ 곧장 가면 네거리가 나온다. 큰그리[2].
고리[4] 부하자 상태·모양·성질 따위가 고러한 모양. ¶ 왜 ~ 잠만 잘까.
고리다 형 **1** 곯아 썩은 풀이나 달걀 냄새 같다. 발가락 사이의 때 냄새 같다. ¶ 발에서 고린 냄새가 나다. **2** 마음 쓰는 것이나 하는 짓이 다랍고 잘다. 거코리다.
고리-대 (高利貸) 명 '고리대금'의 준말.
고리-대금 (高利貸金) 명 **1** 이자가 비싼 돈. **2** 비싼 이자를 받는 돈놀이. ¶ ~으로 돈을 벌다.
고리-로 부 '고리[3]'의 힘줌말. ¶ ~ 가지 마라. 큰그리로. 준골로.
고리-못 [-몯] 명 대가리가 고리 모양으로 생긴 못.
고리-바지 명 가랑이 끝에 발바닥을 걸치는 고리가 달린 바지《본래는 스키용의 바지》.
고리-받이 [-바지] 명 〔건〕 기둥과 문설주 사이의 문고리를 달 만한 벽의 중턱에 가로 건너지른 나무《문을 열어젖힐 때 문고리가 벽에 닿는 것을 막음》.
고리-버들 명 〔식〕 버드나뭇과의 낙엽 활엽 관목. 냇가나 들에 나는데, 가지는 껍질을 벗겨 버들고리·키 등을 만듦.
고리-삭다 형 젊은이의 성미나 말과 행동에 생기가 없어 늙은이 같다.
고리-잠 (-簪) 명 부인네들 머리에 꽂는 장식품의 하나. 이쑤시개·귀이개가 고리에 한데 달렸음.

고리잠

고리-장이 명 고리버들로 키나 고리짝을 만들어 파는 것을 업으로 하는 사람.
고리-점 (-點) 명 세로쓰기에 쓰는 마침표(。).
고리-짝 명 옷을 담는 고리의 낱개.
고리-채 (高利債) 명 비싼 이자를 주고 얻은 빚. ↔저리채(低利債).
고리타분-하다 형여불 **1** 냄새가 역겹게 고리다. ¶ 멸치젓 냄새가 ~. **2** 사람의 성미나 하는 짓이 신선하지 않고 답답하다. ¶ 젊은이의 생각치고 너무 ~. 큰구리터분하

다. [거]코리타분하다.
고리탑탑-하다 [-타파-] [형][여불] 매우 고리타분하다. [큰]구리텁텁하다.
고린-내 [명] 고린 냄새. ¶방 안에서 ~가 진동한다. [거]코린내.
고릴라 (gorilla) [명] 〔동〕 유인원과의 큰 짐승. 아프리카 적도 부근 나무숲에 분포하는데, 뒷다리로 서면 키가 약 2 m, 무게는 280 kg 정도. 팔이 길고 다리는 짧으며, 입이 크고 눈썹이 없는데, 힘이 강함. 대성성(大猩猩).
고립 (孤立) [명][하자] 외따로 홀로 떨어짐. ¶교통이 끊겨 완전 ~돼 있다 / 적을 사방으로 ~시켰다.
고립-무원 (孤立無援) [-림-] [명] 고립되어 구원 받을 데가 없음.
고립-어 (孤立語) [명] 〔언〕 언어의 형태적 분류의 하나. 어미 변화나 접사(接辭)가 없고, 단지 관념을 표시하는 말의 글 가운데서의 위치에 따라 그 직능을 표시하는 언어《중국어·베트남어 따위》.
고립-적 (孤立的) [관][명] 고립되어 있는 (것).
고립-주의 (孤立主義) [-/-이] [명] 타국과 동맹 관계를 맺지 않거나 국제 회의에 참석하지 않고, 고립을 지키는 외교 정책상의 주의.
고립-화 (孤立化) [-리퐈] [명][하타] 고립적인 처지로 됨. 또는 그리 되게 함.
고:마움 [명] 고맙게 여기는 마음이나 느낌. ¶~을 느끼다 / ~을 글로 표시하다.
고:마워-하다 [자][타][여불] 고맙게 여기다.
고막 (鼓膜) [명] 〔생〕 귓구멍 안쪽에 있는 얇은 막. 공기의 진동에 따라 진동하여 소리를 전달함. 귀청. ¶너무 시끄러워 ~이 터지겠다.
고만[1] [관] '고만한'의 준말. ¶~ 일로 울지 마라.
고만[2] [부] **1** 고 정도까지만. 고 정도로. ¶이제 ~ 해라. **2** 고냥 바로. ¶바쁘니 ~ 가야겠소. **3** 저도 모르는 사이에. 달리 어찌할 수 없이. ¶슬픈 얘기를 듣다가 ~ 울어 버렸다. [큰]그만.
고만고만-하다 [형][여불] 여럿이 다 비슷비슷하다. [큰]그만그만하다.
고만-두다 [타] 하려고 하거나 하던 일을 그치다. [큰]그만두다.
고만-이다 [형] **1** 그것뿐이다. 그것으로 끝이다. ¶돈을 빌려 가더니 ~. **2** 마음에 넉넉하다. ¶돈만 있으면 고만이란 말인가. **3** 〈속〉 더할 나위 없이 좋다. 가장 낫다. ¶마음씨가 ~. [큰]그만이다.
고만-하다 [형][여불] 고 정도만 하다. 대단치 않다. ¶고만한 일로 화를 내다니. [큰]그만하다.
-고말고 [어미] 긍정의 뜻을 강조하여 쓰는 종결 어미. ¶좋~ / 가~ / 물론 부자~.
고맘-때 [명] 고만큼 된 때. 고때쯤. ¶어제 ~에 집을 나섰다. [큰]그맘때.
***고:맙다** 〔고마우니, 고마워〕 [형][ㅂ불] 남이 베푼 호의나 도움 따위에 마음이 흐뭇하고 즐겁다. ¶고마운 사람.
고매-하다 (高邁-) [형][여불] 인격이나 학식 등이 높고 빼어나다. ¶고매한 인격.
고명 [명] 음식의 겉모양을 꾸미고 맛을 더하기 위하여 음식 위에 뿌리는 것의 통칭《버섯·지단·김·실고추·파·대추·은행 따위》. 웃고명. ¶~을 얹다 / ~을 뿌리다.
고:명 (古名) [명] 옛 이름.
고명 (高名) [명] **1** 높이 알려진 이름. 이름이 높이 남. ¶~은 익히 듣고 있습니다. **2** 남의 이름의 공대말. **—-하다** [형][여불] 이름이나 평판이 높다. ¶고명한 학자.
고명 (顧命) [명][하타] 임금이 유언으로 뒷일을 부탁함. 또는 그 부탁. ¶~을 받들다.
고명-대신 (顧命大臣) [명] 고명을 받은 대신. 고명지신.
고명-딸 [명] 아들 많은 집의 외딸.
***고모** (姑母) [명] 아버지의 누이.
고모-부 (姑母夫) [명] 고모의 남편. 고숙(姑叔). 인숙(姻叔).
고-모음 (高母音) [명] 〔언〕 입을 조금 벌리고 혀의 위치를 높여서 발음하는 모음. 한국어의 'ㅣ·ㅟ·ㅡ·ㅜ' 따위. 폐모음.
고:목 (古木) [명] 오래 묵은 나무. 고목나무.
고목 (枯木) [명] 말라 죽은 나무. 고목나무.
고무 (鼓舞) [명][하타] 북을 치며 춤을 춘다는 뜻으로, 격려하여 기세를 돋움. ¶응원의 박수에 ~되어 힘이 났다 / 사기를 ~하다.
***고무** (←프 gomme) [명] 고무나무 껍질에서 분비하는 액체로 만든 물질. 탄력성이 강하여 타이어를 만들거나 전기의 부도체로 전선의 피복 등에 널리 씀.
고무-공 [명] 고무로 만든 공.
고무-관 (-管) [명] 고무로 만든 관.
고무-나무 [명] 〔식〕 고무를 채취하는 열대 식물. 파라고무나무·인도고무나무 등 종류가 많은데, 특히 파라고무나무를 말함.
고무락-거리다 [자][타] 몸을 느리게 조금씩 자꾸 움직이다. [큰]구무럭거리다. [센]꼬무락거리다. **고무락-고무락** [부][하자타]
고무락-대다 [자][타] 고무락거리다.
고무래 [명] 곡식을 그러모으거나 펴거나, 밭의 흙을 고르는 데나, 아궁이의 재를 긁어내는 데 쓰는 '丁' 자 모양의 물건.

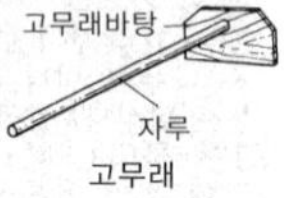

고무래-바탕 [명] 고무래의 자루를 박게 된 직사각형의 나뭇조각.
고무-신 [명] 고무로 만든 신.
고무신을 거꾸로 신다 [구] 〈속〉 여자가 사귀던 남자와 헤어지다.
고무신-짝 [명] **1** 고무신의 낱개. **2** '고무신'의 낮춤말.
고무-장갑 (-掌匣) [명] 고무로 만든 장갑.
고무-적 (鼓舞的) [관][명] 힘내도록 격려하여 기세를 돋우는 (것). ¶~인 사실.
***고무-줄** [명] 고무로 만든 줄.
고무-지우개 [명] 고무로 만든 지우개. [준]지우개·고무.
고무-풍선 (-風船) [명] 얇은 고무주머니 속에 공기나 수소 가스를 넣어 부풀린 물건. ¶~을 띄우다. [준]풍선.
고무-호스 (-hose) [명] 피륙에 고무를 입힌 천이나 고무로 만든 호스.
고:문 (古文) [명] **1** 옛 글. ↔현대문. **2** 중국에서 사륙변려체(四六騈儷體)의 글에 대해, 진한(秦漢) 이전의 실용적인 고체(古

體) 산문.
고문 (拷問) 명하타 죄를 진 혐의가 있는 사람에게 자백을 강요하기 위하여 육체적 고통을 주며 신문함. ¶전기 ~ / 자백을 강요하며 ~하다.
고문 (高文) 명 1 내용이나 문장이 고상하고 빼어난 글. 2 남의 문장의 공대말.
고문 (顧問) 명하타 1 의견을 물음. 2 어떤 분야에 전문적인 지식과 경험을 가지고 자문에 응하여 의견을 말하는 직무. 또는 그런 직무에 종사하는 사람. ¶~ 변호사 / 재정 ~ / 전문가를 ~으로 초빙하다.
고문-관 (顧問官) 명 1 정부에서 고문으로 초빙한 사람. ¶군사 담당 ~. 2 주로 군대에서, 어리숙한 사람을 농조로 이르는 말.
고:-문서 (古文書) 명 옛날의 문서.
고문-치사 (拷問致死) 명 고문을 지나치게 하여 사람을 죽게 함.
고:-문헌 (古文獻) 명 옛 문헌.
고물[1] 명 인절미·경단 등의 겉에 묻히거나, 시루떡의 켜와 켜 사이에 뿌리는, 팥·콩 등의 가루.
고물[2] 명 배의 뒤쪽. 뱃고물. 선미(船尾). ↔이물.
고:물 (古物) 명 1 옛 물건. 2 헐거나 낡은 물건. ¶~ 자동차.
고물-거리다 자타 몸을 좀스럽고 느리게 자꾸 움직이다. ¶발가락이 가려워 ~. 큰구물거리다. 센꼬물거리다. **고물-고물** 부하자타
고물-대다 자타 고물거리다.
고:물-상 (古物商)[-쌍] 명 고물을 사고파는 장사나 장수. 또는 고물을 사고파는 가게.
고미 명 〖건〗 굵은 나무를 가로지르고, 그 위에 산자를 엮고 진흙을 이겨 두껍게 펴서 눌러 반듯하게 하고, 아래쪽의 면에는 새벽질을 한 반자.
고:미 (古米) 명 묵은쌀. ↔신미(新米).
고미 (苦味) 명 쓴맛1. ↔감미(甘味).
고미-다락 명 〖건〗 고미와 보꾹 사이의 빈 곳.
고민 (苦悶) 명하자타 마음속으로 괴로워하고 번민함. ¶~을 털어놓다 / 그는 취업 문제로 ~이 많다 / 자금 부족을 ~하다.
고민-거리 (苦悶-)[-꺼-] 명 고민의 내용이나 대상. ¶~를 해결하다.
고:발 (告發) 명하타 1 〖법〗 피해자나 고소권자가 아닌 제삼자가 범죄 사실을 수사기관에 신고하여 처벌을 요구하는 일. ¶이웃 주민이 그를 아동 학대 혐의로 ~하다. 2 비리·부정을 문제삼아 알림. ¶부정행위가 사회에 ~되다. *고소(告訴).
고:발-장 (告發狀)[-짱] 명 범죄를 고발할 때 작성하는 서류.
고방 (庫房) 명 살림살이를 넣어 두는 방. 광.
고배 (苦杯) 명 1 쓴 술잔. 2 쓰라린 경험의 비유. 쓴잔.
고배를 들다 구 고배를 마시다.
고배를 마시다 구 괴롭고 쓰라린 경험을 하다. ¶불합격의 ~.
고배를 맛보다 구 고배를 마시다.
고:백 (告白) 명하자타 숨김없이 사실대로 말함. ¶사랑의 ~ / 범죄 사실을 ~하다.
고법 (高法) 명 '고등 법원'의 준말.
고:변 (告變) 명하자타 1 변고를 알림. 2 반역을 고발함. ¶쿠데타 음모를 ~하다.
고:별 (告別) 명하자 작별을 고함. ¶~사(辭) / ~연(宴).
고:병 (古兵) 명 1 군사 경험이나 무공이 많은 병사. 고참병(古參兵). ↔신병(新兵). 2 경험이 많은 사람.
고:본 (古本) 명 1 헌 책. 2 오래된 책.
고:본 (股本) 명 예전에, 여러 사람이 공동으로 사업을 경영할 때에 각각 내던 밑천. 또는 이 사실을 증명하는 문서. 준고(股).
고본 (稿本) 명 원고를 맨 책.
고봉 (孤峰) 명 외따로 떨어져 있는 산봉우리. 외봉우리.
고봉 (高峰) 명 높은 산봉우리. ¶알프스의 ~은 눈으로 덮여 있다.
고봉 (高捧) 명 곡식이나 밥을 담을 때 그릇 위로 수북이 담음. ¶~으로 되다.
고봉-밥 (高捧-)[-빱] 명 수북하게 담은 밥.
고부 (姑婦) 명 시어머니와 며느리.
고부-간 (姑婦間) 명 시어머니와 며느리 사이. ¶~에 갈등이 심하다.
고부라-지다 자 한쪽으로 휘어지다. 큰구부러지다. 센꼬부라지다.
고부랑-길 [-낄] 명 고부라진 길. 큰구부렁길. 센꼬부랑길.
고부랑-하다 형여불 한쪽으로 조금 휘어져 고부라지다. 큰구부렁하다. 센꼬부랑하다.
고부리다 타 한쪽으로 고붓하게 굽히다. 큰구부리다. 센꼬부리다.
고부스름-하다 형여불 조금 곱은 듯하다. 큰구부스름하다. **고부스름-히** 부
고부장-하다 형여불 1 휘움하게 곱다. ¶2m 장신에 약간 ~. 2 마음이 틀어져 기분이 나쁘다. 큰구부정하다. 센꼬부장하다.
고:분 (古墳) 명 옛 무덤. ¶~ 벽화 / ~을 발굴하다.
고분-고분 부하형히부 말이나 행동이 공손하고 부드러운 모양. ¶말을 ~ 잘 듣다.
고-분자 (高分子) 명 〖화〗 유기 화합물 가운데 1만 이상 수백만 정도의 분자량을 가지는 분자. 섬유·단백질·수지(樹脂)·고무 따위는 그 집합체임.
고:불 (古佛) 명 1 오래된 불상. 2 고승(高僧)·조사(祖師)를 일컫는 말.
고불-거리다 자 이리저리 고부라지다. 큰구불거리다. 센꼬불거리다. **고불-고불** 부하자형
고불-대다 자 고불거리다.
고불탕-하다 형여불 굽이가 나슨하게 고부라져 있다. 큰구불텅하다. 센꼬불탕하다.
고붓-이 부 고붓하게. 큰구붓이. 센꼬붓이.
고붓-하다 [-부타-] 형여불 조금 고부라져 있다. 큰구붓하다. 센꼬붓하다.
고비[1] 명 일에 있어 가장 중요한 대목이나 단계. ¶죽을 ~를 넘기다 / 이 환자는 오늘 밤이 ~입니다.
고비[2] 명 편지 등을 꽂아 두는 물건《종이를 주머니나 상자처럼 만들어 벽에 붙임》.
고비[3] 명 〖식〗 고빗과의 여러해살이풀. 산과 들에 나는데, 높이 1m 정도, 어린잎과 줄기는 식용하고 뿌리는 약용함.
고비-늙다 [-늑따] 형 지나치게 늙다.
고빙 (雇聘) 명하타 학식·기술이 높은 사람

을 예의를 갖추어 초빙함.
고뿔 명 감기(感氣).
고삐 명 소의 코뚜레나 말의 재갈에 잡아매어 몰거나 부릴 때 끄는 줄. ¶~를 당기다.
고삐 놓은[풀린] 말 구 '굴레 벗은 말'과 같은 뜻.
고삐를 늦추다 구 감시나 주의를 누그러뜨리다.
고:사(古寺) 명 오랜 역사를 가진 옛 절. 고찰(古刹).
고:사(古事) 명 옛날의 일. 옛일.
고:사(考査) 명하타 **1** 자세히 생각하고 조사함. **2** 학생들의 학력을 평가하기 위해 치르는 시험. ¶기말(期末) ~.
고:사(告祀) 명하자 한 개인이나 집안에 액운이 없어지고 행운이 오도록 술·떡·고기 등을 차려 놓고 신령에게 비는 제사. ¶~떡/상달에 ~를 지냈다.
고사(固辭) 명하타 제의나 권유 따위를 굳이 사양함. ¶입각(入閣)을 ~하다.
고:사(故事) 명 **1** 옛날부터 전해 내려오는 유서 깊은 일. 또는 그것을 표현한 어구. ¶~ 성어(成語). **2** 옛날부터 전해 오는 규칙과 정례(定例). ¶~를 따르다. **3** 옛일.
고사(枯死) 명하자 나무나 풀이 말라 죽음.
고사리 명 〖식〗 고사릿과의 양치류. 초봄에 싹이 뿌리줄기에서 돋아나는데, 꼭대기가 꼬불꼬불하게 말리고 흰 솜 같은 털로 온통 덮임. 어린잎은 식용함. 궐채.
고사리 같은 손 구 '어린아이의 작고 포동포동한 손'을 일컫는 말.
고:-사본(古寫本) 명 옛날 사람의 손으로 베껴 써 전해 온 책.
고-사이 명부 고 동안. 큰그사이. 준고새.
고:사-장(考査場) 명 시험을 보는 곳.
고사-포(高射砲) 명 〖군〗 항공기를 쏘는 올려본각이 큰 대포.
고사-하고(姑捨-) 부 (주로 '-은'·'-기는'의 뒤에 쓰여) 더 말할 나위도 없이. 그만두고. 커녕. ¶재산은 ~ 목숨까지 잃다.
고삭 명 가구를 짜 맞출 때 사개를 짠 구석을 더욱 튼튼하게 덧붙이는 나무.
고산(高山) 명 높은 산.
고산 기후(高山氣候) 해발 2,000 m 이상의 산악 기후.
고산-대(高山帶) 명 〖식〗 고산 식물이 자라는, 해발 2,400 m 안팎의 식물 분포 구역.
고산-병(高山病)[-뼝] 명 〖의〗 높은 산에 올라갔을 때, 산소의 부족과 기압 저하로 일어나는 병. 산악병. 등산병.
고산 식물(高山植物)[-싱-] 〖식〗 고산에 야생하는 식물《여러해살이풀과 키 작은 관목이 많음》.
고산 지대(高山地帶) 높은 산의 지대. 해발 2,000 m 이상의 지역으로 지형이 험함.
고삿[-삳] 명 초가지붕을 일 때 쓰는 새끼. ¶겉~/속~.
고상(固相) 명 〖화〗 물질이 고체로 된 상태. 고체상(固體相). *기상(氣相).
고상-하다(高尙-) 형여불 인품·학문·예술 등이 품위가 있고 훌륭하다. ¶고상한 취미/그의 사람됨에 걸맞게 그가 추구하는 예술도 ~. **고상-히** 부
고샅[-삳] 명 **1** 시골 마을의 좁은 골목길. 고샅길. **2** 좁은 골짜기의 사이. **3** '사타구니'의 비유.
고샅-길[-삳낄] 명 고샅1.
고-새 명부 '고사이'의 준말. ¶~ 가 버렸다. 큰그새.
고:색(古色) 명 **1** 낡은 빛. **2** 예스러운 풍치나 모양.
고:색-창연(古色蒼然) 명하형 퍽 오래되어 옛 풍치가 그윽함.
***고생**(苦生) 명하자 어렵고 괴로운 일을 겪음. 또는 그런 생활. ¶객지에서의 ~/~되는 일이 있더라도 참고 견디자.
[고생 끝에 낙이 온다] 어려운 일 뒤에는 반드시 좋은 일이 생긴다. [고생을 사서 한다] 자기가 잘못한 탓으로 하지 않아도 될 고생을 한다.
고생-길(苦生-)[-낄] 명 고생스러운 일이나 생활에서 벗어나기 어려운 형편. ¶험난한 ~로 들어선 것 같다.
고:생-대(古生代) 명 〖지〗 지질 시대 구분에서 선(先)캄브리아대의 다음, 중생대의 앞의 시대. 곧, 지금부터 5억 7천만 년 전부터 2억 4천만 년 전까지의 기간《해초·양치류·무척추동물이 번성하였음》.
고생-문(苦生門) 명 고생을 겪게 될 운명. ¶~이 훤하다/~이 열리다.
고:-생물(古生物) 명 〖생〗 지질 시대에 살던 생물. 주로 화석으로 나타남.
고생-살이(苦生-) 명하자 고생스럽게 겨우겨우 살아가는 살림살이.
고생-스럽다(苦生-)[-스러우니, -스러워] 형ㅂ불 고생이 되어 괴롭다. **고생-스레** 부
고생-주머니(苦生-)[-쭈-] 명 늘 고생만 하는 사람. 또는 힘든 일이 매우 많음의 뜻. ¶~를 차다/~를 달다.
고생-티(苦生-) 명 겉으로 드러나 보이는 고생한 흔적.
고:서(古書) 명 **1** 옛날의 책. 고서적. **2** 헌책. 고본(古本).
-고서 어미 '-고2'의 뜻을 세게 나타내는 연결 어미. ¶돈만 쓰~ 헛되이 돌아왔다.
고:-서적(古書籍) 명 고서(古書)1.
고:서-점(古書店) 명 옛날 책이나 헌 책을 다루는 서점.
고:-서화(古書畫) 명 옛날의 책과 그림.
고:성(古城) 명 옛 성.
고:성(古聖) 명 옛 성인.
고성(高聲) 명 크고 높은 목소리. ¶~이 오가다.
고-성능(高性能) 명 뛰어난 기능이나 성능. ¶~ 라디오/~ 폭약.
고성-방가(高聲放歌) 명 큰 소리를 지르거나 노래를 부르는 짓. ¶공공장소에서는 ~를 삼가야 한다.
고:소(告訴) 명하타 〖법〗 피해자 또는 고소권자가 수사 기관에 구두나 서면으로 피해 사실을 신고하여 범인의 법적 처리를 요구함. ¶~·고발 사건이 줄고 있다/피해자가 가해자를 경찰에 ~하다. *고발.
고소(苦笑) 명하자 쓴웃음. ¶~를 금할 수 없다. *실소(失笑).
고소(高所) 명 높은 곳.
고소 공:포증(高所恐怖症)[-쯩] 〖의〗 높은 곳에 올라가면 떨어질 것같이 느껴져 높은

곳을 병적으로 두려워하는 증상.

고-소득 (高所得) 명 많은 소득. 벌이가 많음. 다소득. ¶ ~을 올리다. ↔저(低)소득.

고:소-인 (告訴人) 명 〘법〙 고소를 한 피해자. 또는 그 법정 대리인.

고:소-장 (告訴狀)[-짱] 명 〘법〙 고소인이 수사 기관에 제출하는 고소의 서류.

고소-하다 형 여불 1 볶은 참깨나 참기름의 맛·냄새와 같다. 2 미운 사람이 잘못되는 것을 볼 때 속이 시원하고 유쾌하다. ¶고놈이 벌을 받는 것을 보니 ~. 큰구수하다. **고소-히** 부

고속 (高速) 명 '고속도'의 준말. ¶ ~으로 달리다. ↔저속.

고-속도 (高速度) 명 매우 빠른 속도. 준고속. ↔저속도.

***고속 도로** (高速道路) 자동차가 고속으로 달릴 수 있도록 넓고 평탄하게 만든 자동차 전용 도로. 하이웨이. ¶ ~가 주말의 나들이 차로 꽉 막혔다.

고속-버스 (高速bus) 명 고속도로를 이용하여 빠른 속도로 운행하는 버스.

고속 철도 (高速鐵道)[-또] 멀리 떨어진 대도시와 대도시 사이를 전용 철도선을 이용하여, 시속 200 km 이상으로 달리는 철도. ¶ ~ 건설에는 많은 시일과 비용이 든다.

고:송 (古松) 명 수령(樹齡)이 오래된 소나무. 노송(老松).

고수 (固守) 명하타 굳게 지킴. ¶전통을 ~하다 / 선두를 ~하다.

고수 (高手) 명 1 바둑·장기·무예 등에서 수가 높음. 또는 그런 사람. ¶바둑의 ~. 2 어떤 분야에서 매우 뛰어난 기술이나 능력을 가진 사람.

고수 (鼓手) 명 북이나 장구를 치는 사람.

고수레[1] 一명하자 무당이 굿을 하거나 들에서 음식을 먹을 때, 귀신에게 먼저 바친다는 뜻으로 음식을 조금씩 떼어 던지는 일. 二감 고수레할 때 외치는 소리.

고수레[2] 명하자 흰떡을 만들려고 쌀가루를 반죽할 때, 끓는 물을 가루에 훌훌 뿌려 섞어서 물기가 고루 퍼지게 하는 일.

고수레-떡 명 멥쌀가루로 반죽한 덩이를 시루에 안쳐 쪄 낸 흰떡. 섬떡.

고수-머리 명 털이 곱슬곱슬한 머리. 또는 그 사람. 곱슬머리.

고수-부지 (高水敷地) 명 둔치2.

고-수위 (高水位) 명 호수·강에서, 홍수·만조로 인하여 평균 수위 이상에 달한 수위.

고숙 (姑叔) 명 고모부.

고스란-하다 형 여불 조금도 축나거나 변함이 없이 그대로 온전하다. **고스란-히** 부. ¶경쟁자가 없어 ~ 내 차지가 되었다.

고슬-고슬 부하형 밥이 되지도 질지도 아니하고 꼭 알맞은 모양. ¶햅쌀로 지은 밥이 ~하다. 큰구슬구슬.

고슴도치 명 〘동〙 고슴도칫과의 동물. 몸통은 30 cm 정도이고, 꼬리는 3 cm 가량임. 몸빛은 암갈색인데, 주둥이는 뾰족하고 귀는 작으며 머리와 등에 가시가 빽빽이 남. 적을 만나면 밤송이같이 몸을 웅크림. [고슴도치도 제 새끼는 함함하다고 한다] 누구나 제 자식은 다 귀여워한다는 말.

고승 (高僧) 명 〘불〙 1 학덕이 높은 중. 2 지위가 높은 중.

고:시 (古詩) 명 1 고대의 시(《한시(漢詩)에서는 대개 후한(後漢) 이전의 시》). 2 '고체시(古體詩)'의 준말.

고:시 (考試) 명하타 공무원 등을 뽑기 위해 나라에서 보는 시험. ¶ ~를 준비하다.

고:시 (告示) 명하타 행정 기관이 정한 일을 공식적으로 일반 국민에게 널리 알림. ¶양곡 수매가의 ~ / 징병 검사 일정이 ~되다.

고시 (高試) 명 〘법〙 '고등 고시'의 준말.

고:시 가격 (告示價格)[-까-] 〘경〙 정부에서 지정한 가격. 고시가(告示價).

고시랑-거리다 자 잔소리를 자꾸 되씹어 하다. ¶무에 그리 불만이 많은지 하루 종일 고시랑거린다. 큰구시렁거리다. **고시랑-고시랑** 부하자

고시랑-대다 자 고시랑거리다.

고:-시조 (古時調) 명 주로 갑오개혁 이전에 창작된 시조를 현대 시조에 대하여 일컫는 말. 옛시조.

고:식 (古式) 명 옛날의 법식.

고식-적 (姑息的) 관명 근본적인 대책 없이 임시변통으로 하는 (것). ¶ ~ 수단을 쓰다.

고식지계 (姑息之計)[-/-게] 명 당장에 편한 것만 택하는 계책. 고식책.

고식-책 (姑息策) 명 고식지계.

고신 (孤身) 명 외로운 몸.

고신-원루 (孤臣冤淚) 명 임금의 신임을 받지 못하는 외로운 신하의 원통한 눈물.

고실 (鼓室) 명 〘생〙 고막 안쪽에 있는 중이(中耳)의 한 부분. 외벽이 고막으로 되어 있으며, 외이(外耳)가 받은 음향을 내이로 전하는 기관을 갖춤.

고심 (苦心) 명하자타 몹시 애를 쓰며 마음을 태움. ¶취직 문제로 ~하다 / ~ 끝에 기권하였다.

***고아** (孤兒) 명 부모를 여의거나 부모에게 버림받아 외로운 아이.

고아-원 (孤兒院) 명 '보육원(保育院)'의 전 이름.

고:아-하다 (古雅-) 형 여불 예스럽고 아담하여 멋이 있다.

고아-하다 (高雅-) 형 여불 고상하고 우아하다. ¶고아한 미인.

고안 (考案) 명하타 연구하여 새로운 것을 생각해 냄. 또는 그것. ¶새로 ~한 전기 기구 / 새로운 기법이 ~되다 / 쉽고 편리한 방법을 ~하다.

고압 (高壓) 명 1 높은 압력. ¶ ~가스. 2 높은 전압(電壓). ¶ ~ 송전탑. 3 마구 억누름. ↔저압(低壓).

고압-계 (高壓計)[-/-께] 명 기체나 액체의 높은 압력을 측정하는 장치.

고압-선 (高壓線) 명 '고압 전선'의 준말.

고압-적 (高壓的) 관명 남을 마구 억누르는 (것). ¶ ~(인) 태도.

고압 전:선 (高壓電線) 고압 전기를 보내는 전선. 준고압선.

고애-자 (孤哀子) 인대 부모를 모두 여읜 사람이, 상중(喪中)에 자기를 일컫는 말. *고자(孤子).

고액 (高額) 명 많은 금액. ¶ ~ 소득자 / ~ 과외 / ~의 급료를 받다. ↔저액(低額).

고액-권 (高額券) 명 큰 액수의 지폐. ↔소

액권.
-고야 어미 어미 '-고'에 조사 '야'가 합쳐 뜻을 강조하는 연결 어미. ¶책을 사~ 싶지만 주머니 사정이 여의치 않다.
고약(膏藥) 명 헐거나 곪은 데에 붙이는 끈끈한 약. 검은약.
고:약-스럽다 〔-스러우니, -스러워〕 형 ㅂ불 성질이나 냄새, 날씨 따위가 고약한 데가 있다. **고:약-스레** 부
고:약-하다 [-야카-] 형 여불 **1** 맛·냄새 따위가 비위에 거슬리고 역하다. ¶생선 썩는 고약한 냄새가 나다. **2** 얼굴 생김새가 흉하거나 험상궂다. ¶고약한 인상. **3** 성미·언행 따위가 사납다. ¶술버릇이 ~. **4** 날씨 따위가 고르지 못하고 사납다. ¶날씨 한번 고약하군. **5** 일이 꼬여 뒤틀려 있다. ¶형편이 고약하게 틀어지다. **고:약-히** [-야키] 부
고:얀 관 언행이나 성미가 도리에 벗어나 아주 못된. ¶~ 놈.
고양(高揚) 명하타 정신·기분 따위를 높이 북돋움. ¶~된 분위기 / 애국심을 ~하다.
***고양이** 명 〘동〙 고양잇과의 짐승. 턱과 송곳니가 특히 발달하였고 눈은 어두운 곳에서도 잘 볼 수 있으며, 발바닥에 살이 많아 다닐 때 소리가 나지 않음. 쥐를 잘 잡음. 준괭이.
[고양이 목에 방울 단다] 실행하기 어려운 것을 공연히 의논함을 이름. [고양이 보고 반찬 가게 지키라는 격이다] 믿을 수 없는 사람에게 중요한 것을 맡기어 잃어버림의 비유. [고양이 앞에 고기반찬] 자기가 좋아하는 것은 남이 손댈 틈도 없이 처치해 버린다는 뜻. [고양이 앞에 쥐걸음] 무서운 사람 앞에서 설설 김. [고양이 쥐 생각] 속으로는 해칠 마음을 품고 있으면서 겉으로는 생각해 주는 척함의 비유.
고양이 낯짝만 하다 구 매우 좁음의 비유.
고양이 소리 구 살살 발라맞추는 말.
고양이와 개 구 서로 앙숙인 관계.
고양이 이마빼기만 하다 구 '고양이 낯짝만 하다'와 같은 뜻.
고양이-소(-素) 명 욕심꾸러기가 청렴한 체하거나, 흉악한 사람이 겉으로 착한 체함의 비유.
고:어(古語) 명 옛말1. ¶~ 사전.
고언(苦言) 명 듣기에는 거슬리나 도움이 되는 말.
고역(苦役) 명 몹시 힘들고 괴로운 일. ¶~을 치르다 / 하는 일 없이 빈둥빈둥 노는 것도 ~이다.
고열(高熱) 명 **1** 높은 열. ↔저열(低熱). **2** 〘의〙 몸에서 나는 높은 열. ¶감기에 걸려 ~로 신음하다.
고엽(枯葉) 명 시들어 마른 잎.
고엽-제(枯葉劑) 명 식물의 잎을 인위적으로 떨어뜨리는 약제(藥劑)의 총칭.
고영(孤影) 명 외롭고 쓸쓸해 보이는 그림자. 또는 그러한 모습. ¶~ 소연(蕭然).
고:옥(古屋) 명 지은 지 퍽 오래된 집.
고온(高溫) 명 높은 온도. ¶~ 다습한 지역. ↔저온(低溫).
고요 명 **1** 잠잠하고 조용한 상태. 정적(靜寂). ¶깊은 ~에 잠긴 산골 마을. **2** 〘기상〙 풍력 계급 0의 상태. 초속 0.0~0.2m로 부는 바람. ☞풍력 계급.
***고요-하다** 형 여불 **1** 잠잠하고 조용하다. ¶고요한 밤. **2** 움직임이나 흔들림이 없이 잔잔하다. ¶고요하게 흐르는 강물. **3** 조용하고 평화롭다. ¶고요하게 잠든 아기의 모습. **고요-히** 부
고욤 명 고욤나무의 열매. 감과 비슷하나 타원형으로 훨씬 작고, 검붉으며 달면서도 떫음.
고욤-나무 명 〔식〕 감나뭇과의 낙엽 활엽 교목. 감나무 비슷하나 작고 여름에 꽃이 피며, 고욤이 가을에 익음.
고용(雇用) 명하타 삯을 주고 사람을 부림. ¶중소기업에 ~된 외국인 노동자 / 여성 근로자를 더 많이 ~하다.
고용(雇傭) 명하타 삯을 받고 남의 일을 함. ¶~을 촉진하다.
고용 보:험(雇傭保險) 실직자에게 일정 기간 실업 급여(給與)를 지급하는 보험《실직자의 생활 안정과 재취업 촉진 등을 꾀함》.
고용-살이(雇傭-) 명하자 **1** 남에게 고용되어 살아가는 일. **2** 남의 집 일을 돌보아 주면서 그 집에 붙어사는 일.
고용-원(雇傭員) 명 사용자에게 노무를 제공하는 사람.
고용-인(雇用人) 명 삯을 주고 사람을 부리는 사람. 고용자.
고용-인(雇傭人) 명 고용(雇傭)된 사람. 품팔이꾼. 고용자. 준고인(雇人)·용인(傭人).
고용-자(雇用者) 명 고용인(雇用人).
고용-자(雇傭者) 명 고용인(雇傭人).
고용-주(雇用主) 명 삯을 주고 사람을 부리는 주인. 사용인(使用人). 준고주(雇主).
고:우(故友) 명 **1** 사귄 지 오래된 벗. **2** 세상을 떠난 벗.
고운(孤雲) 명 **1** 외따로 떠도는 구름. **2** 가난하고 어진 선비의 비유.
고원(高原) 명 주위의 지형보다 높은 지대에 펼쳐진 넓은 벌판. ¶~ 지대.
고원-하다(高遠-) 형 여불 **1** 높고 멀다. **2** 뜻이 높고 원대하다.
고월(孤月) 명 외롭게 느껴지는 달.
고위(高位) 명 **1** 높고 귀한 지위. ¶~ 공직자. **2** 높은 위치. ↔하위(下位).
고위-급(高位級)[-끕] 명 높은 지위에 해당하는 급. 또는 그에 해당하는 사람. ¶~ 회담.
고-위도(高緯度) 명 위도가 높음. 남극·북극에 가까운 지방의 위도. ¶~ 지방.
고위-직(高位職) 명 높은 지위의 직책. ¶~ 공무원.
고위-층(高位層) 명 높은 지위에 해당하는 계층. 또는 그에 해당하는 사람. ¶~ 인사를 만나다.
고유(固有) 명하형 본디부터 지니고 있거나 어느 물건에만 특유함. ¶우리 ~의 전통 문화 / ~의 멋을 간직하고 있다.
고유 명사(固有名詞) 어느 특정한 사물이나 사람의 이름을 나타내는 명사《인명·지명 등》. ↔보통 명사.
고유 문자(固有文字)[-짜] 한 나라나 민족이 만들어 써 온 독특한 문자. 고유 글자.
고유-문화(固有文化) 명 어떤 국가·민족만

이 가지고 있는 독특한 문화.
고유-법 (固有法)[-뻡] 명 〖법〗 한 국가·민족의 고유한 생활·전통·풍속·관습 등에서 발달하여 성립된 법률. ↔계수법(繼受法).
고유-색 (固有色) 명 **1** 물체가 지니고 있는 본래의 색깔. **2**〖심〗 흔히 경험할 수 있는 대상이 그 고유한 색 그대로 기억에 남아 현실의 지각에 영향을 주는 색. 곧, 회색 종이를 은행나무 잎 모양으로 벤 것을 보면 다소 초록색을 띤 것같이 보이는 일.
고유-성 (固有性)[-썽] 명 〖철〗 어느 사물이나 종족이 가진 고유한 성질.
고유-어 (固有語) 명 **1** 본디부터 해당 언어에 있던 말이나 그것에 기초하여 새로 만들어진 말. 우리말에서는 외래어나 한자어에 상대하여 이르는 말. 토박이말. 토착어. **2** 어떤 고장 특유의 독특한 말.
고육 (股肉) 명 넓적다리의 살.
고육지계 (苦肉之計)[-/-게] 명 다른 방법이 없어서 자신의 괴로움을 무릅쓰고 꾸미는 계책. 고육책. 고육지책.
고육지책 (苦肉之策) 명 고육지계.
고육-책 (苦肉策) 명 고육지계.
고율 (高率) 명 높은 비율. ¶~의 관세를 부과하다. ↔저율(低率).
***고을** 명 **1**〖역〗 조선 때, 주(州)·부(府)·군(郡)·현(縣)의 총칭. **2** 군아(郡衙)가 있던 곳. 준골.
고을-살이 명하자 옛날에, 고을의 원 노릇을 하는 생활. 준골살이.
고음 (高音) 명 높은 소리. 높은음. ↔저음.
고:읍 (古邑) 명 옛 고을, 특히 옛날에 군아(郡衙)가 있던 곳.
고의 [-/-이] 명 남자가 입는 여름 한복 홑바지. 단고(單袴). 중의(中衣). 주의 '袴衣'로 씀은 취음.
고:의 (故意)[-/-이] 명 **1** 일부러 하는 태도나 생각. ¶~냐 과실이냐/그가 한 짓은 ~가 틀림없다. **2**〖법〗 일정한 결과가 발생할 것을 인식하고 어떤 행위를 한 경우의 심리 상태. ↔과실.
고:의-로 (故意-)[-/-이-] 부 일부러. 짐짓. ¶~ 의무를 게을리하다.
고:의-범 (故意犯)[-/-이-] 명 〖법〗 고의로 행한 범죄. 또는 그 범인. 고범(故犯). 유의범. ↔과실범.
고:의-적 (故意的)[-/-이-] 관명 일부러 하는 (것). ¶~인 반칙.
고의-적삼 [-/-이-] 명 고의와 적삼.
고의-춤 [-/-이-] 명 고의의 허리 부분을 배에 접어 여민 사이. ¶~에서 고깃고깃한 지폐 몇 장을 꺼내다. 준괴춤.
고:이 부 **1** 곱게. 아름답게. ¶머리를 ~ 빗다. **2** 정성을 다하여. 조심하여. 소중하게. ¶~ 키운 딸/~ 간직하다. **3** 편안히. ¶~ 잠드소서. **4** 그대로 고스란히. ¶선친의 유산을 ~ 지켜 보전했다.
고이-고이 부 '고이'를 강조하여 쓰는 말.
고이다 자타 괴다[1·2·3].
고이-댕기 명 서북 지방에서, 재래식 혼례 때 신부가 드리는 댕기《길이가 썩 긴데, 오른쪽 가닥에는 모란꽃 세 송이를, 왼쪽 가닥에는 십장생(十長生)을 수놓았음》.
고:인 (古人) 명 옛날 사람. ↔금인(今人).
고:인 (故人) 명 **1** 죽은 사람. ¶~의 명복을 빌다. **2** 오래된 벗.
고인-돌 명 선사 시대의 거석 기념물로, 납작하고 널찍한 돌을 양편에 세우고 그 위에 평평한 돌 한 장을 얹은 분묘. 지석묘(支石墓). 돌멘(dolmen).

고인돌

고임 명 굄[2].
고임-돌 [-똘] 명 굄돌1.
고임-목 (-木) 명 굄목.
고임-새 명 굄새.
고임-질 명하자 굄질.
고입 (高入) 명 '고등학교 입학'의 준말. ¶~ 검정고시.
고:자 (古字) 명 옛 체(體)의 글자.
고자 (鼓子) 명 생식기가 완전하지 못한 남자. 화자(火者). ↔고녀(鼓女).
고자 (孤子) 인대 예전에, 아버지가 돌아가시어 상중에 있는 사람이 스스로를 가리키던 말.
-고자 어미 동사의 어간에 붙어 의도나 바람을 나타내는 연결 어미. ¶여행을 하~ 한다/자세한 이야기를 듣~ 왔다.
고-자세 (高姿勢) 명 거만하게 버티는 자세. ¶~로 나오다. ↔저자세.
고:자-질 (告者-) 명하자타 남의 잘못·비밀을 몰래 일러바치는 짓. ¶선생님께 친구의 실수를 ~하다/~하는 것은 신의를 저버리는 나쁜 짓이다.
고작 부 기껏 따져 보거나 헤아려 보아야. ¶이제 ~ 십 리 걸었다/~ 해야 영어 몇 마디 밖에 알아듣지 못한다/입에 풀칠하는 게 ~이다/~ 한다는 소리가 그거야.
***고장** 명 **1** 사람이 사는 일정한 지방이나 지역. ¶단풍이 아름다운 ~. **2** 어떤 물건이 특히 많이 생산되거나 있는 곳. ¶사과의 ~ 대구.
고:장 (故障) 명 **1** 기계·기구·설비 따위의 기능에 탈이 생기는 일. ¶자동차가 ~ 나다. **2** 몸에 탈이 생긴 것을 속되게 이르는 말. ¶소화 기관이 ~ 나다.
고장-난명 (孤掌難鳴) 명 〔외손뼉은 울리지 않는다는 뜻〕 **1** 혼자서는 일을 이루기가 어려움. **2** 맞서는 사람이 없으면 싸움이 되지 않는다는 뜻. 독장(獨掌)난명.
고재 (高才) 명 뛰어난 재주. 또는 재주가 뛰어난 사람. 고재(高材).
고쟁이 명 한복에 입는 여자 속옷의 하나《속속곳 위, 단속곳 밑에 입음》.
고저 (高低) 명 높낮이. ¶음(音)의 ~.
고저-각 (高低角) 명 사격 목표와 사격자를 이은 선이 수평선과 이루는 각.
고저-장단 (高低長短) 명 소리의 높고 낮음과 길고 짧음.
***고:적** (古蹟·古跡) 명 남아 있는 오래된 건물이나 시설. 또는 그것들이 있던 터. 유적(遺跡). ¶명승~/~을 답사하다.
고적 (孤寂) 명하형히부 외롭고 쓸쓸함. ¶~에 싸이다/~한 나날.
고적-대 (鼓笛隊) 명 〖악〗 피리와 북으로 이루어진 의식 및 행진용의 음악대.
고적-운 (高積雲) 명 중층운(中層雲)에서 가장 높은 곳에 있는 구름. 백색 또는 회색으로 크고 둥글둥글하게 덩어리진 구름. 높이 2-7 km. 높쌘구름. 양떼구름. ☞구름.

고:전 (古典) 명 **1** 옛날의 의식이나 법식. **2** 오랜 세월 동안 많은 사람들에게 높이 평가되고 애호된 저술 또는 예술 작품. ¶~을 읽다.

고전 (苦戰) 명하자 몹시 힘들고 괴롭게 싸움. 또는 그 싸움. ¶~ 끝에 이기다 / 자금난으로 ~을 면치 못했다.

고:전-극 (古典劇) 명 **1** 고전의 내용을 주제로 한 극. **2** 고대 그리스·로마에서 발달한 연극. **3** 유럽의 문예 부흥기에서 19세기에 낭만주의가 출현하기까지의 연극의 주류《영국의 셰익스피어, 독일의 레싱·괴테 등의 작품》.

고:전 문학 (古典文學) 옛날의 문예 작품으로서 지금까지 높은 가치를 지니고 전하여 오는 문학.

고:전-미 (古典美) 명 고전적인 아름다움.

고:전 음악 (古典音樂) 〖악〗 **1** 현대 음악에 대하여, 옛날부터 전해 오는 음악. **2** 서양의 고전파의 음악. 클래식.

고:전-적 (古典的) 관명 **1** 고전의 가치가 있는 (것). **2** 고전을 중히 여기는 (것). ¶~(인) 작품. **3** 전통적이며 형식적인 (것). ¶~(인) 분위기를 연출하다.

고:전-주의 (古典主義)[-/-이] 명 17-18세기에 유럽에서 일어난 예술 사조(思潮). 고대 그리스·로마의 예술 작품을 모범으로 삼아, 단정한 형식미를 중시하며 조화·균형·완성 따위를 추구하였음.

고:전-파 (古典派) 명 고전주의를 신봉하고 실천하는 파. 또는 그런 경향이 있는 사람. ↔낭만파.

고절 (孤節) 명 홀로 깨끗하게 지키는 절개.

고절 (苦節) 명 곤란과 고통을 겪으면서도 변하지 아니하고 꿋꿋이 지켜 나가는 굳은 절개.

고절 (高節) 명 높은 절개. 뛰어난 절개.

고절-하다 (高絶-) 형여불 더할 수 없이 높고 뛰어나다.

고정 (固定) 명하타 **1** 정한 대로 변경하지 않음. ¶~된 수입. **2** 일정한 곳에 있어 움직이지 않음. ¶바닥에 ~된 의자 / 시선을 ~하다 / 못을 박아 ~하다.

고정-관념 (固定觀念) 명 머릿속에 이미 굳게 자리잡고 있어서 쉽게 바뀌지 않는 생각. 고착 관념. ¶잘못된 ~을 버리다.

고정-급 (固定給) 명 〖경〗 일의 성과나 생산량과는 관계없이 노동 일수나 노동 시간에 따라 지급되는 임금. 일급(日給)·주급(週給)·월급(月給) 따위.

고정 도르래 (固定-) 〖물〗 축을 고정시킨 도르래《힘의 방향을 바꿀 때 씀》. 고정 활차. ↔움직도르래.

고정-란 (固定欄)[-난] 명 신문·잡지 등에서, 어떤 종류의 기사가 고정적으로 실리는 난. ¶~을 두고 독자의 투고를 싣다.

고정불변 (固定不變) 명하형 고정되어 변함이 없음. ¶~의 규칙.

고정-비 (固定費) 명 〖경〗 조업도(操業度)의 증감과는 상관없이 항상 일정하게 지출되는 비용. 고정 비용.

고정-식 (固定式) 명 한곳이나 한 형식으로 정착되어 움직일 수 없는 방식. ↔이동식.

고정 자본 (固定資本) 〖경〗 기계·토지·건물 등과 같은 생산 설비를 구입하는 데 투자되는 자본.

고정 자산 (固定資產) 〖경〗 기업의 경영을 위하여 장기적으로 사용할 목적으로 보유하는 자산 및 장기간 다른 목적에 이용할 수 없는 자본적 자산. ↔유동 자산.

고정-적 (固定的) 관명 고정되거나 고정되어 있는 (것). ¶~ 사고방식 / ~인 수입.

고정-지 (藁精紙) 명 귀리 짚으로 만든 종이《함경북도에서 생산되며, 우리나라의 명산물이었음》.

고정-표 (固定票) 명 선거 때에, 일정한 정당이나 후보자를 지지하는 사람의 표. ¶일정한 ~를 감안하면, 이번 선거에 승산이 있다. ↔부동표(浮動票).

고정-하다 자 여불 (주로 손윗사람에게 쓰여) 흥분이나 노여움 따위를 가라앉히다. ¶이제 그만 고정하시고 제 말을 들어 보십시오.

고정-화 (固定化) 명하자타 어떤 상황이나 상태를 고정시키거나 고정되게 함. ¶~된 형식.

고정 환:율제 (固定換率制)[-쩨] 〖경〗 환시세를 고정 환율로 묶어 두는 제도. 공정 환율제. ↔변동 환율제.

고조 (高祖) 명 '고조부(高祖父)'의 준말.

고조 (高調) 명하자타 **1** 음의 가락을 높임. 또는 그런 가락. **2** 감정·세력·분위기 따위가 한창 무르익거나 높아짐. 또는 그런 상태. ¶사기를 ~시키다 / ~된 분위기를 가라앉히다 / 긴장이 ~되다 / 위기의식을 ~시키다 / 흥취가 ~에 달했다 / 군사 도발 위협이 ~되다.

고조 (高潮) 명 **1** 밀물이 들어와 해면의 높이가 가장 높아진 상태. **2** 감정·기세가 극도로 높은 상태. ↔저조.

고-조모 (高祖母) 명 할아버지의 할머니. 고조할머니.

고-조부 (高祖父) 명 할아버지의 할아버지. 고조할아버지. 준고조(高祖).

고졸 (高卒) 명 '고등학교 졸업'의 준말.

고:졸-하다 (古拙-) 형여불 기교가 없고 서툴러 보이나 소박한 멋이 있다. ¶조선 백자는 고려 청자와 달리 소박하고 고졸한 멋이 있다. **고:졸-히** 부

고종 (姑從) 명 고모의 자녀. 고종 사촌.

고종-매 (姑從妹) 명 고종 사촌 누이동생. 고모의 딸.

고종-명 (考終命) 명하자 제명대로 살다가 편안하게 죽음《오복의 하나》.

고종 사:촌 (姑從四寸) 고모의 자녀로서 사촌 사이. 고종(姑從). 내종(內從) 사촌.

고주 명 '고주망태'의 준말.

고:주 (古註) 명 옛 주석. ↔신주.

고주 (苦酒) 명 **1** 독한 술. **2** 쓰고 맛이 없는 술이라는 뜻으로, 남에게 술을 권할 때 그 술을 낮추어 이르는 말.

고주-망태 명 술을 많이 마시어 정신을 차릴 수 없는 상태. 또는 그런 사람. ¶~가 되도록 술을 퍼마셨다. 준고주.

고주알-미주알 부 미주알고주알. ¶~ 캐어 묻다.

고-주파 (高周波) 명 〔물〕 주파수가 높은 전류나 전파. ¶~ 증폭기. ↔저주파.
고준-하다 (高峻-) 형여불 산이 높고 험준하다. 고준-히 부
고즈넉-이 부 고즈넉하게. ¶~ 앉아 있다가 갑자기 말을 하기 시작했다.
고즈넉-하다 [-너카-] 형여불 1 고요하고 아늑하다. ¶괴이하리만큼 고즈넉한 밤 / 설경이 그림처럼 ~. 2 잠잠하고 다소곳하다. ¶고즈넉하게 앉아 무언가 깊은 사념에 잠겨 있는 여인.
고증 (考證) 명하타 옛 문헌이나 유물에 기초하여 증거를 가지고 밝힘. ¶시대 ~ / ~된 자료 / 철저한 문헌의 ~을 통해 사찰이 복원되었다.
고증-학 (考證學) 명 중국 청조(淸朝)에 일어난 학풍《옛 문헌에서 확실한 증거를 찾아 경서를 설명하려 함》.
고지 명 호박·가지·고구마 등을 납작납작하게 또는 가늘고 길게 썰어서 말린 것.
고:지 (告知) 명하자타 1 게시나 글을 통하여 알림. ¶~ 의무 / 단수 날짜를 방송으로 ~하다. 2 〔법〕 소송법에서, 법원이 결정 사항이나 명령을 당사자에게 알리는 일.
고지 (固持) 명하타 자기의 의견이나 태도 등을 바꾸지 않고 굳게 가지거나 지님. ¶의견을 ~하다.
고:지 (故址) 명 예전에 건물·성곽 등이 있었던 터. 또는 그 자취.
고지 (高地) 명 1 평지보다 아주 높은 땅. ¶한랭한 ~에서도 배추는 잘 자란다. ↔저지. 2 전략적으로 유리한 지대가 되는 높은 진지. ¶~를 탈환하다. 3 이루어야 할 목표. 또는 그 수준에 이른 단계. ¶우승 ~를 정복하다 / 유리한 ~를 차지하다.
고지 (高志) 명 1 고상한 뜻. 2 남의 뜻의 공대말. 고견(高見).
고-지대 (高地帶) 명 높은 지대. ¶가뭄으로 ~에는 수돗물이 잘 나오지 않는다.
고지랑-물 명 더러운 것이 섞여 깨끗하지 못하거나 썩은 물. 큰구지렁물.
고:지-서 (告知書) 명 관공서에서 어떤 일을 민간인에게 알리는 문서. ¶주민세 납부 ~ / ~가 날아들었다.
고지식-하다 [-시카-] 형여불 성질이 융통성이 없이 곧기만 하다. ¶그의 고지식한 성격은 바뀌지 않았다.
고지-자리품 명 논을 마지기로 떼어 돈을 받고 농사를 지어 주는 일. 준자리품.
고진감래 (苦盡甘來) [-내] 명하자 〔쓴 것이 다하면 단 것이 온다는 뜻〕 고생 끝에 즐거움이 옴. ¶~라는 옛말도 있으니, 참고 견디어 보아라.
고질 (痼疾) 명 1 오래되어 고치기 어려운 병. 2 오래된 나쁜 습관. ¶~이 된 도박.
고질-병 (痼疾病) [-뼝] 명 고질(痼疾).
고질-적 (痼疾的) [-쩍] 관명 오래되어 고치거나 바로잡기 어려운 (것).
*고집 (固執) 명하타 자기 의견을 굳게 지킴. 또는 그러한 성질. ¶~을 부리다 / 그의 ~을 꺾을 수는 없다 / 쓸데없이 ~을 세우다 / 자기 주장을 끝까지 ~하다.
고집불통 (固執不通) 명 고집이 세어 조금도 융통성이 없음. 또는 그런 사람. ¶~인 아이를 겨우 달래었다.
고집-스럽다 (固執-) [-스러우니, -스러워] 형ㅂ불 고집을 부리는 태도가 있다. 고집-스레 부. ¶~ 자기 주장만을 내세운다.
고집-쟁이 (固執-) 명 고집이 센 사람. 고집통이. 고집통.
고집통-이 (固執-) 명 1 고집이 센 성질. 2 고집쟁이.
고차 방정식 (高次方程式) 〔수〕 3차 방정식보다 높은 차수를 가진 방정식.
고-차원 (高次元) 명 1 차원이 높음《3차원 이상에 씀》. 2 생각·행동이 뛰어나고 높은 수준.
고차원-적 (高次元的) 관명 1 3차원 이상의 높은 차원인 (것). 2 생각·행동 따위의 수준이 높은 (것). ¶~ 단계 / ~인 문제.
고차-적 (高次的) 관명 생각·행동 따위의 수준이나 정도가 높은 (것). ¶~ 인간 / ~(인) 문제.
고착 (固着) 명하타 1 물건 같은 것이 굳게 들러붙음. ¶~제(劑). 2 어떤 상황이나 현상이 굳어져 변하지 않음. ¶~된 생활 습관 / 시선을 한곳에 ~시키다.
고착-화 (固着化) [-차콰] 명하타 굳어져 변하지 않는 상태가 됨. ¶분단의 ~.
고:찰 (古刹) 명 옛 사찰(寺刹). 고사(古寺).
고찰 (考察) 명하타 깊이 생각하고 연구함. ¶역사적으로 ~되어야 할 문제.
고:참 (古參) 명 오래전부터 한 직장이나 직위에 머물러 있는 사람. 선임(先任). 선임자. ¶~ 사원 / 나이는 어리지만 그는 우리 부서에서 제일 ~이다. ↔신참.
고:참-병 (古參兵) 명 군대에서 오래 복무한 병사. 고병. ↔신병(新兵).
고창 (高唱) 명하타 노래나 구호·만세 등을 큰 소리로 부르거나 외침.
고:철 (古鐵) 명 아주 낡고 오래된 쇠붙이. 헌쇠. ¶~ 수집.
고:체 (古體) 명 1 그림·글씨 따위가 현재의 것과 다른 옛 체. 2 고체시(古體詩).
고체 (固體) 명 〔물〕 나무·쇠·돌과 같이 일정한 모양과 부피를 가진 단단한 물질. * 기체·액체.
고:체-시 (古體詩) 명 〔문〕 글자와 글귀의 수나 운(韻)에 일정한 법칙이 없는 한시《오언(五言)·칠언·삼언·사언·육언의 구별이 있음》. ↔근체시(近體詩). 준고시(古詩).
고체-화 (固體化) 명하자타 액체 상태의 물질이 고체로 변함. 또는 변하게 함.
고쳐-먹다 타 다른 마음을 가지거나 달리 생각하다. ¶갑자기 생각을 고쳐먹고 집으로 돌아갔다 / 마음을 고쳐먹고 새사람이 되었다.
고초 (苦楚) 명 고난. ¶~를 겪다.
고:총 (古塚) 명 오래된 무덤.
*고추 명 1 〔식〕 가짓과의 한해살이풀. 줄기 높이 60-90 cm, 잎은 긴 달걀꼴에 끝이 뾰족하며 긴 타원형 열매는 녹색인데 익어 가면서 빨갛게 됨. 매운맛이 있어 양념으로 많이 씀. 당초(唐椒). 2 '고추자지'의 준말.
[고추는 작아도 맵다] 몸집은 작아도 힘이 세거나 하는 일이 야무지다. [고추보다 후추가 더 맵다] ㉠작은 사람이 큰 사람보다

뛰어남의 비유. ⓛ뛰어난 사람보다 더 뛰어난 사람이 있음의 비유.
고추 먹은 소리 구 못마땅하게 여겨 씁쓸해 하는 말.
고추-냉이 명 《식》 십자화과의 여러해살이 풀. 시냇가에 나는데, 땅속줄기는 살이 많고 몹시 매운맛이 있어 향신료로 씀.
고추-바람 명 살을 에는 듯한 찬 바람.
고추-자지 명 어린아이의 조그마한 자지를 귀엽게 일컫는 말. 준고추.
고추-잠자리 명 《충》 잠자리의 하나. 수컷의 배는 고추처럼 붉고 날개는 누르스름하게 투명함. 초가을에 농촌이나 연못가에 떼 지어서 낢. 암컷은 '메밀잠자리'라고도 함.
고추-장 (-醬) 명 메줏가루에 쌀·보리 따위로 질게 지은 밥이나 떡가루를 버무리고 고춧가루·소금을 넣어 담근 매운 장.
고:축 (告祝) 명하타 천지신명에게 바라는 일을 얘기하고 빎.
고춧-가루 [-추까-/-춘까-] 명 붉게 익은 고추를 말려 빻은 가루.
고춧-잎 [-춘닙] 명 고추의 잎사귀.
고충 (苦衷) 명 괴로운 심정이나 사정. ¶~을 헤아리다 / ~을 털어놓다.
고취 (鼓吹) 명하타 **1** 용기와 기운을 북돋워 일으킴. 고무(鼓舞). ¶사기를 ~하다 / 학구열을 ~시키다. **2** 의견·사상 등을 열렬히 주장하여 널리 선전함. ¶애국심을 ~하다 / 충효 사상이 ~되다.
고층 (高層) 명 **1** 높은 건물. 또는 건물의 높은 층. ¶~ 아파트 / ~ 건물. **2** 하늘의 높은 곳. ¶~ 기류 / ~의 기상학 현상을 관찰하다.
고층-운 (高層雲) 명 중층운(中層雲)에 속하며, 2-7km의 상공에 널리 떠 있는 잿빛 구름. 높층구름. ☞구름.
고치[1] 명 누에가 실을 토하여 제 몸을 둘러싸서 긴 타원형으로 얽어 만든 집《대치어 명주실을 뽑음》. 누에고치.
고치[2] 명 물레질하려고 만든 솜방망이.
***고치다** 타 **1** 헐거나 고장이 난 물건을 손질하여 쓸 수 있도록 만들다. 수선하다. 수리하다. ¶기계를 ~. **2** 병을 낫게 하다. ¶위장병을 ~. **3** 잘못된 일이나 틀린 것을 바로잡다. ¶버릇을 ~ / 답을 ~. **4** 제도나 이름·처지 따위를 바꾸다. 변경하다. ¶시간표를 ~ / 규칙을 ~ / 상호를 ~ / 팔자를 ~. **5** 모양이나 위치를 가지런히 하거나 바르게 하다. ¶화장을 ~ / 옷매무시를 ~.
고치-실 명 집누에의 애벌레가 번데기로 변할 때 자기의 몸을 둘러싸기 위하여 토하는 실《생사의 원료임》.
고침 (孤枕) 명 홀로 자는 외로운 잠자리.
고침 (高枕) 명 높은 베개.
고침-단명 (高枕短命) 명 베개를 높이 베면 오래 살지 못한다는 말.
고칫-대 [-치때/-칟때] 명 솜으로 고치를 마는 수수목대 따위.
고콜 명 예전에, 불붙은 관솔을 올려놓기 위해 벽에 뚫어 놓은 구멍.
고콜-불 [-뿔] 명 고콜에 켜는 관솔불.
고:탑 (古塔) 명 옛 탑.
고탑 (高塔) 명 높은 탑.
고:태 (古態) 명 예스럽고도 수수한 모습.
고:태의연-하다 (古態依然-) 형여불 옛 모습이 변하지 않고 그대로 있다.
고:택 (古宅) 명 옛날에 지은 집.
고:토 (故土) 명 고향 땅. 또는 옛날의 영토.
고통 (苦痛) 명 몸이나 마음의 괴로움과 아픔. ¶~을 겪다 / ~이 심하다.
고통-스럽다 (苦痛-) [-스러우니, -스러워] 형ㅂ불 몸이나 마음이 괴롭고 아프다. ¶고통스러운 표정을 짓다 / 말하는 것조차 ~. **고통-스레** 부. ¶환자가 ~ 몸을 뒤척거린다.
고투 (苦鬪) 명하자 힘들게 싸우거나 노력함. 고전. ¶온갖 ~ 끝에 성공하다.
고:판 (古版) 명 **1** 옛 목판. **2** '고판본'의 준말. ↔신판(新版).
고:판-본 (古版本) 명 **1** 옛 목판본의 총칭. **2** 신판의 책에 대하여 그 이전의 책.
고패 명 깃발이나 두레박 따위의, 물건을 높은 곳에 달아 올렸다 내렸다 할 때 줄을 걸치는 작은 바퀴나 고리.

고패

고팽이 명 **1** 새끼나 줄을 사려 놓은 한 돌림. 또는 그 세는 단위《의존 명사적으로도 씀》. **2** 어떤 거리의 한 왕복. 또는 그 세는 단위《의존 명사적으로도 씀》. ¶한 ~ / 두 ~. **3** 《건》 단청에서, 나선형으로 된 무늬를 일컫는 말.
고평 (考評) 명하타 시문(詩文)의 우열을 평가하여 결정함.
고평 (高評) 명 남의 평론이나 평가의 높임말. ¶선생님의 ~을 바랍니다.
고폐 (痼弊) [-/-페] 명 뿌리가 깊어 고치기 어려운 폐단.
고푸리다 타 몸을 앞으로 고부리다. 큰구푸리다. 센꼬푸리다. 「풍치.
고:풍 (古風) 명 **1** 옛날의 풍속. **2** 예스러운
고풍 (高風) 명 **1** 높은 곳에서 부는 바람. **2** 뛰어나고 고상한 풍채나 품격. **3** 남의 풍채의 존칭.
고:풍-스럽다 (古風-) [-스러우니, -스러워] 형ㅂ불 예스러운 분위기가 있다. ¶고풍스러운 전통 가옥. **고:풍-스레** 부
***고프다** [고프니, 고파] 형 배 속이 비어 음식을 먹고 싶다. 시장하다. ¶배가 고파 더 이상 걸을 수 없다.
-고프다 [-고프니, -고파] 준 '-고 싶다'가 줄어든 말. ¶보~ / 가고파라 내 고향. 「적.
고:필 (古筆) 명 **1** 오래된 붓. **2** 옛사람의 필
고하 (高下) 명 **1** 나이의 많음과 적음. ¶나이의 ~를 가리지 않고 똑같이 분배한다. **2** 신분·지위의 높음과 낮음. 위아래. 상하(上下). 귀천(貴賤). ¶신분의 ~를 막론하고 죄인은 벌을 받는다. **3** 품질·내용의 좋음과 나쁨. 우열. **4** 값이 비싸고 쌈.
고하-간 (高下間) 명 (주로 '고하간에'의 꼴로 쓰여) **1** 값이 비싸든 싸든 따지지 아니함. ¶값은 ~에 사겠다. **2** 신분·지위가 높든지 낮든지 따지지 아니함. ¶지위의 ~에 출입은 안 된다. **3** 나이가 많든 적든 따지지 아니함. **4** 품질·내용이 좋든 나쁘든 따지지 아니함.

고:-하다 (告-) 타여불 1 윗사람에게 알리다. 아뢰다. ¶웃어른께 자초지종을 ~. 2 이르다. 까바치다. ¶잘못을 ~. 3 알리거나 말하다. ¶작별을 고할 시간이 되었다 / 군사 독재 시대가 종말을 ~.
고학 (苦學) 명하자 학비를 자기 손으로 고생하여 벌어서 배움. ¶~생 / 그는 ~으로 대학까지 졸업했다.
고-학년 (高學年)[-항-] 명 높은 학년. ↔저학년.
고-학력 (高學歷)[-항녁] 명 학력이 높음. ¶~을 지닌 사람들의 취업률은 생각보다 적었다.
고한 (枯旱) 명하자 가뭄 때문에 식물이 말라 죽음.
고함 (高喊) 명 크게 외치는 소리.
고함-지르다 (高喊-) 〔-지르니, -질러〕 자르불 큰 소리로 부르짖다.
고함-치다 (高喊-) 자 크게 소리치다.
고:해 (告解) 명하자 〖가〗 '고해 성사'의 준말.
고해 (苦海) 명 〖불〗 괴로움이 끝이 없는 이 세상. ¶인간 ~.
고:해 성:사 (告解聖事) 〖가〗 일곱 가지 성사의 하나. 세례를 받은 신자가 지은 죄를 뉘우치고 천주님의 대리자인 사제(司祭)에게 고백하여 용서를 받는 일. 준고해.
고행 (苦行) 명하자 1 〖불〗 육신을 괴롭히고 고뇌를 견뎌 내는 수행(修行). 2 괴로운 일을 겪는 것.
***고향** (故鄕) 명 1 자기가 태어나서 자라난 곳. ¶~을 떠나 타향살이를 하다. 2 자기 조상이 오래 누려 살던 곳. ¶선산이 있는 ~으로 성묘를 가다. 3 마음이나 영혼의 안식처. ¶마음의 ~. 4 어떤 사물이나 현상이 시작된 곳. ¶명작의 ~.
고혈 (膏血) 명 1 사람의 기름과 피. 2 남의 심신을 괴롭혀 얻은 이익의 비유.
고혈을 짜내다 구 고혈을 짜다.
고혈을 짜다 구 가혹하게 착취하거나 징수하다. ¶백성의 ~.
고혈-단신 (孤孑單身) 명 피붙이가 전혀 없는 외로운 몸.
고-혈압 (高血壓) 명 〖의〗 혈압이 비정상적으로 높은 병적 상태. 보통, 최고 150-160 mmHg 이상, 최저 90-95 mmHg 이상의 경우를 말함. ¶~으로 쓰러지다 / ~으로 고생하고 있다. ↔저혈압.
고혈압-증 (高血壓症) 명 〖의〗 고혈압.
고형 (固形) 명 질이 단단하고 굳은 일정한 형체. ¶~ 연료 / ~ 수프.
고형 알코올 (固形alcohol) 〖화〗 비누 등에 알코올을 흡수시킨 고형물《휴대용 연료로 씀》. 고체 알코올.
고혹 (蠱惑) 명하자 아름다움이나 매력 같은 것에 홀려 정신을 못 차림. ¶~을 느끼다.
고혼 (孤魂) 명 의지할 곳 없이 떠돌아다니는 외로운 넋. ¶~을 달래다.
고:화 (古畫) 명 옛날의 그림.
고환 (睾丸) 명 〖생〗 포유류의 정소(精巢). 음낭 안에 있고 한쪽이 갸름한 원형이며, 정자의 형성, 남성 호르몬의 분비를 함. 불알.
고황 (膏肓) 명 심장과 횡격막 사이. 병이 그 속에 들어가면 낫기 어렵다는 부분.
고황에 들다 구 병이 몸속 깊이 들어 고치기 어렵게 되다.
고황지질 (膏肓之疾) 명 병이 고황에 들어 생긴, 낫기 어려운 병.
고:희 (古稀)[-히] 명 '일흔 살'의 일컬음. ☞나이.
고:희-연 (古稀宴)[-히-] 명 일흔 살이 되는 해에 베푸는 생일잔치. 희연.
***곡** (曲) 명 1 '곡조'의 준말. 2 '악곡(樂曲)'의 준말. 3 악곡이나 노래를 세는 단위《의존 명사적으로도 씀》. ¶노래 세 ~을 이어 부르다.
곡 (哭) 명하자 1 소리를 내어 욺. 또는 그 소리. 2 제사나 장례를 지낼 때에 일정한 소리를 내어 욺. 또는 그 소리. ¶~하는 소리가 구슬프다.
-곡 (曲) 미 어떤 종류의 노래나 악곡임을 나타내는 말. ¶교향~ / 합창~.
곡가 (穀價) 명 곡식의 가격.
곡곡 (曲曲) 명 1 굴곡이 많은 산천이나 도로의 굽이굽이. 2 '방방곡곡'의 준말.
곡-괭이 명 단단한 땅을 파는 데 쓰는 쇠로 만든 연장. 황새 주둥이 모양의 날을 양쪽으로 길게 내고 가운데 구멍에 긴 자루를 박음.

곡괭이

곡균 (麴菌) 명 누룩곰팡이.
곡기 (穀氣) 명 낟알기. ¶이틀째 ~를 입에 넣어 보지 못했다.
곡기를 끊다 구 음식을 먹지 못하거나 먹지 아니하다.
곡도 (穀道) 명 〖한의〗 대장(大腸)과 항문.
곡론 (曲論)[공논] 명하자 이치에 맞지 아니하는 이론을 폄. 또는 그 이론.
곡류 (曲流)[공뉴] 명하자 물이 굽이져 흐름. 또는 그 흐름이나 물.
곡류 (穀類)[공뉴] 명 쌀·보리 등의 곡식.
곡률 (曲律)[공뉼] 명 〖악〗 악곡의 선율.
곡률 (曲率)[공뉼] 명 〖수〗 곡선이나 곡면의 굽은 정도를 나타내는 수.
곡마 (曲馬)[공-] 명 말을 타고 여러 가지 재주를 부림. 또는 그 재주.
곡마-단 (曲馬團)[공-] 명 곡마와 그 기술(奇術) 및 여러 가지 요술 등을 부리는 흥행 단체. 서커스. ¶~의 묘기에 아이들이 탄성을 지른다.
곡면 (曲面)[공-] 명 평평하지 않고 굽은 면. 곡선으로 이루어진 면으로, 공·달걀 등의 표면 따위. ↔평면.
곡명 (曲名)[공-] 명 악곡의 이름. 곡목.
곡목 (曲目)[공-] 명 〖악〗 1 노래하거나 연주할 곡명을 적어 놓은 목록. ¶~ 중에는 애창곡도 들어 있다. 2 곡명(曲名).
곡물 (穀物)[공-] 명 곡식. ¶~로 술을 빚다 / 수확한 ~을 창고에 보관하다.
곡물-상 (穀物商)[공-쌍] 명 1 곡물을 매매하는 장사. 또는 그 장수. 2 곡물을 파는 가게.
곡분 (穀粉) 명 곡물을 빻거나 갈아서 만든 가루《쌀가루·보릿가루·밀가루 등》.
곡비 (曲庇) 명하타 1 힘을 다하여 보호하여 줌. 2 사실을 감추고 남을 편들고 감쌈.

곡-빙하(谷氷河) 명 〖지〗 골짜기를 따라 흘러내리는 빙하《히말라야·알프스 등지에 발달됨》. 골빙하.
곡사(曲射) 명하타 〖군〗 장애물 뒤의 목표를 사격할 때, 곡선을 그리는 탄도(彈道)로 높이 쏘아 목표물에 떨어지도록 사격함. 또는 그 사격.
곡사-포(曲射砲) 명 〖군〗 곡사를 하는 포《박격포 따위》.
곡삼(曲蔘) 명 굵은 꼬리를 꼬부려서 말린 백삼.
곡선(曲線) 명 **1** 부드럽게 구부러진 선. **2** 〖수〗 직선만으로는 이루어지지 아니하는 선. ↔직선.
곡선-미(曲線美) 명 **1** 회화·조각·건축 등에 곡선으로 표현된 아름다움. ↔직선미. **2** 육체의 곡선에서 나타나는 아름다움.
곡성(哭聲) 명 곡소리.
곡-소리(哭–) 명 곡하는 소리. 곡성(哭聲).
곡수(曲水) 명 굽이굽이 휘어 흐르는 물.
 곡수(를) 놓다 구 곡수를 수놓다.
 곡수(를) 틀다 구 곡수를 그리다.
곡수(谷水) 명 골짜기의 물. 골물.
***곡식**(穀食) 명 사람의 식량이 되는 쌀·보리·콩·조·수수 따위의 총칭. 곡물. ¶ ~이 잘 여물다 / 들판에 ~이 한창 익어가고 있다.
곡신(穀神) 명 〖민〗 곡식을 맡아 다스린다는 신.
곡예(曲藝) 명 줄타기·공타기·곡마·요술·재주넘기 따위 연예의 총칭. ¶공중 ~ / 아슬아슬한 ~를 펼치다.
곡예-사(曲藝師) 명 곡예를 전문으로 하는 사람.
곡용(曲用) 명 〖언〗 체언에 격조사(格助詞)가 붙어 어형(語形)이 바뀌는 일. 격 변화.
곡우(穀雨) 명 이십사절기의 여섯째《청명과 입하 사이에 들며 양력 4월 20일이나 21일경》.
곡읍(哭泣) 명하자 소리를 내어 섧게 욺.
곡일(穀日) 명 〖민〗 음력 정월 초여드렛날. 농가에서 1년 농사를 점치던 날임.
곡자(曲子·麯子) 명 누룩.
곡절(曲折) 명 **1** 복잡하게 얽힌 사정이나 이유. 까닭. ¶많은 ~을 겪다 / 거기에는 무슨 ~이 있을 게다. **2** 구불구불 꺾여 있는 상태. **3** 글의 문맥 따위가 단조롭지 않고 변화가 많음.
곡절(曲節) 명 〖악〗 곡조의 마디.
곡조(曲調) 一명 음악이나 노래의 가락. ¶슬픈 ~. 준곡·조. 二의명 곡목을 세는 단위. ¶노래 한 ~ 부르다.
곡주(穀酒) 명 곡물로 빚은 술.
곡직(曲直) 명 굽음과 곧음의 뜻으로, 사리의 옳고 그름. ¶ ~을 가리다.
곡진-하다(曲盡–) 형여불 **1** 마음과 정성이 지극하다. ¶대접이 ~. **2** 자세하고 간곡하다. ¶곡진한 사연. **곡진-히** 부
곡차(曲茶·穀茶·麯茶) 명 〖불〗 곡식으로 빚은 술《절에서 쓰는 말》. 곡다.
곡창(穀倉) 명 **1** 곡식을 저장하여 두는 창고. **2** 곡식이 많이 나는 지방을 가리키는 말. 곡향(穀鄕). ¶한국의 ~ 호남평야.
곡철(曲鐵) 명 **1** 직각형으로 된 쇳조각. 곡쇠. **2** 〖악〗 양금(洋琴)의 줄을 고르는 데 쓰는 기구.
곡필(曲筆) 명하타 사실을 바른 대로 쓰지 않고 일부러 그릇되게 씀. 또는 그 글.
곡-하다(曲–)[고카–] 형여불 **1** 사리가 옳지 않다. **2** 고깝다.
곡학(曲學)[고칵] 명 정도를 벗어난 학문.
곡학-아세(曲學阿世)[고칵–] 명하자 〔중국 전한(前漢)의 학자 원고(轅固)가 후진(後進)인 공손홍(公孫弘)을 타이르던 말 : 사기(史記)의 유림전(儒林傳)〕 바른 길에서 벗어난 학문으로 세상 사람에게 아첨함.
곡해(曲解)[고캐] 명하타 사실과 어긋나게 잘못 이해함. ¶친구의 의도를 ~하다 / 자기 주장이 ~되기를 바라지 않다.
곤(坤) 명 '곤괘(坤卦)'의 준말.
–곤[1] 어미 '–고는[1]'의 준말. ¶그는 종종 술에 취해 나를 찾아오~ 하였다 / 일요일이면 공원에 나가~ 하였다.
–곤[2] 어미 '–고는[2]'의 준말. ¶너하~ 안 갈래 / 빚지~ 못 배긴다.
곤:경(困境) 명 어려운 경우나 처지. ¶ ~에서 벗어나다 / ~에 처하다.
곤괘(坤卦) 명 〖민〗 팔괘의 하나. 음(陰)의 괘로, 상형은 '☷'인데, 땅을 상징함. 준곤.
곤:궁(困窮) 명하형히부 **1** 가난하여 살림이 구차함. ¶ ~한 살림 / ~에서 헤어나지 못하다. **2** 처지가 난처하고 딱함. ¶ ~에 처하다 / ~에 몰리다.
곤:궁-스럽다(困窮–)〔–스러우니, –스러워〕 형ㅂ불 가난하고 구차하게 보이다. **곤:궁-스레** 부
곤댓-짓[–대찓 / –댄찓] 명하자 잘난 체하며 뽐내는 고갯짓.
곤돌라(이 gondola) 명 **1** 이탈리아 베네치아의 명물인 길고 좁은 배. 길이 9m, 폭 1.5m 가량인데, 상앗대로 저어가며 유람선과 나룻배로 사용함. **2** 고층 건물의 옥상에서 늘어뜨려 짐을 오르내리는 시설.
곤:두-곤두 감 어린아이를 손바닥 위에 세울 때에 가락을 맞추기 위하여 내는 소리.
곤두-박다 자 높은 데서 거꾸로 떨어지다.
곤두-박이다 자 《'곤두박다'의 피동》 머리가 땅에 닿도록 거꾸로 넘어지게 되다.
곤두박이-치다 자 높은 곳에서 머리가 아래로 가게 거꾸로 떨어지다.
곤두박-질 명하자 **1** 몸을 번드쳐 급히 거꾸로 박히는 짓. ¶비행기가 ~하여 추락하다. **2** 좋지 않은 상태로 급히 떨어짐의 비유. ¶주가가 ~을 거듭하다.
곤두박질-치다 자 **1** 몸을 번드쳐 급히 거꾸로 내리박히다. **2** 좋지 않은 상태로 급히 떨어지다. ¶시장 점유율이 ~ / 수은주가 영하로 곤두박질쳤다.
곤두-서다 자 **1** 거꾸로 꼿꼿이 서다. ¶무서워서 머리털이 곤두서는 것 같다. **2** 날카롭게 긴장하다. ¶신경이 ~.
곤두세우다 타 《'곤두서다'의 사동》 **1** 거꾸로 꼿꼿이 서게 하다. ¶귀를 ~. **2** 신경 따위를 날카롭게 긴장시키다. ¶촉각을 ~.
곤드라-지다 자 **1** 술에 취하거나 피곤하여 정신없이 쓰러져 자다. ¶술에 잔뜩 취해 길바닥에 곤드라졌다. **2** 곤두박질하여 쓰러지다. 큰군드러지다.
곤드레 부하자 '곤드레만드레'의 준말.

곤드레-만드레 부 하자 술이나 잠에 몹시 취하여 정신을 차리지 못하고 몸을 가누지 못하는 모양. ¶~가 되도록 취하다. 준 곤드레.

곤:란 (困難)[골-] 명 하형 히부 사정이 매우 딱하고 어려움. 또는 그런 일. ¶생활이 ~하다 / 답변하기 ~한 질문이라 얼버무리고 말았다 / 태풍의 영향으로 마을 전체가 적잖은 ~을 겪었다.

곤:란-스럽다 (困難-)[골-]〔-스러우니, -스러워〕 형 ㅂ불 사정이 매우 딱하고 어려운 듯하다. **곤:란-스레**[골-] 부

곤로 (일 こんろ) 명 풍로.

곤:룡포 (袞龍袍)[골-] 명〔역〕 임금이 입던 정복. 준 용포(龍袍).

곤룡포

곤:마 (困馬) 명 **1** 사람이 오래 타서 지친 말. **2** 바둑에서, 살기 어렵게 된 돌.

곤봉 (棍棒) 명 **1** 체조 용구의 하나. 단단한 나무를 깎아서, 손잡이 부분은 가늘고 그 반대쪽은 굵게 만든 것으로, 곤봉 체조에 사용함. **2** 짤막한 방망이.

곤봉1

곤봉 체조 (棍棒體操) 양손에 곤봉을 하나씩 가지고 하는 체조.

곤:비-하다 (困憊-) 형 여불 힘이 없고 지쳐 몹시 고단하다. 곤핍하다.

곤-색 (-色) 명〔일 紺 : こん〕 감색(紺色).

곤:욕 (困辱) 명 심한 모욕. 또는 참기 힘든 일. ¶갖은 ~을 겪다 / 되게 ~을 치르다.

곤:욕-스럽다 (困辱-)〔-스러우니, -스러워〕 형 ㅂ불 곤욕을 느끼게 하는 데가 있다. ¶이런 음식을 먹으라니 정말 ~.

곤이 (鯤鮞) 명 **1** 물고기 배 속의 알. **2** 물고기의 새끼.

곤장 (棍杖) 명〔역〕 죄를 다스릴 때 볼기를 치던 형구의 하나. 버드나무로 넓적하고 길게 만든 몽둥이.

곤쟁이 명〔동〕 새우의 한 종류. 보리새우와 비슷한데, 작고 몸이 연함《젓을 담가 먹음》. 노하(滷蝦). 자하(紫蝦).

[곤쟁이 주고 잉어 낚는다] 적은 자본을 들여 큰 이익을 본다.

곤전 (坤殿) 명〔역〕 중궁전.

곤죽 (-粥) 명 **1** 몹시 질어서 질퍽질퍽한 것. ¶밥이 ~이 되었다 / 길이 ~이다. **2** 일이 엉망진창이 되어 갈피를 잡기 어려운 상태. ¶그의 실수가 일을 ~으로 만들었다. **3** 과로·병·주색 등으로 몸이 힘없이 늘어진 모습을 비유적으로 이르는 말. ¶~이 되도록 술을 마셨다.

곤지 명 전통 혼례식에서, 신부가 단장할 때 이마에 연지로 찍는 붉은 점.

곤지-곤지 명 감 하자 젖먹이의 왼손 손바닥에 오른손 집게손가락을 댔다 뗐다 하라는 뜻으로 내는 소리. 또는 그 동작.

*__곤충__ (昆蟲) 명 **1** 벌레의 속칭. ¶새가 ~을 잡아먹는다. **2** 곤충류의 동물. ¶~ 채집.

곤충-강 (昆蟲綱) 명〔동〕 절지동물의 한 강(綱). 몸은 많은 마디로 되고 머리·가슴·배의 세 부분으로 구분됨. 머리에 한 쌍의 촉각과 겹눈, 가슴에 두 쌍의 날개와 세 쌍의 다리가 있고 가슴·배의 기문(氣門)으로 호흡함. 자웅 이체로 대개 난생(卵生)하며, 육지에서 삶. 곤충류.

곤충-류 (昆蟲類)[-뉴] 명 곤충강의 동물을 일상적으로 일컫는 말.

곤:핍-하다 (困乏-)[-피파-] 형 여불 곤비하다. ¶심신이 극도로 곤핍해지다.

곤:-하다 (困-) 형 여불 **1** 몸이 기운이 없고 나른하다. ¶연일의 피로가 쌓여 몹시 ~. **2** 몹시 고단하여 자는 잠이 깊다. ¶곤한 잠에 빠지다. **3** 잠이 오거나 술에 취하여 정신을 가눌 수 없다. **곤:-히** 부. ¶~ 자다.

곤:혹 (困惑) 명 하자 곤란한 일을 당해 어찌할 바를 모름. ¶질문에 ~을 느끼다.

곤:혹-스럽다 (困惑-)〔-스러우니, -스러워〕 형 ㅂ불 곤혹을 느끼게 하는 데가 있다. ¶뜻밖의 손님을 맞아 몹시 ~. **곤:혹-스레** 부

*__곧__[1] 부 **1** 그 때를 놓치거나 그 자리를 옮기지 아니하고 바로. ¶~ 떠나라. **2** 시간적으로 얼마 되지 않아서. ¶입춘이 지났으니 ~ 봄이 오겠지. **3** '다시 말하면'·'바꾸어 말하면'의 뜻의 접속 부사. ¶이것이 ~ 문명의 이기라는 것이다.

곧[2] 조 어떤 일이 있을 때마다 반드시 어떤 사실이 따름을 나타낼 때, 앞의 사실의 주어에 붙어 '만'의 뜻을 나타내는 보조사《예스러운 표현으로 씀》. ¶밤~ 되면 운다.

*__곧다__ 형 **1** 구부러지거나 비뚤어지지 않고 똑바르다. ¶쪽 곧은 선. **2** 마음이 외곬으로 바르다. 정직하다. ¶심지가 곧은 사람.

[곧은 나무 먼저 찍힌다] 똑똑하거나 정직한 사람이 먼저 도태된다.

곧-바로 부 **1** 즉시. ¶그는 학교 졸업 후 ~ 군대에 갔다. **2** 곧은 방향으로. ¶~ 내뻗은 길. **3** 다른 곳을 거치지 아니하고. ¶학교가 파하면 ~ 집으로 오너라. **4** 멀지 아니한 바로 가까이에. ¶모퉁이를 돌면 ~ 가게가 있다.

곧은-결 명〔건〕 결이 곧은 나무를 나이테와 직각되게 켠 면에서 나타난 나뭇결.

곧은-뿌리 명〔식〕 원뿌리가 잘 발달하여 땅속으로 곧게 내리는 뿌리. 직근(直根).

곧은-줄기 명〔식〕 땅 위로 곧게 서서 자라는 줄기. 직립경(直立莖).

곧은-창자 명 **1**〔생〕 직장(直腸). **2** 아주 고지식한 사람. **3** 음식을 먹고 바로 화장실로 가는 사람을 놀림조로 이르는 말.

곧이-곧대로 [고지-] 부 아무 꾸밈이나 거짓이 없이 있는 그대로. ¶~ 말하다 / ~ 믿다 / ~ 일을 처리하다.

곧이-듣다 [고지-]〔-들으니, -들어〕 타 ㄷ불 남의 말을 고지식하게 그대로 믿다. ¶농담을 ~ / 이젠 콩으로 메주를 쑨다 해도 곧이듣지 않는다.

*__곧잘__ 부 **1** 제법 잘. 꽤 잘. ¶그는 노래를 ~ 한다. **2** 가끔가다 잘. ¶~ 넘어지곤 한다.

곧장 부 **1** 똑바로 곧게. ¶이 길로 ~ 가면 정류장이 나온다. **2** 멈추지 않고 바로. 곧이어 바로. ¶소식을 듣고 ~ 달려왔다.

곧추 부 굽히거나 구부리지 않고 곧게.

곧추다 타 굽은 것을 곧게 하다.

곧추-들다 〔-드니, -드오〕 타 위를 향하여

곧게 쳐들다.
곧추-뜨다 〔-뜨니, -떠〕 재타 **1** 눈을 위로 향하여 뜨다. **2** 눈을 부릅뜨다.
곧추-서다 재 꼿꼿이 서다.
곧추세우다 타 《'곧추서다'의 사동》 꼿꼿이 서게 하다. ¶바람에 쓰러진 고춧대를 ~.
곧추-안다 [-따] 타 어린아이를 곧게 세워서 안다.
곧추-앉다 [-안따] 재 꼿꼿이 앉다.
골[1] 명 **1** 〖생〗 골수1. **2** '머릿골2'의 준말. ¶~이 아프다.
골(을) 썩이다 구 어떤 일로 몹시 애를 태우며 고민하다.
골(이) 비다 구 〈속〉 머리에 든 것이 없다. 지각이나 소견이 없다. ¶골이 빈 사람이나 그런 짓을 하겠지.
골(이) 저리다 구 찬 기운으로 뼛속까지 저리다.
골[2] 명 언짢거나 비위가 상하여 벌컥 내는 화. ¶~을 내다.
골이 상투 끝까지 나다 구 몹시 화가 나다.
골(이) 오르다 구 화가 치밀어 오르다.
골[3] 명 모자나 신 또는 부어서 만드는 물건을 만들 때, 혹은 만든 뒤에 그 물건의 모양의 테두리를 잡는 틀. ¶망건~/구둣~.
골[4] 명 종이·피륙·나무 따위를 똑같이 나누어 오리거나 접는 금.
골:[5] 명 **1** '골목'의 준말. **2** 표면에 길게 파지거나 들어간 자국. ¶이마에 ~이 깊게 주름이 지다/계층 간의 ~이 깊어지다. **3** 깊은 구멍. **4** 골짜기. ¶~이 깊다. **5** '고랑'의 준말. ¶~을 타서 밑거름을 넣다.
골로 가다 구 〈속〉 죽다.
골:[6] 명 '고을'의 준말.
골(骨) 명 **1** 뼈1. **2** 〖역〗 신라 때 왕족을 혈통상으로 본 등급. *성골·진골.
골(goal) 명 **1** 축구·농구·핸드볼·하키·럭비 따위에서 공을 넣으면 득점하게 되는 문이나 바구니 모양의 표적. **2** 축구·농구·핸드볼·하키 따위에서 공을 넣어 득점하는 일. 또는 그 득점. ¶한 ~ 차로 이겼다.
골각-기(骨角器) 명 석기 시대에, 동물의 뼈·뿔 또는 엄니로 만든 기구.
골간(骨幹) 명 **1** 뼈대1. **2** 사물의 중요한 부분. ¶일의 ~을 이루다.
골강(骨腔) 명 〖생〗 골수가 차 있는 관상골(管狀骨) 속의 빈 부분. 골수강.
골갱이 명 **1** 물질 속의 단단한 부분. **2** 말이나 일에서 중심이 되는 줄거리. 골자.
골:-걷이 [-거지] 명하타 곡식을 심은 밭고랑의 잡풀을 뽑아 없애는 일.
골격(骨格) 명 〖생〗 **1** 동물의 체형을 이루고 지탱하게 하며 근육을 부착하게 하는 기관. 뼈대. **2** 어떤 사물이나 일의 기본이 되는 틀이나 줄거리. ¶~을 짜다/건물의 ~이 하나하나 이루어져 간다.
골격-근(骨格筋) 명 〖생〗 골격을 움직이는 근육《모두 가로무늬근으로, 중추 신경의 지배를 받아 몸의 운동을 맡음》.
골계(滑稽)[-/-게] 명 익살.
골고루 부 '고루고루'의 준말. ¶~ 나누다.
골-골[1] 부하자 병이 오래되거나 몸이 약하여 시름시름 앓는 모양. ¶~하는 마누라/병치레하느라고 늘 ~한다.
골-골[2] 부하자 암탉이 알겯는 소리.
골골-거리다[1] 재 병이 오래되거나 몸이 약하여 시름시름 자주 앓다.
골골-거리다[2] 재 암탉이 알겯는 소리를 자꾸 내다.
골골-대다[1] 재 골골거리다[1].
골골-대다[2] 재 골골거리다[2].
골:골샅샅-이 [-삳싸치] 부 한 군데도 빼놓지 않고 갈 수 있는 곳은 어디든지. ¶~ 뒤지다.
골-관절(骨關節) 명 〖생〗 뼈의 관절. 뼈마디.
골-김 [-낌] 명 (주로 '골김에'·'골김으로'의 꼴로 쓰여) 골이 났던 그 바람. 홧김. ¶~에 뺨을 때리다.
골-나다 [-라-] 재 비위에 거슬리거나 마음이 언짢아서 성이 나다.
골-내다 [-래-] 재 비위에 거슬리거나 마음이 언짢아서 성을 내다.
골-네트(goal net) 명 축구·하키 등에서, 골의 윗면·측면 및 뒤에 그물처럼 친 망.
*****골:다** 〔고니, 고오〕 타 잘 때 숨을 따라 콧구멍으로 드르렁 소리를 내다. ¶코를 ~.
골다공-증(骨多孔症)[-쯩] 명 〖의〗 뼈의 단백질·무기질이 줄어서, 뼈의 조직이 엉성해지는 증세. 골조송증(骨粗鬆症).
골-대(goal-) 명 골포스트(goalpost). ¶중거리 슛이 ~를 맞고 튀어나오다.
골동(骨董)[-똥] 명 **1** 골동품1. **2** 여러 가지 자질구레한 물건을 한데 섞은 것.
골동-품(骨董品)[-똥-] 명 **1** 오래되고 희귀한 세간이나 미술품. 골동. ¶~상(商). **2** 오래되었을 뿐 가치도 없고 쓸모도 없는 물건. 또는 그러한 사람.
골든 디스크(golden disk) 백만 장 이상 팔린 레코드. 미국 레코드 협회에서, 백만 장 이상 팔린 레코드에 대해 금빛 레코드를 준 데서 나온 이름.
골든-아워(golden+hour) 명 청취율이나 시청률이 가장 높은 방송 시간대.
골-딱지 명 〈속〉 골[2]. ¶~를 부리다/~가 나서 못 참겠다.
골똘-하다 형여불 〔←골독(汨篤)하다〕 한 가지 일에 온 정신을 쏟아 딴 생각이 없다. ¶그는 무엇인가 골똘하게 생각하더니 벌떡 일어났다. **골똘-히** 부. ¶~ 궁리하다.
골:라-내다 타 여럿 중에서 골라 따로 집어내다. ¶쌀에서 뉘를 ~.
골-라인(goal line) 명 **1** 결승선. **2** 축구·하키 따위에서, 골포스트를 따라 그은 선. ¶~ 아웃.
골:라-잡다 타 여럿 중에서 마음에 드는 대로 골라 가지거나 정하다. ¶마음대로 ~/전망 좋은 방을 ~.
골락-새 명 〖조〗 크낙새.
골리다 타 남을 놀리어 약을 올리거나 골이 나게 하다. ¶별명을 부르며 친구를 ~.
골:-마루 명 **1** 안방이나 건넌방 뒤에 딸려 붙은 골방같이 좁은 마루. **2** 집과 집 사이 또는 집의 가장자리에 잇따라 골처럼 만든 좁고 긴 마루. 복도.
골마지 명 간장·술·초·김치 등 물기 많은 식료품의 겉면에 생기는 곰팡이 같은 물질. 발만(醱醂). ¶~가 끼다.

골막-염 (骨膜炎)[-망념] 명 〖의〗 화농균의 감염이나 매독·유행성 감기·타박상에 의한 자극 등으로 생기는 골막의 염증.
골-머리 명 〈속〉 머릿골.
골머리(를) 썩이다 구 몹시 애를 쓰며 생각에 몰두하다.
골머리(를) 앓다 구 어떻게 해야 좋을지 몰라서 머리가 아플 정도로 생각에 몰두하다. 골치(를) 앓다.
***골:목** 명 집들 사이로 나 있는 좁은 길. ¶막다른 ~. 준골.
골:목-골목 부 골목마다. 모든 골목.
골:목-길 명 골목.
골:목-대장 (-大將) 명 〈소아〉 동네에서 어린아이들의 대장 노릇을 하는 아이.
골:목-쟁이 명 골목에서 더 깊숙이 들어간 좁은 곳. ¶~에 꼬마들이 모여 딱지치기에 정신이 없다.
골몰 (汨沒) 명하자히부 다른 생각을 할 여유도 없이 한 가지 일에만 온 정신을 쏟음. ¶독서에 ~하다.
골무 명 바느질할 때, 바늘을 눌러 밀기 위하여 바늘 쥔 손가락 끝에 끼는 물건.
골-문 (goal門) 명 축구나 핸드볼, 하키 따위에서, 공을 넣어 득점하게 되어 있는 문.
골밑-샘 [-민쌤] 명 〖생〗 뇌하수체.
골:-바람 [-빠-] 명 골짜기에서 산 위로 부는 바람. 곡풍(谷風).
골반 (骨盤) 명 〖생〗 허리뼈와 등골뼈에 붙어 배 속의 장기를 싸고 있는 뼈. 엉덩뼈.
골:-방 (-房) 명 큰방 뒤쪽의 작은방.
골-백번 (-百番) 명 '여러 번'을 강조하여 이르는 말. ¶그에게는 ~ 설명해도 소용이 없다.
골뱅이 명 연체동물 복족류에 속하며, 몸이 타래처럼 꼬인 껍데기 속에 들어 있는 동물의 통칭《다슬기류·우렁이류 따위》.
골-병 (-病) 명 겉으로 나타나지 않고 속으로 깊이 든 병. ¶~이 들 만큼 얻어맞다.
골병-들다 (-病-) [-드니, -드오] 자 겉으로는 나타나지 않으나 속으로 병이 깊이 들다. ¶계단에서 굴러 온몸에 골병들었다.
골분 (骨粉) 명 지방을 뽑은 동물의 뼈로 만든 가루《사료나 비료로 씀》.
골산 (骨山)[-싼] 명 나무는 없고 바위와 돌만으로 된 산.
골상 (骨相)[-쌍] 명 얼굴이나 머리뼈의 겉으로 나타난 길흉화복의 상. ¶~을 보다.
골:-쇠 명 〖광〗 골짜기 밑바닥에 있는 사금(砂金)의 층.
골수 (骨髓)[-쑤] 명 1 〖생〗 뼈의 속에 가득 차 있는 결체질의 물질. 2 마음속 깊은 곳. 뼛속. 뼛골. 3 요점. 골자. 4 어떤 사상·종교·일 등에 깊이 빠져 있거나 철저하게 따르는 사람. ¶~ 보수파.
골수에 맺히다 구 잊혀지지 않고 마음속 깊이 응어리져 있다.
골수에 사무치다 구 원한·생각이 잊을 수 없을 만큼 크다. ¶한이 골수에 사무치다.
골수에 새기다 구 잊지 않고 마음속 깊이 새기어 간직하다.
골수-분자 (骨髓分子)[-쑤-] 명 〈속〉 조직체에서 가장 핵심이 되는 구성 요원.
골수-염 (骨髓炎)[-쑤-] 명 〖의〗 화농균·외상 등으로 골수에 생기는 염증.
골:-안개 명 골짜기에 끼는 안개《주로 새벽에 낌》. ¶~가 자욱하다.
골-연화증 (骨軟化症)[-쯩] 명 〖의〗 골조직에서 칼슘이나 인이 감소됨으로써 뼈가 물러지는 증세.
골육 (骨肉) 명 1 뼈와 살. 2 '골육지친'의 준말.
골육-상잔 (骨肉相殘) 명하자 가까운 친족끼리 서로 해치고 죽이고 함.
골육-상쟁 (骨肉相爭) 명하자 가까운 혈족끼리 서로 싸움. ¶~의 비극.
골육지친 (骨肉之親) 명 부자·형제 등 가까운 혈족. 준골육.
골인 (goal+in) 명하자 1 축구·농구 등에서, 공이 골에 들어감. ¶슛 ~. 2 경주 등에서, 경기자가 결승점에 도달함. ¶1착으로 ~하다. 3 목적·목표에 달함. 특히, 결혼함. ¶드디어 결혼에 ~하다.
골자 (骨子)[-짜] 명 일이나 말의 요점이나 핵심.
골재 (骨材)[-째] 명 콘크리트나 모르타르를 만드는 데 쓰는 모래·자갈 등의 재료. ¶천연 ~ / ~를 채취하다.
골절 (骨折)[-쩔] 명 〖의〗 뼈가 부러짐. 절골. ¶넘어져 발목이 ~되다.
골절 (骨節)[-쩔] 명 〖생〗 뼈마디1.
골절-상 (骨折傷)[-쩔-] 명 뼈가 부러지는 부상. 또는 그 상처. ¶~을 입다.
골조 (骨組)[-쪼] 명 〖건〗 1 건물의 주요 구조가 되는 뼈대. ¶~ 공사. 2 건물 뼈대의 짜임새. ¶~가 탄탄하다.
골-조직 (骨組織) 명 〖생〗 결합 조직의 하나로, 뼈를 구성하는 조직《연골·경골 조직이 있음》.
골질 (骨質)[-찔] 명 1 동물의 뼈와 같은 물질. 또는 그런 성질. 2 동물의 뼈를 구성하는 물질로, 골막과 골수를 제외한 부분.
***골짜기** 명 두 산 사이에 움푹 패어 들어간 곳. 곡지(谷地). 골. 준골짝.
골-초 (-草) 명 1 품질이 나쁜 담배. 2 담배를 많이 피우는 사람을 놀림조로 이르는 말.
골치 명 '머릿골'의 낮춤말. ¶~를 썩이다 / ~가 지끈거리다 / ~가 띵하다.
골치(가) 아프다 구 성가시고 귀찮아 머리가 아프다. ¶골치 아픈 일만 생기다.
골치(를) 앓다 구 골머리(를) 앓다.
골침 (骨針) 명 〖역〗 석기 시대에 사용하던, 사슴·새·물고기 따위의 뼈로 만든 바늘.
골칫-거리 [-치꺼- / -칟꺼-] 명 1 성가시거나 처리하기 어려운 일. ¶~가 생겨 머리가 아프다. 2 일을 잘못하거나 말썽만 피워 언제나 애를 태우는 사람이나 사물. ¶말썽만 피우던 ~가 어른스러워졌다.
골-키퍼 (goalkeeper) 명 축구·하키·핸드볼 등에서, 골을 수비하는 선수. 준키퍼.
골탄 (骨炭) 명 동물의 뼈로, 공기를 차단하고 가열해서 만든 숯.
골탕 명 〈속〉 한꺼번에 되게 당하는 손해나 곤란.
골탕(을) 먹다 구 〈속〉 한꺼번에 크게 손해를 입거나 낭패를 당하다.
골탕(을) 먹이다 구 〈속〉 한꺼번에 크게 손해를 입히거나 낭패를 당하게 하다.

골통 명 〈속〉 머리[1] 1.

골통-대 명 담배통이 굵고 크며 길이가 짧은 담뱃대《나무 따위를 깎거나 흙을 구워서 만듦》.

골통대

골:-파 명 〖식〗 **1** 백합과의 두해살이풀 또는 여러해살이풀. 높이 20-30 cm, 잎이 부드러우며, 파 대용으로 먹음. **2** 파의 하나. 밑동이 마늘 조각같이 붙고, 잎이 여러 갈래로 남.

골:-판지 (-板紙) 명 판지의 한 면 또는 2장의 판지 사이에 골이 진 얇은 종이를 덧붙인 판지《물건의 포장에 씀》.

골패 (骨牌) 명 검은 나무 바탕에 흰 뼈를 붙이고 여러 가지 수효의 구멍을 판 노름 기구의 하나. 또는 그것으로 하는 노름. **—하다** 자여불 골패로 노름을 하다.

골편 (骨片) 명 뼈의 부스러진 조각. 뼛조각.

골-포스트 (goalpost) 명 축구·핸드볼·럭비 따위에서 골 양쪽에 세운 기둥. 골대.

골품 (骨品) 명 〖역〗 신라 때, 혈통에 따라 구분한 신분 등급《진골(眞骨)·성골(聖骨) 따위》.

골프 (golf) 명 구기(球技)의 하나. 골프채로 작은 공을 쳐서 홀에 넣는 경기로 공을 친 횟수가 적은 사람이 이김.

골프-장 (golf場) 명 골프를 하는 경기장.

골프-채 (golf-) 명 골프공을 치는 채. 클럽.

골필 (骨筆) 명 먹지를 대고 복사할 때 쓰는, 촉이 뼈나 쇠로 된 필기구.

***곪:다** [곰따] 자 **1** 상처에 염증이 생겨 고름이 들게 되다. ¶상처가 덧나서 곪기 시작했다. **2** 내부의 갈등·모순·부패 등이 쌓여서 터질 정도에 이르다. ¶속속들이 곪아서 손을 댈 수 없다.

곬 [골] 명 **1** 한 방향으로 트여 나가는 길. ¶외~으로만 가다. **2** 물고기 떼가 잘 몰려다니는 일정한 길. **3** 사물의 유래. **4** 양재(洋裁)에서, 천이 겹쳐진 부분.

곯다[1] [골타] 타 음식을 양(量)에 모자라게 먹거나 굶다. ¶배를 ~.

곯다[2] [골타] 자 **1** 속이 물크러져 상하다. ¶달걀이 곯았다. **2** 은근히 해를 입어 골병들다. ¶오랜 객지 생활에 몸이 곯는다.

곯다[3] [골타] 형 **1** 곡식 같은 것이 그릇에 가득 차지 않고 조금 비어 있다. **2** 한 쪽이 푹 꺼져 있다. 큰굻다.

곯리다[1] [골-] 타 《'곯다[1]'의 사동》 먹는 것이 모자라 늘 배가 고프게 하다. ¶젖이 모자라 아이의 배를 ~.

곯리다[2] [골-] 타 《'곯다[2]'의 사동》 **1** 속이 물커져 상하게 하다. **2** 골병들게 하다. ¶부모 속을 ~.

곯아-떨어뜨리다 [골-] 타 곯아떨어지게 하다. ¶술을 먹여서 ~.

곯아-떨어지다 [골-] 자 피곤하거나 술에 몹시 취하여 정신을 잃고 자다. ¶술에 ~.

곯아-떨어트리다 [골-] 타 곯아떨어뜨리다.

곰:[1] 명 고기나 생선을 푹 삶은 국. ¶~을 곤 냄새.

***곰:**[2] 명 **1** 〖동〗 식육류(食肉類) 곰과의 동물. 깊은 산에 사는데, 몸이 비대하며, 꼬리는 짧고 털빛은 검음. 나무에 잘 오르고 헤엄도 잘 치며 겨울에는 동굴 속에서 겨울잠을 잠. 오스트레일리아·아프리카 이외 지역에 널리 분포함. **2** 미련하거나 행동이 느린 사람을 놀리는 말. ¶미련하기가 꼭 ~ 같은 친구야.
[곰 가재 뒤듯] 느릿느릿 물건을 뒤지는 꼴. [곰이라 발바닥을 핥으랴] 아무것으로도 배를 채울 것이 없다는 뜻.

곰:[3] 명 〖식〗 '곰팡이'의 준말.

곰:곰 부 곰곰이.

곰:곰-이 부 여러모로 깊이 생각하는 모양. 곰곰. ¶지난 일을 ~ 생각하다.

곰:-국 [-꾹] 명 쇠고기나 소의 뼈, 곱창·양(䑋) 등의 국거리를 흠씬 고아서 끓인 국.

곰기다 자 곪은 자리에 멍울이 생기다.

곰방-대 명 살담배를 피우는 데에 쓰는 짧은 담뱃대.

곰방대

곰방-메 명 흙덩이를 깨뜨리거나 씨를 묻는 데 쓰는, 자루 달린 나무토막으로 된 농구.

곰배-팔 명 굽거나 펴지 못하는 팔. 또는 팔뚝이 없는 팔.

곰:보 명 얼굴이 얽은 사람.

곰:-삭다 자 **1** 옷 따위가 오래되어 올이 삭고 품질이 약해지다. **2** 젓갈 따위가 오래되어 푹 삭다.

곰:-살갑다 〔곰살가우니, 곰살가워〕 형ㅂ불 겉으로 보기보다 성질이 부드럽고 다정하다. ¶생김새보다는 여간 곰살갑지가 않다. 큰굼슬겁다.

곰:-살궂다 [-굳따] 형 **1** 성질이 부드럽고 다정하다. ¶곰살궂게 굴어 사랑을 받는다. **2** 꼼꼼하고 자세하다.

곰상-곰상 부하형 성질이나 행동이 싹싹하고 부드러운 모양.

곰상-스럽다 〔-스러우니, -스러워〕 형ㅂ불 성질이나 행동이 잘고 꼼꼼한 데가 있다. **곰상-스레** 부

곰실-거리다 자 작은 벌레 따위가 느릿느릿 자꾸 움직이다. 큰굼실거리다. 센꼼실거리다. **곰실-곰실** 부하자

곰실-대다 자 곰실거리다.

곰작 부하자타 몸을 둔하고 느리게 조금 움직이는 모양. 큰굼적. 센꼼작·꼼짝.

곰작-거리다 자타 자꾸 곰작하다. 큰굼적거리다. **곰작-곰작** 부하자타

곰작-대다 자타 곰작거리다.

곰장어 명 〖어〗 꾀장어과의 바닷물고기인 '먹장어'의 딴 이름.

곰지락 부하자타 몸을 가볍게 천천히 움직이는 모양. 큰굼지럭. 센꼼지락. 준곰질.

곰지락-거리다 자타 자꾸 곰지락하다. 큰굼지럭거리다. 준곰질거리다. **곰지락-곰지락** 부하자타

곰지락-대다 자타 곰지락거리다.

곰:-탕 (-湯) 명 곰국.

곰틀 부하자타 몸을 이리저리 고부리어 움직이는 모양. 큰굼틀. 센꼼틀.

곰틀-거리다 자타 자꾸 곰틀하다. 큰굼틀거리다. **곰틀-곰틀** 부하자타

곰틀-대다 자타 곰틀거리다.

곰:팡-내 명 '곰팡냄새'의 준말. ¶퀴퀴한 ~가 나다.

곰:팡-냄새 명 1 곰팡이에서 나는 냄새. 2 시대에 뒤떨어진 사물이나 고리타분한 행동·사상을 일컫는 말. ¶~ 나는 양반의 도덕. ㊅곰팡내.

***곰:팡-이** 명 〖식〗 하등 균류의 총칭. 동식물에 기생하며 특히 습할 때 음식물·옷·기구 등에 남. 포자로 번식함. ¶~가 나다 / ~가 돋다 / 음식에 ~가 슬었다 / 벽에 ~가 피었다. ㊅곰.

곱[1] 명 종기·부스럼·헌데 등에 끼는 고름 모양의 물질.

***곱**[2] 명하타 1 '곱쟁이'의 준말. 2 '곱절'의 준말. ¶6은 3의 ~이다. 3 〖수〗 둘 이상의 수 또는 식을 곱하여 얻은 수치.

곱-걸다 〔곱거니, 곱거오〕 자 1 두 번 겹치게 얽다. 2 노름이나 내기에서 돈을 곱으로 걸다.

곱-꺾다 [-꺽따] 타 1 뼈마디를 꼬부렸다 폈다 하다. ¶팔목을 ~. 2 노래를 부를 때 꺾이는 목을 부드럽게 넘기려고 소리를 낮추었다가 돋우다.

곱-꺾이 명 1 뼈마디를 오그렸다가 다시 폈다 하는 일. 2 노래를 부를 때 소리를 낮추었다가 돋우어 부드럽게 넘기는 일.

곱-끼다 자 1 '곱살끼다'의 준말. 2 종기·부스럼에 곱이 생기다.

곱-나들다 [곰-] 〔곱나드니, 곱나드오〕 자 종기·부스럼이 자꾸 곪다.

곱-놓다 [곰노타] 타 노름에서, 건 돈을 곱으로 다시 걸다.

곱다[1] 자 이익을 보려다가 도리어 손해를 입게 되다.

곱다[2] 형 1 추위 때문에 손가락·발가락이 얼어서 감각이 없고 놀리기가 어렵다. ¶손가락이 곱아 호호 입김을 불다. 2 신 것이나 찬 것을 먹은 뒤에 이 뿌리가 저리다.

곱다[3] 형 바르지 않고 고부라져 휘어 있다.

***곱:다**[4] 〔고우니, 고와〕 형ㅂ불 1 보기에 산뜻하고 아름답다. ¶고운 얼굴 / 곱게 단장한 색시. ↔밉다. 2 말이나 소리가 맑고 부드럽다. ¶고운 목소리. 3 살결이나 피륙 같은 것의 바탕이 거칠지 아니하고 부드럽다. ¶고운 모시 / 살결이 ~. 4 가루 같은 것이 잘고 보드랍다. ¶가루를 곱게 빻다. 5 마음이 부드럽고 순하다. ¶고운 마음씨 / 눈길이 곱지 않다. 6 편안하고 순탄하다. ¶곱게 기르다 / 일이 곱게 풀리다. 7 (주로 '곱게'의 꼴로 쓰여) 그대로 온전하다. ¶물건은 곱게 써야 한다 / 곱게 간직하여라.

곱:다랗다 [-라타] 〔곱다라니, 곱다라오〕 형ㅎ불 1 얼굴이나 성질이 매우 곱다. 2 축나거나 변함이 없이 그대로 온전하다. ¶대대로 내려온 가보를 곱다랗게 간직하다.

곱:다래-지다 자 얼굴이나 성질이 곱다랗게 되다.

곱드러-지다 자 걷어차이거나 부딪히어 엎드러지다.

곱-들다 〔곱드니, 곱드오〕 자 비용이나 재료가 갑절 들다. 곱먹다. ¶도시 살림은 농촌보다도 생활비가 곱든다.

곱:디-곱다 〔-고우니, -고와〕 형ㅂ불 아주 곱다. ¶옛날의 그 곱디곱던 모습을 그대로 간직하고 있다.

곱-똥 명 곱이 섞여 나오는 똥.

곱-먹다 [곰-] 一타 곱절로 먹다. 二자 곱들다. ¶그것은 비용이 곱먹는다.

곱-바 명 지게의 짐을 얽는 긴 밧줄.

곱-빼기 명 1 두 번 거듭하는 일. ¶~로 욕을 먹다. 2 음식의 두 몫을 한 그릇에 담은 분량. ¶자장면을 ~로 시키다.

곱사 명 1 '곱사등'의 준말. 2 '곱사등이'의 준말.

곱사-등 명 등뼈가 굽고 혹 같은 뼈가 불쑥 나온 등. ㊅곱사.

곱사-등이 명 곱사등인 사람. 구루(佝僂). 꼽추. ㊅곱사.

곱:살-끼다 자 몹시 보채거나 짓궂게 굴다. ¶어린애가 아파서 ~. ㊅곱끼다.

곱:살-스럽다 〔-스러우니, -스러워〕 형ㅂ불 곱살한 느낌이 있다. **곱:살-스레** 부

곱:살-하다 형여불 얼굴이나 성미가 예쁘장하고 얌전하다. 곱상하다.

곱-삶다 [-쌈따] 타 두 번 삶다. ¶곱삶은 보리밥.

곱-삶이 [-쌀미] 명 1 두 번 삶아 짓는 밥. 2 꽁보리밥.

곱-상 (-相) 명 곱게 생긴 얼굴. 또는 그 사람. ↔밉상. **—-하다** 형여불 곱살하다. ¶얼굴이 곱상하게 생긴 젊은이.

곱-새기다 타 1 남의 말이나 행동 따위를 좋지 않게 해석하거나 잘못 생각하다. 곡해하다. 2 되풀이하여 곰곰이 생각하다. ¶선생님의 충고를 곱새겨 보다.

***곱-셈** 명하타 〖수〗 어떤 수를 곱하여 셈함. 또는 그 셈. ↔나눗셈.

곱-솔 명 박이옷을 지을 때, 한 번 꺾어서 호고, 그 뒤를 베어 버리고 또 접어서 박는 일. 또는 그렇게 박은 솔기.

곱송-그리다 타 놀라거나 겁이 나서 몸을 잔뜩 움츠리다.

곱슬-곱슬 부하형 털이나 실 따위가 말려서 고불고불한 모양. ¶~한 고수머리. ㊇곱슬곱슬.

곱슬-머리 명 고수머리.

곱-써레 명 갈아 놓은 논밭을 가로로 한 번 다시 더 써는 일.

곱-씹다 타 1 거듭하여 씹다. 2 말이나 생각 따위를 곰곰이 되새기다. ¶그의 말을 찬찬히 곱씹어 보았다.

곱이-곱이 부 여러 굽이로 고부라지는 모양. ㊇굽이굽이.

곱자 명 'ㄱ' 자 모양으로 90도 각도로 만든 자. 곡척(曲尺). 기역자자.

곱작 부하타 머리를 숙이고 몸을 굽히는 모양. ㊇굽적. ㊉꼽작.

곱작-거리다 타 계속해서 머리를 숙이고 몸을 굽히다. ㊇굽적거리다. **곱작-곱작** 부하타

곱작-대다 타 곱작거리다.

곱-잡다 타 곱으로 셈하여 헤아리다. ¶예산을 곱잡아도 모자라겠다.

곱장-다리 명 무릎뼈는 밖으로 벌어지고 정강이는 안으로 휘어진 다리. *안짱다리·밭장다리.

곱쟁이 명 곱절되는 수량. ㊅곱.

곱절 一명하타 같은 물건의 수량을 몇 번이나 되짚어 합침. 또는 그 셈. ¶~이나 더 되는 쌀을 수확했다. *갑절. 二의명 (주로

고유어 수 뒤에 쓰여) 배(倍)의 수를 세는 말. ¶두 ~/열 ~/몇 ~. ㊟곱.

곱-창 명 소의 작은창자. ¶~전골.

곱-치다 타 **1** 반으로 접어 합치다. **2** 곱절을 하다. 또는 곱절로 잡아 셈하다. ㊃꼽치다.

곱-하기 [고파-] 명하타 〖수〗 곱셈을 하는 일. *나누기·더하기·빼기.

***곱-하다** [고파-] 타여불 곱셈을 하다. ¶2에 5를 곱하면 10이 된다.

***곳** [곧] 명 **1** 일정한 자리나 지역. ¶조용한 ~에 머물다. **2** 일정한 자리나 지역을 세는 단위《의존 명사적으로 씀》. ¶두 ~을 들르다.

곳간 (庫間)[고깐/곧깐] 명 물건을 간직해 두는 곳. ¶~에 쌀가마를 쌓아 두다.

***곳-곳** [곧꼳] 명 여러 곳. 또는 이곳저곳. ¶집중 호우로 도로가 ~에서 침수됐다.

곳곳-이 [곧꼬시] 부 곳곳마다. ¶시내 ~ 심한 교통 체증을 빚었다.

곳-집 (庫-)[고찝/곧찝] 명 **1** 곳간으로 쓰려고 지은 집. 창고. **2** 상엿집.

***공:** 명 **1** 고무나 가죽 따위로 둥글게 만들어 차거나 치거나 던지는 운동구. ¶~을 차다/~을 던지고 받다. **2** 〖수〗 구(球).

공 (公) 一명 **1** 여러 사람에게 관계되는 국가나 사회의 일. ↔사(私). **2** '공작(公爵)'의 준말. 二인대 **1** 당신. 그대. **2** 남자 삼인칭의 공대말.

***공** (功) 명 **1** '공로'의 준말. ¶~을 세우다. **2** '공력(功力)'의 준말. ¶많은 ~이 들다.

공(을) 닦다 구 노력과 정성을 들이다.

공(을) 쌓다 구 공(을) 닦다.

공: (供) 명 **1** 〖불〗 불공. **2** 민속 신앙에서, 신에게 정성을 바치는 일.

공 (空) 명 **1** 영(零). **2** 부호 '0'의 이름. **3** 〖불〗 모든 사물은 인연으로 말미암아 임시 화합하여 된 것이므로 불변하는 실체는 없다는 말. ↔유(有).

공 (gong) 명 권투에서, 경기 시작과 끝나는 시간을 알리는 종.

-공 (工) 미 (일부 명사 뒤에 붙어서) 그 일에 종사하는 기술직 노동자의 뜻을 나타내는 말. ¶인쇄~/용접~.

-공 (公) 미 성(姓)이나 시호(諡號)·관작(官爵) 뒤에 붙어서 존대하는 말. ¶고(高)~/충무(忠武)~.

공가 (公家) 명 〖불〗 중이 절을 일컫는 말.

공가 (公暇) 명 공무원에게 공식적으로 인정되어 있는 휴가. ¶~를 얻어 휴양하다.

공:가 (拱架) 명 〖건〗 아치가 완전히 굳을 때까지 허물어지지 않도록 버티는 틀.

공가(拱架)

***공간** (空間) 명 **1** 아무것도 없는 빈 곳이나 자리. ¶넓은 ~/~을 메우다. **2** 물질·물체가 존재할 수 있거나 어떤 일이 일어날 수 있는 자리. ¶생활 ~/녹지 ~. **3** 〖철〗 시간과 더불어 세계를 성립시키는 기본 형식. ¶시간과 ~을 초월하다. ↔시간. **4** 〖물〗 물질이 존재하고 여러 현상이 일어나는 장소.

공간-미 (空間美) 명 공간적으로 나타난 예술품, 곧, 조각·건축 등의 미.

공간-성 (空間性)[-썽] 명 공간의 특성이나 공간에 대한 관념.

공간 예:술 (空間藝術)[-녜-] 물질적 소재(素材)를 써서 공간을 구성하여 형상화하는 예술《조각·건축 따위》. 조형 예술.

공간-적 (空間的) 관명 공간에 관계되는 (것). ¶~ 거리/~ 위치. ↔시간적.

공:갈 (恐喝) 명하타 **1** 을러서 겁을 줌. ¶~과 협박으로 돈을 빼앗다. **2** 〖법〗 재산상의 불법적인 이익을 얻기 위하여 다른 사람을 협박하는 일. **3** 〈속〉 거짓말.

공갈(을) 놓다 구 〈속〉 공갈하다.

공갈(을) 때리다 구 〈속〉 공갈하다.

공:갈-치다 (恐喝-) 자 〈속〉 공갈하다.

공:감 (共感) 명하자타 남의 의견·주장·감정 따위에 대하여 자기도 그렇다고 느낌. 또는 그런 기분. ¶~을 느끼다/~을 얻다/그들의 주장에 ~하다.

공:감-대 (共感帶) 명 서로 공감하는 부분. ¶두 사람 사이에 ~가 형성돼 있다.

공개 (公開) 명하타 여러 사람에게 널리 알리거나 개방함. ¶~ 석상/조사 결과가 ~되다/~를 거부하다/사건의 진상을 ~하다. ↔비공개.

공개 방:송 (公開放送) 청취자나 시청자를 초대하여 방송 실황을 공개해 가며 하는 방송.

공개-수사 (公開搜査) 명 범인의 인상 혹은 몽타주 사진을 전국에 공개하여, 널리 일반인의 협력을 구하는 경찰의 수사 방법.

공개-적 (公開的) 관명 숨기지 않고 여러 사람에게 공개하는 (것). ¶누구 하나 ~으로 이의를 제기하지 않았다.

공개 투표 (公開投票) 〖법〗 선거에서, 투표인의 투표 내용을 제삼자가 알 수 있는 투표 제도. 구술(口述) 투표·거수(擧手) 투표·기립(起立) 투표·기명(記名) 투표 등이 있음. ↔비밀 투표.

공-것 (空-)[-껃] 명 노력이나 대가 없이 그저 얻은 물건. ¶속된 말로 ~을 좋아하면 이마가 벗겨진다.

[공것이라면 비상도 먹는다; 공것이라면 양잿물도 마신다] 욕심이 많아서 공것이라면 닥치는 대로 거두어들인다는 말.

***공:격** (攻擊) 명하타 **1** 적을 침. ¶~ 목표/~을 퍼붓다/~을 저지하다. ↔수비(守備). **2** 남을 비난하거나 반대하여 나섬. ¶잘못을 신랄하게 ~하다. **3** 운동 경기나 오락 등에서 이기기 위한 적극적인 행동. ¶~은 최상의 방어다.

공:격-력 (攻擊力)[-경녁] 명 공격하는 힘.

공:격-성 (攻擊性) 명 공격을 하며 파괴적 행동을 하는 성질.

공:격-수 (攻擊手) 명 단체 경기에서, 공격을 주된 임무로 하는 선수. ↔수비수.

공:격-적 (攻擊的) 관명 공격하는 태도를 취하는 (것).

공:격-진 (攻擊陣) 명 공격을 주임무로 하는 진. 또는 그 군사나 운동선수. ¶~이 막강하다.

공경 (恭敬) 명하타허부 공손히 섬김. ¶부모를 ~하다.

공경-대부(公卿大夫) 명 〖역〗 삼공·구경·대부의 총칭. 곧, 벼슬이 높은 사람들.
공-경제(公經濟) 명 '공공(公共)경제'의 준말. ↔사경제.
공고(工高) 명 '공업 고등학교'의 준말.
공고(公告) 명하타 **1** 세상에 널리 알림. ¶사원 모집 ~. **2** 국가·공공 단체의 광고 및 게시. ¶선거일이 ~되다.
공고-문(公告文) 명 공고하는 글. 널리 알리려는 의도로 쓰인 글.
공고-하다(鞏固-) 형여불 견고하고 튼튼하다. ¶공고한 기반을 다지다. **공고-히** 부. ¶유대를 ~ 하다.
공공(公共) 명 국가나 사회의 여러 사람과 관계되는 일. ¶~ 기관 / ~ 생활 / ~의 복지 / ~의 이익을 도모하다.
공공-건물(公共建物) 명 공공의 용도로 쓰는 건물. 학교·도서관·시민 회관 등.
공공-경제(公共經濟) 명 〖경〗 국가 및 공공 단체 따위의 권력관계를 기본으로 삼는 경제. 준공경제.
공공 단체(公共團體) 법령에 의거, 국가의 감독 아래 활동을 하는 법인《지방 자치 단체·공공 조합·영조물 법인의 세 가지》. 공법인(公法人). 행정 법인.
공공-물(公共物) 명 공중이 다 같이 사용할 수 있는 물건이나 시설《공원·도로·항만 등》. 공공용물. 공공재.
공공-성(公共性)[-썽] 명 일반 사회 전체에 두루 관련되거나 영향을 미치는 성질.
공공-시설(公共施設) 명 국가나 공공 단체가 공공의 편의나 복지를 위하여 설치한 시설.
공공연-하다(公公然-) 형여불 비밀이 없이 그대로 드러나 있다. ¶공공연한 비밀. **공공연-히** 부. ¶~ 상대를 비난하다.
공공-요금(公共料金)[-뇨-] 명 철도·우편·전기·가스·수도 등 공익사업이 제공하는 서비스에 대한 요금. ¶~의 인상은 물가 인상의 요인이 된다.
공과(功過) 명 공로와 과실. ¶~를 따지다 / ~를 논하다.
공과-금(公課金) 명 국가나 공공 단체가 국민에게 부과하는 금전적인 부담《재산세·전기료·상하수도 요금·종합 소득세 등》.
공과 대학(工科大學)[-꽈-] 공학에 관한 전문 교육을 베푸는 대학. 준공대.
공관(公館) 명 **1** 정부 고관이 공적으로 쓰는 저택. **2** 대사관·공사관·영사관 따위의 총칭. 재외 공관.
공:관 복음서(共觀福音書) 〖기〗 신약 성서 중, 마태·마가·누가의 세 복음서의 총칭.
공교-롭다(工巧-)〔-로우니, -로워〕 형ㅂ불 생각지 않았던 사실이나 사건과 마주치게 된 것이 썩 묘하다. ¶공교롭게도 모두 출타 중이었다. **공교-로이** 부
공-교육(公敎育) 명 공적인 재원에 의하여 관리·운영되는 교육. *사교육.
공교-하다(工巧-) 형여불 **1** 솜씨 따위가 재치가 있고 교묘하다. ¶조각 솜씨가 ~. **2** 뜻밖의 우연한 사실과 마주치는 것이 기이하다. ¶복권이 공교하게 당첨되었다. **공교-히** 부
공구(工具) 명 물건을 만들거나 고치는 데에 쓰는 기구.
공구(工區) 명 공사를 하고 있는 구역. ¶지하철 5 호선 12 ~.
공:구(攻究) 명하타 학문 따위를 연구함.
공:구(恐懼) 명하형히부 몹시 두려움.
공구-강(工具鋼) 명 기계 가공 용구의 재료가 되는 강철.
***공군**(空軍) 명 항공기로 공중 전투 및 폭격 등의 공격·방어를 임무로 하는 군대. *육군·해군.
공권(公權)[-꿘] 명 〖법〗 공법상의 권리《개인·공공 단체 등에 대한 국가의 권리와 국가에 대한 개인의 권리로 나뉨. 전자는 납세·병역 등의 의무를 이행시키거나 형벌을 과하는 권리 등이고, 후자는 참정권·수익권·자유권 등임》. ¶~ 정지. ↔사권.
공권-력(公權力)[-꿘녁] 명 〖법〗 국가 또는 공공 단체가 국민에 대하여 명령하고 강제하는 권력《권력을 행사하는 국가를 가리키는 경우도 있음》. ¶~의 투입.
공규(空閨) 명 오랫동안 남편 없이 아내 혼자서 사는 방. 공방(空房). ¶~를 지키다.
공그르다〔공그르니, 공글러〕 타르불 헝겊의 시접을 접어 맞대어 바늘을 양쪽 시접에 번갈아 넣어 가며 실 땀이 겉으로 나오지 않게 꿰매다.
공:극(孔隙) 명 작은 구멍이나 빈틈.
공글리다 타 **1** 땅바닥 따위를 단단하게 다지다. **2** 일을 알뜰하게 끝맺다. **3** 흩어져 있는 것을 가지런히 하다.
공금(公金) 명 **1** 국가나 공공 단체 소유의 돈. **2** 조직이나 모임 구성원 전체가 공동으로 소유하는 돈. ¶~ 횡령 / ~을 유용하다.
공:급(供給) 명하타 **1** 수요에 응하여 물품을 제공함. ¶수요와 ~ / 구호품이 충분히 ~되었다 / ~이 수요를 따르지 못하고 있다. **2** 〖경〗 교환 또는 판매의 목적으로 시장에 재화·용역을 제공함.
공:급-량(供給量)[-금냥] 명 공급하는 수량.
공:급-원(供給源) 명 공급의 근원. ¶비타민의 ~ / ~을 차단하다.
공:급-지(供給地) 명 공급하여 주는 곳.
공:기 명 **1** 다섯 개의 작은 돌을 땅바닥에 놓고 집고 받는 아이들의 놀이. 또는 그 돌. **2** 콩 따위를 헝겊에 싸서 만든 공 두 개 이상을 가지고 땅에 떨어지지 않게 하나씩 번갈아 가며 공중에 올렸다 받았다 하는 여자 아이들의 놀이. 또는 그 공.
공기(를) 놀다 구 공기를 하고 놀다.
공기(를) 놀리다 구 어떤 일이나 사람을 제멋대로 수월하게 다루거나 농락하다.
공기(工期) 명 공사하는 데 걸리는 기간. ¶~를 단축하다.
공기(公器) 명 **1** 사회의 일반 사람들이 공동으로 쓰는 물건. **2** 공공 기관을 개인의 사유가 아니라는 뜻으로 이르는 말. ¶신문은 사회의 ~다.
***공기**(空氣) 명 **1** 지구를 둘러싸고 있는 무색·투명·무취의 기체. ¶맑은 ~를 마시다. **2** 주위에 감도는 기운이나 분위기. ¶험악한 ~ / 바깥 ~가 심상치 않다.
공기(空器) 명 **1** 빈 그릇. **2** 위가 넓고 밑이 좁은 작은 그릇. 밥 같은 음식을 덜어 먹는

데 씀. **3** 밥 따위를 공기에 담아 그 분량을 세는 단위(《의존 명사적으로도 씀》). ¶그는 배가 몹시 고팠는지 밥 두 ~를 단숨에 먹어 치웠다.

공기-압 (空氣壓) 명 〔물〕 자동차 타이어 따위의 안에 있는 공기의 압력.

공-기업 (公企業) 명 〔경〕 국가 및 지방 자치 단체가 경영하는 기업《철도·수도 따위》. ¶일부 ~의 민영화가 추진되고 있다. ↔사기업.

공기-총 (空氣銃) 명 압축 공기를 이용하여 탄알이 발사되도록 만든 총.

공:깃-돌 [-기똘 / -긷똘] 명 공기놀이에 쓰는 밤톨만 한 돌.

공납 (公納) 명 국고로 들어가는 조세.

공:납 (貢納) 명하타 〔역〕 백성이 그 지방의 특산물을 조정에 바치던 일. 또는 그 세제(稅制).

공납-금 (公納金) 명 **1** 관공서에 의무적으로 납부하는 돈. **2** 학생이 학교에 정기적으로 내는 돈. ¶~ 인상에 학생들이 반발하고 있다.

공:노 (共怒) 명하자 함께 성냄. ¶천인(天人)이 ~할 패륜아.

공-노비 (公奴婢) 명 〔역〕 관아에서 부리던 노비. 관노비.

공:놀이 명하자 공을 가지고 노는 놀이.

공능 (功能) 명 **1** 공적과 재능. **2** 공들인 보람을 나타내는 능력.

공다리 명 무·배추 따위의 씨를 떨고 남은 장다리.

공단 (工團) 명 '공업 단지'의 준말.

공단 (公團) 명 일정한 국가적 사업을 수행하기 위하여 설립된 특수 법인《국민 연금 관리 공단·에너지 관리 공단 따위》.

공:단 (貢緞) 명 감이 두껍고 무늬가 없는 비단.

공담 (公談) 명하자 **1** 공평(公平)한 말. **2** 공무(公務)에 관한 말. ↔사담(私談).

공당 (公黨) 명 공공연하게 당의 주의·정강 등을 발표한, 사회적으로 인정받는 정당. ↔사당.

공대 (工大) 명 '공과 대학'의 준말.

공대 (恭待) 명하타 **1** 공손하게 대접함. ¶노인을 ~하는 기풍이 사라지고 있다. **2** 상대자에게 높임말을 씀. ↔하대.

공-대공 (空對空) 명 공중에서 공중으로 향함.

공대공 미사일 (空對空missile) 〔군〕 항공기에서 공중의 목표물을 공격하는 데 쓰는 유도 미사일. 에이에이엠(AAM).

공대-말 (恭待-) 명 상대자나 상대자에 관계되는 일을 공대하여 이르는 말. 높임말. ↔예사말.

공-대지 (空對地) 명 공중에서 땅으로 향함. ↔지대공(地對空).

공대지 미사일 (空對地missile) 〔군〕 항공기에서 땅이나 바다 위의 목표물을 공격하는 데 쓰는 미사일. 에이에스엠(ASM).

공덕 (功德) 명 **1** 착한 일을 하여 쌓은 업적과 어진 덕. ¶~을 쌓다 / ~을 칭송하다. **2** 〔불〕 착한 일을 많이 한 힘. ¶부처의 ~.

공덕-심 (功德心) 명 〔불〕 여러 사람에게 좋은 일을 하려는 마음.

공도 (公道) 명 **1** 공평하고 바른 도리. **2** 떳떳하고 당연한 이치. **3** 공로(公路). ↔사도(私道).

공-돈 (空-) [-똔] 명 힘들이지 않고 거저 얻거나 생긴 돈. ¶~이 생기다 / ~을 바라다.

공-돌다 (空-) 〔공도니, 공도오〕 자 **1** 쓰지 않고 남아서 이리저리 굴러다니다. **2** 성과 없이 헛돌다. ¶바퀴가 ~.

***공:동** (共同) 명하타 여러 사람이 같은 자격으로 관계를 가지거나 일을 같이함. ¶두 나라의 ~ 관심사를 논의하다 / 월드컵 축구 대회를 한일 ~으로 개최하다 / 모형 비행기를 ~으로 제작하다.

공동 (空洞) 명 **1** 아무것도 없이 텅 빈 구멍이나 굴. **2** 〔의〕 몸의 조직 안에 괴사(壞死)가 일어나 그것이 배출된 뒤에 생기는 구멍. ¶결핵으로 허파에 ~이 생기다.

공:동 대:표 (共同代表) 〔법〕 몇 사람이 공동으로 법인을 대표하는 경우의 대표.

공:동-묘지 (共同墓地) 명 여러 사람이 공동으로 쓰도록 지정한 매장지. ¶~에 안장하다.

공:동 사회 (共同社會) 가족·촌락처럼, 이해관계에 의해서가 아니라 혈연(血緣)·지연(地緣) 등에 의해 자연적으로 맺어진 사회. 게마인샤프트. 공동체. ↔이익 사회.

공:동-생활 (共同生活) 명 두 사람 이상이 모여 서로 협력하여 사는 생활.

공:동 선언 (共同宣言) 둘 이상의 개인·단체·국가가 공동으로 발표하는 선언. ¶남북 ~을 발표하다.

공:동 성명 (共同聲明) 둘 이상의 개인이나, 단체 또는 국가가 어떤 일에 관하여 공동으로 발표하는 성명.

공:동 작전 (共同作戰) **1** 〔군〕 둘 이상의 부대나 국가, 또는 육해공군이 공동으로 펼치는 작전. ¶~을 펴다. **2** 여러 사람이 힘을 합해 어떤 일을 함께 하는 일.

공:동-체 (共同體) 명 **1** 공동 사회. **2** 생활이나 행동 또는 목적 따위를 같이하는 조직체. ¶민족 ~.

공:동 판매 (共同販賣) **1** 판매 조합을 통하여 공동으로 하는 판매. **2** 기업체가 스스로 판매하지 않고 공동 판매장을 거쳐서 하는 판매. 준공판.

공-들다 (功-) 〔공드니, 공드오〕 자 어떤 일을 이루는 데 정성과 노력이 많이 들다.
[공든 탑이 무너지랴] 공을 들여 이루어 놓은 일은 그 결과가 결코 헛되지 아니함을 이르는 말.

공-들이다 (功-) 자 무엇을 이루려고 정성과 노력을 많이 기울이다. ¶여러 곳에서 공들인 흔적이 엿보인다 / 거울 앞에 앉아 공들여 화장을 시작했다.

공-떡 (空-) 명 힘들이지 아니하고 공으로 얻은 이익. ¶~이 생기다 / 세상에 ~이란 없다.

공란 (空欄) [-난] 명 지면(紙面)에 글자 없이 비워 둔 칸이나 줄. 빈칸. ¶~을 채우다 / ~에 이름을 써 넣으시오.

공:람 (供覽) [-남] 명하타 여러 사람이 돌려 보게 함. ¶~에 부치다.

공랭-식 (空冷式) [-냉-] 명 총포·엔진 등을 공기로 냉각하는 방식. ¶~ 엔진 / ~ 기관총. ↔수랭식(水冷式).
공:략 (攻略)[-냑] 명하타 〔군〕 적의 영토나 진지를 공격하여 빼앗음. ¶목표 지점을 ~하다.
공:략 (攻掠)[-냑] 명하타 공격하여 약탈함.
공력 (功力)[-녁] 명 **1** 공들이고 애쓰는 힘. ¶많은 ~이 들어간 세밀화 / ~을 들여 만들다. 준공(功). **2** 〔불〕 불법을 수행하여 얻은 공덕의 힘.
공로 (公路)[-노] 명 많은 사람과 차가 다니는 큰길.
공로 (功勞)[-노] 명 어떤 일에 애쓰고 이바지한 공적. ¶~를 치하하다 / ~상(賞) / 건국에 이바지한 ~를 기리다. 준공(功).
공로 (空路)[-노] 명 '항공로(航空路)'의 준말. ¶육로로 갔다가 ~로 돌아오다.
공론 (公論)[-논] 명하타 **1** 여럿이 의논함. ¶~에 부치다. **2** 공정하게 의논함. **3** 사회 일반의 공통된 의견. 여론. ¶~이 분분하다 / ~에 따르다. ↔사론(私論).
공론 (空論)[-논] 명하자 헛된 논의를 함. 또는 그 이론이나 논의.
공론-공담 (空論空談)[-논-] 명 헛된 이론과 쓸데없는 이야기. ¶~으로 시간을 허비하다.
공:룡 (恐龍)[-뇽] 명 중생대의 쥐라기에서 백악기에 번성하였던 거대한 파충류의 총칭《화석에 의하여 400여 종이 알려져 있으며, 길이 5-25m, 흔히 뒷다리로 보행함》. 디노사우르.
공리 (公吏)[-니] 명 〔법〕 **1** 관리가 아니면서 공무를 맡아보는 사람《공증인·집달관 따위》. **2** 공공 단체의 사무를 맡아보는 사람.
공리 (公利)[-니] 명 일반 공중의 이익. 공공 단체의 이익. ↔사리(私利).
공리 (公理)[-니] 명 **1** 일반에 공통되는 도리. ¶~를 지키다. **2** 〔수·논〕 자명(自明)한 진리로 인정되어 다른 명제(命題)의 전제가 되는 근본 명제. ¶수학의 ~.
공리 (功利)[-니] 명 **1** 공명(功名)과 이욕(利慾). ¶~만 아는 사람. **2** 공로와 이익. **3** 〔윤〕 이익과 행복.
공리-공론 (空理空論)[-니-논] 명 실천이 따르지 않는 헛된 이론이나 논의. ¶~을 일삼다.
공리-적 (功利的)[-니-] 관명 어떤 일의 효과와 가치를 먼저 생각하거나 추구하는 (것). ¶~인 생각.
공리-주의 (功利主義)[-니- / -니-이] 명 〔윤〕 쾌락주의의 하나《쾌락이나 행복, 이익 따위를 행위의 목적과 선악 판단의 기준으로 삼는 주의》.
공립 (公立)[-닙] 명 지방 자치 단체가 설립함. ¶~ 병원 / ~학교. ↔사립(私立).
공막 (鞏膜) 명 〔생〕 눈알의 바깥벽을 둘러싼 얇은 흰색 막. 백막(白膜).
공매 (公賣) 명하타 공공 기관이 압류한 재산이나 물건 등을 공개적으로 처분하여 파는 일. 금전 채권이나 국세 체납금에 대한 강제 집행으로서, 입찰 또는 경매에 부침.
공명 (功名) 명하자 공을 세워 이름이 널리 알려짐. 또는 그 이름. ¶~을 떨치다 / 부귀와 ~을 누리다.
공:명 (共鳴) 명하자 **1** 남의 사상이나 감정, 행동 따위에 공감하여 찬성함. ¶온건하고 건설적 주장에 ~하다. **2** 〔물〕 발음체(發音體)가 외부 음파(音波)에 자극되어 이와 동일한 진동수의 소리를 내는 현상.
공명 (空名) 명 실제에 맞지 아니하는 명성. 허명(虛名).
공:명-관 (共鳴管) 명 공기를 진동시켜 음의 강도(强度)를 증가시키는 관.
공명-선거 (公明選擧) 명 부정이 없는 공정하고 바른 선거. ¶국민 모두가 ~에 앞장서야 한다.
공명-심 (功名心) 명 공을 세워 자기의 이름을 떨치려는 마음. ¶~이 강하다 / ~에 사로잡히다.
공명정대-하다 (公明正大-) 형여불 사사로움이 없이 공정하고 떳떳하다. ¶공명정대한 선거 / 공명정대하게 행동하다. **공명정대-히** 부
공명-하다 (公明-) 형여불 사사로움이나 치우침이 없이 공정하고 명백하다. ¶공명한 처리 / 이번 선거는 공명하게 치렀다. **공명-히** 부
공모 (公募) 명하타 일반에게 널리 공개하여 모집함. 공개 모집. ¶주식을 ~하다 / ~에 응모하다.
공:모 (共謀) 명하타 두 사람 이상이 공동으로 어떤 나쁜 일을 모의함. ¶~에 가담하다 / ~하여 탈옥하다.
공모-전 (公募展) 명 공개 모집한 작품의 전시회. ¶서예 ~에 입선하다.
공모-주 (公募株) 명 일반으로부터 널리 투자자를 모집해 발행하는 주식.
공무 (工務) 명 **1** 공장에 관한 사무. **2** 토목·건축에 관한 일.
공무 (公務) 명 **1** 공적인 일. ¶~로 외출하다 / ~가 바빠서 개인적인 시간이 없다. **2** 국가나 공공 단체의 일. ¶~ 집행 방해 / ~를 수행하다. ↔사무(私務).
공무-국 (工務局) 명 신문사·출판사 등에서, 문선·식자·인쇄 등의 일을 맡은 부서.
***공무-원** (公務員) 명 국가 또는 지방 자치 단체의 사무를 맡아보는 사람. 국가 공무원과 지방 공무원으로 크게 구별됨. ¶고위직 ~들의 부정을 내사하고 있다.
공문 (公文) 명 '공문서'의 준말.
공-문서 (公文書) 명 공무원이 직무상 작성하는 문서. 또는 공무에 관한 서류. 공식 서면(書面). ¶각 부서에 ~를 발송하다. ↔사문서.
공:물 (供物) 명 신령이나 부처 앞에 바치는 물건. ¶~을 바치다.
공:물 (貢物) 명 〔역〕 백성이 궁중이나 나라에 세금으로 바치던 특산물.
공:미 (供米) 명 신불(神佛)에 바치는 쌀.
공민 (公民) 명 **1** 국가 사회의 일원으로서 법에 규정된 모든 권리와 의무를 가진 사람. **2** 지방 자치 단체의 구성원으로서 공민권을 가진 사람.
공민-권 (公民權)[-꿘] 명 〔법〕 공민으로서의 권리《국회나 지방 자치 단체의 의회에 관한 선거권·피선거권을 통하여 정치에 참여하는 지위나 자격》.
공:박 (攻駁) 명하타 남의 잘못을 몹시 따지고 공격함. ¶~을 당하다.

공-밥 (空-)[-빱] 명 일하거나 대가를 지불하지 않고 거저 얻어먹는 밥.
공밥(을) 먹다 구 마땅히 해야 할 일을 하지 않거나 일을 제대로 하지 않고 보수만 받다.
공방 (工房) 명 공예가의 작업장.
공:방 (攻防) 명 공격과 방어. ¶국회 본회의에서 여야가 치열한 ~을 벌이다.
공방 (空房) 명 1 사람이 거처하지 않는 빈 방. 2 (특히 여자가) 혼자 자는 방.
공방-살 (空房煞)[-쌀] 명 부부간에 사이가 나쁜 살. ¶~이 끼다.
공:방-전 (攻防戰) 명 서로 공격하고 방어하는 싸움. ¶치열한 ~이 벌어지다.
공배 (空排) 명 바둑에서, 양편의 득점에 영향이 없는 빈 밭. ¶~를 메우다.
공-배수 (公倍數) 명 〔수〕 두 개 이상의 정수(整數) 또는 정식(整式)에 공통되는 배수. *공약수(公約數).
공백 (空白) 명 1 여백(餘白). ¶~을 메우다. 2 아무것도 없이 비어 있는 상태. ¶치안에 ~이 생기다.
공백-기 (空白期) 명 이렇다 할 활동과 실적이 없는 기간. ¶~가 너무 길다.
공:범 (共犯) 명하자 〔법〕 1 두 사람 이상이 공모하여 죄를 범함. 2 '공범자'의 준말.
공:범-자 (共犯者) 명 〔법〕 공모하여 죄를 지은 사람. ¶~도 함께 처벌하다. 준공범.
공:범-죄 (共犯罪)[-쬐] 명 〔법〕 두 사람 이상이 공모하여 범한 죄. ¶~로 처벌 받다.
공법 (工法)[-뻡] 명 공사하는 방법. ¶현대식 ~으로 지은 건물 / 다양한 ~을 선보이다.
공법 (公法)[-뻡] 명 〔법〕 권력 관계를 규정한 법. 또는 공익이나 국가에 관한 법의 총칭《헌법·행정법·형법·국제 공법 따위》. ↔사법.
공-법인 (公法人) 명 〔법〕 공공 사무를 처리할 목적으로 공법에 의하여 인격을 가지게 된 법인《지방 자치 단체나 공공 조합 따위》. ↔사법인.
공병 (工兵) 명 군에서 토목·건설·측량·폭파 따위의 기술적 공사 임무에 종사하는 병과. 또는 그에 속한 군인. 건설 공병과 야전 공병으로 구분됨. ¶~으로 배속되다.
공병 (空甁) 명 빈 병. ¶파지나 ~을 회수하여 재활용하다.
공보 (公報) 명 1 국가 기관에서 국민 일반에게 각종 활동 상황을 널리 알림. 2 지방 관청이 관보(官報)에 준(準)하여 내는 보고. 3 한 관청에서 다른 관청에 내는 보고. ↔사보(私報).
공복 (公僕) 명 국가나 사회의 심부름꾼이라는 뜻으로, 공무원을 일컫는 말.
공복 (空腹) 명 배 속이 비어 있는 상태. 또는 그런 배 속. ¶~을 채우다 / ~에 술을 마셔 몹시 취하다 / 이 약은 ~에 드십시오 / ~을 느끼다.
공복-감 (空腹感) 명 배 속이 빈 듯한 느낌.
*공부 (工夫) 명하타 학문이나 기술을 배우고 익힘. ¶~를 잘하다 / ~에 흥미를 못 느끼다 / 자기 전에 2시간씩 영어를 ~한다.
공부 (公簿) 명 법령의 규정에 따라 관공서에서 작성·비치하는 장부.
공:부 (貢賦) 명 지난날, 나라에 바치던 공물(貢物)과 세금.
공분 (公憤) 명 1 공중(公衆)의 분노. 2 공적인 일로 느끼는 분노. ¶~을 참지 못하다.
공비 (工費) 명 공사비. ¶공사 기간을 단축하여 ~를 절감하다.
공비 (公比) 명 〔수〕 등비수열이나 등비급수에서 연속되는 두 항(項) 사이의 비.
공비 (公費) 명 관청이나 공공 단체의 비용. ¶쓸데없는 ~ 지출이 많다. ↔사비(私費).
공:비 (共匪) 명 공산당의 유격대. 적비. ¶~를 소탕하다.
*공사 (工事) 명하자 토목·건축 등에 관한 일. ¶항만 준설 ~ / 지하철 ~가 이달 안에 마무리된다.
공사 (公私) 명 1 공공의 일과 사사로운 일. ¶~를 혼동하다. 2 정부와 민간. 관민.
공사 (公事) 명 공무(公務). ↔사사(私事).
공사 (公使) 명 외교관의 하나《조약국에 주재하여 자국을 대표하여 외교 사무를 맡은 공무원. 대사의 아래》.
공사 (公社) 명 〔법〕 국가적 사업 경영을 위해 국가가 전액 출자하여 설립한 특수 법인. ¶한국 방송 ~.
공사-관 (公使館) 명 〔법〕 공사가 주재지에서 사무를 보는 공관(公館). 국제법상 치외법권이 인정되고 있음.
공-사립 (公私立) 명 공립과 사립.
공사-비 (工事費) 명 공사에 드는 비용. 공비. ¶~ 마련이 힘겹다.
공사-장 (工事場) 명 공사를 하는 곳.
공사-판 (工事-) 명 건설 공사 등의 공사가 벌어지고 있는 현장. 또는 공사 일에 종사하는 사람들의 사회. ¶~에서 막노동을 하면서 학비를 마련하였다.
공산 (公算) 명 확실성의 정도. 확률(確率). ¶이길 ~이 크다.
공:산 국가 (共産國家) 공산주의를 신봉하고 그 주의에 따라 정치를 하는 국가.
공:산-당 (共産黨) 명 공산주의 이론을 신봉하고 그 실천을 위하여 조직된 당.
공산-명월 (空山明月) 명 1 사람 없는 빈산에 외로이 비치는 밝은 달. 2 〈속〉 '대머리'를 놀림조로 이르는 말.
공:산-주의 (共産主義)[-/-이] 명 생산 수단의 사회적 공유를 토대로 하고 사적 소유를 부정하며, 계급 지배의 철폐를 위한 프롤레타리아 혁명을 주장하는 주의.
공산-품 (工産品) 명 공업 생산품. ¶~의 가격 상승으로 물가가 오르다.
공상 (工商) 명 1 공업과 상업. 2 장인(匠人)과 상인.
공상 (公傷) 명 공무를 수행 중에 입은 부상.
공상 (空想) 명하타 현실에 존재하지 않거나 실현 가능성이 없는 일을 상상함. 또는 그런 생각. ¶~에 빠지다 / ~에 잠겨 있을 만큼 한가하지 않다.
공상 과학 소:설 (空想科學小說) 과학적인 지식을 토대로, 공상을 자유자재로 구사한 소설. 에스에프(SF).
공상-적 (空想的) 관명 생각이 현실과 동떨어져 있는 (것). 비현실적인 (것). ¶그 학설은 ~ 이론에 불과하다.
공:생 (共生) 명하자 1 서로 도우며 같이 삶. 2 〔생〕 종류가 다른 생물이 한곳에 살면서

서로 이익을 주고받으며 공동생활을 하는 일. ¶개미와 진디는 ~한다. *공서(共棲).
공:서 (共棲) 명하자 종류가 다른 동물들이 한곳에서 같이 사는 일《소라게와 말미잘의 생활 따위》.
공석 (公席) 명 1 공적인 모임의 자리. ¶~에서는 사담을 하지 맙시다. 2 공무를 보는 직위. ↔사석(私席).
공석 (空席) 명 1 비어 있는 자리. 빈 좌석. 2 비어 있는 직위. 결원(缺員). 빈자리. ¶부회장은 ~ 중이다.
공설 (公設) 명하타 국가나 공공 단체에서 일반 사람들을 위하여 만들어 세움. ↔사설.
공설 운:동장 (公設運動場) 국가나 공공 단체에서 설립한 운동장.
공:성 (攻城) 명하자 성이나 요새를 공격함.
공세 (公稅) 명 나라에 바치는 세금.
공:세 (攻勢) 명 공격하는 태세 또는 세력. ¶질문 ~를 받다/평화 ~를 펴다. ↔수세.
공소 (公訴) 명하타 〖법〗 검사가 특정 형사 사건에 대하여 법원에 그 재판을 청구하는 행위. ¶~ 기각/~ 시효.
공:소 (控訴) 명하자 〖법〗 '항소(抗訴)'의 구칭.
공소-장 (公訴狀)[-짱] 명 〖법〗 검사가 특정한 범죄인을 공소할 때 관할 법원에 제출하는 문서. 기소장(起訴狀).
공소-하다 (空疎-) 형여불 1 내용이 빈약하고 엉성하다. ¶감탄사만 늘어놓았을 뿐 내용이 ~. 2 텅 비고 드문드문 떨어져 있다.
공손-법 (恭遜法)[-뻡] 명 〖언〗 높임법에서 말하는 사람이 특별히 공손한 뜻을 나타냄으로써 듣는 사람을 높이는 법. 선어말 어미 '-잡-·-삽-·-옵-' 등을 써서 표현함. '받잡고·가옵고' 따위로 주로 문어체의 글이나 옛글에 씀. 겸양법.
공손-하다 (恭遜-) 형여불 말이나 행동이 예의 바르고 겸손하다. ¶공손한 말씨로 대답하다/모자를 벗고 공손하게 인사하다. **공손-히** 부. ¶손님을 ~ 모시다.
공수 명 무당이 죽은 사람의 뜻이라고 전하는 말. ¶~를 받다/~를 주다.
공수(를) 내리다 구 무당이 공수를 전하여 말하다.
공:수 (攻守) 명 공격과 수비. ¶~의 전환이 빠르다.
공:수 (供需) 명 〖불〗 절에서 손님에게 무료로 대접하는 음식.
공수 (空輸) 명하타 '항공 수송'의 준말. ¶재해 지역에 생필품을 ~하다.
공:수 (拱手) 명하자 1 오른손 위에 왼손을 놓고 두 손을 맞잡아 공경의 뜻을 나타냄. 또는 그런 예. 2 팔짱을 끼고 아무것도 하지 않고 있음.
공수래공수거 (空手來空手去) 명 〖불〗 빈손으로 왔다 빈손으로 간다는 뜻으로, 재물에 욕심을 부릴 필요가 없음을 이르는 말.
공:수-병 (恐水病)[-뼝] 명 〖의〗 사람에게 감염된 광견병을 이르는 말.
공수 부대 (空輸部隊) 1 항공기로 병력·군수 물자 등을 수송하기 위하여 편성한 수송기 부대. 2 공중으로부터 낙하산을 타고 적진에 침투하여 작전하는 부대. 낙하산 부대. ¶적 후방에 ~를 투하하다.
공-수표 (空手票) 명 1 은행에 거래가 없거나 거래가 정지된 사람이 발행한 수표. 2 당좌 거래인이 발행한 수표로서 잔액이 없어 지급을 거절당한 수표. 부도 수표. ¶~를 떼다. 3 〈속〉 빈말. ¶선거 때의 공약은 ~로 끝났다.
공순-하다 (恭順-) 형여불 공손하고 온순하다. **공순-히** 부. ¶~ 여쭙다.
공-술 (空-)[-쑬] 명 거저 얻어먹는 술.
공:술 (供述) 명하타 〖법〗 진술(陳述).
공술-인 (公述人) 명 공청회에서 이해관계가 있거나 학식·경험 따위가 많아서 의견을 말하는 사람.
공습 (空襲) 명하타 비행기로 적진이나 적의 영토를 공중에서 공격하는 일.
공습-경보 (空襲警報) 명 적기가 공습해 왔을 때 발하는 경보《깃발·육성·사이렌·종 따위로 알림》. ¶~가 울리자 시민들은 지하 대피소로 피하였다.
공시 (公示) 명하타 1 일반에게 널리 알림. 2 〖법〗 공공 기관이 일정한 사실을 널리 일반에게 알리는 일. ¶선거 기일을 ~하다.
공시-가 (公示價)[-까] 명 정부나 공공 기관에서 매긴 값. 공시 가격. ¶~가 너무 높게 책정되었다.
공식 (公式) 명 1 공적(公的)인 방식. ¶~ 회담. 2 틀에 박힌 방식. 3 〖수〗 계산 법칙을 수학상의 기호를 써서 나타낸 식.
공식-적 (公式的) 관명 1 틀에 짜인 일정한 형식을 취하는 (것). ¶~(인) 답변. 2 공적(公的)으로 하는 (것). ¶정부의 ~(인) 입장을 발표하다.
공식-화 (公式化)[-시콰] 명하타 일정한 공식이나 공식적인 것으로 되게 함. ¶외교 관계를 ~하다.
공신 (功臣) 명 1 국가에 공로가 있는 신하. ¶건국 ~. 2 (비유적으로) 사회나 단체 등에 이바지한 사람이나 사물. ¶팀의 우승에 이바지한 일등 ~이다.
공신-력 (公信力)[-녁] 명 1 〖법〗 외형적 사실을 신뢰한 사람에 대하여, 설사 그 사실에 진실한 권리가 없을 때에도 실제로 있는 경우와 같은 법률상 효력을 주는 효력. 2 사회적으로 인정받을 수 있는 신용. ¶국가 ~/회사의 이미지와 ~이 실추되다.
공안 (公安) 명 공공의 안녕과 질서. ¶~ 당국[기관].
공안 (公案) 명 1 공무에 관한 문안(文案). 2 관청의 조서. 3 공론에 의해 결정된 안건. 4 〖불〗 석가모니의 말과 행동. 5 〖불〗 화두(話頭)2.
공약 (公約) 명하타 국민에게 실행할 것을 약속함. 또는 그 약속. ¶선거 ~/실현 불가능한 ~을 내걸다. ↔사약(私約).
공약 (空約) 명하타 헛된 약속을 함. 또는 그 약속. ¶~을 남발하다.
공-약수 (公約數) 명 〖수〗 둘 이상의 정수(整數)나 정식(整式)에 공통되는 약수(約數). *공배수.
공:양 (供養) 명하타 1 웃어른에게 음식을 대접함. ¶시부모 ~. 2 〖불〗 불(佛)·법(法)·승(僧)이나 죽은 이의 영혼에게 옷·음식물 따위를 올림. 3 〖불〗 절에서, 음식을 먹는 일.

공:양-미 (供養米) 명 〔불〕 부처에게 공양으로 바치는 쌀.
공:양-주 (供養主) 명 〔불〕 **1** 절에 시주하는 사람. **2** 절에서 밥 짓는 사람.
공언 (公言) 명하타 **1** 공평한 말. **2** 여러 사람 앞에 명백하게 공개하여 말함. 또는 그렇게 하는 말. ¶정계 은퇴를 ~하다.
공언 (空言) 명하자 **1** 실행이 없는 빈말. ¶~을 일삼다. **2** 내용에 근거나 현실성이 없는 빈말.
공-얻다 (空-) 타 거저 얻다.
*__공업__ (工業) 명 원료를 가공하여 그 성질과 형상이 다른, 새로운 물품을 만드는 산업. ¶~ 제품(製品).
공업 고등학교 (工業高等學校) 공업에 관한 학문과 기술을 가르치는 실업 고등학교. 준공고(工高).
공업-국 (工業國) 명 공업이 발달하여 산업의 중심이 되는 나라. ¶선진 ~.
공업 단지 (工業團地) 구획한 토지에 계획적으로 공장을 유치하여 만든 공장의 집단지. 준공단(工團).
공업 디자인 (工業design) 공업 제품을 대상으로 기능적인 면과 미적(美的)인 면을 고루 만족시키도록 고안된 디자인. 산업디자인.
공업-용 (工業用)[-엄뇽] 명 공업에 쓰임. ¶~ 비누.
공업-용수 (工業用水)[-엄뇽-] 명 공업의 생산 과정에 쓰이는 물.
공업-화 (工業化)[-어퐈] 명하자타 산업 구성의 중점이 농업·광업 등 원시산업에서 가공 산업·제조 공업으로 바뀌어 발달하여 가는 현상. ¶~를 이룩하다.
공:여 (供與) 명하타 물품이나 이익 따위를 제공하여 줌. 또는 그 행위. ¶무상 ~.
공역 (公役) 명 국가나 공공 단체로부터 명령을 받은 의무《병역·부역 따위》.
공:역 (共譯) 명하타 하나의 책이나 글을 두 사람 이상이 협력하여 번역함. ¶두 사람이 ~한 추리 소설.
공연 (公演) 명하타 관중 앞에서 음악·연극·무용 따위를 하는 일. ¶축하 ~/순회 ~/연극 ~을 연장하다.
공:연 (共演) 명하자 〔연〕 연극·영화에 함께 출연함. ¶유명 배우와 ~하다.
공연-스럽다 (空然-) [-스러우니, -스러워] 형ㅂ불 보기에 까닭이나 필요가 없다. **공연-스레** 부. ¶눈앞에 펼쳐진 바다를 보니 ~ 눈물이 흘렀다.
공연-장 (公演場) 명 극장, 콘서트홀 따위의 공연을 하는 장소. ¶관객들이 ~을 가득 메우다.
공연-하다 (空然-) 형여불 까닭이나 필요가 없다. ¶공연한 트집을 잡다/공연한 짓을 하다. 준괜하다. **공연-히** 부. ¶~ 심술을 부리다. 준괜히.
공-염불 (空念佛)[-념-] 명하자 **1** 진심이 없이 입으로만 외는 헛된 염불. **2** 실천이나 실제의 결과가 따르지 않는 주장이나 말. ¶~로 끝나다.
공영 (公營) 명하타 주로 공적인 기관에서 공공의 이익을 위하여 경영하거나 관리함. 또는 그 사업. ↔사영(私營).
공:영 (共榮) 명하자 서로 함께 번영함.
공영 기업 (公營企業) 지방 자치 단체가 경영하는 기업《수도·지하철·양로원 따위》. 공영사업.
공영 방:송 (公營放送) 국가 기관으로부터 독립하여 방송 사업을 경영하되, 영리를 목적으로 하지 않고 시청료를 주요 재원(財源)으로 하는 방송 기관.
공예 (工藝) 명 〔공〕 **1** 공작(工作)에 관한 예술. ¶도자기 ~. **2** 미술적인 조형미를 갖춘 공업 생산품을 만드는 일. 또는 그런 제작물.
공예-품 (工藝品) 명 칠기·도자기·가구 등 실용적이면서 예술적 가치가 있게 만든 공작품. ¶민속 ~.
공용 (公用) 명하타 **1** 공적인 용무나 사무. 공무. ¶~으로 출장을 가다. **2** 공비(公費). **3** 공적인 목적으로 씀. 또는 그 물건. ¶~ 물품. ↔사용(私用).
공:용 (共用) 명하타 공동으로 사용함. ¶이 청바지는 남녀 ~이다. ↔전용(專用).
공용-물 (公用物) 명 국가 또는 공공 단체가 사용하는 공공의 물건.
공:용-물 (共用物) 명 여러 사람이 공동으로 쓰는 물건. ¶~을 사용한 후 제자리에 놓아 주십시오.
공용-어 (公用語) 명 **1** 한 나라 안에서 공식적으로 쓰는 언어. **2** 국제회의나 기구에서 공식적으로 쓰는 언어. ¶영어는 세계 ~로 쓰인다.
공운 (空運) 명 항공기를 이용한 여객 및 화물의 운송. *해운(海運)·육운(陸運).
공원 (工員) 명 공장의 노동자. 직공.
*__공원__ (公園) 명 **1** 시가지 등에서, 나무나 화초 등을 심고 어린이들의 놀이 시설을 갖추어 만든 시민을 위한 휴식 장소《도시공원 따위》. **2** 자연 그대로의 상태를 보존하여 관광이나 휴식 장소로 지정한 지역《국립공원 따위》.
공원-묘지 (公園墓地) 명 개인·단체 등이 경영·관리하는 공원의 기능을 갖춘 공동묘지. ¶~에 안장하다.
공:위 (攻圍) 명하타 에워싸서 공격함.
공위 (空位) 명 **1** 비어 있는 지위. **2** 실권이 없이 이름뿐인 지위. 허위(虛位).
공유 (公有) 명 국가나 지방 자치 단체의 소유. ↔사유(私有).
공:유 (共有) 명하타 두 사람 이상이 한 물건을 공동으로 가짐. ¶~ 면적.
공유-림 (公有林) 명 국가나 공공 단체가 소유하는 산림. ↔사유림.
공유-물 (公有物) 명 국가나 공공 단체가 소유하는 물건. ↔사유물.
공:유-물 (共有物) 명 두 사람 이상이 공동으로 소유하는 물건. ↔전유물.
공유-지 (公有地) 명 국가나 공공 단체가 소유하는 땅. 공유토. ↔사유지. *국유지.
공:유-지 (共有地) 명 공동 소유한 땅.
공-으로 (空-) 부 힘이나 돈을 들이지 아니하고 거저. ¶옷을 ~ 얻다.
공의 (公義)[-/-이] 명 **1** 공정한 도의. **2** 〔가〕 선악의 제재(制裁)를 공평하게 하는 하느님의 적극적인 품성의 하나.
공의 (公醫)[-/-이] 명 국가 기관에 속하여 공공의 의료 일을 보는 의사.
공의 (公議)[-/-이] 명하타 공평한 의론. 공론(公論).
공의-롭다 (公義-)[-/-이-][-로우니, -로워] 형ㅂ불 공평하고 의로운 데가 있다. **공의-로이** [-/-이-] 부
공-의무 (公義務) 명 〖법〗 국민이 일정한 한도의 국가의 통제와 합법적 명령에 복종할 의무. 병역·납세·근로·교육 등의 의무. ↔사의무(私義務).
공의-회 (公議會)[-/-이-] 명 〖가〗 교회 전체에 해당하는 중요한 교리 문제나 규율 등에 관한 문제를 협의 결정하기 위해 교황이 온 세계의 추기경, 주교, 신학자들을 소집하여 진행하는 공식적인 종교 회의.
공이 명 **1** 절구나 돌확에 든 물건을 찧거나 빻는 기구. **2** 〖군〗 탄환의 뇌관을 쳐 폭발하게 하는 송곳 모양의 총포의 한 부분. 격침(擊針).
공이-치기 명 〖군〗 격발 장치의 하나《방아쇠를 당기면 용수철이 늘어나 공이를 침》. 격철(擊鐵).
***공익** (公益) 명 공공의 이익. ¶~ 광고/~ 사업. ↔사익(私益).
공:익 (共益) 명 공동의 이익.
공인 (公人) 명 **1** 국가나 사회에 영향을 끼치는 사람. ¶언론인은 ~으로서의 사명감을 가져야 한다. **2** 공직에 있는 사람. ↔사인(私人).
공인 (公認) 명하타 국가나 사회 또는 공공 단체가 어떤 행위나 물건에 대해 인정함. ¶~ 단체/~ 기록.
공인 중개사 (公認仲介士) 토지·건물 등의 중개를 업으로 하는 전문 중개업자.
공인 회:계사 (公認會計士)[-/-게-] 회계에 관한 감사·감정·계산·정리·입안 또는 법인 설립에 관한 회계와 세무 대리 등을 직업으로 하는 사람.
공-일 (空-)[-닐] 명 **1** 보수 없이 거저 하는 일. ↔삯일. **2** 쓸데없는 일.
공일 (空日) 명 일을 하지 않고 쉬는 날. 휴일. ¶이번 ~에는 집 안 대청소를 한다.
공임 (工賃) 명 직공의 품삯. 공전.
공자 (公子) 명 귀한 집안의 나이 어린 아들.
공작 (工作) 명하타 **1** 기계나 공구 등을 가지고 물건을 만드는 일. **2** 어떤 목적을 위하여 미리 일을 꾸며 계획하거나 준비함. ¶~ 정치/방해 ~을 펴다.
공작 (公爵) 명 오등작(五等爵)의 첫째 작위. 준공(公).
공:작 (孔雀) 명 〖조〗 꿩과의 새. 인도 원산. 수컷은 머리 위에 10 cm쯤 되는 털이 있고, 꽁지는 길며 아름다운데, 이것을 펴면 오색 부채처럼 찬란함. 암컷은 수컷보다 작고 꼬리가 짧으며 무늬가 없음.
공작-금 (工作金) 명 어떤 일을 꾸미는 데 드는 돈. ¶간첩 활동에 쓰여진 ~.
공작-대 (工作隊) 명 어떤 공작 임무를 수행하기 위하여 조직된 집단.
공작-물 (工作物)[-장-] 명 **1** 재료에 기계적 가공을 하고 조립하여 만든 물건. **2** 땅 위나 땅속에 인공을 가하여 제작한 물건《건물·교량·터널 등》.
공작-원 (工作員) 명 정당이나 단체의 지령을 받아, 어떤 목적을 이루기 위하여 자기 편에 유리하도록 일을 꾸며 활동하는 사람.
공장 (工匠) 명 〖역〗 예전에, 물품을 만드는 것을 업으로 삼던 장인. 장색(匠色).
***공장** (工場) 명 기계나 시설을 갖추고 다수의 노동자가 분업에 의하여 협력하면서 물건을 만들어 내는 곳. ¶자동차 ~/~이 들어서다.
공장 (空腸) 명 **1** 아무것도 먹지 않은 빈창자. **2** 〖생〗 십이지장에 계속되는 소장의 일부로, 회장(回腸)까지의 부분.
공장-도 (工場渡) 명 제품을 공장에서 인도하는 거래 방식. ¶~ 가격.
공장 자동화 (工場自動化) 컴퓨터를 이용하여 공장 운영을 자동화하는 일. 곧 캠(CAM)·캐드(CAD)에 의한 설계, 재료·부품의 운반, 로봇에 의한 조립 등의 방법으로 전체 공정을 자동화하는 일.
공장-장 (工場長) 명 공장의 우두머리《공장 노동자들의 근무 상태나 작업 상황 따위를 지휘·감독함》.
공장 폐:쇄 (工場閉鎖)[-/-페-] **1** 공장의 문을 닫고 일을 쉼. **2** 노동 쟁의가 일어났을 때 기업주가 공장을 일시적으로 폐쇄하여 사업을 쉬고 노동자를 해고시키는 일.
공장 폐:수 (工場廢水)[-/-페-] 공장의 제품 생산 과정에서 생기는 폐수.
공:저 (共著) 명하타 한 책을 두 사람 이상이 함께 지음. 또는 그렇게 지은 책.
공적 (公敵) 명 국가나 사회·공중의 적.
공적 (功績) 명 공로의 실적. 애쓴 보람. ¶~을 남기다/~을 세우다.
공적 (公的)[-쩍] 관명 사회의 여러 사람이나 단체에 두루 관련되는 (것). 공공(公共)에 관계가 있는 (것). ¶~(인) 생활/~(인) 자리에서 사담만 늘어놓다. ↔사적(私的).
공적 자:금 (公的資金)[-쩍-] 〖경〗 금융 기관이 부실 채권을 감당하지 못할 때 또는 빚 때문에 문을 닫는 금융 기관 대신 예금을 지급해 주기 위해 정부가 우회적으로 대 주는 돈.
공전 (工錢) 명 물건을 만들거나 어떤 일을 하는 데 드는 품삯.
공전 (公田) 명 옛날에 국가 소유의 논밭. ¶~ 공답(公畓). ↔사전(私田).
공전 (公轉) 명하타 〖천〗 한 천체가 다른 천체의 둘레를 주기적으로 도는 일. 행성(行星)이 태양의 주위를 돌거나 위성이 행성의 주위를 도는 따위. *자전(自轉).
공전 (空前) 명 (주로 '공전의'의 꼴로 쓰여) 비교할 만한 것이 전에는 없음. ¶~의 대성황을 이루다/~의 히트를 기록했다.
공전 (空轉) 명하자 **1** 바퀴나 기계 따위가 헛돎. **2** 일이나 행동이 헛되이 진행됨. ¶정쟁으로 국회가 연일 ~하다.
공정 (工程) 명 **1** 작업이 진척되는 정도. **2** 물품을 생산하는 과정에서 거쳐야 하는 하나하나의 작업 단계.
공정 (公正) 명하형히부 공평하고 올바름. ¶~ 보도/선거의 ~ 시비가 붙다.
공정 (公定) 명하타 **1** 일반의 공론에 따라 정함. **2** 관청에서 정함. ¶~ 환율.
공정 가격 (公正價格) 공평하고 정당한 가격. 준공정가(公正價).

공정 가격 (公定價格) 〖경〗 국민의 생활 안정을 위하여 국가가 지정한 물품의 판매 가격. ㊟공정가(公定價).
공정 거:래 위원회 (公正去來委員會) 국무총리 직속 기관의 하나《기업의 시장 지배·불공정 거래 행위 등을 규제함》.
공정-성 (公正性)[-썽] 명 공평하고 올바른 성질. ¶ 언론 보도의 ~.
공정-표 (工程表) 명 〖공〗 한 개의 물품을 가공하여 나가는 과정을 표시한 도표.
공:제 (共濟) 명하타 **1** 힘을 합해 서로 도움. **2** 같이 일을 함. ¶ ~ 조합.
공:제 (控除) 명하타 **1** 받을 몫에서 일정한 금액·수량을 빼냄. ¶ 월급에서 세금을 ~하다 / 각종 세액 ~를 받다. **2** 덤2. ¶ 5호 반을 ~하다.
공조 (工曹) 명 〖역〗 고려·조선 때, 육조(六曹)의 하나. 산택(山澤)·공장(工匠)·영조(營造) 따위의 일을 맡아 하던 관아.
공:조 (共助) 명하자 공동으로 도움. ¶ 수사 기관의 ~ 체제.
공:존 (共存) 명하자 함께 같이 있는 것. 함께 살아가는 것. 동존(同存). ¶ 평화 ~.
공:존-공:영 (共存共榮) 명 함께 존재하고 함께 번영함. 함께 잘 살아감. ¶ ~의 길로 나가다.
공죄 (功罪) 명 공로와 죄과. 공과(功過). ¶ ~가 상반(相半)되다.
***공주** (公主) 명 왕후가 낳은 임금의 딸.
공준 (公準) 명 공리(公理)처럼 확실하지는 아니하나 이론을 연역(演繹)으로 전개하는 데 기초가 되는 근본 명제.
***공중** (公衆) 명 사회의 여러 사람. 일반 사람들. 민중(民衆).
***공중** (空中) 명 하늘과 땅 사이의 빈 곳. ¶ ~ 폭발 / 새들이 ~을 날아다닌다 / 수많은 색색의 풍선들이 ~으로 떠올랐다.
공중(에) 뜨다 구 온데간데없이 사라지다. ¶ 십만 원 돈이 ~.
공중-누각 (空中樓閣) 명 공중에 떠 있는 누각이란 뜻으로, 아무런 근거나 토대가 없는 가공의 사물이나 생각.
공중-도덕 (公衆道德) 명 공중의 이익을 위하여 서로 지켜야 할 예의나 도덕.
공중-분해 (空中分解) 명 **1** 비행 중인 비행기가 어떤 원인에 의하여 공중에서 분해하여 파괴되는 일. **2** 계획 따위가 진행 도중에 무산되는 일.
공중-위생 (公衆衛生) 명 사회 일반의 건강을 위한 위생. ¶ 보건소에서는 국민의 ~을 위해 방역 대책을 세웠다. ↔개인위생.
공중-전 (空中戰) 명 〖군〗 항공기끼리 공중에서 벌이는 전투.
공중-전화 (公衆電話) 명 공중이 요금을 내고 쓸 수 있도록 길거리나 일정 장소에 설치해 놓은 전화.
공중-제비 (空中-) 명 **1** 두 손을 땅에 짚고 두 다리를 공중으로 쳐들어서 반대 방향으로 넘는 재주. 텀블링(tumbling). **2** 공중에서 거꾸로 떨어짐.
공증 (公證) 명하타 공무원 등이 그 직권(職權)으로 어떤 사실을 공식으로 증명하는 일《등기부에 의해서 부동산의 취득·이전을 증명하는 일이나 영수증 교부·증명서 발행 따위》.
공증-인 (公證人) 명 〖법〗 당사자 또는 그 밖의 관계자의 의뢰에 따라 법률 행위 기타 민사에 관한 공정 증서를 작성하고 인증(認證)을 하는 권한을 가진 사람.
공지 (公知) 명하자타 사람들에게 널리 알림. ¶ ~ 사항.
공:지 (共知) 명하타 여럿이 다 같이 앎.
공지 (空地) 명 빈 땅. 빈 터. ¶ ~에 채소를 키우다.
공직 (公職) 명 관청이나 공공 단체의 직무. ¶ ~자 / ~ 생활 20 년이 넘었다.
공:진 (共振) 명하자 〖물〗 **1** 한 진동체가 다른 진동체에 이끌리어 그와 같은 진동수로 진동하는 현상. **2** 전기 진동의 공명(共鳴) 현상.
공:진-회 (共進會) 명 산물·제품을 모아서 일정한 장소에 진열하고 일반 공중에게 관람시켜 그 우열을 품평·사정하는 모임.
공-집합 (空集合)[-지팝] 명 〖수〗 원소(元素)를 하나도 갖지 아니한 집합. 영집합.
공짜 (空-) 명 **1** 거저 얻은 물건. **2** 값을 치르지 않음. 무료. ¶ ~ 구경.
공차 (公差) 명 **1** 〖수〗 등차수열이나 등차급수의 연속되는 두 항의 차. **2** 〖수〗 근삿값에 대한 오차의 한계나 범위. **3** 〖법〗 도량형기의 법정 표준과 실제와의 차로서 법률로 인정하는 범위.
공:-차기 명 공을 차면서 하는 운동이나 놀이.
공창 (工廠) 명 **1** 철공물을 만드는 공장. **2** 병기·탄약 등의 군수품을 제조·수리하는 공장.
공창 (公娼) 명 관청의 허가를 받고 매음 행위를 영업으로 하는 여자. ↔사창(私娼).
공채 (公採) 명하타 관청이나 회사 등에서 필요한 사람을 공개적으로 모집하여 채용함. ¶ ~ 사원.
공채 (公債) 명 국가나 지방 자치 단체가 발행하는 채권《국채·지방채로 나뉨》. ↔사채(私債).
***공책** (空册) 명 무엇을 쓸 수 있게 백지로 매어 놓은 책. 필기장. 노트.
공:처-가 (恐妻家) 명 아내에게 꼼짝 못하고 눌려 지내는 남편.
공천 (公薦) 명하타 **1** 사회의 여러 사람들이 추천함. **2** 정당에서 선거에 출마할 후보자를 공식적으로 추천함. ¶ 민주당 ~ 후보.
공청-회 (公聽會) 명 국회나 행정 기관 등이 중요한 안건 또는 전문 지식을 요하는 안건을 심사하기 위하여 공개 석상에서 이해관계자 또는 학식·경험이 있는 사람으로부터 의견을 듣는 모임. *청문회.
공축 (恭祝) 명하타 삼가 축하함.
공:출 (供出) 명하타 식량·물자 등을 민간에게 강제적으로 바치게 하는 일.
공-출물 (空出物) 명하자 **1** 밑천이나 힘을 들이지 아니하고 남이 하는 일에 참여함. **2** 밑천이나 힘을 공연히 냄.
공:-치기 명하자 **1** 공을 치고 받는 운동의 총칭. **2** 장치기.
공-치다 (空-) 자타 무슨 일을 하려다가 목적을 이루지 못하고 허탕 치다. ¶ 비가 와서 오늘 벌이는 공쳤다.

공-치사(功致辭) 명하자타 남을 위해 애쓴 일을 남 앞에서 스스로 자랑함.
공-치사(空致辭) 명하자타 빈말로 칭찬함. 또는 그 칭찬의 말.
공칭(公稱) 명하타 **1** 공적인 이름. **2** 공개하여 일컬음.
공:탁(供託) 명하타 **1** 돈이나 물건을 맡김. **2** 법의 규정에 따라 금전·유가 증권 등을 공탁소에 맡겨 두는 일.
공-터(空-) 명 빈 터. ¶집 앞 ~에서 대보름날 쥐불놓이를 하다.
공:통(共通) 명하자 여럿 사이에 두루 통용되거나 관계가 있음. ¶두 물건이 ~으로 가진 특성은 무엇인가.
공:통-분모(共通分母) 명 〖수〗 여러 개의 분모가 다른 분수를 크기가 변하지 않게 통분(通分)한 분모. 2/3와 3/4을 8/12과 9/12로 했을 때의 12.
공:통-성(共通性)[-썽] 명 공통되는 성질. ¶우리나라와 일본은 생활 습관상 많은 ~을 가지고 있다.
공:통-어(共通語) 명 〖언〗 **1** 공통으로 통용되는 말. **2** 표준어. ↔방언.
공:통-적(共通的) 관명 여럿 사이에 두루 통하거나 관계하는 (것). ¶두 나라의 ~인 관심사를 논의하다.
공:통-점(共通點)[-쩜] 명 공통되는 점. ¶그들은 성격이나 취미에 ~이 많다. ↔차이점.
공판(公判) 명하자 〖법〗 형사 재판에서 범죄의 유무에 관하여 법원이 심리하는 절차.
공:판(共販) 명 '공동 판매'의 준말.
공:판-장(共販場) 명 공동으로 판매하는 장소. 공동 판매장.
공판-정(公判廷) 명 〖법〗 공판을 행하는 법정. ㊟공정(公廷).
공:편(共編) 명하타 두 사람 이상이 함께 책을 엮음. 또는 그 책.
공평(公平) 명하형히부 치우침이 없이 공정함. ¶~한 배당 / 처벌의 ~을 기하다 / 이익을 ~히 노느다.
공평-무사(公平無私) 명하형히부 공평하고 사사로움이 없음.
공포(公布) 명하자타 **1** 일반에게 널리 알림. **2** 법령·예산·조약 따위를 일반 국민에게 널리 알림.
공포(空砲) 명 **1** 실탄을 재지 않고 소리만 나게 하는 총질. 헛총. **2** 위협하기 위하여 공중을 향하여 쏘는 총질. ¶달아나는 범인에게 ~를 쏘아 겁을 주었다.
  공포(를) 놓다 구 ㉠공포를 쏘다. ㉡위협을 주거나 공갈하다.
공:포(恐怖) 명 무서움과 두려움. ¶~에 떨다 / ~ 분위기에 휩싸이다 / 죽음의 ~에 사로잡히다 / ~로 파랗게 질리다.
공:포-감(恐怖感) 명 두렵고 무서운 느낌. ¶~이 엄습해 와서 걸음을 재촉했다 / ~을 불러일으키다.
공:포-심(恐怖心) 명 두려워하고 무서워하는 마음.
공:포-증(恐怖症)[-쯩] 명 강박 관념의 하나. 항상 공포·불안을 느끼면서 자기 통제를 하지 못하는 병적 증상.
공포-탄(空砲彈) 명 화약은 들어 있으나 탄알이 없이 소리만 크게 나는 탄환《예포·신호·훈련용으로 씀》.
공표(公表) 명하자타 세상에 널리 알림. ¶사건의 진상을 ~하다.
공표(空票) 명 **1** 거저 얻은 입장권이나 차표. **2** 추첨에서 배당이 없는 표.
공학(工學) 명 공업에 이바지할 것을 목적으로 자연 과학적 방법을 써서 신제품·신제법·신기술을 연구하는 학문. ¶첨단 ~.
공:학(共學) 명하자 성별이나 민족이 다른 학생들이 한 학교에서 함께 배움. ¶우리 중학교는 남녀 ~이다.
공한(公翰) 명 공적(公的)인 편지.
공한-지(空閑地) 명 **1** 농사를 지을 수 있는 데도 아무것도 심지 않고 놀리는 땅. ¶~를 줄이다. **2** 집을 짓지 않은 빈 터. ¶집 옆 ~에서 토끼를 기르다.
*__공항__(空港) 명 여객과 짐을 나르는 항공기가 뜨고 내리는 시설을 갖춘 공공용 비행장. ¶인천 국제 ~ / ~까지 나가 배웅하다 / 손님을 맞이하러 ~에 나가다.
공항-버스(空港 bus) 명 공항과 도심, 공항과 역 따위를 왕복하며 승객을 실어 나르는 버스.
공해(公海) 명 어느 나라의 주권에도 속하지 않는, 각국이 공동으로 사용할 수 있는 바다. ↔영해(領海).
공해(公害) 명 산업의 발달과 교통량 증가에 따라 사람이나 생물 및 자연이 입는 피해. 매연·공장의 폐수·쓰레기 따위로 공기와 물이 더럽혀지고 자연환경이 파괴되는 따위. ¶~ 추방 가두 운동 / ~가 심하다.
공해-병(公害病)[-뼝] 명 수질 오염·대기 오염 등의 공해로 말미암아 일어나는 병.
공허-감(空虛感) 명 텅 빈 듯한 허전한 느낌. ¶바빴던 일이 모두 마무리되자 문득 ~이 찾아들었다.
공허-하다(空虛-) 형여불 **1** 속이 텅 비다. ¶마음이 ~. **2** 실속이 없이 헛되다. ¶공허한 이야기에 불과하다.
공:헌(貢獻) 명하자 힘을 써서 이바지함. ¶사회 발전에 ~하다.
공:화(共和) 명 **1** 여러 사람이 공동으로 일을 함. **2** 두 사람 이상이 모여 공동으로 정무(政務)를 시행함. **3** 공화 제도. ↔전제(專制).
공:화-국(共和國) 명 주권이 국민에게 있는 공화 정치를 하는 나라.
공:화 정치(共和政治) 국가의 주권이 국민에게 있고 국민이 선출한 대표자들이 국법에 따라 행하는 정치.
공:화-제(共和制) 명 '공화 제도'의 준말.
공:화 제:도(共和制度) 공화 정치를 하는 정치 제도.
공활-하다(空豁-) 형여불 텅 비고 매우 넓다. ¶가을 하늘이 ~.
공:황(恐慌) 명 **1** 놀랍고 두려워 어찌할 바를 모르는 상태. **2** '경제 공황'의 준말.
공회(公會) 명 **1** 공사(公事)로 인한 모임. **2** 일반 대중의 모임. **3** 공개로 하는 회의.
공회-당(公會堂) 명 일반 대중의 모임을 위하여 세운 건물. ¶~에 온 주민들이 모여 회의를 하였다.
공후(公侯) 명 **1** 제후. **2** 공작과 후작.

공후 (箜篌) 명 〔악〕 하프와 비슷한 동양의 옛 현악기.

공후(箜篌)

공훈 (功勳) 명 국가나 사회를 위하여 세운 공로(功勞). 훈공(勳功). ¶~을 세우다.
공휴 (公休) 명 '공휴일'의 준말.
공휴-일 (公休日) 명 **1** 국경일·일요일같이 공적으로 쉬기로 정하여진 날. **2** 동업자들끼리 정한 정기적 휴일.
공:-히 (共-) 부 다 같이. 모두. ¶남녀노소 ~ 즐기는 노래/명실 ~ 한국 제일의 첨단 제품을 만들어 내다.
곶 (串)[곧] 명 바다 쪽으로 좁고 길게 뻗어 있는 육지의 끝 부분. 갑(岬).
-곶 (串)[곧] 미 지명 뒤에 붙어, 바다로 뻗어 나온 곳을 나타내는 말. ¶장산(長山)~.
곶-감 [곧깜] 명 껍질을 벗기고 꼬챙이에 꿰어 말린 감. 건시(乾柿). 관시(串柿). ¶~한 꼬치/~을 빼 먹다.
곶감 꼬치에서 곶감 빼 먹듯 구 애써 알뜰히 모아 둔 것을 조금씩 헐어 써 없애는 모양. 곶감 뽑아 먹듯.
과: (果) 명 **1** 나무 열매. **2** 결과. **3** 〔불〕 인연으로 생기는 모든 결과.
과 (科) 명 **1** 학과나 연구 분야를 구분하는 단위. ¶국어~/그는 무슨 ~에 다닌다더냐. **2** 생물학상의 분류 단위《목(目)의 아래, 속(屬)의 위임》. ¶소나뭇~/고양이는 무슨 ~에 속하느냐. **3** 〔역〕 '과거(科擧)'의 준말.
과 (課) 명 **1** 사무 조직의 한 작은 구분《부(部)의 아래, 계(係)의 위》. ¶우리 ~에서 근무하던 사람. **2** 교과서 등에서 내용상의 한 구분. ¶아홉 번째 ~를 공부하다.
과 조 받침 있는 체언에 붙어 **1** 열거를 나타내는 접속 조사. ¶형~ 아우/말~ 소. **2** 다른 말과 비교하는 부사격 조사. ¶성격이 불~ 같다/그의 말은 사실~ 다르다. **3** 함께함을 나타내는 부사격 조사. ¶김군~ 같이 가다. **4** 상대로 하는 대상을 나타내는 부사격 조사. ¶남들~ 다투는 일이 없다. *와.
과:- (過) 두 **1** '지나친·과도한'의 뜻. ¶~보호/~소비/~적재(積載). **2** 〔화〕 '산소가 과다하게 결합한'의 뜻을 나타내는 말. ¶~산화물(酸化物)/~인산.
-과 (課) 미 '사무 부서'의 뜻을 나타내는 말. ¶총무~/관리~.
과:감-스럽다 (果敢-) 〔-스러우니, -스러워〕 형 ㅂ불 보기에 과감한 데가 있다. **과:감-스레** 부
과:감-하다 (果敢-) 형 여불 결단력이 있고 용감하다. ¶불의에 과감하게 맞서 싸우다. **과:감-히** 부
과:객 (過客) 명 지나가는 나그네.
과:객-질 (過客-) 명 하자 노자 없이 다니는 나그네 노릇.
과거 (科擧) 명 〔역〕 지난날, 문무관을 등용할 때 보이던 시험. ¶~ 제도/~에 급제하다. 준과(科).
과거(를) 보다 구 과거에 응시하다.

> **과거(조선 시대)**
>
> 1. **식년시**(式年試) … 자(子)·묘(卯)·오(午)·유(酉)의 해에 3년마다 정기적으로 보인 과거
> 2. **증광시**(增廣試) … 국왕의 즉위나 30년 재위와 같은 경사 또는 작은 경사가 겹칠 때 보인 과거
> 3. **별시**(別試) … 나라에 경사가 있을 때 또는 중시(重試)가 있을 때 보인 과거
> 4. **외방별시**(外方別試) … 국왕이 몽진(蒙塵)하거나 능침(陵寢)·온천 등에 갈 때 보인 과거
> 5. **알성시**(謁聖試) … 국왕이 문묘(文廟)에서 작헌례(酌獻禮)를 올린 뒤에 보인 과거
> 6. **정시**(庭試) … 나라에 경사 또는 중대사가 있을 때 보인 과거
> 7. **춘당대시**(春塘臺試) … 왕실에 경사가 있을 때 또는 관무재(觀武才)가 있을 때 보인 과거
> 8. **중시**(重試) … 10년에 한 번씩 당하관(堂下官)에게 보인 과거《일종의 진급 시험》

***과:거** (過去) 명 **1** 지나간 때. ¶~를 회고하다. **2** 지나간 일이나 삶. ¶~를 청산하다/~를 들추어내다. **3** 〔언〕 시제의 하나로 지나간 동작이나 상태를 나타냄《용언의 어간에 '-ㄴ/-은'이나 '-았-/-었-' 따위를 더하여 씀》. ↔현재·미래.
과:거 분사 (過去分詞) 〔언〕 영어·프랑스어·독일어 따위에서 동사의 한 변화형《형용사의 성질을 띠며, 완료형 및 수동형을 만듦》.
과:거-사 (過去事) 명 지나간 과거의 일. 과거지사. ¶그의 ~를 캐내다.
과:거 완료 (過去完了)[-왈-] 〔언〕 과거 어느 때에 있었거나 행하여졌던 동작을 나타내는 어법. 과거 시제에 선어말 어미 '-었-'을 더하거나 '-아 있었다' 등의 꼴로 씀. '한때 서울에 살았었지'·'앉아 있었다' 따위.
과:거지사 (過去之事) 명 과거사.
과:거 진:행 (過去進行) 〔언〕 동사의 진행상의 하나. 지나간 어느 때에 동작이 진행 중이었음을 나타내는 어법(語法). '-고 있었다' 등으로 표시됨.
과:격-파 (過激派) 명 과격한 방법으로 주의나 이상을 실현하려는 파. ↔온건파.
과:격-하다 (過激-)[-겨카-] 형 여불 지나치게 격렬하다. ¶과격한 운동/과격한 성미. **과:격-히** [-겨키] 부
과기 (瓜期) 명 **1** 기간이 참. **2** 여자의 15-16세 때. **3** 〔역〕 벼슬의 임기.
과:-꽃 [-꼳] 명 〔식〕 국화과의 한해살이풀. 산에 나는데 줄기 높이 30-60 cm, 가을에 남자색이나 청색·홍색 등의 꽃이 핌. 관상용임.
과:-냉각 (過冷却) 명 하타 〔물〕 **1** 액체를 응고점 이하로 냉각하여도 고체화하지 않고 액체 상태 그대로 있는 현상. 과랭(過冷).

2 증기를 이슬점 이하로 냉각하여도 증기압이 포화 기압(飽和氣壓)보다 크게 되는 현상. 과랭(過冷).

과:녁 명 〔←관혁(貫革)〕 1 활이나 총을 쏘는 연습을 할 때 목표로 세워 놓은 물건. ¶ ~판 / 화살이 ~의 중앙에 꽂히다. 2 어떤 일의 목표물.

과:녁-빼기 명 조금 떨어져 똑바로 건너다 보이는 곳.

과년 (瓜年) 명 1 여자가 혼기에 이른 나이. ¶ ~의 처녀. 2 〖역〗 벼슬의 임기가 찬 해.

과년(이) 차다 구 여자의 나이가 혼인 나이에 꽉 차다.

과:년 (過年) 명하형 여자 나이가 혼인할 시기를 지난 상태에 있음. ¶ ~한 처녀〔딸〕.

과:년-도 (過年度) 명 지난 연도. 작년도. ¶ ~ 수출 실적을 보고서로 작성하다.

과:다 (過多) 명하형히부 너무 많음. ¶ 공급 ~ / ~ 노출 / ~하게 욕심을 부리다 / 식비를 ~히 지출하다. ↔과소(過少).

과:단-성 (果斷性) [-썽] 명 일을 딱 잘라서 결정하는 성질. ¶ ~ 있는 조처.

과:당 (果糖) 명 〖화〗 포도당과 함께 과실 속에 들어 있는 당분《흰 가루로 물에 잘 녹으며 발효하면 알코올이 됨》. 프룩토오스 (fructose).

과:당 (過當) 명하형 정도가 보통보다 지나침. ¶ ~ 경쟁.

과:대 (過大) 명하형히부 너무 큼. ¶ 도시의 ~ 팽창 / 수수료 요구가 ~하다. ↔과소.

과:대 (誇大) 명하타 작은 것을 큰 것처럼 과장함. ¶ ~ 선전 / 자신의 능력을 ~하여 말하다.

과:대-망상 (誇大妄想) 명 자기의 현재 상태를 턱없이 과장해서 사실인 것처럼 믿는 생각. ¶ ~에 빠지다.

과:대-평가 (過大評價) [-까] 명하타 실제 이상으로 높이 평가함. ¶ 부모님은 아들의 능력을 ~하였다. ↔과소평가.

과:도 (果刀) 명 과일을 깎는 칼.

과:도 (過度) 명하형히부 정도에 지나침. ¶ ~한 운동.

과:도 (過渡) 명 어떤 단계에서 또 다른 단계로 넘어가거나 묵은 것에서 벗어나 새것으로 옮아가거나 바뀌어 가는 도중. ¶ ~ 내각 / ~ 체제.

과:도-기 (過渡期) 명 한 단계에서 다른 단계로 넘어가는 도중의 시기. 흔히 사회의 사상과 제도가 확립되지 않고 인심이 불안정한 시기. ¶ ~ 현상.

과:도기-적 (過渡期的) 관명 과도기의 특징을 나타내는 (것). ¶ ~ 형태 / ~ 혼란.

과:도 정부 (過渡政府) 한 정치 체제에서 딴 정치 체제로 넘어가는 과정의 임시 정부. ¶ 정파를 망라해 ~를 구성하다. 준과정(過政).

과두 문자 (蝌蚪文字) [-짜] 중국 옛 글자의 하나《글자 모양이 올챙이 같음》.

과두 정치 (寡頭政治) 몇몇 사람이 국가의 지배권을 장악한 정치.

과락 (科落) 명 여러 학과목 중에서 어떤 과목이 기준 점수 미달이 되는 일. 과목낙제. ¶ 한 과목이라도 ~이 있으면 자격증을 딸 수 없다.

과:람 (過濫) 명하형 분수에 지나침.

과:량 (過量) 명하형 분량이 지나치게 많음. ¶ ~ 조사(照射) / 비타민 ~ 섭취.

과:로 (過勞) 명하자 지나치게 일하여 고달픔. 또는 그로 말미암은 지나친 피로. ¶ ~ 때문에 병이 나다.

과:로-사 (過勞死) 명 과로가 원인이 되어 갑자기 죽는 일.

과료 (科料) 명 〖법〗 가벼운 죄를 범한 사람에게 물리는 벌금. ¶ ~ 처분.

과립 (顆粒) 명 둥글고 잔 알갱이.

과:목 (果木) 명 과일이 열리는 나무. 과일나무. 과수(果樹).

***과목** (科目) 명 1 학문의 구분. 2 교과목. ¶ 필수 ~ / 전공 ~ / 내일 수업 받을 ~의 책을 챙기다.

과:묵 (寡默) 명하형히부 말이 적고 침착함. ¶ ~한 사람〔성품〕.

과:문 (寡聞) 명하형 보고 들은 것이 적음. ¶ 제가 ~한 탓인지 그런 이야기는 들어 본 적이 없습니다.

과:민 (過敏) 명하형히부 지나치게 예민함. ¶ 신경 ~ / ~한 반응을 보이다 / 그녀는 조그마한 소리에도 ~했다.

과:밀 (過密) 명하형 인구나 건물, 산업 시설 등이 한곳에 지나치게 집중되어 있음. ¶ 인구 ~ / ~ 학급.

과:반 (果盤) 명 과일을 담는 쟁반.

과:반-수 (過半數) 명 반이 넘는 수. 반수보다 많은 수. ¶ 출석자의 ~가 찬성했다.

과:보 (果報) 명 〖불〗 '인과응보'의 준말.

과:-보호 (過保護) 명하타 과잉보호.

과:부 (寡婦) 명 남편이 죽어서 혼자 사는 여자. 과수. 미망인. 홀어미. ¶ 젊어서 ~가 되었다.

[과부는 은이 서 말, 홀아비는 이가 서 말] 과부는 돈 모으고 살아도 홀아비는 생활이 곤궁하다.

과:부-댁 (寡婦宅) [-땍] 명 '과부'의 높임말. 과수댁.

과:-부족 (過不足) 명 남거나 모자람. ¶ ~ 없이 꼭 맞다.

과:-부하 (過負荷) 명 전기의 규정량을 초과하는 부하. ¶ ~ 전류(電流).

과:분-하다 (過分-) 형여불 분수에 넘치게 좋다. 과만하다. ¶ 과분한 칭찬 / 이번 인사 발령은 저에게 과분합니다. **과:분-히** 부

과:-불급 (過不及) 명하형 능력 따위가 지나치거나 미치지 못함.

과:-산화 (過酸化) 명 〖화〗 산소의 화합물 중에서 보통 것보다 많은 산소를 가지고 있음을 나타내는 말.

과:산화-수소 (過酸化水素) 명 〖화〗 질산 비슷한 냄새가 나는 무색 액체《3% 가량의 수용액을 만들어 산화제·표백제·소독제로 씀》. 이산화수소.

과:산화수소-수 (過酸化水素水) 명 〖약〗 과산화수소를 물에 녹인 약품《상표명은 옥시풀》.

과:세 (過歲) 명하자 설을 쇰.

과세 (課稅) 명하타 세금을 매김. ¶ ~ 기준 / 특별 소비세를 ~하다.

과세-권 (課稅權) [-꿘] 명 세금을 매기고 거둘 수 있는 권리.

과세-율(課稅率) 명 과세 표준에 따라 세액을 정하는 법정률. 준과율.
과세 표준(課稅標準) 세액 결정의 기준이 되는 과세 물건의 수량·가격·품질 따위의 수치(數値). 준과표.
과:소(過小) 명하형히부 지나치게 작음. ↔과대(過大).
과:소(過少) 명하형히부 지나치게 적음. ↔과다(過多).
과:-소비(過消費) 명하자 분수에 넘치게 소비함. ¶~를 조장하다.
과:소-평가(過小評價)[-까] 명하타 실제보다 지나치게 낮게 평가함. ¶상대를 ~하다. ↔과대평가.
과:속(過速) 명하자 자동차 따위의 속도를 너무 빠르게 함. 또는 그 속도. ¶~ 방지턱/~으로 달리다/고속도로에서 ~하는 장면이 무인 카메라에 잡혔다.
과:수(果樹) 명 〔식〕 열매를 거두기 위하여 재배하는 나무. 과실나무. 과목(果木).
과:수(寡守) 명 과부.
과:수-댁(寡守宅)[-땍] 명 과부댁.
***과:수-원**(果樹園) 명 과실나무를 재배하는 농원. 준과원(果園).
과:시(誇示) 명하타 **1** 자랑해 보임. ¶위세를 ~하다/오랫동안 닦은 기량을 ~하다. **2** 사실보다 크게 나타내어 보임.
과:시(果是) 부 과연. ¶~ 대장부로세.
과:식(過食) 명하타 지나치게 많이 먹음. ¶잔칫집에서 ~하다/~으로 배탈이 나다.
과:신(過信) 명하타 지나치게 믿음. ¶~은 금물이다/자기 능력을 ~한 나머지 일을 그르치고 말았다.
과:실(果實) 명 과수에 생기는 열매.
과:실(過失) 명 **1** 부주의로 생긴 잘못이나 허물. ¶~을 눈감아 주다. **2** 〔법〕 어떤 결과의 발생을 부주의로 미리 내다보지 못한 일. ↔고의(故意).
과:실-범(過失犯) 명 〔법〕 과실로 성립되는 범죄. 또는 그런 죄를 지은 사람. ↔고의범.
과:실-주(果實酒)[-쭈] 명 과실즙을 발효시켜 만든 술. 포도주·사과주 따위.
과:실 치:사(過失致死) 〔법〕 과실 행위로 사람을 죽게 하는 일.
과:심(果心) 명 열매 속에 씨를 싸고 있는 딱딱한 부분.
과:액(寡額) 명 적은 액수. 소액.
과:언(過言) 명하자 정도에 지나친 말. ¶세계적 발명이라 해도 ~이 아니다.
과업(課業) 명 마땅히 해야 할 일이나 주어진 일. ¶~을 완수하다/통일은 민족적 ~이다.
***과:연**(果然) 부 **1** 아닌 게 아니라 정말로. 들은 바와 같이. 과시(果是). ¶~ 아름답다. **2** 참으로. 도대체. ¶이 책을 읽어 본 사람이 ~ 몇이나 될까.
과:열(過熱) 명하자 **1** 지나치게 뜨거워짐. 또는 그런 열. **2** (비유적으로) 경기의 이상 상승으로 인플레 따위의 위험에 놓이게 되는 일. ¶부동산 경기가 ~하다/증권 시장이 ~ 기미를 보이고 있다. **3** 〔물〕 액체나 증기 따위를 끓는점 이상으로 가열함. **4** 운동 경기나 선거 등에서 경쟁이 지나치게 치열해짐. ¶대통령 선거가 ~되다.
과:오(過誤) 명 잘못. 과실(過失). ¶~를 범하다/~를 저지르다.
과외(課外) 명 **1** 정한 학과 과정(課程) 이외에 하는 공부. 과외 수업. ¶~ 열풍/~를 금하다. **2** 원래 정해진 범위 이외의 것. ¶~로 돈이 들어가다.
과외 수업(課外授業) 과외1.
과:욕(過慾) 명하형 욕심이 지나침. 또는 그 욕심. ¶~은 금물이다.
과:용(過用) 명하타 너무 많이 씀. 지나치게 씀. ¶진통제를 ~하다/여행 경비를 ~하다.
과원(課員) 명 관청·회사 등의 한 과에서 일하는 사람.
과:유불급(過猶不及) 명 정도를 지나침은 미치지 못한 것과 같음. *과불급(過不及).
과:육(果肉) 명 **1** 과일과 고기. **2** 열매에서 씨를 둘러싸고 있는 살.
과:음(過飮) 명하타 술을 지나치게 마심. ¶술을 ~하여 속이 쓰리다/~으로 간(肝)이 상하다.
과:인(寡人) 인대 덕이 적은 사람이라는 뜻으로, 임금이 자기를 낮추어 이르던 말.
과:인산 석회(過燐酸石灰)[-서쾨] 〔화〕 인회석(燐灰石)에 황산을 작용시켜 가용성으로 만든 물질《효과가 빠른 인산 비료의 하나》. 준과석(過石).
***과:일** 명 사람이 먹을 수 있는 열매. ¶~로 술을 담그다.
[과일 망신은 모과가 시킨다] 못난 것이 동료를 망신시킬 짓만 한다는 말.
과:잉(過剩) 명하형 남을 정도로 지나치게 많음. ¶~ 방위/~ 친절.
과:잉-보호(過剩保護) 명하타 부모가 어린 아이를 지나치게 감싸고 보호함. 과보호. ¶부모들의 ~ 속에 자라서 이기적이 된 아이들이 많다.
***과자**(菓子) 명 밀가루나 쌀가루에 설탕·우유 따위를 섞어 기름에 튀기거나 구워서 만든 음식. ¶간식으로 ~ 한 봉지를 다 먹었다.
과:작(寡作) 명하타 작품 따위를 양적으로 적게 제작함. ↔다작(多作)1.
과장[1](科場) 명 〔역〕 과거를 보이던 곳.
과장[2](科場) 명 〔민〕 과(科)는 동작, 장(場)은 마당의 뜻으로, 가면극에서 나누어진 한 단락. 과정(科程).
과:장(誇張) 명하타 사실보다 지나치게 부풀림. ¶~ 광고/~된 보도/그는 항상 ~하여 말하는 버릇이 있다.
과:장-법(誇張法)[-뻡] 명 수사법의 하나. 사물을 실상보다 지나치게 크거나 작게 나타내는 표현 방법.
과:적(過積) 명하타 '과적재'의 준말. ¶~ 차량을 단속하다.
과:-적재(過積載) 명하타 화물의 정량을 초과하여 실음. ¶~한 화물 트럭이 내리막길에서 구르다.
과전(科田) 명 〔역〕 과전법에서 그 지위에 따라 관원에게 지급하던 토지.
과전-법(科田法)[-뻡] 명 〔역〕 이성계가 고려 공양왕 때에 정하여 고려 말·조선 초에 실시하던 토지 제도.
과:점(寡占) 명 〔경〕 어떤 상품 시장의 대

부분을 소수 기업이 차지하는 상태. *독점(獨占).

*과:정(過程) 명 일이 진행·발전하는 경로. 경과한 길. ¶발달 ~/진행 ~/소설은 사건의 전개 ~이 재미있어야 한다.

과정(課程) 명 1 학교 등에서, 어느 일정 기간에 할당된 학습·작업의 범위. ¶3학년 ~/3개월 동안의 실습 ~을 마치다. 2 특히 대학 등에서, 교수(教授)·연구를 위한 전문별 코스. ¶박사 ~을 밟다.

과제(科題) 명 〖역〗 과거를 볼 때 내주던 글의 제목.

과제(課題) 명 처리하거나 해결해야 할 문제. ¶~물/당면한 ~.

과줄 명 밀가루를 기름과 꿀에 반죽하여 과줄판에 박아서 기름에 지진 유밀과. 약과.

과줄-판(-板) 명 과줄을 박아 내는 틀.

과:중-하다(過重-) 형 여불 1 너무 무겁다. ¶짐을 과중하게 싣다. 2 힘에 벅차다. ¶과중한 책임〔부담〕을 지우다. 과:중-히 부

과:즙(果汁) 명 과일을 짜낸 즙. ¶시중에 각종 ~ 음료가 나와 있다.

과징-금(課徵金) 명 1 국가가 징수하는 금전 중에서 조세를 제외한 것《수수료·벌금 따위》. 2 법령에 근거해서 행정 수단으로써 국가가 징수하는 금전. ¶기업 담합에 ~을 부과하다.

과:찬(過讚) 명 하타 지나치게 칭찬함. 또는 그 칭찬. ¶~의 말씀이십니다.

과:채-류(果菜類) 명 사람이 그 과실을 식용하는 채소의 총칭. 열매채소류. *근채류(根菜類).

과:태-료(過怠料) 명 행정상, 가벼운 의무 이행 위반에 대한 벌로 물게 하는 돈《형벌이 아님》. ¶~를 부과하다.

과:-포화(過飽和) 명 〖물〗 1 용액이 어떤 온도에서 용해도 이상의 용질(溶質)을 함유하고 있는 상태. 2 증기가 어떤 온도에서 포화 증기압보다 큰 압력을 갖는 상태.

과표(課標) 명 '과세 표준'의 준말. ¶~의 인상으로 세금 부담이 커졌다.

과:피(果皮) 명 〖식〗 과실의 껍질.

과-하다(科-) 타 여불 형벌을 지우다. ¶벌금을 ~/공범자에게도 중죄의 형을 과하였다.

과-하다(課-) 타 여불 1 세금이나 벌금 따위를 매겨서 내게 하다. ¶무거운 벌금을 ~. 2 일이나 책임을 맡겨서 하게 하다. ¶숙제를 ~.

과:-하다(過-) 형 여불 정도에 지나치다. 분에 넘치다. ¶말씀이 과하십니다/씀씀이가 ~/그에겐 과한 아내다. 과:-히 부 1 너무 지나치게. ¶술을 ~ 마시다. 2 그다지《뒤에 부정의 말이 따름》. ¶~ 크지 않다.

*과학(科學) 명 보편적인 진리나 법칙의 발견을 목적으로 한 체계적인 지식. 넓은 뜻으로는 학(學)과 같은 뜻이고, 좁은 뜻으로는 자연 과학을 일컬음.

과학 기술부(科學技術部) 전에 중앙 행정 기관의 하나. 과학 기술 진흥을 위한 종합적 기본 정책의 수립, 기획의 종합과 조정, 기술 협력 등에 관한 사무를 맡아봄.

과학 기술 정보 통신 위원회(科學技術情報通信委員會) 전에 국회 상임 위원회의 하나. 정보 통신부·과학 기술부 소관 사항을 심의하였음.

과학 수사(科學搜査) 지문의 감식·해부 등 과학의 힘을 이용하여 범죄를 수사하는 일. ¶범인 검거는 ~의 개가이다.

*과학-자(科學者) 명 과학, 특히 자연 과학을 연구하는 사람.

과학-적(科學的) 관 명 사실 그 자체로 뒷받침되고, 논리적인 인식으로 매개되어 있는 (것). 원리적으로 체계가 세워져 있는 (것). ¶~ 방법/~ 실재론.

과학-화(科學化)[-하콰] 명 하자 타 과학적으로 체계화함. ¶영농의 ~.

곽(槨) 명 관(棺)을 담는 궤.

곽란(霍亂·癨亂)[광난] 명 〖한의〗 음식이 체하여 토하고 설사를 하는 급성 위장병.

관(官) 명 정부나 관청 따위를 이르는 말.

관 물(을) 먹다 구 국가의 관료로 생활을 하다. 관청 물(을) 먹다.

관 물(이) 들다 구 오랜 관리 생활로 관료적인 영향을 받다.

관(冠) 명 〖역〗 관복·예복을 입을 때 망건 위에 쓰던 물건.

관[1](貫) 명 과녁의 한복판.

관[2](貫) 명 '본관'의 준말.

관(棺) 명 시체를 담는 궤. 관구(棺柩).

관:(款) 명 〖법〗 1 법률문 따위의 조항. 2 예산·결산 따위의 과목 분류의 하나《항(項)의 위》.

관(管) 명 몸 둘레가 둥글고 길며 속이 비어 있는 물건.

관[3](貫) 의명 1 〖역〗 쾌2. 2 도량형의 무게의 기본 단위《한 관은 약 3.75kg》.

-관(館) 미 1 어떤 기관이나 건물의 이름을 나타내는 말. ¶영사~/도서~/박물~. 2 주로 한식 음식점·요정 등의 옥호(屋號)에 붙이는 말. ¶명월(明月)~.

-관(觀) 미 체계화된 나름대로의 견해를 뜻하는 말. ¶인생~/역사~/국가~.

관가(官家) 명 〖역〗 1 관리들이 나랏일을 보던 집. 2 한 고을의 수령. 원.

관:개(灌漑) 명 하자 농사에 필요한 물을 끌어 농지에 대는 일. ¶~ 시설/~ 공사.

관:개-용수(灌漑用水) 명 관개하는 데 쓰는 물. ¶가뭄으로 ~마저 말랐다.

관객(觀客) 명 공연 따위를 구경하는 사람. 구경꾼. ¶우리나라 영화에 ~이 많이 몰리고 있다.

관객-석(觀客席) 명 관객이 구경하는 자리. 객석(客席). ¶~에선 공연 내내 박수가 끊이지 않았다.

관건(關鍵) 명 1 문빗장. 2 어떤 사물이나 문제 해결의 가장 중요한 곳. 핵심. ¶문제 해결의 ~을 쥐고 있다.

관격(關格) 명 〖한의〗 먹은 음식이 갑자기 체하여 가슴이 막혀 토하지도 못하고 대소변도 못 보는 위급한 병.

관계(官界)[-/-게] 명 국가의 기관이나 관리들로 이루어진 사회. ¶~에 진출하다.

*관계(關係)[-/-게] 명 하자 1 둘 이상의 사람·사물·현상 등이 서로 관련을 맺음. ¶연고 ~/노사 ~. 2 남녀가 서로 정을 통함. ¶불륜 ~. 3 어떠한 사물에 서로 관련을 가짐. ¶모 사건에 ~된 인물. 4 남의 일에

참견함. **5** 어떤 방면이나 영역. ¶수출 ~ 업무에 종사하다. **6** 까닭이나 원인을 나타내는 말. ¶사업 ~로 출장을 가다.
관계-관(關係官)[-/-게-] 명 어떤 일에 관계되는 관리.
관계 대:명사(關係代名詞)[-/-게-]〖언〗영어 등 일부 외국어에서 접속사 구실을 하는 대명사.
관계-식(關係式)[-/-게-] 명〖수〗수학·과학의 대상 간의 관계를 나타내는 식《공식·등식·부등식·방정식 등》.
관계-언(關係言)[-/-게-] 명〖언〗조사(助詞).
관계-없다(關係-)[-업따/-게업따] 형 **1** 서로 아무런 관련이 없다. 상관없다. ¶그 사건은 나와 관계없는 일이다. **2** 염려할 것 없다. ¶비용은 아무래도 ~. **관계-없이**[-업씨/-게업씨] 부
관계-있다(關係-)[-읻따/-게읻따] 형 서로 관련이 있다. 상관있다. ¶그는 이 일에 직접적으로 관계있는 사람이다.
관계-자(關係者)[-/-게-] 명 어떤 일에 관련이 있는 사람. ¶~ 외 출입 금지/청와대 고위 ~.
관곡(官穀) 명〖역〗관가의 곡식.
관골(髖骨) 명〖생〗하지대(下肢帶)를 이루는 한 쌍의 큰 뼈. 무명골(無名骨). 볼기뼈.
관골(顴骨) 명〖생〗광대뼈.
관공-립(官公立)[-닙] 명 관립과 공립.
관공-서(官公署) 명 관청과 공공 기관.
관곽(棺槨) 명 시체를 넣는 속 널과 겉 널.
***관광**(觀光) 명하타 다른 지방이나 다른 나라의 경치·명소를 구경함. ¶~ 열차/동해안을 ~하고 돌아왔다.
관광-객(觀光客) 명 관광하러 다니는 사람. ¶외국 ~을 유치하다/해외로 나가는 ~들이 해마다 늘고 있다.
관광 산:업(觀光産業) 관광에 따르는 교통·숙박·오락 등을 위한 산업. 레저 산업. ¶~을 육성하다.
관광 자원(觀光資源) 관광객이 흥미를 가지고 구경할 만한 자연이나 문화적 관광 대상물. ¶~을 개발하다.
***관광-지**(觀光地) 명 명승지와 유적지가 많아 관광의 대상이 되는 곳.
관구(管區) 명 **1** '관할 구역'의 준말. **2**〖가〗대주교의 관할 아래 있는 교회 행정 구역.
관군(官軍) 명 예전에, 정부의 정규 군대. 관병.
관권(官權)[-꿘] 명 **1** 정부의 권력. ¶~ 개입. **2** 관청 또는 관리의 권한. ¶~을 행사하다.
관규(官規) 명 관청의 규칙. 관리에 적용되는 규칙.
관극(觀劇) 명하자 연극을 구경함.
관급(官給) 명하타 돈이나 물품 따위를 관청에서 지급함. ¶~ 공사.
관기(官妓) 명 지난날, 궁중 또는 관아에 딸려 가무·기악 따위를 하던 기생.
관기(官紀) 명 관리가 복무상(服務上) 지켜야 할 규율. ¶~가 문란해지다.
관기-숙정(官紀肅正) 명하자 문란한 관청의 규율을 바로잡음.
관남(關南) 명〖지〗마천령(摩天嶺) 이남의 땅《함경남도 일대》.
관납(官納) 명하타 관청에 납품함. *군납.
관내(管內) 명 관할 구역의 안. ¶~를 순시하다/~에 거주하다. ↔관외.
관념(觀念) 명 **1** 어떤 일에 대한 생각이나 견해. **2**〖심〗어떤 대상에 대한 의식 내용이나 인식. **3**〖철〗대상을 표시하는 심적 형상의 총칭. 선악의 관념, 죽음에 대한 관념 같은 것.
관념-론(觀念論)[-논] 명〖철〗인식론상의 한 입장. 우리가 인식하려는 세계는 외계 현상계가 아니라 영원불변한 관념 세계라고 하는 이론. 관념주의. ↔실재론·유물론.
관념-적(觀念的) 관명 현실성이 없고 추상적인 관념과 표상에 치우치는 (것).
관념-주의(觀念主義)[-/-이] 명 **1** 객관적인 대상을 묘사하는 데 제재를 주관적 가치에 따라서 표현하려는 예술상의 주의. ↔형식주의. **2** 관념론.
관노(官奴) 명〖역〗관가에서 부리던 사내종. ↔관비(官婢).
관-노비(官奴婢) 명〖역〗관가에서 부리던 노비.
관능(官能) 명 **1** 오관 및 감각 기관의 기능. **2** 육체적 쾌감을 느끼는 작용. ¶~을 자극하다.
관능-미(官能美) 명 관능적인 미.
관능-적(官能的) 관명 육체적 쾌감을 자극하는 (것). ¶~인 교태.
관-다발(管-) 명〖식〗양치(羊齒)식물·종자식물 등에 있는 중요한 조직의 하나. 체관부와 물관부로 이루어졌는데, 체관부는 양분의 통로, 물관부는 수분(水分)의 통로가 됨. 관속(管束). 유관속(維管束).
관:대(款待) 명하타 친절히 대하거나 정성껏 대접함.
관대(寬待) 명하타 너그럽게 대접함.
관대-하다(寬大-) 형여불 마음이 너그럽고 크다. ¶관대한 처분을 바라다. **관대-히** 부. ¶~ 용서하다.
-관데 어미 까닭을 캐어 물을 때 예스럽게 쓰는 연결 어미《앞에는 의문사가 오며 뒤에는 의문 형식이 옴》. -기에. ¶무엇을 보았~ 그리 겁을 먹고 있는고/네가 무엇이~ 그리 뽐내느냐.
관동(關東) 명〖지〗대관령 동쪽의 땅. 곧, 강원도. 영동(嶺東).
관:-두다 타 '고만두다'의 준말. ¶시시한 얘기 관둬라/그를 만나려다가 귀찮은 생각이 들어 관두었다.
관등(官等) 명 관직의 등급. 관계(官階). ¶~ 성명.
관등(觀燈) 명하자〖불〗**1** 음력 4월 8일에 온갖 등을 켜서 부처님 오신 날을 기념하는 일. **2** 절의 주요 행사 때 등을 달아 불을 밝히는 일.
관등-절(觀燈節) 명〖불〗석가의 탄일인 음력 4월 8일을 명절로 일컫는 말.
관디 명 〔←관대(冠帶)〕〖역〗옛날 벼슬아치의 공복(公服)《지금은 전통 혼례 때 신랑이 예복으로 입음》.
관디목-지르다〔-지르니, -질러〕 타 르불〖역〗벼슬이 낮은 사람이 높은 사람에게

경례를 하다.
관람 (觀覽)[괄-] 명하타 연극·영화·경기·미술품 따위를 구경함. ¶ ~객 / 단체로 연극 ~을 하다 / 미술 전시회를 ~하다.
관람-석 (觀覽席)[괄-] 명 관람하는 좌석. ¶ ~을 가득 메운 인파.
관련 (關聯)[괄-] 명하자 서로 걸려 얽힘. 연관. ¶ 범죄 조직과 ~된 사건 / ~ 단체들이 거세게 반발하다 / 서로 ~이 깊다.
관련-성 (關聯性)[괄-썽] 명 서로 걸리어 얽힌 성질. 서로 관계되는 성질. 연관성. ¶ 두 사건은 전혀 ~이 없다.
관례 (冠禮)[괄-] 명하자 〖역〗 성년이 되어 어른이 되는 예식《남자는 갓을 쓰고 여자는 쪽을 찜》.
관례를 치르다 구 관례의 의식을 가져 어른이 되다.
관례 (慣例)[괄-] 명 이전부터 해 내려와서 습관처럼 되어 버린 일. ¶ ~에 따르다 / ~를 깨다.
관록 (官祿)[괄-] 명 〖역〗 1 관원에게 주던 봉급. 2 관직과 녹봉. 관봉(官俸).
관:록 (貫祿)[괄-] 명 몸에 갖추어진 위엄이나 권위. ¶ 장관으로서의 ~이 붙다 / ~을 보이다.
관료 (官僚)[괄-] 명 1 정부의 직업적 관리들. 특히 영향력 있는 고위 관리. ¶ ~ 사회의 통폐. 2 같은 관직의 동료.
관료-적 (官僚的)[괄-] 관명 관료주의의 경향이 있는 (것). 일반적으로, 상대편의 의향이나 입장을 무시한 형식적·권위주의적인 (것). ¶ ~ 사고.
관료-제 (官僚制)[괄-] 명 특권을 가진 관료가 권력을 쥐고 있는 지배 구조.
관료-주의 (官僚主義)[괄- / 괄-이] 명 관료 정치 아래에서 민의를 무시하고 독선적·형식적이며 권위를 내세우는 태도나 경향.
관류 (貫流)[괄-] 명하타 1 하천 따위가 어떤 지역을 꿰뚫어 흐름. ¶ 평야를 ~하는 강. 2 어떤 사실이나 현상 따위가 바탕에 깔림을 비유한 말.
***관리** (官吏)[괄-] 명 관직에 있는 사람. 관원.
관리 (管理)[괄-] 명하타 1 어떤 일을 맡아 관할 처리함. ¶ 선거 ~에 만전을 기하다. 2 시설이나 물건의 보존·개량 따위의 일을 맡아 함. ¶ 아파트 ~ / 품질 ~ / 농장을 ~ 감독하다. 3 사람을 지휘 감독함. ¶ 인사 ~. 4 사람의 몸이나 동식물 따위를 보살핌. ¶ 건강 ~.
관리 가격 (管理價格)[괄-까-] 〖경〗 일부 독과점 기업이 일정하게 높은 이윤을 획득할 수 있도록 상품의 수요·공급을 무시하고 정하는 가격.
관리-관 (管理官)[괄-] 명 일반직 국가 공무원의 직급 명칭. 공무원 중 가장 높은 직위로 1급임《이사관의 위》.
관리-비 (管理費)[괄-] 명 물건이나 시설을 관리하는 데에 드는 비용. ¶ 그 아파트는 ~가 많이 든다.
관리-인 (管理人)[괄-] 명 1 사법상(私法上) 남의 재산을 관리하는 사람. ¶ 법정 ~. 2 소유자로부터 위탁을 받아 시설 등을 관리하는 사람. ¶ 농장 ~ / 아파트 ~.
관리-직 (管理職)[괄-] 명 기업 등에서, 경영이나 관리의 직능을 담당하는 직위.
관립 (官立)[괄-] 명 국가 기관에서 세움. ¶ ~ 학교.
관망 (觀望) 명하타 1 형편이나 분위기 따위를 가만히 살펴봄. ¶ 대세를 ~하다. 2 풍경 따위를 멀리서 바라봄. ¶ 전망대에서 시가지를 두루 ~하다.
관맥 (關脈) 명 〖한의〗 진찰하는 맥.
관명 (官名) 명 벼슬 이름. 관직 이름. ¶ ~을 사칭하다.
관명 (冠名) 명 관례를 치르고 어른이 되고 나서 새로 지은 이름. ↔아명.
관모 (官帽) 명 관리가 쓰도록 정해진 일정한 규격의 모자.
관목 (貫目) 명 말린 청어. 건청어.
관:목 (灌木) 명 〖식〗 나무의 키가 작고 원줄기와 가지의 구별이 분명하지 아니하며 밑동에서 가지를 많이 치는 나무《진달래·앵두나무 따위》. 떨기나무. ↔교목(喬木).
관문 (關門) 명하자 1 국경이나 요새에 세운 성문(城門). 2 경계에 세운 문. 3 어떤 곳을 가려면 반드시 지나야만 하는 길목. 4 돌파하거나 통과하기 어려운 과정. 난관. ¶ 예선의 ~을 통과하다 / 출세의 첫 ~ / 취업의 ~을 뚫다.
관물 (官物) 명 관청의 물품. 특히 군대에서 쓰는 물품. 관급품(官給品).
관민 (官民) 명 공무원과 민간인. ¶ ~이 일치단결하다.
관변 (官邊) 명 정부나 관청 쪽. 또는 그 계통. ¶ ~ 소식통.
관병 (官兵) 명 관군(官軍). ↔사병(私兵).
관병 (觀兵) 명하자 1 군의 위세를 보임. 2 열병.
관보 (官報) 명 1 〖법〗 정부가 법령·고시(告示) 등 일반에게 널리 알릴 사항을 인쇄·발표하는 정기 간행물. ¶ ~에 게재되다. 2 관공서에서 발송하는 공용 전보.
관복 (官服) 명 1 관리의 제복. 2 〖역〗 관디.
관복 (官福) 명 관리로 출세할 운수. ¶ ~을 타고나다.
관북 (關北) 명 〖지〗 1 마천령 북쪽의 지방《함경북도》. 2 함경남북도를 일컫는 말.
관:불 (灌佛) 명 〖불〗 1 불상에다 향수를 뿌리는 일. 2 '관불회'의 준말.
관:불-회 (灌佛會) 명 〖불〗 석가가 탄생한 음력 4월 초파일에 꽃으로 꾸민 조그만 당집에 불상을 모시고 감차(甘茶)를 머리 위에 뿌리는 행사. 준관불.
관비 (官婢) 명 〖역〗 관가에서 부리던 여자 종. ↔관노(官奴).
관비 (官費) 명 관청에서 내는 비용. ¶ ~ 유학생. ↔사비. *국비.
관비-생 (官費生) 명 관비로 공부하는 학생. ↔사비생(私費生). *국비생(國費生).
관사 (官舍) 명 관리가 살도록 관청에서 지은 집.
관사 (冠詞) 명 〖언〗 영어·독일어·프랑스 어 따위에서 명사 앞에 놓여 단수·복수·성(性)·격(格) 등을 나타내는 품사.
관상 (管狀) 명 대롱처럼 생긴 모양. ¶ ~ 조직 / ~ 신경계.
관상 (觀相) 명하타 사람의 얼굴 등을 보고 성질이나 운명 따위를 판단함. ¶ ~을 보다 / ~이 좋다.
관상(觀象)명하자 천문·기상을 관측함.
관상(觀賞)명하타 취미에 맞는 아름다운 것을 보면서 즐김. ¶꽃을 ~하려고 정원에 벚나무를 심었다.
관상-가(觀相家)명 관상하는 일을 업으로 하는 사람.
관상-대(觀象臺)명 '기상대(氣象臺)'의 구칭.
관상 동:맥(冠狀動脈)〖생〗심장에 산소와 영양을 공급하는 좌우 두 줄기의 동맥.
관상-어(觀賞魚)명 보면서 즐기려고 기르는 물고기《금붕어·열대어 따위》.
관상-쟁이(觀相-)명 〈속〉관상가.
관상 정맥(冠狀靜脈) 포유동물의 심장 벽에 분포하여 우심방(右心房)으로 연결되어 있는 정맥. 관정맥.
관서(官署)명 관청과 그 보조 기관의 총칭.
관서(寬恕)명하타 너그럽게 용서함. 관면(寬免).
관서(關西)명〖지〗마천령 서쪽의 지방. 곧, 평안도.
관선(官選)명하타 관에서 뽑음. ¶~ 이사(理事). ↔민선.
관설(官設)명하타 관에서 설립하거나 설치함. 또는 그 시설. ↔사설(私設).
관섭(關涉)명하자 무슨 일에 관계하고 간섭함.
관성(慣性)명〖물〗물체가 외부의 작용을 받지 아니하는 한 정지 또는 운동 상태를 계속 유지하려고 하는 성질.
관세(關稅)명 외국에서 수입하거나 가지고 들어오는 물품에 대하여 세관에서 매기는 세금. ¶~를 포탈하다.
관세음-보살(觀世音菩薩)명〖불〗아미타불의 왼편에서 교화를 돕는 보살《대자대비하여 중생이 괴로울 때 그 이름을 외면 곧 구제한다고 함》. 관자재(觀自在)보살. 준관음보살·관음.
관세 장벽(關稅障壁)〖경〗수입품에 관세를 높게 부과하거나 그 세율을 인상하여 수입을 억제하는 일.
관세-청(關稅廳)명 기획 재정부 소속의 중앙 행정 기관. 관세의 부과와 징수, 수출입 물품의 통관, 밀수 단속에 관한 업무 등을 맡아봄.
관속(官屬)명〖역〗지방 관아(官衙)의 아전과 하인.
관:솔명 송진이 많이 엉긴, 소나무 가지나 옹이.
관:솔-불[-뿔]명 관솔에 붙인 불. 준솔불.
관수(官需)명 관청의 수요. ¶~ 물자. ↔민수(民需).
관:수(灌水)명하자 관개.
관습(慣習)명 어느 일정한 사회 내부에서 오랫동안 지켜 내려와 일반적으로 인정되고 습관화되어 온 규범이나 생활 방식. ¶그 지방의 ~을 따르다.
관습-법(慣習法)명〖법〗관습에 근거를 두고 성립하는 법. 불문법의 전형적인 것으로서 법원의 관례와 민간의 관습에 따라 성립하는 두 가지 경우가 있음. 관례법. 습관법.
관식(官食)명 유치장이나 교도소에 갇혀 있는 사람에게 관청에서 주는 음식. ↔사식(私食).
*관심(關心)명하자타 어떤 것에 마음이 끌려 주의를 기울임. 또는 그런 마음이나 주의. ¶정치에는 ~이 없다 / 그의 발표가 참석자들의 ~을 끌었다.
관심(觀心)명하자〖불〗마음의 본성을 바르게 살피는 일.
관심-사(關心事)명 마음에 두고 있는 일. ¶동생의 요즘 ~는 컴퓨터 게임이다.
관아(官衙)명〖역〗벼슬아치들이 모여 나랏일을 보던 곳. 마을. ¶고을의 ~.
관악(管樂)명〖악〗관악기로 연주하는 음악. ¶~ 합주. ↔현악(絃樂).
관악-기(管樂器)명〖악〗입으로 불어서 관내(管內)의 공기를 진동시켜 소리를 내는 악기의 총칭. 목관 악기와 금관 악기로 나뉨《피리·나팔·클라리넷 따위》. ↔현악기·타악기.
관여(關與)명하자 어떤 일에 관계하여 참여함. 간예(干預). 간여(干與). ¶정치에 ~하다 / 회사 경영에 ~하지 마시오.
관엽 식물(觀葉植物)[-씽-] 잎사귀의 빛깔이나 모양을 보고 즐기기 위하여 재배하는 식물《단풍나무·고무나무 따위》.
관영(官營)명 정부가 하는 사업 경영. 국영. ¶~ 사업. ↔사영(私營)·민영(民營).
관외(管外)명 관할 구역의 밖. ↔관내.
관용(官用)명 관청에서 쓰기 위한 것. ¶~ 차량.
관용(慣用)명하타 습관이 되어 늘 사용함. 일반이 널리 씀. ¶널리 ~으로 정착되다.
관용(寬容)명하타 너그럽게 용서하고 받아들임. ¶~을 베풀다.
관용-구(慣用句)[-꾸]명〖언〗두 개 이상의 단어로 이루어져 단어들의 뜻 이외의 특수한 의미를 나타내는 구. 성어(成語). 숙어. 관용어.
관용-어(慣用語)명 **1** 습관적으로 쓰는 말. **2** 관용구.
관용-적(慣用的)관명 습관적으로 늘 쓰는 (것). 오랫동안 써서 굳어진 (것). ¶~ 표현 / ~ 어구.
관운(官運)명 벼슬을 할 운수. ¶~이 좋다 / ~이 트이다.
관원(官員)명 관리. 벼슬아치.
관음(觀音)명〖불〗'관세음보살'의 준말.
관음-보살(觀音菩薩)명〖불〗'관세음보살'의 준말.
관음-증(觀淫症)[-쯩]명 변태 성욕의 하나. 다른 사람의 알몸이나 성행위를 훔쳐봄으로써 성적 쾌감을 느끼는 증세.
관인(官人)명 관직에 있는 사람. 관리. 벼슬아치. ↔민간인.
관인(官印)명 관청의 도장. ¶문서에 ~을 찍다. ↔사인(私印).
관인(官認)명하타 관청에서 인정함. ¶~ 학원.
관인(寬忍)명하타 너그러운 마음으로 참음.
관인-대도(寬仁大度)명 〔사기(史記) 한신전(韓信傳)에 나오는 말〕마음이 너그럽고 인자하며 도량이 큼.
관인-하다(寬仁-)형여불 마음이 너그럽고 어질다.

관자 (貫子) 명 망건에 달아 망건당줄을 꿰는 작은 고리.
관자-놀이 (貫子-) 명 귀와 눈 사이의 태양혈(太陽穴)이 있는 곳.
관장 (管掌) 명하타 일을 맡아서 주관함. ¶업무를 ~하다 / 인사 관리 일체를 ~하다.
관장 (館長) 명 도서관·박물관·전시관 등의 우두머리. ¶박물관 ~.
관:장 (灌腸) 명하자 〔의〕 대변을 보게 하거나 영양물을 공급하기 위해 약물을 항문을 통하여 직장이나 대장에 집어넣음.
관:장-제 (灌腸劑) 명 〔의〕 관장하는 데 쓰는 액체로 된 약제.
관저 (官邸) 명 장관급 이상의 고관들이 살도록 정부에서 지은 집. ¶대통령 ~. ↔사저(私邸).
관전 (官錢) 명 〔역〕 **1** 나라에서 만든 돈. ↔사전(私錢). **2** 관고(官庫)에 있는 돈.
관전 (觀戰) 명하자타 **1** 전쟁의 실황을 살펴봄. **2** 운동 경기나 바둑 대국 따위를 구경함. ¶손에 땀을 쥐며 ~하다.
관절 (關節) 명 〔생〕 뼈와 뼈가 서로 맞닿아 움직일 수 있도록 연결된 부분. 뼈마디.
관절-염 (關節炎)[-렴] 명 〔의〕 관절에 생기는 염증.
관점 (觀點)[-쩜] 명 사물을 관찰할 때, 그 사람이 보는 입장이나 생각하는 각도(角度). 견지(見地). ¶~이 다르다.
관정 (管井) 명 둥글게 판 우물.
관제 (官制) 명 〔법〕 국가의 행정 조직, 권한 등에 관한 규정. ¶~ 개혁.
관제 (官製) 명하타 정부에서 만들거나 꾸밈. 또는 그 만든 것. ¶~ 데모. ↔사제(私製).
관제 (管制) 명하타 관할하여 통제함. 특히, 국가가 필요에 따라 강제적으로 관리하여 통제하는 일. ¶보도(報道) ~ / 등화 ~ / 최첨단 ~ 시설을 갖추다.
관제-엽서 (官製葉書) 명 정부에서 만들어 파는 우편엽서.
관제-탑 (管制塔) 명 공항에서, 항공기의 이륙이나 착륙 순서의 지시 등, 항공 교통을 관리·지도하는 탑. 항공 관제탑.
관조 (觀照) 명하타 고요한 마음으로 대상의 본질을 바라봄. ¶삶을 ~할 마음의 여유를 찾다.
관존-민비 (官尊民卑) 명 관리는 높고 귀하며 백성은 낮고 천하다고 여기는 생각. ¶시대착오적인 ~ 사상.
관중 (貫中) 명하자 화살이 과녁의 복판에 맞음.
관중 (觀衆) 명 공연이나 운동 경기 따위를 구경하는 사람들. 관객. 구경꾼. ¶6만을 헤아리는 많은 ~이 운집하다 / ~의 환호 속에 입장하다.
관중-석 (觀衆席) 명 관중이 앉는 자리. ¶~을 꽉 메운 수많은 사람들.
관직 (官職) 명 관리가 국가에서 위임받은 일정한 범위의 직무. 또는 그 지위. ¶~ 생활 / ~에서 물러나다.
***관찰** (觀察) 명하타 **1** 사물을 주의 깊게 살펴봄. ¶~ 기록 / 자연현상을 ~하다. **2** 〔역〕 '관찰사'의 준말.
관찰-사 (觀察使)[-싸] 명 〔역〕 조선 때, 각 도의 으뜸 벼슬. 민정·군정·재정·형정(刑政) 등을 통할 지휘 감독하던 종이품 벼슬임. 감사(監司). 도백(道伯). 준관찰.
관철 (貫徹) 명하타 끝까지 밀고 나아가 목적을 이룸. ¶초지를 ~하다 / 노동자들은 자신들의 주장이 ~될 때까지 단식 투쟁을 하였다.
***관청** (官廳) 명 국가 사무에 관하여 국가 의사를 결정하고 이것을 집행하는 권한을 가진 국가 기관《행정 관청·사법 관청 또는 중앙 관청·지방 관청으로 나눔》.
관청 물(을) 먹다 구 〈속〉 관 물(을) 먹다.
관측 (觀測) 명하타 **1** 자연현상의 추이·변화를 관찰하고 측정함. ¶천체를 ~하다. **2** 사물의 동태를 살피고 추측함. ¶희망적 ~을 내놓다 / 정세의 추이를 ~하다.
관측-기 (觀測器) 명 자연현상 따위를 관측하는 데에 사용하는 기계《망원경·쌍안경 따위》.
관측-소 (觀測所) 명 **1** 천문·기상 등 자연현상을 관찰하여 기록하고 그것들의 움직임을 측정하는 곳. **2** 〔군〕 적의 동정을 살피고 아군의 포 사격을 유도하는 곳.
관측-통 (觀測通) 명 어떤 방면의 동정에 밝은 사람이나 기관.
관치 (官治) 명 '관치행정'의 준말.
관치 금융 (官治金融)[-늉 / -] 〔경〕 정부가 금융 기관을 장악하고 모든 금융 정책을 주도적으로 펴 나가는 일.
관치-행정 (官治行政) 명 국가의 행정 기관이 직접 맡아 하는 행정. 준관치.
관:통 (貫通) 명하자타 꿰뚫음. ¶총알이 가슴을 ~하다 / 산허리를 터널이 ~하다.
관:통-상 (貫通傷) 명 총탄 등이 몸을 꿰뚫고 나간 상처. ¶치명적인 흉부 ~을 입다.
관폐 (官弊)[-/-페] 명 관리가 부정행위를 저질러 끼치는 폐해.
관포지교 (管鮑之交) 명 〔중국의 관중(管仲)과 포숙아(鮑叔牙)의 사귐이 매우 친밀하였다는 고사에서 나온 말 : 사기(史記)의 관안전(管晏傳)〕 아주 친한 친구 사이의 다정한 교제를 일컬음.
관하 (管下) 명 관할하는 구역이나 범위 안. ¶기상청 ~의 각 기상대.
***관-하다** (關-) 자여불 말하거나 생각하는 대상으로 삼다. ¶풍속에 관하여 연구하다 / 봉급 인상에 관한 안건을 협의하다.
관학 (官學) 명 **1** 관립의 학교. ↔사학(私學). **2** 국가에서 제정·공인한 학문.
관할 (管轄) 명하타 권한에 의하여 통제하거나 지배함. 또는 그 지배가 미치는 범위. ¶본서(本署)가 ~하는 지역 / 노동부 ~ 사항.
관할 구역 (管轄區域) 관할권이 미치는 구역. 준관구(管區).
관할-권 (管轄權)[-꿘] 명 권한을 가지고 지배할 수 있는 권리.
관할 법원 (管轄法院) 특정 사건에 대한 관할권을 갖는 법원.
관행 (慣行) 명하타 전부터 관례가 되어 내려오는 일. ¶잘못된 ~을 개선하다.
관:향 (貫鄕) 명 한 집안의 시조가 난 땅. 본(本). 본관. 선향(先鄕).
관허 (官許) 명하타 정부의 허가. 정부에서 허가함. ¶~ 학원 / ~ 업소.
관헌 (官憲) 명 **1** 정부·관청의 법규. **2** 예전

에, 관청을 이르던 말. **3** 관리. 특히, 경찰 관리를 이름.
관혁 (貫革) [명] '과녁'의 본딧말.
관현 (管絃) [명] 〖악〗 관악기와 현악기.
관현-악 (管絃樂) [명] 〖악〗 관악기·현악기·타악기의 합주 음악.
관현악-단 (管絃樂團) [명] 〖악〗 관현악을 연주하는 단체. 오케스트라.
관형-격 (冠形格)[-껵] [명] 〖언〗 문법상 체언을 관형어로 만드는 격. 매김자리.
관형격 조:사 (冠形格助詞)[-껵-] 〖언〗 체언 뒤에 붙어서 그 체언을 관형어로 만드는 격조사(('의' 하나뿐임)).
관형-사 (冠形詞) [명] 〖언〗 체언 앞에 놓여서 그 체언이 가진 뜻을 꾸며 주는 품사. 활용하지 아니함. 매김씨. [준]관사(冠詞).
관형사형 어:미 (冠形詞形語尾) 〖언〗 용언의 어간에 붙어 앞의 말에 대해서는 서술어의 기능을, 뒤의 말에 대해서는 관형어의 구실을 하게 하는 어말 어미. '주는 돈'·'간 곳'·'먹은 사람'·'잘 시간'·'읽을 책' 등에서 '-는'·'-ㄴ'·'-은'·'-ㄹ'·'-을' 따위.
관형-어 (冠形語) [명] 〖언〗 문장에서, 체언 앞에서 체언의 내용을 꾸미는 구실을 하는 문장 성분. 관형사, 체언, 체언에 관형격 조사가 붙은 말, 용언의 관형사형 등이 이에 딸림. 매김말.
관혼상제 (冠婚喪祭) [명] 관례·혼례·상례·제례의 총칭.
괄괄-하다 [형][여불] **1** 성질이 급하고 과격하다. ¶괄괄한 성미. **2** 목소리가 굵고 거세다. ¶괄괄하고 구성진 목소리. [준]괄하다.
괄괄-히 [부]
괄:다 〔과니, 과오〕 [형] **1** 불기운이 세다. ¶불이 괄아서 밥이 눋다. **2** 성미가 거세고 괄괄하다. **3** 나무의 옹이 부분에 뭉쳐 엉긴 진이 많다. **4** 누긋하거나 부드럽지 못하고 거세다. ¶베갯잇에 풀을 좀 괄게 먹이다.
괄대 (恝待)[-때] [명][하타] 업신여겨 푸대접함. 괄시. ¶어디서나 ~를 받는다.
괄목 (刮目) [명][하자] 몰라보게 발전한 데 놀라서 눈을 비비고 다시 봄. ¶~할 만한 경제 성장.
괄목-상대 (刮目相對) [명][하자] 눈을 비비고 상대편을 본다는 뜻으로, 남의 학식이나 재주가 놀랄 만큼 부쩍 는 것을 일컬음.
괄시 (恝視)[-씨] [명][하타] 업신여김. 괄대. ¶늙었다고 ~하기냐.
괄약 (括約) [명][하타] **1** 벌어진 것을 오므라지게 함. **2** 모아서 한데 합함.
괄약-근 (括約筋) [명] 〖생〗 항문·요도 등의 주위에 있는, 마음대로 확대·수축할 수 있는 고리 모양의 근육.
괄:-하다 [형][여불] '괄괄하다'의 준말.
괄호 (括弧) [명] 묶음표.
***광:** [명] 세간이나 그 밖의 여러 가지 물건을 넣어 두는 곳간.
[광에서 인심 난다] 제 살림이 넉넉하여야 남을 동정하게 된다.
광[1] (光) [명] **1** 〖물〗 빛. **2** 화투의 스무 끗짜리 패.
광[2] (光) [명] 번지르르하게 빛나는 윤기. 광택. ¶구두를 ~이 나도록 닦다.
광: (鑛) [명] 광물을 파내는 구덩이. 갱(坑).
-광 (狂) [미] '어떤 일에 열광적인 사람'의 뜻. ¶야구~ / 영화~.
-광 (鑛) [미] '광석이나 광산'의 뜻. ¶금~ / 우라늄~.
광:각 렌즈 (廣角lens) 표준 렌즈보다 넓게 찍을 수 있는 사진 렌즈((사각(寫角)이 60도 이상으로 넓음)).
광:갱 (鑛坑) [명] 〖광〗 광물을 캐내기 위하여 판 구덩이.
광견-병 (狂犬病)[-뼝] [명] 〖의〗 바이러스에 의한 개의 전염병((이 병에 걸린 개가 물면 그 침으로 전염됨. 림프절이 붓고, 경련·호흡 곤란 따위의 증상을 보임. 특히 물을 마시거나 보기만 하여도 공포를 느낌)). *공수병(恐水病).
***광경** (光景) [명] 어떤 일이나 현상이 벌어진 모양이나 형편. ¶참혹한 ~ / 그 ~은 필설로 다 표현할 수 없다.
광:고 (廣告) [명][하타] **1** 사람들에게 널리 알림. **2** 상품 같은 것의 명칭이나 효능 등을 널리 선전하는 것. 상업 광고. ¶구인 ~ / 신문에 ~를 내다 / TV로 ~하다.
광:고-란 (廣告欄) [명] 신문·잡지 등에서 광고를 싣는 지면.
광:고 매체 (廣告媒體) 광고 내용을 소비자에게 전달하는 수단((신문·잡지·라디오·텔레비전·거리 간판 따위)).
광:고-문 (廣告文) [명] 광고하기 위하여 신문·잡지 따위에 싣는 글.
광:고-주 (廣告主) [명] 광고를 내는 사람.
광:고-지 (廣告紙) [명] 광고하는 글이나 그림이 실린 종이. ¶집집마다 ~를 돌리다.
광:고-판 (廣告板) [명] 광고하는 글이나 그림을 붙이기 위하여 만든 판.
광관 (光冠) [명] 해나 달의 둘레에 나타나는 빛의 테((공기 중의 물방울에 빛이 회절하여 생김)). 코로나.
광:괴 (鑛塊) [명] 광석의 덩어리.
광구 (光球) [명] 〖물〗 육안으로 태양을 볼 때 둥글게 광채를 내는 부분. 실제로는 일광을 복사(輻射)하는 태양면.
광:구 (鑛口) [명] 광물을 파내는 굴의 입구.
광:구 (鑛區) [명] 〖법〗 광물의 채굴·시굴을 허가한 구역. 광물을 채굴할 수 있는 구역.
광:궤 (廣軌) [명] 궤간의 폭이 1.435 m 이상 되는 철도 선로. ↔협궤(狹軌).
광기 (狂氣)[-끼] [명] **1** 미친 증세. ¶눈에 ~를 띠고 덤벼들다. **2** 사소한 일에 화내고 소리치는 사람의 기질. ¶~를 부리다.
광기억 장치 (光記憶裝置) 〖컴〗 레이저 광선을 이용하여 정보를 기록하는 기억 장치의 총칭. 광디스크나 홀로그램(hologram) 따위.
광:-꾼 (鑛-) [명] 〖광〗 **1** 광원. **2** 광업에 종사하는 사람을 낮잡아 이르는 말.
광-나다 (光-) [자] **1** 빛이 나다. **2** 윤이 나다.
광-내다 (光-) [타] 광나게 하다.
광녀 (狂女) [명] 미친 여자.
광년 (光年) [의명] 〖천〗 항성 거리 등 우주 안의 먼 거리를 나타내는 데 쓰는 단위((1광년은 빛이 초속 30만 km의 속도로 1년 동안 나아가는 거리. 대개 9조 4천6 백억 km에 상당함)).

***광:대** 명 **1** 가면극·인형극·줄타기·땅재주·판소리 따위를 하던 직업적 예능인을 통틀어 이르던 말. **2** '연예인'을 낮추어 이르는 말. 주의 '廣大'로 씀은 취음.

> **광대 · 남사당패 들의 놀이**
>
> 가무 … 농악(1. 풍물), 판소리, 탈춤 등.
> 곡예 … 대접돌리기(2. 버나), 땅재주(3. 살판), 줄타기(4. 어름), 솟대타기 등.
> 연극 … 탈놀음(5. 덧뵈기), 꼭두각시놀음(6. 덜미) 등.
> *( )안의 숫자는 남사당패들의 놀이 순서.
> ( )안의 명칭은 남사당패들이 부르는 놀이의 이름.

광:대 (廣大) 명 하형 히부 넓고 큼. ¶ ~한 평야.
광:대-놀음 명 정월 대보름날 호남 지방에서 행하는 놀이. 농촌의 농악대들이 호랑이·토끼 등의 가면을 쓰고 풍물을 치면서 마을을 돌아다님《악귀를 물리치고 영복(迎福)을 비는 것이라 함》.
광:대-무변 (廣大無邊) 명 하형 너르고 커서 끝이 없음. ¶ ~한 우주 공간.
광:대-뼈 명 얼굴 가운데 뺨 위 눈초리 아래로 내민 뼈. 관골. ¶ ~가 튀어나온 얼굴이다.
광도 (光度) 명 **1** 〖물〗 발광체에서 나오는 빛의 세기. 단위는 칸델라(candela). **2** 〖천〗 천체의 밝기.
광도-계 (光度計)[-/-게] 명 〖물〗 광원의 광도를 측정하는 기계. 측광계.
광도 계급 (光度階級)[-/-게-] 〖천〗 천체의 광도를 표시하는 계급《맨눈으로 볼 수 있는 별 가운데 가장 희미하게 보이는 별이 6등급, 그 100배 밝은 별이 1등급임》.
광-디스크 (光disk) 명 정보 기록 매체의 한 가지. 레이저 광선(laser光線)을 이용하여 정보를 기록, 재생하는 원반형의 기록 매체. 광자기 디스크.
광란 (狂亂)[-난] 명 하자 미친 듯이 날뜀. ¶ ~의 도가니.
광량 (光量)[-냥] 명 〖물〗 일정 시간 안의 광속(光束)의 총량.
광력 (光力)[-녁] 명 빛의 밝기. 광도(光度).
광림 (光臨)[-님] 명 하자 '남이 찾아옴'의 높임말. ¶ ~하여 주시기 복망하나이다.
광:막-하다 (廣漠-)[-마카-] 형 여불 넓고 아득하다. 끝없이 넓다. ¶ 광막한 황야 / 광막한 대평원을 횡단하다. **광:막-히** [-마키] 부
광:맥 (鑛脈) 명 〖광〗 광물이 많이 묻혀 있는 부분. 쇳줄. ¶ ~이 땅 위에 노출하다.
광-메모리 (光memory) 명 〖컴〗 컴퓨터의 보조 기억 장치의 하나. 레이저로 디지털 정보를 쓰거나 읽는 데 사용함.
광명 (光明) 명 하형 밝고 환함《비유적으로도 씀》. ¶ ~을 잃다 / 해결에 한 가닥의 ~이 비치다.
광명-정대 (光明正大) 명 하형 히부 말과 행동이 떳떳하고 정당함.
광:목 (廣木) 명 무명 올로 당목처럼 폭이 넓게 짠 베.
광무 (光武) 명 〖역〗 대한 제국 고종(高宗)의 연호. ¶ ~ 3년.
광:물 (鑛物) 명 〖광〗 천연으로 나는 무기물로 질이 고르고 화학 성분이 일정한 물질《금·철·석탄 따위》.
광:물-질 (鑛物質)[-찔] 명 **1** 광물로 된 물질. **2** 〖생〗 생리 기능에 필요한 광물 화합물이나 광물 원소《칼륨·칼슘·나트륨·인·철 따위》.

광배

광 배 (光背) 명 〖불〗 회화·조각에서, 불상 뒤에 있는, 광명을 상징하는 장식.
광:-범위 (廣範圍) 명 하형 범위가 넓음. 또는 넓은 범위. ¶ ~한 거래 / ~하게 분포하는 식물 / ~하게 의견을 수렴하다.
광:범-하다 (廣範-) 형 여불 범위가 넓다. ¶ 광범하게 자료를 수집하다. **광:범-히** 부
***광복** (光復) 명 하자타 잃었던 나라와 주권을 되찾음. ¶ 조국의 ~을 위해 목숨을 바친 선열들.
광복-절 (光復節) 명 국경일의 하나. 우리나라가 일본의 압정으로부터 해방된 것을 경축하는 날《8월 15일》.
***광:부** (鑛夫) 명 광산에서 광물을 캐는 노동자. *광원.
광분 (狂奔) 명 하자 **1** 어떤 목적을 이루기 위해 분주히 뛰어다님. ¶ 전쟁 준비에 ~하다. **2** 미친 듯이 날뜀.
광-분해 (光分解) 명 〖물〗 물질이 빛을 흡수하여 둘 이상의 성분으로 분해되는 일.
광비 (光比) 명 〖천〗 광도(光度)가 한 등급 다른, 두 천체의 광량(光量)의 비. 1등성은 2등성보다 2.512배 밝음.
광:산 (鑛山) 명 〖광〗 광물을 캐는 곳.
광:산-촌 (鑛山村) 명 광산이 있는 마을. 광산에서 일하는 사람이나 그 가족들로 이루어진 마을.
광상-곡 (狂想曲) 명 〖악〗 악식상 일정한 규칙 없이 변화가 많은 수법으로 작곡된 기악곡. 카프리치오.
광:석 (鑛石) 명 〖광〗 유용(有用)한 금속 등을 다량으로 함유하고 있는 광물. ¶ ~을 채굴하다.
광선 (光線) 명 **1** 빛의 줄기. ¶ 태양 ~이 내리쪼이다. **2** 〖물〗 광원(光源)으로부터 나오는 빛이 공간을 진행할 때, 빛 에너지의 흐르는 경로를 나타내는 선. 빛살.
광선 무:기 (光線武器) 레이저 광선·적외선·방사선 등을 이용한 무기.
광선-속 (光線束) 명 〖물〗 광선의 다발. 광속(光束). 빛다발.
광-섬유 (光纖維) 명 실리콘으로 만든 유리 섬유의 일종. 직경 0.1mm 정도로 머리털처럼 가늘며 광 통신에 이용됨. 광파이버.
광섬유 케이블 (光纖維cable) 광섬유로 된 전선. 전기 신호가 광선 신호로 바뀌어 이 케이블로 흐름. 광파이버 케이블. 준 광케이블.
광섬유 통신망 (光纖維通信網) 광 통신.
광속 (光束) 명 **1** 광선속(光線束). **2** 빛의 진

행 방향에 수직인 단위 면적을 단위 시간에 통과하는 빛의 양《단위는 루멘(lumen)》.
광속 (光速) 명 〖물〗 '광속도'의 준말.
광-속도 (光速度) 명 〖물〗 진공 속에서 나아가는 빛이나 전자기파(電磁氣波)의 속도《1초에 약 30만 km》. 준광속.
광시-곡 (狂詩曲) 명 〖악〗 랩소디.
광신 (狂信) 명하타 종교나 어떤 주의·사상 등을 무조건적으로 깊게 믿음.
광신-도 (狂信徒) 명 광신자.
광신-자 (狂信者) 명 맹목적으로 어떤 종교나 사상을 믿는 사람. 광신도.
광신-적 (狂信的) 관명 이성을 잃고 맹목적으로 믿는 (것). ¶~(인) 종말론자.
광:야 (曠野·廣野) 명 아득하게 너른 벌판. ¶~ 천 리 / 눈 덮인 ~ / 끝없이 펼쳐진 ~를 헤매다.
광약 (狂藥) 명 미치게 하는 약이란 뜻으로, 술의 별칭.
광-양자 (光量子)[-냥-] 명 〖물〗 빛의 요소가 되는 입자. 빛을 진동수와 플랑크의 상수와의 곱과 같은 에너지를 갖는 입자의 집합으로 봄.
광:어 (廣魚) 명 1 〖어〗 넙치. 2 짜개어 말린 넙치. ¶~무침.
광:업 (鑛業) 명 광물의 시굴·채굴 및 선광·세광·정련 따위를 하는 사업.
광:역 (廣域) 명 넓은 구역. ¶~ 수사 / ~ 단체장 선거.
광:역-시 (廣域市) 명 상급 지방 자치 단체의 하나. 도(道)와 동격(同格)으로, 보통의 시(市)가 도의 감독을 받는 데 대하여 직접 중앙의 감독을 받음《현재 인천·부산·대전·대구·광주·울산이 있음》.
광:역-화 (廣域化)[-여콰] 명하자타 지역 범위가 넓어짐. 또는 그렇게 만듦.
광열 (光熱) 명 빛과 열.
광열 (狂熱) 명 미친 듯한 열정. 열광.
광열-비 (光熱費) 명 난방·조명 등에 쓰이는 전기·가스 등의 비용.
광염 (狂炎) 명 미친 듯이 타오르는 불길 또는 정열.
광영 (光榮) 명 영광(榮光).
광원 (光源) 명 〖물〗 제 스스로 빛을 내는 물체《태양·별 따위》. 발광체.
광:원 (曠原) 명 광야(曠野).
광:원 (鑛員) 명 〖광〗 광산에서 광물을 캐는 노동자. 광꾼.
광음 (光陰) 명 해와 달, 즉 낮과 밤이라는 뜻으로 시간이나 세월. ¶~을 아끼다.
광음 (狂飮) 명하타 미친 듯이 술을 마심. 정신 없이 술 따위를 들이켬.
광:의 (廣義)[-/-이] 명 어떤 말의 뜻을 확대해서 넓게 보는 뜻. 넓은 뜻. ¶~로 해석하다. ↔협의(狹義).
광:익 (廣益) 명하자 널리 일반에게 이익을 베풂. *홍익.
광인 (狂人) 명 미친 사람. 광자(狂者).
광-입자 (光粒子) 명 〖물〗 빛의 미립자설에서, 광원으로부터 방사된다고 가정하였던 물질적 미립자. 광소(光素).
광자 (光子) 명 〖물〗 소립자(素粒子)인 게이지 입자의 하나. 빛, 곧 전자기파(電磁氣波)는 '장(場)의 양자론(量子論)'에서는 광자와 같이 취급함. 포톤.
광자기 디스크 (光磁氣disk) 광디스크.
광:장 (廣場) 명 1 여러 갈림길이 모이는 곳에 만든 너른 마당. ¶역전 ~ / 환영 인파가 ~을 가득 메우다. 2 의사 소통을 꾀할 수 있는 장소를 비유한 말. ¶만남의 ~.
광적 (狂的)[-쩍] 관명 미친 사람과 같은 (것). 제정신이 아닌 (것). ¶~인 신도.
광전-관 (光電管) 명 〖물〗 광전지의 하나. 광전 효과를 이용하여 빛의 강약을 전류의 강약으로 바꾸는 이극(二極) 진공관《사진 전송·텔레비전 등에 씀》.
광-전자 (光電子) 명 〖물〗 광전 효과를 일으킬 때 방출되는 자유(自由) 전자.
광-전지 (光電池) 명 광전 효과를 이용하여 빛의 에너지를 전기 에너지로 바꾸는 장치의 총칭《광전관·태양 전지 등》.
광전-펜 (光電pen) 명 라이트 펜(light pen).
광전 효:과 (光電效果) 〖물〗 어떤 종류의 금속이나 반도체 등에 빛을 비추면 전자(電子)를 방출하거나 전기 저항이 변화하거나 기전력(起電力)을 발생하는 현상.
광정 (匡正) 명하타 잘못 따위를 바로잡아 고침.
광제 (匡濟) 명하타 잘못 따위를 바르게 고쳐 구제함.
광:제 (廣濟) 명하타 세상을 널리 구제함.
광조 (狂躁) 명하자 미쳐서 날뜀.
광:좌 (廣座) 명 여러 사람이 앉아 있거나 앉을 만한 넓은 자리.
광:주 (鑛主) 명 광업권을 가진 사람.
광-주기성 (光週期性)[-썽] 명 〖생〗 생물이 일조(日照) 시간의 변화에 대하여 반응하는 성질. 식물이 꽃 피고 열매 맺는 시기나 동물의 발육·생식과 밀접한 관련이 있음. 광주성(光週性).
광주리 명 대·싸리·버들 등으로 엮어 만든 둥근 그릇. ¶~를 머리에 이다.

광주리

광:중 (壙中) 명 시체를 묻는 무덤의 구덩이 속. 지중(地中).
광증 (狂症)[-쯩] 명 미친 증세.
광차 (光差) 명 〖천〗 1 천체에서 일어난 현상을 관측한 시각과 그것이 실제로 일어났던 시각과의 차. 2 태양 광선이 지구에 도달하는 데 걸리는 시간《약 500초》.
광:차 (鑛車) 명 광산에서 캐낸 광석을 실어 나르는 화차.
광채 (光彩) 명 1 찬란한 빛. ¶보석에서 ~가 나다. 2 정기 어린 밝은 빛. ¶두 눈에 ~가 어려 있다.
광:천 (鑛泉) 명 〖지〗 광물성·방사성 물질이 많이 들어 있는 샘《약용(藥用) 음료·목욕 치료 등에 이용됨》.
광-케이블 (光cable) 명 '광섬유 케이블'의 준말.
광태 (狂態) 명 미친 모양. 미친 사람 같은 태도. ¶만취해서 ~를 보이다.
광택 (光澤) 명 빛의 반사로 물질 표면이 번쩍이는 현상. 또는 윤기가 나는 일. 광(光). 윤. ¶닦을수록 ~이 난다.
광 통신 (光通信) 광섬유를 이용하여, 영상

교:시 (校時) 의명 학교에서 수업상 정한 시간의 단위. ¶3~는 국어 시간이다.
교신 (交信) 명하자 통신을 주고받음. ¶~ 중에 혼신이 생기다 / 비행기가 레이더에서 사라지고 ~이 끊겼다.
*__교:실__ (教室) 명 **1** 학교에서 수업이 이루어지는 방. ¶아이들의 떠드는 소리가 ~ 밖으로 흘러나왔다. **2** 대학에서, 전공 과목별 연구실. ¶병리학 ~. **3** 어떤 것을 배우는 모임. ¶서예 ~.
교:안 (教案) 명 교사가 교과 지도에 필요한 사항을 적은 예정안. 교수안. 학습 지도안. ¶~을 작성하여 제출하다.
교:양 (教養) 명 **1** 문화에 관한 광범한 지식을 쌓아 길러지는 마음의 윤택함. ¶~을 쌓다 / ~이 있다〔없다〕. **2** 전문적 분야의 학문·지식. **—-하다** 타여불 가르쳐 기르다.
교:양 과목 (教養科目) 대학에서, 전공 외에 일반교양을 위한 과목.
교:양-미 (教養美) 명 교양이 있는 데서 풍기는 아름다움. ¶여러 분야의 책을 읽어서 ~를 갖추다.
교:양-서적 (教養書籍) 명 교양을 쌓는 데 도움이 되는 서적.
교:양-인 (教養人) 명 교양이 있는 사람. ¶말씨가 ~답지 않다.
교언-영색 (巧言令色)[-녕-] 명 〔논어(論語) 학이편(學而篇)에 나온 말〕 남의 환심을 사려고 아첨하는 교묘한 말과 보기 좋게 꾸미는 얼굴빛.
교역 (交易) 명하타 주로 나라와 나라 사이에서 물품을 서로 교환하여 장사함. ¶외국과의 ~ / 일차 산품의 ~이 많다.
교:역-자 (教役者) 명 기독교에서, 목사·전도사 등 교회의 종교적 활동에 종사하는 사람의 총칭.
교:열 (校閱) 명하타 인쇄물이나 원고 따위의 잘못을 바로잡아 고치는 일. ¶~을 받다 / 원고를 ~하다.
교외 (郊外) 명 도시의 주변 지역. ¶~ 산책 / 연휴를 맞아 ~로 나들이를 가다.
교:외 (校外) 명 학교의 밖. ¶~ 활동. ↔교내(校內).
교외-선 (郊外線) 명 도시와 도시의 주변을 연결하는 철도.
교우 (交友) 명하자 벗을 사귐. 또는 그 사귀는 벗. ¶~ 관계 / ~ 중의 한 사람.
교:우 (校友) 명 **1** 같은 학교를 다니는 벗. **2** 학교에서, 졸업생에 대한 일컬음.
교:우 (教友) 명 같은 종교를 믿는 사람.
교우이신 (交友以信) 명 벗을 사귐에 믿음으로써 함. 세속 오계(世俗五戒)의 하나.
교:원 (教員) 명 각급 학교에서 학생을 가르치는 사람을 통틀어 이르는 말. ¶중등학교 ~ 자격증을 따다.
교유 (交遊) 명하자 서로 사귀어 우정을 나누거나 왕래함. ¶젊은 학자들과 ~하며 의견을 나누다.
*__교:육__ (教育) 명하타 가르치어 기름. 지식과 기술 따위를 가르치어 개인의 능력을 신장시키고 바람직한 인간성을 갖추도록 지도함. 그 교육의 장(場)에 따라서 가정교육·학교 교육·사회 교육 등으로 구분함. ¶의무 ~ / 엄격하게 ~시키다 / 열악한 ~ 환경을 개선하다.
교:육-감 (教育監) 명 서울특별시·각 광역시 및 각 도 교육 위원회의 사무를 총괄하는 직위. 또는 그 직위에 있는 사람.
교:육-계 (教育界)[-/-께] 명 교육과 관계가 있는 사람들의 사회.
교:육 공무원 (教育公務員) 국·공립의 교육 기관이나 교육 행정 기관 및 연구 기관에 근무하는 교원과 사무직원의 총칭.
교:육 과정 (教育課程) 학교의 교육 목표를 달성하기 위해, 그 내용을 체계적으로 나타낸 교육의 전체 계획. 커리큘럼.
교:육 과학 기술부 (教育科學技術部) 중앙 행정 기관의 하나. 학교 교육·평생 교육 및 학술에 관한 사무와 과학 기술 진흥에 관한 사무를 맡아봄.
교:육 대학 (教育大學) 초등학교 교원 양성을 목적으로 하는 대학. 준교대.
교:육 방:송 (教育放送) 교육을 목적으로 행하는 라디오·텔레비전 방송.
교:육-비 (教育費) 명 **1** 교육에 드는 경비. ¶가계에서 ~ 부담이 너무 크다. **2** 교육의 비용으로 교육 재정에 의해서 정부가 지출하는 경비.
교:육-세 (教育稅) 명 교육의 질적 향상과 교육 재정의 확충에 필요한 재원을 마련하기 위하여 부과하는 세.
교:육 실습 (教育實習)[-씁] 대학 등에서, 교직 과정(教職課程)을 마친 사람이 실제로 학교에 나가 현장 실습을 하는 일.
교:육 실습생 (教育實習生)[-씁-] 교육 실습을 하는 학생. 준교생(教生).
교:육-열 (教育熱)[-융녈] 명 교육에 대한 열성. ¶자녀에 대한 ~이 유별나다.
교:육 위원회 (教育委員會) 서울특별시·각 광역시·도(道)에 설치되어 지방 자치 단체 내의 교육·학예(學藝)에 관한 사무를 심의·의결하는 기관. 준교위(教委).
교:육-자 (教育者) 명 교육에 종사하는 사람. ¶존경받는 ~.
교:육-장 (教育長) 명 시·군·구의 교육 위원회의 우두머리.
교:육장 (教育場) 명 (정규의 학교가 아닌 곳인) 교육을 하는 장소.
교:육-적 (教育的) 관명 교육에 관계되거나 교육에 적합한 (것). ¶~ 관점 / ~인 내용.
교:육-청 (教育廳) 명 지방 교육 행정을 담당하는 기관. 특별시·광역시·도(道) 교육청이 있고, 1개 또는 2개 이상의 시·군·자치구를 관할하는 하급 교육청이 있음.
교:육-학 (教育學)[-유칵] 명 교육의 본질·목적·내용·방법과 제도·행정 등에 관한 이론을 연구하는 학문.
교:육-한자 (教育漢字)[-유칸짜] 명 교육 과학 기술부에서 중·고등학교에서 지도하도록 선정한 1,800자의 한자.
교의 (交椅)[-/-이] 명 **1** 의자(椅子). **2** 제사를 지낼 때 신주(神主)를 모시는, 다리가 긴 의자.

교의2

교의 (交誼)[-/-이] 명 사귀어 친해진 정. 교분. ¶~가 두텁다.
교:의 (教義)[-/-이] 명 어떤 종교에서 진리라고 믿는 가르침. 교리.

교:인 (教人) 명 종교를 믿는 사람. 신자(信者). ¶기독교 ~.

교자-상 (交子床)[-쌍] 명 직사각형으로 된 큰 음식상. ¶~ 위에 잘 차려진 음식을 보니 군침이 돈다.

교잡 (交雜) 명하자타 1 서로 한데 어울려 뒤섞임. ¶마음속으로 만감이 ~하다. 2〖생〗 계통·품종·성질이 다른 암수를 교배함. ¶라이거는 사자 수컷과 호랑이 암컷을 ~한 것이다.

*__교:장__ (校長) 명 '학교장'의 준말.

교:장 (教場) 명 1 가르치는 곳. 교실. 2 군사 교육 또는 군사 훈련을 위한 교육 시설을 갖추어 놓은 곳.

교:재 (教材) 명 가르치거나 학습하는 데 쓰이는 여러 가지 재료. ¶시청각 ~를 마련하다.

교전 (交戰) 명하자 서로 싸움. 병력을 동원하여 전투 행위를 함. 교화(交火). ¶~ 상태 / 적과 ~을 벌이다.

교전-국 (交戰國) 명 1 전쟁에 참가하고 있는 국가. 2 전쟁 상태에 있는 상대국.

교점 (交點)[-쩜] 명 1〖수〗 둘 이상의 선이 서로 만나는 점. 2〖천〗 행성·혜성 등의 궤도면이 황도면과 만나는 점.

교접 (交接) 명하자 1 서로 닿아서 접촉함. 2〖동〗 교미.

교:정 (校正) 명하타 〖인〗 교정지와 원고를 대조하여 틀린 글자나 빠진 글자 등을 바로잡아 고침. 교합(校合). 교준(校準). ¶~을 보다.

교:정 (校訂) 명하타 출판물의 잘못된 글자·글귀를 바르게 고침.

교:정 (校庭) 명 학교의 운동장. ¶~에는 개나리가 만발했다.

교:정 (教正) 명하타 가르치어 바로잡음.

교:정 (矯正) 명하타 틀어지거나 잘못된 것 또는 결점 등을 바로잡음. ¶치열 ~ / 척추 ~ / 동생의 팔자걸음을 ~하여 주다.

교:정 기호 (校正記號) 〖인〗 인쇄물을 교정할 때 쓰는 기호. 교정 부호.

교:정-본 (校訂本) 명 고서(古書)의 문장·어구 등을 후세 사람이 교정하여 출판한 책.

교:정-쇄 (校正刷) 명 〖인〗 교정을 보기 위해 임시로 찍어 내는 일. 또는 그 찍어 낸 종이. 가쇄(假刷).

교:정-시력 (矯正視力) 명 근시나 원시같이 굴절 이상인 눈에 안경 따위를 써서 얻은 시력.

교:정-지 (校正紙) 명 〖인〗 교정하기 위해 인쇄한 종이.

교제 (交際) 명하자 서로 사귀어 가까이 지냄. ¶~를 끊다 / ~가 넓다 / 계획적으로 권력 있는 사람과 ~하다.

교:조 (教祖) 명 〖종〗 한 종교나 종파를 처음 세운 사람. 교주(教主). 종조(宗祖).

교:조 (教條) 명 종교상의 신조.

교:조-주의 (教條主義)[-/-이] 명 1 종교나 종파의 교조를 맹목적으로 믿으려는 태도. 2 사실을 무시하고 원리·원칙만을 고집하는 태도.

교:종 (教宗) 명 〖불〗 불교의 종파를 크게 둘로 나누었을 때의 한 종파로서 불교의 교리(教理)를 중시하는 종파. *선종(禪宗).

교:주 (校主) 명 사립학교의 경영주.

교:주 (教主) 명 1 한 종교 단체의 우두머리. 2 교조.

교:지 (校誌) 명 학생들이 교내에서 편집·발행하는 잡지. ¶~에 내가 쓴 시가 실렸다.

교:지 (教旨) 명 1〖역〗 조선 시대에 사품 이상 벼슬아치에 내리던 사령. 2 종교의 취지. 3 교육의 취지.

교:직 (教職) 명 1 학생을 가르치는 직무. ¶~에 몸담고 있다. 2 교회에서, 신도의 지도와 교회의 관리를 맡은 직무《목사·집사·전도사 등》.

교:직-원 (教職員) 명 학교의 교직에 종사하는 교원 및 사무직원.

교차 (交叉) 명하자 서로 엇갈리거나 마주침. ¶만감이 ~하다 / 철길이 ~하다 / 기대와 걱정이 ~하다.

교차-로 (交叉路) 명 여러 도로가 서로 만나 엇갈리는 곳. ¶교통이 번잡한 ~ / ~에 신호등을 설치하다.

교차-점 (交叉點)[-쩜] 명 도로나 선로가 교차되어 있는 곳.

교착 (交着) 명하자 서로 붙음.

교착 (交錯) 명하자 여러 가지가 서로 엇갈려 뒤섞임.

교착 (膠着) 명하자 1 단단히 달라붙음. 2 전선(戰線)·교섭 등이 현상을 유지하여 조금도 변동이나 진전이 없음. ¶~ 국면 / 협상이 ~ 상태에 빠지다 / 전선이 ~되면서 반전(反戰) 기운이 싹트다.

교착-어 (膠着語) 명 〖언〗 언어의 형태적 유형의 하나. 문법적 기능을 어근과 접사와의 결합 연속으로 나타내는 언어《한국어·일본어 등》.

교창 (交窓) 명 분합문 위에 가로로 길게 끼우는 채광창. 횡창(橫窓).

교창

교체 (交替) 명하자타 사람이나 사물을 다른 사람이나 사물로 바꿈. 교대. ¶선수 ~ / 세대 ~ / 수도꼭지의 고무 패킹을 새것으로 ~하다.

교:칙 (校則) 명 학교의 규칙. ¶~을 어겨 벌을 받다.

교:칙 (教則) 명 1 가르치는 데 필요한 절차나 규칙. 2 종교상의 규칙.

교:탁 (教卓) 명 교사가 가르칠 책 따위를 올려놓기 위하여 교단 앞이나 위에 놓은 탁자.

교태 (嬌態) 명 아름답고 아양 부리는 자태. 교자(嬌姿). ¶~를 부리다 / 갖은 ~로 아양을 떨다.

*__교통__ (交通) 명하자 1 화물의 수송, 기차·자동차·배·비행기 등의 운행하는 일의 총칭. ¶~의 중심지 / ~이 편리하다 / ~ 사정이 나쁘다 / 출근길의 ~이 혼잡하다. 2 여러 사람이나 나라 사이의 교제나 왕래.

교통-경찰 (交通警察) 명 교통의 안전과 질서 유지를 임무로 하는 경찰. 교통순경.

교통 기관 (交通機關) 도로·철도 등의 시설과 차량·선박·항공기 등 운수 기관의 총칭. ¶~의 발달.

교통-난 (交通難) 명 교통 기관의 부족 또는 교통의 혼잡으로 소통이 원활하지 아니하는 일. ¶자동차 홍수로 ~이 심각하다 / 귀경길에 극심한 ~을 겪다.

교통-량 (交通量)[-냥] 명 일정한 곳에서 일정한 시간에 왕래하는 사람이나 차량 따위의 수량. ¶ ~이 증가하다.

교통-로 (交通路)[-노] 명 교통에 이용하는 길《도로·수로·항공로 따위》.

교통-마비 (交通痲痺) 명 자연 재해나 사고로 교통 기관이 기능을 발휘하지 못하는 상태.

교통-망 (交通網) 명 그물처럼 밀집하여 이리저리 통하는 교통로.

교통 법규 (交通法規) 사람·차량 등이 길을 왕래할 때 지켜야 할 법령 및 규칙. ¶ ~를 지키다.

교통-비 (交通費) 명 **1** 교통 기관을 이용하는 데 드는 비용. 거마비. ¶ ~가 많이 든다. **2** 자동차 따위의 운행 및 수리에 드는 비용.

교통-사고 (交通事故) 명 교통상 발생하는 사고. ¶ ~ 방지 대책 / ~가 빈번하다.

교통-순경 (交通巡警) 명 교통경찰.

교통 신:호 (交通信號) 교차로나 횡단보도·건널목 등에서 '가라'·'서라'·'돌아가라' 등의 신호를 나타내는 표시. ¶ 오토바이가 ~를 무시하고 달리다.

교통-안전 (交通安全) 명 교통질서와 교통 법규를 잘 지켜 사고를 미연에 방지함. 또는 그런 일. ¶ ~에 만전을 기하다.

교통안전 표지 (交通安全標識) 교통안전에 필요한 주의·규제·지시 등을 표시하는 표지판과 길 위에 표시한 기호·문자·선 등의 표지. ㊂교통 표지.

교통 유발 부:담금 (交通誘發負擔金) 백화점이나 예식장·아파트 단지 등 대도시의 대규모 건물 또는 시설물 때문에 새로이 증가하는 교통량의 정도에 따라 매년 부과되는 부담금.

교통-정리 (交通整理)[-니] 명 왕래가 많은 곳에서 교통의 흐름을 원활하게 하고 사고를 방지하기 위해 사람이나 차의 통행을 정리하는 일.

교통-지옥 (交通地獄) 명 심한 교통난을 비유적으로 이르는 말.

교통-질서 (交通秩序)[-써] 명 차와 사람이 통행하는 데 마땅히 지켜야 하는 질서.

교통-편 (交通便) 명 이곳저곳을 오고 가는 데 이용하는 교통수단.

교통 표지 (交通標識) '교통안전 표지'의 준말.

교:파 (教派) 명 종교의 파. 종파(宗派).

교:편 (教鞭) 명 선생이 수업하면서 사용하는 가느다란 막대기.

교편(을) 잡다 구 선생으로서 학생을 가르치다.

교:편-생활 (教鞭生活) 명 교사 생활.

교포 (僑胞) 명 외국에 살고 있는 동포. ¶ 재일 ~ / 해외 ~ / ~ 사회.

> **'교포(僑胞)'와 '동포(同胞)'**
>
> **교포** 외국에 나가 살고 있는 우리 동포를 주로 거주지를 기준으로 말할 때 쓰인다.
>
> **동포** '같은 핏줄을 이어받은 사람들' 이라는 넓은 뜻으로 쓰인다.

교:풍 (校風) 명 그 학교 특유의 기풍.

교합 (交合) 명하자 성교(性交).

교합 (咬合) 명 아래위의 이가 맞물림. 또는 상하 치열의 맞물림 상태.

교향-곡 (交響曲) 명 〖악〗 관현악을 위하여 작곡한, 보통 4 악장으로 된 규모가 큰 곡. 심포니(symphony).

교향-시 (交響詩) 명 〖악〗 보통 표제를 가진 독립된 단(單)악장의 관현악곡.

교향-악 (交響樂) 명 〖악〗 교향곡·교향시 등 관현악을 위하여 만든 음악의 총칭.

교향악-단 (交響樂團) 명 〖악〗 교향악을 연주하는 대규모의 관현악단.

교:화 (教化) 명하타 **1** 가르치고 이끌어서 올바른 방향으로 나아가게 함. ¶ 불량소년을 ~하다. **2** 〖불〗 부처의 진리로 사람을 가르쳐 착한 마음을 갖게 함.

교환 (交換) 명하타 **1** 서로 바꿈. 서로 주고받음. ¶ ~ 조건 / 물물 ~ / 의견을 ~하다. **2** 전화를 통화할 수 있도록 사이에서 선로를 이어 줌. 또는 그런 일을 하는 사람. ¶ ~을 불러 국제 통화를 신청하다.

교환 가치 (交換價値) 〖경〗 **1** 화폐를 다른 나라의 화폐와 바꿀 때의 가치. ¶ 달러에 대한 원화의 ~. **2** 일정량의 물품이 다른 종류의 물품과 어느 정도로 교환할 수 있는가 하는 상대적인 가치.

교환 학생 (交換學生) 두 나라의 대학 사이에 서로 학생을 파견하여 유학·연구시키는 일. 또는 그 학생.

교활-하다 (狡猾-) 형 여불 간사하고 꾀가 많다. ¶ 교활한 여우. **교활-히** 부

교:황 (教皇) 명 〖가〗 가톨릭교의 최고 지도자인 성직자. 로마 교황.

교:황-청 (教皇廳) 명 로마 교황을 중심으로 하는 교회 행정의 중앙 기관《바티칸 시에 있음》.

***교:회** (教會) 명 〖종〗 **1** 종교 신앙을 같이하는 이들의 조직체. ¶ 그는 장로 ~에 다닌다. **2** 종교 신앙의 가르침을 선포하며 의식(儀式)을 행하는 건물《주로, 기독교에서 쓰는 말》. 교회당.

교:회-당 (教會堂) 명 〖기〗 종교의 제례·예배·회합 등을 하는 건물. 교회.

교:훈 (校訓) 명 학교의 교육 이념을 간단명료하게 표현한 말.

***교:훈** (教訓) 명하자타 가르치고 깨우침. 또는 그 가르침. ¶ 이번 일을 통해 많은 ~을 얻었다 / 실패를 ~으로 삼다.

구 (勾) 명 〖수〗 직각 삼각형의 직각을 낀 두 변 가운데 짧은 변.

구 (句) 명 **1** 둘 이상의 단어가 모여 절이나 문장의 일부분이 되는 말. **2** 시조·시구의 짧은 토막. **3** 구절2.

구 (球) 명 **1** 공같이 둥글게 생긴 물체. **2** 〖수〗 구면(球面)으로 둘러싸인 입체(立體).

구 (區) 명 **1** 넓은 지역 따위를 몇으로 나눈 구획. ¶ 그 지방을 아홉 개 ~로 나누었다. **2** 서울특별시 및 인구 50만 이상의 시(市)에 둔 행정 구획 단위. **3** 행정상 필요에 의해 정해진 특정한 구획 단위《선거구·투표구 따위》. ¶ 우리 ~의 입후보자.

구 (具) 의명 시체의 수효를 세는 단위. ¶ 유해(遺骸) 3 ~를 인양하다.

*구 (九) 수관 아홉.
구:- (舊) 두 '지난날의·묵은·낡은' 등의 뜻. ¶~체제. ↔신-(新).
-구 (口) 미 1 일부 명사 뒤에 붙어 '작은 구멍·구멍이 나 있는 곳'을 나타내는 말. ¶접수~/통풍~. 2 일부 명사 뒤에 붙어 '드나드는 곳'을 나타내는 말. ¶출입~/비상~/승강~.
-구 (具) 미 일부 명사 뒤에 붙어 기구(器具) 등의 물건을 나타내는 말. ¶문방~/필기~/운동~.
-구- 미 자동사를 타동사로 만드는 어간 형성 접미사. ¶돋~다/솟~다. *-기-·-리-·-이-·-히-.
구:가 (舊家) 명 1 옛날에 살던 집. 2 오래 대를 이어 온 집안. 3 한곳에 오래 살아온 집안.
구가 (謳歌) 명하타 1 많은 사람들이 칭송하여 노래함. ¶태평성대를 ~하다. 2 행복한 처지나 기쁜 마음 등을 거리낌 없이 나타냄. ¶인생〔청춘〕을 ~하다/제2의 전성기를 ~하다.
구:각 (舊殼) 명 낡은 껍질이란 뜻으로, 케케묵은 옛 제도나 관습을 일컫는 말. ¶~에서 탈피하다.
구간 (區間) 명 어떤 지점과 다른 지점과의 사이. ¶마라톤의 ~ 기록/공사 ~/침수로 인해 지하철 일부 ~의 운행이 중단되었다.
구:간 (舊刊) 명 이전에 나온 책. ↔신간.
구:강 (口腔) 명 〖생〗 입 안《콧속과 목구멍으로 연결되는 부분》.
구:강 위생 (口腔衛生) 〖의〗 입 안에 있는 입천장·혀, 특히 이의 건강을 보호하고 질병의 예방·치료를 게을리하지 아니하는 일.
구:개 (口蓋) 명 입천장.
구:개-음 (口蓋音) 명 〖언〗 'ㅈ·ㅉ·ㅊ'처럼 혀와 경구개 사이에서 나는 소리.
구:개음-화 (口蓋音化) 명하자 〖언〗 구개음이 아닌 자음이 모음 'ㅣ'나 반모음 'ㅣ' 앞에서 구개음으로 변하는 현상《'땀받이'가 '땀바지'로, '같이'가 '가치'로, '묻히다'가 '무치다'로 되는 따위》.
구걸 (求乞) 명하타 남에게 돈·먹을거리 등을 달라고 빎. ¶행인에게 돈을 ~하다.
구겨-지다 자 1 구김살이 잡히다. ¶마 소재의 옷은 잘 구겨진다. 2 마음이 언짢아지다. ¶돈을 꾸러 가자니 자존심만 구겨질 것 같다.
구:결 (口訣) 명 한문의 한 구절 끝에 다는 토를 나타내는 글자《ㅁ(하고)·ホ(하며)·ㄏ(에) 따위》. ☞차자(借字).
*구:경 명하타 경치·경기·흥행물 등을 흥미를 가지고 관심 있게 봄. ¶연극 ~/금강산을 ~하러 가다.
구:경 (口徑) 명 총·대포·렌즈처럼 원통 모양으로 된 물건의 안의 지름. ¶대포의 ~/~이 큰 렌즈.
구:경-감 [-깜] 명 구경할 만한 대상.
구:경-거리 [-꺼-] 명 구경감. ¶서커스는 가장 큰 ~였다/뭇사람의 ~가 되다.
구:경-꾼 명 구경하는 사람. ¶~이 떼를 지어 모여 있다.
구:경-나다 자 구경할 만한 일이 생기다.
구곡 (九穀) 명 수수·옥수수·조·벼·콩·팥·보리·참밀·깨의 아홉 가지 곡식.
구곡-간장 (九曲肝腸) 명 굽이굽이 서린 창자라는 뜻으로, 깊은 마음속이나 시름이 쌓인 마음속의 비유.
구곡간장을 녹이다 구 몹시 놀래거나 실망을 안겨 주거나, 애를 태우게 해서, 간장이 온통 녹아 없어지는 것처럼 만들다.
구곡간장이 녹다 구 몹시 놀라거나 실망하거나, 애가 타서 간장이 온통 녹아 없어지는 것 같다.
구공-탄 (九孔炭) 명 구멍이 뚫린 연탄의 총칭. 구멍탄.
구:관 (舊官) 명 앞서 그 자리에 있던 벼슬아치. ↔신관(新官).
[구관이 명관(名官)이다] ㉠경험이 많은 사람이 더 낫다. ㉡먼젓번 사람이 나중 사람보다 낫다.
구:관 (舊館) 명 전에 지은 건물. ↔신관.
구관-조 (九官鳥) 명 〖조〗 찌르레깃과의 새. 크기가 비둘기 비슷하며, 날개 길이 약 16cm, 몸빛은 흑자색, 부리·다리는 누름. 사람의 말을 잘 흉내 냄.
구:교 (舊敎) 명 개신교(改新敎)에 대한 가톨릭교의 일컬음. ↔신교(新敎).
구:교-도 (舊敎徒) 명 가톨릭교도(敎徒). ↔신교도(新敎徒).
구구 ㊀부 닭이나 비둘기 따위가 우는 소리. ㊁감 닭이나 비둘기 따위를 부를 때 내는 소리.
구구-단 (九九段) 명 '구구법'의 통칭. ¶~을 외다.
구구-법 (九九法) [-뻡] 명 〖수〗 곱셈에 쓰는 공식. 1에서 9까지의 수로 두 수끼리 서로 곱한 것을 나타낸 것.
구구절절 (句句節節) 명 모든 구절. ¶~ 옳은 말이다.
구구절절이 (句句節節-) 부 구절구절마다. ¶~ 충정이 담긴 글.
구구절절-하다 (句句節節-) 형여불 편지 따위의 사연이 상세하고 간곡하다. ¶구구절절한 사연으로 가득 찬 연애 편지.
구구-하다 (區區-) 형여불 1 제각기 다르다. ¶구구한 억측/학설이 ~. 2 떳떳하지 못하고 구차스럽다. 3 쓸데없이 설명이 길다. ¶구구한 변명을 늘어놓다. 구구-히 부
구:국 (救國) 명하자 위태한 나라를 구하여 냄. ¶~의 영웅/~ 운동을 펴다.
구규 (九竅) 명 〖한의〗 눈·코·귀의 여섯 구멍과 입·항문·요도의 세 구멍을 합한 아홉 개의 구멍. 구혈(九穴).
구균 (球菌) 명 〖식〗 둥근 모양으로 생긴 세균의 총칭. 쌍구균·포도상 구균 따위.
구근 (球根) 명 〖식〗 알뿌리.
구근-류 (球根類) [-뉴] 명 〖식〗 구근 식물.
구근 식물 (球根植物) [-싱-] 〖식〗 튤립·글라디올러스처럼 알뿌리를 갖는 식물의 총칭. 구근류. 알뿌리 식물.
구금 (拘禁) 명하타 〖법〗 피고인 또는 피의자를 교도소·구치소에 가두는 일. ¶불법 ~은 인권 침해다/~된 사람이 풀려나다.
구:급 (救急) 명하타 1 응급조처를 취함. 2 위급한 상황에서 구해 냄. ¶~ 대책을 세우다.

구:급-낭 (救急囊)[-금-] 명 구급약을 넣어 두는 주머니.
구:급-상비약 (救急常備藥) 명 응급 치료를 위해 준비하여 두는 약품(《알코올·머큐로크롬·요오드팅크·소화제 등》). ¶~을 일정 장소에 비치해 두다.
구:급-약 (救急藥)[-금냑] 명 응급 치료에 필요한 약품.
구:급-차 (救急車) 명 위급한 환자나 부상자를 신속히 병원으로 실어 나르는 차. 앰뷸런스. ¶119로 전화해 ~를 부르다.
구기 명 **1** 기름·술 따위를 풀 때 쓰는 국자보다 작은 기구. **2** (의존 명사적으로 쓰여) 1에 담아 분량을 세는 단위.
구기1
구기 (球技) 명 공을 사용하는 운동 경기. 야구·축구·배구 따위. ¶~ 종목.
구기다 一자 구김살이 생기다. ¶구기지 않게 조심하다 / 새 옷이 구길까 봐 조심스럽게 앉았다. 二타 **1** 비비어 금이 생기게 하다. ¶종이를 꼬깃꼬깃 구겨서 버리다. **2** 얼굴을 찡그리다. **3** 마음이 언짢아지다. ¶기분을 ~. 작고기다. 센꾸기다.
구기박-지르다 〔-지르니, -질러〕 타 르불 몹시 구기지르다. 준구박지르다.
구기-자 (枸杞子) 명 **1** 〖식〗 구기자나무. **2** 〖한의〗 구기자나무의 열매(《해열제나 강장제로 씀》).
구기자-나무 (枸杞子-) 명 〖식〗 가짓과의 낙엽 활엽 관목. 줄기는 가늘고 회백색이며 가시가 있음. 여름에 자주색 꽃이 피고 가을에 장과가 붉게 익음.
구기적-거리다 타 구김살이 생기게 자꾸 구기다. 작고기작거리다. 센꾸기적거리다.
구기적-구기적 부하타
구기적-대다 타 구기적거리다.
구기-지르다 〔-지르니, -질러〕 타르불 마구 구기다.
구기-차 (枸杞茶) 명 구기자나무의 열매를 말려서 달인 차. 구기자차.
구김 명 구김살. ¶와이셔츠의 ~을 펴다.
구김-살 [-쌀] 명 **1** 구겨져서 생긴 잔금. 구김. ¶~이 가다 / 종이의 ~을 펴다. 작고김살. **2** (주로 '없다'와 함께 쓰여) 표정이나 마음속에 서린 어두운 그늘. ¶~(이) 없이 자라는 아이. **3** 일 따위가 순조롭지 못한 상태. ¶두 나라의 우호 관계에 ~이 지다. 센꾸김살.
구김-새 명 구김살이 진 정도나 모양. 센꾸김새.
구깃-거리다 [-긷꺼-] 타 구김살투성이가 되게 마구 구기다. 작고깃거리다. 센꾸깃거리다. **구깃-구깃**[1] [-긷꾸긷] 부하타
구깃-구깃[2] [-긷꾸긷] 부하형 구기어 금이 많은 모양. ¶~한 바지를 다림질하다. 작고깃고깃. 센꾸깃꾸깃.
구깃-대다 [-긷때-] 타 구깃거리다.
-구나 어미 **1** 형용사의 어간 또는 선어말 어미 '-았-'·'-었-'·'-겠-'에 붙어 해라할 자리에서 혼자 새삼스러운 감탄을 나타내는 종결 어미. ¶달이 밝~ / 참 잘되었~ / 참 불쌍하~. *-는구나·-더구나. **2** '-로구나'의 준말. ¶범인이 아니~. 준-군.
구:난 (救難) 명하타 재난을 구조함. ¶조난자 ~에 나서다.
구내 (構內) 명 큰 건물이나 시설 따위의 안. ¶~매점 / ~식당 / 역 ~에서 만나자.
구내-선 (構內線) 명 역 구내에 있는 본선 이외의 선로.
구내-전화 (構內電話) 명 건축물이나 시설물 안에서 내부 통화에 쓰이는 간단한 유선 전화.
구:년 (舊年) 명 지난해. 묵은해. ↔신년.
구:눌-하다 (口訥-) 형여불 말이 자꾸 막혀 더듬는 점이 있다. 어눌하다.
구:닥-다리 (舊-) 명 시대에 뒤떨어진 사람·사물·생각 따위를 낮잡아 이르는 말. ¶~ 전화기 / ~가 된 양복.
구단 (球團) 명 직업 야구·축구·농구 등을 사업으로 하는 단체. ¶~과 선수 사이가 원만하다.
구단-주 (球團主) 명 구단을 운영하는 사람.
구:-대륙 (舊大陸) 명 〖지〗 신대륙 발견 전부터 알려진 유럽·아시아·아프리카의 세 대륙.
구더기 명 〖충〗 파리의 애벌레. ¶~가 우글거리다 / 쉰 음식에 ~가 슬었다.
[구더기 무서워 장 못 담글까] 방해가 되는 일이 있더라도 할 일은 해야 한다.
구덕-구덕 부하형 물기 있는 물체의 거죽이 약간 마른 모양. ¶생조기를 ~ 말리다 / ~하게 마른 옷. 센꾸덕꾸덕.
구덥다 〔구더우니, 구더워〕 형ㅂ불 굳건하고 확실하여 아주 미덥다.
구덩이 명 **1** 땅이 움푹하게 팬 곳. 땅을 우묵하게 파낸 곳. **2** 〖광〗 광물을 파내기 위하여 땅속을 파 들어간 굴. 갱(坑).
구도 (求道) 명하타 **1** 종교적 깨달음이나 진리를 추구함. ¶~하는 심정으로 일에 정진하다. **2** 〖불〗 불법의 정도(正道)를 구함.
구도 (構圖) 명 그림에서, 미적(美的) 효과를 얻기 위하여 전체적으로 조화되게 배치하는 도면 구성의 짜임새. ¶~를 잡다.
구:도 (舊都) 명 옛 서울. 옛 도읍.
구도-자 (求道者) 명 구도하는 사람.
구독 (購讀) 명하타 책이나 신문·잡지 등을 사서 읽음. ¶잡지를 정기 ~하다.
구독-료 (購讀料)[-동뇨] 명 책·신문·잡지 등을 정기적으로 받아 보기 위하여 치르는 돈. ¶신문 ~가 밀리다.
구동 (驅動) 명하타 동력을 가하여 움직임. ¶기관차를 ~하다.
***구두**[1] 명 〔←일 くつ〕 주로 가죽으로 발등을 덮게 만든 서양식 신. 양화(洋靴). ¶~ 한 켤레.
구:두 (口頭) 명 마주 대하여 입으로 하는 말. ¶~ 계약 / ~로 약속하다 / ~로 전해지다.
구두-닦이 명 구두를 닦는 일을 직업으로 하는 사람.
***구두-쇠** 명 몹시 인색한 사람. ¶소문난 ~.
구:두-시험 (口頭試驗) 명 시험관의 물음에 말로 대답하는 시험. 구술시험. ¶~만으로 신입 사원을 채용하다.
구두-약 (-藥) 명 구두에 칠하여 윤이 나고 오래 견디게 하는 약. ¶~을 칠하다.
구두-점 (句讀點)[-쩜] 명 글을 마치거나 쉴

때에 찍는 쉼표와 마침표.
구:두-질 명하자 방고래에 모인 검댕이나 재를 구둣대로 쑤셔 그러냄. ¶~을 자주 해야 불이 잘 든다.
구두-창 명 구두의 밑바닥에 대는 창. ¶~이 닳다. *창[2].
구두-코 명 구두의 앞쪽 끝 부분.
구:둔-하다 (口鈍-) 형여불 말하는 것이 느리고 굼뜨다.
구:둣-대 [-두때 / -둗때] 명 굴뚝이나 방고래의 검댕이나 재 따위를 그러내는 제구.
구둣-발 [-두빨 / -둗빨] 명 구두를 신은 발. ¶~로 차다 / ~에 채다.
구둣-방 (-房)[-두빵 / -둗빵] 명 구두를 만들거나 고치거나 파는 가게. 양화점.
구둣-솔 [-두쏠 / -둗쏠] 명 구두를 닦는 데 쓰는 솔.
구둣-주걱 [-두쭈- / -둗쭈-] 명 구두를 신을 때, 발 뒤축에 대어 발이 구두에 잘 들어가게 하는 기구. 준주걱.
구드러-지다 자 말라서 뻣뻣하게 굳어지다. ¶풀 먹인 빨래가 구드러졌다. 센꾸드러지다.
구들 명 '방구들'의 준말.
구들-구들 부하형 밥알 따위가 되어서 오들오들한 모양. 작고들고들. 센꾸들꾸들.
구들-동티 명 방구들에서 생긴 동티라는 뜻으로, 별다른 까닭 없이 죽은 것을 놓으로 일컫는 말. ¶뒷집에서 ~가 났다.
구들-미 명 방구들을 뜯어 고칠 때 나오는 재나 탄 흙《거름으로 씀》.
구들-방 (-房)[-빵] 명 구들장을 놓아 불을 땔 수 있게 만든 방. 온돌방.
구들-장 [-짱] 명 방고래 위에 놓아 방바닥을 만드는 넓고 얇은 돌. 구들돌.
구들장(을) 지다 구 〈속〉 구들방에 눕다.
구들-직장 (-直長) 명 방 안에만 들어앉아 있는 사람을 놓으로 일컫는 말.
구뜰-하다 형여불 변변치 못한 음식의 맛이 제법 구수하여 먹을 만하다. ¶시래깃국이 꽤 ~.
구:랍 (舊臘) 명 지난해의 섣달. 객랍(客臘).
구:래 (舊來) 명 옛날부터 내려옴. ¶~의 폐습을 타파하다.
구럭 명 새끼로 그물처럼 눈을 드물게 떠서 만든 물건《오쟁이나 섬처럼 씀》.
구렁 명 **1** 움쑥 패어 들어간 땅. 깊이 빠진 곳. **2** 비유적으로, 빠져서 헤어나기 어려운 환경. ¶못된 ~에서 발을 빼다.
구렁이 명 **1** 〖동〗 큰 뱀의 하나. 집 근처의 담이나 돌무덤에 나타나는데, 길이 150-180 cm로 빛은 황적색이고 동작이 느림. **2** 〈속〉 음흉하고 능글맞은 사람.
[구렁이 담 넘어가듯] 일 처리를 슬그머니 얼버무려 하는 모양.
구렁-텅이 명 **1** 몹시 깊숙하게 파여 험한 구렁. **2** 한번 발을 들여놓으면 헤어나기 어려운 환경 따위를 일컫는 말. ¶악(惡)의 ~에 빠지다.
구레-나룻 [-룯] 명 귀밑에서 턱까지 잇따라 난 수염. ¶~을 기르다.
-구려 어미 **1** 동사·형용사의 어간이나 선어말 어미 '-았-'·'-었-' 등에 붙어 하오할 자리에 새삼스런 감탄을 나타내는 종결 어미. ¶벌써 갔~. **2** 동사 어간에 붙어 상대자에게 좋도록 시킴을 나타내는 종결 어미. ¶알아서 하~ / 어서 들어오시~. **3** '-로구려'의 준말. ¶저기가 설악산이~. *-는구려.
구:력 (舊曆) 명 태음력.
***구:령** (口令) 명하자 단체행동의 동작을 일제히 하도록 호령함. 또는 그 호령. ¶~을 붙이다 / ~에 맞추어 행진하다.
구:례 (舊例) 명 옛날부터 내려오는 관례.
구:례 (舊禮) 명 옛날부터 내려오는 예법.
구:로 (舊路) 명 옛날부터 있던 길. ↔신작로(新作路).
구:론 (口論) 명하자 말로 논쟁함.
구롱 (丘壟) 명 **1** 언덕. **2** 조상의 산소.
구:료 (救療) 명하타 가난한 병자를 구원하여 치료해 줌.
구루마 (일 くるま〔車〕) 명 짐수레. 달구지.
구루-병 (佝僂病)[-뼝] 명 〖의〗 비타민 D의 부족으로 뼈가 물러져 등뼈나 가슴뼈 따위가 굽는 병. 곱삿병.
구류 (拘留) 명하타 〖법〗 1일 이상 30일 미만의 기간 동안 죄인을 구치소에 가두는 벌. ¶폭행 혐의로 20일간 ~를 살다 / 범인이 경찰서에 ~되다.
***구르다**[1] 〔구르니, 굴러〕 一자르불 **1** 데굴데굴 돌며 옮아가다. ¶비탈에서 굴러 떨어지다. **2** 총 따위를 쏠 때 반동으로 뒤로 되튀다. **3** 말 따위가 걸을 때 출썩거리다. 준굴다. 二자타르불 **1** 하찮게 내버려지거나 널려 있다. ¶길가에 구르는 낙엽 / 길 위를 구르는 쓰레기. **2** 어떤 곳에 누워서 뒹굴다. ¶비탈길에서 넘어져 굴렀다 / 뛰다가 모래밭을 굴렀다.
구:르다[2] 〔구르니, 굴러〕 타르불 밑바닥이 울리도록 발을 힘차게 내리 디디다. ¶발을 동동 ~.
***구름** 명 공기 중의 수분이 팽창한 결과 물방울이나 얼음 결정이 되어 떠 있는 것. ¶~이 잔뜩 끼어 있는 하늘.
구름같이 모여들다 구 한꺼번에 많이 모여들다. ¶환영 인파가 ~.
구름(을) 잡다 구 뚜렷하지 아니하고 막연하여 걷잡을 수 없음의 비유.
구름-결 [-껼] 명 구름처럼 슬쩍 지나는 겨를. *바람결.
구름-다리 명 길·계곡 등의 위로 공중에 걸쳐 놓은 다리.
구름-바다 [-빠-] 명 바다처럼 넓게 깔린 구름. 운해(雲海).
구름-양 (-量)[-냥] 명 〖기상〗 구름이 하늘을 덮고 있는 정도. 구름이 전혀 없을 때를 0, 가득 차 있을 때를 10으로 하여 그 정도를 눈어림으로 정함. 운량(雲量).
구름-장 [-짱] 명 넓게 퍼진 두꺼운 구름 덩이. ¶~이 몰려오다.
구름-판 (-板) 명 멀리뛰기·뜀틀 운동 따위에서, 뛰기 직전에 발을 구르는 판. 도약판. ¶~을 디디다.
구릉 (丘陵) 명 언덕.
구릉-지 (丘陵地) 명 높이 300 m 미만의 완만한 경사면과 골짜기가 있는 지역. ¶온통 목초로 뒤덮인 ~.
***구리** 명 〖화〗 붉고 윤이 나는 금속 원소. 자

구 분	명 칭	모 양
상층운 (5–13 km)	권운 (털구름)	상층운 중 가장 높은 곳에 있는 구름. 흰 머리털이나 가는 실오리같이 보임
	권적운 (털쎈구름)	작은 덩이진 흰 구름이 물고기 비늘처럼 널려 있는 구름
	권층운 (털층구름)	하늘 전체를 엷게 덮은 베일 모양의 구름. 이 구름을 통해 보면 햇무리나 달무리가 나타남. 일기가 나빠질 징조의 구름
중층운 (2–7 km)	고적운 (높쎈구름)	백색 또는 회색으로 크로 둥글둥글하게 덩어리진 구름
	고층운 (높층구름)	하늘 전체를 두껍게 덮은 베일 모양의 구름
	난층운 (비층구름)	하늘 전체를 덮고 비 또는 눈을 내리게 하는 구름
하층운 (0–2 km) 수직으로 솟은 구름 (0.5 km 이상)	층적운 (층쎈구름)	여러 가지 모양의 구름 조각이 모여 생긴 구름
	층 운 (층구름)	안개비를 내리게 하는 매우 낮은 구름
	적 운 (쎈구름)	밑은 평평하고 꼭대기는 솜을 쌓아 놓은 것처럼 뭉실뭉실한 구름
	적란운 (쎈비구름)	적운이 발달하여 하늘 한쪽을 덮는 모양이 된 구름. 아랫부분은 번개나 비를 수반하는 구름

연동으로나 화합물로 나며 은 다음으로 전기 및 열을 잘 전달하는 물체임. [29번 : Cu : 63.54]

***구리다** 형 **1** 똥이나 방귀 냄새와 같다. ¶냄새가 지독하게 구리구나. **2** 하는짓이 더럽고 추잡하다. ¶구리게 놀다. **3** 행동이 떳떳하지 못하고 의심스럽다. ¶구린 데가 있는지 꽁무니를 뺀다. ㉠쿠리다.

구린 입도 안 떼다 구 무엇이든 자기 의견을 말해야 할 사람이 입을 다물고 있다.

구리터분-하다 형여불 **1** 냄새가 구리고 역겹다. ¶구리터분한 입내. **2** 하는 짓이나 생각하는 것이 깔끔하지 못하고 더럽다. ㉣고리타분하다.

구리텁텁-하다 [-터파-] 형여불 **1** 냄새가 구리고 텁텁하다. **2** 몹시 구리터분하다. ㉣고리탑탑하다.

구린-내 명 구리게 나는 냄새. ¶~를 피우다. ㉠쿠린내.

구린내가 나다 구 어딘가 수상한 생각이 들다.

구릿-빛 [-리삗 /-릳삗] 명 적갈색. ¶~으로 살을 태우다.

구만-리 (九萬里)[-말-] 명 아득히 먼 거리의 비유. ¶앞길이 ~ 같은 청년 / 기러기 울어 예는 하늘 ~.

구만리-장천 (九萬里長天)[-말-] 명 아주 높고 먼 하늘.

구매 (購買) 명하타 물건을 사들임. 구입. ¶백화점에서 상품을 ~하다.

구매-력 (購買力) 명 상품을 살 수 있는 재력(財力). ¶~이 되살아나다.

구매-욕 (購買欲) 명 소비자가 어떤 상품을 사고 싶어하는 욕구. ¶~을 자극하다.

구매-자 (購買者) 명 물건을 구매하는 사람. 매주(買主). ↔판매자(販賣者).

-구먼 어미 형용사의 어간이나 선어말 어미 '-았-'·'-었-'·'-겠-'에 붙어 반말이나 혼잣말로 새삼스런 감탄을 나타내는 종결어미. ¶많~ / 빨리 왔~ / 꽤 크~ / 좋은 생각이~. *-는구먼.

***구멍** 명 **1** 파냈거나 뚫어진 자리. ¶~이 뚫리다. **2** (주로 '-ㄹ 구멍'의 꼴로 쓰여) 어려움을 벗어나는 길. ¶빠져나갈 ~을 찾다. **3** 허점이나 약점의 비유. ¶범인 수색에 ~이 뚫려 있다.

[구멍은 깎을수록 커진다] 허물은 변명하고 얼버무리려고 할수록 더욱 드러난다.

구멍-가게 [-까-] 명 조그맣게 차린 가게.

구멍-새 명 **1** 구멍의 생김새. **2** 얼굴의 생김새를 낮잡아 일컫는 말.

구멍-탄 (-炭) 명 구멍이 뚫린 원기둥 모양의 연탄. 구공탄.

구메-구메 부 남모르게 틈틈이. 새새틈틈.

구메-농사 (-農事) 명 **1** 고장에 따라 풍흉(豐凶)이 다른 농사. **2** 소규모의 농사.

구면 (球面) 명 **1** 구의 표면. **2** 〖수〗 일정한 점에서 일정한 거리에 있는 점의 자취.

구:면 (舊面) 명 안 지 오래된 처지. 또는 그런 사람. ¶우리는 서로 ~이다. ↔초면.

구면-경 (球面鏡) 명 〖물〗 반사면이 둥근 모양으로 된 거울《볼록 거울·오목 거울이 있음》. 구면 거울.

구명 (究明) 명하타 사물의 본질·원인 따위를 깊이 연구하여 밝힘. ¶아직 ~되지 않은 문제가 남아 있다.

구:명 (救命) 명하타 사람의 목숨을 구함. ¶~조끼 / ~ 운동을 펼치다 / 조난자가 모두 ~되었다.

구:명 (舊名) 명 고치기 전의 이름. 예전에

부르던 이름.
구:명-구 (救命具) 명 물에 빠진 사람을 구조하는 데 사용하는 기구.
구:명-대 (救命帶) 명 물 위에 쉽게 뜰 수 있도록 조끼처럼 입거나 허리·어깨에 착용하는 구명구. 구명부대(救命浮帶).
구:명-도생 (苟命圖生) 명하자 구차스럽게 겨우 목숨만 이어 나감.
구:명-띠 (救命-) 명 물에 빠져도 물에 뜨도록 허리에 두르는 띠.
구:명-보트 (救命boat) 명 구명정(艇).
구:명-부표 (救命浮標) 명 몸을 물 위에 뜨게 하는 기구. 코르크를 방수포(防水布)로 싼 바퀴 모양의 부표. 구난부표. 구명부이.
구:명-정 (救命艇) 명 본선이 조난한 경우에 인명을 구조하기 위한 보트. 구명보트.
구무럭-거리다 자타 몸을 천천히 자꾸 움직이다. 작고무락거리다. 센꾸무럭거리다.
구무럭-구무럭 부하자타
구무럭-대다 자타 구무럭거리다.
구문 (口文) 명 흥정을 붙여 주고 그 보수로 받는 돈. 구전(口錢). ¶~을 받다.
구문 (究問) 명하타 충분히 알 때까지 캐어 물음.
구문 (構文) 명 글의 짜임.
구:문 (舊聞) 명 전에 들은 소문이나 이야기. ¶그건 이미 ~이야. ↔초문.
구:물 (舊物) 명 **1** 옛 물건. **2** 대대로 물려 전해 오는 물건.
구물-거리다 자타 몸을 매우 느리게 자꾸 움직이다. 작고물거리다. 센꾸물거리다.
구물-구물 부하자타
구물-대다 자타 구물거리다.
구:미 (口味) 명 입맛. ¶병이 나서 ~를 잃다 / 수요자의 ~에 맞도록 고안하다.
구미가 나다 구 ㉠입맛이 생기다. ㉡욕심이 나다.
구미가 당기다 구 구미가 돌다.
구미가 돌다 구 ㉠입맛이 돌다. ㉡흥미가 생기다. ¶구미가 도는 이야기.
구미가 동하다 구 ㉠입맛이 돌아 먹고 싶은 생각이 들다. ¶매콤하고 달콤한 쫄면을 보니 구미가 동한다. ㉡무엇을 차지하고 싶은 마음이 생기다. ¶싸고 좋다는 점원의 말에 ~.
구미를 돋우다 구 ㉠입맛이 나게 하다. ¶구미를 돋우는 전채 요리. ㉡관심이나 흥미를 갖게 만들다.
구미 (歐美) 명 **1** 유럽 주와 아메리카 주. **2** 유럽과 미국. 서양.
구미-호 (九尾狐) 명 **1** 오래 묵어 사람을 호린다는 꼬리가 아홉 개 달린 여우. **2** 간사하게 아첨을 잘하는 사람. 교활한 사람.
구민 (區民) 명 한 구(區) 안에 사는 사람.
구:민 (救民) 명하자 어려움을 겪는 백성을 구제함.
구박 (驅迫) 명하타 못 견디게 괴롭힘. ¶며느리를 ~하다 / 갖은 ~을 받다.
구박-지르다 〔-지르니, -질러〕 타르불 '구기박지르다'의 준말.
구배 (勾配) 명 **1**〖건〗흘림[2]2. 물매[3]. ¶~가 심하다. **2**〖수〗'기울기'의 구용어.
구법 (求法) 명하자〖불〗불법(佛法)을 구함.
구:법 (舊法)[-뻡] 명 예전에 제정한 법률. ↔신법(新法)1.
구:변 (口辯) 명 말솜씨. 언변(言辯). ¶~이 좋다 / ~이 없다.
구:변-머리 (口辯-) 명 〈속〉 구변(口辯).
***구별** (區別) 명하타 종류에 따라 나타나는 차이. 또는 그것을 갈라놓음. ¶하등 생물은 동식물의 ~이 어렵다 / 진짜와 가짜가 ~되다 / 공과 사를 ~하다 / 출신지를 ~해 분열을 조장하다 / 이제는 아들 딸 ~을 두지 않는 것 같다.
구보 (驅步) 명하자 뛰어감. 달음박질. ¶~로 행군하다.
구:복 (口腹) 명 먹고살기 위하여 음식을 섭취하는 입과 배. ¶~을 채우다.
구부러-들다 〔-드니, -드오〕 자 안쪽으로 구부러져 들어오거나 들어가다. ¶물줄기가 들 한복판으로 ~. 센꾸부러들다.
구부러-뜨리다 타 세게 구부러지게 하다. ¶철근을 ~. 센꾸부러뜨리다.
구부러-지다 자 한쪽으로 휘거나 굽다. ¶구불구불 구부러진 산길 / 허리가 ~. 작고부라지다. 센꾸부러지다.
[구부러진 송곳] 쓸모없게 된 것의 비유.
구부러-트리다 타 구부러뜨리다.
구부렁-길 [-낄] 명 구부러진 길. 작고부랑길. 센꾸부렁길.
구부렁-이 명 구부러진 물건.
구부렁-하다 형여불 안으로 휘어들어 굽다. 작고부랑하다. 센꾸부렁하다.
구부리다 타 한쪽으로 굽히다. ¶허리를 구부리고 인사하다 / 철사를 ~. 작고부리다. 센꾸부리다.
구부스름-하다 형여불 좀 굽은 듯하다. 작고부스름하다. 센꾸부스름하다. 준구부슴하다. **구부스름-히** 부
구부슴-하다 형여불 '구부스름하다'의 준말. **구부슴-히** 부
구부정-하다 형여불 휘움하게 굽다. ¶구부정한 자세. 작고부장하다. 센꾸부정하다.
***구분** (區分) 명하타 일정한 기준에 따라 갈라 나눔. ¶시대 ~ / 빛깔을 ~하다 / 새것과 헌것으로 ~되다.
구불-거리다 자 이리저리 자꾸 구부러지다. ¶뱀이 ~ / 구불거린 길이 계속되다. 작고불거리다. 센꾸불거리다. **구불-구불** 부하자형. ¶~한 길을 걸어가다.
구불-대다 자 구불거리다.
구불텅-하다 형여불 느슨하게 굽다. 작고불탕하다. 센꾸불텅하다.
구붓-이 부 구붓하게. 작고붓이. 센꾸붓이.
구붓-하다 [-부타-] 형여불 조금 굽다. 작고붓하다. 센꾸붓하다.
구:비 (口碑) 명 비석에 새긴 것처럼 오래도록 전해 내려온다는 뜻에서, 대대로 전하여 내려오는 말. ¶~ 전승.
구비 (具備) 명하타 빠진 것 없이 모두 갖춤. ¶서류를 ~하다 / 여러 조건이 ~되다.
구:비 문학 (口碑文學) 예로부터 입에서 입으로 전해 온 문학《설화·민요·수수께끼 등이 이에 속함》. 구전 문학.
구:빈 (救貧) 명하자 가난한 사람을 구제함.
구쁘다 〔구쁘니, 구뻐〕 형 별난 음식이 먹고 싶어 입맛이 당기다. ¶속이 ~.
구사 (驅使) 명하타 **1** 사람이나 동물을 몰아

쳐 부림. **2** 자유자재로 다루어 씀. ¶3개 국어를 ~하다 / 기교가 조화롭게 ~된 작품 / 풍부한 어휘를 ~하다.

구:-사상 (舊思想) 명 **1** 옛날 사상. **2** 시대에 뒤떨어진 낡은 사상. ↔신사상.

구사-일생 (九死一生)[-쌩] 명하자 (주로 '구사일생으로'의 꼴로 쓰여) 죽을 고비를 여러 차례 넘기고 겨우 살아남. ¶지진의 참화 속에서 ~으로 살아나다.

구:산 (口算) 명하타 입으로 계산함. 또는 그 셈.

구상 (具象) 명 구체(具體). ↔추상(抽象).

구상 (球狀) 명 공같이 둥근 모양.

구상 (構想) 명하타 **1** 어떤 일을 하기에 앞서 여러 가지로 생각을 가다듬음. 또는 그 생각이나 내용. ¶치밀하게 ~된 계획 / 새로운 사업을 ~하다. **2** 예술 작품의 구성을 생각함. ¶소설의 줄거리를 ~하다.

구상-균 (球狀菌) 명 구균(球菌).

구상-나무 명 〖식〗 소나뭇과의 상록 침엽 교목. 산허리 이상의 높은 곳에서 자람. 건축·가구 재료로 씀.

구상-력 (構想力)[-녁] 명 구상하는 능력.

구상 무:역 (求償貿易) 〖경〗 두 나라 사이에 협정을 맺어, 수출과 수입을 물물 교환과 같은 형태로 무역하는 방법. 바터 시스템. 바터제(barter制).

구상-성 (具象性)[-썽] 명 〖철〗 구체성. ↔추상성(抽象性).

구상 성단 (球狀星團) 〖천〗 수십만 개의 항성(恒星)이 공 모양으로 둥글게 모여서 이룬 성단. *산개 성단.

구:상유취 (口尙乳臭)[-뉴-] 명 입에서 아직 젖내가 난다는 뜻으로, 말과 행동이 아직 어림을 일컫는 말.

구상-화 (具象化) 명하자타 구체화.

구상-화 (具象畫) 명 실제로 있거나 그렇게 상상할 수 있는 사물을 사실적으로 표현하는 그림. ↔추상화.

구새[1] 명 '구새통'의 준말.

구새(가) 먹다 구 살아 있는 나무의 속이 썩어 구멍이 뚫리다.

구새[2] 명 〖광〗 광석 사이에 끼어 있는 산화된 다른 광물질의 알맹이.

구새-통 명 **1** 속이 썩어 구멍이 생긴 통나무. **2** 나무로 만든 굴뚝《원래 구새가 먹은 나무로 만들었음》. 준구새.

구색 (具色) 명하타 여러 가지 물건을 고루 갖춤. 또는 그 모양새. ¶~을 갖추다.

구색(을) 맞추다 구 여러 가지가 고루 갖추어지게 하다. ¶구색을 맞추어 장만하다.

구색(이) 맞다 구 여러 가지가 고루 갖추어지다. ¶맥주에는 오징어 안주가 있어야 구색이 맞지.

***구석** 명 **1** 모퉁이의 안쪽. ¶한쪽 ~에 화장대를 놓다. **2** 드러나지 아니하고 치우친 곳. ¶외딴 시골 ~에서 살고 싶다. **3** 마음이나 사물의 한 부분. ¶큰소리치는 것을 보니 믿는 ~이 있는 모양이다.

구석-구석 부 이 구석 저 구석. 구석마다. ¶~ 먼지투성이다 / ~ 샅샅이 뒤지다.

구석구석-이 부 구석구석마다. ¶~ 찾다.

구:-석기 (舊石器) 명 〖역〗 구석기 시대에 인류가 만들어 사용한 뗀석기.

구:석기 시대 (舊石器時代) 〖역〗 석기 시대의 전기(前期). 대개 70만-1만 년 전에 해당하며 뗀석기를 이용하여 동물을 사냥하거나 나무 열매 등을 채집하여 생활함. *신석기 시대.

구석-방 (-房) 명 집의 한 모퉁이에 있는 방. ¶잡동사니로 가득 찬 ~.

구석-빼기 명 매우 치우쳐 박힌 구석 자리.

구석-장 (-欌) 명 방구석에 놓는 세모진 장.

구석-지다 형 한쪽 구석으로 치우쳐 으슥하다. ¶구석진 산골 마을.

구:설 (口舌) 명 시비하거나 헐뜯는 말. ¶남의 ~에 오르다.

구:설-수 (口舌數)[-쑤] 명 남에게 구설을 들을 운수. ¶~가 들다 / ~에 휘말리다 / ~에 오르다.

구성 (構成) 명하타 **1** 몇 가지 요소를 모아 하나의 전체를 만드는 일. 또는 그 결과. ¶범죄 ~ 요건 / 사회를 ~하는 성원 / 내각이 새로 ~되었다. **2** 예술에서, 표현상의 소재를 독자적인 수법으로 조립·배열시키는 일. ¶문장은 좋은데 줄거리의 ~이 서투르다.

구성-없다 [-업따] 형 격에 맞지 아니하다.

구성-없이 [-업씨] 부. ¶~ 출싹거리다.

구성 요소 (構成要素)[-뇨-] 어떠한 사물을 짜 얽어 이루어 놓은, 없어서는 아니될 필요한 성분.

구성-원 (構成員) 명 어떤 조직을 이루고 있는 인원. ¶가족 ~ / 단체 ~ 사이의 친밀한 유대 관계.

구성-주의 (構成主義)[-/-이] 명 제1차 대전 후 러시아·독일 등에서 일어난 미술·건축상의 한 주의《사실주의를 배격하고 주로 기하학적 형태의 구성으로 새로운 미(美)를 창조하려 하였음》.

구성-지다 형 천연덕스럽고 멋지다. ¶구성진 목소리로 흥부가를 부르다.

구성-체 (構成體) 명 부분이나 요소들이 모여 일정하게 짜 이룬 물체나 형체.

구:세 (救世) 명하자 **1** 세상 사람을 구제함. **2**〖기〗 인류를 악마의 굴레와 죄악에서 구원함. **3**〖불〗 중생을 고통에서 구함.

구:-세계 (舊世界)[-/-게] 명 〖지〗 구대륙. ↔신세계.

구:세-군 (救世軍) 명 〖기〗 기독교의 한 파《군대식 조직 밑에서 민중 전도와 교육, 사회사업을 함》.

구:-세대 (舊世代) 명 옛 세대. 낡은 세대. ¶~의 인물. ↔신세대.

구:-세력 (舊勢力) 명 **1** 옛 세력. **2** 옛 관습이나 제도를 따르는 세력.

구:세-제민 (救世濟民) 명하자 세상을 구원하고 백성을 구제함. 구세(救世).

구:세-주 (救世主) 명 **1**〖기〗 인류를 죄악에서 구원하는 예수. 구주(救主). **2**〖불〗 '석가모니'의 딴 이름. **3** 어려움이나 고통에서 구해 주는 사람의 비유. ¶영업부의 ~.

구:-소설 (舊小說) 명 〖문〗 갑오개혁 이전에 나온 소설. 대부분이 비현실적인 공상(空想)의 세계를 표현하여 낭만 소설의 성격을 띰. ↔신소설.

구속 (拘束) 명하타 **1** 체포하여 신체를 속박함. ¶피의자를 ~하다 / 현행범으로 ~되다. 2 자유행동을 제한 또는 정지시킴. ¶ 행동에 ~을 받는다 / 원칙에 ~되다 / 타인의 자유를 ~해서는 안 된다.

구속 (球速) 명 야구에서, 투수가 던지는 공의 속도. ¶ 시속 150 km 의 최고 ~을 자랑하다.

구속-력 (拘束力)[-송녁] 명 〖법〗 일정한 행위를 제한 또는 강제하는 효력. ¶ ~을 상실하다.

구속 영장 (拘束令狀)[-송녕짱] 〖법〗 검사의 신청으로 판사가 발부하는, 피의자의 신체를 구속할 수 있는 영장. ¶ ~을 청구하다 / ~을 발부하다.

구속 적부 심사 (拘束適否審査) 〖법〗 영장의 집행이 적법한가의 여부를 법원이 심사하는 일.

구:송 (口誦) 명하타 소리 내어 읽거나 외움. ¶ ~ 기도 / ~시(詩).

구:수 (口受) 명하타 말을 직접 듣고 가르침을 받음.

구:수 (口授) 명하타 학문 따위를 말로 전하거나 가르쳐 줌.

구수 (仇讎) 명 원수(怨讎).

구수 (丘首) 명 〔여우는 죽을 때 살던 산 쪽으로 머리를 둔다는 뜻〕 1 근본을 잊지 않음. 2 고향을 생각함.

구수 (拘囚) 명하타 죄인을 가둠. 또는 그런 죄수.

구수 (寇讎) 명 원수(怨讎).

구수 (鳩首) 명 비둘기가 모여 머리를 맞대듯이 여러 사람이 서로 머리를 맞대고 논의하는 일.

구수-하다 형여불 1 맛·냄새가 비위에 좋다. ¶ 구수한 보리차 냄새 / 된장찌개 맛이 ~. 2 말이나 이야기가 마음을 끄는 맛이 있다. ¶ 구수한 언변. 3 마음씨나 인심 따위가 푸근하다. ¶ 구수한 시골 인심. 작고소하다. **구수-히** 부

구:순 (口脣) 명 1 입과 입술. 2 입술.

구순-하다 형여불 의좋아 화목하다. ¶ 집안이 ~. **구순-히** 부

구:술 (口述) 명하타 입으로 말함. ¶ 비서에게 편지를 ~하다.

구:술-시험 (口述試驗) 명 구두시험.

***구슬** 명 1 보석으로 둥글게 만든 물건. 2 사기나 유리로 둥글게 만든 장난감의 하나. ¶ ~을 치고 놀다.

[구슬이 서 말이라도 꿰어야 보배라] 아무리 좋은 것이라도 쓸모 있게 만들어 놓아야 가치가 있다.

구슬-구슬 부하형 밥이 알맞게 된 모양. ¶ 햅쌀밥이 ~ 잘되었다. 작고슬고슬.

구슬-땀 명 구슬처럼 방울방울 맺힌 땀. ¶ ~을 흘리며 운동에 열중하다.

구슬려-내다 타 그럴듯한 말로 자꾸 꾀다.

구슬리다 타 그럴듯한 말로 꾀어 마음을 움직이다. ¶ 아이를 구슬려도 막무가내다.

구슬려 넘기다 구 그럴듯한 말로 달래거나 추어올리며 이것저것 갖다가 말하다.

구슬려 대다 구 자꾸 구슬리다.

구슬려 삶다 구 구슬려 마음이 솔깃하게 만들다. ¶ 부하 직원을 자기편으로 ~.

구슬-옥 (-玉) 명 구슬을 끈에 꿸 수 있게 가운데에 구멍이 뚫린 작은 공 모양의 옥(玉). 구옥(球玉). 환옥(丸玉).

구슬프다 〔구슬프니, 구슬퍼〕 형 처량하고 슬프다. ¶ 구슬프게 울다.

구슬피 부 구슬프게. ¶ ~ 내리는 비.

구:습 (口習) 명 1 입버릇. 2 말버릇.

구:습 (舊習) 명 옛날부터 내려오는 낡은 풍속과 습관. ¶ ~을 타파하다 / ~에 젖다.

구:-시가 (舊市街) 명 신시가(新市街)에 대하여 그전부터 있던 시가.

구:-시대 (舊時代) 명 지나간 시대. ¶ ~의 유물 / ~를 극복하다. ↔신시대.

구시렁-거리다 자 잔소리를 자꾸 되씹어 하다. ¶ 마땅찮은 표정으로 자꾸 ~. 작고시랑거리다. **구시렁-구시렁** 부하자

구시렁-대다 자 구시렁거리다.

구:식 (舊式) 명 1 예전의 양식이나 방식. ¶ ~ 장비 / ~ 결혼을 고집하다. 2 케케묵은 것. 시대에 뒤떨어진 것. ¶ ~ 사고방식에 젖어 있다 / 가구 집기가 ~이다. ↔신식.

구실 명 1 〖역〗 공공이나 관가의 직무. 2 조세(租稅). ¶ ~을 물다. 3 자기가 해야 할 일. ¶ 제 ~을 다하다 / 사람 ~을 못하다.

***구:실** (口實) 명 핑계 삼을 밑천. 변명할 재료. ¶ ~을 삼다 / 감기를 ~로 결근하다.

구실(을) 붙이다 구 트집을 잡아 시비를 걸다. ¶ 애꿎은 사람에게 ~.

구심 (求心) 명하자 1 〖불〗 참된 마음을 찾아 참선(參禪)함. 2 〖물〗 중심으로 모아짐.

구심 (球心) 명 구의 중심.

구심 (球審) 명 야구 경기의 주심《캐처 뒤에서 볼·스트라이크 등을 판정하며 경기 진행을 주관함》. *누심(壘審).

구심-력 (求心力)[-녁] 명 〖물〗 물체가 원(圓)운동을 할 때 중심으로 쏠리는 힘. ↔원심력.

구심-운동 (求心運動) 명 중심을 향해 쏠리는 물체나 정신의 운동.

구심-점 (求心點)[-쩜] 명 1 중심으로 향하여 쏠리어 모이는 그 점. 2 어떤 역할의 핵심적인 인물이나 단체 등을 비유적으로 일컫는 말.

구십 (九十) 수관 아흔.

구십-춘광 (九十春光) 명 1 봄의 90 일 동안. 2 90 일 동안의 화창한 봄 날씨.

구아노 (guano) 명 바닷새의 배설물이 해안의 암석 위에 쌓여서 된 덩어리《비료로 씀》. 조분석(鳥糞石). 분화석(糞化石).

구애 (求愛) 명하자 이성에게 사랑을 구함. ¶ 다양한 ~ 작전을 펼치다 / 끈질긴 ~.

구애 (拘礙) 명하자 거리끼거나 얽매임. ¶ 작은 일에 ~되지 아니하다.

구:액 (口液) 명 〖생〗 침. 타액.

구:약 (口約) 명하타 말로 약속함. 또는 그 약속.

구:약 (舊約) 명 1 묵은 약속. 2 〖기〗 예수가 나기 전에 하느님이 이스라엘 민족에게 한 약속. 3 '구약 성서'의 준말.

구:약 성서 (舊約聖書) 〖기〗 기독교 성서의 하나. 예수가 나기 전의 이스라엘 민족의 종교 문학과 역사, 하느님의 계시 등을 모은 것으로, '창세기'를 비롯하여 39 권으로 되어 있음. 구약 전서. 준구약.

구:약 전서 (舊約全書) 〖기〗 구약 성서.

구:어 (口語) 명 〖언〗 일상적인 대화에 쓰는

말. 입말. ↔문어(文語).
구:어-문 (口語文) 명 〔언〕 구어체로 쓴 글.
구어-박다 타 **1** 사람을 한곳에서만 지내게 하다. **2** 단단히 끼어 있도록 쐐기 따위를 불길에 쐬어서 박다. **3** 이자 놓는 돈을 한 데 잡아 두어 늘리지 아니하다.
구어-박히다 [-바키-] 자 《'구어박다1'의 피동》 구어박음을 당하다.
구:어-체 (口語體) 명 〔언〕 구어로 쓴 글체. ¶ ~로 쓴 문장. ↔문어체(文語體).
구언 (求言) 명하타 〔역〕 임금이 신하의 바른말을 널리 구하던 일.
구역 (區域) 명 갈라놓은 지역. ¶출입 금지 ~ / 맡은 ~을 순찰하다.
구역 (嘔逆) 명 속이 메스꺼워 토할 듯한 느낌. 욕지기.
구역-나다 (嘔逆-) [-영-] 자 토할 듯이 속이 메스꺼운 느낌이 나다.
구역-증 (嘔逆症) 명 속이 메스꺼워 구역이 나려는 증세.
구역-질 (嘔逆-) 명하자 욕지기질. ¶ ~이 나다 / 코를 막고 ~을 하다.
구:연 (口演) 명하타 **1** 동화·야담 따위를 여러 사람 앞에서 가벼운 몸짓을 섞어 가며 이야기함. ¶ '콩쥐와 팥쥐'를 ~하다. **2** 입으로 사연을 말함. 구술(口述).
구:연 (舊緣) 명 오래전부터 맺은 인연. ¶군대 시절의 ~ / ~ 관계로 취직하다.
구:연-동화 (口演童話) 명 어린이들을 상대로 입으로 이야기를 실감나게 들려주는 동화.
구연-산 (枸櫞酸) 명 〔화〕 '시트르산'의 구칭.
구:열 (口熱) 명 입 안의 더운 기운.
구:옥 (舊屋) 명 **1** 오래된 집. 고옥. **2** 전에 살던 집. 옛집.
구완 명하타 병자나 해산한 사람의 시중을 드는 일.
구외 (構外) 명 건물이나 시설의 밖.
구:우 (舊友) 명 사귄 지 오래된 친구. 옛친구. 고우(故友).
구운-석고 (-石膏) 명 〔화〕 생석고에 열을 가해서 결정수를 없앤 가루 석고《물을 만나면 다시 굳어지며, 모형이나 분필 따위를 만드는 데 씀》. 소석고(燒石膏).
구워-삶다 [-삼따] 타 여러 가지 수단과 방법을 써서 상대방이 자기의 생각대로 따르게 만들다. 삶다. ¶구워삶아서 빚 보증을 서게 하다.
구:원 (久遠) 명하형히부 **1** 아득히 멀고 오램. ¶ ~의 여인상. **2** 영원하고 무궁함. ¶ ~의 진리.
구:원 (救援) 명하타 **1** 어려움이나 위험에 처한 사람을 도와 구해 줌. ¶ ~을 청하다 / ~에 나서다 / 나라를 절망의 구렁에서 ~하다. **2** 〔기〕 인류를 죄악에서 건져 냄.
구:원-병 (救援兵) 명 구원하는 병사. 원병.
구:원 투수 (救援投手) 야구에서, 이제까지 던지고 있던 투수가 지치거나 위기에 몰렸을 때 그 투수를 구원하는 투수. 릴리프 피처. ¶ ~가 등판하다.
구월 (九月) 명 한 해의 아홉째 달.
구위 (球威) 명 야구에서, 투수가 던지는 공의 위력. ¶ ~가 떨어지다.
구유 명 마소의 먹이를 담아 주는 그릇.

구유

구유 (具有) 명하타 성질이나 재능 따위를 갖추고 있음. ¶ 격조 높은 예술성을 ~한 작품.
구:음 (口吟) 명하자타 **1** 시 따위를 읊조림. **2** 말을 더듬음.
구:음 (口音) 명 입 안을 통하여 몸 밖으로 나오는 소리. 입소리. *비음(鼻音).
구의 (句義) [-/-이] 명 글귀의 뜻.
구의 (柩衣) [-/-이] 명 출관(出棺)할 때 관 위에 덮는 긴 베《길이가 길고 누런빛임》.
구:의 (舊誼) [-/-이] 명 예전에 친하게 지내던 정의. ¶ ~를 생각해서 참다.
구이 명 **1** 고기나 생선에 양념을 하여 구운 음식. **2** 일부 명사 뒤에 붙어 구운 음식의 뜻을 나타내는 말. ¶갈비~ / 생선~.
구인 (求人) 명하타 일할 사람을 구함. ¶ ~ 광고를 내다.
구인 (拘引) 명하타 **1** 잡아 끌고 감. **2** 〔법〕 법원이 신문을 위해서 피고인·증인 기타의 관계인을 일정한 장소에 강제적으로 데리고 가는 일《소환에 응하지 아니한 경우에 한하며, 구속 영장에 의하여 집행함》. ¶사건 관계인으로 검찰에 ~되다.
구:인 (救人) 명하자 어려운 처지의 사람을 도움. 또는 도와주는 사람.
구인-난 (求人難) 명 일할 사람을 구하기 어려움. 또는 그런 상태. ¶ ~을 겪다.
구인-란 (求人欄) [-난] 명 신문의 구인 광고를 싣는 난(欄).
구인-장 (拘引狀) [-짱] 명 〔법〕 법원이 피고인 또는 다른 관계인을 구인하기 위하여 내는 영장. *구속 영장.
구일-장 (九日葬) 명 사람이 죽은 뒤 9일 만에 지내는 장사.
구입 (購入) 명하타 물건을 사들임. ¶ ~ 원가 / 물품 ~ / 가구를 원가로 ~하다.
구장 (球場) 명 축구·야구 등 구기를 하는 운동장. ¶넓은 ~의 잔디를 관리하다.
구:재 (救災) 명하타 재난을 만난 사람을 구함.
구저분-하다 형여불 더럽고 지저분하다. ¶ 구저분한 복장. **구저분-히** 부. ¶자장면을 ~ 먹다.
구적-법 (求積法) 명 〔수〕 넓이와 부피를 계산하는 법. 준구적(求積).
구:전 (口傳) 명하자타 말로 전함. 또는 말로 전하여 내려옴. ¶ ~으로 내려오는 설화 / 비법을 ~하다 / 서민들 사이에서 ~되어 온 설화.
구전 (口錢) 명 구문(口文). ¶ ~을 받다.
구:전 문학 (口傳文學) 〔문〕 구비 문학.
구:전 민요 (口傳民謠) 말로 전하여 내려온 민요.
구:전성명 (苟全性命) 명하자 구차하게 목숨을 보전함.
구전-하다 (俱全-) 형여불 **1** 모두 다 온전하다. **2** 모두 다 갖추고 있다. **3** 부족함이 없이 넉넉하다.
구절 (句節) 명 **1** 구와 절. **2** 한 토막의 말이나 글. ¶책에서 좋은 ~을 뽑아 인용하다.
구절-양장 (九折羊腸) [-량-] 명 양의 창자처럼 꼬불꼬불하고 험한 산길.
구절-죽장 (九節竹杖) 명 〔불〕 아홉 마디가 있는, 승려가 짚는 대지팡이.
구절-초 (九節草) 명 〔식〕 국화과의 여러해살이풀. 산에 나는데 가을에 홍·백색의 꽃이 핌. 잎은 약용함.
구절-판 (九折坂) 명 구절판찬합에 담는 음식.
구:점 (灸點)[-쩜] 명 〔한의〕 **1** 뜸자리. **2** 뜸자리에 먹으로 찍은 점.
구접 명 하는 짓이 너절하고 지저분함.
구접-스럽다 〔-스러우니, -스러워〕 형 ㅂ불 **1** 너절하고 더럽다. ¶구접스러운 살림살이. **2** 하는 짓이 더럽다. ¶구접스럽게 굴다. **구접-스레** 부
구:정 (舊正) 명 **1** 음력 설. ¶~을 쇠다. **2** 음력 정월.
구:정 (舊情) 명 전부터 사귀어 온 정. 옛정. ¶~을 못 잊다.
구정-물 명 **1** 무엇을 빨거나 씻어 더러워진 물. ¶수채에 ~을 쏟아 버리다. **2** 종기에서 고름이 빠진 뒤에 나오는 물.
구:제 (救濟) 명하타 어려운 형편에 있는 사람을 도와줌. ¶빈민을 ~하다 / ~를 받다 / 해직된 공무원들이 소청 심사 과정에서 많이 ~되었다 / ~ 불능의 상태에 이르다.
[구제할 것은 없어도 도둑 줄 것은 있다] 아무리 가난한 집안이라도 도둑맞을 물건은 있다는 말.
구:제 (舊制) 명 이전의 제도. 구제도. ¶~ 전문학교 출신. ↔신제.
구제 (驅除) 명하타 해충 따위를 몰아내어 없앰. ¶해충을 ~하다.
구:제 금융 (救濟金融)[-늉 / -] 〔경〕 거래처인 기업이 도산하는 것을 막기 위하여 금융 기관이 정책적으로 지원하는 금융. ¶~의 혜택을 받다.
구:-제도 (舊制度) 명 구제(舊制).
구:제-역 (口蹄疫) 명 소나 돼지 등이 잘 걸리는 바이러스성 전염병《입 안의 점막이나 발톱 사이에 물집이 생겨 짓무름》.
구:제-품 (救濟品) 명 구제용 물품. ¶수재민에게 ~을 보내다.
구:조 (救助) 명하타 곤경에 빠진 사람을 구하여 줌. ¶많은 인명을 ~하다 / 물에 빠진 사람을 ~하다.
구조 (構造) 명하타 **1** 여러 부분이나 요소가 어떤 전체를 짜서 이룸. 또는 그렇게 이루는 방법이나 이루어진 얼개. ¶가옥 ~ / 사회 ~ / 컴퓨터의 ~와 기능 / 산업 ~의 고도화 / 권력 ~를 개편하다. **2** 구조물.
구-조개 명 굴과 조개.
구조-곡 (構造谷) 명 〔지〕 단층(斷層)·습곡(褶曲) 등의 원인으로 생긴 골짜기.
구:조-대 (救助袋) 명 고층 건물에 불이 났을 때, 인명 구조에 쓰이는 긴 자루 모양의 구조 용구.
구:조-막 (救助幕) 명 화재 때, 높은 곳에서 뛰어내리는 사람을 밑에서 안전하게 받는 데 쓰는 막.
구조-물 (構造物) 명 〔건〕 일정한 설계에 따라 만든 시설물《건물·다리·터널 따위》. 구조. ¶콘크리트 ~ / ~을 철거하다.
구:조-사다리 (救助-) 명 높은 건물에 불이 나거나 위험할 때 사람을 구출하기 위하여 쓰는 사다리.
구:조-선 (救助船) 명 해상에서 조난을 당한 사람이나 선박을 구조하는 배.
구조-식 (構造式) 명 〔화〕 홑원소 물질 또는 화합물의 각 원자(原子)의 결합 상태를 결합선을 써서 도표로 나타낸 화학식.
구조 역학 (構造力學)[-여칵] 〔공〕 구조물의 강도나 안전성 등을 계산하는 원리와 방법을 연구하는 학문.
구조-적 (構造的) 관명 구조에 관계되는 (것). ¶~ 모순 / ~으로 안정된 건물.
구조적 실업 (構造的失業) 〔경〕 자본주의의 경제 구조에 따라 발생하는 만성적·장기적인 실업. 만성적 실업.
구조 조정 (構造調整) 기업이나 산업의 불합리한 구조를 개편하거나 축소하는 일. ¶기업들의 ~으로 많은 실업자가 생겼다.
구조-화 (構造化) 명하자타 부분적 요소나 내용이 서로 관련되어 통일된 조직을 이룸. 또는 이루게 함. ¶~된 부정부패.
구족 (九族) 명 **1** 고조로부터 현손(玄孫)까지의 친족 범위. 자기를 기준으로 직계친은 위로 4 대 고조, 아래로 4 대 현손까지이며, 방계친은 고조의 4 대손인 형제·종형제·재종형제·삼종형제가 포함됨. **2** 외조부·외조모·이모의 자녀·장인·장모·고모의 자녀·자매의 자녀·딸의 자녀 및 자기 동족(同族).
구:족 (舊族) 명 예로부터 내려오는 지체 높은 집안.
구족-계 (具足戒)[- / -께] 명 〔불〕 비구와 비구니가 지켜야 할 계율. 준구계(具戒).
구족-하다 (具足-)[-조카-] 형 여불 구존(具存)하다.
구존-하다 (具存-) 형 여불 빠짐없이 갖추어 있다. 구족하다.
구종 (驅從) 명 **1** 말구종. **2** 지난날, 관원을 모시고 다니던 하인. ¶~을 거느리다.
구종(을) 들다 구 구종이 되어서 말고삐를 잡다.
구:좌 (口座) 명 〔경〕 '계좌(計座)'의 구칭.
구:주 (救主) 명 〔기〕 구세주.
구중 (九重) 명 **1** 아홉 겹이라는 뜻으로, 여러 겹이나 층을 이르는 말. **2** '구중궁궐'의 준말.
구중-궁궐 (九重宮闕) 명 문이 겹겹이 달린 깊은 대궐. 구중심처. 준구중.
구중-심처 (九重深處) 명 구중궁궐.
구중중-하다 형 여불 **1** 습지나 고인 물이 냄새가 나고 더럽다. ¶구중중한 수채. **2** 모양새가 깔끔하지 않고 지저분하다. ¶구중중한 옷.
구증구포 (九蒸九曝) 명 〔한의〕 한약재를 만들 때 찌고 말리기를 아홉 번 하는 일.
구:지 (舊址) 명 옛터.
구지렁-물 명 깨끗하지 못하거나 썩어서 더러운 물. 작고지랑물.
구지레-하다 형 여불 지저분하게 더럽다. ¶구지레한 옷차림 / 구지레한 세간은 없애 버려라 / 홀아비 살림이라 ~.
구직 (求職) 명하자 일자리를 구함. ¶~ 광고 / 경제 불황으로 ~하기가 정말 힘들다.
구질 (球質) 명 테니스·탁구·야구 따위에서, 치거나 던지는 공의 성질. ¶~이 좋다 / ~

이 까다롭다.
구질-구질 부하형 1 상태나 하는 짓 등이 구저분한 모양. ¶～하게 변명을 늘어놓다. 2 날씨가 맑지 못하고 비나 눈이 내려 구저분한 모양. ¶날씨가 ～하다.
구:차 (苟且) 명하형히부 1 말·행동이 당당하거나 떳떳하지 못함. ¶～한 변명은 듣기 싫다. 2 살림이 가난함. ¶～하게 살다.
구:차-스럽다 (苟且-) [-스러우니, -스러워] 형ㅂ불 구차한 데가 있다. ¶구차스러운 살림살이. **구:차-스레** 부. ¶～ 변명할 생각은 없네.
구:채 (舊債) 명 묵은 빚. ¶～를 청산하다.
구책 (咎責) 명하타 잘못을 나무람. 꾸짖음.
구처 (區處) 명하타 1 구분하여 처리함. 2 변통함. ¶～가 없다.
구척-장신 (九尺長身) 명 아홉 자나 되는 아주 큰 키. 또는 그런 사람.
구천 (九天) 명 1 가장 높은 하늘. 2 하늘을 아홉 방위로 나누어 일컬음. 3〖불〗대지를 중심으로 하여 도는 아홉 천계(天界). 4 궁중(宮中).
구천 (九泉) 명 죽은 뒤에 넋이 돌아간다는 곳. 구천지하(九泉地下). 황천(黃泉). ¶영혼이 ～을 떠돌다.
구첩-반상 (九-飯床) 명 밥·국·김치·장류(醬類)·찌개·찜 등의 기본 음식에다 숙채·두 가지 생채·두 가지 구이·조림·전류·마른반찬·회의 아홉 가지 반찬을 갖춘 상차림. *반상.
구청 (區廳) 명 구의 행정 사무를 맡은 관청.
구청-장 (區廳長) 명 구청의 우두머리.
구체 (具體) 명 사람이 감각으로 알 수 있는 형체와 내용을 갖추고 있는 일. ↔추상.
구체 (球體) 명 공 모양으로 된 물체.
구체 명사 (具體名詞)〖언〗돌·쇠·나무와 같은 구체적인 사물을 나타내는 명사. ↔추상 명사.
구체-성 (具體性) [-썽] 명〖철〗구체적인 성질. ¶～을 띤 계획. ↔추상성.
구체-안 (具體案) 명 구체적인 안건〔방안〕. ¶～을 마련하다.
구체-적 (具體的) 관명 사물이 보거나 느낄 수 있는 형체를 갖추고 있는 (것). ¶～인 예를 들다 / ～으로 쓰다. ↔추상적.
구체-화 (具體化) 명하자타 1 구체적인 것으로 되게 함. 또는 그렇게 됨. 2 계획 따위가 실행됨. 또는 그렇게 되게 함. ¶정책을 ～하다 / 양국 간의 경제 협력이 ～되다.
구축 (構築) 명하타 1 나무·돌·철 따위의 건축 용재를 쌓아 올려 시설물을 만듦. ¶진지를 ～하다 / 항만 시설이 ～되다. 2 체제·체계 등의 기초를 닦아 세움. ¶초고속 인터넷 통신망을 ～하다.
구축 (驅逐) 명하타 몰아 쫓아냄. ¶사치 풍조를 ～하다 / 금전 만능의 사고는 ～되어야 한다 / 악화가 양화를 ～하다.
구축-함 (驅逐艦) [-추캄] 명〖군〗어뢰를 주요 무기로 하여 적의 주력함·잠수함을 공격하는 것을 임무로 하는 군함.
구:출 (救出) 명하타 위험한 상태에서 구하여 냄. ¶인질을 ～하다 / 조난자의 ～ 작전을 펴다 / 구사일생으로 ～되다.
구충 (驅蟲) 명하타 제충(除蟲).
구충-제 (驅蟲劑) 명 몸속의 기생충이나 농작물 따위의 해충을 없애는 약제. *살충제.
구:취 (口臭) 명 입에서 나는 악취. 입내. ¶～가 나다.
구치 (臼齒) 명 어금니.
구치 (拘置) 명하타 피의자나 범죄자 등을 일정한 곳에 가둠. ¶뇌물 수수 혐의로 ～된 사람.
구치-소 (拘置所) 명 형사 피의자 또는 형사 피고인으로서 구속 영장 집행을 받은 사람을 판결이 내릴 때까지 수용하는 시설.
구:칭 (舊稱) 명 전에 부르던 이름. 옛 칭호.
구타 (毆打) 명하타 사람이나 짐승을 때리고 침. ¶집단 ～ / 안면을 ～당하다.
구:태 (舊態) 명 뒤떨어진 예전 그대로의 모양. ¶～가 되풀이되다 / ～를 벗어나다.
구태 부 '구태여'의 준말.
구태여 부 (부정어와 함께 또는 반문하는 문장에 쓰여) 애써 굳이. 일부러. ¶～ 할 필요는 없다. 준구태.
구:태의연-하다 (舊態依然-) 형여불 변하거나 발전한 데가 없이 예전 그대로이다. ¶구태의연한 태도. **구:태의연-히** 부
구토 (嘔吐) 명하자 먹은 음식물을 토함. 게움. 토역(吐逆). ¶～가 나다 / 식중독으로 심하게 ～하다.
구토-증 (嘔吐症) [-쯩] 명 속이 메슥메슥하고 토할 것 같은 증세.
구:투 (舊套) 명 구식(舊式).
구:파 (舊派) 명 1 재래의 형식을 따르는 파. 2 먼저 이루어진 파. ¶신파와 ～의 주도권 싸움. ↔신파1.
구:판 (舊板·舊版) 명 전에 만든 책판. ¶～을 개정하다. ↔신판(新版).
구판-장 (購販場) 명 조합 따위에서 생활용품 따위를 공동으로 구입하여 싸게 판매하는 곳.
구:폐 (舊弊) [-/-페] 명 전부터 내려오는 폐단. ¶～를 일소하다.
구푸리다 타 몸을 앞으로 구부리다. ¶허리를 ～. 작고푸리다. 센꾸푸리다.
구풍 (颶風) 명 1 몹시 강한 바람. 2 '열대성 저기압'의 총칭《발생하는 지역에 따라 태풍·선풍·허리케인·사이클론 등으로 불림》. 돌개바람.
구:풍 (舊風) 명 옛 풍습.
***구-하다** (求-) 타여불 1 필요한 것을 찾다. 또는 그렇게 하여 얻다. ¶구하면 얻을 것이다 / 해답을 ～ / 직업을 ～ / 그런 물건은 구하기 어렵다. 2 바라다. ¶양해를 ～.
***구:-하다** (救-) 타여불 1 어려움을 벗어나게 하다. ¶죽음에서 ～. 2 필요로 하는 돈·물건 따위를 주어 돕다. ¶극빈자를 ～. 3 병을 돌보아 낫게 하다. ¶내 아들을 꼭 구해 주세요.
구학 (求學) 명하자 배움의 길을 찾음.
구:-학문 (舊學問) [-항-] 명 서양의 새 학문에 대한 재래의 한학(漢學). ↔신학문.
구:한-말 (舊韓末) 명〖역〗조선 왕조 말기, 국호를 '대한 제국'이라고 일컫던 시절《흔히 1897년부터 1910년까지의 대한 제국 기간을 말함》.
구:험-하다 (口險-) 형여불 하는 말이 거칠고 막되다. **구:험-히** 부

구현 (具現·具顯) 명하타 구체적으로 나타냄. ¶복지 사회 ~에 힘쓰다 / 이상을 ~하다 / 사회 정의가 ~되다.
구현-금 (九絃琴) 명 〔악〕 줄이 아홉 가닥인 거문고.
구:혈 (灸穴) 명 〔한의〕 뜸을 뜰 수 있는, 몸의 자리. 뜸자리.
구형 (求刑) 명하자타 〔법〕 형사 재판에서, 피고에게 어떠한 형벌을 주기를 검사가 판사에게 요구함. ¶징역 3년을 ~하다.
구형 (球形) 명 공처럼 둥근 모양.
구:형 (舊型) 명 구식인 모양. ¶~ 핸드폰은 크기가 크다. ↔신형.
구:호 (口號) 명 **1** 군호(軍號)2. ¶~에 따라 일사불란하게 움직이다. **2** 대중 집회나 시위 등에서 어떤 요구나 주장을 나타내기 위해 외치는 간결한 문구. ¶~가 과격하다 / ~를 외치며 거리를 누비다.
구:호 (救護) 명 **1** 재난이나 재해 따위를 당해 어려움을 겪는 사람을 구조하여 보호함. ¶난민 ~ / 긴급 ~에 나서다. **2** 병자·부상자를 간호하거나 치료함. ¶정성 어린 ~.
구:호-금 (救護金) 명 구호하기 위하여 나라에서 내놓거나 여러 사람이 거둔 돈.
구:호-책 (救護策) 명 구호할 방책. ¶~을 세우다 / ~이 마련되다.
구혼 (求婚) 명하자 **1** 결혼할 상대자를 구함. **2** 결혼을 청함. ¶~을 받아들이다.
구:화 (口話) 명 농아(聾啞)들이 교육을 받아 남이 말하는 입술 모양 따위로 알아듣고, 자기도 소리를 내어 말하는 일. *수화(手話).
구:화-법 (口話法)[-뻡] 명 농아 교육에서, 구화를 가르치거나 구화로써 대화하는 방법. 독순법(讀脣法).
구화-장지 (-障-) 명 국화 무늬를 새긴 살을 쓴 장지.
구:황 (救荒) 명하타 흉년 때에 굶주린 빈민을 도와줌.
구:황 식물 (救荒植物)[-싱-] 흉년에 곡식 대신 먹을 수 있는 식물《피·아카시아·쑥 따위》.
구:-황실 (舊皇室) 명 대한 제국 때의 황실 집안.
구:황 작물 (救荒作物)[-장-] 기근 때, 재배하기 적당한 작물《피·감자 따위》.
구획 (區劃) 명하타 경계를 갈라 정함. 또는 그 구역. ¶강을 따라 ~하다 / 주거 지역과 상업 지역이 ~되어 있다.
구획 어업 (區劃漁業) 수면을 구획해서 경영하는 어업《양식업에 이용됨》.
구획 정:리 (區劃整理)[-니] 도시 계획 등에서, 토지 이용의 효율을 높이기 위해 토지 경계나 도로 등을 변경·정비하는 일.
구:휼 (救恤) 명하타 빈민·이재민에게 금품을 주어 구제함. ¶빈민을 ~하다.
***국** 명 **1** 채소·생선·고기 등을 넣고 물을 많이 부어 끓인 음식. ¶~을 끓이다 / ~에 밥을 말아 먹다. **2** '국물'의 준말. ¶~을 후루룩 마시다.
국 (局) 一명 관청·회사에서 사무를 분담하여 처리하는 부서 단위의 하나. ¶흔히 ~ 밑에 부(部)를 둔다. 二의명 바둑·장기의 한 판. ¶제3~에서 불계로 이기다.
-국 (局) 미 사무를 분담·처리하는 기관 또는 부서의 뜻. ¶편집~ / 업무~.
-국 (國) 미 '나라'의 뜻. ¶공화~ / 약소~.
***국가** (國家) 명 일정한 영토에 사는 사람들로 구성되어 통치권을 갖고 있는 공동체. 나라. ¶민주주의 ~ / 독립 ~.
국가 (國歌) 명 한 나라의 이상과 정신을 나타내는 것으로 국가에서 제정한 노래. ¶~를 제창(齊唱)하다.
국가-고시 (國家考試) 명 어떤 전문 분야와 관련된 자격이나 면허를 주기 위하여 국가 기관이 관리·시행하는 시험. 국가시험.
국가 공무원 (國家公務員) 〔법〕 국가의 공적인 업무에 종사하는 사람의 총칭.
국가-관 (國家觀) 명 개인과 사회 및 정치 제도 등을 포괄하는 하나의 나라로서의 국가에 대한 견해의 체계.
국가 긴급권 (國家緊急權) 〔법〕 전시 또는 비상사태에 즈음하여 국가의 어떤 기관이 비상 수단으로써 이를 극복할 수 있는 권한. 대통령의 긴급 조치권·계엄 선포권 따위가 있음.
국가 배상 (國家賠償) 공무원이 국민에게 손해를 입혔을 때 국가가 배상 책임을 지는 일.
국가 보:상 (國家補償) 국가 정책의 실시에 의하여 손실을 본 사람에 대하여 특히 국가가 그 손실을 보전(補塡)하는 일.
국가 보:안법 (國家保安法)[-뻡] 〔법〕 국가의 안전과 국민의 생존 및 자유를 확보하기 위하여 제정한 법. ㊟보안법.
국가 보:훈처 (國家報勳處) 국가 유공자 및 그 유족에 대한 보훈, 제대 군인 보상·보호와 군인 보험에 관한 사무를 맡아 하는 중앙 행정 기관. ㊟보훈처.
국가 비:상사태 (國家非常事態) 천재·사변·폭동 등으로 개개의 경찰력으로는 국가의 치안 유지가 곤란한 상태. 비상사태.
국가-시험 (國家試驗) 명 국가고시(考試).
국가 안전 보:장 회:의 (國家安全保障會議)[-/-이] 국가 안전 보장에 관련되는 정책을 수립하는 대통령의 자문 기관.
국가 연합 (國家聯合) 조약에 의한 여러 국가의 평등한 결합의 하나.
국가 원수 (國家元首) 한 나라에서 으뜸가는 권력을 지니고 다스리는 사람. 공화국에서는 주로 대통령임. 원수(元首).
국가 유:공자 (國家有功者) 나라를 위하여 공헌하거나 희생한 사람. 순국선열·애국지사·전몰군경·상이군인·국가 사회 발전을 위한 특별 공로 순직자 등.
국가-적 (國家的) 관명 **1** 국가가 관련된 (것). ¶~(인) 배상. **2** 국가 전체가 관여하는 (것). ¶~ 행사로 올림픽을 치르다 / 그의 망명은 ~ 손실이다.
국가 정보원 (國家情報院) 국내외 보안 정보의 수집·작성·배포, 국가 기밀의 보안, 국가 안보 관련 범죄 수사 등에 관한 업무를 맡아 하는, 대통령 직속의 중앙 행정 기관. ㊟국정원.
국가-주의 (國家主義)[-/-이] 명 국가의 이익을 국민의 이익에 우선(優先)시키어 국가를 지상(至上)으로 여기는 주의.

국가 파:산 (國家破産) 국가가 채무를 이행할 수 없게 된 상태. ¶ ~의 위기를 겪다.
국감 (國監) 명 '국정 감사'의 준말.
국-거리 명 1 국을 끓일 재료. 2 곰국을 끓일 쇠고기·내장 따위 재료의 총칭.
***국경** (國境) 명 나라와 나라 사이의 경계. 국계(國界). ¶ ~을 봉쇄하다 / ~을 넘다.
국경-선 (國境線) 명 나라와 나라 사이의 경계선. ¶ ~을 넘다.
***국경-일** (國慶日) 명 국가적으로 경사를 기념하기 위하여 법률로 정한 날. 우리나라에는 삼일절·제헌절·광복절·개천절·한글날이 있음.
국고 (國庫) 명 〖경〗 1 재산권의 주체로서의 국가. ¶ ~에 귀속시키다. 2 나라의 수입·지출을 관리하는 기관. ¶ ~ 보조를 받다.
국고-금 (國庫金) 명 〖경〗 국고에 속하는 현금. 나랏돈.
국광 (國光) 명 사과의 한 품종《겉이 푸른빛을 띤 붉은빛임》.
국교 (國交) 명 나라와 나라 사이의 외교 관계. 방교(邦交). ¶ ~ 수립 / ~를 맺다.
국교 (國敎) 명 국가가 지정하여 전 국민이 믿도록 하는 종교. 국가 종교.
***국군** (國軍) 명 1 국가의 군대. 2 우리나라의 군대. ¶ ~ 장병 / ~ 용사.
국군의 날 (國軍-)[-/-에-] 우리나라 군대의 창설과 발전을 기념하여 정한 날《1956년에 제정. 매년 10월 1일》.
국궁 (國弓) 명 양궁(洋弓)에 대하여, 우리나라 고유의 활. 또는 그 활을 쏘는 기술.
국권 (國權) 명 국가가 행사하는 권력.
국-그릇 [-륻] 명 국을 담는 그릇.
국극 (國劇) 명 〖연〗 1 그 나라 고유한 형식의 연극. 2 우리나라 창극(唱劇)의 일컬음.
국기 (國技) 명 한 나라 특유의 운동이나 기예(技藝)《우리나라의 씨름·태권도, 미국의 야구 따위》.
국기 (國紀) 명 나라의 기강.
국기 (國基) 명 나라를 유지하는 기초. ¶ 내란으로 ~가 흔들리다.
***국기** (國旗) 명 한 나라를 상징하기 위하여 그 나라의 표지로 정한 기《한국의 태극기, 미국의 성조기 따위》. ¶ ~를 게양하다.
국난 (國難)[궁-] 명 나라의 위태로움과 어려움. ¶ 일심 단결하여 ~을 극복하다.
국내 (局內)[궁-] 명 관청이나 회사의 한 국의 안.
***국내** (國內)[궁-] 명 나라 안. 국중(國中). ¶ ~ 사정에 밝은 외국인 / ~ 정세가 몹시 어수선하다. ↔국외.
국내-법 (國內法)[궁-뻡] 명 〖법〗 한 나라의 주권이 미치는 범위 안에서 효력을 가지며 주로 그 나라의 내부 관계를 규율짓는 법. ↔국제법.
국내-산 (國內產)[궁-] 명 나라 안에서 생산하는 물건. 내국산. 국산.
국내-선 (國內線)[궁-] 명 국내의 교통·통신에만 이용되는 선. ¶ ~에 취항하다. ↔국제선.
국-내외 (國內外)[궁-] 명 나라의 안과 밖. ¶ ~ 소식을 신속하게 전하다 / ~에 널리 이름을 떨치다.
국내 우편 (國內郵便)[궁-] 주고받는 사람이 다 국내에 있는 우편. ↔국제 우편.
국내-적 (國內的)[궁-] 관명 나라 안에 관계되는 (것). ¶ ~ 상황.
국내 정세 (國內情勢)[궁-] 국내의 정치적·경제적·군사적 사정이나 형편. ¶ ~가 몹시 어수선하다.
국내 총:생산 (國內總生產)[궁-] 〖경〗 국민총생산에서 투자 수익 등 해외로부터의 순소득을 제외한 지표. 경제 성장의 대외 비교에 씀. 지디피(GDP).
국도 (國都) 명 한 나라의 수도. 서울.
국도 (國道) 명 나라에서 직접 관리하는 도로《고속 국도와 일반 국도가 있음》. ¶ 귀성 차량이 ~로 몰리다. ↔지방도.
국란 (國亂)[궁난] 명 나라 안의 변란.
국량 (局量)[궁냥] 명 도량이나 일을 처리하는 능력. ¶ ~이 넓다.
***국력** (國力)[궁녁] 명 나라의 힘. ¶ ~을 기르다 / ~을 신장하다.
국록 (國祿)[궁녹] 명 나라에서 주는 녹봉.
국론 (國論)[궁논] 명 국내의 공론. 국민의 여론. ¶ ~ 통일 / ~이 비등하다 / ~이 분열되다.
***국립** (國立)[궁닙] 명 나라에서 세우고 관리함. ↔사립.
국립-공원 (國立公園)[궁닙-] 명 국토의 대표적 경승지(景勝地)를 골라서, 그 자연을 보호하며 국민의 보건·휴양 및 정서 생활 향상에 이용하도록 국가가 지정하여 관리하는 공원.
국립-대학 (國立大學)[궁닙-] 명 국가에서 세워 관리·운영하는 대학.
국립-묘지 (國立墓地)[궁닙-] 명 군인·군무원 또는 국가 유공자의 유해를 안치하고 관리하는 묘지.
국-말이 [궁-] 명 국에 만 밥이나 국수.
국면 (局面)[궁-] 명 1 어떤 일이 되어 가는 형세나 벌어진 상황. ¶ 어려운 ~에 부닥치다 / ~을 타개하다 / 주가가 조정 ~에 접어들었다. 2 바둑·장기의 반면의 형세.
국명 (國名)[궁-] 명 나라의 이름. 국호.
국명 (國命)[궁-] 명 1 나라의 명령. 2 나라의 사명. 3 국운(國運).
국모 (國母)[궁-] 명 임금의 아내《왕후》.
국무 (國務)[궁-] 명 나라의 정무.
국무 위원 (國務委員)[궁-] 국정(國政)에 관하여 대통령을 보좌하며 국정을 심의하는 국무 회의의 구성원.
국무-총리 (國務總理)[궁-니] 명 대통령을 보좌하고 행정에 관하여 대통령의 명을 받아 중앙 행정 기관의 장을 지휘·감독하는 기관《국회의 동의를 얻어 대통령이 임명함》. ㈜총리.
국무 회:의 (國務會議)[궁-/궁-이] 대통령·국무총리 및 국무 위원이 정부의 권한에 속하는 중요 정책을 심의하는 회의《대통령이 의장이 되고 국무총리는 부의장이 됨》.
국문 (國文)[궁-] 명 자기 나라에서 쓰는 고유한 글자. 또는 그것으로 쓴 글.
국문 (鞫問·鞠問)[궁-] 명하타 〖역〗 국청(鞫廳)에서 중대한 죄인을 신문하던 일.
국-문법 (國文法)[궁-뻡] 명 '국어 문법'의 준말.
국-문학 (國文學)[궁-] 명 1 자기 나라의 문학. 2 우리나라의 문학. 또는 그것을 연구하는 학문. ㊟국문.

국-물 [궁-] 명 1 국·찌개 따위의 음식에서 건더기를 빼고 남은 물. ¶냄비의 ~이 끓어 넘치다. ㊟국. 2 〈속〉 많지 아니한 이득이나 부수입. ¶~이 생기는 자리.

국물도 없다 구 조그마한 이득도 없다.

***국민** (國民)[궁-] 명 한 나라의 통치권 밑에 같은 국적을 가진 사람. ¶~은 국가를 이루는 한 요소이다.

국민-감정 (國民感情)[궁-] 명 국민 대부분의 공통된 감정. ¶~이 용납하지 않는다.

국민 교:육 헌:장 (國民敎育憲章)[궁-유컨-] 우리나라 교육의 지표를 제시한 헌장. 국민 도덕의 기본 방향을 밝히고 국민의 기본 자세를 확립할 것을 내용으로 함. ㊟교육 헌장.

국민-성 (國民性)[궁-썽] 명 한 나라 사람이 공통으로 갖고 있는 성질. ¶근면한 ~.

국민 소:득 (國民所得)[궁-] 한 국민 경제 안에서, 일정 기간 내에 생산되는 가치의 합계를 화폐액으로 나타낸 것. ¶~이 향상되다.

국민 연금 (國民年金)[궁-년-] 늙거나 폐질 또는 사망한 때, 사회 보장 제도의 일환으로 정부가 국민 연급법에 따라 본인이나 가족들에게 주는 연금. 전에는 국민 복지 연금이라고 하였음.

국민-의례 (國民儀禮)[궁-/궁-이-] 명 국가의 의식·예식에서 국민으로서 갖추어야 할 전례(典禮). 곧, 국기 배례·애국가 봉창·묵도 등.

국민 의:무 (國民義務)[궁-] 국민으로서 부담하여야 할 공법상의 의무. 납세·교육·국방·근로의 의무.

국민-장 (國民葬)[궁-] 명 국가·사회 발전에 이바지한 사람이 죽었을 때 국민 전체의 이름으로 지내는 장사《경비의 일부를 국고에서 보조하기도 함》. *국장(國葬).

국민-적 (國民的)[궁-] 관명 국민 모두와 관련되는 (것). ¶~(인) 성원/남북 통일은 ~(인) 염원이다.

국민-차 (國民車)[궁-] 명 국민 대중이 싼값으로 살 수 있도록 만든 경승용차.

국민 총:생산 (國民總生産)[궁-] 〘경〙 한 나라에서, 일정 기간(보통 1년간)에 생산된 재화(財貨) 및 용역의 부가 가치를 시장 가격으로 평가한 총액. 지엔피(GNP).

국민 투표 (國民投票)[궁-] 국회의원 선거 이외에 나라의 중대한 일에 대하여 국민 전체가 행하는 투표. 일반 투표. ¶~에 부치다/~로 헌법을 개정하다.

국민-학교 (國民學校)[궁-] 명 '초등학교'의 구용어.

국-밥 명 끓는 국에 밥을 만 음식.

국방 (國防) 명 외적에 대한 국가의 방위. ¶~에 힘을 기울이다.

국방-력 (國防力)[-녁] 명 외적으로부터 나라를 지키는 군사적 힘.

국방-부 (國防部) 명 행정 각부의 하나. 국방에 관련된 군정(軍政) 및 군령(軍令)과 기타 군사에 관한 사항을 맡아봄.

국방-비 (國防費) 명 국방에 필요한 육해공군의 유지비《넓은 의미로는 전쟁 및 전쟁에 대비하는 경비를 포함함》. ¶~를 증액하다/~를 평화 목적에 전용하다.

국방-색 (國防色) 명 육군의 군복 빛깔. 카키색이나 진초록색.

국번 (局番) 명 '국번호'의 준말. ¶화재 신고는 ~ 없이 119로 한다.

국-번호 (局番號) 명 전화 교환국의 국명(局名)에 해당하는 번호. ㊟국번.

국법 (國法) 명 나라의 법률·법규. ¶~을 준수하다/~을 어기다.

국보 (國寶) 명 1 나라의 보배. 2 나라에서 지정하여 법률로 보호하는 문화재. ¶~로 지정되다. 3 〘역〙 국새(國璽)2.

국부 (局部) 명 1 전체 가운데의 한 부분. 국소. ¶~ 마취로 간단히 수술하다. 2 음부. ¶~를 가리다.

국부 (國父) 명 1 임금. ↔국모. 2 건국에 큰 공로가 있어 국민들에게 존경받는 지도자.

국부 (國富) 명 한 나라의 부(富). 국민과 나라가 가진 재화의 총량을 돈으로 평가한 총액.

국부-적 (局部的) 관명 한정된 부분에만 관계가 있는 (것). ¶~ 현상. ↔일반적.

국비 (國費) 명 국고에서 지출하는 비용. ¶~로 유학〔외유〕하다.

국비-생 (國費生) 명 국고금의 보조를 받는 학생. ¶~으로 학업을 마치다.

국빈 (國賓) 명 나라의 공식 손님으로 우대를 받는 외국인. ¶~ 대우를 받다.

국사 (國史) 명 1 한 나라의 역사. 국승(國乘). 2 한국 역사.

국사 (國使) 명 한 나라의 사신.

국사 (國事) 명 나라 전체에 관계되는 중요한 일. 국가의 정치. 나랏일. ¶~를 논하다. ↔가사(家事).

국사 (國師) 명 1 한 나라의 스승. 2 임금의 스승. 3 〘역〙 신라 말기부터 조선 초기에 걸쳐 덕이 높은 스님에게 내리던 최고 승직(僧職).

국사-범 (國事犯) 명 〘법〙 국가나 국가 권력을 침해한 범죄. 또는 그 범인.

국산 (國産) 명 1 자기 나라에서 생산함. 국내산. ¶~ 자동차. 2 '국산품'의 준말. ¶이것은 ~이 외제보다 좋다.

국산-품 (國産品) 명 국내에서 생산된 물품. ¶~ 애용/~의 품질을 향상시키다.

국산-화 (國産化) 명하타 필요한 물품을 수입에 의존하지 않고 자기 나라에서 생산함. ¶자동차 부품의 완전 ~가 이루어지고 있다.

국상 (國喪) 명 예전에, 국민 전체가 상복(喪服)을 입던 왕실의 초상. 국휼(國恤). ¶~이 나다/~을 당하다.

국새 (國璽) 명 1 국가의 표상으로서의 인장. 2 〘역〙 임금의 인장. 국보(國寶). 어보(御寶). ㊟새(璽).

국색 (國色) 명 1 나라 안에서 가장 아름다운 여자. 국향(國香). 2 '모란꽃'의 미칭.

국서 (國書) 명 한 나라의 원수(元首)가 그 나라의 이름으로 외국에 보내는 문서.

국선 (國仙) 명 〘역〙 화랑(花郞).

국선 (國選) 명하타 국가에서 뽑음.

국선-도 (國仙徒) 명 〘역〙 국선의 무리. 곧, 화랑도의 딴 이름.

국선 변:호인 (國選辯護人) 형사 사건의 피고인이 변호인을 선임할 수 없는 경우, 법원이 직권으로 선임하는 변호인.

국세 (國稅) [명] 국가가 국민에게 부과하여 거두어들이는 세금《소득세·법인세·주세·교육세 등》. ¶ ~를 물다. ↔지방세.

국세 (國勢) [명] 나라의 형편과 세력. 한 나라의 인구·산업·자원 등의 상태.

국세 조사 (國勢調査) 국세를 밝힐 목적으로 일정한 시기에 전국적으로 하는 조사.

국세-청 (國稅廳) [명] 기획 재정부에 딸린 중앙 행정 기관의 하나. 내국세의 부과·감면 및 징수에 관한 사무를 맡아봄.

국소 (局所) [명] 국부(局部)1.

국수 [명] 메밀가루나 밀가루 등을 반죽하여 손으로 얇게 밀어 가늘게 썰거나 국수틀로 눌러 만든 식품. ¶ ~를 삶다.

국수(를) 먹다 [구] 결혼식을 올리다의 곁말.

국수 (國手) [명] 바둑·장기 따위의 실력이 한 나라에서 으뜸가는 사람. ¶ 바둑계에 여성 ~가 탄생했다.

국수-물 [명] **1** 국수 내린 물에 메밀가루를 풀어서 끓인 물. **2** 국수를 삶은 물.

국수-장국 (-醬-)[-꾹] [명] 더운 장국에 만 국수. 온면.

국수-장국밥 (-醬-)[-꾹-] [명] 국수를 넣어 만든 장국밥.

국수-주의 (國粹主義)[-/-이] [명] 자기 나라의 문화나 전통, 국민적 특수성만을 가장 우수한 것으로 믿고 유지·보존하며 남의 나라 것을 배척하는 주의.

공이
국수분통
국수틀

국수-틀 [명] 국수를 눌러 빼는 틀.

국순-전 (麴醇傳) [명] 고려 때, 임춘(林椿)이 의인화(擬人化)하여 지은 가상적 전기 설화. 당시의 정치 현실과 인간이 술을 좋아하게 되고 술 때문에 타락하는 것을 풍자하였음.

국숫-발 [-쑤빨 / -숟빨] [명] 국수의 가락. 면발. ¶ ~이 가늘다.

국숫-집 [-쑤찝 / -숟찝] [명] **1** 국수 빼는 집. **2** 국수 파는 집.

국승 (國乘) [명] 국사(國史)1.

국시 (國是) [명] 국가의 이념이나 기본 통치 방침.

국악 (國樂) [명] **1** 그 나라의 고유한 음악. **2** 우리나라의 전통 음악. ¶ ~에 심취하다.

> **대표적 국악**
>
> **향악**(鄕樂) … 삼국 시대 이후 조선 때까지 사용된 우리나라 고유 음악의 하나. 궁중의 연례악(宴禮樂)으로 연주되었음.
>
> **당악**(唐樂) … 통일 신라 문무왕(文武王) 때(464)에 당(唐)나라에서 처음 들어왔다고 전해지는 궁중 음악의 하나. 고려 때 송(宋)나라에서 들어온 음악도 포함함. 조회(朝會)나 연례 때 연주되었음.
>
> **아악**(雅樂) … 고려 예종(睿宗) 때(1116) 송나라에서 의식(儀式) 음악으로 들어온 궁중 음악. 태묘(太廟) 등의 제례악(祭禮樂)으로 연주되어 왔음.

국악-기 (國樂器) [명] 국악을 연주하는 데 쓰는 기구의 총칭《장구·거문고·가야금·피리·북 따위》.

***국어** (國語) [명] **1** 국민 전체가 쓰는 그 나라의 고유한 말. **2** 우리나라 말. 한국어. 나라말.

국어 문법 (國語文法)[-뻡] 국어의 문법. (준) 국문법.

국어-사전 (國語辭典) [명] 국어의 낱말을 모아 일정한 순서로 배열하고, 주석 및 어원(語源)·품사·다른 말과의 관계 등을 밝히고 풀이한 책.

국어 순화 (國語醇化) 〖언〗 국어를 다듬어 바르게 쓰는 일《외래어를 가능한 한 고유어로, 비속한 말을 고운 말로, 틀린 말을 표준어 및 맞춤법대로 올바르게 쓰는 것 따위》.

국어-학 (國語學) [명] 〖언〗 국어를 과학적으로 연구하는 학문.

국역 (國譯) [명][하타] 다른 나라의 글을 자기 나라의 글로 번역함. ¶ 이 소설은 처음으로 ~되었다.

국영 (國營) [명][하타] 나라에서 경영함. 관영. ¶ ~ 기업. ↔사영(私營)·민영(民營).

국왕 (國王) [명] 나라의 임금.

국외 (局外) [명] 어떤 일에 관계가 없음. 또는 그런 지위나 처지.

국외 (國外) [명] 한 나라의 영토 밖. 나라 밖. ¶ ~로 추방하다. ↔국내(國內).

국외-자 (局外者) [명] 벌어지고 있는 어떤 일에 관계가 없는 사람. 국외인. 아웃사이더. ¶ ~로서 방관하다.

국운 (國運) [명] 나라의 운명. 국조(國祚). ¶ ~을 걸다 / ~이 흥성하다.

국위 (國威) [명] 나라의 권위나 위력. ¶ ~를 선양하다 / ~를 높이다.

국유 (國有) [명] 나라의 소유. ↔민유(民有)·사유(私有).

국유-림 (國有林) [명] 국가 소유의 산림. 국유 임야(林野).

국유 재산 (國有財産) 나라 소유의 재산.

국유-지 (國有地) [명] 나라 소유의 토지. ¶ ~를 불하받다. ↔사유지.

국유 철도 (國有鐵道)[-또] 국가가 소유·경영하는 철도. (준) 국철(國鐵).

국유-화 (國有化) [명][하타] 국가의 소유로 함. ¶ 기간산업의 ~ / 토지를 ~하다 / ~된 산업 시설.

국-으로 [부] 제 생긴 그대로. 또는 자기 주제에 알맞게. ¶ ~ 가만히 있어라.

국은 (國恩) [명] 백성이 나라에서 받는 은혜. ¶ ~에 보답하는 길.

국익 (國益) [명] 국가의 이익. ¶ ~에 기여하다 / ~을 우선하다.

국자 [명] 자루가 달린, 국이나 액체 따위를 뜨는 기구. ¶ ~로 국물을 뜨다.

국자 (國字) [명] **1** 우리나라의 문자. 곧, 한글. 나라 글자. **2** 그 나라의 언어 표기에 공식적으로 또는 공통적으로 채용되고 있는 문자.

국자-감 (國子監) [명] 〖역〗 **1** 고려 때, 유학을 가르치던 최고의 국립 교육 기관. **2** 성균관(成均館).

국장 (局長) [명] 한 국(局)의 책임자. ¶ 부장에서 ~으로 승진하다.
국장(國章) 명 국가의 권위를 나타내는 휘장의 총칭《국기·군기(軍旗)·문장(紋章) 따위》. ¶봉황 무늬의 ~.
국장(國葬) 명하자 1 나라에 공로가 많은 사람이 죽었을 때 국비로 지내는 장례. ¶전국민의 애도 속에 ~이 엄수되다. *국민장(國民葬). 2〖역〗인산(因山).
국적(國賊) 명 나라를 어지럽히고 해를 입히는 역적. ¶~이라는 낙인이 찍히다.
국적(國籍) 명 1 국가의 구성원이 되는 자격. ¶~ 상실 / 귀화해서 ~을 취득하다. 2 배나 비행기 따위가 소속되어 있는 나라. ¶~ 불명의 비행기.
국적-법(國籍法) 명〖법〗국적의 취득·상실에 관하여 규정한 법률. 우리나라에서는 혈통주의를 원칙으로 하고, 출생지주의를 가미함.
국전(國展) 명 '대한민국 미술 전람회'의 준말.
국정(國定) 명하타 나라에서 정함.
국정(國政) 명 나라의 정치. 나라를 다스리고 운영하는 행위. ¶~에 참여하다 / ~을 쇄신하다.
국정(國情) 명 나라의 형편. ¶~을 살피다 / ~이 불안해지다.
국정 감사(國政監査) 국회가 국정 전반에 관하여 실시하는 감사《상임 위원회별로 매년 정기회 집회 기일의 다음 날부터 20일간 행함》. 준국감(國監).
국정 교:과서(國定敎科書) 교육 인적 자원부에서 편찬한 교과서.
국정-원(國情院) 명 '국가 정보원'의 준말.
국정 조사(國政調査) 국회가 특정한 국정 사안(事案)에 관하여 조사하는 일. ¶여야 합의로 ~를 실시하다.
국정 조사권(國政調査權)[-꿘] 국회가 특정한 국정 사안(事案)에 관한 조사를 할 수 있는 권리. ¶~을 발동하다. 준국조권.
***국제**(國際) 명 1 나라와 나라의 교제. 또는 그 관계. ¶~ 친선에 기여하다. 2 세계 각국에 관한 일. ¶~ 규격. 3 여러 나라를 포괄하는 것. ¶~ 학술 대회.
국제-결혼(國際結婚) 명 국적이 다른 남녀가 결혼하는 일.
국제 경:쟁력(國際競爭力)[-녁] 국제 시장에서, 한 나라의 산업이나 기업이 경제적으로 경쟁하여 나가는 힘. ¶~을 키우다.
국제-공항(國際空港) 명 여러 나라의 민간 항공기가 이착륙할 수 있도록 정부에서 지정한 공항.
국제-관례(國際慣例)[-괄-] 명 국제적으로 널리 통용되는 관례. ¶~에 따르다.
국제 관세 협정(國際關稅協定) 1〖법〗관세에 관하여 국가 간에 맺어진 협정의 총칭. 2 가트(GATT).
국제-기구(國際機構) 명 복수의 국가로 구성되어 국제법적으로 독자의 지위를 갖는 조직체《국제 연합 따위》.
국제 기능 올림픽 대:회(國際技能Olympic大會) 국제 친선을 도모하고 아울러 기능인의 각종 산업 기능을 겨루는 국제 대회《1950년 에스파냐의 수도 마드리드에서 최초로 개최됨》. 기능 올림픽. 국제 직업 훈련 경기 대회.
국제 노동 기구(國際勞動機構) 국제적 노동 조건의 개선을 위해 활동하는 국제 연합 전문 기구의 하나《약칭 : ILO》.
국제-단위계(國際單位系)[-/-게] 명〖물〗미터법에 따른 측정 단위를 국제적으로 통일한 체계. 기본 단위로서 길이에 미터(m), 무게에 킬로그램(kg), 시간에 초(s), 전류에 암페어(A), 열역학적 온도에 켈빈(K), 광도에 칸델라(cd), 물질량에 몰(mol) 등 7개의 기본 단위 외에 보조 단위 및 유도 단위 등 27가지로 되어 있음. 에스아이(SI).
국제-무대(國際舞臺) 명 국제적으로 활동하는 분야. 또는 그런 활동이 벌어지는 곳. ¶외교관으로 ~에서 활약하다.
국제-법(國際法)[-뻡] 명 국가 간의 합의에 따라 서로의 관계를 규정하는 법《조약·국제 관습에 의하여 성립함》. ↔국내법.
국제 사법 재판소(國際司法裁判所) 조약의 해석 등 국제적 법률 분쟁의 해결을 도모하는 상설 재판소《네덜란드의 헤이그에 있음》.
국제-선(國際線) 명 국제간의 통신 교환이나 항공·선박·철도 등의 교통편에 이용되는 항로. ↔국내선.
국제 수지(國際收支)〖경〗한 나라가 일정 기간 국제 거래를 통해 다른 나라와 주고받은 수입과 지출의 상황. ¶~가 호전되고 있다.
국제 시:장(國際市場) 상품 거래가 여러 나라 사이에 행해지는 시장.
국제-어(國際語) 명 1 국제적으로 널리 쓰이는 말《영어·프랑스 어·에스파냐 어 따위》. 2 전세계적으로 공통으로 쓸 수 있도록 인공적으로 만든 말《에스페란토 어 따위》. 세계어.
국제 연맹(國際聯盟) 제1차 세계 대전 후 국제 평화의 유지와 협력의 촉진을 목적으로 세워진 국제 기구《1946년에 해체됨》.
국제 연합(國際聯合) 제2차 세계 대전 후 국제 평화와 안전의 유지, 우호 관계의 촉진 및 국제 협력을 달성하기 위하여 설립된 국제 평화 기구《1945년 10월 24일 성립. 본부는 미국의 뉴욕에 있음》. 유엔(UN). 준국련.
국제 연합 교:육 과학 문화 기구(國際聯合敎育科學文化機構) 유네스코(UNESCO).
국제 연합군(國際聯合軍) 국제 연합이 국제적 평화와 안전을 유지·회복하기 위하여 편성하는 국제적 군대. 유엔군. 준국련군.
국제 연합 식량 농업 기구(國際聯合食糧農業機構)[-싱냥-] 식량의 증산, 농민의 생활 개선을 꾀하는 국제 연합 전문 기관의 하나《본부는 이탈리아 로마에 있음. 약칭 : FAO》.
국제 연합 아동 기금(國際聯合兒童基金) 유니세프(UNICEF).
국제 연합 안전 보:장 이:사회(國際聯合安全保障理事會) 국제 연합에서 주요 기관의 하나. 분쟁의 평화적 해결, 평화에 대한 위협·파괴·침략 행위의 방지 등을 임무로 함. 상임 이사국과 임기 2년의 비상임 이사국으로 구성되며 이사회의 결의는 전체

가맹국을 구속하지만 상임 이사국의 하나라도 거부하면 결의는 성립하지 않음. ㊣안보 이사회. *거부권.

국제 연합 총:회 (國際聯合總會) 국제 연합의 최고 기관. 전체 가맹국으로 구성됨《토의·권고만 할 뿐 실행하는 권능은 없음》. 유엔 총회.

국제 올림픽 경:기 대:회 (國際Olympic競技大會) 국제 올림픽 위원회가 주관하는 국제 경기 대회《1896 년 이후 4 년마다 한 번씩 열림》.

국제 올림픽 위원회 (國際Olympic委員會) 국제 올림픽 경기 대회를 운영·주관하는 단체《1894 년에 설립. 약칭 : IOC》. 아이오시.

국제 우편 (國際郵便) 국제간에 왕래되는 우편. ↔국내 우편.

국제 음성 기호 (國際音聲記號) 모든 말소리를 표기할 수 있도록 국제 음성학 협회에서 정한 음성 기호. 국제 음성 자모. 만국 음표 문자.

국제 재판소 (國際裁判所) 국제 분쟁을 해결하기 위하여 국가 간에 설치하는 재판소《국제 사법 재판소·상설 중재 재판소 등》.

국제-적 (國際的) 관명 국가 간에 관계가 있는 (것). 세계적 규모인 (것). ¶ ~인 어업 분쟁 / ~인 규모 / ~으로 명성을 날리다.

국제 적십자 (國際赤十字) 적십자 국제 위원회·적십자 연맹·각국 적십자사의 총칭《약칭 : IRC》.

국제 전:화 (國際電話) 외국에 있는 사람과 유선 또는 무선으로 연락하는 전화.

국제 정세 (國際情勢) 정치·경제·군사 등 모든 분야에 걸친 세계 여러 나라의 움직임. 세계정세.

국제 통화 기금 (國際通貨基金) 1944 년의 브레턴우즈 협정에 따라 그 협정 가맹국의 출자로 1947 년에 설립된 국제 금융 결제 기관《주로 환(換)과 단기 금융을 취급하며, 본부는 워싱턴. 약칭 : IMF》.

국제 펜클럽 (國際PENClub) 문필을 통해 세계 각 국민의 이해를 촉진하고 표현의 자유를 지키기 위해 모인 문필가들의 국제적 단체. 펜클럽.

국제 표준 도서 번호 (國際標準圖書番號) 서적의 유통 업무 합리화를 위하여 시판되는 책에 붙여진 번호《국별 번호, 발행자 번호, 서명 식별 번호, 체크 기호의 차례로, 10자리 숫자로 표시됨. 약칭 : ISBN》.

국제-항 (國際港) 명 외국의 선박이 드나드는 큰 항구.

국제-화 (國際化) 명하자타 국제적인 규모로 되거나 되게 함. ¶ ~ 시대가 열리다 / ~된 기업.

국제-환 (國際換) 명 〖경〗 외국환.

국제-회의 (國際會議)[-/-이] 명 국제적 이해(利害) 사항을 토의·결정하기 위하여 다수 국가의 대표자가 모여서 여는 회의.

국조 (國祖) 명 나라의 시조(始祖).

국조 (國鳥) 명 그 나라의 상징으로 정한 새《우리나라는 까치》. *국화(國花).

국조 (國朝) 명 자기 나라의 조정(朝廷).

국조-권 (國調權)[-꿘] 명 '국정(國政) 조사권'의 준말.

국졸 (國卒) 명 '국민학교 졸업'의 준말.

국주한종-체 (國主漢從體) 명 한글이 주(主)가 되고 한문을 보조적으로 쓴 문체《갑오개혁 이후의 일반적 문체임》.

국지 (局地) 명 일정하게 한정된 지역. ¶ ~ 분쟁.

국지-적 (局地的) 관명 일정한 지역에 한정되는 (것). ¶ ~인 집중 호우.

국지-전 (局地戰) 명 '국지 전쟁'의 준말.

국지 전:쟁 (局地戰爭) 한정된 지역에서 일어나는 전쟁. ↔전면 전쟁. ㊣국지전.

국창 (國唱) 명 나라에 으뜸가는 명창.

국채 (國債) 명 국가에서 세입의 부족을 보충하기 위하여 발행하는 채권. ¶ ~를 발행하다.

국책 (國策) 명 국가가 어떤 목적을 달성하기 위하여 세우는 정책. ¶ ~ 사업 / ~에 따르다.

국책 회:사 (國策會社)[-채쾨-] 국가의 발전과 올바른 정책 수행을 위해서 설립된 반관반민(半官半民)의 특수 회사.

국철 (國鐵) 명 '국유 철도'의 준말. ¶ 지하철 ~ 구간.

국청 (鞫廳) 명 〖역〗 조선 때, 역적 같은 중한 죄인을 신문하기 위하여 임시로 설치했던 곳.

국체 (國體) 명 **1** 나라의 체면. **2** 국가 주권의 소재에 따라 구별한 국가의 형태《공화국·군주국 따위로 나눔》.

국초 (國初) 명 건국의 초기.

국초 (國礎) 명 나라의 기초. 국기(國基).

국치 (國恥) 명 나라의 수치. 국욕(國辱).

국치-일 (國恥日) 명 우리나라가 일본에게 국권을 강탈당한 날《1910 년 8 월 29 일》.

*__국토__ (國土) 명 한 나라의 영토. 방토(邦土). ¶ ~ 개발 / ~를 침범하다.

국토 교통부 (國土交通部) 〖법〗 중앙 행정 기관의 하나. 국토 종합 계획의 수립·조정, 국토 및 수자원의 보전·이용·개발, 도시·도로 및 주택의 건설, 해안·하천 및 간척, 육운 철도 및 항공 등에 관한 사무를 맡아봄.

국토-방위 (國土防衛) 명 나라를 적의 침략으로부터 지킴. ¶ ~의 일익을 맡다.

국판 (菊版) 명 **1** 세로 93 cm, 가로 63 cm 의 양지의 크기. **2** 국판 전지를 16 겹으로 접은 책의 크기《세로 21 cm, 가로 14.8 cm》.

국풍 (國風) 명 그 나라 특유의 풍속. 국속(國俗).

국학 (國學)[구칵] 명 **1** 자기 나라의 고유한 역사·언어·풍속·신앙 따위를 연구하는 학문. **2** 〖역〗 고려 때, '국자감'을 고친 이름. **3** 〖역〗 '성균관'의 예스러운 이름.

국한 (局限)[구칸] 명하타 어떤 부분에만 한정함. ¶ 문제의 범위를 ~시키다.

국-한문 (國漢文)[구칸-] 명 **1** 한글과 한자. **2** 한글에 한자가 섞인 글.

국한문-체 (國漢文體)[구칸-] 명 한글과 한자를 섞어 쓰는 글의 체. 국한문 혼용체(混用體).

국헌 (國憲)[구컨] 명 나라의 근본 법규. 곧, 헌법. 국법. 조헌(朝憲). ¶ ~을 문란하게 한 죄 / ~을 준수하겠다고 선서하다.

국호 (國號)[구코] 명 나라의 이름. 국명. ¶ 우리나라의 ~는 대한민국이다.

국화 (國花)[구콰] 명 한 나라를 상징하는 꽃

《우리나라는 무궁화》. 나라꽃.
*국화(菊花)[구콰] 명 〖식〗 국화과의 여러해살이풀. 높이는 1m 정도이며 향기로운 꽃이 가을에 핌. 관상용·약용·향료용임.
국화-빵(菊花-)[구콰-] 명 1 밀가루를 풀어 국화 모양의 판에 붓고 팥소를 넣어서 구운 풀빵. 2 서로 얼굴이 매우 닮은 사람의 비유. ¶엄마와 아들이 ~이다.
*국회(國會)[구쾨] 명 전체 국회의원으로 조직된 헌법상의 합의체인 입법 기관. ¶임시 ~를 소집하다.
국회 의사당(國會議事堂)[구쾨-] 국회가 열리는 건물.
국회-의원(國會議員)[구쾨- / 구쾨이-] 명 국민의 선거에 의해 뽑힌 대표로 국회를 이루는 구성원.
국회 의장(國會議長)[구쾨-] 국회를 대표하는 국회의원《국회의 질서를 유지하고 의사(議事)를 진행하며, 사무를 감독함》.
군(君) ㊀명 〖역〗 조선 때, 왕의 서자의 봉작에 붙이던 존칭. 왕자군(王子君). ㊁의명 성이나 이름 뒤에 쓰여 친구나 손아랫사람을 부르는 호칭어. ¶이 ~. ㊂인대 그대. 자네. ¶~의 건투를 빈다.
군(軍) 명 1 '군대'의 준말. ¶~이 출동하다. 2 '군부'의 준말. ¶~의 동태 / ~의 지지를 받다. 3 육군의 최고 편성 단위. 군단의 위.
*군:(郡) 명 1 도(道)의 관할 아래 지방 행정의 하나. 행정 구획으로 읍(邑)·면(面)을 둠. ¶시흥~. 2 '군청'의 준말. ¶~서기(書記) / ~ 대항 체육 대회.
군:- 두 '쓸데없는, 가외의'의 뜻. ¶~소리 / ~살 / ~말 / ~식구.
-군(軍) 미 '군대'의 뜻. ¶지상~ / 연합~ / 독립~.
-군(群) 미 '무리, 떼'의 뜻. ¶어선~.
-군 어미 1 '-구나'의 준말. ¶거 참 좋~ / 잘 됐~. 2 '-구먼'의 준말. ¶빨리 왔~.
군가(軍歌) 명 군대의 사기를 북돋우기 위해 부르는 노래. ¶~를 부르며 행진하다.
군거(群居) 명하자 1 무리를 지어 삶. ¶~생활. 2 〖생〗 군서(群棲). ¶~하고 있는 조류.
군:-것[-걷] 명 쓸데없는 것.
군:것-지다[-걷찌-] 형 없어도 좋을 것이 쓸데없이 있다.
군:것-질[-걷찔] 명하자 1 끼니 외에 군음식을 먹는 일. 주전부리. 2 〈속〉 오입질.
군견(軍犬) 명 '군용견(軍用犬)'의 준말.
군경(軍警) 명 군대와 경찰. ¶~ 합동 작전〔수사〕.
군계-일학(群鷄一鶴)[- / -게-] 명 닭의 무리 속에 섞인 한 마리의 학이라는 뜻으로, 평범한 많은 사람 가운데에서 뛰어난 사람을 이르는 말. 계군일학.
군:-고구마 명 '구운 고구마'의 준말. 날것을 불에 구워서 익힌 고구마.
군관(軍官) 명 〖역〗 장교2.
군국-주의(軍國主義)[- / -이] 명 군비를 강대하게 하여 군사력에 의한 대외적 발전을 나라의 주요 목적으로 삼는 이념이나 정치 체제.
군기(軍紀) 명 군대의 규율 및 기강. ¶~ 숙정(肅正) / ~ 확립 / ~가 문란해지다 / ~를 세우다.
군기(軍氣) 명 군대의 사기. ¶~가 빠지다.
군기(軍旗) 명 군의 각 단위 부대를 상징하는 기. ¶~ 수여식을 거행하다.
군기(軍機) 명 군사상의 기밀. ¶~를 누설하다.
군기(群起) 명하자 1 여러 사람이 떼 지어 일어남. 2 여러 가지 일이 한꺼번에 일어남. 준봉기(蜂起).
군:-기침 명하자 1 공연히 버릇이 되어서 하는 기침. 2 헛기침.
군납(軍納) 명하타 인가를 받은 민간 업자가 군에 필요한 물자를 공급하는 일. ¶두부·단무지 등 부식을 ~하다.
군납-품(軍納品) 명 군에 납품하는 물품.
군:-내 명 본디의 제 맛이 아닌 다른 냄새. ¶~ 나는 김치.
군:-눈 명 1 보지 않아도 좋을 것을 보는 눈. 2 쓸데없는 것에 돌리는 눈.
군:-다리미질 명하타 다리미질할 때 옷의 후미진 부분이나 끝 부분 같은 데를 혼자 잡고 다리는 일.
군단(軍團) 명 군과 사단 중간의 전략 단위 부대《둘 이상의 사단으로 편성됨》.
군단-장(軍團長) 명 군단을 통솔하는 최고 지휘관《주로 중장의 장관급 장교가 맡음》.
군-단지럽다〔군단지러우니, 군단지러워〕 형 ㅂ불 마음과 행동이 매우 다랍고 나다분하다.
군담(軍談) 명 전쟁 이야기.
군담 소:설(軍談小說) 전쟁에 관한 이야기를 소재로 한 소설.
군당(群黨) 명 1 무리를 이룸. 2 여러 당파.
*군대(軍隊) 명 일정한 질서를 갖고 조직 편제된 군인의 집단. ¶~ 생활 / ~에 들어가다. 준군.
군대-식(軍隊式) 명 군대처럼 조직적이고 명령 계통이 절대적이며 규율이 엄한 방식. ¶아이들을 ~으로 엄하게 다루다.
군:-더더기 명 쓸데없이 덧붙은 것. ¶말에 ~가 많다.
군-던지럽다〔군던지러우니, 군던지러워〕 형 ㅂ불 마음이나 행동이 더럽고 너더분하다. ¶하는 짓이 군던지럽기 짝이 없다.
*군데 의명 낱낱의 곳을 세는 단위. ¶유리창이 몇 ~ 깨져 있다.
군데-군데 명부 여러 군데. 이곳저곳. ¶~를 파 보다 / 새싹이 ~ 돋아나다.
군도(軍刀) 명 군인이 허리에 차는 칼. *환도(環刀).
군도(群島) 명 무리를 이루어 모여 있는 크고 작은 섬들.
군도(群盜) 명 무리를 지은 도둑. 떼도둑.
군:-돈 명 쓰지 않아도 괜찮은 데 쓰는 돈.
군두 명 가래의 날을 맞추어 끼우는 넓적한 판.
군두목 명 한자의 뜻은 상관하지 않고 음과 새김을 따서 물건의 이름을 적는 법《콩팥을 '豆太'로 적는 따위》. 주의 '軍都目'으로 씀은 취음.
군두-새끼 명 군둣구멍에 꿰어서 가랫줄을 얼러 매는 가는 새끼.
군두-쇠(軍頭-) 명 큰 재목을 산에서 운반

할 때, 재목의 한쪽 머리에 박고 거기에 줄을 매어 끄는, 크고 굵은 쇠고리.
군둣-구멍 [-두꾸- / -둔꾸-] [명] 가랫바닥의 양 쪽 위에 있는, 군두새끼를 꿰는 구멍.
군드러-지다 [자] 술에 취하거나 몹시 피곤해 정신을 잃고 쓰러져 자다. ¶만취하여 길바닥에 ~. [작]곤드라지다.
군락 (群落)[굴-] [명] **1** 많은 부락. **2**〘식〙 같은 자연 환경에서 자라는 식물군(群). ¶습지 식물의 ~.
군란 (軍亂)[굴-] [명] 군사들이 일으키는 난리. 군요(軍擾). ¶~이 일어나다. ↔민란.
군략 (軍略)[굴-] [명] 군대 운용에 관한 방책. 군사 전략. 병략. 전략.
군량 (軍糧)[굴-] [명] 군대의 양식. 병량(兵糧). ¶~을 조달하다 / ~이 떨어지다.
군량-미 (軍糧米)[굴-] [명] 군대의 식량으로 쓰는 쌀. 군수미(軍需米).
군령 (軍令)[굴-] [명] **1** 군대 안에서의 명령. ¶~이 엄하다. **2** 국가 원수(元首)가 통수권자로서 군에 내리는 명령.
군림 (君臨)[굴-] [명][하자] **1** 군주로서 그 나라를 거느려 다스림. ¶전제 군주로 ~하다 / ~하되 통치하지 않는다. **2** 어떤 분야에서 절대적인 영향력을 갖는 일. ¶산업계에 제일인자로 ~하다.
군마 (軍馬) [명] **1** 군사와 말. 곧, 병력. **2** 군대에서 쓰는 말.
군막 (軍幕) [명] 군대에서 쓰는 장막. ¶~을 치다 / ~ 앞에 집결한 군사.
군:-만두 (-饅頭) [명] 기름에 지지거나 기름을 발라 구운 만두.
군:-말 [명][하자] 하지 않아도 좋을 때에 쓸데없이 하는 군더더기 말. ¶~ 말고 시키는 대로 해라.
군-매점 (軍賣店) [명] 군인이나 그 가족을 대상으로 부대 안에 마련된 매점. 피엑스.
군명 (君命) [명] 임금의 명령. 어명(御命). ¶~을 어기다.
군모 (軍帽) [명] 군인이 쓰는 모자.
군목 (軍牧) [명] 군부대에 장교로 배속되어 기독교를 믿는 장병들의 신앙 생활에 관련된 일을 맡아보는 목사.
군무 (軍務) [명] **1** 군사에 관한 사무. **2** 군인으로서 군대에 복무하는 일. ¶~에 충실한 사람.
군무 (群舞) [명][하자] 여러 사람이 무리를 지어 춤을 춤. 또는 그 춤.
군무-원 (軍務員) [명] 군무에 종사하는 군인 이외의 공무원. '군속(軍屬)'의 고친 이름.
군문 (軍門) [명] **1** 군영의 문. **2** 군영의 경내(境內). **3** 군대의 비유. ¶~에 들어가다.
군:-물 [명] **1** 끼니때 이외에 마시는 물. **2** 죽이나 풀 따위에 섞이지 않고 그 위에 따로 떠도는 물. **3** 뜨거운 물에 타는 맹물.
　군물(이) 돌다 [구] 음식과 한데 섞이지 않고 위로 물기운이 따로 돌다.
군민 (軍民) [명] 군인과 민간인.
군:민 (郡民) [명] 그 군(郡)에 사는 사람.
군:-밤 [명] 날것을 불에 구워서 익힌 밤.
군번 (軍番) [명] 군인 각자에게 주어지는 일련번호.
군벌 (軍閥) [명] **1** 군인의 파벌. **2** 군부를 중심으로 한 정치적 세력.
군법 (軍法)[-뻡] [명] 군대에서 군인에게 적용하는 형법. ¶~으로 다스리다.
군법 회:의 (軍法會議)[-뻐푀- / -뻐푀이] '군사 법원'의 구칭.
군병 (軍兵) [명] 군사(軍士).
군복 (軍服) [명] 군인의 제복.
　군복(을) 벗다 [구] 〈속〉 제대하다.
군-복무 (軍服務)[-봉-] [명] 군대에서 일정 기간 군인이 되어 근무하는 일. ¶~를 마치다.
군부 (軍部) [명] **1** 군의 일을 맡은 기관의 총칭. **2** 군의 수뇌부를 중심으로 하여 형성된 세력. ¶~ 독재. [준]군(軍).
군-부대 (軍部隊) [명] 군인들의 부대. ¶~에 위문품을 전달하다.
군부 독재 (軍部獨裁) 군부가 국가 권력을 도맡아서 다스리는 일. 군사 독재.
군:-불 [명] 방을 덥게 하려고 때는 불. ¶~을 지피다 / 아궁이에 ~을 넣다.
　[군불에 밥 짓기] 어떤 일에 곁따라 다른 일이 쉽게 이루어지거나 다른 일을 해냄.
　군불(을) 때다 [구] ㉠방을 덥게 하려고 불을 때다. ㉡〈속〉 담배를 피우다.
군비 (軍備) [명] **1** 국가 방위를 위한 군사 대비. ¶~를 강화하다. **2** 전쟁을 위한 준비. ¶~를 갖추다.
군비 (軍費) [명] 군대를 유지하고 전쟁을 수행하는 데 드는 모든 비용. 군사비.
군비 축소 (軍備縮小) 전쟁을 피하고 국력이 소비됨을 방지하기 위하여 군비를 줄이는 일. [준]군축(軍縮).
군:-빗질 [-빋찔] [명][하자] 자고 일어나 대강 윗머리만 빗는 빗질.
군사 (軍士) [명] **1** 예전에, 군인이나 군대를 이르던 말. 군졸. 군병. 사졸. 융병(戎兵). ¶~를 모으다. **2** 부사관 이하의 군인. 병사.
***군사** (軍事) [명] 군대·군비(軍備)·전쟁 등에 관한 일. 군무에 관한 일.
군사 기밀 (軍事機密) 국가의 안전 보장을 위해 지켜야 할 군사에 관한 기밀.
군사 기지 (軍事基地) 전략·전술상의 거점이 되는 중요한 군사 시설이 있는 곳.
군:-사람 [명] 정원 외의 사람. 가욋사람.
군사-력 (軍事力) [명] 병력·무기·경제력 등을 종합한, 전쟁을 수행할 수 있는 능력. 군력(軍力). ¶~을 강화하다.
군-사령관 (軍司令官) [명] 육군의 최고 편성 단위 부대인 군을 통솔·지휘하는 최선 지휘관《대장이나 중장으로 임명함》.
군-사령부 (軍司令部) [명] 군사령관이 군을 지휘·통솔하는 본부.
군사 법원 (軍事法院) 군인·군무원 등의 범죄에 대해 군 형법을 적용해 군사 재판을 관할하는 특별 형사 법원.
군사부-일체 (君師父一體) [명] 임금·스승·아버지의 은혜는 같다는 뜻.
군사 분계선 (軍事分界線)[- / -게-] 작전 행동이 중지되고 협정에 따라 구획된 군사 활동의 한계선. 군사 경계선. ¶~에서 총격전이 있었다.
군사-비 (軍事費) [명] 군비(軍費).
군:-사설 (-辭說) [명][하자] 쓸데없이 말을 길게 늘어놓음. 또는 그 말.

군사 우편 (軍事郵便) 군인·군무원 또는 군함 등에서 내거나 받는 우편. [준]군우.
군사 재판 (軍事裁判) **1** 군사 법원에서 군법에 따라 하는 재판. **2** 전쟁 범죄인을 심판하기 위하여 행하는 국제적인 재판. [준] 군재(軍裁).
군사-적 (軍事的) [관][명] 군대·군비·전쟁 등 군대에 관한 (것). ¶ ~ 대응.
군사 정권 (軍事政權)[-꿘] 군인들이 중심이 되어 조직한 정권.
군사 행동 (軍事行動) 군대가 병력 또는 무력으로 행하는 모든 행동《전투·부대 이동 따위》. ¶ ~을 억지하다.
군사 훈:련 (軍事訓鍊)[-훌-] 군사에 관한 지식과 기능을 기르기 위한 훈련.
군:-살 [명] **1** 궂은살. **2** 쓸데없이 찐 군더더기 살. ¶ ~을 빼다.
군상 (群像) [명] **1** 떼를 지어 모여 있는 많은 사람들. **2** 그림·조각에서, 많은 인물의 상을 밀접하게 관련시켜 표현한 것.
군:색-스럽다 (窘塞-)〔-스러우니, -스러워〕[형][ㅂ불] 보기에 군색한 데가 있다. **군:색-스레** [부]
군:색-하다 (窘塞-)[-새카-] [형][여불] **1** 생활이 딱하고 어렵다. ¶ 군색하게 살아가다. **2** 일이 떳떳하지 못하고 거북하다. ¶ 군색한 변명. **군:색-히** [-새키] [부]
군생 (群生) [명][하자] **1** 식물 등이 한데 모여 남. ¶ 고산 식물이 ~하다. **2** 많은 사람. 또는 모든 생물. **3**〘생〙 군서(群棲).
군서 (群棲) [명][하자]〘생〙 같은 종류의 동물이 생식·방어·수면 따위를 위하여 한곳에 떼 지어 삶. 군거(群居). ¶ 얼룩말의 ~.
군선 (軍船) [명] 군대에서 쓰는 배《특히 옛날의 전선》.
군선-도 (群仙圖) [명]〘미술〙 신선의 무리를 그린 동양화.
군세 (軍勢) [명] **1** 군대의 세력이나 형세. ¶ 막강한 적의 ~. **2** 군대의 인원수. 병력.
군소 (群小) [명] 규모가 작은 여럿《가치·규모가 작거나 하찮은 사물이나 사람의 경우에 씀》. ¶ ~ 업체 / ~ 정당이 난립하다.
군:-소리 [명][하자] 쓸데없이 중얼거리는 소리. 군말. 헛소리. ¶ ~가 많다 / 성가신 일을 시켜도 ~ 한 마디가 없다.
군속 (軍屬) [명] '군무원(軍務員)'의 구칭.
군:-손질 [명][하타] **1** 하지 않아도 괜찮은 데에 하는 손질. ¶ ~ 때문에 더 나빠졌다. **2** 쓸데없이 때리는 짓.
군수 (軍需) [명] 군사상으로 필요한 것. ↔민수(民需).
군:수 (郡守) [명] 한 군의 행정을 맡아보는 최고 직위. 또는 그 책임자《공선(公選)에 의해 선출되며 임기는 4년임》.
군수 물자 (軍需物資)[-짜] 군에서 소용되는 온갖 물자. 군수품.
군수 산:업 (軍需産業) 방위 산업.
군수-품 (軍需品) [명] 군수 물자.
군시럽다 〔군시러우니, 군시러워〕 [형][ㅂ불] 벌레 따위가 살갗에 기어가는 듯한 느낌이 있다. ¶ 어쩐지 온몸이 ~.
군:-식구 (-食口) [명] **1** 덧붙어서 얻어먹고 있는 식구. 객식구. ¶ ~가 많은 집. **2** 끼니 때 외에 와서 밥을 먹는 사람.
군신 (君臣) [명] 임금과 신하.
군신 (軍神) [명] **1** 전쟁의 신. **2** 군인의 무운(武運)을 지켜 준다는 신.
군신 (群臣) [명] 많은 신하. ¶ 기라성같이 늘어선 ~/ ~과 국정을 의논하다.
군신-유의 (君臣有義)[-/-이] [명] 오륜(五倫)의 하나. 임금과 신하 사이의 도리는 의리에 있음.
군실-거리다 [자] 군시러운 느낌이 자꾸 나다. **군실-군실** [부][하자]
군실-대다 [자] 군실거리다.
군악 (軍樂) [명] 군대에서 의식이 있거나 장병의 사기를 높이기 위해 연주하는 음악.
군악-대 (軍樂隊) [명] 군악을 연주하기 위해 조직된 부대.
군역 (軍役) [명] **1**〘역〙 군적에 등록된 신역(身役). **2** 군대에서 복역하는 일.
군영 (軍營) [명] 군대가 주둔하는 곳. 병영.
군왕 (君王) [명] 임금.
군용 (軍用) [명] 군사적 목적에 씀. 또는 그 돈이나 물자. ¶ ~ 열차 / ~ 트럭.
군용-견 (軍用犬) [명] 특별한 훈련을 받아 군사적 목적으로 쓰이는 개. [준]군견.
군용-기 (軍用機) [명] 군사상의 목적에 쓰는 항공기. 군용 비행기.
군용 열차 (軍用列車)[-녈-] 군사 수송을 위한 특별 열차.
군용-품 (軍用品) [명] 군대에서 쓰는 물품.
군웅 (群雄) [명] 같은 시대에 여기저기에서 일어난 여러 영웅.
군웅-할거 (群雄割據) [명] 〔여러 영웅들이 한 지방씩을 차지하여 세력을 떨친다는 뜻 : 후한서(後漢書)〕 실력자들이 여러 지방에서 각각 세력을 떨치며 서로 대립하는 일.
군율 (軍律) [명] **1** 군법. **2** 군대 내의 규율.
군:-음식 (-飮食) [명] 끼니 이외에 가외로 더 먹는 음식《떡·과자 등의 간식 따위》.
군의-관 (軍醫官)[-/-이-] [명] 군대에서 의료에 종사하는 장교.
***군인** (軍人) [명] 육해공군의 군적(軍籍)에 있는 장교·부사관·사병의 총칭. ¶ 투철한 ~ 정신.
군:-일 [-닐] [명][하자] 쓸데없는 일.
군:-입 [-닙] [명] **1** 객식구. 군식구. **2** '군입정'의 준말.
군입(을) 다시다 [구] ㉠끼니 외에 군음식을 먹다. ㉡군음식을 먹고 쩍쩍하며 입맛을 다시다.
군:-입정 [-닙-] [명][하자] 때 없이 군음식으로 입을 다시는 일. [준]군입.
군:입정-질 [-닙-] [명][하자] 때 없이 군음식으로 입을 다시는 짓.
군자 (君子) [명] 학식과 덕행이 높은 사람. ¶ 성인 ~.
군자-금 (軍資金) [명] **1** 군사에 필요한 자금. 군용금. **2** 어떤 일을 하기 위한 자금의 비유. ¶ 한 잔 하려 해도 ~이 없다.
군장 (君長) [명] **1** 원시 부족 사회의 우두머리. **2** 임금.
군장 (軍裝) [명] **1** 군인의 복장. **2** 군대의 장비. 무장. ¶ ~을 갖추고 야간 행군에 임하다.
군재 (軍裁) [명] '군사 재판'의 준말. ¶ ~에 부치다.

군적 (軍籍) 명 군인의 지위·신분을 적은 명부. 병적. ¶ ~에 편입되다.
군정 (軍政) 명 〖법〗 **1** 전쟁·사변 때에 군대가 행하는 임시 행정. **2** 군부가 국가의 실권을 쥐고 행하는 정치. ↔민정.
군정 (軍情) 명 군대 내의 사정이나 형편. ¶ ~을 시찰하다.
군:정 (郡政) 명 군의 행정.
군제 (軍制) 명 군사에 관한 제도.
군졸 (軍卒) 명 군사(軍士).
군종 (軍宗) 명 군대 안의 종교에 관한 일.
군주 (君主) 명 임금.
군주-국 (君主國) 명 군주가 세습적으로 국가 원수가 되는 나라.
군주-제 (君主制) 명 세습의 군주를 국가의 원수로 하는 정치 체제. 군주 제도. ¶ ~를 시행하는 나라.
군중 (群衆) 명 한곳에 모인 많은 사람의 무리. ¶ ~을 선동하다 / 시위하는 ~을 해산시키다.
군중 심리 (群衆心理)[-니] 〖심〗 많은 사람이 모여 있을 때, 자제력을 잃고 다른 사람의 언동에 휩쓸리는 특이한 심리《충동적이고 무책임한 언동을 하는 경향이 있음》. 대중 심리.
군중-집회 (群衆集會)[-지푀] 명 많은 사람들이 같은 목적을 가지고 함께 모이는 집회. ¶ ~를 열다.
군지럽다 형 ㅂ불 '군던지럽다'의 준말.
군직 (軍職) 명 군에서의 관직이나 직무.
군진 (軍陣) 명 군대의 진영.
군집 (群集) 명 하자 **1** 사람이나 동물 등이 떼지어 한곳에 모임. **2** 〖생〗 생태학에서 거의 같은 자연 환경을 구비한 구역에 생존하는 모든 생물 개체군(群). 식물만의 경우를 군락이라고 함. 군취.
군:-짓 [-짇] 명 하자 하지 않아도 되는 쓸데없는 짓.
***군:청** (郡廳) 명 군의 행정 사무를 맡아보는 관청. 또는 그 청사. ㊅군(郡).
군청 (群靑) 명 **1** 고운 광택이 나는 짙은 남청색(藍靑色)의 광물성 물감. **2** 군청색.
군청-색 (群靑色) 명 군청처럼 선명한 남청색. 군청. ¶ ~의 바다.
군체 (群體) 명 〖생〗 같은 종류의 개체가 많이 모여서 조직이 연결되어 생활하는 집단《해면(海綿)·산호 따위》. 합체. 콜로니. ↔개체.
군축 (軍縮) 명 하자 '군비 축소'의 준말. ¶ ~ 회담을 재개하다.
군:-침 명 무엇이 먹고 싶거나 탐이 날 때 입 안에 도는 침.
군침을 돋우다 구 ㉠식욕이 나게 하다. ㉡이익이나 재물을 보고 욕심이 생기게 하다.
군침을 삼키다 구 ㉠음식 등을 먹고 싶어서 입맛을 다시다. ㉡이익이나 재물을 보고 몹시 탐을 내다.
군침을 흘리다 구 군침을 삼키다.
군침(이) 돌다 구 ㉠식욕이 나다. ¶ 생각만 해도 군침이 돈다. ㉡이익이나 재물에 욕심이 생기다. ¶ 그것 참, 군침 도는데.
군:-턱 명 턱 아래로 처진 살. ¶ ~이 지다.
군:-티 명 물품의 조그마한 허물.
군표 (軍票) 명 전쟁 지역이나 점령지에서, 군대가 작전 행동상 쓰는 긴급 통화(通貨). 군용 수표.
군:핍-하다 (窘乏-)[-피파-] 형 여불 몹시 군색하다. ¶ 군핍한 생활. **군:핍-히** [-피피] 부
군함 (軍艦) 명 해군에 소속하여 군사 목적으로 사용하는 배.
군항 (軍港) 명 함대의 근거지로서, 군사적 목적으로 특수한 시설을 하여 놓은 항구.
군:현 (郡縣) 명 〖역〗 지방 행정 단위인 군(郡)과 현(縣).
군호 (君號) 명 〖역〗 임금이 군(君)을 봉할 때 주던 이름《노산군·연산군 따위》.
군호 (軍號) 명 하자 **1** 〖역〗 조선 때, 순라군 간에 주고받아 위험을 막던 암호. **2** 군대의 암호. **3** 서로 눈짓이나 말 따위로 몰래 연락함. 또는 그 신호.
군혼 (群婚) 명 원시 사회에서, 한 무리의 남자와 한 무리의 여자가 집단적으로 행한 혼인 형태.
군화 (軍靴) 명 군인용의 구두.
굳건-하다 형 여불 뜻이나 의지가 굳세고 건실하다. ¶ 굳건한 정신. **굳건-히** 부
굳기 명 〖광〗 고체, 특히 금속·광물의 단단한 정도《여러 기준이 있는데, 모스(Mohs) 굳기에서는 활석(滑石)에서 다이아몬드에 이르는 광물을 표준으로 삼고 있음》. 경도(硬度).
***굳다** ㊀형 **1** 무르지 않고 단단하다. ¶ 굳은 돌. **2** 견고하다. 튼튼하다. ¶ 성문을 굳게 지키다. **3** 뜻이 흔들리지 않다. ¶ 굳은 결심 / 의지가 ~. **4** 부드럽거나 매끄럽지 않다. ¶ 굳은 표정. ㊁자 **1** 근육이나 뼈마디가 뻣뻣해지다. ¶ 혀가 굳어 발음이 잘 안 된다 / 시체가 굳어 있다. **2** 몸에 배어 습관이 되다. ¶ 버릇이 굳어 버리다. **3** 무른 물질이 단단해지다. ¶ 기름이 ~. **4** 재물 따위가 없어지지 않고 그대로 남다. ¶ 군것질을 하지 않으니 그만큼 돈이 굳는다. **5** 표정이나 태도 등이 부드럽지 못하고 딱딱해지다. ¶ 뜻밖의 일에 표정이 돌처럼 굳었다.
[굳은 땅에 물이 괸다] 검소하고 절약하는 결심이 굳어야 재산을 모을 수 있다.
굳-세다 형 **1** 굳고 힘이 세다. ¶ 굳센 몸. **2** 뜻한 바를 굽히지 않고 밀고 나아가는 힘이 있다. ¶ 굳센 의지를 나타내다 / 굳세게 살아가다.
굳어-지다 자 굳게 되다. ¶ 비온 뒤에 땅이 ~ / 표정이 갑자기 ~ / 심증(心證)이 ~ / 습관으로 ~.
굳은-살 명 **1** 손바닥이나 발바닥에 생긴 두껍고 단단하게 된 살. ¶ ~이 박이다. **2** 곪으려고 딴딴하게 된 살.
굳이 [구지] 부 **1** 단단한 마음으로 굳게. ¶ ~ 거절하다. **2** 고집을 부려 구태여. ¶ ~ 원한다면.
굳-히기 [구치-] 명 하자 **1** 유도에서, 누르기·조르기·꺾기·비틀기 따위의 총칭. **2** 경기나 놀이에서, 마지막 승부를 확실하게 결정지을 수 있는 득점.
굳-히다 [구치-] 타 **1** 《'굳다㊁'의 사동》 굳게 하다. 엉기어 단단해지게 하다. ¶ 콘크리트를 부어 ~. **2** 《'굳다㊀'의 사동》 확고

부동한 것으로 하다. ¶승리를 ~/기반을 ~/제2선발의 입지를 확실히 ~. **3** 바둑에서, 상대방이 귀에 들어오지 못하도록 지키는 수를 두다. ¶양 귀를 ~.

***굴** 명 〖조개〗 **1** 굴과의 조개. 근해 연안에 사는데 길이 6cm가량, 껍질 안쪽은 흼. 살은 식용함. 석화(石花). **2** 굴의 살. 굴조개.

***굴:** (窟) 명 **1** 땅이나 바위가 깊숙이 팬 곳. ¶~ 속에 살다. **2** 산이나 땅속을 뚫어 만든 길. 터널. **3** 짐승들이 숨어 사는 구멍. ¶너구리의 ~. **4** '소굴'의 준말.

굴강-하다 (屈強-) 형 여불 **1** 의지가 몹시 굳어 남에게 굽히지 않다. **2** 힘이 몹시 세다.

굴건 (屈巾) 명 상가에서, 상주가 두건 위에 덧쓰는 건. 굴관(屈冠).

굴곡 (屈曲) 명 하형 **1** 이리저리 꺾이고 굽음. 또는 그 굽이. ¶~이 심한 고갯길. **2** 사람이 살아가면서 겪는 여러 가지 변화. ¶~ 많은 생애.

굴광-성 (屈光性)[-썽] 명 〖식〗 식물체가 빛의 자극을 받아 나타내는 굴성(屈性). 광원(光源) 방향으로의 굴곡 운동을 양성 굴광성, 광원의 반대 방향으로의 것을 음성 굴광성이라 함. *향일성(向日性).

굴기-성 (屈氣性)[-썽] 명 〖식〗 식물체의 일부가 공기나 산소의 자극을 받아 일정한 방향으로 굽는 성질. *굴화성(屈化性).

***굴:다** 〔구니, 구오〕 자 ('-게'나 '-이, -히' 따위 부사어 뒤에 쓰여) 그러하게 행동하거나 대하다. ¶밉게 ~/약삭빠르게 ~/큰일이나 난 것처럼 ~/내게 주는 돈이 아까운 듯이 ~.

굴:-다리 (窟-)[-따-] 명 굴로 된 길 위로 가로 건너지른 다리.

굴:대 [-때] 명 수레바퀴의 한가운데에 뚫린 구멍에 끼워 수레가 바로 놓이게 하는 나무나 쇠. 축(軸).

굴:-도리 [-또-] 명 〖건〗 둥글게 만든 도리.

***굴:뚝** 명 불을 땔 때에, 연기가 밖으로 빠져나가도록 만든 장치. 연돌(煙突). ¶아니 땐 ~에 연기 날까.

굴:뚝-같다 [-갇따] 형 무엇을 하고 싶은 생각이 몹시 간절하다. ¶가고 싶은 생각이 ~. **굴:뚝-같이** [-까치] 부

굴:뚝-새 명 〖조〗 굴뚝샛과의 작은 새. 여름에는 산지에, 겨울에는 인가의 굴뚝 부근에 삶. 날개 길이는 5cm가량, 몸빛은 다갈색, 등 밑과 가슴 이하는 흑갈색의 가로무늬가 있음.

굴:러-가다 자 일 따위가 진행되어 나가다. ¶회사는 정상적으로 굴러가고 있다.

굴:러-다니다 자 **1** 데굴데굴 구르며 왔다 갔다 하다. ¶방바닥에 굴러다니는 구슬. **2** 정처 없이 여기저기 옮겨 다니다. ¶어디서 굴러다니던 놈이냐.

굴:러-들다 〔-드니, -들어〕 자 사람이나 물건이 한곳으로 들어와 자리를 잡다. ¶호박이 넝쿨째 굴러들었다.

굴:러-먹다 자 〈속〉 여기저기 떠돌아다니며 갖가지 이력을 다 겪다. ¶굴러먹을 대로 다 굴러먹은 여자.

굴렁-대 [-때] 명 손에 쥐고 굴렁쇠를 밀어 굴리는 굵은 철사 토막이나 막대기.

굴렁-쇠 명 장난감의 하나《둥근 테를 굴렁대로 굴림》. ¶~를 굴리다.

굴레[1] 명 **1** 마소의 목에서 고삐에 걸쳐 얽어매는 줄. ¶~를 씌우다. **2** 베틀에서, 바디집을 걸쳐 매는 끈. **3** 자유롭지 못하게 얽매임. 기반(羈絆). ¶의리와 인정의 ~.

굴레(를) 벗다 구 구속이나 통제에서 벗어나 자유롭게 되다.

굴레(를) 쓰다 구 일에 얽매여 구속을 받게 되다.

굴레(를) 씌우다 구 자유롭게 활동하지 못하게 구속하다.

굴레 벗은 말 구 ㉠거칠게 구는 사람을 말함. ㉡몸이 자유로움을 이름.

굴레[2] 명 어린아이의 머리에 씌우는 모자의 하나. 뒤에 수놓은 헝겊이 달려 있음.

굴레미 명 나무로 만든 수레바퀴.

***굴:리다** 타 **1** 《'구르다'의 사동》 굴러가게 하다. ¶구슬을 ~. **2** 돈놀이하다. ¶돈을 ~. **3** 물건을 함부로 다루거나 아무렇게나 내버려 두다. ¶새 옷을 아무 데나 ~. **4** 나무토막 등을 모나지 않게 돌려 가며 깎다. **5** 차를 운행하다. ¶택시를 굴려 생활한다. **6** 생각을 이리저리 곱씹어 하다. ¶머리를 굴려 묘안을 생각해 내다.

굴:림-끌 명 나무를 둥글게 파거나 새기는 데 쓰는 끌《날이 안쪽으로 반원으로 됨》.

굴:림-대 [-때] 명 무거운 물건을 옮길 때, 그 밑에 깔아서 굴리는 둥근 나무나 철제의 원통.

굴먹-하다 [-머카-] 형 여불 그릇에 그득 차지 않고 조금 모자란 듯하다. ¶쌀독에 쌀이 ~. ㉶골막하다.

굴-밤 명 졸참나무의 열매《식용함》.

굴복 (屈伏) 명 하자 **1** 머리를 숙이고 무릎을 꿇어 엎드림. **2** 굴복.

굴복 (屈服) 명 하자 남의 힘에 눌려 복종함. ¶힘으로 ~시키다/무형의 압력에 ~하다/위협과 회유에 ~하지 않다.

굴비 명 소금에 약간 절여서 통째로 말린 조기.

굴성 (屈性)[-썽] 명 〖식〗 식물이 어떤 자극에 따라 자극이 오는 방향 또는 반대 방향으로 굽어 자라는 성질《굴광성(屈光性)·굴지성(屈地性)·굴수성(屈水性) 따위》.

굴수-성 (屈水性)[-쑤썽] 명 〖식〗 식물이 물기 있는 곳이나 그 반대쪽으로 자라는 성질. 굴습성(屈濕性).

굴신 (屈伸)[-씬] 명 하타 굽힘과 폄. ¶팔다리의 ~이 잘 되지 않는다.

굴신 (屈身)[-씬] 명 하자 **1** 몸을 앞으로 굽힘. **2** 겸손하게 처신함.

굴왕신-같다 (屈枉神-)[-갇따] 형 찌들고 낡아 보기에 흉하다. ¶굴왕신같은 물건들.

굴욕 (屈辱) 명 남에게 억눌리어 업신여김을 받음. ¶~을 참다/~을 강요하다.

굴욕-감 (屈辱感) 명 굴욕을 당하여 창피한 느낌. ¶~을 맛보다/~이 치밀다.

굴욕-적 (屈辱的) 관 명 굴욕을 당하거나 느끼게 하는 (것). ¶~ 대우를 받다.

굴:-우물 (窟-) 명 한없이 깊은 우물.

굴일-성 (屈日性)[-썽] 명 〖식〗 굴광성의 한 가지로, 태양이 자극이 되는 굴성(屈性). 해굽성. *굴광성(屈光性).

굴장 (屈葬)[-짱] 명 시체의 팔다리를 굽혀

서 쭈그린 자세로 매장하는 일.
굴절 (屈折)[-쩔] 명하자 1 휘어서 꺾임. 2 생각·말 등이 어떤 것에 영향을 받아 본디의 모습과 달라짐. ¶좌절로 ~된 감정. 3 〔물〕빛이나 소리가 한 매체에서 다른 매체로 들어갈 때 경계면에서 그 방향이 바뀌는 현상.
굴절-어 (屈折語)[-쩔-] 명 어형과 어미의 변화로써 단어가 문장 속에서 차지하는 관계를 나타내는 말《유럽 각국의 말이 이에 속함》.
굴-젓 [-젇] 명 생굴로 담근 젓.
굴-조개 명 〔조개〕 굴2.
굴종 (屈從)[-쫑] 명하자 제 뜻을 굽혀 복종함. ¶인고와 ~의 세월/총검 앞에 어쩔 수 없이 ~하다.
굴지 (屈指)[-찌] 명하자 1 무엇을 셀 때, 손가락을 꼽음. 2 여럿 가운데서 손가락을 꼽아 셀 만큼 뛰어남. ¶한국 ~의 실업가.
굴지-성 (屈地性)[-찌썽] 명 〔식〕 식물체가 중력의 작용에 따라 일정한 방향으로 굽는 성질.
굴-진 (-津)[-찐] 명 구들장·굴뚝 속에 붙은 끈끈한 검은 기름.
굴진 (掘進)[-찐] 명하타 굴 모양으로 땅을 파 들어감. ¶터널의 ~ 작업.
굴:-집 (窟-)[-찝] 명 굴처럼 파서 만든 집. ¶~으로 들어가다. *움집.
굴착 (掘鑿) 명하타 땅이나 바위를 파고 구멍을 뚫음. ¶~ 공사가 한창이다.
굴착-기 (掘鑿機) 명 흙·강바닥의 토사(土砂)·암석 따위를 파거나 파낸 것을 차에 싣는 기계의 총칭.
굴-참나무 명 〔식〕 참나뭇과의 낙엽 활엽 교목. 산허리의 건조지에 남. 높이는 20m 가량. 열매는 상수리보다 큼. 나무껍질은 코르크의 원료로 씀.
굴촉-성 (屈觸性) 명 〔식〕 식물이 접촉에 자극을 받아 그 방향으로 굽는 굴성.
굴퉁이 명 1 겉은 그럴듯하나 속이 보잘것 없는 물건이나 사람. 2 씨가 덜 여문 늙은 호박.
굴피 (-皮) 명 1 참나무의 두꺼운 껍질. 2 빈 돈주머니.
굴-하다 (屈-) 자여불 어떤 힘이나 어려움에 뜻을 굽히다. ¶실패에도 굴하지 않다/권력에 굴하고 말았다/사소한 일에 굴하면 안 된다.
굴화-성 (屈化性)[-썽] 명 〔식〕 식물체 주위에 화학 물질의 농도차가 있을 때, 농도가 높은 방향이나 낮은 데로 굴곡하는 굴성.
굵:기 [굴끼] 명 1 부피·둘레의 굵은 정도. ¶대나무의 ~. 2 목소리의 높낮이와 크기의 정도.
***굵:다** [국따] 형 1 몸피가 크다. 둘레가 넓다. ¶굵은 연필/팔뚝이 ~. 2 말이나 행동이 통이 크다. ¶선이 굵은 사람/굵게 놀다. 3 소리가 저음으로 우렁우렁 울려 크다. ¶굵은 목소리. 4 알 따위가 살지고 크다. ¶굵은 밤알/알이 ~. 5 글씨나 획이 뚜렷하고 크다. ¶굵은 활자. ↔잘다. 6 천 등의 바탕이 거칠고 투박하다. ¶굵은 베옷. 7 빗방울 등의 부피가 크다. ¶굵은 땀방울이 흘러내리다. ↔가늘다.
굵:-다랗다 [국따라타]〔굵다라니, 굵다라오〕 형ㅎ불 매우 굵다. ¶굵다란 새끼줄/붓글씨가 ~. ↔가느다랗다.
굵직굵직-하다 [국찍꾹찌카-] 형여불 여럿이 모두 굵직하다. ¶굵직굵직한 사건들이 연이어 터져 나왔다.
굵직-이 [국찌기] 부 굵직하게.
굵직-하다 [국찌카-] 형여불 꽤 굵다. ¶굵직한 목소리/팔다리가 ~/글씨를 굵직하게 쓰다.
굶기다 [굼-] 타 《'굶다'의 사동》 굶게 하다. ¶끼니를 ~/처자식을 굶겨서야 되겠나.
***굶:다** [굼따] 자타 1 끼니를 먹지 않거나 먹지 못하다. 주리다. ¶점심을 ~/욕을 보느니 차라리 굶어 죽겠다. 2 놀이나 오락 따위에서, 자기 차례를 거르다.
[굶기를 밥 먹듯 한다] 자주 굶는다는 뜻.
[굶어 죽기는 정승하기보다 어렵다] 아무리 가난한 사람이라도 생명만은 유지하여 갈 수 있다는 말.
***굶:-주리다** [굼-] 자 1 먹을 것이 없어 배를 곯다. ¶헐벗고 ~. 2 어떤 정신적인 것에 매우 모자람을 느끼다. ¶사랑에 ~.
굶:주림 [굼-] 명 굶주리는 일. 기아. ¶~에서 벗어나다.
굻다 [굴타] 형 1 그릇에 차지 아니하다. 2 한 쪽이 푹 꺼지어 있다. 작곯다.
굼닐다 〔굼니니, 굼니오〕 ㊀타 〔←굽닐다〕 몸을 구부렸다 일으켰다 하다. ㊁자 몸이 굽어졌다 일어섰다 하다.
굼:-뜨다 〔굼뜨니, 굼떠〕 형 동작·진행 과정 따위가 답답할 만큼 느리다. ¶몸집이 커서 하는 짓이 ~. ↔재빠르다.
굼:벵이 명 1 〔충〕 매미의 애벌레. 지잠(地蠶). 2 〈속〉 동작이 굼뜨고 느린 사물이나 사람. ¶하는 짓이 꼭 ~ 같다.
굼:-슬겁다 〔굼슬거우니, 굼슬거워〕 형ㅂ불 성질이 보기보다 너그럽고 부드럽다. 작곰살갑다.
굼실-거리다 자 작은 벌레 따위가 굼뜨게 자꾸 움직이다. ¶등에서 이가 ~. 작곰실거리다. 센꿈실거리다. **굼실-굼실** 부하자
굼실-대다 자 굼실거리다.
굼적 부하자타 몸을 무겁고 둔하게 움직이는 모양. 작곰작. 센꿈적·꿈쩍.
굼적-거리다 자타 몸을 무겁고 둔하게 자꾸 움직이다. ¶굼벵이가 ~. 작곰작거리다. **굼적-굼적** 부하자타
굼적-대다 자타 굼적거리다.
굼지럭 부하자타 몸을 무디고 느릿하게 움직이는 모양. 작곰지락. 센꿈지럭. 준굼질.
굼지럭-거리다 자타 몸을 둔하고 느릿하게 자꾸 움직이다. ¶그렇게 굼직거리면 지각하기 십상이다. 작곰지락거리다. 센꿈지럭거리다. 준굼질거리다. **굼지럭-굼지럭** 부하자타
굼지럭-대다 자타 굼지럭거리다.
굼질 부하자타 '굼지럭'의 준말. 센꿈질.
굼질-거리다 자타 '굼지럭거리다'의 준말. 센꿈질거리다. **굼질-굼질** 부하자타
굼질-대다 자타 굼질거리다.
굼:튼튼-하다 형여불 성질이 굳어서 재물을 아끼고 튼튼하다. 저축심이 많다.
굼틀 부하자타 몸을 이리저리 구부려 움직

이는 모양. ㉠곰틀. ㉡꿈틀.
굼틀-거리다 자타 몸을 이리저리 구부리어 자꾸 움직이다. ¶지렁이가 ~. ㉠곰틀거리다. ㉡꿈틀거리다. **굼틀-굼틀** 부하자타
굼틀-대다 자타 굼틀거리다.
굽 명 **1** 말·소·양 등의 발끝에 있는 두껍고 단단한 발톱. ¶채찍을 치자 말은 ~으로 땅을 차며 달렸다. **2** 나막신의 발이나, 구두 밑바닥의 뒤축에 댄 발. ¶~이 높은 구두/~을 갈다. **3** 그릇 밑에 붙어서 받치는 부분.
굽-갈래 명 굽의 갈라진 곳.
굽-갈이 명하타 구두 등의 닳은 굽을 새것으로 바꾸어 대는 일.
***굽:다**[1] 〔구우니, 구워〕 타ㅂ불 **1** 불에 익히거나 타게 하다. ¶고기를 구워 먹다. **2** 나무를 태워 숯을 만들다. ¶참나무로 숯을 ~. **3** 벽돌·도자기 등을 만들 때 가마에 넣고 불을 때다. ¶옹기를 ~. **4** 사진의 음화를 인화지에 옮겨 양화로 만들다. ¶사진을 ~. **5** 바닷물에 햇볕을 쬐어 소금만 남게 하다. ¶소금을 굽는 염전. **6** 〖컴〗 빈 콤팩트디스크에 음악이나 영상 정보를 기록하다. ¶시디를 ~.
***굽다**[2] ㊀형 한쪽으로 휘어져 있다. ¶S 자로 굽은 산길/등이 구부정하게 굽었다. ㊁자 한쪽으로 휘다. ¶팔은 안으로 굽는다는 말이 있다.
굽도 젖도 할 수 없다 구 형편이 막다른 데 이르러 어찌해 볼 도리가 없다.
굽:다[3] 〔구우니, 구워〕 타ㅂ불 윷놀이에서, 먼저 놓았던 말 위에 새로 붙여 어우르다. 업다. ¶두 동을 구워서 가다.
굽-달이 명 굽이 달린 접시.
굽-도리 명 (방 안의) 벽의 밑 부분. ¶~를 대다.
굽-바닥 명 **1** 굽의 밑바닥. **2** 마소 따위의 발뒤축의 단단한 살.
굽-바자 명 작은 나뭇가지로 엮어 만든 얄은 울타리.
굽슬-굽슬 부하형 털이나 실 따위가 구불구불하게 말려 있는 모양. ㉠곱슬곱슬.
굽신-거리다 자타 '굽실거리다'의 잘못.
굽실 부하자타 남의 비위를 맞추느라고 비굴하게 행동하는 모양. ¶~ 절을 하다. ㉡꿉실.
굽실-거리다 자타 남의 비위를 맞추느라고 자꾸 비굴하게 행동하다. ㉡꿉실거리다.
굽실-굽실 부하자타
굽실-대다 자타 굽실거리다.
굽-싸다 타 짐승의 네 발을 모아 얽어매다.
굽어-보다 타 **1** 고개나 허리를 굽혀 아래를 내려다보다. ¶산에 올라 시가지를 ~. **2** 아랫사람을 도우려고 사정을 살피다. ¶하늘이 ~.
굽이 명 **1** 휘어서 굽은 곳. ¶~가 많은 산길. **2** 휘어서 굽은 곳을 세는 단위. ¶몇 ~ 돌아 골목을 빠져나오다.
굽이-감다 [-따] 타 **1** 휘어서 감다. **2** 물이 굽이에 와서 빙빙 감아 돌다.
굽이-굽이 ㊀명 여러 개의 굽이. 휘어서 굽은 곳곳. ¶~마다 꽃이 핀 산길. ㊁부 **1** 여러 굽이로 구부러지는 모양. **2** 물이 굽이쳐 흐르는 모양. ¶시냇물이 ~ 흐르다. ㉠곱이곱이.
굽이-돌다 〔-도니, -도오〕 자 길이나 물줄기 따위가 굽은 데를 굽이지어 돌다. ¶굽이도는 강물.
굽이-지다 자 한쪽으로 구부러져 들다. ¶강물이 굽이진 곳.
굽이-치다 자 물이 굽이를 이루며 힘차게 흐르다. ¶파도가 ~.
굽적 부하타 머리를 숙이고 허리를 굽히는 모양. ㉠곱작. ㉡꿉적.
굽적-거리다 타 자꾸 머리를 숙이고 허리를 굽히다. ㉠곱작거리다. ㉡꿉적거리다.
굽적-굽적 부하타
굽적-대다 타 굽적거리다.
굽-정이 명 **1** 구부정하게 생긴 물건. **2** 농기구의 하나《쟁기 같되 좀 작음》.
굽-죄이다 자 《'굽죄다'의 피동》 약점이 잡히어 기를 펴지 못하다. ¶굽죄이는 데가 있는지 고개를 못 든다.
굽-질리다 자 일이 꼬이거나 장애를 만나 제대로 안되다. ¶재수 없으려니까 자꾸 일이 굽질린다.
굽-창 명 짚신이나 미투리 바닥의 뒤쪽에 덧대는 가죽 조각. ¶~을 갈다.
굽-통 명 마소의 발굽의 몸통.
***굽히다** [구피-] 타 《'굽다[2]㊀'의 사동》 **1** 구푸리다. ¶허리를 굽혀 인사하다. **2** 뜻·주장 따위를 꺾고 남을 따르다. ¶고집을 ~.
굿[1] [굳] 명하자 **1** 무당이 노래하고 춤을 추며 귀신에게 치성을 드리는 의식. ¶무당이 ~하는 광경. **2** 여러 사람이 모여 떠드는 볼 만한 구경거리.
[굿 뒤에 날장구 친다] 일이 끝나거나 결정된 뒤에 이러쿵저러쿵하다. [굿이나 보고 떡이나 먹지] 남의 일에 쓸데없는 간섭 말고 이익이나 얻자는 뜻.
굿(을) 보다 구 남의 일에 참견하지 않고 보기만 하다. ¶굿이나 보고 앉아 있기나 해라.
굿[2] [굳] 명 **1** '구덩이'의 변한말. **2** 뫼를 쓸 때의 속 구덩이.
굿-거리 [굳꺼-] 명 〖민〗 무당이 굿할 때에 치는 장단.
굿거리-장단 [굳꺼-] 명 〖악〗 농악에 쓰는 느린 4 박자의 장단. 일반적인 굿거리와 남도 굿거리가 있음.
굿-막 (-幕)[굳-] 명 〖광〗 광원들이 쉬거나 연장을 보관하기 위하여 구덩이 밖에 지은 작은 집.
굿-판 [굳-] 명 굿이 벌어진 판. ¶무당이 ~을 벌이다.
궁 (弓) 명 활.
궁[1] (宮) 명 **1** 〖역〗 궁궐. **2** 천구(天球)의 한 구분. *황도십이궁. **3** 장기에서, 장수격 되는 큰 말.
궁[2] (宮) 명 〖악〗 동양 음악에서, 오음계 가운데 첫째 음.
궁 (窮) 명 가난한 상태. 또는 그런 기색. ¶~이 들다/~을 떨다.
궁(이) 끼다 구 곤궁하게 되다.
궁경 (窮境) 명 **1** 생활이 매우 어려운 지경. ¶~에서 벗어나다. **2** 궁지. ¶~에 몰리다/~에 빠지다.
궁계 (窮計)[-/-게] 명 궁한 끝에 생각해 낸

계책. 궁책(窮策).
궁구 (窮究) 명하타 속속들이 깊이 연구함. ¶사물의 이치를 ~하다.
궁굴다 〔궁구니, 궁구오〕 형 그릇이 겉보기보다 속이 너르다.
궁굴리다 타 **1** 너그러이 생각하다. **2** 좋은 말로 구슬리다. ¶떼를 쓰는 아이를 잘 ~.
궁궐 (宮闕) 명 임금이 거처하는 집. 대궐. 궁전. 금중(禁中). 궁금(宮禁).
궁극 (窮極) 명 어떤 과정의 막바지. ¶~에 가서는 시간이 모자라 쩔쩔맨다.
궁극-스럽다 (窮極-) 〔-스러우니, -스러워〕 형ㅂ불 끝장을 내고야 말 듯이 태도가 극성스러운 데가 있다. **궁극-스레** 부
궁극-적 (窮極的) 관명 궁극에 도달하는 (것). ¶기업의 ~인 목적은 이익을 남기는 데에 있다.
궁글다 〔궁그니, 궁그오〕 형 **1** 착 달라붙어 있어야 할 물건이 들떠서 속이 비다. ¶벽지가 여기저기 궁글어 보기 흉하다. **2** 단단한 물체 속의 한 부분이 텅 비다. ¶속이 궁근 나무. **3** 소리가 웅숭깊다. ¶궁근 남자의 목소리.
궁금-증 (-症) [-쯩] 명 궁금해서 답답한 마음. ¶~을 풀어 주다.
***궁금-하다** 형여불 **1** 무엇이 알고 싶어 마음이 답답하다. ¶결과가 ~. **2** 속이 출출하여 무엇이 먹고 싶다. ¶입이 ~. **궁금-히** 부
궁기 (窮氣) [-끼] 명 궁한 기색. ¶얼굴에 ~가 잔뜩 흐르다.
궁내 (宮內) 명 대궐의 안. 궐내(闕內).
궁녀 (宮女) 명 〔역〕 나인.
궁노 (弓弩) 명 활과 쇠뇌.
궁노 (宮奴) 명 〔역〕 궁방(宮房)에 딸리어 있던 사내종.
궁달 (窮達) 명 빈궁과 영달.
궁도 (弓道) 명 **1** 궁술을 닦는 일. **2** 활 쏘는 데 지켜야 할 도의. **3** 활을 쏘는 무술.
궁도 (宮圖) 명 바둑에서, 돌이 에워싸고 있는 공간의 모양새. ¶~를 넓히다.
궁도 (窮途) 명 가난하고 어려운 처지.
궁둥-배지기 명 씨름에서, 궁둥이를 돌려 대고 몸을 비틀어 다리로 감아 상대편을 넘어뜨리는 기술.
궁둥이 명 **1** 앉아서 바닥에 닿는 엉덩이의 아랫부분. ¶~를 얻어맞다. **2** 옷에서, 엉덩이의 아래가 닿는 부분. ¶바지 ~가 해지다.
[궁둥이에서 비파 소리가 난다] 바쁘게 싸대어 조금도 쉴 겨를이 없다는 말.
궁둥이가 가볍다 구 어느 한자리에 오래 머물지 못하고 바로 자리를 뜨다.
궁둥이가 무겁다〔질기다〕 구 동작이 굼뜨고, 한번 앉으면 자리에서 일어날 줄 모르고 오랫동안 앉아 있다.
궁둥이-내외 (-內外) 명하자 여자가 남자와 마주쳤을 때 슬쩍 돌아서서 피하는 짓.
궁둥이-뼈 명 〔생〕 좌골(坐骨).
궁둥잇-바람 [-이빠- / -읻빠-] 명 신이 나서 궁둥잇짓을 하는 기세.
궁둥잇-짓 [-이찓 / -읻찓] 명하자 걷거나 춤을 출 때 궁둥이를 내흔드는 짓.
궁둥-짝 명 궁둥이의 좌우 두 짝.
궁-따다 자 시치미를 떼고 딴소리를 하다. ¶그렇게 궁딴다고 누가 모를 줄 아느냐.
궁륭 (穹窿) [-늉] 명 **1** 가운데가 가장 높고 사방 주위가 차차 낮아진 하늘 형상. **2** 활이나 무지개처럼 한가운데가 높고 길게 굽은 형상. 아치(arch). **3** 둥근 천장. 돔(dome).
궁리 (窮理) [-니] 명하타 **1** 사물의 이치를 깊이 연구함. **2** 마음속으로 이리저리 따져 곰곰이 생각함. ¶~ 끝에 묘안을 생각해 내다 / 해결 방법을 ~하다.
궁리-궁리 (窮理窮理) [-니-니] 명하타 몹시 궁리함. 또는 궁리를 거듭함. ¶~하다가 잠을 설치다.
궁마 (弓馬) 명 **1** 활과 말. **2** 궁술과 마술.
궁민 (窮民) 명 빈궁한 백성.
궁박-하다 (窮迫-) [-바카-] 형여불 몹시 곤궁하다. ¶궁박한 농촌 살림 / 재정이 몹시 ~. **궁박-히** [-바키] 부
궁방 (弓房) 명 활 만드는 곳.
궁방 (宮房) 명 〔역〕 조선 때, 대군·왕자군·공주·옹주 등 왕족이 살던 집의 총칭. 궁가(宮家).
궁벽-스럽다 (窮僻-) 〔-스러우니, -스러워〕 형ㅂ불 궁벽한 데가 있다. **궁벽-스레** 부
궁벽-하다 (窮僻-) [-벼카-] 형여불 후미지고 으슥하다. ¶궁벽한 시골. **궁벽-히** [-벼키] 부
궁사 (弓士) 명 활 쏘는 사람. 활량.
궁사 (弓師) 명 **1** 활을 만드는 사람. **2** 활잡이3.
궁상 (窮狀) 명 어렵고 궁한 상태. 궁태(窮態).
궁상 (窮相) 명 궁하게 생긴 얼굴 모습.
궁상각치우 (宮商角徵羽) 명 〔악〕 동양 음악에서, 오음(五音)의 각 명칭.
궁상-떨다 (窮狀-) 〔-떠니, -떠오〕 자 궁상이 드러나 보이도록 행동하다. ¶살 만한 형편인데 궁상떤다.
궁상-맞다 (窮狀-) [-맏따] 형 초라하고 꾀죄죄하다. ¶궁상맞은 얼굴.
궁상-스럽다 (窮狀-) 〔-스러우니, -스러워〕 형ㅂ불 궁상맞은 데가 있다. **궁상-스레** 부. ¶~ 굴지 마라.
궁색 (窮色) 명 곤궁한 기색. ¶아무리 숨겨도 ~이 완연하다.
궁색-하다 (窮塞-) [-새카-] 형여불 **1** 아주 가난하다. ¶궁색한 살림. **2** 말의 이유나 근거 따위가 부족하다. ¶궁색한 답변. **3** 태도나 입장 등이 떳떳하지 못하다. ¶입장이 궁색하게 되다.
궁성 (宮城) 명 **1** 궁궐의 성벽. 궁장(宮牆). **2** 임금이 거처하는 궁전. 궁궐.
궁수 (弓手) 명 〔역〕 활 쏘던 군사.
궁술 (弓術) 명 활 쏘는 기술. ¶~ 대회 / ~을 익히다.
궁시 (弓矢) 명 활과 화살.
궁여지책 (窮餘之策) 명 궁한 나머지 생각다 못해 짜낸 계책. 궁여일책. ¶~으로 되는 대로 둘러댔다.
궁인 (宮人) 명 〔역〕 나인.
궁전 (宮殿) 명 궁궐.
궁정 (宮廷) 명 궁궐.
궁정 (宮庭) 명 궁궐 안의 마당.
궁중 (宮中) 명 대궐 안. ¶~ 격식 / ~ 요리.
궁중 문학 (宮中文學) 궁궐 안의 생활을 그

린 작품. 또는 궁중의 귀인이 지은 작품.
궁지 (窮地) 명 매우 곤란하고 어려운 처지. 궁경. ¶~에 몰아넣다.
궁책 (窮策) 명 궁계(窮計).
궁체 (宮體) 명 조선 때, 궁녀들이 쓰던 단정하고 아담한 한글 글씨체.
궁촌 (窮村) 명 **1** 가난한 마을. 빈촌. **2** 외따로 떨어진 후미진 마을.
궁-터 (宮-) 명 궁전이 있던 자리. 궁지(宮趾). ¶유적지에서 새로 ~가 발견되었다.
궁통 (窮通) 명하자타 **1** 깊이 궁리를 잘함. **2** 궁달(窮達).
궁핍 (窮乏) 명하형히부 가난하고 구차함. ¶~을 견디다 / ~한 생활에서 벗어나다.
궁-하다 (窮-) 형여불 **1** 가난하다. ¶살림이 ~. **2** 넉넉하지 못하다. ¶용돈이 ~. **3** 어떤 일을 처리할 도리가 없다. ¶갑작스러운 물음에 대답할 말이 궁했다 / 궁하면 무엇인들 못하랴.
[궁하면 통한다] 몹시 어려운 처지에 이르면 도리어 해결할 길이 생긴다는 말.
궁한 소리 구 사정이 어려움을 하소연하는 소리.
궁합 (宮合) 명 혼담이 있는 남녀의 사주를 오행에 맞추어 보아 부부로서의 길흉을 알아보는 점. ¶~을 보다 / ~이 맞다.
궁행 (躬行) 명하타 몸소 실행함. 친행(親行). ¶실천 ~.
궁형 (弓形) 명 활처럼 굽은 형상.
궂기다 [굳끼-] 자 **1** 상사(喪事)가 나다《'죽다'의 존대어》. ¶할아버지가 ~. **2** 일에 헤살이 생겨 잘 되지 않다.
궂다 [굳따] 一형 **1** 언짢고 거칠다. ¶좋은 일 궂은 일. **2** 날씨가 나쁘다. ¶궂은 날씨. 二자 눈이 멀다.
궂은-비 명 끄느름하게 오래 오는 비.
궂은-살 명 부스럼 속의 군더더기 살. 군살. 노육(努肉).
궂은-쌀 명 깨끗이 쓿지 않은 쌀.
궂은-일 [-닐] 명 **1** 언짢고 꺼림칙한 일. ¶~을 도맡아 하다. **2** 사람 죽은 데에 관계된 일.
[궂은일에는 일가만 한 이가 없다] 상사에는 일가가 서로 도와서 초상을 치러 낸다는 말.
궂히다 [구치-] 타 **1** 죽게 하다. ¶사람을 ~. **2** 일을 그르치게 하다. ¶남의 일을 ~.
권: (勸) 명 어떤 일을 해보도록 이르는 말이나 행동. ¶~에 못 이겨 입후보하다 / 부모의 ~에 따라 법과를 지망했다.
***권** (卷) 의명 **1** 여럿이 모여 한 벌을 이루는 책의 차례를 나타내는 말. ¶토지 3~을 읽다. **2** 책을 세는 단위. ¶한 ~ / 책 두 ~. **3** 한지(韓紙) 20장을 한 묶음으로 하는 단위. ¶창호지 두 ~. **4** 영화 필름의 길이의 단위《한 권은 305 m 임》. 릴(reel)三. ¶필름 열 ~.
-권 (券) 미 '지폐, 증서, 표' 등의 뜻. ¶입장~ / 승차~ / 회수~ / 만 원~.
-권 (圈) 미 '범위, 그 테두리 안'의 뜻. ¶당선~ / 수도~ / 북극~.
-권 (權) 미 명사 뒤에 붙어 권리를 나타내는 말. ¶입법~ / 참정~ / 소유~.
권:계 (勸戒) [- / -게] 명하타 **1** 타일러 훈계함. **2** 〔불〕 불도에 인연이 있는 사람에게 수계(受戒)를 권함.
권:고 (勸告) 명하타 어떤 일을 하도록 권함. 또는 그런 말. ¶선생님의 ~에 따르다 / 보직을 맡도록 ~하다.
권:고-사직 (勸告辭職) 명 권고를 받고 그 직책에서 물러나는 일. ¶~을 당하다.
권곡 (圈谷) 명 〔지〕 빙하의 침식 작용으로 반달 모양으로 우묵하게 파인 지형. 카르(Kar).
권:권 (拳拳) 부 참된 마음으로 정성스럽게 간직하는 모양.
권:권 (眷眷) 부 **1** 가엾게 여겨 늘 생각하는 모양. **2** 연모하는 모양.
권내 (圈內) 명 일정한 범위의 안. 테두리 안. ¶합격 ~에 들다. ↔권외.
권:념 (眷念) 명하타 돌보아 생각함.
권:농 (勸農) 명하자 농사를 장려(奬勵)함. ¶~ 정책.
권능 (權能) 명 **1** 권세와 능력. ¶신의 ~. **2** 권리를 주장하고 행사할 수 있는 능력.
권:당-질 명하자 옷 속이 뚫려 통해야 할 것을 잘못하여 양쪽이 들러붙게 꿰매는 바느질.
권:도 (勸導) 명하타 타일러 지도함.
권도 (權度) 명 **1** 저울과 자. **2** 좇아야 할 규칙이나 법도.
권도 (權道) 명 목적 달성을 위해 임기응변으로 취하는 방편. ¶외교상의 ~.
권두 (卷頭) 명 (주로 '권두에'의 꼴로 쓰여) 책의 첫머리. 권수(卷首). ¶~에 실린 첫 구절. ↔권말.
권두-사 (卷頭辭) 명 권두언.
권두-언 (卷頭言) 명 잡지나 회보의 머리말. ↔권말기.
권:려 (勸勵) [궐-] 명하타 권하고 장려함.
권력 (權力) [궐-] 명 남을 지배하고 복종시키는 힘. 특히, 국가나 정부가 국민에게 행사하는 강제력. ¶~자 / ~욕 / ~을 잡다 / ~을 남용하다 / ~을 휘두르다.
권력-층 (權力層) [궐-] 명 권력을 쥐고 있는 계층이나 집단.
권력 투쟁 (權力鬪爭) [궐-] 권력을 획득하기 위한 투쟁.
***권리** (權利) [궐-] 명 **1** 권세와 이익. **2** 〔법〕 특정한 이익을 주장하고 또 누릴 수 있는 법률상의 능력. ¶~를 침해하다 / 국민의 ~를 주장하다 / 나는 그것을 행할 ~가 있다. ↔의무.
권리-금 (權利金) [궐-] 명 〔법〕 부동산 임대차 계약에서, 장소나 영업상의 특수 이익의 대가로 임대료 이외에 전(前) 영업자나 전 임대인에게 관습상 주는 돈.
권말 (卷末) 명 **1** 책의 맨 끝. ¶~ 부록. ↔권두(卷頭). **2** 책의 마지막 권.
권말-기 (卷末記) 명 책의 맨 끝에 그 책에 대한 사항을 적은 기록. ↔권두언(卷頭言).
권면 (券面) 명 증권의 겉면. 액면.
권:면 (勸勉) 명하타 알아듣도록 권하고 격려하여 힘쓰게 함.
권모 (權謀) 명 그때의 형편에 따라 꾀하는 계략. 권략(權略).
권모-술수 (權謀術數) [-쑤] 명 목적을 달성하기 위해 모략과 중상 등 온갖 수단과 방법을 쓰는 술책. ¶온갖 ~를 다 부리다 / ~에 능하다. [준]권수·권술(權術).
권문 (權門) [명] '권문세가'의 준말.
권문-세가 (權門勢家) [명] 벼슬이 높고 권세 있는 집안.
권:배 (勸杯) [명][하자] 술잔을 권함.
권번 (券番) [명] 일제 강점기에 있었던 기생들의 조합.
권:법 (拳法)[-뻡] [명] **1** 주먹을 놀려 하는 운동. **2** 주먹을 휘둘러 격투하는 기술.
권병 (權柄) [명] 권력을 가지고 마음대로 사람을 좌우할 수 있는 힘. 또는 그 신분.
권부 (權府) [명] 권력을 행사하는 관부(官府).
권불십년 (權不十年)[-심-] [명] 권세는 십 년을 못 간다는 뜻에서, 아무리 권세가 높다 해도 오래가지 못한다는 말. *화무십일홍(花無十日紅).
권:사 (勸士) [명] 〖기〗 신자를 방문하여 신앙심을 북돋우고 전도하는 교직. 또는 그런 사람.
권:선 (勸善) [명][하타] **1** 선을 권하고 장려함. **2** 〖불〗 불가에서 시주하기를 청함.
권:선-징악 (勸善懲惡) [명] 착한 일을 권장하고 악한 일을 징계함. ¶~ 소설.
권세 (權勢) [명] 권력과 세력. 권력을 쥐어 위세가 있음. ¶~를 누리다 / ~를 부리다 / ~가 등등한 세도가.
권:속 (眷屬) [명] **1** 권솔. ¶~을 거느리다. **2** '아내'의 낮춤말.
권:솔 (眷率) [명] 한집에 거느리고 사는 식구. 식솔. ¶딸린 ~이 많다.
권수 (卷首) [명] **1** 책의 첫째 권. **2** 권두.
권수 (卷數)[-쑤] [명] 책의 수효.
권신 (權臣) [명] 권세를 가진 신하.
권:양-기 (捲揚機) [명] 윈치(winch).
권:언 (勸言) [명] 권하는 말.
권역 (圈域) [명] 특정한 범위 안의 지역. ¶중부권 개발 ~.
권외 (圈外) [명] 일정한 범위나 테두리의 밖. ¶경쟁 ~ / 당선 ~로 떨어지다. ↔권내.
권운 (卷雲) [명] 상층운의 하나로, 흰 머리털이나 나란히 된 가는 실올 같은 구름. 털구름. 새털구름. ☞구름.
권위 (權威) [명] **1** 일정한 분야에서 사회적으로 인정을 받고 영향을 끼칠 수 있는 능력이나 위신. 또는 그런 사람. ¶~ 있는 해석 / 사계(斯界)의 ~. **2** 남을 복종시키는 힘. ¶~를 세우다 / ~가 땅에 떨어지다.
권위-자 (權威者) [명] 어떤 분야의 탁월한 전문가. ¶그는 로마법의 ~다.
권위-주의 (權威主義)[-/-이] [명] 권력이나 위력으로 남을 억누르거나 권위에 맹목적으로 복종하게 하려는 사고방식이나 행동 양식.
권:유 (勸誘) [명][하타] 권해서 하도록 함. ¶~를 받다 / 회원 가입을 ~하다.
권:유 (勸諭) [명][하타] 권하여 타이름.
권익 (權益) [명] 권리와 거기에 따르는 이익. ¶~ 옹호 / 소비자의 ~을 보호하다.
권:장 (勸奬) [명][하타] 권하여 장려함. ¶독서를 ~하다 / 에너지 절약이 적극 ~되다.
권:장 가격 (勸奬價格)[-까-] 〖경〗 정부가 적당하다고 생각하는 표준을 표시한 가격.
권적-운 (卷積雲) [명] 상층운의 하나로, 작은 덩이 진 흰 구름이 물고기 비늘처럼 널려 있는 구름. 털쌘구름. 조개구름. 비늘구름. ☞구름.
권점 (圈點)[-쩜] [명] **1** 글의 요점이나 끝에 찍는 둥근 점. **2** 한자의 사성(四聲) 표시의 점. **3** 〖역〗 조선 때, 벼슬아치를 뽑을 때 후보자의 이름 밑에 둥근 점을 찍던 일. 또는 그 점. —**-하다** [타][여불] 권점을 찍어 관원을 뽑다.
권좌 (權座) [명] 권세의 자리. 권력을 쥔 지위. ¶~에 오르다 / ~에서 물러나다.
권:주 (勸酒) [명][하자] 술을 권함.
권:주-가 (勸酒歌) [명] 술을 권하며 부르는 노래.
권질 (卷帙) [명] 책을 세는 단위의 권(卷)과 질(帙).
권:척 (卷尺) [명] 줄자.
권:총 (拳銃) [명] 한 손으로 쏠 수 있는 짧고 작은 총. 피스톨. ¶~ 한 자루 / ~을 쏘다 / ~을 차다.
권:축 (卷軸) [명] **1** 글씨나 그림 등을 표구해 말아 놓은 축. **2** 족자 아래에 가로지르는 둥글고 긴 막대기.
권층-운 (卷層雲) [명] 상층운의 하나로, 푸른 하늘에 흰 새털이나 얇은 솜털처럼 퍼져 있는 구름. 털층구름. 햇무리구름. 솜털구름. ☞구름.
권:태 (倦怠) [명] 어떤 일이나 상태에 시들해져서 생기는 게으름이나 싫증. ¶~를 느끼다.
권:태-기 (倦怠期) [명] 흔히 부부 관계에서 권태를 느끼는 시기. ¶~에 접어든 부부.
권:태-롭다 (倦怠-)[-로우니, -로워] [형][ㅂ불] 게을러지고 싫증나는 느낌이 있다. 심신이 피로하고 나른한 느낌이 있다. ¶권태로운 나날. **권:태-로이** [부]
권:토-중래 (捲土重來)[-내] [명][하자타] 〔당(唐)의 시인 두목(杜牧)이, 항우(項羽)가 유방에게 패한 뒤 오강(烏江)에서 자결한 것을 애도하여 지은 시에 나온 말〕 한 번 패했다가 세력을 회복해서 다시 쳐들어옴. ¶~를 기하고 일단 물러나다.
권:투 (拳鬪) [명] 두 사람이 링 위에서 양손에 글러브를 낀 주먹으로 서로 치고 막고 하는 운동 경기. 복싱. ¶~ 선수 / ~ 장갑.
***권:-하다** (勸-) [자타][여불] **1** 어떤 일을 하도록 말하다. 권고하다. ¶입원하도록 ~. **2** 음식을 먹도록 하다. ¶손님에게 술을 ~.
권커니 잣거니 [구] 권하거니 마시거니의 뜻으로, 술 따위를 권하기도 하고 받기도 하면서 계속해서 마시는 모양. ¶둘이서 ~ 술을 마시다.
권:학 (勸學) [명][하타] 학문에 힘쓰도록 권함.
권한 (權限) [명] **1** 국가·지방 자치 단체 등이 법령에 의하여 할 수 있는, 권능과 그 범위. ¶~을 행사하다. **2** 할 수 있는 권리의 범위. ¶무슨 ~으로 시키느냐.
권한 대:행 (權限代行) 어떤 권한을 다른 사람이나 기관이 대신 행하는 일. 또는 그 사람. ¶대통령 ~.
권형 (權衡) [명] **1** 저울추와 저울대. 곧, 저울이라는 뜻으로, 사물의 경중(輕重)을 재는 척도. **2** 사물의 균형. 권칭.
권:화 (勸化) [명][하타] 〖불〗 **1** 불교를 믿지 않

는 사람을 설득하여 불도에 들게 함. **2** 스님이 보시(布施)를 청함.

권화 (權化) 명 〖불〗 부처나 보살이 중생을 구제하려고 인간계에 사람으로 나타나는 일. 또는 그 화신. 분신.

궐[1] (闕) 명 궁궐. ¶ ~에 들어가다.

궐[2] (闕) 명하자타 **1** 참여하지 않음. **2** 자리가 비거나 차례가 빠짐. ¶ ~이 나다. **3** 해야 할 일을 빠뜨림.

궐기 (蹶起) 명하자 **1** 벌떡 일어남. **2** 여러 사람이 어떤 목적을 이루기 위해 힘차게 일어남. ¶ 압제에 맞서 시민이 ~하다.

궐기 대:회 (蹶起大會) 여러 사람이 함께 궐기의 뜻을 공식적으로 나타내는 모임. ¶ ~를 갖다.

궐-나다 (闕-)[-라-] 자 결원이 생기다.

궐내 (闕內)[-래] 명 대궐 안. 궁내. 궁중. ↔궐외.

궐-내다 (闕-)[-래-] 자 결원(缺員)이 생기게 하다.

궐:련 명 〔←권연(卷煙)〕 얇은 종이로 말아 놓은 담배. ¶ ~을 입에 물다.

궐:련-갑 (-匣)[-깝] 명 〔←권연갑(卷煙匣)〕 **1** 궐련을 넣어 봉한 종이 갑. **2** 궐련을 몸에 지니도록 상자처럼 만든 갑.

궐문 (闕門) 명 대궐의 문. 금문(禁門).

궐석 (闕席)[-썩] 명하자 결석.

궐외 (闕外) 명 대궐의 밖. ↔궐내.

궐자 (厥者)[-짜] 인대 '그 사람, 그'를 낮잡아 이르는 말.

궐직 (闕直)[-찍] 명하자 숙직이나 일직 따위의 차례에서 빠짐.

궤: (几) 명 〖역〗 **1** 중신(重臣)이 벼슬을 그만둘 때 임금이 주던 팔을 기대는 물건. **2** 제향에 쓰던 탁상의 하나. **3** 장사 때에 시체와 함께 무덤에 묻던 물건.

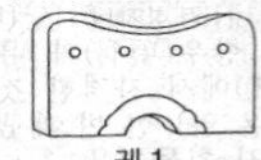

궤1 궤2

궤: (軌) 명 **1** 수레의 두 바퀴 사이의 간격. **2** 수레바퀴의 자국. **3** 무슨 일의 경로.

궤를 같이하다 구 어떤 방침이나 논리, 사고방식 따위가 방향을 같이하다.

궤: (櫃) 명 물건을 넣도록 나무 등으로 상자처럼 만든 그릇. 궤짝. ¶ ~를 짜다 / 돈을 ~에 넣다.

궤:간 (軌間) 명 철도 레일의 안쪽 너비.

궤:계 (詭計)[-/-게] 명 간사하게 남을 속이는 꾀. 궤모(詭謀).

궤:도 (軌道) 명 **1** 레일을 깐 기차나 전차의 길. **2** 물체가 일정한 법칙에 따라 운동할 때 그리는 일정한 경로. ¶ 유도탄의 ~. **3** 천체가 돌아가는 일정한 길. ¶ 달의 ~. **4** 일이 진행해 가는 일정한 방향. ¶ 정상 ~에 오르다 / ~ 수정이 불가피하다.

궤란-쩍다 형 주제넘다. 행동이 건방지다.

궤란-하다 (憒亂-) 형여불 마음이 산란하다.

궤:멸 (潰滅) 명하자타 무너져 없어짐. 무너져 못 쓰게 함. ¶ 적군이 완전히 ~되다 / 대군을 일시에 ~하다.

궤:배 (跪拜) 명하자 무릎을 꿇고 절함.

궤:범 (軌範) 명 본보기가 될 만한 모범.

궤:변 (詭辯) 명 **1** 이치에 맞지 않는 변론. ¶ ~을 늘어놓다. **2** 〖논〗 상대방의 사고(思考)를 혼란시키거나 판단을 흐리게 하여 거짓을 참인 것처럼 꾸며 대는 논법.

궤:변-가 (詭辯家) 명 궤변을 잘하는 사람.

궤:복 (跪伏) 명하자 무릎을 꿇고 엎드림.

궤:산 (潰散) 명하자 무너져 흩어짐. 또는 싸움에 져서 흩어져 도망함.

궤:상 (机上) 명 책상 위. 탁상.

궤:설 (詭說) 명 거짓으로 속이는 말.

궤:술 (詭術) 명 사람을 속이는 수단이나 방법. 궤책.

궤:안 (几案) 명 의자·사방침·안석(案席) 등의 통칭.

궤:양 (潰瘍) 명 〖의〗 피부나 점막 등이 짓무르고 허는 증상.

궤:연 (几筵) 명 죽은 사람의 영궤(靈几)와 혼백·신주를 모셔 두는 곳.

궤:적 (軌跡·軌迹) 명 **1** 수레바퀴가 지나간 자국. 바큇자국. **2** 선인(先人)의 행적. 사람이나 어떤 일의 지나온 흔적. **3** 〖수〗 '자취2'의 구용어.

궤:주 (潰走) 명하자 싸움에 패하여 뿔뿔이 흩어져 달아남.

궤:-지기 명 좋은 것은 다 고르고 찌끼만 남아서 쓸모없게 된 것.

궤:-짝 (櫃-) 명 〈속〉 궤(櫃). ¶ 사과 ~.

궤:하 (机下) 명 **1** 책상 아래. **2** 편지 겉봉의 받는 사람 이름 뒤에 쓰는 높임말.

궤:휼 (詭譎) 명하형 교묘하고 간사스러움. 또는 교묘한 속임수.

궤:휼 (饋恤) 명하타 가난한 사람에게 물건을 주어 구제함.

***귀** 명 **1** 〖생〗 오관의 하나로 얼굴 좌우에 있어 청각을 맡은 기관. ¶ ~가 먹다. **2** '귓바퀴'의 준말. ¶ ~가 크다. **3** '귀때'의 준말. ¶ 도가니의 ~로 쇳물을 따르다. **4** 넓적한 물건의 모퉁이 끝. ¶ 신문지의 ~를 맞추다. **5** 바늘의 실 꿰는 구멍. ¶ ~에 실을 꿰다. **6** 두루마기의 양쪽 겨드랑이 밑에 손 넣는 구멍. ¶ 두루마기의 양쪽 ~를 크게 내다. **7** 두루마기나 저고리의 섶 끝. **8** 바둑판의 모퉁이 부분. ¶ ~에서 겨우 살다. **9** 돈머리에 좀 더 붙은 우수리. ¶ ~ 달린 천원.

[귀가 보배다] 귀로 얻어들어 아는 것이 많다. [귀에 걸면 귀걸이 코에 걸면 코걸이] 이렇게도 저렇게도 둘러댈 탓이다.

귀가 가렵다 구 남이 자기에 대한 말을 하는 것 같다.

귀(가) 따갑다 구 ㉠소리가 날카로워 듣기에 몹시 시끄럽다. ¶ 매미 소리가 ~. ㉡싫증이 나도록 여러 번 들어 듣기가 싫다. ¶ 마누라의 잔소리가 ~.

귀(가) 떨어진 돈 구 가장자리가 떨어져 나간 돈.

귀가 뚫리다 구 말귀를 알아듣게 되다.

귀(가) 밝다 구 ㉠작게 나는 소리도 잘 구별하여 듣다. ㉡남이 하는 말을 잘 알아듣다. ㉢정보나 소식 같은 것을 남보다 먼저 알고 있다.

귀가 번쩍 뜨이다 ; 귀가 번쩍하다 구 뜻밖에 반가운 소리를 들어, 막혔던 귀가 뚫리는 것 같다.

귀가 솔깃하다 구 어떤 말을 듣고 그럴듯하게 여겨져 마음이 쏠리다. ¶결혼 이야기에 귀가 솔깃해졌다.
귀(가) 아프다 구 ㉠너무 시끄러워서 듣기 싫다. ㉡잔소리를 너무 늘어놓아 듣기 싫다. ㉢너무 자주 들어 듣기 싫다. ¶그 말은 귀가 아프도록 들었네.
귀(가) 어둡다 구 ㉠말을 잘 못 알아듣다. ㉡방이 쉽사리 더워지지 아니하다. ㉢시대에 뒤떨어져 새 소식을 알지 못하다.
귀(가) 여리다 구 남의 말을 곧이듣기를 잘하다. 잘 속아 넘어가다.
귀가 절벽이다 구 ㉠귀가 아주 들리지 아니하다. ㉡사리에 어둡다.
귀(를) 기울이다 구 남이 하는 말을 주의 깊게 듣다. ¶두 사람의 밀담에 나도 모르게 귀를 기울였다.
귀(를) 세우다 구 잘 들으려고 주의를 집중시키다.
귀를 의심하다 구 믿을 수 없는 이야기를 들어 잘못 들은 것이 아닌가 생각하다.
귀에 거슬리다 구 어떤 말이 언짢게 느껴지다. ¶명령하는 듯한 말투가 ~.
귀(에) 거칠다 구 하는 말이 사리에 맞지 않아 듣기에 거북하다.
귀에 들어가다 구 누구에게 알려지다.
귀에 못이 박이다 구 같은 말을 여러 번 들어, 귀찮고 싫은 느낌이 들다. ¶공부하라는 말은 귀에 못이 박일 정도로 들었다.
귀(에) 설다 구 귀에 익지 않아 듣기에 서투르다. ¶귀에 선 이야기.
귀(에) 익다 구 여러 번 들어 익숙하다. ¶귀에 익은 목소리.
귀:(貴) 관 상대편을 높이는 말. ¶~ 출판사.
귀:-(貴) 두 '희귀한, 존귀한, 값비싼'의 뜻. ¶~금속 / ~부인.
귀:가(歸家) 명하자 집으로 돌아오거나 돌아감. ¶~ 시간이 늦다 / 학생을 일찍 ~시키다.
귀감(龜鑑) 명 거울로 삼아 본보기가 될 만한 것. ¶군인의 ~이 되다.
귀갑(龜甲) 명 거북 등의 껍데기.
귀:객(貴客) 명 귀한 손님. 귀빈.
귀:거래(歸去來) 명 관직을 그만두고 고향으로 돌아감.
귀-걸이 명 **1** 추위를 막기 위해 귀를 싸는 물건. **2** 귀고리.
귀:견(貴見) 명 상대자의 의견을 높이는 말. ¶~을 듣고자 합니다.
귀:결(歸結) 명하자 **1** 가정(假定)에서 미루어 생각해 낸 결과. 결론. 종결. **2** 어떤 결론이나 결말에 이름. 또는 그 결론이나 결말. ¶자연스러운 ~ / ~을 짓다.
귀:결-부(歸結符) 명 수의 계산이나 문제를 풀어 귀결된 식을 보일 때 그 식 앞에 쓰는 부호(∴). 결과표. 고로표.
귀:경(歸京) 명하자 서울로 돌아오거나 돌아감. ¶~ 차량 / ~을 서두르다.
귀-고리 명 귓불에 다는 장식품. 귀걸이. ¶~를 달고 다니다.
귀:곡(鬼哭) 명 귀신의 울음.
귀:곡-새(鬼哭-) 명 음침한 날이나 밤에 구슬프게 우는 부엉이. 귀곡조(鬼哭鳥).
귀:곡-성(鬼哭聲) 명 **1** 귀신의 울음소리. **2** 귀곡새의 울음소리.
귀:골(貴骨) 명 **1** 귀한 사람이 될 생김새나 체격. 귀격. ↔천골(賤骨). **2** 귀하게 자란 사람.
귀:공(貴公) 인대 나이가 같은 또래나 손아랫사람에 대한 호칭.
귀:-공자(貴公子) 명 **1** 귀한 집안에 태어난 남자. **2** 생김새나 몸가짐이 의젓하고 고상한 남자. 귀자(貴子).
귀:관(貴官) 인대 **1** 군대 등에서, 상급자가 하급자를 높여서 부르는 말. **2** 관리를 공경하여 부르는 말.
귀:교(歸校) 명하자 학교로 돌아오거나 돌아감.
귀:국(貴國) 명 상대방의 나라를 높여서 부르는 말. 귀방(貴邦). ¶~ 대사관. ↔폐국(弊國).
귀:국(歸國) 명하자 외국에 있던 사람이 자기 나라로 돌아가거나 돌아옴. 환국(還國). ¶~ 길에 오르다 / 오랜 유학 생활을 끝내고 ~하다.
귀-글(←句-) 명 한시(漢詩)처럼 두 마디가 한 덩이씩 되게 지은 글.
귀:-금속(貴金屬) 명 〖화〗 귀하여 값이 비싼 금속. 화학 작용을 거의 받지 않으며 항상 아름다운 광택을 가짐《백금·금·은 따위》. ↔비금속.
귀:기(鬼氣) 명 귀신이 나올 듯한 무서운 기운. ¶~가 감돌다.
귀-기둥 명 〖건〗 건물 모퉁이에 세운 기둥.
귀꿈-스럽다 〔-스러우니, -스러워〕 형ㅂ불 **1** 어울리지 않고 촌스럽다. **2** 흔하지 않을 정도로 후미지고 으슥하다. **귀꿈-스레** 부
귀-나다 자 **1** 모가 반듯하지 않고 비뚤어지다. ¶색종이를 귀나게 접다. **2** 의견이 서로 빗나가서 틀어지다.
귀:납(歸納) 명하타 개개의 구체적 사실로부터 일반적인 명제 및 법칙을 유도해 내는 일. ↔연역(演繹).
귀:납-법(歸納法) 명 귀납적으로 추리하는 방법. ↔연역법.
귀:납-적(歸納的) 관명 귀납의 방법으로 추리하는 (것). ¶~ 논리. ↔연역적.
귀넘어-듣다 〔-들으니, -들어〕 타ㄷ불 주의하지 않고 예사로 아무렇게나 듣다. ¶선생님의 충고를 ~. ↔귀여겨듣다.
귀:농(歸農) 명하자 농촌을 떠났던 사람이 다시 농촌으로 돌아감. ¶일시적 ~ 현상. ↔이농(離農).
귀-담다 [-따] 타 (주로 '귀담아'의 꼴로 쓰여) 마음에 잘 새겨 두다. ¶그런 농담은 귀담아 둘 필요 없다.
귀담아-듣다 〔-들으니, -들어〕 타ㄷ불 주의하여 잘 듣다. ¶남의 의견을 ~.
귀:대(歸隊) 명하자 자기 부대로 돌아가거나 돌아옴. ¶~ 시간을 꼭 지켜라 / 비상사태가 벌어지면 곧바로 ~해야 한다.
귀:댁(貴宅) 명 〔←귀택〕 상대편 집안의 높임말. ¶~의 자녀.
귀-돌 명 돌로 쌓아 만든 건물이나 벽의 모퉁잇돌.
귀-동냥 명하타 남들이 하는 말을 곁에서 얻어들음. ¶~으로 배우다.

귀:-동자 (貴童子) 명 특별히 귀염을 받거나 귀하게 자란 사내아이.
귀:두 (鬼頭) 명 재앙을 물리치기 위하여 종마루의 양끝에 세운 도깨비 머리 모양의 장식.
귀두 (龜頭) 명 **1** 귀부(龜趺). **2**〖생〗음경의 끝 부분.
귀둥-대둥 부하자 말이나 행동을 아무렇게나 하는 모양. ¶～ 지껄이다.
귀:-둥이 (貴-) 명 특별히 귀염을 받는 아이. 귀동(貴童).
귀때 명 주전자의 부리처럼 액체를 따르기 쉽도록 따로 내밀어 만든 구멍. ¶～가 달린 항아리. 준귀.
귀-때기 명 〈속〉 귀. ¶～를 갈기다.
귀때-동이 명 귀때가 달린 동이.

귀때동이

***귀뚜라미** 명〖충〗귀뚜라밋과의 곤충. 몸길이는 약 2 cm로 원통상, 빛은 흑갈색임. 땅속에서 알로 월동하였다가 8-10월에 나타나 정원·풀밭·부엌 등에 살면서 수컷이 욺. 촉각이 몸보다 긺. 준귀뚜리.
귀뚜리 명 '귀뚜라미'의 준말.
귀뚤-귀뚤 부 귀뚜라미의 우는 소리.
귀띔 [-띰] 명하타 눈치로 알아차릴 만큼 슬그머니 일러 줌. ¶도망가라고 ～해 주다.
귀:래 (歸來) 명하자 돌아옴.
귀:로 (歸路) 명 돌아가거나 돌아오는 길. 귀정(歸程). ¶～에 오르다 / ～에 학원에 들르다.
귀:리 명〖식〗볏과의 두해살이 재배 식물. 높이 약 90 cm. 잎은 가늘고 긺. 열매는 식용 및 사료용으로 씀. 연맥(燕麥).
귀-마개 명 **1** 귀를 막는 물건. **2** 추위를 막기 위해 귀를 싸는 물건.
귀-머거리 명 귀가 먹어 소리를 듣지 못하는 사람. 농자(聾者).
[귀머거리 삼 년이요 벙어리 삼 년이라] 여자가 시집가면 매사에 흉이 많으니 남의 말을 듣고도 못 들은 체, 하고 싶은 말이 있어도 하지 말아야 한다는 뜻으로, 시집살이의 어려움을 이르는 말.
귀-먹다 자 **1** 귀가 어두워져 소리가 잘 들리지 아니하게 되다. ¶열병을 앓고 귀먹었다. **2** 남의 말을 이해하지 못하다. **3** 그릇에 금이 가서 소리가 털털거리다.
귀:면 (鬼面) 명 **1** 귀신의 얼굴. **2**〖건〗사래 끝에 붙이는, 귀신의 얼굴을 그린 장식.
귀:명 (貴命) 명 주로 편지 글에서, '당신의 명령'의 높임말. ¶～을 받들겠나이다.
귀:물 (貴物) 명 **1** 귀중한 물건. **2** 드물어서 얻기 어려운 물건.
귀-밑 [-믿] 명 귀 아래쪽의 뺨.
귀밑이 빨개지다 구 부끄러워서 얼굴이 빨개지다.
귀밑-때기 [-믿-] 명 〈속〉 귀밑. ¶～가 새파란 놈이 버릇이 말이 아니다.
귀밑-머리 [-민-] 명 **1** 이마의 좌우로 갈라 귀 뒤로 넘겨 땋은 머리. **2** 귀밑 가까이에 난 머리털.

귀밑머리 1

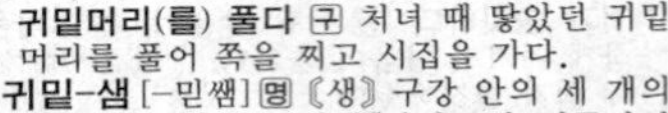
귀밑머리(를) 풀다 구 처녀 때 땋았던 귀밑머리를 풀어 쪽을 찌고 시집을 가다.
귀밑-샘 [-믿쌤] 명〖생〗구강 안의 세 개의 침샘 중 가장 큰 침샘《하악골의 뒤쪽까지 접하여 삼각형으로 구강 앞 밑에 벌어짐》. 이하선(耳下腺).
귀밑-털 [-믿-] 명 살쩍.
귀박 명 나무를 직사각형으로 네 귀가 지게 파서 자그마하게 만든 함지박.
귀-밝이 [-발기] 명 '귀밝이술'의 준말.
귀밝이-술 [-발기-] 명 음력 정월 대보름날 아침에, 귀가 밝아지라고 마시는 술. 이명주(耳明酒). 준귀밝이.
귀:범 (歸帆) 명하자 멀리 나갔던 돛단배가 돌아옴.
귀:부 (鬼斧) 명 귀신의 도끼라는 뜻으로 신기한 연장이나 훌륭한 세공(細工)을 일컫는 말.
귀부 (龜趺) 명 거북 모양을 한 비석의 받침돌. 신라 초기부터 쓰였음.
귀:-부인 (貴婦人) 명 지체가 높은 부인.
귀:빈 (貴賓) 명 귀한 손님. ¶내외 ～/～ 대접을 받다.
귀:빈-석 (貴賓席) 명 귀빈을 모시려고 특별히 마련하여 놓은 자리.
귀-빠지다 자 〈속〉 태어나다.
귀빠진 날 구 자기가 이 세상에 태어난 날. 곧, 생일날.
귀-뿌리 명 귓바퀴가 뺨에 붙은 부분. 이근(耳根).
귀:사 (貴社) 명 상대편 회사의 높임말. ¶～의 구매 요청.
귀살머리-스럽다 〔-스러우니, -스러워〕 형ㅂ불 몹시 귀살스럽다. **귀살머리-스레** 부
귀살머리-쩍다 형 몹시 귀살쩍다.
귀살-스럽다 〔-스러우니, -스러워〕 형ㅂ불 귀살쩍은 느낌이 있다. **귀살-스레** 부
귀살-쩍다 형 일이나 물건 따위가 복잡하게 뒤얽혀 정신이 뒤숭숭하거나 산란하다.
귀:상 (貴相) 명 장차 귀한 사람이 될 얼굴 생김새.
귀:서 (貴書) 명 귀함(貴函).
귀:성 (歸省) 명하자 객지에서 부모를 뵈러 고향에 돌아가거나 돌아옴. ¶～ 열차 / 정거장마다 ～ 인파로 붐빈다.
귀:성-스럽다 〔-스러우니, -스러워〕 형ㅂ불 제법 엇구수한 데가 있다. **귀:성-스레** 부
귀:성-지다 형 귀성스럽게 느껴지다.
귀:소 본능 (歸巢本能)〖동〗동물이 일정한 집이나 둥지 등에서 멀리 다른 곳으로 갔다가도 되돌아오는 성질《비둘기·제비·개·개미·벌 따위에서 나타남》. 귀소성.
귀:소-성 (歸巢性) [-썽] 명〖동〗귀소 본능.
귀:속 (歸屬) 명하자타 **1** 본디 자리에 돌아가 붙음. **2** 재산이나 권리, 영토 따위가 특정한 사람이나 단체, 국가의 것이 됨. ¶수익은 주최자에게 ～한다 / 토지가 전 소유자에게 ～되다.
귀:순 (歸順) 명하자 적군이나 적이었던 사람이 반항심을 버리고 복종하거나 순종함. ¶～ 용사 / ～하기를 권하다.
***귀:신** (鬼神) 명 **1** 죽은 사람의 넋. **2** 미신에서, 사람에게 화복을 준다는

존재. ¶ ~에게 빌다. **3** 어떤 일에 남보다 뛰어난 재주가 있는 사람. ¶ 수학을 푸는 데는 ~이다. **4** 생김새나 몰골이 몹시 사나운 사람. ¶ ~처럼 화장을 하다.
[귀신 씻나락 까먹는 소리] ㉠우물우물 말하는 소리의 비유. ㉡몇 사람이 수군거리는 소리. ㉢조리에 맞지 않는 황당한 소리.
[귀신이 곡한다] 신기하고 기묘하다.
귀신도 모르다 구 귀신도 모를 만큼 아주 감쪽같다. ¶ 귀신도 모르게 빠져나가다.
귀신(이) 들리다 구 사람이 영적(靈的)·악귀적(惡鬼的) 존재에 씌다.
귀신(이) 씌다 구 사람이 귀신에 홀려서 정신을 차리지 못하다.
귀:신-같다 (鬼神-)[-갇따] 형 추측이나 기술, 솜씨 따위가 기막히게 신통할 때 감탄조로 하는 말. ¶ 귀신같은 솜씨로 해치우다. **귀:신-같이** [-가치] 부
귀-싸대기 명 '귀와 뺨과의 어름'을 속되게 이르는 말. ¶ ~를 갈기다.
귀싸대기를 올리다 구 귀싸대기를 때리다.
귀-앓이 [-아리] 명 귓병.
귀:애 (貴愛) 명하타 귀엽게 여겨 사랑함. ¶ 재롱둥이 막내딸을 ~하는 아버지.
귀얄 명 풀칠이나 옻칠하는 데 쓰는 솔.

귀얄

귀양 명 〔←귀향(歸鄕)〕〘역〙 고려·조선 때, 형벌의 하나. 죄인을 타향의 먼 시골이나 외딴섬으로 보내어, 일정한 기간 그 지역에서만 지내게 하던 형벌. ¶ ~을 보내다 / ~을 살다.
귀양(을) 가다 구 ㉠귀양살이를 가다. ¶ 죄없이 ~. ㉡〈속〉 좌천되다.
귀양-살이 명하자 **1**〘역〙 귀양 가서 부자유스럽게 지내는 생활. ¶ ~에서 풀리다. **2** 외딴곳에서 세상과 동떨어져 삶을 비유하여 이르는 말.
귀엣-말 [-엔-] 명하자 남의 귀에 대고 소곤소곤하는 말. 귓속말. ¶ ~로 속삭이다.
귀여겨-듣다 〔-들으니, -들어〕 타ㄷ불 정신 차려 주의 깊게 듣다. ¶ 어른 말씀을 귀여겨듣지 않는다. ↔귀넘어듣다.
귀:여워-하다 타여불 귀엽게 여기다. ¶ 외동딸이라고 유난히 귀여워한다.
귀:염 명 **1** 사랑스러워 귀엽게 여기는 마음. ¶ 선생님의 ~을 받다. **2** 예쁘고 애교가 있어 사랑스러움. ¶ ~을 떨다.
귀:염-둥이 명 아주 귀여운 아이. 귀염을 받는 아이.
귀:염-성 (-性)[-썽] 명 귀염을 받을 만한 성질이나 바탕. ¶ ~ 있는 얼굴.
***귀:엽다** 〔귀여우니, 귀여워〕 형ㅂ불 예쁘고 사랑스럽다. ¶ 귀여운 아이 / 인형이 ~.
귀:영 (歸營) 명하자 군인이 업무나 휴가 따위로 부대 밖으로 나갔다가 부대로 돌아오거나 돌아감.
귀-울음 명 이명(耳鳴).
귀:의 (歸依)[-/-이] 명하자 **1** 돌아가 몸을 의지함. **2**〘불〙 부처와 불법(佛法)과 승려를 깊이 믿고 의지함. ¶ 불교에 ~하다.
귀-이개 명 귀지를 파내는 기구.
귀:인 (貴人) 명 **1**〘역〙 왕의 후궁에게 내리던 종일품 내명부의 봉작(封爵). **2** 신분이나 지위가 높고 귀한 사람. ↔천인(賤人).
귀:인성-스럽다 (貴人性-)[-썽-] 〔-스러우니, -스러워〕 형ㅂ불 신분이나 지위가 높고 귀하게 될 바탕이나 성질이 있다. **귀:인성-스레** [-썽-] 부
귀:일 (歸一) 명하자 **1** 여러 갈래로 나뉜 것이 하나로 합쳐짐. **2** 여러 일의 결말이 한 가지 결과로 나타남.
귀:임 (歸任) 명하자 근무지로 돌아가거나 돌아옴. ¶ 해외 출장에서 ~하다.
귀-잠 명 아주 깊이 든 잠. ¶ ~이 들다.
귀:재 (鬼才) 명 보기 드물게 뛰어난 재능. 또는 그런 재능을 가진 사람.
귀접-스럽다 〔-스러우니, -스러워〕 형ㅂ불 **1** 더럽고 지저분한 데가 있다. **2** 사람됨이 천하고 비루한 데가 있다. **귀접-스레** 부
귀-접이 명하타 물건의 귀를 깎아 버리거나 접어 붙이는 일.
귀:정 (歸正) 명하자 그릇되었던 일이 바른 길로 돌아옴. ¶ ~이 나서 이제 안심이다 / ~을 짓다.
귀-젖 [-젇] 명 **1** 귓속에서 고름이 나오는 귓병. 또는 그 고름. ¶ ~을 앓다. **2** 귀에 젖꼭지처럼 볼록 나온 군살.
귀:족 (貴族) 명 가문이 좋거나 신분 따위가 높아 정치적·사회적 특권을 세습하는 계층. 또는 그 계층에 속한 사람. ¶ ~ 출신 / 왕족과 ~들이 모여 환담하다. ↔평민.
귀:족-적 (貴族的) 관명 귀족다운 모습과 기풍이 있는 (것). ¶ ~인 풍채.
귀-주머니 명 네모지게 만들어 아가리께로 절반을 세 골로 접어 아래의 양쪽으로 귀가 나오게 한 주머니.

귀주머니

귀:중 (貴中) 명 편지나 물품 따위를 받을 단체나 기관의 이름 아래에 쓰는 높임말. ¶ 민중서림 편집국 ~.
귀중중-하다 형여불 매우 더럽고 지저분하다. **귀중중-히** 부
귀:중-품 (貴重品) 명 귀중한 물품. 준귀품.
***귀:중-하다** (貴重-) 형여불 귀하고 중요하다. ¶ 귀중한 연구 자료. **귀:중-히** 부. ¶ 내가 ~ 여기는 물건.
귀:-지 명 귓구멍 속에 낀 때. ¶ ~가 많다 / ~를 후비다.
귀:지 (貴誌) 명 상대방의 잡지를 높여 이르는 말.
귀:지 (貴紙) 명 상대방의 신문을 높여 이르는 말.
귀:착 (歸着) 명하자 **1** 돌아오거나 돌아가 닿음. ¶ 부산발 비행기는 12시 ~ 예정임. **2** 의논이나 의견 따위가 어떤 결론에 다다름. ¶ 삶의 목표는 결국 행복으로 ~됩니다.
***귀찮다** [-찬타] 형 마음에 들지 않고 성가시다. ¶ 귀찮게 굴다 / 만사가 귀찮구나.
귀찮아-하다 [-찬-] 타여불 귀찮게 여기다.
귀:찰 (貴札) 명 귀함(貴函).
귀:천 (貴賤) 명 **1** 부귀와 빈천. **2** 귀함과 천함. 또는 귀한 사람과 천한 사람. ¶ 신분의 ~을 묻지 마라 / 직업에는 ~이 없다.
귀:천 (歸天) 명하자 사람의 죽음.

귀-청 명 고막(鼓膜). ¶ ~이 터질 듯한 폭음 / ~이 따갑다.
귀청(이) 떨어지다 구 소리가 귀청이 떨어져 나갈 만큼 아주 크다. 귀청을 떼다.
귀:체(貴體) 명 주로 편지에서, 상대자의 안부를 물을 때 그 사람의 몸을 높여 이르는 말.
귀:추(歸趨) 명 일이 되어 나가는 형편. 귀착하는 곳. ¶ 그 사건의 ~가 주목된다.
귀:태(貴態) 명 **1** 고귀한 태도나 모습. ¶ 얼굴에 ~가 난다. **2** 귀여운 태도.
귀:토(歸土) 명 흙으로 돌아간다는 뜻으로, 죽음을 이르는 말.
귀토지설(龜兎之說) 명 '삼국사기'에 나오는 토끼와 거북의 이야기. 후세에 윤색(潤色)되어 '토생원전(兎生員傳), 토끼의 간, 별주부전' 등의 소설로 꾸며짐.
귀퉁이 명 **1** 귀의 언저리. **2** 물건의 삐쭉 내민 부분. 또는 모퉁이. ¶ 책상의 네 ~. **3** 사물이나 마음의 한구석. ¶ 마음 한 ~에 슬픔이 밀려왔다 / 마루 ~에 쭈그려 앉다.
귀틀 명 **1** 마루청을 놓기 전에 먼저 가로세로 짜 놓은 틀. **2** 통나무 따위로 가로세로 어긋나게 '井' 자 모양으로 짠 틀.

마루청
장귀틀
동귀틀

귀틀1

귀틀-집 [-찝] 명 〔건〕 큰 통나무를 '井' 자 모양으로 귀를 맞추고 틈을 흙으로 메워 지은 집. ¶ ~에 사는 화전민.
귀:-티(貴-) 명 귀하게 보이는 모습이나 태도. ¶ ~가 흐르다 / ~가 나다.
귀:하(貴下) 一 명 편지에서, 상대방을 높이어, 이름 뒤에 쓰는 말. ¶ 김철수 ~. 二 인대 상대를 높이어 이름 대신 부르는 말. ¶ ~께서는 어찌 생각하십니까.
*__귀:-하다__(貴-) 형 여불 **1** 신분이나 지위가 높다. ¶ 귀하신 몸. **2** 흔하지 않다. ¶ 아주 귀한 물건. **3** 아주 소중하다. ¶ 생명보다 더 귀한 것은 세상에 없다. **4** 존중할 만하다. ¶ 귀한 손님 / 귀하게 자라다. **귀:-히** 부. ¶ ~ 여기다.
귀:함(貴函) 명 상대자의 편지에 대한 경칭. 귀서(貴書).
귀:항(歸航) 명 하자 항공기나 배가 출발지로 돌아옴. ¶ ~ 길에 오르다.
귀:항(歸港) 명 하자 배가 떠난 항구로 다시 돌아옴. ¶ ~ 중인 어선.
귀:향(歸鄕) 명 하자 고향으로 돌아가거나 돌아옴. ¶ ~ 차량으로 붐비는 고속도로.
귀:형(貴兄) 인대 상대방을 친근히 높여 이르는 말.
귀:화(歸化) 명 하자 〔법〕 다른 나라의 국적을 얻어 그 나라의 국민이 됨. ¶ 한국에 ~한 미국인.
귀:환(歸還) 명 하자 떠나 있던 사람이 본래 있던 곳으로 돌아옴. 또는 돌아감. ¶ 고국으로 ~하는 운동 선수들.
귀:휴(歸休) 명 하자 근무 중이거나 복역 중인 사람이 일정 기간 휴가를 얻는 일.
귓-가 [귀까 / 귇까] 명 귀의 가장자리.
귓가로 듣다 구 별로 관심이 없이 흘려듣다.
귓가에 맴돌다 구 귀에 들리는 듯하다.
귓-결 [귀껼 / 귇껼] 명 우연히 듣게 된 짧은 동안. ¶ ~에 소문을 듣다.
귓-구멍 [귀꾸- / 귇꾸-] 명 귀의 밖에서 귀청까지 통한 구멍.
[귓구멍에 마늘쪽 박았나] 말을 잘 알아듣지 못하는 사람에게 하는 말.
귓구멍이 넓다 구 남의 말을 잘 곧이 듣다.
귓-돌 [귀똘 / 귇똘] 명 머릿돌.
귓-등 [귀뜽 / 귇뜽] 명 귓바퀴의 바깥쪽 부분. ¶ ~으로 듣다 / 상대방의 말을 ~으로 흘려보내다.
귓-바퀴 [귀빠- / 귇빠-] 명 겉귀의 드러난 부분 전체. 이륜(耳輪). 이각(耳殼).
귓-밥 [귀빱 / 귇빱] 명 귓불. ¶ ~이 두툼한 보기 좋은 귀.
귓-병(-病) [귀뼝 / 귇뼝] 명 귀를 앓는 병의 총칭.
귓-불 [귀뿔 / 귇뿔] 명 귓바퀴의 아래쪽으로 늘어진 살. 이수(耳垂). ¶ 그녀는 부끄러워 ~까지 붉어졌다.
귓-속 [귀쏙 / 귇쏙] 명 귀의 안쪽. ¶ 주위가 시끄러워 ~에 대고 말을 했다.
귓속-말 [귀쏭- / 귇쏭-] 명 하자 귀엣말. ¶ 무언가 ~을 주고받다.
귓-전 [귀쩐 / 귇쩐] 명 귓바퀴의 가. ¶ 그녀의 속삭임이 아직도 ~을 맴돌고 있었다.
귓전으로 듣다 구 주의를 기울이지 않고 건성으로 듣다.
귓전을 울리다 구 가까이에서 소리 나는 듯이 들리다.
규각(圭角) 명 **1** 모나 귀퉁이의 뾰족한 곳. **2** 사물이 서로 들어맞지 않음. **3** 말·뜻·행동 등이 서로 맞지 않음.
규각-나다(圭角-) [-강-] 자 사물·뜻 등이 서로 맞지 않게 되다.
규격(規格) 명 **1** 일정한 규정에 들어맞는 격식. **2** 공업 제품의 치수·모양·성능·품질 등의 일정한 표준. ¶ ~ 봉투 / ~에 맞는 제품 / ~을 통일시키다.
규격-품(規格品) 명 통일된 규격에 맞추어 만든 물건.
규격-화(規格化) [-겨콰] 명 하타 **1** 공업 제품 등의 품질·모양·치수 등을 규격에 맞추어 통일함. ¶ 부품의 ~. **2** 사상·여론 등을 일정한 방향이나 틀에 맞춤. ¶ 국민의 사고(思考)를 ~하려는 위험한 발상.
규계(規戒) [-/-게] 명 하타 잘못을 따져 바르게 경계함.
규구(規矩) 명 **1** 그림쇠. **2** '규구준승'의 준말.
규구-준승(規矩準繩) 명 〔컴퍼스·자·수준기와 먹줄의 뜻 : 맹자(孟子)에 나온 말〕. 일상생활에서 지켜야 할 법도.
규례(規例) 명 일정한 규칙과 정해진 관례.
규명(糾明) 명 하타 자세히 캐고 따져 사실을 밝힘. ¶ 원인 ~ / 책임을 ~하다 / 의혹은 ~되어야 한다 / 사고 원인의 조속한 ~을 촉구하다.
*__규모__(規模) 명 **1** 본보기가 될 만한 틀이나 제도. 모범. 규범. **2** 물건의 짜임새. 물건의 크기. ¶ ~가 큰 공사. **3** 씀씀이의 계획성이나 일정한 한도. ¶ 금년도 예산 ~ / 살림을 ~ 있게 꾸려 나가다.

규방(閨房)명 **1** 부녀자가 거처하는 방. 도장방. **2** 안방. **3** 침실. 특히, 부부의 침실.
규방 가사(閨房歌辭)〖문〗 내방 가사.
규방 문학(閨房文學) 조선 때, 양반 부녀층에서 이루어진 그들의 생활을 그린 문학.
규범(規範)명 **1** 마땅히 따르고 지켜야 할 본보기. ¶~에 따르다 / ~으로 삼다. **2**〖철〗 사유(思惟)·의지(意志)·감정 등이 일정한 이상·목적을 이루기 위해 마땅히 따라야 할 법칙과 원리《논리의 진, 도덕의 선, 예술의 미 등》.
규범 문법(規範文法)[-뻡]〖언〗 언어 생활을 올바르게 하기 위하여, 규칙을 설정하고 그것을 지키도록 한 문법. 대부분의 국어 문법서는 이에 속함. 실용 문법. 명령 문법. 학교 문법.
규범-적(規範的)관명 규범에 맞거나 규범이 되는 (것).
규보(跬步)명 반걸음, 또는 반걸음밖에 안 되는 가까운 거리.
규사(硅砂)명 석영(石英)의 작은 알갱이로 된 흰 모래《도자기·유리 제조의 원료》.
규산(硅酸·珪酸)명〖화〗 **1** 규소·산소·수소의 화합물인 약한 산《유리 등을 만드는 데 씀》. **2** '이산화규소'의 속칭.
규석(硅石)명 규소를 주성분으로 하는, 수정·마노·부싯돌 등의 광물《사기·유리의 원료임》.
규소(硅素·珪素)명〖화〗 비금속 원소의 하나. 천연적으로는 따로 존재하지 않고, 산화물·규산염으로서 바위·흙 등의 주요 성분을 이룸《트랜지스터·다이오드 따위 반도체를 만드는 데에 씀》. 실리콘(silicon). [14 번 : Si : 28.08]
규수(閨秀)명 **1** 남의 집 처녀를 점잖게 이르는 말. ¶양갓집 ~. **2** 학예(學藝)에 뛰어난 여자.
규시(窺視)명하타 몰래 훔쳐봄. 엿봄. 규견(窺見). 규사(窺伺).
규식(規式)명 정해진 규칙과 격식.
규약(規約)명 조직체 안에서, 서로 지키도록 협의하여 정해 놓은 규칙. ¶~ 위반 / ~을 지키다.
규율(規律)명하타 질서나 제도를 유지하기 위해 지켜 나가야 할 행동의 준칙이 되는 본보기. ¶엄한 ~ / ~을 지키다.
규장-각(奎章閣)명〖역〗 조선 정조 때 설치한, 역대 임금의 글·글씨·고명(顧命)·유교(遺敎) 따위와 정조의 어진(御眞)을 보관하던 관아.
규정(規定)명하타 **1** 규칙으로 정함. 또는 그 정해 놓은 것. ¶표준어 ~ / 수업 일수는 학칙에 ~되어 있다. **2**〖법〗 법령의 조항(條項)으로서 정해 놓음. 또는 그 조항. ¶동법(同法) 제 2 조 ~에 의거하여 처리되었다. **3** 내용이나 성격·의미 따위를 밝혀 정함. 또는 그 정한 것. ¶일의 성격을 ~해 봅시다 / 불법 행위로 ~하다.
규정(規程)명 **1** 조목별로 정해 놓은 표준. **2**〖법〗 국가 기관 내부의 조직이나 사무 집행상의 준칙. ¶문서 처리 ~ / 인사 ~.
규제(規制)명하타 **1** 규정(規定)1. **2** 규칙이나 규정을 세워 제한함. ¶수입을 ~하다 / ~를 강화하다 / 간판의 무분별한 외래어 사용을 ~하다.
규조-강(硅藻綱)명〖식〗 갈조(褐藻)식물에 속하는 한 강. 바닷물과 민물에 널리 분포하는 플랑크톤으로, 단세포이고 엽록소를 가지고 있는 아주 작은 조류(藻類). 세포벽은 서로 겹치는 두 개의 껍질을 가지고 있으며, 일종의 유성(有性) 생식으로 번식함. 규조류. 황조(黃藻)식물.
규조-류(硅藻類)명〖식〗 규조강.
규준(規準)명 행동이나 생각의 본보기가 되는 표준. ¶재판 절차는 객관적인 ~을 따라 수행된다.
규중(閨中)명 부녀자가 거처하는 안방. 규합(閨閤). ¶~처녀.
규찰(糾察)명하타 죄상(罪狀) 등을 캐물어, 자세히 밝힘.
***규칙**(規則)명 **1** 여러 사람이 다 같이 지키기로 작정한 법칙. ¶경기 ~을 위반하다. **2**〖법〗 헌법·법률에 따라 정해지는 제정법의 한 형식. 입법·사법·행정의 각 부에서 제정되며, 국회 인사 규칙·법원 사무 규칙 따위가 있음.
규칙 동:사(規則動詞)〖언〗 규칙적으로 활용하는 동사. ↔불규칙 동사.
규칙 용:언(規則用言)[-칭뇽-]〖언〗 규칙적으로 활용하는 용언《규칙 동사와 규칙 형용사가 있음》. ↔불규칙 용언.
규칙-적(規則的)관명 일정한 규칙을 따르고 있는 (것). 질서가 잡혀 있는 (것). ¶~인 식생활 / ~으로 운동하다. ↔불규칙적.
규칙 형용사(規則形容詞)[-치켱-]〖언〗 규칙적인 활용을 하는 형용사. ↔불규칙 형용사.
규칙 활용(規則活用)[-치콰룡]〖언〗 용언의 어미 활용이 문법의 원칙대로 됨. 바른 끝바꿈. ↔불규칙 활용.
규탄(糾彈)명하타 공적(公的)인 문제에 대해서, 잘못·허물 등을 잡아내어 따지고 나무람. ¶~을 받다 / 만행(蠻行)을 ~하다 / ~ 대회를 열다.
규폐-증(硅肺症)[-쯩 / -폐쯩]명〖의〗 광산 등 공기 유통이 나쁜 곳에서 일하는 사람들이 규산류의 먼지를 오랫동안 마셔서 생기는 폐병. 숨이 차고 얼굴빛이 검어지면서 부종이 생기고 식욕이 없어짐.
규합(糾合)명하타 일을 꾸미려고 사람이나 세력을 끌어 모음. ¶동지를 ~하다.
규환(叫喚)명하자 큰 소리로 부르짖음.
균(菌)명 **1** '균류'의 준말. **2** '세균'의 준말. **3** '병균'의 준말.
균근(菌根)명〖식〗 균류(菌類)가 꽃식물의 뿌리를 둘러싸거나, 내부 조직에 침입하여 특수한 모양을 이루는 뿌리.
균독(菌毒)명 독균에 포함되어 있는 유독(有毒) 성분.
균등(均等)명하형히부 고르고 가지런해 차별이 없음. ¶~하게 할당하다 / 누구에게나 ~한 교육 기회를 주어야 한다. ↔불균등.
균류(菌類)[-뉴]명〖식〗 **1** 엽록소를 갖지 않은 하등 식물의 총칭. **2** 좁은 의미로, 조균류·진균류, 또는 버섯류·곰팡이류만을 말함. ㊟균.
균분(均分)명하타 고르게 나눔. ¶자식들에

게 재산을 ~하다.
균사 (菌絲) 명 〔식〕 균류의 몸을 이루는 가는 실 모양의 세포(빛이 희며 엽록소를 갖지 않음). ¶ 버섯의 ~.
균산 (菌傘) 명 〔식〕 버섯 위쪽의 우산 모양의 부분. 삿갓. 균모(菌帽). 균개(菌蓋).
균안-하다 (均安-) 형 여불 두루 편안하다. ¶ 댁내 균안하시나이까.
균역-법 (均役法) 명 〔역〕 조선 영조 26년(1750)에 백성의 부담을 덜기 위해 만든 납세법. 종래의 군포(軍布)를 반으로 줄이고, 그 부족액은 어업세·염세·선박세 등으로 보충하였음.
균열 (龜裂) 명 하자 **1** 거북의 등딱지 무늬 모양으로 갈라져서 터짐. ¶ 벽에 ~이 생기다. **2** 친하게 지내는 사이에 틈이 생김. ¶ 돈 때문에 동업자 사이에 ~이 생겼다.
균일 (均一) 명 하형 한결같이 고름. 차이가 없음. ¶ ~한 가격으로 팔다.
균전 (均田) 명 **1** 토지를 국가에서 거둬들여 백성에게 고루 나눠 줌. **2** 〔역〕 토지의 규모에 따라 세금을 고르게 매기던 제도.
균점 (均霑) 명 하타 **1** 평등히 이익을 받음. 균첨(均沾). ¶ 이익 ~. **2** 〔법〕 국제법상 다른 나라와 동일한 혜택을 받음.
균제-하다 (均齊-) 형 여불 고루 가지런하다.
균종 (菌腫) 명 〔농〕 세균이 번식해서 생기는 혹과 비슷한 종기(소·돼지 따위에 생김).
균질 (均質) 명 하형 **1** 성질이 같음. 등질(等質). **2** 일정한 상태에서는 성분 등이 일정한 일.
균할 (均割) 명 하타 똑같이 고르게 나눔. ¶ ~ 배정.
균핵 (菌核) 명 균사가 식물의 꽃·열매·뿌리 등에 조밀하게 집합해서 덩이가 된 것.
균형 (均衡) 명 어느 한쪽으로 기울거나 치우침이 없이 고른 상태. ¶ ~이 잡히다 / ~을 잃고 넘어지다. ↔불균형.
***귤** (橘) 명 **1** 귤나무의 열매. 모양은 둥그스름하고 빛깔은 주황색임. 맛이 시고 달콤하며 껍질은 말려서 약재로 씀. ¶ ~을 담은 상자. **2** 귤·밀감·유자 따위의 총칭.
귤-나무 (橘-)[-라-] 명 〔식〕 **1** 운향과의 상록 활엽 교목. 높이 약 4m. 여름에 흰 다섯잎꽃이 핌. 등황색 열매가 초겨울에 익음. **2** 홍귤나무·당귤나무·광귤나무 등의 총칭.
귤-빛 (橘-)[-삗] 명 주황·노랑을 합한 색. 잘 익은 귤의 색깔을 말함. 귤색.
귤색 (橘色)[-쌕] 명 귤빛.
귤피 (橘皮) 명 〔한의〕 귤의 껍질. 소화·해소에 약효가 있음. 귤껍질.
***그** 一 인대 '그이'의 준말. ¶ ~는 훌륭한 선생이다. 二 지대 '그것'의 준말. ¶ ~와 같은 물건. 三 관 **1** 자기로부터 조금 떨어져 있는 사물을 가리키는 말. ¶ ~ 책. **2** 이미 말한 것 또는 서로 이미 아는 것을 가리킬 때 쓰는 말. ¶ ~ 이야기는 나중에 하자 / ~ 회사가 망했다더라. **3** 확실하지 않거나 밝히고 싶지 않은 것을 가리킬 때 쓰는 말. ¶ ~ 무엇이라고 하더라. 작고.
[그 나물에 그 밥] 서로 격이 어울리는 것끼리 짝이 되었을 경우를 두고 이르는 말.
그-간 (-間) 명 부 그동안. 그사이. ¶ ~의 일 / ~의 소식 / ~ 어찌 지냈나.
그-거 지대 인대 '그것'의 준말(주격 조사 '이'가 붙으면 '그게'가 됨). ¶ ~ 참 좋은데 / 그건 그렇고 / 그게 뭐냐 / ~야 네 말이 옳지 / 바로 그겁니다. 작고거. *이거.
***그-것** [-걷] 一 지대 **1** 자기가 있는 곳에서 조금 떨어져 있는 물건을 가리키는 말. ¶ ~을 치워라. **2** 이미 이야기하여 서로 아는 것을 가리키는 말. ¶ ~은 거짓말이다. 작고것. 준그·그거. 二 인대 **1** '그 사람'을 약간 경멸적으로 쓰는 말. ¶ ~이 무얼 안다고. **2** '그 아이'를 귀엽게 이르는 말. ¶ ~들 참 귀엽게도 노네. 작고것.
그것-참 [-걷-] 감 어떠한 일에 대한 느낌을 나타내는 말('좋다·분하다·훌륭하다' 따위의 말이 따름). ¶ ~ 야단났군. *거참.
그-게 준 그것이. ¶ ~ 그거지.
그-곳 [-곧] 지대 **1** 그 장소. 거기. ¶ ~에 갖다 놓아라. **2** 상대방이 있는 곳. ¶ ~ 날씨는 어떻습니까. *이곳.
그-글피 명 글피의 다음 날.
그-까지로 부 겨우 그만한 정도로. ¶ ~ 그리 아파하느냐. 작고까지로.
***그-까짓** [-짇] 관 겨우 그만한 정도의. ¶ ~ 것 대단할 것 없다. 작고까짓. 준그깟.
그깟 [-깓] 관 '그까짓'의 준말. ¶ ~ 놈 없으면 그만이다. 작고깟.
그-끄러께 명 그러께의 전해. 3년 전의 해. 삼작년(三昨年).
그-끄저께 명 그저께의 전날. 삼작일(三昨日). 준그끄제.
그-끄제 명 '그끄저께'의 준말.
그-나마 부 그것이나마. 그것마저도. ¶ 낡기는 했지만 ~ 필요할 때가 있을 테지.
그나-저나 부 '그러나저러나'의 준말. ¶ ~ 말은 하고 떠나야지 / ~ 네 아버지는 어디 계시냐.
그-날 명 그 당일. 앞에서 말한 날.
그날-그날 一 명 하루하루. 매일. ¶ ~의 일과. 二 부 날마다. 매일마다. ¶ ~ 가까스로 벌어먹고 산다.
***그냥** 부 **1** 그 모양 그대로. ¶ ~ 두지는 않겠다. **2** 그대로 줄곧. ¶ 술에 취해 ~ 잠만 자고 있다. **3** 조건이나 까닭 없이. ¶ ~ 해 본 말이다. 작고냥.
그냥-저냥 부 그저 그렇게. 되는대로. ¶ 돈이 없으니 ~ 살아갈 수밖에.
***그:네**[1] 명 가로지른 기둥 따위에 두 가닥의 줄을 매고, 줄 맨 아래에 밑신개를 걸쳐 놓아 올라서서 몸을 앞뒤로 움직여 왔다 갔다 하게 만든 놀이 기구. 또는 그 놀이. 추천(鞦韆). ¶ ~를 타다 / ~를 뒤에서 밀어 주다.

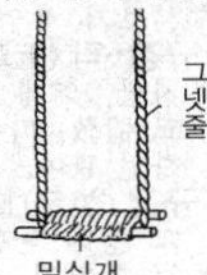

그네[1]

그-네[2] 인대 그 사람들. 그편 사람들.
그:네-뛰기 명 혼자 또는 둘이서 그네에 올라타고 몸을 앞뒤로 왔다 갔다 하는 놀이.
***그-녀** (-女) 인대 그 여자.
그느다 〔그느니, 그너〕 타 젖먹이가 대소변의 때를 가리다.
그느르다 〔그느르니, 그늘러〕 타 르불 보호하여 돌보아 주다.
***그늘** 명 **1** 빛이 가려 어두운 부분. ¶ 나무

~. **2** 부모나 어느 사람이 보살펴 주는 아래. ¶ 부모의 ~ / 권력의 ~. **3** 드러나지 않은 곳. ¶ ~에서 묵묵히 봉사하다. **4** 불안하거나 불행한 상태. 또는 그 때문에 나타나는 어두운 표정. ¶ 얼굴에 ~이 지다.

그늘-대 [-때] 명 거리에서 장사하는 사람이 볕을 가리는 물건.

그늘-지다 자 **1** 빛이 직접 비치지 않아 그늘이 생기다. ¶ 그늘진 곳에 앉아 더위를 피하다. **2** 속에 숨어 드러나지 않다. ¶ 인생의 그늘진 곳. **3** 불행이나 근심으로 마음이나 표정이 흐려지다. ¶ 그녀의 얼굴은 늘 그늘져 있다.

그닐-거리다 자 **1** 살갗에 벌레가 살살 기는 듯이 근지럽고 자릿한 느낌이 자꾸 들다. **2** 보기에 매우 위태롭거나 단작스러워서 마음에 자릿한 느낌이 자꾸 들다. **그닐-그닐** 부하자

그닐-대다 자 그닐거리다.

그-다음 명 그것에 뒤이어 오는 때·자리. ¶ ~은 누구냐. 준그담.

그-다지 부 **1** 그렇게까지. 그러한 정도로. ¶ 내 심정을 ~도 모르느냐. 작고다지. **2** 별로. 그리《뒤에 부정의 말이 따름》. ¶ 그만하면 ~ 나쁘지도 않다.

***그대** 인대 **1** 친구나 아랫사람을 높여 이르는 말《'자네' 보다 좀 높인 말》. ¶ ~는 누구인고. **2** 주로 글에서, 상대방을 친근하게 이르는 말. ¶ 내 사랑하는 ~여.

***그-대로** 부 **1** 상태나 모양이 변하지 않은 채. 전에 있던 대로. ¶ 문자 ~ / 아직 ~ 남아 있다. **2** 그것과 똑같이. ¶ 말한 ~ 가서 전해라. **3** 그냥. ¶ 나를 보고도 ~ 지나가더라. 작고대로. *이대로·저대로.

그-동안 명 그사이. 그간. ¶ ~ 안녕하셨지요 / ~의 고생이 떠올랐다.

그득 부 넘칠 듯이. 꽉 차게. ¶ 밥을 ~ 담아라. 작가득. 센그뜩.

그득-그득 부하형히부 각각 모두 그득한 모양. ¶ 그릇마다 물이 ~하다. 작가득가득. 센그뜩그뜩.

그득-하다 [-드카-] 형여불 분량·수효 등이 넘칠 만큼 많거나 한도에 차 있다. ¶ 향내가 방에 ~ / 뒤주에는 쌀이 그득하였다. 작가득하다. 센그뜩하다. **그득-히** [-드키] 부. ¶ 연못에 물이 ~ 고였다.

그들먹-하다 [-머카-] 형여불 꽤 그득하다. ¶ 뚝배기에 찌개가 그들먹하게 담기어 있다. 작가들막하다.

그-때 명 그 당시. 앞에서 말한 때. ¶ ~ 그는 다섯 살이었다.

그때-그때 명부 일이 생기는 때. 또는 일이 생기는 때마다. ¶ ~ 상황에 맞게 행동해라 / ~ 처리하다.

그뜩 부 그뜩이. 작가뜩. 여그득.

그뜩-그뜩 부하형 모두 그뜩한 모양. 작가뜩가뜩. 여그득그득.

그뜩-이 부 그뜩하게. 그뜩. 작가뜩이. 여그득히.

그뜩-하다 [-뜨카-] 형여불 분량이나 수효가 한도에 더할 수 없이 꽉 차 있다. ¶ 창고에 쌀이 ~. 작가뜩하다. 여그득하다.

그라운드 (ground) 명 운동장. 경기장. ¶ ~에 모인 관중.

그라인더 (grinder) 명 연삭기(硏削機).

그랑프리 (프 grand prix) 명 대상(大賞). 최우수상. ¶ ~ 수상 작품.

***그래**[1] 감 **1** 아랫사람에게 긍정의 뜻으로 대답하는 말. ¶ ~, 내 곧 갈게. **2** 감탄이나 가벼운 놀라움을 나타내는 말. ¶ ~, 정말 잘했구나. **3** 상대에게 따지거나 강조할 때 쓰는 말. ¶ ~, 그것도 못한단 말이냐.

그래[2] 준 **1** 그리하여. ¶ ~ 봐야 소용없다. **2** 그러하여. ¶ 성적이 ~ 가지고선 대학에 못 간다. 작고래.

그래[3] 조 ('-구먼·-군·-지'와 같은 말 뒤에 붙어) 상대방에게 내용을 강조함을 나타내는 보조사. ¶ 자네 기분이 좋구먼~.

***그래도** 준 **1** 그리하여도. ¶ 아무리 ~ 가망이 없다. **2** 그러하여도. ¶ ~ 우리 집이 제일이다 / ~ 난 네가 좋다. 작고래도.

***그래서** 一부 앞의 내용이 뒤의 내용의 원인·근거·조건 따위가 될 때 쓰는 접속 부사. ¶ 길이 많이 막혔어요. ~ 늦었어요. 二준 그리하여서. 그러하여서. ¶ 밤낮 ~야 대학에 갈 수 있겠나 / 태도가 ~ 미움을 샀지.

그래서 그런지 구 그런 이유인지는 모르나. 그 때문인지 확실하지 않으나. ¶ 저녁에 커피를 마셨다. ~ 잠이 오지 않는다.

그래야 준 **1** 그리하여야. ¶ 늘 ~ 칭찬을 받지. **2** 그렇게 해도. ¶ ~ 3만 원도 못 된다.

***그래프** (graph) 명 **1** 통계 결과를 한눈에 볼 수 있게 나타낸 표. ¶ ~용지(用紙). **2** 〖수〗 주어진 함수가 나타내는 직선 또는 곡선.

그래픽 (graphic) 명 영상이나 인쇄물에 쓰는 사진이나 그림. 화보(畫報).

그래픽 디자인 (graphic design) 인쇄 기술의 특성을 이용해서 시각적 효과를 꾀하는 디자인《포스터·삽화·광고·표지 등의 평면의 디자인》.

그랜드 피아노 (grand piano) 〖악〗 현(絃)을 수평으로 쳐 놓은 대형 피아노《연주회용임》.

그램 (gram) 의명 〖수〗 CGS 단위계에서 질량의 기본 단위. 4℃ 의 물 $1\,cm^3$의 무게. 기호는 g.

그램-당량 (gram當量) [-냥] 의명 〖화〗 수소 1.008 g 의 양 또는 산소 8 g 의 양과 화합하는 다른 원소의 양을 그램으로 표시한 수.

그램-중 (gram重) 의명 〖물〗 힘의 중력 단위. 1그램중은 대체로 980 다인에 상당함.

그러게 부 자신의 말이 옳았음을 강조하는 말. ¶ ~ 책을 많이 읽으라고 했잖아.

그러고 준 그리하고. ¶ ~ 보니 범인은 너로구나 / ~ 있지 말고 이리 와 / ~도 네가 할 말이 있느냐. *이러고.

그러-구러 부 우연히 그렇게 되어. ¶ 김 군과는 ~ 친하게 되었다. *이러구러.

그러그러-하다 형여불 **1** 그러하고 그러하다. ¶ 모두 그러그러한 사람들. **2** 그렇고 그래서 별로 신기한 것이 없다. ¶ 그의 솜씨는 그저 그러그러했다. 작고러고러하다.

그러께 명 지난해의 전 해. 재작년. 전전년. ¶ ~ 가을에 다녀갔지.

***그러나** 一부 앞의 말과 상반되는 내용을 이끄는 접속 부사. ¶ ~ 값이 좀 비싸다 / ~ 재미있는 책이다. 二준 **1** 그러하나. ¶ 성질은 ~ 사람 됨됨이는 괜찮

다. **2** 그리하나. ¶말은 ~ 속마음은 다른 것 같다. *이러나.

그러나-저러나 [一][부] 그것은 그렇다 치고 《화제를 돌릴 때 씀》. ¶세상에 별놈 다 있네. ~ 몹시 시장하구나. [준]그나저나. [二][준] 그리하나 저리하나. 그러하나 저러하나. ¶~ 이것은 네 책임이다. *이러나저러나.

그러-내다 [타] 속에 들어 있는 것을 그러당기어 밖으로 내다. ¶방고래의 재를 ~.

그러-넣다 [-너타] [타] 사방에 흩어져 있는 것을 그러모아 넣다. ¶흩어진 돈을 주머니에 ~.

***그러니** [준] 그러하니. ¶~ 장차 이 일을 어쩐담 / 형이 ~ 아우도 그러겠지 / 형편이 ~ 어쩌겠나.

***그러니까** [一][부] 앞의 내용이 뒤의 내용의 이유나 근거가 될 때 쓰는 접속 부사. ¶~ 내 말대로 해라. [二][준] 그리하니까. 그러하니까. ¶네가 자꾸 ~ 공연히 슬퍼진다 / 꼴이 ~ 남들이 웃지.

그러니-저러니 [준] 그러하다느니 저러하다느니. ¶~ 말만 말고 실천을 해라 / ~ 말이 많다. *이러니저러니.

***그러다** 〔그러니, 그래서, 그런〕 [자] 그렇게 하다. 그렇게 말하다. ¶~ 다칠라 / 가라니까 그러네 / ~가 혼나지. [작]고러다.

그러거나 말거나 [구] 무엇을 하든 상관없이. ¶~ 나는 내 할 일만 하면 된다.

그러리 말리 [구] 그러니저러니 여러 가지로. ¶~ 결정을 못 내리다.

그러-담다 [-따] [타] 한데 그러모아 담다. ¶낙엽을 가마니에 ~.

그러-당기다 [타] 한데 그러모아 당기다.

그러-들이다 [타] 그러당기어 들이다.

***그러면** [一][부] 앞의 내용이 뒤의 내용의 조건이나 전제가 됨을 나타내는, '그렇다고 하면'·'그렇게 하면'의 뜻의 접속 부사. ¶구하라, ~ 얻을 것이오 / ~ 갔다 오마. [二][준] 그리하면. 그러하면. ¶자꾸 ~ 못써 / 여럿이 다 ~ 따라야지. [준]그럼.

그러면 그렇지 [구] 어떤 일이 생각하거나 원했던 대로 되었을 때에 하는 말. ¶~, 안 될 리가 있나.

그러면서 [一][부] '그렇게 하면서'의 뜻의 접속 부사. ¶~ 무슨 여러 소리냐. [二][준] 그리하면서. 그러하면서. ¶말은 ~ 행동은 안 그렇다.

그러-모으다 〔-모으니, -모아〕 [타] 흩어진 것을 거두어 한데 모으다. ¶돈을 ~ / 이것저것 ~.

그러-묻다 [타] 흩어진 것을 한데 모아 묻다. ¶숯불을 ~.

***그러므로** [부] 앞의 내용이 뒤의 내용의 이유나 원인, 근거가 됨을 나타내는, '그러한 까닭으로, 그런고로'의 뜻의 접속 부사. ¶~ 열심히 공부해야 한다.

> **'그러므로'와 '그럼으로(써)'**
>
> 그러므로 '그렇다' 또는 '그러다(그렇게 하다)'의 어간에 까닭을 나타내는 어미 '-므로'가 결합한 형태로 '그러니까, 그렇기 때문에'의 의미를 갖는다.
>
> [예] 그는 부지런하다. 그러므로 잘 산다.
>
> 그럼으로(써) '그러다(그렇게 하다)'의 명사형 '그럼'에 조사 '으로'가 결합한 형태로 '그렇게 하는 것으로써'라는 수단의 의미를 갖는다.
>
> [예] 그는 열심히 공부한다. 그럼으로(써) 은혜에 보답한다.

그러-안다 [-따] [타] 두 팔로 싸잡아 안다. ¶모자가 그러안고 울다.

***그러자** [一][부] '그렇게 하자'의 뜻의 접속 부사. ¶~ 그가 고함을 쳤다. [二][준] 그리하자. 그러하자. ¶나도 ~고 동의했다.

그러잖아도 [-잔-] [준] 그러지 않아도. ¶~ 지금 내가 가려는 참이다 / 이제는 ~ 먹고 살 만하다.

그러-잡다 [타] 그러당기어 붙잡다. ¶풀줄기를 그러잡고 산을 기어 올라가다.

그러저러-하다 [형][여불] 여러 가지로 복잡하다. 그렇고 저렇다. ¶그러저러한 사연. *이러저러하다.

그러-쥐다 [타] 그러당기어 손 안에 잡다. ¶항아리의 손잡이를 그러쥐고 들어 올렸다.

***그러-하다** [형][여불] 그와 같다. ¶그러한 말을 많이 들었다. [작]고러하다. [준]그렇다. *이러하다·저러하다.

그러한-즉 [부] 그런 형편이므로. ¶~ 너도 명심해라 / 형편이 ~ 이해해 주어야지. [준]그런즉·한즉.

그럭-저럭 [부][하자] **1** 어떻게 하다 보니. 어느덧. 그렁저렁. ¶~ 시간이 다 되었다. **2** 되어 가는 대로. 그렁저렁. ¶~ 살아가고 있다. *이럭저럭.

***그런** [관] '그러한'의 준말. ¶~ 사람 / ~ 사실이 없다.

그런-고로 [부] 그러한 까닭으로.

그런-대로 [부] '그러한 대로'의 준말. ¶수입은 적지만 ~ 살아 나가고 있다.

***그런데** [一][부] 앞의 내용과 상반된 내용을 이끌거나 다른 방향으로 화제를 전환시킬 때 쓰는 접속 부사. ¶~ 그것은 어떻게 됐지. [준]건데·근데. [二][준] 그러한데. ¶너는 ~ 나는 왜 이렇지.

그런즉 [부] '그러한즉'의 준말. ¶내용이 ~ 앞으로 이렇게 하자. *이런즉.

그럴-듯하다 [-뜨타-] [형][여불] **1** 그렇다고 여길 만하다. ¶그럴듯한 의견. **2** 제법 훌륭하다. ¶그럴듯한 얼굴 / 야, 그거 참 그럴듯한데.

그럴싸-하다 [형][여불] 그럴듯하다. ¶그럴싸한 핑계 / 아주 그럴싸하게 생겼다.

***그럼**[1] [一][부] '그러면'의 뜻의 접속 부사. ¶~ 안녕. [二][준] 그러면. ¶네가 ~ 나도 따라하겠다.

***그럼**[2] [감] 당연하다는 뜻으로 대답할 때 쓰는 말. ¶~, 여부가 있나.

그렁-거리다 [자][타] '그르렁거리다'의 준말.

그렁-그렁[1] [부][하자타]. ¶목구멍에서 가래 끓는 소리가 ~ 났다.

그렁-그렁[2] [부][하형] **1** 액체가 가장자리까지 괴어 거의 찰 듯 찰 듯한 모양. **2** 눈에 눈물이 그득 괸 모양. ¶눈물이 두 눈에 ~하다. **3** 국물은 많고 건더기가 적은 모양. **4** 물을 많이 먹어서 배속에 물이 그득한 느낌. [작]가랑가랑. [거]크렁크렁.

그렁-대다 [자타] 그렁거리다.
그렁-저렁 [부하자] 그럭저럭. ¶~ 입에 풀칠하고 지내지요.
***그렇게** [-러케] [부] '그러하게'의 준말. ¶~까지 믿지는 마라 / ~ 큰 금액은 아니다 / 공부를 ~ 해서는 안 된다.
그렇고말고 [-러코-] [준] '그러하고말고'의 준말로, '물론 그렇다'는 뜻을 나타내는 말. ¶아무렴, ~.
***그렇다** [-러타] 〔그러니, 그러오〕 [형ㅎ불] '그러하다'의 준말. ¶~고 해서 그만둘 수도 없다 / 그것은 ~ 치고 / ~면 나도 할 말이 있지. ㉶고렇다.
그렇고 그렇다 [구] 대수롭거나 특별하지 아니하다. ¶세상이란 다 ~.
그렇-듯 [-러틋] [부] **1** '그러하듯'의 준말. ¶아버지가 ~ 자식들도 부지런하다. **2** 그렇게도 몹시. ¶~ 나를 생각해 주다니.
그렇-듯이 [-러트시] [부] '그러하듯이'의 준말. ¶모양이 ~ 내용도 그럴싸하다. *이렇듯이.
그렇잖다 [-러찬타] [형] '그러하지 아니하다'의 준말. ¶그건 ~.
그렇지 [-러치] [감] 그렇고 말고. 그러면 그렇지. ¶~, 그렇게 하는 거야.
그렇지-마는 [-러치-] [부] '그러하지마는'의 뜻의 접속 부사. ¶~ 너는 안 돼.
***그렇지-만** [-러치-] [부] '그렇지마는'의 준말로, 앞의 내용과 상반되는 내용을 이끄는 접속 부사. ¶~ 이상한데.
그레고리-력 (Gregory曆) [명] 1582년 로마 교황 그레고리우스 13세가 종래의 율리우스(Julius)력을 고쳐서 만든 태양력《지금의 양력은 이것에 의함》.
그레인 (grain) [의명] 야드파운드법의 무게 단위. 0.0648 g에 해당함.
그레코로만-형 (Greco-Roman型) [명] 레슬링에서, 상대편의 허리 윗부분만을 공격하는 종목. *자유형.
그려 [조] '하게'나 '하오', 또는 드물게 합쇼할 자리의 종결 어미에 붙어서 친근하게 강조하는 뜻을 나타내는 보조사. ¶훌륭합니다~ / 크네~ / 갑시다~.
그로기 (groggy) [명] 권투에서, 마구 얻어맞아 몸을 가누지 못하고 비틀거리는 일. ¶~ 상태에 빠지다.
***그루** [一명] 나무·곡식 등의 줄기의 아랫부분. [二의명] **1** 식물, 특히 나무를 세는 단위. ¶한 ~의 전나무. **2** 한 해에 같은 땅에 농사짓는 횟수.
그루(를) 갖추다 [구] 벼나 보리 같은 것의 이삭이 고르게 패어 가지런하다.
그루(를) 뒤다 [구] 땅을 갈아서 그루를 뒤엎다.
그루(를) 들이다 [구] 땅을 갈아 그루를 뒤엎고 곡식을 새로 심다.
그루(를) 앉히다 [구] 앞으로 할 일에 대해서 나갈 자리를 바로잡다.
그루(를) 치다 [구] 그루박아서 가지런하게 하다.
그루(를) 타다 [구] 한 논밭에 같은 종류의 곡식을 연거푸 심어서 그 곡식이 잘되지 아니하다.
그루-갈이 [명하타] 한 해에 같은 땅에서 두 번 농사지음. 또는 그렇게 짓는 농사. 이모작(二毛作). 근경(根耕). 근종(根種).
그루-되다 [자] 서너 살 안짝의 어린아이가 늦되다.
그루-박다 [타] **1** 물건을 들어 바닥에 거꾸로 탁 놓다. **2** 연의 머리를 아래로 돌려 내려가게 하다. **3** 상대의 기를 펴지 못하게 억누르다.
그루-밭 [-받] [명] 밀이나 보리를 베어 내고 다른 작물을 심은 밭.
그루-벼 [명] **1** 보리를 베어 낸 논에 심은 벼. **2** 움벼.
그루-콩 [명] 그루갈이로 심은 콩. ㊣글콩.
그루-터기 [명] 초목을 베어 내고 남은 뿌리와 그 부분. ¶소나무 ~에 걸터앉다.
그룹 (group) [명] **1** 동아리. 집단. 무리. ¶~ 과외 / ~별로 모이다. **2** 계열을 이룬 기업체의 무리. ¶30대 ~ / ~ 총수.
그룹-사운드 (group sound) [명] 노래하며 연주하는 3-8명 편성의 집단.
***그르다** 〔그르니, 글러〕 [형르불] **1** 옳지 못하다. ¶옳고 그른 일. **2** 하는 짓이 싹수가 없다. ¶사람 구실하기는 글렀다. **3** 될 가망이 없다. ¶일이 제대로 되기는 글렀다.
그르렁-거리다 [자타] 가래가 목구멍 안에 생겨 숨쉬는 대로 소리가 자꾸 나다. 또는 그 소리를 내다. ㉶가르랑거리다. ㊣그렁거리다. **그르렁-그르렁** [부하자타]
그르렁-대다 [자타] 그르렁거리다.
그르치다 [타] 잘못하여 일을 그릇되게 하다. ¶다 된 일을 ~.
***그릇**[1] [-릇] [명] **1** 물건을 담는 기구의 총칭. ¶물은 ~ 모양에 따라 달라진다. **2** 어떤 일을 해 나갈 만한 능력이나 도량. ¶그는 지도자가 될 ~이라 생각된다.
그릇 깨겠다 [구] 여자가 얌전하지 못하다는 말.
그릇[2] [-릇] [부하타] 그르게. 틀리게. 잘못되게. ¶어설피 듣고 ~ 전하다.
그릇-되다 [-릇뙤-] [자] 그르게 되다. 일이 잘못되다. ¶그릇된 내용.
그릇-박 [-릇빡] [명] 그릇을 씻어서 담아 두는 함지박.
그리[1] [부] **1** 그러하게. ¶~ 알고 기다려라. **2** 그다지. ¶~ 바쁘지 않다.
그리[2] [부] 그곳으로. 그쪽으로. ¶내가 ~ 가지. ㉶고리[3]. *이리·저리.
***그리고** [부] '그리하여·또·및'의 뜻으로, 말이나 문장 따위를 병렬로 나열·연결하는 접속 부사. ¶그대 ~ 나 / 그날 우리는 처음 만났다. ~ 많은 이야기를 나누었다.
그리니치-시 (Greenwich時) [명] 영국의 그리니치 천문대를 지나는 본초(本初) 자오선을 기준으로 한 시간. 이 자오선을 지나는 시간을 정오(正午)로 하여 전 세계의 표준시·지방시를 정함.
***그리다**[1] [타] 사랑하는 마음으로 간절히 생각하다. ¶고향을 ~ / 임을 애타게 ~.
***그:리다**[2] [타] **1** 물건의 모양을 그와 같게 그림으로 나타내다. ¶고양이를 ~. **2** 사물의 모양이나 생각을 말이나 글로 나타내다. ¶고부간의 갈등을 적나라하게 그린 작품. **3** 어떤 도형과 닮은꼴을 짓다. ¶타자가 친

공이 포물선을 그리며 날아갔다. **4** 상상하거나 회상하다. ¶그의 모습을 머릿속에 그려 보았다.

그리드(grid) 명 〖물〗 삼극 진공관의 한 극. 양극과 음극과의 중간에 장치한 그물꼴의 금속으로 격자(格子)라고도 함. 전자(電子) 전류를 제어하는 작용을 함.

그리-로 부 '그리²'를 강조하는 말. ¶~ 가라. 작고리로. 준글로.

그리마 명 〖동〗 그리맛과의 절지동물. 마루 밑 등 음습한 곳에 사는데, 길이 약 3 cm, 암황갈색에 검은 반점이 있음. 몸은 많은 마디로 되어 있고, 15 쌍의 다리 중에서 맨 뒷다리가 특히 김.

그리스(grease) 명 기계의 마찰력을 덜기 위해 쓰는 진득진득한 윤활유(潤滑油).

그리스도(←Christ) 명 〖성〗 구세주라는 뜻. 예수. 기독(基督).

그리스도-교(←Christ敎) 명 기독교.

그리움 명 보고 싶어 애타는 마음. 사모의 정. ¶사무치는 ~ / ~이 더해 가다.

그리워-하다 타 여불 보고 싶어 하다. 사모하다. ¶어머니를 ~.

그리-저리 부 하자 **1** 아무렇게나 되는 대로. ¶~ 하다 보니 아무것도 이룬 것이 없다. *이리저리. **2** 둘 사이에 무슨 비밀이 있어 우물쭈물 처리하는 모양.

***그리-하다** 자 타 여불 그렇게 하다. 그와 같이 하다.

그린(green) 명 골프에서, 홀 주변에 있는, 퍼트를 하기 위한 잔디밭.

그린-면허증(green 免許證) 명 무사고, 무벌점의 모범 운전자에게 운전면허 적성 검사를 면제해 주거나 연장해 주는 특혜를 지니는 면허증.

그린-벨트(greenbelt) 명 **1** 개발 제한 구역. ¶~ 해제 예정 지역. **2** 녹지 지역.

그린피스(Green Peace) 명 핵무기 반대와 환경 보호 등을 목표로 활동하는 급진적인 국제 단체. 본부는 암스테르담에 있음.

그릴(grill) 명 즉석에서 구운 고기를 파는 식당. 양식점(洋食店).

***그:림** 명 **1** 물건의 형상을 평면 위에 선 또는 색채를 써서 나타낸 것. 회화(繪畫). ¶~을 잘 그린다. **2** 매우 아름다운 경치 따위의 비유. ¶~ 같은 저녁노을.

그림의 떡 구 아무리 마음에 들어도 이용할 수 없거나 차지할 수 없다는 뜻. 화중지병(畫中之餠).

그:림 문자(-文字)[-짜] 문자 발생 초기에 자기 의사를 표현하기 위한 수단으로 쓰여진 그림. 상형 문자보다도 더욱 유치한 단계임. 그림 글자. 회화 문자.

그:림-물감[-깜] 명 그림을 그리는 데 사용하는 색소와 고착제를 섞어서 만든 물감. 서양화·동양화 또는 수채화 물감 등이 있음. 채료.

그:림-본(-本)[-뽄] 명 그림을 그릴 때 본보기로 쓰는 그림.

그:림-쇠 명 지름이나 선의 거리를 재는 기구. 규구(規矩).

그:림-엽서(-葉書)[-녑-] 명 한쪽 면에 사진·그림 등이 있는 우편엽서.

그:림-일기(-日記) 명 아동들이 쓰는, 그림을 주로 한 일기.

***그:림자** 명 **1** 물체가 빛을 가려 그 물체의 뒤쪽에 나타나는 검은 그늘. ¶스승의 ~도 밟지 않던 시절. **2** 물 등에 비치어 나타나는 물체의 모습. ¶연못에 비친 자기 ~를 보다. **3** 사람의 자취. ¶~ 하나 얼씬하지 않다. **4** 근심·걱정 따위로 얼굴에 나타나는 어두운 표정. ¶얼굴에 수심(愁心)의 ~를 드리우다.

그림자도 없다 구 온데간데없다.

그림자를 감추다 구 자취를 감추어 모습을 나타내지 않다.

그림자조차 찾을 수 없다 구 온데간데없어 도무지 찾을 수 없다.

그:림자-밟기[-밥끼] 명 달밤에 술래가 된 사람이 다른 사람의 그림자를 밟는 어린이 놀이.

그:림-쟁이 명 〈비〉 화가(畫家).

***그:림-책**(-冊) 명 **1** 그림을 모아 놓은 책. **2** 그림본으로 쓰는 책. **3** 그림으로 꾸민 어린이용 책《만화책 따위》.

그:림-첩(-帖·-牒) 명 여러 가지 그림을 한데 묶어 만든 책. 도첩.

***그립다**〔그리우니, 그리워〕 형 ㅂ불 **1** 보고 싶거나 만나고 싶은 마음이 간절하다. ¶그리운 내 고향. **2** 무엇이 아쉽거나 필요하다. ¶인정이 ~.

그만¹ 관 '그만한'의 준말. ¶~ 일에 울지 마라.

***그만²** 부 **1** 그 정도까지만. ¶~ 해라. **2** 그대로 곧장. ¶그 말에 ~ 화를 냈다. **3** 어쩔 도리가 없어서. ¶~ 울어 버렸다. **4** 자신도 모르는 사이에. ¶급히 먹다가 ~ 사레가 들렸다. **5** 그 정도로 하고. ¶오늘은 ~ 끝냅시다. 작고만. *이만.

그만그만-하다 형 여불 여럿이 다 그저 어슷비슷하다. ¶그만그만한 나이의 애들. 작고만고만하다. *저만저만하다.

***그만-두다** 타 **1** 하던 일을 그치고 안 하다. ¶학교를 ~ / 직장을 ~. **2** 할 예정이던 것을 안 하다. ¶비가 와서 등산을 그만두었다. 작고만두다. 준간두다.

그만-이다 형 **1** 그것뿐이다. 그것으로 끝이다. ¶가면 ~ / 그것만 하면 오늘은 ~. **2** 그것으로 족하다. ¶나는 책과 노트만 사주시면 그만이에요. **3** 〈속〉 더할 나위 없다. 가장 낫다. ¶그 사람의 요리 솜씨는 ~. 작고만이다.

그만-저만 부 그저 그만한 정도로. 그만한 정도로 그만. ¶너무 오래 하지 말고 ~ 해두어라. **—-하다** 형 여불 그저 그만한 정도이다. 정도가 그저 어슷비슷하다. ¶병세가 오늘도 ~. *이만저만하다.

그-만치 명 부 그만큼. *이만치.

그-만큼 명 부 그 정도로. ¶~ 크다 / 일을 하면 ~ 돈이 생긴다. *이만큼·저만큼.

그만-하다 형 여불 **1** 상태·모양·성질 따위의 정도가 그러하다. ¶아버님 병환이 ~. **2** 웬만하다. ¶사업은 그저 그만합니다. **3** 정도나 수준, 수량이 그것만 하다. ¶그만한 돈은 내게도 있다. 작고만하다. *이만하다·저만하다.

그맘-때 명 그만큼 된 때. ¶~가 되면. 작고맘때. *이맘때·저맘때.

*그물 명 1 물고기·날짐승 등을 잡기 위해 노끈·쇠줄 따위로 여러 코의 구멍이 나게 얽은 물건. ¶새 ~/~로 물고기를 잡다. 2 그물코처럼 엮어 만든 물건의 총칭. ¶배구공이 ~에 걸리다. 3 남을 꾀거나 잡기 위해 베풀어 놓은 교묘한 수단과 방법. ¶범인이 ~에 걸리다.
[그물에 든 고기] 이미 잡힌 몸이 되어 벗어날 수 없는 신세. [그물이 삼천 코라도 벼리가 으뜸] 아무리 수가 많더라도 주장되는 것이 없으면 소용이 없다.
그물을 던지다 구 남을 꾀거나 해치려고 수단을 쓰다.
그물-거리다 자 날씨가 자꾸 흐렸다 개었다 하다. ¶날씨가 온종일 ~. 센끄물거리다. **그물-그물** 부하자
그물-눈 [-룬] 명 그물코.
그물-대다 자 그물거리다.
그물-망 (-網) 명 그물코처럼 구멍이 있는 망. ¶~을 치다/곡예사가 공중 묘기를 하다가 ~ 위로 떨어지다.
그물-맥 (-脈) 명 〖식〗 쌍떡잎식물에서, 그물처럼 엉클어져 있는 잎맥. 망상맥(網狀脈). *나란히맥.
그물-질 명하자 그물을 써서 고기를 잡는 일. ¶~을 나가다.
그물-코 명 그물의 구멍. 그물눈. ¶~가 성기다.
그물-톱 명 그물을 손으로 뜰 때, 그물코의 크기를 일정하게 하기 위해 사용하는 작은 나무쪽.
그믐 명 '그믐날'의 준말. ¶섣달 ~.
그믐-께 명 그믐날의 전후 며칠 동안.
그믐-날 명 음력으로 그달의 마지막 날. ¶사월 ~. 준그믐.
그믐-달 [-딸] 명 음력으로 매월 그믐께 뜨는 달. ↔초승달.
그믐-밤 [-빰] 명 음력 그믐날의 밤. 달이 없고 컴컴한 밤.
[그믐밤에 달이 뜨는 것과 같다] 불가능한 일이다. [그믐밤에 홍두깨 내민다] 생각지 않던 일이 갑자기 일어난다.
그믐-초승 (-初-) 명 1 그믐과 초승. 2 그믐께부터 다음달 초승까지의 사이.
그-분 인대 '그이·그 사람'의 높임말. ¶~은 지금 어디 계시냐.
그-사이 명부 어느 때부터 다른 어느 때까지의 비교적 짧은 동안. 그간. ¶~를 못 기다리고 떠나 버렸다/~ 안녕하셨습니까. 작고사이. 준그새.
그-새 명부 '그사이'의 준말. 작고새.
그슬다 〔그스니, 그스오〕 타 불에 쬐어 거죽만 살짝 타게 하다.
그슬리다 ㊀자 '그슬다'의 피동형. ¶머리카락이 촛불에 ~. ㊁타 '그슬다'의 사동형.
[그슬린 돼지가 달아맨 돼지 타령한다] 제 흉은 모르고 남의 흉만 탈 잡고 나무란다는 말.
그슬음 명 불에 겉만 약간 타게 하는 일.
그악-스럽다 〔-스러우니, -스러워〕 형ㅂ불 보기에 그악한 데가 있다. **그악-스레** 부
그악-하다 [-아카-] 형여불 1 장난 따위가 지나치게 심하다. 2 모질고 사납다. ¶시어미의 그악한 며느리 길들이기. 3 억척스럽고 끈질기다. ¶성질이 그악해서 여러 식구를 혼자 벌어 먹인다.
그야 부 그것이야. ¶~ 모르는 일이지.
그야-말로 부 1 정말로. 참으로. ¶~ 힘든 일을 해냈다. 2 '그것이야말로'의 준말. ¶~ 한국 제일이지.
그어-주다 타 1 돈·곡식 가운데에 얼마를 몫으로 떼어 주다. ¶제 몫으로 백만 원 그어주었다. 2 돈을 환(換)으로 부치다. 준거주다.
그예 부 마지막에 가서는 그만. 마침내. 필경. ¶~ 울음보를 터뜨렸다.
그윽-이 부 그윽하게. ¶~ 들리는 새벽 종소리.
그윽-하다 [-으카-] 형여불 1 깊숙하고 으늑하며 고요하다. ¶그윽한 정취. 2 뜻이나 생각이 깊다. ¶그윽한 애정. 3 느낌이 은근하다. ¶그윽한 매화 향기.
그을다 〔그으니, 그으오〕 자 햇볕·연기 등을 오랫동안 쐬어 빛이 검게 되다. ¶천장이 ~/볕에 그은 얼굴. 준글다.
그을리다 ㊀타 《'그을다'의 사동》 그을게 하다. ¶햇볕에 살갗을 ~. ㊁자 《'그을다'의 피동》 그을게 되다. ¶햇볕에 검게 그을린 얼굴. 준글리다.
그을음 명 1 불에 탈 때 불꽃과 함께 연기에 섞여 나오는 먼지 같은 검은 가루. 연매(煙煤). ¶촛불의 ~. 2 연기·먼지들이 엉겨 벽·천장 등에 앉은 검은 물건. ¶냄비의 ~. 준글음.
그-이 인대 1 그 사람. ¶내 사랑하는 ~. 준그. *이이·저이. 2 여자가 자기 남편을 다른 사람을 상대하여 이르는 말.
그-자 (-者) 인대 '그 사람'을 조금 얕잡아 이르는 말. ¶~를 믿지 마라. *이자.
*그저 부 1 그대로 줄곧. 계속하여. ¶~ 앉아 기다리고만 있었다. 2 다른 일은 하지 않고 그냥. ¶~ 웃고만 있다. 3 별로 신기함이 없이. ¶~ 그렇지요 뭐. 4 무조건하고. ¶~ 살려 주십시오/~ 시키는 대로만 해라. 5 어떤 이유·목적 없이. 아무 생각 없이. ¶~ 농담으로 한 말이다.
*그저께 명 어제의 어제. 어제의 전날. 준그제. ¶~ 밤에 도착했다.
그-전 (-前) 명 1 얼마 아니 된 전날. 지난날. ¶~ 장관. 2 퍽 오래된 지난날. 예전. ¶~에는 여기도 밭이었다.
*그제 명 '그저께'의 준말.
그제-야 부 그때에야 비로소. ¶뜸을 들이다 ~ 말문을 열었다.
그-중 (-中) 명 여럿 가운데. ¶그것이 ~ 낫다/~에는 찾는 것이 없다.
그-즈음 명 그런 일이 있었을 무렵.
그지-없다 [-업따] 형 1 끝이 없다. 한이 없다. ¶부모의 사랑은 ~. 2 이루 다 말할 수 없다. ¶민망하기 ~. **그지-없이** [-업씨] 부
그-쪽 지대 1 그곳이나 그 방향. ¶~에 서 있어라. 2 말하는 이나 듣는 이가 알고 있는 사람. ¶~에서는 좋다고 합니다. 3 상대편. ¶~ 생각은 어떠하오.
*그치다 ㊀자 1 계속되던 일이나 움직임이 멈추거나 끝나다. ¶바람이 ~/그칠 새 없이 손님이 찾아오다. 2 어떤 상태에 머무르

다. ¶구호에 ~/지난 대회 때는 18위에 그쳤다. ㊁타 계속되는 움직임을 멈추게 하다. 하던 일을 멈추다. ¶울음을 ~.

그토록 부 [←그러하도록] 그렇게까지. ¶~ 사랑하던 그를 떠나보냈다.

그-해 명 전에 말했거나 알고 있는 과거의 어느 해. 또는 이야기하고자 하는 어느 해. ¶~는 대풍년이 들었었지.

***극** (極) 명 **1** 어떤 정도가 그 이상 갈 수 없는 지경. ¶화가 ~에 달하다. **2**〔지〕 지축의 양쪽 끝. 남극과 북극. **3**〔전〕 전극. 양극과 음극. **4**〔물〕 자석(磁石)에서 자기력이 가장 센 두 끝. 남극과 북극. **5**〔수〕 구(球)의 대원(大圓) 및 소원의 평면에 수직되는 지름의 양 끝. *극(極)하다.

극과 극을 달리다 구 서로 완전히 다르다. ¶A씨와 B씨의 논조는 각각 극과 극을 달리고 있다.

극 (劇) 명 연극이나, 연극의 대본이 되는 문학 작품.

극간 (極諫) 명하타 잘못된 일이나 행동을 고치도록 온 힘을 다하여 말함.

극감 (極減) 명하타 더 줄일 수 없을 정도로 몹시 줄임.

극-값 (極-)[-깝] 명 〔수〕 함수의 극댓값과 극솟값의 총칭. 구칭 : 극치(極値).

극-거리 (極距離) 명 〔천〕 천구(天球) 위의 한 점과 극이 이루는 각거리(角距離).

극관 (極冠) 명〔천〕 화성(火星)의 양극 지방에 보이는 흰 곳《얼음과 눈으로 덮인 지방으로 생각됨》.

극광 (極光) 명 〔지〕 지구 남북 양극 지방의 높은 공중에 나타나는 아름다운 빛의 현상. 오로라(aurora).

극구 (極口) 부 온갖 말을 다하여. ¶~ 칭찬하다/~ 변명하다/~ 만류하다/~ 사양하다.

극권 (極圈) 명 〔지〕 지구의 남북 위도로 66° 33′ 에서 각각 남 또는 북의 지역을 일컬음. 이 권 안에서는 하루 종일 해가 뜨지 않거나 지지 않는 기간이 있음.

극귀-하다 (極貴-) 형여불 극히 귀하다.

극기 (克己) 명하자 자기의 감정이나 욕심을 의지로 눌러 이김. ¶~ 훈련/~할 수 없는 자는 남을 다스릴 수 없다.

극기 (極忌) 명하타 **1** 몹시 꺼림. **2** 극히 미워함.

극난 (克難)[긍-] 명하자 어려움을 이겨 냄. 난관을 극복함.

극단 (極端) 명하형히부 **1** 맨 끄트머리. **2** 극도에 이르러 더 나아갈 수 없음. ¶상황이 ~으로 치닫다. **3** 중용을 잃고 한쪽으로 치우침. ¶생각이 ~으로 흐르다.

극단 (劇團) 명 연극을 전문으로 공연하는 단체. ¶예술 ~.

극단 (劇壇) 명 **1** 연극의 무대. **2** 연극인의 사회. 극계(劇界).

극단-적 (極端的) 관명 한쪽으로 크게 치우치거나 극도에 도달하는 (것). ¶~인 행동.

극대 (極大) 명하형 **1** 더할 수 없이 큼. 지극히 큼. **2**〔수〕 어떠한 함수의 값이 일정한 법칙에 따라 변화할 때, 더 늘 수 없고, 도로 줄어지려 할 때의 일컬음. ↔극소.

극대 규모 집적 회로 (極大規模集積回路) [-쩌쾨-] 〔컴〕 유엘에스아이(ULSI).

극대-화 (極大化) 명하자타 아주 커짐. 또는 아주 크게 함. ¶효율성의 ~/이윤을 ~하다/작업 능률을 ~하다. ↔극소화.

극댓-값 (極大-)[-때깝/-땓깝] 명 〔수〕 어떤 함수가 극대일 때의 값. 구용어 : 극대치. ↔극솟값.

극도 (極度) 명 더할 수 없는 정도. ¶분노가 ~에 이르다/~로 흥분하다/~의 공포에 시달리다.

극동 (極東) 명 **1** 동쪽의 맨 끝. **2**〔지〕 유럽을 기준으로, 아시아 대륙의 동쪽 끝에 위치한 지역《한국·중국·일본 등》. 원동(遠東). ¶~ 지역의 평화. *근동.

극-동풍 (極東風) 명 지구의 자전으로 말미암아 극권(極圈)에서 불어오는 차가운 바람. 주극풍(周極風).

극락 (極樂)[긍낙] 명 **1** 지극히 안락하여 아무 걱정이 없는 경우와 처지. 또는 그런 장소. **2**〔불〕 아미타불이 살고 있는 정토. 지극히 안락하고 걱정이 없는 행복한 세상. 극락세계. 극락정토.

극락-전 (極樂殿)[긍낙-] 명 〔불〕 아미타불을 본존(本尊)으로 모셔 둔 법당.

극락-정토 (極樂淨土)[긍낙-] 명 〔불〕 극락 2.

극량 (極量)[긍냥] 명 **1** 규정한 최대 분량. **2** 극약·독약 등을 위험 없이 한 번 또는 하루에 쓸 수 있는 최대 분량.

극력 (極力)[긍녁] ㊀명하자 있는 힘을 다함. ¶~으로 주장하다. ㊁부 있는 힘을 다하여. ¶~ 반대하다.

극렬 (極烈·劇烈)[긍녈] 명하형히부 매우 열렬하거나 맹렬함. ¶~ 데모/~하게 반대하다/~히 주장하다.

극론 (極論)[긍논] 명하타 **1** 지나치게 심한 말이나 논의. 극언(極言). **2** 철저히 논함. **3** 극단적인 이론. 극단론(極端論).

극류 (極流)[긍뉴] 명 〔지〕 남북 양극 지방에서 적도 쪽으로 흐르는 한류(寒流).

극명 (克明)[긍-] 명하타형히부 아주 똑똑히 밝힘. 또는 똑똑히 밝혀져 분명함. ¶인류 평등의 대의(大義)를 ~하다/우리나라는 사계절이 ~하게 구분된다/입장 차이를 ~하게 드러내다/~히 드러난 윤곽.

극모 (棘毛)[긍-] 명 〔동〕 환형동물·윤형동물 따위의 몸 표면에 있는, 굵고 가시와 같이 억센 털.

극 문학 (劇文學)[긍-] 연극 예술을 위한 문학《희곡·각본·시나리오 따위》.

극물 (劇物)[긍-] 명 극약에 버금가는 정도의 독성이 있는, 의약품 이외의 물질.

극미-하다 (極微-)[긍-] 형여불 더할 수 없이 작거나 적다.

극복 (克服) 명하타 악조건이나 고생 따위를 이겨 냄. ¶불황 ~/난국을 ~하다/어려움이 ~되다.

***극본** (劇本) 명 각본(脚本) 1.

극비 (極祕) 명 '극비밀'의 준말. ¶~ 사항/~에 부치다.

극비-리 (極祕裡) 명 (주로 '극비리에'의 꼴로 쓰여) 극히 비밀한 가운데. ¶~에 진행하다.

극-비밀 (極祕密) 명 절대 알려져서는 안 될

중요한 일. ㊟극비.
극빈(極貧) 명하형 몹시 가난함. ¶~ 생활/~한 가정/~했던 시절을 잊지 말자.
극상(極上) 명 **1** 서열 따위가 아주 위임. 막상(莫上). **2** 품질 따위가 아주 좋음. 또는 그러한 물건. 난상(難上).
극서(極暑·劇暑) 명 지독한 더위. 더없이 심한 더위. 혹서. 극염(極炎). ↔극한(極寒·劇寒).
극선(極線) 명 〖수〗 어느 한 점에서 한 원 또는 원뿔 곡선에 두 접선을 그을 때, 그 접점을 이은 선.
극성(極性) 명 특정한 방향에 따라 그 양극단에 서로 대응하는 다른 성질을 갖는 일. 전극의 양극과 음극, 자석의 남극과 북극 따위.
극성(極星) 명 〖천〗 천구(天球)의 극에 가장 가까운 별《북극의 북극성 따위》.
극성(極盛) 명하형 **1** 몹시 왕성함. ¶국운이 ~을 누리다. **2** 성질이나 행동이 몹시 드세거나 과격함. ¶저렇게 ~을 떠는 팬들은 처음 보았다/모기 떼가 ~을 피우다/저 애는 얼마나 ~인지 몰라요.
극성-떨다(極盛-)〔-떠니, -떠오〕 자 극성부리다.
극성-맞다(極盛-)[-맏따] 형 극성스럽다. ¶극성맞은 여편네.
극성-부리다(極盛-) 자 극성스러운 짓을 하다. 극성떨다. ¶극성부리는 도굴꾼 때문에 문화재가 많이 훼손되었다.
극성-스럽다(極盛-)〔-스러우니, -스러워〕 형ㅂ불 성질이나 행동이 몹시 드세거나 과격하다. 극성맞다. ¶극성스럽게 짖어 대는 개/극성스러웠던 그는 언제나 1등을 했다. **극성-스레** 부
극소(極小) 명하형 **1** 아주 작음. **2** 〖수〗 어떤 함수의 값이 일정한 법칙에 따라 줄어들다가 더 줄어들 수 없을 때의 일컬음. ↔극대(極大).
극소(極少) 명하형 아주 적음.
극-소량(極少量) 명 아주 적은 분량(分量).
극-소수(極少數) 명 극히 적은 수. ¶~의 인원으로 대처하다.
극소-화(極小化) 명하자타 아주 작아짐. 또는 아주 작게 함. ¶휴대 전화의 크기가 점점 ~하고 있다. ↔극대화.
극솟-값(極小-)[-쏘깝/-솓깝] 명 〖수〗 어떤 함수가 극소에 이르렀을 때의 값. 구용어: 극소치(値). ↔극댓값.
극시(劇詩) 명 **1** 연극의 요소를 품고 있는, 주로 장편의 시. **2** 희곡 형식으로 된 시《괴테의 '파우스트' 따위》.
극심-하다(極甚-·劇甚-) 형여불 극히 심하다. ¶가뭄이 ~/극심한 자금난을 겪다/출퇴근길이 극심한 정체 현상을 나타냈다.
극악(極惡) 명하형 **1** 더없이 악함. ¶~한 범인. **2** 가장 나쁨. ¶~ 상황.
극악-무도(極惡無道)[-앙-] 명하형 더없이 악하고 도리에 완전히 어긋남. ¶~한 만행을 저지르다.
극야(極夜) 명 〖지〗 겨울철 고위도(高緯度) 지방에서 추분부터 춘분 사이에 오랫동안 해가 뜨지 않고 밤만 계속되는 동안. ↔백야(白夜).
극약(劇藥) 명 **1** 독약보다는 약하나 적은 분량으로 사람이나 동물을 해치는 약품. **2** 극단적인 해결 방법의 비유. ¶부정 선거를 막기 위한 ~ 처방을 내리다.
극언(極言) 명하자타 **1** 생각하는 바를 거리낌 없이 말함. 또는 그 말. **2** 극단적으로 말함. 또는 그런 말. 극론(極論). ¶매국노라고 ~하다.
극염(極炎·劇炎) 명 몹시 심한 더위. 혹서.
극-영화(劇映畫)[긍녕-] 명 일정한 줄거리를 가지고 있는 영화《기록 영화에 상대하여 일컬음》.
극예-하다(極銳-) 형여불 몹시 날카롭다.
극우(極右) 명 극단적으로 보수주의적·국수주의적인 사상. 또는 그런 사람이나 세력. ↔극좌.
극작(劇作) 명하자 연극의 각본을 씀.
극작-가(劇作家) 명 연극의 각본을 쓰는 것을 업으로 하는 사람.
***극장**(劇場) 명 연극·음악·무용 따위를 공연하거나 영화를 상영할 수 있는 시설을 갖춘 곳.
극-저온(極低溫) 명 절대 영도(絶對零度)에 가까운 매우 낮은 온도.
극적(劇的) 관명 **1** 연극의 특성을 띤 (것). ¶~ 효과. **2** 극을 보는 것과 같이 감동적·인상적인 (것). ¶~ 장면/~인 순간.
극-전선(極前線) 명 〖지〗 **1** 한대 전선. **2** 한류와 난류의 양 수괴(水塊)가 접하는 경계선. 극기(極氣) 전선.
극점(極點) 명 **1** 극도에 다다른 점. **2** 북극점과 남극점.
극젱이 명 농기구의 하나. 쟁기와 비슷하나 보습 끝이 무디고 술이 곧게 내려감.
극-존칭(極尊稱) 명 아주 높이어 일컫는 말. 아주높임.
극좌(極左) 명 극단적으로 사회주의적·공산주의적인 사상. 또는 그런 성향의 사람이나 세력. ↔극우(極右).
극-좌표(極座標) 명 〖수〗 평면 위의 임의의 점의 위치를, 정점(定點)으로부터의 거리와 방향으로 나타내는 좌표. 극자리표.
극중(劇中) 명 극의 내용 가운데. ¶~인물.
극지(極地) 명 **1** 끝에 있는 땅. **2** 극지방.
극-지방(極地方) 명 〖지〗 북극과 남극을 중심으로 그 주변 지역. 극지.
극진-하다(極盡-) 형여불 정성이 더할 나위 없다. ¶효성이 ~/극진한 대접을 받다. **극진-히** 부. ¶~ 보살피다.
극찬(極讚) 명하타 매우 칭찬함. 또는 그런 칭찬. ¶입을 모아 ~하다.
극-초단파(極超短波) 명 〖전〗 파장이 약 1m 이하 10cm의 헤르츠파(Hertz波). 레이더 따위에 사용됨. 유에이치에프(UHF). ¶~ 방송. *마이크로파.
극치(極致) 명 도달할 수 있는 최고의 경지나 상태. ¶자연미의 ~.
극터듬다[-따] 타 간신히 붙잡고 기어오르다.
극통(極痛·劇痛) 명하형 **1** 몹시 심한 아픔. ↔둔통. **2** 뼈에 사무치는 고통. 지통(至痛).
극풍(極風) 명 〖지〗 지구의 양극 권내에서 부는 동풍《지구의 자전에 의해 생김》. 극동풍.

극피(棘皮) 명 겉몸에 석회질의 가시가 돋친 동물의 껍질.
극피-동물(棘皮動物) 명 동물계의 한 문(門). 바다에 사는데, 몸은 방사상(放射狀), 체강(體腔)이 있음. 체벽(體壁)에 석회질의 뼛조각 또는 골판으로 둘러싸인 수관계(水管系)가 있어 그 안을 체액이 순환하며, 관족(管足)으로 운동함《갯고사리·성게·불가사리·해삼·광삼(光蔘)·삼천발이 등》.
극-하다(極―)[그카―] 자타 여불 아주 심해 더할 수 없는 정도에 이르다. ¶사치를 ~/슬픔이 극하면 눈물도 안 나오는 법이다.
극-히[그키] 부 대단히. 매우. ¶~ 드문 일/~ 우수한 학생이다.
극한(極限)[그칸] 명 1 도달할 수 있는 최후의 단계. 사물의 끝닿은 데. ¶~ 대립/노여움이 ~에 달하다. 2〖수〗극한값.
극한(極寒·劇寒)[그칸] 명 몹시 심한 추위. ↔극서(極暑·劇暑).
극한-값(極限―)[그칸깝] 명〖수〗함수에서, 일정한 법칙에 따라 변화하는 수(數)가, 어떤 일정한 수에 한없이 접근할 때의 그 일정한 수. 구칭: 극한치.
극한 상황(極限狀況)[그칸―] 더 이상 어쩔 수 없도록 극도에 도달한 상황. 한계 상황. ¶~에서의 인간 심리.
극형(極刑)[그켱] 명 가장 무거운 형벌의 뜻으로, '사형'을 일컫는 말. ¶~에 처하다.
극화(劇化)[그콰] 명하타 사건이나 소설 등을 극의 형식으로 각색하는 일.
근(根) 명 1 부스럼 속에서 곪아 단단하게 된 망울. ¶~이 빠지다. 2〖식〗뿌리. 3〖화〗기(基). 4〖수〗방정식을 만족시키는 미지수의 값. 5〖수〗거듭제곱근. 6〖불〗어떤 작용을 일으키는 강력한 힘. 육근(六根)의 능력.
근(筋) 명〖생〗힘줄. 근육.
근(斤) 의명 저울로 다는 무게의 단위. 고기나 한약재 따위에서는 1근을 600 g으로, 야채 따위에서는 375 g으로 씀.
근:(近) 관 (수량을 나타내는 말 앞에 쓰여) 그것에 거의 가까움을 나타내는 말. ¶~ 한 달 동안/~ 백 리.
근:간(近刊) 명하타 1 최근에 출판함. 또는 그런 간행물. 2 머지않아 곧 출간함. 또는 그런 간행물. ¶~ 예정. *기간(旣刊)·미간(未刊).
근:간(近間) 명 요사이. ¶~의 동정(動靜).
근간(根幹) 명 1 뿌리와 줄기. 2 사물의 바탕이나 중심이 되는 것. ¶사상의 ~을 이루다.
근거(根據) 명하자 1 근본이 되는 터전. ¶생활의 ~를 잃다. 2 의논·의견 등에 그 근본이 되는 사실. ¶~ 없는 낭설/~를 대다/법에 ~하여 처리한다.
근:-거리(近距離) 명 가까운 거리. ¶~ 출장. ↔원거리.
근거-지(根據地) 명 활동의 근거로 삼는 곳. ¶독립 운동의 ~.
근:검(勤儉) 명하형 히부 부지런하고 검소함. ¶~과 절약을 미덕으로 삼다.
근검-하다 형 여불 자손이 많아서 보기에 복스럽다.
근:경(近景) 명 1 가까이 보이는 경치. 2 사진·그림 등에서 가까운 곳으로 그려지거나 찍힌 대상. ↔원경(遠景).
근경(根莖) 명〖식〗뿌리와 줄기. 뿌리줄기.
근:계(謹啓)[―/―게] 명 '삼가 아뢰니다'의 뜻《한문 투의 편지 첫머리에 쓰는 말》. 경계(敬啓).
근:고(近古) 명 1 그리 오래되지 않은 옛날. 2〖역〗역사상의 시대 구분의 하나. 중고(中古)와 근세(近世)와의 사이.
근:고(勤苦) 명하자 마음과 힘을 다하여 부지런히 애씀. 또는 그러한 일.
근:고(謹告) 명하타 삼가 아룀. 삼가 알림.
근골(筋骨) 명 1 근육과 뼈. 2 체력.
근골(跟骨) 명〖생〗발꿈치를 이루는 굵고 짧은 뼈.
근:교(近郊) 명 도시에 가까운 변두리에 있는 마을이나 산야. ¶서울 ~에 살다.
근:교 농업(近郊農業) 큰 도시 주변에서 도시인의 소비에 응해 채소·꽃 등을 집약적으로 재배하는 상업성이 높은 농업.
근:근(僅僅) 부 겨우. 근근이.
근:근-이(僅僅―) 부 겨우. 간신히. ¶쥐꼬리만 한 월급으로 ~ 살아가다.
근근-하다[1] 형 여불 좀 아픈 듯하면서 근질근질한 느낌이 있다.
근근-하다[2] 형 여불 우물이나 못 따위에 괸 물이 가득하다.
근:기(近畿) 명 서울에서 가까운 곳. ¶~ 지방.
근기(根氣) 명 1 무엇을 참고 견디는 힘. ¶~ 있게 일하다. 2 근본이 되는 힘. 3 음식이 차지거나 영양분이 많아 먹은 뒤 오랫동안 든든한 기운. ¶밥보다 찰떡이 더 ~가 있다.
근:년(近年) 명 지나간 요 몇 년 사이. ¶~에 없었던 대풍작.
근:념(勤念) 명하자타 1 친절하고 정성스럽게 돌봄. 2 애쓰고 수고함.
근:농(勤農) 명하자 농사를 부지런히 지음. 또는 그런 농민.
근대 명〖식〗명아줏과의 두해살이 채소. 밭에 재배하며, 줄기는 곧고 높이 150 cm가량으로 초여름에 황록색의 작은 꽃이 핌. 사철 줄기와 잎을 식용함. 군달(莙薘).
근:대(近代) 명 1 얼마 지나지 않은 가까운 시대. ¶~ 건축물. 2 역사상 시대 구분의 하나. 중세와 현대의 중간 시대.
근:대 국가(近代國家)〖역〗중세 말기의 전제 국가가 붕괴한 후, 근대에 성립한 중앙 집권 국가.
근:대 국어(近代國語) 국어 역사에서 17세기 초부터 19세기 말에 걸친 시기의 국어.
근대다 타 1 귀찮게 치근덕거리다. 2 남을 비웃고 조롱하다.
근:대 사:상(近代思想) 개성을 존중하고 인권과 자유를 추구하며, 평화를 지향하는 사상.
근:대 사회(近代社會) 봉건적 신분 제도가 소멸하여 개인의 자유 및 법 앞에 만인 평등이 실현된 사회. 시민 사회.
근:대 산:업(近代產業) 산업 혁명 이후에 일어난 산업. 공장을 세우고 기계 기술을 도입하여 분업화한 산업 형태.
근:대 오:종 경:기(近代五種競技) 올림픽

대회의 경기 종목의 하나. 사격·수영(300 m 자유형)·펜싱·승마·크로스컨트리의 다섯 가지 종목을 혼자서 하루 한 종목씩 5일간 하며, 종합 득점으로 승부를 겨루는 경기.

근:대-적 (近代的) 관명 근대의 특징이 될 만한 성질·경향이 있는 (것). ¶ ~인 설비 / 토지 제도를 ~으로 정비하다.

근:대-화 (近代化) 명하자타 근대적인 상태가 됨. 또는 그렇게 되게 함. ¶조국 ~.

근데 부 '그런데'의 준말. ¶~ 말야.

근뎅-거리다 자 느슨하게 달린 물체가 조금 위태롭게 자꾸 흔들리다. 작간댕거리다. **근뎅-근뎅** 부하자

근뎅-대다 자 근뎅거리다.

근뎅-이다 자 근뎅근뎅 흔들리며 움직이다. 작간댕이다.

근:동 (近東) 명 《지》 유럽에서 보아, 가까운 동양의 서쪽 여러 나라《터키·이란·이라크·시리아·레바논·요르단·이스라엘에서 이집트까지를 포함함》. ¶~ 산유국. *극동·중동.

근:동 (近洞) 명 가까운 이웃 동네. ¶~에까지 소문이 퍼져 나갔다.

근드렁-거리다 자 매달린 큰 물체가 조금 가볍게 천천히 자꾸 흔들리다. 작간드랑거리다. **근드렁-근드렁** 부하자

근드렁-대다 자 근드렁거리다.

근드렁-타령 명 몸을 가누지 못해 근드렁거리는 짓을 놓으로 하는 말.

근드적-거리다 자 무엇에 의지하거나 붙어 있는 큰 물체가 천천히 가볍게 계속해서 흔들리다. 작간드작거리다. **근드적-근드적** 부하자

근드적-대다 자 근드적거리다.

근들-거리다 자타 물체가 이리저리 조금 가볍게 자꾸 흔들리다. 또는 그렇게 되게 하다. 작간들거리다. **근들-근들** 부하자타

근들-대다 자타 근들거리다.

***근:래** (近來)[글-] 명 가까운 요즈음. ¶~에 없던 충격적인 사건.

근량 (斤兩)[글-] 명 **1** 무게의 근과 냥. **2** '근량쭝'의 준말.

근량 (斤量)[글-] 명 저울로 단 무게. ¶요래 봬도 ~은 많이 나간다.

근량-쭝 (斤兩-)[글-] 명 근과 냥으로 셈한 물건의 무게. 준근량.

근력 (筋力)[글-] 명 **1** 근육의 힘. ¶~을 기르다. **2** 일을 능히 감당해 내는 힘. 기력. ¶~이 좋다.

***근:로** (勤勞)[글-] 명하자 **1** 부지런히 일함. ¶~의 존귀함을 새삼 깨닫다. **2** 일정한 시간에 정해진 일을 함. ¶연장 ~.

근:로 계:약 (勤勞契約)[글- / 글-게-] 《법》 근로자와 사용자가 노무 제공과 임금 지급 등을 약속하는 계약. 노동 계약.

근:로-권 (勤勞權)[글-꿘] 명 《법》 노동 능력을 가진 사람이 국가에 대하여 근로 기회의 제공을 요구할 수 있는 권리.

근:로 기본권 (勤勞基本權)[글-꿘] 《법》 근로자가 그 생존을 확보하기 위하여 헌법이 인정한 기본권. 근로권·단결권·단체 교섭권 및 단체 행동 자유권의 총칭.

근:로 기준법 (勤勞基準法)[글-뻡] 근로자의 기본적 생활을 보장·향상시키기 위하여 근로 조건의 기준을 규정한 법.

근:로 소:득 (勤勞所得)[글-] 근로자가 근로를 제공한 대가로 받는 봉급·수당·연금·상여금 등의 소득. ↔불로 소득.

***근:로-자** (勤勞者)[글-] 명 근로에 의한 소득으로 생활하는 사람. 노동자.

근:로자의 날 (勤勞者-)[글- / 글-에-] 근로자의 노고를 위로하고 사기를 높이는 뜻에서 제정한 날《5월 1일》.

근:로 조건 (勤勞條件)[글-껀] 근로자가 사용자에게 노무(勞務)를 제공하는 데 따르는 여러 가지 조건《임금·근로 시간·작업 환경·휴가 따위를 이름》. 노동 조건. ¶~을 개선하다.

근류 (根瘤)[글-] 명 《식》 뿌리혹.

근:린 (近隣)[글-] 명 **1** 가까운 이웃. **2** 가까운 곳. ¶이 ~에서 벌채한 목재.

근막 (筋膜) 명 《생》 근육의 표면을 싸고 있는 결합 조직성의 얇은 막.

근:만 (勤慢) 명 부지런함과 게으름. 근태(勤怠).

근맥 (根脈) 명 일이 생겨난 유래.

근맥 (筋脈) 명 근육과 핏줄.

***근:면** (勤勉) 명하자형히부 부지런하게 일하며 힘씀. ¶~과 절약 / ~하고 성실한 가정주부.

근:면-성 (勤勉性)[-썽] 명 부지런한 품성.

근멸 (根滅) 명하타 뿌리째 없애 버림. ¶폐습을 ~하다.

근모 (根毛) 명 《식》 뿌리털.

근:무 (勤務) 명하자 **1** 직장에서 직무에 종사함. ¶~자 / ~처 / ~ 태도 / 밤 10시까지 ~하다. **2** 일직·숙직·당번 따위를 맡아서 함. ¶~ 교대 시간.

근:민 (勤民) 명 **1** 부지런한 백성. **2** 근로 생활을 하는 많은 사람들.

근:방 (近方) 명 근처(近處). ¶이 ~에서 이상한 소리가 났다.

근:배 (謹拜) 명 '삼가 절함'의 뜻《편지 끝의 자기 이름 뒤에 쓰는 말》.

근:백 (謹白) 명 삼가 아룀. *근배(謹拜).

***근본** (根本) 명 **1** 초목의 뿌리. **2** 사물이 발생하는 근원. 기초. ¶~ 문제. **3** 자라 온 환경과 경력. ¶~이 좋은 신랑감을 찾다.

근본-법 (根本法)[-뻡] 명 일반적으로 국가의 근본적인 법《곧, 헌법》.

근:봉 (謹封) 명 '삼가 봉함'의 뜻《편지 따위의 겉을 봉한 자리에 쓰는 말》. 근함(謹緘).

근:사-치 (近似値) 명 근삿값.

***근:사-하다** (近似-) 형여불 **1** 거의 같다. ¶예상이 근사하게 들어맞다. **2** 〈속〉 그럴싸하게 괜찮다. ¶그것 참 근사한데.

근:삿-값 (近似-)[-사깝 / -삳깝] 명 《수》 정확한 수치를 낼 수 없을 때에, 근사계산에 의해서 얻어진 수치로 참값에 가까운 값. 근사치.

근-섬유 (筋纖維) 명 《생》 힘줄을 구성하는 수축성의 섬유 모양의 세포. 살올실.

근성 (根性) 명 **1** 뿌리 깊게 박힌 성질. ¶관리 ~ / 거지 ~ / 승부 ~이 있다. **2** 태어날 때부터 지니고 있는 근본 성질. ¶~이 나쁘다. **3** 곤란·고통을 견디어 내고자 하는 끈질긴 성질. ¶프로 ~ / 끝까지 해내겠다

는 ~이 필요하다.
근:세 (近世) 명 **1** 오래되지 아니한 세상. **2** 〖역〗 중세와 현대의 중간 시대《우리나라에서는 조선 시대, 유럽에서는 르네상스로부터 현대에 이르기까지의 기간》.
근:세-조선 (近世朝鮮) 명 〖역〗 고려를 이은 조선 시대 500 년의 일컬음. 준조선.
근-세포 (筋細胞) 명 〖생〗 동물의 몸속에서 수축하는 세포의 총칭.
근:소-하다 (僅少-) 형 여불 아주 적어서 얼마 되지 않다. ¶근소한 차이.
근:속 (勤續) 명 하자 한 일자리에서 오래 근무함. ¶20 년 이상 한 회사에서 ~하다.
근-수 (斤數) [-쑤] 명 저울로 단 무게. ¶~가 모자란다.
근-수 (根數) [-쑤] 명 〖수〗 근호(根號)가 붙은 수《$\sqrt{7}$ 따위》.
근:수 (勤修) 명 하타 힘써 부지런히 닦음.
근:시 (近視) 명 가까운 데는 잘 보아도 먼 데는 잘 못 보는 눈. ↔원시(遠視).
근:시-경 (近視鏡) 명 근시안에 쓰는 오목 렌즈로 만든 안경. ↔원시경.
근:시-안 (近視眼) 명 **1** 근시의 눈. ↔원시안. **2** 눈앞의 일에만 사로잡혀 먼 앞날의 일을 짐작하는 지혜가 없음의 비유. 준근안(近眼).
근:시안-적 (近視眼的) 관 명 사물을 전체적으로 보지 못하고 부분적으로만 보는 (것). ¶~인 사고방식.
근:신 (謹愼) 명 하자 **1** 말이나 행동을 삼가고 조심함. ¶~의 뜻을 나타내다. **2** 벌로 일정 기간 등교·등청(登廳)·출근 등을 금하는 일. ¶~ 처분을 내리다.
근실-거리다 자 조금 가려운 느낌이 자꾸 들다. **근실-근실** 부 하자
근실-대다 자 근실거리다.
근:실-하다 (勤實-) 형 여불 부지런하고 착실하다. **근:실-히** 부
근심 명 하자타 괴롭게 애를 태우거나 불안해하는 마음. 걱정. ¶~에 싸이다 / ~이 태산 같다 / 내일 일을 지금부터 ~할 필요는 없다 / 연로하신 부모님의 건강이 ~된다 / ~으로 잠을 이루지 못한다.
근심-거리 [-꺼-] 명 근심할 만한 일. 걱정거리. ¶딸 혼사가 결정되었으니 ~ 하나를 던 셈이다.
근심-스럽다 [-스러우니, -스러워] 형 ㅂ불 근심이 되어 마음이 편하지 않다. 걱정스럽다. ¶근심스러운 눈으로 병석에 누운 아들을 보다. **근심-스레** 부
근압 (根壓) 명 〖식〗 초목의 뿌리가 땅속에서 흡수한 수분을 관다발의 물관을 통하여 줄기나 잎으로 밀어 올리는 압력.
근:언 (謹言) 명 '삼가 말씀을 드림'의 뜻《편지 끝에 써서 경의를 표하는 말》.
근:엄-하다 (謹嚴-) 형 여불 표정이나 태도가 점잖고 엄숙하다. ¶근엄한 표정을 짓다. **근:엄-히** 부
근:역 (槿域) 명 무궁화나무가 많은 땅《'우리나라'를 일컫는 말》.
근엽 (根葉) 명 〖식〗 뿌리와 잎.
근:영 (近影) 명 최근에 찍은 인물 사진.
근:왕 (勤王) 명 하자 임금을 위하여 충성을 다함. ¶~의 의병(義兵).
근원 (根源) 명 **1** 물이 흘러내리기 시작하는 곳. ¶한강의 ~은 태백산이다. **2** 사물이 생겨나는 본바탕. ¶사회악의 ~.
근원-둥이 (根源-) 명 **1** 사이가 좋지 않던 부부가 다시 화합하여 낳은 아이. **2** 첫날밤에 배어서 낳은 아이.
근원-지 (根源地) 명 사물의 근원이 되는 곳. ¶폭동의 ~.
근:위 (近衛) 명 하타 임금을 가까이에서 호위함. 또는 그런 장병이나 부대.
근:위-대 (近衛隊) 명 〖역〗 대한 제국 때, 궁궐의 호위 및 의장(儀仗)의 임무를 맡았던 군대.
근위축-증 (筋萎縮症) 명 〖의〗 오랫동안 근육을 사용하지 않거나 관절 질환·신경 질환 등으로 근육이 점점 위축되는 병.
*__근육__ (筋肉) 명 〖생〗 몸의 연한 부분을 이루고 있는 힘줄과 살. ¶~을 단련시키다.
*__근육-노동__ (筋肉勞動) [-융-] 명 육체를 사용해서 하는 노동. 육체노동. ↔정신노동.
근육-질 (筋肉質) 명 **1** 근육처럼 연하면서도 질긴 성질. ¶~ 조직. **2** 운동으로 근육을 발달시켜 몸 전체가 우람한 체격. ¶~의 남자.
근:인 (近因) 명 연관성이 가까운 직접적인 원인. ↔원인(遠因).
근인 (根因) 명 근본이 되는 원인.
근:일 (近日) 명 **1** 요사이. **2** 가까운 동안〔시일〕. ¶~ 개점(開店) / ~ 개봉.
근:일-점 (近日點) [-쩜] 명 〖천〗 태양계의 행성·위성·혜성 등이 그 공전(公轉) 궤도 위에서 태양에 가장 접근할 때의 위치. 준근점(近點). ↔원일점(遠日點).
근:자 (近者) 명 부 (주로 '근자에'의 꼴로 쓰여) 요즈음. 요사이. ¶~에 이르러 / ~에 와서 교통사고가 자주 일어난다.
근:작 (近作) 명 최근의 작품. ¶노대가(老大家)의 ~.
근잠 명 벼가 잘 여물지 아니하는 병.
근:저 (近著) 명 최근에 지은 책.
근저 (根柢·根底) 명 사물의 뿌리나 밑바탕. ¶작품 ~에 깔린 사상.
근-저당 (根抵當) 명 하타 〖법〗 장래에 생겨날 채권의 담보로서 미리 질권 혹은 저당권을 설정함. 또는 그 저당. ¶~을 설정하다.
근절 (根絶) 명 하타 아주 뿌리째 없애 버림. ¶부정부패를 ~하다 / 부동산 투기 ~을 위한 대책을 마련하다.
근:점 (近點) [-쩜] 명 **1** 〖물〗 눈으로 볼 수 있는 가장 가까운 거리《보통 성인의 경우 약 10 cm 임》. **2** 〖천〗 '근일점'의 준말. **3** 〖천〗 '근지점'의 준말.
근:접 (近接) 명 하자 가까이 다가감. ¶~ 사격 / ~ 지원.
근:정 (謹呈) 명 하타 물품 따위를 삼가 증정(贈呈)함.
근:정-전 (勤政殿) 명 〖역〗 경복궁(景福宮) 안에 있는 정전. 조선 때, 임금이 조회(朝會)를 행하던 곳. 국보 제 223 호.
근:제 (謹製) 명 하타 삼가 짓거나 만듦.
근:조 (謹弔) 명 하타 삼가 조의를 표함.
근-조직 (筋組織) 명 〖생〗 몸과 각 장기(臟器)의 운동을 맡은 기관《가로무늬근과 민무늬근이 있음》.

근:족 (近族) 명 촌수가 가까운 일가.
근종 (根腫) 명 덩어리진 근이 박힌 부스럼.
근종 (根種) 명하타 그루갈이.
근중-하다 (斤重-) 형여불 **1** 저울로 단 무게가 무겁다. **2** 언행이 무게가 있다.
근지럽다 〔근지러우니, 근지러워〕 형ㅂ불 **1** 조금 가렵다. 조금 가려운 느낌이 있다. ¶ 등이 ~. 작간지럽다. **2** 무엇이 하고 싶어서 참을 수 없을 만큼 안타깝다. ¶ 싸우고 싶어서 몸이 근지러우냐.
근-지수 (根指數) 명 〖수〗 근수(根數)나 근식(根式)에서 몇 제곱근인가를 나타내는 수(《$\sqrt[3]{7}$에서의 3 따위》).
근:지-점 (近地點)[-쩜] 명 〖천〗 **1** 달이나 인공위성이 궤도 상에서 지구에 가장 가까울 때의 위치. **2** 태양이 지구로부터 가장 가까워지는 때의 위치. 준근점(近點). ↔원지점.
근:직-하다 (謹直-)[-지카-] 형여불 근실하고 정직하다. ¶ 근직한 사람.
근질-거리다 자 **1** 자꾸 근지러운 느낌이 나다. ¶ 무좀 때문에 발가락이 근질거린다. 작간질거리다. **2** 참을 수 없을 만큼 몹시 하고 싶어하다. ¶ 왜, 말참견하고 싶어 목이 근질거리느냐. **근질-근질** 부하자
근질-대다 자 근질거리다.
근쭝 (斤-) 의명 〔←근중(斤重)〕 근을 단위로 하여 무게를 달 때의 단위. ¶ 네 ~.
근:착 (近着) 명하자 최근에 도착함. ¶ ~한 양서(洋書).
근착 (根着) 명하자 **1** 뿌리가 박힘. **2** 확실한 내력과 주소.
근참 (覲參) 명하타 **1** 찾아뵙고 인사함. **2** 부처나 신에 참배함.
근채 (芹菜) 명 〖식〗 미나리.
근채 (根菜) 명 뿌리채소.
근채-류 (根菜類) 명 뿌리를 먹는 채소류(《파·마늘·당근·무 따위》). 뿌리채소류.
***근:처** (近處) 명 가까운 곳. 근방(近方). ¶ 학교 ~에 살고 있다.
근처에도 못 가다 구 비교가 되지 않다. 어림도 없다.
근:척 (近戚) 명 가까운 친척.
근:체-시 (近體詩) 명 〖문〗 한시(漢詩)에서, 고체시(古體詩)에 대하여 율시(律詩)와 절구(絕句)의 일컬음. 금체시(今體詩). ↔고체시.
근:촌 (近村) 명 이웃에 있는 가까운 마을.
근치 (根治) 명하타 병을 완전히 고침. ¶ 나병을 ~하다 / 암도 언젠가는 ~할 수 있을 것이다.
근:친 (近親) 명 촌수가 가까운 일가. 흔히 팔촌 이내의 일가붙이. 근족(近族).
근친 (覲親) 명하자 **1** 시집간 딸이 친정 어버이를 뵘. **2** 〖불〗 승려가 속가(俗家)에 있는 어버이를 뵘.
근:친-상간 (近親相姦) 명하자 근친 사이의 남녀가 간음하는 일. 상피(相避).
근칭 (斤秤) 명 백 근까지 달 수 있는 큰 저울. 대칭.
근:칭 (近稱) 명 〖언〗 말하는 사람에게 가까이 있는 대상을 가리키는 일. 또는 그 말.
근:칭 대:명사 (近稱代名詞) 〖언〗 말하는 사람에게 가까이 있는 사람·사물·처소 따위를 가리키는 대명사. 이분·이것·여기 따위. ↔원칭 대명사.
근:태 (勤怠) 명 **1** 부지런함과 게으름. 근만(勤慢). 근타(勤惰). **2** 출근과 결근.
근-풀이 (斤-) 명하타 **1** 물건을 저울로 달아서 근으로 팖. **2** 물건 한 근에 값이 얼마씩 치었나 계산하여 보는 일.
근:하 (謹賀) 명하타 삼가 축하함.
근-하다 (勤-) 형여불 부지런하다.
근:하-신년 (謹賀新年) 명 삼가 새해를 축하한다는 뜻으로 쓰는 새해의 인사말.
근:학 (勤學) 명하타 학문에 힘씀.
근:함 (謹緘) 명 편지 겉봉의 봉한 자리에다 '삼가 편지를 봉함'의 뜻으로 쓰는 말.
근:해 (近海) 명 육지에 가까운 바다. ¶ 어선들이 ~에서 조업하다. ↔원해(遠海).
근행 (覲行) 명하자 시집간 딸이나 객지에 있는 자식이 본가에 어버이를 뵈러 다님.
근호 (根號) 명 〖수〗 거듭제곱근을 나타내는 기호. 곧, '$\sqrt{\ }$'를 이름.
근:화 (槿花) 명 〖식〗 무궁화.
근:황 (近況) 명 요사이의 형편. 근상(近狀). ¶ ~을 묻다 / 회사의 ~을 설명하다.
근:후-하다 (謹厚-) 형여불 조심스럽고 온후하다. ¶ 근후한 인격자.
***글** 명 **1** 어떤 생각이나 말 따위의 내용을 글자로 나타낸 것. ¶ ~을 짓다 / 네가 지은 ~을 읽어 보았다 / ~은 마음의 눈을 뜨게 한다. **2** 학문이나 학식. ¶ ~깨나 배웠다는 사람 / ~ 못한 놈 서러워서 살겠나. **3** '글자'의 준말. ¶ 몇 줄의 ~도 못 읽다.
[글 속에도 글 있고, 말 속에도 말 있다] 내용에 또 그 속 내용이 들어 있다.
글-감 [-깜] 명 글의 내용이 되는 소재.
글겅-거리다 자 '글그렁거리다'의 준말. 작갈강거리다. **글겅-글겅** 부하자
글겅-대다 자 글겅거리다.
글겅이 명 **1** 말이나 소의 털을 빗기는, 쇠로 만든 빗 모양의 기구. **2** 싸리로 결어 만든 고기잡이 도구의 하나. **3** 백성의 재물을 긁어 들이는 벼슬아치의 비유.
글-공부 (-工夫)[-꽁-] 명하자 글을 익히거나 배우는 일.
글-구멍 [-꾸-] 명 글을 이해하는 슬기. ¶ ~이 트이다.
글-귀 [-뀌] 명 글을 듣고 이해하는 능력. ¶ ~가 밝다.
글-귀 (-句)[-뀌] 명 글의 구나 절. ¶ ~를 적어 보다.
글그렁-거리다 자 가래 따위가 목구멍에 걸려 숨 쉴 때마다 거칠게 자꾸 그르렁거리다. 작갈그랑거리다. 준글겅거리다. **글그렁-글그렁** 부하자
글그렁-대다 자 글그렁거리다.
글:다 〔그니, 그오〕 자 '그을다'의 준말.
글-동무 [-똥-] 명 같은 곳에서 함께 공부하는 친구.
글-동접 (-同接)[-똥-] 명 글동무.
글라디올러스 (gladiolus) 명 〖식〗 붓꽃과의 여러해살이풀. 높이 80-100 cm, 알뿌리에서 창포와 비슷한 잎이 나오며, 여름에 깔때기 모양의 꽃이 피는데, 백색·적색·자색·황색 등이 있음. 관상용임.
글라스 (glass) 명 유리로 만든 잔. 유리잔.

글라이더 (glider) 명 〔항공〕 발동기가 없이, 활공하거나 바람을 타고 날게 만든 항공기《출발시는 밧줄로 걸어 자동차 등으로 잡아당기어 끎》. 활공기(滑空機).
글라이딩 (gliding) 명 활공. 공중활주.
글래머 (←glamour girl) 명 육체가 풍만하고 성적 매력이 있는 여자.
글러브 (glove) 명 권투·야구 등을 할 때 손에 끼는, 가죽 장갑 같은 운동구.
글로 준 그리로. ¶~ 가세요. *절로.
글로불린 (globulin) 명 〔화〕 단순 단백질의 하나. 생물체에 널리 분포되어 있으며, 혈액·달걀 등에 함유되어 있음.
글로빈 (globin) 명 염기성 단백질의 한 가지《헴(=철을 함유하는 색소)과 화합하여 헤모글로빈이 됨》.
글루코오스 (glucose) 명 〔화〕 포도당.
글루탐-산 (←glutamic酸) 명 〔화〕 아미노산의 하나《백색 결정으로 식물성 단백질 속에 함유되어 있으며, 맛이 좋아 화학 조미료의 원료로 씀》.
글루텐 (gluten) 명 〔화〕 식물의 종자 속에 들어 있는 식물성 단백질의 혼합물《글루탐산의 원료로 씀》.
글:리다 타 '그을리다'의 준말.
글리세롤 (glycerol) 명 〔화〕 글리세린.
글리세린 (glycerine) 명 〔화〕 지방 또는 유지(油脂)가 가수 분해할 때 생기는 무색투명의 끈끈한 액체《약용·폭약·화장품 원료》.
글리코겐 (glycogen) 명 〔화·생〕 동물의 간장·근육 등에 함유되어 있는 함수 탄소의 하나《동물의 에너지 대사(代謝)에 중요한 물질》. 당원질(糖原質).
글-말 명 글에서만 쓰는 말. 문어.
글-맛 [-맏] 명 어떤 문장이 가지는 독특한 운치(韻致). 또는 그런 문장을 읽을 때 느끼는 재미.
글-발 [-빨] 명 **1** 적어 놓은 글. ¶~을 남겨 놓고 가다. **2** 글자의 생김이나 형식. ¶~이 뚜렷하다.
글-방 (-房)[-빵] 명 예전에, 사사로이 한문을 가르치던 곳. 서당. ¶옛날에는 ~에서 글을 배웠다.
글방-물림 (-房-)[-빵-] 명 세상 물정에 어두운 사람을 놓으로 일컫는 말. 글방퇴물.
글방-퇴물 (-房退物)[-빵-] 명 글방물림.
글-벗 [-뻗] 명 글로 사귀는 벗. 문우(文友).
글-속 [-쏙] 명 학문을 이해하는 정도.
글-쇠 [-쐬] 명 키(key)4.
글썽 부하자타형 눈에 눈물이 그득해 넘칠 듯한 모양. ¶눈물이 ~해지다. 작갈쌍.
글썽-거리다 자타 눈에 눈물이 넘칠 정도로 자꾸 글썽이다. ¶너무 애처로워 눈물이 글썽거렸다. 작갈쌍거리다. **글썽-글썽** 부하자타형
글썽-대다 자타 글썽거리다.
글썽-이다 자타 눈에 눈물이 그득하게 고이다. 또는 그렇게 하다. 작갈쌍이다.
***글쎄** 감 **1** 남의 물음이나 요구에 분명치 않은 태도를 나타낼 때 쓰는 말. ¶~, 내가 할 수 있을까. **2** 자기의 뜻을 다시 강조하거나 고집할 때 쓰는 말. ¶~, 내가 아까도 말하지 않았나.
글쎄-다 감 '글쎄'의 뜻으로, 아랫사람에게 쓰는 말. ¶~, 좀 두고 보자꾸나.
글쎄-요 감 '글쎄'의 높임말. ¶~, 잘 모르겠습니다.
글쓰-기 명 생각이나 사실 따위를 글로 써서 표현하는 일.
글쓴-이 명 글을 쓴 사람. 저자.
***글씨** 명 **1** 쓴 글자의 모양. ¶~를 예쁘게 써라. **2** 글자. ¶잘못 쓴 ~를 지우다. **3** 글자를 쓰는 법. 또는 그런 일. ¶~ 연습.
글씨-본 (-本) 명 글씨 연습을 할 때에 보고 쓰도록 만든 책.
글씨-체 (-體) 명 **1** 글씨를 쓰는 일정한 격식. 예를 들면, 한글의 글씨체는 궁체(宮體)가 있고, 한자에는 전서(篆書)·예서(隸書)·해서(楷書)·행서(行書)·초서(草書)의 다섯 방식이 있음. 서체. **2** 글자를 써 놓은 모양새. ¶그의 ~는 퍽 힘이 있다.
글-월 명 **1** 글. 문장. **2** 편지.
글:음 명 '그을음'의 준말.
***글-자** (-字)[-짜] 명 말을 눈으로 볼 수 있도록 나타낸 부호. 문자. ¶~를 흘려 써서 잘 알아볼 수가 없다. 준글.
글자-꼴 (-字-)[-짜-] 명 글자 모양.
글자-판 (-字板)[-짜-] 명 타자기·컴퓨터·계량기 등의 글자나 숫자·기호 등을 배열해 놓은 판. 자판(字板).
글-재주 (-才-)[-째-] 명 글을 잘 터득하거나 짓는 재주. 글재간. ¶뛰어난 ~.
글-제 (-題)[-쩨] 명 글의 제목.
글-줄 [-쭐] 명 **1** 글자를 쓴 줄. **2** 약간의 학문. ¶~이나 안다고 건방지다.
***글-짓기** [-짇끼] 명하자 글을 짓는 일. 작문(作文). ¶~ 대회에서 입상하다.
글-치레 명하자 글을 잘 매만져 꾸밈.
글-투 (-套) 명 (쓰는 사람에 따라 다르게 나타나는) 글의 표현상의 특징. 문투(文套). ¶낯익은 ~.
글피 명 모레의 다음 날. 삼명일(三明日).
글-하다 자여불 공부하다. ¶글하는 학생.
긁다 [극따] 타 **1** 손톱이나 칼날처럼 날카롭고 긴 끝으로 바닥이나 거죽을 문지르거나 붙은 것을 벗겨 없애다. ¶등을 ~/가려운 데를 ~/솥바닥의 누룽지를 긁어 먹다. **2** 갈퀴 따위로 거두어서 그러모으다. ¶검불을 ~. **3** 남을 헐뜯다. **4** 남의 재물을 빼앗아 들이다. ¶돈이란 돈은 깡그리 긁어 갔다. **5** 남의 감정·기분 따위를 상하게 하거나 자극하다. ¶비위를 ~. **6** 철필 따위로 등사지에 글을 쓰거나 그림을 그리다. **7** 물건 따위를 살 때 카드로 결제하다. 작갉다.
[긁어 부스럼] 아무렇지도 않은 일을 공연히 스스로 건드려서 일으킨 걱정.
긁어-내다 [글거-] 타 **1** 안에 있는 물건을 긁어서 꺼내다. **2** 꾀를 써서 부당하게 받아내다. ¶돈을 ~.
긁어-먹다 [글거-] 타 남의 재물을 부정한 방법으로 빼앗아 가지다. ¶남의 돈을 긁어 먹을 궁리랑 아예 하지 마라. 작갉아먹다.
긁어-모으다 [글거-] 타 **1** 물건을 긁어서 한데 모으다. ¶낙엽을 ~. **2** 수단 방법을 가리지 않고 재물을 모아 들이다. ¶억척스럽게 돈을 ~.
긁적-거리다 [극쩍-] 타 **1** 자꾸 이리저리 문지르다. ¶머리를 ~. 작갉작거리다. **2** 글

이나 그림 따위를 되는대로 자꾸 쓰거나 그리다. ¶아무렇게나 글을 긁적거려 보았다. **긁적-긁적** [극쩍끅쩍] 부하타
긁적-대다 [극쩍-] 타 긁적거리다.
긁적-이다 [극쩍-] 타 **1** 이리저리 긁다. ¶머리를 긁적이며 멋쩍은 웃음을 짓다. **2** 되는대로 글이나 그림 따위를 쓰거나 그리다.
긁죽-거리다 [극쭉-] 타 자꾸 무디게 긁다. 작갉죽거리다. **긁죽-긁죽** [극쭉끅쭉] 부하타
긁죽-대다 [극쭉-] 타 긁죽거리다.
긁히다 [글키-] 자타 《'긁다'의 피동》 긁음을 당하다. ¶긁힌 자국/얼굴을 ~. 작갉히다.
금[1] 명하타 물건 값. 가격. ¶~을 매기다.
[금도 모르고 싸다 한다] 내용도 모르면서 아는 체한다.
금(을) 놓다 구 물건 값을 부르다.
금(을) 맞추다 구 같은 종류의 물건 값을 맞게 하다.
금(을) 보다 구 물건 값이 얼마나 나가는가를 알아보다.
금(을) 치다 구 물건 값을 어림잡아서 부르다.
*__금__[2] 명 **1** 긋거나 접은 자국. ¶~을 긋다. **2** 갈라지지 않고 터지기만 한 흔적. ¶장독에 ~이 갔다.
금(을) 긋다 구 한도나 한계선을 정하다. ¶금을 그어 놓고 일을 하자.
금(이) 가다 구 친한 사이가 벌어지다. ¶우정에 금이 가는 일.
*__금__[1] (金) 명 **1** 〔화〕 황색의 광택이 있는 금속 원소. 연성(延性)·전성(展性)이 풍부하고 산에 닿아도 녹지 않으며, 자연 유리(遊離) 상태로 남《귀금속으로 화폐·장식품 따위에 씀》. ¶~을 캐다. [79번 : Au : 196.97]. **2** 금메달. ¶마라톤에서 또 ~을 땄다.
금이야 옥이야 구 애지중지 다루는 모양.
금[2] (金) 명 **1** '금요일'의 준말. **2** 오행(五行)의 하나《방위로는 서쪽, 계절로는 가을, 색으로는 흰빛에 해당함》.
금 (琴) 명 〔악〕 궁중에서 사용하던 현악기의 하나《줄이 일곱이고 거문고와 비슷함》. 칠현금.
금- (今) 두 '지금의'의 뜻. ¶~세기(世紀).
-금 (金) 미 **1** 금의 순도를 나타내는 말. ¶24~/18~. **2** '돈'을 나타내는 말. ¶기부~/계약~.
금-가락지 (金-) 명 금으로 만든 가락지. 금반지. 금지환.
금-가루 (金-)[-까-] 명 황금의 가루. 또는 황금 빛깔의 가루. 금분(金粉).
금-값 (金-)[-깝] 명 **1** 금의 값. ¶~이 많이 올랐다. **2** 금에 맞먹을 만큼 비싼 값. ¶생선 값이 ~이다.
금강 (金剛) 명 **1** 금강석. **2** 〔불〕 대일여래(大日如來)의 지덕(智德)을 표현한 말. **3** 몹시 단단해 결코 부서지지 않음. 또는 그런 물건. **4** 금강산.
금강-산 (金剛山) 명 〔지〕 강원도의 북부에 있는 명산《봄에는 금강산, 여름에는 봉래산, 가을에는 풍악산, 겨울에는 개골산으로 일컬어짐》.
[금강산도 식후경이라] 아무리 재미있는 일이라도 배가 부르고 난 뒤라야 흥이 남의 비유.
금강-석 (金剛石) 명 〔광〕 보석의 하나《순수한 탄소로 이루어졌으며, 광물 중에서 가장 단단하고 빛을 냄》. 다이아몬드.
금강-신 (金剛神) 명 〔불〕 불교의 수호신으로서 절의 문 양쪽에 세워 놓은 한 쌍의 신장(神將). 금강역사.
금강-역사 (金剛力士)[-녁-] 명 〔불〕 금강신.
금갱 (金坑) 명 〔광〕 금을 파내는 구덩이.
금:계 (禁戒)[-/-게] 명하타 **1** 하지 못하게 막고 경계함. 또는 그 계율.
금:계 (禁界)[-/-게] 명 다니지 못하도록 금하는 경계.
금고 (金庫) 명 **1** 화재·도난 등으로부터 보호하고자 돈과 중요 서류, 귀중품 따위를 보관하는 데 쓰는 궤. ¶어떻게 저런 ~를 털었을까. **2** 〔법〕 현금 출납자로서의 국가나 공공 단체. 또는 그 현금 출납 기관. **3** 특별한 종류나 범위의 금융을 영위하는 금융 기관. 신용 금고 따위.
금:고 (禁錮) 명 〔법〕 자유형의 하나. 교도소에 가두어 두기만 하고 강제로 노동을 시키지 않는 형. 금고형.
금:고-형 (禁錮刑) 명 〔법〕 금고(禁錮).
금과-옥조 (金科玉條) 명 금이나 옥처럼 귀중히 여기어 믿고 받드는 법칙이나 규정. ¶~로 여기는 신조.
금관 (金冠) 명 금으로 만든 관.
금관 악기 (金管樂器) 〔악〕 금속제의 관악기(管樂器)《트럼펫·코넷 따위》.
금-관자 (金貫子) 명 〔역〕 금으로 만든 관자《정이품·종이품의 벼슬아치가 달았음》.
금관 조복 (金冠朝服) 〔역〕 조선 때, 벼슬아치가 입었던 금관과 조복.

금관
조복
금관 조복

금광 (金光) 명 황금의 광채. 금빛.
금광 (金鑛) 명 〔광〕 **1** 금을 캐내는 광산. 금산(金山). **2** 금광석. 금돌.
금-광석 (金鑛石) 명 〔광〕 금이 들어 있는 광석.
금괴 (金塊) 명 **1** 금덩이. **2** 금화의 바탕이 되는 황금.
금구 (金句) 명 **1** 아름다운 구절. **2** 훌륭한 격언.
금:구 (衾具) 명 이부자리. 금침(衾枕).
금:구 (禁句)[-꾸] 명 **1** 노래·시 등에서 피하는 어구. **2** 남의 감정을 해칠 우려가 있어 말하기를 피하는 어구.
금:군 (禁軍) 명 〔역〕 고려·조선 때, 궁중을 지키던 군대. 금위(禁衛). 금위군.
금권 (金券)[-꿘] 명 **1** 금화와 바꿀 수 있는 지폐. **2** 특정한 범위 안에서 돈 대신으로 통용되는 증권.
금권 (金權)[-꿘] 명 자기가 가진 돈을 이용하여 부리는 권세. 돈의 위력.
금권-만능 (金權萬能)[-꿘-] 명 돈만 있으면 모두 이룰 수 있다는 말.
금권 정치 (金權政治)[-꿘-] 금권으로 어떤 일이든 지배하려는 정치.
금궤 (金櫃) 명 금속판으로 만들어 돈 같은 귀중품을 넣어 두는 궤. 철궤(鐵櫃).

금귤 (金橘) 명 〖식〗 운향과의 상록 관목. 높이 2m 정도. 밀감나무와 비슷한데, 참새알만 한 과실이 겨울에 익으며, 맛은 달고 심. 껍질째 먹음. 금감(金柑).
금:기 (禁忌) 명하타 **1** 신앙이나 관습으로, 꺼리어 피함. ¶불공을 드릴 때 ~하는 음식. **2** 〖의〗 어떤 약이나 치료법이 특정 환자에게 나쁜 영향이 있는 경우에 사용하지 않는 일.
금-나다 자 물건 값이 결정되다. 값나다.
금:남 (禁男) 명하자 남자의 출입이나 접근을 금함. ¶~의 집. ↔금녀(禁女).
금납 (金納) 명하타 세금이나 소작료 등을 돈으로 냄. *물납(物納).
금납-세 (金納稅) 명 돈으로 납부하는 세금.
금:낭 (錦囊) 명 비단으로 지은 주머니.
금:낭-화 (錦囊花) 명 〖식〗 현호색과의 여러해살이풀. 전체가 희읍스름하며, 높이 약 60cm, 여름에 담홍색 꽃이 핌. 관상용으로 심음.
금-낮다 [-낟따] 형 물건 값이 싸다. 값싸다. ↔금높다.
금:녀 (禁女) 명하자 여자의 출입이나 접근을 금함. ↔금남(禁男).
***금년** (今年) 명 올해. ¶~에는 합격하겠지.
금년-도 (今年度) 명 올해의 연도. ¶~ 마지막 수업을 시작한다.
금-높다 [-놉따] 형 물건 값이 비싸다. 값비싸다. ↔금낮다.
금-니 (金-) 명 금으로 만든 이. 금치(金齒).
금니 (金泥) 명 금박 가루를 아교풀에 갠 것 《서화(書畫)에 씀》.
금니-박이 (金-) 명 금니를 해 박은 사람.
금:단 (禁斷) 명하타 어떠한 행위를 못하게 엄중하게 금지함.
금:단의 열매 (禁斷-)[-/-에-] 구약 성서에서, 하나님이 아담과 이브에게 따 먹기를 금한 선악과 나무의 과실. 선악과.
금:단 증세 (禁斷症勢) 〖의〗 알코올·모르핀·니코틴 등의 만성 중독에 걸린 사람이 이런 것을 끊었을 때 나타나는 정신상·신체상의 증세. 고민·불면·환각·망상 등의 정신 증상과 함께 동계(動悸)·동통(疼痛)·구토 등의 증상을 나타냄. 금단 현상.
금당 (金堂) 명 〖불〗 절의 본당(本堂)을 이르는 말. 대웅전.
금대 (金帶) 명 〖역·건〗 금띠.
금-덩이 (金-)[-떵-] 명 황금의 덩이. 금괴(金塊). ¶이 그림은 돈이 아니라 ~를 준다 해도 안 판다.
금:도 (襟度) 명 남을 포용할 만한 넓은 마음씨. ¶남의 흠에 관대한 장부의 ~.
금-도금 (金鍍金) 명하타 금으로 도금함. 쇠붙이에 금을 입힘.
금-돈 (金-) 명 금으로 만든 돈. 금화(金貨). [금돈도 안팎이 있다] 아무리 좋고 훌륭한 것도 안과 밖의 구별이 있다는 뜻.
금-돌 (金-)[-똘] 명 〖광〗 금이 들어 있는 돌. 금석(金石).
금동 (金銅) 명 금도금하거나 금박을 씌운 구리.
금동-불 (金銅佛) 명 금도금한 청동(青銅) 불상.
금-딱지 (金-) 명 〈속〉 껍데기를 금으로 만들었거나 금도금한 시계.
금-띠 (金-) 명 **1** 〖역〗 조선 때, 정이품의 관원이 공복(公服)에 띠던 띠. **2** 〖건〗 단청에서, 기둥의 윗부분을 금빛으로 두른 띠. 금대(金帶).
금란 (金蘭)[-난] 명 친구 사이에 정의(情誼)가 매우 두터운 상태.
금란지계 (金蘭之契)[-난-/-난-게] 명 다정한 친구 사이의 정의(情誼).
금란지교 (金蘭之交)[-난-] 명 금란지계.
금력 (金力)[-녁] 명 돈의 힘. 금전의 위력.
금:렵 (禁獵)[-녑] 명하자 사냥을 금함.
금:렵-조 (禁獵鳥)[-녑-] 명 사냥하는 것을 금하는 새.
금:령 (禁令)[-녕] 명 어떤 행위를 하지 못하게 하는 법령. 금법(禁法).
금리 (金利)[-니] 명 빌려 준 돈이나 예금 따위에 붙는 이자. 또는 그 비율. ¶~ 인하 / ~를 현실화하다.
금리 생활자 (金利生活者)[-니-짜] 직업 없이 주식 배당금·채권·은행 예금의 이자 등으로 생활하는 사람.
금리 정책 (金利政策)[-니-] 〖경〗 중앙은행이 이율을 변동시킴으로써 자금의 수요를 조절하고 물가 등을 안정시키는 정책.
금-메달 (金medal) 명 금으로 만들거나 금으로 도금한 메달. 각종 경기에서 우승한 사람에게 줌. ¶~을 휩쓸다.
금명 (今明) 명부 '금명간'의 준말.
금명-간 (今明間) 명부 오늘이나 내일 사이. ¶합격자는 ~에 발표된다 / ~ 좋은 소식이 있을 거다. 준금명.
금명-년 (今明年) 명 금년이나 내년 사이.
금명-일 (今明日) 명 오늘이나 내일 사이. 금명일간.
금-모래 (金-) 명 **1** 모래흙에 섞인 금. 사금(砂金). **2** 금빛으로 빛나는 고운 모래.
금문 (金文) 명 옛날의 철기(鐵器)·동기(銅器) 등에 새겨진 글.
금-물 (金-) 명 금빛을 내는 도료.
금:물 (禁物) 명 해서는 안 될 일. ¶작업 중의 방심은 ~이다.
금박 (金箔) 명 금 또는 금빛 나는 물건을 종이처럼 얇게 만든 것. ¶~을 입히다.
금-박이 (金-) 명 옷감 따위에 금빛 가루로 여러 가지 무늬를 놓은 것.
금-반지 (金半指) 명 금으로 만든 반지.
금발 (金髮) 명 금빛 나는 머리털. ¶~ 머리의 미인.
금방 (金房)[-빵] 명 금은방(金銀房).
***금방** (今方) 부 **1** 이제 방금. ¶~ 구워 낸 빵. **2** 조금 뒤에 곧. ¶~ 눈이 내릴 것 같다. **3** 순식간에. ¶합격 소식을 듣더니 ~ 얼굴이 환해졌다.
[금방 먹을 떡에도 소를 박는다] 아무리 급해도 순서를 밟아야 한다.
금방-금방 (今方今方) 부 아주 빨리. ¶따가운 햇볕에 ~ 말라 버렸다.
금번 (今番) 명 이번.
금:벌 (禁伐) 명하자 나무의 벌채를 금함.
금:법 (禁法)[-뻡] 명 금령(禁令).
금 본위 (金本位) '금 본위 제도'의 준말.
금 본위 제:도 (金本位制度) 〖경〗 금의 일정량의 가치와 단위 화폐의 가치를 관련시

키는 화폐 제도. ㊤금본위.
금:부 (禁府) 명 〖역〗 '의금부(義禁府)'의 준말.
금분 (金粉) 명 1 금가루. 2 금빛이 나는 가루. ¶~을 입히다.
금-붕어 (金-) 명 〖어〗 잉엇과의 민물고기. 붕어를 관상용으로 개량한 사육종임. 원산지는 중국.
금-붙이 (金-)[-부치] 명 금으로 만든 온갖 물건. ¶금목걸이·반지·팔찌 등 ~를 도난당했다.
금비 (金肥) 명 돈을 주고 사서 쓰는 비료의 뜻으로, 화학 비료.
금-비녀 (金-) 명 금으로 만든 비녀. 금잠(金簪). 금채(金釵).
*금-빛 (金-)[-삗] 명 황금처럼 누런 빛깔. 금색. ¶~ 찬란한 왕관.
금사 (金砂) 명 1 금가루. 2 금빛 모래. 3 장식품에 쓰이는 금빛 가루.
금사 (金絲) 명 금실.
금:산 (禁山) 명 함부로 나무를 베지 못하도록 나라에서 금지하는 산.
금:삼 (錦衫) 명 비단으로 만든 적삼.
금:삼 (錦蔘) 명 충남 금산에서 나는 인삼.
금상 (今上) 명 현재 왕위에 앉아 있는 임금.
금상 (金賞) 명 상의 등급을 금·은·동으로 나누었을 때의 1등상.
금상 (金像) 명 〖불〗 금빛으로 도금하였거나 금으로 만든, 부처나 보살의 형상.
금:상첨화 (錦上添花) 명 비단 위에 꽃을 보탠다는 뜻으로, 좋은 일에 또 좋은 일이 더함의 비유.
금새 명 물건 값. 또는 물건 값의 비싸고 싼 정도. ¶~를 알아보다.
금색 (金色) 명 황금같이 누른 빛깔. 금빛.
금:색 (禁色) 명 1 교접(交接)을 금함. 2 〖역〗 임금이 신하의 옷 빛깔을 제한하던 일.
금생 (今生) 명 〖불〗 이승. *내생·전생.
금:서 (禁書) 명 법적으로 출판·판매를 금지한 책. ¶~ 목록.
금석 (今昔) 명 지금과 옛날. 금고(今古).
금석 (金石) 명 1 쇠붙이와 돌. 2 대단히 굳고 단단한 것. 3 '금석 문자'의 준말. 4 〖광〗 금이 박혀 있는 돌. 금광석. 금돌.
금석-문 (金石文)[-성-] 명 '금석 문자'의 준말.
금석 문자 (金石文字)[-성-짜] 종·비석 등에 새겨진 글자. ㊤금석·금석문.
금석지감 (今昔之感) 명 지금과 옛날을 비교해 생각할 때, 차이가 너무 심하여 일어나는 느낌. ¶~을 금할 수 없다.
금석지교 (金石之交) 명 〔사기(史記)에 나오는 말〕 금석처럼 굳고 변함없는 교분.
금석-학 (金石學)[-서칵] 명 금석 문자를 연구하는 학문.
금성 (金星) 명 〖천〗 지구의 바로 안쪽에서 태양의 주위를 도는 행성《초저녁 하늘에 비치면 태백성·장경성(長庚星), 새벽 하늘에 보이면 샛별·명성 등으로 불림》.
금성 (金城) 명 쇠와 같이 아주 굳고 단단한 성의 비유.
금:성 (禁城) 명 왕이 거처하는 성. 궁성(宮城).
금성-철벽 (金城鐵壁) 명 〔금으로 만든 성과 쇠로 만든 벽의 뜻〕 1 방비가 아주 견고한 성. 2 아주 견고한 사물의 비유.
금세 (今世) 명 1 〖불〗 이승. 2 지금의 세상.
금세 (今歲) 명 올해. 금년.
금세 부 지금 바로. 또는 얼마 지나지 않아서. '금시(今時)에'가 줄어 변한 말. ¶~ 나갔는데요.
금-세공 (金細工) 명 금을 재료로 하는 세공. ¶~을 한 장신구.
금-세기 (今世紀) 명 지금의 세기. 이 세기. ¶~의 위대한 시인.
*금속 (金屬) 명 〖화〗 상온(常溫)·상압(常壓)에서 불투명한 고체로서, 특유한 광택과 전성(展性)·연성(延性)을 가지며 열·전기의 양도체가 되는 등의 성질을 갖는 물질의 총칭. 쇠붙이.
금속-성 (金屬性) 명 1 금속의 특유한 성질. 2 금속과 비슷한 성질.
금속-성 (金屬聲) 명 쇠붙이가 부딪쳐서 나는 높고 날카로운 소리. 쇳소리.
금속 원소 (金屬元素) 〖화〗 단체(單體)로 금속을 이루는 원소《금·은·구리·철·알루미늄 따위》.
금속-제 (金屬製) 명 쇠붙이로 만든 물건.
금속-판 (金屬板) 명 금속으로 만든 판.
금속-품 (金屬品) 명 금속으로 만든 물품.
금속 화:폐 (金屬貨幣)[-소콰-/-소콰페] 금·은·구리 따위로 만든 화폐. ↔지폐.
금속 활자 (金屬活字)[-소콸짜] 금속으로 만든 활자《활판 인쇄에 씀》.
금-쇠 [-쐬] 명 널빤지에 금을 긋는 연장.
금:수 (禁輸) 명 수입이나 수출을 금함. ¶~ 조치를 취하다.
금수 (禽獸) 명 1 날짐승과 길짐승. 곧, 모든 짐승. 2 무례하고 추잡한 행실을 하는 사람. ¶~만도 못한 놈.
금:수 (錦繡) 명 수를 놓은 비단.
금:수-강산 (錦繡江山) 명 비단에 수를 놓은 듯이 아름다운 산천이라는 뜻으로, 우리나라를 비유한 말. ¶삼천리 ~.
금슬 (琴瑟) 명 1 거문고와 비파. 2 '금실(琴瑟)'의 본딧말.
금시 (今時) ㊀명 바로 지금. ¶효과가 ~에 나타났다. ㊁부 곧. 바로. ¶집을 나갔는가 싶었는데 ~ 사라졌다.
금시-초문 (今始初聞) 명 지금 바로 처음으로 들음. ¶그런 소문은 ~이다.
금:식 (禁食) 명하자 치료나 종교적인 이유 등으로 일정 기간 음식을 먹지 않음. ¶~ 기도.
금-실 (金-) 명 1 금빛이 나는 실. 2 금종이를 실처럼 만든 물건. 금사(金絲).
금실 (琴瑟) 명 〔←금슬(琴瑟)〕 부부간의 사랑. ¶내외간의 ~이 좋다.
금-싸라기 (金-) 명 황금으로 된 싸라기라는 뜻으로, 아주 드물고 귀중한 것을 가리키는 말. ¶~ 땅.
금:압 (禁壓) 명하타 억눌러서 못하게 함. 압력을 가하여 금지함.
*금액 (金額) 명 돈의 액수. ¶대출 받은 ~.
금액-란 (金額欄)[-앵난] 명 돈의 액수를 적는 난.
금야 (今夜) 명 오늘 밤.
금:어 (禁漁) 명하자 물고기류의 번식과 보

호를 위해 잡지 못하게 함.
금:어-기 (禁漁期) 명 물고기의 번식을 위하여 잡지 못하게 하는 일정한 기간《보통, 산란기(產卵期)》.
금언 (金言) 명 1 생활의 본보기가 될 귀중한 내용을 가진 짧은 어구. 2 부처의 입에서 나온 불멸의 법어. ¶~집(集).
금:연 (禁煙) 명하자 1 담배를 피우지 못하게 함. ¶차내에서는 ~입니다. 2 담배를 끊음. 단연(斷煙).
금오 (金烏) 명 해. 태양.
금오-옥토 (金烏玉兎) 명 해와 달. 준오토(烏兎).
금옥 (金玉) 명 금과 옥.
금:옥 (禁獄) 명 〖역〗 옥에 가두어 두던 형벌.
금-옥관자 (金玉貫子) 명 금관자와 옥관자. 또는 이를 붙인 벼슬아치.
금-요일 (金曜日) 명 칠요일의 하나. 일요일로부터 여섯째 되는 날. 준금.
금:욕 (禁慾) 명하자 욕망이나 욕심을 억제하고 금함. ¶~ 생활.
금:욕-적 (禁慾的) 관명 금욕을 행하는 (것). ¶~인 병영 분위기.
금:욕-주의 (禁慾主義)[-/-이] 명 1 〖기〗 구원을 받기 위해서는 육체적 욕망을 금해야 한다는 주의. 2 도덕적 생활을 위해서는 육체에 관한 일체의 욕망을 금해야 한다는 주의. ↔쾌락주의.
금월 (今月) 명 이달1.
금:위-영 (禁衛營) 명 〖역〗 조선 후기에, 서울을 지키던 군영.
금융 (金融)[-늉/-] 명 1 돈의 융통. 2 〖경〗 경제상 자금의 수요와 공급의 관계.
금융-계 (金融界)[-늉-/-/-늉게/-게] 명 은행·신탁·보험 회사 등 금융업자들이 활동하는 사회.
금융 공:황 (金融恐慌)[-늉-/-] 〖경〗 신용 관계의 붕괴로 인한 금융 기관의 파산 및 금융 시장의 혼란. 좁은 뜻으로는 은행 공황의 일컬음. 신용 공황.
금융-권 (金融圈)[-늉꿘/-꿘] 명 금융업과 관련된 기관들이 이루는 사회. ¶~의 입김이 거세다.
금융 기관 (金融機關)[-늉-/-] 자금을 조달하여 기업이나 개인에게 대부하거나 증권 투자 따위를 하는 기관《은행·보험 회사·상호 신용 금고 등》.
금융 시:장 (金融市場)[-늉-/-] 〖경〗 자금의 대차(貸借) 거래가 이루어지는 시장《국내·국제, 장기·단기 금융 시장 등이 있음》.
금융 실명제 (金融實名制)[-늉-/-] 〖경〗 은행 예금이나 증권 투자 등 금융 거래를 실제 명의로 하여야 하며, 가명이나 무기명 거래는 인정하지 않는 제도.
금융-업 (金融業)[-늉-/-] 명 자금 융통을 목적으로 하는 영업.
금융 자본 (金融資本)[-늉-/-] 〖경〗 1 은행 자본과 산업 자본이 결합해서 산업계를 지배할 만한 지반을 세운 독점적 거대 자본. 2 통속적으로 대부 자본과 은행 자본을 이름.
금융 정책 (金融政策)[-늉-/-] 〖경〗 정부 또는 중앙은행이 금융 시장을 통하여 자금의 원활한 수급(需給)과 통화 가치의 안정을 도모하기 위하여 행하는 정책. 공개 시장·지급 준비율의 조작 등이 있음.
금융 채:권 (金融債券)[-늉-꿘/-꿘] 〖경〗 장기 융자를 위한 재원 조달의 방안으로 특수 금융 기관이 특별법에 따라 발행하는 채권.
금융 회:사 (金融會社)[-늉-/-] 기업의 설립·확장 등에 필요한 자금을 공급하는 은행 이외의 회사.
금은 (金銀) 명 금과 은. ¶~보석.
금은-방 (金銀房)[-빵] 명 금은을 가공하거나 사고파는 가게. 금은포. 금방.
금은-보배 (金銀-) 명 금·은·옥·진주 따위 귀중한 보물. 금은보물. 금은보화. 금은주옥(珠玉).
금은-보화 (金銀寶貨) 명 금은보배.
금:의 (錦衣)[-/-이] 명 비단옷.
금:의-야행 (錦衣夜行)[-/-이-] 명 〔비단옷을 입고 밤길을 간다는 뜻 : 한서(漢書) 항적전(項籍傳)〕 아무 보람 없는 행동을 이르는 말.
금:의-옥식 (錦衣玉食)[-/-이-] 명 비단옷과 흰 쌀밥이라는 뜻으로, 호화롭고 사치스런 생활.
금:의-환향 (錦衣還鄕)[-/-이-] 명하자 비단옷을 입고 고향에 돌아온다는 뜻으로, 출세를 하고 고향에 돌아옴. ¶장원 급제하여 ~하다.
금인 (今人) 명 지금 세상의 사람. ↔고인(古人).
금일 (今日) 명 오늘. ¶~ 휴업.
금-일봉 (金一封) 명 상금이나 기부금 등에서 금액을 밝히지 않고 종이에 싸서 주는 돈. ¶고아원에 ~을 전달하다.
금자 (今者) 명 지금. 요사이. 금시(今時).
금자둥-이 (金子-) 명 금과 같이 귀하다는 뜻으로 '어린아이'를 가리키는 말. 금자동(金子童).
금자-탑 (金字塔) 명 1 피라미드. 2 영원히 전해질 만한 가치 있는 업적. ¶후세에 남을 ~을 세우다.
금-잔디 (金-) 명 잡풀이 없이 탐스럽게 자란 잔디.
금잔-옥대 (金盞玉臺) 명 1 금으로 만든 술잔과 옥으로 만든 잔대. 2 '수선화'의 미칭.
금잠 (金簪) 명 금비녀.
금장 (金裝) 명하타 황금으로 장식함.
금:장 (禁葬) 명하자 어떠한 곳에 송장을 묻지 못하게 금함.
금:장 (襟章) 명 군대·학생 등의 제복의 옷깃에 붙여 계급·소속·학년을 나타내는 휘장(徽章).
금장-도 (金粧刀) 명 1 금으로 된, 노리개로 쓰는 작은 칼. 2 〖역〗 나무로 칼 모양을 만들어 금칠을 한 의장(儀仗)의 한 가지.
금전 (金錢) 명 돈. 화폐. ¶~ 거래는 가까운 사람일수록 분명히 해야 한다.
금:전 (禁轉) 명하자 〖경〗 어음·수표 등의 양도를 금함.
금전 등록기 (金錢登錄器)[-녹-] 상품 판매의 현금 거래에서, 자동적으로 금전 출납의 기록을 하는 기계. 캐시 레지스터.

금전 신:탁 (金錢信託) 〖경〗 은행이 위탁받은 돈을 신탁 계약에 따라 운용하고, 신탁 기간 만기에 원금·이익금을 위탁자에게 돌려주는 신탁 방법.
금전-적 (金錢的) 관명 돈 또는 경제적인 이익에 관한 (것). ¶불황으로 ~인 곤란을 겪고 있다 / 상품의 가치는 반드시 ~인 것만으로 따질 수는 없다.
금전 출납부 (金錢出納簿)[-랍-] 금전 출납장.
금전 출납장 (金錢出納帳)[-랍-] 돈이 나가고 들어옴을 적는 장부. 금전 출납부.
금점 (金店) 명 〖광〗 황금을 파내는 곳. 금광(金鑛).
금점-꾼 (金店-) 명 금광에서 일하는 사람.
금점-판 (金店-) 명 금광의 일터.
금정-틀 (金井-) 명 무덤을 팔 때 구덩이의 길이와 넓이를 정하는 데 쓰는 나무틀.
금제 (金製) 명 금으로 만듦. 또는 그 물건. 금제품. ¶~ 귀고리.
금:제 (禁制) 명하타 어떤 행위를 하지 못하게 법적으로 금함. 또는 그런 법규. ¶밀무역을 ~한다.
금조 (禽鳥) 명 날짐승. 새.
금:조 (禁鳥) 명 보호조(保護鳥).
금:족 (禁足) 명 **1** 〖불〗 결제(結制)할 때, 드나드는 것을 금하는 일. **2** 규칙을 어긴 벌로서 외출을 금하는 일.
금:족-령 (禁足令)[-종녕] 명 외출을 금하는 명령. ¶~이 내리다.
금-종이 (金-) 명 금박이나 이금(泥金)을 발라 만든 종이.
금주 (今週) 명 이 주일. 이번 주. ¶~에 들어 더욱 따뜻해졌다.
금:주 (禁酒) 명하자 **1** 술을 못 먹게 금함. **2** 술을 끊고 먹지 않음. 단음(斷飮). 단주(斷酒). ¶~ 운동 / ~를 결심하다.
금-준비 (金準備) 명 중앙은행이 태환(兌換)에 응하기 위해 보유하는 금·지금·금화. 금화 준비.
금-줄[1] (金-) 명 **1** 금으로 만든 줄. **2** 금실을 꼬아 만든 줄. ¶소매에 ~을 달다. **3** 금빛 물감 등으로 그은 선.
금-줄[2] (金-)[-쭐] 명 금이 나는 광맥. 금맥.
금:-줄 (禁-)[-쭐] 명 인(人)줄. ¶~을 치다.
금:지 (禁止) 명하타 하지 못하게 함. ¶출입을 ~당하다 / 불법 복제품은 판매가 ~되어 있다 / 보호조 사냥을 ~하다 / 외부인의 출입을 ~하다.
금:지-령 (禁止令) 명 금지하는 명령이나 법령. ¶출국 ~을 내리다.
금:지-법 (禁止法)[-뻡] 명 **1** 특정 행위를 하지 못하도록 금지하는 법. ¶독점 ~. **2** 국제 사법에서, 외국법의 적용을 배제하는 법률.
금:지-세 (禁止稅) 명 〖경〗 수입 금지와 같은 효과를 나타내는 보호주의 수입 관세.
금지-옥엽 (金枝玉葉) 명 〔금으로 된 가지와 옥으로 된 잎의 뜻〕 **1** 임금의 자손이나 집안. **2** 귀한 자손. ¶~으로 자란 아이 / ~으로 기르다.
금:지 처:분 (禁止處分) 〖법〗 국가나 행정 관청이 국민에게 특정한 행위를 해서는 안 됨을 명하는 행정 처분.
금:지-품 (禁止品) 명 생산·수입·소지 등을 금하는 물품.
금-지환 (金指環) 명 금가락지.
금쪽-같다 (金-) [-깓따] 형 매우 소중하다. ¶금쪽같은 시간을 허비하다.
금채 (金釵) 명 금비녀.
금채 (金彩) 명 채색하는 데에 쓰는 이금(泥金)이나 금가루.
금철 (金鐵) 명 **1** 금과 철이란 뜻으로, 쇠붙이를 이르는 말. **2** 견고한 사물의 비유.
금:-치산 (禁治產) 명 〖법〗 가정 법원에서, 백치 등의 심신 상실자에게 본인 스스로 재산을 관리·처분하지 못하게 하는 일. ¶~의 선고를 받다.
금:치산-자 (禁治產者) 명 〖법〗 가정 법원에서, 금치산의 선고를 받은 법률상의 무능력자.
금칠 (金漆) 명 금박(金箔) 가루를 아교풀에 개어 섞은 옻.
금침 (衾枕) 명 이부자리와 베개. 침구.
금-테 (金-) 명 금 또는 금빛 나는 것으로 만든 테. ¶~ 안경.
금-패 (金牌) 명 **1** 〖역〗 조선 때, 서리나 노비 등이 규장각을 출입할 때 내보이던, 이금(泥金)을 발라 만든 나무패. **2** 금으로 만든 상패.
금:패 (錦貝) 명 〖광〗 빛깔이 누르고 투명한 호박(琥珀)의 한 가지.
금-패물 (金佩物) 명 **1** 금으로 만든 패물. **2** 옥을 끈에 꿴 것.
금품 (金品) 명 돈과 물품. ¶~ 거래 / ~을 수수하다 / 노골적으로 ~을 요구하다.
금:-하다 (禁-) 一자타여불 못하게 하다. 금지하다. ¶학생들에게 유흥장 출입을 ~. 二타여불 감정 따위를 억누르거나 참다. 억제하다. ¶실소(失笑)를 금할 수 없었다 / 분한 마음을 금할 길이 없다.
금:혼 (禁婚) 명하자 **1** 결혼을 못하게 금함. ¶동성동본 간의 ~은 완화될 추세이다. **2** 〖역〗 세자(世子)·세손의 비(妃)를 간택하는 동안 서민의 결혼을 금하던 일.
금혼-식 (金婚式) 명 혼인한 지 만 50년 되는 날을 축하하는 기념 의식. *은혼식.
금화 (金貨) 명 〖경〗 금으로 만든 돈.
금화 본위 제:도 (金貨本位制度) 〖경〗 금화를 본위 화폐로 하는 금 본위 제도.
금화 준:비 (金貨準備) 〖경〗 금준비.
금환 (金環) 명 **1** 금으로 만든 고리. **2** 금반지.
금환-식 (金環蝕) 명 〖천〗 달이 태양의 중앙만을 가려 태양 광선이 달의 주위에 고리 모양으로 나타나는 일식. 고리 일식. 금환 일식. *개기식(皆旣蝕).
금회 (今回) 명 이번.
금후 (今後) 명부 지금부터 뒤. ¶~의 과제 / ~ 5년 내지 10년.
급 (級) 一명 **1** '계급·등급' 등의 일컬음. **2** 태권도·유도·바둑 따위의 등급《단(段)의 아래》. **3** 단계. 정도. ¶5천 톤~의 배. 二의명 **1** 옛날에, 전쟁에서 죽인 적의 목을 세던 말. **2** 모숨. **3** 〖인〗 사식(寫植) 문자나 기호의 크기를 나타내는 단위.
급- (急) 투 **1** '갑작스러운'의 뜻. ¶~가속 / ~회전. **2** '매우 급한·매우 심한'의 뜻. ¶

~커브/~선무.

-급(級)[미] 일부 명사 뒤에 붙어 실력이나 기술 또는 등급 따위의 정도를 나타냄. ¶수준~/정상~/헤비~/장관~.

급-가속(急加速)[명] 자동차 따위의 속력을 갑자기 높이는 일.

급감(急減)[명][하자] 급작스럽게 줄어듦. ¶불황으로 수입이 ~했다. ↔급증.

급-강하(急降下)[명][하자] **1** 기온 따위가 갑자기 내림. ¶밤이 깊어 갈수록 기온이 ~하였다. **2** 비행기·새 등 날던 것이 거의 수직으로 급히 내려옴. ¶~ 비행. ↔급상승.

급거(急遽)[부][하형][히부] 급히 서둘러. 급작스럽게. ¶~ 출동하다.

급격-하다(急激-)[-껴카-][형][여불] 변화·행동 등이 급하고도 격렬하다. ¶급격한 변화. **급격-히**[-껴키][부]. ¶호우로 강물이 ~ 불어났다.

급-경사(急傾斜)[명] 몹시 비탈진 경사.

급고(急告)[명][하타] 급히 알림.

급구(急求)[명][하타] 물건이나 사람을 급히 구함.

급구(急救)[명][하타] 급히 구원함.

급급-하다(汲汲-)[-끄파-][형][여불] 한 가지 일에 마음이 쏠려 다른 일을 할 마음의 여유가 없다. ¶돈벌이에 ~. **급급-히**[-끄피][부]

급기야(及其也)[부] 마지막에 가서는. 마침내는. ¶~ 그는 파산하고 말았다.

급난(急難)[금-][명] 시급한 곤란. 급하고 어려운 일.

급등(急騰)[명][하자] 물가나 시세 따위가 갑자기 오름. ¶장마로 채소 가격이 ~하다. ↔급락.

급등-세(急騰勢)[명] 물가가 갑자기 오르는 기세. ¶주식 시세가 ~로 돌아섰다.

급락(及落)[금낙][명] 급제와 낙제. ¶~의 결정.

급락(急落)[금낙][명][하자] 물가나 시세 따위가 갑자기 떨어짐. ¶금리 인상 발표로 주가가 ~하였다. ↔급등.

급랭(急冷)[금냉][명][하타] **1** 급히 냉각함. **2** 〖화〗 금속을 고온도로 가열했다가 물이나 기름 등에 급히 식히는 일《경도를 증가시키려고 함》.

급료(給料)[금뇨][명] 일에 대한 대가로 고용주가 지급하는 보수《일급·월급 따위》. ¶재정난을 이유로 ~를 삭감하다.

급류(急流)[금뉴][명][하자] **1** 물이 빠르게 흐름. 또는 그 물. ¶~에 휩쓸리다. ↔완류(緩流). **2** 급작스러운 사회 변화 등의 비유. ¶시대의 ~를 타다/노정(勞政) 합의로 금융 개혁이 ~를 탈 모양이다.

급류-수(急流水)[금뉴-][명] 급히 흐르는 물. 단수(湍水).

급매-물(急賣物)[금-][명] 급히 팔아야 할 물건.

급모(急募)[금-][명][하타] 급히 모집함. ¶사원을 ~하다.

급무(急務)[금-][명] 급히 처리해야 할 일. ¶초미(焦眉)의 ~.

급박-하다(急迫-)[-빠카-][형][여불] 사태가 조금의 여유도 없이 매우 급하다. ¶급박한 국제 정세/정국이 급박하게 돌아간다. **급박-히**[-빠키][부]

급변(急變)[명][하자] **1** 상황이나 상태가 갑자기 달라짐. ¶~하는 세계 정세. **2** 별안간 일어난 변고.

급보(急報)[명][하타] 급히 알림. 또는 그 소식. ¶~를 받다.

급부(給付)[명][하타] **1** 재물을 대어 줌. **2** 〖법〗 채권의 목적이 되는 채무자의 행위.

급-부상(急浮上)[명][하자] 어떤 일이나 대상이 갑자기 세상에 알려지거나 나타남. ¶새로운 스타로 ~했다.

급비(給費)[명][하자] 비용 특히 학비 따위를 대어 줌. 또는 그 비용.

급비-생(給費生)[명] 국가·단체·개인 등으로부터 학비를 받아 공부하는 학생.

급사(急死)[명][하자] 갑자기 죽음. ¶교통사고로 ~하다.

급사(急使)[명] 급한 일을 알리는 사람.

급사(給仕)[명] 사동(使童). 사환.

급-사면(急斜面)[명] 경사가 심한 비탈.

급살(急煞)[명] 〖민〗 갑자기 닥쳐오는 재액(災厄).

급살(을) 맞다[구] 별안간 죽다. ¶이런 급살을 맞을 놈 봤나.

급-상승(急上昇)[명][하자] **1** 별안간 오름. ¶인기가 ~하다. **2** 비행기 따위가 갑자기 빠른 속도로 올라감. ↔급강하.

급서(急書)[명] 급한 일을 알리는 편지. ¶~를 접하다.

급서(急逝)[명][하자] 급사(急死)의 높임말.

급-선무(急先務)[명] 무엇보다도 먼저 서둘러 해야 할 일. ¶경기 회복이 ~다.

급-선회(急旋回)[명][하자] **1** 별안간 방향을 바꿈. 급히 돎. ¶헬기가 남쪽으로 ~하다. **2** 별안간 일의 방향이나 태도를 바꿈. ¶강경 노선에서 온건 노선으로 ~하다.

급성(急性)[명] **1** 병의 증세가 갑자기 나타나 빠르게 진행하는 성질. ↔만성. **2** 성미가 급함. 또는 그 성질.

급성-병(急性病)[-뼝][명] 〖의〗 갑자기 일어나거나 악화하는 병《급성 맹장염·급성 복막염 등》. ↔만성병.

급-성장(急成長)[명][하자] 매우 빨리 발전함. ¶컴퓨터의 발전으로 벤처 기업이 ~해 가고 있다.

급성 전염병(急性傳染病)[-뼝] 〖의〗 급성으로 진행하는 전염성 질환《장티푸스·콜레라·이질 따위》.

급소(急所)[명] **1** 신체 중에서 그 곳을 해치면 생명에 관계되는 부분. ¶~를 맞고 쓰러졌다. **2** 사물의 가장 중요한 곳. 요점. ¶~를 찌르다.

급속(急速)[명][하형][히부] 몹시 급하고 빠름. ¶선거 관계 재판은 ~을 요한다/교역량이 ~하게 늘어났다.

급-속도(急速度)[명] 매우 빠른 속도. ¶~로 발전해 나갔다.

급송(急送)[명][하타] 급히 보냄. ¶환자를 병원으로 ~하다.

급수(級數)[명] **1** 기술의 우열에 의한 등급. ¶바둑의 ~. **2** 〖수〗 일정한 법칙에 따라 증감하는 수를 일정한 순서로 배열한 수열(數列). **3** 〖인〗 사식(寫植) 문자나 기호의 크기를 나타내는 말.

급수 (給水) 명하타 음료수 등의 물을 공급함. 또는 그 물. ¶제한 ~를 실시하다.
급수-관 (給水管) 명 각 가정으로 물을 공급하는 상수도의 관. ¶겨울에는 ~이 잘 터진다.
급수-전 (給水栓) 명 수도꼭지.
급수-지 (給水池) 명 수돗물을 공급하기 위하여 만든 저수지.
급수-차 (給水車) 명 가물거나 단수되었을 때에, 식수를 공급하고자 물탱크를 장치한 차. 물차.
급수-탑 (給水塔) 명 **1** 물을 공급하기 위하여 설치한 철제 탑《기관차 따위에 직접 급수가 되지 않을 때 사용함》. **2** 급수에 필요한 수압을 얻기 위하여 설치한 탑 모양의 물탱크.
급습 (急襲) 명하타 갑자기 습격함. ¶허술한 방비를 틈타 ~하였다.
급식 (給食) 명하자 (학교나 공장 등에서) 식사를 주는 것. 또는 그 식사. ¶전체 학생에게 무료 ~을 하고 있다.
급신 (急信) 명 급한 일을 알리는 통신.
급여 (給與) 명하타 **1** 돈이나 물건을 대어주거나 베풀어 줌. 또는 그 돈이나 물건. ¶실업자에게 생활 보조비를 ~하다. **2** 관공서나 회사 등에 근무하는 사람에게 지급되는 급료·수당 따위의 총칭. 급료. ¶능력에 따라 ~에 차등을 둔다 / 이달 ~를 지급하다.
급우 (級友) 명 같은 학급에서 배우는 벗. ¶ ~와 친하게 지내다.
급원 (給源) 명 공급해 주는 원천. 공급원.
급유 (給由) 명하자 말미를 잠시 허락해 줌. 여유를 줌.
급유 (給油) 명하자 **1** 엔진 등에 연료를 공급함. ¶~ 장치 / 자동차에 ~하다. **2** 기계에 윤활유를 공급함.
급유-기 (給油機) 명 날고 있는 비행기에 연료를 공급하는 비행기.
급유-선 (給油船) 명 항해 중인 다른 배에 연료를 공급하는 배.
급자기 부 생각할 사이도 없이 매우 급히. ¶~ 배탈이 났다. 작갑자기.
급작-스럽다 〔-스러우니, -스러워〕 형ㅂ불 생각할 사이도 없이 매우 급하다. ¶급작스럽게 비가 내리퍼붓다. 작갑작스럽다. **급작-스레** 부
급장 (級長) 명 '반장(班長)'을 전에 일컫던 말.
급전 (急傳) 명하자타 급히 전함. 또는 급한 전달.
급전 (急電) 명 급한 일을 알리는 전보나 전화. ¶런던발 UPI ~.
급전 (急錢) 명 급히 쓸 돈. 급한 데 필요한 돈. ¶~을 마련하다.
급전 (急轉) 명하자 갑자기 형세가 바뀜. ¶상황이 ~했다.
급전 (給電) 명하자 전기를 실수요자에게 공급하는 일.
급전-선 (給電線) 명 **1** 발전소나 변전소 따위에서 필요한 곳으로 전기를 공급하는 전선. **2** 안테나와 송수신기를 연결하여 고주파 전력을 전송(傳送)하는 선로. 피더선 (feeder線).
급전-직하 (急轉直下)[-지카] 명하자 사태·정세 따위의 변화가 급격함. 또는 사태가 급변하여 결말·해결이 가까워짐.
급-정거 (急停車) 명하자타 차 등을 급히 세움. 또는 차가 급히 섬. 급정차. ¶전동차가 ~하는 바람에 승객들이 앞으로 넘어졌다.
급-정지 (急停止) 명하자타 갑자기 멈춤. 또는 갑자기 멈추게 함.
급제 (及第) 명하자 **1** 〖역〗 과거에 합격하던 일. ¶장원으로 ~하다. ↔낙방. **2** 시험에 합격함. ↔낙제.
급제-생 (及第生) 명 급제한 사람. ↔낙제생(落第生).
급조 (急造) 명하타 급히 만듦. 갑자기 만듦. ¶~된 가설 무대.
급증 (急增) 명하자 갑자기 늘어남. ¶여성 흡연자가 ~하고 있다. ↔급감.
급진 (急進) 명하자 **1** 급히 진행함. **2** 목적이나 이상 따위를 급히 실현하고자 함. ¶~ 세력 / ~ 노선을 걷다. ↔점진(漸進).
급진-적 (急進的) 관명 목적·이상 등을 급하게 실현하려는 (것). ¶~ 발전 / ~인 사상. ↔점진적.
급-진전 (急進展) 명하자 빠른 진전. 급속도로 진전함. ¶협상이 ~해 이달 안에 타결될 것으로 보인다.
급진-주의 (急進主義)[- / -이] 명 이상의 실현을 위해 현실의 정체·사회 제도를 고려하지 아니하고, 급하게 근본적으로 변혁시키려는 주의.
급진-파 (急進派) 명 이상의 실현 등을 급히 진행시키려는 파.
급체 (急滯) 명하자 갑자기 심하게 체함. ¶~를 내리다.
급탕 (給湯) 명하자 뜨거운 물을 공급함. ¶~ 시설.
급파 (急派) 명하타 급히 파견함. ¶사고 현장에 구조대를 ~하였다.
*__급-하다__ (急-)[그파-] 형여불 **1** 바빠서 우물쭈물할 틈이 없다. ¶한시가 ~ / 급한 일로 상경하다. **2** 성미가 팔팔해 잘 참지 못하다. ¶급한 성미. **3** 병세가 위독하다. ¶급한 고비를 넘겼다. **4** 몹시 서두르거나 다그치는 경향이 있다. ¶밥을 급하게 먹다 / 일을 급하게 하다. **5** 경사가 가파르다. ¶경사가 급한 언덕길. **6** 물의 흐름이나 일의 진행 속도가 빠르다. ¶물살이 매우 ~. **급-히** [그피] 부. ¶~ 쓸 돈 / ~ 자동차를 몰고 가다.
[급하기는 우물에 가서 숭늉 달라겠다] 급한 것만 생각하고 절차를 생각하지 못한다. [급하면 바늘허리에 실 매어 쓸까] 아무리 급해도 순서는 밟아야 한다. [급히 먹는 밥이 목이 멘다] 너무 급히 서두르면 실패한다.
급한 불을 끄다 구 우선 절박한 문제를 처리하여 해결하다.
급행 (急行)[그팽] 명하자 **1** 빨리 또는 급히 감. **2** '급행열차'의 준말. ¶~을 타다. ↔완행.
급행-료 (急行料)[그팽뇨] 명 〈속〉 일을 빨리 처리하려고 주는 뇌물. ¶~를 내고 단시일 안에 허가를 얻었다.
급행-열차 (急行列車)[그팽녈-] 명 큰 역에

만 정차하는 빨리 달리는 기차. ㊄급행·급행차. ↔완행열차.

급환 (急患)[그판] 명 위급한 병환. 또는 그런 환자. ¶어머님이 ~으로 입원하셨다.

급-회전 (急回轉)[그퓌-] 명하자타 갑자기 돎. 빨리 회전함. ¶고속도로에서의 ~은 금물이다.

급훈 (級訓)[그푼] 명 학급에서 교육 목표로 정한 덕목.

긋:다[1] [귿따]〔그으니, 그어〕 一자人불 비가 잠시 그치다. ¶비가 긋는 것도 잠깐이었다. 二타人불 비를 잠시 피해 그치기를 기다리다. ¶처마 밑에서 비를 ~.

*__긋:다__[2] [귿따]〔그으니, 그어〕 타人불 **1** 줄을 치거나 금을 그리다. ¶붉은 볼펜으로 밑줄을 그었다. **2** 성냥개비를 황에 대고 문지르다. ¶성냥을 그어 불을 붙이다. **3** 물건 값이나 밥값, 술값을 외상으로 처리하다. ¶긋는 맛에 외상술을 먹는다. **4** 경계나 한계 따위를 분명히 짓다. ¶여당과 정부 사이에는 분명한 책임의 한계가 그어져 있다.

긍:긍-하다 (兢兢-) 자여불 두려워하고 삼가다. ¶전전(戰戰)~.

긍:정 (肯定) 명하타 **1** 어떤 사실이나 생각에 대하여 옳다고 인정함. ¶~하는 뜻으로 고개를 끄덕였다. **2**〘논〙 판단에서 문제가 되고 있는 주어와 술어 관계를 인정하는 일. ↔부정(否定).

긍:정-문 (肯定文) 명〘언〙 문장의 서술 형식의 하나. '…은 …이다' 라고 긍정적인 뜻을 나타내는 문장. ↔부정문.

긍:정-적 (肯定的) 관명 어떤 사실이나 생각 등을 좋게 보거나 옳다고 인정하는 (것). ¶~인 태도를 보이다. ↔부정적(否定的).

*__긍:지__ (矜持) 명 자신의 재능이나 능력을 믿음으로써 가지는 떳떳하고 자랑스러운 마음. 프라이드. ¶문화 민족으로서의 ~를 갖다.

긍:휼 (矜恤) 명하타히부 불쌍히 여김. 가엾게 여겨 돌보아 줌.

기 (己) 명〘민〙 천간(天干)의 여섯째.

기 (忌) 명 기중(忌中). 상중(喪中).

기 (紀) 명 **1** 기전체(紀傳體) 역사에서, 제왕의 사적(事績)을 기록한 글. **2**〘지〙 지질시대를 구분한 단위《대(代)와 세(世)의 사이》. ¶쥐라~/백악~.

*__기__ (氣) 명 **1** 생활·활동하는 힘. ¶~가 부족하다/~가 세다/~를 꺾다. **2** 숨쉴 때에 나오는 기운. ¶~가 막히다/~가 통하다. **3**〘철〙 동양 철학에서, 만물을 생성하는 근원이 되는 기운. 원기(元氣). *이기(理氣).

기(가) 꺾이다 구 기세가 수그러지다.

기(가) 나다 구 의욕이 일거나 기세가 오르다. ¶기가 나서 덤벼들다.

기(가) 차다 구 하도 어이가 없어 말이 나오지 않다. ¶기가 차서 말을 못하겠다.

기(를) 살리다 구 기를 펴고 뽐내도록 만들다. ¶선수들의 기를 살리기 위해 응원가를 부르다.

기(를) 쓰다 구 있는 힘을 다하다. ¶기를 쓰고 덤벼들다.

기(를) 펴다 구 억눌림이나 곤경에서 벗어나 마음을 편히 가지다. ¶이제는 좀 기를 펴고 살 수 있겠지.

기 (起) 명 **1** 한시(漢詩)의 첫째 구(句). **2** 논설문에서 문제를 제기하는 부분.

기 (記) 명 한문 문체의 하나《사적(事蹟)과 경치를 적은 글》.

기 (基) 一명〘화〙 화학 반응에서, 다른 화합물로 변화할 때 마치 한 원자처럼 작용하는 원자단《메틸기·히드록시기 따위》. 라디칼. 二의명 **1** 무덤·비석·탑 등을 세는 단위. **2** 원자로·유도탄 따위를 세는 단위.

기 (期) 명 일정한 기간씩 되풀이되는 일의 한 과정. 또는 그를 세는 단위. ¶같은 ~의 졸업생/제3~ 수료생.

*__기__ (旗) 명 헝겊·종이 따위에 글자·그림·빛깔 등을 넣어 어떤 뜻을 나타내거나 특정한 단체를 나타내는 데 쓰는 물건《국기·군기 등》.

[기 들고 북 쳤다] 혼자서는 다 해내지도 못할 것을 이것저것 건드림을 비유하여 이르는 말.

기 (騎) 의명 말 탄 사람의 수효를 세는 말.

-기- 미 흔히 ㄴ·ㅁ·ㅅ·ㅈ·ㅊ·ㅌ 등의 받침을 가진 어간에 붙어, 타동사를 피동사나 사동사로, 자동사를 사동사로 만드는 어간 형성 접미사. ¶안~다/찢~다/벗~다/남~다/숨~다/웃~다/신~다/맡~다/옮~다. *-구-·-리[1]-·-이-·-히-.

-기[1] 미 동사 및 형용사 어간에 붙어 명사를 만드는 접미사. ¶크~/굵~/모내~/사재~/달리~.

-기 (氣) 미 '느낌·기운·성분'의 뜻을 나타내는 말. ¶찬~/시장~/바람~/기름~.

-기 (記) 미 '기록'의 뜻. ¶여행~/체험~.

-기 (期) 미 어떤 시기를 몇으로 구분한 그 하나. ¶사춘~/하반~ 결산.

-기 (機) 미 '기계·장치'의 뜻. ¶기중~/세탁~/발동~/비행~.

-기 (器) 미 **1** '기계·기구'의 뜻. ¶각도~/분도~/분무~. **2** 생물체의 한 기관을 나타내는 말. ¶생식~/호흡~.

-기[2] 어미 '이다' 또는 용언의 어간에 붙어 명사 구실을 하게 하는 명사형 어미. ¶읽~ 싫다/웃~ 시작했다/먹~ 좋다/딴 사람이~를 바란다. *-ㅁ[2]·-음[2].

기가 (giga) 의명〘컴〙 기가바이트.

기가-바이트 (gigabyte) 의명〘컴〙 컴퓨터의 데이터 용량을 나타내는 단위. 10억 바이트의 뜻이나, 실제로는 1,024메가바이트, 또는 1,073,741,824바이트를 나타냄. 기호: GB.

기각 (棄却) 명하타 **1** 버리고 쓰지 아니함. **2**〘법〙 법원이 소송을 심리한 결과 이유가 없거나 적법하지 않다고 판단하여 도로 물리치는 일. ¶항소 ~/변호인의 이의 신청을 이유 없다고 ~하다.

기간 (基幹) 명 어떤 분야나 부문에서 으뜸이 되거나 중심이 되는 부분. ¶~요원/방위 산업의 ~인 기계 공업.

기간 (旣刊) 명 이미 간행됨. 또는 그 책. ¶~ 출판물. *근간(近刊)·미간(未刊).

*__기간__ (期間) 명 어느 일정한 시기의 사이. ¶체재 ~/방학 ~/계약 ~이 지났다.

기간-산업 (基幹產業) 명〘경〙 한 나라에서, 산업의 바탕이 되는 중요 산업《화학·제철·

기계·조선 공업 및 광공업 등》.

기갈 (飢渴) [명] 배가 고프고 목이 마름.

기갈(이) 들다 [구] ㉠몹시 굶주려 허기지다. ㉡무엇을 가지고 싶어 안달하다.

기갑 (機甲) [명] 전차·장갑차 등과 같이 기동력·기계력으로 무장함. 또는 그런 병과(兵科). ¶ ~ 부대 / ~ 사단.

기강 (紀綱) [명] 기율과 법도. ¶ ~ 확립 / 근무 자세와 ~을 바로잡다 / ~이 해이해지다 / ~을 어지럽히다.

기개 (氣槪) [명] 씩씩한 기상과 꿋꿋한 절개. ¶ ~ 있는 사나이.

기객 (棋客·碁客) [명] 바둑 두는 사람.

기거 (起居) [명][하자] **1** 먹고 자고 하는 따위의 일상적인 생활을 함. 또는 그 생활. ¶기숙사에서 ~를 같이하다. **2** 손님을 맞기 위하여 일어섬.

기거 (寄居) [명][하자] 남에게 덧붙어서 삶. ¶ 친구 집에 ~하고 있다.

기걸 (奇傑) [명][하형] 기상이나 풍채가 남다른 호걸(豪傑).

기걸-스럽다 (奇傑-) 〔-스러우니, -스러워〕 [형][ㅂ불] 보기에 풍채가 남다르고 호걸다운 데가 있다. **기걸-스레** [부]

기겁 (氣怯) [명][하자] 갑자기 놀라거나 겁에 질려 숨이 막히는 듯함. ¶ ~을 하고 놀라다.

기결 (起結) [명] **1** 시작과 결과. 처음과 끝. **2** 한시에서, 기구(起句)와 결구(結句).

기결 (既決) [명][하타] **1** 이미 결정함. ¶ ~ 사항 / ~ 서류. **2** 〔법〕 재판의 판결을 이미 확정함. ↔미결(未決).

기결-수 (既決囚)[-쑤] [명] 확정 판결이 집행되어 자유의 구속을 받고 있는 죄수. ↔미결수. [주의] 현행법에서는 수형자(受刑者)라 이름.

기결-안 (既決案) [명] 이미 결정된 안건(案件). ↔미결안.

기경 (起耕) [명][하타] 묵힌 땅이나 생땅을 갈아 일으켜 논밭을 만듦.

기계 (奇計)[-/-게] [명] 기묘한 꾀. 기책(奇策). ¶ ~를 생각해 내다.

기계 (棋界·碁界)[-/-게] [명] 장기·바둑을 두는 사람들의 사회. 기단(棋壇).

기계 (器械)[-/-게] [명] **1** 그릇·연장·기구(器具) 등의 통칭. ¶이발 ~. **2** 구조가 간단하며 제조나 생산을 목적으로 하지 아니하고 사용되는 도구의 총칭《의료 기계, 물리·화학의 실험용 기계 따위》.

*__기계__ (機械)[-/-게] [명] **1** 동력을 써서 작업을 하는 장치. 원동(原動)·전도(傳導)·작업(作業)의 세 기구(機構)로 됨. ¶ ~를 조작하다. **2** 행동이나 생활 방식 따위가 정확하거나 규칙적인 사람의 비유. **3** 남의 뜻에 따라 행동하는 일이나 그 사람. 또는 융통성이 없는 사람.

기계 공업 (機械工業)[-/-게-] **1** 공작 기계나 단압(鍛壓) 기계를 사용하여, 각종 기계나 부품을 제작하는 공업. **2** 기계를 사용하여 물건을 생산하는 공업. ↔수공업.

기계-력 (機械力)[-/-게-] [명] 기계의 힘. 기계가 일하는 능력.

기계-론 (機械論)[-/-게-] [명] **1** 〔철〕 모든 생성 변화를 물질적·기계적인 법칙에 따라 설명하려는 이론. 기계관. ↔목적론. **2** 〔생〕 생물 현상을 모든 물리 화학적 법칙에 환원하여 설명하려는 입장. 기계설.

기계 문명 (機械文明)[-/-게-] 기계의 발달로 대량 생산이 행하여져 진보 발전한 근대 문명.

기계 번역 (機械飜譯)[-/-게-] 〔컴〕 인간이 사용하는 자연 언어를 컴퓨터로 번역하는 일.

기계-어 (機械語)[-/-게-] [명] 〔컴〕 컴퓨터가 판독하고 실행할 수 있는 언어. 0과 1의 두 숫자의 조합으로 구성됨.

기계-적 (機械的)[-/-게-] [관][명] **1** 기계를 사용하여 일을 하는 (것). ¶ ~인 포장 방식. **2** 기계에 관련된 (것). ¶ ~인 고장. **3** 기계처럼 정확하고 규칙적인 (것). ¶ ~인 손놀림. **4** 인간적인 감정·창의성 등이 없이 수동적·맹목적으로 하는 (것). ¶ ~인 사고 방식.

기계 체조 (器械體操)[-/-게-] 철봉·평행봉·목마·뜀틀 등의 기구를 사용하는 체조. ↔맨손 체조.

기계-화 (機械化)[-/-게-] [명][하자타] **1** 산업에 기계를 도입하여 인간의 노동을 대신하게 함. ¶농업의 ~. **2** 사람의 언행이 자주성을 잃고 기계적으로 됨. ¶산업의 발달은 인간의 ~를 낳았다. **3** 전차·장갑차·자동차 따위 기계를 도입, 군대의 기동력을 향상시킴. 또는 그렇게 됨. ¶ ~ 군단.

기고 (起稿) [명][하타] 원고를 쓰기 시작함. ↔탈고(脫稿).

기고 (寄稿) [명][하타] 신문사나 잡지사로 글을 써서 보냄. 또는 그 원고. 기서(寄書). ¶핵에너지의 문제점에 대하여 신문에 글을 ~하였다.

기고-가 (寄稿家) [명] 기고하는 사람.

기고-만장 (氣高萬丈) [명][하자형] 〔기운이 만 길이나 뻗쳤다는 뜻〕 **1** 일이 뜻대로 잘되어 기세가 대단함. ¶이겼다고 ~해 가지고 우쭐댄다 / 일류 대학에 합격했다고 ~이다. **2** 성을 낼 때에 그 기운이 펄펄 나 있음을 이르는 말.

기골 (奇骨) [명] 남다른 기풍이 있어 보이는 골격. 또는 그런 골격을 지닌 사람.

기골 (氣骨) [명] **1** 기백과 골격. **2** 건장하고 튼튼한 체격. ¶ ~이 장대하다.

기공 (技工) [명] **1** 손으로 가공하는 기술. ¶ 뛰어난 ~. **2** 기술공.

기공 (起工) [명][하타] 공사를 시작함. ¶ ~한 지 얼마 안 되는 다리 공사. ↔준공.

기공 (氣孔) [명] **1** 〔충〕 숨구멍3. **2** 〔식〕 숨구멍4.

기관 (汽管) [명] 증기(蒸氣)를 보내는, 속이 빈 둥근 쇠통.

기관 (汽罐) [명] 밀폐된 용기 안에서 물을 끓여 높은 온도, 높은 압력의 증기를 발생시키는 장치. 보일러.

기관 (氣管) [명] **1** 〔생〕 척추동물의 목에서 폐로 이어지는, 숨 쉴 때 공기가 통하는 관. 심장 위에서 아래 끝이 두 갈래의 기관지로 갈라짐. 숨통. **2** 〔충〕 곤충류의 호흡 기관. 나뭇가지 모양의 가느다란 관으로 기문(氣門)을 통하여 외계와 연결됨.

*__기관__ (器官) [명] 〔생〕 일정한 모양과 생리 기능을 갖는 생물체의 부분《운동·감각·영양·

생식 등을 갈라 맡음》. ¶호흡 ~.

*기관(機關) 명 1 화력·수력·전력 따위 에너지를 기계적 에너지로 바꾸는 기계의 총칭《증기 기관·내연 기관 등》. 엔진. ¶~ 고장으로 표류하다. 2 어떠한 역할과 목적을 위하여 설치한 기구나 조직. ¶보도 ~/첩보 ~. 3〘법〙 법인(法人)의 의사를 결정하고 그것을 집행하는 지위에 있는 개인·집단. ¶합의 ~.

기관 단:총(機關短銃) 어깨 또는 허리에 대고 쏠 수 있도록 만든, 가벼운 자동식 또는 반자동식 단총.

기관-사(機關士) 명 열차·선박·항공기 등의 기관을 맡아보는 사람. 기관수.

기관-실(機關室) 명 1 기차·항공기·선박에서, 추진기를 설치한 방. 2 발전·난방·냉방·환기·급수 등의 기관을 설치한 방.

기관-원(機關員) 명 1〈속〉정보 기관의 종사자. ¶~을 사칭하고 돌아다니다. 2 선박 관련 기능 공무원 직급의 하나.

기관-장(機關長) 명 1 국가 기관의 으뜸 책임자. 2 기관을 운영하고 수리하는 일을 하는 사람들의 책임자.

기관-지(氣管支) 명〘생〙 기관의 아래 끝에서 나뭇가지 모양으로 갈라져서 좌우의 폐에 이르는 기도(氣道)의 한 부분. ¶~가 나빠 담배를 못 피운다.

기관-지(機關紙) 명 한 기관이 그들의 목적을 수행하는 데 필요한 보도·언론을 널리 펴기 위해 발행하는 신문. 기관 신문.

기관-지(機關誌) 명 어떤 개인이나 사회 단체 또는 조직이 그의 정신을 널리 펴기 위하여 만들어 내는 잡지. 기관 잡지.

기관지-염(氣管支炎) 명〘의〙 기관지에 생기는 염증. 기관지 카타르.

기관지 천:식(氣管支喘息)〘의〙 작은 기관지들이 경련을 하듯 수축되면서 돌발적으로 특유한 호흡 곤란을 일으키는 질병.

기관-차(機關車) 명 객차·화차를 끌고 다니는 철도 차량의 원동력이 되는 차량《디젤 기관차·증기 기관차 따위》.

기관-총(機關銃) 명 자동적으로 탄알을 장전하면서 연속으로 발사하는 총. ¶~을 난사하다.

기관 투자(機關投資)〘경〙 은행이나 법인 등이 행하는 투자.

기관 투자가(機關投資家)〘경〙 유가 증권에 대한 투자를 주요 업무의 하나로 하는 법인《은행·보험 회사·투자 신탁 회사 등》.

기관-포(機關砲) 명 기관총 가운데 구경이 20mm 이상인 것《주로 항공기용·고사용(高射用)임》.

기괴망측-하다(奇怪罔測-)[-츠카-] 형 여불 괴상하고 기이하기가 이루 말할 수 없다. ¶기괴망측한 가면.

기괴-하다(奇怪-) 형 여불 이상야릇하다. ¶기괴한 행동/기괴한 암석과 수려한 산봉우리.

기교(技巧) 명 하형 기술이나 솜씨가 아주 묘함. 또는 그 기술이나 솜씨. ¶~가 뛰어나다.

기교-파(技巧派) 명 내용보다 형식의 미(美)를 추구하는 예술 지상주의적 작가의 유파(流派).

기구(祈求) 명 하타 1 원하는 바가 실현되도록 빌고 바람. 2〘가〙 '기도'의 구용어.

기구(起句) 명 1 시나 문장의 첫 구. 수구(首句). 2 한시에서, 절구(絕句)의 첫 구《기승전결의 기에 해당함》.

기구(氣球) 명 공기가 통하지 않는 큰 주머니에 수소나 헬륨을 넣어서 공중 높이 올리는 물건. ¶~를 타고 산을 넘다.

*기구(器具) 명 1 세간·그릇·연장·기계 등의 총칭. ¶부엌 ~/실험 ~/운동 ~. 2 의식(儀式)이 예법대로 갖추고 있는 형세.

기구(冀求) 명 하타 몹시 바라고 구함. 희구(希求). ¶평화를 ~하다.

기구(機具) 명 기계와 기구.

*기구(機構) 명 1 어떤 목적을 이루기 위해 구성한 조직이나 기관. ¶~ 개편/~를 축소하다. 2 기계나 도구의 내부 구조. ¶동력전달 ~.

기구-하다(崎嶇-) 형 여불 1 산길이 험하다. 2 인생살이가 순탄하지 못하고 가탈이 많다. 기험(崎險)하다. ¶기구한 운명/팔자가 기구하여 요 모양이다.

기국(器局) 명 사람의 도량과 재간. 기량(器量).

기권(氣圈)[-꿘] 명 지구를 둘러싸고 있는 대기(大氣)의 범위. 대기권(大氣圈).

기권(棄權)[-꿘] 명 하자타 권리를 버리고 행사하지 않음《흔히 투표(投票)·의결(議決)·경기 등에서 행사함》. ¶부상으로 시합을 ~했다/이번 투표에서는 ~하지 말자.

기근(飢饉·饑饉) 명 1 흉년으로 먹을 양식이 없어 굶주림. 기황(饑荒). ¶~이 들어 굶어 죽는 사람이 생겼다. 2 필요한 것이 매우 부족한 현상. ¶남부 지방은 물 ~으로 난리다.

기금(基金) 명 어떤 목적이나 사업·행사 등을 위하여 쓸 자금. ¶장학 ~/~을 마련하다.

기기(器機·機器) 명 기구·기계 따위의 총칭. ¶음향 ~.

기기묘묘-하다(奇奇妙妙-) 형 여불 매우 기이하고 묘하다. ¶기기묘묘한 재간을 부린다.

기기-하다(奇奇-) 형 여불 매우 이상야릇하다. ¶기기한 형상.

기꺼워-하다 타 여불 매우 기쁘게 여기다. ¶그는 고향 소식을 몹시 기꺼워했다. 준 기꺼하다.

기꺼이 부 기껍게. 기쁘게. ¶~ 승낙하다.

기껍다〔기꺼우니, 기꺼워〕 형 ㅂ불 은근히 마음속으로 기쁘다.

기:-껏[-껃] 부 힘이나 정도가 미치는 한껏. ¶~ 한다는 짓이 그 모양이야. *고작·힘껏.

기:껏-해야[-꺼태-] 부 아무리 한다고 하여도. ¶이익은 ~ 백 원 정도다.

기:나-길다 형 (주로 '기나긴'의 꼴로 쓰여) 매우 길다. ¶기나긴 세월.

기낭(氣囊) 명 1〘생〙 조류의 가슴과 배에 있어 폐와 통하는 주머니《그 안에 공기를 드나들게 하여 몸의 무게를 증감시킴》. 2 기구(氣球) 등의 가스를 넣는 주머니.

기내(畿內) 명 나라의 서울을 중심으로 사방으로 벋어 나간 가까운 행정 구역의 안.

기내 (機內) 명 비행기의 안. ¶ ~에서는 금연임.

기내-식 (機內食) 명 비행기 안에서 제공하는 식사·다과·음료 등.

기:녀 (妓女) 명 **1** 지난날, 춤·노래·의술·바느질 따위를 배워 익히던 관비(官婢)의 총칭. 여기(女妓). 연화(煙花). **2** 기생(妓生).

기년 (紀年) 명 기원으로부터 셈한 햇수.

기:년 (耆年) 명 예순 살이 넘은 나이.

기년 (朞年·期年) 명 **1** 한 돌이 되는 해. **2** 기한이 된 해.

기년-법 (紀年法)[-뻡] 명 나라나 민족이 지나온 역사를 계산할 때 어떤 연도를 정해 이것을 기원으로 햇수를 세는 방법.

기년-복 (朞年服) 명 일 년 동안 입는 상복.

기년-제 (朞年祭) 명 소상(小祥).

기념 (記念·紀念) 명하타 뜻 깊은 일이나 훌륭한 인물 등을 오래도록 잊지 아니하고 마음에 간직함. ¶출판 ~/결혼 ~사진/생일 ~으로 꽃을 선물하다/광복절을 ~하다.

기념-관 (記念館) 명 어떤 뜻 깊은 일이나 위인 등을 기념하기 위하여 세운 집. 여러 가지 자료나 유품 등을 진열하여 둠. ¶유관순(柳寬順) ~.

기념-물 (記念物) 명 **1** 기념하는 물건. 길이 기념하기 위하여 보존하는 물건. **2** 기념품.

기념물의 종류

문화재(文化財)의 하나로서 중요하다고 인정되어, 국가가 법률로써 지정한 중요 기념물은 아래와 같음《숫자는 1996년 현재 지정된 현황》.

1. **사적**(史蹟) … 조개더미·고분(古墳)·성(城)터·궁(宮)터·가마터·유물 포함층(遺物包含層) 등으로서 역사상·학술상 가치가 큰 곳. 독립문·수원 성곽 따위. 388곳.
2. **명승**(名勝) … 예술상·관상상(觀賞上) 가치가 큰 곳. 홍도·설악산 따위. 6곳.
3. **천연기념물**(天然紀念物) … 동물·식물·광물·동굴로서 학술상 가치가 큰 것. 크낙새·용문사(龍門寺) 은행나무·삼척(三陟) 대이리 동굴·무주 구상 화강 편마암(茂朱球狀花崗片麻岩) 따위. 282건.

기념-비 (記念碑) 명 어떠한 일을 기념하기 위하여 세운 비. ¶6·25 참전 ~.

기념비-적 (記念碑的) 관명 기념할 만큼 매우 중요한 (것). ¶~인 존재/~ 업적.

기념-사 (記念辭) 명 기념의 뜻을 표하는 말이나 글. ¶광복절 ~.

기념-식 (記念式) 명 어떤 일을 기념하기 위하여 행하는 의식.

기념-일 (記念日) 명 어떤 일을 기념하는 날. ¶결혼 ~.

기념-장 (記念章) 명 어떤 일을 기념하는 뜻을 나타낸 휘장. 그 일에 관련 있는 사람에게 줌. ㈜기장(紀章).

기념-탑 (記念塔) 명 길이 기념하기 위하여 세우는 탑.

기념-패 (記念牌) 명 어떤 일을 기념하기 위하여 만든 패.

기념-품 (記念品) 명 기념으로 주고받는 물건. 기념물.

기는-가지 명 〖식〗 원줄기에서 나서 땅으로 벋어 가며 뿌리가 생겨 땅에 박고 자라는 가지. 포복지(匍匐枝).

기는-줄기 명 〖식〗 땅 위로 기어서 뻗는 줄기《고구마·땅콩·딸기 따위의 줄기》. 포복경(匍匐莖).

기능 (技能) 명 기술적인 능력이나 재능(才能). 기량(技倆). ¶~을 시험해 보다.

***기능** (機能) 명 **1** 하는 구실이나 작용. ¶불규칙한 식사로 소화 ~이 약해졌다. **2** 어떤 기관의 역할과 작용. ¶행정 ~이 마비되다.

기능-공 (技能工) 명 **1** 기능이 있는 직공. **2** 기능계의 기술 자격을 취득한 사람.

기능-사 (技能士) 명 기능계 기술 자격 등급의 하나《1급과 2급의 두 등급이 있고, 기능장의 아래, 기능사보의 위임》.

기능-성 (機能性)[-썽] 명 기능이 가지는 역할과 작용 등의 정도. ¶~이 뛰어나다.

기능-장 (技能長) 명 기능계 기술 자격 등급의 하나《기능사의 위로, 기능계 기술 자격 등급의 맨 위의 등급임》.

기능-적 (機能的) 관명 기능에 관련된 (것). ¶기계를 ~으로 배치하다/현대 건축은 미적인 면과 ~인 면을 모두 중시한다.

기능-주의 (機能主義)[-/-이] 명 **1** 〖철〗 실체나 본질보다 기능·작용에 관한 인식이 중요하다고 보는 입장. **2** 건축·가구 등의 형태·재료 등은 그 목적과 기능에 따라 설계되어야 한다는 태도. **3** 〖심〗 의식 또는 심적(心的) 활동을 환경에 대한 적응 기능으로 연구하여야 한다는 생각.

기능-직 (技能職) 명 기능을 필요로 하는 직업이나 직책. ¶~ 공무원.

기능-키 (機能key) 명 〖컴〗 키보드에서 특별한 기능을 수행시키기 위해 사용하는 키. 숫자나 문자를 누르는 것이 아닌, 동작 지시에 사용되는 키.

기니-피그 (guinea pig) 명 〖동〗 쥐목(目)에 속하는 작은 짐승. 페루 원산. 쥐와 비슷하며 몸길이 약 25cm, 꼬리가 없음. 몸빛은 순백색·갈색·흑색 바탕에 담황색의 무늬를 띤 것 등 여러 가지가 있음. 생물학·의학의 실험용임. 흔히 모르모트라 불림. *마멋.

***기다**[1] 자타 **1** 가슴과 배를 아래로 향하거나 바닥에 대고 팔과 다리를 놀려 앞으로 나아가다. ¶아기가 앙금앙금 기게 되었다/낮은 포복으로 기어 철조망을 통과하였다. **2** 게·가재·벌레·뱀 따위가 발·배 등을 움직여 나아가다. ¶개미가 방 안을 기어 다니고 있다/뱀이 수풀 속을 기어 다닌다. **3** 〈속〉 남에게 눌리어 꼼짝 못하고 비굴하게 굴다. ¶사장 앞에서는 설설 긴다. **4** 몹시 느리게 가다. ¶빙판길에서 차들이 엉금엉금 기고 있다.

[기는 놈 위에 나는 놈이 있다] 잘하는 사람 위에는 그보다 더 잘하는 사람이 있다.
[기도 못하고 뛰려 한다] 자기 실력 이상의 일을 하려고 한다.

기다[2] ㈜ 그것이다. ¶~ 아니다 무슨 말이 있어야 하지 않은가.

기:다라니 부 기다랗게. ¶~ 줄을 서다.

기:다랗다 [-라타]〔기다라니, 기다라오〕 형ㅎ불 매우 길다. 생각보다 퍽 길다. ¶기다란 막대기. ㈜기닿다.

*기다리다 타 어떠한 사람이나 때가 오기를 바라다. ¶애타게 비가 오기를 ~/차례를 기다리며 앉아 있다/하루만 더 기다려 달라고 사정하다.
기단(氣團) 명 수평 방향으로 온도·습도 등이 대략 같게 넓은 범위에 걸쳐 퍼져 있는 공기의 덩이《열대 기단·한대 기단 따위가 있음》. *기권(氣圈).
기단(基壇) 명 〖건〗 건축물이나 비석 따위의 바닥이 되는 단.
기단-석(基壇石) 명 기단을 쌓는 돌.
기담(奇談·奇譚) 명 이상야릇하고 재미나는 이야기.
기대(期待·企待) 명하타 어떠한 일이 이루어지기를 바라고 기다림. ¶~에 어긋나다/~가 크면 실망도 크다/앞날이 ~되는 젊은이다/새로운 변화를 ~하다.
기대-감(期待感) 명 어떤 일이 이루어지기를 바라고 기다리는 심정. ¶승리하리라는 ~을 가지다.
기:대다 ㅡ타 몸이나 물건을 무엇에 의지하면서 비스듬히 대다. ¶난간에 몸을 ~. ㅡ자 남의 힘에 의지하다. ¶부모에게 ~.
기:대-서다 타 몸을 벽 따위에 의지하여 비스듬히 서다. ¶창가에 몸을 기대서서 앞산을 바라보다.
기:대-앉다[-안따] 타 벽 따위에 의지하고 앉다. ¶소파에 몸을 기대앉은 채 잠이 들었다.
기대-주(期待株) 명 장래 발전할 수 있는 인물을 비유적으로 이르는 말. ¶그는 우리 편집실의 ~입니다.
기대-치(期待値) 명 1 이루어지리라 기대하였던 목표의 정도를 비유적으로 이르는 말. ¶이번 성적은 ~에 못 미친다. 2 〖수〗 '기댓값'의 구용어.
기댓:-값(期待-)[-대깝/-댇깝] 명 〖수〗 어떤 사건이 일어날 때 얻어지는 양과 그 사건이 일어날 확률을 곱하여 얻어지는 가능성의 값. 기대치.
기도(企圖) 명하타 어떤 일을 이루려고 꾀함. 또는 그런 계획이나 행동. ¶자살을 ~하다/혁명을 ~하다.
기도(祈禱) 명하타 신명에게 빎. 또는 그런 의식. ¶금식 ~/~를 올리다.
기도(氣道) 명 〖동〗 척추동물이 숨을 쉴 때, 공기가 허파로 들어가는 통로.
기도(碁道·棋道) 명 1 바둑·장기를 두는 예절. 2 바둑·장기의 기예.
기도-문(祈禱文) 명 1 기도의 내용을 적은 글. 2 〖기〗 주기도문(主祈禱文).
기도-회(祈禱會) 명 〖종〗 기도를 하기 위한 모임. ¶조찬(朝餐) ~.
기독(基督) 명 '그리스도'의 음역.
기독-교(基督敎) 명 유일신 하느님과 구세주 예수 그리스도를 믿고 받드는 종교《구교(舊敎)·그리스 정교회(正敎會)·신교(新敎)를 통틀어 일컬으며, 우리나라에서는 특히 신교를 기독교라고도 함》. *천주교·예수교.
기독교-도(基督敎徒) 명 기독교인.
기독교-인(基督敎人) 명 기독교를 믿는 사람. 크리스천.
기독교-회(基督敎會) 명 기독교를 믿는 사람들의 교단(敎團)의 총칭.
기동(起動) 명하자타 1 몸을 일으켜 움직임. ¶~을 못하는 환자. 2 시동(始動)2.
기동(機動) 명하자 1 상황에 맞추어 재빠르게 움직이거나 대처하는 행동. 2 〖군〗 전투를 할 때 유리한 곳으로 부대를 이동시키는 일. ¶~ 타격대.
기동-력(機動力)[-녁] 명 1 상황에 따라 재빠르게 움직이거나 대처하는 능력. ¶경기를 하면서 ~이 강해졌다. 2 전투 상황에서 재빠르게 이동할 수 있는 능력. ¶신속한 ~과 막강한 화력.
기동-성(機動性)[-썽] 명 상황에 따라 재빠르게 움직이거나 대처하는 특성.
기두(起頭) 명 1 글의 첫머리. 2 일의 맨 처음. ─-하다 자여불 중병이 차차 낫기 시작하다.
*기둥 명 1 건축물에서, 주춧돌 위에 세워 보·도리 등을 받치는 나무. 또는 곧추 세운 긴 구조물. ¶~ 뒤에 몸을 숨기다. 2 어떤 물건을 버티는 나무. ¶천막 ~. 3 장롱이나 책장 따위의 네 귀에 세운 나무. 4 의지가 될 만한 가장 중요한 사람의 비유. ¶그는 한 집안의 ~이자 희망이다.
[기둥을 치면 들보가 운다] 직접 말하지 않고 간접으로 넌지시 말하여도 알아들을 수가 있다는 말.
기둥-머리 명 기둥의 맨 윗부분.
기둥-뿌리 명 1 기둥의 맨 밑 부분. 2 사물을 지탱하는 기반의 비유. ¶~가 뽑히다/~까지 팔아먹다.
기둥-서방(-書房) 명 기생이나 창기의 영업을 돌보아 주면서 얻어먹고 사는 사내. 기부(妓夫). 포주(抱主).
기득(旣得) 명하타 이미 얻음. 이미 차지함.
기득-권(旣得權) 명 〖법〗 특정한 자연인 또는 법인이 정당한 절차를 밟아 법규에 의해 얻은 권리. ¶~을 누리는 계층/~을 포기하다.
기라-성(綺羅星) 명 밤하늘에 반짝이는 무수한 별이라는 뜻으로, 신분이 높거나 뛰어난 사람들이 많이 모여 있음을 비유하여 일컫는 말. ¶~ 같은 선배/각 분야에 뛰어난 사람들이 ~처럼 모여 있었다.
기략(機略) 명 임기응변의 계략. ¶~이 뛰어난 사람.
기량(技倆·伎倆) 명 기술상의 재능. ¶마음껏 ~을 발휘하다.
기러기 명 〖조〗 오릿과(科) 철새의 총칭. 오리와 비슷하나, 목이 길고 다리가 짧음. 가을에 와서 봄에 북쪽으로 가는 철새.
기러기-발 명 〖악〗 현악기의 줄을 고르는 기구《단단한 나무로 기러기의 발 모양 비슷이 만들어서 줄의 밑에 굄》. 금휘(琴徽). 안족(雁足). 안주(雁柱).
기력(氣力) 명 1 정신과 육체의 힘. ¶~이 왕성하다. 2 〖물〗 압착한 공기의 힘.
기력(棋力·碁力) 명 장기·바둑의 실력.
기로(岐路) 명 갈림길. ¶생사의 ~에 서다.
기:로(耆老) 명 예순 살 이상의 노인.
-기로 어미 '이다'나 용언의 어간 등에 붙는 연결 어미. 1 까닭이나 조건으로 말할 때 쓰는 말. ¶오래 있다가는 배가 고프겠기로 미리 와 버렸소. 2 '아무리 그렇다 하더

라도'의 뜻으로 쓰는 말. ¶아무리 독서가 좋~ 밤을 새울까/제가 유명한 작가~ 그리 도도할 수 있을까.

-기로서 어미 '-기로서니'의 준말.

-기로서니 어미 '-기로2'의 힘줌말. ¶구름이 끼었~ 설마 비가 오랴/아무리 철없는 아이~ 이토록 부모의 속을 썩일까. 준-기로서.

***기록** (記錄) 명하타 **1** 남길 필요가 있는 사항을 적음. 또는 그런 글. ¶장부에 ~되어 있다/내 말을 ~해 두어라/이번 사건은 역사에 길이 ~될 것이다. **2** 경기 따위의 성적이나 결과에서, 그 최고의 수준. 레코드. ¶~경기/세계 ~/~을 깨뜨리다.

기록 영화 (記錄映畫)[-롱녕-] 실제 사건·상황이나 자연현상을 사실 그대로 찍은 영화. 다큐멘터리 영화.

기록-자 (記錄者) 명 기록하는 사람. ¶역사~로서의 사관(史官).

기록-적 (記錄的) 관명 기록되어 남길 만한 (것). ¶~인 업적을 후세에 남기다.

기롱 (譏弄) 명하타 실없는 말로 놀림.

기:루 (妓樓) 명 창기(娼妓)를 두고 영업하는 집. 창기와 노는 집.

기류 (氣流) 명 **1** 온도나 지형의 차이로 일어나는 공기의 흐름. ¶환절기의 변덕스런 ~. **2** 어떤 일이 진행되는 추세나 분위기. ¶주제를 놓고 회의장 안에는 미묘한 ~가 감돌았다.

기류 (寄留) 명하자 **1** 남의 집이나 다른 곳에 머물러 삶. ¶친척 집에 ~하다. **2**〖법〗본적지 밖에 머물러 있음. ¶~자(者).

***기르다** 〔기르니, 길러〕 타르불 **1** 동식물에 양분을 섭취시켜 자라게 하다. ¶돼지를 ~. **2** 육체나 정신을 단련하여 강하게 하다. ¶기본 체력을 ~. **3** 사람을 보살피면서 가르쳐 키우다. ¶낳은 정 기른 정/인재를 길러 내다. **4** 기술이나 버릇 따위를 몸에 익게 하다. ¶못된 버릇을 길러선 안 돼. **5** 병을 제때에 고치지 않아 악화시키다. ¶병원에 가지 않아 병을 길렀다. **6** 머리카락이나 수염 따위를 자라게 내버려 두다. ¶코밑에 수염을 ~.

기르스름-하다 형여불 좀 기름한 듯하다.

***기름** 명 **1** 물보다 가볍고 불을 붙이면 잘 타는 액체《식물유·동물유·광물유 등이 있고, 식용·등화용·의약용·화장용·기계용 등으로 구분함》. ¶머리에 ~을 바르다/종이에 ~이 배다. **2** 서로 맞물린 기계에 발라서 잘 돌아가게 하는 액체. ¶마찰 부분에 ~을 쳤다. **3** 석유. 가솔린. ¶~을 많이 먹는 차. **4** 얼굴이나 살갗에서 나오는 미끈미끈한 액체. 개기름. ¶~이 번지르르 흐르는 얼굴.

기름(을) 짜다 구 ㉠〈속〉 착취하다. ¶백성의 기름을 짜는 부패한 관리. ㉡〈속〉 자리가 비좁다. ¶버스 안은 기름을 짤 만큼 붐볐다.

기름(을) 치다 구 〈속〉 뇌물을 써서 일이 원활하게 처리되도록 하다.

기름-걸레 명 **1** 기름을 닦아 내는 걸레. **2** 기름칠을 해서 닦는 걸레.

기름-기 (-氣)[-끼] 명 **1** 어떤 것에 섞인 기름 기운이나 기름 덩이. ¶~ 많은 생선. **2** 윤택한 기운. ¶그의 얼굴은 늘 ~가 흐르고 있다.

기름-내 명 기름에서 나는 특유한 냄새. ¶~가 물씬 풍기는 작업복.

기름-때 명 기름이 묻고 그 위에 먼지가 앉아서 된 때. ¶그의 작업복은 항상 ~로 찌들어 있었다.

기름-종이 명 기름을 먹인 종이. 유지(油紙).

기름-지다 형 **1** 음식 따위에 기름기가 많다. ¶기름진 음식과 따뜻한 잠자리. **2** 살에 기름이 많다. 영양이 좋아서 윤기가 있다. ¶기름진 배를 두드리다. **3** 땅이 걸다. ¶기름진 농토.

기름-칠 (-漆) 명하자타 **1** 기름을 바르거나 묻힘. ¶반들반들하게 ~을 한 층. **2** 〈속〉 뇌물을 줌.

기름-하다 형여불 좀 긴 듯하다. ¶얼굴은 기름하고 키는 작달막하다. 작갸름하다.

기리다 타 잘한 일이나 뛰어난 업적·인물 등을 추어서 말하다. ¶고인의 덕을 ~.

기린 (騏驎) 명 하루에 천 리를 달린다는 말. 준마(駿馬).

기린 (麒麟) 명 **1**〖동〗기린과의 동물. 열대 아프리카 특산. 포유동물 중 가장 키가 크며 앞이마에는 뿔 같은 혹이 좌우에 보통 두 개 있음. 초원에 떼 지어 삶. **2** 성인(聖人)이 세상에 나올 전조로 나타난다는 상상의 상서로운 동물《생명이 있는 것은 밟지도 먹지도 않는다 함》. ☞암수.

기린-아 (麒麟兒) 명 재주와 지혜가 뛰어나 장래가 촉망되는 젊은이.

기립 (起立) 명하자 일어나서 섬. ¶~ 박수를 치다/모두 ~하시기 바랍니다.

기마 (騎馬) 명하자 말을 탐. 또는 그 말.

기마-대 (騎馬隊) 명 말을 타고 근무하는 군인이나 경찰 부대.

기마-병 (騎馬兵) 명 기병(騎兵).

기마-전 (騎馬戰) 명 **1** 말을 타고 하는 전투. 기전(騎戰). **2** 말을 타고 하는 싸움을 본뜬 놀이.

기-막히다 (氣-)[-마키-] 형 **1** 어떠한 일이 하도 엄청나서 어이없다. ¶그가 다짜고짜로 화를 내는 바람에 너무 기막혀 할 말을 잃었다. **2** 어떻다고 말할 수 없을 만큼 좋거나 정도가 높다. ¶맛이 기막히게 좋다/기막히게 훌륭한 작품.

기만 (欺瞞) 명하타 남을 속임. 기망(欺罔). ¶독자를 ~하는 신문 광고.

기만 (幾萬) 수관 몇 만. ¶모인 사람이 ~은 될 거요/~ 원 정도로는 안 된다.

기만-적 (欺瞞的) 관명 남을 속여 넘기는 (것). ¶~이고 가혹한 식민 정책.

기말 (期末) 명 어느 기간이나 학기 따위의 끝. ¶~고사/~ 결산. ↔기초.

기망 (期望·企望) 명하타 일이 이루어지기를 바람. 기앙(期仰).

기망 (旣望) 명 음력으로 매달 열엿샛날.

기망 (幾望) 명 음력으로 매달 열나흗날 밤. 또는 그날 밤의 달.

기맥 (奇脈) 명〖의〗숨을 쉴 때 맥박이 두드러지게 달라지는 부정맥(不整脈)의 하나.

기맥 (氣脈) 명 **1** 기혈(氣血)과 맥락(脈絡). ¶~을 강화하다. **2** 서로 통하는 낌새나 느껴지는 분위기. ¶ ~을 통하다.

기맥-상통 (氣脈相通) 명하자 마음과 뜻이 서로 통함.

기:명 (妓名) 명 본명 외에 기생으로서 가지는 딴 이름.

기명 (記名) 명하자 이름을 적음. ¶ ~으로 투표하여 결정했다. ↔무기명.

기명 (器皿) 명 살림에 쓰는 온갖 그릇붙이. 기물(器物).

기명-날인 (記名捺印) 명 자기의 성명을 쓰고 도장을 찍음. 서명 날인.

기명-식 (記名式) 명 투표용지나 증권에 권리자의 이름이나 상호(商號)를 적는 방식. ↔무기명식.

기명 투표 (記名投票) 투표하는 사람의 이름을 투표지에 적어 밝히는 투표. ↔무기명 투표.

기모 (奇謀) 명 기묘한 꾀. 신기한 꾀.

기모 (起毛) 명하타 직물이나 털실로 짠 것의 표면을 긁어서 보풀이 일게 함.

기묘-사화 (己卯士禍) 명 〖역〗 조선 중종(中宗) 14년(1519)에 일어난 사화. 남곤(南袞) 등 수구파가 이상 정치를 주장하던 조광조(趙光祖) 등 신진파를 죽이거나 귀양 보낸 사건. ☞사화.

기묘-하다 (奇妙-) 형여불 기이하고 묘하다. ¶기묘한 풍습 / 바위가 기묘하게 생겼다. **기묘-히** 부

기문 (奇聞) 명 이상한 소문.

기문 (記文) 명 기록한 문서. 공식적으로 쓴 글. ¶기념비 아랫부분에 새겨진 ~.

기문-벽서 (奇文僻書) 명 기이한 글과 드물고 이상한 책.

기물 (棄物) 명 버릴 물건. 버린 물건.

기물 (器物) 명 그릇이나 기구 등 일상적으로 쓰는 물건. 기명(器皿). ¶ ~이 파손되다.

기미 명 병이나 심한 괴로움 따위로 인해 얼굴에 끼는 거뭇한 점. ¶얼굴에 ~가 새까맣게 끼었다.

기미 (幾微·機微) 명 낌새. ¶도망칠 ~가 보인다 / 타결의 ~가 보이지 않다.

기미-채다 (幾微-·機微-) 자 낌새채다.

기민 (飢民·饑民) 명 굶주리는 백성.

기민-하다 (機敏-) 형여불 동작이 날쌔고 눈치가 빠르다. ¶기민한 동작.

기밀 (氣密) 명 밀폐(密閉)되어 공기가 통하지 않음.

기밀 (機密) 명하형히부 대단히 중요하고 비밀함. 또는 그런 비밀. ¶ ~문서 / ~을 누설하다.

기박-하다 (奇薄-)[-바카-] 형여불 운수가 사납고 복이 없다. ¶팔자가 기박한 여인.

*__기반__ (基盤) 명 기초가 될 만한 바탕. 기본이 되는 토대. ¶정계(政界)에 투신한 지 불과 3년 만에 ~을 다졌다 / 생활 ~을 튼튼히 하다.

기반 (羈絆) 명 **1** 굴레. 또는 굴레를 씌우는 일. **2** 굴레를 씌우듯 자유를 구속하는 일.

기발-하다 (奇拔-) 형여불 유달리 재치가 있고 뛰어나다. ¶기발한 생각이 떠오르다 / 그의 답변은 기발했다.

기백 (氣魄) 명 씩씩한 기상과 진취적인 정신. ¶아직 젊음의 ~이 살아 있다.

기백 (幾百) 수관 몇 백. ¶ ~ 명의 청중.

기법 (技法)[-뻡] 명 기교(技巧)와 방법. ¶창작 ~ / 새로운 ~을 터득하다.

기벽 (奇癖) 명 이상야릇한 버릇. 남다른 버릇. ¶술 마시면 우는 ~이 있다.

기벽 (氣癖) 명 남에게 지거나 굽히지 않으려는 성질.

기별 (奇別·寄別) 명하자타 소식을 전함. 또는 그 소식. ¶ ~을 보내다 / ~이 왔다 / 도착하면 곧 ~해라.

기병 (起兵) 명하자 군사를 일으킴.

기병 (騎兵) 명 말을 타고 싸우는 군사.

기병-대 (騎兵隊) 명 기병으로 편성한 부대.

기보 (棋譜·碁譜) 명 바둑을 두어 나간 기록. ¶신문에 결승전 ~가 실렸다.

기보 (記譜) 명하자 〖악〗 악보를 기록함.

기복 (祈福) 명 복을 빎. ¶ ~ 신앙.

기복 (起伏) 명하자 **1** 지세(地勢)가 높아졌다 낮아졌다 함. ¶토지의 ~이 심하다. **2** 기세나 상태 따위가 강해졌다 약해졌다 함. 성쇠(盛衰). ¶ ~이 많은 인생 / 감정의 ~이 심하다.

*__기본__ (基本) 명 사물·현상·이론·시설 따위의 기초와 근본. ¶ ~ 원칙 / 자유 경쟁이 ~인 자본주의 경제 / ~을 익히다.

기본-권 (基本權)[-꿘] 명 〖법〗 인간이 태어날 때부터 가지고 있는 기본적인 권리. 기본적 인권. ¶국민의 ~이 보장된 나라.

기본-급 (基本給) 명 임금의 기본이 되는 급료《여러 가지 수당·상여금을 제외한 것》. 본봉(本俸).

기본-기 (基本技) 명 운동이나 기예의 가장 기초가 되는 기술. ¶ ~를 착실히 익히다.

기본 단위 (基本單位) 〖물〗 물리적 양을 재는 데 기본이 되는 단위《길이는 미터, 질량은 킬로그램 등》. *보조 단위. ☞단위계.

기본-법 (基本法)[-뻡] 명 근본법.

기본-요금 (基本料金)[-뇨-] 명 설비를 이용하거나 서비스를 받고 기본적으로 내는 돈《전화 사용료·택시 승차 요금 등에 부가됨》. ¶택시를 타도 ~밖에 안 나온다.

기본-음 (基本音) 명 **1** 〖물〗 물체가 그 고유 진동에 의하여 소리를 낼 경우, 가장 진동수가 적은 음. 기음(基音). 원음(原音). **2** 〖악〗 원음(原音)4.

기본-자세 (基本姿勢) 명 어떤 일이나 운동할 때의 기본이 되는 태도나 습관. ¶일을 할 ~가 되어 있지 않다.

기본-적 (基本的) 관명 사물의 근본이나 기초가 되는 (것). ¶ ~(인) 문제.

기본-형 (基本形) 명 **1** 기본이 되는 꼴이나 형식. 기본 형식. **2** 〖언〗 활용하는 단어에서, 활용형의 기본이 되는 형태. 어간에 어미 '-다'를 붙여 나타냄. 원형(原形).

기봉 (奇峰) 명 이상하게 생긴 산봉우리.

기부 (寄附) 명하타 공적인 일이나 남을 돕기 위하여 돈이나 물건을 내놓음. ¶모교에 장학금을 ~했다.

기부-금 (寄附金) 명 기부하는 돈. ¶동문들의 ~으로 체육관을 지었다.

*__기분__ (氣分) 명 **1** 마음에 저절로 느껴지는 유쾌함이나 불쾌함 따위의 감정. ¶ ~ 전환 / ~이 내키지 않다 / ~이 날아갈 듯하다 / 그의 말에 ~이 몹시 상했다 / 우리끼리라도 ~ 좀 내자 / 한잔하고 ~ 좀 풀어 보

자. **2** 주위를 둘러싸고 있는 상황이나 분위기. ¶축제 ~에 휩쓸리다.

기분-파(氣分派) 명 순간적인 기분에 좌우되어 움직이는 사람.

***기뻐-하다** 자타 여불 기쁘게 여기다. ¶어머니가 기뻐하는 모습을 보고 싶다.

***기쁘다**〔기쁘니, 기뻐〕 형 마음에 즐거운 느낌이 있다. ¶이처럼 기쁜 일은 없다 / 너무 기뻐서 눈물이 난다. ↔슬프다.

***기쁨** 명 즐거운 마음이나 느낌. ¶~의 눈물을 흘리다 / 재회의 ~을 누리다. ↔슬픔.

기사(技士) 명 **1** '운전기사'의 준말. ¶시내버스 ~. **2** 기술계 기술 자격 등급의 하나《기술사의 아래로, 1급과 2급의 두 등급이 있음》. **3** 전에, 기술직의 6급 공무원. 지금의 '주사(主事)'에 해당함.

***기사**(技師) 명 관청이나 회사에서 전문 지식이 필요한 특별한 기술 업무를 맡아보는 사람.

***기사**(記事) 명하타 **1** 사실을 적음. 또는 그 글. **2** 신문·잡지 등에서 어떤 사실을 알리는 글. ¶대문짝만하게 실린 ~.

기사(棋士·碁士) 명 바둑이나 장기를 잘 두는 사람. 보통, 직업으로서 전문으로 바둑을 두는 사람을 이름.

기사(騎士) 명 **1** 말을 탄 무사. **2**〖역〗중세 유럽의 무인(武人) 계급《양가의 자제로 귀족을 따라서 무예를 배우며 충성·염치·의협심을 본분으로 했음》. 나이트(knight).

기사(飢死·饑死) 명하자 굶어 죽음.

기사-도(騎士道) 명 중세 유럽의 기사로서 지켜야 했던 도덕·윤리(倫理)《용맹·경신(敬神)·예절·염치·인협·충성·부녀 숭배·노약자 보호 등의 덕을 이상으로 함》.

기사-문(記事文) 명〖문〗사실을 보고 들은 그대로 적은 글.

기사 본말체(紀事本末體) 연대나 인물보다도 사건에 중점을 두어 그 결과와 관계를 처음부터 끝까지 연차순으로 한데 모은 역사 서술의 한 문체.

기사-화(記事化) 명하타 어떤 사실을 신문이나 잡지·방송의 기사로 만듦. ¶~하지 않겠다면 말하리다.

기사-회생(起死回生) 명하자 거의 죽을 뻔하다가 살아남. ¶~하는 영약.

기산(起算) 명하자 언제 또는 어디서부터 계산하기를 시작함. ¶1일부터 ~해서 이자를 계산하다.

기삿-거리(記事-)[-사꺼-/-삳꺼-] 명 신문이나 잡지 따위에 실릴 만한 소재. ¶이 정도면 ~로 충분하다 / 기자들은 ~를 찾아 뛰어다닌다.

기상(奇想) 명 좀처럼 헤아릴 수 없는 기발한 생각.

기상(起床) 명하자 잠자리에서 일어남. ¶매일 아침 6시에 ~한다.

기상(氣相) 명 물질이 기체(氣體)로 되어 있는 상태.

기상(氣象) 명 비·눈·바람·안개·구름·기온 등 대기 속에서 일어나는 모든 물리적 현상. ¶고산 지역은 ~ 변화가 심하다. *지상(地象).

기상(氣像) 명 사람이 타고난 올곧은 마음씨와 겉으로 드러난 의용(儀容). ¶씩씩한 ~을 지니고 있다.

기상 관측(氣象觀測) 대기의 상태, 혹은 대

기상 예보와 기상 특보

(1) 기상 예보의 종류

	종류	내용
일기예보	일일 예보	오늘, 내일 및 모레의 날씨(하늘 상태, 기상 현상, 기온, 바람, 물결 높이 등)
	주간 예보	1주간의 날씨
	월기상전망	1개월간의 개략적인 기상 전망
	계절기상전망	여름철과 겨울철의 기상 전망
기상특보	주의보	재해가 예상되는 기상 상태
	경보	심한 재해가 예상되는 기상 상태

(2) 기상 특보의 종류

종류	요소		주의보	경보
폭풍	최대 풍속		14 m / 초 이상	21 m / 초 이상
	순간 최대 풍속		20 m / 초 이상	26 m / 초 이상
대설	신적설	대소시 지역	5 cm 이상	10 cm 이상
		일반 지역	10 cm 이상	30 cm 이상
		울릉도	20 cm 이상	50 cm 이상
호우	24시간 우량		80 mm 이상	150 mm 이상
파랑	파고		3 m 이상	6 m 이상
건조	실효 습도		50 % 이하	40 % 이하
	최소 습도		30 % 이하	20 % 이하
해일	해안 지대		침수 예상	심한 침수 예상
한파	최저 기온차		10 ℃ 이상	15 ℃ 이상
태풍	최대 풍속		14 m / 초 이상 호우, 해일 동반	21 m / 초 이상 호우, 해일 동반

기 중에서 일어나는 모든 현상을 알기 위하여, 기압·기온·습도·바람·구름 등의 기상 요소를 측정하는 일.
기상-대(氣象臺) 명 지방 기상청에 속하여, 관할 지역의 기상을 관측·조사·예보·연구하는 기관.
기상-도(氣象圖) 명 기상 상태를 표시하여 놓은 지도《일기도 따위》.
기상 예:보(氣象豫報)[-녜-] 바람·비·눈·구름 등 기상 상태를 예측하여 알리는 일.
기상 이변(氣象異變) 보통 지난 30년 간의 기상과 아주 다른 기상 현상. ¶지구촌 곳곳에 ~으로 인한 피해가 일어나고 있다.
기상-천외(奇想天外) 명하형 착상이나 생각이 아주 기발하고 엉뚱함. ¶~의 대답 / ~한 사건.
기상-청(氣象廳) 명 환경부 장관에 속하여, 기상 상태를 관측하고 예보하는 중앙 행정 기관. 아래에 지방 기상청을 둠.
기상 특보(氣象特報) 기상 등의 갑작스러운 변화로 중대한 재해가 일어날 우려가 있을 때, 주의를 환기시키거나 경고를 하는 예보.
기색(氣色) 명 1 희로애락(喜怒哀樂)의 감정의 작용으로 얼굴에 나타나는 기분과 얼굴색. ¶노한 ~ / 당황한 ~이 보이다. 2 어떤 현상이나 행동을 예측할 수 있는 눈치나 낌새. ¶물러날 ~이 안 보인다.
기색(氣塞) 명하자 심한 충격이나 흥분으로 호흡이 일시적으로 멎음. 또는 그런 상태. 중기(中氣).
기:생(妓生) 명 잔치나 술자리에서 노래나 춤 또는 풍류로 흥을 돋우는 것을 업으로 삼는 여자. 기녀(妓女). 예기(藝妓).
[기생 자릿저고리] 외모가 단정하지 못하고 언어가 부실한 사람을 조롱하는 말.
기생(寄生) 명하자 1〖생〗다른 생물의 체표(體表)나 체내에 붙어 영양을 섭취하며 생활하는 일. 2 스스로 생활하지 않고 남을 의지하여 생활함. ¶정치 권력에 ~하는 아부꾼들.
기생-물(寄生物) 명 기생 생활을 하는 동식물. 기생 생물.
기:생-집(妓生-)[-찝] 명 1 기생이 사는 집. 2 기생이 있는 술집.
기생-충(寄生蟲) 명 1〖동〗다른 동물에 붙어 양분을 빨아먹고 사는 벌레《회충·십이지장충·촌충 따위》. 2 스스로 노력하지 않고 남에게 의지해 살아가는 사람을 낮잡아 이르는 말. ¶폭력단은 사회의 ~이다.
기서(奇書) 명 기이한 내용의 책.
기석(奇石) 명 기묘하게 생긴 돌.
*__기선__(汽船) 명 증기 기관의 힘으로 항행하는 배의 총칭.
기선(基線) 명 1〖지·수〗삼각 측량 때 기준이 되는 직선. 2〖수〗투영도(投影圖)에서 정면(正面)과 평면(平面)의 경계를 나타내는 선. 3 간선(幹線).
기선(機先) 명하자 어떤 일이 일어나려 할 때 또는 남이 손을 대기 전에 먼저 손을 씀. ¶~을 잡다 / ~을 제압하다.
기성(奇聲) 명 기묘한 소리. ¶~을 지르다.
기성(旣成) 명하자 이미 이루어짐. 또는 그런 것. ¶~ 작가 / 일부 젊은이들은 ~ 문화를 거부하려고 한다. ↔미성(未成).
기성(期成) 명하타 어떤 일을 꼭 이룰 것을 기약하거나 목적함.
기성(棋聖·碁聖) 명 바둑이나 장기에 뛰어난 재주가 있는 사람.
기-성명(記姓名) 명하자 1 성과 이름을 적음. 2 겨우 자기 이름만 쓸 수 있다는 뜻으로, 학식이 없음을 가리키는 말. ¶이제 ~은 할 수 있겠지.
*__기성-복__(旣成服) 명 주문을 받지 않고 일정한 기준 치수에 맞추어 미리 만들어 놓고 파는 옷.
기성-세대(旣成世代) 명 현재 사회에서 활동하고 있는 나이가 든 세대.
기성-인(旣成人) 명 이미 사회에서 활동하고 있는 나이가 든 사람. ¶경직된 ~의 사고방식.
기성-품(旣成品) 명 이미 만들어진 물건. 또는 미리 일정한 규격대로 만들어 놓고 파는 물건.
기성-화(旣成靴) 명 맞춤이 아닌, 미리 만들어 놓고 파는 구두.
기세(氣勢) 명 1 기운차게 뻗는 형세. ¶~를 떨치다 / ~가 누그러지다 / ~ 좋게 출발했으나 중도에서 기권하고 말았다. 2 ('-ㄴ / -ㄹ 기세'의 꼴로 쓰여) 남에게 영향을 끼칠 기운이나 태도. ¶당장 싸울 것 같은 ~다 / 아이가 곧 울어 버릴 ~다.
기세(棄世) 명하자 1 웃어른이 돌아가심을 이르는 말. 별세. 하세(下世). 2 세상을 멀리하여 초탈함.
기세(欺世) 명하자 세상을 속임.
기세등등-하다(氣勢騰騰-) 형여불 기세가 매우 높고 힘차다.
기세-부리다(氣勢-) 자 남에게 자기의 기세를 드러내 보이다.
기세-피우다(氣勢-) 자 기세부리다.
기소(起訴) 명하타〖법〗검사가 공소(公訴)를 제기함. ¶살인 혐의로 ~하다 / 많은 공무원이 수뢰죄로 ~되었다.
기소 유예(起訴猶豫)〖법〗범죄의 혐의는 인정하지만 범인의 성격·연령·환경·범죄의 경중(輕重)·정상(情狀) 및 범죄 후의 정황(情況) 따위를 참작하여, 검사가 공소를 제기하지 않는 일. ¶~로 석방되다.
기소-장(起訴狀)[-짱] 명〖법〗공소장.
기속(羈束·羇束) 명하타 1 얽어매어 묶음. 2 강제로 얽어매어 자유를 빼앗음.
기속-력(羈束力)[-송녁] 명〖법〗한번 결정한 재판은 재판을 한 법원이 스스로 취소·변경할 수 없다는 구속력.
기수(忌數) 명 꺼리어 싫어하는 숫자《동양에서의 4, 서양에서의 13 따위》.
기수(奇數) 명 홀수. ↔우수(偶數).
기수(基數) 명〖수〗1 기초로 쓰이는 수《1에서 9까지의 정수(整數)》. 기본수. 2 집합의 원소의 수.
기수(旣遂) 명하타 1 이미 일을 끝냄. 2〖법〗어떤 행위가 일정한 범죄의 구성 요건을 충족시킴. ↔미수(未遂).
기수(旗手) 명 1 군대나 단체의 행진 등에서, 대열의 앞에 서서 기를 든 사람. ¶한국 선수단의 ~. 2 새로운 사회 활동 따위를 앞장서서 이끄는 사람의 비유. ¶개혁의

~/40대 ~론.
기수(機首) 명 비행기의 앞머리. ¶~를 남으로 돌리다.
기수(騎手) 명 경마에 출장(出場)하여 말을 타는 사람.
기수-법(記數法)[-뻡] 명 숫자를 사용하여 수를 기입하는 법.
기숙(寄宿) 명하자 남의 집에서 먹고 자고 함. ¶옆방에 대학생이 ~하고 있다.
기숙-사(寄宿舍) 명 학교나 공장 따위에 딸려 있어 학생이나 직원들이 함께 자고 먹고 사는 집. ¶~ 생활.
기숙-생(寄宿生) 명 학교의 기숙사에서 기숙하는 학생. ↔통학생.
***기술**(技術) 명 **1** 만들거나 짓거나 하는 재주 또는 솜씨. 기예(技藝). ¶~을 배우다/~이 좋다. **2** 어떤 일을 효과적으로 다룰 수 있는 방법이나 능력. ¶사람 다루는 ~/~ 좋은 운전기사. **3** 과학 이론을 적용하여 자연의 사물을 인간 생활에 유용하도록 변화시키는 방법. ¶~ 혁신/과학 ~.
기술(記述) 명하타 기록하여 서술함. ¶6·25의 참상이 ~되어 있는 책/역사는 사실을 ~한다.
기술(旣述) 명하타 이미 기술(記述)함. ¶~한 바와 같이.
기술-계(技術界)[-/-게] 명 전문적인 기술에 관련된 분야. ¶~ 전문대학.
기술-공(技術工) 명 기계 등을 수리·제작하는 기술을 가진 노동자.
기술-력(技術力) 명 산업 생산에 쓸 기술적 능력. ¶탄탄한 ~으로 이름이 나다.
기술-사(技術士)[-싸] 명 기술 자격 등급의 하나《고도의 전문 지식과 응용 능력을 갖춘 사람에게 주는 자격으로 기술계 기술 자격의 맨 위의 등급임》.
기술-인(技術人) 명 전문적인 기술을 가지고 있는 사람. ¶젊은 ~을 양성하다.
***기술-자**(技術者)[-짜] 명 어떤 분야에 전문적인 기술을 가진 사람. ¶세계 곳곳에 우리의 ~가 진출해 있다.
기술-적(技術的)[-쩍] 관명 **1** 기술에 관계가 있는 (것). ¶신제품 개발의 ~인 문제를 해결하다. **2** 어떤 일을 요령 있거나 솜씨 있게 처리하는 (것). ¶어려운 문제를 ~으로 풀어 나간다.
기술-적(記述的)[-쩍] 관명 사실 그대로 적는 일에 관한 (것). ¶이 책은 ~인 면에서 평이하면서도 깊이가 있다.
기술-직(技術職) 명 **1** 기술 분야의 직무. 또는 그런 분야에 종사하는 직원. **2**〖법〗일반직 공무원 중에서 공업·광무·농림·물리·보건·선박·수산·시설·통신·항공 및 수로 등에 관련된 직군의 총칭.
기술-진(技術陣)[-찐] 명 어떤 기술 계통의 일에 참여한 사람들. ¶외국 건설 현장에 우리 ~을 파견하다.
기스락 명 **1** 비탈진 곳의 가장자리. **2** 초가의 처마 끝.
기슭[-슥] 명 **1** 비탈진 곳의 아랫부분. ¶뒷산 ~에 있는 집. **2** 바다·강 따위의 물과 닿아 있는 땅. ¶배가 ~에 닿다.
기습(奇習) 명 **1** 기이한 풍습. **2** 이상한 습관이나 버릇.
기습(奇襲) 명하타 **1** 몰래 갑자기 습격함. ¶~ 공격/~을 당하다. **2** 남이 알아차리기 전에 갑자기 하는 것. ¶~ 한파.
기습-적(奇襲的) 관명 **1** 몰래 갑자기 습격하는 (것). ¶~인 침공. **2** 남이 알아차리기 전에 갑자기 하는 (것). ¶~으로 친구 집을 방문하다.
기승(氣勝) 명하형 **1** 성미가 억척스럽고 굳세어서 좀처럼 남에게 굽히지 않음. 또는 그런 성미. **2** 기운이나 힘이 누그러들지 않음. 또는 그 기운이나 힘. ¶유난스레 ~을 떨치던 더위.
기승(을) 떨다 구 기승(을) 부리다.
기승(을) 부리다 구 ㉠기승스러운 성미를 행동으로 나타내다. ¶기승을 부리던 개가 소리를 죽이면서 나를 본다. ㉡기운이나 힘이 좀처럼 누그러들지 않는다. ¶찌는 듯한 무더위가 연일 기승을 부리고 있다.
기승-스럽다(氣勝-)〔-스러우니, -스러워〕형ㅂ불 **1** 억척스럽고 굳세어 굽히지 않으려는 성질이 얼굴이나 외모에 나타나 있다. ¶기승스러운 아이. **2** 기운이나 힘이 좀처럼 누그러들지 않으려는 데가 있다. ¶기승스럽게 내리는 장대비. **기승-스레** 부
기승전결(起承轉結) 명 **1**〖문〗시문(詩文)을 짓는 격식《시의 첫머리를 기(起), 이를 되받는 것을 승(承), 중간에 뜻을 한 번 바꾸는 것을 전(轉), 전편(全編)을 거두어서 맺음을 결(結)이라 함》. 기승전락(起承轉落). **2** 논설문 따위의 글을 짜임새 있게 짓는 형식.
기식(寄食) 명하자 남의 집에 묵으면서 밥을 얻어먹고 지냄. ¶친척 집에 ~하며 통학하다.
기신(起身) 명하자 **1** 몸을 일으킴. ¶~도 못할 지경이다. **2** 몸을 빼쳐 관계를 끊음.
기신-없다(氣神-)[-업따] 형 기력과 정신이 온전하지 못하다. **기신-없이**[-업씨] 부
기실(其實) ㊀명 (주로 '기실은'의 꼴로 쓰여) 사실. 실제 사정. ¶~은 아주 난처했었다. ㊁부 사실상으로. 실제에 있어서. ¶~ 나쁜 짓은 안 했다.
기십(幾十) 수관 몇 십. ¶~ 명의 학생들.
기아(棄兒) 명하자 길러야 할 의무가 있는 사람이 몰래 아이를 내다 버림. 또는 그렇게 버린 아이.
기아(飢餓·饑餓) 명 굶주림. ¶전쟁으로 추위와 ~에 허덕이는 피난민.
기아선-상(飢餓線上) 명 굶어 죽을 지경. ¶~에서 허덕이다.
기악(器樂) 명〖악〗악기로 연주하는 음악. ↔성악(聲樂).
기악-곡(器樂曲) 명〖악〗기악 연주를 위하여 지은 곡.
기안(起案) 명하타 사업이나 활동 계획의 초안(草案)을 만듦. 또는 그 초안. ¶~을 올리다/행사 계획을 ~하다.
기암(奇岩) 명 기이하게 생긴 바위.
기암-괴석(奇岩怪石) 명 기이하게 생긴 바위와 괴상하게 생긴 돌.
기암-절벽(奇岩絕壁) 명 기이하게 생긴 바위와 깎아지른 듯한 낭떠러지.
기압(氣壓) 명 대기의 압력《보통 대기의 압력은 지상에서 수은주 76 cm에 해당하므로

760 mmHg을 1기압이라 하며, 1기압은 1,013.25헥토파스칼과 같음》.

기압-계 (氣壓計)[-/-께] 명 〔물〕 대기의 기압을 측정하는 기계.

기압-골 (氣壓-) 명 〔기상〕 일기도에서, 저기압 중심에서 길쭉하게 V 자 또는 U 자 꼴로 뻗은 저압부(低壓部)《일반적으로 이 골의 동쪽은 날씨가 나쁨》.

기약 (期約) 명하타 때를 정하여 약속함. 또는 그 약속. ¶재회를 ~하다/~도 없이 떠나가다/피해 보상이 아무런 ~ 없이 마냥 미루어지고 있다.

기약 분수 (既約分數)[-쑤] 〔수〕 분모와 분자 사이에 공약수가 1뿐이어서 그 이상 약분이 되지 않는 분수.

기어 (gear) 명 **1** 톱니바퀴. **2** 회전 속도나 방향을 바꾸는 톱니바퀴 장치. 주로 자동차의 동력 전달 장치로 씀. ¶~를 넣다.

기어-가다 [-/-여-] 자타 거라불 **1** 기어서 앞으로 나아가다. ¶어린애가 엄마 쪽으로 기어간다. **2** 자동차 따위가 매우 천천히 가다. ¶눈 위를 차들이 엉금엉금 기어가고 있다.

기어-들다 [-/-여-]〔-드니, -드오〕 자 **1** 기어서 또는 기는 듯한 모습으로 들어오거나 들어가다. ¶구멍으로 기어드는 벌레. **2** 남이 모르게 들어오거나 들어가다. ¶식탁 밑으로 기어들어 숨다. **3** 움츠러져 들어가다. ¶기가 죽어 목소리가 기어들고 있다. **4** 다가들거나 파고들다. ¶엄마 품속으로 기어드는 아이.

기어-오르다 [-/-여-]〔-오르니, -올라〕 자타 르불 **1** 기어서 높은 곳으로 가다. ¶나무에 잘 기어오르는 소년. **2** 오르막 따위를 힘겹게 올라가다. ¶장애인이 언덕을 힘겹게 기어오르고 있다/가파른 암벽을 ~. **3** 〈속〉 윗사람에게 예의에 벗어난 짓을 하다. ¶버릇없이 어른에게 ~.

기어-이 (期於-) 부 기어코. ¶~ 그 일을 해냈구나/~ 일을 저질렀구나.

기어-코 (期於-) 부 **1** 꼭. 틀림없이. 반드시. ¶~ 이기겠다. **2** 마침내. ¶복잡한 일이었는데 ~ 끝냈군.

***기억** (記憶) 명하타 **1** 지난 일을 잊지 아니함. ¶어린 시절의 ~을 더듬다/그는 엄격한 사람이었다고 ~된다. **2** 컴퓨터 안에 필요한 데이터 등을 저장해 두는 일. ¶컴퓨터에 ~시킨 프로그램.

기억-나다 (記憶-)[-엉-] 자 전의 인상·경험·말 따위가 의식 속에 떠오르다. ¶어제 술자리에서 한 말 기억나니.

기억-력 (記憶力)[-엉녁] 명 기억하는 능력. ¶~이 쇠퇴하다/~이 좋다.

기억 매체 (記憶媒體) 〔컴〕 대량의 정보를 기억해 두는 장치. 크기는 작고 기억 용량은 커야 하며, 정보의 추가·변경·삭제가 가능해야 함. 자기 디스크·자기 테이프·종이테이프·자기 드럼·하드 디스크·플로피 디스크·광디스크 따위가 있음.

기억 상실 (記憶喪失) 머리의 타박(打撲)이나 약물 중독 등 때문에, 그 이전의 어느 기간 동안의 기억을 잃어버리는 일.

기억 소자 (記憶素子) 〔컴〕 정보·데이터를 기억·저장하는 소자《고밀도 집적 회로나 초고밀도 집적 회로를 주로 씀》.

기억 용량 (記憶容量)[-엉뇽냥] 〔컴〕 기억 장치가 얼마만큼 기억할 수 있는지를 나타낸 수치. 대개 바이트·비트 따위의 단위로 나타냄.

기억 장치 (記憶裝置) 〔컴〕 데이터나 명령을 비롯하여 컴퓨터 내부에서 계산 처리된 결과를 기억하는 장치. 주기억 장치와 보조 기억 장치로 구분됨.

기언 (奇言) 명 기이한 말이나 이상한 말. 기어(奇語).

***기업** (企業) 명하타 〔경〕 영리를 목적으로 생산·판매·서비스 등의 경제 활동을 계속적으로 하는 조직체《공기업·사기업 따위가 있음》. ¶~을 확장하다.

기업 (基業) 명 **1** 기초가 되는 사업. **2** 대대로 전하여 오는 사업과 재산.

기업-가 (企業家) 명 〔경〕 기업에 자본을 대고 그 기업의 경영을 담당하는 사람. ¶~의 자세.

기업 공개 (企業公開) 〔경〕 기업이 그 주식을 주식 시장에 내다 팔아 누구나 그 주식을 산 사람이 주주(株主)가 될 수 있게 하는 일.

기업 연합 (企業聯合)[-엄년-] 〔경〕 카르텔.

기업-인 (企業人) 명 기업을 경영하는 사람.

기업-주 (企業主) 명 기업의 소유자.

기업-체 (企業體) 명 기업을 경영하는 조직체. ¶부실한 ~를 정리하다.

기업 합동 (企業合同)[-어팝-] 〔경〕 트러스트.

기업-화 (企業化)[-어퐈] 명하자타 기업의 형태를 갖추어 조직하는 일. ¶~된 언론 매체/하루빨리 농업의 ~가 이루어져야 한다.

-기에 어미 '이다'나 용언의 어간에 붙어서 원인이나 근거를 표시하는 연결 어미. ¶클 것 같~ 줄였다/힘이 장사이~ 쉽게 이겼다/무엇을 하고 놀았~ 손이 그 모양이냐/자네가 무엇이~ 대드냐/자네가 알려 주었~ 망정이지 큰일 날 뻔했다.

기여 (寄與) 명하자타 도움이 되도록 이바지함. 공헌(貢獻). ¶국가에 ~하는 바 크다.

기여-도 (寄與度) 명 도움이 되도록 이바지하는 정도. ¶회사 발전에 ~가 큰 사원을 표창한다.

기역 명 〔언〕 한글 자모 'ㄱ'의 이름. ¶낫 놓고 ~ 자도 모른다.

[기역 자 왼 다리도 못 그린다] 아주 무식함을 이르는 말.

기역-니은 [-영-] 명 **1** 'ㄱ'과 'ㄴ'. **2** 한글. ¶~도 모르는 사람.

기역니은-순 (-順)[-영-] 명 가나다순.

기연 (奇緣) 명 기이한 인연. 이상한 인연.

기연 (機緣) 명 **1** 어떠한 기회로 맺어진 인연. **2** 〔불〕 부처의 교화를 받을 만한 인연의 기틀.

기연가-미연가 (其然-未然-) 부하형 그런지 그렇지 아니한지 불분명한 모양. ¶~할 때에는 사전을 보아라. 준 긴가민가.

기염 (氣焰) 명 불꽃처럼 대단한 기세. 굉장한 호기(豪氣). ¶~을 토하다.

기예 (技藝) 명 갈고 닦은 기술이나 재주 또

는 솜씨. ¶ ~를 연마하다.
기예-하다 (氣銳-) 형 여불 기백이 날카롭고 대단하다.
***기온** (氣溫) 명 대기의 온도《보통, 지면으로부터 1.5m 높이에서 잰 온도를 이름》. ¶ 밤 사이에 ~이 많이 내려갔다.
기와 명 흙이나 시멘트 따위로 만든, 지붕을 이는 물건. ¶ ~를 이다.
[기와 한 장 아껴서 대들보 썩힌다] 조그마한 것을 아끼다가 오히려 큰 손해를 본다.
기와-지붕 명 기와를 이은 지붕.
기와-집 명 지붕을 기와로 인 집. 와가(瓦家). ¶ 고래 등 같은 ~.
기왓-장 (-張)[-와짱/-왇짱] 명 기와의 낱장. ¶ 태풍에 ~이 날아갔다.
기왕 (旣往) 一 명 이미 지나간 이전. 그전. ¶ ~의 잘못은 불문한다. 二 부 기왕에. ¶ ~ 가려면 빨리 떠나는 것이 좋다.
기왕-에 (旣往-) 부 이미 그렇게 된 바에. 이왕에. ¶ ~ 탄로 난 사실.
기왕-이면 (旣往-) 부 어차피 그렇게 된 바에는. 이왕이면. ¶ ~ 나도 끼어 주렴.
기왕지사 (旣往之事) 명 이미 지난 일. 이왕지사. ¶ ~ 그렇게 된 바에야.
기요틴 (프 guillotine) 명 프랑스 대혁명 때에 쓰였던 죄인의 목을 베는 기구.
기용 (起用) 명 하타 **1** 어떤 사람을 높은 자리에 올려 씀. ¶ 공장장으로 ~하다 / 요직에 ~되다. **2** 면직되거나 휴직한 사람을 다시 불러씀.
기우 (杞憂) 명 하자 〔옛날 기(杞)나라 사람이 하늘이 무너질까 걱정했다는 고사에서 나온 말 : 열자(列子)〕 쓸데없는 군걱정을 함. 또는 그 걱정. ¶ 그 걱정은 ~에 지나지 않았다.
기우 (奇遇) 명 하자타 기이한 인연으로 만남. 뜻하지 않게 만남.
기우 (祈雨) 명 하자 비 오기를 빎.
기우 (寄寓) 명 하자 임시로 남의 집에 몸을 의지하고 지냄.
기우듬-하다 형 여불 조금 기웃하다. 작 갸우듬하다. 센 끼우듬하다. **기우듬-히** 부
기우뚱 부 하 형 자타 물체가 한쪽으로 약간 기울어지는 모양. ¶ 배가 ~할 때마다 사람들이 이리저리 쏠리었다 / 벽시계가 ~하게 걸려 있다. 센 끼우뚱.
기우뚱-거리다 자타 물체가 자꾸 이쪽저쪽으로 기울어지게 흔들리다. 또는 그렇게 하다. ¶ 배가 세찬 파도에 기우뚱거린다 / 커다란 몸집을 기우뚱거리며 느릿느릿 걸어왔다. 작 갸우뚱거리다. 센 끼우뚱거리다.
기우뚱-기우뚱 부 하 형 자타
기우뚱-대다 자타 기우뚱거리다.
기우-제 (祈雨祭) 명 〖역〗 하지(夏至)가 지나도록 비가 오지 않을 때에 비 오기를 빌던 제사. ¶ ~를 지내다.
***기운** 명 **1** 하늘과 땅 사이에 가득 차서, 만물이 나고 자라는 힘의 근원. **2** 생물이 살아 움직이는 힘. ¶ ~이 없다 / ~을 차리다. **3** 오관(五官)으로 느끼기는 하나 눈에는 보이지 않는 현상. ¶ 독한 ~ / 매운 ~. **4** 낌새. ¶ 몸살 ~이 약간 있다.
[기운이 세면 소가 왕 노릇 할까] 힘만 가지고는 대중을 다스릴 수 없다.
기운 (氣運) 명 어떤 일이 돌아가는 형편. ¶ 민주화 운동의 ~이 높아지다.
기운 (氣韻) 명 글이나 그림 따위에서 느껴지는 아담한 멋.
기운 (機運) 명 기회와 운수. ¶ 실지 회복의 ~이 무르익다.
기운-차다 형 힘이 있고 기운이 넘치는 듯하다. ¶ 기운찬 목소리 / 걸음걸이가 ~.
기울 명 밀이나 귀리 등의 가루를 쳐내고 남은 속껍질.
기울-기 명 〖수〗 수평면에 대한 경사면의 기울어진 정도.
***기울다** 〔기우니, 기우오〕 자 **1** 비스듬하게 한쪽이 낮아지거나 한쪽으로 쏠리다. ¶ 한쪽으로 기운 배. **2** 다른 것과 비교하여 좀 떨어지다. ¶ 신랑이 신부에 비해 짝이 기울어 보인다. 작 갸울다. 센 끼울다. **3** 해나 달이 저물어 가다. ¶ 해가 기울기 시작했다 / 달도 차면 기운다. **4** 형세가 불리해지다. ¶ 국운이 ~. 작 갸울다. 센 끼울다. **5** 그러한 경향을 띠다. ¶ 고전주의로 기운 사람.
기울어-뜨리다 타 기울어지게 하다. 작 갸울어뜨리다. 센 끼울어뜨리다.
기울어-지다 자 기울게 되다. ¶ 벽걸이 시계가 ~ / 마음이 그 여자에게 ~ / 대세는 이미 기울어졌다. 작 갸울어지다. 센 끼울어지다.
기울어-트리다 타 기울어뜨리다.
***기울-이다** 타 기울게 하다. ¶ 몸을 앞으로 ~ / 강연에 귀를 ~ / 심혈을 ~ / 외교적 노력을 ~ / 나라를 기울인 미색(美色). 작 갸울이다. 센 끼울이다.
기움-질 명 하타 옷 따위의 해어진 곳에 조각을 대어 깁는 일.
기웃 [-욷] 부 하타형 무엇을 보려고 고개나 몸을 기울이는 모양. 또는 기운 모양. 작 갸웃. 센 끼웃.
기웃-거리다 [-욷꺼-] 타 무엇을 보려고 자꾸 고개나 몸을 기울이다. ¶ 방 안을 기웃거리며 살펴보다. 작 갸웃거리다. 센 끼웃거리다. **기웃-기웃** [-욷끼욷] 부 하타
기웃-대다 [-욷때-] 타 기웃거리다.
기웃-이 부 기웃하게.
기원 (祈願) 명 하타 바라는 일이 이루어지기를 빎. ¶ 풍년이 들기를 ~하다.
기원 (紀元) 명 **1** 연대를 계산하는 데 기준이 되는 해. **2** 새로운 출발이 되는 시대·시기. ¶ 새로운 ~을 긋는 획기적인 사업. **3** 나라를 세운 첫 해.
기원 (起源·起原) 명 하자 사물이 생긴 근원. ¶ 인류의 ~.
기원 (棋院·碁院) 명 **1** 바둑 전문가가 조직하는 단체. 또는 그 집합소. **2** 바둑을 두는 시설이나 장소를 제공하는 일을 업으로 삼는 곳.
기원-전 (紀元前) 명 서력기원이 시작하기 전《기호 : B.C.》.
기율 (紀律) 명 사람에게 행위의 표준이 될 만한 질서. 규율. ¶ ~이 해이해졌다.
기음 (氣音) 명 〖언〗 거센소리.
기음 (基音) 명 기본음(基本音) 1.
기이다 타 일이 드러나지 않도록 남에게 알리지 아니하다. 준 기다.
기이-하다 (奇異-) 형 여불 기괴하고 이상하

다. 기하다. ¶기이한 모습/기이한 경험을 하다.
기인(奇人) 명 성질·언행이 기이한 사람.
기인(起因) 명하자 일이 일어나는 원인. 또는 어떤 것이 원인이 됨. ¶어디에 ~하는 것인지 모른다.
기인(基因) 명하자 근본적 원인.
기인(欺人) 명하자 사람을 속임.
기인(棄人) 명 **1** 도리(道理)에 벗어난 짓을 하여 버림받은 사람. **2** 폐인1.
기일(忌日) 명 사람이 죽은 날. 제삿날. 명일(命日). 기신.
기일(期日) 명 **1** 정해진 날짜. 기한이 되는 날. ¶~까지 납부하다. **2** 〖법〗 어느 행위가 이루어지고 또는 어떤 사실이 일어나기로 된 특정한 날이나 기간. —**-하다** 타여불 날짜를 기약하다.
기입(記入) 명하타 적어 넣음. ¶장부에 ~하다.
***기자**(記者) 명 **1** 신문·잡지·방송 등의 기사를 취재하여 쓰거나 편집하는 사람. ¶~회견/문화부 ~. **2** 문서를 기초하는 사람.
기자-단(記者團) 명 같은 지방이나 출입 부처의 기자들로 이루어진 단체.
기자-력(起磁力) 명 금속 따위에 자기(磁氣)가 생기게 하는 힘이나 작용.
기자-실(記者室) 명 관공서 등에 마련되어 있는 취재 기자들의 대기실.
기-자재(機資材·器資材) 명 기계·기구·자재 따위를 통틀어 이르는 말.
기장[1] 명 〖식〗 볏과의 한해살이풀. 수수와 비슷한 곡류로 이삭은 가을에 익음. 열매는 담황색이고 떡·술·빵·과자 등의 원료 및 가축의 사료로 씀. 나서(糯黍).
기장[2] 명 옷 따위의 길이. ¶치마 ~이 짧다.
기장(記章·紀章) 명 '기념장'의 준말.
기장(記帳) 명하타 장부에 적음. 또는 그 장부. ¶가계부에 쇼핑 내용을 ~하다.
기장(旗章) 명 국기·군기·깃발·교기 등의 총칭.
기장(機長) 명 항공기의 승무원 가운데 최고 책임자.
기장-쌀 명 찧어서 껍데기를 벗겨 낸 기장 열매.
기장-차다 형 물건이 곧고도 길다.
기재(奇才) 명 아주 뛰어난 재주. 또는 그런 사람. ¶드문 ~를 지닌 사람.
기재(記載) 명하타 적어서 올림. ¶~ 사항을 빠짐없이 적다/수첩에 전화번호가 ~되어 있다.
기재(器材) 명 기구와 재료. ¶실험용 ~.
기재(機才) 명 기민한 재주나 임기응변의 재기(才氣).
기재(機材) 명 기계의 재료.
기저(基底) 명 **1** 기초가 되는 밑바닥. ¶서민 정신이 ~를 이루고 있는 소설. **2** 〖수〗 밑면2.
기저귀 명 어린아이의 대소변을 받아 내기 위하여 다리 사이에 채우는 헝겊이나 종이. ¶~를 채우다.
기저 상태(基底狀態) 〖물〗 바닥상태.
기적(汽笛) 명 기차나 기선 따위에서 소리를 내는 신호 장치. 또는 그 소리. ¶~을 울리며 기차가 도착했다.
기적(奇蹟) 명 **1** 사람이 생각할 수 없는 아주 신기한 일. ¶한강의 ~/~을 바라는 마음. **2** 〖종〗 신·하느님의 힘으로 행해졌다고 믿는 일《예수가 기도로써 문둥병·앉은뱅이를 고친 일 따위》.
기적-적(奇蹟的) 관명 상식으로는 생각할 수 없는 이상하고 기이한 (것). ¶~인 경제 성장/~으로 다시 살아나다.
기전(紀傳) 명 본기(本紀)와 열전(列傳).
기전(起電) 명하자 전기를 일으킴.
기전(棋戰·碁戰) 명 바둑·장기의 승패를 겨루는 일. ¶국수(國手) ~.
기전-기(起電機) 명 〖물〗 정전기 유도를 이용하여 전기를 일으키는 기계《마찰(摩擦) 기전기·유도(誘導) 기전기· 전기 쟁반 등》.
기전-력(起電力)[-녁] 명 〖물〗 전위차(電位差)를 이용하여 전류를 흐르게 하는 힘《실용 단위는 볼트(V)》. 동전력. 전동력.
기전-체(紀傳體) 명 중국의 '사기(史記)'에서 비롯된 것으로, 역사적 인물의 전기(傳記)를 중심으로 기술하는 역사 편찬의 한 체재. ↔편년체.
기절(氣絶) 명하자 한동안 정신을 잃음. 실신(失神). ¶놀란 나머지 ~했다.
기절-초풍(氣絶-風) 명하자 몹시 놀라 질겁을 함. ¶~할 광경이 눈에 뜨였다/그의 사망 소식을 듣고 나는 ~하고 말았다.
기점(起點)[-쩜] 명 시작하는 곳. 일어나는 점. ¶이 철도의 ~은 서울역이다.
기점(基點)[-쩜] 명 **1** 기본이 되는 점. **2** 측량을 시작하는 점.
기정(旣定) 명 이미 정해져 있음. ¶~의 방침대로 움직이다.
기정-사실(旣定事實) 명 이미 정해진 사실. ¶노모의 죽음을 ~로 받아들이다.
기제(忌祭) 명 해마다 사람이 죽은 날에 지내는 제사. 기제사(忌祭祀).
기제(旣濟) 명하자 일이 이미 처리되어 끝남. ↔미제(未濟).
기-제사(忌祭祀) 명 기제(忌祭).
기조(基調) 명 **1** 사상·학설·정책 등의 일관된 기본적 경향. ¶휴머니즘을 ~로 한 문학/현재의 정책 ~를 흔들림 없이 유지하다/통화 정책 ~를 긴축으로 전환하다. **2** 〖악〗 주조(主調).
기조-력(起潮力) 명 밀물과 썰물 및 조류(潮流)를 일으키는 힘.
기조-연설(基調演說) 명 국회·학회·국제회의 따위에서 대표가 행하는 기본 취지나 정책 등을 설명하는 연설.
기존(旣存) 명하자 이미 존재함. ¶~하는 여러 시설을 통폐합하다/~ 질서를 무너뜨리다/~ 방침을 따르다.
기종(機種) 명 **1** 항공기의 종류. ¶새로운 ~의 전투기. **2** 기계의 종류. ¶컴퓨터의 ~이 고급화되어 가고 있다.
기-죽다(氣-) 자 기세가 꺾이어 약해지다. ¶성적이 떨어졌다고 해서 기죽지 마라.
기-죽이다(氣-) 자타 기세를 꺾다. ¶누구를 기죽여 놓을 셈인가/애들이 잘못했다고 기죽이지 마라.
***기준**(基準) 一명 기본이 되는 표준. ¶설치 ~/새로운 ~을 만들다/~이 불투명하다. 二감 군대 등에서, 열을 지을 때 표준이 되

는 사람을 알리는 구령. ¶우측 1번 ~.
기준-점 (基準點)[-쩜] 명 계산·측정 따위의 기준이 되는 점. ¶이곳을 ~으로 잡고 측량을 시작한다.
기준-하다 (奇峻-) 형 여불 산의 모양이 기이하고 험준하다.
기준 환:율 (基準換率) 〘경〙 외환 시세에서, 특정한 나라의 통화와의 관계가 다른 외환 시세의 산정 기준이 되는 환율.
기중 (忌中) 명 상중(喪中).
기중 (其中) 명 그 가운데. 그 속. ¶~ 나은 것을 골라라.
기중-기 (起重機) 명 무거운 물건을 들어 옮기는 기계. 크레인(crane).
기증 (寄贈) 명하타 물품을 보내어 증정함. 증여(贈與). ¶~된 물건을 전시하다 / 평생 모은 돈을 학교에 ~하다.
기지 (奇智) 명 기발하고 특출한 지혜.
기지 (氣志) 명 의기와 의지.
기지 (基地) 명 **1** 군대나 어떤 특별한 활동의 근거가 되는 곳. ¶보급 ~ / 남극 탐험 ~. **2** 터전.
기지 (旣知) 명하타 이미 앎. ¶~의 사실. ↔미지(未知).
기지 (機智) 명 상황에 따라 재치 있게 대응하는 슬기. 위트. ¶~를 발휘하여 위기를 모면하다.
*__기:지개__ 명하자 피곤을 덜기 위해 몸을 쭉 펴고 팔다리를 뻗는 짓. ¶한바탕 늘어지게 ~를 켜다.
기지-수 (旣知數) 명 **1** 〘수〙 방정식 따위에서 이미 그 수치를 알고 있는 수. 또는 주어진 것으로 가정한 수. ↔미지수. **2** 일일이 추측할 수 있는 일.
기지-촌 (基地村) 명 군대의 기지를 중심으로 형성된 주민의 마을.
기직 명 왕골 껍질이나 부들잎을 짚에 싸서 엮은 돗자리.
기직 (機織) 명하자 **1** 베틀로 베를 짬. **2** 기계로 짠 직물.
기진 (氣盡) 명하자 기운이 다함. ¶~하여 쓰러지다.
기진-맥진 (氣盡脈盡) 명하자 몸의 기운이 다 빠져 힘이 없어짐. ¶강행군에 모두들 ~하였다.
기질 (氣質) 명 **1** 기력과 체질. **2** 〘심〙 자극에 대한 민감성이나 개인의 성격에서 오는 소질. ¶낙천적인 ~ / 예술가적인 ~을 타고나다.
*__기차__ (汽車) 명 기관차에 객차나 화물차를 연결하여 철로 위를 운행하는 차량. 화차(火車). 열차(列車). ¶~에 오르다 / ~를 타고 여행을 하다.
기-차다 (氣-) 형 **1** 하도 같잖고 어이가 없어 말이 안 나오다. ¶한창 젊은 나이에 요절이라니 참으로 기찬 노릇이다. **2** 〈속〉 말할 수 없을 만큼 좋거나 훌륭하다. ¶기차게 맛이 좋다.
기차-역 (汽車驛) 명 기차를 타고 내리는 정거장.
기차-표 (汽車票) 명 기차를 타기 위해 사는 표. ¶부산행 ~를 샀다 / ~를 끊다.
기착 (寄着) 명하자 배·비행기 따위가 목적지로 가는 도중 잠시 어떤 곳에 들름. ¶하와이행 비행기가 일기가 나빠 괌 섬에 ~했다.
기착-지 (寄着地) 명 목적지로 가는 도중 잠시 들르는 곳.
기찰 (譏察) 명하타 **1** 행동을 넌지시 살펴봄. **2** 예전에, 범인을 체포하기 위해 수소문하며 행인을 조사하던 일.
기찻-길 (汽車-)[-차낄 / -찯낄] 명 기차가 달리는 길. 기차선로. ¶이제는 ~에서 노는 아이가 없어졌다.
기창 (機窓) 명 비행기의 창.
기채 (起債) 명하자 **1** 빚을 얻음. 빚냄. **2** 〘경〙 공채(公債)를 모집함.
기척 명 누가 있는 줄을 알 만한 소리나 기색. ¶방 안에 있으면서 ~도 안 한다 / 그는 몇 시간째 ~도 없이 누워만 있다.
기체[1] (氣體) 명 몸과 마음의 형편이라는 뜻으로, 웃어른에게 올리는 편지에서 문안할 때 쓰는 말. 기후(氣候).
*__기체__[2] (氣體) 명 〘물〙 공기·산소·수소 따위처럼 분자 사이의 거리가 멀어서 각 분자가 자유로이 유동하므로, 일정한 모양과 부피를 갖지 못하는 물질.
기체 (機體) 명 **1** 기계의 바탕. **2** 비행기의 동체. ¶추락한 ~를 조사해 보다.
기체-후 (氣體候) 명 '기체[1]'의 높임말. ¶~ 일향 만강하옵시고.
기초 (起草) 명하타 글의 초안(草案)을 잡음. ¶법안을 ~하다. 준초(草).
*__기초__ (基礎) 명 **1** 사물의 밑바탕. ¶낙관론에 ~한 생활 태도 / ~ 실력이 탄탄하다 / 연구의 ~는 되어 있다. **2** 건조물·구축물 등의 무게를 받치기 위해 만든 밑받침. 토대. ¶튼튼한 ~ 위에 선 건물. —**하다** 자여불 바탕을 두다. 근거를 두다. ¶현실에 기초한 논의를 펼치다.
기초 (期初) 명 어느 기간·기한의 처음. ↔기말(期末).
기초 공사 (基礎工事) 건조물이나 구축물 등의 밑바닥을 튼튼하게 하기 위해 하는 공사.
기초 과학 (基礎科學) 공학이나 응용과학의 기초가 되는 자연 과학(《수학·물리학·화학·생물학 따위》).
기초-식품 (基礎食品) 명 단백질·탄수화물·지방질·비타민 시·카로틴·무기질 등 매일 필요로 하는 여섯 종류의 영양소를 각각 함유하는 식품군(群).
기초-적 (基礎的) 관명 사물의 밑바탕이 되는 (것). ¶~인 지식과 전문적인 기술.
기초-화장 (基礎化粧) 명 피부를 건강하고 아름답게 유지하면서 다른 화장품을 잘 받아, 본 화장이 효과적으로 이루어지게 하는 기본되는 화장.
기총 (機銃) 명 〘군〙 '기관총'의 준말.
기총 소:사 (機銃掃射) 〘군〙 비행기에서 목표물을 향하여 기관총으로 비질하듯이 쏘는 일.
기축 (基軸) 명 사상이나 조직 등의 토대나 중심이 되는 긴요한 곳.
기축 (機軸) 명 **1** 기관이나 바퀴 따위의 굴대. **2** 활동의 중심이 되는 긴요한 곳. **3** 〘건〙 마룻대. **4** 시문(詩文)의 체재.
기축 통화 (基軸通貨) 국제간의 결제(決濟)

나 금융 거래의 기본이 되는 화폐《미국의 달러, 일본의 엔, 독일의 마르크 따위》.
기층 (氣層) 명 〖물〗 대기(大氣)의 층.
기층 (基層) 명 어떤 사물의 바탕을 이루는 층. 저층.
기치 (旗幟) 명 **1** 예전에, 군대에서 쓰던 깃발. **2** 어떤 목적을 위하여 내세우는 태도나 주장. ¶ ~를 선명히 하다. **3** 기의 표지(標識).
기치-창검 (旗幟槍劍) 명 예전에, 군대에서 쓰던 기·창·칼 등의 총칭.
***기침** 명하자 **1** 기도의 점막이 자극을 받아 반사적으로 일어나는 강한 호흡. 해수. ¶ 심한 ~으로 고생했다 / ~할 때마다 가래가 나온다. **2** 목구멍에 걸린 가래를 떼려고 하거나 인기척을 낼 때 일부러 터져 나오게 하는 숨소리. ¶ 목소리를 가다듬기 위해 ~을 해 보다.
기침 (起枕) 명하자 윗사람이 잠자리에서 일어남. ¶ 아버지는 아침 일찍 ~하신다.
기침 (起寢) 명하자 **1** 기상(起床). ↔취침. **2** 〖불〗 밤중에 일어나 부처에 절하는 일.
***기타** (其他) 명 그 밖. 그 밖의 또 다른 것. ¶ ~ 사항.
기타 (guitar) 명 〖악〗 '8' 자 모양의 나무 공명(共鳴) 상자와, 여섯 가닥의 줄로 된 서양 현악기《독주용·반주용이 있음》. ¶ ~를 치다 / ~를 퉁기며 노래를 한다.
기탁 (寄託) 명하타 **1** 부탁하여 맡기어 둠. ¶ 고아원에 성금을 ~했다. **2** 〖법〗 '임치(任置)'의 구용어.
기탁-금 (寄託金) 명 기탁한 돈.
기탄 (忌憚) 명하타 어렵게 여기어 꺼림.
기탄-없다 (忌憚-)[-업따] 형 거리낌이 없다. ¶ 여러분의 기탄없는 의견을 듣고 싶다. **기탄-없이** [-업씨] 부. ¶ ~ 사실을 말해 보게.
기통 (氣筒·汽筩) 명 실린더(cylinder). ¶ 6 ~ 자동차.
기특-하다 (奇特-)[-트카-] 형여불 말이나 행동이 대견하고 귀염성이 있다. 신통하다. ¶ 기특한 아이 / 오늘은 기특하게도 공부를 하는구나. **기특-히** [-트키] 부
기틀 명 어떤 일의 가장 중요한 바탕이나 기초. ¶ 평화의 ~을 다지다.
기틀(이) 잡히다 구 어떤 일의 가장 중요한 부분이 제 기능을 발휘할 수 있게 되다.
기판 (基板) 명 전자 부품을 조립하는 프린트판(板). 또는 집적 회로를 배선(配線)하는 실리콘 결정판(結晶板).
기포 (起泡) 명하자타 거품이 일어남. 또는 거품을 일게 함.
기포 (氣泡) 명 유리·액체 등에 기체가 들어가 둥그런 모양을 하고 있는 것.
기포 (氣胞) 명 **1** 〖생〗 폐포. **2** 〖어〗 물고기의 부레.
기폭 (起爆) 명 화약이 압력이나 열 따위의 충동을 받아 폭발을 일으키는 현상. ¶ ~ 장치.
기폭 (旗幅) 명 **1** 깃발. **2** 깃발의 나비.
기폭-약 (起爆藥)[-퐁냑] 명 〖화〗 약간의 충격으로 쉽게 폭발을 일으키는 화약《뇌홍(雷汞)·뇌은(雷銀) 등》. 기폭제(起爆劑).
기폭-제 (起爆劑) 명 **1** 기폭약. **2** 어떤 일이 일어나는 계기가 되는 것. ¶ 폭동의 ~ 역할을 하다.
기표 (記票) 명하자 투표용지에 써넣거나 표시를 함.
기표-소 (記票所) 명 투표장 안에 기표하도록 특별히 마련한 곳.
기품 (氣品) 명 고상한 성품이나 품격. ¶ ~ 있는 여인.
기품 (氣稟) 명 타고난 기질과 성품.
기풍 (氣風) 명 **1** 기상(氣象)과 풍채. 기질. ¶ 호방(豪放)한 ~. **2** 어느 집단이나 지역 사람들의 공통적인 기질. ¶ 건전한 사회 ~.
기풍 (棋風·碁風) 명 바둑이나 장기를 둘 때 나타나는, 그 사람 특유의 방식이나 개성. ¶ 공격적 ~.
기피 (忌避) 명하타 꺼리거나 싫어하여 피함. ¶ 병역을 ~하다 / 대인 공포증으로 사람들을 ~한다.
기피-자 (忌避者) 명 기피를 하는 사람. ¶ 납세 ~ / 병역 ~ 단속.
기피-증 (忌避症)[-쯩] 명 어떤 사물이나 현상을 꺼리어 피하는 심리. ¶ 재판 ~이 널리 퍼져 있는 것이 현실이다.
기필-코 (期必-) 부 어김없이. 꼭. 반드시. ¶ 이번 협상은 ~ 성사시켜야 한다 / 에베레스트 등정에 ~ 성공하겠다.
기하 (幾何) 명 **1** 얼마. **2** 〖수〗 '기하학'의 준말.
기하-급수 (幾何級數) 명 〖수〗 등비급수(等比級數).
기하급수-적 (幾何級數的) 관명 수가 거듭할 때마다 두 배의 비율로 늘어나는 (것). ¶ ~으로 불어나는 인구.
기-하다 (基-) 자여불 기초를 두다.
기-하다 (忌-) 타여불 꺼리고 싫어하다. 피하다. ¶ 대개 윤달에는 결혼을 기한다.
기-하다 (期-) 타여불 **1** 기일을 정하다. ¶ 24 시를 기하여 휘발유 가격을 인상한다. **2** 이루어지도록 기약하다. ¶ 완벽을 ~ / 내실을 ~.
기-하다 (奇-) 형여불 기이하다.
기하-학 (幾何學) 명 〖수〗 도형 및 공간에 관한 성질을 연구하는 수학의 한 부문. 준기하.
기하학-무늬 (幾何學-) [-항-니] 명 직선이나 곡선의 교차로 이루어지는 추상적인 무늬.

기하학무늬

기하학-적 (幾何學的) 관명 기하학에 바탕을 둔 (것). ¶ ~인 구도.
기한 (飢寒·饑寒) 명 굶주리고 헐벗어 배고프고 추움. ¶ ~에 떨다.
기한 (期限) 명하타 **1** 미리 한정한 시기. ¶ 유통 ~을 확인하다 / 빚을 ~까지 갚겠다. 준한(限). **2** 어느 때까지를 기약함.
기한-부 (期限附) 명 언제까지라고 기한을 붙임. ¶ ~ 조건으로 채용하다.
기함 (氣陷) 명하자 **1** 기력이 쇠하여 가라앉음. **2** 갑자기 놀라거나 아파서 소리를 지르면서 넋을 잃음. ¶ 달려드는 개를 보고 ~을 하듯 놀라며 뒤로 물러섰다.
기함 (旗艦) 명 〖군〗 함대의 군함 가운데 사령관이 타고 있는 군함.
기합 (氣合) 명 **1** 어떤 특정한 행동을 하기

위한 정신과 힘의 집중. 또는 그때 지르는 소리. ¶ ~을 넣다《힘을 내기 위해 소리를 지르다》. 2 〈속〉 군대·학교 등에서 잘못한 사람을 육체적 또는 정신적으로 고통을 주는 일. ¶ 단체 ~ / ~을 받다.

기항 (寄航) 명하자 비행기가 비행 도중 다른 공항에 잠시 들름.

기항 (寄港) 명하자 배가 항해 도중 다른 항구에 잠시 들름.

기행 (奇行) 명 기이한 행동.

기행 (紀行) 명 〘문〙 여행하는 동안에 보고 듣고 느낀 것을 적은 문장이나 책. ¶ 금강산 ~.

기행-문 (紀行文) 명 〘문〙 여행 중의 보고 듣고 느낀 바를 적은 글《일기체·편지 형식·수필·보고 형식 등으로 씀》.

기허 (氣虛) 명하형 〘한의〙 원기가 허약한 병리 현상.

기험-하다 (崎險-) 형여불 1 기구(崎嶇)하다. 2 성질이 음험하다.

기-현상 (奇現象) 명 기이한 현상. ¶ 최하위 팀이 유력한 우승 후보 팀을 이기는 ~이 일어났다.

기혈 (氣穴) 명 〘한의〙 경혈(經穴). ¶ ~에 침을 놓다.

기혈 (氣血) 명 〘한의〙 원기와 피.

기혐 (忌嫌) 명하타 꺼리고 싫어함.

기형 (奇形) 명 이상하고 별난 모양.

기형 (畸形) 명 〘생〙 보통 일반의 정상적인 형태와는 다른 생물의 형태.

기형-아 (畸形兒) 명 신체의 발육이나 기능에 장애가 있어 정상과는 다른 모습으로 태어난 아이.

기형-적 (畸形的) 관명 정상이 아니거나 불완전한 형태인 (것). ¶ ~인 사회 현상.

***기호** (記號) 명 무슨 뜻을 나타내기 위하여 적는 부호·문자·표시 따위의 총칭. ¶ 언어는 사고(思考)를 기록하는 일종의 ~다.

기:호 (嗜好) 명하타 즐기고 좋아함. ¶ 내 ~에 맞는 음식이다.

기호 (畿湖) 명 〘지〙 경기도·황해도 남부와 충청남도 북부 지역.

기호지세 (騎虎之勢) 명 호랑이를 타고 달리는 형세라는 뜻으로, 하던 일을 중도에서 그만둘 수 없는 경우를 이르는 말.

기:호-품 (嗜好品) 명 영양소는 없지만 독특한 향기나 맛이 있어 즐기고 좋아하는 음식물《술·차·커피·담배 따위》.

기호-학 (記號學) 명 기호의 꼴·내용·씀씀이 등을 체계적으로 연구하는 학문.

기혼 (旣婚) 명하자 이미 혼인함. ¶ ~ 여성. ↔미혼.

기혼-자 (旣婚者) 명 이미 결혼한 사람. ↔ 미혼자.

기화 (奇貨) 명 1 진귀(珍貴)한 보화(寶貨). 2 ('…을 기화로'의 꼴로 쓰여) 뜻밖의 이익을 얻을 수 있는 기회. ¶ 단속이 허술함을 ~로 음주 운전을 하다.

기화 (氣化) 명하자 〘물〙 고체 또는 액체가 기체로 바뀌는 현상. ¶ 물이 ~하다.

기화-기 (氣化器) 명 내연 기관에서, 액체 연료를 기화시켜 폭발성 혼합 가스로 만드는 장치. 카뷰레터.

기화-열 (氣化熱) 명 〘물〙 액체가 기화할 때 외부로부터 흡수하는 열량. 보통, 일정 온도에서 1그램의 물질을 기화시키는 데 필요한 열량으로 나타냄. 증발열.

기화-요초 (琪花瑤草) 명 아름다운 꽃과 풀.

***기회** (機會) 명 1 어떤 일을 해 나아가는 데 가장 알맞은 시기나 경우. ¶ 절호의 ~ / ~를 엿보다. 2 겨를이나 짬. ¶ 말할 ~도 주지 않다.

기회-주의 (機會主義)[-/-이] 명 일정한 원칙도 없이 그때그때의 정세에 따라서 이로운 쪽으로 행동하는 경향.

기회주의-적 (機會主義的)[-/-이-] 관명 일정한 원칙 없이 그때그때의 정세에 따라 이로운 쪽으로 행동하는 (것). ¶ ~인 성격 / 그의 ~ 태도는 정말 실망스럽다.

기획 (企劃) 명하타 일을 계획함. ¶ ~실 / ~ 상품 / ~ 기사 / 대규모 공연을 ~하다.

기획 재정부 (企劃財政部) 중앙 행정 기관의 하나. 경제·재정 정책의 수립과 조정, 예산·기금의 편성과 집행, 화폐·외환·국고·정부 회계·국가 채무 등에 관한 사무를 맡아봄.

기후 (其後) 명 그 뒤. 그 후. ¶ ~ 10년.

***기후**[1] (氣候) 명 1 〘지〙 기온·비·눈·바람 따위의 대기 상태. ¶ 아열대성 ~ / ~가 좋지 않은 지방. 2 1년의 이십사절기와 칠십이후를 통틀어 일컫는 말. 기(氣)는 15일, 후(候)는 5일을 뜻함. 기절(氣節).

기후[2] (氣候) 명 기체[1](氣體).

기후-대 (氣候帶) 명 〘지〙 지구상의 기후 특성이 공통한 지대《열대·아열대·온대·아한대·한대가 있음》.

기후-형 (氣候型) 명 〘기상〙 세계 각지의 기후를 공통된 성질에 의하여 분류한 것. 해양 기후·해안 기후·대륙 기후·산악 기후·고산(高山) 기후·열대 기후·온대 기후·한대 기후 따위.

기휘 (忌諱) 명하타 1 꺼리어 싫어함. ¶ ~에 저촉되다《특히 윗사람이 꺼리고 싫어하는 언동을 해서 불쾌감을 사다》. 2 꺼리거나 두려워 피함.

긴: 명 윷놀이에서, 자기의 말이 남의 말을 쫓아 잡을 수 있는 거리. ¶ 걸 ~ / ~이 닿다.

긴가민가-하다 형여불 '기연가미연가하다'의 준말. ¶ 긴가민가하여 자세히 보았다.

긴급 (緊急) 명하형히부 일이 긴요하고도 급함. ¶ ~ 뉴스 / 재해 대책 회의를 ~ 소집하다 / ~히 상의를 드리겠습니다.

긴급 조치 (緊急措置) 내우·외환·천재·지변 또는 중대한 경제상의 위기에 처했을 때 긴급히 취하는 조치.

긴:-긴 관 길고 긴. ¶ ~ 세월.

긴:긴-날 명 1 낮이 밤보다 훨씬 긴 날. 2 길고 긴 날.

긴:긴-낮 [-낟] 명 1 밤보다 훨씬 더 긴 낮. 2 기나긴 낮.

긴:긴-밤 명 1 낮보다 훨씬 긴 밤. 2 길고 긴 밤. ¶ 동지섣달 ~.

긴:긴-해 명 길고 긴 해. 길고 긴 낮.

긴:-말 명하자 길게 말을 늘어놓음. 또는 그 말. ¶ ~이 필요 없다.

긴밀-하다 (緊密-) 형여불 매우 가깝고 밀접하다. ¶ 긴밀한 연락을 취하다. **긴밀-히** 부. ¶ ~ 협조합시다.

긴박-감 (緊迫感) 명 몹시 긴장되고 급한 느낌. ¶ ~이 감도는 회의장.
긴박-하다 (緊迫-)[-바카-] 형여불 몹시 다급하고 절박하다. ¶ 긴박한 국제 정세. **긴박-히** [-바키] 부
긴:-반지름 (-半-) 명 《수》 타원의 중심에서 그 둘레에 이르는 가장 긴 거리. 장반경(長半徑). ↔짧은반지름.
긴:-병 (-病) 명 오래된 병. 오래 앓는 병. 장병(長病).
[긴병에 효자 없다] 무슨 일이거나 너무 오래 끌면 그 일에 대한 성의가 풀린다.
긴:-사설 (-辭說) 명 수다스럽게 늘어놓는 말. ¶ ~만 늘어놓고 있다.
긴:-소리 명 **1** 길게 내는 소리. 장음(長音). ↔짧은소리. **2** '긴말'의 낮은 말.
긴:소리-표 (-標) 명 《언》 장음 부호.
긴요-하다 (緊要-) 형여불 매우 중요하다. ¶ 긴요한 문제부터 토의합시다. **긴요-히** 부. ¶ 그 돈은 학비에 ~ 쓰겠습니다.
긴장 (緊張) 명하자 **1** 마음을 가다듬어 정신을 바짝 차림. ¶ ~된 얼굴 / ~이 풀리다 / 여전히 ~을 늦추지 않고 있다 / 너무 ~하지 말고 평소 실력대로 시험을 치러라. **2** 정세나 분위기가 평온하지 않은 상태. ¶ ~이 고조되다 / 군사적 ~을 몰고 오다. **3** 《생》 근육의 지속적인 수축 상태.
긴장-감 (緊張感) 명 긴장한 상태나 그 느낌. ¶ 팽팽한 ~이 감돌다.
긴절-하다 (緊切-) 형여불 긴요하고 절실하다. **긴절-히** 부
긴:-지름 명 《수》 타원 안의 가장 긴 지름. 장경(長徑). ↔짧은지름.
긴:-짐승 명 뱀·구렁이 같이 몸이 긴 동물의 총칭.
긴축 (緊縮) 명하타 **1** 바짝 줄임. **2** 지출을 크게 줄임. ¶ ~ 생활.
긴축 재정 (緊縮財政) 《경》 주로 인플레이션 억제를 위하여 국가 또는 지방 자치 단체에서 지출의 삭감 등으로 예산 규모를 축소시킨 재정.
긴축 정책 (緊縮政策) 경제 안정을 위하여 재정·금융 등을 긴축하는 정책.
긴:-치마 명 발등까지 내려오는 기다란 치마. 롱스커트.
긴-하다 (緊-) 형여불 **1** 꼭 필요하다. ¶ 긴한 물건. **2** 매우 간절하다. ¶ 긴한 부탁 / 긴한 볼일이 있다. **긴-히** 부. ¶ ~ 만나서 할 이야기가 있다.
긷:다 〔길으니, 길어〕 타ㄷ불 우물이나 샘 따위에서 두레박이나 바가지로 물을 떠내다. ¶ 물을 길어서 나르다.
*****길**[1] 명 **1** 사람·짐승·배·차·비행기 등이 오고 가는 공간. ¶ ~을 건너다 / ~을 잃다 / 배가 다니는 ~ / 출근 시간이라 ~이 막히다. **2** 사람으로서 지켜야 할 도리나 임무. ¶ 나라 사랑의 ~ / 군인의 ~을 가다. **3** 어느 곳으로 가는 노정(路程). ¶ 천 리나 되는 ~ / 가까운 ~과 먼 ~. **4** 방면이나 분야. ¶ 교육자의 ~ / 그 ~에 통달한 사람. **5** (주로 '-은 / 는 길에'의 꼴로 쓰여) 어떤 일을 하는 도중(途中)이나 기회. ¶ 돌아오는 ~에 만났다. **6** ('-은 / 는 / 을 길'의 꼴로 쓰여) 방법이나 수단. ¶ 그를 살릴 ~이 없다 / 다른 ~을 찾아보자. **7** ('-은 / 는 길로'의 꼴로 쓰여) 어떤 행동이 끝나자마자 즉시. 바로 이어서. ¶ 이 ~로 그의 집으로 가자꾸나 / 학교가 끝나는 ~로 외갓집에 들렀다.
[길로 가라니까 메로 간다] 타인의 지시나 윗사람의 명령을 어긴다. [길을 두고 메로 갈까] 더 편리한 곳이 있는데도 불구하고 불편한 곳으로 가랴.
길(을) 가다 구 목적지를 향해 이동하다.
길(을) 뚫다 구 방법을 찾아내다.
길을 재촉하다 구 서둘러 빨리 길을 가다.
길(이) 닿다 구 어떤 일에 관계가 맺어지다.
길이 붙다 구 걸음이 빨라져 지나온 거리가 부쩍부쩍 늘어나다.
길이 어긋나다 구 오고 가는 길이 각각 달라서 만나지 못하다.
길이 없다 구 도리나 방법이 없다《관형사형 전성 어미 '-ㄹ'·'-을' 뒤에 씀》. ¶ 위풍이라곤 찾을 길이 없었다.
길이 열리다 구 해결 방도가 생겨나다. 전망이 보이다.
길[2] 명 **1** 물건에 손질을 잘하여 생기는 윤기. ¶ 이 트럭은 내가 운전하기에 ~이 잘 나 있다. **2** 짐승 따위를 잘 가르쳐서 부리기 좋게 된 버릇. **3** 익숙해진 솜씨. ¶ 차츰 ~이 들겠지.
길[3] 명 물건 품질의 등급. ¶ 윗~ / 아랫~.
길[4] 명 '질(帙)'의 변한말.
길:[5] 명 저고리나 두루마기 같은 웃옷의 섶과 무 사이에 있어, 옷의 주체가 되는 넓고 큰 폭.
길:[6] 의명 **1** 길이의 단위《사람의 키 정도의 길이》. ¶ 열 ~ 물속은 알아도 한 ~ 사람의 속은 모른단다. **2** 길이의 단위《여덟 자 혹은 열 자임》.
*****길-가** [-까] 명 길의 곁. 길의 양쪽 옆. 노변(路邊). ¶ ~에 늘어서 있는 간판들.
길-거리 [-꺼-] 명 사람이나 차가 많이 다니는 길. ¶ ~의 상인들 / ~에 가로등이 켜지다 / ~를 헤매다. 준거리.
길거리에 나앉다 구 어떤 사정 때문에 집을 잃고, 살 곳이 없어지다. ¶ 가장이 직장을 잃어 길거리에 나앉게 되었다.
길괘 (吉卦) 명 좋은 점괘. ↔흉괘(凶卦).
길:길-이 부 **1** 성이 나서 높이 뛰는 모양. ¶ ~ 날뛰다. **2** 여러 길이 될 만큼의 높이로. ¶ ~ 쌓이다.
길-나다 [-라-] 자 **1** 버릇이나 습관이 되어 버리다. **2** 윤기가 나거나 손에 익어 쓰기 좋게 되다. ¶ 자주 닦아 길난 마루.
길년 (吉年)[-련] 명 결혼하기 좋은 남녀의 나이. 또는 결혼하기 좋은 해.
길-녘 [-력] 명 길옆이나 길 부근. 길이 트인 쪽. ¶ 시장 가는 ~에 꽃밭이 있다.
길-놀이 [-롤-] 명 탈춤놀이나 민속놀이 또는 마을굿에 앞서 마을을 돌아 공연 장소까지 가면서 벌이는 놀이. 거리굿.
길-눈[1] [-룬] 명 길을 찾아가는 눈썰미. ¶ ~이 어둡다.
길:-눈[2] [-룬] 명 거의 한 길이나 되게 많이 온 눈.
길:다[1] 〔기니, 기오〕 자 머리카락·수염 따위가 자라다. ¶ 수염이 많이 길었군.

*길:다[2] 〔기니, 기오〕 형 1 두 물체 사이가 멀다. ¶긴 머리/길게 늘이다. 2 시간이나 동안이 오래다. ¶긴 세월/역사가 긴 학교/해가 ~. ↔짧다. 3 글이나 말 따위의 분량이 많다. ¶긴 이야기/서론이 너무 ~. 4 소리·한숨 따위가 오래 계속되다. ¶길게 한숨을 내쉬다.
[길고 짧은 것은 대어 보아야 안다] 대소·우열은 실제로 겪어 보거나 겨루어 보아야 알 수 있다는 말.
길-다랗다 형ㅎ불 '기다랗다'의 잘못.
길-동무 [-똥-] 명 길을 함께 가는 동무. 또는 같은 길을 가는 사람. 길벗. ¶그와 ~가 되어 여행을 했다. --하다 자여불 동무가 되어 함께 길을 가다.
길드 (guild) 명 11세기 이후 유럽의 각 도시에서 발달한 상공업자의 상호 부조적인 동업 조합.
길-들다 〔길드니, 길드오〕 자 1 물건에 손질을 잘하여 윤기가 나다. ¶잘 길든 장판. 2 짐승을 잘 가르쳐서 부리기가 좋게 되다. ¶잘 길든 강아지. 3 어떤 일에 익숙하게 되다. ¶이제는 사무실 분위기에 길들게 되었다.
길-들이다 타 1 물건에 손질을 잘하여 윤기가 나게 하다. ¶새 물건보다 잘 길들여진 물건이 좋다. 2 짐승을 잘 가르쳐 사람의 말을 잘 듣고 부리기가 좋게 만들다《비유적으로도 씀》. ¶말괄량이 길들이기. 3 어떤 일에 익숙하게 하다.
길라-잡이 명 길잡이.
길래 부 오래도록 길게. ¶나쁜 버릇을 ~ 갖지 마라.
-길래 어미 '-기에'의 구어적 표현.
길례 (吉例) 명 아름답거나 좋은 전례. ¶~에 따른 행사.
길례 (吉禮) 명 1 대사(大祀)·중사·소사 등 나라 제사의 예절. 2 관례나 혼례 등의 경사스러운 예식.
길마 명 짐을 실으려고 소의 등에 얹는 안장. ¶~를 씌우다/~를 지우다/~ 위에 걸터 앉다.
[길마 무거워 소 드러누울까] 일을 당하여 힘이 부족할까 두려워 말라는 말.

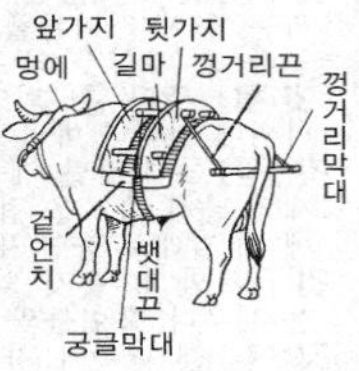

길마

길-모퉁이 명 길이 구부러지거나 꺾어져 돌아간 자리. ¶~에 숨어 있는 사람/~를 돌면 바로 우리 동네가 보인다.
길-목 명 1 큰길에서 좁은 길로 드는 목. ¶~을 돌아 첫째 집이 우리 집이다. 2 길의 중요한 통로가 되는 어귀. ¶~마다 경찰이 지키고 있다. 3 어떤 시기에서 다른 시기로 넘어가는 때.
길몽 (吉夢) 명 좋은 조짐이 되는 꿈. 상몽(祥夢). ↔흉몽(凶夢).
길미 명 빚돈에 덧붙어 느는 돈. 변리. 이자(利子).
길-바닥 [-빠-] 명 1 길의 표면. 노면(路面). ¶~에 벌렁 자빠지다. 2 길 가운데. ¶~에서 서성거리다.
길-벗 [-뻗] 명 길동무.
길보 (吉報) 명 좋은 소식. ¶~를 기다리다.
길복 (吉服) 명 1 삼년상(喪)을 마친 뒤 입는 보통 옷. 2 혼인 때 신랑 신부가 입는 옷.
길-봇짐 (-褓-)[-보찜/-볻찜] 명 먼 길을 떠날 때에 꾸리는 봇짐. ¶~을 싸다.
길사 (吉事)[-싸] 명 관례(冠禮)·혼례 같은 좋은 일.
길상 (吉相)[-쌍] 명 복을 많이 받을 관상. ↔흉상(凶相).
길상 (吉祥)[-쌍] 명 운수가 좋을 조짐. 경사가 날 조짐. 상서(祥瑞).
길상-무늬 (吉祥-)[-쌍-니] 명 길상의 뜻을 지닌 한자를 이용한 무늬《수(壽)·복(福)·부(富)·귀(貴) 등》. 길상문(吉祥紋).
길-섶 [-썹] 명 길의 가장자리. ¶~에 핀 코스모스가 가을 풍경을 더해 준다.
길-속 [-쏙] 명 전문적인 일의 속내. ¶해 보지 않은 일이라 ~을 모른다.
길-손 [-쏜] 명 먼 길을 가는 나그네.
길시 (吉時)[-씨] 명 길한 시각. 운이 좋은 시각.
길쌈 명하자 동식물의 섬유를 가공하여 피륙을 짜내기까지의 모든 일.
길어-지다 자 길게 되다. ¶회의가 ~.
길-옆 [-렵] 명 길의 가장자리. ¶자동차 경적 소리에 깜짝 놀라 ~으로 비켜섰다.
길운 (吉運) 명 좋은 운수. ↔액운(厄運).
*길-이[1] 명 1 한 끝에서 다른 한 끝까지의 거리. 장(長). ¶~가 너무 길다. 2 어떤 때로부터 다른 때까지의 동안. ¶낮과 밤의 ~가 같은 날. 3 글의 분량. ¶길이가 짧은 단편 소설.
*길-이[2] 부 오랜 세월이 지나도록. ¶이름을 역사에 ~ 남기다.
길이-길이 부 영원히. ¶~ 빛나리.
길일 (吉日) 명 좋은 날. 길한 날. ¶~을 택하여 혼인하다. ↔흉일(凶日).
길-잡이 명 1 길을 인도해 주는 사람이나 사물. 길라잡이. ¶소나무를 ~로 삼고 찾아가다. 2 나아갈 방향이나 목적을 이끌어 주는 지침. ¶영어 정복의 ~/성서는 내 인생의 영원한 ~였다.
길조 (吉兆)[-쪼] 명 좋은 일이 있을 조짐. ↔흉조(凶兆).
길조 (吉鳥)[-쪼] 명 사람에게 어떤 길한 일이 생길 것을 미리 알려 준다는 새《까치·황새 등》.
길지 (吉地)[-찌] 명 지덕(地德)이 좋은 집터나 묏자리.
길-짐승 [-찜-] 명 기어 다니는 짐승의 총칭. ↔날짐승.
길쭉-이 부 길쭉하게. ¶~ 목을 빼고 안을 들여다보다. 작갈쭉이.
길쭉-하다 [-쭈카-] 형여불 길이가 좀 길다. ¶길쭉한 얼굴. 작갈쭉하다. 길쭉-길쭉 부하형. ¶방앗간 기계에서는 ~한 가래떡이 뽑아져 나왔다.
길:-차다 형 1 아주 미끈하게 길다. ¶길차게 자란 보리. 2 나무가 우거져 깊숙하다.
길-채비 명하자 여행이나 먼 길 떠날 준비.
길-처 명 가는 길의 근처 지방. ¶그 ~는 발이 설다.

길-품 명 남이 갈 길을 대신 가고 삯을 받는 일. ¶～삯.
길품(을) 팔다 구 ㉠남이 갈 길을 대신 가 주고 삯을 받다. ㉡아무 보람이 없이 헛길만 걷다.
길-하다 (吉-) 형여불 운이 좋거나 일이 상서롭다. ¶까치가 우니 길한 징조다.
길항 (拮抗) 명하자 서로 버티어 대항함.
길항 작용 (拮抗作用) 〖생〗 생물체의 어떤 현상에 대하여, 두 요인이 동시에 작용하면서 서로 그 효과를 줄이는 작용.
길-허리 명 길의 중간의 비유.
길흉 (吉凶) 명 좋은 일과 나쁜 일. 행복과 재앙. ¶～을 점치다.
길-흉사 (吉凶事) 명 길사와 흉사.
길흉-화복 (吉凶禍福) 명 길흉과 화복. ¶～을 점치다.
*__김__:[1] 명 〖식〗 홍조류(紅藻類)의 해초(海草). 길이 10-15 cm, 가장자리는 밋밋하나 주름이 짐. 빛은 자줏빛 또는 붉은 자줏빛이며, 바닷물 속 바위에 이끼 모양으로 붙어 남. 식용으로 널리 양식함. 감태(甘苔). 청태(青苔). 해태(海苔).
*__김__:[2] 명 논밭에 난 잡풀. ¶～을 매다.
김:[3] 명 **1** 액체가 열을 받아서 기체로 변한 것. ¶～이 무럭무럭 나다. **2** 입에서 나오는 더운 기운. **3** 음식의 냄새나 맛. ¶～이 빠진 맥주. **4** 수증기가 차가운 물체에 닿아 생긴, 작은 물방울의 덩이. ¶자동차 유리창에 보얗게 ～이 서려 있다.
[김 안 나는 숭늉이 덥다] 공연히 떠벌리는 사람보다도 침묵을 지키고 있는 사람이 도리어 무섭다.
김:[4] 의명 ('-은/는 김에'의 꼴로 쓰여) 어떤 일의 기회나 그 바람. ¶화난 ～에 뺨을 때렸다 / 가는 ～에 들르다 / 이왕 말이 나온 ～에 속마음까지 털어놓았다.
김:**-매기** 명 논밭의 잡초를 뽑는 일. 제초(除草). ¶～를 끝내다.
김:**-매다** 자타 논밭의 잡풀을 뽑아내다. ¶바쁘게 김매는 농부들.
김:**-발** [-빨] 명 **1** 김을 부착시키기 위해 바다 속에 세워 두는 발《대나무를 쪼개어 엮어 놓기도 하고, 나일론실로 그물처럼 얽기도 함》. **2** 김밥을 말 때 쓰는 발.
김:**-밥** 명 김으로 밥과 여러 가지 반찬을 말아 싸서 만든 음식.
김:**-빠지다** 자 **1** 음료 따위의 본디 맛이나 향이 없어져서 맛없게 되다. ¶김빠진 콜라. **2** 의욕이나 흥미가 없어지다. ¶김빠진 대화.
김:**-새다** 자 〈속〉 흥이 깨지다. 맥이 빠져 싱겁게 되다. ¶흥겨운 자리에서 김새는 얘기는 하지 말게.
*__김장__ 명하자 겨우내 먹기 위해 김치를 한목에 담가 두는 일. 또는 그 담근 김치. ¶～을 담그다.
김장-감 [-깜] 명 김장에 쓰이는 채소《배추·무·파·마늘 따위》.
김장-거리 [-꺼-] 명 김장감.
김장-독 [-똑] 명 김장을 해서 담아 두는 독. ¶～을 뒤뜰에 묻다.
김장-철 명 김장을 담그는 철. 곧, 늦가을과 초겨울 사이.
*__김치__ 명 〔←침채(沈菜)〕 무·배추·오이 같은 야채를 소금에 절인 다음 양념을 하여 같이 버무려 넣고 발효시킨 음식. ¶익은 ～/ 신 ～/ ～를 담그다.

> **'김치'의 어원**
>
> '딤치'→'짐치'→'짐츼'→'김치'의 과정을 거친 말. 한자어로는 '침채(沈菜)'.
> '짐츼'의 첫 음절 '짐'이 '김'으로 된 것은, 일부 남부 방언에서 '길'을 '질', '기름'을 '지름'이라고 하는 데서, 거꾸로 유추하여 구개음 'ㅈ'을 방언으로 보고 'ㄱ'으로 말하게 된 것임.

김치-찌개 명 김치를 넣고 끓인 찌개.
김칫-거리 [-치꺼-/-칟꺼-] 명 김치를 담글 재료《무·배추 따위》.
김칫-국 [-치꾹/-칟꾹] 명 **1** 김치의 국물. **2** 김치를 넣고 끓인 국.
[김칫국 먹고 수염 쓴다] 실속은 없으면서 겉으로만 잘난 체, 있는 체한다는 말. [김칫국부터 마신다] 상대편의 속도 모르고 지레짐작으로 그렇게 될 것으로 믿고 행동하다.
김칫-독 [-치똑/-칟똑] 명 김치를 담아 두는 독. ¶～을 땅에 묻다.
김칫-돌 [-치똘/-칟똘] 명 김칫독 안의 김치를 눌러놓는 돌.
깁: 명 명주실로 바탕을 좀 거칠게 짠 비단.
깁:**다** 〔기우니, 기워〕 타ㅂ불 **1** 해진 데에 조각을 대거나 맞붙여 꿰매다. ¶해진 옷을 ～. **2** 글이나 책의 내용을 보충하다.
깁스 (독 Gips) 명하자타 **1** 석고. **2** '깁스붕대'의 준말. ¶～한 다리를 절룩거리다.
깁스-붕대 (Gips繃帶) 명 석고 가루를 단단하게 굳혀 만든 붕대《뼈·관절 등의 질환이나 골절·관절염 등에 씀》. ㊟깁스.
깁:**-창** (-窓) 명 깁으로 바른 창.
깃[1] [긷] 명 **1** 외양간·마구간·닭둥우리 등에 까는 짚이나 마른풀. ¶～을 두둑이 깔아 놓다. **2** '부싯깃'의 준말.
깃(을) 주다 구 외양간·마구간·닭둥우리 따위에 짚이나 마른풀을 깔아 주다.
*__깃__[2] [긷] 명 **1** 깃털. ¶가을 ～을 가는 새. **2** 새의 날개. ¶～을 접다 / ～을 펴다. **3** 화살에 세 갈래로 붙인 새 날개의 털.
깃[3] [긷] 명 **1** '옷깃'의 준말. ¶양복 ～/ ～을 세우다. **2** 이불의 위쪽에 덧대는 천.
깃[4] [긷] 명 나누어 가질 때, 각자에게 돌아가는 몫. ¶자기 ～을 챙기다.
깃-고대 [긷꼬-] 명 옷의 깃을 붙이는 자리. 옷깃의 뒷부분. ㊟고대[1].
깃다 [긷따] 자 논밭에 잡풀이 많이 나다.
깃-대 [긷때] 명 깃털의 굵은 관 모양의 줄기. 우간(羽幹).
*__깃-대__ (旗-)[기때/긷때] 명 기를 달아매는 장대. ¶～를 세우다.
깃-들다 [긷뜰-] 〔깃드니, 깃드오〕 자 **1** 아늑하게 서려 들다. ¶평화가 깃든 곳. **2** 감정·생각·노력 따위가 어리거나 스며 있다. ¶미소가 깃든 얼굴 / 건전한 정신은 건전한 육체에 깃든다.
깃들-이다 [긷뜰-] 자 **1** 짐승이 보금자리를 만들어 그 속에 들어 살다. **2** 사람이 살거나 건물 따위가 그곳에 자리 잡다.

깃-발 (旗-)[기빨 / 긷빨] [명] **1** 깃대에 달린, 천이나 종이로 된 부분. 기면(旗面). 기폭(旗幅). ¶ ~이 펄럭이다. **2** 깃대 반대쪽 위아래 두 끝에 불꽃처럼 붙인 긴 오리. 기각(旗脚). **3** 어떤 사상·목적 따위를 내세우는 태도나 주장. ¶ 조국 근대화의 ~ 아래 모인 젊은이들.

깃발(을) 날리다 [구] ㉠의기가 양양하다. 기세가 등등하다. ㉡보란 듯이 우쭐거리다.

깃-봉 (旗-)[기뽕 / 긷뽕] [명] 깃대 끝에 만든 연(蓮)꽃 모양의 꾸밈새.

깃-저고리 [긷쩌-] [명] 깃을 달지 않고 지은 갓난아이의 저고리. 배내옷. 배냇저고리.

깃-털 [긷-] [명] 새의 깃에 붙어 있는 털. 우모(羽毛).

깃-펜 (-pen)[긷-] [명] 옛날에, 깃을 깎아서 만들어 쓰던 펜.

*__깊다__ [깁따] [형] **1** 겉에서 속까지의 거리가 멀다. ¶ 깊은 바다 / 깊은 산속. **2** 학문과 지식이 많다. ¶ 문학에 깊은 조예가 있다. **3** 심지(心志)가 듬쑥하다. ¶ 생각이 ~. **4** 사귄 정분이 두텁다. ¶ 깊은 정을 느끼고 있다. **5** 정도가 심하다. ¶ 깊은 상처를 입다 / 깊은 잠에 빠지다. **6** 시간이 오래다. ¶ 밤이 ~ / 역사가 깊은 곳 / 가을도 깊었습니다. ↔얕다.

깊-다랗다 [깁따라타]〔깊다라니, 깊다라오〕[형][ㅎ불] 꽤 깊다.

깊-드리 [깁뜨-] [명] 바닥이 깊은 논.

깊디-깊다 [깁띠깁따] [형] 아주 깊다. ¶ 깊디깊은 바다 속.

깊숙-이 [깁쑥-] [부] 깊숙하게. ¶ 모자를 ~ 눌러 쓰다 / 장 속에 ~ 넣다.

깊숙-하다 [깁쑤카-] [형][여불] 깊고 으슥하다. ¶ 깊숙한 곳에 돈을 감추다.

깊은-숨 [명] 심호흡.

*__깊이__[1] [명] **1** 겉에서 속까지의 거리. ¶ 바다의 ~ / ~가 깊다. **2** 생각이나 사고 따위가 듬쑥하고 신중함. ¶ 사람이 그렇게 ~ 없이 굴면 안 되오. **3** 어떤 내용이 지니고 있는 충실성이나 무게. ¶ ~가 있는 내용 / 학문의 ~를 더하다.

*__깊이__[2] [부] **1** 깊게. 깊도록. ¶ 땅을 ~ 파다 / 도둑들은 산 속 ~ 도망쳤다. **2** 잘. 자세히. ¶ 내용은 ~ 모른다.

깊이-깊이 [부] 아주 깊게. ¶ 가슴속에 ~ 간직한 사랑.

ㄲ [쌍기역] 'ㄱ'을 어울러 쓴 'ㄱ'의 된소리. 목젖으로 콧길을 막고 혀뿌리로 연구개를 막았다가 세게 터뜨려 내는 무성 연구개 파열음. 받침일 경우에는 혀뿌리를 떼지 않음.

까까-머리 [명] 머리를 빡빡 깎은 모양. 또는 그런 사람.

까꾸로 [부] 차례나 방향 또는 형편 따위가 반대로 되게. ¶ ~ 곤두박이치다.

까:뀌 [명] 한 손으로 나무를 찍어 깎는 연장의 하나.

까뀌

까끄라기 [명] 벼·보리 등의 수염. 또는 그 도막 난 동강. [큰]꺼끄러기. [준]까라기·까락.

까-놓다 [-노타] [타] (주로 '까놓고'의 꼴로 쓰여) 마음속의 생각이나 비밀을 숨김없이 털어놓다. ¶ 까놓고 말하면.

까다[1] [一][자] 몸의 살이나 재물 등이 줄다. [二][타] **1** 재물을 축내다. **2** 셈에서 빼다. ¶ 원금에서 이자를 ~.

*__까다__[2] [타] **1** 껍질을 벗기다. ¶ 콩깍지를 ~. **2** 알을 부화하다. ¶ 병아리를 ~. **3** 〈속〉 남을 치거나 때리다. ¶ 정강이를 ~. **4** 〈속〉 남의 결함을 들추어서 비난·공격하다. ¶ 직장 선배를 호되게 ~. **5** 〈속〉 (술병 따위의) 마개를 따다. ¶ 한 병 더 까자. **6** 〈속〉 옷을 벗거나 내려 속살을 보이다. ¶ 엉덩이를 까고 진찰대에 눕다.

까:다롭다 〔까다로우니, 까다로워〕[형][ㅂ불] **1** 조건이 복잡하거나 엄격하여 맞추기가 힘들다. ¶ 까다로운 규칙 / 문제가 까다로워 애를 먹었다. **2** 성미가 너그럽지 못하다. ¶ 식성이 ~ / 사사건건 까다롭게 굴다.

까:다로-이 [부]

까닥 [부][하타] **1** 고개를 아래로 가볍게 꺾어 움직이는 모양. ¶ 묻는 말에 고개만 ~할 뿐 대꾸하지는 않았다. **2** 조금 잘못 움직이거나 그르치는 모양. ¶ ~하면 죽을 뻔했다. [큰]끄덕. [센]까딱.

까닥-거리다 [타] 고개 따위를 자꾸 아래위로 내흔들다. [큰]끄덕거리다. [센]까딱거리다. **까닥-까닥** [부][하타]

까닥-대다 [타] 까닥거리다.

까닥-이다 [타] 머리를 아래위로 가볍게 흔들다. ¶ 알았다는 듯이 고개를 ~. [큰]끄덕이다. [센]까딱이다.

까닭 [-닥] [명] 어떤 일이 있게 된 이유나 사정. ¶ ~ 없이 싫어하다 / 그가 화를 내는 ~을 모르겠다.

까닭-수 [-닥쑤] [명] 까닭으로 삼을 만한 근거. ¶ ~를 찾다.

까대기 [명] 담이나 벽 따위에 임시로 붙여서 만든 허술한 건조물.

까-뒤집다 [타] **1** 벗겨서 뒤집다. ¶ 주머니를 까뒤집어 보이다. **2** 〈속〉 눈을 부릅뜨다. ¶ 눈을 까뒤집고 덤빈다.

까드락-거리다 [자] 조금 버릇없고 경솔하게 행동하다. [큰]꺼드럭거리다. [여]가드락거리다. [준]까들거리다. **까드락-까드락** [부][하자]

까드락-대다 [자] 까드락거리다.

까들막-거리다 [자] 신이 나서 버릇없이 매우 경솔하고 교만하게 자꾸 행동하다. [큰]꺼들먹거리다. [여]가들막거리다. **까들막-까들막** [부][하자]

까들막-대다 [자] 까들막거리다.

까딱 [부][하자타] **1** 고개를 아래로 가벼이 꺾어 움직이는 모양. ¶ 고개를 ~한다. **2** 잘못 변동할지도 모르는 모양. 자칫. ¶ ~ 잘못했다가는 회사가 망한다 / ~ 실수하면 야단난다. [큰]끄떡. [여]까닥. **3** 조금 움직이는 모양. ¶ ~도 않는다. [큰]끄떡.

까딱-거리다[1] [一][자] 작은 물체가 이리저리 자꾸 움직이다. [二][타] 고개를 자꾸 세게 아래위로 꺾어 움직이다. [큰]끄떡거리다. [여]까닥거리다. **까딱-까딱**[1] [부][하자타]

까딱-거리다[2] [자] 자꾸 분수없이 잘난 체하다. [큰]꺼떡거리다. **까딱-까딱**[2] [부][하자]

까딱-대다[1] [자타] 까딱거리다[1].

까딱-대다[2] [자] 까딱거리다[2].

까딱-수 (-手) [명] 바둑이나 장기 등에서 요행을 바라는 얕은 수. ¶ ~에 넘어가서 내기 바둑에 졌다.
까딱-없다 [-업따] 형 조그마한 변동도 없다. 잘못될 염려가 조금도 없다. ¶ 아무리 덤벼도 ~ / 심한 지진에도 이 집은 까딱없었다. 큰 끄떡없다. **까딱-없이** [-업씨] 부
까딱-이다 타 머리를 아래위로 가볍게 꺾어 움직이다. 큰 끄떡이다. 여 까닥이다.
까딱-하면 [-따카-] 부 조금이라도 그르치면. 자칫하면. ¶ ~ 큰일난다.
까라기 명 '까끄라기'의 준말.
까라-지다 자 기운이 풀어져 축 늘어지다. ¶ 몸이 까라져 움직일 수 없다.
까:락 명 '까끄라기'의 준말.
까랑까랑-하다 형 여불 목소리가 날카롭고 힘이 있다. ¶ 까랑까랑하게 글을 읽다.
까르르 부 하자 여자나 아이들이 한꺼번에 자지러지게 웃는 소리. ¶ 분장을 한 내 모습을 보고 모두들 ~ 웃어 댔다.
까르륵 부 하자 젖먹이가 자지러지게 우는 소리. ¶ 잘 놀던 아이가 갑자기 ~하며 울기 시작했다.
***까마귀** 명 《조》 까마귓과의 새. 인가 부근에 사는데 몸 전체가 검으며, 울음소리가 흉함. 일부 농작물을 해치나 숲의 해충을 먹기도 함. 어미새에게 먹이를 물어다 주는 습성이 있음. 자오(慈烏). 한아(寒鴉).
[까마귀 고기를 먹었나] 잘 잊어버리는 사람을 비웃는 말. [까마귀 날자 배 떨어진다] 아무 관계없이 한 일이 마침 다른 일과 때가 같아 어떤 관계가 있는 것처럼 의심을 받게 되다. 오비이락(烏飛梨落). [까마귀 밥이 되다] 거두어 줄 사람이 없는 시체가 되어 버려진다는 말.
까마귀-밥 명 《민》 음력 정월 보름날을 까마귀 제삿날이라 하여 들에 내다 버리는 잡곡밥.
까마득-하다 [-드카-] 형 여불 1 아주 멀거나 오래되어서 아득하다. ¶ 정상을 향해 오를 생각을 하니 ~ / 까마득한 소년 시절을 회상해 본다. 2 앞으로 어찌해야 할지 막막하다. ¶ 실직당하고 보니 살길이 ~. 여 가마득하다. **까마득-히** [-드키] 부. ¶ ~ 올려다보이는 고층 빌딩 / ~ 잊고 살다.
까마아득-하다 [-드카-] 형 여불 '까마득하다'의 본딧말. ¶ 까마아득한 절벽. 여 가마아득하다. **까마아득-히** [-드키] 부
까막-까치 명 까마귀와 까치. 오작(烏鵲).
까막-눈 [-망-] 명 1 글을 읽을 줄 모르는 사람의 눈. 또는 그런 사람. ¶ 글을 깨쳐 ~ 신세를 면하다. 2 어떤 일에 대하여 아무것도 모르는 사람. ¶ 아버지는 컴퓨터에 대해서는 ~이시다.
까막눈-이 [-망-] 명 글을 읽을 줄 모르는 무식한 사람. 문맹.
까만-빛 [-빋] 명 밝고 짙은 검은빛.
까만-색 (-色) 명 밝고 짙은 검은색.
***까:맣다** [-마타] 〔까마니, 까마오〕 형 ㅎ불 1 아주 검다. 매우 검다. ¶ 까만 눈동자 / 까맣게 탔다. 큰 꺼멓다. 2 시간이나 거리가 아득하게 멀다. ¶ 까맣게 먼 옛날. 3 도무지 기억이 없다. ¶ 약속을 까맣게 잊어버리고 있었구나. 여 가맣다. 4 헤아릴 수 없이 많다. ¶ 공연장은 사람들이 까맣게 모여 들더니 어느새 꽉 찼다.
까:매-지다 자 까맣게 되다. ¶ 햇볕에 까매진 얼굴. 큰 꺼메지다. 여 가매지다.
까-먹다 타 1 껍데기 안에 있는 것을 꺼내 먹다. ¶ 귤을 ~ / 도시락을 ~. 2 시간이나 돈 따위를 실속 없이 써 버리다. ¶ 본전까지 다 까먹었다. 3 〈속〉 어떤 일을 잊어버리다. ¶ 약속을 ~.
까무러-뜨리다 타 까무러치게 하다.
까무러-지다 자 정신이 까물까물하여지다. 여 가무러지다.
까무러-치다 자 한때 정신을 잃고 쓰러지다. 기절하다. ¶ 비보를 듣고 ~. 여 가무러치다.
까무러-트리다 타 까무러뜨리다.
까무스레-하다 형 여불 까무스름하다.
까무스름-하다 형 여불 조금 깜다. 큰 꺼무스름하다. 여 가무스름하다. 준 까뭇하다.
까무스름-히 부
까무잡잡-하다 [-짜파-] 형 여불 약간 짙게 까무스름하다. ¶ 언니는 늘씬하고 피부가 ~. 여 가무잡잡하다.
까물-거리다 자 1 희미한 불빛이 사라질 듯 말 듯 비치다. ¶ 바람에 까물거리는 촛불. 2 멀리 있는 물건이 보일 듯 말 듯 하다. ¶ 별들이 까물거리는 밤. 3 정신이 희미하여 의식이 있는 둥 만 둥 하다. 큰 꺼물거리다. 여 가물거리다. **까물-까물** 부 하자 형
까물-대다 자 까물거리다.
까뭇-까뭇 [-묻-묻] 부 하 형 점점이 까무스름한 모양. ¶ 주근깨가 ~ 나 있는 얼굴. 큰 꺼뭇꺼뭇. 여 가뭇가뭇.
까뭇-하다 [-무타-] 형 여불 '까무스름하다'의 준말. ¶ 턱수염이 ~. 큰 꺼뭇하다. 여 가뭇하다.
까-뭉개다 타 1 높은 데를 파서 깎아 내리다. ¶ 언덕을 까뭉개고 길을 내다. 2 인격이나 문제 따위를 무시해 버리다. ¶ 자존심을 까뭉개는 질책 / 제의를 ~.
까-바치다 타 〈비〉 비밀을 속속들이 들추어내어 일러바치다. ¶ 자꾸 그러면 선생님한테 까바칠 거야.
까-발리다 타 1 껍데기를 벌려 젖히고 속에 든 것을 활짝 드러내다. ¶ 밤송이를 ~. 2 비밀을 속속들이 들추어내다. ¶ 사기꾼의 정체를 ~ / 남의 사생활을 속속들이 ~.
까-밝히다 [-발키-] 타 드러내어 밝히다. ¶ 그의 정체를 ~.
까부라-지다[1] 자 1 높이나 부피 따위가 차차 줄어지다. ¶ 밤새 두엄 더미가 까부라졌다. 2 힘이 빠져 몸이 나른해지다. ¶ 할머니가 그새 몰라보게 까부라지셨다. 큰 꺼부러지다.
까부라-지다[2] 자 마음과 성정이 바르지 아니하다. *꼬부라지다[2].
까부르다 〔까부르니, 까불러〕 타 르불 1 키를 위아래로 흔들어 곡식에 섞인 잡물을 날려 보내다. ¶ 벼를 키로 ~. 2 키질하듯 위아래로 흔들다. ¶ 우는 아이를 까부르며 달래다. 준 까불다.
까-부수다 타 치거나 때려서 부수다. ¶ 바위를 ~.
까불-거리다 자타 경망하게 자꾸 까불다.

¶계속 ~간 혼나지. 큰꺼불거리다. 여가불거리다. **까불-까불** 부하자타

*__까불다__〔까부니, 까부오〕 一자 **1** 경망하게 행동하다. ¶이제 그만 까불어. **2** 몹시 아래위로 흔들리다. 큰꺼불다. 二타 **1** 몹시 아래위로 흔들다. 큰꺼불다. **2** '까부르다'의 준말.

까불-대다 자타 까불거리다.

까불리다[1] 타 재물을 함부로 써서 없애 버리다. ¶가진 전 재산을 모두 노름에 까불리었다.

까불리다[2] 一자 《'까부르다'의 피동》 까부름을 당하다. 二타 《'까부르다'의 사동》 까부르게 하다.

까불-이 명 몹시 방정맞게 까부는 사람.

까붐-질 명하타 곡식 따위를 키로 까부는 일. 키질.

까슬-까슬 부하형 **1** 성질이 꾀까다로워서 원만하지 아니한 모양. **2** 살결이나 물건의 거죽이 매끄럽지 않고 깔깔한 모양. ¶턱에 수염이 ~하게 자랐다. 큰꺼슬꺼슬. 여가슬가슬.

까옥 부하자 까마귀가 우는 소리.

까옥-거리다 자 까마귀가 까옥 소리를 자꾸 내다. **까옥-까옥** 부하자

까옥-대다 자 까옥거리다.

까-이다 자 《'까다[2]'의 피동》 남에게 치거나 팸을 당하다. ¶무릎이 ~. 준깨다[2]2.

까지 조 **1** 동작이나 상태 따위의 범위의 한계를 나타내는 보조사. ¶시청 앞~ 걸어갔다 / 점심때~ 기다려라 / 부산~ 갔었다. **2** '다시 그 위에 더하여'의 뜻을 나타내는 보조사. ¶바쁜데 차~ 고장 났다. **3** 극단적인 경우를 나타내는 보조사. ¶할 수 있는 데~ 해 보겠다.

까-지다[1] 자 **1** 껍질이나 피부가 벗겨지다. ¶넘어져 무릎이 ~. **2** 재물이 줄게 되다. ¶놀음판에서 많이 까졌다.

까-지다[2] 형 닳고 닳아 지나치게 약다. ¶입만 까진 녀석.

까짓 [-짇] 一관 별것 아닌. 하찮은. ¶~ 사랑 때문에 / ~ 영화쯤 안 보면 되지. 二감 별것 아니라는 뜻으로, 무엇을 포기하거나 용기를 낼 때 하는 말. ¶~, 될 대로 되라지 / ~, 그만두면 그만이지.

-까짓 [-짇] 미 대명사에 붙여 하찮게 여기는 투로 '…만 한 정도의' 의 뜻을 나타내는 말. ¶그~ / 저~ / 네~ 놈 따위.

*__까:치__ 명 〔조〕 까마귓과의 새. 마을 부근에 사는데 머리에서 등까지 흑색, 가슴·배는 흼. 높은 나무 위에 마른 나뭇가지로 둥지를 지음. 이 새가 울면 반가운 손님이 온다 하여 길조로 여김.

[까치 배 바닥 같다] 흰소리하는 것을 조롱하는 말.

까:치-걸음 명 두 발을 모아서 뛰는 종종걸음.

까:치-박공 (-牔栱) 명 〔건〕 대마루의 양쪽 머리에 'ㅅ' 자 모양으로 붙인 널빤지.

까치-발[1] 명 발뒤꿈치를 든 발. ¶~을 딛고 서서 보다.

까:치-발[2] 명 〔건〕 선반의 널빤지 따위를 받치기 위해 버티어 놓는 직각 삼각형으로 된 물건.

까:치-밥 명 까치 따위의 날짐승이 쪼아 먹게 따지 않고 나무에 남겨 두는 감.

까:치-설날 [-랄] 명 〈소아〉 설날의 전날. 곧, 섣달 그믐날.

까치작-거리다 자 조금 거추장스럽게 자꾸 여기저기 걸리거나 닿다. 큰꺼치적거리다. 여가치작거리다. **까치작-까치작** 부하자

까치작-대다 자 까치작거리다.

까:치-집 명 **1** 까치의 둥지. **2** 헝클어진 머리 모양을 비유적으로 이르는 말.

까칠-까칠 부하형 윤기가 없이 거친 모양. ¶병 때문인지 피부가 ~해 보였다. 큰꺼칠꺼칠. 여가칠가칠.

까칠-하다 형여불 몸이 야위어 살갗이 매우 거칠고 기름기가 없다. ¶얼굴이 까칠하게 말랐다. 큰꺼칠하다. 여가칠하다.

까칫-거리다 [-칟꺼-] 자 살갗 따위에 자꾸 닿아 걸리다. 큰꺼칫거리다. 여가칫거리다. **까칫-까칫** [-칟-칟] 부하자

까칫-대다 [-칟때-] 자 까칫거리다.

까칫-하다 [-치타-] 형여불 야위고 메말라 윤기가 없이 조금 거칠다. 큰꺼칫하다. 여가칫하다.

까탈 명 **1** 일이 잘 안 되도록 몹시 방해하는 조건. **2** 이러니저러니 트집을 잡아 까다롭게 구는 일. ¶억지 ~을 부리다. 여가탈.

까탈-스럽다 형 '까다롭다'의 잘못.

까탈-지다 자 복잡하고 까다로운 조건이 생기다. ¶까탈진 성격. 여가탈지다.

까투리 명 암꿩. ↔장끼.

까풀 명 여러 겹으로 된 껍질이나 껍대기의 켜. ¶한 ~ 벗기다. 큰꺼풀.

까풀-지다 자 까풀을 이루다. 큰꺼풀지다.

깍 부하자 까마귀나 까치 따위가 우는 소리.

깍-깍 부하자 까마귀나 까치 따위가 자꾸 우는 소리.

깍깍-거리다 자 까마귀나 까치 따위가 자꾸 심하게 울다.

깍깍-대다 자 깍깍거리다.

깍두기 명 무를 네모나게 썰어서, 붉은 날고추를 이긴 것이나 고춧가루와 함께 양념을 하여 버무려 담근 김치.

깍둑-거리다 타 조금 단단한 물건을 대중없이 자꾸 썰다. **깍둑-깍둑** 부하타

깍둑-대다 타 깍둑거리다.

깍듯-이 부 깍듯하게. 극진히. ¶허리를 굽혀 ~ 인사하다.

깍듯-하다 [-뜨타-] 형여불 예의범절의 태도가 극진하다. ¶그는 누구에게나 깍듯하게 대하였다 / 어른 대하는 예절이 ~.

깍-쟁이 명 **1** 인색하고 이기적인 사람. ¶너 같은 ~는 처음 봤다. **2** 몸집이 작고 얄밉도록 약삭빠른 사람. ¶나이는 어리나 여간 ~가 아니다.

깍정이 명 〔식〕 참나무·떡갈나무 등의 열매의 밑받침. 각두(殼斗).

깍지[1] 명 콩 따위의 알맹이를 까 낸 꼬투리.

깍지[2] 명 **1** 열 손가락을 서로 엇갈리게 바짝 맞추어 잡은 상태. **2** 활시위를 잡아당길 때 엄지손가락의 아랫마디에 끼는 뿔로 된 기구. 각지(角指).

깍지(를) 끼다 구 열 손가락을 서로 엇갈리게 바짝 맞추어 끼다.

깍지(를) 떼다 구 깍지를 낀 엄지손가락으

로 팽팽하게 당긴 활시위를 놓다.

깍짓-손 [-찌쏜/-찓쏜] [명] 깍지 낀 손.

깍짓손(을) 떼다 [구] 깍지(를) 떼다. *깍지[2].

***깎다** [깍따] [타] **1** 칼 따위로 물건의 겉면을 얇게 벗겨 내다. ¶연필을 ~/사과를 깎아 접시에 담다. **2** 가위 따위의 기구로 털·머리 따위를 잘라 내다. ¶머리를 빡빡 ~. **3** 값을 덜다. 삭감하다. ¶값을 ~/예산을 ~. **4** 체면이나 명예, 위신 따위를 떨어뜨리다. ¶아비의 낯을 ~. **5** 주었던 지위 따위를 빼앗다. ¶벼슬을 ~.

깎아-내리다 [타] 인격이나 권위 따위를 헐뜯어서 떨어지게 하다. ¶이 자리에 없다고 그를 깎아내려서야 되겠나.

깎아-지르다 [-지르니, -질러] [타][르불] 반듯하게 깎아 세운 듯 가파르다. ¶깎아지른 듯한 절벽.

깎음-질 [명][하타] 나무 따위를 잘 다듬어 깎는 일.

깎이다[1] [자] 《'깎다'의 피동》 깎음을 당하다. ¶바위가 비바람에 ~/체면이 ~.

깎이다[2] [타] 《'깎다'의 사동》 깎게 하다. ¶개학이 다가와 아이의 머리를 ~.

깐: [명] **1** 일의 형편이나 기회에 대하여 속으로 헤아리는 가늠. ¶제 ~에는 잘한 줄 안다. **2** (주로 '깐으로(는)'의 꼴로 쓰여) '-한 것 치고는'의 뜻으로, 짐작했던 것과 사실이 다름을 나타냄. ¶그 애의 하는 ~으로는 정말 아무것도 모르는 모양이다.

깐깐-이 [명] 성질이 깐작깐작한 사람.

깐깐-하다 [형][여불] **1** 깐질기고 차지다. **2** 성격 따위가 까다로운 만큼 빈틈이 없고 착실하다. ¶깐깐해 보이는 사람. [큰]끈끈하다. **깐깐-히** [부]

깐-보다 [一][자] 마음속으로 가늠하다. 속을 떠보다. ¶깐보고 대하다. [二][타] '깔보다'의 잘못.

깐작-거리다 [자] **1** 깐깐하여 자꾸 착착 달라붙다. **2** 성질이 깐질기어 관계한 일에 안차게 자꾸 감작거리다. [큰]끈적거리다. **깐작-깐작** [부][하자]

깐작-대다 [자] 깐작거리다.

깐작-이다 [자] **1** 깐깐하여 착착 달라붙다. **2** 야무지게 달라붙다. [큰]끈적이다.

깐족-이다 [자] 쓸데없는 말을 수다스럽고 밉살스럽게 지껄이며 짓궂게 이죽거리다.

깐죽-거리다 [자] 쓸데없는 소리를 밉살스럽고 짓궂게 들러붙어 계속 지껄이다. **깐죽-깐죽** [부][하자]

깐죽-대다 [자] 깐죽거리다.

깐죽-이다 [자] 쓸데없는 소리를 밉살스럽고 짓궂게 들러붙어 지껄이다.

깐-지다 [형] 성질이 깐깐하고 야무지다. [큰]끈지다.

깐-질기다 [형] 깐깐하고 질기다. ¶성질이 꽤 ~. [큰]끈질기다.

깐질-깐질[1] [부][하자] 말이나 행동으로 자꾸 남의 맘을 간지럽게 하는 모양.

깐질-깐질[2] [부][하형] 매우 깐깐하고 검질긴 모양. [큰]끈질끈질.

-깔 [미] 몇몇 명사 뒤에 붙어 성질·상태·바탕 따위의 뜻을 더하는 말. ¶때~/빛~/성~/태~.

깔-개 [명] 눕거나 앉을 곳에 까는 물건.

깔기다 [타] 똥·오줌 따위를 여기저기 함부로 싸다. ¶개가 오줌을 ~.

깔깔 [부][하자] 큰 목소리로 못 참을 듯이 웃는 소리. [큰]껄껄.

깔깔-거리다 [자] 되바라진 목소리로 못 참을 듯이 계속 웃다. [큰]껄껄거리다.

깔깔-대다 [자] 깔깔거리다.

깔깔-하다 [형][여불] **1** 감촉이 보드랍지 못하고 까칠까칠하다. ¶깔깔한 모시 적삼. **2** 혓바닥이 깔끄럽고 입맛이 없다. ¶혀가 ~. [큰]껄껄하다. **3** 마음이 맑고 곧고 깨끗하다. [큰]끌끌하다.

깔끄럽다 [깔끄러우니, 깔끄러워] [형][ㅂ불] **1** 까끄라기 같은 것이 몸에 붙어서 살이 따끔거리는 느낌이 있다. **2** 깔깔하여 매끄럽지 않다. **3** 성미가 무난하거나 원만하지 못하다. [큰]껄끄럽다.

깔끔-거리다 [자] 자꾸 깔끄럽게 따끔거리다. [큰]껄끔거리다. **깔끔-깔끔** [부][하자]

깔끔-대다 [자] 깔끔거리다.

깔끔-하다 [형][여불] **1** 모양새나 생김새가 매끈하다. **2** 솜씨가 바르고 알뜰하다. ¶두루마기 손질이 아주 ~. **3** 성격이 깐깐하고 까다롭다. ¶깔끔한 성격. **깔끔-히** [부]

***깔다** [까니, 까오] [타] **1** 바닥에 펴 놓다. ¶자리를 ~. **2** 타고 앉다. ¶방석을 깔고 앉다. **3** 돈·물건을 여러 군데 빌려 주거나 팔려고 내놓다. ¶외상을 ~. **4** 눈을 아래로 내리뜨다. ¶겸연쩍은지 시선을 아래로 깔고 앉았다. **5** 바탕이 되게 하다. ¶강렬한 리얼리즘을 저변에 깐 작품/음악을 깔고 시를 읊다. **6** 꼼짝 못하게 남을 억누르다. ¶남을 너무 깔고 뭉개지 마라.

깔딱 [부][하자타] **1** 물 같은 액체를 겨우 조금 삼키는 소리나 모양. **2** 곧 숨이 넘어갈 듯 말 듯 하는 소리나 모양. ¶숨이 ~ 넘어가다. **3** 빳빳하고 얇은 물체가 뒤집힐 때 나는 소리. [큰]껄떡.

깔딱-거리다 [一][자] **1** 목구멍으로 물 따위를 힘겹게 조금씩 삼키는 소리가 자꾸 나다. **2** 얇고 빳빳한 물체의 바닥이 반복하여 뒤집힐 때 소리가 자꾸 나다. [큰]껄떡거리다. [二][자타] 약한 숨이 끊어질 듯 말 듯 하는 소리가 자꾸 나다. 또는 그런 소리를 자꾸 내다. ¶숨이 ~/숨을 ~. [큰]껄떡거리다. **깔딱-깔딱** [부][하자타]

깔딱-대다 [자타] 깔딱거리다.

깔때기 [명] 액체를 병 따위에 부을 때 쓰는, 나팔 모양을 하고 밑에 구멍이 뚫린 그릇. 누두.

깔때기

깔리다 [자] **1** 《'깔다'의 피동》 깖을 당하다. ¶밑에 깔린 사람/낙엽이 깔린 산길. **2** 널리 또는 많이 퍼져 있다. ¶구름이 낮게 깔려 있다/연못에 얼음이 쫙 ~/세상에 깔린 게 남자다.

깔밋-잖다 [-믿짠타] [형] 모양이나 차림새 따위가 깔끔하지 않다.

깔밋-하다 [-미타-] [형][여불] 간단하고 아담하며 깨끗하다. ¶집이 크지는 않으나 깔밋하구나. [큰]끌밋하다.

깔-보다 [타] 얕잡아 보다. ¶돈이 없다고 ~.

깔-색 (-色)[-쌕] [명] 물건의 빛깔이나 맵시 또는 바탕.

깔아-뭉개다 [타] **1** 밑에 두고 눌러 뭉개다. ¶이불을 깔아뭉개며 뒹굴다. **2** 어떤 일이나 사실을 이내 처리하지 아니하고 질질 끌거나 또는 숨기고 알리지 아니하다. ¶비위 사실을 ~. **3** 아주 억눌러 버리거나 무시하다. ¶자존심을 ~.

깔-유리 (-琉璃)[-류-] [명] 슬라이드 글라스. ↔덮개유리.

깔짝-거리다[1] [자] 썩 얇고 풀기가 센 물체가 가벼이 앞뒤로 반복하여 뒤집히면서 자꾸 소리가 나다. **깔짝-깔짝**[1] [부][하][자]

깔짝-거리다[2] [타] 자꾸 갉아서 뜯거나 진집을 내다. ¶쥐가 판자를 ~. (큰)끌쩍거리다. **깔짝-깔짝**[2] [부][하][타]

깔짝-대다[1] [자] 깔짝거리다[1].

깔짝-대다[2] [타] 깔짝거리다[2].

깔쭉-거리다 [자] 자꾸 거칠고 세게 따끔거리다. (큰)껄쭉거리다. **깔쭉-깔쭉** [부][하][자]

깔쭉-대다 [자] 깔쭉거리다.

깔찌 [명] 밑에 깔아 괴는 물건.

깔-창 [명] 신발의 바닥에 까는 물건.

깔축-없다 [-업따] [형] 조금도 축나거나 버릴 것이 없다. **깔축-없이** [-업씨] [부]. ¶한 톨의 양식도 ~ 여투어 두다.

깜깜 [부] **1** 아주 까맣게 어두운 모양. **2** 아무것도 알지 못하거나 잊은 상태. ¶사건의 내용에 대해서는 ~이다.

깜깜-무소식 (-無消息) [명] 깜깜소식. ¶떠난 후로는 ~이다. (여)감감무소식.

깜깜-소식 (-消息) [명] **1** 아주 오래되도록 소식이나 연락이 전혀 없는 상태를 말함. 깜깜무소식. (여)감감소식. **2** 무슨 일을 깜깜하게 모르는 일.

깜깜-절벽 (-絶壁) [명] **1** 이야기가 전혀 통하지 않는 상대를 이르는 말. **2** 전혀 모르거나 느끼지 못하는 상태. 캄캄절벽. ¶밤눈이 ~이어서 한 치 앞도 못 보겠다.

깜깜-하다 [형](여불) **1** 몹시 어둡다. ¶깜깜한 어둠 속을 응시하다. (큰)껌껌하다. **2** 아주 모르고 있다. ¶음악에 대해서는 아주 ~. **3** 희망이 없는 상태에 있다. ¶앞일을 생각하니 눈앞이 깜깜하구나. (거)캄캄하다.

깜냥 [명] 스스로 일을 헤아려 해내는 얼마간의 힘. ¶제 ~에 무얼 하겠다고.

깜:다 [-따] [형] 빛깔이 석탄이나 먹빛같이 아주 짙다. (큰)껌다. (여)감다.

깜-둥이 [명] **1** 살빛이 까만 사람. **2** 흑인을 낮추어 이르는 말. (큰)껌둥이.

깜박 [부][하][자][타] **1** 등불이나 별 따위가 잠깐 흐려졌다가 밝아지는 모양. **2** 정신이 잠깐 흐려졌다가 밝아지는 모양. ¶약속을 ~ 잊었네. **3** 눈을 잠깐 감았다가 뜨는 모양. ¶눈도 ~하지 않는다. (큰)끔벅. (센)깜빡.

깜박-거리다 [자][타] 자꾸 깜박하다. ¶비상등을 깜박거리며 달리는 자동차 / 눈을 깜박거리면서 신호를 한다 / 수명이 다 됐는지 형광등이 깜박거린다. (큰)끔벅거리다. **깜박-깜박** [부][하][자][타]

깜박-대다 [자][타] 깜박거리다.

깜박-등 (-燈) [명] 점멸등(點滅燈).

깜박-불 [명] 깜박거리는 불.

깜박-이다 ㊀[자] 의식이나 기억이 잠깐잠깐 흐려지다. ㊁[자][타] **1** 등불이나 별 따위의 밝은 물체가 잠깐 어두워졌다가 밝아지다. **2** 눈을 잠깐 감았다가 뜨다. (큰)끔벅이다. (센)깜빡이다.

깜부기 [명] **1** 깜부깃병에 걸려 까맣게 된 이삭. **2** 얼굴빛이 까만 사람.

깜부깃-병 (-病)[-기뼝 / -긷뼝] [명] 《식》 곡식의 이삭이 깜부기균에 의하여 검게 되어 깜부기가 되는 병. 보리·밀·옥수수·조 등의 이삭·씨알에 생겨 큰 해를 끼침. 맥각병(麥角病). 흑수병(黑穗病).

깜빡 [부][하][자][타] **1** 등불이나 별 따위가 잠깐 흐려졌다가 밝아지는 모양. **2** 정신이 잠깐 흐려졌다가 밝아지는 모양. ¶점심 약속을 ~ 잊었다 / ~ 졸다. **3** 눈을 잠깐 감았다가 뜨는 모양. (큰)끔뻑. (여)깜박.

깜빡-거리다 [자][타] 자꾸 깜빡하다. ¶어둠 속에 남폿불이 깜빡거리고 있었다 / 놀라움으로 눈을 깜빡거린다. (큰)끔뻑거리다. (여)깜박거리다. **깜빡-깜빡** [부][하][자][타]

깜빡-대다 [자][타] 깜빡거리다.

깜빡-이다 ㊀[자] 기억이나 의식 따위가 잠깐씩 흐려지다. ㊁[자][타] **1** 등불이나 별빛 같은 것이 어두워졌다 밝아졌다 하다. **2** 눈을 잠깐 감았다 떴다 하다. (큰)끔뻑이다. (여)깜박이다.

깜작 [부][하][타] 눈을 잠깐 감았다가 뜨는 모양. ¶외눈도 ~하지 않고 대들다. (큰)끔적. (센)깜짝[2].

깜작-거리다 [타] 눈을 자꾸 떴다 감았다 하다. (큰)끔적거리다. (센)깜짝거리다[2]. **깜작-깜작** [부][하][타]

깜작-대다 [타] 깜작거리다.

깜작-이 [명] '눈깜작이'의 준말.

깜작-이다 [타] 눈을 잠깐씩 감았다가 뜨다. (큰)끔적이다. (센)깜짝이다.

깜장 [명] 까만 빛깔이나 물감. ¶~ 고무신. (큰)껌정. (여)감장.

*__깜짝__[1] [부][하][자] 갑자기 놀라는 모양. ¶사고 소식을 듣고 ~ 놀라다. (큰)끔쩍.

깜짝[2] [부][하][타] 눈을 잠깐 감았다가 뜨는 모양. ¶눈 ~할 사이에 도둑을 맞았다 / 집에 불이 났다고 해도 눈 하나 ~하지 않는다. (큰)끔쩍. (여)깜작.

깜짝-거리다[1] [자] 자꾸 갑자기 놀라다. (큰)끔쩍거리다. **깜짝-깜짝**[1] [부][하][자]

깜짝-거리다[2] [타] 눈을 떴다 감았다 여러 번 잇따라 하다. (큰)끔쩍거리다. (여)깜작거리다. **깜짝-깜짝**[2] [부][하][타]

깜짝-대다[1] [자] 깜짝거리다[1].

깜짝-대다[2] [타] 깜짝거리다[2].

깜짝-이 [명] '눈깜짝이'의 준말.

깜짝-이다 [타] 눈을 잠깐씩 감았다가 뜨다. (큰)끔쩍이다. (여)깜작이다.

깜짝-이야 [감] 깜짝 놀랐을 때에 나오는 소리. (준)깜짝야.

깜찍-스럽다 [-스러우니, -스러워] [형](ㅂ불) 보기에 깜찍하다. ¶귀걸이가 깜찍스럽고 귀엽다 / 어린 나이에 깜찍스럽고 지혜로운 데가 있다. **깜찍-스레** [부]

깜찍-이 [부] 깜찍하게.

깜찍-하다 [-찌카-] [형](여불) **1** 몸집·생김새가 작고 귀엽다. ¶깜찍한 모자. **2** 생각보다 태도·행동 따위가 영악하다. ¶어린애가 아주 ~.

깝대기 [명] **1** 달걀·조개·밤 따위의 겉을 싼 단단한 물건. **2** 알맹이를 빼어 낸 겉의 물건. ㉪껍데기.

깝대기(를) 벗기다 구 ㉠입고 있는 옷을 강제로 벗기어 빼앗다. ㉡가진 금품을 홀랑 빼앗다.

깝신-거리다 자타 채신없이 자꾸 까불까불 하다. ㉪껍신거리다. **깝신-깝신** 부하자타

깝신-대다 자타 깝신거리다.

깝작-거리다 자타 방정맞게 자꾸 까불까불 하다. ㉪껍적거리다. **깝작-깝작** 부하자타

깝작-대다 자타 깝작거리다.

깝죽-거리다 자타 **1** 신이 나서 방정맞게 자꾸 움직이다. **2** 자꾸 까불거나 잘난 체하다. ㉪껍죽거리다. **깝죽-깝죽** 부하자타

깝죽-대다 자타 깝죽거리다.

깝질 명 딱딱하지 않은 물체의 겉을 싼 질긴 물질의 켜. ㉪껍질.

깡 명 〖광〗 뇌관(雷管)을 광원(鑛員)들이 일컫는 말.

깡그리 부 하나도 남김없이 온통. ¶ ~ 먹어 치우다 / 그때 일을 ~ 잊어버리다.

깡그리다 타 일을 수습하여 끝을 마무르다.

깡깡-이 명 〖악〗 악기의 소리가 코 먹은 소리와 비슷하므로 일컫는, '해금(奚琴)'의 속칭.

깡동-치마 명 예전에, 여자들이 입던 짧은 치마.

깡똥 부 짜름한 다리로 가볍게 뛰는 모양. ㉪껑뚱. ㉰강동.

깡똥-거리다 자 **1** 짜름한 다리로 가볍게 자꾸 뛰다. **2** 채신없이 경솔하게 행동하다. ㉪껑뚱거리다. ㉰강동거리다. **깡똥-깡똥** 부하자

깡똥-대다 자 깡똥거리다.

깡똥-하다 형여불 입은 옷이 아랫도리나 속옷이 드러날 정도로 짧다. ㉪껑뚱하다. ㉰강동하다.

깡-마르다 〔깡마르니, 깡말라〕 형르불 몸이 몹시 여위다. ¶ 깡마른 체격. *강마르다.

깡술 명 '강술'의 잘못.

깡쫑 부 짧은 다리로 힘 있게 솟구쳐 뛰는 모양. ㉪껑쭝. ㉰강중. ㉷깡충.

깡쫑-거리다 자 짧은 다리로 자꾸 힘 있게 솟구쳐 뛰다. ㉪껑쭝거리다. ㉰강중거리다. ㉷깡충거리다. **깡쫑-깡쫑** 부하자

깡쫑-대다 자 깡쫑거리다.

깡총-하다 형여불 **1** 키가 작은 데 비해 다리가 좀 길다. **2** 치마나 바지 따위의 옷이 좀 짧다. ㉪껑충하다.

깡충 부 짧은 다리로 힘 있게 솟구쳐 뛰는 모양. ㉪껑충. ㉰강중. ㉳깡쭝.

깡충-거리다 자 짧은 다리로 자꾸 힘 있게 솟구쳐 뛰다. ㉪껑충거리다. ㉰강중거리다. ㉳깡쭝거리다. **깡충-깡충** 부하자. ¶ ~ 뛰어가다.

깡충-대다 자 깡충거리다.

깡충-하다 형여불 '깡총하다'의 잘못.

깡통 (-筒) 명 **1** 양철로 만든 통조림통 따위의 통. ¶ ~을 따다 / 찌그러진 ~. **2** 〈속〉 아는 것이 없이 머리가 텅 빈 사람. ¶ 저런 ~은 처음 봤다.

깡통(을) 차다 구 빌어먹는 신세가 되다.

깡패 (-牌) 명 〈속〉 폭력으로 행패를 일삼는 무리. ¶ ~들 사이에 싸움이 벌어졌다.

깨 명 〖식〗 참깨·들깨의 총칭.

깨가 쏟아지다 구 특히 부부 사이가, 오붓하여 몹시 재미가 난다는 말. ¶ 깨가 쏟아지는 신접살이.

깨-강정 명 볶은 깨를 묻힌 강정.

깨개갱 부 개가 길게 지르는 소리.

깨갱 부 개가 얻어맞거나 하여 아파서 지르는 소리.

깨갱-거리다 자 자꾸 깨갱 소리를 내다. **깨갱-깨갱** 부하자

깨갱-대다 자 깨갱거리다.

깨금-발 명 발뒤꿈치를 들어 올림. 또는 그 발. ¶ ~을 딛다.

깨끔-스럽다 〔-스러우니, -스러워〕 형ㅂ불 깨끗하고 아담하다. **깨끔-스레** 부

깨끔-하다 형여불 깨끗하고 아담하다. ¶ 방을 깨끔하게 치우다. **깨끔-히** 부

***깨끗-이** 부 깨끗하게. ¶ 집 안을 ~ 치우다.

***깨끗-하다** [-끄타-] 형여불 **1** 더럽지 않다. ¶ 깨끗한 마을 / 깨끗하게 빤 옷. **2** 잘 정리되거나 정돈되어 있다. 또는 단정하다. ¶ 깨끗한 방 / 깨끗한 옷매무새. **3** 아무것도 없이 텅 비다. ¶ 밥그릇을 깨끗하게 비웠다. **4** 결백하다. ¶ 누가 뭐래도 나는 ~. **5** 후유증이 없이 말짱하다. ¶ 상처가 깨끗하게 아물었다. **6** 마음씨나 행동 따위가 떳떳하고 올바르다. ¶ 깨끗한 마음 / 깨끗한 승부. **7** 빛깔 따위가 흐리지 않고 맑다. ¶ 깨끗한 하늘.

깨끼 명 **1** 발이 얇고 성긴 비단 옷감으로 안팎을 곱솔로 박아 솔기를 곱게 오려 내어 옷을 짓는 일. **2** '깨끼옷'의 준말.

깨끼-옷 [-옫] 명 옷의 안팎 솔기를 곱솔로 박아 지은 발이 얇고 성긴 비단 겹옷.

깨나 조 '어느 정도는'의 뜻을 나타내는 보조사. ¶ 돈~ 있겠다 / 힘~ 쓰겠다.

깨:-나다 자거라불 '깨어나다'의 준말.

깨나른-하다 형여불 기운이 없어 늘쩍지근하고 내키는 마음이 적다. ㉪께느른하다.

***깨:다**[1] ㊀자 **1** 잠·꿈·술기운이 사라져 정신이 맑아지다. ¶ 술이 ~ / 잠에서 깨자마자 냉수를 들이켜다. **2** 배워 지혜가 열리다. ¶ 머리가 깬 사람. ㊁타 자던 잠을 그치다. ¶ 천둥 소리에 잠을 ~.

깨:다[2] 자 **1** 알이 깜을 당하다. ¶ 알에서 갓 깬 병아리. **2** '까이다'의 준말.

***깨다**[3] 타 **1** 단단한 것을 조각나게 하다. ¶ 접시를 떨어뜨려 깰 뻔했다. **2** 일이나 상태 따위를 중간에서 어그러뜨리다. ¶ 산통을 ~ / 침묵을 ~ / 분위기 깨는 소리 하지 마 / 다 된 혼담을 ~. **3** 어려운 벽이나 기록을 넘다. ¶ 세계 기록을 ~. **4** 이미 이루어진 것을 효력이 없어지게 하다. ¶ 원심을 깨고 사건을 고법에 되돌려 보내다. **5** 넘어지거나 맞거나 하여 상처를 내다. ¶ 넘어져 무릎을 깨고 말았다.

깨:다[4] 타 《'까다[2]'의 사동》 알을 까게 하다.

깨단-하다 타여불 오랫동안 생각나지 않던 것을 어떤 실마리로 인하여 환하게 깨닫거나 분명히 알다.

***깨닫다** 〔깨달으니, 깨달아〕 타ㄷ불 **1** 사물의 본질이나 이치 따위를 깨치어 알게 되다. ¶ 잘못을 깨달았지만 이미 그가 떠난 후였다. **2** 몰랐던 사정 따위를 느끼어 알아채

다. ¶닥쳐오는 위험을 깨닫고 피하다.
깨달음 명 진리나 이치 따위를 생각하고 궁리하여 알게 되는 것. ¶~을 얻고자 고행(苦行)을 하다.
깨-두드리다 타 단단한 물체를 두드려 깨뜨리다. 센깨뚜드리다.
깨-뚜드리다 타 단단한 물체를 뚜드리어 깨뜨리다. 여깨두드리다.
깨뜨러-지다 자 '깨지다'의 힘줌말.
***깨-뜨리다** 타 '깨다[3]'의 힘줌말. ¶그릇을 ~/세계 기록을 깨뜨렸다.
깨-물다 〔깨무니, 깨무오〕 타 **1** 위아래 이가 맞닿도록 세게 물다. ¶입술을 ~/사탕을 깨물어 먹다. **2** 감정이나 말 따위를 꾹 눌러 참다. ¶아들을 잃고 슬픔을 ~.
깨-부수다 타 **1** 깨어서 부수다. ¶홧김에 유리창을 ~. **2** 무슨 일을 이룩하지 못하도록 방해하다. ¶낡은 고정관념을 ~.
깨-소금 명 참깨를 볶아 소금을 치고 빻아 만든 양념.
깨소금 맛 구 남의 불행이 통쾌하고 고소하다는 말. ¶잘난 체하다가 낙방했다니 ~이다.
깨-알 명 깨 씨의 낱알. ¶~ 같은 글씨.
깨어-나다 [-/-여-] 자 거라불 **1** 잠이나 술기운 따위로 잃었던 의식을 회복하다. ¶꿈에서 ~/마취에서 곧 깨어날 것입니다. **2** 생각에 깊이 빠져 있다가 제정신을 차리다. ¶오랜 명상에서 ~. **3** 사회나 생활 따위가 정신적·물질적으로 발달한 상태로 되다. ¶무지와 가난에서 ~. 준깨나다.
깨어-지다 [-/-여-] 자 '깨지다'의 본딧말.
깨어진 그릇 구 다시 어떻게 수습할 수 없게 망그러진 사태를 이르는 말.
깨-엿 [-엳] 명 볶은 깨를 겉에 묻힌 엿.
깨우다 타 《'깨다[1]'의 사동》 잠이나 술에서 깨게 하다. ¶흔들어 ~.
깨우치다 타 사리를 깨닫게 하여 주다. ¶잘못된 점을 깨우쳐 주다.
깨이다 一자 **1** 《'깨다[1]'의 피동》 자다가 깸을 당하다. ¶잠에서 ~. **2** '깨다[2] 1'의 잘못. 二타 '깨다[4]'의 잘못.
깨작-거리다[1] 자타 글씨나 그림을 정신 차리지 않고 아무렇게나 자꾸 쓰거나 그리다. 큰끼적거리다. **깨작-깨작[1]** 부하자타
깨작-거리다[2] 타 '깨지락거리다'의 준말. 큰께적거리다. **깨작-깨작[2]** 부하타
깨작-대다[1] 자타 깨작거리다[1].
깨작-대다[2] 타 깨작거리다[2].
깨-죽 (-粥) 명 껍질을 벗긴 참깨에 찹쌀을 섞어 갈아서 쑨 죽.
깨죽-거리다 一자 불평스러운 말로 자꾸 되씹어 종알거리다. 二타 음식을 먹기 싫은 태도로 자꾸 되씹다. ¶~가 엄마께 잔소리만 듣다. 큰께죽거리다. **깨죽-깨죽** 부하자타
깨죽-대다 자타 깨죽거리다.
***깨:-지다** 자 〔←깨어지다〕 **1** 단단한 물건이 부딪치어 쪼개지거나 갈라지다. ¶그릇이 ~. **2** 일이 틀어지다. ¶혼담(婚談)이 ~. **3** 얻어맞거나 부딪쳐 상처가 나다. ¶이마가 ~. **4** 어떤 난관이나 기록 따위가 돌파(突破)되다. ¶최고 기록이 ~. **5** 지속되던 분위기 따위가 바뀌어 새로운 상태가 되다. ¶평화가 ~/엄숙한 분위기가 ~. **6** 〈속〉 경기 따위에서 지다. 패배하다.
깨지락-거리다 타 먹는 짓이나 하는 짓에 정신을 온전히 쓰지 않고 자꾸 마음에 들지 않는 것처럼 게을리하다. 큰께지럭거리다. 준깨작거리다[2]·깨질거리다. **깨지락-깨지락** 부하타
깨지락-대다 타 깨지락거리다.
깨치다 타 깨달아 사물의 이치를 알다. ¶겨우 한글을 ~.
깨-트리다 타 깨뜨리다. ¶유리창을 ~.
깩 부 놀라거나 충격을 받아 갑자기 되게 지르는 소리. 큰끽.
깩-깩 부 깩깩거리는 소리. 큰끽끽.
깩깩-거리다 자 '깩' 소리를 자꾸 내다. 큰끽끽거리다.
깩깩-대다 자 깩깩거리다.
깰-깰 부하자 깰깰거리는 소리. 큰낄낄. 거캘캘.
깰깰-거리다 자 웃음을 참으면서 목구멍 속으로 자꾸 웃다. ¶만화책을 보며 깰깰거리고 웃다. 큰낄낄거리다. 거캘캘거리다.
깰깰-대다 자 깰깰거리다.
깻-묵 [깬-] 명 기름을 짜낸 깨의 찌꺼기《낚시의 밑밥이나 논밭의 밑거름으로 씀》. 유박(油粕).
깻-잎 [깬닙] 명 깨의 잎사귀.
깽 부 **1** 몹시 아프거나, 무엇에 부대끼거나 하여 내는 소리. **2** 강아지 따위가 놀라거나 아파서 내는 소리. 큰낑·꿍.
깽-깽 부하자 깽깽거리는 소리. 큰낑낑·꿍꿍.
깽깽-거리다 자 **1** 아프거나 부대끼거나 하여 자꾸 깽 소리를 내다. **2** 강아지가 놀라거나 아파서 짖는 소리를 자꾸 내다. 큰낑낑거리다·꿍꿍거리다.
깽깽-대다 자 깽깽거리다.
꺄우듬-하다 형여불 조금 꺄운 듯하다. 큰끼우듬하다. 여갸우듬하다. **꺄우듬-히** 부
꺄우뚱 부하자타형 물체가 한쪽으로 조금 꺄울어진 모양. 또는 꺄울게 하거나 꺄울어지는 모양. 큰끼우뚱.
꺄우뚱-거리다 자타 몸이나 물체가 이쪽저쪽으로 기울어지게 자꾸 흔들리다. 또는 자꾸 흔들다. 큰끼우뚱거리다. 여갸우뚱거리다. **꺄우뚱-꺄우뚱** 부하자타형
꺄우뚱-대다 자타 꺄우뚱거리다.
꺄울다 〔꺄우니, 꺄우오〕 자형 수평이 아니 되고 한편이 조금 낮아지거나 낮다. 큰끼울다. 여갸울다.
꺄웃 [-욷] 부하타형 고개를 조금 꺄울이는 모양. 또는 조금 꺄운 모양. ¶영문을 몰라 고개를 ~하다. 큰끼웃. 여갸웃.
꺄웃-거리다 [-욷꺼-] 타 무엇을 보려고 자꾸 고개를 꺄울이다. 큰끼웃거리다. 여갸웃거리다. **꺄웃-꺄웃** [-욷-욷] 부하타형
꺄웃-대다 [-욷때-] 타 꺄웃거리다.
꺄웃-이 부 꺄웃하게.
꺅 부 짐승이 죽게 될 때 내는 소리.
꺅-꺅 부하자 짐승 같은 것이 죽게 될 때 잇따라 지르는 소리.
꺼꾸러-뜨리다 타 꺼꾸러지게 하다.
꺼꾸러-지다 자 **1** 거꾸로 넘어지거나 엎어

지다. ¶술에 취해 앞으로 꺼꾸러졌다. 2 〈속〉 죽다.
꺼꾸러-트리다 타 꺼꾸러뜨리다.
꺼끄러기 명 벼나 보리 등의 수염. 또는 그 동강. 작까끄라기. 준꺼러기·꺼럭.
꺼끌-꺼끌 부하형 표면이 매우 거칠고 껄끄러운 모양.
***꺼:-내다** 타 1 속이나 안에 있는 것을 밖으로 내다. ¶지갑에서 돈을 ~. 2 이야기나 생각 따위를 말하기 시작하다. ¶그는 천천히 말을 꺼내기 시작했다.
꺼:-두르다 〔꺼두르니, 꺼둘러〕 타르불 움켜잡고 함부로 휘두르다. ¶머리채를 ~. 준꺼둘다.
꺼:-둘리다 자 《'꺼두르다'의 피동》 남에게 꺼두름을 당하다. ¶멱살이 ~.
꺼드럭-거리다 자 잘난 체하며 자꾸 버릇없이 행동하다. 작까드락거리다. 여거드럭거리다. 준꺼들거리다. **꺼드럭-꺼드럭** 부하자
꺼드럭-대다 자 꺼드럭거리다.
꺼들먹-거리다 자 신이 나서 잘난 체하며 자꾸 교만하게 행동하다. 작까들막거리다. 여거들먹거리다. **꺼들먹-꺼들먹** 부하자
꺼들먹-대다 자 꺼들먹거리다.
꺼떡-거리다 자 분수없이 잘난 체하며 자꾸 경망하게 행동하다. 작까딱거리다[2]. **꺼떡-꺼떡** 부하자
꺼떡-대다 자 꺼떡거리다.
꺼-뜨리다 타 불이나 동력 장치 따위를 잘못하여 꺼지게 하다. ¶촛불을 꺼뜨렸다 / 도로 한가운데에서 시동을 ~.
꺼:리다 一타 사물이나 일 따위가 자신에게 해가 될까 하여 피하고 싫어하다. ¶승낙하기를 ~ / 나와 어울리는 것을 꺼려 한다. 二자 마음에 걸리다. ¶양심에 꺼리는 일은 없다.
꺼림칙-하다 [-치카-] 형여불 매우 꺼림하다. 께름칙하다. ¶마음이 ~ / 뒷맛이 ~.
꺼림-하다 형여불 마음에 거리끼어 언짢은 느낌이 있다. 께름하다. ¶혼자 보낸 것이 아무래도 ~.
꺼:멓다 [-머타] 〔꺼머니, 꺼머오〕 형ㅎ불 빛깔이 조금 지나치게 검다. ¶꺼먼 외투 / 천장이 꺼멓게 그을리었다. 작까맣다. 여거멓다.
꺼:메-지다 자 빛이 꺼멓게 되다. 작까매지다. 여거메지다.
꺼무레-하다 형여불 엷게 꺼무스름하다. 여거무레하다.
꺼무스레-하다 형여불 꺼무스름하다.
꺼무스름-하다 형여불 조금 껌은 기가 있다. 작까무스름하다. 여거무스름하다. 준꺼뭇하다.
꺼물-거리다 자 1 희미한 불빛이 사라질 듯 말 듯 비치다. 2 멀리 있는 물건이 보일 듯 말 듯 움직이다. 3 정신이 희미하여 의식이 있는 둥 없는 둥 하다. 작까물거리다. 여거물거리다. **꺼물-꺼물** 부하자형
꺼물-대다 자 꺼물거리다.
꺼뭇-꺼뭇 [-묻-묻] 부하형 점점이 껌은 모양. 작까뭇까뭇. 여거뭇거뭇.
꺼뭇-하다 [-무타-] 형여불 '꺼무스름하다'의 준말. 작까뭇하다. 여거뭇하다.
꺼:벙-하다 형여불 허우대는 크나 성격이 야무지지 않고 조금 모자라다. ¶꺼벙하게 생긴 얼굴.
꺼:병이 명 1 꿩의 어린 새끼. 2 겉모양이 잘 어울리지 아니하고 거칠게 생긴 사람.
꺼부러-지다 자 1 높이·부피가 차차 줄어지다. 2 기운이 빠져 몸이 구부러지거나 나른해지다. 작까부라지다.
꺼불-거리다 자타 격에 맞지 않게 자꾸 꺼불다. 작까불거리다. 여거불거리다. **꺼불-꺼불** 부하자타
꺼불다 〔꺼부니, 꺼부오〕 一자 1 위아래로 느릿느릿하게 흔들리다. 2 격에 맞지 아니하게 멋없이 경솔하게 행동하다. 작까불다. 二타 위아래로 느릿느릿하게 흔들다. 작까불다.
꺼불-대다 자타 꺼불거리다.
꺼슬-꺼슬 부하형 1 성질이 거친 모양. 2 살결이나 물건의 거죽이 매끄럽지 아니하고 매우 거친 모양. ¶~한 베옷. 작까슬까슬. 여거슬거슬.
꺼이-꺼이 부 목이 메어 우는 소리. ¶방바닥을 치며 ~ 통곡한다.
***꺼지다**[1] 자 1 불·거품 등이 사라져 없어지다. ¶촛불이 ~. 2 걸렸던 시동 따위가 도로 죽다. ¶억지로 건 시동이 꺼져 버렸다. 3 〈속〉 (주로 명령형으로 쓰여) 눈앞에서 사라지다. ¶꺼져, 이놈아. 4 목숨이 끊어지다. 죽다. ¶꺼져 가는 생명.
꺼지다[2] 자 1 바닥이 내려앉아 빠지다. ¶땅이 ~. 2 신체의 일부가 우묵하게 들어가다. ¶푹 꺼진 눈 / 배가 ~.
꺼치적-거리다 자 거추장스럽게 자꾸 여기저기 걸리거나 닿다. 작까치작거리다. 여거치적거리다. **꺼치적-꺼치적** 부하자
꺼치적-대다 자 꺼치적거리다.
꺼칠-꺼칠 부하형 반드럽지 않은 모양. ¶~한 감촉. 작까칠까칠. 여거칠거칠.
꺼칠-하다 형여불 살이 빠져 피부나 털에 윤기가 없다. ¶꺼칠하게 여윈 얼굴 / 피부가 ~. 작까칠하다. 여거칠하다.
꺼칫-거리다 [-칟꺼-] 자 살갗 따위에 자꾸 닿아 걸리다. 작까칫거리다. 여거칫거리다. **꺼칫-꺼칫** [-칟-칟] 부하자
꺼칫-대다 자 꺼칫거리다.
꺼칫-하다 [-치타-] 형여불 여위고 메말라 윤기가 없이 거칠다. 작까칫하다. 여거칫하다.
꺼풀 명 1 여러 겹으로 된 껍질이나 껍데기의 켜. ¶입술이 타서 ~이 일어나다. 2 껍질이나 껍데기의 켜를 세는 단위. ¶한 ~ 벗기다. 작까풀.
꺼풀-지다 자 껍질이나 껍데기 등이 뭉치어 져서 꺼풀을 이루다. 작까풀지다.
꺽 부 음식 따위를 먹은 후에 트림하는 소리.
꺽-꺽 부 숨이 막힐 정도로 우는 모양이나 소리.
꺽꺽-하다 [-꺼카-] 형여불 품질이나 성질이 억세어서 부드러운 맛이 없다.
꺽다리 명 '키꺽다리'의 준말.
꺽지다 형 억세고 용감하며 결단력이 있다.
꺽짓-손 [-찌쏜 / -찓쏜] 명 쥐는 힘이 억세어서 호락호락하지 않은 손아귀.
꺽짓손(이) 세다 구 사람을 휘어잡고 어려운 일을 감당할 만한 수단이 있다.

꺾기 [꺽끼] 명 유도에서, 상대방의 관절을 꺾거나 비틀어서 움직이지 못하게 하는 기술.

꺾-꽂이 [꺽-] 명하타 《식》 식물의 줄기나 가지를 잘라 흙에 꽂아서 살게 하는 일. 삽목(插木). ¶뜰에 버드나무를 ~하다.

***꺾다** [꺽따] 타 **1** 나뭇가지 따위의 길고 단단한 물체를 휘어 부러뜨리다. ¶꽃가지를 ~. **2** 방향을 바꾸어 돌리다. ¶핸들을 ~. **3** 얇은 물체를 접어 겹치다. ¶책장을 꺾어 넣어라. **4** 생각이나 기운 따위를 못 펴게 하다. ¶남의 기를 ~/고집을 ~. **5** 팔·다리·허리 등을 구부리거나 굽히다. ¶도둑의 팔을 꺾어 꼼짝 못하게 하다. **6** 〈속〉 술을 마시다. ¶퇴근길에 한잔 꺾자. **7** 경기나 싸움 따위에서 상대를 이기다. ¶축구 결승에서 상대 팀을 2대 0으로 꺾고 우승했다.

꺾-쇠 [꺽쐬] 명 'ㄷ' 자 모양의 쇠토막《잇댄 두 개의 나무 따위를 벌어지지 않게 하는 데 씀》.

꺾쇠

꺾쇠-묶음 [꺽쐬-] 명 대괄호.

꺾어-지다 자 **1** 단단한 물체가 휘어져 부러지다. ¶작대기가 딱 하고 꺾어졌다. **2** 얇은 물체가 접히다. **3** 방향을 바꾸게 되다. ¶강은 이곳에서 남쪽으로 꺾어진다. **4** 생각이나 기운 따위가 제대로 펴지지 못하다. ¶우리의 뜻이 무참히 꺾어졌다. **5** 〈속〉 특정한 나이의 절반이 되다. ¶내일모레면 꺾어진 70이다.

꺾은-선 (-線) 명 《수》 여러 가지 길이와 방향을 가진 선분(線分)을 차례로 이은 선. 절선(折線). ¶~ 그래프.

꺾이다 자 **1** 《'꺾다'의 피동》 꺾음을 당하다. ¶태풍에 굵은 나무들도 꺾였다. **2** 길 따위가 굽어지다. ¶이 길은 저기에서 오른쪽으로 꺾인다. **3** 기세나 기운 따위가 약해지다. ¶매서운 눈초리에 기가 ~/더위도 이제 한풀 꺾인 것 같구나.

꺾-자 (-字) [꺽짜] 명 **1** 증서 같은 문서의 여백이 있을 때 '이상(以上)'의 뜻으로 쓰는 'ㄱ' 자 모양의 부호. **2** 글의 어떠한 줄이나 글자를 지워 버리기 위해 그리는 줄.

꺾자 놓다 구 꺾자(를) 치다.

꺾자(를) 치다 구 ㉠증서 같은 문서의 여백에 꺾자를 그리다. ㉡글에서, 글줄이나 글자를 지워 버리기 위하여 꺾자를 그리다. 꺾자 놓다.

껀둥-그리다 타 하나도 흩어지지 않게 말끔히 수습하다. 여건둥그리다.

껀둥-껀둥 부하타 하나도 흩어지지 않게 말끔히 수습하는 모양. 여건둥건둥.

껀둥-하다 형여불 흐트러짐이 없이 잘 정돈되어 시원스럽게 헌칠하다. 여건둥하다. **껀둥-히** 부

껄껄 부하자 우렁찬 목소리로 시원스럽게 웃는 소리. ¶~ 웃으시는 아버지. 작깔깔.

껄껄-거리다 자 시원스럽고 우렁찬 목소리로 자꾸 웃다. 작깔깔거리다.

껄껄-대다 자 껄껄거리다.

껄껄-하다 형여불 **1** 물건의 감촉이 꺼칠꺼칠하다. **2** 사람의 성미가 부드럽지 못하고 거칠다. 작깔깔하다.

껄끄럽다 〔껄끄러우니, 껄끄러워〕 형ㅂ불 **1** 꺼칠한 것이 살에 닿아서 따끔거리는 느낌이 있다. **2** 껄껄하여 미끄럽지 못하다. **3** 원만하지 못하고 거북한 데가 있다. 마음에 걸려 불편하다. ¶껄끄러운 상대를 만나다/물어보기가 왠지 ~. 작깔끄럽다.

껄끔-거리다 자 껄끄럽고 뜨끔거리다. 작깔끔거리다. **껄끔-껄끔** 부하자

껄끔-대다 자 껄끔거리다.

껄떡 부하자 **1** 목구멍의 액체를 겨우 조금 삼키는 소리나 모양. **2** 곧 숨이 넘어갈 듯이 끊어졌다 이어졌다 하는 숨소리나 모양. ¶숨이 ~ 넘어가는 소리를 하다. **3** 얇고 빳빳한 물체의 바닥이 뒤집힐 때 나는 소리나 모양. 작깔딱.

껄떡-거리다 ㊀자 **1** 목구멍의 물 따위를 힘겹게 조금 넘기는 소리가 자꾸 나다. **2** 빳빳하고 얇은 물체의 바닥이 뒤집히는 소리가 자꾸 나다. 작깔딱거리다. ㊁자타 약한 숨을 끊어질 듯 말 듯하게 겨우겨우 끌어가다. 또는 그런 소리를 자꾸 내다. ¶숨이 ~/그는 숨을 껄떡거리며 말을 하려 했다. 작깔딱거리다. **껄떡-껄떡** 부하자타

껄떡-대다 자타 껄떡거리다.

껄렁 부하형 **1** 말이나 행동이 미덥지 못하고 허황된 모양. ¶모양만 내는 ~한 청년. **2** 사물이 꼴사납고 너절한 모양. ¶알량한 상상력을 동원하여 ~한 소설을 썼다.

껄렁-껄렁 부하형 **1** 말이나 행동이 모두 미덥지 못하고 허황된 모양. ¶뒷거리에 ~한 녀석들이 어슬렁거린다. **2** 사물들이 모두 꼴사납고 너절한 모양.

껄렁-이 명 됨됨이나 하는 행동이 껄렁껄렁한 사람.

껄렁-패 (-牌) 명 껄렁껄렁한 사람의 무리.

껄쭉-거리다 자 거칠고 세게 껄끔거리다. 작깔쭉거리다. **껄쭉-껄쭉** 부하자

껄쭉-대다 자 껄쭉거리다.

껌 (←gum) 명 고무에 설탕·박하 따위의 향료를 넣어 만든 과자《삼키지는 않고 씹다가 뱉어 버림》.

껌껌-하다 형여불 **1** 아주 어둡다. ¶껌껌한 골목. 작깜깜하다. **2** 마음이 음흉하다. ¶속이 껌껌한 사람. 거컴컴하다.

껌:다 [-따] 형 매우 검다. 작깜다. 여검다.

껌둥-개 명 털빛이 껌은 개.

껌-둥이 명 **1** 피부가 꺼먼 사람을 놀림조로 이르는 말. **2** 껌둥개를 귀엽게 이르는 말. **3** 흑인을 낮추어 이르는 말. 작깜둥이. 여검둥이.

껌벅 부하자타 끔벅.

껌벅-거리다 자타 끔벅거리다. **껌벅-껌벅** 부하자타

껌벅-대다 자타 껌벅거리다.

껌벅-이다 자타 끔벅이다.

껌정 명 꺼먼 빛깔이나 물감. ¶~ 옷차림의 사내들이 다가왔다. 작깜장. 여검정.

껍데기 명 **1** 달걀·조개 등의 겉을 싼 단단한 물질. ¶굴 ~. **2** 속에 무엇을 채우고 그 겉을 싼 것. ¶이불 ~. 작깝대기. **3** 화투에서, 끗수가 없는 패짝.

껍신-거리다 자타 채신없이 꺼불거리다. 작깝신거리다. **껍신-껍신** 부하자타

껍신-대다 자타 껍신거리다.

껍적-거리다 자타 방정맞게 함부로 꺼불거

리다. ㉸깝작거리다. **껍적-껍적** 부하자타

껍적-대다 자타 껍적거리다.

껍죽-거리다 자타 **1** 신이 나서 방정맞게 함부로 움직이다. **2** 자꾸 꺼불거나 잘난 체하다. ㉸깝죽거리다. **껍죽-껍죽** 부하자타

껍죽-대다 자타 껍죽거리다.

***껍질** 명 딱딱하지 아니한 무른 물체의 거죽을 싸고 있는 질긴 물질의 켜. 깍지. ¶사과 ~을 벗기다. ㉸깝질. *껍데기.

-껏 [껃] 미 **1** '있는 대로 다하여'의 뜻. ¶정성~ 준비하다 / 힘~ 돕다. **2** '그때까지 내내'의 뜻. ¶아직~ / 여태~.

껑거리 명 길마를 얹을 때, 마소들의 궁둥이에 막대를 가로 대고, 그 두 끝에 줄을 매어 좌우로 잡아매게 된 물건.

껑뚱 부 긴 다리로 채신없이 가볍게 뛰는 모양. ㉸깡똥. ㉾정둥.

껑뚱-거리다 자 **1** 긴 다리로 채신없이 자꾸 가볍게 뛰다. **2** 침착하지 못하고 자꾸 채신없이 행동하다. ㉸깡똥거리다. ㉾정둥거리다. **껑뚱-껑뚱** 부하자

껑뚱-대다 자 껑뚱거리다.

껑뚱-하다 형여불 아랫도리나 속옷이 드러날 정도로 입은 옷이 짧다. ㉸깡똥하다. ㉾정둥하다.

껑쭝 부 긴 다리로 힘 있게 솟구쳐 뛰는 모양. ㉸깡쫑. ㉾정중. ㉿껑충.

껑쭝-거리다 자 긴 다리로 자꾸 힘 있게 솟구쳐 뛰다. ㉸깡쫑거리다. ㉾정중거리다. ㉿껑충거리다. **껑쭝-껑쭝** 부하자

껑쭝-대다 자 껑쭝거리다.

껑충 부 **1** 긴 다리로 솟구쳐 뛰는 모양. ㉸깡충. ㉾정중. ㊉껑쭝. **2** 일정한 순서나 단계를 대번에 많이 건너뛰는 모양. ¶채소 가격이 ~ 뛰었다.

껑충-거리다 자 긴 다리로 자꾸 위로 솟구쳐 뛰다. ㉸깡충거리다. ㉾정중거리다. ㊉껑쭝거리다. **껑충-껑충** 부하자 **1** 껑충거리는 모양. ¶망아지가 ~ 뛰어가다. **2** 일정한 순서나 단계를 자꾸 건너뛰는 모양. ¶새 학기에는 성적이 ~ 뛰어올랐다.

껑충-대다 자 껑충거리다.

껑충-이 명 키가 큰 사람을 놀림조로 이르는 말.

껑충-하다 형여불 **1** 키가 멋없이 크고 다리가 길다. ¶다리가 껑충한 사람. **2** 치마나 바지 따위의 옷이 꽤 짧다. ㉸깡총하다.

께 조 '에게'의 높임말. ¶형님~ 바치겠다.

-께 미 어떤 때나 곳을 중심 잡아 그 가까운 범위. ¶그믐~ / 남대문~쯤 갔을 거다.

께느른-하다 형여불 몸에 기운이 없어 늘쩍지근하고 내키는 마음이 적다. ¶께느른한 봄날. ㉸깨나른하다.

께로 조 '에게로'의 높임말.

께름칙-하다 [-치카-] 형여불 꺼림칙하다.

께름-하다 형여불 꺼림하다.

께서 조 '가'·'이'의 높임말인 주격 조사. ¶아버지~ 하신 말씀 / 춘부장~는 안녕하신가.

께적-거리다 타 '께지럭거리다'의 준말. ㉸깨작거리다[2]. **께적-께적** 부하타

께적-대다 타 께적거리다.

께죽-거리다 ㊀자 못마땅하게 여기어 자꾸 중얼거리다. ㊁타 음식을 먹기 싫은 듯이 자꾸 되씹다. ㉸깨죽거리다. **께죽-께죽** 부하자타

께죽-대다 자타 께죽거리다.

께지럭-거리다 타 하는 짓·먹는 동작이 탐탁하지 않다. ㉸깨지락거리다. ㊟께적거리다·께질거리다. **께지럭-께지럭** 부하타

께지럭-대다 타 께지럭거리다.

껴-들다[1] 〔껴드니, 껴드오〕 타 **1** 팔로 끼어서 들다. ¶가방을 ~. **2** 두 물건을 한데 겹쳐서 들다.

껴-들다[2] 〔껴드니, 껴드오〕 자 '끼어들다'의 준말. ¶남의 일에 껴들지 마라.

껴-묻기 명 《역》 시체와 함께 패물·연장·그릇 따위를 묻는 일. 부장(副葬).

껴-묻다 자 (주로 '껴묻어'의 꼴로 쓰여) 같이 끼어 덧붙다. ¶내 책이 자네한테 껴묻어 가지 않았나.

껴-안다 [-따] 타 **1** 두 팔로 감싸서 안다. ¶우는 아이를 껴안고 달래다. **2** 혼자서 여러 가지 일을 떠맡다. ¶혼자 일을 껴안고 쩔쩔맨다.

껴-입다 타 옷을 입은 위에 또 덧입다. ¶내복을 ~.

꼬기다 ㊀자 꼬김살이 생기다. ㊁타 종이나 천 따위를 몹시 비비어 금이 생기게 하다. ㊌꾸기다. ㉾고기다.

꼬기작-거리다 타 꼬김살이 많이 나게 자꾸 꼬기다. ㊌꾸기적거리다. ㉾고기작거리다. **꼬기작-꼬기작** 부하타. ¶메모지를 ~ 구겨서 쓰레기통에 버리다.

꼬기작-대다 타 꼬기작거리다.

꼬김-살 [-쌀] 명 꼬기어서 생긴 금. ㊌꾸김살. ㉾고김살.

꼬깃-거리다 [-긷꺼-] 타 꼬김살이 많이 생기게 사정없이 마구 꼬기다. ㊌꾸깃거리다. ㉾고깃거리다. **꼬깃-꼬깃** [-긷-긷] 부하형타. ¶~ 접은 종이. ㊌꾸깃꾸깃.

꼬깃-대다 [-긷때-] 타 꼬깃거리다.

꼬:까 명 〈소아〉 때때. 고까.

꼬:까-신 명 〈소아〉 때때신. 고까신.

꼬:까-옷 [-옫] 명 〈소아〉 때때옷. 고까옷.

꼬꼬 ㊀명 〈소아〉 닭. ㊁부 암탉 우는 소리.

꼬꼬댁 부하자 암탉이 놀랐거나 알을 낳은 뒤에 우는 소리.

꼬꾸라-뜨리다 타 **1** 꼬부라져 쓰러지게 하다. **2** 〈속〉 죽게 하다. ㉾고꾸라뜨리다.

꼬꾸라-지다 자 **1** 앞으로 꼬부라져 쓰러지다. **2** 〈속〉 죽다. ㉾고꾸라지다.

꼬꾸라-트리다 타 꼬꾸라뜨리다.

꼬끼오 부 수탉의 우는 소리.

꼬나-물다 〔-무니, -무오〕 타 낮잡아 하는 말로, 담배나 물부리 따위를 입에 물다. ¶담배를 한 대 꼬나물었다.

꼬나-보다 타 낮잡아 하는 말로, 눈을 모로 뜨고 못마땅한 듯이 노려보다. ¶기분 나쁘게 왜 자꾸 나를 꼬나보는 거요.

꼬느다 〔꼬느니, 꼬나〕 타 **1** 긴 물건의 한쪽 끝을 번쩍 들어 무엇을 겨누고 내뻗치다. ¶창을 꼬나 쥐다. **2** 바짝 정신을 차리어 가지고 매섭게 벼르다.

꼬:다 타 **1** 여러 가닥을 비비어 한 줄이 되게 하다. ¶새끼를 ~. **2** 몸·다리·팔 따위를 뒤틀다. ¶다리를 꼬고 앉다. **3** 비꼬다.

꼬다케 부 불이 너무 세지도 않고, 꺼지지

도 않고, 그대로 곱다랗게 붙어 있는 모양.
꼬:드기다 타 **1** 연줄을 잡아 잦히어 연이 높이 오르도록 하다. **2** 남의 마음을 부추겨 의도한 대로 움직이게 하다. ¶싸움을 하라고 ~/친구를 꼬드기어 여행을 가다.
꼬들-꼬들 부하형 밥알이 속은 무르고 겉은 오돌오돌한 모양. ¶~한 밥을 물에 말아 먹다. 큰꾸들꾸들. 여고들고들.
꼬락서니 명 〈속〉 꼴. ¶그런 ~는 보기도 싫다.
꼬랑지 명 '꽁지'의 낮은말.
꼬르륵 부하자 **1** 배 속이 비었을 때 나는 소리. **2** 닭이 놀랐을 때 내는 소리. **3** 물이나 술 등이 비좁은 구멍으로 간신히 빠져나가는 소리. **4** 가래가 목구멍에 걸리어 나는 소리. 큰꾸르륵.
꼬르륵-거리다 자 자꾸 꼬르륵 소리가 나다. 큰꾸르륵거리다. **꼬르륵-꼬르륵** 부하자
꼬르륵-대다 자 꼬르륵거리다.
*__꼬리__ 명 **1** 동물의 꽁무니에 가늘고 길게 나와 있는 부분. ¶~를 흔들다. *꽁지. **2** 사물의 한쪽 끝에 길게 내민 부분. ¶배추 ~/혜성의 ~/연의 ~. **3** 사람을 찾거나 쫓아갈 수 있을 만한 흔적. ¶범인의 ~가 잡히지 않는다. **4** 어떤 무리의 끝. ¶행렬의 ~에 붙어 따라가다. **5** 어떤 일이나 말, 생각 따위의 뒷부분.
꼬리(가) 길다 구 ㉠못된 짓을 오래 두고 계속하다. ㉡방문을 꼭 닫지 아니하고 나가는 사람을 나무라는 말.
[꼬리가 길면 밟힌다] 나쁜 짓을 오래 두고 여러 번 계속하면 결국에는 들키고 만다는 뜻.
꼬리(를) 감추다 구 자취를 감추다. 숨다.
꼬리(를) 달다 구 ㉠더 보태어 말하다. ㉡조건을 붙이다.
꼬리(를) 물다 구 계속 이어지다. ¶생각이 꼬리를 물고 일어났다.
꼬리(를) 밟히다 구 행적(行蹟)을 들키다.
꼬리(를) 사리다 구 겁이 나서 슬슬 피하거나 움츠러들다.
꼬리(를) 잇다 구 뒤따라 계속되다.
꼬리(를) 잡다 구 감추는 것을 알아내다.
꼬리(를) 치다 구 〈속〉 유혹(誘惑)하다. 아양을 떨다.
꼬리-곰탕(-湯) 명 쇠꼬리를 토막쳐서 넣고 끓인 곰탕. 꼬리곰.
꼬리 날개 비행기의 안정을 유지하고 방향을 바꾸는 역할을 하는, 동체(胴體)의 뒤에 장치한 수직 및 수평의 날개. 미익(尾翼).
꼬리-별 명 혜성(彗星)1.
꼬리-뼈 명 미골(尾骨).
꼬리-지느러미 명 〔어〕 물고기의 꼬리 끝에 있는 지느러미. 미기(尾鰭).
꼬리-표(-票) 명 **1** 철도·배·비행기로 화물을 부칠 때, 목적지나 보내는 사람의 주소·성명을 적어 그 화물에 달아매는 쪽지. **2** 어떤 사람에게 늘 따라다니는 좋지 않은 평판이나 평가. ¶올챙이 기자라는 ~를 떼게 되었다.
꼬리표(가) 붙다 구 어떤 인물이나 사물에 좋지 않은 평가가 내려지다. ¶늘 행동이 느린 그에게 굼벵이라는 ~.
*__꼬마__ 명 **1** 어린아이를 귀엽게 이르는 말. ¶~야, 네 이름은 뭐니. **2** 조그마한 것을 귀엽게 이르는 말. ¶~ 자동차. **3** 키가 작은 사람을 놀림조로 하는 말.
꼬막 명 〔조개〕 돌조갯과의 바닷물조개. 모래 진흙 속에 사는데, 살이 연하고 맛이 좋아 요리에 많이 씀. 강요주(江瑤珠). 살조개. 안다미조개.
꼬맹이 명 '꼬마1'를 홀하게 이르는 말.
꼬무락-거리다 자타 (몸 따위를) 자꾸 느리게 움직이다. ¶갓난애가 손가락을 꼬무락거린다. 큰꾸무럭거리다. 여고무락거리다. **꼬무락-꼬무락** 부하자타. ¶발가락이 가려워 ~ 움직여 본다.
꼬무락-대다 자타 꼬무락거리다.
꼬물-거리다 자타 **1** 몸을 몹시 좀스럽고 느리게 자꾸 움직이다. ¶많은 벌레들이 꼬물거리며 기어가고 있다. **2** 몹시 굼뜨고 게으르게 행동하다. 큰꾸물거리다. 여고물거리다. **꼬물-꼬물** 부하자타
꼬물-대다 자타 꼬물거리다.
꼬박[1] 부 어떤 상태를 고스란히 그대로. ¶~ 사흘을 굶었다/밤을 ~ 샜다. 센꼬빡[1].
꼬박[2] 부하타 졸거나 절할 때, 머리와 몸을 앞으로 조금 숙였다가 드는 모양. 큰꾸벅. 센꼬빡[2].
꼬박-거리다 타 졸거나 절할 때, 머리와 몸을 자꾸 앞으로 숙였다가 들다. 큰꾸벅거리다. 센꼬빡거리다. **꼬박-꼬박**[1] 부하타
꼬박-꼬박[2] 부 **1** 조금도 어김없이 그대로 계속하는 모양. ¶집세를 다달이 ~ 다 물다/매일 일기를 ~ 쓰게 하다/~ 적금을 부었다. **2** 남이 시키는 대로 따르는 모양. ¶부모님 말씀을 ~ 실행한다. 큰꾸벅꾸벅[2]. 센꼬빡꼬빡[2]. *또박또박[2].
꼬박-대다 타 꼬박거리다.
꼬박-이 부 꼬박[1].
꼬박-이다 타 졸거나 절을 할 때에 머리와 몸을 앞으로 조금 숙였다가 들다. 큰꾸벅이다. 센꼬빡이다.
꼬부라-들다 〔-드니, -드오〕 자 안쪽으로 고부라져 들어오다. 큰꾸부러들다.
꼬부라-뜨리다 타 꼬부라지게 하다. 큰꾸부러뜨리다.
꼬부라-지다[1] 자 한쪽으로 고붓하게 휘어지다. ¶허리가 ~. 큰꾸부러지다. 여고부라지다.
꼬부라-지다[2] 형 마음이나 성미가 바르지 아니하다. ¶마음이 ~.
꼬부라-트리다 타 꼬부라뜨리다.
꼬부랑-글자(-字)[-짜] 명 **1** 모양 없이 서투르게 쓴 글씨. **2** 〈속〉 서양 글자.
꼬부랑-길 [-낄] 명 꼬부라진 길. 큰꾸부렁길. 여고부랑길.
꼬부랑-이 명 꼬부라진 물건.
꼬부랑-하다 형여불 안으로 휘어들어 곱다. ¶할머니의 꼬부랑한 허리. 큰꾸부렁하다. 여고부랑하다.
꼬부리다 타 한쪽으로 세게 굽히다. ¶허리를 ~/혀를 ~/모자의 챙을 꼬부려 쓰다. 큰꾸부리다. 여고부리다.
꼬부장-하다 형여불 **1** 꼬부라져 있다. ¶허리가 ~. **2** 불평이 있어 토라져 있다. ¶그 일이 있고 나서 늘 마음이 ~. 큰꾸부정하다. 여고부장하다. **꼬부장-히** 부

꼬불-거리다 자 이리저리 꼬부라지다. 큰 꾸불거리다. 여고불거리다. **꼬불-꼬불** 부 하자형. ¶길이 ~ 나 있다.
꼬불-대다 자 꼬불거리다.
꼬불탕-하다 형여불 매우 나슨하게 꼬부라져 있다. 큰꾸불텅하다. 여고불탕하다.
꼬붓-이 부 꼬붓하게. 큰꾸붓이. 여고붓이.
꼬붓-하다 [-부타-] 형여불 보기에 조금 곱은 듯하다. 큰꾸붓하다. 여고붓하다.
꼬빡[1] 부 어떤 상태를 끝까지 고스란히 그대로. ¶밤을 ~ 새우다. 여꼬박[1].
꼬빡[2] 부하타 졸거나 절할 때에 머리와 몸을 세게 숙였다가 드는 모양. ¶기다리다 ~ 잠이 들었다. 큰꾸뻑. 여꼬박[2].
꼬빡-거리다 타 졸거나 절할 때 머리와 몸을 여러 번 자꾸 숙였다가 들다. 큰꾸뻑거리다. 여꼬박거리다. **꼬빡-꼬빡**[1] 부하타
꼬빡-꼬빡[2] 부 **1** 조금도 어김없이 그대로 계속하는 모양. ¶약속을 ~ 잘 지킨다. **2** 시키는 대로 잘 순종하는 모양. 큰꾸뻑꾸뻑[2]. 여꼬박꼬박[2].
꼬빡-대다 타 꼬빡거리다.
꼬빡-이다 타 졸거나 절을 할 때에 머리와 몸을 앞으로 조금 숙였다가 들다. 큰꾸뻑이다. 여꼬박이다.
꼬이다[1] 자 **1** 일이 제대로 순순히 되지 않고 뒤틀리다. ¶일이 자꾸 꼬여 드는 것만 같다. **2** 비위에 거슬려 마음이 뒤틀리다. ¶심사가 꼬여 빚을 갚지 않았다.
꼬이다[2] 자《'꼬다'의 피동》꼼을 당하다. 꼬아지다. ¶실이 꼬여 풀리지 않는다 / 몸이 비비 ~ / 중풍으로 팔이 자꾸 꼬인다. 준꾀다[2].
꼬이다[3] 자 꾀다[1]. ¶쓰레기통에 파리가 ~.
꼬이다[4] 타 꾀다[3]. ¶친구를 꼬여 학교를 빼먹고 놀러 가다.
꼬임 명 '꾐'의 본딧말. ¶~에 빠지다.
꼬장-꼬장 부하형 **1** 가늘고 긴 물건이 곧은 모양. **2** 사람됨이 곧고 결백한 모양. ¶성미가 ~한 사람. **3** 노인이 허리도 굽지 않고 정정한 모양. ¶나이는 먹었더라도 아직은 ~하다.
꼬질-꼬질 부하형 **1** 몹시 뒤틀리고 꼬불꼬불한 모양. **2** 옷이나 몸에 때가 많이 낀 모양. ¶옷에 때가 ~하구나.
***꼬집다** 타 **1** 손가락이나 손톱으로 살을 집어 뜯거나 비틀다. ¶졸면 안 되겠다고 허벅지를 꼬집어 가면서 참았다. **2** 분명하게 드러내어 말하다. ¶딱 꼬집어 물어볼 수가 없었다. **3** 비위가 상하게 비틀어 말하다. ¶남의 약점을 꼬집지 마시오.
꼬집어 말하다 구 분명하게 꼭 집어서 말하다. ¶가슴 아픈 일을 그렇게 꼬집어 말하면 좋지 않아요.
꼬집-히다 [-지피-] 자《'꼬집다'의 피동》꼬집음을 당하다. ¶어린 손자에게 여기저기 꼬집혀 멍이 들었다 / 자기의 약점을 꼬집히면 당황하게 마련이다.
꼬창-모 명 논에 물이 부족하여 흙이 좀 굳어서 꼬챙이로 구멍을 뚫으면서 심는 모.
꼬챙이 명 가늘고 길쭉한 나무·대·쇠 등의 끝을 뾰족하게 한 물건. ¶~에 오징어를 꿰어 굽다. 준꼬치.
꼬치 명 **1** '꼬챙이'의 준말. **2** 어묵·유부 등 꼬챙이에 꿴 음식물. **3** 꼬챙이에 꿴 음식물을 세는 단위. ¶곶감 한 ~.
꼬치-꼬치 부 **1** 몸이 여위어 꼬챙이같이 마른 모양. ¶~ 마른 병자. **2** 끝까지 샅샅이 따지고 캐묻는 모양. ¶~ 따지며 대들다.
꼬투리 명 **1** '담배꼬투리'의 준말. **2**〖식〗콩과(科) 식물의 열매를 싸고 있는 껍질. **3** 어떤 일이나 이야기의 실마리. ¶사건의 ~를 잡다. **4** 남을 해코지하거나 헐뜯을 만한 거리. ¶사사건건 ~를 잡고 늘어진다.
꼬푸리다 타 몸을 앞으로 꼬부리다. 큰꾸푸리다. 여고푸리다.
***꼭**[1] 부 **1** 지그시 힘을 주어 누르거나 죄는 모양. ¶입술을 ~ 다물다 / ~ 껴안다 / 눈을 ~ 감다 / ~ 붙잡고 있어라. **2** 힘들여 고통을 참거나 견디는 모양. ¶모욕을 ~ 참다. **3** 단단히 숨거나 틀어박히는 모양. ¶하루 종일 방에 ~ 틀어박혀 있다. 큰꾹.
꼭[2] 부 **1** 어떤 일이 있어도 반드시. ¶약속을 ~ 지킨다 / ~ 참석해라. **2** 조금도 어김없이. ¶몸에 ~ 맞는 옷 / 모녀가 ~ 닮았다.

> **'꼭'과 '똑'**
> 꼭 '어김없이'·'틀림없이'의 뜻인 부사. 이 말 뒤에는 동사가 따름.
> 예 꼭 성공해라 / 꼭 참석해라 / 꼭 닮았다.
> 똑 '틀림없이'의 뜻인 부사. 이 말 뒤에는 형용사가 따름.
> 예 똑 알맞다 / 똑 닮다.

꼭-꼭[1] 부 **1** 지그시 힘을 주어 누르거나 조르는 것을 더 세게 하는 모양. ¶~ 씹어 먹어라 / ~ 묶다. **2** 잇따라 또는 매우 힘을 들여 참거나 견디는 모양. 큰꾹꾹. **3** 아주 단단히 숨거나 틀어박히는 모양. ¶그는 다락방에 ~ 숨어 바깥쪽으로 귀를 기울였다.
꼭-꼭[2] 부 어떤 일이 있어도 반드시. 조금도 어김없이. ¶매달 어머님께 ~ 용돈을 보내 드린다.
***꼭대기** 명 **1** 사물의 제일 위쪽. ¶건물 ~ / 나무 ~. **2** 여럿 가운데의 우두머리.
꼭두-각시 명 **1** 여러 가지 이상야릇한 탈을 씌운 인형. 괴뢰. **2** 남의 조종에 따라 행동하는 사람의 비유. 괴뢰. 망석중이.
꼭두각시-놀음 명 여러 인형을 무대 위에 번갈아 내세우고, 무대 뒤에서 조종하는 민속 인형극의 하나. **―-하다** 자여불 피동적으로 남의 의사에 따라서만 움직이다.
꼭두-놀리다 자 꼭두각시를 놀리다.
꼭두-새벽 명 아주 이른 새벽. 꼭두식전. ¶~부터 수선을 떨다.
꼭두서니 명〖식〗꼭두서닛과의 여러해살이 덩굴풀. 가을에 노란 꽃이 핌. 뿌리에서 물감을 뽑고 어린잎은 식용함. 천초(茜草).
꼭두-식전 (-食前) 명 꼭두새벽.
꼭뒤 명 뒤통수의 한복판. ¶화가 ~까지 치밀어 오르는 것 같았다.
[꼭뒤에 부은 물이 발뒤꿈치로 내린다] ㉠ 윗사람이 나쁜 짓을 하면 곧 아랫사람에게 영향을 끼친다. ㉡조상이 남긴 풍습은 반드시 자손이 물려받게 된다.
꼭뒤(를) 누르다 구 위에 있는 세력이나 힘이 억누르다. 꼭뒤(를) 지르다.
꼭뒤(를) 눌리다 구 남의 꼭뒤 누름을 당하

다. 꼭뒤(를) 질리다.
꼭뒤(를) 지르다 [구] ㉠꼭뒤(를) 누르다. ㉡ 앞질러 가로채서 말하거나 행동하다.
꼭뒤(를) 질리다 [구] 꼭뒤(를) 눌리다.
꼭뒤-잡이 [명][하자] 뒤통수를 중심으로 머리나 깃고대를 잡아채는 짓.
꼭지 [一][명] **1** 잎사귀나 열매를 지탱하는 줄기. ¶수박의 ~가 시든 것을 보니 맛이 없겠다. **2** 그릇 뚜껑이나 기구 따위에 붙은 손잡이. ¶주전자 ~ / ~가 망가진 수도. **3** 종이 연(鳶)의 가운데에 붙인 표. [二][의명] **1** 모숨을 지어 잡아맨, 긴 물건을 세는 말. ¶미역 세 ~. **2** 일정한 양으로 묶은 교정쇄를 세는 말. ¶오늘은 한 ~만 교정했다.
꼭지가 물렀다 [구] 기회가 완전히 무르익었다. ¶이젠 꼭지가 물렀으니 망설이지 마라.
꼭지(를) 따다 [구] 처음으로 시작하다.
꼭지-각 (-角) [명] 〘수〙 삼각형의 밑변에 대하는 각. 구용어 : 정각(頂角).
꼭지-눈 [명] 〘식〙 줄기나 가지 끝의 눈. 끝눈.
***꼭짓-점** (-點)[-찌쩜 / -찓쩜] [명] **1** 맨 꼭대기가 되는 점. **2** 〘수〙 각을 이루고 있는 두 직선이 만나는 점. **3** 〘수〙 다면체의 세 개 이상의 면이 만나는 점. 정점(頂點).
꼰질-꼰질 [부][하형] 하는 짓이 너무 꼼꼼하여 갑갑한 모양.
꼲다 [꼰타] [타] 잘잘못을 살펴 평가하다.
꼴[1] [명] **1** 겉으로 나타난 모양이나 생김새. ¶ 'ㄱ' 자 ~로 생긴 책상. **2** 사물의 생김새나 됨됨이를 낮잡아 이르는 말. ¶~이 말이 아니다 / ~도 보기 싫다. **3** 형편이나 처지를 낮잡아 이르는 말. ¶누구 망하는 ~을 보고 싶어 그러냐.
꼴[2] [명] 마소에게 먹이는 풀. ¶~ 베러 가다. [꼴을 베어 신을 삼겠다] 은혜를 잊지 않고 보답하겠다. 결초보은(結草報恩).
-꼴 [미] 그 수량만큼 해당함을 나타내는 말. ¶한 개 백 원~ / 두 명에 한 개~.
꼴-값 [-깝] [명][하자] **1** '얼굴값'을 속되게 이르는 말. **2** 격에 맞지 아니하는 아니꼬운 행동. ¶자식, ~하고 있네.
꼴-같잖다 [-갇짠타] [형] 생김새나 됨됨이가 같잖다. ¶꼴같잖게 으스댄다.
꼴까닥 [부][하자] '꼴깍'의 본딧말. [큰]꿀꺼덕.
꼴깍 [부][하자] **1** 적은 물이나 침이 목구멍이나 좁은 구멍으로, 한꺼번에 넘어가는 소리. [거]꼴칵. **2** 분함을 억지로 참는 모양. [큰]꿀꺽. **3** 잠깐 사이에 없어지거나 죽는 모양. ¶~ 숨이 넘어가다 / 해가 ~ 서산을 넘어갔다.
꼴깍-거리다 [자] 자꾸 꼴깍하다. [큰]꿀꺽거리다. **꼴깍-꼴깍** [부][하자]
꼴깍-대다 [자] 꼴깍거리다.
꼴-답잖다 [-짠타] [형] 꼴이 보기에 흉하다. ¶그 얼굴에 꼴답잖게 화장을 했네.
꼴-등 (-等)[-뜽] [명] 등급의 맨 끝.
꼴딱 [부][하자타] **1** 적은 양의 음식물을 목구멍으로 한꺼번에 삼키는 소리. 또는 그 모양. [큰]꿀떡[2]. **2** 해가 서쪽으로 완전히 지는 모양. ¶해가 ~ 넘어가다. **3** 일정한 시간을 완전히 넘긴 모양. ¶사흘을 ~ 굶다. **4** 넘칠 만큼 아주 꽉 들어찬 모양. ¶목구멍에 ~ 찰 만큼 실컷 먹었다.
꼴딱-거리다 [자타] **1** 자꾸 꼴딱하다. [큰]꿀떡거리다. **2** 그릇에 담긴 물이 조금씩 자꾸 넘치다. **꼴딱-꼴딱** [부][하자타]
꼴딱-대다 [자타] 꼴딱거리다.
꼴뚜기 [명] 〘동〙 꼴뚜깃과의 소형 오징어. 내만(內灣) 얕은 곳에 삶. 길이는 다리 끝까지 20 cm 쯤 되고 몸빛은 회색을 띤 적갈색이며, 난소(卵巢)가 성숙하면 혹처럼 도톨도톨한 것이 몸 표면에 돋음.
꼴리다 [자] **1** 생식기가 성욕으로 인하여 팽창되다. **2** 어떤 일이 마음에 들지 않아 불끈 화가 나다. ¶밸이 꼴려 일을 팽개치다.
꼴-불견 (-不見) [명] 겉모양이나 하는 짓이 같잖거나 우스워 차마 볼 수가 없음. ¶삼십도 안 되어 배가 나오는 것처럼 ~도 없단다.
꼴-사납다 〔꼴사나우니, 꼴사나워〕 [형][ㅂ불] 모양이나 하는 짓이 보기에 흉하다. ¶꼴사나운 몰골이 차마 눈 뜨고 볼 수 없을 지경이었다.
꼴-좋다 [-조타] [형] 꼴불견이다. 꼴사납다 《반어적(反語的) 표현으로 씀》. ¶고집을 부리더니 ~.
꼴찌 [명] 순서로 쳐서 맨 끝. ¶성적이 ~인 학생.
꼴칵 [부][하자] 물 같은 것이 목구멍이나 좁은 구멍으로 한꺼번에 넘어갈 때 나는 소리. ¶침을 ~ 삼키다. [큰]꿀컥. [센]꼴깍.
꼼꼼 [부][하형][히부] 성질이나 행동이 차분하고 자세하여 빈틈이 없는 모양. ¶강의 준비를 ~하게 하다 / 서류를 ~히 읽다.
꼼-수 [명] 쩨쩨한 수단이나 방법. ¶~를 쓰다 / 그런 ~에는 안 넘어간다.
꼼실-거리다 [자] 작은 벌레 따위가 굼뜨게 자꾸 움직이다. [큰]꿈실거리다. [여]곰실거리다. **꼼실-꼼실** [부][하자]
꼼실-대다 [자] 꼼실거리다.
꼼작 [부][하자타] 둔하고 느리게 조금 움직이는 모양. [큰]꿈적. [여]곰작. [센]꼼짝.
꼼작-거리다 [자타] 자꾸 꼼작하다. ¶발가락을 ~. [큰]꿈적거리다. [센]꼼짝거리다. **꼼작-꼼작** [부][하자타]
꼼작-대다 [자타] 꼼작거리다.
꼼작-이다 [자타] 몸을 둔하고 느리게 움직이다. ¶벌레가 ~ / 발가락을 ~. [큰]꿈적이다. [센]꼼짝이다.
꼼지락 [부][하자타] 몸을 천천히 좀스럽게 움직이는 모양. [큰]꿈지럭. [여]곰지락. [준]꼼질.
꼼지락-거리다 [자타] 자꾸 꼼지락하다. ¶이불 속에서 ~가 늦게 일어났다 / 꼼지락거리지 말고 얼른 치워라. [큰]꿈지럭거리다. [준]꼼질거리다. **꼼지락-꼼지락** [부][하자타]
꼼지락-대다 [자타] 꼼지락거리다.
꼼질 [부][하자타] '꼼지락'의 준말. [큰]꿈질.
꼼질-거리다 [자타] '꼼지락거리다'의 준말. [큰]꿈질거리다. **꼼질-꼼질** [부][하자타]
꼼질-대다 [자타] 꼼질거리다.
꼼짝 [부][하자타] 몸을 둔하고 느리게 조금 움직이는 모양. ¶~하지 말고 거기 있어라. [큰]꿈쩍. [여]곰작·꼼작.
꼼짝 못하다 [구] 남의 힘이나 위엄 또는 세력 등에 눌려 기를 펴지 못하다. ¶그는 아내한테 꼼짝 못하고 눌려 지낸다. [큰]꿈쩍 못하다.
꼼짝 아니하다 [구] ㉠몸을 조금도 움직이지

아니하다. ㉡조금도 자기 뜻을 내세우거나 반항하지 아니하다.
꼼짝-거리다 자타 자꾸 꼼짝하다. 큰꿈쩍거리다. 여꼼작거리다. **꼼짝-꼼짝** 부하자타
꼼짝-달싹 부하자 몸이 조금 움직이거나 들리는 모양《부정할 때에만 씀》. ¶~도 않고 앉아 있다 / 범인을 ~ 못하게 포박하다.
꼼짝-대다 자타 꼼짝거리다.
꼼짝-없다 [-업따] 형 **1** 조금도 움직이는 기색이 없다. 큰꿈쩍없다. **2** 현재의 상태를 벗어날 방법 따위가 없다. **꼼짝-없이** [-업씨] 부. ¶사기꾼의 꼬임에 ~ 넘어갔다.
꼼짝-이다 자타 몸을 둔하고 느리게 움직이다. 큰꿈쩍이다. 여꼼작이다.
꼼치 명 **1** 작은 것. **2** 적은 것.
꼼틀 부하자타 몸의 일부분을 이리저리 꼬부려 움직이는 모양. 큰꿈틀. 여곰틀.
꼼틀-거리다 자타 자꾸 꼼틀하다. 큰꿈틀거리다. 여곰틀거리다. **꼼틀-꼼틀** 부하자타
꼼틀-대다 자타 꼼틀거리다.
꼽꼽-하다 [-꼬파-] 형여불 조금 촉촉하다. 큰꿉꿉하다.
꼽다 타 **1** 수를 세려고 손가락을 하나씩 꼬부리다. ¶아이가 손가락을 꼽으며 자기 나이를 세어 본다. **2** 골라서 지목하다. ¶전쟁의 고통으로 공포와 굶주림과 질병을 꼽았다.
꼽작 부하타 머리를 숙이거나 몸을 가볍게 한 번 굽히는 모양. 큰꿉적. 여곱작.
꼽재기 명 **1** 때나 먼지 같은 더러운 물건. ¶눈 ~. **2** 아주 보잘것없고 작은 사물.
꼽추 명 곱사등이.
꼽치다 타 반으로 접어 한데 합치다. 여곱치다.
꼽-히다 [꼬피-] 자 《'꼽다'의 피동》 지목을 받다. ¶일인자로 꼽히는 사람 / 우승 후보로 꼽힌 팀.
꼿꼿-이 [꼳-] 부 꼿꼿하게. ¶허리를 ~ 세우고 걷다.
꼿꼿-하다 [꼳꼬타-] 형여불 **1** 단단하고 길쭉한 것이 굽은 데가 없이 쭉 바르다. ¶고개를 꼿꼿하게 세우다. **2** 배반하거나 뜻을 포기하는 일이 없이 굳세다. ¶꼿꼿한 선비 기질. 큰꿋꿋하다.
꽁꽁[1] 부하자 되게 앓는 소리. 또는 아픈 것을 참는 신음 소리. 큰끙끙.
꽁꽁[2] 부 **1** 물체가 단단히 언 모양. ¶물이 ~ 얼었다. **2** 힘주어 단단히 죄어 묶는 모양. ¶짐을 ~ 묶다.
꽁-다리 명 짤막하게 남은 동강이나 끄트머리. ¶연필 ~ / 담배 ~.
꽁무니 명 **1** 《동》 짐승이나 새의 등마루뼈의 끝이 되는 부분. **2** 엉덩이를 중심으로 한, 몸의 뒷부분. ¶~에 권총을 차다. **3** 사물의 맨 뒤나 맨 끝. 뒤꽁무니. ¶여자 ~만 좇아다닌다.
꽁무니를 따라다니다 구 (주로, 이끗을 바라고) 부지런히 바싹 붙어 따라다니다.
꽁무니(를) 빼다 구 힘에 겹거나 두려워하여 관계된 일에서 슬그머니 물러나다.
꽁무니(를) 사리다 구 슬그머니 피하려 하거나 달아나려 하다.
꽁무니-뼈 명 《생》 미골(尾骨).
꽁-보리밥 명 보리쌀로만 지은 밥.
꽁-생원 (-生員) 명 도량이나 소견이 좁은 사람을 조롱하는 말.
꽁지 명 새의 꽁무니에 달린 깃.
[꽁지 빠진 새〔수탉〕 같다] 볼품이 없거나 위신이 없어 보이는 사람의 비유.
꽁지가 빠지게 구 매우 빨리. ¶놈들은 한바탕 난리를 피우고 ~ 도망쳤다.
꽁초 명 피우다 남은 담배꼬투리. ¶~를 아무 데나 버리다.
꽁:치 명 《어》 꽁칫과의 바닷물고기. 길이는 30cm가량, 납작하며 주둥이가 부리같이 삐쭉이 나옴. 등은 흑청색, 배는 은백색. 맛이 좋음.
꽁:-하다 一자여불 무슨 일을 잊지 아니하고 속으로만 언짢고 서운하게 여기다. ¶조그마한 일에도 꽁하는 성미. 二형여불 마음이 좁아 너그럽지 못하고 말이 없다. ¶네가 이렇게 꽁한 사람인 줄 몰랐다.
***꽂다** [꼳따] 타 **1** 박아 세우거나 찔러 넣다. ¶화병에 꽃을 ~ / 머리핀을 머리에 ~. **2** 내던져서 거꾸로 박히게 하다. ¶있는 힘을 다해 메어 ~.
꽂을-대 [-때] 명 총포에 화약을 재거나 총열 청소에 쓰는 쇠꼬챙이.
꽂-히다 [꼬치-] 자 《'꽂다'의 피동》 꽂음을 당하다. 박아 세움을 당하다. ¶화살이 ~ / 책장에 책이 가지런히 꽂혀 있다.
***꽃** [꼳] 명 **1** 《식》 꽃식물의 유성(有性) 생식 기관. 모양과 빛이 여러 가지이며, 대개 암술·수술·꽃잎·꽃받침의 네 부분으로 되었음. 분류 방법에 따라 무피화(無被花)·유피화, 또는 갖춘꽃·안갖춘꽃, 통꽃·갈래꽃 등 여러 가지임. **2** 꽃이 피는 식물. ¶~을 가꾸다. **3** 아름다운 여자. 미인(美人). ¶~ 같은 따님을 두셔서 좋으시겠습니다. **4** 아름답고 화려하게 번영하는 일. ¶~ 같은 청춘 / 중세 문화가 활짝 ~을 피우다. **5** 홍역 따위를 앓을 때, 살갗에 좁쌀처럼 돋아나는 것.
[꽃이 좋아야 나비가 모인다] ㉠상품이 좋아야 많이 팔 수 있다. ㉡자기가 완전해야 좋은 상대방을 구할 수 있다.
꽃-가루 [꼳까-] 명 《식》 꽃식물의 수술의 꽃밥 속에 들어 있는 낟알 모양의 생식 세포. 화분(花粉).
꽃-가지 [꼳까-] 명 꽃이 피어 있거나 달려 있는 가지. ¶바람이 불어 ~의 꽃이 많이 떨어졌다.
꽃-게 [꼳께] 명 《동》 꽃겟과의 게. 모래땅에 떼 지어 사는데, 마름모꼴의 등딱지와 넷째 다리는 푸른빛을 띤 암자색 바탕에 흰 구름무늬가 있음. 집게발이 강대함. 화해(花蟹).
꽃-꽂이 [꼳-] 명하자 화초나 나무의 가지를 꽃병이나 수반에 꽂아 자연미를 나타내는 일. 또는 그 기법(技法). ¶~ 강습회.
꽃-나무 [꼰-] 명 **1** 꽃이 피는 나무. 화목(花木). 화수(花樹). ¶~를 가꾸다. **2** 화초(花草).
꽃-놀이 [꼰-] 명하자 꽃을 찾아다니며 보고 즐기는 놀이. 화유(花遊).
꽃-눈 [꼰-] 명 《식》 자라서 꽃이 필 눈. 화아(花芽).
꽃-다발 [꼳따-] 명 생화 또는 조화(造花)를

모아 만든 다발. ¶ ~을 보내다 / ~을 안고 아들 졸업식에 가다.
꽃-다지[1] [꼳따-] 명 《식》 오이·가지 등의 맨 처음의 열매.
꽃-다지[2] [꼳따-] 명 《식》 십자화과의 두해살이풀. 산·논밭에 나는데, 줄기 높이 20-30 cm, 온몸에 짧은 털이 빽빽하게 남. 잎은 달걀 모양으로 어긋나며, 봄에 노란 꽃이 줄기 끝에 핌. 어린잎은 식용함.
꽃-달임 [꼳딸-] 명하자 진달래꽃이나 국화를 따서 전을 부치거나 떡에 넣거나 하여 여럿이 모여 먹는 놀이.
꽃-답다 [꼳땁-] (꽃다우니, 꽃다워) 형ㅂ불 (주로 '꽃다운'의 꼴로 쓰여) 꽃과 같이 아름답다. ¶ 꽃다운 나이 / 전쟁으로 꽃다운 목숨을 잃은 청년들.
꽃-당혜 (-唐鞋)[꼳땅- / 꼳땅헤] 명 여러 빛깔을 넣어 곱게 만든 어린아이의 마른신.
꽃-대 [꼳때] 명 식물의 꽃자루가 붙은 줄기. 화축(花軸).
꽃-돔 [꼳똠] 명 《어》 농엇과의 바닷물고기. 길이 20 cm가량, 몸은 달걀꼴로 납작하고, 후두부가 솟음. 주둥이가 짧고 둔하며 눈이 큼. 몸빛은 선홍색임.
꽃-돗자리 [꼳똗짜-] 명 꽃무늬를 놓아 짠 돗자리. 화문석. 준꽃자리.
꽃-동산 [꼳똥-] 명 아름다운 꽃으로 덮인 동산. 화원(花園).
꽃-말 [꼰-] 명 꽃의 특징에 따라 상징적 의미를 부여한 말(장미의 꽃말은 사랑·애정, 월계수는 영광 따위). 화사(花詞).
꽃-망울 [꼰-] 명 어린 꽃봉오리. ¶ ~을 터뜨리다. 준망울.
꽃-무늬 [꼰-니] 명 꽃 모양의 무늬. 화문(花紋). ¶ ~를 수놓은 옷감.
꽃-물 [꼰-] 명 **1** 꽃을 물감으로 하여 들이는 물. ¶ 봉숭아로 손톱에 ~을 들였다. **2** 불그스레한 혈색의 비유. ¶ 발그스레하게 ~이 든 소녀의 뺨.
꽃-바구니 [꼳빠-] 명 **1** 화초를 따서 넣거나 꽃가지를 담는 바구니. **2** 화초나 꽃가지 따위로 꾸민 바구니.
꽃-바람 [꼳빠-] 명 꽃이 필 무렵에 부는 봄바람. ¶ 봄을 시샘하는 ~.
꽃-받침 [꼳빧-] 명 《식》 꽃의 보호 기관의 하나. 꽃잎을 받치는데, 보통 녹색이나 갈색임. 악(萼).
꽃-밥 [꼳빱] 명 《식》 꽃의 한 기관. 수술 끝에 붙어서 꽃가루를 만드는 주머니 모양의 부분. 약(葯).
***꽃-밭** [꼳빧] 명 **1** 꽃을 많이 심어 가꾼 곳. 또는 꽃이 많이 피어 있는 곳. 화원(花園). ¶ 그는 ~을 가꾸는 일로 하루 일과를 시작한다. **2** 〈속〉 미인 또는 여자들이 많이 모여 있는 곳. ¶ ~에서 놀다.
꽃-병 (-瓶)[꼳뼝] 명 꽃을 꽂아 놓는 병. 화병(花瓶).
꽃-봉오리 [꼳뽕-] 명 **1** 망울만 맺히고 아직 피지 아니한 꽃. ¶ ~가 맺히다. 준꽃봉. **2** 희망에 가득 찬 젊은이의 비유. ¶ 앞날을 짊어지고 갈 젊은 ~들.
꽃-부리 [꼳뿌-] 명 《식》 꽃의 가장 고운 부분으로, 한 송이 꽃의 꽃잎 전체를 이르는 말. 화관(花冠).
꽃-불 [꼳뿔] 명 이글이글 타오르는 불.
꽃-사슴 [꼳싸-] 명 누런색의 털에 흰 점이 고르게 나 있는 작은 사슴.
꽃-삽 [꼳쌉] 명 꽃 따위를 옮겨 심거나 매만져 가꾸는 데 쓰는 작은 삽.
꽃-상여 (-喪輿)[꼳쌍-] 명 꽃으로 꾸민 상여.
꽃샘-바람 [꼳쌤-] 명 이른 봄, 꽃이 필 무렵에 부는 쌀쌀한 바람.
꽃샘-추위 [꼳쌤-] 명 이른 봄, 꽃이 필 무렵에 오는 추위.
꽃-소식 (-消息)[꼳쏘-] 명 꽃이 피고 봄이

꽃 말

꽃 이름	뜻	꽃 이름	뜻
개나리	희망·청초	백합	순결
과꽃	추억	샐비어	정력
국화	평화·굳은 절개	아네모네	비밀의 사랑
글라디올러스	젊음	아이리스	기다림
금잔화	인내	아카시아	친교·깨끗한 마음
나리	순결	안개꽃	약속
난초	절개	올리브	평화
달리아	정열·변덕	월계수	영광
데이지	순진	장미	사랑·애정
도라지	따뜻한 애정	제비꽃	가난한 행복·겸손
동백	자랑	카네이션	어머니의 사랑
라일락	연정	코스모스	처녀의 진심·순애
매화	결백	클로버	근면·행운
모란	부귀	튤립	밀회
목련	우아	팬지	사랑해 주세요·생각
무궁화	일편단심	프리지어	정숙
물망초	망각·진심	해바라기	믿음
백일홍	꿈	히아신스	슬픔

온 조짐. ¶남쪽으로부터 ~이 전해 온다.
꽃-송이 [꼳쏭-] 명 **1** 꽃자루 위로 붙은 꽃 전부의 일컬음. **2** 앞날이 기대되는 어린 사람을 비유적으로 이르는 말.
꽃-술 [꼳쑬] 명 〖식〗 꽃의 수술과 암술(꽃의 생식 기관임). 화수. 화예(花蕊).
꽃-신 [꼳씬] 명 꽃 모양이나 그 밖에 여러 가지 빛깔로 예쁘게 꾸민 신발. 흔히, 여자나 아이들이 신음.
꽃-싸움 [꼳-] 명하자 **1** 여러 가지 빛깔의 꽃을 뜯어 가지고, 그 수효의 많고 적음을 겨루는 장난. **2** 꽃이나 꽃술을 맞걸어 당겨, 떨어지고 아니 떨어짐으로 승부를 가리는 장난. 화전(花戰).
*__꽃-씨__ [꼳-] 명 화초의 씨앗.
꽃-잎 [꼰닙] 명 〖식〗 꽃부리를 이루고 있는 낱낱의 조각. 화판(花瓣). ¶~ 끝에 달려 있는 작은 이슬 방울들.
꽃-자루 [꼳짜-] 명 〖식〗 꽃이 달리는 짧은 가지. 화경(花梗). 화병(花柄).
꽃-자리 [꼳짜-] 명 **1** '꽃돗자리'의 준말. **2** 나무의 꽃이 떨어진 자국.
꽃-전 (-煎)[꼳쩐] 명 **1** 찹쌀가루를 반죽하여 꽃 모양으로 지진 부꾸미. **2** 부꾸미에 대추와 진달래·개나리, 국화 따위의 꽃잎을 붙인 떡.
꽃-줄기 [꼳쭐-] 명 〖식〗 꽃이 달리는 줄기. 화경(花莖).
꽃-집 [꼳찝] 명 꽃을 파는 가게. 꽃가게.
꽃-차례 [꼳-] 명 〖식〗 꽃이 줄기나 가지에 붙어 있는 상태. 화서(花序).
꽃-턱잎 [꼳텅닙] 명 꽃대의 밑 또는 꽃자루의 밑에 있는 비늘 모양의 잎. 보통은 녹색임. 포(苞). 화포(花苞).
꽃-표 (-標)[꼳-] 명 인쇄 기호 '*'를 이르는 말.
꽃-피다 [꼳-] 자 **1** 어떤 현상이 활짝 드러나거나 벌어지다. ¶한바탕 웃음이 꽃피고 있을 때. **2** 어떤 일이 발전하거나 번영하다. ¶민족 문화가 꽃피게 힘쓰자.
꽃-피우다 [꼳-] 타 ('꽃피다'의 사동) **1** 어떤 현상이 활짝 드러나게 하다. ¶무용담을 ~/사랑을 ~. **2** 어떤 현상을 번영하게 하다. ¶문명의 역사를 ~.
꽃-향기 (-香氣)[꼬턍-] 명 꽃에서 나는 향내. ¶아카시아 ~가 코를 찌르다.
꽈르르 부하자 많은 양의 물이 좁은 구멍으로 급히 쏟아지는 소리. ㉮콰르르.
꽈르릉 부하자 폭발물 따위가 터지거나 천둥이 칠 때 요란하게 울리는 소리.
꽈:리 명 **1** 〖식〗 가짓과의 여러해살이풀. 높이는 90 cm 가량, 잎은 달걀꼴의 타원형임. 여름에 노르스름한 꽃이 피고, 빨간 장과(漿果)를 맺음. 열매는 아이들이 부는 놀잇감임. **2** 〖한의〗 수포(水疱).
꽈:배기 명 **1** 유밀과(油蜜菓)의 한 가지. 밀가루 따위를 반죽하여, 엿가락처럼 가늘고 길게 늘여, 두 가닥으로 꽈서 기름에 튀겨 낸 과자. **2** 〈속〉 '사물을 비꼬아서 말하기 좋아하는 사람'의 비유.
꽉 부 **1** 힘을 주어 누르거나 묶는 모양. ¶~ 묶어라. **2** 가득 차거나 막힌 모양. ¶가방에 ~ 채우다. **3** 슬픔이나 괴로움 따위를 애써 참고 견디는 모양. ¶아픔을 ~ 참다.
꽉-꽉 부 **1** 잔뜩 힘을 들여서 여러 번 단단히 누르거나 묶는 모양. ¶~ 눌러 담다. **2** 모두 다 가득히 차거나 막힌 모양. ¶서랍 속에는 옷들이 ~ 차 있다.
꽐꽐 부하자 좁은 구멍으로 많은 양의 물이 급히 쏟아지는 소리. ㉮콸콸.
꽝[1] 명 〈속〉 제비뽑기 등에서 맞히지 못하여 배당이 없는 것. ¶이번 복권도 ~이다.
꽝[2] 부 **1** 대포나 총을 쏘거나 폭발물이 터질 때 울리는 소리. ¶수류탄이 ~ 소리를 내며 터졌다. **2** 좀 무겁고 딱딱한 물건이 되게 떨어지거나 부딪쳐서 울리는 소리. ¶대문을 ~ 닫다. ㉮쾅.
꽝-꽝 부 **1** 단단하고 무거운 물체가 잇따라 바닥에 떨어지거나 다른 물체와 부딪쳐 울리는 소리. **2** 잇따라 대포나 총을 쏘거나 폭발물이 터질 때 울리는 소리. ¶대포 소리가 ~ 울린다. **3** 매우 단단하게 굳어지는 모양. ¶한파로 한강이 ~ 얼었다. ㉮쾅쾅.
꽝꽝-거리다 자타 잇따라 꽝꽝 소리가 나다. 또는 잇따라 꽝꽝 소리를 나게 하다. ㉮쾅쾅거리다.
꽝꽝-대다 자타 꽝꽝거리다.
꽤 부 **1** 보통 이상으로. 상당히. ¶~ 길다/~ 많은 돈. **2** 제법. 자못. 어지간히. ¶~ 재미있다.
꽥 부하자 갑자기 목청을 높여 지르는 소리. ¶~ 소리를 지르다. ㊔꿱.
꽥-꽥 부하자 꽥꽥거리는 소리. ㊔꿱꿱.
꽥꽥-거리다 자 '꽥' 소리를 자꾸 내다. ㊔꿱꿱거리다.
꽥꽥-대다 자 꽥꽥거리다.
꽹 부하자 꽹과리를 치는 소리.
*__꽹과리__ 명 〖악〗 놋쇠로 만든 징과 같은 타악기의 하나. 동고(銅鼓). 쟁(錚). 소금(小金). ¶~를 치다.

꽹과리

꽹그랑 부 꽹과리나 징 따위를 칠 때 나는 소리.
꽹그랑-거리다 자타 꽹과리나 징 따위를 치는 소리가 잇따라 나다. 또는 그런 소리를 잇따라 내다. **꽹그랑-꽹그랑** 부하자타
꽹그랑-대다 자타 꽹그랑거리다.
꽹-꽹 부하자 꽹과리를 잇따라 치는 소리.
꽹-하다 형여불 물체가 더할 수 없이 맑고 투명하다. ㊐괭하다.
*__꾀__ 명 일을 잘 꾸며 내는 묘한 생각이나 수단. ¶얕은 ~/~가 많은 사람.
꾀가 나다 구 일에 싫증이 나다.
꾀-까다롭다 (꾀까다로우니, 꾀까다로워) 형ㅂ불 몹시 야릇하게 까다롭다. ¶꾀까다로운 성격. ㊐괴까다롭다. **꾀-까다로이** 부
꾀꼬리 명 **1** 〖조〗 꾀꼬릿과의 새. 휘파람새와 비슷하고, 몸빛은 황색이며, 꼬리와 날개 끝은 검음. 곱게 욺. 황조(黃鳥). **2** 목소리가 고운 사람의 비유. ¶~ 같은 목소리의 주인공.
꾀꼴 부 꾀꼬리가 우는 소리.
꾀꼴-꾀꼴 부하자 꾀꼬리가 계속해서 우는 소리.
꾀:다[1] 자 **1** 벌레 따위가 한곳에 수없이 모여들어 뒤끓다. 꼬이다. ¶구더기가 ~. **2** 사람들이 한곳에 많이 모여들다. 꼬이다.

¶구경꾼이 ~.
꾀:다[2] 자 '꼬이다[2]'의 준말. ¶덩굴이 배배 꾀어 담을 올라가고 있다.
꾀:다[3] 타 달콤한 말이나 그럴듯한 행동으로 남을 속여 제게 이롭게 끌다. 꼬이다. ¶부잣집 딸을 꾀어 결혼하다.
꾀-바르다 (꾀바르니, 꾀발라) 형 르불 어려운 일이나 난처한 경우를 잘 피하거나 약게 처리하는 꾀가 많다. 약삭빠르다.
꾀-병 (-病) 명 하자 거짓으로 앓는 체하는 것. ¶~을 부리다.
꾀-보 명 잔꾀가 많은 사람. 꾀만 부리는 사람. 꾀쟁이.
꾀-부리다 자 어려운 일과 책임 등을 살살 피하다. 꾀쓰다. ¶~가 일만 늦어지다.
꾀-쓰다 (꾀쓰니, 꾀써) 자 **1** 일이 쉽게 잘 되도록 지혜를 내어서 하다. **2** 꾀부리다.
꾀어-내다 [-/-여-] 타 꾀를 쓰거나 유혹하여 남을 어느 곳으로 나오게 하다. ¶친구를 술집으로 ~.
꾀어-들다 [-/-여-] (-드니, -드오) 자 여러 군데에서 모여들다. ¶많은 사람들이 장터에 꾀어들었다.
꾀이다 자 《'꾀다[3]'의 피동》 남에게 꾐을 당하다. ¶장사꾼의 말에 꾀여 필요도 없는 물건을 샀다.
꾀죄죄-하다 형 여불 매우 꾀죄하다. ¶꾀죄죄한 옷차림.
꾀죄-하다 형 여불 **1** 옷차림 따위가 더럽고 궁상스럽다. **2** 마음 씀씀이나 하는 짓이 좀스럽고 옹졸하다.
꾀-피우다 자 잔재주를 부려 제게만 이롭도록 갖은 수단을 다 쓰다.
꾀-하다 타 여불 어떤 일을 이루려고 뜻을 두거나 힘을 쓰다. ¶못된 짓을 ~/음모를 ~/다시 한번 도약을 ~.
꾐: 명 어떤 일을 할 마음이 생기도록 꾀거나 부추기는 일. ¶~에 빠지다.
꾸기다 一 자 꾸김살이 생기다. ¶새 옷이 꾸기지 않게 벗어 놓다. 二 타 비비거나 우그러뜨리어 꾸김살을 생기게 하다. ¶옷을 ~/편지를 꾸겨 휴지통에 버리다. 작 꼬기다. 여 구기다.
꾸기적-거리다 타 꾸김살이 생기게 자꾸 꾸기다. 작 꼬기작거리다. 여 구기적거리다. **꾸기적-꾸기적** 부 하타
꾸기적-대다 타 꾸기적거리다.
꾸김 명 꾸김살.
꾸김-살 [-쌀] 명 **1** 종이나 피륙 따위가 꾸겨져서 생긴 금. 꾸김. 작 꼬김살. **2** (주로 '없다'와 함께 쓰여) 표정이나 마음속에 서린 어두운 그늘. **3** 일 따위가 순조롭지 못한 상태. 여 구김살.
꾸김살(이) 없다 구 ㉠생활이 쪼들리지 않고 꿋꿋하다. ㉡성격이 찌든 데가 없고 티 없이 맑다.
꾸김-새 명 꾸김살이 진 정도나 모양. 여 구김새.
꾸김-없다 [-업따] 형 숨기거나 음험한 데가 없이 정정당당하다. **꾸김-없이** [-업씨] 부
꾸깃-거리다 [-긷꺼-] 타 꾸김살이 생겨 못 쓰도록 함부로 자꾸 우그러뜨리다. ¶편지를 꾸깃거려 쓰레기통에 버리다. 작 꼬깃거리다. 여 구깃거리다. **꾸깃-꾸깃**[1] [-긷-긷] 부 하타
꾸깃-꾸깃[2] [-긷-긷] 부 하형 꾸겨 금이 많은 모양. 작 꼬깃꼬깃. 여 구깃구깃.
꾸깃-대다 [-긷때-] 타 꾸깃거리다.
*__꾸다__[1] 타 꿈을 보다. ¶돼지꿈을 ~.
*__꾸다__[2] 타 남의 것을 잠시 빌려 쓰다. ¶옆집에서 돈을 꾸었다.
[꾸어다 놓은 보릿자루] 웃고 떠드는 축에서 혼자 묵묵히 앉아 있는 사람의 비유.
꾸덕-꾸덕 부 하형 물기 있는 물체의 거죽이 약간 마른 모양. 여 구덕구덕.
꾸드러-지다 자 마르거나 굳어서 빳빳하게 되다. 여 구드러지다.
꾸들-꾸들 부 하형 밥알 따위가 푹 무르지 않아 좀 오돌오돌한 모양. 작 꼬들꼬들. 여 구들구들.
-꾸러기 미 '그 사물이나 그런 버릇이 많은 사람'의 뜻. ¶잠~/심술~/욕심~.
꾸러미 一 명 **1** 꾸리어 뭉치어서 싼 물건. ¶열쇠 ~/소포 ~. **2** 짚으로 길게 묶어 중간중간 동인 것. ¶달걀 ~. 二 의명 물건의 꾸러미를 세는 단위. ¶달걀 세 ~.
꾸르륵 부 하자 **1** 배 속이나 대통의 진 등이 끓는 소리. **2** 닭이 놀라서 지르는 소리. **3** 비좁은 구멍에서 물이 가까스로 빠져나올 때 나는 소리. **4** 가래가 목구멍에 걸려 나는 소리. 작 꼬르륵.
꾸르륵-거리다 자 자꾸 꾸르륵 소리가 나다. 작 꼬르륵거리다. **꾸르륵-꾸르륵** 부 하자
꾸르륵-대다 자 꾸르륵거리다.
꾸리[1] 一 명 실을 감은 뭉치. 실꾸리. 二 의명 실 따위를 둥글게 감은 뭉치를 세는 단위. ¶실 열 ~.
꾸리[2] 명 소의 앞다리 무릎 위쪽에 붙은 살덩이《산적에 씀》.
꾸리다 타 **1** 짐이나 물건 등을 싸서 묶다. ¶이삿짐을 ~. **2** 일이나 살림 따위를 알뜰하고 규모 있게 처리하다. ¶살림을 꾸리어 나가다. **3** 집·자리·이야기 따위를 모양이 나게 손질하다.
꾸무럭-거리다 자타 몸을 느리게 비틀면서 이리저리 자꾸 움직이다. ¶발가락을 ~. 작 꼬무락거리다. 여 구무럭거리다. **꾸무럭-꾸무럭** 부 하자타
꾸무럭-대다 자타 꾸무럭거리다.
꾸물-거리다 자타 **1** 몸을 느리게 비틀면서 이리저리 자꾸 움직이다. ¶구더기가 ~. **2** 굼뜨고 게으르게 행동하다. ¶꾸물거리지 말고 빨리 해라. 작 꼬물거리다. 여 구물거리다. **꾸물-꾸물** 부 하자타
꾸물-대다 자타 꾸물거리다.
꾸미 명 쇠고기의 작은 조각《국·찌개 같은 데에 쓰는 것》.
꾸미-개 명 옷·돗자리·망건 등의 가장자리를 꾸미는 헝겊 오리.
*__꾸미다__ 타 **1** 매만지거나 손질하여 모양이 나게 잘 만들다. ¶겉모양을 ~. **2** 사실이 아닌 것을 거짓으로 지어내다. ¶거짓말을 꾸며 대다/꾸며 낸 이야기. **3** 글 따위를 지어서 만들다. ¶서류를 ~. **4** 어떤 일을 짜고 꾀하다. ¶음모를 ~. **5** 살림 따위를 새로 차리거나 마련하다. ¶내 희망은 행복한 가정을 꾸미는 데 있다. **6** 〔언〕 구나 문

장에서 다른 성분의 상태·성질·정도 따위를 자세하게 하거나 분명하게 하다.
꾸밈 명 꾸미는 일. 또는 꾸민 상태나 모양.
꾸밈-새 명 꾸민 모양새. ¶집의 ~가 분수에 지나치다.
꾸밈-없다 [-업따] 형 가식이 없이 참되고 순수하다. ¶꾸밈없는 솔직한 태도. **꾸밈-없이** [-업씨] 부. ¶~ 자신의 감정을 나타낸 글.
꾸밈-음 (-音) 명 〖악〗 악곡에 여러 가지 변화를 주기 위하여 꾸미는 음. 작은 음표나 글자·그림을 써서 표시함. 장식음.
꾸벅 부하타 졸거나 절할 때에 머리와 몸을 앞으로 숙였다가 드는 모양. ¶~ 인사를 하다. 작꼬박[2]. 센꾸뻑.
꾸벅-거리다 타 졸거나 절할 때, 머리와 몸을 자꾸 꾸벅이다. 작꼬박거리다. 센꾸뻑거리다. **꾸벅-꾸벅**[1] 부하타
꾸벅-꾸벅[2] 부 **1** 조금도 어김없이 그대로 계속하는 모양. **2** 남이 시키는 대로 따르는 모양. 작꼬박꼬박[2]. 센꾸뻑꾸뻑[2].
꾸벅-대다 타 꾸벅거리다.
꾸벅-이다 타 졸거나 절할 때, 머리와 몸을 앞으로 조금 숙였다가 들다. 작꼬박이다. 센꾸뻑이다.
꾸부러-들다 [-드니, -드오] 자 안쪽으로 구부러져 들어오다. 작꼬부라들다. 여구부러들다.
꾸부러-뜨리다 타 꾸부러지게 하다. 작꼬부라뜨리다. 여구부러뜨리다.
꾸부러-지다 자 한쪽으로 구붓하게 휘어지다. ¶길이 꾸불꾸불 ~. 작꼬부라지다. 여구부러지다.
꾸부러-트리다 타 꾸부러뜨리다.
꾸부렁-길 [-낄] 명 꾸부러진 길. 작꼬부랑길. 여구부렁길.
꾸부렁-하다 형여불 안으로 휘어들어 굽다. 작꼬부랑하다. 여구부렁하다.
꾸부리다 타 한쪽으로 구붓하게 굽히다. ¶어깨를 ~ / 허리를 꾸부려 인사하다. 작꼬부리다. 여구부리다.
꾸부스름-하다 형여불 조금 굽은 듯하다. 여구부스름하다. **꾸부스름-히** 부
꾸부정-하다 형여불 매우 꾸부러져 있다. ¶등이 ~. 작꼬부장하다. 여구부정하다. **꾸부정-히** 부
꾸불-거리다 자 이리저리 꾸부러지다. 작꼬불거리다. 여구불거리다. **꾸불-꾸불** 부하자형. ¶~한 산길을 올라가다.
꾸불-대다 자 꾸불거리다.
꾸불텅-하다 형여불 느슨하게 구부러져 있다. 작꼬불탕하다. 여구불텅하다.
꾸붓-이 부 꾸붓하게. 작꼬붓이. 여구붓이.
꾸붓-하다 [-부타-] 형여불 약간 굽은 듯하다. 작꼬붓하다. 여구붓하다.
꾸뻑 부하타 졸거나 절할 때에 머리와 몸을 앞으로 많이 숙였다가 드는 모양. 작꼬빡[2]. 여꾸벅.
꾸뻑-거리다 타 졸거나 절할 때, 머리와 몸을 계속해 숙였다가 들다. 작꼬빡거리다. 여꾸벅거리다. **꾸뻑-꾸뻑**[1] 부하타
꾸뻑-꾸뻑[2] 부 **1** 조금도 어김없이 그대로 계속하는 모양. **2** 남이 시키는 대로 따르는 모양. 작꼬빡꼬빡[2]. 여꾸벅꾸벅[2].
꾸뻑-대다 타 꾸뻑거리다.
꾸뻑-이다 타 졸거나 절할 때, 머리와 몸을 숙였다가 들다. 작꼬빡이다. 여꾸벅이다.
꾸역-꾸역 부 **1** 한군데로 많은 물건이나 사람이 몰려들거나 나가는 모양. ¶사람들이 행사장으로 ~ 모여든다 / 검은 연기가 ~ 나오다. **2** 음식 따위를 한꺼번에 입에 많이 넣고 잇따라 씹는 모양. ¶밥을 ~ 먹고 있다. **3** 어떤 마음이 자꾸 생기는 모양. ¶욕심이 ~ 생긴다.
꾸이다 一자 꿈에 나타나다. 二타 돈이나 물건 따위를 다음에 받기로 하고 빌려 주다. 준뀌다.
꾸준-하다 형여불 한결같이 부지런하고 끈기가 있다. ¶꾸준한 경제 성장을 이룩했다. **꾸준-히** 부. ¶성적이 ~ 오르고 있다.
***꾸중** 명하타 꾸지람. ¶아버지한테서 ~을 들었다.
꾸지람 명하자타 아랫사람의 잘못을 꾸짖는 말. 꾸중. 지청구. ¶가끔 엄하게 ~하시던 선생님 생각이 난다.
꾸짖다 [-짇따] 자타 아랫사람의 잘못을 엄하게 나무라다. ¶거짓말을 하지 말라고 아이를 호되게 꾸짖었다.
꾸푸리다 타 몸을 앞으로 꾸부리다. 작꼬푸리다. 여구푸리다.
***꾹** 부 **1** 물건을 세게 누르거나 죄는 모양. ¶부은 데를 ~ 눌러 보다 / 입을 ~ 다물다. **2** 괴로움을 참고 견디는 모양. ¶모욕을 ~ 참고 견디다. **3** 깊숙이 숨거나 틀어박히는 모양. 작꼭.
꾹-꾹 부 **1** 매우 힘을 주어 무엇을 자꾸 누르거나 죄는 모양. ¶밥을 ~ 눌러 담다. **2** 잇따라 또는 몹시 참거나 견디는 모양. ¶화를 ~ 참다. **3** 아주 단단히 숨거나 틀어박히는 모양. 작꼭꼭.
꾼 명 〈속〉 즐기는 일에 능숙한 사람. ¶투전판에 모인 ~들 / 낚시 대회에 많은 ~들이 모였다.
-꾼 미 **1** 어떤 일을 전문적·습관적으로 하는 사람의 뜻. ¶씨름~ / 장사~. **2** 어떤 일에 모이는 사람의 뜻. ¶장~ / 구경~.
***꿀** 명 꿀벌이 꽃에서 따다가 먹이로 저장한 끈끈하고 단 액체. 봉밀(蜂蜜). 청밀(淸蜜). [꿀도 약이라면 쓰다] 자기에게 이로운 충고는 싫어한다. [꿀 먹은 벙어리요, 침 먹은 지네라] 일의 내용이나 가슴에 맺힌 서러움을 남 앞에 말하지 않거나, 못하는 사람을 조롱하는 말.
꿀꺼덕 부하자 '꿀꺽'의 본딧말. 작꼴까닥.
꿀꺽 부하자 **1** 물 같은 액체가 한꺼번에 목구멍이나 좁은 구멍으로 넘어갈 때 나는 소리. ¶물을 ~ 넘기다. 거꿀컥. **2** 억지로 분노 따위를 참는 모양. ¶노여움을 ~ 삼키다. 작꼴깍.
꿀꺽-거리다 자 자꾸 꿀꺽하다. 작꼴깍거리다. **꿀꺽-꿀꺽** 부하자. ¶술을 ~ 마시다.
꿀꺽-대다 자 꿀꺽거리다.
꿀꿀[1] 부하자 물 같은 액체가 가는 줄기로 비스듬히 굽이진 곳을 흐르는 소리.
꿀꿀[2] 부하자 돼지의 우는 소리.
꿀꿀-거리다[1] 자 물 같은 액체가 가는 줄기로 몰리어 바닥이 기울고 굽이진 곳을 흐르다.

꿀꿀-거리다[2] 자 돼지가 자꾸 꿀꿀 소리를 내다.
꿀꿀-대다[1] 자 꿀꿀거리다[1].
꿀꿀-대다[2] 자 꿀꿀거리다[2].
꿀꿀-이 명 **1** 〈소아〉 돼지. **2** 욕심이 많은 사람의 비유. 꿀돼지.
꿀꿀이-죽 (一粥) 명 여러 가지 먹다 남은 음식의 찌꺼기를 한데 섞어 끓인 죽.
꿀-단지 [-딴-] 명 꿀을 넣어 두는 단지.
꿀-돼지 [-뙈-] 명 꿀꿀이2.
꿀-떡[1] 명 **1** 떡가루에 꿀 혹은 설탕물을 내려서 밤·대추 등을 섞어 뿌리고 켜를 지어 찐 떡. **2** 꿀 혹은 설탕을 섞어서 만든 떡.
꿀떡[2] 부하자 음식·약 따위를 한꺼번에 삼키는 모양. 또는 그 소리. 작꼴딱.
꿀떡-거리다 자 계속해서 꿀떡하다. 작꼴딱거리다. **꿀떡-꿀떡** 부하자
꿀떡-대다 자 꿀떡거리다.
꿀렁 부하자 **1** 물 따위가 그릇 속에 가득 차지 아니하여 흔들려 나는 소리. **2** 착 달라붙지 않고 들떠서 크게 부푼 모양. 거쿨렁.
꿀렁-거리다 자 **1** 물 따위가 자꾸 꿀렁 소리를 내며 흔들리다. **2** 착 달라붙지 않고 들뜨고 부풀어서 들썩들썩하다. 거쿨렁거리다. **꿀렁-꿀렁** 부하자
꿀렁-대다 자 꿀렁거리다.
꿀리다 자 **1** 쭈그러지거나 우그러져 구김살이 잡히다. **2** 기세나 형편이 옹색해지다. ¶세력이 ~. **3** 마음이 켕기다. ¶꿀리는 데가 있다. **4** 힘이나 능력이 남에게 눌리다. ¶아무에게도 꿀리지 않고 살아가겠다.
꿀-맛 [-맏] 명 꿀의 단맛. 또는 꿀처럼 단맛. ¶밥맛이 ~이다.
꿀-물 명 꿀을 타서 달게 한 물. 밀수(蜜水). ¶과음한 남편을 위해 ~을 타서 주다.
꿀-밤 명 〈속〉 주먹 끝으로 가볍게 머리를 때리는 짓.
꿀밤(을) 먹다 구 머리에 꿀밤을 맞다.
*__꿀-벌__ 명 〖충〗 꿀벌과의 곤충. 등은 암갈색, 날개는 투명한 회색임. 한 마리의 여왕벌을 중심으로 소수의 수벌과 다수의 일벌이 집단 생활을 하며 꿀을 저장해 먹이로 함. 사육함. 밀봉(蜜蜂). 참벌. 준벌.
꿀컥 부하자 목구멍으로 한꺼번에 음식물 따위를 넘기는 소리. 작꼴칵. 센꿀꺽.
꿇다 [꿀타] 타 **1** 무릎을 구부려 바닥에 대다. ¶무릎을 꿇고 사죄하다. **2** 자기가 마땅히 할 차례에 못하고 거르다. ¶그는 아파서 한 학년을 꿇었다.
꿇리다 [꿀-] 一타 《'꿇다'의 사동》 무릎을 꿇게 하다. 二자 《'꿇다'의 피동》 꿇음을 당하다.
꿇어-앉다 [꿀-안따] 자 무릎을 구부려 바닥에 대고 앉다. ¶그는 아버지 앞에 꿇어앉아 빌었다. 준꿇앉다.
*__꿈__ 명 **1** 잠자는 동안에 깨어 있을 때와 마찬가지로 여러 가지 사물을 보는 일. ¶밤마다 꿈을 꾼다. **2** 실현시키고 싶은 바람이나 이상. ¶~이 크다 / ~ 많은 소녀 시절. **3** 공상적인 바람. ¶허황된 ~ / ~을 좇다. **4** 즐거운 환경에 젖어 각박한 현실을 잊음. ¶태평의 ~ / 신혼의 ~.
[꿈도 꾸기 전에 해몽] 어떻게 될지도 모르는 일을 미리부터 제멋대로 상상하고 기대한다는 말. [꿈보다 해몽] 실지 일어난 일보다도 그 해석을 잘함. [꿈에 본 돈이다] 아무리 좋아도 손에 넣을 수 없다. [꿈에 서방 맞은 격] ㉠제 욕심에 차지 못함. ㉡분명하지 못한 존재. [꿈을 꾸어야 임을 보지] 원인이 없는 결과는 있을 수 없음의 비유.
꿈 깨다 구 (주로 명령형으로 쓰여) 헛된 망상을 버리다. ¶애야, 이제는 꿈 깨라.
꿈도 못 꾸다 구 전혀 생각도 하지 못하다.
꿈에도 생각지 못하다 구 전혀 생각하지 못하다.
꿈에도 없다 구 생각조차 해 본 일이 없다.
꿈에 밟히다 구 잊히지 아니하고 꿈에 나타나다.
꿈인지 생시인지 구 너무 뜻밖이라 믿어지지 않음을 나타내는 말.
꿈-같다 [-갇따] 형 **1** 하도 기이하여 현실이 아닌 것 같다. ¶꿈같은 이야기다. **2** 지나간 일이나 앞으로 닥쳐올 일이 오래고 멀어 아득하다. **3** 덧없고 허무하다. ¶꿈같은 세월. **꿈-같이** [-가치] 부. ¶객지 생활 30년이 ~ 흘러갔다.
꿈-결 [-껼] 명 **1** 꿈을 꾸는 동안. ¶~에 들은 이야기. **2** 덧없이 빠르게 지나가는 동안. ¶~같이 흘러간 세월.
꿈-길 [-낄] 명 꿈속에서 이루어져 나가는 일의 경과. ¶~에 빠져 들다.
꿈-꾸다 一자 자는 동안에 꿈이 보이다. 二타 은근히 바라거나 뜻을 세우다. ¶미래를 꿈꾸며 일하고 있다.
꿈-나라 명 **1** 실현될 수 없는 환상의 세계. ¶~에서나 있을 수 있는 일이 벌어졌다. **2** 꿈속의 세계. 잠. ¶~로 가다.
꿈-속 [-쏙] 명 꿈을 꾸는 가운데. 몽중(夢中). ¶~을 헤매다.
꿈실-거리다 자 작은 벌레 따위가 굼뜨게 자꾸 움직이다. ¶잎벌레가 ~. 작꼼실거리다. 여굼실거리다. **꿈실-꿈실** 부하자
꿈실-대다 자 꿈실거리다.
꿈-자리 명 꿈에 나타난 사실이나 징조. 몽조(夢兆). ¶~가 뒤숭숭하다.
[꿈자리가 사납다] 하는 일마다 잘되지 않고 몹시 번거롭다.
꿈적 부하자타 몸을 둔하게 한 번 움직이는 모양. 작꼼작. 여굼적. 센꿈쩍.
꿈적-거리다 자타 몸을 둔하게 자꾸 꿈적이다. 작꼼작거리다. 센꿈쩍거리다. **꿈적-꿈적** 부하자타
꿈적-대다 자타 꿈적거리다.
꿈적-이다 자타 몸을 둔하고 느리게 움직이다. 작꼼작이다. 센꿈쩍이다.
꿈지럭 부하자타 둔하고도 느리게 몸을 움직이는 모양. 작꼼지락. 여굼지럭. 준꿈질.
꿈지럭-거리다 자타 둔하고도 느리게 자꾸 몸을 움직이다. 작꼼지락거리다. 여굼지럭거리다. 준꿈질거리다. **꿈지럭-꿈지럭** 부하자타
꿈지럭-대다 자타 꿈지럭거리다.
꿈질 부하자타 '꿈지럭'의 준말. 작꼼질. 여굼질.
꿈질-거리다 자타 '꿈지럭거리다'의 준말. 작꼼질거리다. 여굼질거리다. **꿈질-꿈질** 부하자타

꿈질-대다 자타 꿈질거리다.
꿈쩍 부하자타 몸을 둔하고 느리게 움직이는 모양. ¶~ 말고 가만히 있어/눈썹 하나 ~하지 않다. 작꼼짝. 여굼적·꿈적.
꿈쩍 못하다 구 힘이나 위세에 눌려 기를 펴지 못하다. ¶권력 앞에서는 꿈쩍 못하는 사람들. 작꼼짝 못하다.
꿈쩍-거리다 자타 몸을 둔하고 느리게 자꾸 움직이다. 작꼼짝거리다. 여꿈적거리다.
꿈쩍-꿈쩍 부하자타
꿈쩍-대다 자타 꿈쩍거리다.
꿈쩍-없다 [-업따] 형 조금도 움직이는 기색이 없다. 작꼼짝없다. **꿈쩍-없이** [-업씨] 부
꿈쩍-이다 자타 몸을 둔하고 느리게 움직이다. 작꼼짝이다. 여꿈적이다.
꿈쩍-하면 [-쩌카-] 부 조금이라도 움직이면. ¶~ 돈이다.
꿈틀 부하자타 몸의 한 부분을 꾸부리거나 비틀며 움직이는 모양. ¶눈썹을 ~하면서 노려본다. 작꼼틀. 여굼틀.
꿈틀-거리다 자타 몸을 이리저리 꾸부리어 자꾸 움직이다. 작꼼틀거리다. 여굼틀거리다. **꿈틀-꿈틀** 부하자타
꿈틀-대다 자타 꿈틀거리다.
꿉꿉-하다 [-꾸파-] 형여불 조금 축축하다. ¶옷이 젖어 ~. 작꼽꼽하다.
꿉실 부하자타 남의 비위를 맞추느라고 머리와 몸을 꾸부리는 모양. 여굽실.
꿉실-거리다 자타 남의 비위를 맞추느라고 자꾸 몸을 꾸부리다. 여굽실거리다. **꿉실-꿉실** 부하자타
꿉실-대다 자타 꿉실거리다.
꿉적 부하타 머리를 숙이거나 허리를 굽히는 모양. 작꼽작. 여굽적.
꿉적-거리다 타 잇따라 머리를 숙이거나 허리를 굽히다. 여굽적거리다. **꿉적-꿉적** 부하타
꿉적-대다 타 꿉적거리다.
꿋꿋-이 [꾿-] 부 꿋꿋하게. ¶~ 살아가다.
꿋꿋-하다 [꾿꾸타-] 형여불 **1** 기개·의지·태도·마음가짐 따위가 매우 곧고 굳세다. ¶꿋꿋한 성격/꿋꿋하게 시련을 견뎌 내다. **2** 물건이 휘거나 구부러지지 않고 썩 단단하다. 작꼿꼿하다.
꿍 부하자 **1** 크고 무거운 것이 떨어져 울리는 소리. **2** 큰 북을 울리는 소리. **3** 멀리서 포탄 따위가 터지는 소리. 거쿵.
꿍-꽝 부하자타 **1** 대포나 북소리가 크고 작게 섞바뀌어 나는 소리. **2** 발로 마룻바닥 따위를 여럿이 빠르게 구를 때 요란스럽게 울리는 소리. **3** 단단하고 큰 물건이 서로 부딪칠 때 요란하게 나는 소리. 거쿵쾅.
꿍꽝-거리다 자타 꿍꽝 소리가 잇따라 요란히 나다. 또는 그런 소리를 자꾸 내다. ¶윗층 아이들이 내는 꿍꽝거리는 소리 때문에 잠을 못 이룬다. 거쿵쾅거리다. **꿍꽝-꿍꽝** 부하자타
꿍꽝-대다 자타 꿍꽝거리다.
꿍-꿍[1] 부하자 **1** 무거운 것이 잇따라 떨어질 때 울리는 소리. **2** 큰 북이나 장구 따위를 잇따라 쳐서 울리어 나는 소리. **3** 멀리서 포탄 따위가 잇따라 터지는 소리. 거쿵쿵.
꿍-꿍[2] 부하자 많이 아프거나 괴로울 때 내는 소리. 작꽁꽁.
꿍꿍-거리다 자타 잇따라 꿍꿍 소리가 나다. 또는 잇따라 꿍꿍 소리를 내다. 거쿵쿵거리다.
꿍꿍-대다 자타 꿍꿍거리다.
꿍꿍이 명 꿍꿍이셈. ¶무슨 ~가 있기는 있는 모양이다.
꿍꿍이-셈 명 속으로만 우물쭈물하는 속셈. 꿍꿍이. ¶무슨 ~인지 모르겠다.
꿍꿍이-속 명 아주 모를 수작.
꿍꿍이-수작 (-酬酌) 명하자 속을 알 수 없는 엉큼한 수작.
꿍:-하다 一자여불 무슨 일을 잊지 않고 속으로만 언짢게 여기다. ¶꿍하는 성격. 二형여불 성격이 활발하지 않고 덤덤하다. ¶그는 말수도 적고 꿍해서 친구가 없다.
***꿩** 명〖조〗꿩과의 새. 산과 들에 사는데, 닭과 비슷하나 꼬리가 긺. 수컷은 '장끼'라고 하며 머리는 적동녹색, 고운 금속 광택이 있으며, 목에 흰 고리무늬를 두름. 암컷은 '까투리'라 하여 수컷보다 작고 곱지도 못함. 엽조(獵鳥)임. 야계(野鷄). [꿩 구워 먹은 소식] 소식이 전혀 없음을 이르는 말. [꿩 구워 먹은 자리] 어떤 일의 흔적이 전혀 없음. [꿩 대신 닭] 적당한 것이 없을 때 비슷한 것으로 대신한다는 말. [꿩 먹고 알 먹는다] 한 가지 일에 두 가지 이상의 이익을 본다는 뜻. [꿩 잡는 것이 매다] 실제로 제구실을 해야 한다는 말.
꿰:다 타 **1** 구멍으로 실 따위를 이쪽에서 저쪽으로 나가게 하다. ¶바늘에 실을 ~. **2** 어떤 물건을 꼬챙이 따위에 맞뚫리게 꽂다. ¶굴비를 꿰미에 ~/꼬챙이에 곶감을 ~. **3** 옷을 입거나 신을 신다. ¶소매에 팔을 ~. **4** 어떤 사정·내용 등을 자세히 알고 있다. ¶동네 사정을 환히 꿰고 있다.
꿰:-뚫다 [-뚤타] 타 **1** 이쪽에서 저쪽까지 꿰어서 뚫다. ¶총알이 벽을 ~. **2** 길이 곧장 지나거나 강물이 가로질러 흐르다. **3** 일을 속속들이 잘 알고 있다. ¶내막을 꿰뚫어 보다/상대방 마음속을 정확히 꿰뚫고 있다.
꿰:-맞추다 [-맏-] 타 서로 맞지 않은 것을 적당히 갖다 맞추다. ¶거짓말을 꿰맞추느라 허둥댄다.
꿰:-매다 타 **1** 해지거나 뚫어진 데를 깁거나 얽다. ¶뜯어진 바짓단을 ~. **2** 거두기 어려운 일을 매만져 탈이 없게 하다.
꿰:미 一명 구멍 뚫린 물건을 꿰어 묶는 노끈. 또는 꿰어 놓은 것. ¶엽전을 ~로 꿰고 묶다. 二의명 끈 같은 것으로 꿰어 놓은 것을 세는 단위. ¶엽전 세 ~.
꿰:-신다 [-따] 타 신 따위를 꿰어서 신다.
꿰이다 자《'꿰다'의 피동》꿤을 당하다. ¶낚싯바늘에 꿰인 물고기.
꿰:-지다 자 **1** 내미는 힘으로 약한 부분이 미어져 나가다. ¶자루가 꿰지도록 담다. **2** 안에서 탈이 나서 터지다. ¶창자가 꿰지는 것처럼 아프다. **3** 틀어막았던 곳이 밀리어 터지다. ¶심사가 ~.
꿰:-차다 타 **1** 끈으로 꿰어서 허리춤이나 엉덩이에 매달다. ¶열쇠 꾸러미를 ~. **2** 〈속〉 어떤 자리를 차지하다. ¶이번 인사이동에서 한자리 꿰찰 수 있을까. **3** 〈속〉 이

성을 데리고 가거나 놀다. ¶ 옆집 처녀를 꿰차고 도망쳤다.
꿱 부하자 **1** 성이 나거나 남을 놀래 주려고 할 때 갑자기 목청을 높여 지르는 소리. **2** 구역질이 나서 무엇을 토하는 소리. 또는 그 모양. ㉧꽥.
꿱-꿱 부하자 **1** 목청을 높여 소리를 잇따라 세게 지르는 소리. **2** 구역질이 나서 무엇을 자꾸 토하는 소리. 또는 그 모양. ㉧꽥꽥.
꿱꿱-거리다 자 **1** 꿱꿱 소리를 자꾸 내다. **2** 구역질이 나서 자꾸 무엇을 토하다. ㉧꽥꽥거리다.
꿱꿱-대다 자 꿱꿱거리다.
뀌:다 타 방귀를 내보내다. ¶ 방귀를 ~.
끄나풀 명 **1** 길지 않은 끈의 나부랭이. **2** 남의 앞잡이 노릇을 하는 사람.
***끄다** 〔끄니, 꺼〕 타 **1** 타는 불을 못 타게 하다. ¶ 겨우 산불을 껐다. **2** 전기 장치에 전기가 안 통하게 하다. ¶ 라디오를 ~. **3** 엉기어 덩어리로 된 물건을 깨어 헤뜨리다. ¶ 얼음을 ~. **4** 빚이나 급한 일 따위를 해결하다. ¶ 다달이 빚을 꺼 나가다 / 발등에 떨어진 불부터 끄고 보자.
끄덕 부하타 고개를 아래로 가볍게 숙였다가 드는 모양. ㉧까닥. ㉦끄떡.
끄덕-거리다 타 고개를 잇따라 아래위로 가볍게 움직이다. ㉧까닥거리다. ㉦끄떡거리다. **끄덕-끄덕** 부하타
끄덕-대다 타 끄덕거리다.
***끄덕-이다** 타 머리를 아래위로 가볍게 움직이다. ¶ 그는 대답 대신 고개를 끄덕였다. ㉧까닥이다. ㉦끄떡이다.
끄덩이 명 머리털이나 실 따위의 뭉친 끝. ¶ 머리 ~를 잡고 싸우다.
끄떡 부하자타 **1** 고개를 아래로 가벼이 꺾어 움직이는 모양. ㉨끄덕. **2** 조금 움직이는 모양. 미동하는 모양. ¶ ~도 않는 바위. ㉧까딱.
끄떡-거리다 ㊀자 물건이 이리저리 조금씩 자꾸 움직이다. ㊁타 머리를 자꾸 아래위로 움직이다. ㉧까딱거리다[1]. ㉨끄덕거리다. **끄떡-끄떡** 부하자타
끄떡-대다 자타 끄떡거리다.
끄떡-없다 [-업따] 형 조금도 흔들림이 없다. 아무런 장애도 되지 아니하다. ¶ 그렇게 술을 먹어도 ~. ㉧까딱없다. **끄떡-없이** [-업씨] 부
끄떡-이다 ㊀자 물체가 앞으로 세게 꺾여 움직이다. ㊁타 머리를 아래위로 세게 움직이다. ㉧까딱이다. ㉨끄덕이다.
끄르다 〔끄르니, 끌러〕 타㉣르불 **1** 맺은 것이나 맨 것을 풀다. ¶ 짐을 ~. **2** 잠근 것을 열다. ¶ 단추를 ~.
끄르륵 부하자 트림하는 소리.
끄르륵-거리다 자 자꾸 끄르륵 소리를 내며 트림을 하다. **끄르륵-끄르륵** 부하자
끄르륵-대다 자 끄르륵거리다.
끄먹-거리다 ㊀자 등불 따위가 자꾸 꺼질 듯 말 듯하다. ㊁타 눈을 감았다 떴다 하다. **끄먹-끄먹** 부하자타
끄먹-대다 자타 끄먹거리다.
끄무레-하다 형 여불 구름이 끼어 날씨가 침침하다. ¶ 아침부터 날씨가 ~.
끄물-거리다 자 날이 개었다 흐렸다 하다. ㉨그물거리다. **끄물-끄물** 부하자. ¶ 하늘이 ~하더니 한차례 소나기를 퍼부었다.
끄물-대다 자 끄물거리다.
끄적-거리다 타 끼적거리다.
끄적-대다 타 끄적거리다.
끄:-집다 타 끌어서 집다. 집어서 끌다.
끄:집어-내다 타 **1** 속에 든 것을 끄집어서 밖으로 내다. ¶ 호주머니에서 돈을 ~. **2** 일부러 이야깃거리를 꺼내다. ¶ 결혼 이야기를 ~. **3** 약점·잘못을 들추어내다. ¶ 남의 허물을 ~. **4** 판단이나 결론을 찾아내다.
끄트러기 명 **1** 쓰고 남은 자질구레한 물건. **2** 깎아 내거나 끊어 내고 처진 자질구레한 나뭇조각.
끄트머리 명 **1** 맨 끝 부분. ¶ 의자 ~에 걸터앉다. **2** 일의 실마리. 단서(端緖).
끅: 부 트림을 거칠게 하는 소리.
끅:-끅 부하자 트림을 자꾸 거칠게 하는 소리.
***끈** 명 **1** 물건을 묶거나 꿰거나 매거나 하는 데 쓰는 긴 물건《노·줄·실 따위》. ¶ ~을 풀다. **2** 물건에 붙어서 그 자체를 잡아매는 데 쓰는 물건. ¶ 운동화 ~을 단단히 매다. **3** 살아갈 길. 벌잇줄. **4** 의지할 만한 연줄. ¶ ~을 대다 / 그 회사에 ~이 닿아 입사했다.
끈(을) 붙이다 구 살아 나갈 방도를 마련하여 주다.
끈(이) 떨어지다 구 붙어 살아가던 길이 끊어지다. 밥줄이 끊어지다. [끈 떨어진 뒤웅박 ; 끈 떨어진 망석중이] 혼자 뒤떨어져 아무 데도 의지할 곳이 없게 됨.
끈(이) 붙다 구 일자리를 얻어 살아갈 길이 생기다.
끈-기 (-氣) 명 **1** 물건의 끈끈한 기운. 단단하여 질기고 차진 기운. ¶ ~ 있는 밥. **2** 참을성이 있어 꾸준히 견디어 나가는 기질. ¶ ~ 있게 잘 버티어 나가다.
끈끈-이 명 작은 새나 벌레를 잡는 데 쓰는 끈끈한 물질.
끈끈-하다 형 여불 **1** 끈기가 있어 잘 떨어지지 않고 차지다. ¶ 끈끈한 송진이 손에 묻다. **2** 정이 매우 두텁고 관계가 친밀하다. ¶ 끈끈한 유대감을 느끼다. **3** 성질이 검질겨서 싹싹한 맛이 없다. ¶ 끈끈하게 달라붙다. ㉧깐깐하다. **끈끈-히** 부
끈덕-지다 형 끈기가 있고 꾸준하다. ¶ 끈덕지게 물고 늘어지다.
끈적-거리다 자 **1** 끈끈하여 자꾸 척척 들러붙다. ¶ 속옷까지 땀에 젖어 끈적거렸다. **2** 성질이 검질기어서 한번 관계한 일에서 손을 떼지 아니하고 자꾸 귺적거리다. ㉧깐작거리다. **끈적-끈적** 부하자
끈적-대다 자 끈적거리다.
끈적-이다 자 **1** 끈끈하여 잘 달라붙다. **2** 성질이 끈끈하여 검질기게 굴다. ㉧깐작이다.
끈지다 형 끈기가 있다. 단념하지 않고 버티어 가는 힘이 있다. ㉧깐지다.
끈-질기다 형 끈기 있게 질기다. ¶ 끈질긴 사랑 / 끈질기게 조르다. ㉧깐질기다.
끈질-끈질 부하형 매우 끈기 있게 검질긴 모양. ㉧깐질깐질.
끈:-히 부 끈질기게.
끊기다 [끈키-] 자 《'끊다'의 피동》 끊음을

당하다. ¶대(代)가 ~/연락이 ~/대화가 ~/돈줄이 ~/호우로 곳곳에서 도로와 전철이 끊겼다.

***끊다** [끈타] [타] **1** 길게 이어진 것을 잘라 따로 떨어지게 하다. ¶테이프를 ~/고무줄을 ~. **2** 교제나 관계를 그만두다. ¶그와 손을 ~/거래를 ~/발길을 ~. **3** 하던 일을 중단하다. ¶지원을 ~. **4** 습관처럼 하던 것을 하지 않다. ¶술·담배를 ~. **5** 길 따위를 막다. 차단하다. ¶적의 보급로를 ~. **6** 전화 통화 따위를 끝내다. ¶전화를 ~. **7** 공급하던 것을 중단하다. ¶가스를 ~. **8** 말을 마디 있게 자르다. ¶딱딱 끊어서 말해라. **9** 목숨을 이어지지 않게 하다. ¶제 목숨을 스스로 ~. **10** 옷감·기차표·배표 등을 사다. ¶차표를 ~. **11** 수표·어음 등을 발행하다. ¶전표를 ~. **12** 목표 지점을 통과하다. ¶100 m를 11초대에 끊는 선수.

끊어-뜨리다 [끈-] [타] 끊어지게 하다. ¶고무줄을 ~.

***끊어-지다** [끈-] [자] **1** 실·줄 따위의 이어져 있던 것이 따로 떨어지다. ¶끈이 끊어져 있다. **2** 맺어진 관계가 이어지지 않게 되다. ¶왕래가 ~. **3** 죽게 되다. ¶숨이 ~. **4** 중단되거나 차단되다. ¶대화가 ~/소식이 끊어졌다. **5** 길 따위 통로가 막히게 되다. ¶다리가 ~. **6** 공급되던 것이 중단되다. ¶수돗물 공급이 ~. **7** 버스·기차 따위가 운행을 하지 않다. ¶막차가 끊어질 시간이다.

끊어-트리다 [끈-] [타] 끊어뜨리다.

끊음-표 (-標)[끈-] [명] 〖악〗 스타카토.

끊이다 [끈-] [자] (주로 '않다'와 함께 쓰여) **1** 계속하거나 이어져 있던 것이 끊어지게 되다. ¶논란이 끊이질 않았다/차량 통행이 끊이지 않는다. **2** 물건이나 일의 뒤가 떨어져 없어지다. ¶주문이 끊이지 않는다.

끊임-없다 [끈-업따] [형] (주로 '끊임없는'의 꼴로 쓰여) 계속 이어지다. 꾸준하다. ¶끊임없는 노력. **끊임-없이** [끈-업씨] [부]. ¶~ 밀려오는 파도.

끌 [명] 나무에 구멍을 파거나 다듬는 연장.

끌

끌-구멍 [-꾸-] [명] 목재에 다른 나무를 끼우기 위해 끌로 판 구멍.

끌:-그물 [-끄-] [명] 물속에 넣고 끌어당기어서 물고기를 잡는 그물의 총칭. 예망(曳網).

끌:기 [명] 〖컴〗 마우스의 단추를 누른 채 커서를 한 지점에서 다른 지점으로 옮긴 다음, 단추를 손에서 떼는 동작. 드래그(drag).

끌끌 [부][감] 마땅찮아 혀를 차는 소리.

끌끌-하다 [형][여불] 마음이 맑고 바르고 깨끗하다. [작]깔깔하다.

***끌:다** 〔끄니, 끄오〕 [타] **1** 바닥에 댄 채 잡아당기다. ¶신을 끌며 걸어가다/치맛자락을 질질 끌고 다닌다. **2** 꾀어 자기 쪽으로 오게 하다. ¶손님을 ~. **3** 시간이나 일을 미루거나 오래 걸리게 하다. ¶시간을 ~. **4** 선(線)·관(管) 따위를 더 이어 연결하다. ¶전기와 수도를 ~. **5** 인기·관심·주의를 쏠리게 하다. ¶인기를 ~. **6** 바퀴 달린 것을 움직이게 하다. ¶그녀는 자가용을 끌고 다닌다. **7** 이끌다. ¶아이를 끌고 병원에 갔다. **8** 짐승을 부리다. ¶소를 끌고 가다. **9** 돈 등을 빌려 쓰다. ¶급전을 끌어 쓰다. **10** 길게 빼어 늘이다. ¶말꼬리를 ~.

끌러-지다 [자] 매어 놓은 것이 풀어지다.

끌:려-가다 [자][거라불] 강제로 딸려 가거나 잡혀 가다. ¶누명을 쓰고 경찰서로 ~.

끌:려-들다 〔-드니, -드오〕 [자] 안으로 끌리어 들다. ¶교묘한 화술에 ~.

끌:려-오다 [자] 마지못해 남이 시키는 대로 따라오다. ¶도살장에 끌려온 소.

***끌:-리다** [자] 《'끌다'의 피동》 끎을 당하다. ¶바지가 길어 땅에 끌린다/호기심에 끌리어 이곳에 왔다.

끌밋-하다 [-미타-] [형][여불] 모양이나 차림새 따위가 밋밋하고 깨끗하며 헌칠하다. [작]깔밋하다.

끌-밥 [-빱] [명] 끌로 파낸 나무 부스러기.

끌:어-가다 [타][거라불] 사람이나 동물을 강제로 데리고 가거나 붙잡아 가다. ¶강제로 나를 끌어가려 하다.

끌:어-내다 [타] **1** 끌어서 밖으로 내다. ¶사무실에 있는 헌 책상을 복도로 ~. **2** 사람·짐승을 강제로 나오게 하다. ¶교실에서 떠드는 학생을 복도로 ~.

끌:어-내리다 [타] 낮은 수준이나 지위로 오게 하다. ¶실업률을 ~. ↔끌어올리다.

끌:어-넣다 [-너타] [타] 어떤 일에 개입시키다. ¶아이를 환상의 세계로 ~.

끌:어-당기다 [타] **1** 끌어서 앞으로 당기다. ¶좌석을 앞으로 ~. **2** 마음을 기울게 하다. ¶눈길을 ~.

끌:어-대다 [타] **1** 돈 따위를 여기저기서 끌어다가 뒤를 대다. ¶회사에 자금을 ~. **2** 끌어다가 맞추어 대다. ¶변명을 ~.

끌:어-들이다 [타] 꾀어서 자기 쪽으로 오게 하다. ¶친구를 싸움에 ~.

끌:어-매다 [타] 각 조각을 끌어대어 꿰매다.

끌:어-안다 [-따] [타] **1** 두 팔로 가슴에 당기어 껴안다. ¶목을 끌어안고 울다. **2** 일이나 책임을 떠맡다.

끌:어-올리다 [타] 높은 수준이나 지위로 올리다. ¶관광 수입을 ~/시청률을 ~. ↔끌어내리다.

끌-질 [명][하자] 끌로 구멍을 파는 일.

끌쩍-거리다 [타] 자꾸 긁어서 뜯거나 진집을 내다. [작]깔짝거리다. **끌쩍-끌쩍** [부][하타]

끌쩍-대다 [타] 끌쩍거리다.

끌탕 [명][하자] 속을 태우는 걱정.

끓는-점 (-點)[끌른-] [명] 〖물·화〗 액체가 끓는 온도. 1기압에서 물의 끓는점은 100℃임. 비등점. ↔어는점.

***끓다** [끌타] [자] **1** 물이 뜨거워져서 부글부글 솟아오르다. ¶국물이 끓고 있다. **2** 지나치게 뜨거워지다. ¶이마가 펄펄 끓는 것 같구나. **3** 화가 나서 속이 타는 듯하다. ¶그 광경을 보고 속이 부글부글 끓었다. **4** 병으로 해서 배 속에서 소리가 나다. **5** 가래가 목구멍에 붙어서 숨쉬는 대로 소리가 나다. ¶가래 끓는 소리. **6** 많이 모여 우글우글하다. ¶쓰레기통에 파리가 끓고 있다. **7** 감정·정열 따위가 솟아나다. ¶젊은 피가 끓는다.

[끓는 국에 국자 휘젓는다] '불난 집에 부채질한다'와 같은 뜻. [끓는 국에 맛 모른다] 급한 때를 당하면 정확한 판단을 할 수 없음을 이르는 말.
끓어-오르다 [끌-] [-오르니, -올라] 자르불 **1** 그릇의 물이 끓어서 넘으려고 올라오다. ¶끓어오르는 물에 라면을 넣다. **2** 열정·격정 따위가 솟아나다. ¶정열이 ~.
*__끓이다__ [끌-] 타 **1** 《'끓다3'의 사동》 속을 끓게 하다. ¶자식 문제로 속을 ~. **2** 액체를 끓게 하다. ¶국을 ~.
끔벅 부하자타 **1** 별빛이나 큰 불빛 등이 잠깐 어두워졌다 밝아지는 모양. **2** 큰 눈을 잠깐 감았다 뜨는 모양. 작깜박. 센끔뻑.
끔벅-거리다 자타 자꾸 끔벅이다. 작깜박거리다. 센끔뻑거리다. **끔벅-끔벅** 부하자타
끔벅-대다 자타 끔벅거리다.
끔벅-이다 一자 별빛이나 큰 불빛 따위가 잠깐 어두워졌다가 밝아지다. 二타 큰 눈을 잠깐 감았다가 뜨다. 작깜박이다. 센끔뻑이다.
끔뻑 부하자타 **1** 별빛이나 큰 불빛 따위가 잠깐 세게 어두워졌다 밝아지는 모양. **2** 큰 눈을 잠깐 감았다 뜨는 모양. ¶그는 눈을 ~하고 신호를 보냈다. 작깜빡. 여끔벅.
끔뻑-거리다 자타 자꾸 끔뻑이다. 작깜빡거리다. 여끔벅거리다. **끔뻑-끔뻑** 부하자타
끔뻑-대다 자타 끔뻑거리다.
끔뻑-이다 一자 별빛이나 큰 불빛 따위가 잠깐 세게 어두워졌다가 밝아지다. 二타 큰 눈을 잠깐 감았다 뜨다. 작깜빡이다. 여끔벅이다.
끔적 부하타 큰 눈을 잠깐 감았다가 뜨는 모양. 작깜작. 센끔쩍[2].
끔적-거리다 타 큰 눈을 자꾸 끔적이다. 작깜작거리다. 센끔쩍거리다[2]. **끔적-끔적** 부하타
끔적-대다 타 끔적거리다.
끔적-이다 타 큰 눈을 잠깐 감았다가 뜨다. 작깜작이다. 센끔쩍이다.
끔쩍[1] 부하자 갑자기 놀라는 모양. 작깜짝.
끔쩍[2] 부하타 큰 눈을 잠깐 세게 감았다가 뜨는 모양. 작깜짝. 여끔적.
끔쩍-거리다[1] 자 자꾸 갑자기 놀라다. 작깜짝거리다. **끔쩍-끔쩍**[1] 부하자
끔쩍-거리다[2] 타 자꾸 끔쩍이다. 작깜짝거리다. 여끔적거리다. **끔쩍-끔쩍**[2] 부하타
끔쩍-대다[1] 자 끔쩍거리다[1].
끔쩍-대다[2] 타 끔쩍거리다[2].
끔쩍-이다 타 큰 눈을 잠깐 세게 감았다가 뜨다. 작깜짝이다. 여끔적이다.
끔찍-스럽다 [-스러우니, -스러워] 형ㅂ불 끔찍한 데가 있다. ¶보기만 해도 끔찍스러운 광경. **끔찍-스레** 부
끔찍-이 부 끔찍하게. ¶나를 ~ 귀여워하시던 할아버지 / 동생이 ~ 아끼는 인형.
끔찍-하다 [-찌카-] 형여불 **1** 정도가 지나쳐 놀랄 만하다. ¶그 일은 생각만 해도 ~. **2** 성의나 정성이 매우 극진하다. ¶끔찍한 대접을 받다.
끗 [끋] 의명 **1** 접어서 파는 피륙의 접힌 겹을 세는 단위. ¶비단 열 ~. **2** 노름 등에서 셈을 치는 점수. ¶아홉 ~.
끗-발 [끋빨] 명 **1** 노름 따위에서, 좋은 끗수가 잇따라 나오는 기세. ¶~이 나다 / ~이 오르다. **2** 아주 큰 힘이나 세도. ¶나도 한때는 대표 선수로 ~을 날렸는데.
끗발(이) 세다〔좋다〕 구 ㉠노름 따위에서, 재수가 좋아, 좋은 끗수가 자꾸 나오다. ㉡세도나 기세가 당당하다.
끗-수 (-數) [끋쑤] 명 끗의 수.
끙 부 힘든 일을 겪거나, 몹시 앓을 때 내는 소리. 작깽·낑.
끙-끙 부하자 끙끙거리는 소리. ¶~ 앓다 / 말은 못하고 속으로만 ~ 앓고 있다. 작깽깽·낑낑.
끙끙-거리다 자 앓거나 힘든 일에 부대끼어 자꾸 끙 소리를 내다. 작깽깽거리다·낑낑거리다.
끙끙-대다 자 끙끙거리다.
끙짜-놓다 [-노타] 자 불쾌하게 생각하다.
*__끝__ [끋] 一명 **1** 물건의 가운데에서 가장 먼 곳. 또는 보다 가느다란 쪽이나 내민 쪽의 마지막 부분. ¶식칼의 ~이 무디다 / 나뭇가지 ~ / 마루 맨 ~에 걸터앉다. **2** 시간적·공간적으로 이어져 있는 사물·행동·상태 따위의 맨 마지막. 또는 그 다음이나 결과. ¶일 ~을 깨끗이 해야지 / 오랜 교제 ~에 결혼하다 / 고생 ~에 낙이 온다. **3** 차례의 마지막. ¶~으로 입장하다. 二의명 필(疋). ¶명주 한 ~.
[끝 부러진 송곳] 쓸모가 없어진 존재.
끝 간 데 없다 구 끝이 보이지 않을 정도로 까마득하다.
끝-갈망 [끋깔-] 명하타 일의 뒤끝을 수습하는 일. ¶하던 일을 간신히 ~하다.
끝끝-내 [끋끈-] 부 '끝내'의 힘줌말. ¶~ 내 말을 듣지 않았다.
*__끝-나다__ [끈-] 자 **1** 일이 다 이루어지다. ¶시험이 끝났다. **2** 시간적·공간적으로 이어져 있던 것이 없어지다. ¶방학이 ~ / 임기가 ~. **3** 끝장나다2.
끝-내 [끈-] 부 **1** (주로 부정(否定)을 나타내는 말과 함께 쓰여) 끝까지 내내. ¶~ 말이 없었다. **2** 끝에 가서 드디어. ¶울음을 참지 못하고 ~ 울고 말았다.
끝내-기 [끈-] 명하타 **1** 어떤 일의 끝을 맺는 일. *끝마감. **2** 바둑에서, 끝판에 가서 끝마감으로 바둑점을 서로 놓는 일.
*__끝-내다__ [끈-] 타 《'끝나다'의 사동》 더 할 것 없이 마무리하다. ¶회의를 ~ / 숙제를 끝내고 놀아라.
끝-닿다 [끋따타] 자 맨 끝까지 다다르다. ¶하늘이 끝닿는 곳.
끝-돈 [끋똔] 명 물건 값의 나머지를 마저 치르는 돈. 끝전. ¶~을 치르다.
끝-동 [끋똥] 명 옷소매의 끝에 이어서 댄 다른 색의 천.
끝-마감 [끈-] 명하타 끝을 막는 일. 사물을 완전히 끝마치는 일. *끝내기.
끝-마무리 [끈-] 명하타 일의 뒤끝을 수습하여 맺는 일. ¶작업을 ~했다.
끝-마치다 [끈-] 타 일을 끝내어 마치다. ¶겨우 숙제를 끝마쳤다.
끝-막다 [끈-] 타 일의 끝을 내서 더할 것이 없게 하다.
끝막-음 [끈-] 명하타 일의 끝을 내어 완전히 맺음. 종결.

끝-맺다 [끈맫따] 타 일을 마무리하여 끝내다. ¶말을 끝맺고 눈을 감다.

끝-머리 [끈-] 명 맨 끝. ¶편지 ~에 부탁하는 말을 적었다. ↔첫머리.

끝-물 [끈-] 명 과실·푸성귀·해산물 등에서 그 해의 맨 나중에 나는 것. ¶딸기도 ~이 되니 맛이 없다. ↔맏물.

끝-소리 [끋쏘-] 명 〖언〗 **1** 한 음절의 끝에 나는 자음(《'말' 에서 'ㄹ' 따위》). **2** 한 단어의 끝에 나는 소리(《'고기' 에서 'ㅣ' 따위》). 말음(末音). *가운뎃소리·첫소리.

끝-손질 [끋쏜-] 명하자타 일의 마지막 손질. ¶~을 말끔히 하다.

끝-수 (-數)[끋쑤] 명 〖수〗 끝자리에 있는 수. 단수.

끝-없다 [끋업따] 형 한(限)이 없다. 그지없다. ¶끝없는 사막. **끝-없이** [끋업씨] 부. ¶~ 펼쳐진 광야.

끝-일 [끈닐] 명 **1** 맨 나중의 일. **2** 어떤 일을 하고 나서 정리하는 일.

끝-자리 [끋짜-] 명 **1** 맨 밑의 지위. **2** 맨 끝의 좌석. **3** 〖수〗 숫값의 마지막 자리. 말위(末位).

끝-장 [끋짱] 명 일의 맨 마지막. ¶이 일을 그르치면 우리는 ~이야 / ~에 가서 맥주를 먹고 헤어지다.

  끝장(을) 보다 구 끝장이 나게 하다.

  끝장(을) 쥐다 구 뒷일을 맡다.

끝장-나다 [끋짱-] 자 **1** 하는 일이 마무리되다. ¶어쨌든 빨리 끝장나기만 바란다. **2** 본래의 상태가 결딴이 나서 무너지거나 없어지다. 끝나다. ¶내가 누구 때문에 인생이 끝장난 사람인데.

끝장-내다 [끋짱-] 타 (《'끝장나다' 의 사동》) **1** 하는 일을 마무리하다. ¶하던 일이나 끝장내고 가거라. **2** 어떤 상태를 결딴내서 무너뜨리거나 없애다. ¶이제 우리 관계를 끝장내자꾸나.

끝-전 (-錢)[끋쩐] 명 끝돈.

끝-판 [끋-] 명 **1** 일의 마지막 판. 종국(終局). ¶일의 ~이 잘 마무리되었다. **2** 바둑·경기 등에서 마지막 겨루어 결판이 나는 판. ¶~에 가서 역전승했다.

끼[1] 명 〔←기(氣)〕 **1** 놀이 따위에서 타고난 재주를 발휘할 수 있는 기질. ¶술이 들어가면 곧 그의 ~가 발동한다. **2** 바람기2. ¶~가 있는 여자.

끼[2] 一명 끼니. ¶~를 거르다. 二의명 끼니를 셀 때 쓰는 말. ¶두 ~를 굶다.

끼고-돌다 〔-도니, -도오〕 타 상대편을 무조건 감싸고 변호하다. ¶어머니는 형만 끼고돈다.

끼니 명 아침·점심·저녁과 같이 날마다 일정한 시간에 먹는 밥. 또는 먹는 일. 끼. ¶~를 굶다 / 빵으로 ~를 때우다.

끼니-때 명 끼니를 먹을 때.

끼닛-거리 [-니꺼- / -닏꺼-] 명 끼니로 할 감. 조석(朝夕)거리.

***끼:다**[1] 자 '끼이다[1]' 의 준말. ¶한몫 ~ / 틈에 ~.

끼:다[2] 자 **1** 안개나 연기 등이 가리다. ¶구름이 ~ / 짙은 안개가 ~. **2** 때나 먼지 따위가 덮이어 묻다. ¶옷에 때가 ~ / 눈곱이 ~. **3** 이끼·녹 등이 생겨서 엉기다. ¶곰팡이가 ~. **4** 어떤 표정이나 기미가 어리어 돌다. ¶수심 낀 얼굴.

끼다[3] 타 **1** '끼우다' 의 준말. ¶전구를 ~ / 아기를 끼고 자다 / 팔을 끼고 걷다. **2** 몸에 걸려 있도록 꿰거나 걸치다. ¶장갑을 ~. **3** 어떤 사물에서 떨어지지 아니하고 그에 따라서 가다. ¶강을 끼고 가다. **4** 겹치거나 덧붙이다. ¶옷을 끼어 입다. **5** 남의 힘을 빌리거나 이용하다. ¶기관원을 끼고 부정을 행하다.

끼-뜨리다 타 **1** 흩어지게 내던져 버리다. ¶대야의 물을 ~. **2** 소문 따위를 여기저기 사방으로 퍼뜨리다.

끼루룩 부하자 기러기나 갈매기 따위가 길게 우는 소리. 준끼룩.

끼루룩-거리다 자 자꾸 끼루룩 소리를 내어 울다. 준끼룩거리다. **끼루룩-끼루룩** 부하자

끼루룩-대다 자 끼루룩거리다.

끼룩[1] 부하자 '끼루룩' 의 준말.

끼룩[2] 부하타 무엇을 내다보거나 삼키려고 목을 길게 빼어 앞으로 쑥 내미는 모양.

끼룩-거리다[1] 자 '끼루룩거리다' 의 준말. **끼룩-끼룩**[1] 부하자

끼룩-거리다[2] 타 목을 길게 빼어 앞으로 자꾸 내밀다. **끼룩-끼룩**[2] 부하타

끼룩-대다[1] 자 끼룩거리다[1].

끼룩-대다[2] 타 끼룩거리다[2].

-끼리 미 함께 무리를 짓는 뜻을 나타내는 말. ¶우리~ / 여자~.

끼리-끼리 부 여럿이 무리를 지어 따로따로. ¶~ 몰려다니다.

끼어-들기 [- / -여-] 명 차가 옆 차로에 무리하게 비집고 들어가는 일.

끼어-들다 [- / -여-] 〔-드니, -드오〕 자 **1** 여럿 가운데 들어가 끼다. ¶화투판에 ~. **2** 자기와 관계없는 일에 나서거나 참견하다. ¶그 일에 끼어들고 싶지 않다. **3** 좁은 틈 사이를 헤집고 들어가다. ¶옆 차로에 ~. 준껴들다[2].

끼-얹다 [-언따] 타 액체나 가루 따위를 어떤 것의 위로 흩어지게 뿌리다. ¶물을 ~.

***끼우다** 타 **1** 좁은 사이에 빠지지 않게 밀어 넣다. ¶구멍에 단추를 ~ / 자물쇠에 열쇠를 끼우고 문을 열다. **2** 무엇에 걸려 있도록 꿰거나 꽂다. ¶카메라에 필름을 ~ / 창문에 유리를 ~. 준끼다[3]. **3** 한 무리에 섞거나 덧붙여 들게 하다. ¶잡지에 만화를 끼워 팔다.

끼우듬-하다 형여불 조금 끼운 듯하다. 작꺄우듬하다. 여기우듬하다. **끼우듬-히** 부

끼우뚱 부하자타형 물체가 한쪽으로 조금 끼울어진 모양. 또는 끼울게 하거나 끼울어지는 모양. 작꺄우뚱. 여기우뚱.

끼우뚱-거리다 자타 자꾸 물체가 이쪽저쪽으로 끼울어지게 흔들거리다. 또는 그렇게 흔들다. 작꺄우뚱거리다. 여기우뚱거리다. **끼우뚱-끼우뚱** 부하자타형

끼우뚱-대다 자타 끼우뚱거리다.

끼울다 〔끼우니, 끼우오〕 一형 **1** 비스듬하게 한쪽이 낮다. **2** 다른 것과 비교하여 그것보다 못하다. 二자 **1** 한쪽으로 쏠리다. **2** 형세가 이전보다 불리해지다. 작꺄울다. 여기울다.

끼울어-뜨리다 타 세게 기울어지게 하다. 여기울어뜨리다.
끼울어-지다 자 비스듬히 한쪽이 끼울게 되다. 여기울어지다.
끼울어-트리다 타 끼울어뜨리다.
끼울-이다 타 끼울게 하다. 여기울이다.
끼웃 [-욷] 부하타형 고개를 약간 한쪽으로 끼울이는 모양. 또는 조금 끼운 모양. 작꺄웃. 여기웃.
끼웃-거리다 [-욷꺼-] 타 무엇을 보려고 자꾸 고개를 끼울이다. 또는 고개나 몸이 끼울다. ¶남의 집을 끼웃거리지 마라. 작꺄웃거리다. 여기웃거리다. **끼웃-끼웃** [-욷-욷] 부하타형
끼웃-대다 [-욷때-] 타 끼웃거리다.
끼이다[1] 자 1《'끼다[3]'의 피동》 끼워지다. ¶소켓에 전구가 끼이지 않는다. 2 틈 사이에 박히다. ¶잇새에 고춧가루가 ~. 3 무리 가운데 섞이다. ¶구경꾼들 틈에 ~. 4 어떤 일에 관여하다. ¶화투판에 ~. 준끼다[1].
끼이다[2] 타 사람을 꺼리고 싫어하다.
끼익 부하자 차량 따위가 갑자기 멈출 때 나는 브레이크 소리. ¶차가 ~ 멈추다.
끼인-각 (-角) 명〖수〗 두 직선 사이에 끼어 있는 각. 협각(夾角). 준낀각.
끼적-거리다 자타 글씨나 그림을 되는대로 함부로 자꾸 쓰거나 그리다. 작깨작거리다[1]. **끼적-끼적** 부하자타
끼적-대다 자타 끼적거리다.
끼적-이다 타 글씨나 그림 따위를 아무렇게나 쓰거나 그리다. ¶아이가 방바닥에 무엇인가를 끼적이고 있다.
끼치다[1] 자 1 살가죽에 소름이 돋다. ¶소름이 쫙 ~. 2 무슨 기운이 덮치는 듯이 확 밀려오다. ¶더운 김이 얼굴에 확 ~.
***끼치다**[2] 타 1 남에게 폐나 괴로움 따위를 주다. ¶누를 ~/수고를 ~/부모에게 걱정을 ~/보행자에게 불편을 ~. 2 어떠한 일을 뒷세상에 남아 있게 하다. 후세에 전하다. ¶그가 현대 문학에 끼친 공로가 크다.
끼-트리다 타 끼뜨리다.
끽 부 몹시 놀라거나 충격을 받았을 때 힘을 잔뜩 들여 지르는 외마디 소리. 작깩.
끽끽 부하자 끽끽거리는 소리. 작깩깩.
끽끽-거리다 자 몹시 놀라거나 충격을 받아 힘을 다하여 외마디 소리를 자꾸 내다. 작깩깩거리다.
끽끽-대다 자 끽끽거리다.
끽-소리 명 조금이라도 반항하는 소리. 겨우 반항하는 소리《뒤에 반드시 부정이나 금지하는 말이 옴》. ¶~도 못하다/~ 마라. *찍소리.
끽연 (喫煙) 명하자 담배를 피움. 흡연.
끽-하다 [끼카-] 자여불 (주로 '끽해야'의 꼴로 쓰여) 할 수 있는 만큼 한껏 하다. ¶끽해야 곰탕밖에 더 사겠어.
낀:-각 (-角) 명〖수〗 '끼인각'의 준말.
낄낄 부하자 웃음을 억지로 참아 가면서 내는 소리. 작깰깰. 거킬킬.
낄낄-거리다 자 자꾸 낄낄 소리를 내어 웃다. 작깰깰거리다. 거킬킬거리다.
낄낄-대다 자 낄낄거리다.
낌새 명 일이 되어 가는 형편. 어떤 일이 되어 가는 야릇한 분위기나 눈치. ¶범죄의 ~를 맡다/~가 어쩐지 수상하다.
낌새-채다 자 일이 되어 가는 형편을 알아채다.
낑 부 몹시 부대끼거나 아프거나 하여 힘을 쓸 때 내는 소리. 작깽. 큰끙.
낑낑 부하자 1 못 견디도록 아프거나 부대끼거나 하여 안간힘을 쓸 때 자꾸 내는 소리. 2 어린애가 조르거나 보챌 때 내는 소리. 작깽깽. 큰끙끙.
낑낑-거리다 자 자꾸 낑낑 소리를 내다. 작깽깽거리다. 큰끙끙거리다.
낑낑-대다 자 낑낑거리다.

ㄴ

ㄴ[1] (니은) **1** 한글 자모의 둘째. **2** 자음의 하나. 혀끝을 윗잇몸에 붙였다 떼면서 비강(鼻腔)의 공명을 일으키는 울림소리. 받침으로 쓰일 때는 혀끝을 떼지 않음.

ㄴ[2] 조 '는'의 준말. ¶난 가오 / 눈이 많인 내리지 않았다.

-ㄴ- 선어미 받침 없는 동사의 어간 따위에 붙어서 현재 시제(時制)를 나타내는 선어말 어미. ¶본다 / 학교에 간다 / 주무신다. *-는-.

-ㄴ[1] 어미 **1** 받침 없는 동사 어간 등에 붙어서는 과거의 사실을 나타내며, '이다' 또는 받침 없는 형용사 어간에 붙어서는 현재의 사실을 나타내는 관형사형 전성 어미. ¶떠난 사람 / 흰 꽃 / 교사인 그의 형. *-는·-은. **2** '-ㄴ 김에·-ㄴ 듯하다·-ㄴ 체하다'와 같은 관용 표현으로 쓰이는 어미. ¶이왕 나온 김에 놀다 가자 / 너무 진한 듯하다 / 잘난 체하지 마라.

-ㄴ[2] 어미 '-너라'의 뜻으로 '오다'의 어간에 붙어서, '-너라'보다 더 친근함을 나타내는 종결 어미. ¶이리 온.

-ㄴ가 어미 **1** '이다' 또는 받침 없는 형용사의 어간에 붙어, 의문의 뜻을 나타내는 종결 어미. ¶얼마나 기쁜가 / 그게 사실인가. **2** ('-ㄴ가 보다·-ㄴ가 하다·-ㄴ가 싶다' 등의 꼴로 쓰여) 자문(自問) 또는 추측의 뜻을 나타냄. ¶너무 큰가 보다 / 누구신가 했어요. *-ㄴ지·-는가·-은가.

-ㄴ걸 어미 '-ㄴ 것을'의 준말로, '이다' 또는 받침 없는 용언의 어간에 붙어, 혼잣말로 가벼운 반발이나 감탄의 뜻을 나타내는 종결 어미. ¶아주 힘든 일인걸 / 벌써 온걸 / 꽤 큰걸. *-는걸·-은걸.

-ㄴ고 어미 '-ㄴ가'의 옛 말투 또는 점잖은 말투. ¶뉘 집 갠고 / 얼마나 기쁜고 / 그게 언제인고. *-는고·-은고.

-ㄴ다 어미 받침 없는 동사의 어간 등에 붙어, 동작이 진행 중임을 나타내는 종결 어미. ¶공을 던진다 / 눈이 온다 / 개가 양 떼를 몬다. *-는다.

-ㄴ다고[1] 어미 받침 없는 동사 어간 등에 붙는 어미. **1** 까닭이나 근거를 나타내는 연결 어미. ¶소풍 간다고 좋아하는 아이 / 늘 존다고 나무란다. **2** 자신의 생각·주장 등을 나타내는 종결 어미. ¶내가 널 얼마나 사랑한다고. **3** 의문·반문 등을 나타내는 종결 어미. ¶뭐, 오늘 또 온다고 / 아직도 담배를 피운다고. *-는다고[1].

-ㄴ다고[2] 어미 [-ㄴ다+고] 받침 없는 동사 어간에 붙어, 간접 인용을 나타내는 연결 어미. ¶아버지께서 오늘 안에는 오신다고 하셨다. *-는다고[2].

-ㄴ다나 어미 받침 없는 동사 어간에 붙어, 인용되는 내용이 못마땅함을 나타내는 종결 어미. ¶아들 따라 이민을 간다나. *-는다나.

-ㄴ다네 어미 '-ㄴ다(고) 하네'가 줄어서 된, 받침 없는 동사 어간에 붙이는 종결 어미. ¶그는 고향을 찾아간다네. *-는다네.

-ㄴ다느냐 어미 '-ㄴ다고 하느냐'의 준말. ¶언제 온다느냐. *-는다느냐.

-ㄴ다느니 어미 이렇게 한다 하기도 하고, 저렇게 한다 하기도 함을 나타낼 때, 받침 없는 동사 어간에 붙이는 연결 어미. ¶오늘 떠난다느니 내일 떠난다느니 해서 갈피를 잡을 수 없다. *-는다느니.

-ㄴ다는 어미 '-ㄴ다고 하는'의 준말. ¶온다는 소식을 듣다. 준-ㄴ단. *-는다는.

-ㄴ다니 어미 **1** '-ㄴ다느냐'의 준말. ¶그는 언제 온다니. **2** '-다고 하니'의 준말. ¶공부를 잘한다니 기쁘다. *-는다니.

-ㄴ다니까 어미 **1** '-ㄴ다고 하니까'의 준말. ¶오늘 떠난다니까 섭섭해 하더라. **2** 받침 없는 동사의 어간에 붙어, 어떤 사실을 미심쩍어 하거나 하는 상대방에게, 깨우쳐 주는 뜻을 나타내거나 스스로 다짐할 때 쓰는 종결 어미. ¶내일 꼭 사다 준다니까 / 틀림없이 한다니까 / 장난치면 못쓴다니까. *-는다니까.

-ㄴ다마는 어미 받침 없는 동사 어간에 붙어, 어떤 사실이나 내용을 인정하면서 그에 반대되는 내용을 덧붙여 말할 때 쓰는 연결 어미. ¶가기는 간다마는, 별로 승산이 없다. 준-ㄴ다만. *-는다마는.

-ㄴ다면서 어미 **1** '-ㄴ다고 하면서'의 준말. ¶떠난다면서 짐꾸리기에 바쁘다. **2** 받침 없는 동사 어간에 붙어, 직접 간접으로 들은 사실을 다짐하거나, 빈정거려 묻는 데 쓰이는 종결 어미. ¶손님이 온다면서 / 마구 떼를 쓴다면서. 준-ㄴ다며. *-는다면서.

-ㄴ다손 어미 받침 없는 동사의 어간에 붙어, 주로 '치다·하다'와 함께 쓰여 앞말이 사실임을 인정하면서 양보하는 뜻으로 쓰이는 연결 어미. ¶그가 한다손 치더라도 별 수 없소. *-는다손·-다손.

-ㄴ다지 어미 받침 없는 동사 어간에 붙어, 다짐하거나 묻는 뜻을 나타내는 종결 어미. ¶그는 내일 온다지.

-ㄴ단 어미 **1** '-ㄴ다는'의 준말. ¶벌써 간단 말이오. **2** '-ㄴ다고 한'의 준말. ¶벌써부터 간단 사람이 왜 가지 않았소. *-는단.

-ㄴ단다 어미 **1** '-ㄴ다고 한다'의 준말. ¶내일은 비가 온단다. **2** 받침 없는 동사 어간에 붙어, '-ㄴ단 말이다'의 뜻으로 사실을 친근하게 알려 주는 데 쓰는 종결 어미. ¶누나가 시집간단다. *-는단다.

-ㄴ달 어미 '-ㄴ다고 할'의 준말. ¶아침부터 나간달 수야 있나. *-는달.

-ㄴ담 어미 받침 없는 동사의 어간에 붙어서, '-ㄴ단 말인가'의 뜻으로 스스로에게

물음을 나타내거나 언짢음을 나타내는 종결 어미. ¶거기엔 무엇하러 간담 / 이 일을 어찌 한담. *-는담.

-ㄴ답니다 [-담-] 어미 '-ㄴ다고 합니다'의 준말. ¶그는 부산으로 간답니다. *-는답니다.

-ㄴ답디다 어미 '-ㄴ다고 합디다'의 준말. ¶미국에 간답디다. *-는답디다.

-ㄴ답시고 어미 받침 없는 동사의 어간 등에 붙어, 못마땅하여 빈정거리며 말할 때 쓰는 연결 어미. ¶범을 그린답시고 고양이를 그렸다. *-는답시고.

-ㄴ대 어미 **1** '-ㄴ다고 해'의 준말. ¶갔다 와서 공부한대. **2** 주어진 사실에 대한 의문을 나타내는 종결 어미. ¶그 사람 언제 온대. *-는대.

-ㄴ대서 어미 '-ㄴ다고 하여서'의 준말. ¶그가 온대서 하루 종일 기다렸다. *-는대서.

-ㄴ대서야 어미 '-ㄴ다고 하여서야'의 준말. ¶이제 와서 모른대서야 말이 되니. *-는대서야.

-ㄴ대야 어미 '-ㄴ다고 하여야'의 준말. ¶제가 한대야 뾰족한 수가 있나. *-는대야.

-ㄴ데 어미 '이다' 또는 받침 없는 형용사의 어간에 붙는 어미. **1** 다음 말을 끌어내기 위하여, 어떤 사실을 먼저 말하고자 할 때 쓰는 연결 어미. ¶키는 큰데 힘은 없다 / 네가 무엇인데 그런 소릴 하니. **2** 남의 반응을 기다리는 태도로 스스로 감탄하는 말을 할 때 쓰는 종결 어미. ¶날씨가 꽤 찬데 / 풀기 어려운 문젠데. *-는데·-은데.

ㄴ들 조 받침 없는 체언이나 부사어에 붙어 양보와 반문을 겸하여 '-라 할지라도 어찌'의 뜻으로 쓰이는 보조사. ¶낙환들 꽃이 아니랴 / 넌들 무슨 뾰족한 수가 있겠느냐 / 꿈엔들 잊으리. *인들.

-ㄴ들 어미 '이다' 또는 받침 없는 용언의 어간에 붙어, 양보와 반문을 겸하여 '-ㄴ다고 할지라도 어찌'의 뜻을 나타내는 연결 어미. ¶천리가 멀다 한들 …… / 그가 아무리 부자인들 무슨 소용이냐 / 아무려면 돈을 쓴들 다 쓰랴. *-은들.

-ㄴ바 어미 받침 없는 어간에 붙어, '하고 보니까·어떠어떠하니까·하였더니'의 뜻으로 뒷말을 설명하기 위해 앞말을 미리 제시하는 데 쓰이는 연결 어미. ¶현장에 가본바 사실과 같더라. *-은바·-는바.

ㄴ즉 조 받침 없는 체언에 붙어, '…로 말하면'의 뜻으로 쓰이는 보조사. ¶땐즉 봄철이라 / 글씬즉 명필이다. *인즉.

-ㄴ즉 어미 '이다' 또는 받침 없는 용언의 어간에 붙어 앞말이 뒷말의 근거나 이유임을 나타내는 연결 어미. ¶가 본즉 좋더라 / 재미있는 이야기인즉 듣지 않을 사람이 있겠소. *-은즉.

ㄴ즉슨 조 'ㄴ즉'의 뜻을 강조하는 보조사. ¶얘긴즉슨 진담이오. *인즉슨.

-ㄴ즉슨 어미 '-ㄴ즉'의 뜻을 강조하는 연결 어미《예스러운 말》. ¶배가 부른즉슨 게을러진다. *-은즉슨.

-ㄴ지 어미 '이다' 또는 받침 없는 형용사 어간에 붙어, 막연한 의문을 나타내는 종결 또는 연결 어미. ¶얼마나 기쁜지 모르겠다 / 그 사람이 누군지 아는가. *-는지·-은지.

> **'-ㄴ 지'와 '-ㄴ지'**
>
> '지'가 의존 명사이면 띄어 쓰고 어미이면 붙여 쓴다.
>
> -ㄴ 지 의존 명사 '지'는 시간의 흐름을 이야기하는 문장에서 쓰이고, 앞에 오는 관형사형 어미는 반드시 '-ㄴ / 은'만이 쓰인다.
> 예 이 회사에 들어온 지 어느덧 20년이 다 돼 간다.
> 그 친구 죽은 지 이미 오래다.
>
> -ㄴ지 어미로 쓰이는 '지'는 어느 정도 의문을 품고 이야기하는 문장에서 나타난다. 그 모양도 '-ㄴ지 / -는지 / -ㄹ지' 등으로 나타나며 뒤에는 '알다, 모르다, 궁금하다'와 같은 말들이 온다.
> 예 내가 얼마나 기쁜지 아니?
> 시험은 잘 보았는지 궁금하다.
> 내 얼굴을 알아볼지 모르겠다.

-ㄴ지고 어미 '이다' 또는 받침 없는 형용사 어간에 붙어, 느낌을 강조하거나 감탄하는 종결 어미《예스러운 말》. ¶정말 장한지고. *-은지고.

-ㄴ지라 어미 '이다' 또는 받침 없는 형용사 어간에 붙어, 다음 말의 이유나 전제가 되는 사실을 말할 때 쓰는 연결 어미《예스러운 말》. ¶얌전한지라 칭찬이 자자하오 / 수재인지라 문제 없소. *-은지라·-는지라.

나[1] 명 서양 음계의 7음 체계에서 일곱 번째 음이름. 곧, 시.

나[2] 명 '나이'의 준말.
[나 많은 말이 콩 마다할까] 자기가 그것을 매우 좋아한다는 뜻의 말.

***나**[3] ㊀인대 자기 스스로를 가리키는 제1인칭 대명사. 조사 '가'가 붙을 때는 '내'로 됨. ¶ ~와 가까운 친구. ↔너. ㊁명 자기 자신. ¶ ~를 버리고 대의에 살다. ↔남.
[나는 바담 풍(風) 해도 너는 바람 풍 해라] 자기는 잘못하면서도 남보고는 잘하라고 요구한다는 뜻. [나 먹자니 싫고 개 주자니 아깝다] 필요 없으면서도 남 주기는 아깝다는 뜻.

나[4] 조 받침 없는 체언이나 부사어에 붙는 보조사. **1** 여럿을 나열하거나 비교할 때 씀. ¶예~ 지금이나 / 너~ 나~ 마찬가지다. **2** 예로 들거나 선택하는 뜻으로 씀. ¶공부~ 하지 / 맛이 어떤가 먹어~ 봅시다. **3** 강조하거나 조건을 달거나 양보하는 뜻을 나타냄. ¶어머니~ 만난 듯이 기뻐한다 / 가만히 있으면 밉지~ 않지. **4** 수량이 많거나 정도를 넘거나 한도에 이르렀음을 나타냄. ¶두 개~ 사서 무엇하나. **5** 많지는 아니하나 있음을 나타냄. ¶밭마지기~ 부친다. **6** 하게할 자리에서 가벼운 권유나 명령을 나타냄. ¶이제 그만 가세~. **7** 해라할 자리에서 종결 어미 '-다'에 붙어, 인용이나 빈정거리는 투로 가벼운 불만을 나타냄. ¶저 사람 노름으로 날밤을 샜다~ 봐. *이나.

-나[1] 어미 **1** 받침 없는 어간에 붙어, 앞말과

뒷말의 내용이 서로 다름을 나타내는 연결 어미. ¶밤은 기~ 낮은 짧다. **2** (받침 없는 어간에 붙어, '-나 -나'의 꼴로 쓰여) 동작이나 상태를 가리어 말할 때 쓰는 연결 어미. ¶자~ 깨~ 불조심 / 오~ 가~ 말썽을 피운다. **3** 형용을 과장하기 위하여 어간을 겹쳐 쓸 때, 받침 없는 어간에 붙는 연결 어미. ¶기~ 긴 밤 / 크~ 큰 사업. *-으나.

-나² 어미 동사 어간이나 '-었-·-겠-' 뒤에서 하게나 해할 자리에 쓰여 물음을 나타내는 종결 어미. ¶언제 돌아오~ / 지금 뭐 하~.

-나³ 어미 '-는가'의 준말. ¶사람은 반드시 먹어야 사~ / 이제는 잘 사~ 보다.

나가-넘어지다 자 **1** 뒤로 물러나면서 넘어지다. ¶뒤로 벌렁 ~. **2** 남의 청이나 요구 등에 응하지 아니하고, 도리어 아주 물러나 버리는 태도를 취하다.

***나-가다** 一 자 거라불 **1** 안에서 밖으로 가다. ¶들로 ~ / 밖에 나가 놀아라. ↔들어오다. **2** 살던 집이나 직장에서 옮기거나 물러나다. ¶그 집에서 나간대 / 회사를 나간 지 벌써 두 달이 되었다. **3** 해지거나 찢어지다. ¶구두창이 ~. **4** 일이 어느 정도 진행되다. ¶영어는 몇 과나 나갔니. **5** 진출하다. 출석·출근·참가·참여·입후보 따위를 하다. ¶사회에 ~ / 경기 대회에 ~ / 회사에 ~. **6** 값 또는 무게 따위가 어느 정도에 이르다. ¶값이 나가는 물건 / 체중이 100 kg 이나 나간다. **7** 정전(停電)으로 전기·불 따위가 꺼지다. **8** 의식이나 정신 따위가 없어지다. ¶정신 나간 사람. **9** 월급·비용 따위가 지급되다. ¶한 달 식비가 20만 원이나 나간다. **10** 팔리다. ¶집이 ~ / 잘 나가는 물건. **11** 잡지·신문 따위가 출간되다. ¶5월호가 ~. **12** 말·사실·소문 따위가 알려지다. ¶잡지 광고가 방송에 나갔다. **13** 어떤 행동이나 태도를 취하다. ¶너무 저자세로만 나가면 안 돼. 二 타 거라불 **1** 어떤 곳을 벗어나 그곳에 없다. 떠나다. ¶집을 ~. **2** 어떤 일을 하러 가다. 또는 다니다. ¶강의를 ~ / 산책을 ~. **3** 일자리 따위를 그만두다. ¶회사를 ~. 三 보동 거라불 동사 어미 '-아'·'-어' 뒤에 쓰여, 어떤 일을 계속 진행함을 나타내는 말. ¶비용을 줄여 ~ / 벽돌을 차곡차곡 쌓아 ~ / 팔이 떨어져 나갈 듯이 아프다.
[나간 놈의 몫은 있어도 자는 놈의 몫은 없다] 게으른 사람을 경계하는 말. [나갔던 며느리 효도한다] 별로 기대하지 않았던 사람이 뜻밖에 좋은 일을 한다.

나가-동그라지다 자 뒤로 물러나면서 넘어져 구르다. ¶빙판에 ~. 큰나가둥그러지다. 준나동그라지다.

나가-둥그러지다 자 뒤로 물러나면서 넘어져 둥그러지다. ¶마룻바닥에 ~. 작나가동그라지다. 준나둥그러지다.

나가-떨어지다 자 **1** 뒤로 물러가면서 세게 넘어지다. ¶얼음판에서 ~ / 뒤로 벌렁 ~. **2** 〈속〉 너무 피로하거나 술 따위에 취하여 힘없이 늘어져 눕다. ¶그까짓 술에 ~니. **3** 〈속〉 실패하여 떨어져 나가다. ¶한 번 실패했다고 나가떨어질 수야 없지.

나가-자빠지다 자 **1** 뒤로 물러나면서 넘어지다. ¶뒷걸음을 치다가 벌렁 ~. **2** 해야 할 일을 아니하고 배짱을 부리며 물러나 버티다. ¶처음엔 큰소리를 치더니 슬슬 나가자빠지기 시작했다. 준나자빠지다.

나각 (螺角) 명 〔악〕 소라의 껍데기로 만든 옛 군대 악기. 법라.

나-굴다 〔나구니, 나구오〕 자 **1** 이리저리 아무렇게나 마구 뒹굴다. ¶여기저기 나굴고 있는 돌멩이. **2** 챙겨 두어야 할 물건이 마구 흩어져 뒹굴다. ¶세간이 방 안에 나굴고 있다.

나귀 명 〔동〕 '당나귀'의 준말.

나:균 (癩菌) 명 나병의 병원균. 결핵균과 비슷한 성질이 있는데, 전염력은 극히 약함.

***나그네** 명 제 고장을 떠나 다른 곳에 머물고 있거나 여행 중에 있는 사람. 여객. 길손. 행객(行客).
[나그네 주인 쫓는 격] 주객(主客)이 전도된다는 뜻.

나그네-새 명 북쪽 번식지에서 남쪽 월동지(越冬地)로 왕복하는 도중에 봄·가을로 두 차례 한 지방을 지나는 철새.

나그넷-길 [-네낄 / -넨낄] 명 여행을 하는 길. ¶~은 괴롭고 쓰라린 것.

나긋-나긋 [-근-귿] 부 하형 **1** 매우 보드랍고 연한 모양. ¶~한 허리를 껴안다. **2** 사람을 대하는 태도가 상냥하고 부드러운 모양. ¶~한 여자. **3** 글이 알기 쉽고 멋이 있는 느낌. ¶~한 문체.

나긋나긋-이 [-근-] 부 나긋나긋하게. ¶어린애가 ~ 말을 잘 듣는다. 준낫낫이.

나긋-하다 [-그타-] 형 여불 **1** 보드랍고 연하다. **2** 대하는 태도가 상냥하고 친절하다.

나깨 명 메밀의 속껍질.

나날 명 계속 이어지는 하루하루의 날들. 매일. ¶바쁜 ~을 보내다.

나날-이 부 날마다. 날로. ¶~ 좋아지다.

나누-기 명 하 자타 〔수〕 나눗셈을 하는 일. *곱하기.

***나누다** 타 **1** 하나를 둘 이상으로 가르다. ¶사과를 둘로 ~. **2** 어떤 대상을 구분하여 분류하다. ¶생물을 동물과 식물로 ~. **3** 몫을 분배하다. ¶유산을 ~. **4** 〔수〕 나눗셈을 하다. **5** 음식 따위를 함께 먹다. ¶술이나 한잔 나눕시다. **6** 말이나 이야기를 주고받다. ¶이야기를 ~ / 서로 인사를 ~ / 의견을 ~. **7** 즐거움이나 고생 등을 함께하다. ¶어려움이나 기쁨을 함께 나누는 형제 같은 사이. **8** 같은 핏줄을 받다. ¶피를 나눈 형제.

나누어-떨어지다 자 나눗셈에서, 한 정수(整數)를 다른 정수로 나눌 때, 그 몫이 정수가 되고 남음이 없게 되다.

나누어-지다 자 **1** 서로 떨어지다. **2** 둘 이상의 부류가 되다. **3** 분배되다. **4** 〔수〕 어떤 수가 몇 개의 똑같은 몫으로 갈라지다.

나누이다 자 ('나누다'의 피동) 나누어지다. 준나뉘다.

***나눗-셈** [-눋쎔] 명 하 자타 〔수〕 어떤 수로 다른 수를 나누기하는 셈. ↔곱셈.

나눗-수 (-數) [-눋쑤] 명 〔수〕 어떤 수를 나누는 수. 제수(除數). *나뉨수.

나뉘다 자 '나누이다'의 준말.

나뉨-수 (-數) [-쑤] 명 〔수〕 어떤 수로 나눔을 당하는 수. 피제수(被除數). *나뭇수.

나닐다 〔나니니, 나니오〕 [자] 날아서 오락가락하다. ¶꽃밭에 나니는 나비.

***나다**[1] [자] **1** 어떤 것이 발생하거나 일어나다. ¶병이 ~/먼지가 ~/길이 ~/홍수가 ~/수염이 ~/소리가 ~/짜증이 ~. **2** 밖으로 드러나다. ¶소문이 ~/화가 ~/촌티가 ~/이름이 ~. **3** 무엇이 생기다. ¶길이 ~. **4** 밖으로 흘러나오다. ¶눈물이 ~/땀이 ~. **5** 물품이 시장에 나오다. ¶장엔 벌써 햅쌀이 났어. **6** 어떤 결과로 되다. ¶결론이 ~/동이 ~/승부가 ~/해결이 ~. **7** 〈속〉 잘나다. ¶그 사람은 역시 난 사람이야. **8** 산출하다. ¶금이 많이 나는 광산. **9** 게재(揭載)되다. ¶신문에 ~. **10** 태어나다. 출생하다. ¶내가 난 해. **11** 시간적·공간적으로 비게 되다. ¶틈이 ~/자리가 ~/손이 ~. **12** 더해지다. 새로 솟다. ¶속력이 ~/힘이 ~. **13** 어떤 현상 따위가 나타나다. ¶효과가 ~/능률이 ~/철이 ~. **14** 뛰어난 사람이 나오다. ¶열녀가 ~.

***나다**[2] [타] **1** 철이나 일정한 기간을 지내다. ¶겨울을 ~/일 년을 ~. **2** 갈라져 나와 새로 살림을 차리다. ¶분가해서 따로 살림을 났다.

나다[3] [보동] **1** 동사의 어미 '-아'·'-어' 뒤에 쓰여, 그 동작이 계속되어 나감을 나타내는 말. ¶잠을 자고 나면 낫겠지/손에 익어 ~. **2** 동사의 어미 '-고'의 다음에 쓰여, 어떤 행동이나 상태가 끝났음을 나타내는 말. ¶어려움을 겪고 ~.

-나다 [미] **1** 일부 명사 뒤에 붙어, 그러한 상태로 되거나 그런 현상이 일어남을 뜻함. ¶병~/의심~/야단~/생각~/땀~. **2** 일부 명사나 명사성 어근에 붙어 그런 성질이 있음을 나타냄. ¶맛~/별~/엄청~/축~.

나-다니다 [자타] 밖으로 나가 여기저기 돌아다니다. ¶밤늦게 나다니지 마라.

나다분-하다 [형][여불] **1** 여럿이 뒤섞여서 갈피를 잡을 수 없이 어지럽다. **2** 말이 갈피를 잡을 수 없이 길고 수다스럽다. [큰]너더분하다. **나다분-히** [부]

나닥-나닥 [-당-] [부][하형] 군데군데 고르지 않게 덧붙인 모양. ¶비록 몸엔 ~ 기운 누더기를 걸쳤을망정. [큰]너덕너덕.

나달[1] [명] 날과 달. 세월. ¶신혼 재미에 ~ 가는 줄도 모른다.

나달[2] [명] 나흘이나 닷새쯤. ¶한 ~ 걸렸다.

나달-거리다 [자] **1** 여러 가닥이 늘어져 자꾸 흔들리다. **2** 주제넘은 말과 행동을 자꾸 야단스럽게 하다. [큰]너덜거리다. [거]나탈거리다. **나달-나달** [-라-] [부][하자]

나달-대다 [자] 나달거리다.

나-대다 [자] **1** 채신없이 까불거리며 나다니다. ¶나대지 말고 집에 붙어 있어라. **2** 나부대다.

나-돌다 〔나도니, 나도오〕 [자타] **1** '나돌아다니다'의 준말. **2** 소문이나 어떤 물건 따위가 여기저기 나타나거나 퍼지다. ¶가짜가 ~/유언비어가 ~.

나-돌아다니다 [자타] 여기저기 나가 돌아다니다. [준]나돌다.

나-동그라지다 [자] '나가동그라지다'의 준말. ¶시멘트 바닥에 나동그라졌다.

나-뒹그러지다 [자] '나가뒹그러지다'의 준말.

나-뒹굴다 〔나뒹구니, 나뒹구오〕 [자] **1** 이리저리 마구 뒹굴다. ¶발길에 차여 길바닥에 나뒹굴었다. **2** 여기저기 어지럽게 널리어 있다. ¶길가에 나뒹굴고 있는 돌멩이.

나-들다 〔나드니, 나드오〕 [자] '드나들다'의 준말. ¶술집에 자주 ~.

***나들이** [명][하자] 집을 떠나 가까운 이웃이나 다른 곳에 잠시 다녀오는 일. ¶결혼해서 처음으로 친정 ~를 했다/오늘은 날씨가 좋아 ~하는 사람이 많겠지.

나들이-옷 [-옫] [명] 나들이할 때에 입는 옷. 외출복. 출입복.

***나라** [명] **1** 국가. ¶~를 다스리다. **2** 그 단어가 나타내는 사물의 세상이나 세계. ¶별~/꿈~.

나라 글자 (-字)[-짜] 국자(國字)1.

나라-꽃 [-꼳] [명] 국화(國花).

나라-님 [명] 임금.

나라-말 [명] 국어.

나라-지다 [자] 기운이 풀려 온몸이 나른해지다. [큰]늘어지다.

나락 (奈落·那落) [명] **1** 〖불〗 지옥1. **2** 벗어나기 어려운 절망적 상황을 비유하여 이르는 말. ¶절망의 ~에 떨어지다.

나란-하다 [형][여불] 여럿이 줄지어 있는 모양이 가지런하다. **나란-히** [부]. ¶~ 서다.

나란히-맥 (-脈) [명] 〖식〗 잎자루에서 잎몸의 끝까지 서로 나란히 있는 잎맥. 평행맥. *그물맥.

나랏-돈 [-라똔/-랃똔] [명] 국고금(國庫金).

나랏-일 [-란닐] [명] 국사(國事). ¶~에 너무 무심한 것 같다.

나래[1] [명] 논밭을 반반하게 고르는 데 쓰는 농구(《써레와 비슷하나 아래에 발 대신에 널빤지를 가로 대었음》).

나래[1]

나래[2] [명] 배를 젓는 연장(《노와 비슷하나 짧고 두 개로 양편을 저음》).

나래[3] [명] '날개'의 문학적 표현.

나루 [명] 강이나 내 또는 좁은 바닷목에서 배가 건너다니는 곳.

나루-터 [명] 나룻배로 건너다니는 곳.

나루터-지기 [명] 나루터를 지키는 사람. 나루지기.

나루-턱 [명] 나루터에서 나룻배를 대는 일정한 곳. ¶~에 배를 대다.

나룻 [-룯] [명] 수염1.

[나룻이 석 자라도 먹어야 샌님] 체면만 차리다가는 아무것도 못 한다.

나룻-가 [-루까/-룯까] [명] 나루터의 근처.

나룻-배 [-루빼/-룯빼] [명] 나루와 나루 사이를 건너다니는 작은 배.

***나르다** 〔나르니, 날라〕 [타][르불] 사람이나 물건을 다른 데로 옮기다. 운반하다. ¶석탄을 트럭으로 ~/하객들을 차로 실어 ~.

나르시시즘 (narcissism) [명] 자기에게 도취되어 자기 자신을 병적으로 사랑하는 일.

나른-하다 [형][여불] **1** 몸이 고단하여 힘이 없

다. ¶어쩐지 몸이 ~. 2 풀기가 없이 보드랍다. 큰느른하다. **나른-히** 부

나름 의명 명사나 어미 '-기'·'-을' 뒤에 쓰여, 그 됨됨이나 하기에 달림을 나타내는 말. ¶사람 ~/생각하기 ~이다/~대로 최선을 다했다.

***나리**[1] 명〖식〗 1 백합. 2 '참나리'의 준말.

나:리[2] 명 1〖역〗 아랫사람이 당하관(堂下官)을 높여서 부르던 말. 2〖역〗 왕자를 존대하여 부르던 말. 3 지체가 높거나 권세가 있는 사람을 높여 부르는 말.

ㄴ

나릿-나릿 [-린-릳] 부하형 1 동작이 느리고 굼뜬 모양. 2 짜임새나 사이가 느슨하거나 성긴 모양. 큰느릿느릿.

나마 조 받침 없는 체언에 붙어서, 만족하지 못함을 참고 아쉬운 대로 양보함을 나타내는 보조사. ¶전화~ 걸어 주었으면. *이나마[2].

-나마 어미 '이다' 또는 받침 없는 용언의 어간에 붙어, '-지만'의 뜻을 나타내는 연결 어미. ¶쓰~ 먹으시오/술은 못하~ 담배는 좀 피웁니다. *-으나마.

나막-신 명 앞뒤에 높은 굽이 있어 비가 오는 날이나 진땅에서 신게 된, 나무를 파서 만든 신. 목리(木履).

나막신

***나머지** 명 1 어느 한도에 차고 남은 부분. ¶쓰고 난 ~를 저축하다. 2 마치지 못한 부분. ¶~ 일은 내일 해라. 3 어떤 일의 결과. 끝. ¶감격한 ~ 눈물을 흘리다. 4〖수〗 나눗셈에서, 나누어 똑 떨어지지 않고 남는 수.

나:목(裸木) 명 잎이 떨어져 가지만 앙상하게 남아 있는 나무.

***나무** 명 1〖식〗 줄기나 가지가 목질로 된 여러해살이 식물. ¶~를 베다/~를 심다. 2 집을 짓거나 물건을 만드는 데 재료로 쓰는 재목. ¶~ 책상/~로 기둥을 세우다. 3 '땔나무'의 준말. ¶~를 한 짐 해 오다. **—-하다** 자여불 산이나 들에서 땔나무를 마련하다.
[나무에 오르라 하고 흔드는 격] 남을 위험한 곳이나 불행한 처지에 빠지게 함.

나무 (南無) 명 〔산 Namas : 돌아가 의지함의 뜻〕〖불〗 부처나 경문 이름의 앞에 붙이어 절대적인 믿음을 표시하는 말.

나무-껍질 명 나무의 껍질. 수피(樹皮).

***나무-꾼** 명 땔나무를 하는 사람.

나무-다리[1] 명 나무로 만들어 놓은 다리. 목교(木橋).

나무-다리[2] 명 나무로 만든 의족(義足).

나무-때기 명 조그마한 나뭇조각.

나무라다 타 1 잘못을 꾸짖어 알아듣도록 말하다. ¶아들의 잘못을 ~. 2 흠을 지적하여 말하다. ¶나무랄 데 없는 인물.

나무람 명하타 나무라는 말이나 일.

나무람(을) 타다 구 나무람을 듣고 쉽게 충격을 받다. ¶나무람을 잘 타는 아이.

나무-새 명 1 여러 가지 땔나무의 총칭. ¶겨울이 오기 전에 ~를 해 놓아야지. 2 나무숲.

나무-숲 [-숩] 명 나무가 우거진 숲. ¶~에서 삼림욕을 하다.

나무-아미타불 (南無阿彌陀佛) 명 1〖불〗 아미타불에 돌아가 의지한다는 뜻으로, 염불하는 소리. 2 공들여 해 놓은 일이 허사가 됨을 이르는 말. ¶십 년 공부 ~.

나무-젓가락 [-저까-/-젇까-] 명 나무로 만든 젓가락. 목저(木箸).

나무-줄기 명 나무의 뿌리 위로 벋어서, 가지를 치고 잎이 돋아나게 하는 굵은 부분.

나무-집 명 담배통이나 물부리 또는 물미 따위에 나무나 설대를 맞추어 끼는 곳.

나무-쪽 명 나무의 조각.

나무-토막 명 잘라지거나 부러진 나무의 동강이.

나무-판자 (-板子) 명 널빤지.

나:문 (拿問) 명하타 죄인을 잡아다가 죄상(罪狀)을 캐어물어 조사함.

***나물** 명 1 먹을 수 있는 풀이나 나뭇잎의 총칭. ¶~을 캐다. 2 채소 따위를 여러 가지 양념으로 무친 반찬. ¶~을 무치다.

나물-하다 자여불 1 나물을 캐거나 뜯거나 하다. ¶나물하러 들로 나가다. 2 나물을 볶거나 무치거나 하여 반찬으로 먹을 수 있게 만들다.

***나뭇-가지** [-무까-/-묻까-] 명 나무의 줄기에서 뻗은 가지. ¶~를 꺾지 마시오/~에 잎이 무성하다.

나뭇-간 (-間)[-무깐/-묻깐] 명 땔나무를 쌓아 두는 곳간. ¶~에서 땔나무를 꺼내 오다.

나뭇-개비 [-무깨-/-묻깨-] 명 가늘고 길게 쪼개진 나뭇조각.

나뭇-결 [-무껼/-묻껼] 명 세로로 켠 나무의 면에 나타나는 무늬. 나뭇결무늬. ¶~이 곱다/~을 곱게 다듬다.

나뭇-고갱이 [-무꼬-/-묻꼬-] 명 나무줄기의 한가운데에 있는 연한 부분.

나뭇-단 [-무딴/-묻딴] 명 단으로 묶어 놓은 땔나무.

나뭇-등걸 [-무뜽-/-묻뜽-] 명 줄기를 베어 낸 나무의 밑동.

***나뭇-잎** [-문닙] 명 나무의 잎. ¶~이 지다/~이 빨갛게 물들다.

나뭇-조각 [-무쪼-/-묻쪼-] 명 나무를 작게 쪼갠 조각.

나뭇-짐 [-무찜/-묻찜] 명 땔나무의 짐.

나박-김치 명 무를 얇고 네모지게 썰어 절인 다음, 고추·파·마늘 따위를 넣고 국물을 부어 담근 김치.

나발 명 〔←나팔(喇叭)〕 1〖악〗 옛날 악기의 하나《쇠붙이로 긴 대롱같이 만들되 위가 빨고 끝이 퍼짐. 군중(軍中)에서 호령·신호용으로 씀》. 2 (주로 '…이고 나발이고'의 꼴로 쓰여) 앞말의 내용을 무시하거나 욕으로 이를 때 쓰는 말. ¶돈이고 ~이고 다 싫다.

나발(을) 불다 구 〈속〉 ㉠객쩍은 소리나 당치 않은 말을 함부로 떠벌리다. ㉡허풍을 떨다. ㉢술 따위를 병째로 마시다.

나발 1

나방 명〖충〗 나비목(目) 나방아목(亞目)의 곤충의 총칭. 나비보다 더 통통하고 쉴 때는 비스듬하거나 수평으로 날개를 폄. 주

로 밤에 활동하고 식물의 잎·줄기를 갉아 먹으며 고치를 만들고 완전 변태를 함.

나-번득이다 자 젠체하고 함부로 덤비다.

나변(那邊) 명 **1** 그곳. 거기. **2** 어느 곳. 어디. ¶그 저의(底意)가 ~에 있는지.

나:병(癩病) 명 〔의〕 한센병(Hansen病).

나:부(裸婦) 명 벌거벗은 여자.

나부끼다 자타 가벼운 물체가 바람에 날려 흔들리다. 또는 그렇게 하다. ¶깃발이 바람에 ~/머리카락을 ~.

나부-대다 자 가만히 있지 못하고 자꾸 움직이다. ¶흰 나비 한 마리가 나부댄다.

나부대대-하다 형여불 얼굴이 동그스름하고 나부죽하다. 큰너부데데하다. 준납대대하다.

나부라-지다 자 힘없이 바닥에 까부라져 늘어지다. 큰너부러지다.

나부랭이 명 **1** 실·종이·헝겊 따위의 자질구레한 오라기. ¶종이 ~. **2** 어떤 물건이나 사람을 하찮게 여기어 일컫는 말. ¶세간 ~. 큰너부렁이.

나부시 부 **1** 천천히 땅으로 내려오는 모양. ¶깃털 하나가 ~ 내려앉다. **2** 고개를 숙이고 공손하게 절하거나 앉는 모양. ¶처녀가 곁에 와 ~ 앉았다. 큰너부시.

나부죽-이 부 **1** 나부죽하게. **2** 공순한 태도로 천천히 엎드리는 모양. ¶~ 절을 하다.

나부죽-하다 [-주카-] 형여불 작은 것이 좀 넓고 평평한 듯하다. ¶그릇이〔얼굴이〕 ~. 큰너부죽하다.

나불-거리다 자타 **1** 보드랍게 나붓거리다. 또는 나붓거리게 하다. ¶나뭇잎이 바람에 ~/깃발을 ~. 큰너불거리다. 거나풀거리다. **2** 경솔하게 입을 자꾸 놀리다. ¶입만 살아서 쓸데없이 나불거리다. **나불-나불** [-라-] 부하자타

나불-대다 자타 나불거리다.

나붓-거리다 [-붇꺼-] 자 자꾸 나부끼어 흔들리다. ¶바람에 깃발이 나붓거린다. 큰너붓거리다. **나붓-나붓** [-분-붇] 부하자

나붓-대다 [-붇때-] 자 나붓거리다.

나붓-이 부 좀 나부죽하게.

나붓-하다 [-부타-] 형여불 좀 나부죽하다. ¶그녀는 얼굴이 나붓하고 통통해서 복스럽게 보였다. 큰너붓하다.

나-붙다 [-붇따] 자 밖으로 드러나게 붙여지다. ¶게시판에 공고문이 나붙었다.

*__나비__[1] 명 피륙 따위의 너비.

*__나비__[2] 명 〔충〕 나비목 나비아목의 곤충의 총칭. 가슴에 넓적하고 빛깔이 아름다운 두 쌍의 날개가 있음. 겹눈이 두 개 있고, 입은 대롱처럼 긴 관형으로 되어 꿀을 빨아 먹기에 알맞음. 애벌레는 채소·나무·풀잎을 갉아 먹는 해충임. 앉을 때는 대부분 날개를 세우며, 낮에 활동함.

나비[3] 명 고양이를 부를 때 쓰는 말. ¶~야 쥐 잡아라.

나비-넥타이 (-necktie) 명 늘어뜨리는 부분이 없고 나비 모양으로 매듭을 지은 넥타이. 보타이.

나비-잠 명 갓난아이가 두 팔을 머리 위로 벌리고 자는 잠.

나비-잠(-簪) 명 날개를 편 나비 모양으로 만든 비녀《새색시가 예복을 입을 때 머리에 덧꽂음》.

나비-장 명 〔건〕 재목을 서로 이을 때 쓰는 나비 모양의 나뭇조각. 은장.

나비장-붙임 [-부침] 명하자 나비 모양의 나무쪽으로 쪽 붙임하는 일. 또는 그 쪽 붙임.

나비장홈
나비장
나비장붙임

나빠-지다 자 나쁘게 되다. ¶건강이 ~/경제 사정이 점점 ~.

*__나쁘다__[1] 〔나쁘니, 나빠〕 형 **1** 좋지 않다. ¶그는 머리가 ~/기분이 ~/안색이 ~/날씨가 ~. **2** 건강 따위에 해롭다. ¶담배는 건강에 ~. **3** 옳지 않다. ¶아주 나쁜 사람/거짓말하는 것은 나쁜 일이다.

[나쁜 소문은 빨리 퍼진다] 나쁜 일일수록, 숨기려 해도 금세 세상에 널리 퍼진다는 말.

나쁘다[2] 〔나쁘니, 나빠〕 형 먹은 것이 양에 차지 않다. 부족하다. ¶밥은 좀 나쁘게 먹어라.

[나쁜 술 먹기는 정승 하기보다 어렵다] 음식, 특히 술은 배에 차지 아니하게 알맞게 먹기가 어렵다는 말.

나삐 부 나쁘게. ¶~ 보다/~ 여기다.

나사(羅紗) 명 〔포 raxa〕 양털에 무명·명주·인조 견사 등을 섞어 두툼하게 짜서 양복감으로 쓰는 모직물의 하나.

나사(螺絲) 명 **1** 소라처럼 빙빙 비틀리어 고랑이 진 물건. 물건을 고정시키는 데에 씀. **2** '나사못'의 준말.

나사가 빠지다 구 정신이 없다.

나사가 풀리다 구 정신이 해이해지거나 긴장이 풀리다.

나사(NASA) 명 〔National Aeronautics and Space Administration〕 우주 개발 계획을 추진하기 위하여 설립된 정부 기관. 미국 항공 우주국.

나사-돌리개(螺絲-) 명 나사못을 돌려서 박거나 빼는 기구. 드라이버.

나사-못(螺絲-)[-몯] 명 몸의 거죽이 나선상으로 되어 돌려서 박게 만든 못. 나사정(釘). 준나사(螺絲).

나사-송곳(螺絲-)[-곧] 명 끝이 나사 모양으로 비비 틀린 송곳. 도래송곳.

나삼(羅衫) 명 **1** 얇고 가벼운 비단으로 만든 적삼. **2** 전통 혼례 때 신부가 활옷을 벗고 입는 예복.

*__나-서다__ 一자 **1** 앞으로 나와서 서다. 어떤 곳으로 나오다. ¶앞으로 불쑥 ~/사람들 앞에 ~. **2** 구하던 사람이나 사물이 나타나다. ¶일자리가 ~/독지가가 ~/구매자가 ~/딸의 혼처가 ~. **3** 어떠한 일을 적극적으로 또는 직업적으로 시작하다. ¶발벗고 ~/정치가로 ~. **4** 어떠한 일을 가로맡거나 간섭하다. ¶남의 일에 나서지 마시오. 二타 떠나다. 출발하다. ¶아침에 집을 ~/우리는 여행을 떠나기 위해 길을 나섰다.

나:선(裸線) 명 겉에 아무것도 싸지 않아, 쇠줄이 드러난 전선. 알줄.

나선(螺旋) 명 나사처럼 빙빙 비틀리어 돌아간 모양. ¶~ 계단.

나선-상(螺旋狀) 명 나사 모양으로 빙빙 비틀리어 돌아간 모양. 나상(螺狀). 나선형.

나선-형 (螺旋形) 명 나선상(狀). ¶~ 층계를 걸어 올라갔다.
나성 (羅城) 명 1 성의 외곽. 2 외성(外城). ¶~을 축조하다.
나슨-하다 형여불 1 늘어나서 헐겁다. ¶나슨한 빨랫줄. 2 마음이 풀어져 긴장됨이 없다. 큰느슨하다. **나슨-히** 부
나:신 (裸身) 명 벌거벗은 몸. 나체. 알몸. ¶~상(像).
나쎄 명 〈속〉 어느 정도 든 나이. ¶그 ~에 그게 무슨 짓이람.
***나아-가다** 자거라불 1 앞으로 향하여 가다. ¶인류가 나아가야 할 방향 / 어른 앞에 ~. 2 일이 점점 되어 가다. 진전하다. ¶영어는 얼마나 나아갔니. 준나가다.
나아-가서 부 그뿐 아니라. 거기에만 머무르지 아니하고. 그 일이 미치는 결과로서. ¶일신의 출세이자, ~ 집안의 명예이기도 하다.
나아-지다 자 어떤 일이나 상태가 좋아지다. ¶형편이 ~ / 성적이 점점 나아졌다.
나-앉다 [-안따] 자 1 안에서 밖으로, 뒤쪽에서 앞쪽으로 앉은 자리를 옮기다. ¶그는 앞으로 나앉으며 내게 물었다. 2 집 따위를 일정한 곳으로 옮겨 새로이 자리 잡다. ¶장사를 하기 위하여 길가 쪽으로 ~. 3 하던 일이나 권리를 포기하고 물러나다. ¶그는 회장 자리에서 나앉고 말았다. 4 살 집을 잃고 쫓겨나다. ¶자칫하면 그들은 거리로 나앉게 생겼다.
나:약 (懦弱·儒弱) 명하형히부 의지가 굳세지 못함. ¶~한 국민성 / 의지가 ~하다.
나:-어리다 형 나이가 어리다.
나-엎어지다 자 갑자기 엎어지다. ¶나엎어지는 바람에 무릎이 깨지다.
나열 (羅列) 명하자타 죽 벌여 놓음. ¶미사여구의 ~ / 어려운 단어만 ~한 문장 / 여러 가지 증상을 ~하다.
***나-오다** 一자너라불 1 안에서 밖으로 오다. ¶방에서 ~. ↔들어가다. 2 속에서 바깥으로 솟아나다. ¶싹이 ~. 3 액체나 기체가 밖으로 흐르다. ¶피가 ~ / 녹물이 ~. 4 어떠한 데에 나타나다. 그 모습을 나타내다. ¶모임에 나오지 않다. 5 생산되다. 산출되다. ¶석유가 ~ / 그 회사에서 나오는 상품. 6 어떠한 근원에서 일어나다. 발생하다. ¶그건 어디서 나온 얘기요. 7 있던 곳에서 다른 곳으로 옮기다. 사직하여 그만두다. ¶그 회사에서 나온 지 두 달 되었다. 8 태도를 취하여 겉으로 드러내다. ¶거친 태도로 ~. 9 일터로 일하러 오다. ¶직장에 ~. 10 앞으로 내밀다. ¶배가 나온 사람. 11 투신하다. 진출하다. ¶정계에 나온 지 겨우 1년. 12 감정·표정 따위가 겉으로 나타내어지다. ¶울음이 ~. 13 출생하다. 태어나다. ¶내가 세상에 나온 지도 30년 / 걸출한 인물이 ~. 14 발견되다. ¶없어졌던 지갑이 ~. 二타너라불 1 어떤 곳을 벗어나다. ¶집을 ~. 2 졸업하다. ¶일류 대학을 ~. 3 직장을 그만두다. ¶회사를 나와 쉬고 있다.
나-오르다 [나오르니, 나올라] 자르불 소문 따위가 퍼져 자꾸 남의 입에 오르내리다.
나왕 (羅王) 명 [←라완(lauan)] 〖식〗 용뇌향과의 상록 교목. 또는 그 재목. 필리핀·인도·자바 등지에서 나는데 백나왕·적나왕 등 여러 가지가 있음. 가구·건축재로 씀.
나우 부 1 좀 많은 듯하게. ¶밥을 ~ 담아라. 2 정도가 좀 낫게. ¶귀한 손님이니 ~ 대접하시오.
나울-거리다 一자 1 바다의 큰 물결이 자꾸 굽이져 흐르거나 움직이다. 2 춤추듯이 바람에 자꾸 나부끼다. 큰너울거리다. 二타 팔이나 날개 따위를 보드랍게 자꾸 움직이다. 큰너울거리다. **나울-나울** [-라-] 부하자타
나울-대다 자타 나울거리다.
나위 의명 더 할 수 있는 여유나 더 해야 할 필요. ¶더할 ~ 없이 좋다 / 의심할 ~ 없는 사실이다.
***나이** 명 사람이나 동·식물 따위가 세상에 나서 살아온 햇수. 연령. ¶~가 지긋하다 / ~가 들다 / 그의 ~는 서른둘이다. 준나.
[나이 젊은 딸이 먼저 시집간다] ㉠나이 적은 사람이 시집가기 쉽다. ㉡젊은 사람이 사회에 잘 쓰인다.
나이(가) 아깝다 구 말이나 하는 짓이 그 나이에 어울리지 않게 유치하다.
나이(가) 차다 구 알맞은 나이에 이르다. 혼기(婚期)가 되다. ¶나이 찬 처녀.
나이(를) 먹다 구 나이가 많아지다.

> **나이의 이칭(異稱)**
>
> 1. 논어(論語) 위정편(爲政篇)
> 15세-지학(志學) 30세-이립(而立)
> 40세-불혹(不惑) 50세-지명(知命)
> 60세-이순(耳順) 70세-종심(從心)
> • 어원(語源) … 吾十有五而志于學, 三十而立, 四十而不惑, 五十而知天命, 六十而耳順, 七十而從心所欲不踰矩(나는 열다섯에 배움에 뜻을 두고, 서른에 뜻을 세우고, 마흔에는 세상일에 미혹(迷惑)되지 아니하고, 쉰에는 천명을 알고, 예순에는 들으면 곧 이해하고, 일흔에는 마음에 하고자 하는 바를 좇아 하여도 법도를 넘지 아니하였다).
> 2. 예기(禮記) 곡례편(曲禮篇)
> 10세-유학(幼學) 20세-약관(弱冠)
> • 어원…人生十年曰幼學, 二十曰弱冠
> 3. 두보(杜甫)의 시(詩)
> 70세-고희(古稀)
> • 어원…人生七十古來稀

-나이까 어미 동사 및 '있다·없다·계시다'의 어간에 붙어서, '하소서' 체에서 현재의 동작을 묻는 종결 어미《예스러운 표현》. ¶어디로 가시~. *-오니까.
-나이다 어미 동사 및 '있다·없다·계시다'의 어간에 붙어, '하소서' 체에서 현재의 동작을 설명하거나 대답하는 종결 어미《예스러운 표현》. ¶천지신명께 비~ / 분부 거행하겠~. *-오이다.
나이-대접 (-待接) 명하타 나이 많은 사람을 대접하여 받드는 일. ¶~ 받고 싶으면 함부로 말하지 마라. 준나대접.
나이-배기 명 외모보다 실제로 더 나이가

나이테

많은 사람을 얕잡아 이르는 말. [준]나배기.

나이-테 [명] 〖식〗 나무의 줄기를 가로로 자른 면에 나타나는 바퀴 모양의 테. 해마다 하나씩 늘어가므로 그 나무의 나이를 알 수 있음. 연륜(年輪). 목리(木理).

나이트-가운 (nightgown) [명] 여자나 아이들이 잠옷 위에 입는 길고 가벼운 겉옷.

나이트 게임 (night game) 야구·축구 따위의 야간 경기.

나이트-클럽 (nightclub) [명] 술을 마시고 춤을 추며 즐길 수 있는 야간 유흥업소.

나이-티 [명] 자기 나이에 어울리는 언행의 태도. ¶아무리 감추려 해도 ~가 난다.

나이프 (knife) [명] 양식을 먹을 때 쓰는 작은 칼. ¶포크와 ~.

나:인 [명] 〔←내인(內人)〕 〖역〗 궁궐 안에서 왕과 왕비를 가까이 모시던 내명부(內命婦)의 총칭. 궁인(宮人). 궁녀.

나일론 (nylon) [명] 석탄·물·공기 따위를 원료로 하여 합성수지로 만든 인조 섬유《비단과 비슷하나 비단보다 가볍고 질김》. ¶~ 스타킹.

나잇-값 [-이깝/-읻깝] [명] 나이에 어울리는 말이나 행동을 낮잡아 이르는 말. ¶~도 못한다.

나잇-살 [-이쌀/-읻쌀] [명] (흔히 '먹다'와 함께 쓰여) '지긋한 나이'를 얕잡아 일컫는 말. ¶~이나 먹었다는 사람들이 저 모양이냐. [준]낫살.

나-자빠지다 [자] '나가자빠지다'의 준말. ¶방바닥에 털썩 나자빠졌다/이제 와서 못하겠다고 나자빠지면 어떡해.

나:장 (裸葬) [명][하타] 장사 지낼 때 관을 쓰지 아니하였거나, 또 썼더라도 하관(下棺)할 때에 관을 물려 내고 송장만을 묻는 일.

나전 (螺鈿) [명] 광채 나는 자개 조각을 여러 모양으로 박아 넣거나 붙여서 장식한 공예품. 자개. ¶~ 칠기.

나절 [의명] **1** 하루 낮의 대략 절반쯤 되는 동안. **2** 낮의 어느 무렵이나 동안. ¶오전 ~.

나절-가웃 [-욷] [명] 하루 낮의 4분의 3쯤 되는 동안.

나졸 (羅卒) [명] 〖역〗 조선 때, 군아(郡衙)에 딸렸던 군뢰(軍牢)와 사령의 총칭.

나졸 (邏卒) [명] 〖역〗 조선 때, 포도청에 딸려 밤에 사람의 통행을 금지시키고 순찰을 돌던 병졸.

***나:중** [명][부] 얼마 지난 뒤. 먼저 할 일을 한 다음. ¶맨 ~/~에 알게 된 사실이다.
[나중 난 뿔이 우뚝하다] 후배가 선배보다 나음을 비유하는 말. **[나중에야 삼수갑산을 갈지라도]** 일의 결과가 최악의 경우에 이를지라도 우선은 해 봄.

나지막-이 [부] 나지막하게. ¶~ 중얼거리는 소리가 들렸다.

나지막-하다 [-마카-] [형][여불] 매우 나직하다. ¶나지막한 목소리〔집〕.

나직-이 [부] 나직하게. ¶~ 불러 보는 옛 노래/~ 속삭이다.

나직-하다 [-지카-] [형][여불] 소리나 위치 등이 조금 낮다. ¶나직한 목소리/나직하게 떠 있는 구름. **나직-나직** [-징-] [부][하형]

나찰 (羅刹) [명] 〖불〗 **1** 악귀의 하나. 신통력으로 사람을 매료시켜 잡아먹는다고 함. 후에 불교의 수호신이 되었음. **2** 지옥의 옥졸을 뜻하는 말.

나:체 (裸體) [명] 알몸. 나신(裸身).

나:체-상 (裸體像) [명] 〖미술〗 나체를 표현한 형상. 누드(nude).

나:체-화 (裸體畫) [명] 나체를 그린 그림.

***나침-반** (羅針盤) [명] 〖물〗 자침(磁針)이 남북을 가리키는 특성을 이용하여 방향을 알 수 있도록 만든 기구. [준]침반(針盤).

***나타-나다** [자] **1** 나와서 눈에 뜨이다. ¶하늘에 별이 ~/뜻밖에 사고의 목격자가 나타났다. **2** 일이 드러나서 알게 되다. 겉으로 드러나다. ¶본성이 ~/경기 회복의 조짐이 나타나기 시작했다. **3** 생겨나다. 발생하다. ¶효과가 ~/상점에 새로운 상품이 나타났다.

***나타-내다** [타] 《'나타나다'의 사동》 나타나게 하다. ¶승리의 기쁨을 얼굴에 ~/눈에 띌 정도로 확실하게 두각을 나타냈다/끝내 모습을 나타내지 않았다/자신의 느낌을 잘 나타냈다.

나타냄-표 (-標) [명] 〖악〗 작곡자의 생각대로 연주하도록 낱낱의 음이나 음절의 강약, 음량의 변화 등을 지시하는 기호《포르테·피아노·악센트 등》. 발상(發想) 기호.

나탈-거리다 [자] **1** 여러 가닥이 어지럽게 늘어져 자꾸 흔들리다. **2** 주제넘은 말과 짓을 자꾸 야단스럽게 하다. [큰]너털거리다. [여]나달거리다. **나탈-나탈** [-라-] [부][하자]

나탈-대다 [자] 나탈거리다.

나:태 (懶怠) [명][하형] 행동·성격 따위가 느리고 게으름. 나타(懶惰). ¶~한 생활〔마음〕/타성과 ~에 젖어 있다.

나토 (NATO) [명] 〔North Atlantic Treaty Organization〕 북대서양 조약에 따라 조직된 집단 방위 체제. 북대서양 조약 기구.

나트륨 (독 Natrium) [명] 〖화〗 금속 원소의 하나. 은백색의 연한 금속으로, 소금 또는 수산화나트륨을 용해하여 전기 분해로 얻어짐. [11번 : Na : 22.99]

***나팔** (喇叭) [명] 〖악〗 **1** 금속으로 만든 관악기의 하나. 군대에서 행진하거나 신호할 때 씀. **2** 〈속〉 끝이 나팔꽃 모양으로 된 금관 악기의 총칭.
나팔(을) 불다 [구] ㉠나팔로 소리를 내다. ㉡〈속〉 술 따위를 병째로 마시다. 나발(을) 불다. ㉢〈속〉 어린애가 큰 소리로 울거나 외치다. ㉣〈속〉 어떤 사실을 크게 떠들어 선전하다. 나발(을) 불다.

나팔-거리다 [자] 빠르고 가볍게 자꾸 나붓거리다. [큰]너펄거리다. **나팔-나팔** [-라-] [부][하자]

나팔-관 (喇叭管) [명] 〖생〗 **1** 가운뎃귀의 고실(鼓室)과 인두(咽頭)를 연결하는 나팔 모양의 관. **2** 자궁(子宮) 밑의 좌우 양쪽에 있는 나팔 모양의 관. 난소에서 생긴 난자를 자궁 속에 들여보내는 작용을 함. 수란관(輸卵管).

나팔-꽃 (喇叭-)[-꼳] [명] 〖식〗 메꽃과의 한해살이 덩굴풀. 열대 아시아 원산으로 줄기 약 2m, 잎은 심장 모양이면서 세 갈래로 갈라졌음. 여름에 남자색·백색·홍색 등의 꽃이 아침 일찍 피었다가 낮에는 오므라듦. 씨는 견우자(牽牛子)라 하여 약용함. 견우(牽牛).

나팔-대다 [자] 나팔거리다.

나팔-수 (喇叭手) [명] 나팔을 부는 사람.

나:포 (拿捕) [명][하타] **1** 죄인을 붙잡는 일. **2** 자기 나라 영해를 침범한 배를 붙잡음.

나푼-거리다 [자] 바람에 날리어 가볍게 자꾸 흔들리다. (큰)너푼거리다. **나푼-나푼** [부][하자]

나푼-대다 [자] 나푼거리다.

나풀-거리다 [자타] 바람에 날려 가볍게 자꾸 흔들리다. 또는 그렇게 하다. ¶머리카락이 바람에 ~. (큰)너풀거리다. (여)나불거리다.

나풀-나풀 [-라-] [부][하자타]

나풀-대다 [자타] 나풀거리다.

나프탈렌 (naphthalene) [명] 〖화〗 콜타르를 높은 온도에서 증류해서 분리시킨 비늘 모양의 백색 결정체《합성 화학 공업상의 중요한 원료이며, 또 장뇌의 대용품으로 방부·방충·방취제로 씀》.

나한 (羅漢) [명] 〖불〗 '아라한(阿羅漢)'의 준말. ¶십육 ~.

[나한에도 모래 먹는 나한이 있다] 높은 지위에 있으면서도 고생하는 사람이 있다.

나:-환자 (癩患者) [명] 나병에 걸린 환자.

나:획 (拿獲) [명][하타] 죄인을 잡거나 그 사람의 물건을 빼앗음.

나흗-날 [-흔-] [명] **1** '초나흗날'의 준말. **2** 넷째 날. (준)나흘.

나흘 [명] **1** 네 날. 사 일. ¶~ 동안의 여행. **2** '나흗날'의 준말.

낙 (樂) [명] 즐거움이나 위안. ¶인생의 ~ / 고생 끝에 ~이 온다 / 꽃 가꾸기가 유일한 ~이다. ↔고(苦).

낙과 (落果) [명][하자] 과실이 익는 도중에 나무에서 떨어짐. 또는 그 열매.

낙관 (落款) [명][하자] 글씨나 그림에 작가가 자기 이름이나 호를 쓰고 도장을 찍는 일. 또는 그 이름이나 도장. ¶~을 찍다 / 작품을 완성하고 마지막에 ~하다.

낙관 (樂觀) [명][하자타] **1** 모든 사물의 형편을 좋게 봄. **2** 앞날을 밝고 희망적으로 내다봄. ¶형세를 ~하기는 아직 이르다 / ~을 불허한다. ↔비관(悲觀).

낙관-론 (樂觀論) [-논] [명] 사물의 긍정적인 면(面)을 보고 앞길에 대하여 희망을 가지는 견해. ¶~을 펴다. ↔비관론.

낙관-적 (樂觀的) [관][명] 사물의 진전을 밝고 희망적으로 내다보는 (것). ¶정세를 ~으로 보다. ↔비관적.

낙낙-하다 [낭나카-] [형][여불] 크기·수효·부피·무게 따위가 조금 크거나 남음이 있다. ¶낙낙한 옷. (큰)넉넉하다. **낙낙-히** [낭나키] [부]. ¶옷을 ~ 입다.

낙농 (酪農) [낭-] [명] 젖소나 염소 등을 길러 그 젖을 짜거나 그 젖으로 버터·치즈 등을 만드는 농업. 낙농업.

낙담 (落膽) [명][하자] **1** 일이 뜻대로 되지 않아 마음이 몹시 상함. ¶~하지 말게 / ~과 실의의 나날을 보내다 / ~이 이만저만이 아니다 / 시험에 떨어져 ~하다. **2** 너무 놀라서 간이 떨어지는 듯함.

낙도 (落島) [명] 외따로 떨어져 있는 섬. ¶~의 어린이들.

낙등 (落等) [명][하자] 등급이 아래로 떨어짐. 등급이 뒤짐.

낙락-장송 (落落長松) [낭낙-] [명] 가지가 축축 길게 늘어지고 키가 큰 소나무.

낙락-하다 (落落-) [낭나카-] [형][여불] **1** 큰 소나무의 가지가 아래로 축축 늘어져 있다. **2** 여기저기 멀리 떨어져 있다. **3** 남과 서로 어울리지 않다. **4** 작은 일에 얽매이지 않고 대범하다. **낙락-히** [낭나키] [부]

낙뢰 (落雷) [낭뇌] [명][하자] 벼락이 떨어짐. 또는 그 벼락. ¶~를 맞아 나무가 쓰러졌다.

낙루 (落淚) [낭누] [명][하자] 눈물을 떨어뜨림. 또는 그 눈물. ¶저도 모르게 ~하다.

낙마 (落馬) [낭-] [명][하자] 말에서 떨어짐. ¶~하여 다리를 다치다.

낙망 (落望) [낭-] [명][하자] 몹시 실망함. ¶아내의 얼굴엔 ~하는 빛이 역력했다.

낙명 (落名) [낭-] [명][하자] 명성이나 명예가 떨어짐. 또는 그 명성이나 명예. ¶전날의 ~을 회복하다. ↔양명(揚名).

낙명 (落命) [낭-] [명][하자] 목숨을 잃음. 죽음.

낙목 (落木) [낭-] [명] 잎이 진 나무. ¶~한천(寒天).

낙목-공산 (落木空山) [낭-] [명] 나뭇잎이 다 져서 텅 비고 쓸쓸한 산.

낙반 (落磐·落盤) [명][하자] 광산이나 토목 공사 따위에서 갱내의 암석이나 흙이 무너져 떨어짐. ¶~ 사고.

낙방 (落榜) [명][하자] **1** 시험·선거·모집 등에서 떨어짐. ¶~의 고배를 마시다. **2** 〖역〗 과거 시험에 떨어짐. 낙과. ↔급제.

낙백 (落魄) [명][하자] **1** 넋을 잃음. **2** 영락(零落)2. ¶지금은 ~하여 불우한 처지에 처해 있다.

낙법 (落法) [명] 유도에서, 다치지 않고 넘어지는 방법. ¶~을 익히다.

낙산 (酪酸) [명] 〖화〗 질이 낮은 지방산의 하나. 버터·치즈 등의 유지(油脂)나 땀·육즙(肉汁)이 썩을 때 생기며, 자극성이 있는 불쾌한 냄새가 나는 무색의 액체임. 합성 향료(香料)의 원료 등으로 씀. 부티르산(酸).

낙상 (落傷) [명][하자] 높은 곳에서 떨어지거나 넘어져서 다침. 또는 그 상처. ¶빙판길에 ~하다.

낙서 (洛書) [명] 옛날, 중국 하(夏)나라 우왕(禹王)이 홍수를 다스릴 때 뤄수이(洛水)에서 나온 거북의 등에 씌어 있었다는 45개의 점. 팔괘(八卦)의 법이 이에 의해 만들어졌다 함.

낙서(洛書)

낙서 (落書) [명][하자] **1** 글씨·그림 따위를 장난으로 아무 데나 함부로 씀. 또는 그 글씨나 그림. ¶~ 금지 / 칠판에 있는 ~를 지우다 / 벽에 ~하다. **2** 책을 베낄 때 잘못하여 글자를 빠뜨리고 씀.

낙석 (落石) [명][하자] 산 위나 벼랑 따위에서 돌이 떨어짐. 또는 그 돌. ¶~으로 길이 막혔다 / ~이 우려되니 조심하시오.

낙선 (落選) [명][하자] **1** 선거에서 떨어짐. ¶국회의원 선거에서 ~하다. **2** 출품한 작품 등이 심사에서 떨어짐. ¶국전에서 ~하다. ↔당선.
낙성(落成) 명하타 건축물의 공사를 다 끝냄. 준공(竣工).
낙세(落勢) 명 물기 따위가 떨어지는 기세. 내림세. ↔등세(騰勢).
낙수(落水) 명 낙숫물.
낙수(落穗) 명 **1** 추수 후 땅에 떨어진 이삭. **2** 일을 치르고 난 뒷이야기.
낙수-받이(落水-)[-바지] 명 **1** 낙숫물이 한 곳으로 모여 흐르도록 추녀 밑에 댄 홈통. **2** 낙숫물을 받는 그릇.
낙숫-물(落水-)[-쑨-] 명 처마 끝에서 떨어지는 물. 낙수. ¶처마 밑으로 ~이 떨어진다.
[낙숫물이 댓돌을 뚫는다] 작은 힘이라도 끈기 있게 계속하면 성공한다는 말.
낙승(樂勝) 명하자 힘들이지 않고 수월하게 이김. ¶~을 거두다 / 야당 후보의 ~이 예상되다. ↔신승(辛勝).
낙심(落心) 명하자 바라던 일을 이루지 못하여 마음이 상함. ¶~에 빠지다 / 그는 ~한 표정을 짓고 있었다.
낙심-천만(落心千萬) 명하자 몹시 낙심함.
*__낙엽__(落葉) 명 나뭇잎이 떨어짐. 또는 그 나뭇잎. ¶~이 지다 / ~이 바람에 날리다.
낙엽-송(落葉松) 명 〖식〗 전나뭇과의 낙엽 침엽 교목. 줄기 높이는 30m가량, 큰 것은 지름 1m가량이며, 건축재·침목·전주·펄프·선박재 등으로 씀.
낙엽-수(落葉樹) 명 〖식〗 가을에 잎이 떨어졌다가 이듬해 봄에 새잎이 나는 나무. ↔상록수(常綠樹).
낙오(落伍) 명하자 **1** 대오(隊伍)에서 뒤떨어짐. ¶한 사람의 ~도 없이 행군을 마쳤다. **2** 사회나 시대의 진보에서 뒤떨어짐. ¶격심한 경쟁 대열에서 ~하다.
낙오-자(落伍者) 명 낙오된 사람. ¶인생의 ~가 되지 마라.
낙원(樂園) 명 **1** 안락하게 살 수 있는 즐거운 곳. 이상향. 파라다이스. ¶지상에 ~을 이룩하다. **2** 죽은 뒤의 세계로 안락한 곳.
낙월(落月) 명 서쪽으로 지는 달.
낙인(烙印) 명 **1** 불에 달구어 찍는 쇠도장. 화인(火印). ¶목장의 소에 찍은 ~. **2** 씻기 어려운 불명예스러운 이름. ¶문제아라는 ~이 붙어 다녔다.
낙인-찍다(烙印-) 타 벗어나기 어려운 부정적인 평가를 내리다. ¶어제의 동지를 오늘은 배신자라고 ~ / 그 영화를 외설이라고 낙인찍었다.
낙인-찍히다(烙印-)[-찌키-] 자 《'낙인찍다'의 피동》 낙인찍음을 당하다. ¶그는 사기꾼으로 낙인찍혔다.
낙일(落日) 명 서쪽으로 지는 해.
낙자(落字) 명 빠진 글자. 탈자(脫字).
낙장(落張) 명 **1** 책의 빠진 책장. ¶~이 있는 책. **2** 화투나 투전 등에서, 이미 판에 내어 놓은 패. ¶~불입.
낙장-거리 명하자 네 활개를 벌리고 뒤로 벌떡 나자빠짐. 큰넉장거리.
낙장-본(落張本) 명 장수(張數) 또는 면수가 떨어지거나 빠진 책. ¶파본이나 ~은 바꾸어 드립니다.
낙점(落點) 명하타 **1** 여러 후보 가운데 마땅한 사람을 고름. ¶~을 받다. **2** 〖역〗 조선 때, 관원을 뽑을 때에 이조에서 추천한 세 명의 후보자 가운데 한 사람의 이름 위에 임금이 친히 점을 찍어서 뽑던 일.
낙제(落第) 명하자 **1** 성적이 나빠서 상급 학교나 윗학년에 진학 또는 진급을 못하는 일. **2** 일정한 수준에 미치지 못함. ¶이번 계획안은 모두가 ~다. **3** 시험이나 검사 따위에 떨어짐. ↔급제.
낙제-생(落第生) 명 낙제한 학생. ↔급제생.
낙조(落照) 명 저녁때의 지는 햇빛. 석양(夕陽). ¶서쪽 하늘이 온통 붉은 ~에 물들었다.
낙종(落種) 명하자 논밭에 씨를 떨어뜨려 심음. *파종(播種).
낙종-물(落種-) 명 못자리 때를 맞추어 알맞게 내리는 봄비.
낙지 명 〖동〗 낙짓과의 연체동물. 몸길이는 70cm가량으로 여덟 개의 발이 있고 거기에 많은 빨판이 붙어 있음. 몸빛은 회색이나 주위의 빛에 따라 변색하며, 위험이 닥치면 먹물을 뿜으며 도망침. 장어(章魚). 초어(梢魚).
낙지(落地) 명하자 세상에 태어남. ¶~ 이후에 처음 경험하는 일이다.
낙진(落塵) 명 핵 실험 따위로 생긴 방사능 물질이 지구 표면에 떨어진 것. 죽음의 재. 방사진. 방사능진.
낙질(落帙) 명 여러 권으로 한 질이 되는 책에서 빠진 책이 있음. ¶~본.
낙차(落差) 명 **1** 〖물〗 떨어지거나 흐르는 물의 높낮이의 차《이 차에서 생기는 위치 에너지의 차를 수력 발전 등에 이용함》. **2** 높낮이의 차. ¶~가 큰 커브로 타자를 처리했다. **3** 정도나 수준 따위의 차이.
낙착(落着) 명하자 일의 결말이 남. 결정됨. ¶당초 예정대로 ~되었다.
낙찰(落札) 명하타 〖경〗 경쟁 입찰에서, 입찰한 물건이나 일이 어떤 사람에게 돌아가도록 결정됨. ¶~ 가격이 높게 결정되다 / 큰 공사를 최고가로 ~하다.
낙천(落薦) 명하자 천거 또는 추천에 들지 못하고 떨어짐. ¶시민 단체에서 ~ 운동을 벌이다.
낙천(樂天) 명 세상과 인생을 즐겁게 생각함. ↔염세.
낙천-적(樂天的) 관명 세상과 인생을 즐겁고 좋은 것으로 여기는 (것). ¶~ 사고의 주인공 / 그녀는 ~인 기질을 지녔다. ↔염세적.
낙천-주의(樂天主義)[-/-이] 명 〖철〗 세상과 인생을 가치 있는 것으로 희망적으로 보는 세계관 또는 인생관. 악의 존재를 인정하면서도 이 세상을 있을 수 있는 것 중에서 최선으로 보는 태도. ¶~자 / 그는 ~적인 성격의 소유자다. ↔염세주의.
낙체(落體) 명 〖물〗 중력에 의해 땅에 떨어지는 물체.
낙타(駱駝) 명 〖동〗 낙타과에 속하는 포유동물. 키 약 2m로 사막 생활에 알맞게 콧구멍을 자유롭게 여닫을 수 있으며, 속눈썹이 길고 빽빽하게 나 있음. 등에는 지방

ㄴ

을 간직해 두는 큰 혹 모양의 육봉(肉峰)이 하나 또는 두 개가 있어, 며칠 동안 먹지 않아도 잘 견딜 수 있음. 혹이 하나인 것을 단봉낙타, 두개인 것을 쌍봉낙타라고 함.

낙태(落胎) [명][하자] 〖의〗 **1** 유산(流産)1. **2** 태아를 인위적으로 모체에서 떼어 내어 없앰. ¶~ 수술.

[낙태한 고양이 상] 얼굴을 잔뜩 찌푸리고 있음을 비유한 말.

ㄴ

낙토(樂土) [명] 괴로움 없이 즐겁게 살 수 있는 땅. ¶황무지를 ~로 가꾸다.

낙하(落下)[나카] [명][하자] 높은 데서 떨어짐. ¶~ 훈련 / ~ 지점을 확인하다 / 특공대가 중요 임무를 띠고 적진에 ~했다.

낙-하다(烙-)[나카-] [타][여불] 달군 쇠붙이로 지져 그림을 그리거나 글자를 쓰다.

낙하-산(落下傘)[나카-] [명] 항공기에서 사람이나 물건이 안전하게 땅 위에 내리도록 하는 데 쓰는 우산 모양의 기구. 파라슈트. ¶~을 타고 내려오다 / ~을 펴다.

낙향(落鄕)[나컁] [명][하자] 시골로 거처를 옮기거나 이사함. ¶~을 결심하다 / 향리로 ~하다.

낙형(烙刑)[나켱] [명][하타] 단근질.

낙화(烙畫)[나콰] [명] 〖미술〗 인두 따위로 지져서 그린 그림. 또는 그 기법.

낙화(落花)[나콰] [명][하자] 꽃이 떨어짐. 또는 그 꽃. ¶길 위에 ~가 하얗게 깔려 있다 / 눈송이가 ~처럼 흩날렸다.

낙화-생(落花生)[나콰-] [명] 〖식〗 땅콩.

낙화-유수(落花流水)[나콰-] [명] **1** 떨어지는 꽃과 흐르는 물이란 뜻으로, 가는 봄의 경치를 말함. **2** 떨어지는 꽃에 정이 있으면 흐르는 물 또한 정이 있어 그것을 띄워서 흐를 것이란 뜻으로, 남녀가 서로 그리워하는 정이 있다는 말.

낙후(落後)[나쿠] [명][하자] 사회·경제·문화·생활 따위의 수준이 뒤떨어짐. ¶개발 ~ 지역 / 시설이 ~되었다.

낙후-성(落後性)[나쿠썽] [명] 낙후한 상태. ¶생활수준의 ~을 면치 못하다.

낚다[낙따] [타] **1** 낚시로 물고기를 잡다. ¶월척을 ~. **2** 꾀를 써서 이름을 얻다. ¶명성을 낚기 위한 수단. **3** 〈속〉 이성을 꾀다. ¶계집을 ~. **4** 기회나 행운 따위를 얻다. ¶16번 홀에서 다시 버디를 ~. **5** 무엇을 갑자기 붙들거나 잡아채다. ¶머리채를 ~ / 팔을 낚아 가지고 끌고 가다.

***낚시**[낙씨] [명][하자] **1** 미끼를 꿰어 물고기를 낚는 데 쓰는 작은 바늘로 된 갈고랑이. 조구(釣鉤). 낚싯바늘. ¶~에 미끼를 갈아 끼우다. **2** '낚시질'의 준말. ¶섬으로 ~하러 가다.

낚시를 던지다 [구] 어떤 목적을 달성하기 위해 수단을 쓰다.

낚시-꾼[낙씨-] [명] 낚시질을 생업 또는 취미로 하는 사람.

낚시-질[낙씨-] [명][하자] 낚시로 물고기를 잡는 일. [준]낚시.

낚시-찌[낙씨-] [명] 낚싯줄에 달아 물 위에 뜨게 하고 고기가 낚시를 물면 곧 알 수 있도록 물속으로 잠기게 만든 가벼운 물건. 부표(浮標). ¶~를 뚫어지게 보다. [준]찌.

낚시-터[낙씨-] [명] 낚시질하는 곳. 조대(釣臺). ¶유료 ~.

낚싯-거루[낙씨꺼- / 낙씯꺼-] [명] 낚시질하는 데 쓰는 작은 배. 어주(漁舟). [준]낚거루.

낚싯-대[낙씨때 / 낙씯때] [명] 낚싯줄을 매는 가늘고 긴 대. ¶~를 드리우다.

낚싯-바늘[낙씨빠- / 낙씯빠-] [명] 낚시1.

낚싯-밥[낙씨빱 / 낙씯빱] [명] **1** 물고기가 물도록 낚시 끝에 꿰는 미끼. ¶~으로 지렁이를 쓰다. **2** 남을 속이기 위하여 미끼처럼 건네는 물건이나 말. ¶~에 걸려들다 / ~을 던지다.

낚싯-줄[낙씨쭐 / 낙씯쭐] [명] 낚시를 매어 단 가늘고 긴 줄.

낚아-채다 [타] **1** 고기를 낚듯이 힘차게 잡아당기다. ¶머리채를 ~ / 돈가방을 낚아채 달아났다. **2** 남의 말이 끝나자마자 바로 받아서 말하다. ¶남의 말꼬리를 ~.

낚이다 [자] 《'낚다'의 피동》 낚음을 당하다. ¶고기가 잘 낚이지 않는다.

난:(卵) [명] 노리개·반지·비녀 등 장식품의 거미발 속에 물리어 박는 보석·진주 등의 총칭.

난(卵)

난:(亂) [명] '난리(亂離)'의 준말. ¶~을 일으키다 / ~을 피하다.

난(蘭) [명] 〖식〗 '난초(蘭草)'의 준말. ¶~을 치다《난초를 그리다》 / ~의 향기가 은은하다.

난(欄) [명] **1** 신문이나 잡지 따위의 지면에 일정한 기사나 글이 실리는 자리. ¶어린이 ~ / 가십~ / 독자 투고를 싣는 ~을 마련하다. **2** 서류 따위의 빈칸. ¶빈 ~을 채우다.

난 [준] 나는. ¶~ 좋소 / ~ 가오.

난-(難) [두] '어려운'의 뜻을 나타냄. ¶~문제 / ~공사.

-난(難) [미] '어려움'의 뜻을 나타냄. ¶생활 ~ / 취업~ / 주택~.

난:각(卵殼) [명] 알껍데기.

난간(欄干·欄杆) [명] 〖건〗 층계나 다리의 가장자리에 일정한 높이로 막아 세워 놓은 구조물. ¶~에 기대다.

난감-하다(難堪-) [형][여불] **1** 견디어 내거나 해결하기가 어렵다. ¶살아갈 일이 ~. **2** 처지가 매우 딱하다. ¶뒤처리를 어떻게 해야 할지 난감했다 / 난감한 처지에 놓이다.

난감-히 [부]

난거지-든부자(-富者) [명] 겉보기에는 거지꼴이나 실상은 집안 형편이 부자인 사람. [준]난거지. ↔난부자든거지.

난건(難件)[-껀] [명] 해내기 어려운 일. 처리하기 곤란한 사건.

난경(難境) [명] 곤란한 경우. 곤경. ¶~을 모면하다 / ~에 빠지다.

난곡(難曲) [명] 부르거나 연주하기에 어려운 곡. ¶~을 무난히 잘 연주하다.

난공불락(難攻不落) [명] 공격하기가 어려워 좀처럼 함락되지 않음. ¶~의 요새.

난-공사(難工事) [명] 장애물이 많아서 일하기가 퍽 힘든 공사.

난:관(卵管) [명] 〖생〗 나팔관(喇叭管).

난관(難關) [명] **1** 지나기가 어려운 곳. **2** 일을 해 나가기 어려운 고비. ¶~에 봉착하다 / ~을 무릅쓰다 / ~을 뚫다.

난:국 (亂局) 명 어지러운 판국. ¶~을 수습하다 / ~을 돌파하다.

난국 (難局) 명 어려운 상황. ¶총체적 ~ / ~에 처하다 / ~을 헤쳐 나가다.

난:군 (亂軍) 명 1 규율이 없는 군대. 2 반란군. ¶~이 일어나다.

난:-기류 (亂氣流) 명 1〖기상〗 방향과 속도가 불규칙하게 바뀌면서 흐르는 기류. 2 예측할 수 없는 어려운 형세. ¶양당 공조에 ~가 형성되고 있다.

난:대 (暖帶·煖帶) 명 온대 지방 중에서 열대에 가까운, 비교적 온난한 지대《평균 온도는 13°-20℃가량임》.

난:대-림 (暖帶林) 명 상록 활엽수로 난대 지방에 번식하는 삼림. 아열대림.

난:데-없다 [-업따] 형 (주로 '난데없는'의 꼴로 쓰여) 갑자기 나와서 나온 데를 알 수 없다. ¶난데없는 고함 소리에 깜짝 놀랐다 / 난데없는 소문이 퍼지다. **난:데-없이** [-업씨] 부. ¶~ 나타나다.

난:도 (亂刀) 명하타 칼로 함부로 벰. 칼로 잘게 다짐. ¶~를 치다.

난도 (難度) 명 어려움의 정도. ¶~ 높은 기술을 선보이다.

난:도-질 (亂刀-) 명하타 1 칼로 마구 베거나 잘게 다지는 짓. ¶고기를 ~하다. 2 어떤 대상을 함부로 대함.

난:동 (亂動) 명하자 질서를 어지럽히며 마구 행동함. 또는 그런 행동. ¶~을 부리다 / ~을 피우다.

난:동 (暖冬) 명 따뜻한 겨울. ¶이상 ~.

난든-벌 명 나들이옷과 집에서 입는 옷.

난든-집 명 손에 익은 재주. ¶~이라 쉽게 끝낼 수 있을 것이다.

난든집(이) 나다 구 손에 익숙하여지다.

난딱 부 냉큼 딱. ¶~ 둘러메다.

*__난:로__ (暖爐·煖爐)[날-] 명 석탄이나 석유·가스 따위의 연료를 때거나 전기를 이용하여 방 안을 덥게 하는 기구. ¶~에 불을 지피다 / ~를 쬐다.

난:롯-가 (暖爐-)[날로까 / 날롣까] 명 난로의 주위. ¶~에 앉아 불을 쬐다.

난:류 (暖流·煖流)[날-] 명 〖지〗 온도가 높고 염분이 많은 해류. 적도 부근에서 근원을 이루어 차츰 높은 위도로 흘러감. 더운무대. ↔한류(寒流).

난:류 (亂流)[날-] 명 1〖기상〗 바람이 불 때 지형의 영향과 공기의 마찰 등으로 일어나는 무수한 작은 소용돌이. 2 선상지(扇狀地)나 넓은 골짜기 같은 데서 물속의 퇴적물의 영향을 받아 물이 복잡하게 흐르는 현상. 3〖물〗 속도의 크기와 방향이 시간적으로 변동하는 유체(流體)의 흐름.

난:리 (亂離)[날-] 명 1 전쟁이나 분쟁 따위로 세상이 어지러워진 사태. ¶~가 나다 / ~를 겪다. 2 작은 소동. ¶왜 이 ~냐 / 울고불고 ~가 났다. 준난(亂).

난:립 (亂立)[날-] 명하자 어지럽게 여기저기 서 나섬. ¶무허가 업소의 ~ / 국회의원 선거에 입후보자들이 ~하다.

난:마 (亂麻) 명 어지럽게 뒤얽힌 삼실의 가닥이란 뜻으로, 갈피를 잡기 어렵게 얽혀 정돈되지 않은 일이나 세태의 비유. ¶사건이 ~처럼 얽혀 있다.

난:막 (卵膜) 명 〖생〗 알을 싼 얇은 막《태아를 싼 얇은 막을 일컫는 경우도 있음》.

난:만 (爛漫) 명하형히부 1 꽃이 활짝 피어 화려함. ¶백화가 ~하다. 2 광채가 강하고 선명함. 3 주고받는 의견이 충분히 많음.

난망 (難忘) 명 잊기 어려움. 잊지 못함.

난망 (難望) 명하형 바라기 어려움. 바라지 못함. ¶기대(期待) ~.

난:맥 (亂脈) 명 이리저리 흩어져서 질서나 체계가 서지 않는 일. ¶지휘 체계의 ~이 드러나다.

난:맥-상 (亂脈相) 명 난맥을 드러내는 일의 양상. ¶행정의 ~을 드러내다.

난:명 (亂命) 명 숨이 넘어가면서 정신없이 남기는 유언. ↔치명(治命).

난:무 (亂舞) 명하자 1 어지럽게 춤을 춤. 또는 그러한 춤. ¶백설(白雪)이 ~하다. 2 함부로 날뜀. ¶폭력이 ~하다.

난문 (難文) 명 이해하기 어려운 문장.

난-문제 (難問題) 명 해결하기 어려운 문제. ¶~에 부딪치다.

난:민 (亂民) 명 무리를 지어 다니며 나라의 안녕과 질서를 어지럽히는 백성. ¶~을 토벌하다.

난민 (難民) 명 1 전쟁이나 재난으로 곤경에 빠진 사람. 이재민(罹災民). ¶~ 구제 / ~ 수용소 / 수많은 ~이 피난길에 올랐다. 2 생활이 곤궁한 백성. 궁민(窮民).

난-바다 명 육지에서 멀리 떨어진 넓은 바다. 원해(遠海). ¶~에 떠 있는 배.

난:-반사 (亂反射) 명하자 〖물〗 빛이 울퉁불퉁한 표면에 부딪쳐서 사방으로 흩어지는 현상.

난:발 (亂發) 명하타 1 난사(亂射). 2 남발(濫發) 1. ¶공약을 ~하다.

난:발 (亂髮) 명 헝클어진 머리털.

난:발 (爛發) 명하자 꽃이 한창 흐드러지게 핌. 난개(爛開). ¶백화 ~의 계절.

난:방 (暖房·煖房) 명 방이나 건물 안을 덥게 함. 또는 덥게 한 방. ¶~ 시설 / 가스보일러로 ~을 하다 / 이 방은 ~이 되지 않는다. ↔냉방.

난:방 장치 (暖房裝置) 방이나 건물 안을 따뜻하게 하는 장치의 총칭《난로·스팀·히터 따위》.

난:백 (卵白) 명 〖생〗 알의 흰자위《주로 단백질과 물로 이루어졌음》. ↔난황(卵黃).

난-번 (-番) 명 당직 등을 마치고 나오는 차례. 또는 마치고 나오는 사람. ↔든번.

난-벌 명 외출할 때에 신는 신이나 옷 따위의 총칭. 나들잇벌. ↔든벌.

난봉 명 허랑방탕한 짓. 또는 그러한 사람. ¶~이 나다 / ~을 부리다 / ~을 피우다.

난봉-꾼 명 허랑방탕한 짓을 일삼는 사람. 난봉쟁이. ¶~으로 소문이 자자한 녀석.

난부자-든거지 (-富者-) 명 겉으로는 부자 같으나 실속은 거지와 다름없는 사람. 준 난부자. ↔난거지든부자.

난:분분-하다 (亂紛紛-) 형여불 눈이나 꽃잎 따위가 흩날리어 어지럽다. ¶백설이 난분분하니 필똥말똥하여라. **난:분분-히** 부

난:비 (亂飛) 명하자 어지럽게 날아다니거나 돌아다님. ¶온갖 소문이 ~한다.

난:사 (亂射) 명하타 총·활 따위를 함부로 쏨. ¶기관총을 ~하다.
난사 (難事) 명 처리하기 어려운 일.
난-사람 명 잘난 사람. 뛰어난 사람.
난산 (難産) 명하자타 **1** 아이 낳는 일이 순조롭지 못하여 고생함. ¶첫아이 때는 ~이었다. **2** 일이 잘 이루어지지 않아 어려움을 겪음. ¶~ 끝에 합의에 도달하다. 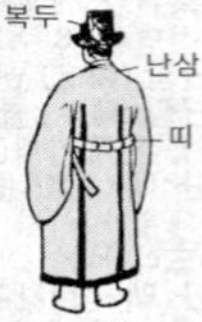
난삼 (襴衫) 명 〖역〗 조선 때, 생원·진사에 합격하였을 때에 입던 예복.

난삼

난삽-하다 (難澁-)[-사파-] 형여불 말이나 문장이 어렵고 복잡하여 매끄럽지 못하다. ¶난삽한 문장. **난삽-히** [-사피] 부
난:상 (卵狀) 명 달걀꼴.
난상 (難上) 명 물품이 더할 수 없이 좋은 것. 극상(極上).
난:상 (爛商) 명하타 충분히 의논함. 또는 그 의논. ¶~ 토론 / 파업 여부에 대해 ~을 거듭했다.
난:색 (暖色) 명 〖미술〗 따스한 느낌을 주는 빛《노랑·주황·빨강 등》. ↔한색(寒色).
난색 (難色) 명 **1** 꺼리거나 어려워하는 기색. ¶~을 짓다 / ~을 보이다. **2** 비난하려는 낯빛. ¶~을 하고 대들다.
난:생 (-生) 부 세상에 태어나서 지금까지. ¶~ 본 적이 없는 희귀한 식물.
난:생 (卵生) 명하자 〖생〗 알을 낳아 새끼를 까는 일《원생동물이나 포유류 외의 동물은 대부분이 이에 속함》. ↔태생(胎生).
난:생 동:물 (卵生動物) 물고기·새와 같이 알에서 새끼가 나오는 동물.
난:생-처음 (-生-) 명부 세상에 태어난 후 처음. ¶~ 느껴 본 사랑.
난선 (難船) 명하자 배가 거친 파도와 바람을 만나 부서지거나 뒤집어지거나 좌초하는 일. 또는 그 배.
난:세 (亂世) 명 사회의 무질서와 전쟁 등으로 어지러운 세상. ¶~의 영웅 / ~를 사는 지혜. ↔치세(治世).
난:-세포 (卵細胞) 명 〖생〗 유성 생식을 하는 생물의 암컷이 지닌 생식 세포. 운동성이 없음. 수정 후 발달하여 배(胚)를 형성함. 알세포. 난구(卵球). 난주(卵珠). ↔정세포(精細胞).
난센스 (nonsense) 명 이치에 맞지 않거나 엉뚱한 말. 또는 그런 일. ¶~ 퀴즈.
난:소 (卵巢) 명 〖생〗 동물에서, 암컷의 생식 기관. 난자를 만들어 내고 호르몬을 분비함. 알집. ↔정소.
난:수-표 (亂數表) 명 0에서 9까지 숫자를 불규칙하게 늘어놓은 표《통계 조사에서 표본을 임의로 가려낼 때, 또는 암호를 작성하거나 해독할 때에 이용함》.
난:숙 (爛熟) 명하자 **1** 열매 따위가 무르익음. **2** 더할 수 없이 충분히 발달함. ¶~한 문화.
난:시 (亂時) 명 세상이 어지러운 시기. ¶~를 당하다.
난:시 (亂視) 명 〖의〗 눈의 굴절 이상의 하나. 각막이나 수정체 등의 굴절면이 고르지 않아 밖에서 들어오는 광선이 망막 위의 한 점에 모이지 않기 때문에 물체가 바로 보이지 않는 눈. 또는 그런 시력.
난:시청 (難視聽) 명 산이나 높은 건물 따위의 장애물로 인하여 전파가 잘 잡히지 않아 보거나 듣기가 어려움. ¶~ 지역 / ~을 해소하다.
난:신 (亂臣) 명 **1** 나라를 어지럽히는 신하. ¶~이 들끓는 난세. **2** 난시에 나라를 잘 다스리는 신하.
난역 (難役) 명 어려운 역할이나 일. ¶그는 그야말로 ~을 맡았다.
난외 (欄外) 명 신문·잡지·책 등의 인쇄된 부분을 둘러싼 바깥 여백 부분. ¶~에 많은 여백을 두다 / ~에 주석을 달다.
난:용-종 (卵用種) 명 알을 낳게 할 목적으로 기르는 닭의 품종. ↔육용종.
난:운 (亂雲) 명 **1** 어지러이 뒤섞여 떠도는 구름. **2** 난층운(亂層雲).
난이 (難易) 명 어려움과 쉬움. ¶~의 차는 있으나 충분히 감당할 수 있다.
난이-도 (難易度) 명 어려움과 쉬움의 정도. ¶시험 문제의 ~를 조절하다.
난:입 (亂入) 명하자 어지럽게 함부로 들어감. 또는 들어옴. ¶데모대가 의사당에 ~하다.
난:입 (闌入·攔入) 명하자 함부로 뛰어 들어감. 천입(擅入).
난:자 (卵子) 명 **1** 〖생〗 성숙한 난세포. ↔정자(精子). **2** 〖식〗 밑씨.
난:자 (亂刺) 명하타 칼이나 창 따위로 아무데나 마구 찌름.
난작-거리다 자 썩거나 삭아서 힘없이 자꾸 처지다. 큰는적거리다. **난작-난작** [-장-] 부하자
난작-대다 자 난작거리다.
난:잡-스럽다 (亂雜-)〔-스러우니, -스러워〕 형ㅂ불 난잡한 데가 있다. ¶이성 관계가 ~. **난:잡-스레** 부
난:잡-하다 (亂雜-)[-자파-] 형여불 **1** 행동이 막되고 생활이 문란하다. ¶생활이 ~. **2** 마구 뒤섞여서 어수선하고 너저분하다. ¶신발이 난잡하게 흩어져 있다. **난:잡-히** [-자피] 부
난-장 (-場) 명 **1** 정해진 장날 외에 특별히 며칠간 더 여는 장. **2** 한데에 물건을 벌여 놓고 사고파는 장.
난:장 (亂杖) 명 **1** 〖역〗 고려·조선 때, 장형(杖刑)을 가할 때, 신체의 부위를 가리지 않고 마구 치던 매. **2** 마구 때리는 매. 몰매. ¶~을 맞다 / ~ 치다.
난:장 (亂場) 명 **1** '난장판'의 준말. **2** 〖역〗 과거를 보는 마당에서 선비들이 떠들어 대던 판.
난장을 치다 구 함부로 마구 떠들다.
난:장-판 (亂場-) 명 여러 사람이 어지러이 뒤섞여 마구 떠들어 대거나 뒤죽박죽이 된 판. ¶회의가 ~이 되다 / ~이 벌어지다 / ~을 치다. 준난장(亂場).
난쟁이 명 **1** 기형적으로 키가 작은 사람. 왜인(矮人). **2** 키가 작은 사물. ↔키다리.
[난쟁이 교자꾼 참여하듯] 자기 분수에 맞지 않는 일에 주제넘게 나섬을 이르는 말.
난적 (難敵) 명 맞서 싸우기 힘든 상대. ¶~

을 만나 고전하다.

난:전(亂廛) 명 **1** 허가 없이 길에 임시로 벌여 놓은 가게. ¶~에 좌판을 벌여 놓다. **2** 〖역〗 조선 때, 육주비전(六注比廛)에서 파는 물건을 몰래 팔던 가게.

[난전 몰리듯 한다] 마구 몰아쳐서 당하는 사람이 정신을 차리지 못하게 되는 것을 비유하는 말.

난전을 치다 구 〖역〗 육주비전에 속한 군졸들이 난전을 단속하여 물건을 빼앗고 사람을 잡아가다.

난전 치듯 한다 구 마구 단속하여 닥치는 대로 물건을 압수하는 모양.

난:전(亂戰) 명하자 전투나 운동 경기 따위에서, 마구 뒤섞여 어지럽게 싸움. 또는 그러한 싸움. 혼전(混戰). ¶~을 벌이다 / 한바탕 ~을 치르다.

난점(難點)[-쩜] 명 처리하거나 해결하기 곤란한 점. 어려운 점. ¶~에 부딪치다 / ~을 안고 있다.

난:정(亂政) 명 어지러운 정치.

난제(難題) 명 해결하기 어려운 문제나 일. 난문제. ¶~가 산적해 있다.

난:조(亂調) 명 정상적인 상태가 흐트러지거나 조화가 깨진 상태. ¶중거리 슛이 ~를 보이다.

난:중(亂中) 명 난리가 한창 벌어진 동안. 난리 가운데. ¶~에 가족을 잃다.

난:지(暖地·煖地) 명 따뜻한 곳이나 지방.

난처-하다(難處-) 형여불 이럴 수도 없고 저럴 수도 없어 처지가 곤란하다. ¶입장이 아주 ~ / 말하기가 ~는 표정을 짓다.

난청(難聽) 명 **1** 청각 기관의 장애로 청력이 약해지거나 들을 수 없는 상태. ¶노인성 ~. **2** 방송 따위가 잘 들리지 않는 것. ¶~ 지역.

난초(蘭草) 명 〖식〗 난초과의 여러해살이 풀. 열대 지방 원산. 관상용으로 재배하며 향기가 좋음. 준난(蘭).

난측(難測) 명하형 헤아리기 어려움. 짐작하기 어려움. ¶변화가 ~이다.

난:층-운(亂層雲) 명 중층운(中層雲)의 하나. 뚜렷한 윤곽 없이 온통 하늘을 뒤덮는 짙은 먹구름《비·눈을 내림》. 비층구름. ☞구름.

난치(難治) 명하형 병이나 나쁜 버릇을 고치기 어려움.

난치-병(難治病)[-뼝] 명 고치기 어려운 병. 난병(難病). ¶~에 걸리다.

난-침모(-針母) 명 자기 집에 살면서 남의 바느질을 맡아 하는 침모. ↔든침모.

난:타(亂打) 명하타 **1** 마구 침. ¶얼굴을 ~하다. **2** 테니스·탁구 따위에서, 카운트나 서브 없이 연습하는 일.

난:투(亂鬪) 명하자 서로 덤벼들어 어지러이 싸움. 또는 그런 싸움. ¶취객들 사이에 ~가 벌어졌다.

난:투-극(亂鬪劇) 명 **1** 여럿이 뒤섞여 어지럽게 싸우는 것. ¶집단 ~을 벌이다. **2** 난투 장면이 있는 극.

난파(難破) 명하자 배가 항행 중에 폭풍우나 암초 등을 만나 부서지는 일. ¶배가 ~직전의 위기에 몰렸다 / 배가 풍랑을 만나 ~되었다.

난파-선(難破船) 명 항행 중 폭풍우나 그 밖의 장애로 파괴된 배.

난:폭(亂暴) 명하형 행동이 몹시 거칠고 사나움. ¶~ 운전 / 주먹을 ~하게 휘두르다.

난:필(亂筆) 명 **1** 되는대로 막 어지럽게 쓴 글씨. **2** 자기가 쓴 글씨의 겸칭. ¶~을 용서하여 주십시오.

난:-하다(亂-) 형여불 빛깔이나 무늬 따위가 지나치게 드러나 눈에 어지럽고 야단스럽다. ¶옷을 난하게 차려입다 / 글씨가 너무 ~.

난:할(卵割) 명 〖생〗 단세포의 수정란이 분열하는 현상. 난분할(卵分割).

난항(難航) 명 **1** 폭풍우 등으로 인한 어려운 항행. ¶악천후로 항공기 운항이 ~을 겪다. **2** 일이 순조롭게 되어 가지 않음의 비유. ¶협상은 ~을 거듭했다 / 영화 제작에 ~을 겪다.

난해-성(難解性)[-썽] 명 이해하기 어려운 특성. ¶현대 미술의 ~.

난해-하다(難解-) 형여불 뜻을 이해하기 어렵다. 풀기 어렵다. ¶그의 시는 난해하기로 유명하다.

난:핵(卵核) 명 〖생〗 난세포의 핵.

난:행(亂行) 명하자 **1** 난폭한 행동. **2** 난잡하고 음란한 행동. 추행. ¶집단 ~을 자행하다.

난행(難行) 명하형 **1** 실행하기 어려움. **2** 〖불〗 매우 고된 수행.

난향(蘭香) 명 난초의 향기. ¶~이 그윽하다〔풍기다〕.

난:형(卵形) 명 달걀꼴.

난형난제(難兄難弟) 명하형 누구를 형이라 하고 누구를 아우라 하기 어렵다는 뜻으로, 두 사물의 낫고 못함을 분간하기 어려움의 비유. ¶~의 실력.

난:혼(亂婚) 명 원시 사회에서 정해진 부부 관계가 아닌, 무질서하게 행해지던 성적 결합. 잡혼(雜婚).

난:황(卵黃) 명 〖생〗 노른자위1. ↔난백.

낟:-가리 명 낟알이 붙은 채로 있는 곡식을 쌓은 더미. ¶벼 ~ / 들판에 군데군데 ~가 쌓여 있었다.

낟:-알 명 **1** 껍질을 벗기지 않은 곡식의 알맹이. 곡식알. ¶~을 줍다. **2** 쌀알. ¶~ 하나라도 아껴라.

낟:알-기 [-끼] 명 밥·죽·미음 같은 곡식 성분으로 된 음식의 적은 분량《마땅히 먹어야 할 것을 안 먹거나 못 먹는 경우에 씀》. 곡기(穀氣). ¶하루 종일 ~라고는 구경도 못했다.

***날**1 ㊀명 **1** 하루 동안. 곧 자정으로부터 다음 자정까지의 사이. ¶마지막 ~ / 눈물 마를 ~이 없다. **2** 하루의 낮 동안. ¶~이 밝아 오다 / ~이 저물다. **3** '날씨'의 준말. ¶~이 풀리다 / ~이 개다. **4** '날짜1'의 준말. ¶~을 정하다. **5** 경우. 또는 시절이나 때. ¶화려했던 ~의 추억 / 이 일을 아버지께서 아시는 ~이면 날벼락이 떨어질 것이다. ㊁의명 고유어 수사 뒤에 쓰여 날수를 세는 단위. ¶여러 ~ / 스무 ~.

[날 샌 올빼미 신세] 외롭고 의지할 곳 없는 신세.

날(을) 받다 구 관혼상제(冠婚喪祭)나 이사

할 때, 길일을 택하기 위하여 날을 가리어 정하다. ¶날을 받아 고사를 지내다.
날(을) 잡다 ㉮ 날(을) 받다.
날(이) 들다 ㉮ 눈이나 비가 그치고 날이 개다. ¶날이 들면 떠나야지.
날(이) 새다 ㉮ 일을 이룰 가망이 없다.
날² ㉯ 칼이나 그 밖의 연장의 가장 날카로운 부분. 물건을 베고 찍고 깎게 된 부분. ¶~을 갈다 / ~이 무디다.
날(을) 세우다 ㉮ ㉠연장의 날을 날카롭게 하다. ㉡정신을 집중하다.
날(이) 서다 ㉮ ㉠연장의 날이 날카롭게 되다. ㉡성격이나 표현 등이 날카롭다. ㉢바람·추위 따위가 세차다.
날³ ㉯ 피륙·자리·가마니 등을 짜거나, 짚신·미투리를 삼을 때에 세로로 놓는 실·새끼·노끈 따위. ↔씨².
날:⁴ ㉰ 나를. ¶~ 따르라.
날- ㉱ **1** 그 물건을 익히거나 말리거나 가공하지 않았음을 나타내는 말. ¶~것 / ~고기. **2** '다른 것이 없는'의 뜻. ¶~장구. **3** '장례를 다 치르지 않은'의 뜻. ¶~상가. **4** '지독한'의 뜻. ¶~강도. *생-.
날-강도 (-強盜) ㉯ 아주 뻔뻔스럽고 악독한 강도. ¶이런 ~ 같은 놈.
*** 날개** ㉯ **1** 〖생〗 새나 곤충이 날 때에 펴는 부분. ¶~가 돋다 / ~를 퍼덕이다. **2** 비행기의 양쪽에 뻗쳐 공중에 뜨도록 된 넓은 조각. **3** 어떤 물건에 붙어 바람을 일으키는 데 쓰이는 부분. ¶선풍기의 ~. **4** 축구와 같은 운동 경기에서 양 옆의 공격수.
[날개 부러진 매] 기운을 못 쓰는 신세가 되었음을 이르는 말. [날개 없는 봉황] 아무 데도 쓸데없고 보람 없게 된 처지.
날개(가) 돋치다 ㉮ ㉠상품 등이 시세를 만나 재빨리 팔리다. ㉡의기가 치솟다. ㉢소문 따위가 빨리 퍼지다.
날개-집 ㉯ 〖건〗 부속 건물이 주되는 집채의 좌우로 죽 뻗은 집.

날개집

날갯-죽지 [-개쭉-/-갣쭉-] ㉯ **1** 날개가 몸에 붙어 있는 부분. **2** 〈속〉 날개.
날갯-짓 [-개찓/-갣찓] ㉯㉲ 새가 날개를 벌려서 세게 아래위로 움직이는 짓. ¶해오라기가 크게 ~을 하면서 날아오른다.
날-것 [-걷] ㉯ 익히거나 말리거나 가공하지 않은 고기·채소 따위. 날짜. ¶~을 잘못 먹고 배탈이 났다.
날-고기 ㉯ 익히거나 가공하지 않은 고기. 생고기. 생육(生肉).
날고-뛰다 ㉳ 비유적으로, 갖은 재주를 다 부리다. ¶날고뛰어 봐야 소용없다.
날-공전 (-工錢) ㉯ 날마다 계산해 주는 공전. *날삯·일급(日給).
날-김치 ㉯ 덜 익어서 풋내가 나는 김치. 생김치.
*** 날다¹** 〔나니, 나오〕 ㊀㉳ **1** 날개를 흔들거나 다른 힘으로 몸체가 공중에 떠서 움직이다. ¶새가 무리를 지어 ~. **2** 매우 빨리 움직이다. ¶나는 듯이 달려왔다 / 번개처럼 주먹이 날았다. **3** 〈속〉 달아나다. ¶범인은 멀리 날았다. ㊁㉴ 공중을 떠서 가다. ¶하늘을 ~.
[나는 새도 깃을 쳐야 날아간다] 순서를 밟아 나가야만 목적을 달성할 수 있다는 말. [나는 새도 떨어뜨린다] 권세가 당당하다는 말. [나는 새도 움직여야 난다] 아무리 급한 일이라도 준비가 없이는 아니된다는 말. [날면 기는 것이 능하지 못하다] 여러 가지를 겸하기 어렵다는 말.
난다 긴다 하다 ㉮ 재주나 행동이 매우 민첩하고 비상한 데가 있다.

> **'날다'의 활용**
> '날다'는 '나니, 나오, 나는'과 같이 활용하는 동사이다. '하늘을 날으는' 또는 '하늘을 나르는'은 잘못 쓰는 표기이다.
> ㉵ 하늘을 나는 새 (○)
> 하늘을 날으는 새 (×)
> 하늘을 나르는 새 (×)
> * '나르다(운반하다)'의 활용형은 '나르는'이다.
> ㉵ 물건을 나르는 사람들

날다² 〔나니, 나오〕 ㉳ **1** 빛깔이 바래어 없어지다. ¶색이 ~. **2** 냄새가 흩어져 없어지다. ¶향수가 ~. **3** 액체가 기체로 되어 줄거나 없어지다. ¶휘발유가 ~.
날다³ 〔나니, 나오〕 ㉴ **1** 솜으로 실을 만들다. **2** 베나 돗자리 등을 짜려고 틀에 날을 간고르게 벌여 치다.
날-도둑 ㉯ 몹시 악독한 도둑.
날-뛰다 ㉳ **1** 날 듯이 껑충껑충 뛰다. ¶갑자기 말이 날뛰기 시작했다. **2** 매우 거칠고 세차게 행동하다. ¶날뛰는 폭력배. **3** 어쩔 줄 모르고 함부로 행동하다. ¶좋아 ~ / 기뻐 ~.
날라리 ㉯ **1** 아무렇게나 날림으로 하는 일. **2** 〈속〉 건들거리거나 빈둥거리며 일하기 싫어하는 사람. **3** 〈속〉 기둥서방의 은어(隱語). **4** 〖악〗 '태평소'의 잘못.
날래다 ㉶ 사람이나 동물의 움직임이 나는 듯이 기운차고 빠르다. ¶몸이 날랜 사람 / 발걸음이 ~.
날:렵-하다 [-려파-] ㉶㉷ **1** 재빠르고 날래다. ¶날렵하게 몸을 피하다. **2** 매끈하고 맵시가 있다. ¶선체를 날렵하게 만들다 / 몸매가 ~. **날:렵-히** [-려피] ㉱
날로¹ ㉱ 날이 갈수록. 나날이. ¶사업이 ~ 번창하다 / 교통난이 ~ 심해지다.
날로² ㉱ 날것 그대로. ¶생선을 ~ 먹다.
날름 ㉱㉲㉴ **1** 혀가 입 밖으로 빨리 나왔다 들어가는 모양. ¶그는 쑥스러울 때면 혀를 ~ 내밀곤 했다. **2** 무엇을 날쌔게 받아 가지는 모양. ¶고기를 ~ 집어먹다 / 돈을 ~ 가져가다. **3** 불길이 이글거리는 모양. ㉸늘름·널름.
날름-거리다 ㉳㉴ **1** 혀나 손을 자꾸 날쌔게 내었다 들였다 하다. ¶뱀이 혀를 ~. **2** 남의 것을 탐내어 자꾸 고개를 내밀고 노리다. **3** 불길이 이글거리며 타오르다. ㉸늘름거리다·널름거리다. **날름-날름** ㉱㉲㉴
날름-대다 ㉳㉴ 날름거리다.

날리다[1] 자타 〈속〉 명성이 드날리게 하다. 명성을 떨치다. ¶한때 날리던 영화배우.

***날리다**[2] 一타 1《'날다[1]'의 사동》 공중으로 날게 하다. ¶연을 ~/홈런을 ~. 2 바람에 불리어 이리저리 움직이게 하다. ¶외투 자락을 ~/부연 먼지를 ~. 3 빠르게 움직이다. ¶그에게 주먹을 ~/공중으로 몸을 휙 ~. 4 지녔던 것을 헛되게 잃어버리다. ¶어렵게 모은 재산을 ~. 5 공을 들이지 않고 되는대로 대강대강 해치우다. ¶일을 ~. 二자 《'날다[1]'의 피동》 공중으로 날게 함을 당하다. ¶재가 바람에 ~/눈발이 ~.

날림 명 아무렇게나 대강대강 하는 일. 또는 그렇게 만든 물건. ¶~ 공사/~으로 지은 건물. *맞춤.

***날-마다** 명부 그날그날. 매일매일. ¶~ 일기를 쓰다.

날-물 명 나가는 물.

날-바늘 명 실을 꿰지 않은 바늘.

날-반죽 명하타 찬물로 하는 떡 반죽.

날-받이 [-바지] 명하자 이사나 결혼 따위의 큰일을 치르기 위해 길일(吉日)을 가려서 정하는 일. ¶이사를 위한 ~를 하다.

날-밤[1] 명 자지 않고 꼬박 새우는 밤. ¶걱정으로 ~을 새우다.

날-밤[2] 명 익히거나 말리지 않은 날것 그대로의 밤. 생밤.

날-벌레 [-뻘-] 명 날아다니는 벌레. 비충(飛蟲). ¶작은 ~가 눈에 들어가다.

날-벼락 명 1 맑은 날씨에 치는 벼락. 2 뜻밖에 당하는 불행이나 재난. 생벼락. ¶마음을 탁 놓고 있다가 ~을 맞았군. 3 호된 꾸지람이나 나무람. ¶그러다가는 ~이 떨어지지.

날-변 (-邊)[-뼌] 명 날수로 셈하는 이자. ¶~으로 빚을 얻다.

날-붙이 [-부치] 명 날이 서 있는 연장의 총칭《칼·낫·도끼 따위》.

날-빛 [-삗] 명 햇빛을 받아서 나는 온 세상의 빛.

날-사이 [-싸-] 명 지난 며칠 동안. ¶~ 평안하셨습니까. 준날새. 주의 부사적으로도 씀.

날-삯 [-싹] 명 그날그날 쳐주는 품삯. *날공전.

날-수 (-數)[-쑤] 명 날의 수효. ¶~가 모자라다/~를 채우다.

날-숨 [-쑴] 명 내쉬는 숨. 호기(呼氣). ¶~을 내쉬다. ↔들숨.

날-실[1] 명 삶지 아니한 실.

날-실[2] 명 피륙을 짤 때 세로 방향으로 놓인 실. 경사(經絲). ↔씨실.

날쌍-날쌍 부하형 여러 군데가 다 날쌍한 모양. ¶스웨터가 ~하다. 큰늘썽늘썽.

날쌍-하다 형여불 짜거나 엮은 것의 사이가 좀 뜨다. 큰늘썽하다.

날쌔다 형 동작이 날래고 재빠르다. ¶날쌔게 몸을 피하다.

***날씨** 명 그날의 기상 상태. 일기(日氣). ¶~가 고르지 못하다. 준날.

날씬-날씬 부하형 여럿이 다 날씬한 모양. 큰늘씬늘씬.

날씬-하다 형여불 1 몸이 가늘고 키가 커서 맵시가 있다. ¶날씬한 몸매/허리가 ~. 2 매끈하게 길다. 큰늘씬하다. **날씬-히** 부

***날아-가다** 자타 1 공중을 날면서 가다. ¶기러기가 ~/북쪽 하늘을 날아가는 철새. 2 사라지거나 없어지다. ¶꿈이 ~/빚에 집까지 ~.

날아-놓다 [-노타] 타 여러 사람이 낼 돈의 액수를 정하다. ¶곗돈을 ~.

날아-다니다 자타 날아서 이리저리 다니다. ¶새들이 하늘을 ~.

날아-들다 〔-드니, -드오〕 자 1 날아서 안으로 들다. ¶집 안에 날아든 제비. 2 빠르게 움직여 닥쳐오다. ¶연거푸 날아드는 주먹 세례를 받다. 3 뜻밖에 들이닥치다. ¶난데없이 비보(悲報)가 ~.

***날아-오다** 자 1 날아서 오다. ¶공이 갑자기 ~. 2 몹시 빠르게 움직여 오다. ¶총알이 ~/다짜고짜 주먹이 날아왔다. 3 소식 따위가 전하여 오다. ¶입영 통지서가 집으로 날아왔다.

날아-오르다 〔-오르니, -올라〕 자타르불 날아서 위로 높이 오르다. ¶비행기가〔새들이〕 하늘로 ~.

날염 (捺染) 명하타 피륙 따위에 무늬를 물들이는 방법《무늬를 새긴 본을 대고 풀을 섞은 물감을 발라서 물을 들임》. ¶~ 작업.

날인 (捺印) 명하자 도장을 찍음. 날장(捺章). ¶서명 ~을 하다.

날-일 [-릴] 명 날삯을 받고 하는 일.

날조 (捏造)[-쪼] 명하타 사실이 아닌 것을 사실인 것처럼 거짓 꾸밈. ¶~ 기사/~된 사건/기록을 ~하다.

날-줄 [-쭐] 명 〖지〗 경선(經線). ↔씨줄.

날-짐승 [-찜-] 명 날아다니는 짐승《새 종류》. ↔길짐승.

***날짜**[1] 명 1 어떤 일을 하는 데 걸리는 날의 수. 시일. ¶~가 많이 걸리다. 2 작정한 날. ¶결혼 ~를 잡다. 3 날의 차례. ¶~ 가는 줄도 모르고 지냈다. 준날.

날짜[2] 명 1 날것. ¶고기를 ~로 먹다. 2 일에 익숙하지 못한 사람. *생짜.

날짝지근-하다 형여불 몹시 나른하다. 큰늘쩍지근하다.

날짱-거리다 자 쉬엄쉬엄 느리게 행동하다. 큰늘쩡거리다. **날짱-날짱** 부하자

날짱-대다 자 날짱거리다.

날치 명 〖어〗 날칫과의 온해성 바닷물고기. 몸길이는 30-40 cm 정도, 입이 작고 눈이 크며 가슴지느러미가 매우 커서 날개 모양을 이루어 날기에 알맞음. 한번 나는 거리는 약 10 m 임. 식용함. 비어(飛魚).

날-치기 명하타 남의 물건을 날쌔게 가로채는 짓. 또는 그런 도둑《비유적으로도 씀》. ¶돈 가방을 ~당하다/법안을 ~로 통과시키다. *소매치기·들치기.

날치다 자 날뛰어 짐짓 기세를 떨치다.

***날카롭다** 〔날카로우니, 날카로워〕 형ㅂ불 1 끝이 뾰족하거나 날이 서 있다. ¶칼날이 ~. 2 생각하는 능력이 빠르고 정확하다. ¶날카로운 관찰력/질문이 ~/날카로운 머리. 3 모양이나 기세가 매섭다. ¶의견이 날카롭게 맞서다/날카로운 인상이다. 4 성질이 예민하고 신경질적인 데가 있다. ¶신경이 날카로운 사람. **날카로-이** 부

날캉-거리다 자 흠씬 물러서 저절로 축축 처

지게 되다. [큰]늘컹거리다. **날캉-날캉** [부][하자형]
날캉-대다 [자] 날캉거리다.
날캉-하다 [자형][여불] 너무 물러서 저절로 늘어져 처지게 되다. 또는 그렇게 처질 듯하다. [큰]늘컹하다.
날-콩 [명] 익히지 아니한 콩.
날탕 [명] **1** 아무것도 가진 것이 없음. 또는 그런 사람. ¶그런 ~한테 누가 시집가겠니. **2** 일을 마구잡이로 함. ¶일을 ~으로 하다.
날-틀 [명] 베를 짤 때 날을 바로잡는 기구.
날-파람 [명] **1** 빠르게 움직이는 동작이 일으키는 바람. ¶두루마기 자락에 ~을 일으키며 들어섰다. **2** 날쌘 움직임.
날-포 [명] 하루 이상이 걸친 동안. ¶~를 보내고도 일을 끝내지 못했다. *달포·해포.
날-품 [명] 날삯을 받고 하는 일.
날품(을) 팔다 [구] 하루하루 품삯을 받고 일하다.
날품-팔이 [명][하자] 날품을 파는 일. 또는 그런 일을 하는 사람. ¶~로 겨우 살아가다.
***낡다** [낙따] [형] **1** 물건 따위가 오래되어 헐고 너절하다. ¶낡은 옷. **2** 생각·제도·문물 따위가 시대에 뒤떨어져 새롭지 못하다. ¶낡은 사고방식에 얽매여 있다.
***남** [명] **1** 자기 이외의 다른 사람. ¶~의 집 / ~의 일에 간섭하다. **2** 일가가 아닌 사람. ¶먼 친척은 이웃의 ~만 못하다. **3** 관계를 끊은 사람. ¶이제 그는 ~이다. ↔나[3]. [남 눈 똥에 주저앉는다] 남의 잘못으로 죄 없는 사람이 애매하게 해를 입는다. [남 떡 먹는데 팥고물 떨어지는 걱정한다] 남의 일에 쓸데없는 걱정을 한다. [남의 다리 긁는다] 자기를 위해 한 일이 뜻밖에 남의 이익만 도모했거나, 남의 일을 제 일로 알고 수고한다. [남의 떡에 설 쇤다 ; 남의 불에 게 잡는다 ; 남의 바지 입고 새 벤다] 남의 덕택으로 형편 좋게 일을 성취한다. [남의 말 하기는 식은 죽 먹기] 남의 허물을 끄집어내어 말하기는 매우 쉽다. [남의 밥에 든 콩이 굵어 보인다] 남이 가진 것은 제 것보다 더 좋아 보인다. [남의 사돈이야 가거나 말거나] 자기에게는 아무런 이해관계가 없어 상관할 필요가 없음. [남의 싸움에 칼 빼기] 자기와는 관계가 없는 일에 공연히 뛰어듦. [남의 일이라면 쌍지팡이 짚고 나선다] 걸핏하면 남에게 시비를 걸고 나선다. [남의 흉이 한 가지면 제 흉은 열 가지] 자기는 더 많은 결점을 가졌으면서도 남의 흉을 들추어 나쁘게 말함. [남이 장 간다고 하니 거름 지고 나선다] 덩달아 남을 모방한다. [남이 친 장단에 궁둥이춤 춘다] 줏대 없이 행동하거나 관계없는 일에 덩달아 행동한다. [남 잡이가 제 잡이] 남을 해하려고 한 일이 도리어 자기를 해치는 결과가 됨.
남 (男) [명] **1** 남자. 사내. ↔여(女). **2** '남작(男爵)'의 준말.
***남** (南) [명] 남쪽. ↔북.
남- (男) [두] '남자'의 뜻. ¶~동생 / ~학생.
남가-일몽 (南柯一夢) [명] 〔당(唐)나라 때 순우분(淳于棼)이라는 사람이 술에 취하여 홰나무 남쪽 가지 밑에서 잠이 들었는데, 꿈속에서 괴안국(槐安國)의 왕녀와 결혼하여 영화를 누리다가 깨어났다는 고사에서: 남가(南柯)는 남쪽 가지의 뜻〕 꿈과 같이 헛된 한때의 부귀영화를 이르는 말. 남가지몽(南柯之夢).
남경 (男莖) [명] 남자의 생식기. 남근. 자지.
남계 (男系) [-/-게] [명] 남자 쪽의 혈통. 부계(父系). ¶지금도 ~ 중심의 가족 제도가 존속되고 있다.
남국 (南國) [명] 남쪽에 있는 더운 나라. ¶~의 정취를 흠뻑 느끼다. ↔북국(北國).
남군 (南軍) [명] **1** 남쪽에 위치한 군대. **2** 〘역〙 미국의 남북 전쟁 때에 남부의 군대. ↔북군(北軍).
남극 (南極) [명] **1** 〘물〙 자침(磁針)이 가리키는 남쪽 끝. **2** 〘천〙 지축 또는 천구축(天球軸)의 남쪽 끝. 에스극. ¶~을 탐험하다. ↔북극.
남극-권 (南極圈) [명] 〘지〙 남위(南緯) 66° 33′ 으로부터 이남의 남극점을 중심으로 하는 지역《반 년 동안은 계속 밤이며, 반 년 동안은 낮이 계속됨》. ↔북(北)극권.
남극-해 (南極海) [-그캐] [명] 남극권 내에 있는 해양의 총칭《1년 내내 얼음에 덮여 있음》. 남극양.
남근 (男根) [명] 남자의 생식기. 남경(男莖).
남:기 (嵐氣) [명] 이내[1].
***남기다** [타] 《'남다'의 사동》 **1** 나머지가 있게 하다. ¶음식을 ~. **2** 어떤 장소에 남아 있게 하다. ¶고향에 처자를 ~. **3** 잊지 않거나 시간이 흐른 뒤에까지 전하다. ¶이름을 ~ / 유산을 ~ / 미련을 ~. **4** 이익을 보게 하다. ¶본전의 갑절을 ~.
남김-없이 [-기멉씨] [부] 하나도 빼어 놓음이 없이 죄다. 여유를 남기지 않고 있는 대로 모두. ¶나온 요리를 ~ 먹어 치웠다.
남-남 [명] 서로 아무런 관계가 없는 남과 남. ¶~이 되다 / 부부는 헤어지면 ~이다.
남-남동 (南南東) [명] 남쪽과 남동쪽 사이의 방위. ¶~에서 바람이 불어온다.
남남북녀 (南男北女) [-붕-] [명] 우리나라에서, 남쪽 지방은 남자가 잘나고, 북쪽 지방은 여자가 아름답다는 말.
남-남서 (南南西) [명] 남쪽과 남서쪽 사이의 방위.
남녀 (男女) [명] 남자와 여자. ¶청춘 ~ / ~를 구별하지 않다.
남녀 공:학 (男女共學) 남자와 여자가 같은 학교 또는 같은 학급에서 배움.
남녀-노소 (男女老少) [명] 남자와 여자와 늙은이와 젊은이. 곧, 모든 사람.
남녀-별 (男女別) [명] 남자와 여자의 구별. ¶~ 좌석 / ~로 앉다.
남녀-유별 (男女有別) [명] 유교 사상에서, 남녀의 사이에는 분별이 있어야 함을 가리키는 말.
남녀-평등 (男女平等) [명] 남성과 여성이 사회적·법률적으로 차별이 없음. 남녀동등.
남-녘 (南-) [-녁] [명] 남쪽. ↔북녘.
남-늦다 [-늗따] [형] 남보다 늦다.
***남:다** [-따] [자] **1** 나머지가 있게 되다. ¶먹다 남은 밥 / 통장에 돈이 얼마 안 남았다. **2** 떠나지 않고 그대로 있다. ¶학교에 ~. **3** 잊혀지지 않거나 뒤에까지 전하다. ¶인

상이 오래 ~/역사에 길이 ~. **4** 이익을 보다. ¶많이 남는 장사.
남-다르다 〔남다르니, 남달라〕 형르불 다른 사람과 많이 다르다. ¶남다른 재질/어딘가 남다른 데가 있다/남다른 노력을 기울이다/오가는 정이 ~.
남단 (南端) 명 남쪽 끝. ¶한반도의 ~.
남-달리 부 보통 사람과는 다르게. 남다르게. ¶그는 ~ 키가 크다.
남-대문 (南大門) 명 **1** 도성(都城)의 정문으로 남쪽에 있는 문. **2** 서울의 '숭례문(崇禮門)'의 별칭. **3** 〈속〉 양복바지의 앞을 여미는 단추나 지퍼. ¶~이 열렸다.
남도 (南道) 명 경기도 이남에 있는 땅. 곧, 충청·경상·전라의 삼도의 땅. 남로(南路). 남중(南中). ¶~ 삼백리. ↔북도(北道).
남:독 (濫讀) 명하타 책을 닥치는 대로 마구 읽음. 난독(亂讀).
남동 (南東) 명 동쪽과 남쪽 사이의 방향.
***남-동생** (男同生) 명 남자 동생. ↔여동생.
남동-풍 (南東風) 명 남동쪽에서 북서쪽으로 부는 바람. 동남풍.
남:루 (襤褸)[-누] 명하형 **1** 누더기. ¶~를 걸치다. **2** 옷 따위가 낡고 해져서 너절함. ¶~한 옷차림.
남만 (南蠻) 명 사이(四夷)의 하나. 중국 남쪽에 살던 미개한 민족을 옛 중국인들이 부르던 말.
남매 (男妹) 명 **1** 오빠와 누이. **2** 한 부모의 남녀 동기. ¶삼 ~.
남-모르다 〔남모르니, 남몰라〕 형르불 남이 알지 못하다. ¶남모르는 괴로움/남모르게 흘리는 눈물/남모르게 만나다.
남-몰래 부 남이 모르게. ¶~ 일을 꾸미다/~ 불우 이웃을 돕다.
남문 (南門) 명 남쪽에 있는 문.
남미 (南美) 명 〘지〙 남아메리카.
남바위 명 추울 때 머리에 쓰는 방한구《앞쪽으로는 이마를 덮고 뒤쪽은 목과 등 사이를 내리덮으며, 가장자리에 털가죽을 붙였음》.
남-반구 (南半球) 명 적도를 경계로 지구를 둘로 나눈 경우의 남쪽 부분. ↔북반구.
남:발 (濫發) 명하타 **1** 법령·지폐 등을 마구 공포·발행함. 난발. ¶법령을 ~하다. **2** 말이나 약속을 함부로 함. ¶외래어를 ~하다/선거 공약을 ~하다.
남방 (南方) 명 **1** 남쪽. **2** 남쪽 지방. ↔북방. **3** '남방셔츠'의 준말.
남방-셔츠 (南方shirts) 명 여름에 양복저고리 대신 입는 간편한 남자용 윗옷. 준남방.
남-배우 (男俳優) 명 남자 배우. 준남우(男優). ↔여배우.
남:벌 (濫伐) 명하타 나무를 함부로 베어 냄. ¶수목의 ~을 금함.
남-보라 (藍-) 명 남색과 보라의 중간색.
남복 (男服) 명 남자의 옷. ——**하다** [-보카-] 자여불 여자가 남자 옷을 입다.
남-볼썽 명 남을 대하여 볼 면목이나 체면. ¶~ 사납게 그게 무슨 꼴이냐.
남부 (南部) 명 어떤 지역의 남쪽 부분. ¶~ 지방.
남-부끄럽다 〔남부끄러우니, 남부끄러워〕 형ㅂ불 창피하여 남을 대하기가 부끄럽다. ¶남부끄러워 얼굴을 들 수 없다. **남-부끄러이** 부
남-부럽다 〔남부러우니, 남부러워〕 형ㅂ불 남의 훌륭한 점을 보고 그와 같이 되고 싶다. ¶그는 남부러울 것 없이 살고 있다.
남-부럽잖다 [-짠타] 형 '남부럽지 않다'의 준말로, 형편이 좋아서 남이 부럽지 않을 만하다. ¶남부럽잖은 살림.
남부-여대 (男負女戴) 명하자 남자는 짐을 등에 지고 여자는 이고 간다는 뜻으로, 가난한 사람이 살 곳을 찾아 떠돌아다니는 것을 이르는 말.
***남북** (南北) 명 남쪽과 북쪽. ¶~ 대화/~ 정상 회담/~으로 뻗은 대로.
남북(이) 나다 구 머리통의 앞뒤가 쑥 나오다. ¶별스럽게 남북이 난 머리통.
남북-문제 (南北問題)[-붕-] 명 **1** 주로 북반구에 속하는 선진국과 남반구에 속하는 저개발국 사이의 정치적·경제적 문제의 포괄적 호칭. **2** 한반도의 남한과 북한 사이에 생기는 정치적·사회적 문제.
남:분-하다 (濫分-) 형여불 분수에 넘치다.
남-빛 (藍-)[-삗] 명 푸른빛과 자줏빛과의 중간 빛《하늘빛보다 짙음》. 남색(藍色). 준남(藍). *감색(紺色).
남-사당 (男-) 명 〘민〙 무리를 지어 떠돌아다니면서 소리나 춤을 팔던 남자.
남사당-패 (男-牌) 명 〘민〙 남사당의 무리. ☞광대.
남사-스럽다 〔-스러우니, -스러워〕 형ㅂ불 남우세스럽다.
남산골-샌님 (南山-)[-꼴-] 명 가난하면서도 자존심만 강한 선비를 비웃던 말.
[남산골샌님이 역적 바라듯 한다] ㉠가난한 사람이 분에 넘치는 것을 바라다. ㉡어려운 처지에 있는 사람은 늘 불평이 많다는 뜻.
남상 (男相) 명 남자 얼굴같이 생긴 여자 얼굴. ↔여상(女相).
남상(을) 지르다 구 여자가 남자 얼굴처럼 생기다.
남:상 (濫觴) 명 양쯔 강(揚子江) 같은 큰 하천도 그 근원은 술잔을 띄울 만큼 좁다랗게 흐르는 시냇물이라는 뜻에서, 사물의 처음이나 시작을 가리키는 말. ¶우편 제도의 ~.
남새 명 심어서 가꾸는 나물《무·배추·미나리·아욱 등》. 채소. ¶텃밭에서 ~를 뜯어 찬거리를 마련했다.
남새-밭 [-받] 명 남새를 심는 밭. 채소밭.
남색 (男色) 명 비역. ↔여색(女色).
남색 (藍色) 명 남빛.
남색-짜리 (藍色-) 명 머리를 쪽 지고 남색 치마를 입은 나이 스물 안팎의 새색시. 준남색. ↔홍색짜리.
남생이 명 〘동〙 남생잇과의 민물 동물. 냇가나 연못에 살며 거북과 비슷하지만 작음. 네 발에는 각각 다섯 개의 발가락이 있는데 발가락 사이에는 물갈퀴가 있음. 수귀(水龜).
[남생이 등에 활 쏘기] ㉠매우 어려운 일을 하려 함. ㉡해를 끼치려 하나 끄떡없음.
남서 (南西) 명 남쪽과 서쪽의 사이. 남서쪽.
남서-풍 (南西風) 명 남서쪽에서 북동쪽으

로 부는 바람. 서남풍.
남성 (男性) 명 **1** 남자. 특히, 성인 남자를 이름. ¶직장 ~을 대상으로 한 설문 조사. **2**〔언〕 일부 외국어 문법에서, 단어를 문법적으로 구별하는 성(性)의 하나. ↔여성.
남성 (男聲) 명 **1** 남자의 목소리. **2**〔악〕 성악의 남자의 성부(聲部). 곧, 테너·바리톤·베이스. ¶~ 사중창. ↔여성(女聲).
남성-미 (男性美) 명 성질·체격 따위에서 남자다운 아름다움. ¶~가 넘치다 / ~를 과시하다. ↔여성미.
남성-적 (男性的) 관명 남자다운 (것). 남자와 같은 (것). ¶~(인) 패기가 넘치다. ↔여성적.
남세 명하자 '남우세'의 준말.
남세-스럽다 〔-스러우니, -스러워〕 형ㅂ불 '남우세스럽다'의 준말. ¶남자가 부업에 드나드는 일을 남세스럽게 여기다. **남세-스레** 부
남승 (男僧) 명〔불〕 남자 중. ↔여승(女僧).
남:식 (濫食) 명하타 음식을 가리지 않고 닥치는 대로 먹음.
남실-거리다 자타 **1** 물결 따위가 보드랍게 계속 굽이쳐 움직이다. **2** 액체가 가득 차서 자꾸 넘칠 듯이 찰랑거리다. **3** 탐이 나서 자꾸 살그머니 넘겨다보다. ¶담 너머로 집 안을 남실거리는 괴한. 큰넘실거리다. **남실-남실** 〔-람-〕 부하자타
남실-대다 자타 남실거리다.
남실-바람 명〔기상〕 풍력 계급 2의 바람. 초속 1.6-3.3 m로 부는 바람. 바람이 얼굴에 느껴지며 나뭇잎이 살랑거리고 해면에 잔물결이 일 정도의 바람. 경풍(輕風). ☞풍력 계급.
남아 (男兒) 명 **1** 사내아이. ¶~ 선호 사상 / ~를 출산했다. ↔여아. **2** 남자다운 남자. 대장부. ¶씩씩한 대한 ~.
남아-나다 자 끝까지 남다. 또는 제대로 성하게 남다. ¶녀석들 손만 닿으면 남아나는 게 없다.
남아-돌다 〔-도니, -도오〕 자 사람이나 물건이 아주 넉넉하여 여분이 많이 있다. ¶남아도는 인원.
남-아메리카 (南America) 명〔지〕 아메리카 대륙의 남쪽 지역. 남미(南美).
남안 (南岸) 명 강이나 바다의 남쪽 기슭.
남양 (南洋) 명〔지〕 태평양의 적도를 경계로 하여 그 남북에 걸친 지역의 총칭.
남여 (藍輿) 명 의자와 비슷하고 위를 덮지 않은 작은 가마.

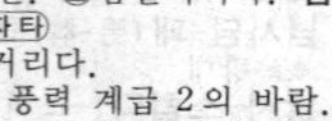

남여

남:용 (濫用) 명하타 함부로 씀. ¶약물 ~ / 외래어가 ~되다 / 항생제의 ~을 미연에 방지하다 / 공권력을 ~하다.
남우 (男優) 명 '남배우'의 준말. ¶~ 주연상. ↔여우(女優).
남-우세 명하자 남에게서 비웃음과 놀림을 받게 됨. 또는 그 비웃음과 놀림. ¶그렇게 차리고 나가면 ~ 받기 딱 좋다. 준남세.
남우세-스럽다 〔-스러우니, -스러워〕 형ㅂ불 남에게서 놀림과 비웃음을 받을 만하다. 준남세스럽다. **남우세-스레** 부. 준남세스레.
남위 (南緯) 명〔지〕 적도(赤道) 이남의 위도. ↔북위(北緯).
남의-눈 〔-/-에-〕 명 여러 사람의 시선. 이목(耳目). ¶~이 두려워 행동을 삼가다.
남의집-살이 〔-/-에-〕 명하자 남의 집안일을 해 주며 그 집에 사는 일. 또는 그 사람.
남인 (南人) 명〔역〕 조선 선조 때에 동인(東人)에서 갈라진 사색당파의 하나. 북인(北人)에 대하여, 유성룡(柳成龍)을 중심으로 한 당파.
***남자** (男子) 명 **1** 남성인 사람. ¶~ 친구 / 젊고 키가 큰 ~가 문을 밀고 들어왔다. ↔여자. **2** 사내다운 사내. 사나이.
남자-답다 (男子-) 〔-다우니, -다워〕 형ㅂ불 보기에 남자가 씩씩하고 듬직하다. 사내답다. ¶구릿빛 얼굴에 꾹 다문 입술이 남자답게 생겼다.
남작 (男爵) 명〔역〕 오등작(五等爵)에서 맨 끝의 작위. 준남(男).
남:작 (濫作) 명하타 글이나 시 따위를 함부로 많이 지어 냄. ¶시의 ~.
남장 (男裝) 명하자 여자가 남자처럼 차림. 또는 그런 차림새. ¶~을 한 여인.
남정 (男丁) 명 열다섯 살 이상의 장정(壯丁)이 된 남자. 젊은 남자.
남정-네 (男丁-) 명 여자들이 '사내들'을 일컫는 말. ¶~는 벼 베기에 바빴다.
남:조 (濫造) 명하타 품질 등을 생각지 않고 마구 만들어 냄. 남제.
남존-여비 (男尊女卑) 〔-녀-〕 명 남자는 높고 귀하며 여자는 낮고 천하다는 말. ¶~의 사상. ↔여존남비.
남종-화 (南宗畫) 명 산수화의 2대 화풍 가운데 하나《먹물을 주로 한 간소한 기교로 시적 정서를 표현하는 것이 특징임》. ↔북종화(北宗畫).
남중 (南中) 명하자 **1**〔천〕 천체가 자오선을 통과하는 일. 천체의 높이는 이때가 가장 높으며 태양의 남중은 정오에 해당함. 자오선 통과. **2** 남도(南道).
남진 (南進) 명하자 남쪽으로 나아감. ¶러시아 제국의 ~ 정책. ↔북진(北進).
남짓 〔-짇〕 의명하형 수량이 한도에 차고 조금 남는 정도. ¶일 년 ~ 사이에 몰라보게 자랐구나 / 천 명 ~한 학생.
남짓-이 부 남짓하게.
***남-쪽** (南-) 명 남극을 가리키는 쪽. 동쪽을 향하여 오른쪽. 남방. ¶~으로 창을 내다. ↔북쪽.
남창 (男唱) 명〔악〕 **1** 국악에서, 여자가 남자 목소리로 부르는 노래. ↔여창. **2** 남자가 부르는 노래.
남창 (男娼) 명 남색 파는 일을 업으로 하는 남자.
남창 (南窓) 명 남쪽으로 난 창. ↔북창.
남천 (南天) 명 남쪽 하늘. ↔북천(北天).
남청 (藍青) 명 짙은 검푸른 빛.
남촌 (南村) 명 **1** 남쪽에 있는 마을. **2** 조선 때, 서울 안의 남쪽에 있는 동네들을 이르던 말. ↔북촌.
남측 (南側) 명 **1** 서로 마주하고 있을 때 남쪽에 자리한 쪽. ¶북측과 ~의 주장이 팽팽히 맞서다. **2** 남쪽. ↔북측.
남침 (南侵) 명하자 남쪽을 침략함. ¶~에

대비한 군사 정책.
남탕(男湯) 명 남자만이 사용하는 대중목욕탕. ↔여탕.
남파(南派) 명하타 임무를 주어 남쪽으로 보냄. 특히, 북한에서 남한으로 간첩 따위를 보내는 일. ¶특수 임무를 띠고 ~된 공작원.
***남편**(男便) 명 결혼한 남자를 그 아내에 상대하여 이르는 말. ↔아내.
[남편 덕을 못 보면 자식 덕도 못 본다] 시집을 잘못 가면 평생 고생을 면치 못한다.
남편-감(男便-)[-깜] 명 남편으로 삼을 만한 남자. ¶그는 ~으로 손색이 없다.
남포[1] 명 도화선 장치를 하여 폭발시킬 수 있게 만든 다이너마이트.
남포[2] 명 '남포등'의 준말.
남포-등(-燈) 명 〔lamp〕 석유를 넣어 심지에 불을 켜는, 유리 바람막이가 있는 등잔. 양등(洋燈). 준남포.

남포등

남폿-구멍[-포꾸-/-폳꾸-] 명 남포를 재이려고 바위에 뚫어 놓은 구멍.
남폿-불[-포뿔/-폳뿔] 명 남포등에 켠 불.
남풍(南風) 명 남쪽에서 북쪽으로 부는 바람. ↔북풍(北風). *마파람.
남하(南下) 명하자 남쪽으로 내려감. ¶장마 전선이 ~하다. ↔북상.
***남-학생**(男學生) 명 남자 학생. ↔여학생.
***남한**(南韓) 명 〖지〗 1 광복 후 삼팔선 이남의 한국. 이남. 2 6·25 전쟁 후, 휴전선 이남의 한국. ↔북한.
남해(南海) 명 남쪽에 있는 바다. ↔북해.
남-해안(南海岸) 명 남쪽의 해안.
남행(南行) 명하자 남쪽으로 향하여 감. ¶~ 열차를 타다.
남향(南向) 명하자 남쪽으로 향함. 또는 그 방향. ¶집이 ~이라 볕이 잘 든다.
남향-집(南向-)[-찝] 명 남쪽을 향하여 해가 잘 드는 집.
남:형(濫刑) 명하타 가리지 않고 함부로 형벌을 가함. ¶억울하게 ~을 받다.
남-회귀선(南回歸線) 명 남위(南緯) 23° 27′의 위선(緯線)《추분에 적도에 있던 해가 남으로 향하여 이 선의 바로 위를 지나는 날이 동지가 되며, 그로부터 다시 북으로 돌아감》. 동지선(冬至線). ↔북회귀선.
남:획(濫獲) 명하타 물고기·짐승을 마구 잡음. ¶치어(稚魚)의 ~.
***납** 명 〖화〗 1 푸르스름한 잿빛의 금속 원소. 금속 가운데 가장 무겁고 불에 잘 녹으며 전성(展性)이 많아 얇게 만들 수 있음. 금속 그대로나 화합물로 땜납·연판·활자 합금 등으로 씀. 연(鉛). [82번 : Pb : 207.21] 2 '땜납'의 준말.
납(蠟) 명 1 밀랍(蜜蠟). 2 백랍(白蠟).
납골(納骨) 명하타 시체를 화장하여 그 유골을 그릇이나 납골당에 모심.
납골-당(納骨堂)[-땅] 명 유골을 모셔 두는 곳. ¶~에 유골을 안치하다. 준골당(骨堂).
납금(納金) 명하자 돈을 바침. 또는 그 돈.
납기(納期) 명 세금·공과금·물품 따위를 내거나 보내는 기한. ¶~를 놓치다 / ~ 내에 요금을 내다.
납길(納吉) 명하자 신랑 집에서 혼인날을 받아 신부 집에 알리는 일.
납대대-하다 형여불 '나부대대하다'의 준말. 큰넙데데하다.
납-덩이 명 납으로 된 덩어리.
납덩이-같다[-갇따] 형 1 얼굴에 핏기가 없어 납덩이의 빛깔과 같다. 2 몹시 피로하여 몸이 무겁고 나른하다. ¶몸이 ~. 3 분위기가 어둡고 밝지 못하다. ¶장내(場內)에 납덩이같은 침묵이 흐르다.
납득(納得) 명하타 남의 말이나 행동을 잘 알아 이해함. ¶상식으로는 잘 ~되지 않는다 / ~이 가도록 설득하다.
납-땜 명하타 땜납으로 쇠붙이를 때우는 일. ¶금이 간 연장을 ~으로 붙였다 / 철제 의자의 부러진 다리를 ~해서 썼다.
납땜-인두 명 납땜할 때 쓰는 인두 모양의 도구. 준땜인두·인두.
납량(納涼)[남냥] 명하자 여름에 더위를 피하여 서늘한 기운을 느낌. ¶~ 특집 드라마를 방영하다.
납본(納本) 명하타 1 발행한 출판물을 본보기로 관계 관청에 제출함. 2 주문받은 책을 거래처에 가져다 줌.
납부(納付·納附) 명하타 세금·공과금 따위를 냄. ¶~ 고지서 / ~ 기한을 넘기다 / 등록금을 은행에 ~하다.
납부-금(納付金) 명 납부하는 돈. 납입금.
납북(拉北) 명하타 북한으로 강제로 데려감. ¶~ 인사의 송환을 간절히 바라다.
납-빛(鑞-)[-삗] 명 푸르스름한 잿빛. ¶얼굴이 ~처럼 창백하다.
납석(蠟石) 명 〖광〗 기름과 같은 광택이 있고, 만지면 양초같이 매끈매끈한 암석과 광물의 총칭. 곱돌.
납세(納稅) 명하자 세금을 냄. ¶~ 기일을 지키다 / 국민에게는 ~의 의무가 있다.
납세-자(納稅者) 명 세금을 내는 사람.
납세필-증(納稅畢證)[-쯩] 명 세금을 냈음을 증명하는 증서.
납입(納入) 명하타 세금이나 공과금 등을 냄. ¶회비를 ~하다 / 국고에 ~되다 / 등록금을 제때에 ~하기 어려웠다.
납입-금(納入金) 명 납부금(納付金).
납작 부하타 1 말대답하거나 무엇을 받아먹을 때 입을 재빨리 딱 벌렸다가 닫는 모양. ¶떡을 ~ 받아먹다. 2 몸을 냉큼 바닥에 바짝 대고 엎드리는 모양. ¶바닥에 ~ 엎드리다 / 바위에 몸을 ~ 웅크렸다. 큰넙적.
납작-거리다 타 1 말대답할 때나 무엇을 받아먹을 때에 입을 냉큼냉큼 벌렸다 닫았다 하다. ¶입을 ~. 2 몸을 바닥에 바짝 대고 냉큼냉큼 바닥에 바짝 대고 엎드리다. 큰넙적거리다. **납작-납작**[1] [-짱-] 부하타
납작-납작[2] [-짱-] 부하형 여럿이 모두 다 납작한 모양. 큰넓적넓적.
납작-대다 타 납작거리다.
납작-보리 타 가공하여 납작하게 누른 보리. 압맥(壓麥).
납작-이 一명 납작하게 생긴 사람의 별명. 큰넓적이[1]. 二부 납작하게.
납작-코 명 콧등이 낮고 가로 퍼진 코. 또는 그런 코를 가진 사람. ¶~라고 놀리다.

큰넓적코.

납작-하다 [-짜카-] 형 여불 **1** 판판하고 얇으면서 약간 넓다. ¶납작한 얼굴. 큰넓적하다. **2** 기를 펴지 못하는 상태에 있다. ¶콧대를 납작하게 눌러 주고 싶다.

납죽 부하타 **1** 무엇을 받아먹거나 말대답할 때 입을 냉큼 나부죽하게 벌렸다 다무는 모양. ¶과자를 ~ 받아먹다. **2** 몸을 바닥에 대고 냉큼 엎드리는 모양. ¶~ 엎드려 사과하다 / ~ 절을 올리다. 큰넙죽.

납죽-거리다 타 **1** 무엇을 받아먹거나 말대답할 때, 입을 냉큼냉큼 벌렸다 다물었다 하다. ¶입을 ~. **2** 몸을 잇따라 바닥에 대고 냉큼냉큼 엎드리다. 큰넙죽거리다. **납죽-납죽**[1] [-쭝-] 부하타

납죽-납죽[2] [-쭝-] 부하형 여럿이 모두 다 납죽한 모양. 큰넓죽넓죽.

납죽-대다 타 납죽거리다.

납죽-이 一명 **1** 머리나 코가 납죽하게 생긴 사람. 큰넓죽이[1]. **2** 모양이 납죽한 물건. 二부 납죽하게. ¶식탁 밑에 ~ 엎드리다.

납죽-하다 [-쭈카-] 형 여불 갈쭉하고 넓다. 큰넓죽하다.

납지 (蠟紙) 명 밀랍·백랍·파라핀 따위를 먹인 종이.

납채 (納采) 명하자 신랑 집에서 신부 집으로 혼인을 청하는 의례(儀禮)《지금은 '납폐(納幣)'의 뜻으로 통용됨》.

납치 (拉致) 명하타 강제 수단을 써서 억지로 데리고 감. ¶~범 / ~당한 사람을 구해 내다 / 비행기를 ~하다 / 테러 집단에게 고위 관료가 ~되는 사건이 발생했다.

납폐 (納幣)[- / -폐] 명하자 〔민〕 혼인 때 신랑 집에서 신부 집으로 예물을 보내는 일. 또는 그 예물《흔히 푸른 비단과 붉은 비단으로 함》.

납품 (納品) 명하자타 주문받은 물품을 주문한 사람이 원하는 곳에 가져다 줌. 또는 그 물품. ¶~ 기일을 지키다 / 백화점에 아동복과 여성복을 ~하다.

납형 (蠟型)[나평] 명 밀랍으로 원형을 만들어 그 안팎에 고운 주형토(鑄型土)를 이겨 발라 말린 후, 불 속에 넣어 밀랍을 녹여 없애고 만든 주형.

납회 (納會)[나푀] 명 **1** 그해의 마지막 모임. **2** 〔경〕 증권 거래소에서, 그해의 마지막 입회. ↔발회(發會).

***낫** [낟] 명 풀·곡식 등을 베는 'ㄱ' 자 모양의 연장. ¶숫돌에 ~을 갈다.
[낫 놓고 기역 자도 모른다] 아주 무식함을 이르는 말.

낫공치
슴베
낫갱기
슴베
자루
낫놀
놀구멍
낫

***낫:다**[1] [낟따]〔나으니, 나아〕 자 ㅅ불 병이나 상처 등 몸의 이상이 없어지다. ¶감기가 다 나았다 / 병이 씻은 듯이 나았다.

***낫:다**[2] [낟따]〔나으니, 나아〕 형 ㅅ불 서로 견주어 보다 더 좋거나 앞서 있다. ¶실력은 그가 더 ~ / 보다 나은 대우.

낫:-살 [나쌀 / 낟쌀] 명 〈속〉 '나잇살'의 준말. ¶~깨나 먹은 사람.

낫:-자라다 [낟짜-] 자 더 잘 자라다. ¶어릴 때 열병을 앓아서 낫자라지 못했다.

낫:-잡다 [낟짭-] 타 좀 넉넉하게 치다. ¶음식을 낫잡아 준비하다.

낫-질 [낟찔] 명하자 낫으로 풀이나 나무, 곡식 따위를 베는 일. ¶~이 서투르다.

낫-표 (-標)[낟-] 명 〔언〕 세로쓰기에 쓰는 따옴표 '「 」'의 이름《따온 말 가운데 다시 따온 말이 들어 있을 때나 마음속으로 한 말 등을 적을 때 씀》.

낭군 (郎君) 명 예전에, 젊은 아내가 남편을 사랑스럽게 일컫던 말.

낭도 (郎徒) 명 〔역〕 신라 때, 화랑(花郎)을 중심으로 모였던 청소년의 무리.

***낭:독** (朗讀) 명하타 글을 소리 내어 읽음. ¶판결문을 엄숙히 ~하다.

낭-떠러지 명 깎아지른 듯한 언덕. ¶~에서 떨어지다.

낭:랑-하다 (朗朗-)[-낭-] 형 여불 **1** 소리가 맑고 또랑또랑하다. ¶낭랑한 목소리로 노래를 부르다. **2** 빛이 매우 밝다. ¶낭랑한 달빛 아래. **낭:랑-히** [-낭-] 부

낭:만 (浪漫) 명 현실보다 공상의 세계를 즐기며 매우 정서적·이상적으로 인생을 대하는 일. ¶젊은 시절의 꿈과 ~ / 정열과 ~이 넘치다 / ~에 젖다.

낭:만-적 (浪漫的) 관명 환상적이며 달콤한 것을 구하는 (것). 현실적이 아니고 공상적인 (것). ¶~인 사고방식.

낭:만-주의 (浪漫主義)[- / -이] 명 19세기 초에 유럽을 휩쓴 예술상의 사조 및 그 운동《고전주의와 합리주의에 반대하고 개성과 감정을 중시함》. 로맨티시즘.

낭:만-파 (浪漫派) 명 **1** 낭만주의의 문예 사조를 따르는 일파. **2** 낭만적인 것을 좋아하는 사람. ↔고전파.

낭:보 (朗報) 명 기쁘고 반가운 소식. ¶마라톤 우승의 ~가 전해졌다.

낭:비 (浪費) 명하타 재물·시간 따위를 아끼지 않고 헛되이 씀. 남비(濫費). ¶예산을 ~하다 / 그를 기다리는 것은 시간 ~일 뿐이다.

낭:비-벽 (浪費癖) 명 낭비하는 버릇. ¶~이 심하다.

낭:비-적 (浪費的) 관명 재물·시간 따위를 헛되이 쓰는 (것). ¶사치성 소비재 수입은 ~ 소비를 조장한다.

낭:설 (浪說) 명 터무니없는 헛소문. ¶~을 퍼뜨리다 / 그 소문은 근거 없는 ~이다.

낭:송 (朗誦) 명하타 소리를 내어 글을 읽음. ¶시를 ~하다.

낭:인 (浪人) 명 일정한 직업이나 거처 없이 떠돌아다니는 사람.

낭자 명 **1** 여자의 예장(禮裝)에 쓰는 딴머리의 하나. 쪽 찐 머리 위에 덧대어 얹고 긴 비녀를 꽂음. **2** 쪽[1]. ¶~를 틀다. **--하다** 자 여불 낭자를 머리에 덧얹다.

낭자 (娘子) 명 예전에, '처녀'를 높여 이르던 말. ¶~는 뉘 댁 따님이오.

낭자-군 (娘子軍) 명 **1** 여자로 편성된 군대. **2** 여자들만으로 조직된 선수단이나 단체. ¶우리 ~이 세계 양궁 대회에서 금메달을 휩쓸었다.

낭:자-하다 (狼藉-) 형 여불 **1** 여기저기 흩어져 어지럽다. ¶선혈(鮮血)이 ~ / 거리에

는 떨어진 낙엽이 낭자하게 흩어져 있다. **2** 떠들썩하게 시끄럽다. ¶낭자한 웃음소리.
낭재(郎材) 명 신랑감.
낭중(囊中) 명 주머니 속. ¶~ 무일푼.
낭중지추(囊中之錐) 명 〔주머니 속의 송곳이란 뜻〕 재능이 뛰어난 사람은 숨어 있어도 남의 눈에 드러난다는 뜻.
낭창-거리다 자 가는 막대기나 줄 따위가 탄력 있게 자꾸 휘어 흔들리다. ¶낚싯대가 ~/수양버들이 낭창거리며 흔들리다. **낭창-낭창** 부하자. ¶~ 휘어지는 낚싯대.
낭창-대다 자 낭창거리다.
낭:패(狼狽) 명하자 일이 실패로 돌아가 매우 딱하게 됨. ¶이것 참 큰 ~로군/쉽게 결정하면 ~하기 십상이다/일이 잘못되어 ~스럽기 짝이 없다.
낭패(를) 보다 구 낭패를 당하다.
낭하(廊下) 명 **1** 행랑2. **2** 복도. ¶긴 ~를 걸어 역 광장으로 나섰다.
*__낮__[낟] **1** 해가 떠 있는 동안. ¶~이 짧아졌다. ↔밤. **2** '한낮'의 준말. ¶~에는 아직도 햇살이 따갑다.
[낮에 난 도깨비] 인사불성이고 체면 없는 해괴망측한 사람.
낮-거리[낟꺼-] 명하자 낮에 하는 성교.
낮결[낟껼] 명 한낮부터 해가 저물 때까지의 시간을 둘로 나눈 그 전반(前半).
낮-교대(-交代)[낟꾜-] 명하자 밤과 낮으로 교대하여 일하는 경우에 낮에 당번을 함. ↔밤교대.
*__낮다__[낟따] 형 **1** 아래에서 위까지의 길이가 짧다. ¶낮은 곳/구두 굽이 ~/먹구름이 낮게 깔려 있다. **2** 소리가 높지 아니하다. ¶낮은 목소리. **3** 정도·지위 또는 능력·수준 따위가 기준이나 보통 정도에 미치지 못하다. ¶문화 수준이 ~/부품 국산화율이 ~/임금이 ~/계급이 ~. **4** 온도·습도·경도(硬度) 따위가 높지 아니하다. ¶혈압이 ~/온도가 ~. ↔높다.
낮-도깨비[낟또-] 명 **1** 낮에 나타난 도깨비. **2** 체면 없이 난잡한 짓을 하는 사람.
낮-때[낟-] 명 한낮을 중심으로 한 한동안. 오간(午間).
낮-말[난-] 명 낮에 하는 말.
[낮말은 새가 듣고 밤말은 쥐가 듣는다] ㉠아무도 안 듣는 데에서라도 말조심하라는 뜻. ㉡비밀히 한 말도 반드시 남의 귀에 들어가게 된다는 말.
낮-보다[낟뽀-] 타 '낮추보다'의 준말. ¶가난하다고 우리를 낮보는 경향이 있다. ↔돋보다.
낮-술[낟쑬] 명 낮에 마시는 술. ¶~에 얼굴이 불콰하다.
낮은-말 명 **1** 낮춤말. **2** 소리를 낮게 하는 말. **3** 상스럽고 천한 말.
낮은음자리—표(-音-標) 명 〖악〗 보표(譜表)에서 '바' 음의 자리임을 나타내는 기호. 낮은 성부(聲部)를 나타내는 데 쓰며 '𝄢'로 표시함. 저음부 기호. 바음기호. ↔높은음자리표.
낮-일[난닐] 명하자 낮에 하는 일. ↔밤일.
낮-잠[낟짬] 명 낮에 자는 잠. 오수(午睡). ¶~을 늘어지게 자다. ↔밤잠.
낮잠 자다 구 ㉠해야 할 일을 아니하고 태평히 있다. ㉡제대로 쓰이지 못하고 버려져 있다. ¶살이 쪄서 입지 못하는 옷가지가 장롱에서 낮잠 자고 있다.
낮-잡다[낟짭-] 타 **1** 낮게 치다. 지닌 가치보다 낮추어 보다. **2** 사람을 대수롭지 않게 여기고 만만히 대하다. ¶그를 낮잡아 보다가는 큰코다친다.
낮-참[낟-] 명 일하다가 점심 전후의 잠시 쉬는 동안. 또는 그때 먹는 음식.
낮추[낟-] 부 낮게. ¶갈매기들이 끼룩끼룩 울며 아주 ~ 날고 있었다.
낮추다[낟-] 타 **1** 《'낮다'의 사동》 낮게 하다. ¶목소리를 ~/값을 ~/온도를 ~. **2** 하대의 말을 쓰다. ¶말씀 낮추십시오. ↔높이다.
낮추-보다[낟-] 타 남을 자기보다 낮게 보아 업신여기다. 준낮보다. ↔도두보다.
낮춤[낟-] 명 〖언〗 사물이나 사람을 낮추는 뜻으로 이르는 말씨. ↔높임.
낮춤-말[낟-] 명 〖언〗 낮춤으로 된 말(《하게, 해라 따위》). ↔높임말.
낮-후(-後)[나투] 명 한낮이 지난 뒤.
*__낯__[낟] 명 **1** 눈·코·입 따위가 있는 얼굴의 바닥. 얼굴. ¶~을 씻다/좋은 ~으로 대하다. **2** 드러내서 남을 대할 만한 체면. 면목. ¶무슨 ~으로 그를 대하나/부모님 대할 ~이 없다.
낯을 붉히다 구 부끄럽거나 성이 나서 얼굴빛이 붉어지다. 얼굴을 붉히다.
낯이 깎이다 구 체면이 손상되다.
낯(이) 두껍다 구 도무지 염치가 없고 뻔뻔스러우며 부끄러운 줄 모르다. 낯가죽(이) 두껍다. 얼굴이 두껍다.
낯(이) 뜨겁다 구 남 보기가 부끄러워서 대할 면목이 없다.
낯-가리다[낟까-] 자 **1** 어린아이가 낯선 사람을 대하기 싫어하다. ¶낯가리지 않고 잘 따르다. **2** 체면을 겨우 세우다.
낯-가림[낟까-] 명하자 어린아이가 낯선 사람을 대하기 싫어하는 일. ¶이 아이는 ~이 좀 심하다.
낯-가죽[낟까-] 명 **1** 얼굴의 살가죽. **2** 염치없는 사람을 욕할 때 그런 사람의 얼굴을 일컫는 말.
낯가죽(이) 두껍다 구 낯(이) 두껍다. 얼굴이 두껍다. *낯.
낯가죽(이) 얇다 구 부끄럼을 잘 타다.
낯-간지럽다[낟깐-]〔낯간지러우니, 낯간지러워〕 형ㅂ불 떳떳하지 못하여 말하거나 듣기에 거북하고 부끄럽다. ¶너무 칭찬을 받으니 ~.
낯-나다[난-] 자 생색이 나다.
낯-내다[난-] 자 남이 고맙게 여기도록 생색을 내다. ¶곗(契)술로 ~.
낯-모르다[난-]〔낯모르니, 낯몰라〕 자르불 누구인 줄 모르다. ¶낯모르는 사람/웬 낯모를 남자가 찾아왔다.
낯-바닥[낟빠-] 명 〈속〉 낯1.
낯-부끄럽다[낟뿌-]〔낯부끄러우니, 낯부끄러워〕 형ㅂ불 체면이 안 서서 얼굴 보이기가 부끄럽다. ¶사랑한다고 말하기가 아무래도 낯부끄러웠다.
낯-빛[낟삗] 명 얼굴빛. 안색. ¶~ 하나 변하지 않고 태연자약하다.

낯-설다 [낟썰-] (낯서니, 낯서오) [형] **1** 얼굴이 익지 아니하여 어색하다. ¶ 낯선 사람. **2** 어떤 사물이 눈에 익지 아니하다. ¶ 오랜만에 고향에 돌아오니 ~.

낯-알다 [나달-] (낯아니, 낯아오) [자] 얼굴을 기억하고 알아보다.

낯-없다 [나덥따] [형] 마음에 너무 미안하여 대할 면목이 없다. **낯-없이** [나덥씨] [부]

낯-익다 [난닉-] [형] **1** 얼굴이 눈에 익어 친숙하다. ¶ 낯익은 얼굴. **2** 어떤 사물이 여러 번 보아서 눈에 익다. ¶ 낯익은 거리.

낯-익히다 [난니키-] [타] 《'낯익다'의 사동》 얼굴이 눈에 익숙하도록 여러 번 대하다.

낯-짝 [낟-] [명] 〈속〉 낯1. ¶ 무슨 ~으로 다시 나타났느냐 / 그런 말을 하다니 ~도 두껍다.

낱: [낟] [명] 셀 수 있게 된 물건의 하나하나. ¶ 물건을 ~으로 사다.

*__낱:-개__ (-個)[낟깨] [명] 따로따로인 한 개 한 개. ¶ ~로 떼어서 팔다.

낱:-개비 [낟깨-] [명] 담배·성냥·장작 따위의 따로따로의 개비. ¶ ~로 파는 담배.

낱:-권 (-卷)[낟꿘] [명] 따로따로인 한 권 한 권. ¶ 책을 ~으로 사다.

낱:-낱 [난낟] [명] 여럿 가운데의 하나하나. 개개(箇箇).

낱:낱-이 [난나치] [부] 하나하나 빠짐없이 모두. ¶ 부정행위를 ~ 들추어내다 / 용의자의 일거수일투족을 ~ 기록하다.

*__낱:-말__ [난-] [명] 단어(單語).

낱:-벌 [낟뻘] [명] 따로따로의 한 벌.

낱:-알 [나달] [명] 하나하나 따로따로의 알.

낱:-자 (-字)[낟짜] [명] 〖언〗 자모(字母)1.

낱:-자루 [낟짜-] [명] 연필·붓·초 따위의 한 자루 한 자루.

낱:-장 (-張)[낟짱] [명] 따로따로의 한 장.

*__낳:다__[1] [나타] [타] **1** 밴 아이나 새끼·알을 몸 밖으로 내놓다. ¶ 쌍둥이를 ~ / 닭이 알을 ~ / 아들딸 낳고 잘 산다. **2** 어떤 결과를 이루거나 가져오다. ¶ 분단의 비극을 ~ / 오늘에서야 아주 좋은 결과를 낳았다. **3** 배출하다. ¶ 한국이 낳은 세계적인 음악가.

낳다[2] [나타] [타] **1** 솜·털·삼 껍질 따위로 실을 만들다. ¶ 명주실을 ~. **2** 실로 피륙을 짜다. ¶ 무명을 ~.

-낳이 [나-] [미] 어느 곳에서 또는 언제 짠 피륙이라는 뜻으로, 계절·지역 이름 뒤에 붙이는 말. ¶ 안동(安東)~ / 한산(韓山)~ / 봄~.

낳이-하다 [나-] [자][여불] 피륙 짜는 일을 하다. 길쌈하다.

내[1] [명] 물건이 탈 때에 일어나는 부옇고 매운 기운. ¶ 매캐한 ~ 때문에 눈을 뜰 수 없다 / ~를 마시다. *연기.

[내 마신 고양이 상] 독살이 나서 얼굴을 표독하게 찡그림을 비유하는 말.

내[2] [명] '냄새'의 준말. ¶ 방에서 타는 ~가 나다 / 향긋한 ~를 풍기다.

*__내:__[3] [명] 시내보다 크고 강보다는 작은 물줄기. 개천. ¶ ~를 건너다.

[내 건너 배 타기] 순서를 뒤집어 하기.

*__내__[4] [一][인대] 주격 조사 '가' 앞에 쓰이는 제1인칭 대명사. ¶ ~가 읽은 책 / ~가 먹겠다. [二][준] '나'에 관형격 조사 '의'가 붙어 줄어든 말. ¶ 그 시계는 ~ 것이 아니다.

[내가 중이 되니 고기가 천하다] 자기가 필요하여 구할 때는 귀하더니 필요 없게 되니 흔하고 천해진다. [내 돈 서 푼은 알고 남의 돈 칠 푼은 모른다] 제 것만 중히 알고 남의 것은 대수롭지 않게 여긴다. [내 딸이 고와야 사위를 고르지] 자기는 부족하고 불완전하면서 남의 완전한 것만 구하는 것은 부당하다. [내 물건이 좋아야 값을 받는다] 자기 지킬 도리를 먼저 지켜야 대우를 받는다. [내 밑 들어 남 보이기] 자기 스스로 제 약점을 드러냄. [내 밥 먹은 개가 발뒤축을 문다] 자기의 은혜를 입은 사람이 도리어 자기를 해친다. [내 손톱에 장을 지져라] 무엇을 장담할 때나 강력히 부인할 때 하는 말. [내 얼굴에 침 뱉기] 자기가 한 말이나 행동이 스스로를 모욕하는 결과가 됨. [내 코가 석 자] 자기의 어려움이 심하여 남의 사정을 돌볼 겨를이 없음. [내 할 말을 사돈이 한다] 자기가 하려던 말이나 해야 할 말을 도리어 남이 한다.

내: (內) [의명] '시간·공간 등의 일정한 범위의 안'의 뜻. ¶ 이 달 ~에 제출해라 / 기한 ~에 끝마치다 / 당선권 ~에 들다.

내:- [투] **1** '밖으로·밖을 향하여'의 뜻을 나타내는 말. ¶ ~가다 / ~굽다. **2** '힘 있게'의 뜻을 나타내는 말. ¶ ~던지다 / ~갈기다 / ~뿜다.

내- (來) [투] 앞으로 오는 뜻을 나타내는 말. ¶ ~학기 / ~달 / ~주.

-내 [미] **1** 기간을 나타내는 명사 뒤에 붙어, '처음부터 끝까지'의 뜻. ¶ 여름~ / 겨우~ / 저녁~. **2** 때를 나타내는 명사 뒤에 붙어 '그때까지'의 뜻을 나타내는 말. ¶ 마침~ / 끝~.

내:-가다 [타][거라불] 안에서 밖으로 가지고 가다. ¶ 밥상을 부엌으로 ~.

내:각 (內角) [명] 〖수〗 **1** 한 직선이 두 직선과 각각 다른 점에서 만날 때, 두 직선 안쪽으로 생기는 각. **2** 다각형에서 인접한 두 변이 안쪽에 만드는 모든 각. **3** 야구에서, 본루를 이분하여 타자가 서 있는 쪽. 인코너. ¶ ~을 찌르는 공. ↔외각(外角).

내:각 (內殼) [명] 속껍데기. ↔외각(外殼).

내:각 (內閣) [명] 국무 위원들로 구성되어 국가의 행정을 담당하는 행정 중심 기관. ¶ 새 ~의 명단을 발표하다.

내:각-제 (內閣制) [명] 의원 내각제.

내:각 책임제 (內閣責任制) 의원(議院) 내각제. *대통령제.

내:간 (內間) [명] 부녀자가 거처하는 곳.

내:간 (內簡) [명] 여자들끼리 주고받는 편지. 안편지. ↔외간(外簡).

내:간-체 (內簡體) [명] **1** 지난날, 부녀자들 사이에 오가던 편지의 글씨체. **2** 고전 문체의 한 가지. 일상의 용어로써 말하듯이 써 나간 일기·수필 등의 산문 문체.

내:-갈기다 [타] **1** 힘껏 때리다. ¶ 뺨을 ~. **2** 글씨를 공들이지 않고 아무렇게나 마구 쓰다. ¶ 글씨를 함부로 내갈겨 쓰다. **3** 총 따위를 계속하여 마구 쏘다. ¶ 달려드는 적군에게 기관총을 ~. **4** 똥, 오줌 따위를 아무데나 마구 싸다. **5** 말 따위를 함부로 마구

해 대다. ¶허튼소리를 ~.
내:강(內剛) 명하형 겉으로 보기에는 유순하나 속마음은 굳세고 단단함.
내객(來客) 명 찾아온 손님. ¶사랑에서 ~을 맞이하다.
내:-걷다〔내걸으니, 내걸어〕 자ㄷ불 앞을 향하여 힘차게 걷다.
내:-걸다〔내거니, 내거오〕 타 **1** 밖에 내어 걸다. ¶기를 ~/간판을 ~. **2** 목표, 주제, 조건 따위를 앞세우거나 내세우다. ¶요구 조건을 ~/허울 좋은 명분을 ~. **3** 희생을 무릅쓰다. ¶승리를 위해 모두 목숨을 내걸고 싸웠다. 준걸다.
내:경(內徑) 명 **1**〔수〕 '안지름'의 구용어. **2** 총·포신의 지름. **3** 기물(器物)의 안쪽 치수. ¶포구(砲口)의 ~.
내:계(內界)[-/-게] 명 **1** 내부 세계. **2**〔철〕 의식의 내면 세계. 곧, 사유·감정의 세계. ↔외계(外界).
내:-곱다 자 바깥쪽으로 곱아 꺾이다. 큰내굽다.
내:공(內功) 명 노력이나 수양을 통해 내적으로 쌓인 능력이나 힘. ¶~을 쌓다.
내:공(內攻) 명하자 **1**〔의〕 병이나 병균이 몸의 겉으로 나타나지 않고 내부에 퍼져 내장의 여러 기관을 침범함. **2** 정신상의 결함이나 타격이 겉으로 나타나지 않고 속으로만 퍼짐.
내공(來攻) 명하타 쳐들어옴.
내공(來貢) 명하자 외국 또는 속국의 사신이 찾아와서 공물을 바침.
내:공(耐空) 명하자〔항공〕 착륙하지 않고 그냥 뜬 채로 비행을 계속함.
내:과(內科)[-꽈] 명〔의〕 내장 기관에 생긴 병을 외과적 수술을 아니하고 고치는 의술의 한 부문. 또는 그러한 치료를 하는 병원의 한 부서. ↔외과.
내:-과피(內果皮) 명〔식〕 열매 속에서 바로 씨를 싸고 있는 껍질. *외과피·중과피.
내:곽(內廓·內郭) 명 안쪽 테두리. ↔외곽.
내:관(內官) 명 내시.
내:구(耐久) 명하자 오래 견딤. ¶~ 소비재/~연한(年限)을 넘기다.
내:구-력(耐久力) 명 오래 견딜 수 있는 힘. 오래 지속하는 힘.
내:구-성(耐久性)[-썽] 명 오래 견디는 성질. ¶~이 뛰어난 옷감.
내:국(內國) 명 자기의 나라. 또는 자기 나라 안. ↔외국(外國).
내:국-산(內國産) 명 국내에서 생산된 물건. 국산. ↔외국산.
내:국-세(內國稅) 명 관세와 톤세(ton稅)를 제외한 국세의 총칭.
내:국-인(內國人) 명 자기 나라 사람. 내국민. ↔외국인.
내:-굴리다 타 물건 따위를 함부로 막 다루다.
내:-굽다 자 바깥쪽으로 굽어 꺾이다. 작내곱다. ↔들이굽다.
내:규(內規) 명 한 기관 안에서만 시행되는 규정. ¶회사의 ~를 준수하다.
내:근(內勤) 명하자 회사·관청 등의 직장 안에서 하는 근무. ¶~ 사원/~하는 부서로 옮기다. ↔외근.
내:-긋다[-귿따]〔내그으니, 내그어〕 타ㅅ불 앞이나 밖으로 나가게 줄을 긋다.
내:기 명하타 일정한 약속 아래서 돈이나 물건을 걸어 놓고 이기는 사람이 가지기를 다투는 짓. ¶~ 바둑/~를 걸다/누가 빨리 달리는지 ~하다.
-내기 미 **1** 어떤 지역에서 태어나고 자라서 그 지역의 특성을 지닌 사람을 가리키는 말. ¶서울~/시골~. **2** 그러한 특성을 가진 사람임을 나타내는 말. ¶풋~/보통~/신출~.
내:-깔기다 타 **1** 말 따위를 함부로 하다. ¶아무 데서나 쌍소리 내깔기기가 예사다/한마디 툭 ~. **2** 오줌이나 침 따위를 함부로 누거나 뱉다. ¶침을 ~/오줌을 ~. **3** 총 따위를 함부로 아무 데나 쏘다. ¶소총을 마구 ~. **4** 새끼나 알 따위를 아무 데나 마구 낳다.
내:나 부 결국은. ¶끝까지 버티던 그도 ~ 굴복하고 말았다.
내남-없이[-업씨] 부 나나 다른 사람이나 다 마찬가지로. ¶~ 다 나쁜 놈이다.
내:내 부 처음부터 끝까지 계속해서. 줄곧. ¶아침 ~/~ 그 꼴이다.
***내년**(來年) 명 올해의 다음 해. 명년.
내년-도(來年度) 명 내년의 한 해. ¶~ 예산안을 짜다.
***내:-놓다**[-노타] 타 **1** 어떤 범위 밖으로 옮겨 놓거나 꺼내 놓다. ¶이삿짐을 밖으로 ~/화분을 마당에 ~. **2** 간직했던 것을 드러내 보이다. ¶내놓고 자랑할 것이 없다. **3** 가둔 사람이나 짐승 따위를 자유롭게 행동할 수 있도록 밖으로 놓아 주다. ¶우리에서 내놓은 양떼가 들판에서 풀을 뜯어 먹고 있다. **4** 물건 따위를 팔려고 남에게 드러내다. ¶집을 ~. **5** 생각이나 의견을 제시하다. ¶실천 공약을 ~/타협안을 ~. **6** 가진 것 또는 차지하고 있던 것을 내주다. ¶기부금으로 거액을 ~. **7** 빼놓다. ¶나를 내놓고는 모두 부자다/집에서도 내놓은 자식이다. **8** 희생을 무릅쓰다. ¶목숨을 내놓고 싸우다. **9** 발표하다. ¶신제품을 ~/신작(新作)을 ~.
내:다¹ 자 연기와 불꽃이 굴뚝으로 나가지 않고 아궁이 쪽으로 되돌아 나오다.
***내:다**² 타 **1** 안엣것을 밖으로 나오게 하다. ¶책상을 밖으로 ~/땀을 ~. **2** 밖으로 드러나게 하다. ¶이름을 ~/헛소문을 ~. **3** 틈을 만들다. ¶시간을 내서 만나다. **4** 차나 배 따위를 출발시키다. ¶임시 열차를 ~/배를 ~. **5** 제출하거나 바치다. ¶세금을 ~/원서를 ~/사표를 ~. **6** 출판물에 기사를 싣다. 또는 책·신문 따위를 발행하다. ¶특종 기사를 ~/잡지를 ~. **7** 길이나 방 따위를 새로 만들다. ¶길을 ~. **8** 구멍이나 자국 따위를 만들다. ¶송곳으로 구멍을 ~/얼굴에 상처를 ~/발자국을 ~. **9** 살림·가게 따위를 처음 차리다. ¶분식집을 ~. **10** 편지 따위를 보내다. ¶독촉장을 ~. **11** 힘이나 속도를 더하다. ¶속력을 ~/힘을 ~. **12** 일어나게 하다. ¶먼지를 ~/소리를 ~. **13** 음식 따위를 제공하다. ¶저녁을 ~. **14** 빛·허가 따위를 얻다. ¶빛을 내어 병을 고치다. **15**

곡식을 팔다. ¶쌀을 내서 학비를 마련하다. **16** 모종을 옮겨 심다. ¶모를 ~. **17** 나오게 하다. 산출하다. **18** 어떤 상태로 만들거나 그렇게 되게 하다. ¶박살을 ~.

***내:다**[3] 보동 동사의 활용 어미 '-아'·'-어' 다음에 쓰여, 그 동작을 제 힘으로 능히 끝냄을 보이는 말. ¶적의 공격을 막아 ~/ 끝까지 견디어 ~.

***내:다-보다** 타 **1** 안에서 밖을 보거나, 멀리 앞을 바라보다. ¶창밖을 ~. ↔들여다보다. **2** 앞일을 미리 헤아리다. ¶장래를 내다보고 계획하다/한치 앞을 내다볼 수 없다/경기가 호전될 것으로 ~.

내:다-보이다 자 《'내다보다'의 피동》 **1** 안에 있는 것이 겉으로 드러나 보이다. ¶속살이 ~. **2** 밖에 있는 것이 안에서 바라보이다. ¶바다가 내다보이는 창문. **3** 장차 일이 헤아려지다. ¶너의 앞길이 빤히 내다보인다. 준내다뵈다.

내:다-뵈다 자 '내다보이다'의 준말.

내:-닫다 〔내달으니, 내달아〕 자타 ㄷ불 갑자기 힘차게 앞으로 뛰어나가다. ¶다급한 마음에 병원까지 한달음에 내달았다/골짜기를 ~.

[내닫기는 주막집 강아지라] 누가 찾아오거나 무슨 일이 생기거나 하면 곧 뛰어나와 참견하는 사람을 두고 하는 말.

내-달 (來-) 명 이달의 바로 다음 달. ¶~ 이맘때.

내:-달다 〔내다니, 내다오〕 타 **1** 밖이나 앞쪽에 달다. ¶간판을 ~. **2** 한 쪽으로 더 이어 붙이다. ¶방 한 칸을 더 내달아 짓다.

내:-달리다 자 힘차게 달리다. ¶어두운 거리를 ~/적진을 향하여 ~.

내:-대다 타 **1** 함부로 말하거나 거칠게 대하다. ¶어른 말에 그렇게 내대는 게 아니다. **2** 상대편의 앞으로 무엇을 불쑥 내밀다. ¶주먹을 ~/면전에 문서를 ~. **3** 요구나 조건을 상대에게 내놓고 맞서다. ¶제 요구만 내대고 있다.

내:-던지다 타 **1** 내키는 대로 힘차게 던지다. ¶화가 나서 시계를 ~. **2** 관계를 끊고 돌아보지 않다. ¶직장을 ~. **3** 아무렇게나 말하다. ¶심드렁하게 한 마디 내던졌다. **4** 어떤 목적을 위하여 희생하다. ¶온몸을 ~.

내도 (來到) 명하자 **1** 어떤 지점에 와서 닿음. ¶신용장 ~. **2** 기회나 사건 따위가 닥쳐옴. ¶새로운 세기가 ~하다.

내:-돋다 자 안에서 겉으로 또는 밖으로 돋아 나오다. ¶이마에 땀방울이 ~.

내:-돋치다 자 세게 내돋다. ¶이마에 실핏줄이 내돋쳤다.

내:-돌리다 타 **1** 물건을 함부로 내놓아 여러 사람의 손에 가게 하다. ¶약혼 사진을 ~. **2** 몸의 일부를 휘젓거나 흔들어 대다. ¶고개를 이리저리 내돌렸다. **3** 따돌리거나 무시하다. ¶잘난 척만 하더니 결국 친구들에게 내돌림을 당하는 신세가 되었다.

내:-동댕이치다 타 아무렇게나 뿌리쳐 버리다. 힘껏 마구 내던지다. ¶책가방을 방바닥에 ~/자존심을 ~.

내:-두다 타 바깥쪽으로 옮겨 놓다. ¶화분을 밖에 ~/ 김칫독을 마루에 ~.

내:-두르다 〔내두르니, 내둘러〕 타 르불 **1** 이리저리 휘두르다. ¶팔을 ~/보통내기가 아니라고 혀를 ~. **2** 남을 자기 마음대로 이리저리 움직이게 하다. ¶부하를 몹시 심하게 ~.

내:-둘리다[1] 자 정신이 아찔하여 어지러워지다. ¶맴을 돌고 나니 머리가 내둘린다.

내:-둘리다[2] 자 《'내두르다'의 피동》 내두름을 당하다.

내:-드리다 타 '내어 드리다'의 준말. **1** 윗사람에게 물건을 꺼내 주다. ¶서류를 ~. **2** 가지고 있거나 차지하고 있는 것을 윗사람에게 양보하다. ¶노인께 자리를 ~.

내:-디디다 타 **1** 발을 바깥쪽 또는 앞으로 밟다. ¶천천히 발을 내디뎠다. **2** 시작하다. 착수하다. ¶정계〔사회〕에 첫발을 ~. 준내딛다.

내:-딛다 타 '내디디다'의 준말. ¶앞으로 발을 내딛기가 힘들다/사회에 첫발을 ~.

내:-뛰다 자 **1** 힘껏 앞으로 뛰다. ¶부리나케 앞으로 내뛰기 시작했다. **2** 빠르게 도망쳐 달아나다. ¶그는 이미 내뛰고 없다.

[내뛰기는 주막집 강아지라] 무슨 일에나 경솔히 잘 내뛰는 사람의 비유. 내닫기는 주막집 강아지라.

내:-뜨리다 타 사정없이 힘껏 내던져 버리다. 내트리다.

내:락 (內諾) 명하타 〔←내낙(內諾)〕 비공식적으로 승낙함. ¶~을 얻다.

내:란 (內亂) 명 나라 안에서 무력으로 권력을 차지하려고 일으키는 난리. ¶소요가 ~으로 번지다.

내:란-죄 (內亂罪)[-쬐] 명 〖법〗 정부를 뒤엎으려 하거나, 국토를 함부로 차지하려 하거나, 국헌을 문란하게 하려는 목적으로 폭동을 일으킨 죄.

내레이션 (narration) 명 영화·방송극·연극 따위에서, 이야기 형식의 해설.

내레이터 (narrator) 명 영화·방송극·연극 따위에서, 장면의 내용이나 줄거리를 해설하는 사람.

***내려-가다** 一자 거라불 **1** 높은 곳에서 낮은 곳으로 또는 위에서 아래로 향해 가다. ¶아래층에 ~/장마 전선이 남쪽으로 내려갔다. **2** 지방으로 가다. ¶고향으로 ~. **3** 음식이 소화되다. ¶점심 먹은 것이 아직 내려가지 않았다. **4** 값이나 수치, 온도 따위가 떨어지다. ¶물가가 많이 내려갔다/기온이 ~. 二타 거라불 아래쪽으로 옮겨가다. ¶계단을 ~/언덕을 ~.

내려-놓다 [-노타] 타 **1** 위에 있는 것이나 들고 있는 것을 아래로 놓다. ¶수화기를 ~/짐을 땅에 내려놓아라. **2** 기차나 택시 따위가 사람을 옮겨다 주다. ¶승객을 내려놓고 바로 출발하다.

***내려다-보다** 타 **1** 위에서 아래를 보다. ¶비행기에서 아래를 ~/잠이 든 아이들의 얼굴을 ~. **2** 자기보다 한층 낮추어 보다. ¶가난한 나라라고 내려다보고 대하다. ↔올려다보다.

내려-디디다 타 발을 아래로 내려서 밟다.

내려-뜨리다 타 위에 놓인 것이나 손에 쥔 것을 아래로 내리어 떨어뜨리다. ¶밧줄을 ~/긴 머리를 어깨 위로 ~/그의 시선을 피해 눈을 아래로 ~.

내려-서다 자타 높은 데서 낮은 곳으로 내려와 서다. ¶풀밭으로 ~ / 계단을 ~.

내려-쓰다 〔-쓰니, -써〕 타 **1** 모자 따위를 이마보다 아래로 내려서 쓰다. ¶모자를 푹 ~. **2** (글씨를) 아래쪽에 쓰다. ¶제목을 쓰고 이름을 내려쓰시오.

내려-앉다 [-안따] 자 **1** 아래로 내려와 앉다. ¶먼지가 뽀얗게 ~ / 비행기가 ~. **2** 낮은 지위에 옮겨 앉다. **3** 건물·지반·다리 같은 것이 무너지다. ¶천장이 ~. **4** 안개나 어둠 따위가 깔리다. ¶어둠이 ~.

***내려-오다** 一자너라불 **1** 높은 곳에서 낮은 곳으로 향해 오다. ¶산에서 ~. **2** 시골로 떠나오다. ¶서울에서 내려오신 큰아버지. **3** 긴 세월을 지나 오늘날까지 전해 오다. ¶조상 대대로 내려온 가보(家寶). **4** 계통을 따라서 아래로 전해 오다. ¶상부에서 명령이 ~. 二타너라불 아래쪽으로 옮겨 오다. ¶언덕길을 천천히 ~ / 위층에서 의자를 내려오너라.

내려-치다 타 아래로 향하여 힘껏 때리거나 치다. ¶주먹으로 책상을 ~ / 벽돌로 머리를 ~.

내려-트리다 타 내려뜨리다.

내:력 (內力) 명 〖물〗 **1** 변형력(變形力). **2** 물체 내부의 각 부분 상호 간에 미치는 힘. ↔외력(外力).

내력 (來歷) 명 **1** 겪어 온 자취. ¶자기의 ~을 들려주다. **2** 내림. ¶부지런한 것은 그 집안의 ~이다.

내:력 (耐力) 명 견디는 힘.

내로라-하다 자여불 어떤 분야의 대표는 바로 나다 하고 자신을 가지다. ¶세상에 내로라하는 장사들.

> **'내로라'**
>
> 흔히 '내노라'로 잘못 쓰고 있다. 그러나 '-노라'는 동사 어간에 붙는 어미이고, '이다'·'아니다'의 어간 뒤에서는 어미 '-로라'와 결합한다. 나+이-+-로라 → 내로라
>
> 예 내로라 하고 뽐낸다.
> 자기 책임이 아니로라 우긴다.
> 잘 쓰노라고 쓴 것인데.

내:륙 (內陸) 명 〖지〗 바다에서 멀리 떨어져 있는 육지.

내:륙-국 (內陸國) 명 〖지〗 국토가 바다에 닿지 않고 육지 안에만 들어 있는 나라《스위스·몽골 따위》.

내:륙 지방 (內陸地方) 〖지〗 대륙의 해안에서 멀리 떨어진 지방.

내리 부 **1** 위에서 아래로 향하여 똑바로. **2** 처음부터 끝까지. 잇따라 계속. ¶~ 세 시간을 서 있었다. **3** 사정없이 마구. ¶~ 짓밟다 / ~ 짓누르다.

내리-갈기다 타 위에서 아래로 후려치다.

내리-긋다 [-귿따] 〔-그으니, -그어〕 타ㅅ불 **1** 아래쪽으로 줄을 곧게 긋다. **2** 계속해 줄을 긋다.

내리-깔기다 타 오줌 따위를 위에서 아래로 내쏘다.

내리-깔다 〔-까니, -까오〕 타 **1** 윗눈시울로 눈알을 반쯤 덮고 시선을 아래로 보내다. **2** 목소리를 조용하고 낮게 내다.

내리-깔리다 자 《'내리깔다'의 피동》 내리깖을 당하다. ¶졸음이 몰려와 눈꺼풀이 ~.

내리-꽂다 [-꼳따] 타 위에서 아래로 힘차게 꽂거나 박다.

내리-내리 부 잇따라 계속. 언제까지나.

내리-누르다 〔-누르니, -눌러〕 타르불 **1** 위에서 아래로 힘주어 누르다. **2** 윗사람이 아랫사람을 꼼짝 못하도록 압력을 가하다. ¶부하를 내리누르려고만 하면 안 된다. **3** 무거운 분위기나 감정 따위가 심한 압박감을 주다. ¶피로가 온몸을 내리누른다.

***내리다**[1] 一자 **1** 높은 데서 낮은 데로 향하여 옮다. ¶막이 ~ / 물가가 ~. **2** 눈·비·서리·이슬 따위가 오다. ¶주룩주룩 비가 ~. **3** 타고 있던 데서 밖으로 나오다. ¶택시에서 ~ / 우리 일행은 버스에서 내려 지하철로 갈아탔다. **4** 어둠·안개 따위가 덮이다. ¶땅거미가 ~. **5** 먹은 것이 삭아 아래로 가다. ¶체증이 ~. **6** 쪘던 살이 빠지다. ¶살이 ~. **7** 신이 몸에 접하다. ¶신이 내리어서 병을 앓는다. **8** 뿌리가 나서 땅으로 들어가다. ¶뿌리가 내리어서 죽지 않는다. ↔오르다. 二타 **1** 높은 데서 낮은 데로 옮기다. ¶막을 ~ / 값을 ~. **2** 상이나 벌 따위를 윗사람이 아랫사람에게 주다. ¶벌을 ~ / 명령을 ~. ↔올리다. **3** 판단·결정을 하거나 결말을 짓다. ¶결론을 ~. **4** 가루 따위를 체에 치다. ¶밀가루를 체에 ~.

내리다[2] 형 단단한 가루나 씨알 같은 것이 몹시 작다.

내리-닫다 〔-달으니, -달아〕 자ㄷ불 **1** 아래로 향하여 뛰다. **2** 힘차게 마구 달리다. ¶무작정 앞으로 ~.

내리-닫이[1] [-다지] 명 어린아이 옷의 한 종류. 바지와 저고리를 한데 붙이고 뒤를 터서 똥오줌 누기에 편리하게 만든 옷.

내리-닫이[2] [-다지] 명 〖건〗 두 짝의 창문을 서로 위아래로 오르내려서 여닫게 된 창.

내리-뛰다 자 **1** 위에서 아래로 뛰어내리다. ¶지붕에서 ~. **2** 위에서 아래쪽을 향하여 뛰다. ¶언덕 아래로 ~.

내리-뜨다 〔-뜨니, -떠〕 타 눈을 아래로 향해 뜨다. ¶눈을 지그시 내리뜨고 꼼짝도 하지 않는다. ↔치뜨다.

내리막 명 **1** 내려가는 길이나 땅의 바닥. **2** 한창때가 지나 쇠퇴해 가는 상태. ¶기승을 부리던 더위도 ~에 접어들었다. ↔오르막.

내리막-길 명 **1** 내리막으로 된 길. **2** 기운이나 기세가 한창때가 지나 약해지는 상태. ¶인생의 ~로 들어서다.

내리-매기다 타 번호나 순서 따위를 앞에서 뒤로 차례차례 매기다. ↔치매기다.

내리-먹다 자 번호나 순서 따위가 앞에서 뒤로 차례차례 매기어지다. ↔치먹다.

내리-밀다 〔-미니, -미오〕 타 아래쪽으로 밀다. ¶바위를 아래로 ~. ↔치밀다.

내리-박히다 [-바키-] 자 **1** 아래쪽으로 세차게 떨어져 박히다. **2** 새나 비행기 따위의 '급강하(急降下)'를 비유하여 이르는 말.

내리-받다 자타 아래쪽으로 향하여 받다. ¶졸다가 책상에 머리를 내리받았다. ↔치받다.

내리-받이 [-바지] 명 비탈진 곳의 내려가는 아래쪽 방향. ↔치받이.
내리-붓다 [-붇따] [-부으니, -부어] 자타 ㅅ불 **1** 비·눈 따위가 많이 오다. ¶비가 온종일 ~. **2** 위에서 아래로 퍼붓다. ¶대접에 막걸리를 넘치도록 내리붓고는 벌컥벌컥 들이켰다.
내리-비치다 자 위에서 아래로 비치다.
내리-뻗다 자타 **1** 높은 곳에서 낮은 곳으로 곧게 뻗다. **2** 높은 곳에서 낮은 곳으로 쑥 펴다. ¶두 팔을 ~.
내리-사랑 명 손아랫사람에 대한 손윗사람의 사랑. ↔치사랑.
[내리사랑은 있어도 치사랑은 없다] ㉠사랑은 윗사람이 아랫사람에게 하는 법이다. ㉡윗사람은 아랫사람의 작은 과실쯤은 관대히 봐주어야 한다.
내리-쉬다 타 크게 들이마신 숨을 길게 내뱉다. ¶한숨을 길게 ~. ↔치쉬다.
내리-쏘다 타 활이나 총을 위에서 아래로 쏘다. ↔치쏘다.
내리-쏟다 타 액체나 낱으로 된 물건을 높은 곳에서 낮은 곳으로 한꺼번에 나오게 하다. ¶자루에 담긴 쌀을 쌀통에 ~.
내리-쓰다 [-쓰니, -써] 타 위에서 아래쪽으로 글을 쓰다.
내리-쓸다 [-쓰니, -쓰오] 타 **1** 높은 곳에서 낮은 곳으로 쓸다. **2** 수염 따위를 손으로 어루만지면서 아래로 문지르다.
내리우다 타 《'내리다'[1]의 사동》 내리게 하다.
내리-읽다 [-익따] 타 **1** 위에서 아래쪽으로 글을 읽다. **2** 쉬지 않고 처음부터 끝까지 글을 다 읽다.
내리-지르다 [-지르니, -질러] ㊀자 르불 물·바람 따위가 아래쪽으로 세차게 흐르거나 불다. ㊁타 르불 주먹이나 발 따위로 힘껏 위에서 아래로 지르다. ¶쓰러진 범인을 구둣발로 ~.
내리-질리다 자 《'내리지르다'의 피동》 주먹·발 따위로 세게 얻어맞다.
내리-쪼이다 자 내리쬐다.
내리-쬐다 자 볕이 세차게 내리비치다. ¶여름 햇볕이 쨍쨍 ~.
내리-찍다 타 칼·도끼 따위로 아래로 향해 찍다. ¶도끼로 장작을 ~.
내리-치다 ㊀타 아래로 향하여 함부로 때리다. ¶손바닥으로 책상을 ~. ㊁자 비바람이나 번개 따위가 아래로 세차게 내리거나 닥쳐오다. ¶번개가 ~.
내리-퍼붓다 [-붇따] [-퍼부으니, -퍼부어] ㊀자 ㅅ불 비·눈 따위가 계속하여 마구 내리다. ¶장대 같은 비가 내리퍼붓고 있다. ㊁타 ㅅ불 물 따위를 위에서 아래로 마구 쏟다. ¶헬리콥터가 산불 현장에 물을 내리퍼부어 불길이 잡혔다.
내리-훑다 [-훌따] 타 **1** 아래쪽으로 내려가면서 훑다. **2** 위에서 아래로 순서에 따라 하나하나 빠짐없이 살펴보다. ↔치훑다.
내릴-톱 명 재목을 세로로 켤 때 쓰는 톱. 세로톱. ↔동가리톱.
내림 명 혈통적으로 유전되어 내려오는 특성. 내력(來歷). ¶과묵한 성격은 그 집 ~이다.
내림 (來臨) 명 하자 찾아오심. 왕림(枉臨). 
내림-굿 [-굳] 명 〖민〗 무당이 되려고 할 때 신이 내리기를 비는 굿.
내림-새 명 〖건〗 한끝에 반달 모양의 혀가 붙은 암키와. ↔막새.

와당
내림새

내림-세 (-勢) 명 시세·물가가 내리는 기세. 하락세. ¶쌀값이 ~를 보이다. ↔오름세.
내림-표 (-標) 명 〖악〗 음의 높이를 본위음(本位音)보다 반음(半音) 내리는 기호. 악보에 '♭'로 표시함. 플랫(flat).
내립떠-보다 타 눈을 아래로 뜨고 노려보다. ¶매서운 눈길로 상대를 계속 ~. ↔칩떠보다.
내:막 (內幕) 명 일의 속 내용. 속사정. ¶사건의 ~ / 그 일의 ~을 아는 사람은 아무도 없다.
내:-맡기다 [-맏끼-] 타 **1** 아주 맡기어 버리다. 일임하다. ¶운영권 일체를 ~. **2** 되는대로 내버려 두다. ¶운명에 ~.
내:-먹다 타 속에 있는 것을 밖으로 집어내어서 먹다.
내:면 (內面) 명 **1** 물건의 안쪽. **2** 인간의 정신·심리에 관한 면. ¶인간의 ~을 들여다보다. ↔외면(外面).
내:면-성 (內面性) [-썽] 명 마음속의 감정이나 심리의 상태나 성향.
내:면-적 (內面的) 관명 내부에 관한 (것). 내용이나 정신에 관한 (것). 내적(內的). ¶~ 성찰. ↔외면적(外面的).
내:면-화 (內面化) 명하타 정신적, 심리적으로 깊이 마음속에 자리잡게 함. ¶올바른 가치관을 마음속 깊이 ~하다.
내-명년 (來明年) 명 후년(後年)1.
내:-명부 (內命婦) 명 〖역〗 조선 때, 왕·왕비·왕세자를 받들어 모시고 궁중의 일을 보며 품계를 가졌던 궁녀. 즉, 빈(嬪)·귀인(貴人)·소의(昭儀)·숙의(淑儀)·소용(昭容)·숙용(淑容)·소원(昭媛)·숙원(淑媛) 등의 일컬음. ↔외명부(外命婦).

'내명부'

'내명부' 가운데 왕을 모시는 내관(內官)의 품계와 명칭은 다음과 같다.

정 1 품 — 빈(嬪)
종 1 품 — 귀인(貴人)
정 2 품 — 소의(昭儀)
종 2 품 — 숙의(淑儀)
정 3 품 — 소용(昭容)
종 3 품 — 숙용(淑容)
정 4 품 — 소원(昭媛)
종 4 품 — 숙원(淑媛)

내:-몰다 [내모니, 내모오] 타 **1** 밖으로 몰아 내쫓다. ¶청년들을 정문 밖으로 ~ / 궁지에 빠진 사람을 막다른 골목으로 ~. ↔들이몰다. **2** 냅다 몰다. ¶차를 갑자기 ~. **3** 급하게 다그치거나 재촉하다. ¶빨리 가자고 운전 기사를 ~.
내:-몰리다 자 《'내몰다'의 피동》 내몲을 당하다. ¶거리로 내몰린 사람들.

내:무 (內務) 명 1 나라 안의 정무(政務). 2 병영 안에서 생활하는 사병들의 일상적인 일. ¶ ~ 생활.
내:무-반 (內務班) 명 〖군〗 병영 안에서 사병 등이 일상생활을 하는 조직의 단위. 또는 그 방.
내:-물리다 타 밖으로 내어서 물러나게 하다. ¶대문을 내물리고 마당을 넓혔다.
내미-손 명 물건을 흥정하러 온, 만만하고 어수룩하게 생긴 사람.
내:밀 (內密) 명하형히부 어떤 일이 겉으로 드러나지 아니함. 또는 그런 일. ¶~한 거래를 하다.
***내:-밀다** 〔내미니, 내미오〕 타 1 안에서 밖으로 내보내다. ¶싹을 ~/손을 ~/문밖으로 얼굴을 ~. 2 남에게 미루어 버리다. 3 물리쳐 쫓아내다. 4 의견, 주장 따위를 계속 내세우다. ¶배짱을 ~.
내:-밀리다 자 1 밖으로 또는 한쪽으로 쌓여 밀리다. 2《'내밀다'의 피동》밖으로 내밂을 당하다. ¶문밖으로 ~. ↔들이밀리다.
내:밀-힘 명 자신 있게 내세우는 기세.
내:-밟다 [-밥따] 타 앞쪽을 향하여 옮겨 디디다. ¶한 발자국 ~.
내:방 (內房) 명 안방2.
내방 (來訪) 명하자타 만나기 위하여 찾아옴. ¶~한 손님을 맞이하다.
내:방 가사 (內房歌辭) 〖문〗 조선 때, 내방의 규수 작가들이 지은 가사 문학. 규방 가사.
내:-배다 자 속에서 거죽으로 젖어 나오다. ¶겉옷에 땀이 ~.
내:-배엽 (內胚葉) 명 〖생〗 다세포 동물의 개체 발생 초기의 배아(胚芽)의 내층(內層)《소화관의 주요부 및 그 부속선(附屬腺) 등을 형성함》. ↔외배엽(外胚葉).
내:-뱉다 [-밷따] 타 1 입 밖으로 힘껏 뱉다. ¶가래침을 ~/심호흡을 한 번 크게 ~. 2 마음에 내키지 아니하는 태도로 말을 툭 해 버리다. ¶내뱉듯이 한 마디 하다.
내:-버리다 타 1 필요 없게 된 것을 아주 버리다. ¶휴지를 쓰레기통에 ~. 2 관심을 가지지 않고 돌보지 아니하다. ¶목숨을 내버릴 각오가 되어 있다.
내:벽 (內壁) 명 안벽. ↔외벽.
내:-보내다 타 1 안에서 밖으로 나가게 하다. ¶자식을 외국으로 ~. 2 일하던 곳이나 살던 곳에서 아주 나가게 하다. ¶회사에서 직원을 ~. 3 방송 등을 나가게 하다. ¶TV에 광고를 ~.
내:-보다 타 안이나 속에 넣어 두었던 것을 꺼내어 보다.
내-보이다 ㊀자《'내보다'의 피동》속의 것이 드러나 보이다. ¶속옷이 내보인다. ㊁타《'내보다'의 사동》속의 것을 꺼내어 드러내 보이다. ¶신분증을 ~/초조한 기색을 ~.
내:복[1] (內服) 명 속옷. ¶겨울 ~을 껴입다.
내:복[2] (內服) 명하타 약을 먹음. 내용(內用). ↔외용(外用).
내:복-약 (內服藥)[-봉냑] 명 먹는 약. 내용약. ↔외용약.
내:부 (內部) 명 1 안쪽의 부분. ¶~ 수리 중이다. 2 어떤 조직에 속하는 범위 안. ¶~ 사정에 정통하다. ↔외부(外部).
내:-부딪다 [-딛따] 자타 앞으로 나가 세게 부딪다. 또는 나가 부딪게 하다.
내:-부딪치다 [-딛-] 자타 '내부딪다'의 힘줌말. 준내붙치다.
내:-부딪히다 [-디치-] 자《'내부딪다'의 피동》내부딪음을 당하다.
내:부-적 (內部的) 관명 내부에 관계되거나 한정된 (것). ¶~ 갈등이 밖으로 드러나다/~으로는 논의가 끝난 상태다.
내:-부치다 타 부채로 불 따위를 바깥쪽으로 힘 있게 부치다.
내:분 (內分) 명하타 〖수〗 하나의 선분(線分)을 그 위의 임의의 한 점을 경계로 하여 두 개의 부분으로 나누는 일. ↔외분.
내:분 (內紛) 명 한 집단이나 조직 안에서 일어나는 분쟁. ¶당의 ~을 수습하다/~을 겪다.
내:-분비 (內分泌) 명 〖생〗 몸 안에서 이루어진 내분비물을 도관(導管)을 거치지 않고 내분비샘으로부터 혈액·림프액·체액 속에 보내는 작용. ↔외분비(外分泌).
내:분비-물 (內分泌物) 명 〖생〗 내분비 작용으로 분비되는 물질. 호르몬.
내:분비-샘 (內分泌-) 명 〖생〗 내분비 작용을 하는 샘《도관(導管)이 없이 분비물을 직접 몸속·혈관 속으로 보냄》.
내:분비-선 (內分泌腺) 명 내분비샘.
내:-불다 〔내부니, 내부오〕 타 바깥쪽을 향하여 불다. ¶입김을 ~/휘파람을 ~.
내:-붙이다 [-부치-] 타《'나붙다'의 사동》앞이나 밖으로 내어서 붙이다. ¶합격자 명단을 교문 밖에 ~.
내:-비치다 ㊀자 1 빛이 앞이나 밖을 향하여 비치다. ¶불빛이 ~. 2 속의 것이 겉으로 드러나 보이다. ¶속살이 내비치는 슬립. ㊁타 1 모습이나 행동을 드러내 보이다. ¶식장에 얼굴만 ~. 2 감정이나 생각 따위를 슬쩍 나타내다. ¶글쎄 그런 말을 내비치더라/고소 취하 가능성을 은근히 ~.
내빈 (來賓) 명 회장·식장 등에 공식으로 초대를 받아 찾아온 손님. ¶~ 축사.
내:-빼다 자 〈속〉 달아나다. 준빼다.
내:-뻗다 ㊀자 1 뻗어 나가다. ¶읍내로 곧게 내뻗은 신작로. 2 내처 뻗대다. ¶끝까지 아니라고 ~. ㊁타 바깥쪽으로 힘차게 뻗다. 바깥을 향하여 뻗치다. ¶팔과 다리를 힘껏 ~.
내:-뻗치다 ㊀자 힘차게 뻗치다. ¶호스에서 물줄기가 ~/분수(噴水)가 시원스럽게 ~. ㊁타 힘차게 내뻗다. ¶팔을 ~.
내:-뽑다 타 1 목·팔을 길게 뻗다. 2 소리를 높고 길게 힘껏 뽑아 올리다. ¶한 곡조 늘어지게 ~.
내:-뿜다 [-따] 타 밖으로 세게 뿜다. ¶담배 연기를 ~/술 냄새를 ~.
내:사 (內査) 명하타 겉으로 드러나지 않게 은밀히 조사함. ¶은밀하게 ~에 들어갔다.
내사 (來社) 명하자 회사 따위에 찾아옴. ¶인사차(次) ~하다.
내:상 (內相) 명 1 남의 아내의 높임말. 2 일부 국가에서, 내무대신이나 내무부 장관의 약칭.
내:색 (-色) 명하자 마음에 느낀 것을 얼굴

에 드러냄. 또는 그 안색(顔色). ¶ 싫은 ~을 보이다 / 불만을 조금도 ~하지 않았다.

내생 (來生) 명 〔불〕 죽은 후에 다시 태어남. 또는 그 생애. *금생(今生)·전생(前生).

내:서 (耐暑) 명하자 더위를 견디어 냄. ↔내한.

내:선 (內線) 명 **1** 내부의 선. **2** 구내에서 통하는 전화선. ↔외선(外線).

내:성 (內省) 명하자 **1** 깊이 자기를 돌이켜 봄. **2** 〔심〕 자기 관찰.

내:성 (內城) 명 이중으로 쌓은 성에서, 외성 안에 있는 성. ↔외성(外城).

내:성 (耐性) 명 〔의〕 병원균 따위가 일정한 약물에 대해 나타내는 저항력.

내:성-적 (內省的) 관명 겉으로 나타내지 아니하고 마음속으로만 생각하는 (것). ¶ 그는 ~이고 과묵한 사람이다.

내세 (來世) 명 〔불〕 삼세(三世)의 하나. 죽은 뒤에 가서 다시 태어나 산다는 미래의 세상. *현세·전세(前世).

내:-세우다 타 **1** 나서게 하다. ¶ 목격자를 증인으로 ~ / 친척을 후보자로 ~. **2** 나와서 서게 하다. ¶ 반장을 맨 앞줄에 ~. **3** 내놓고 자랑하거나 크게 평가하다. ¶ 자신의 업적을 ~ / 내세울 만한 건덕지가 있어야지. **4** 어떤 의견이나 문제를 내놓다. 자기의 주장이나 견해를 내놓거나 주장하다. ¶ 조건을 ~ / 언제나 자기 입장만 ~.

내셔널리즘 (nationalism) 명 국가주의. 민족주의.

내:-소박 (內疏薄) 명하자 아내가 남편을 소홀히 대접해 내쫓음. ¶ ~을 맞다.

내손 (來孫) 명 현손의 아들《5대손》.

내:-솟다 [-솓따] 자 위로나 바깥으로 솟아 나오다. ¶ 얼굴에 내솟은 땀을 닦다.

내:수 (內需) 명 국내의 수요. ¶ ~ 시장을 다지다 / ~ 경기가 살아나다 / ~를 늘리다. ↔외수(外需).

내:수 (耐水) 명하자 물이 묻어도 젖거나 배지 않고 잘 견딤.

내:수-면 (內水面) 명 하천·호수·운하 따위의 수면.

내:수-성 (耐水性) [-썽] 명 수분이나 습기를 막아 견디어 내는 성질.

내:수-용 (內需用) 명 국내에서 소비하기 위한 것. ¶ ~ 소비재 수입이 급증하다.

내:숭 명하형 〔←내흉(內凶)〕 겉으로는 순해 보이나 속으로는 엉큼함. ¶ ~을 떨다 / ~을 피우다 / 속으로는 좋으면서 관심 없는 척 ~이다.

내:-쉬다 타 숨을 밖으로 내보내다. ¶ 안도의 숨을 ~ / 가쁜 숨을 내쉬었다 / 긴 한숨을 ~. ↔들이쉬다.

내습 (來襲) 명하자타 습격하여 옴. ¶ 적의 ~을 받다 / 한파가 ~하다.

내:시 (內侍) 명 〔역〕 내시부(內侍府) 관원《고려 의종(毅宗) 이후 환관(宦官)들이 차지함》. 내관.

내:시-경 (內視鏡) 명 〔의〕 신체의 내부를 보기 위한 의료 기구의 총칭. 기관지경(氣管支鏡)·위경·복강경 등 검사하는 부위에 따른 종류가 있음. ¶ ~ 검사를 받다.

내:식 (耐蝕) 명하자 금속 따위가 부식(腐蝕)에 견딤.

내:신 (內申) 명하타 **1** 남모르게 비밀히 보고함. **2** 상급 학교 진학시, 지원자의 출신 학교에서 학업 성적·품행 등을 적어 보내는 일. 또는 그 성적. ¶ ~ 성적만으로 신입생을 뽑다.

내:신 (內臣) 명 **1** 나라 안의 신하. **2** 대궐 안에서 임금을 가까이에서 받드는 신하.

내:신 (內信) 명 나라 안의 소식. ¶ ~ 기자 / 오늘의 주요 ~ 기사.

내:실 (內室) 명 **1** 안방. 내당(內堂). **2** 남의 아내의 존칭. **3** 영업을 하는 장소에서 주인이 기거하는 방.

내:실 (內實) 명 **1** 내부의 실제 사정. ¶ 겉모습과는 달리 ~은 보잘것없다. **2** 내적(內的)인 충실. ¶ ~을 기하다 / 외형보다 ~을 다져야 한다.

내:심[1] (內心) 명 속마음. ¶ ~을 털어놓다 / ~으로 쾌재를 부르다 / ~ 기뻐하고 있다.

내:심[2] (內心) 명 〔수〕 다각형에서, 각 각(角)의 이등분선이 함께 만나는 점.

내:-쌓다 [-싸타] 타 바깥쪽으로 나가게 쌓다. 밖에 쌓다. ¶ 담을 ~.

내:-쏘다 타 **1** 거리낌 없이 함부로 날카롭게 말을 하다. ¶ 퉁명스럽게 한 마디 내쏘았다. **2** 화살이나 총을 함부로 쏘다. **3** 안에서 밖으로 대고 쏘다.

내:-쏟다 타 밖으로 쏟아 내다. ¶ 뜨거운 눈물을 ~ / 얼떨결에 마음속에 담아 두었던 말을 내쏟았다.

내:-앉다 [-안따] 자 앞으로 나와 앉다.

내:-앉히다 [-안치-] 타 《'내앉다'의 사동》 **1** 앞으로 나와 앉게 하다. **2** 드러내어 한 자리를 잡게 하다.

내알 (來謁) 명하자타 와서 뵘.

내:압 (內壓) 명 어떤 물체의 내부에서 밖을 향하여 가해지는 압력. ↔외압(外壓).

내:압 (耐壓) 명 압력에 견딤. 또는 그 정도.

내:야 (內野) 명 **1** 야구장에서, 본루(本壘)·1루·2루·3루를 연결한 선의 구역 안. **2** 내야수. ↔외야(外野).

내:야-석 (內野席) 명 야구장에서, 1루측·3루측의 본루(本壘)에 가까운 관람석.

내:야-수 (內野手) 명 야구에서, 내야를 맡아 지키는 선수. ↔외야수.

내:약 (內約) 명하타 남몰래 넌지시 하는 내밀한 약속.

내:역 (內譯) 명 명세(明細)2. ¶ 관리비 ~ / 뇌물 수수 ~을 공개하다.

내:연 (內緣) 명 **1** 은밀하고 내밀한 관계. **2** 법적으로 혼인 신고는 하지 않았으나 실질적으로 부부 생활을 하고 있는 관계. ¶ ~의 관계 / ~의 처.

내:연 (內燃) 명하자 중유(重油)·가솔린 따위의 연료가 실린더 내부에서 폭발 연소하는 일.

내연 (來演) 명하자타 외국의 공연자가 와서 공연함. 그곳에 와서 연기(演技)하거나 연주함.

내:연 기관 (內燃機關) 〔물〕 연료를 실린더 속에 넣고 연소 폭발시켜서 생긴 가스의 팽창력으로 피스톤을 움직이게 하는 원동기(原動機)의 총칭. ↔외연 기관.

내:열 (耐熱) 명 열을 견디어 냄.

내:열-성 (耐熱性) [-썽] 명 높은 온도에서도

변하지 않고 잘 견디어 내는 성질.
내:염 (內焰) 명 〔화〕 속불꽃.
내:-오다 타 너라불 안에서 밖으로 가져오다. ¶과일을 ~.
내왕 (來往) 명하자타 **1** 오고 감. ¶사람들의 ~이 잦은 곳이다. **2** 서로 사귀며 친하게 지냄. ¶이웃집과 ~을 트다.
내:외[1] (內外) 명 **1** 안팎1. **2** 국내와 외국. ¶~ 귀빈을 모시다. **3** 부부. ¶김씨 ~가 나란히 걸어가다. **4** 어떤 기준에 약간 넘거나 덜한 것. ¶원고지 200자 ~로 쓰시오.
내:외[2] (內外) 명하자 남남인 남녀 간에 얼굴을 바로 대하지 않고 피함.
내:외-간 (內外間) 명 **1** 안과 밖의 사이. **2** 어떤 표준에 좀 모자라거나 넘치는 정도를 뜻하는 말. **3** 부부 사이. ¶~에 금실이 좋다. 준내외.
[내외간도 돌아누우면 남이다] 부부 사이의 정이란 멀어질 수 있다는 말. [내외간 싸움은 칼로 물 베기라] 부부 싸움은 칼로 물 베기. *부부.
내:외-국 (內外國) 명 자기 나라와 남의 나라.
내:외-분 (內外-) 명 '부부'의 높임말.
내:외-종 (內外從) 명 내종 사촌과 외종 사촌.
내:외지간 (內外之間) 명 부부간.
***내:용** (內容) 명 **1** 글이나 말 따위에 들어 있는 것. ¶편지의 ~/기사 ~이 사실과 다르다. **2** 그릇이나 포장 따위의 속에 든 것. ¶선물 꾸러미의 ~. **3** 사물의 속내를 이루는 것. ¶사건의 ~/예산의 ~. **4** 〔철〕 사물과 현상의 본질이나 의의. ↔형식(形式).
내:용 (耐用) 명 기계·시설 따위가 오랫동안 사용에 견디어 냄. ¶~ 연한(年限).
내:용 증명 (內容證明) 〔법〕 **1** 우체국에서 우편물의 내용을 증명하는 일. **2** '내용 증명 우편'의 준말.
내:용 증명 우편 (內容證明郵便) 우편물의 내용과 발송 사실을 우체국에서 증명하여 주는 제도. 또는 그 우편물. 준내용 증명.
내:우 (內憂) 명 나라 안의 걱정. ↔외환(外患).
내:우-외환 (內憂外患) 명 내우와 외환. 나라 안팎의 여러 가지 걱정거리.
내월 (來月) 명 다음에 오는 달. 내달.
내:유외강 (內柔外剛) 명하형 외강내유.
내음 명 향기롭거나 나쁘지 않은 냄새《문학적 표현에 쓰임》.
내:응 (內應) 명하자 내부에서 몰래 적과 통함. 내부(內附). 내통(內通).
***내:의** (內衣)[-/-이] 명 속옷.
내:의 (內意)[-/-이] 명 마음속의 뜻.
내:의 (內醫)[-/-이] 명 〔역〕 조선 때, 내의원(內醫院)의 의관(醫官).
내:-의원 (內醫院) 명 〔역〕 조선 때, 삼의원(三醫院)의 하나. 궁중의 의약을 맡아보던 관아.
내:이 (內耳) 명 〔생〕 고막의 속 부분으로, 고막의 진동을 신경에 전하는 곳. 속귀. ↔외이(外耳).
내:인 (內因) 명 **1** 내부에 있는 원인. ↔외인(外因). **2** 결과를 생기게 하는 직접적이고 주관적인 원인.
***내일** (來日) 一명 **1** 오늘의 바로 다음날. 명일(明日). ¶~부터 방학이다. **2** 다가올 앞날. ¶밝은 ~을 기약하다. 二부 오늘의 바로 다음날에. ↔오늘·작일. 준낼.
내일-모레 (來日-) 명 **1** 모레. **2** 가까운 때. ¶~면 벌써 나이 서른이다. 준낼모레.
내:자 (內子) 명 남 앞에서 자기 아내를 일컫는 말.
내:자 (內資) 명 국내에 있는 자본. ¶~를 조달하다. ↔외자(外資).
내:장 (內粧) 명하자타 집 안의 꾸밈새. 또는 집 안을 꾸밈. ¶아파트 ~ 공사를 마무리하다.
내:장 (內藏) 명하타 내부에 가지고 있음. ¶자동 응답 기능이 ~된 전화기.
내:장 (內臟) 명 〔생〕 동물의 흉강과 복강 속에 있는 여러 기관의 총칭《해부학상으로 호흡기·소화기·비뇨 생식기 및 내분비샘으로 가름》.
내:재 (內在) 명하자 어떤 것의 내부에 들어 있음. ¶그 이론에 ~되어 있는 모순을 지적하다. ↔외재.
내:재-율 (內在律) 명 〔문〕 시에서, 문장 안에 깃들어 있는 잠재적인 운율. ↔외형률.
내:재-적 (內在的) 관명 어떤 현상이 안에 존재하는 (것). ¶~ 요인/~ 모순.
내:적 (內賊) 명 나라나 어떤 사회 안에 있는 도둑 또는 역적.
내:적 (內的)[-쩍] 관명 **1** 사물의 내부에 관한 (것). ¶~ 원인. **2** 정신이나 마음의 작용에 관한 (것). ¶작가의 ~ 고민이 담겨 있다/~인 갈등을 겪다. ↔외적.
내:전 (內殿) 명 **1** 왕비의 존칭. **2** 안전(殿).
내:전 (內戰) 명 국내의 싸움. 특히 내란. ¶~을 치르다/오랜 ~을 겪었다.
내:접 (內接) 명하자 〔수〕 **1** 원이나 공과 같은 곡선형 또는 곡면체의 둘레가 다각형이나 다면체의 모든 변 또는 면에 접하는 일. **2** 다각형 또는 다면체의 모든 꼭짓점이 곡선형이나 곡면체 또는 다각형이나 다면체의 둘레 위에 접하는 일. ↔외접(外接).
내:접-원 (內接圓) 명 〔수〕 다각형의 안에서 원둘레가 각 변에 접하는 원. ↔외접원.
내:-젓다 [-젇따] 〔내저으니, 내저어〕 타 ㅅ불 **1** 손이나 손에 든 물건 따위를 내어 휘두르다. ¶팔을 ~. **2** 고개를 좌우로 흔들다. ¶설레설레 고개를 내젓는다. **3** 물 따위를 뒤집히게 세게 휘젓다. ¶손가락으로 막걸리를 휘휘 ~. **4** 앞쪽이나 물 가운데를 향해 배의 노를 젓다. ¶노를 내저어 앞으로 나갔다.
내:정 (內廷) 명 궁궐의 안.
내:정 (內定) 명하타 **1** 속으로 작정함. **2** 내부적으로 미리 정함. ¶후임자를 ~하다.
내:정 (內政) 명 국내의 정치. ¶~ 간섭.
내:정 (內庭) 명 안뜰.
내:정 (內情) 명 내부의 사정. 안의 정세. ↔외정.
내:조 (內助) 명하타 아내가 남편을 도움. 내보(內輔). ¶~의 공/그가 성공하기까지는 ~의 힘이 컸다. ↔외조(外助).
내:종 (內從) 명 고모의 아들이나 딸. 고종(姑從)을 외종에 상대하여 이르는 말. ↔외

종(外從).
내주(來週) 명 이 다음 주. ¶~ 화요일에 합격자 명단을 발표한다.
내:-주다 타 **1** 가졌던 것을 남에게 건네주다. ¶거스름돈을 ~/챔피언 벨트를 ~. **2** 차지한 자리를 비워서 남에게 넘겨주다. ¶오랫동안 살던 셋방을 ~/아랫목을 ~.
내:-주장(內主張) 명하자타 아내가 집안일을 맡아 함. 내주장(內主掌).
내:지(內地) 명 **1** 해안이나 변지에서 멀리 들어간 안쪽 지방. **2** 한 나라의 영토 안. ↔외지.
내:지(乃至) 부 **1** 수량을 나타내는 말 사이에 쓰여, '얼마에서 얼마까지'의 뜻을 나타내는 접속 부사. ¶한 달 ~ 석 달. **2** 또는. 혹은. ¶서울 ~ 부산과 같은 대도시.
내:-지르다〔내지르니, 내질러〕타르불 **1** 주먹이나 발길, 무기 따위를 밖으로 힘껏 내밀어 뻗다. ¶허공에 주먹을 ~. **2** 소리 따위를 힘껏 지르다. ¶비명을 ~/환호성을 ~. **3**〈속〉똥·오줌 따위를 아무렇게나 누다. **4**〈속〉아이를 낳다.
내:직(內職) 명〘역〙 **1** 서울 안에 있는 각 관아의 벼슬. ↔외직(外職). **2** 고려·조선 때, 내명부(內命婦)와 외명부(外命婦)의 벼슬의 총칭.
내:진(內診) 명 여성의 내생식기 또는 장(腸) 내의 진찰.
내진(來診) 명하자 의사가 환자의 집에 와서 진료함. *왕진(往診).
내:진(耐震) 명하자 지진을 견딤.
내:-쫓기다[-쫃끼-] 자《'내쫓다'의 피동》내쫓음을 당하다. ¶하루아침에 직장에서 ~/길바닥에 ~.
내:-쫓다[-쫃따] 타 **1** 있는 자리에서 억지로 떠나게 하다. ¶부정을 저지른 직원을 ~. **2** 밖으로 나가도록 쫓아내다. ¶강아지를 ~/집 밖으로 ~.
내:-찌르다〔내찌르니, 내찔러〕타르불 세게 찌르다.
내:-차다 타 발길을 뻗쳐 냅다 차다. ¶더워서 이불을 ~/공을 ~.
내:처 부 **1** 내친 바람에. 하는 김에 끝까지. ¶하던 김에 ~ 해 버리다. **2** 한결같이 계속해서.
내:척(內戚) 명 아버지 쪽의 친척. ↔외척.
내:-출혈(內出血) 명〘의〙 조직이나 체강(體腔)·복강(腹腔)·흉강(胸腔) 등의 안에서 출혈이 일어나는 일. ↔외출혈.
내:측(內側) 명 안쪽. ↔외측.
내:층(內層) 명 안쪽의 층. ↔외층.
내:치(內治) 명하타 **1** 약을 먹어 병을 고치는 일. ↔외치(外治). **2** 나라 안을 다스리는 일. ↔외교(外交).
내:-치다 타 **1** 물리치거나 쫓아내다. ¶임금은 간신의 말에 속아 어진 신하들을 내쳤다. **2** 내던지거나 뿌리치다. ¶잡은 손을 내치고는 밖으로 나갔다.
내:칙(內則) 명 내부의 규칙.
내:친-걸음 명 **1** 이왕 일을 시작한 길. ¶~에 이것도 마저 끝내라. **2** 이왕 나선 걸음. ¶~에 영화관에 다녀오다.
내:친-김 명 (주로 '내친김에'의 꼴로 쓰여) 이왕 일을 시작한 김. 또는 이왕 길을 나선 김. ¶~에 다 말하겠다/~에 친구네 집도 들렀다.
내침(來侵) 명하자타 침입(侵入)하여 들어옴. ¶적의 ~에 대비하다.
내:키다[1] 자 하고 싶은 마음이 생기다. ¶마음이 내키지 않는다/별로 기분이 내키지 않는 표정이다.
내:키다[2] 타 넓히려고 물리어 내다. ¶책상을 조금 내키면 책장을 들여놓을 수 있다/돌담을 내켜 쌓다. ↔들이키다.
내:탐(內探) 명하타 내밀히 살펴봄. ¶적정(敵情)을 ~하다.
내:탕-고(內帑庫) 명〘역〙 임금의 사사로운 재물을 넣어 두는 곳집.
내:탕-금(內帑金) 명 내탕고에 둔 돈. 내탕전(錢). ¶~을 내리다.
내:통(內通) 명하자타 **1** 외부와 남몰래 관계를 가지고 통함. 내응(內應). ¶은밀히 적과 ~하다. **2** 몰래 알림. **3** 남녀가 몰래 정을 통함. 사통(私通).
내:-트리다 타 내뜨리다.
내:-팽개치다 타 **1** 냅다 던져 버리다. ¶아들 녀석은 가방을 마룻바닥에 내팽개치고는 밖으로 뛰쳐나갔다. **2** 돌보지 않고 버려두다. ¶처자식을 내팽개치고 떠나다. **3** 일 따위에서 손을 놓다. ¶학교 공부는 내팽개치다시피 했다/농사일은 내팽개치고 낮잠만 잔다.
내:-퍼붓다[-붇따]〔내퍼부으니, 내퍼부어〕자타ㅅ불 냅다 퍼붓다. ¶우박이 한바탕 ~/허드렛물을 ~/불만을 ~.
내:평(內評) 명 겉으로 드러나지 않은 평판이나 비평.
내:포(內包) 명하타 **1**〘논〙 한 개념이 포함하고 있는 성질의 전체. 개념 속에 들어 있는 속성. ¶~가 늘면 외연이 준다. ↔외연(外延). **2** 어떠한 뜻을 그 속에 품음. ¶위험성을 ~하고 있는 계획.
내풀-로 부 내 마음대로.
내:피(內皮) 명 **1** 속껍질. ↔외피(外皮). **2** 속가죽. **3**〘식〙 식물 조직의 피층(皮層)과 중심주(中心柱) 사이의 한 줄의 세포층. **4**〘동〙 동물의 기관(器官) 안쪽을 싸고 있는 조직.
내:핍(耐乏) 명하자 물질적인 부족을 참고 견딤. ¶~ 생활.
내한(來韓) 명하자 외국인이 한국에 옴. ¶~ 공연/사절단의 ~.
내:한(耐旱) 명하자 가뭄을 견딤.
내:한(耐寒) 명하자 추위를 견딤. ¶~ 훈련을 받다. ↔내서(耐暑).
내:항(內港) 명〘지〙 항만(港灣)의 안쪽에 깊숙이 있어 배가 머물러 짐을 싣고 내리기에 편리한 항구. ↔외항(外港).
내:항(內項) 명〘수〙 비례식에서 안쪽에 있는 두 항. $a:b=c:d$에서 b와 c를 이름. 중항(中項). ↔외항(外項).
내:해(內海) 명 **1**〘지〙 육지에 둘러싸여 있으면서 한편으로 해협을 거쳐서 대양과 통하는 바다. ↔외해. **2** 아주 큰 호수.
내:-행성(內行星) 명〘천〙 태양계에서 태양과 지구 사이에 있는 행성《수성·금성 따위》. ↔외행성.
내:향(內向) 명하자 **1** 안쪽으로 향함. **2** 마

음의 작용이 자신에게만 향함. **3**〔의〕 내공(內攻).

내:향-성 (內向性)[-썽] 명 〔심〕 정신 발동이 주관에 치우치는 기질. 내성적이고 주위의 외적인 세계에 소극적인 성질. ↔외향성(外向性).

내:향-적 (內向的) 관명 **1** 안쪽으로 향하는 (것). **2** 성격이 내성적이고 비사교적인 (것). ¶~ 기질. **3** 외적인 면보다는 내적인 면을 추구하는 (것).

내:-호흡 (內呼吸) 명 〔생〕 호흡의 결과로 체액(體液)과 조직 세포 사이에 행하여지는 가스 교환. ↔외호흡.

내:화 (內貨) 명 〔경〕 자기 나라의 화폐. ↔외화(外貨).

내:화 (耐火) 명하자 불에 타지 않고 잘 견딤. ¶요즘 건축은 ~ 내진(耐震)에 힘을 기울인다.

내:환 (內患) 명 **1** 아내의 병. **2** 나라 안이나 집안의 걱정. 내우(內憂). ↔외환(外患).

내-후년 (來後年) 명 후년(後年)의 다음 해.

내:훈 (內訓) 명 **1** 내밀히 하는 훈령. **2** 집안의 부녀자들에 대한 훈계나 교훈.

내:-휘두르다 〔내휘두르니, 내휘둘러〕 타 르불 **1** 세게 휘휘 돌리며 흔들어 대다. ¶주먹을 ~. **2** 사람이나 일을 자기 마음대로 마구 다루다. ¶권력을 ~.

내:-흔들다 〔내흔드니, 내흔드오〕 타 이리저리 크게 흔들다. ¶고개를 ~ / 나를 향해 손을 내흔들었다.

낼: 명부 '내일'의 준말. ¶~ 보자.

낼:모레 명부 '내일모레'의 준말.

냄비 명 음식을 끓이는 데 쓰는 솥보다 작은 기구. 운두가 낮고 뚜껑과 손잡이가 있음.

***냄:새** 명 **1** 코로 맡을 수 있는 온갖 기운《향내·구린내 따위》. ¶구수한 ~ / 옷에 담배 ~가 배다 / 생선 ~가 역하다. **2** 어떤 사물·분위기 등의 느낌이나 낌새. ¶고리타분한 양반 ~. 준내.

냄새(를) 맡다 구 눈치를 채다. 낌새를 알아차리다.

여러 가지 냄새

· 고린내(코린내) · 곰팡내 · 구린내(쿠린내)
· 노린내 · 누린내 · 단내
· 땀내 · 비린내 · 술내〔酒臭〕
· 쉰내 · 암내[1] · 암내[2]〔腋臭〕
· 입내(口臭) · 젖내〔乳臭〕 · 지린내
· 탄내[1](타는 냄새) · 탄내[2](炭-) · 풋내
· 피비린내 · 흙내

냄:새-나다 자 **1** 냄새가 풍겨 코를 자극하다. **2** 신선하지 아니한 맛이 있다. **3** 〈속〉 싫증이 나고 물리다. ¶운전수 노릇 30년에 자동차만 보아도 냄새난다. **4** 〈속〉 기미가 보이다.

냄:새-피우다 자 어떤 태도나 기미를 보이다.

냅다[1] 〔내우니, 내워〕 형 ㅂ불 연기가 목구멍이나 눈을 쓰라리게 하는 기운이 있다. ¶방 안이 내워서 눈을 뜰 수가 없다.

냅다[2] 부 몹시 세차게 빨리 하는 모양. ¶~ 던지다 / ~ 걷어차다 / ~ 뛰기 시작했다.

냅-뜨다 〔냅뜨니, 냅떠〕 자 일에 기운차게 앞질러 쑥 나오다. ¶아무 일에나 냅뜨는 성미다 / 어쩐지 냅뜰 마음이 나지 않는다.

냅킨 (napkin) 명 식탁에서 음식 먹을 때에 무릎 위에 놓거나 입을 닦기 위하여 쓰는 수건이나 종이.

***냇:-가** [내까 / 낻까] 명 냇물의 옆 언저리. 천변(川邊). ¶~에서 고기를 잡다.

냇-내 [낸-] 명 연기의 냄새. 음식에 밴 연기의 냄새. ¶낙엽이 타는 ~.

냇:-둑 [내뚝 / 낻뚝] 명 냇가에 쌓은 둑.

***냇:-물** [낸-] 명 내에 흐르는 물. ¶~에 발을 담그다 / ~에서 멱을 감다.

냉: (冷) 명 〔한의〕 **1** 아랫배가 늘 싸늘한 병. **2** 몸, 특히 하체를 차게 해서 생기는 병. 냉병. **3** 대하(帶下).

냉:- (冷) 두 '차가운 또는 차게 한'의 뜻. ¶~가슴 / ~커피.

냉:-가슴 (冷-) 명 **1**〔한의〕 몸을 차게 하여 생기는 가슴앓이. **2** 공연한 일을 갖고 속으로 걱정하는 마음.

냉가슴(을) 앓다 구 직접 말을 하지 못하고 속으로만 걱정을 하거나 속을 썩이다. ¶벙어리 냉가슴 앓듯 하지 말고 말 좀 해 보아라.

냉:각 (冷却) 명하자타 **1** 식어서 차게 됨. 또는 그렇게 함. ¶~ 처리 / ~ 속도. **2** 관계가 멀어지거나 분위기가 차가워짐. ¶~ 정국 / 여야 관계에 ~ 기류가 흐르다.

냉:각 (冷覺) 명 〔생〕 살갗으로 받는 느낌의 하나. 찬 감각. ↔온각(溫覺).

냉:각-기 (冷却期) 명 '냉각기간'의 준말.

냉:각-기 (冷却器) 명 **1** 물체의 열을 인공적으로 없애어 냉각·동결 또는 액화(液化)시키는 기기. **2** 기관의 과열을 방지하기 위해 공기나 물을 이용하는 냉각 장치.

냉:각-기간 (冷却期間) 명 **1** 감정이나 흥분을 가라앉히고 사태를 진정하는 기간. **2** 노동 쟁의·정치적 분쟁 따위를 평화적으로 해결하기 위하여 개시 전에 설정하는 유예기간. 준냉각기.

냉:각-수 (冷却水) 명 과열된 기계를 차게 식히는 물.

냉:각-제 (冷却劑) 명 냉동기에서, 기화열을 이용하여 둘레에 있는 것을 냉동시키는 데 쓰는 물질《암모니아·염화메틸 따위》.

냉:갈-령 명 몰인정하고 쌀쌀한 태도. ¶너무 ~을 부리면 안 된다.

냉:-골 (冷-) 명 찬 방구들. 냉구들. ¶난방이 들어오지 않아 방바닥이 ~이다.

냉:-국 (冷-)[-꾹] 명 찬국.

냉:기 (冷氣) 명 **1** 찬 기운. 찬 공기. ¶~가 돌다 / 방 안의 ~가 가시다. **2** 딱딱하거나 차가운 분위기. ¶둘 사이에 ~가 흐른다. ↔온기.

냉:-기류 (冷氣流) 명 **1** 차가운 공기의 흐름. **2** 대립하는 세력들 사이의 적대적인 분위기. ¶정국에 ~가 형성되다.

냉:-난방 (冷暖房) 명 냉방과 난방. ¶~ 시설을 완비하다.

냉:담 (冷淡) 명하형히부 **1** 사물에 흥미나 관심이 없음. ¶정치 문제에 ~한 편이다. **2** 동정심이 없고 쌀쌀함. ¶담당 직원은 ~한 반응을 보였다.

냉:대 (冷待) 명하타 차갑게 대함. 푸대접. ¶ ~를 받다 / 찾아온 사람을 ~해서 보내다.
냉:대 (冷帶) 명 〔지〕 아한대(亞寒帶).
냉:돌 (冷突·冷堗) 명 불기 없는 찬 온돌방. 냉방(冷房).
냉:동 (冷凍) 명하타 냉각시켜서 얼림.
냉:동-기 (冷凍機) 명 가스 또는 냉매(冷媒)에 의하여 낮은 온도를 얻어 액체를 냉각 또는 냉동시키는 기계의 총칭.
냉:동-식품 (冷凍食品) 명 냉동하여 보존·저장하는 식품.
냉:동-실 (冷凍室) 명 식품 따위를 얼려서 보관하는 곳.
냉:랭-하다 (冷冷-)[-냉-] 형여불 **1** 매우 차갑다. ¶ 냉랭한 밤공기 / 불을 때지 않아 방바닥이 ~. **2** 태도가 몹시 쌀쌀하다. ¶ 냉랭한 분위기 / 냉랭하고 근엄한 태도 / 냉랭한 표정으로 쳐다보다. **냉:랭-히** [-냉-] 부
냉:매 (冷媒) 명 열교환기에서 열을 빼앗기 위하여 사용되는 매체. 프레온·암모니아 따위.
냉:면 (冷麪) 명 흔히 메밀국수를 냉국이나 무 김칫국 등에 말거나 양념에 비벼서 먹는 국수《여름에는 얼음을 넣기도 함》.
냉:방 (冷房) 명 **1** 찬 방. 냉실(冷室). **2** 방안이나 건물 안을 차게 하는 일. ¶ ~ 시설. ↔난방.
냉:방 장치 (冷房裝置) 무더운 여름에 방안이나 건물 안의 온도를 차갑게 하는 장치. ↔난방 장치.
냉:-병 (冷病)[-뼝] 명 〔한의〕 하체를 차게 하여 생기는 병의 총칭. 냉증(冷症).
냉:소 (冷笑) 명하타 쌀쌀한 태도로 업신여겨 비웃음. 또는 그러한 웃음. 찬웃음. ¶ ~를 머금다 / 입가에 ~가 흐르다.
냉:소-적 (冷笑的) 관명 쌀쌀한 태도로 비웃는 (것). ¶ ~ 태도 / ~ 반응을 보이다 / ~으로 대하다.
냉:소-주의 (冷笑主義)[- / -이] 명 사물을 냉소적으로 보는 태도. 견유주의(犬儒主義). 시니시즘.
냉:수 (冷水) 명 찬물. ¶ ~를 들이키다.
[냉수 먹고 된똥 눈다] 아무 건더기도 없는 것으로 실속 있는 결과를 만들어 낸다.
[냉수 먹고 이 쑤시기] 아무 실속은 없이 겉으로만 있는 체함.
냉수 먹고 속 차리다 구 정신 차리다.
냉:수-마찰 (冷水摩擦) 명 찬물에 적신 수건으로 온몸의 피부를 문질러 혈액 순환을 활발하게 하는 건강법.
냉:습-하다 (冷濕-)[-스파-] 형여불 차고 습하다. ¶ 냉습한 공기 / 날씨가 ~.
냉:실 (冷室) 명 냉방(冷房)1. ↔온실.
냉:안-시 (冷眼視) 명하타 차가운 눈초리로 봄. 멸시함.
냉:엄-하다 (冷嚴-) 형여불 **1** 태도 따위가 냉정하고 엄격하다. **2** 일의 형편이 빈틈없다. ¶ 냉엄한 현실을 직시하다. **냉:엄-히** 부
냉:연-하다 (冷然-) 형여불 태도가 쌀쌀하다. ¶ 냉연한 표정. **냉:연-히** 부. ¶ ~ 거절하다.
냉:온 (冷溫) 명 **1** 찬 기운과 따뜻한 기운. ¶ ~ 겸용. **2** 찬 온도.
냉:-온대 (冷溫帶) 명 〔지〕 아한대(亞寒帶).
***냉이** 명 〔식〕 겨잣과의 두해살이풀. 들·밭에 남. 높이 50 cm 가량, 봄에 흰 네잎꽃이 피며, 어린잎과 뿌리는 먹음.
냉:장 (冷藏) 명하타 식료품이나 약품 같은 것의 부패를 막거나 차게 하기 위해서 냉장고 등을 사용하여 저장하는 일.
***냉:장-고** (冷藏庫) 명 식품 따위를 차게 하거나 부패를 막기 위하여 저온으로 저장하는 상자 모양의 장치.
냉:장-실 (冷藏室) 명 식품 따위를 낮은 온도에서 저장하는 곳. ¶ 과일과 채소를 ~에 넣어 두다.
냉:전 (冷戰) 명 무기는 쓰지 않으나 전쟁을 방불케 하는 국제간의 심한 대립 상태. ¶ 동서 진영의 ~ / ~ 시대의 종막. ↔열전.
냉:점 (冷點)[-쩜] 명 〔생〕 감각점(感覺點)의 하나로 피부에 퍼져 있어 찬 것을 느끼게 하는 점. ↔온점(溫點).
냉:정 (冷靜) 명하형히부 감정에 사로잡히지 않고 침착함. ¶ ~을 잃지 않다 / 냉정하게 일을 처리하다 / 옳고 그름을 ~히 따지다 / 자신을 ~히 돌아보다.
냉:정-하다 (冷情-) 형여불 매정하고 쌀쌀하다. ¶ 냉정한 말투 / 냉정하게 거절하다. **냉:정-히** 부. ¶ ~ 돌아서다.
냉:-찜질 (冷-) 명하자 아픈 곳을 차게 하여 소염·진통의 효과를 얻는 찜질. 냉엄법.
냉:차 (冷茶) 명 얼음을 넣어 차게 만든 찻물.
냉:채 (冷菜) 명 차게 하여 먹는 무침. ¶ 시원한 해파리 ~를 만들어 먹다.
냉:천 (冷泉) 명 **1** 찬 샘. **2** 온천보다 온도가 낮은 광천(鑛泉). 25℃ 이하 또는 35℃ 이하의 것을 가리킴. ↔온천.
냉:철-하다 (冷徹-) 형여불 생각이나 판단이 침착하고 사리에 밝다. ¶ 냉철한 지성 / 냉철하게 사리를 판단하다. **냉:철-히** 부. ¶ ~ 분석하다.
냉:-커피 (冷coffee) 명 얼음을 넣어 차게 만든 커피. 아이스커피.
냉큼 부 머뭇거리거나 망설임 없이 바로. 빨리. ¶ ~ 먹어 치우다 / ~ 들어오너라. 큰닁큼.
냉큼-냉큼 부 머뭇거리거나 망설임 없이 잇따라 빨리. ¶ 주는 대로 ~ 잔을 비우다. 큰닁큼닁큼.
냉:탕 (冷湯) 명 찬물이 들어 있는 탕. ↔온탕(溫湯).
냉:-하다 (冷-) 형여불 **1** 찬 기운이 있다. ¶ 아궁이에 불을 때지 않아 방이 ~. **2** 〔한의〕 병으로 아랫배가 차다. **3** 〔한의〕 약재의 성질이 차다.
냉:해 (冷害) 명 농작물이 자라는 도중에 이상 저온 현상으로 생기는 농작물의 피해. ¶ ~ 대책을 세우다.
냉:혈 (冷血) 명 **1** 〔한의〕 찬 기운으로 인해 배 속에 뭉친 피. **2** 〔동〕 동물의 체온이 외부의 온도보다 낮은 상태. ↔온혈(溫血). **3** 사람의 성품이 인정이 없고 차가움. ¶ ~ 인간.
냉:혈 동:물 (冷血動物) 〔동〕 변온(變溫) 동물. ↔온혈 동물.
냉:혈-한 (冷血漢) 명 인정 없고 냉혹한 남자. ¶ 그는 피도 눈물도 없는 ~이다.

냉:혹-하다(冷酷—)[-호카-] 형여불 차갑고 혹독하다. 박정하고 가혹하다. ¶냉혹한 현실을 직시하다 / 냉혹하게 거절하다. **냉:혹-히**[-호키] 부

-냐 어미 받침 없는 형용사 및 '이다'의 어간에 붙어 해라할 자리에 쓰여 물음을 나타내는 종결 어미. ¶크~ / 배가 고프~ / 오늘이 무슨 요일이~ / 그게 뭐~. *-으냐·-느냐.

-냐고 어미 '-냐 하고'의 준말. ¶왜 사느~ 묻거든 / 누구~ 묻다. *-으냐고.

-냐는 어미 '-냐고 하는'의 준말. ¶아프~ 물음에 머리를 끄덕였다 / 뭐~ 물음에 대답하였다. *-으냐는.

-냔 어미 **1** '-냐고 한'의 준말. ¶얼마나 예쁘~ 찬사를 들었다 / 그래도 남자~ 핀잔에 화가 났다. **2** '-냐는'의 준말. ¶얼마나 크~ 말이다 / 뭐~ 말이야. *-으냔.

-냘 어미 '-냐고 할'의 준말. ¶설탕을 치지 않고 쓰~ 수 있느냐 / 이게 친구의 도리~ 수 있어. *-으냘.

냠냠 ㊀명 〈소아〉 맛있는 음식. ㊁부 〈소아〉 맛있는 음식을 먹으면서 내는 소리.

냠냠-거리다 자 〈소아〉 **1** 음식을 맛있게 먹다. **2** 음식을 먹으면서 냠냠 소리를 자꾸 내다.

냠냠-대다 자 냠냠거리다.

냠냠-이 명 〈소아〉 먹고 싶어 하는 음식.

냠냠-하다 타여불 **1** 〈소아〉 음식을 맛있게 먹다. **2** 〈속〉 남의 것을 가져가다.

냥(兩) 의명 수사 밑에 쓰여 돈 또는 중량의 단위를 나타내는 말. 한 냥은 한 돈의 열 곱. ¶돈 열 ~ / 은 한 ~.

냥-쭝(兩—) 의명 냥의 무게. ¶금 한 ~.

***너**[1] 인대 친구나 손아랫사람에게 쓰는 이인칭 대명사《조사 '가'가 뒤에 붙으면 '네'가 됨》. ¶~는 먼저 가거라 / ~를 데리고 갈까 / ~까지 나를 괴롭히니. ↔나.
[너하고 말하느니 개하고 말하겠다] 말귀를 잘 알아듣지 못하는 상대에게 핀잔을 주는 말.
너 나 할 것 없이 구 누구를 가릴 것 없이 모두. ¶~ 팔을 걷어붙이고 나섰다.

너:[2] 관 돈, 말, 발, 푼 따위의 단위 앞에 쓰여, '넷'의 뜻을 나타내는 말. ¶~ 말 / ~ 푼 / ~ 돈.

너구리 명 〖동〗 갯과의 동아시아 특산 동물. 몸의 길이 50-68 cm, 꼬리 13-20 cm임. 털은 길고 황갈이고, 여우보다 작고 살이 쪘으며, 발은 짧고 주둥이는 끝이 뾰족한데 꼬리는 뭉뚝함. 모피는 방한용 또는 필모(筆毛)로 씀.
너구리 같다 구 사람됨이 매우 음흉하고 능청스럽다.

너그럽다〔너그러우니, 너그러워〕 형ㅂ불 마음이 넓고 이해심이 많다. ¶너그러운 성품. **너그러-이** 부. ¶~ 용서하다.

너글-너글[-러-] 부하형 마음씨가 너그럽고 시원스러운 모양. ¶사람이 ~해서 모두 그를 좋아한다.

너끈-하다 형여불 무엇을 하는 데 힘이 넉넉하여 여유가 있다. ¶이 일은 혼자서도 ~. **너끈-히** 부. ¶불고기 5인분은 혼자서 ~ 먹어 치운다.

너나-들이 명하자 서로 너니 나니 하고 부르며 친하게 지내는 사이. ¶그이와는 서로 ~하는 가까운 벗이다.

너나-없이[-업씨] 부 너나 나나 가릴 것 없이 모두. ¶~ 생업에 바쁘다.

너-댓 수관 '네댓'의 잘못.

너더-댓[-댇] 수관 넷이나 다섯가량(의). ¶~ 사람 / ~이 둘러서서 수군거리고 있다.

너더댓-새[-댇쌔] 명 나흘이나 닷새가량.

너더댓-째[-댇-] 수관 넷째나 다섯째쯤.

너더분-하다 형여불 **1** 여럿이 뒤섞이어서 어수선하다. ¶집 안이 ~. **2** 말이 번거롭고 길다. 작나다분하다. **너더분-히** 부

너덕-너덕[-덩-] 부하형 군데군데 고르지 아니하게 깁거나 덧붙인 모양. ¶벽보가 ~ 붙어 있다. 작나닥나닥.

너덜-거리다 자 **1** 주제넘게 함부로 말을 자꾸 지껄이다. **2** 여러 가닥이 늘어져서 자꾸 흔들리다. ¶옷이 해져서 너덜거린다. 작나달거리다. 거너털거리다. **너덜-너덜**[-러-] 부하자형. ¶해지고 찢어진 바짓가랑이가 걸음을 옮길 때마다 ~한다 / 옷이 낡아 소매가 ~하다.

너덜-나다[-라-] 자 여러 가닥으로 어지럽게 째지다.

너덜-대다 자 너덜거리다.

너덧[-덛] 수관 네다섯. ¶~ 개 / ~ 사람 / 친구 ~이 함께 가다.

너도-나도 부 서로 뒤지거나 빠지지 않으려고 모두. 모두들 합심하여. ¶~ 앞다투어 구호의 손길을 뻗친다.

너도-밤나무 명 〖식〗 참나뭇과의 낙엽 활엽 교목. 울릉도 특산으로 높이는 20 m가량. 산허리에 나는데 나뭇결이 단단하여 건축·가구재 따위로 씀.

-너라 어미 동사 '오다'나 '오다'로 끝나는 동사의 어간(語幹) 뒤에 붙어 명령의 뜻을 나타내는 종결 어미. ¶이리 오~.

너라 불규칙 활용(—不規則活用)[-치콸룡] 〖언〗 직접 명령하는 동사의 어미가 '-아라'·'-어라'로 되어야 할 것이 '-너라'로 변하는 형식. '오다'가 '오너라'처럼 활용하는 따위.

너럭-바위 명 넓고 평평한 바위. ¶길 옆 ~에 짐을 내려놓다 / 아이들은 젖은 옷을 벗어 ~에 널었다.

너르다〔너르니, 널러〕 형르불 공간이나 생각 따위가 이리저리 다 넓고 크다. ¶너른 들판 / 너르고 시원한 마루 / 소견이 ~. ↔솔다[4].

너르디-너르다〔-너르니, -널러〕 형르불 더할 수 없을 정도로 매우 너르다. ¶너르디 너르게 펼쳐진 가을 하늘.

너름-새 명 말이나 일을 떠벌려서 주선하는 솜씨. ¶제법 ~가 있다.

너리 명 〖한의〗 잇몸이 헐어 헤지는 병.
너리(가) 먹다 구 잇몸이 헐어 헤져 들어가다.

***너머** 명 가로막힌 사물의 저쪽. ¶산 ~ / 고개 ~ / 철책 ~를 쳐다보다.

> **'너머'와 '넘어'**
>
> **너머** 가리운 것의 저쪽이라는 공간적인 위치

를 나타내는 명사이다.
[예] 산 너머에 마을이 있다.
넘어 '넘다'라는 동사 어간에 '-어'라는 어미가 연결된 것으로 동사이다.
[예] 고개를 넘어간다.

***너무** [부] 일정한 정도나 한계를 훨씬 넘어선 상태로. ¶할 일이 ~ 많다/~ 걱정하지 마세요/~ 좋다/~ 반갑다.
***너무-나** [부] '너무'의 강조형. ¶~ 힘들어서 집에 오자마자 잤다.
너무-너무 [부] '너무'를 강조하는 말. ¶그 책의 내용이 ~ 좋았어/조카가 ~ 귀엽다.
너무-하다 [자][형][여불] 도에 지나치게 심하다. ¶그것은 너무한 처사예요/해도 해도 너무 한다.
너부데데-하다 [형][여불] 얼굴이 둥그스름하고 너부죽하다. [작]나부대대하다. [준]넙데데하다.
너부러-지다 [자] 너부죽이 바닥에 까부라져 늘어지다. ¶피곤에 지쳐 힘없이 방바닥에 ~. [작]나부라지다.
너부렁이 [명] **1** 헝겊·종이 따위의 자그마한 오라기. **2** 어떤 부류 가운데서 그리 대단할 것이 못되는 존재. ¶친척 ~. [작]나부랭이.
너부시 [부] 매우 공손하게 머리를 숙여 절하거나 차분하게 앉는 모양. ¶하객들에게 ~ 절을 하다. [작]나부시.
너부죽-이 [부] **1** 너부죽하게. **2** 천천히 몸을 낮추어 엎드리는 모양. [작]나부죽이.
너부죽-하다 [-주카-] [형][여불] 조금 넓고 평평하다. ¶너부죽한 얼굴/너부죽한 그릇. [작]나부죽하다.
너불-거리다 [자][타] **1** 자꾸 부드럽게 나부끼다. 또는 그렇게 나부끼게 하다. ¶바람에 깃발이 ~/긴치마를 너불거리며 뛰어가다. **2** 입을 함부로 자꾸 놀리다. ¶눈치없이 쓸데없는 말을 ~. [작]나불거리다. **너불-너불** [-러-] [부][하][자][타]
너불-대다 [자][타] 너불거리다.
너붓-거리다 [-붇꺼-] [자] 자꾸 나부끼어 흔들리다. [작]나붓거리다. **너붓-너붓** [-분-붇] [부][하][자]
너붓-대다 [-붇때-] [자] 너붓거리다.
너붓-이 [부] 좀 너부죽하게.
너붓-하다 [-부타-] [형][여불] 좀 너부죽하다. [작]나붓하다.
너비 [명] 평면이나 길게 이어진 것의 가로로 건너지른 거리. 폭(幅). ¶강의 ~/도로의 ~를 두 배로 넓히다.
너비-아니 [명] 얇게 저며 갖은 양념을 해서 구운 쇠고기.
너:새 [명] 〖건〗 **1** 지붕의 합각머리 양쪽으로 마루가 지게 기와를 덮은 부분. 당마루. **2** 지붕을 이는 데 기와처럼 쓰는 얇은 돌 조각. 돌기와. 너와.
너:새-집 [명] 너새로 지붕을 인 집. 너와집.
너설 [명] 험한 바위나 돌 따위가 삐죽삐죽 내밀어 있는 곳.
너스래미 [명] 물건에 쓸데없이 붙어 있는 거스러미나 털 따위의 것.
너스레 [명] **1** 흙구덩이나 그릇의 아가리 또는 바닥에 이리저리 걸쳐 놓는 막대기《그 위에 놓는 물건이 빠지거나 바닥에 닿지 않게 하려고 쓰는 물건》. **2** 수다스럽게 떠벌려 늘어놓는 말이나 짓. ¶~를 떨다/~를 부리다.
너:와 [명] 〖건〗 **1** 지붕을 이는 데 쓰는, 나무토막을 쪼개 만든 널빤지. **2** '너새'의 변한 말.
너:와-집 [명] '너새집'의 변한 말.

너울[1]

너울[1] [명] 예전에, 여자가 나들이할 때 얼굴을 가리기 위하여 쓰던 물건《얇은 검정 깁으로 만들었음》.
[너울 쓴 거지] 몹시 배가 고파서 체면을 차릴 여지가 없이 된 처지.
너울[2] [명] 바다의 사나운 큰 물결.
너울-가지 [명] 남과 잘 사귀는 솜씨《붙임성·포용성 따위》. ¶~가 좋다.
너울-거리다 [一][자] 멀리 보이는 바다의 큰 물결이 굽이쳐 흐르다. 또는 큰 나뭇잎이나 풀 같은 것이 바람에 춤추듯이 나부끼다. [작]나울거리다. [二][타] 팔이나 날개 따위를 크고 부드럽게 움직이다. ¶나비가 날개를 ~. [작]나울거리다. **너울-너울** [-러-] [부][하][자][타]
너울-대다 [자][타] 너울거리다.
너울-지다 [자] 멀리 보이는 바다의 물결이 거칠게 넘실거리다. 놀지다.
너이 [수] '넷'의 잘못.
너저분-하다 [형][여불] 정리 정돈이 안되고 여기저기 널려 있어 지저분하다. ¶집 안이 ~. **너저분-히** [부]
너절-너절 [-러-] [부][하][형] 죽죽 늘어지거나 해진 옷이나 종이 따위가 너저분하게 흔들리는 모양. ¶영화 포스터가 ~하게 붙어 있다/~ 찢어진 청바지.
너절-하다 [형][여불] **1** 허름하고 지저분하다. ¶너절한 옷차림. **2** 하찮고 시시하다. ¶너절한 변명을 늘어놓다. **너절-히** [부]
너즈러-지다 [一][자] 여기저기 너저분하게 흩어지다. [二][형] 여기저기 흩어진 모습이 너저분하다.
너털-거리다 [자] **1** 여러 가닥이 어지럽게 늘어져 자꾸 흔들리다. **2** 주제넘은 짓이나 말을 야단스럽게 자꾸 하다. [작]나탈거리다. [여]너덜거리다. **3** 너털웃음을 자꾸 웃다. ¶허공을 쳐다보며 ~. **너털-너털** [-러-] [부][하][자]. ¶실밥이 ~하다/~ 웃어 대다.
너털-대다 [자] 너털거리다.
너털-웃음 [명] 소리를 크게 내어 씩씩하고 당당하게 웃는 웃음. ¶~을 치다.
너테 [명] 여러 겹 얼어붙어 생긴 얼음.
너트 (nut) [명] 〖기계〗 볼트(bolt)에 끼워 돌려서 물건을 움직이지 않도록 죄는 데 쓰는, 쇠로 만든 공구(工具).
너펄-거리다 [자] 큰 천이나 종이 따위가 흔들려 무겁게 자꾸 나부끼다. [작]나팔거리다. **너펄-너펄** [-러-] [부][하][자]
너펄-대다 [자] 너펄거리다.
너푼 [부] 가볍게 흔들리는 모양.
너푼-거리다 [자] 가볍게 흔들리어 자꾸 나부끼다. [작]나푼거리다. **너푼-너푼** [부][하][자]
너푼-대다 [자] 너푼거리다.
너풀-거리다 [자][타] 거세게 흔들리어 자꾸 나부끼다. 또는 그렇게 하다. ¶커튼이 바람에 ~ / 긴 머리카락을 너풀거리며 달려오다. [작]나풀거리다. [여]너불거리다. **너풀-너풀** [-러-] [부][하자타]

너풀-대다 [자타] 너풀거리다.

***너희** [-히] [인대] '너[1]'의 복수. ¶학교에는 ~끼리 가거라.

넉: [관] 냥·되·섬·자 따위의 단위 앞에 쓰여 '넷'의 뜻을 나타내는 말. ¶~ 냥 / ~ 달 / ~ 섬 / ~ 자.

넉-가래 [명] 곡식·눈 따위를 한곳에 밀어 모으는 데 쓰는 기구《넓적한 나무쪽에 긴 자루를 닮》.

넉가래-질 [명][하자] **1** 티끌이나 쭉정이 등을 날리려고 넉가래로 곡식을 떠서 바람 있는 공중에 치뿌리는 일. **2** 넉가래로 곡식·눈 따위를 한곳으로 밀어 모으는 일.

넉-걷이 [-꺼지] [명][하자] 오이·호박·수박 따위의 덩굴을 걷어치우는 일.

넉넉-잡다 [넝-] [자] 수량을 좀 많게 보거나 시간에 여유를 두다. ¶떡 하는 데 넉넉잡고 쌀 한 말이면 된다 / 그 일은 넉넉잡아 일주일이면 끝난다.

***넉넉-하다** [넝너카-] [형][여불] **1** 크기·수효·부피 따위가 기준에 차고도 남음이 있다. ¶쌀이 ~ / 시간이 ~ / 품이 넉넉한 옷을 입으니 굉장히 편하다. [작]낙낙하다. **2** 살림살이가 여유가 있다. ¶집안이 ~ / 형편이 ~. **3** 도량이 넓다. ¶마음이 ~ / 사람됨이 ~. **넉넉-히** [넝너키] [부]. ¶용돈을 ~ 주다.

넉살 [명] 숫기 좋게 언죽번죽 구는 짓. ¶~을 떨다 / 술기운에 ~을 부리다 / ~을 피우다 / ~이 좋다.

넉살-맞다 [-맏따] [형] 몹시 넉살이 좋다. ¶넉살맞게 굴다.

넉살-스럽다 〔-스러우니, -스러워〕 [형][ㅂ불] 보기에 넉살이 좋다. **넉살-스레** [부]

넉:장-거리 [명][하자] 네 활개를 벌리고 뒤로 벌떡 자빠짐. [작]낙장거리.

넋 [넉] [명] **1** 사람의 육체 속에 있어 마음의 작용을 다스린다고 생각되는 것《예로부터 사람이 죽어도 따로이 존재를 계속한다고 생각되고 있음》. 혼백. ¶~을 위로하다 / ~을 달래다. **2** 정신이나 마음. ¶서커스 구경에 넋이 빠져 있다.

[넋이야 신이야 한다] 잔뜩 마음먹었던 일을 수다스럽게 말하다.

넋(을) 놓다 [구] 제정신을 잃고 멍한 상태가 되다. ¶넋을 놓고 앉아 있다.

넋(을) 잃다 [구] ㉠의식을 잃다. ㉡무엇에 열중하다. ¶넋을 잃고 바라보다.

넋(이) 나가다 [구] 아무 생각이 없거나 정신을 잃다.

넋-두리 [넉뚜-] [명][하자타] **1** 무당이 죽은 사람의 넋을 대신해서 하는 말. **2** 불평이 있을 때 한탄하며 늘어놓는 말. ¶부질없는 ~를 늘어놓다.

넌 [준] 너는. ¶~ 나를 너무 몰라.

넌더리 [명] 몹시 싫은 생각. ¶~가 나다 / ~를 내다. [준]넌덜.

넌더리(를) 대다 [구] 넌더리가 나게 굴다.

넌덕 [명] 너털웃음을 치고 재치 있는 말을 늘어놓는 짓. ¶~을 부리다.

넌덕-스럽다 〔-스러우니, -스러워〕 [형][ㅂ불] 너털웃음을 치며 재치 있는 말을 늘어놓는 재주가 있다. **넌덕-스레** [부]

넌덜 [명] '넌더리'의 준말.

넌덜-거리다 [자] 자꾸 넌더리 나게 굴다.

넌덜-대다 [자] 넌덜거리다.

넌덜-머리 [명] '넌더리'의 속된 말. ¶잔소리에 ~가 난다.

넌지시 [부] 드러나지 않게 가만히. ¶~ 의향을 떠보다 / ~ 충고하다.

넌출 [명]〖식〗길게 뻗어 나가 늘어진 식물의 줄기《등·다래·칡 따위의 줄기》.

넌출-문 (-門) [명] 넉 장의 문이 죽 잇따라 달린 문. 사출문(四出門).

넌출-지다 [자] 식물의 덩굴 따위가 길게 치렁치렁 늘어지다.

널:[1] [명] **1** '널빤지'의 준말. **2** 널뛰기에 쓰는 널빤지. 널판. ¶~을 뛰다. **3** 시체를 넣는 관이나 곽(槨)의 통칭. ¶~을 짜다.

널[2] [준] 너를. ¶이젠 ~ 보내겠다.

널:-감 [-깜] [명] **1** 널을 만드는 재료. 관재(棺材). **2** 〈속〉 늙어서 죽을 때가 가까워진 사람.

[널감을 장만하다] ㉠죽을 때까지 끝장을 보다. ㉡걸핏하면 떼를 쓰려고 하다.

***널:다**[1] 〔너니, 너오〕 [타] 볕을 쬐거나 바람을 쐬려고 펼쳐 놓다. ¶빨래를 마당에 ~ / 고추를 ~ / 이불을 ~.

널:다[2] 〔너니, 너오〕 [타] 쥐 따위가 이로 쏠아서 부스러기를 늘어놓다.

널:-다리 [명] 널빤지로 깔아 놓은 다리.

널-따랗다 [-라타] 〔널따라니, 널따라오〕 [형][ㅎ불] 꽤 넓다. ¶운동장이 ~ / 널따란 바위에 걸터앉다. ↔좁다랗다.

널:-뛰기 [명][하자] 긴 널의 중간을 괴고 양쪽 끝에 올라서서 번갈아 뛰는 여자들의 놀이.

널:-뛰다 [자] 널뛰기를 하다.

널름 [부][하자타] **1** 혀나 불길이 빨리 나왔다 들어가는 모양. ¶혀를 ~ 내밀다. **2** 무엇을 날쌔게 받아 가지는 모양. ¶떡을 한입에 ~ 먹어 치우다. [작]날름. [큰]늘름.

널름-거리다 [자타] **1** 혀끝이나 손 또는 불길이 자꾸 빠르게 나왔다 들어갔다 하다. ¶뱀이 혀를 ~ / 불길이 ~. **2** 탐을 내어 자꾸 고개를 내밀고 엿보다. [작]날름거리다. **널름-널름** [부][하자타]

널름-대다 [자타] 널름거리다.

***널리** [부] **1** 범위가 넓게. 너르게. ¶세상에 ~ 알려지다 / 소문이 ~ 퍼지다. **2** 너그럽게. ¶~ 용서하여 주시기 바랍니다.

널리다[1] [타] 《'너르다'의 사동》 너르게 하다. ¶베란다를 터서 방을 ~.

널리다[2] [자] **1** 《'널다[1]'의 피동》 넒을 당하다. ¶빨랫줄에 널린 빨래를 걷다. **2** 여기저기 많이 흩어져 놓이다. ¶책들이 어지럽게 널려 있다.

널:-방 (-房) [명]〖역〗**1** 조선 때, 예문관의 사초(史草)를 담은 널을 두던 방. **2** 무덤 속의 주검이 안치되어 있는 방. 현실(玄室).

널:-방석 (-方席)[-빵-] [명] 곡식 따위를 너는 데 쓰는, 짚으로 결은 큰 방석.

널브러-뜨리다 [타] 너저분하게 널리 펴뜨리다. ¶방바닥에 책을 ~.

널브러-지다 [자] **1** 너저분하게 흐트러지거나 흩어지다. ¶마루에 장난감이 널브러져 있다. **2** 몸을 추스르지 못하고 축 늘어지다. ¶옆구리를 한 대 맞고 길바닥에 널브러졌다.
널브러-트리다 타 널브러뜨리다.
널:-빈지 명 한 짝씩 끼웠다 떼었다 하게 만들어진 문《가게 앞에 문 대신 흔히 씀》.
널:-빤지 명 나무를 판판하고 넓게 켠 나뭇조각. 준널.
널어-놓다 [-노타] 타 죽 널어서 벌여 놓다. ¶빨랫줄에 빨래를 ~/고추를 멍석에 ~.
널음-새 명 '너름새'의 잘못.
널:-조각 [-쪼-] 명 널빤지의 조각. 널쪽.
널찍-널찍 [-찡-] 부하형 여럿이 모두 다 너른 모양. ¶길이 ~하다/간격을 ~하게 떼고 서서 맨손 체조를 하다.
널찍-이 부 널찍하게. ¶~ 자리를 잡다.
널찍-하다 [-찌카-] 형여불 훤칠하게 너르다. ¶널찍한 마당.
널:-판 (-板) 명 널빤지.
널:-판자 (-板子) 명 널빤지.
*__넓다__ [널따] 형 **1** 면적이 크다. 넓이가 크다. ¶마당이 ~/넓은 들. **2** 너비가 크다. 폭이 길다. ¶넓은 길/팔을 넓게 벌리다. **3** 마음이 너그럽다. ¶도량이 ~. **4** 범위가 널리 미치다. ¶넓은 식견/발이 ~. ↔좁다.

> **'넓다'의 표준 발음**
>
> 겹받침 'ㄼ'은 어말 또는 자음으로 시작된 조사나 어미 앞에서 [ㄹ]로 발음한다. 따라서 '넓다'는 [널따]로 발음한다.
>
> 그러나 파생어나 합성어의 경우에 '넓'으로 표기된 것은 [넙]으로 발음한다.
>
> 넓적하다 [넙쩌카다], 넓죽하다 [넙쭈카다], 넓둥글다 [넙뚱글다] 따위.

넓-다듬이 [넙따-] 명 홍두깨에 올리지 않고 다듬잇돌 위에 넓적하게 개켜 놓고 하는 다듬이. *홍두깨다듬이.
넓-둥글다 [넙뚱-] [넓둥그니, 넓둥그오] 형 넓죽하고 둥글다. ¶넓둥글게 생긴 얼굴.
넓디-넓다 [널띠널따] 형 더할 수 없이 매우 넓다. ¶넓디넓은 세상으로 나가 많은 것을 경험해라. ↔좁디좁다.
*__넓이__ [널비] 명 어떤 장소나 물건의 넓은 정도. ¶국토의 ~/삼각형의 ~를 구하시오/한 평 ~의 땅.
넓이-뛰기 [널비-] 명 '멀리뛰기'의 구용어.
넓적-넓적 [넙쩡넙쩍] 부하형 여럿이 다 넓적한 모양. ¶떡을 ~하게 자르다. 작납작납작.
넓적-다리 [넙쩍-] 명 무릎 위쪽의 다리.
넓적스레-하다 [넙쩍-] 형여불 넓적스름하다.
넓적스름-하다 [넙쩍-] 형여불 좀 넓적하다. ¶그녀의 얼굴은 넓적스름하고 머리는 길다. **넓적스름-히** [넙쩍 -] 부
넓적-이[1] [넙쩌-] 명 얼굴이 넓적하게 생긴 사람의 별명. 작납작이.
넓적-이[2] [넙쩌-] 부 넓적하게.
넓적-코 [넙쩍-] 명 콧날이 서지 않고 넓적하게 생긴 코. 또는 그런 코를 가진 사람. 작납작코.
넓적-하다 [넙쩌카-] 형여불 평평하게 넓다. ¶넓적하고 두툼한 손. 작납작하다.
넓죽-넓죽 [넙쭝넙쭉] 부하형 여럿이 다 길쭉하고 넓은 모양. ¶송편을 ~ 빚어라. 작납죽납죽.
넓죽-이[1] [넙쭈-] 명 얼굴이 넓죽한 사람의 별명. 작납죽이.
넓죽-이[2] [넙쭈-] 부 넓죽하게.
넓죽-하다 [넙쭈카-] 형여불 길쭉하고 넓다. 작납죽하다.
*__넓히다__ [널피-] 타 《'넓다'의 사동》 넓게 하다. ¶길을 ~/견문을 ~/행동반경을 ~.
넘겨다-보다 타 **1** 남의 것을 욕심내어 마음을 그리로 돌리다. ¶재산을 ~. **2** 넘어다보다. ¶담장을 ~.
넘겨-받다 타 남이 넘겨주는 것을 받다. ¶자료를 ~/경영권을 ~. ↔넘겨주다.
넘겨-쓰다 [-쓰니, -써] 타 남의 허물이나 책임을 자기가 뒤집어쓰다. ¶누명을 ~.
넘겨-씌우다 [-씨-] 타 《'넘겨쓰다'의 사동》 자기의 허물이나 책임을 남에게 덮어씌우다. ¶죄를 남에게 ~.
넘겨-잡다 타 앞질러 미리 짐작하다. ¶그 남자가 범인이라고 넘겨잡지 마라.
넘겨-주다 타 물건이나 권리·책임·일 따위를 남에게 건네주거나 맡기다. ¶필요한 서류를 ~/자리를 ~. ↔넘겨받다.
넘겨-짚다 [-집따] 타 정확히 알지 못하고 지레짐작으로 판단하다. ¶속을 떠보려고 슬쩍 넘겨짚어 말했다/상대방의 말을 거짓말이라고 넘겨짚지 마라.
넘:고-처지다 [-꼬-] 자 이 표준에는 지나치고 저 표준에는 못 미치다. ¶넘고처지는 신랑감.
*__넘기다__ 타 **1** 《'넘다'의 사동》 넘게 하다. ¶밥을 목구멍으로 ~. **2** 낮은 데서 높은 데를 넘어가게 하다. ¶담 너머로 공을 ~. **3** 바로 세워진 것을 쓰러뜨리다. ¶나무를 베어 ~. **4** 종잇장 따위를 뒤집어서 잦히다. ¶책장을 ~. **5** 기회나 시기를 지나가게 하다. ¶추운 겨울을 ~/무사 만루의 위기를 ~. **6** 재앙을 모면하다. ¶죽을 고비를 ~. **7** 권리나 책임 등을 딴 사람에게 옮겨 주다. ¶네가 할 일을 남에게 넘기지 마라/사건을 검찰에 ~.
넘:-나다 자 분수에 넘치는 짓을 하다.
넘:나-들다 [-드니, -드오] 자타 **1** 어떤 한계나 경계를 넘어갔다 넘어왔다 하다. ¶국경을 ~/사선을 ~. **2** 이리저리 들락날락하다. ¶안방과 건넌방을 ~.
넘:늘어-지다 자 아래로 길게 휘늘어지다. ¶넘늘어진 수양버들.
*__넘:다__[1] [-따] 자타 **1** 정한 범위·수량·정도를 초월하다. ¶한 되가 ~/모은 돈이 백만 원을 넘었다. **2** 때가 지나가다. ¶나이 40이 ~. **3** 높은 부분의 위를 지나거나 경계를 지나가다. ¶산을 ~/삼팔선을 넘어 남으로 내려왔다. **4** 가득 차서 나머지가 밖으로 나오다. ¶냄비의 찌개가 끓어 ~. **5** 고비를 지나다. ¶숱한 고비를 ~/보릿고개를 ~. **6** 건너뛰다. ¶도랑을 ~. ☞너머.
넘버 (number) 명 번호나 차례, 또는 그 숫자. 차례표. ¶차량 ~/등 뒤에 ~를 달고 달리기를 한다.

넘버링-머신 (numbering machine) 명 서류에 대고 누를 때마다 자동적으로 번호가 차례대로 찍히는 사무용 기구. 넘버링. 번호기. 자동인자기.
넘버-원 (number one) 명 첫째나 으뜸. 또는 그런 사람이나 물건.
넘:-보다 타 1 남을 얕잡아 낮추보다. 깔보다. ¶상대를 ~. 2 어떤 것에 욕심을 내어 마음에 두다. ¶남의 돈을 ~.
넘성-거리다 타 탐이 나서 목을 길게 빼고 자꾸 넘어다보다. ¶수상한 자가 남의 집을 ~. **넘성-넘성** 부하타
넘성-대다 타 넘성거리다.
넘실-거리다 자타 1 탐이 나서 목을 길게 빼고 슬그머니 자꾸 넘어다보다. 2 물결 따위가 무엇을 삼킬 듯이 너울거리다. ¶파도가 넘실거리는 바닷가. 3 액체가 그릇에 그득 차서 넘칠 듯이 찰랑거리다. 작남실거리다. **넘실-넘실** [-럼-] 부하자타. ¶~ 파도치는 동해 바다.
넘실-대다 자타 넘실거리다.
*****넘어-가다** 자타거라불 1 바로 선 것이 한쪽으로 쓰러지다. ¶짚더미가 ~ / 열 번 찍어 넘어가지 않는 나무 없다. 2 때나 시기가 지나가다. ¶점심시간이 ~ / 중세에서 근대로 ~. 3 해나 달이 지다. ¶서산으로 해가 ~. 4 책임·권리·관심 등이 이쪽에서 저쪽으로 옮겨 가다. ¶소유권이 ~. 5 속임수에 빠지다. ¶잔꾀에 ~. 6 다음 차례나 다른 경우로 옮아가다. ¶본론으로 ~ / 다음 문제로 ~. 7 음식물이 목구멍을 지나가다. ¶밥이 ~. 8 종이 따위가 뒤집혀 젖혀지다. ¶바람에 책장이 ~. 9 이쪽에서 저쪽으로 높은 곳이나 장벽을 지나서 가다. ¶담을 ~ / 국경선을 ~ / 고개를 ~. 10 고비를 지나가다. ¶이 고비만 넘어가면 살 길이 있다. 11 어떤 일을 처리하고 지나가다. ¶어물쩍 ~ / 그녀는 작은 일도 대충 넘어가는 법이 없다.
넘어다-보다 타 1 고개를 들어 가리운 물건의 위를 지나서 보다. ¶이웃집을 ~. 2 어떤 것을 탐내어 마음에 두다.
*****넘어-뜨리다** 타 1 선 물건을 쓰러뜨리다. ¶의자를 ~. 2 남의 권세나 차지한 지위를 꺾다. ¶독재 정권을 ~.
넘어-서다 타 1 어떤 물건이나 공중을 넘어서 지나다. ¶산을 넘어서면 마을이 있다. 2 어려운 상황을 넘어서 지나다. ¶생사의 기로에서 어려운 고비를 여러 번 ~. 3 누구를 이기거나 능가하다. ¶이 분야에서는 그를 넘어설 사람이 거의 없다. 4 일정한 시기나 범위를 넘어서 지나다. ¶벌써 자정을 넘어섰다. 5 일정한 기준이나 한계를 넘어서 지나다. ¶내 주량을 넘어섰다 / 예상을 넘어섰다.
*****넘어-오다** 자타너라불 1 저쪽에서 이쪽으로 넘어서 오다. ¶국경선을 ~ / 산을 ~. 2 선 것이 이쪽으로 기울어지거나 쓰러지다. ¶짚더미가 ~. 3 먹은 것이 입으로 도로 나오다. ¶먹은 것이 ~. 4 책임·권리·관심 따위가 이쪽으로 옮겨 오다. ¶토지의 소유권이 나에게 ~. 5 순서나 시기 등이 현재 쪽으로 가까이 오다. ¶20세기에서 21세기로 ~.
*****넘어-지다** 자 1 사람이나 물체가 한쪽으로 쓰러지다. ¶빗길에 넘어져 옷이 흠뻑 젖었다. 2 어떤 일에 실패하거나 망하다. ¶하루아침에 회사가 ~.
넘어-트리다 타 넘어뜨리다.
넘쳐-흐르다 [-처-][-흐르니, -흘러] 자르불 1 액체가 가득 차서 밖으로 흘러내리다. ¶개천이 ~. 2 어떤 느낌·기운·힘이 가득 차서 넘치다. ¶매력이 ~ / 기운이 ~. 3 사람이나 사물이 매우 많이 있다. ¶돈이 ~ / 거리에 사람들이 넘쳐흐른다.
*****넘:치다** 자 1 가득 차서 밖으로 흘러나오다. ¶강물이 ~. 2 무엇이 정도가 넘도록 많다. ¶분수에 ~ / 박진감 넘치는 경기를 펼치다 / 시중에 돈이 넘친다 / 자신감이 넘치는 듯 여유만만하다 / 기쁨이 넘쳐 싱글벙글하다.
넙데데-하다 형여불 '너부데데하다'의 준말. 작납대대하다.
넙적 부 1 입을 넓게 넝큼 벌렸다가 닫는 모양. ¶~ 받아먹다. 2 몸을 바닥에 대고 넝큼 엎드리는 모양. ¶용서를 빌며 ~ 엎드려 절을 하다. 작납작.
넙적-거리다 타 1 입을 계속 넓게 벌렸다 닫았다 하다. 2 몸을 넝큼넝큼 엎드려 바닥에 바짝대다. 작납작거리다. **넙적-넙적** [-쩡-] 부하타. ¶강아지가 고기를 ~ 받아먹다.
넙적-대다 타 넙적거리다.
넙죽 부 1 입을 넝큼 너부죽하게 벌렸다 닫는 모양. ¶술을 주는 대로 ~ 받아 마시다. 2 몸을 넝큼 바닥에 대고 엎드리는 모양. ¶~ 엎드려 절을 하다. 작납죽.
넙죽-거리다 타 1 입을 자꾸 넙죽 벌렸다 오므렸다 하다. 2 몸을 자꾸 엎드려 바닥에 대다. 작납죽거리다. **넙죽-넙죽** [-쭝-] 부하타. ¶기어드는 목소리였지만 ~ 말대꾸를 했다.
넙죽-대다 타 넙죽거리다.
넙치 명 〖어〗 가자밋과의 바닷물고기. 근해의 모래밭에 사는데, 길이는 30 cm가량, 위아래로 넓적한 긴 타원형임. 두 눈은 몸 왼쪽에 있고 입이 크며 옆줄은 가슴지느러미 위쪽에서 활 모양으로 구부러져 있음.
넙치가 되도록 맞다 구 몹시 얻어맞다.
넛:- [넏] 두 아버지의 외숙이나 외숙모와 자기와의 관계를 나타낼 때 쓰는 말. ¶~ 할머니.
넝마 명 낡고 해어져서 입지 못하게 된 옷가지 따위. ¶~를 걸친 걸인.
넝마-주이 명 넝마나 헌 종이 등을 주워 모으는 사람. 또는 그런 일.
넝쿨 명 덩굴.
*****넣:다** [너타] 타 1 속으로 들여보내다. ¶가방에 책을 ~ / 호주머니에 손을 ~. 2 다른 것에 섞거나 타다. ¶커피에 설탕과 프림을 ~. 3 돈을 납부하거나 은행에 입금하다. ¶통장에 돈을 ~. 4 서류 등을 제출하다. ¶회사에 이력서를 ~ / 대학에 원서를 ~. 5 수용하다. ¶강당에 천 명은 넣을 수 있다. 6 어떤 범위 안에 포함하다. ¶이 문제를 고려에 넣겠다 / 영화에 한글 자막을 ~ / 태권도를 올림픽 종목에 ~. 7 단체나 학교·직장 같은 곳에 들게 하다.

¶아이를 초등학교에 ~. **8** 기계 따위가 작동하게 하다. ¶전원을 ~/스위치를 ~. **9** 힘을 들이거나 어떤 작용을 하다. ¶압력을 ~/어깨에 힘을 ~.

***네**[1] ㊀인대 조사 '가' 앞에서만 쓰이는 '너'의 형태. ¶~가 했느냐. ㊁준 너의. ¶~ 이름은 무엇이냐.
[네 콩이 크니 내 콩이 크니 한다] 서로 비슷한 것을 가지고 제 것이 낫다고 다투다.

***네:**[2] 관 '넷'의 뜻. ¶~ 사람/~ 가지.
네 활개(를) 치다 구 ㉠팔다리를 힘 있게 휘저으며 걷다. ㉡아주 뽐내며 돌아다니거나 행동하다. ¶네 활개 치고 다니다.

네[3] 감 존대할 자리에서 대답·반문하는 말. ¶~, 그렇습니다/~, 무슨 말씀이신지요.

-네[1] 미 **1** 처지가 같은 사람들의 한 무리. ¶우리~/부인~. **2** 어떤 집안이나 가족 전체를 들어서 나타내는 말. ¶친구~ 집.

-네[2] 어미 용언의 어간에 붙어 감동을 나타내거나, 같은 연배나 손아랫사람에게 다소 대접하여 말할 때에 쓰는 종결 어미. ¶비가 오~/꽃이 참 곱~/자네만 믿~.

네:-거리 명 한 지점에서 네 방향으로 갈라져 나간 거리. 십자로(十字路). ¶광화문~/우리 동네 ~에 작은 꽃집이 있다.

***네거티브** (negative) 명 **1** 부정적. 소극적. **2** 사진의 원판. 음화. **3** 반응 검사 등에서 음성임을 나타내는 말. ↔포지티브(positive).

네-까짓 [-짇] 관 '너 따위 하잘것없는'의 뜻으로 경멸하는 말. ¶~ 놈이 뭘 안다고.

네:-다리 명 ⟨속⟩ 뻗거나 오그리고 잘 때의 팔과 다리. ¶~ 쭉 뻗고 자게 됐다.

네:-다섯 [-섣] 수관 넷이나 다섯. ¶바구니에 생선 ~ 마리가 담겨 있다.

네:-댓 [-댇] 수관 넷이나 다섯.

네:댓-새 [-댇쌔] 명 나흘이나 닷새가량. ¶일이 끝나려면 ~ 걸릴 것이다.

네-뚜리 명 사람이나 물건을 업신여겨 대수롭지 않게 보는 일. ¶~로 알다.

네:-모 명 **1** 네 개의 모. **2** 〖수〗 사각형.

네:모-꼴 명 사각형.

네:모-나다 형 모양이 네모꼴로 되어 있다. ¶종이를 네모나게 접다.

네:모-반듯하다 [-드타-] 형여불 네모지게 반듯하다. ¶옷을 네모반듯하게 접어 놓다.

네:모-지다 형 모양이 사각형으로 되어 있다. 네모나다. ¶네모진 도시락.

네:-발 명 짐승의 네 개의 발.

네:발-걸음 명 두 손을 바닥에 짚고 엎드려 기는 일.

네:발-짐승 명 네 개의 발을 가진 짐승《소·말·돼지·개 따위》.

네안데르탈-인 (Neanderthal人) 명 1856년 독일 네안데르탈의 석회암 동굴에서 두개골이 발견된 화석 인류《지금의 인류와 유인원의 중간 형질을 갖춤》.

네온 (neon) 명 〖화〗 희유 기체 원소의 하나. 대기 중에 극소량으로 존재하는 무색·무미·무취의 기체로 화학적으로 불활성이어서 화합물이 거의 없음. 방전관에 넣으면 아름다운 색을 냄. [10번 : Ne : 20.183]

네온-사인 (neon sign) 명 유리를 필요한 모양대로 구부리고 전극을 통한 네온관을 만들어서 여러 가지 빛을 내도록 하는 장치. 광고용·장식용으로 씀.

네트 (net) 명 **1** 테니스·배구·탁구·배드민턴 따위 구기(球技)에서 쓰는 그물. **2** 축구·핸드볼·아이스하키 따위에서 골문 뒤쪽에 치는 그물.

네트워크 (network) 명 **1** 라디오·텔레비전의 방송망. **2** 〖컴〗 랜(LAN)·모뎀 등을 이용한 컴퓨터 통신망.

네트워크 컴퓨터 (network computer) 개인용 컴퓨터의 다양한 기능 중에서 컴퓨터 통신과 인터넷 기능만을 갖도록 만든 저가형(低價型) 컴퓨터.

네티즌 (netizen) 명 통신망(=network)과 시민(=citizen)의 합성어. 인터넷 따위 컴퓨터 통신망을 이용하는 사람.

넥타 (nectar) 명 과일을 으깨어서 만든 진한 주스. ¶사과 ~.

넥타이 (necktie) 명 와이셔츠의 깃 밑으로 둘러 매듭을 지어 앞으로 늘어뜨리거나 나비 모양으로 매듭을 만드는 천. ¶양복 색깔과 잘 어울리는 ~. ㊥타이.

***넷:** [넫] 수 셋에 하나를 더한 수효. 사(四).

넷:-째 [넫-] ㊀수관 네 번째. ㊁명 네 개째. ¶벌써 ~를 먹고 있다.

-녀 (女) 미 일부 한자어 뒤에 붙어, 그러한 여성임을 나타냄. ¶독신~/유부~/약혼~/이혼~.

***녀석** 의명 **1** 남자를 낮추어 일컫는 말. ¶나쁜 ~/사내 ~이 겁이 많군. **2** 사내아이를 귀엽게 일컫는 말. ¶손자 ~/고 ~ 참 영리하구나.

년 의명 여자를 낮잡아 일컫는 말. ¶못된 ~/망할 ~. ↔놈.

***년** (年) 의명 (주로 한자어 뒤에 쓰여) '해'를 세는 단위. ¶오십 ~/그와 헤어진 지 삼 ~이 되었다.

-년 (年) 미 일부 명사 뒤에 붙어, 그러한 해임을 나타내는 말. ¶안식~/갑자~.

녘 [녁] 의명 어떤 때의 무렵이나 어떤 방향·지역을 가리키는 말. ¶동~/동틀 ~/황혼 ~에 고향에 도착했다.

노 명 실·삼·종이 따위를 가늘게 비비거나 꼰 줄. 노끈. ¶~를 꼬다.
노가 실이 되도록 구 끈질기게 조르거나 되풀이해서 말을 늘어놓는 모양.

***노** (櫓) 명 물을 헤쳐 배를 나아가게 하는 기구《단단한 나무의 아래 끝을 얇게 다듬어 만듦》. ¶~를 젓다.

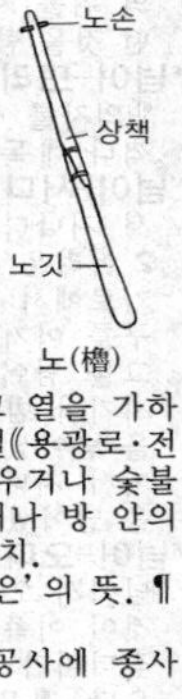

노손
상책
노깃
노(櫓)

노 (爐) 명 **1** 가공할 원료를 넣고 열을 가하여 녹이거나 굽거나 하는 시설《용광로·전기로·원자로 따위》. **2** 불을 피우거나 숯불 등을 담아 두어, 물건을 데우거나 방 안의 공기를 덥게 하는 데에 쓰는 장치.

노:- (老) 두 '늙은'·'나이가 많은'의 뜻. ¶~총각/~부부.

노가다 (←일 どかた) 명 토목 공사에 종사하는 막벌이 노동자. 노동자.

노가리 명 명태의 새끼.

노 게임 (no game) 야구에서, 날씨 따위로 중단되어 경기가 무효가 되는 일.

노:견 (路肩) 명 갓길.

노:경 (老境) 명 늙어서 나이가 많은 때. 늙바탕. ¶ ~에 접어들다.

노고 (勞苦) 명 하자 힘들여 수고하고 애씀. ¶ ~에 보답하다 / ~를 위로하다.

노곤-하다 (勞困-) 형 여불 피곤하여 나른하다. ¶ 노곤한 몸을 잠깐 쉬다. **노곤-히** 부

노골 (露骨) 명 숨기지 않고 모두 있는 그대로 드러냄.

노골-적 (露骨的)[-쩍] 관 명 숨기지 않고 있는 그대로 드러낸 (것). ¶ ~(인) 표현 / ~으로 금품을 요구하다 / ~으로 불만을 드러내다.

노골-화 (露骨化) 명 하자 하타 노골적이 됨. 노골적으로 함. ¶ 지역 감정이 ~되다 / 침략 야욕을 ~하다.

노광 (露光) 명 노출(露出) 2.

노:구 (老嫗) 명 노파.

노:구 (老軀) 명 늙은 몸. ¶ ~를 이끌고 반핵 시위에 나서다.

노구-거리 명 둘 다 안으로 꼬부라졌으나 하나는 높고 하나는 낮은 쇠뿔.

노구-메 명 〖민〗 산천의 신령에게 제사 지내기 위하여 노구솥에 지은 메밥.

노구-솥 [-솓] 명 놋쇠나 구리쇠로 만든 작은 솥《자유로이 옮겨 따로 걸고 쓸 수 있음》. ¶ ~을 걸다. 준노구.

노구솥

노:국 (老菊) 명 핀 지 오래되어 빛이 날고 시들어 가는 국화.

노굿 [-굳] 명 콩·팥 따위의 꽃.

노굿이 일다 구 콩·팥 따위의 꽃이 피다.

노그라-지다 자 **1** 몹시 피곤하여 힘없이 되다. ¶ 격무에 지쳐 완전히 노그라졌다. **2** 어떤 일에 마음이 쏠려 정신을 못 차리다.

노글-노글 [-로-] 부 하형 좀 무르게 노긋노긋한 모양.

노:기 (老妓) 명 늙은 기생.

노:기 (怒氣) 명 성이 난 얼굴빛. 또는 화가 난 기색. ¶ ~를 띠다 / ~가 등등하다 / 얼굴에 ~가 서리다.

노:기등등-하다 (怒氣騰騰-) 형 여불 노기가 얼굴에 가득하다.

노:기충천-하다 (怒氣衝天-) 형 여불 성이 하늘을 찌를 듯이 잔뜩 치받쳐 있다.

노깡 (←일 どかん) 명 〈속〉 토관(土管). ¶ ~을 묻다.

노-끈 명 노.

노:년 (老年) 명 늙은 나이. 늙은 때. ¶ ~에 접어든 나이.

노:년-기 (老年期) 명 나이 먹어 늙은 시기. ¶ 특히 ~에는 건강에 신경을 써야 한다.

노농 (勞農) 명 노동자와 농민.

노느다 〔노느니, 노나〕 타 같은 물건을 여러 몫으로 가르다. ¶ 이익을 노나 가지다 / 재산을 노나 주다. 준논다.

노느-매기 명 하타 물건을 여러 몫으로 노느는 일. 또는 그렇게 노는 몫.

노느-몫 [-목] 명 물건을 갈라 노느는 몫.

노느-이다 자 《'노느다'의 피동》 여러 몫으로 나누어지다. 준노늬다.

노:는-계집 [-/-게-] 명 기생·갈보·색주가 등의 총칭. 논다니.

노:-닐다 〔노니니, 노니오〕 자 한가히 이리저리 다니며 놀다. ¶ 저녁 무렵 공원에서 한가로이 ~.

노다지 명 **1** 〖광〗 광물이 막 쏟아져 나오는 광맥. ¶ ~를 캐다. **2** 한 군데서 이익이 많이 쏟아져 나오는 곳. 또는 그러한 일.

노닥-거리다 자 일을 하지 않고 쓸데없이 자꾸 노닥이다. ¶ 오랜만에 친구들과 노닥거리느라 시간 가는 줄 몰랐다. **노닥-노닥**[1] [-당-] 부 하자

노닥-노닥[2] [-당-] 부 하형 낡아서 해진 자리를 깁거나 덧붙인 모양. 큰누덕누덕.

[노닥노닥 기워도 마누라 장옷] 지금은 헐고 보잘것없으나 처음엔 좋았다는 뜻.

노닥-대다 자 노닥거리다.

노닥-이다 자 잔재미 있게 말을 늘어놓다.

노대 (露臺) 명 **1** 서양 건축에서, 방 바깥에 지붕이 없이 높고 드러나게 지은 대. 발코니. 테라스. **2** 공연이나 행사 따위를 하기 위하여 지붕이 없이 판자로 깔아서 만든 무대.

노:-대가 (老大家) 명 나이가 많고 오랜 경험을 쌓은, 그 방면의 대가. ¶ 서예의 ~.

노대-바람 명 〖기상〗 풍력 계급 10의 바람. 초속 24.5–28.4 m로 부는 바람으로 나무가 뽑히고 건물에 상당한 피해가 발생함. 전강풍(全強風). ☞풍력 계급.

노:도 (怒濤) 명 무섭게 밀려오는 큰 물결. ¶ 군중들의 물결이 ~처럼 밀려들었다.

노:독 (路毒) 명 먼 길에 지치고 시달려 생긴 피로나 병. ¶ ~이 쌓이다 / ~을 풀다. *여독(旅毒).

노동 (勞動) 명 하자 **1** 몸을 움직여 일을 함. ¶ ~으로 생계를 꾸리다. **2** 〖경〗 사람이 그 생존에 필요한 물자를 얻기 위해 육체적·정신적 노력을 들이는 행위. ¶ 임금은 ~의 대가이다.

노동-권 (勞動權)[-꿘] 명 근로권(勤勞權).

노동 기본권 (勞動基本權)[-꿘] 근로 기본권.

노동-력 (勞動力)[-녁] 명 〖경〗 생산품을 만드는 데에 소요되는 인간의 정신적·육체적인 모든 능력.

노동-법 (勞動法)[-뻡] 명 〖법〗 노동자의 생활 향상을 목적으로 하는 법의 총칭《노동조합법·노동 쟁의 조정법·근로 기준법·노동 위원회법 따위》.

노동-부 (勞動部) 명 〖법〗 행정 각부의 하나. 근로 조건의 기준, 직업 안정·직업 훈련·실업 대책·산업 재해 보상 보험, 근로자의 복지 후생, 노사 관계의 조정 따위의 노동에 관한 사무를 맡아 처리함.

노동 삼권 (勞動三權)[-꿘] 〖법〗 헌법에 명시된 노동자의 세 가지 기본 권리《단결권·단체 교섭권·단체 행동권》.

노동 삼법 (勞動三法)[-뻡] 〖법〗 근로 기준법·노동조합법·노동 쟁의 조정법의 세 법률.

노동 시:장 (勞動市場) 노동력을 둘러싼 수요와 공급이 상호 작용하고 교섭하는 관계에서 성립되는 시장.

노동-요 (勞動謠) 명 〖문〗 노동을 하면서 부르는 민요. 여러 사람이 공동으로 일을 할 때, 일의 능률을 높이고 즐겁게 하기 위하여 부르는 노래.

노동 운:동 (勞動運動) 노동자가 단결하여 자기들의 경제적·사회적 지위의 안정·향상을 확보하려는 운동.
노동-자 (勞動者) 명 **1** 육체노동을 해서 그 임금으로 살아가는 사람. **2** 노동력을 제공하여 그 보수로 받는 임금·급료 및 그 밖의 수입으로 살아가는 사람. 사무를 보는 사람도 이에 포함함. 근로자.
노동 쟁의 (勞動爭議)[-/-이] 노동자와 자본가 사이에 임금·노동 조건·노동 시간 따위에 관한 이해의 대립으로 일어나는 분쟁.
노동-절 (勞動節) 명 '근로자의 날'의 전 이름.
노동-조합 (勞動組合) 명 노동자가 자주적으로 노동 조건의 유지·개선 및 사회적 지위를 향상시키기 위하여 조직하는 단체. 준노조.
노두 (蘆頭) 명 인삼·더덕·도라지 등의 뿌리에서, 싹이 나오는 대가리 부분.
노두 (露頭) 명 〖광〗 바윗돌이나 광상(鑛床)이 땅거죽에 드러난 부분.
노:둔-하다 (老鈍-) 형 여불 늙어서 재빠르지 못하고 둔하다. **노:둔-히** 부
노둔-하다 (鹵鈍-·魯鈍-·駑鈍-) 형 여불 둔하고 어리석다. ¶노둔한 사람. **노둔-히** 부
노:둣-돌 [-두똘/-둗똘] 명 말에 오르거나 내릴 때에 발돋움으로 쓰려고 대문 앞에 놓은 큰 돌. 하마석(下馬石).
노드 (node) 명 〖컴〗 데이터 통신망에서, 데이터를 전송하는 통로에 접속되는 하나 이상의 기능 단위.
노-드리듯 [-듣] 부 빗발이 노끈을 드리운 것같이 죽죽 쏟아지는 모양. ¶소나기가 ~ 퍼붓고 있다.
노:들-나루 [-라-] 명 〔←노돌나루〕 〖지〗 서울 노량진의 옛 이름.
-노라 어미 **1** 자기 동작을 위엄 있게 말할 때의 종결 어미. ¶님을 그리~. **2** 어떤 사실을 위엄 있게 선언하거나 공포할 때 쓰는 종결 어미. ¶목숨이 다하도록 싸우겠~ / 나는 이겼~. *-로라.
-노라고 어미 말하는 본인이 자신의 행동에 대하여 '…한다고·-노라 하고'의 뜻으로 쓰는 연결 어미. ¶하~ 했는데 이 꼴이오 / 잘 쓰~ 쓴 것인데.

> **'하노라고'와 '하느라고'**
>
> **하노라고** 말하는 사람 자신의 일에 대하여 사용하는 말로, '자기 나름으로는 한다고'를 뜻한다. 예 하노라고 한 것이 이 모양이다.
> **하느라고** '하는 일 때문에'를 뜻하며 말하는 사람의 일에 국한되지 않고 두루 사용된다. 예 공부하느라고 밤을 새웠다.

-노라니 어미 자기의 동작을 말할 때의 연결 어미(('-려고 하니까'와 같은 이유·원인·조건의 뜻으로 씀)). ¶가~ 갑자기 비가 오더라 / 보고만 있~ 마음이 답답하다.
노라리 명 건달처럼 건들건들 놀며 세월만 허비하는 짓. 또는 그런 사람을 속되게 이르는 말. ¶~ 생활을 하다.
-노라면 어미 '하다가 보면 언젠가는'·'계속한다면'의 뜻인 연결 어미. ¶열심히 공부하~ 성공할 때가 오겠지.
노란-빛 [-빋] 명 노란 빛깔. 큰누른빛.
***노랑** 명 노란 빛이나 물감. 큰누렁.
노랑-나비 명 〖충〗 흰나빗과의 곤충. 편 날개 길이 4-6 cm, 빛은 황색, 앞뒤 날개의 가장자리에 넓은 흑색 부분이 있고 그 안에 황색 무늬가 있음. 애벌레는 콩과 식물의 해충임.
노랑-이 명 **1** 도량이 좁고 인색한 사람의 별명. **2** 노란빛의 물건. 큰누렁이. **3** 털빛이 노란 개.
***노:랗다** [-라타] 〔노라니, 노라오〕 형 ㅎ불 **1** 밝고 선명하게 노르다. ¶은행잎이 노랗게 물들었다 / 노란 꽃이 피었다. 큰누렇다. **2** 얼굴이 핏기가 없고 노르스름하다. **3** 〈속〉 매우 위축되거나 시들어 기세가 꺾여 있다. ¶싹수가 ~ / 노랗게 시들다.
***노래** 명 하자타 **1** 가사에 곡조를 붙인 것. 또는 그것을 소리 내어 부름. ¶목청껏 ~를 부르다. **2** 새 따위가 지저귀는 소리. ¶참새들이 ~를 부르며 담장 위에 앉아 있다. **3** 운율이 있는 언어로 표현함. 또는 그런 예술 작품. ¶그의 시는 자연을 ~하고 있다. **4** 같은 말을 자꾸 되풀이하여 졸라 댐. ¶아들놈이 장난감 로봇을 사 달라고 며칠 전부터 ~를 부르고 있다.
노래기 명 〖동〗 배각류(倍脚類)의 절지동물의 총칭. 습기가 많은 낙엽 밑이나 초가 지붕에 많이 삶. 20-30개의 마디로 된 몸통의 각 마디에 두 쌍의 짧은 다리가 있음. 건드리면 둥글게 말리며 고약한 노린내가 남. 향랑각시.
[노래기 회도 먹겠다] 염치도 체면도 없이 치사스럽게 구는 사람의 비유.
노래미 명 〖어〗 쥐노래밋과의 바닷물고기. 연안에 사는데, 몸길이 30-60 cm, 머리는 뾰족하며 몸빛은 황색을 띤 갈색에 암갈색의 불규칙한 무늬가 있음.
노래-방 (-房) 명 노래를 부를 수 있게 비디오 화면에 가사를 보여 주고 음악 반주를 해 주는 기계를 설치해 놓은 곳.
노:래-지다 자 노랗게 되다. ¶배가 너무 아파 얼굴이 ~. 큰누레지다.
노랫-가락 [-래까-/-랟까-] 명 〖악〗 노래의 곡조. ¶구성진 ~.
노랫-말 [-랜-] 명 노래의 내용이 되는 글귀. 가사(歌詞). ¶아름다운 ~을 짓다.
노랫-소리 [-래쏘-/-랟쏘-] 명 노래를 부르는 소리.
노략 (擄掠) 명하타 떼를 지어 돌아다니며 사람 또는 재물을 강제로 빼앗아 감.
노략-질 (擄掠-) 명하타 노략하는 짓. ¶~을 일삼다.
노:량-으로 부 어정어정 놀아 가면서. 느릿느릿한 행동으로.
노-런 (no+run) 명 야구에서, 러너가 나가지 못함. 또는 나가도 득점에 연결이 안 됨. ¶노히트 ~.
노려-보다 타 **1** 매서운 눈초리로 쏘아보다. ¶무서운 눈으로 ~. **2** 탐이 나서 눈독을 들여 겨누어 보다. ¶고양이가 쥐를 ~.
***노력** (努力) 명하자 애를 쓰고 힘을 들임. ¶~을 기울이다 / 각고의 ~을 쏟다 / 첨단 기

술 개발에 ~하다.
노력 (勞力) 명하자 **1** 힘들여 일함. **2** 〖경〗 생산을 위해 힘쓰는 몸과 정신의 활동.
노:련-미 (老鍊味) 명 많은 경험을 쌓아 어떤 일에 아주 익숙하고 능란한 솜씨. ¶~를 풍기는 요리사의 손놀림.
노:련-하다 (老鍊-) 형여불 오랫동안 경험을 쌓아 익숙하고 능란하다. 노숙(老熟)하다. ¶노련한 수법 / 노련한 게임 운영 / 노련한 외교가. **노:련-히** 부
노:령 (老齡) 명 늙은 나이. ¶80세의 ~에도 불구하고 쉬지 않고 활동하는 노정치가.
노:령화 지수 (老齡化指數) 0세부터 14세까지의 어린이 인구에 대한 65세 이상의 노인 인구의 비율.
노:론 (老論) 명 〖역〗 조선 때, 사색당파의 하나. 서인에서 갈라진 송시열(宋時烈) 등의 일파. ↔소론(少論).
노루 명 〖동〗 사슴과의 짐승. 산·구릉 지대에 삶. 사슴과 비슷하나 어깨 높이 65–86 cm, 뿔은 짧고 가지가 셋인데, 겨울에 빠졌다가 봄에 다시 남.
[노루가 제 방귀에 놀라듯] 침착하지 못하고 놀라기 잘하며 겁 많은 사람의 비유.
[노루 피하니 범이 온다] 점점 더 어렵고 힘든 일이 닥친다.
노루 꼬리만 하다 구 매우 짧다.
노루 잠자듯 구 ㉠깊이 잠들지 못하고 여러 번 깨어남을 이르는 말. ㉡조금밖에 못 잤다는 말.
노루-목 명 노루가 지나다니는 길목. ¶~에 덫을 놓다.
노루-발 명 **1** 쟁기의 볏 뒷면 아래쪽에 삼각형으로 되고 삼각형 구멍이 있는 두 물건. **2** 재봉틀에서, 바느질감을 눌러 주는 두 갈래로 갈라진 부품.
노루발-장도리 명 한쪽 끝은 못을 박는 데 쓰게 되고, 한쪽 끝은 못을 빼는 데 쓰도록 만든 장도리.
노루-잠 명 깊이 들지 못하고 자주 놀라 깨는 잠.
노:류-장화 (路柳墻花) 명 아무나 쉽게 꺾을 수 있는 길가의 버들과 담 밑의 꽃이라는 뜻으로, 창녀나 기생을 이름.
노르께-하다 형여불 곱지도 짙지도 않게 노르다. 노리끼리하다. ¶핏기 없는 노르께한 얼굴. ㉷누르께하다.
노르끄레-하다 형여불 노르께하다.
노르끄름-하다 형여불 조금 어둡게 노르스름하다. **노르끄름-히** 부
노르다 〔노르니, 노르러〕 형러불 황금이나 놋쇠의 빛깔같이 노랗다. ㉷누르다.
노르딕 종:목 (Nordic種目) 스키 경기에서, 거리 경기·점프 경기·복합 경기의 세 종목의 총칭. 노르딕 경기.
노르마 (라 norma) 명 **1** 개인이나 공장에 할당된 노동이나 생산의 최저 기준량. **2** 일반적으로, 근무·노동의 기준량.
노르말 (독 Normal) 의명 〖화〗 용량 분석에서 용액의 농도를 나타내는 단위의 하나. 1리터 속에 용질의 1g 당량을 포함하는 농도를 1노르말이라고 함. 기호는 N.
노르스레-하다 형여불 노르스름하다.
노르스름-하다 형여불 산뜻하고 엷게 노르다. ¶참외가 노르스름하게 익었다. ㉷누르스름하다. **노르스름-히** 부
노른-자 명 '노른자위'의 준말.
노른-자위 명 **1** 〖생〗 알의 흰자위에 둘러싸인 동글고 노란빛의 건 액체. ¶달걀의 ~. **2** 어떤 사물의 가장 중요한 부분. ¶서울 한복판의 ~ 땅. ㊥노른자.
노름 명하자 돈·재물을 걸고 마작·화투·트럼프 따위를 써서 서로 내기를 하는 일. ¶~에 빠지다 / ~으로 전 재산을 날리다.
노름-꾼 명 노름을 일삼는 사람. 도박꾼.
노름-빚 [-삗] 명 노름으로 진 빚.
노름-판 명 노름을 하는 자리. ¶~에 끼다 / ~에서 돈을 다 날리다.
***노릇** [-른] 명 **1** 맡은 바 구실이나, 업으로 삼는 일. ¶선생 ~ / 형 ~도 못하겠다. **2** 어떤 일의 딱한 처지나 형편. ¶귀신이 곡할 ~이다 / 기가 찰 ~이다.
노릇-노릇 [-른-른] 부하형 군데군데 노르스름한 모양. ¶~하게 구운 식빵 / 누룽지가 ~하게 눌었다. ㉷누릇누릇.
노릇-하다 [-르타-] 형여불 노르스름하다. ¶벼이삭이 ~. ㉷누릇하다.
노리개 명 **1** 여자들이 몸치장으로 한복 저고리의 고름이나 치마허리 등에 다는 금·은·주옥 등으로 만든 패물. **2** 심심풀이로 가지고 노는 물건.
노리끼리-하다 형여불 빛깔이 조금 노랗다. 노르께하다. ¶노리끼리한 전등 불빛.
노리다[1] 타 **1** 눈에 독기를 품고 쏘아보다. **2** 어떤 목적을 이루려고 기회를 엿보다. ¶기회를 ~ / 약점을 ~ / 상대의 재산을 노리고 결혼하다.
노리다[2] 형 **1** 털이 타는 냄새나 노래기의 냄새처럼 역겨운 냄새가 있다. **2** 마음 쓰는 것이 인색하고 치사하다. ¶그렇게 노린 사람은 처음 본다.
노리착지근-하다 형여불 노린내가 조금 나는 듯하다. ¶고기 굽는 냄새가 ~. ㉷누리척지근하다. ㊥노리치근하다. **노리착지근-히** 부
노리치근-하다 형여불 '노리착지근하다'의 준말. ㉷누리치근하다. **노리치근-히** 부
노린-내 명 노래기·양·여우 등에서 나는 노린 냄새. ㉷누린내.
노린내(가) 나다 구 인색하고 이해타산이 많은 사람의 태도가 나타나다.
노릿-하다 [-리타-] 형여불 맛이나 냄새가 약간 노리다.
노:망 (老妄) 명하자형 늙어서 망령을 부림. 또는 그 망령. ¶~한 노인 / ~을 부리다 / ~을 떨다 / 날 보고 ~했다고 하니 기가 막힌다.
노:망-기 (老妄氣) [-끼] 명 노망이 난 기미. ¶~가 들다.
노:망-나다 (老妄-) 자 망령스러운 증세가 나타나다.
노:망-들다 (老妄-) 〔-드니, -드오〕 자 노망한 증세가 생기다.
노:면 (路面) 명 길바닥1. ¶비가 와서 ~이 미끄럽다 / ~이 울퉁불퉁하다.
노:모 (老母) 명 늙은 어머니. ¶팔순의 ~ / ~를 봉양하다.
노:목 (老木) 명 오래된 나무. 늙은 나무. 고

목(古木).
노무 (勞務) 명 **1** 급료를 받으려고 육체적 노력을 들이는 노동 근무. **2** 노동에 관련된 사무.
노무-비 (勞務費) 명 사업주가 근로자의 노동에 대하여 지불하는 대가(對價)와 노무 관리를 위하여 들이는 비용의 총칭.
노무-자 (勞務者) 명 노무에 종사하는 사람.
노:문 (路文) 명 〖역〗 조선 때, 벼슬아치가 공무로 지방을 여행할 때, 관리가 이를 곳에 날짜를 미리 알리던 공문.
노박이-로 부 **1** 계속해서 오래 붙박이로. **2** 줄곧 계속적으로. ¶한여름을 ~ 산중 휴양지에서 보내다.
노-박히다 [-바키-] 자 **1** 계속해서 한곳에만 붙박이다. **2** 줄곧 한 일에만 골몰하다.
노:반 (路盤) 명 **1** 도로를 포장하기 위해 땅을 파고 잘 다져 놓은 땅바닥. **2** 철로의 궤도를 부설하기 위한 토대. ¶~을 다지다.
노:발-대발 (怒發大發) 명하자 몹시 화를 냄. ¶사장이 이 사실을 알게 되면 ~할 것이 분명하다.
노:방 (路傍) 명 길가.
노:방-초 (路傍草) 명 길가에 난 풀.
노벨-상 (Nobel賞) 명 1896 년 스웨덴의 화학자 노벨의 유언에 따라 '인류 복지에 가장 구체적으로 공헌한 사람'에게 수여하도록 설정된 상《물리학·화학·생리학 및 의학·문학·경제학·평화상의 6 부문이 있음》.
노:변 (路邊) 명 길가. ¶~에 핀 들국화.
노변 (爐邊) 명 화롯가. 난롯가.
노:병 (老兵) 명 **1** 늙은 병사(兵士). **2** 경험이 많아 노련한 병사.
노:병 (老病) 명 노쇠하여 생기는 병. 노질. ¶그는 ~으로 죽었다.
노복 (奴僕) 명 사내종.
노:복 (老僕) 명 늙은 사내종.
노:부 (老父) 명 **1** 늙은 아버지. **2** 윗사람에게 자기 늙은 아버지를 일컫는 말.
노:부 (老夫) 一명 늙은 남자. 二인대 늙은 남자가 자신을 일컫는 말.
노:부 (老婦) 명 늙은 부인.
노:-부모 (老父母) 명 늙은 부모. ¶~를 극진히 모시다.
노:-부부 (老夫婦) 명 늙은 부부.
노:불 (老佛) 명 〖불〗 늙은 스님의 경칭.
노비 (奴婢) 명 사내종과 계집종의 총칭. 종. ¶~ 문서를 없애다.
노:비 (老婢) 명 늙은 여자종.
노비 (勞費) 명 노동자를 부린 비용. 노임.
노:비 (路費) 명 노자(路資). ¶~가 부족하다.
노:사 (老死) 명하자 늙어 죽음.
노사 (勞使) 명 노동자와 사용자. ¶~ 관계 / ~ 분규 / ~ 협약.
노사 (勞思) 명하자 몹시 근심함.
노사 문:제 (勞使問題) 노동자와 사용자 사이에 이해관계가 충돌하면서 일어나는 여러 가지 문제.
노사 협조 (勞使協調) 노동자와 사용자가 서로 협력과 조화를 꾀하는 일.
노:산 (老産) 명하자 나이 많아서 아이를 낳음. ¶~이라 그저 순산만 바란다.
노:상 (路上) 명 길바닥. 길 위. ¶~ 방뇨.
노상 부 언제나 늘. 변함없이. ¶그는 ~ 젊어 보인다 / ~ 불평만 한다 / 가기만 하면 ~ 집에 없다.
노:상-강도 (路上強盜) 명 길 가는 사람을 협박하여 강제로 재물을 빼앗는 짓. 또는 그런 도둑.
노새 명 〖동〗 수나귀와 암말과의 사이에서 난 변종(變種). 크기는 말만 하나 생김새는 나귀를 닮았음. 몸이 튼튼하고 힘이 세어 무거운 짐과 먼 길에 능히 견딤. 수컷은 생식력이 없음.
노:색 (老色) 명 늙은이가 입기에 알맞은 옷의 빛깔《회색 따위》.
노:생 (老生) 인대 노인이 자기를 낮추어 이르는 말.
노:선 (路線) 명 **1** 버스·기차·비행기 따위가 다니도록 정해 놓은 길. ¶버스 (운행) ~ / 항공 ~. **2** 일정한 목표를 이루기 위한 원칙이나 활동 방침. ¶정치 ~ / 강경 ~ / 당의 ~에 따르다 / 독자적인 ~을 걷다.
노:성 (怒聲) 명 성난 목소리. 크게 야단치는 소리. ¶~을 터뜨리다.
노:성-하다 (老成-) 형여불 **1** 많은 경험을 쌓아 세상 일에 익숙하다. **2** 나이에 비하여 어른 티가 나다.
노:소 (老少) 명 늙은이와 젊은이. ¶~를 막론하고 다 좋아하는 노래.
노:송 (老松) 명 늙은 소나무.
노:송-나무 (老松-) 명 〖식〗 소나뭇과의 상록 교목. 일본 특산인데 높이 30-40 m, 지름 1-2 m 이고 잎은 작은 바늘 모양으로 가지에 빽빽이 남. 목재는 광택이 있고 내수력이 강하여 재목으로 용도가 넓음. 편백.
[노송나무 밑이다] 마음이 음충맞고 우중충함을 비유적으로 이르는 말.
노:쇠 (老衰) 명하형 늙어서 쇠약하여 기운이 없음. ¶~ 현상 / ~한 소라 더 이상 일을 시킬 수 없었다.
노:쇠-기 (老衰期) 명 사람이 나이 들어 심신이 쇠약해지는 시기. ¶~에 들어서다.
노:숙 (老宿) 명 **1** 나이가 많아 경험이 풍부한 사람. **2** 〖불〗 불도에 수양을 많이 쌓은 스님.
노숙 (露宿) 명하자 한데서 잠. 한뎃잠. 한둔. ¶산에서 하룻밤을 ~하다.
노:숙-하다 (老熟-) [-수카-] 형여불 오래 경험을 쌓아 익숙하다. 노련하다. ¶노숙한 솜씨 / 나이보다 훨씬 노숙해 보인다.
노:-스님 (老-) 명 〖불〗 **1** 스승의 스승이 되는 스님. **2** 나이 많은 스님.
노스탤지어 (nostalgia) 명 고향을 그리워하는 마음. 또는 지난 시절에 대한 그리움.
노:승 (老僧) 명 나이가 많은 중.
노:신 (老臣) 一명 늙은 신하. 二인대 늙은 신하가 임금에게 자기를 낮추어 이르는 말.
노심 (勞心) 명하자 마음으로 애를 씀. ¶오래 ~한 끝에 결정을 내리다.
노심-초사 (勞心焦思) 명하자 몹시 마음을 쓰며 애를 태움. ¶거짓말이 탄로날까 봐 ~하다.
노 아웃 (no out) 야구에서, 공격측에 아웃이 없음. 무사(無死).
노:안 (老眼) 명 늙어서 수정체(水晶體)의

탄성(彈性)과 굴절력이 줄어, 원근에 의한 초점 거리 조절력이 약해져서 가까운 곳이 잘 보이지 아니하는 일. 또는 그런 눈. 노시(老視).

노:안 (老顔) 명 노인의 얼굴. 또는 노쇠한 얼굴. ¶ ~을 뒤덮은 백발.

노:약 (老弱) 명 늙은이와 약한 사람. **――하다** [-야카-] 형여불 늙어서 기운이 약하다.

노:약-자 (老弱者) 명 늙은이와 약한 사람. ¶ ~ 보호석 / ~에게 자리를 양보하다.

노:여움 명 노여운 마음. 노혐(怒嫌). ¶ ~을 풀다. 준노염.

노여움(을) 사다 구 다른 사람을 노엽게 하여 자기가 그 영향을 받다. 노염(을) 사다. ¶ 노여움을 살까 두렵다.

노:여워-하다 자타여불 마음에 분하고 섭섭해하다. ¶ 내 거짓말에 부모님께서는 굉장히 노여워하셨다.

노:역 (老役) 명 연극이나 영화 따위에서 노인의 역. ¶ 항상 ~만 맡아서 진짜로 노인인 줄 안다.

노역 (勞役) 명하자 아주 수고로운 육체노동. ¶ ~에 시달리다.

노:염 명 '노여움'의 준말. ¶ ~을 타다. [노염은 호구별성(戶口別星)인가] 노염을 잘 타는 사람을 빗댄 말.

노염(을) 사다 구 노여움(을) 사다.

노:염 (老炎) 명 늦더위.

노:엽다 [노여우니, 노여워] 형ㅂ불 마음에 분하고 섭섭하다. ¶ 너무 노엽게 생각지 마세요.

***노예** (奴隷) 명 **1** 지난날, 완전한 권리·자유가 인정되지 않고 남의 지배 밑에서 강제로 일하며 매매·양도의 대상이 되었던 사람. ¶ ~로 삼다 / ~로 팔리다. **2** 인간으로서의 권리나 자유를 빼앗긴 사람. **3** 어떤 이기적인 목적을 위해 인격의 존엄성도 스스로 버리는 사람. ¶ 돈의 ~가 된 현대인.

노예-근성 (奴隷根性) 명 무엇이든지 남의 말에 의지하고 자신의 생각으로 행동하지 못하는 성질. ¶ ~에서 벗어나지 못하다.

노예 제:도 (奴隷制度) 생산 노동의 담당자가 노예인 사회 제도.

노-오라기 명 노끈의 작은 동강. 준노오리.

노:옥 (老屋) 명 지은 지 오래된 낡은 집.

노:옹 (老翁) 명 늙은 남자. 노수(老叟).

노:유 (老幼) 명 늙은이와 어린이.

***노을** 명 해가 뜨거나 질 무렵에 공중의 수증기가 햇빛을 받아 하늘이 벌겋게 보이는 현상. ¶ 저녁 ~ / ~이 지다 / ~로 물든 서편 하늘을 바라보았다. 준놀.

노을-빛 [-삗] 명 노을이 질 때와 같이 불그스름한 빛.

노이로제 (독 Neurose) 명 〖의〗 불안·과로·갈등·억압 등의 감정 체험이 원인이 되어 일어나는 신체적 병증의 총칭《신경증·히스테리 따위》.

노이만형 컴퓨터 (Neuman型 computer) 노이만(Neumann, J.L.von ; 1903-57)의 원리를 바탕으로 한 컴퓨터. 소프트웨어에 의한 프로그램 내장 방식, 명령의 순차적 실행 따위를 특징으로 하며, 현재 대부분의 컴퓨터가 이런 형태로 구성되어 있음. ↔ 비노이만형 컴퓨터.

노이즈 (noise) 명 **1** 소음. **2** 잡음. 특히, 라디오·텔레비전·레코드 등의 잡음.

노:-익장 (老益壯) 명 나이가 들었어도 의욕이나 기력이 젊은이 못지않게 왕성함. ¶ ~을 과시하다.

***노:인** (老人) 명 늙은이. ¶ 팔십이 넘은 ~ / ~을 공경하다.

노:인-네 (老人-) 명 늙은이. ¶ ~ 취급을 받다.

노:인성 치매 (老人性癡呆) [-썽-] 〖의〗 뇌의 노화로 말미암아 일어나는 정신병의 하나. 지능이 떨어지고 이해력·기억력 따위가 감퇴함.

노:인-장 (老人丈) 명 노인을 높여 이르는 말.

노:인-정 (老人亭) 명 노인들이 모여 쉴 수 있도록 마련해 놓은 정자나 시설.

노임 (勞賃) 명 〖경〗 노동에 대한 보수. 품삯. ¶ ~이 비싸게 들다.

노:자 (路資) 명 먼 길을 오가는 데 드는 돈. 노비. ¶ ~가 떨어지다 / ~를 마련하다.

노작 (勞作) 명하자타 **1** 힘들여 부지런히 일함. **2** 애쓰고 노력해서 이룸. 또는 노력을 들여 만든 작품. 역작(力作). ¶ A씨의 ~ 소설 / 오랜 각고 끝에 완성된 ~.

노작지근-하다 형여불 몸에 힘이 없고 맥이 풀려 나른하다. ¶ 운동 후 목욕을 하니 온몸이 ~. 준노자근하다.

노:잣-돈 (路資-) [-자똔 / -잗똔] 명 **1** 먼 길을 오가는 데 드는 돈. **2** 죽은 사람이 저승길에 편히 가라고 상여 등에 꽂아 주는 돈.

노:장 (老壯) 명 노년(老年)과 장년(壯年). ¶ ~파(派).

노:장 (老莊) 명 노자(老子)와 장자(莊子). ¶ ~ 사상(思想).

노:장 (老將) 명 **1** 늙은 장수. **2** 싸움에 경험이 많은 노련한 장군. **3** 어떤 분야에서 많은 경험을 쌓아 노련한 사람. ¶ ~ 선수. [노장은 병담(兵談)을 아니하고 양고(良賈)는 심장(深藏)한다] 어진 사람은 뛰어난 재주나 덕을 함부로 자랑하지 않는다.

노:적 (露積) 명하타 곡식 따위를 한데에 쌓아 둠. 또는 그런 물건. ¶ 넓은 공터에 석탄을 ~해 두다.

노적 담불에 싸이었다 구 곡식을 많이 쌓아 두고 있다는 말.

노:적-가리 (露積-) 명 한데에 쌓아 둔 곡식 더미. ¶ 마당에 ~를 쌓아 놓다. [노적가리에 불 지르고 싸라기 주워 먹는다] 큰 것을 잃고 작은 것을 아끼는 사람의 비유.

노점 (露店) 명 길가의 한데에 벌여 놓은 가게. ¶ ~ 상인(商人).

노점 (露點) [-쩜] 명 〖물〗 이슬점.

노점-상 (露店商) 명 노점을 벌여 놓고 하는 장사. 또는 그런 장사를 하는 사람. ¶ 명동 밤거리에는 ~이 하나 둘씩 들어서기 시작했다.

노:정 (路程) 명 **1** 목적지까지의 거리. 또는 목적지까지 걸리는 시간. **2** 거쳐 지나가는 길이나 일정. ¶ 험난한 ~.

노정 (露呈) 명하타 겉으로 다 드러내어 보임. ¶ 내부의 불화가 ~되다.

노조 (勞組) 명 '노동조합'의 준말. ¶ ~ 활동 / ~원(員) / ~를 결성하다.

노주 (露酒) 명 이슬처럼 받아 내린 술이라는 뜻으로, 소주(燒酒)의 딴 이름.

노:중 (路中) 명 **1** 길 가운데. **2** 길 가는 도중. ¶~에 만나다.

노즐 (nozzle) 명 통 모양으로 되어 끝 부분의 작은 구멍에서 액체나 기체를 내뿜는 장치의 일반적 통칭.

노지 (露地) 명 지붕 따위로 덮거나 가리지 않은 땅. ¶~ 재배.

노-질 (櫓-) 명하자 노를 저어 배를 부리는 일. ¶힘에 겨워 ~을 잠시 멈추다.

노:-처녀 (老處女) 명 혼인할 나이가 훨씬 지난 처녀. ¶전문직 여성이 늘어남에 따라 ~도 늘어나고 있다. ↔노총각.

노천 (露天) 명 한데². ¶~강당 / ~ 시장.

노천-굴 (露天掘) 명 〔광〕 갱(坑)을 만들지 않고 지표에서 바로 광물을 캐내는 일.

노천-극장 (露天劇場) 명 한데에 임시로 무대를 마련한 극장. 야외(野外)극장. ¶~에서 록 콘서트 공연이 열린다.

노:-총각 (老總角) 명 결혼할 나이가 훨씬 지난 총각. ↔노처녀.

노출 (露出) 명하자타 **1** 밖으로 드러나거나 드러냄. ¶~ 광맥 / 허점을 ~하다 / 감정을 ~하다 / 위험에 ~되다 / 여름이면 ~이 심해진다. **2** 사진술에서, 촬영할 때 필름·건판(乾板) 등의 감광면(感光面)에 적당한 양의 빛을 쬐는 일. ¶~ 부족.

노출-증 (露出症)[-쯩] 명 성적 도착(性的倒錯)의 하나. 특히 성기(性器)를 이성에게 보임으로써 성적·심리적 만족을 얻는 일.

노:친 (老親) 명 **1** 늙은 부모. **2** 나이가 지긋한 부인.

노-코멘트 (no comment) 명 의견이나 논평 또는 설명을 요구하는 물음에 답변하지 않는 일. ¶~로 일관하다.

노크 (knock) 명하자타 **1** 방에 들어가기 전에 가볍게 문 따위를 두드림. **2** 야구에서, 수비 연습을 하기 위하여 공을 침.

노-타이 (no+tie) 명 **1** '노타이셔츠'의 준말. **2** 와이셔츠에 넥타이를 매지 않은 차림.

노타이-셔츠 (no tie+shirts) 명 넥타이를 매지 않고 입는 셔츠. ㊟노타이.

노트 (note) 명하타 **1** 공책. ¶강의 ~. **2** 어떤 내용을 잊지 않으려고 적음. ¶강의 내용을 매 시간마다 ~하다.

노트 (knot) 의명 배의 속도를 나타내는 단위. 한 시간에 1해리, 곧 1,852 m를 달리는 속도를 1노트라 함.

노트-북 (notebook) 명 **1** 공책. **2** 노트북 컴퓨터.

노트북 컴퓨터 (notebook computer) 대학노트 크기의 휴대용 컴퓨터.

노:-티 (老-) 명 늙어 보이는 모양. 늙은 티. ¶~가 나다.

노:파 (老婆) 명 늙은 여자. 할머니. 할멈.

노파리 명 삼·종이·짚 따위로 꼰 노로 결은 신《겨울에 집 안에서 신음》.

노파리

노:파-심 (老婆心) 명 어떤 일에 대하여 지나치게 걱정하는 마음. ¶~에서 하는 말이지만 인적 없고 어두운 곳에는 가지 마라.

노:폐-물 (老廢物)[-/-폐-] 명 **1** 낡아서 쓸모가 없게 된 물건. **2**〔생〕생체 안에서 물질 대사(代謝)의 결과로 생겨 몸 밖으로 배출되는 물질.

노:폐-하다 (老廢-)[-/-폐-] 형여불 낡거나 늙어서 쓸모가 없다.

노:폭 (路幅) 명 도로의 너비. ¶~이 좁다.

노:-하다 (怒-) 자여불 '성내다'의 높임말. ¶불같이 ~.

노-하우 (미 know-how) 명 〔경〕 특허되지 아니한 기술로서 기술 경쟁의 유력한 수단이 될 수 있는 정보나 경험.

노해 명 바닷가에 펼쳐진 들판.

노해-작업 (撈海作業) 명 바다 속에 떠다니거나 바다 밑에 쌓여 있는 물질을 건져 내는 작업.

노현 (露見·露顯) 명하타 겉으로 나타내어 보여 줌.

노:혐 (怒嫌) 명 노여움. ¶~을 타다.

노:형 (老兄) 인대 처음 만났거나 그다지 가깝지 않은 남자 어른들 사이에서 서로 상대편을 대접하여 부르는 말.

노:호 (怒號) 명하자 **1** 성내어 소리 지름. 또는 그 소리. ¶군중이 ~하고 있다. **2** 바람이나 파도가 세찬 소리를 냄. 또는 그 소리. ¶~하는 바람 소리.

노:화 (老化) 명하자 **1** 나이가 들어 생물의 성질이나 기능이 쇠퇴함. ¶~ 현상 / ~ 방지. **2**〔화〕콜로이드 용액이나 고무 따위가 시간의 경과에 따라 점성(粘性)·탄성(彈性) 및 기타의 성질이 변하는 현상.

노:환 (老患) 명 '노병(老病)'의 높임말. ¶~으로 고생하시다.

노:회-하다 (老獪-) 형여불 경험이 많고 교활하다. ¶노회한 정치가.

노획 (鹵獲) 명하타 싸워서 적의 군용품을 빼앗음. ¶~한 전리품.

노획 (虜獲) 명하타 적을 사로잡음.

노획-물 (鹵獲物)[-획-] 명 싸워서 빼앗은 물건. 노획품(鹵獲品).

노:후 (老朽) 명하형 오래되어서 쓸모가 없음. ¶~한 시설.

노:후 (老後) 명 늙은 뒤. ¶~의 생활 설계 / ~ 대책을 마련하다.

노:후화 (老朽化) 명하자 오래되거나 낡아서 쓸모가 없게 됨. ¶~된 시내버스.

노히트 노런 (no-hit+no-run) 야구에서, 안타도 없고 득점도 하지 못한 상황.

녹 (祿) 명 '녹봉(祿俸)'의 준말.

녹(을) 먹다 구 벼슬아치가 되어 녹봉을 받다.

녹 (綠) 명 〔화〕 산화 작용으로 쇠붙이의 표면에 생기는 물질. ¶~을 닦다 / ~이 시뻘겋게 슬다.

녹각 (鹿角) 명 사슴의 뿔.

녹-나다 (綠-)[농-] 자 쇠붙이가 산화하여 빛이 변하다. 녹슬다.

녹-내 (綠-)[농-] 명 쇠붙이에 생긴 녹의 냄새. ¶~가 나다.

녹-내장 (綠內障)[농-] 명 〔의〕 과로·수면 부족 등으로 시력이 감퇴되고 눈알 안의 압력이 비정상적으로 늘어나 심하면 시력을 잃게 되는 병. *백내장(白內障).

녹녹-하다 [농노카-] 형여불 습기나 기름기

가 있어 말랑말랑하고 부드럽다. [큰]눅눅하다. **녹녹-히** [농노키] [부]

녹는-점 (-點)[농-] [명] 〖화〗 고체가 녹아서 액체가 되기 시작하는 온도. 얼음의 녹는 점은 0℃임. 융점. 융해점.

***녹다** [자] **1** 굳은 물건이 높은 온도에서 물러지거나 물처럼 되다. ¶ 얼음이 ~ / 쇠가 ~. **2** 결정체가 액체 속에서 풀리다. ¶ 물감이 물에 ~ / 설탕이 물에 ~. **3** 추워서 굳어진 몸이 풀리다. ¶ 몸이 ~. **4** 감정이 누그러지다. ¶ 언짢았던 감정이 스르르 녹아 버렸다. **5** 어떤 대상에 마음이 팔려 빠지다. ¶ 노름에 ~ / 그 여자의 아름다운 자태에 완전히 녹아 버렸다. **6** 마음먹었던 일에 실패하여 기운을 잃다. ¶ 그 사업에 완전히 녹았다. **7** 아주 혼난다. ¶ 그는 어제 마신 술에 아주 녹았다. **8** 음식의 맛이 부드럽고 맛있다. ¶ 생선회가 입 안에서 살살 녹는다.

녹-다운 (knock-down) [명] 권투에서, 선수가 상대방의 펀치를 맞고 매트(mat) 위에 주저앉거나 넘어지는 일.

녹두 (綠豆) [명] 〖식〗 콩과의 한해살이풀. 팥과 비슷한데 여름에 담황록색 꽃이 핌. 열매는 둥글고 긴 꼬투리로 되어, 그 속에 팥보다 더 작고 녹색인 씨가 들어 있음.

녹로 (轆轤)[농노] [명] **1** 고패. **2** 〖공〗 오지그릇을 만드는 데 쓰는 물레. **3** 우산대 위에 있어 살을 한 곳에 모아 폈다 닫았다 하는 데 쓰이는 물건.

녹록-하다 (碌碌-·錄錄-)[농노카-] [형][여불] **1** 평범하고 보잘것없다. **2** (주로 뒤에 부정어와 함께 쓰여) 만만하고 호락호락하다. ¶ 그는 결코 녹록한 인물이 아니다 / 녹록지 않은 상대를 만나다. **녹록-히** [농노키] [부]

녹림 (綠林)[농님] [명] **1** 푸른 숲. **2** 화적이나 도둑의 소굴을 이르는 말.

녹림-호걸 (綠林豪傑)[농님-] [명] 불한당이나 화적. 녹림객. 녹림호객.

녹말 (綠末)[농-] [명] **1** 감자나 고구마, 물에 불린 녹두 따위를 갈아서 가라앉힌 앙금을 말린 가루. **2** 〖화〗 엽록소(葉綠素)를 함유하는 식물의 영양 저장 물질로서 씨앗·줄기·뿌리 따위에 함유되어 있는 탄수화물《광합성에 의해 만들어진 것임》. 녹말가루. 전분.

녹-물 (綠-)[농-] [명] 금속의 녹이 우러난 불그레한 물. ¶ ~이 들다 / 빨아도 ~이 잘 안 빠진다.

녹변 (綠便) [명] 젖먹이가 소화 불량 따위로 누는 녹색 똥. 푸른똥.

녹봉 (祿俸) [명] 〖역〗 관원에게 일년 또는 계절 단위로 나누어 주던 곡식이나 옷감, 돈 따위의 총칭. [준]녹.

녹비 (鹿-) [명] 〔←녹피(鹿皮)〕 사슴의 가죽. [녹비에 가로왈 자] 사슴 가죽에 쓴 가로왈(曰) 자는 가죽을 아래위로 당기면 일(日) 자도 된다는 뜻으로, 사람이 일정한 주견 없이 이랬다저랬다 하는 일.

녹비 (綠肥) [명] 풋거름1.

녹-사료 (綠飼料) [명] 생풀이나 생나무 잎 등으로 하는 가축의 먹이. 풋먹이.

녹사-의 (綠蓑衣)[-/-이] [명] 도롱이.

***녹색** (綠色) [명] 파란색과 노란색의 중간 색. ¶ 나뭇잎을 ~으로 색칠하다.

녹색-등 (綠色燈) [명] **1** 빛깔이 녹색인 등. **2** 교통 신호등에서, 갈 수 있음을 표시하는 녹색의 등.

녹색 식물 (綠色植物)[-씽-] 〖식〗 엽록소(葉綠素)를 가지고 있어 녹색을 띠는 식물.

녹색 조류 (綠色藻類) 〖식〗 녹조식물. [준]녹조류.

녹색 혁명 (綠色革命)[-쌔켱-] **1** 품종 개량으로 다수확의 농작물을 생산해 냄을 이름. **2** 널리, 농업 혁명 곧 식량 증산을 위한 기술적 혁신의 일컬음.

녹수 (綠水) [명] 초목 사이를 흐르는 푸른 물.

녹수 (綠樹) [명] 푸른 잎이 우거진 나무.

녹-슬다 (綠-)〔녹스니, 녹스오〕 [자] **1** 쇠붙이가 산화하여 빛이 변하다. ¶ 칼이 ~ / 녹슨 못을 빼내다. **2** 기운이나 기능이 약해지거나 무디어지다. ¶ 머리가 ~ / 녹슨 생각은 이제 버려라.

녹신-거리다 [자] 맥이 빠져 자꾸 나른하게 되다. **녹신-녹신**[1] [부][하자]. ¶ 사지가 ~해서 누워 있고만 싶다.

녹신-녹신[2] [부][하형] 매우 부드럽고 말랑말랑한 모양. [큰]눅신눅신.

녹신-대다 [자] 녹신거리다.

녹신-하다[1] [형][여불] 맥이 빠져 나른하다.

녹신-하다[2] [형][여불] 부드럽고 말랑말랑하다. [큰]눅신하다. **녹신-히** [부]

녹-십자 (綠十字) [명] 재해로부터의 안전을 상징하는 녹색의 십자 표지. ¶ ~ 운동.

녹-쌀 [명] 장목수수나 메밀 따위를 맷돌에 갈아서 쌀알처럼 만든 것.

녹쌀(을) 내다 [구] 장목수수나 메밀 따위를 맷돌에 갈아서 쌀알처럼 만들다.

녹아-나다 [자] **1** 녹아서 우러나다. ¶ 아이스크림이 혀끝에서 ~. **2** 몹시 힘이 들게 고생을 하다. ¶ 이삿짐 나르느라 녹아났다. **3** 상대편에게 정신을 차리지 못할 정도로 빠지다. ¶ 기녀의 손에 ~.

녹아-내리다 [자] **1** 녹아서 밑으로 흐르거나 떨어지다. ¶ 얼음이 ~. **2** 감정 따위가 누그러지다. ¶ 애간장이 ~.

녹아-들다 〔-드니, -드오〕 [자] **1** 녹아서 다른 물질에 스며들거나 섞이다. ¶ 소금이 물에 ~. **2** 생각이나 느낌, 문화 따위가 서로 구별할 수 없을 만큼 섞이다. ¶ 예로부터 불교가 우리 문화 속에 녹아들었다.

녹아-떨어지다 [자] 몹시 힘이 들거나 나른하여 정신을 잃고 자다. ¶ 밤을 새우고 나서 지금 녹아떨어져 자고 있다.

녹-아웃 (knock-out) [명] **1** 야구에서, 상대편 투수가 던지는 공을 맹타하여 그 투수를 교체시키는 일. **2** 권투에서, 상대를 10초 안에 일어나지 못하도록 때려눕히는 일. **3** 어떤 승부에서 상대방을 완전히 패배시키는 일. 케이오(KO).

녹야 (綠野) [명] 풀이 무성히 난 푸른 들.

녹용 (鹿茸) [명] 〖한의〗 새로 돋은 사슴의 연한 뿔《보약으로 씀》. 용(茸).

녹원 (鹿苑) [명] 사슴을 풀어 기르는 뜰.

녹위 (祿位) [명] 녹봉과 벼슬자리.

녹음 (綠陰) [명] 푸른 잎이 우거진 나무 그늘. ¶ ~의 계절 / ~이 우거지다.

녹음 (錄音) [명][하타] 음향·음성·음악 등을 필름·레코드 등에 기계로 기록해 넣음. 또는 그 기록한 소리. ¶ ~을 듣다 / 노래를 ~하다 / 증언이 ~된 테이프를 입수하다.

녹음-기 (錄音器) 명 녹음하는 기계.

녹음-방초 (綠陰芳草) 명 푸르게 우거진 나무와 향기로운 풀이라는 뜻으로, 여름철의 자연경관을 가리키는 말.

녹음-테이프 (錄音tape) 명 소리를 기록하는 자기(磁氣) 테이프.

***녹이다** 타 《'녹다'의 사동》 녹게 하다. ¶ 얼음을〔쇠를〕 ~ / 남자의 마음을 살살 ~ / 시린 손을 ~.

녹작지근-하다 형 여불 몸을 움직일 수 없을 만큼 나른하고 피곤하다. 녹지근하다. ¶ 온종일 걸어다녔더니 온몸이 ~.

녹조-류 (綠藻類) 명 《식》 '녹색 조류(藻類)'의 준말.

녹조-식물 (綠藻植物)[-싱-] 명 《식》 엽록소를 가지고 있어 녹색을 띠며 광합성(光合成)을 하는 조류의 총칭《청각·파래 따위》. 녹색 조류. 녹조류.

녹즙 (綠汁) 명 녹색 채소의 잎이나 열매 따위를 갈아 만든 즙. 칼슘·비타민 따위가 많아 건강식품으로 침.

녹지 (綠地) 명 풀과 나무가 무성한 땅. 특히 도시에서 미관·공해 방지 등의 목적으로 풀이나 나무를 많이 심어 놓은 지역. ¶ ~ 조성.

녹지근-하다 형 여불 녹작지근하다. ¶ 사지가 ~.

녹지-대 (綠地帶) 명 녹지 지역.

녹지 지역 (綠地地域) 도시 계획법에 따라 녹지의 보전이 필요하다고 인정하여 지정한 지역. 생산 녹지 지역과 자연 녹지 지역으로 구분됨. 그린벨트.

녹진-녹진 부 하형 매우 녹진한 모양. ¶ ~한 검은 엿. 큰 눅진눅진.

녹진-하다 형 여불 물건이나 성질이 부드러우면서 끈기가 있다. ¶ 그녀는 보기와 달리 녹진한 데가 있다. 큰 눅진하다. **녹진-히** 부

녹차 (綠茶) 명 차나무의 잎을 푸른빛이 그대로 나도록 말린 부드러운 찻잎. 또는 그 찻잎을 우린 물.

녹초 명 아주 맥이 풀어져 힘을 못 쓰는 상태. ¶ ~가 되도록 술을 마시다.

녹초(를) 부르다 구 〈속〉 녹초가 되다.

녹턴 (nocturne) 명 《악》 악곡 형식의 하나. 조용한 밤의 분위기를 나타낸 서정적인 피아노곡. 야상곡.

녹화 (綠化)[노콰] 명 하타 산이나 들에 나무를 심어 푸르게 함. ¶ 산림 ~ / ~ 운동.

녹화 (錄畫)[노콰] 명 하자타 비디오테이프 따위에 사물의 모습이나 움직임 따위를 기록함. ¶ ~ 중계 / 비디오카메라로 결혼식을 ~하다.

녹화 방:송 (錄畫放送)[노콰-] 녹화해 두었다가 시간에 맞춰 내보내는 방송. ↔생(生)방송.

녹화 재:생기 (錄畫再生機)[노콰-] 브이시아르(VCR).

녹황-색 (綠黃色)[노쾅-] 명 녹색을 띤 황색.

***논** 명 물을 대고 벼를 심기 위하여 만든 땅.

[논 이기듯 신 이기듯 하다] 한 말을 자꾸 되풀이하여 잘 알아듣도록 하다.

논-갈이 명 하자 논을 가는 일. ↔밭갈이.

논객 (論客) 명 말이나 글로 자기 주장을 잘 논하는 사람. ¶ 이름난 ~.

논거 (論據) 명 이론이나 주장의 근거. ¶ 이 결론은 ~가 애매하다.

논고 (論考·論攷) 명 하타 문헌을 고증하여 논술함. 흔히 논문 제목이나 책 이름에 씀.

논고 (論告) 명 하타 **1** 자기의 주장이나 믿는 바를 논술하여 알림. **2** 《법》 형사 재판에서 증거 조사가 끝난 뒤, 검사가 사실 및 법률의 적용에 관하여 의견을 진술함. 이 때 구형(求刑)을 포함하기도 함. ¶ 검사의 준엄한 ~가 있었다.

논-곡식 (-穀食) 명 논에 심어서 나는 곡식. ↔밭곡식.

논공-행상 (論功行賞) 명 하타 공적에 따라 알맞은 상을 주는 일. ¶ ~에 불만을 품다.

논구 (論究) 명 하타 사물의 이치를 깊이 밝혀 논함. ¶ 지리학에 대한 ~.

논급 (論及) 명 하자 어떤 데까지 미치게 논함. ¶ 남의 사생활에까지 ~하다.

논-길 [-낄] 명 논 사이에 난 좁은 길. ¶ ~을 따라 걷다.

논-꼬 명 논의 물꼬. ¶ ~를 트다.

논-농사 (-農事) 명 논에 짓는 농사. ¶ ~를 짓다. ↔밭농사.

논:다 [-따] 타 '노느다'의 준말. ¶ 떡을 몫몫이 ~.

논단 (論壇) 명 **1** 토론하는 곳. **2** 평론가·비평가들의 사회. ¶ ~의 원로.

논단에 오르다 구 논의나 토론의 대상이 되다. ¶ 환경 보호 문제가 ~.

논-도랑 [-또-] 명 논에 물을 대거나 논바닥의 물을 빼기 위하여 논의 가장자리에 낸 작은 도랑.

논-두렁 [-뚜-] 명 물이 괴도록 논의 가장자리에 흙으로 둘러 막은 두둑. **--하다** 자 여불 모내기 전에 논두렁을 튼튼히 하기 위하여 잘 다듬고 안쪽에 흙을 붙여 바르다.

논두렁(을) 베다 구 빈털터리가 되어 처량하게 죽다.

논-둑 [-뚝] 명 논의 가장자리에 높고 길게 쌓아 올린 방축.

논란 (論難)[놀-] 명 하타 〔←논난〕 여럿이 서로 다른 주장을 하며 다툼. ¶ ~을 벌이다 / ~을 빚다 / 격렬한 ~을 불러일으키다.

논리 (論理)[놀-] 명 **1** 사고나 추리 따위를 끌고 나가는 과정이나 원리. ¶ ~의 비약 / ~가 정연하다. **2** 사물 속에 있는 이치. 또는 사물끼리의 법칙적인 연관. ¶ 힘의 ~. **3** '논리학'의 준말.

논리-성 (論理性)[놀-썽] 명 **1** 논리에 맞는 성질. **2** 논리의 확실성.

논리-적 (論理的)[놀-] 관 명 논리의 법칙에 들어맞는 (것). 추리(推理)의 형식에 적합한 (것). ¶ ~ 근거를 대며 말하다 / 그는 매우 ~인 사람이다.

논리적 사고 (論理的思考)[놀-] 논리적 추리 형식에 맞는 사고.

논리-학 (論理學)[놀-] 명 바른 판단과 인식을 얻기 위해 규범이 될 수 있는 생각의 형식과 법칙을 연구하는 학문. 준 논리.

논-마지기 명 얼마 안 되는 면적의 논. ¶ 그

는 ~나 장만할 정도의 돈을 벌었다.
논-매기 명하자 논의 김을 매는 일.
논-매다 자 논의 김을 매다.
논문 (論文) 명 **1** 자기의 주장이나 생각을 체계적으로 조리 있게 적은 글. **2** 어떤 문제에 대한 학술적인 연구 결과를 체계적으로 적은 글. ¶학위〔졸업〕 ~/~ 형식.
논-문서 (-文書) 명 논의 소유권을 등기·증명한 공문서.
논문-집 (論文集) 명 논문을 모아서 엮은 책. 준논집(論集).
논-물 명 논에 괴어 있는 물. 논에 대는 물.
논-바닥 [-빠-] 명 논의 바닥. ¶가뭄으로 ~이 쩍쩍 갈라지다.
논박 (論駁) 명하타 어떤 주장에서 잘못된 것을 찾아 공격하여 말함. ¶어용학자의 논문을 ~하다.
***논-밭** [-받] 명 논과 밭. 전답.
논-배미 [-빼-] 명 논두렁으로 둘러싸인 논의 하나하나의 구역.
논-벌 [-뻘] 명 주로 논으로 이루어진 넓고 평평한 땅.
논법 (論法) [-뻡] 명 말이나 생각을 논리적으로 전개해 나가는 방법.
논변 (論辯·論辨) 명하타 **1** 사리의 옳고 그름을 밝혀 말함. 변론. **2** 의견을 논술함.
논설 (論說) 명하타 어떤 주제에 관하여 자기의 의견·주장을 조리 있게 설명함. 또는 그 글. ¶~을 싣다/~을 쓰다/사건을 ~로 다루다. 준논(論).
논설-란 (論說欄) 명 신문이나 잡지 따위에서 논설을 싣는 난(欄). ¶~의 필진을 교체하다.
논설-문 (論說文) 명 논설의 글.
논설-위원 (論說委員) 명 신문사나 방송국 따위의 언론 기관에서, 시사 문제를 논평하거나 해설하는 일을 맡은 사람.
논술 (論述) 명하타 자기의 의견을 조리 있게 서술함. 또는 그런 글. ¶~ 형식/~ 시험을 치르다.
논-스톱 (nonstop) 명 **1** 자동차·기차·비행기 따위의 탈것이 중간에 서는 곳 없이 목적지까지 감. 직행 운행. ¶서울에서 부산까지 ~으로 가는 버스를 타다. **2** 행위나 동작을 계속함. ¶결승점까지 ~으로 달리다.
논어 (論語) 명 공자(孔子)의 말과 행동을 적은 유교의 경전《사서(四書)의 하나》.
논외 (論外) 명 논의할 범위 밖. ¶~의 문제로 시간을 낭비하다.
논의 (論意) [-/-이] 명 논하는 말이나 글의 뜻이나 의도.
논의 (論議) [-/-이] 명하타 어떤 문제에 관해 서로 의견을 말하고 토의함. 또는 그런 토의. ¶격렬한 ~ 끝에 결정을 내리다/비상 대책을 ~하다.
논-일 [-닐] 명하자 논에서 하는 농사일. ↔ 밭일.
논자 (論者) 명 무엇을 논하는 사람. ¶~에 따라 의견이 다르다.
논쟁 (論爭) 명하자타 서로 다른 의견을 가진 사람들이 말이나 글로 서로 논하여 다툼. 또는 그 논의. ¶격렬한 ~/~을 벌이다/~이 그칠 줄을 몰랐다.
논저 (論著) 명 어떤 문제에 대하여 학술적으로 다룬 논문과 책. ¶~ 목록.
논전 (論戰) 명하자타 말이나 글로 서로 논하여 싸움. 또는 그 논의. ¶열띤 ~을 벌이다.
논점 (論點) [-쩜] 명 논의나 논쟁 따위의 중심이 되는 문제점. ¶~을 벗어난 질문/~을 흐리다.
논제 (論題) 명 **1** 토론이나 논설, 논문의 주제나 제목. ¶토론회의 ~/~에서 벗어나다. **2** 〖역〗 과거(科擧) 시험 때 출제하던 논(論)의 제목.
논조 (論調) 명 **1** 논하는 말이나 글의 투. **2** 논설의 근본 경향. ¶신문의 ~가 정부에 대해 매우 비판적이다.
논증 (論證) 명하타 **1** 옳고 그름을 이유를 들어 밝힘. 또는 그 근거나 이유. **2** 〖논〗 몇 가지 전제를 바탕으로 삼아 논리적인 추론에 의하여 한 명제가 참이라는 것을 증명하는 일.
논지 (論旨) 명 논하고자 하는 말이나 글의 기본적인 뜻. ¶~가 매우 명쾌하다.
논집 (論集) 명 '논문집(論文集)'의 준말.
논-타이틀 (nontitle) 명 선수권의 방어나 쟁탈이 아님. ¶~ 매치(match).
논평 (論評) 명하타 어떤 사실이나 글 따위에 대하여 논하여 비평함. 또는 그 문장. ¶호의적인 ~이 실리다.
논-픽션 (nonfiction) 명 실제 있었던 일을 가지고 만든 작품《기록 문학·기록 영화·전기·기행문 따위》. ↔픽션.
논-하다 (論-) 타여불 **1** 자기 의견이나 사물을 조리를 세워 설명하다. ¶문학을 ~. **2** 논쟁하다. ¶일의 시비를 ~. **3** 문제로 삼다. ¶논할 가치가 없는 문제.
논-흙 [-흑] 명 논에 있는 질고 고운 흙《담벽에 바름》.
놀:[1] 명 '노을'의 준말. ¶~이 붉게 타다.
놀:[2] 명 바다에서 일어나는 사납고 큰 물결《뱃사람 말》. ¶~이 친다.
놀:고-먹다 자 직업이나 하는 일 없이 놀면서 지내다.
***놀:다**[1] 〔노니, 노오〕 자 **1** 재미있는 일을 하며 즐기다. ¶아이들이 공을 차면서 ~. **2** 일이 없어 한가하게 있다. 생업이 없이 세월을 보내다. ¶부모의 유산(遺産)으로 빈둥빈둥 놀며 지내다. **3** 어떤 일을 하다가 일정한 동안을 쉬다. ¶노는 시간/일요일이라 회사가 논다. **4** 주책없이 들떠서 마구 행동하다. ¶남의 장단에 잘 논다. **5** 물자나 시설 따위가 사용되고 있지 아니하다. ¶노는 땅/공장의 기계가 놀고 있다. **6** 박힌 것이 이리저리 움직이다. ¶나사가 ~/이가 근들근들 논다. **7** 태아가 모체 속에서 꿈틀거리다. ¶배 속의 아이가 가끔 논다. **8** 이리저리 돌아다니다. ¶물속에서 물고기가 논다. **9** 주색(酒色)을 일삼아 방탕하게 지내다. ¶화류계에서 ~. **10** 그러하게 행동하다. ¶싱겁게 ~/시시하게 놀지 마라.
[노는 입에 염불하기] 아무 하는 일 없이 그저 놀기보다는 무엇이든 하는 것이 낫다는 말.
놀:다[2] 〔노니, 노오〕 타 **1** 어떤 연기를 하거나 재주를 부리다. ¶곱사춤을 ~. **2** 윷이

나 주사위 등을 던지거나 굴리다. ¶윷을 ~. **3** 방해하는 작용이나 역할을 하다. ¶방해를 ~ / 훼방을 ~.

***놀:라다** 자 **1** 뜻밖의 일을 당하여 가슴이 두근거리다. ¶경적 소리에 화들짝 ~. **2** 갑자기 무서움을 느끼다. ¶총소리에 깜짝 ~. **3** 신기하거나 훌륭한 것을 보고 매우 감동하다. ¶그의 박식과 달변에 ~. **4** 어처구니가 없거나 기가 막히다. ¶소년의 당돌함에 ~.

놀란 가슴 구 전에 혼난 일이 있어 툭하면 두근거리는 가슴.

놀:라움 명 놀라운 느낌. ¶그의 기억력에 ~을 금치 못하다. 준놀람.

놀:라워-하다 자타여불 놀랍게 여기다.

놀:람 명 '놀라움'의 준말.

***놀:랍다** [놀라우니, 놀라워] 형ㅂ불 **1** 굉장하거나 훌륭하다. ¶놀라운 발전을 보이다. **2** 두렵고 충격적이다. ¶그가 실종되었다니 참으로 ~.

놀:래다 타 (('놀라다'의 사동)) 남을 놀라게 하다. ¶갑자기 폭죽을 터뜨려 주위 사람들을 놀래 주다.

놀량-목 명 〖악〗 판소리 창법에서, 목청을 떨어 속되게 내는 목소리.

***놀리다** 타 **1** (('놀다[1]'의 사동)) 놀게 하다. ¶직공들을 ~ / 돈을 ~. **2** 조롱하다. ¶사람을 ~. **3** 재주를 부리게 하다. ¶원숭이를 ~. **4** 이리저리 움직이게 하다. ¶손발을 ~. **5** 기구나 도구를 사용하다. ¶젓가락을 부지런히 ~. **6** 함부로 말하다. ¶입 좀 작작 놀려라.

놀림 명 비웃거나 깔보는 짓. ¶~을 당하다.

놀림-감 [-깜] 명 놀림의 대상이 될 만한 것. 또는 그런 사람. ¶~으로 삼다 / 친구들 사이에 ~이 되다.

놀림-거리 [-꺼-] 명 놀림의 대상이 될 만한 거리. 또는 그런 거리가 되는 사람. ¶~가 되다.

놀부 명 **1** 흥부전에 나오는 주인공의 한 사람((마음씨 나쁘고 심술궂음)). **2** 마음씨 나쁜 사람의 비유.

놀부 심사 구 인색하고도 심술궂은 마음씨의 비유.

놀-소리 [-쏘-] 명하자 젖먹이가 혼자 누워 놀면서 내는 군소리. 옹알이.

놀아-나다 자 **1** 얌전한 사람이 방탕해지다. ¶외간 남자와 ~. **2** 실속 없이 들뜬 행동을 하다. ¶사기꾼에게 ~ / 남의 장단에 잘도 놀아나는구나.

놀아-먹다 자 **1** 하는 일 없이 놀면서 지내다. ¶학교 졸업 후 3년이 넘도록 ~. **2** 함부로 방탕한 행동을 하다.

놀음 명하자 '놀음놀이'의 준말.

놀음-놀이 명하자 여럿이 모여 즐겁게 노는 일. 준놀음·놀이.

놀음-차 명 **1** 잔치 때, 기생이나 악공에게 주던 돈이나 물건. 화대(花代). **2** 해웃값.

***놀이** 명하자 **1** 즐겁게 노는 일. ¶건전한 ~ 문화. **2** '놀음놀이'의 준말. ¶주사위 ~ / ~ 상대.

놀이-꾼 명 놀음놀이를 하는 사람.

놀이-딱지 명 두꺼운 종이에 그림을 그리거나 글을 쓰거나 하여 만든 장난감의 한 가지. 준딱지.

놀이-마당 명 여러 사람이 모여 춤추며 노래하고 노는 일. 또는 그런 자리. ¶풍물 ~ / ~을 펼치다.

***놀이-터** 명 아이들이 노는 곳. 아이들의 놀이 시설이 마련되어 있는 곳.

놀잇-배 [-이빼 / -읻빼] 명 놀음놀이를 하는 배. 유선(遊船).

놀:-지다 자 큰 물결이 일어나다.

놀:-치다 자 큰 물결이 거칠게 일어나다.

***놈** ㊀의명 **1** '사내'의 낮춤말. ¶나쁜 ~. ↔년. **2** '사내아이'를 귀엽게 이르는 말. **3** 동물이나 물건을 가리켜 쓰는 낮춤말. ¶큰 ~으로 골라라 / 망할 ~의 세상. ㊁명 적대 관계에 있는 사람이나 무리. ¶~들은 우리보다 3배가 넘는 병기를 가지고 있었다.

놈-팽이 명 〈속〉 **1** 사내를 비웃어 희롱으로 하는 말. **2** 젊은 여자의 상대가 되는 사내. ¶또 어떤 ~와 살림을 차린 모양이군. **3** 직업 없이 빈들빈들 노는 남자.

놉 명 식사를 제공하고 하루하루 품삯으로 일을 시키는 품팔이 일꾼. 또는 그런 일꾼을 부리는 일. ¶~을 부리다.

놋 [녿] 명 '놋쇠'의 준말.

놋-그릇 [녿끄륻] 명 놋쇠로 만든 그릇. 놋기명. 유기. 유기그릇.

놋-쇠 [녿쐬] 명 구리와 아연과의 합금((그릇이나 장식물을 만듦)). 준놋.

농: (弄) 명 '농담'의 준말. ¶~을 걸다 / ~이 심하군 / ~으로 한 말이다.

농 (膿) 명 고름[1].

***농** (籠) 명 **1** 버들채나 싸리 따위로 함처럼 만들어 종이를 바른 상자((옷 따위를 넣어 두는 데 씀)). **2** '장롱(欌籠)'의 준말.

농- (濃) 투 '진한·농후한·짙은'의 뜻. ¶~갈색 / ~황색 / ~익다.

***농가** (農家) 명 농사를 짓는 사람의 집. 또는 그 가정. 농삿집. ¶~ 소득 / ~ 부채.

농가-월령가 (農家月令歌) 명 〖문〗 농가에서 일 년 동안 할 일을 가사(歌辭) 형식으로 만들어 권농의 내용으로 읊은 노래.

농:간 (弄奸) 명하타 남을 속여 일을 그르치게 하려는 간사한 짓. ¶~을 부리다 / ~에 넘어가다 / ~에 놀아나다.

농경 (農耕) 명하자 논밭을 갈아 농사를 지음. ¶~ 사회 / ~ 생활.

농경-기 (農耕期) 명 농사를 짓는 시기.

농경-지 (農耕地) 명 농사를 짓는 땅. 경작지. ¶산지를 개간하여 ~로 만들다.

농고 (農高) 명 '농업 고등학교'의 준말.

농공 (農工) 명 **1** 농업과 공업. ¶~ 단지. **2** 농부와 직공.

농공 (農功) 명 농사를 짓는 일. 농사일.

농공-업 (農工業) 명 농업과 공업.

농과 대학 (農科大學) [-꽈-] 농업에 관한 학문을 전공하는 단과 대학. 준농대.

농구 (農具) 명 농사일에 쓰는 기구. 농기(農器). 농기구.

***농구** (籠球) 명 구기의 하나. 다섯 사람씩의 두 팀이 서로 상대편 바스켓에 공을 던져 넣어 그 득점을 다투는 경기. 바스켓볼.

농구-화 (籠球靴) 명 농구 경기를 할 때에 신는 운동화.

농군 (農軍) 명 농민.

농:권 (弄權)[-꿘] 명하자 권력을 제 마음대로 함부로 씀.
농:-기 (弄氣)[-끼] 명 말이나 행동에 나타나는 실없고 장난스러운 기미. ¶ ~ 어린 목소리.
농기 (農期) 명 농사철.
농기 (農旗) 명 〖민〗 농촌에서 부락 단위로 만든 기. 폭을 넓거나 길게 만들어 '농자천하지대본야(農者天下之大本也)'라 먹으로 씀. 농사철에 풍년을 빌거나 축하하여 세우는데, 두렛일을 할 때는 이 기를 옮겨가며 풍악을 치고 모심기·논매기 등을 함.
농기 (農器) 명 농구(農具).
농기 (農機) 명 '농기계'의 준말.
농-기계 (農機械)[-/-게] 명 농사를 짓는 데 쓰는 기계《트랙터·경운기·탈곡기 따위》.
농-기구 (農器具) 명 농사를 짓는 데 쓰는 기구. 농구(農具).
농노 (農奴) 명 중세 유럽의 봉건 사회에서 봉건 영주에게 종처럼 매인 농민.
농노-제 (農奴制) 명 농민이 봉건 지주에게 예속되어 지주의 땅을 경작하고 부역과 공납의 의무를 지던 사회 제도.
농:단 (壟斷·隴斷) 명하타 이익이나 권리를 독차지함. ¶ 국정(國政)을 ~하다.
농:담 (弄談) 명하자 실없이 하는 장난의 말. ¶ 객쩍은 ~ / ~ 반 진담 반 / 실없는 ~을 주고받다 / 지금 ~할 기분이 아니다. 준농(弄). ↔진담.
농담 (濃淡) 명 색이나 농도 따위의 짙음과 옅음.
농:담-조 (弄談調)[-쪼] 명 농담하는 말투. ¶ ~로 인사말을 하다.
농대 (農大) 명 '농과 대학'의 준말.
농도 (濃度) 명 **1** 용액 따위의 진한 정도. ¶ 소금물의 ~. **2** 어떤 성질이나 요소가 깃들어 있는 정도. ¶ ~ 짙은 농담 / 사랑의 ~. **3** 〖화〗 혼합 기체 또는 용액 속에 들어 있는 각 성분의 양의 비율.
농-들다 (膿-)〔농드니, 농드오〕 자 곪아 고름이 생기다.
농땡이 명 〈속〉 일을 하기 싫어 꾀를 부리며 게으름을 피우는 짓. 또는 그러한 사람. ¶ 근무 시간에 ~를 치다.
농락 (籠絡)[-낙] 명하타 교묘한 꾀로 남을 속여 제 마음대로 놀리거나 이용함. ¶ 순진한 처녀를 ~하다 / ~을 당하다.
농로 (農路)[-노] 명 농사에 이용되는 길. 농도(農道). ¶ ~를 확장하다.
농림 (農林)[-님] 명 농림업.
농림수산 식품부 (農林水産食品部)[-님-] 중앙 행정 기관의 하나. 농산·수산·축산, 식량·농지·수리, 식품 산업 진흥, 농어촌 개발 및 농수산물 유통에 관한 사무를 맡아봄.
농림-업 (農林業)[-님-] 명 농업과 임업.
농막 (農幕) 명 농사를 짓기에 편하도록 논밭 근처에 간단하게 지은 집.
농무 (濃霧) 명 짙은 안개. ¶ ~ 주의보.
***농민** (農民) 명 농사짓는 일을 생업으로 삼는 사람. 농부(農夫). 농군(農軍).
농민 문학 (農民文學) 농촌의 자연을 중심으로 농민의 생활상을 그리는 문학.
농민 운:동 (農民運動) 작은 농가, 가난한 농가 등의 경제적·정치적 이익의 옹호 및 생활의 개선을 위하여 조직된 대중 운동.
농민-층 (農民層) 명 농사를 직업으로 삼는 사람들의 계층.
농밀-하다 (濃密-) 형여불 **1** 진하고 빽빽하다. **2** 서로 사귀는 정이 두텁고 가깝다. ¶ 농밀한 친구 사이.
농번-기 (農繁期) 명 농사일이 매우 바쁜 시기《모내기·논매기·추수 등을 할 때》. ¶ ~라서 일손이 달린다. ↔농한기.
농법 (農法)[-뻡] 명 농사짓는 방법. 농사법. ¶ 무공해 ~ / 새로운 ~을 개발하다.
농본-주의 (農本主義)[-/-이] 명 농업을 국가 산업의 기본으로 하고, 따라서 농민과 농촌을 사회 조직의 기초로 삼으려는 농업 중심의 사상.
***농부** (農夫) 명 농사를 짓는 사람.
***농사** (農事) 명하자 논밭을 갈아 곡류·채소·과일 등을 심어 가꾸고 거두는 일. ¶ 올해 ~가 풍년이다〔잘되었다〕.
농사-꾼 (農事-) 명 농사짓는 일을 하는 사람.
농사-력 (農事曆) 명 자연현상이나 동식물의 상태에 따라 농사짓는 절기를 나타낸 달력.
농사-일 (農事-) 명하자 농사를 짓는 일. ¶ 집에서 ~을 거들다.
농사-짓다 (農事-)[-짇따]〔-지으니, -지어〕 자ㅅ불 농사를 직업으로 삼다. ¶ 직접 땅을 일구어 농사지어 먹고산다.
농사-철 (農事-) 명 농사를 짓는 시기. 농기(農期). 준농철.
농산 (農産) 명 '농산물'의 준말.
***농산-물** (農産物) 명 농업에 의하여 생산된 물건《곡식·야채·과실 따위》. ¶ ~ 가공 / ~ 유통 구조의 단순화 / 외국 ~이 밀려들다.
농삿-길 (農事-)[-사낄/-삳낄] 명 농사일을 위하여 만든 길. 농로(農路).
농삿-집 (農事-)[-사찝/-삳찝] 명 농가.
농색 (濃色) 명 짙은 빛깔. ↔담색(淡色).
농서 (農書) 명 농사에 관한 책.
농성 (籠城) 명하자 **1** 성문을 굳게 닫고 성을 지킴. **2** 어떤 목적을 위하여 줄곧 한자리에 머물러 떠나지 않고 버티는 일. ¶ 철야 ~ / 연좌 ~을 벌이다 / ~을 풀다.
농수-로 (農水路) 명 농업용수의 수로.
농-수산 (農水産) 명 농수산업.
농수산-물 (農水産物) 명 농산물과 수산물.
농수산-업 (農水産業) 명 농업과 수산업.
농숙 (濃熟) 명하자 과일이 충분히 익음.
농시 (農時) 명 농사철.
농아 (聾啞) 명 **1** 듣지 못하고 말하지 못하는 사람. 청각 장애인과 언어 장애인. **2** 청각 장애로 말을 배우지 못해서 된 언어 장애인.
***농악** (農樂) 명 농촌에서, 명절이나 함께 일을 할 때 행하여지는 우리나라 고유의 음악. 나발·태평소·북·장구·꽹과리·징 따위를 불거나 치면서 춤추고 노래함. 풍물놀이. ☞민속악.
농악-대 (農樂隊) 명 농악을 하는 사람들의 조직적인 집단.
농액 (膿液) 명 〖의〗 고름[1].
농약 (農藥) 명 농작물에 해로운 벌레·병균·

잡초 따위를 없애거나 농작물이 잘 자라게 하는 약품. ¶ ~을 치다〔뿌리다〕.

농양 (膿瘍) 명 신체 조직의 한 부분에 화농성 염증이 생겨 고름이 몰려 있는 질환.

농어 명 《어》 농엇과의 바닷물고기. 가을과 겨울철에 강 어귀에 산란하며 어릴 때에는 민물에서 살다가 첫겨울에 바다로 나가는 데 몸길이는 50-90 cm로 길고 옆으로 납작함.

농어-민 (農漁民) 명 농민과 어민.

농어-촌 (農漁村) 명 농촌과 어촌.

***농업** (農業) 명 땅을 이용하여 인간에게 유용한 식물을 재배하거나 동물을 기르는 산업. 또는 그런 직업《넓은 뜻으로 농산물 가공이나 임업도 포함함》.

농업 고등학교 (農業高等學校) 농업에 관한 실업 교육을 하는 고등학교. 준농고.

농업-용수 (農業用水)[-엄농-] 명 농사짓는 데 필요한 물. 관개용수.

농업 협동조합 (農業協同組合)[-어편-] 농업 생산력 증진과 농가의 경제적·사회적 지위 향상을 도모하기 위하여 전국적으로 조직된 농가 생산업자의 협동 조직체. 준농협.

농염 (濃艶) 명하형 한껏 무르익은 아름다움. ¶ ~하고 육감적인 여인의 자태.

농예 (農藝) 명 **1** 농사짓는 기술. **2** 농업과 원예(園藝).

농:와 (弄瓦) 명 와(瓦)는 흙으로 만든 여자 아이의 장난감인 실패라는 뜻으로, 딸을 낳는 일. ↔농장(弄璋).

농요 (農謠) 명 농부들이 농사일을 하면서 부르는 속요.

농원 (農園) 명 주로, 원예 작물을 심어 가꾸는 농장.

농-익다 (濃-)[-닉-] 자 푹 익다. 무르익다. ¶ 농익은 포도 / 농익은 여인의 몸매 / 동창회 분위기가 한창 농익어 간다.

농자 (農者) 명 '농사'·'농업'의 뜻.

농자 천하지대본 (農者天下之大本) 구 '농사는 온 세상 사람들이 생활해 나가는 근본이다'라는 말.

농작 (農作) 명하타 **1** 농사를 지음. **2** 농작물.

***농작-물** (農作物)[-장-] 명 논이나 밭에 심어서 가꾸는 곡물·채소 따위. ¶ ~을 재배하다 / ~을 수확하다. 준작물.

농:장 (弄璋) 명 장(璋)은 사내아이의 장난감인 구슬이라는 뜻으로, 아들을 낳는 일. ↔농와(弄瓦).

농장 (農莊·農庄) 명 농장(農場) 관리를 위하여 농장 근처에 모든 설비를 갖추어 놓은 집.

***농장** (農場) 명 일정한 농지에 집·농구·가축 및 노동력 등을 갖추고 농업을 경영하는 곳. ¶ 돼지 사육 ~.

농정 (農政) 명 농업에 관한 정책이나 행정.

농:조 (弄調)[-쪼] 명 농으로 하는 말투. 농담조. ¶ ~로 말하다.

농주 (農酒) 명 농가에서 빚은 술. *농탁(農濁).

농지 (農地) 명 농사를 짓는 데 쓰는 땅. ¶ ~ 개간 / 3만 평의 ~를 경작하다.

농지 개:량 (農地改良) 농지의 이용도를 영구적으로 높이는 여러 가지 일. 농지 확장·수리 시설·배수 시설·경지 정리 따위.

농지 개:혁 (農地改革) 농촌의 민주화와 농업 경영의 합리화를 촉진하기 위하여 토지 소유권을 부재(不在) 지주로부터 경작자에게 이양하여, 소작인의 보호에 중점을 두는 개혁.

농:-지거리 (弄-)[-찌-] 명하자 점잖지 않게 마구 하는 농담. ¶ ~를 주고받다 / ~를 던지다.

농지-세 (農地稅)[-쎄] 명 지방세의 하나. 논과 밭을 과세 대상으로 하고 그 소유자에게 부과함. 논은 갑류 농지세, 특수 작물을 생산하는 밭은 을류 농지세로 구분함.

농-짝 (籠-) 명 농의 한 짝. 낱개의 농.

***농촌** (農村) 명 주민의 대부분이 농업을 생업으로 삼는 지역이나 마을. ¶ ~ 사람 / ~ 생활에 익숙해지다 / ~을 떠나 도시로 가다. ↔도시.

농촌 진:흥청 (農村振興廳) 농림수산 식품부 장관에 속하여, 농촌 진흥을 위한 시험·연구 및 농촌 지도자의 훈련에 관한 일을 맡아보는 중앙 행정 기관의 하나.

농축 (濃縮) 명하자타 액체를 졸아들게 하여 농도(濃度)를 높임. ¶ ~ 과즙 음료 / 인체에 ~되는 각종 오염 물질.

농-축산물 (農畜産物) 명 농산물과 축산물.

농축 우라늄 (濃縮uranium) 《화》 천연 우라늄에 대하여 우라늄 235의 함유율을 인위적으로 높인 우라늄《원자로의 연료로 씀》.

농:-치다 (弄-) 자 '농하다(弄-)'를 강조하는 말.

농탁 (農濁) 명 농사일할 때에 쓰려고 빚은 막걸리. *농주(農酒).

농탁-하다 (濃濁-)[-타카-] 형여불 액체 따위가 진하고 걸쭉하다. **농탁-히** [-타키] 부

농:탕 (弄蕩) 명 남녀가 음탕한 소리와 난잡한 행동으로 마구 놀아 대는 짓. 농탕질.

농:탕-치다 (弄蕩-) 자 남녀가 음탕한 소리와 난잡한 행동으로 마구 놀아 대다.

***농토** (農土) 명 농사짓는 땅. 농지. ¶ 기름진 ~ / ~를 경작하다 / 황무지를 개간하여 비옥한 ~로 만들다.

농-투성이 (農-) 명 '농부'의 낮춤말.

농:-트다 (弄-)〔농트니, 농터〕 자 사이가 스스럼없이 되어 서로 농을 하는 사이가 되다. ¶ 그들은 농트고 지내는 사이이다.

농:-판 (弄-) 명 농담을 주고받는 자리. ¶ 토론회가 아니라 ~이군.

농:필 (弄筆) 명하자타 **1** 참말과 거짓말을 섞어 희롱으로 지은 글. **2** 멋을 부리고 홍청거려서 쓴 글씨. **3** 사실과 다르게 씀.

농:-하다 (弄-) 타여불 **1** 실없는 장난을 하다. **2** 실없는 농담을 하다. ¶ 궤변을 ~.

농학 (農學) 명 농업에 관한 생산 기술과 경제 원리 및 그 응용을 연구하는 학문.

농한-기 (農閑期) 명 일 년 중에 농사일이 바쁘지 않은 때. 추수 후부터 다음 모내기까지의 기간. ¶ 대부분의 농가에서는 ~에 부업을 한다. ↔농번기.

농혈 (膿血) 명 《의》 피고름.

농협 (農協) 명 '농업 협동조합'의 준말.

농후-하다 (濃厚-) 형여불 **1** 맛이나 빛깔, 성분 따위가 매우 짙다. **2** 가능성이 다분히 있다. ¶ 패색이 ~. **3** 어떤 경향이나 기색

따위가 뚜렷하다. ¶ 관료주의 사상이 ~ / 종교적인 색채가 ~.

높-낮이 [놈-] 명 높고 낮음. 또는 높고 낮은 정도. ¶ ~가 완만한 길 / 의자의 ~를 조절하다.

***높다** [놉따] 형 **1** 위로 향하여 길게 솟아 있다. 위로 멀다. ¶ 산이 ~ / 굽이 높은 구두 / 파도가 높게 일다 / 천장이 ~. **2** 지위나 신분이 보통보다 위에 있다. ¶ 계급이 ~ / 높은 지위에 오르다. **3** 품질·수준·능력·가치 따위가 보통보다 위에 있다. ¶ 견식이 ~ / 단수가 ~ / 문학적 가치가 ~. **4** 널리 세상에 알려져 있다. ¶ 명성이 ~ / 지명도가 ~. **5** 값이 비싸다. ¶ 물가가 ~. **6** 소리의 진동수가 많다. ¶ 높은 소리. **7** 온도·체온·비율·연령 등의 도수나 정도를 나타내는 수치가 크다. ¶ 열이 ~ / 혈압이 ~ / 합격률이 ~ / 연세가 ~. **8** 기세가 힘차다. ¶ 투지가 ~ / 사기가 하늘을 찌를 듯 ~. ↔낮다.

높-다랗다 [놉따라타] (높다라니, 높다라오) 형 ㅎ불 썩 높다. ¶ 높다란 담에 둘러싸인 저택.

높-드리 [놉뜨-] 명 **1** 골짜기의 높은 부분. **2** 높고 메말라서 물기가 적은 논밭.

높디-높다 [놉띠놉따] 형 더할 수 없을 정도로 높다. ¶ 높디높은 산.

높-바람 [놉빠-] 명 된바람2.

높새 [놉쌔] 명 '북동풍'의 뱃사람 말.

높새-바람 [놉쌔-] 명 높새.

높아-지다 자 높게 되다. ¶ 생산성이 ~ / 생활수준이 ~.

높으락-낮으락 [-랑-] 부하형 높낮이가 고르지 않은 모양. ¶ 지붕이 ~하다.

높은음자리-표 (-音-標) 명 《악》 5선의 제2선이 사(G)의 음계가 됨을 나타내는 기호. 사음자리표. 고음부 기호. ↔낮은음자리표.

***높이** ㅡ명 높은 정도. ¶ 산의 ~를 재다 / 술잔을 이마 ~로 들어 올리다. ㅡ부 높게. ¶ 해가 ~ 뜨다 / ~ 솟은 빌딩 / ~ 평가하다 / 주가가 ~ 뛰다.

높이 사다 구 높이 평가하다. ¶ 젊은 사람의 패기와 정열을 ~.

***높이다** 타 **1** 높게 하다. ¶ 언성을 ~ / 목욕물의 온도를 ~ / 우승 가능성을 한층 ~ / 안목을 ~ / 사기를 ~. **2** 존대하다. ¶ 부부끼리 서로 말을 ~. ↔낮추다.

***높이-뛰기** 명 달려와서 공중에 가로질러 놓은 막대를 뛰어넘어 그 높이를 겨루는 육상 경기의 하나. 주고도(走高跳).

높임 명 《언》 존칭. ↔낮춤.

높임-말 명 사람이나 사물을 높이어 일컫는 말《아버님·진지·따님·드리다 따위》. 공대말. ↔낮춤말.

높임-법 (-法)[-뻡] 명 《언》 남을 높여서 말하는 법. 문장의 주체를 높이는 주체 높임법과 말을 듣는 상대방을 높이는 상대 높임법으로 나뉨. 경어법. 존대법.

> **'높임법'**
>
> 높임법에는 주체 높임법과 상대 높임법이 있다.
>
> **주체 높임법** 말하는 이가 문장의 주어가 지시하는 대상을 높이는 것으로 용언의 어간에 높임의 어미 '-(으)시-'를 붙여 표현함.
> 예 어머니, 선생님께서 오십니다.
>
> **상대 높임법** 말하는 이가 말 듣는 이를 높이거나 낮추어 말하는 법으로 일정한 종결 어미를 써서 표현함.
>
> 격식체 { 아주 높임—합쇼체—안녕히 계십시오. / 보통 높임—하오체—빨리 인도로 나오시오. / 보통 낮춤—하게체—이리 와서 앉게. / 아주 낮춤 – 해라체 – 빨리 자거라.
>
> 비격식체 { 해체—이리 와서 앉아. / 해요체—인도로 나오세요.

높지거니 [놉찌-] 부 높직하게. ¶ ~ 앉다.

높지막-이 [놉찌-] 부 높지막하게.

높지막-하다 [놉찌마카-] 형 여불 위치가 꽤 높직하다.

높직-높직 [놉찡놉찍] 부하형 여럿이 다 높직하게. ¶ ~한 빌딩들.

높직높직-이 [놉찡놉찌-] 부 높직높직하게.

높직-이 [놉찌-] 부 높직하게. ¶ 손을 ~ 쳐들다 / 액자를 ~ 걸다.

높직-하다 [놉찌카-] 형 여불 위치가 꽤 높다. ¶ 높직한 언덕.

높-푸르다 [놉-] (높푸르니, 높푸르러) 형 러불 높고 푸르다. ¶ 높푸른 가을 하늘.

높하늬-바람 [노파니-] 명 '북서풍(北西風)'의 뱃사람 말.

***놓다**¹ [노타] 타 **1** 손으로 잡은 것을 도로 잡지 아니한 상태로 되게 하다. ¶ 붓을 ~. **2** 일정한 자리에 두다. ¶ 제자리에 놓아라. **3** 근심·걱정·긴장 따위를 잊거나 풀어 버리다. ¶ 이젠 마음을 놓겠다. **4** 총알이나 불꽃 따위를 밖으로 나가게 하다. ¶ 총을 ~. **5** 불을 지르거나 피우다. ¶ 불을 ~. **6** 주사나 침 따위를 몸의 적당한 자리에 찌르다. ¶ 주사를 ~. **7** 양편에 연락하는 사람을 중간에 두거나 보내다. ¶ 거간을 놓아야 일이 빠르겠다 / 매파를 놓아 혼처를 알아보다. **8** 시설하다. 가설하다. ¶ 다리를 ~ / 전화를 ~ / 철도를 ~. **9** 참외·수박 등을 심어 가꾸다. ¶ 참외를 ~. **10** 무엇을 장치하여 짐승이나 물고기 등이 잡히게 두다. ¶ 산에 덫을 ~. **11** 실로 수를 만들거나 무늬가 있게 하다. ¶ 꽃수를 ~. **12** 수판 따위로 셈을 하다. ¶ 주판을 ~. **13** 사려는 값으로 말을 내다. ¶ 값을 놓아 보다. **14** 집·돈·물건 등을 세나 이자를 붙여 남에게 빌려 주다. ¶ 전세를 ~ / 사채를 ~ / 방을 ~. **15** 하던 일을 그치다. ¶ 일손을 ~. **16** 있는 힘을 다하다. ¶ 속력을 ~ / 목을 놓아 울다. **17** 말을 낮추어 하거나 거절하다. ¶ 말씀 놓으시지요 / 퇴짜 ~. **18** 일정한 대상에게 어떤 짓을 해 대다. ¶ 훼방을 ~ / 엄포를 ~ / 으름장을 ~ / 핀잔을 ~. **19** 접바둑에서, 하수가 미리 몇 점을 두다. ¶ 석 점을 놓고 두다. **20** 문제의 대상으로 삼다. ¶ 그 문제를 놓고 갑론을박이 벌어졌다.

놓다² [노타] 보동 용언의 어미인 '-아'·'-

어'·'-라' 다음에 붙어, 이미 된 상태나 형상이 그대로 있음을 뜻하는 말. ¶논을 갈아 ~/문을 열어 ~/워낙 허풍이 센 사람이라 놓아서 믿기 어렵다.

놓아-가다 [노-] 자 배나 말이 빨리 가다.

놓아-기르다 [노-] 〔-기르니, -길러〕 타 르불 놓아먹이다.

놓아-두다 [노-] 타 **1** 들었던 것을 내려 어떤 곳에 두다. ¶핸드백을 테이블 위에 ~. **2** 건드리지 않고 그대로 두다. ¶가구를 그대로 놓아두고 떠나다. **3** 제 마음대로 하게 내버려 두다. ¶참견 말고 그냥 놓아두어라. 준놔두다.

놓아-먹다 [노-] 자 보살피는 사람 없이 제멋대로 자라다.

놓아-먹이다 [노-] 타 가축을 가두지 않고 제멋대로 자라게 하다. 놓아기르다.

놓아먹인 말 구 예의나 교양이 없는 사람이나 길들이기 어려운 사람을 일컫는 말.

놓아-주다 [노-] 타 잡히거나 얽매이거나 갇힌 것을 자유롭게 풀어 주다. ¶잡은 새를 ~/도둑을 ~. 준놔주다.

놓여-나다 [노-] 자 잡혔던 상태에서 벗어나다. ¶강박 관념에서 ~/경찰의 손에서 ~.

***놓이다** [노-] 자 《'놓다'의 피동》 **1** 놓여지다. ¶다리가 ~/덫이 ~/절망적인 상태에 ~. **2** 얹히어 있다. ¶책상 위에 놓인 사전을 집다. **3** 안심이 되다. ¶마음이 놓인다. 준뇌다[2].

놓치다 [놓-] 타 잡거나 얻거나 닥쳐온 것을 도로 잃다. ¶도둑을 ~/막차를 ~/우승을 ~/기회를 ~/혼기를 ~/한 마디도 놓치지 않고 듣다.

놔:-두다 타 '놓아두다'의 준말.

놔:-주다 타 '놓아주다'의 준말.

뇌 (腦) 명 〖생〗 다세포 동물의 머리 속에 있는 중추 신경계의 주요부《대뇌·소뇌·연수(延髓)로 구분됨》. 두뇌.

뇌격 (雷擊) 명하타 〖군〗 어뢰로 적의 배를 공격함. 또는 그런 공격.

뇌-경색 (腦硬塞) 명 〖의〗 뇌동맥이 막혀서 혈액이 잘 흐르지 못해 뇌 조직이 괴사(壞死)하는 병.

뇌관 (雷管) 명 포탄·탄환 따위와 같은 폭발물의 화약에 점화하기 위하여 사용하는 쇠붙이로 만든 관. ¶포탄의 ~/~이 터지다.

뇌까리다 타 아무렇게나 되는대로 마구 지껄이다. ¶뚱딴지같은 소리를 ~/푸념을 ~.

뇌:꼴-스럽다 〔-스러우니, -스러워〕 형 ㅂ불 보기에 아니꼽고 얄밉다. ¶함부로 나대서 ~. **뇌:꼴-스레** 부

뇌:다[1] 타 지나간 일이나 한번 한 말을 자꾸 되풀이해서 말하다. ¶입버릇처럼 같은 말을 ~/이름을 자꾸 뇌어 보다.

뇌:다[2] 자 '놓이다'의 준말.

뇌동 (雷同) 명하자 주견 없이 남의 의견에 좇아 함께 어울림.

뇌락-하다 (磊落-) [-라카-] 형여불 마음이 활달하여 작은 일에 거리낌이 없고 씩씩하다. ¶호방 뇌락한 사람.

뇌:랗다 [-라타] 〔뇌라니, 뇌라오〕 형ㅎ불 생기가 없이 노랗다. ¶얼굴이 ~. 큰뉘렇다.

뇌:래-지다 자 뇌랗게 되다. 큰뉘레지다.

뇌리 (腦裡) 명 머릿속. ¶~에 박혀 있다/~를 스치다/~에서 떠나지 않다.

뇌막 (腦膜) 명 〖생〗 두개골 안에 뇌를 싸고 있는 얇은 껍질.

뇌막-염 (腦膜炎) [-망념] 명 〖의〗 뇌막에 생기는 염증.

뇌물 (賂物) 명 공적인 책임이 있는 사람을 매수하여 법을 어기고 자기를 이롭게 해 달라고 주는 돈이나 물건. ¶~ 수수/~을 주다〔쓰다〕/~을 받아먹다.

뇌사 (腦死) 명 〖의〗 인체의 사망을 확인함에 있어서, 뇌의 기능이 완전히 멈추어져 본디 상태로 되돌아가지 못하는 상태를 이름. 뇌사는 심장 정지에 훨씬 앞서는 경우가 있음.

뇌사-자 (腦死者) 명 뇌의 기능이 완전히 멈추어 죽은 사람.

뇌성 (雷聲) 명 천둥 치는 소리.

뇌성 마비 (腦性痲痺) 〖의〗 뇌가 손상되어 운동 마비를 일으키는 질환의 총칭.

뇌성-벽력 (雷聲霹靂) [-병녁] 명 천둥 치는 소리와 벼락. ¶~과 같은 호통 소리.

뇌성 소:아마비 (腦性小兒痲痺) 〖의〗 태아기에 뇌출혈·혈관 압박 또는 손상 등으로 뇌의 운동 기능이 마비된 상태.

뇌쇄 (惱殺) 명하타 여자가 그 아름다움으로 남자를 매혹시켜 애가 타게 함. ¶~적인 몸매의 여배우.

뇌수 (腦髓) 명 〖생〗 뇌.

뇌-수면 (腦睡眠) 명 수면의 시작이나 잠이 얕을 때의 수면 상태. ↔체수면.

뇌-신경 (腦神經) 명 대뇌의 밑과 연수(延髓)로부터 시작하여 머리·얼굴 등에 퍼져 있는 운동 신경과 지각 신경《시신경·후신경·안면 신경·미주 신경 등 12쌍으로 이루어짐》.

뇌압 (腦壓) 명 〖의〗 뇌 안의 뇌척수액의 압력. 뇌내압(腦內壓).

뇌염 (腦炎) 명 뇌수에 염증이 생겨 일어나는 병의 총칭. 일본 뇌염 등의 유행성 뇌염과, 급성 전염병 등에 수반하는 속발성(續發性) 뇌염으로 구분됨. 고열·두통·구토 등이 나고 의식 장애·경련을 일으킴. ¶~ 모기.

뇌엽 (腦葉) 명 대뇌 반구를 넷으로 나눈 각 부분. 전두엽·두정엽·후두엽·측두엽으로 나눔.

뇌옥 (牢獄) 명 죄인을 가두어 두는 곳. 감옥(監獄).

뇌우 (雷雨) 명 천둥소리가 나며 내리는 비. ¶산중에서 ~를 만나다.

뇌-일혈 (腦溢血) 명 고혈압·동맥 경화 등으로 뇌동맥이 터져 뇌 속에 출혈하는 병《출혈이 되면 죽거나, 회복되어도 언어 장애나 반신불수가 됨》. 뇌출혈.

뇌전-도 (腦電圖) 명 뇌파를 기록한 도면.

뇌정-벽력 (雷霆霹靂) [-병녁] 명하자 천둥과 벼락이 격렬하게 침. 또는 그러한 천둥과 벼락.

뇌-졸중 (腦卒中) [-쭝] 명 뇌의 갑작스러운 혈액 순환 장애로 말미암은 증상. 갑자기 의식을 잃고 쓰러지며, 손발의 마비·언어 장애·호흡 곤란 등의 증상이 나타남《뇌일

혈에 의한 것이 가장 많으나, 뇌전색·뇌막 출혈 등으로도 비슷한 증상이 일어남》.

뇌-종양 (腦腫瘍) 명 뇌질과 뇌막에 발생하는 종양의 총칭《두통·구토·경련·마비 등의 증상이 일어남》.

뇌-진탕 (腦震蕩) 명 〖의〗 머리를 크게 부딪치거나 몹시 얻어맞았을 때, 그 충격으로 일시적으로 뇌가 기능 장애를 일으키는 일.

뇌-출혈 (腦出血) 명 뇌일혈(腦溢血).

뇌파 (腦波) 명 뇌에서 나오는 미약한 주기성(周期性) 전류. 정신 활동이나 자극 의식 수준에 따라 변동함《뇌의 기능 판정·질병 진단 등에 이용함》. ¶ ~ 검사.

뇌파-계 (腦波計)[-/-게] 명 뇌파의 움직임을 기록하고 검사하는 장치.

뇌-하수체 (腦下垂體) 명 간뇌(間腦)의 밑에 있는 내분비샘의 하나《전엽(前葉)·중엽·후엽의 세 부분으로 되었고, 생식·발육에 밀접한 관계가 있음》. 골밑샘.

뇌-혈관 (腦血管) 명 뇌 속을 흐르는 혈관.

뇌-혈전증 (腦血栓症)[-쩐쯩] 명 〖의〗 동맥 경화 따위로 말미암아 뇌의 혈관 속에 핏덩이가 막혀서 뇌가 연화(軟化)되어 일어나는 병.

누: (累) 명 정신적으로나 물질적으로 입는 피해나 괴로움. ¶ ~가 미치다 / ~를 끼치다 / ~가 되다.

누 (樓) 명 **1** '누각(樓閣)'의 준말. **2** 다락집.

누 (壘) 명 베이스(base).

누각 (樓閣) 명 사방이 탁 트이게 높이 지은 다락집. 준누(樓).

누:견 (陋見) 명 **1** 좁은 생각이나 소견. **2** 자신의 생각·의견 등을 낮추어 하는 말. 비견(鄙見).

누:계 (累計)[-/-게] 명하타 소계(小計)를 계속하여 덧붙여 계산함. 또는 그 합계. ¶ ~를 내다. *적산(積算).

누:관 (淚管) 명 〖생〗 누도(淚道)의 한 부분. 코의 위 끝에 가까운 눈꺼풀의 가장자리에 있는, 아래위의 누선(淚腺)으로부터 코 쪽으로 향하여 벋어 누낭(淚囊)에서 열리는 관. 눈물관.

***누구** 인대 어떤 사람을 막연히 일컫거나 또는 이름을 모르는 사람을 의문의 뜻으로 일컫는 인칭 대명사. 하인(何人). ¶ ~든지 오너라 / ~나 할 수 있는 일 / 저 사람은 ~입니까 / ~를 찾습니까. 준뉘.

누구-누구 인대 '누구'의 복수형.

누군 준 누구는. ¶ ~ 주고 ~ 안 주니 / ~ 모르나.

누굴 준 누구를. ¶ ~ 놀리느냐 / ~ 찾니.

누그러-들다 [-드니, -드오] 자 누그러지다. ¶ 목소리가 ~ / 성미가 많이 누그러들었다.

누그러-뜨리다 타 딱딱한 성질을 누그러지게 하다. ¶ 초조한 마음을 ~ / 험악한 분위기를 ~.

누그러-지다 자 **1** 감정이나 분위기 등이 풀어지거나 약해지다. ¶ 격한 감정이 ~ / 늦은 이유를 설명하자 그녀의 표정이 누그러졌다. **2** 무엇의 정도가 덜해지다. ¶ 병세가 ~ / 추위가 좀 누그러졌다.

누그러-트리다 타 누그러뜨리다.

누그리다 타 딱딱한 성질을 누그러지게 하다. ¶ 기세를 ~ / 감정을 ~.

누:기 (漏氣) 명 눅눅하고 축축한 기운. ¶ ~가 차다 / 찬 방에서 ~가 돌다.

누기(가) 치다 구 축축한 기운이 생기다.

***누:나** 명 남자가 손위 누이나 손위 여자를 부르는 말.

-누나 어미 동사 어간에 붙어서 행동의 진행과 감탄의 뜻을 나타내는 종결 어미. ¶ 이 밤도 깊어 가~ / 눈이 내리~.

누:낭 (淚囊) 명 〖생〗 아래위의 누소관(淚小管)에서 흘러나온 눈물이 모이는 주머니. 눈물주머니.

누:년 (屢年·累年) 명부 여러 해. 여러 해 동안. ¶ ~에 걸친 가뭄.

누:누-이 (屢屢-) 부 여러 번 자꾸. ¶ ~ 타이르다 / ~ 당부하다 / ~ 강조하다.

***누:님** 명 '누나'의 높임말.

***누다** 타 똥이나 오줌을 몸 밖으로 내보내다. ¶ 오줌을 ~ / 똥을 ~.

누:대 (累代·屢代) 명 여러 대. 누세. ¶ ~에 걸쳐 살아온 집.

누대 (樓臺) 명 누각과 정자.

누:대-봉사 (屢代奉祀) 명 여러 대의 조상의 제사를 받드는 일.

누더기 명 누덕누덕 기운 헌 옷. ¶ ~를 걸친 거지.

누덕-누덕 [-덩-] 부하형 해진 곳을 여러 번 덧붙여 기운 모양. ¶ ~ 기운 바지를 입다. 작노닥노닥.

누:도 (淚道) 명 눈물이 눈에서 코로 흐르는 길. 소누관(小淚管)·누낭(淚囊)·비루관(鼻淚管)으로 이루어졌음. 눈물길.

누드 (nude) 명 **1** 벌거벗은 몸. **2** 그림·조각·사진 등의 나체상. ¶ ~ 사진.

누드-쇼 (nude show) 명 나체로 무대 위를 걷거나 춤추는 것을 보이는 쇼.

누:락 (漏落) 명하자타 마땅히 기록되어야 할 것이 기록에서 빠짐. 또는 빠뜨림. ¶ 장부에 ~이 생기다 / 박군의 이름이 명단에서 ~됐다 / 소득 신고에 ~이 많다.

누:란 (累卵) 명 쌓아 놓은 새 알이란 뜻으로, 위태로운 형편을 비유하는 말. ¶ ~의 위기.

누:란지세 (累卵之勢) 명 몹시 위험한 형세.

누렁 명 누른 빛깔이나 물감. 작노랑.

누렁-개 명 털빛이 누른 개. 누렁이.

누렁-물 명 **1** 빛이 누른 물. **2** 누르퉁퉁하고 더러운 물.

누렁-이 명 **1** 누렁개. **2** 누른 빛깔의 물건. 작노랑이.

***누:렇다** [-러타] 〔누러니, 누러오〕 형ㅎ불 매우 누르다. ¶ 벼가 누렇게 익어 간다. 작노랗다.

누렇게 뜨다 구 ㉠오래 앓거나 굶주려서 안색이 누렇게 변하다. ¶ 얼굴이 누렇게 떠 부석부석하다. ㉡매우 난처한 일을 당해 어쩔 줄 모르고, 안색이 누렇게 변하다. ¶ 겁에 질려 얼굴이 누렇게 떠 있었다.

누:레-지다 자 누렇게 되다. 작노래지다.

누룩 명 밀을 굵게 갈아 반죽하여서 띄운 술의 원료.

누룩-곰팡이 명 〖식〗 누룩곰팡잇과의 자낭균. 균사는 빛이 없고 퍼져서 솜처럼 됨. 양조용·디아스타아제 등의 원료임.

누룽-지 명 솥 바닥에 눌어붙은 밥.
누르-기 명 유도에서 굳히기의 한 가지. 상대편의 상체를 등이 바닥에 닿게 하여 누르는 기술.
누르께-하다 형여불 누르스름하다. ¶누르께한 고무신. 작노르께하다.
***누:르다**[1] 〔누르니, 눌러〕 타르불 **1** 어떤 물체에 힘이나 무게를 가하다. ¶초인종을 마구 ~/카메라 셔터를 ~. **2** 꼼짝 못하게 힘이나 규제를 가하다. ¶권력으로 백성을 누르고 지배하는 시대는 지났다. **3** 어떤 기분·느낌·심리 작용 등을 억제하다. 참다. ¶슬픔을 누르고 미소 짓다. **4** 경기 따위에서 이기다. ¶상대 팀을 9대 5로 눌렀다. **5** 국수틀로 국수를 뽑다. ¶국수를 ~. **6** 계속 머물다. ¶여기에 눌러 살 작정이다.
***누르다**[2] 〔누르니, 누르러〕 형러불 놋쇠나 금의 빛과 비슷하다. ¶가을이 되니 나뭇잎이 누르러 보인다. 작노르다.
누르디-누르다 〔-누르니, -누르러〕 형러불 아주 누르다.
누르스레-하다 형여불 누르스름하다.
누르스름-하다 형여불 조금 누르다. ¶누르스름한 재생지. 작노르스름하다. **누르스름-히** 부
누르죽죽-하다 〔-쭈카-〕 형여불 칙칙하고 고르지 않게 누르스름하다. ¶담배 연기에 찌들어서 방 안의 벽지가 누르죽죽하게 변했다.
누르퉁퉁-하다 형여불 **1** 산뜻하지 않게 누르다. **2** 살이 부어서 핏기가 없이 누르다.
누른-빛 〔-빋〕 명 누른 빛깔. 금빛과 비슷한 빛깔. ¶~이 도는 블라우스를 사다. 작노란빛.
누름-단추 명 눌러서 신호·벨을 울리게 하는 여러 가지 모양의 장치. ¶초인종의 ~.
누름-돌 〔-똘〕 명 물건을 꼭 눌러두는 돌.
누름-적 (-炙) 명 고기 따위를 꼬챙이에 꿴 뒤 달걀을 씌워서 번철에 지진 음식.
누릇-누릇 〔-른-른〕 부하형 군데군데 누르스름한 모양. 작노릇노릇.
누릇-하다 〔-르타-〕 형여불 누르스름하다. 작노릇하다.
누리 명 '세상(世上)'을 예스럽게 이르는 말. ¶온 ~가 눈으로 하얗게 덮이다.
누리-꾼 명 네티즌.
***누리다**[1] 타 생활 속에서 마음껏 즐기거나 맛보다. ¶행복을 ~/부귀영화를 ~/장수를 ~/오래도록 인기를 누리고 있는 가수.
누리다[2] 형 **1** 누린내가 나다. ¶다른 고기보다 양고기에서는 누린 냄새가 많이 난다. **2** 기름기가 많아 메스꺼운 냄새가 나다.
누리-집 명 홈페이지.
누리척지근-하다 형여불 누린내가 조금 나는 듯하다. 누케하다. 작노리착지근하다. 준누리치근하다·누척지근하다. **누리척지근-히** 부
누리치근-하다 형여불 '누리척지근하다'의 준말. 작노리치근하다. **누리치근-히** 부
누린-내 명 **1** 짐승의 고기에서 나는 기름기의 냄새. **2** 짐승 털이 불에 타는 냄새. 작노린내.
누린내가 나도록 때리다 구 아주 몹시 때린다는 말.
누릿-하다 〔-리타-〕 형여불 **1** 맛이나 냄새가 약간 누리다. **2** 산뜻하지 않게 조금 누르다.
누:만 (累萬) 명 여러 만(萬)이라는 뜻으로, 아주 많은 수를 나타내는 말.
누:만-금 (累萬金) 명 많은 액수의 돈. ¶~을 준다 해도 내 것과 바꾸지 않겠다.
누:명 (陋名) 명 억울하게 뒤집어쓴 불명예. 오명(汚名). ¶소매치기라는 ~을 벗다/살인자라는 ~을 쓰다/~을 씌우다.
누비 명 두 겹의 천 사이에 솜을 넣고 줄이 죽죽 지게 박은 바느질. 또는 그렇게 만든 물건. ¶~ 솜옷.
누비다 타 **1** 피륙으로 거죽과 속을 만들고 그 사이에 솜을 두어 줄이 죽죽 지게 박다. ¶이불을 ~/팔꿈치를 누빈 점퍼. **2** 이리저리 거리낌 없이 다니며 활동하다. ¶골목길을 누비고 다니다/전국을 누비며 기행문을 쓰다.
누비-옷 〔-옫〕 명 누빈 옷감으로 지은 옷.
누비-이불 명 누벼서 지은 이불.
누:선 (淚腺) 명 눈물샘.
누:설 (漏泄·漏洩) 명하자타 **1** 기체나 액체 따위가 밖으로 샘. ¶방사능 ~/하천에 폐수를 ~하다. **2** 비밀이 밖으로 새어 알려짐. ¶적에게 정보를 ~하다/회사의 중요 기밀이 ~되다.
누:세 (累世·屢世) 명 누대(累代).
누:속 (陋俗) 명 천한 풍속. 누습(陋習). ↔ 양속(良俗).
누:수 (淚水) 명 눈물[1]1.
누:수 (漏水) 명 물이 새는 일. 또는 그 새어 나오는 물.
누:습 (陋習) 명 옛날부터 내려오는 나쁜 관습. ¶구래의 ~을 타파하다.
누:습 (漏濕) 명하형 축축한 기운이 스며 있음. ¶~한 방.
누심 (壘審) 명 야구에서, 각 누에서 판정을 맡아보는 심판.
누:안 (淚眼) 명 〖의〗 병으로 눈물이 늘 나오는 눈.
누:액 (淚液) 명 눈물[1]1.
누에 명 〖충〗 누에나방의 애벌레. 자벌레와 비슷한데, 대개 검은 무늬가 있음. 13개의 마디가 있으며 잠은 4회 자는데 4회까지 허물을 벗고, 커서 실을 토하여 고치를 지음. ¶~를 올리다/~를 치다.
누에(가) 오르다 구 누에가 고치를 지으려고 누에섶에 오르다.
누에-고치 명 누에가 번데기로 될 때에 그 바깥 둘레에 만드는 일종의 집《명주실의 원료로 씀》.
누에-나방 명 〖충〗 누에나방과의 곤충. 편 날개 길이 4cm가량, 몸빛은 회백색임. 교접하여 알을 낳은 뒤 곧 죽음. 유충은 누에라 하여 명주실을 얻기 위해 기름.
누에 농사 (-農事) 누에를 치는 일.
누에-섶 〔-섭〕 명 누에가 고치를 짓도록 마련하여 놓은 짚이나 잎나무. 섶. 잠족.
누에-치기 명하자 양잠(養蠶).
누:옥 (陋屋) 명 **1** 좁고 지저분한 집. **2** 자기 집을 낮추어 일컫는 말.
누:옥 (漏屋) 명 비가 새는 집.
누운-단 명 웃옷의 아랫단. 준눈단.
누운-목 (-木) 명 양잿물에 삶은 뒤 물에 빨아 희고 부드럽게 만든 무명. 준눈목.

누운-변(-邊) 명 다달이 갚지 않고 본전과 함께 한꺼번에 갚는 변리. ↔선변.
누워-먹다 자 일을 하지 않고 편하게 놀고 먹다. ¶어떤 사람은 팔자 좋아 누워먹나.
누:월(屢月) 명 여러 달. 누삭.
*누이 명 남자의 여자 형제. 흔히 나이가 아래인 여자를 이름. 준뉘.
[누이 믿고 장가 안 간다] 도저히 불가능한 일만을 하려 하고 다른 방책을 세우지 않는 어리석음을 비웃는 말. [누이 좋고 매부 좋다] 서로 다 이롭고 좋다.
누이다[1] 타 《'눕다'의 사동》 '눕히다'의 변한말로, 눕게 하다. ¶수술대 위에 환자를 ~/아기를 담요 위에 ~. 준뉘다.
누이다[2] 一타 《'눕다²'의 사동》 피륙을 잿물에 삶아서 희고 부드럽게 하다. 二자 《'눕다²'의 피동》 피륙이 잿물에 삶기어 희고 부드럽게 되다. 준뉘다.
누이다[3] 타 《'누다'의 사동》 오줌이나 똥을 누게 하다. 준뉘다.
누이-동생(-同生) 명 자기보다 나이 어린 누이.
누:적(累積) 명하자타 계속해서 쌓임. 계속해서 쌓음. ¶~된 울분이 폭발하다/미결 서류가 ~하다/피로가 ~되다.
누:적(漏籍) 명하자 호적이나 병적·학적 등의 기록에서 빠짐.
누:전(漏電) 명하자 전기 기구나 전선의 절연이 잘못되어 전기가 새어 나감. ¶~ 차단기/~으로 불이 나다.
누:정(漏精) 명하자 성행위 없이 자신도 모르게 정액이 흘러나오는 일. 또는 그 정액. 유정(遺精).
누:조(累祖) 명 여러 대의 조상.
누:조(累朝) 명 여러 대를 이어 온 조정이나 왕위.
누:증(累增) 명하자타 계속해서 늘어남. ¶채무가 ~되다.
누:지다 형 습기를 먹어 축축한 기운이 있다. ¶장마철이라 방이 ~.
누:진(累進) 명하자 1 지위 등이 차차 올라감. 2 가격이나 수량이 더하여 감에 따라 거기에 대한 비율이 점점 높아짐. ¶과세를 ~적으로 적용하다.
누:진-세(累進稅)[-쎄] 명 과세 물건의 수량 또는 화폐 가치의 증가에 따라서 점점 높은 세율을 부과하는 조세. ↔비례세.
누:차(屢次) 명부 1 여러 차례. ¶~에 걸쳐 당부하다. 2 여러 차례에 걸쳐. ¶~ 강조하다/~ 경고했음에도 불구하고.
누:-천년(累千年) 명 여러 천 년의 오랜 세월. ¶~의 역사.
누:추-하다(陋醜-) 형여불 지저분하고 더럽다. ¶누추한 집/차림이 ~. 준누하다.
누:출(漏出) 명하자 액체나 기체 또는 비밀이나 정보 따위가 밖으로 새어 나옴. ¶방사능 ~ 사고/유독 가스가 ~되다/회사 기밀을 ~하다.
누:항(陋巷) 명 1 좁고 더러운 거리. 2 자기가 사는 동네의 겸칭.
누:회(屢回) 명부 누차(屢次).
누:흔(淚痕) 명 눈물 자국.
눅눅-하다[눙누카-] 형여불 1 물기나 기름기가 있어 무름하고 좀 부드럽다. ¶과자가 눅눅해졌다. 작녹녹하다. 2 축축한 기운이 있다. 습기가 있다. ¶눅눅한 옷/방에 습기가 차서 ~. 눅눅-히[눙누키] 부
눅다 형 1 반죽 따위가 무르다. ¶밀가루 반죽이 ~. 2 습기가 있어 부드럽다. 3 성질이 너그럽다. ¶마음이 ~. 4 값이 싸다. ¶음식 값이 ~. 5 춥던 날씨가 풀리어 푸근하다. ¶추위가 눅어 봄 날씨 같다.
눅신-눅신 부하형 매우 눅신한 모양. ¶~한 갱엿. 작녹신녹신.
눅신-하다 형여불 섬유질의 물체가 질기지 않고 무르고 부드럽다. 작녹신하다. 눅신-히 부
눅어-지다 자 1 물건이 무르거나 부드러워지다. 2 성질 따위가 누그러지다. ¶어조가 ~/감정이 ~. 3 분위기나 기세 따위가 누긋해지다. ¶긴장이 ~/추위가 ~.
눅이다 타 1 굳은 물건을 부드럽게 하다. ¶굳은 떡을 ~. 2 마음을 풀리게 하다. ¶노여움을 ~. 3 젖게 하다. 적시다. ¶다림질하려고 옷을 ~.
눅-잦히다[-짜치-] 타 누그러뜨리다. ¶긴장된 마음을 ~.
눅지근-하다 형여불 성격 따위가 느긋하고 너그러운 듯하다. ¶얼굴에서 눅지근한 인상이 풍긴다.
눅지다 자 추운 날씨가 누그러지다.
눅진-거리다 자 1 물기가 약간 있어 눅눅하면서 끈적거리다. ¶갱엿이 녹아서 ~/온몸이 땀으로 눅진거렸다. 2 부드러우면서 끈기 있게 자꾸 들러붙다.
눅진-눅진 부하형 매우 눅진한 모양. ¶뜨거운 태양열에 ~해진 아스팔트 도로. 작녹진녹진.
눅진-대다 자 눅진거리다.
눅진-하다 형여불 물체나 성질이 누긋하고 끈끈하다. ¶눅진한 성격/손바닥에 눅진한 땀이 배어 있다. 작녹진하다. 눅진-히 부
*눈[1] 명 1 사람이나 동물의 보는 기능을 맡은 감각기의 하나. ¶~을 감다/~을 흘기다. 2 시력. ¶~이 나쁘다. 3 사물을 보고 판단하는 힘. ¶~이 높다/보는 ~이 다르다/문학에 ~을 뜨다. 4 보는 모양이나 태도를 나타내는 말. ¶부러운 ~으로 바라보다. 5 시선. 눈길. ¶사람들의 ~을 끌다/~을 돌리다. 6 태풍에서 중심을 이루는 부분. ¶태풍의 ~.
[눈 가리고 아웅] 얕은수로 남을 속이려 함. [눈 감으면 코 베어 먹을 세상] 인심이 몹시 험악하고 믿음이 없는 세상. [눈 뜨고 도둑맞는다] 번번이 알면서도 속거나 손해를 본다. [눈에는 눈 이에는 이] 해를 입은 만큼 앙갚음한다는 말. [눈에 콩깍지가 씌었다] 앞이 가리어 사물을 정확하게 보지 못한다. [눈을 떠도 코 베어 간다] 보는 데서 해를 받을 만큼 무서운 세상.
눈 깜짝할 사이 구 매우 짧은 동안. ¶~에 일을 끝내다.
눈도 깜짝 안 한다 구 태연하여 조금도 놀라지 아니하다.
눈 딱 감다 구 ㉠어떤 일을 더 이상 생각하지 않다. ㉡남의 허물을 못 본 체하다.
눈 뜨고 볼 수 없다 구 광경이 참혹하거나 마음에 아니꼬워 차마 마주 볼 수 없다.

눈 밖에 나다 구 신임을 얻지 못하고 미움을 받게 되다.
눈에 거슬리다 구 마음에 들지 않아 불쾌한 느낌이 있다.
눈에 걸리다 구 ㉠눈에 거슬리다. ㉡눈에 들어오다.
눈에 넣어도 아프지 않다 구 어린아이나 여자가 매우 귀여움을 나타내는 말.
눈에 들다 구 보는 것이 마음에 맞다.
눈에 띄다 구 ㉠두드러지게 눈에 보이다. ¶눈에 띄는 결점. ㉡눈에 뜨이다. 발견되다.
눈에 모를 세우다 구 성난 눈매로 날카롭게 노려보다.
눈에 밟히다 구 잊혀지지 아니하고 자꾸 눈에 떠오르다. ¶명절 때면 고향에 계신 부모님 모습이 눈에 밟힌다.
눈에 불을 켜다 구 몹시 욕심을 내거나 관심을 기울이다.
눈에 불이 나다 구 ㉠뜻밖의 일을 당하여 몹시 화가 나다. ㉡몹시 긴장하여 눈에서 불이 이는 듯하다.
눈에 선하다 구 지나간 일이나 물건의 모양이 눈앞에 보이는 듯하다.
눈에 쌍심지를 켜다 구 몹시 화가 나서 눈을 부릅뜨다.
눈에 어리다 구 어떤 모습이 잊혀지지 않고 뚜렷이 머릿속에 떠오르다. ¶떠나온 고향 마을이 눈에 어린다.
눈에 이슬이 맺히다 구 눈에 눈물이 글썽해지다.
눈에 익다 구 여러 번 보아서 익숙하다.
눈에 차다 구 매우 흡족하게 마음에 들다.
눈에 흙이 들어가다 구 죽어서 땅에 묻히다.
눈(을) 돌리다 구 관심을 돌리다.
눈(을) 맞추다 구 ㉠서로 눈을 마주 보다. ㉡남녀가 서로 사랑의 눈치를 보이다.
눈(을) 밝히다 구 주의나 관심을 집중시키다.
눈(을) 붙이다 구 잠시 동안 잠을 자다.
눈(을) 주다 구 가만히 약속의 뜻을 보여 눈짓하다.
눈(이) 가다 구 보는 눈이 향하여지다.
눈(이) 꺼지다 구 눈이 우묵하게 들어가다. ¶눈이 꺼져 수척해 보인다.
눈(이) 높다 구 ㉠정도 이상의 좋은 것만 찾는 버릇이 있다. ㉡안목이 높다.
눈이 뒤집히다 구 이성을 잃고 함부로 날뛰다. 정신을 못 차리다. ¶여자에 ~.
눈이 등잔만 하다 구 놀라거나 성이 났을 때 눈을 크게 떠 휘둥그레지다.
눈(이) 많다 구 보는 사람이 많다.
눈(이) 맞다 구 두 사람의 마음이나 눈치가 서로 통하다.
눈이 빠지도록 기다리다 구 몹시 애타게 기다리다.
눈(이) 삐다 구 뻔한 것을 잘못 보고 있다. ¶너도 눈이 삐었지. 저런 사람하고 결혼할 생각을 하고 있다니.
눈이 시퍼렇게 살아 있다 구 멀쩡하게 살아 있다.
눈이 트이다 구 이해하고 판단하는 능력이 생기다.
눈이 휘둥그레지다 구 몹시 놀라거나 두려워서 눈이 커지다.
***눈²** 명 나무에 새로 막 터져 돋아나려는 싹. 꽃눈·잎눈 따위.
눈³ 명 눈금. ¶저울의 ~을 속이다.
눈⁴ 명 그물 따위의 구멍.
***눈:⁵** 명 공중에 떠다니는 수증기가 찬 기운을 만나 얼어서 땅 위로 떨어지는 흰 결정체. ¶~이 내리다 / ~이 쌓이다 / ~이 녹다 / ~을 쓸다.
[눈 먹던 토끼 얼음 먹던 토끼가 다 각각] 사람은 자기가 겪어 온 환경이나 경우에 따라 그 능력을 각기 달리함.
눈이 오나 비가 오나 구 언제나. 늘.

'눈'의 종류

· 가랑눈	· 가루눈	· 길눈
· 납설(臘雪)	· 눈보라	· 대설(大雪)
· 도둑눈	· 마른눈	· 만년설(萬年雪)
· 모설(暮雪)	· 밤눈〔夜雪〕	· 봄눈〔春雪〕
· 서설(瑞雪)	· 숫눈	· 신설(新雪)
· 싸라기눈	· 우박(雨雹)	· 자국눈
· 진눈깨비	· 첫눈〔初雪〕	· 함박눈
· 흰눈〔白雪〕		

눈-가 [-까] 명 눈의 가장자리. ¶~의 주름 / ~에 이슬이 맺히다.
눈-가늠 [-까-] 명하타 눈으로 어림잡아 목표나 기준에 대어 보는 일.
눈-가림 명하자 겉만 꾸며 남의 눈을 속이는 짓. ¶~으로 일을 하다.
눈-감다 [-따] 자 **1** 목숨이 끊어지다. ¶어머니는 편안히 눈감으셨다. **2** 남의 잘못을 알고도 모르는 체하다. ¶한 번만 눈감아 달라고 사정하다 / 비위(非違) 사실을 알고도 눈감아 주다.
눈-겨냥 명하타 눈으로 보아 대략 목표를 겨눔. ¶목표물을 ~해서 맞추다.
눈-겨룸 명하자 눈싸움¹.
눈-결 [-껼] 명 (주로 '눈결에'의 꼴로 쓰여) 눈에 슬쩍 뜨이는 잠깐 동안. ¶~에 언뜻 본 듯하다.
눈-곱 [-꼽] 명 **1** 눈에서 나오는 진득한 액. 또는 그것이 말라붙은 것. ¶~이 끼다 / ~을 떼다. **2** 아주 작은 물건을 일컫는 말. ¶인정이라고는 ~만큼도 없다 / 이 집에 ~만큼의 미련도 없다.
눈곱만-하다 [-꼼-] 형여불 보잘것없이 썩 적거나 작다. ¶눈곱만한 양심도 없다.
눈:-구덩이 [-꾸-] 명 눈구멍². ¶미끄러져 ~에 처박히다.
눈:-구름 명 **1** 눈과 구름. **2** 눈을 내리거나 머금은 구름.
눈-구멍¹ [-꾸-] 명 **1** 눈알이 박혀 있는 구멍. **2** 〈속〉 눈¹.
눈:-구멍² [-꾸-] 명 눈이 많이 쌓인 가운데. 눈구덩이.
***눈-금** [-끔] 명 자·저울 따위에 수나 양을 헤아리기 위하여 새긴 금. 눈. ¶~을 재다 / 저울 ~을 속이다.
눈-길¹ [-낄] 명 **1** 눈이 가는 곳. 또는 눈으로 보는 방향. ¶~이 마주치다 / ~을 돌리다. **2** 주의나 관심. ¶따뜻한 ~을 보내다.

눈길을 거두다 구 시선을 딴 데로 돌리다.
눈길(을) 끌다 구 시선이 그쪽으로 향하도록 당기다. ¶파격적 홍보 전략으로 ~.
눈길(을) 모으다 구 여러 사람의 시선을 집중시키다. 뭇사람의 관심의 대상이 되다. ¶빼어난 미모로 뭇 남자들의 ~.
눈:-길[2] [-낄] 명 눈에 덮인 길. 눈이 내리고 있는 길. ¶~에 난 발자국 / 발목까지 빠져드는 ~을 걷다.
눈-까풀 명 눈꺼풀.
눈-깔 명 〈속〉 눈[1].
눈깔(이) 나오다 구 〈속〉 몹시 놀랍거나 터무니없어 받아들이기 힘들다.
눈깔(이) 뒤집히다 구 〈속〉 눈이 뒤집히다. *눈[1].
눈깔(이) 삐다 구 〈속〉 욕심 따위로 눈이 어두워 그릇된 판단을 하다.
눈깔-사탕 (-砂糖) 명 엿이나 설탕을 끓여 둥글고 단단하게 만든 사탕.
눈-깜작이 명 눈을 자주 깜작거리는 사람. 센눈깜짝이. 준깜작이.
눈-깜짝이 명 눈을 자꾸 깜짝거리는 사람. 여눈깜작이. 준깜짝이.
눈-꺼풀 명 눈알을 덮는, 위아래로 움직이는 살갗. 눈까풀.
눈-꼬리 명 눈의 귀 쪽 가장자리 부분.
눈-꼴 명 눈의 생김새나 움직이는 모양을 얕잡아 이르는 말. ¶~이 험하다.
눈꼴-사납다 〔-사나우니, -사나워〕 형ㅂ불 보기에 아니꼬워 비위에 거슬리게 밉다. ¶눈꼴사납게 굴다.
눈꼴-시다 형 하는 짓이 비위에 거슬려 보기에 아니꼽다. ¶지하철 안에서 포옹하는 꼴이란 눈꼴시어서 못 보겠다.
눈:-꽃 [-꼳] 명 나뭇가지에 얹혀 꽃이 핀 것처럼 보이는 눈. ¶흰 눈이 내려 나뭇가지에 아름다운 ~이 피었다.
눈-높이 명 1 관측할 때 수평에서 관측하는 사람의 눈까지의 높이. 2 어떤 사물을 보거나 상황을 인식하는 안목의 수준. ¶~를 맞추다 / ~를 낮추어 세상을 산다.
눈-대중 [-때-] 명하타 눈으로 보아 대강을 어림잡아 헤아림. 눈어림. 눈짐작. 목측(目測). ¶경기장에 모인 사람은 ~으로 3 천은 되어 보였다.
눈:-더미 [-떠-] 명 눈이 많이 쌓여 있는 더미. ¶~를 치우다. 「덩어리.
눈:-덩이 [-떵-] 명 눈을 뭉쳐 둥글게 만든
눈-도장 (-圖章)[-또-] 명 눈으로 찍는 도장이라는 뜻으로, 눈짓으로 허락을 얻어 내는 일이나 상대편의 눈에 띄는 일. ¶~을 찍다.
눈-독 (-毒)[-똑] 명 욕심을 내어서 눈여겨 보는 기운.
눈독(을) 들이다 구 욕심을 내어서 눈여겨 보다.
눈독(이) 오르다 구 욕심이 나서 눈여겨보다.
눈-동냥 [-똥-] 명 곁에서 얻어 보는 일.
눈동냥 귀동냥 구 주위에서 지식이나 견문 따위를 보고 들어 갖게 되는 일.
***눈-동자** (-瞳子)[-똥-] 명 눈알의 홍채 한가운데에 있어서 빛이 들어가는 부분《광선의 세고 약함에 따라 홍채가 늘고 줄어서 눈동자를 좁히고 넓힘》.
눈-두덩 [-뚜-] 명 눈언저리의 두두룩한 곳. ¶~이 퉁퉁 붓다.
눈-두덩이 [-뚜-] 명 눈두덩.
눈-딱부리 명 툭 불거지고 큰 눈. 또는 그런 눈을 한 사람. 준딱부리.
눈-뜨다 〔눈뜨니, 눈떠〕 자 1 잠을 깨다. ¶이제 눈뜰 시간이다. 2 이치나 옳고 그름을 깨달아 알다. ¶문학에 ~ / 이성에 ~.
눈뜬-장님 명 1 눈을 뜨고는 있으나 실제로는 보지 못하는 사람. 2 무엇을 보고도 모르는 사람. 3 글을 모르는 사람.
눈-망울 명 1 눈알 앞쪽의 두두룩한 곳. 눈동자가 있는 곳. ¶부리부리한 ~. 2 눈알.
눈-매 명 눈의 생김새. ¶고운 ~ / ~가 서글서글하다 / 할아버지의 ~를 쏙 빼닮다.
눈-맵시 명 눈매.
눈-멀다 〔눈머니, 눈머오〕 자 1 시력(視力)을 잃다. 눈이 보이지 않게 되다. ¶어떤 눈먼 사람을 약국까지 안내해 주었다. 2 어떤 일에 몹시 마음이 쏠리어 이성을 잃다. ¶눈먼 사랑 / 노름에 ~.
[눈먼 자식이 효자 노릇한다] 생각지도 않았던 사람에게 뜻밖의 은혜를 입게 된다.
[눈먼 탓이나 하지 개천 나무래 무엇하나] 자기의 부족함을 탓할 것이지 남을 원망할 것이 아니다.
눈먼 돈 구 ㉠임자 없는 돈. ㉡우연히 생긴 공돈.
***눈-물**[1] 명 1 눈알 위쪽에 있는 눈물샘에서 나오는 물《늘 조금씩 나와서 눈을 축이는데, 정신의 감동·자극을 받으면 더 많이 남》. ¶~이 어리다 / ~ 나는 고생담 / ~을 글썽이다 / 뺨으로 ~이 주르르 흐른다. 2 동정이나 인정. ¶피도 ~도 없는 사람.
눈물(을) 거두다 구 나오는 눈물을 멎게 하다. ¶눈물을 거두고 다시 일어서다.
눈물(을) 머금다 구 ㉠눈에 눈물이 글썽해지다. ㉡슬픔이나 고통을 꾹 참다.
눈물(을) 삼키다 구 나오려는 눈물을 꾹 참다.
눈물(을) 짜다 구 ㉠눈물을 질금질금 흘리며 울다. ㉡억지로 울다.
눈물이 앞을 가리다 구 자꾸 눈물이 나와서 눈을 뜨고 있을 수 없다.
눈물(이) 없다 구 동정하는 마음이 없다.
눈:-물[2] 명 눈이 녹아서 된 물.
눈물-겹다 〔-겨우니, -겨워〕 형ㅂ불 눈물이 날 만큼 몹시 가엾거나 애처롭다. ¶눈물겨운 광경/눈물겹도록 감동적인〔아름다운〕 이야기.
눈물-바다 [-빠-] 명 한자리에 있는 많은 사람이 한꺼번에 우는 일. ¶~가 되다 / ~를 이루다.
눈물-방울 [-빵-] 명 방울방울 맺힌 눈물. ¶~을 떨구다.
눈물-범벅 명 눈물을 많이 흘린 상태. ¶얼굴이 ~이다.
눈물-샘 [-쌤] 명 눈구멍 윗벽 바깥쪽에 있어 눈물을 분비하는 샘. 누선(淚腺).
눈물-지다 자 눈물이 흐르다.
눈물-짓다 [-짇따]〔-지으니, -지어〕 자ㅅ불 눈물을 흘리다.

눈:-바람 명 **1** 눈과 바람. 또는 눈 위로 불어오는 찬 바람. **2** 심한 고난.
눈:-발 [-빨] 명 힘차게 내리는 눈의 줄기. ¶ ~이 날리다 / ~이 점점 굵어지다.
눈발(이) 서다 구 눈이 곧 내릴 듯하다.
눈:-밭 [-받] 명 눈이 깔린 땅. ¶ ~을 헤쳐 나가다.
눈-병 (-病)[-뼝] 명 눈에 생긴 병. 안병(眼病). 안질. ¶ ~이 나다.
눈:-보라 명 바람에 불리어 휘몰아쳐 날리는 눈. ¶ ~가 치다 / 심한 ~를 헤치고 산을 오르다.
눈-부시다 형 **1** 빛이 아주 아름답고 황홀하다. ¶ 눈부신 옷차림 / 눈부신 아침 햇살. **2** 활동이나 업적 따위가 매우 뛰어나다. ¶ 눈부신 활약 / 눈부신 과학 기술의 발전.
눈:-비 명 눈과 비.
눈-빛[1] [-삗] 명 **1** 눈에 나타나는 기색. ¶ 성난 ~ / 차가운 ~으로 바라보다. **2** 눈에서 비치는 빛깔. ¶ ~이 파랗다.
눈:-빛[2] [-삗] 명 눈의 빛깔과 같이 흰빛. ¶ ~같이 흰 피부.
*__눈:-사람__ [-싸-] 명 눈을 뭉쳐 만든 사람의 형상. ¶ ~을 만들다 / 따뜻한 햇살에 ~이 녹다.
눈:-사태 (-沙汰) 명 쌓인 눈이 무너지면서 비탈을 아주 빨리 미끄러져 내리는 일.
눈-살[1] [-쌀] 명 두 눈썹 사이에 있는 주름.
눈살(을) 찌푸리다 구 마음에 못마땅하여 양미간을 찡그리다.
눈살(을) 펼 새 없다 구 근심, 걱정이 가시지 않다. 환한 얼굴 표정을 가질 틈이 없다.
눈-살[2] [-쌀] 명 눈총. ¶ ~이 따갑다.
눈:-서리 명 눈과 서리.
눈:-석임 명하자 쌓인 눈이 속으로 녹아 스러짐.
눈:석임-물 명 쌓인 눈이 속으로 녹아서 흐르는 물.
눈-속임 명하타 남의 눈을 속이는 짓. ¶ 마술은 일종의 ~이다.
눈:-송이 [-쏭-] 명 한데 엉겨 꽃송이처럼 되어 내려오는 눈. ¶ 탐스러운 ~.
눈-시울 [-씨-] 명 눈언저리의 속눈썹이 난 곳. ¶ ~을 적시다 / ~이 뜨겁다 / ~을 붉히다.
눈-싸움[1] 명하자 서로 눈을 마주 보고 오랫동안 깜박이지 않기를 겨루는 일. 눈겨룸. 준 눈쌈.
눈:-싸움[2] 명하자 눈을 뭉쳐 서로 상대방을 향하여 던져 맞히는 장난. 준 눈쌈.
눈:-썰매 명 눈 위에서 타거나 끄는 썰매.
눈-썰미 명 한두 번 본 것이라도 곧 그대로 해내는 재주. 목교(目巧). ¶ ~가 좋다 / ~가 있어 무엇이든 잘한다.
*__눈썹__ 명 두 눈두덩 위에 가로로 길게 모여 난 짧은 털. ¶ 짙은 ~ / ~이 하얗게 세다.
눈썹도 까딱하지 않다 구 아주 태연하다.
눈썹 싸움을 하다 구 졸음이 오는데 자지 않으려고 애쓰다.
눈:-안개 명 눈이 올 때에 눈발이 자욱하여 사방이 안개가 낀 것처럼 희부옇게 보이는 상태.
눈-알 명 시각 기관인 눈구멍 안에 박힌 공 모양의 기관《내부에 수정체·초자체 등을 포함하고, 시신경에 연결되며 안근(眼筋)에 의해 운동함》. 안구(眼球). ¶ ~을 부라리다 / ~을 굴리다.
눈알(이) 나오다 구 놀라서 눈을 크게 뜨고 봄의 비유.
눈알이 뒤집히다 구 〈속〉 몹시 화가 나고 흥분이 되다.
눈알이 빠지도록 기다리다 구 눈이 빠지도록 기다리다.
*__눈-앞__ [-압] 명 **1** 눈에 보이는 바로 가까운 곳. ¶ ~에 펼쳐진 푸른 바다 / 금강산이 ~에 보인다. **2** 가까운 장래. 안전(眼前). 목전. ¶ 위험이 ~에 닥치다 / 결혼을 ~에 두다 / ~의 이익만 추구하다.
눈앞이 캄캄하다 구 갑자기 당하는 어려움 앞에서 어찌할 바를 몰라 할 때 이르는 말.
눈-약 (-藥)[-냑] 명 눈병 치료에 쓰는 약. 안약(眼藥).
눈-어림 명하타 눈대중. ¶ ~으로 맞추다.
눈-언저리 명 눈의 가장자리. 눈가. ¶ 손수건으로 ~를 닦다.
눈엣-가시 [-에까-/-엗까-] 명 몹시 미워 항상 눈에 거슬리는 사람. ¶ ~로 여기다.
눈여겨-보다 [-녀-] 타 주의하여 보다. 자세히 보다. ¶ 그의 행동을 눈여겨보았다.
눈-여기다 [-녀-] 타 (주로 '눈여겨'의 꼴로 쓰여) 주의 깊게 보다. ¶ 눈여겨 주위를 살펴보다.
눈:-옷 [-옫] 명 산이나 나무 따위에 수북이 덮인 눈의 비유. ¶ ~ 입은 산들.
눈-요기 (-療飢)[-뇨-] 명하자 보는 것만으로 어느 정도 만족하는 일.
눈-웃음 명 눈으로만 가만히 웃는 웃음. ¶ 언니는 항상 ~을 지으며 인사한다.
눈웃음-치다 자 남의 마음을 사려고 짐짓 눈으로만 살짝 웃다.
눈-인사 (-人事) 명하자 눈짓으로 가볍게 하는 인사. 목례. ¶ ~를 나누다.
눈-자위 [-짜-] 명 눈알의 언저리.
눈자위(가) 꺼지다 구 사람이 죽다.
눈-접 (-椄) 명하타 접목(椄木)의 한 방법. 나뭇가지의 중앙부에 있는 눈을 예리한 접칼로 도려내어, 접본의 절개한 곳에 끼우고 묶음. 아접(芽椄).
눈-주름 [-쭈-] 명 눈가에 잡힌 주름.
눈-짐작 [-찜-] 명하타 눈대중.
눈-짓 [-찓] 명하자 눈을 움직여 어떤 뜻을 나타내는 짓. ¶ ~을 주고받다 / ~을 보내다 / 방에 들어가라고 ~하다.
*__눈-초리__ 명 **1** 귀 쪽으로 째진 눈의 구석. **2** 바라보는 눈길. ¶ 매서운 ~.
눈-총 명 몹시 쏘아보는 시선. 눈살. ¶ ~을 받다 / ~을 주다.
눈총(을) 맞다 구 남의 미움을 몹시 받다.
눈총(을) 쏘다 구 몹시 쏘아보거나 노려보다.
*__눈-치__ 명 **1** 남의 마음이나 일의 낌새를 알아채는 힘. ¶ ~가 없다 / ~가 빠르다 / ~ 있게 자리를 비켜 주다. **2** 속으로 생각하는 바가 겉으로 드러나는 어떤 태도. ¶ 가고 싶어하는 ~다 / 널 좋아하는 ~더라 / ~를 주다.
[눈치가 빠르면 절에 가도 젓갈을 얻어먹는다] 눈치가 있으면 어디를 가도 군색하

지 않다는 말.
눈치(를) 보다 ㉠ 남의 마음과 태도를 살피다. ¶상사의 ~.
눈치(를) 살피다 ㉠ 남의 눈치를 엿보다.
눈치-껏 [-껃] ㉵ 남의 눈치를 잘 알아차려서. ¶~ 대답하다.
눈치-채다 ㉰ 어떤 일의 낌새나 남의 마음 따위를 알아채다. ¶비밀을 ~.
눈치-코치 ㉮ '눈치'의 힘줌말.
눈치코치도 모른다 ㉠ 남이 어떻게 하는지 짐작도 못한다는 말.
눈칫-밥 [-치빱/-칟빱] ㉮ 눈치를 보아 가며 얻어먹는 밥.
눈칫밥(을) 먹다 ㉠ 기를 펴지 못하고 불편하게 생활하다.
눈-코 ㉮ 눈과 코.
눈코 뜰 사이 없다 ㉠ 몹시 바쁘다.
눈-퉁이 ㉮ 〈속〉 눈두덩의 불룩한 곳. ¶~가 부어오르다/~가 시퍼렇게 멍이 들다.
눈-트다 〔눈트니, 눈터〕 ㉷ 나무나 풀의 싹이 새로 나오다.
눈-표 (-標) ㉮ 눈에 잘 띄도록 한 표. 안표(眼標). ¶그 자리에 ~를 해 두다.
눋:-내 [눈-] ㉮ 밥 따위가 조금 탈 때 나는 냄새.
눋:다 〔눌으니, 눌어〕 ㉷㉢불 누른빛이 나도록 조금 타다. ¶밥이 눋는 냄새가 구수하게 나다.
눌 ㉦ 누구를. ¶~ 원망하랴.
눌:러-놓다 [-노타] ㉰ 1 무거운 것으로 질러 두다. ¶오이지를 담가 돌로 ~. 2 함부로 굴지 못하게 하다.
눌:러-보다 ㉰ 1 잘못을 탓하지 않고 너그럽게 보다. ¶솜씨가 서툴러도 눌러보아 주십시오. 2 그대로 계속해서 보다.
눌:러-쓰다 〔-쓰니, -써〕 ㉰ 1 모자 따위를 푹 내려쓰다. ¶모자를 눌러쓴 아이. 2 힘주어 글씨를 쓰다. ¶볼펜을 너무 눌러써 편지지가 찢어졌다.
눌:러-앉다 [-안따] ㉷ 그 자리에 그대로 계속 머무르다. ¶당분간 여기서 눌러앉아 살까 합니다/그는 만년 과장으로 눌러앉아 있다.
눌:리다[1] ㉷ 《'누르다[1]'의 피동》 누름을 당하다. ¶짐짝에 ~/기세에 ~/가위에 ~.
눌리다[2] ㉰ 《'눋다'의 사동》 눋게 하다. ¶밥을 ~/찬밥을 눌려 누룽지를 만들다.
눌변 (訥辯) ㉮ 더듬거리는 서툰 말솜씨. ↔ 능변.
눌어-붙다 [-붇따] ㉷ 1 조금 타서 바닥에 붙다. ¶밥이 ~. 2 한곳에 오래 있어 떠나지 않다. ¶컴퓨터 앞에 몇 시간이고 눌어붙어 있다.
눌은-밥 ㉮ 솥 바닥에 눌어붙은 누룽지에 물을 부어 불려서 긁어낸 밥.
*__눕다__[1] 〔누우니, 누워〕 ㉷㉥불 1 몸을 바닥에 대고 길게 놓다. ¶침대에 누워 자다. 2 나무·풀들이 가로놓이다. ¶태풍에 쓰러진 나무가 길에 누워 있다. 3 병을 앓게 되다. ¶과로로 자리에 ~.
[누울 자리 봐 가며 발을 뻗어라] 시간과 장소와 가능성을 가려 행동하라. [누워서 떡 먹기] 매우 간단하고 쉬운 일. [누워서 침 뱉기] 남을 해치려고 한 일이 오히려 자기에게 미침.
눕다[2] 〔누우니, 누워〕 ㉷㉥불 무명이나 모시, 명주 따위를 잿물에 삶아서 물에 빨아 희고 부드럽게 하다.
눕히다 [누피-] ㉰ 《'눕다[1]1'의 사동》 누이다. ¶어린애를 요 위에 ~.
눙치다 ㉰ 1 마음을 풀어 누그러지게 하다. ¶감정을 눙쳐 삭이다. 2 문제 삼지 않고 넘기다. ¶농담이라고 눙치고 넘어가다.
뉘[1] ㉮ 쓿은쌀 속에 섞인 벼 알갱이.
뉘[2] ㉮ 자손에게 받는 덕. ¶늘그막에 ~를 보다.
뉘[3] ㉮ '누이'의 준말.
뉘[4] ㉧ '누구'의 준말. ¶~에게 가느냐.
뉘:[5] ㉦ 누구의.
[뉘 덕으로 잔뼈가 굵었기에] 남의 은덕을 입고 자라났음에도 그 은덕을 모를 때에 이르는 말. [뉘 집에 죽이 끓는지 밥이 끓는지 아나] 여러 사람의 사정을 다 살피기는 어렵다는 뜻.
뉘 집 개가 짖어 대는 소리냐 ㉠ 자기와는 전혀 관계가 없는 일이니 멋대로 지껄이라는 말.
뉘:다 ㊀㉰ 1 '누이다[1]'의 준말. ¶병자를 자리에 ~. 2 '누이다[2]㊁'의 준말. 3 '누이다[3]'의 준말. ¶오줌을 ~. ㊁㉷ '누이다[2]㊀'의 준말.
뉘:렇다 [-러타] 〔뉘러니, 뉘러오〕 ㉸㉭불 생기가 없이 누렇다. ㉳뇌랗다.
뉘:레-지다 ㉷ 뉘렇게 되다. ㉳뇌래지다.
뉘-반지기 (-半-) ㉮ 뉘가 많이 섞인 쌀.
뉘앙스 (프 nuance) ㉮ 어떤 말에서 느껴지는 느낌이나 인상. ¶'아버지'와 '아빠'라는 말의 ~의 차이.
뉘엿-거리다 [-엳꺼-] ㉷ 1 해가 곧 지려고 하다. ¶서산에 해가 ~. 2 게울 듯이 자꾸 속이 메스꺼워지다. **뉘엿-뉘엿** [-연-엳] ㉵하㉷. ¶해가 ~ 저물어 간다/~ 땅거미가 깔리다.
뉘엿-대다 [-엳때-] ㉷ 뉘엿거리다.
뉘엿-하다 [-여타-] ㉸㉯불 해가 곧 지려고 하는 상태에 있다.
뉘우쁘다 〔뉘우쁘니, 뉘우빠〕 ㉸ 뉘우치는 생각이 있다.
뉘우치다 ㉰ 제 잘못을 스스로 깨닫고 가책을 느끼다. ¶잘못을 ~/자신의 경솔을 뼈저리게 뉘우쳤다.
뉘우침 ㉮ 뉘우치는 일.
뉴:똥 ㉮ 명주실로 짠 옷감의 하나《빛깔이 곱고 보드라우며 잘 구겨지지 않음》.
뉴런 (neuron) ㉮ 신경계를 구성하는 기본 단위. 신경 세포와 신경 돌기로 되어 있으며, 감각 세포와 근육 세포 사이에 있음. 자극을 수용하고 전달하는 기능을 함. 신경원.
뉴 모드 (new+프 mode) 복식에서, 새로운 유행. 또는 그것을 도입한 옷이나 모자 따위의 장신구를 이름. 뉴 패션.
뉴 미디어 (new media) 컴퓨터·전자 공학 기술·통신 기술 등의 발달로 새로 등장한 전달 매체. 인터넷·케이블 텔레비전·비디오텍스·문자 다중 방송 따위의 일컬음.
뉴 세라믹스 (new ceramics) 순도가 높은 화학 물질이나 인공 광물을 원료로 하여 만든 특수 요업 제품의 총칭.

뉴스 (news) 명 신문이나 방송에서 알려 주는 나라 안팎의 최신 소식. 또는 그런 소식을 전해 주는 방송의 프로그램.
뉴스-거리 (news-) 명 뉴스가 되는 소재.
뉴스 캐스터 (news caster) 뉴스를 전하면서 해설도 하는 방송 진행자.
뉴턴 (newton) 의명 힘의 SI 유도 단위의 하나. 질량 1 kg의 물체에 작용하여, 매초 1 m의 가속도를 만드는 힘. 1 뉴턴은 10만 다인(dyne)에 해당함.
뉴햄프셔-종 (New Hampshire種) 명 〖조〗 닭의 한 품종. 체질이 강하고 알과 고기 겸용임. 알이 크며 갈색임.
느글-거리다 자 속이 메스꺼워 곧 게울 것 같다. ¶속이 느글거려 음식을 못 먹겠다. **느글-느글** [-르-] 부하자형. ¶멀미를 하는지 배 속이 ~하다.
느글-대다 자 느글거리다.
느긋-이 부 느긋하게. ¶마음을 ~ 먹다 / 텔레비전을 보며 ~ 기다리다.
느긋-하다 [-그타-] 형여불 마음에 여유가 있다. 조급하지 않다. ¶느긋한 성격 / 느긋한 기분. 준늑하다.
느꺼이 부 어떤 느낌이 마음에 북받쳐서 벅차게.
느껍다 〔느꺼우니, 느꺼워〕 형ㅂ불 어떠한 느낌이 마음에 북받쳐서 벅차다.
***느끼다** 一타 **1** 감각 기관을 통하여 어떤 자극을 깨닫다. ¶추위를 ~ / 통증을 ~ / 공복감을 ~. **2** 마음속으로 어떤 감정 따위를 체험하고 맛보다. ¶슬픔을 ~ / 만족을 ~. **3** 마음속으로 무엇을 깨닫거나 알게 되다. ¶책임감을 ~ / 능력의 한계를 ~ / 돌이켜 보면 느끼는 것이 많다. 二자 **1** 서럽거나 감격에 겨워 울다. ¶흑흑 느껴 울다 / 소리 죽여 느끼는 울음소리를 듣다. **2** 가쁘게 숨을 쉬다.
느끼-하다 형여불 **1** 비위에 거슬릴 정도로 기름기가 많다. ¶음식이 기름기가 많아 ~. **2** 맛이나 냄새 또는 말·행동이 비위에 맞지 아니하다. ¶그 선배는 말을 느끼하게 해서 징그럽다.
***느낌** 명 몸의 감각이나 마음으로 느끼는 기운이나 감정. ¶싸늘한 ~ / 경쾌한 ~을 주는 음악 / 무서운 ~이 들었다 / 그 집은 왠지 ~이 좋지 않다.
느낌-표 (-標) 명 〖언〗 감탄이나 놀람, 부르짖음, 명령 등 강한 느낌을 나타낼 때 그 말 다음에 쓰는 표. '!' 표의 이름. 감탄부호. 감탄부.
-느냐 어미 동사나 '있다·없다·계시다'의 어간에 붙어, 손아랫사람에게 물음을 나타내는 종결 어미. ¶거기서 무엇을 하~ / 지금 어디 있~. *-니[2]·-냐·-으냐.
-느냐고 어미 '-느냐 하고'의 준말. ¶언제 왔~ 묻더라. *-냐고·-으냐고.
-느냐는 어미 '-느냐고 하는'의 준말. ¶어떻게 알았~ 말이다. *-냐는·-으냐는.
-느냔 어미 **1** '-느냐고 한'의 준말. ¶웬걸 그리도 많이 먹었~ 말에 토라진 모양이다. **2** '-느냐고 하는'의 준말. ¶언제 출발하~ 말이다.
-느냘 어미 '-느냐고 할'의 준말. ¶어째서 한겨울에 머리를 빡빡 깎았~ 수는 없다. *-냘·-으냘.
-느뇨 어미 '-느냐'의 예스러운 말투. ¶너는 이제 어디로 가~.
-느니 어미 동사나 '있다·없다·계시다'의 어간에 붙는 어미. **1** 진리나 으레 있는 사실을 일러 주는 종결 어미. ¶참는 자에게 복이 있~. **2** 이렇기도 하고 저렇기도 하다는 뜻을 나타내는 연결 어미. ¶죽~ 사~ 법석을 떨다 / 증거가 있~ 없~ 하고 다투다. **3** 차라리 뒤에 오는 행동을 선택함을 나타내는 연결 어미. ¶여기서 기다리~ 직접 가서 만나겠다. *-니[4].
-느니라 어미 '-느니1'를 해라할 자리에 쓰는 종결 어미. ¶과음을 하면 실수가 있~. *-니라.
-느니-보다 어미 '-는 것보다'의 뜻의 연결 어미. ¶마지못해 하~ 안 하는 게 낫다.

> **'-느니보다'와 '-는 이보다'**
>
> -**느니보다** '-느니 차라리'를 뜻한다. '-는 이〔것〕보다'로 적어야 할 것이지만 현대 국어에서는 의존 명사 '이'가 사람만 가리키고 사물을 가리키지 않으므로 하나의 어미로 다루어서 소리대로 적는다.
> 예 마지못해 하느니보다 안 하는 게 낫다.
>
> -**는 이보다** '-는 사람보다'의 뜻으로 사람을 가리키는 의존 명사 '이'를 밝혀 적고 띄어 쓴다.
> 예 아는 이보다 모르는 이가 더 많다.

느닷-없다 [-다덥따] 형 무엇이 나타나는 모양이 아주 뜻밖이고 갑작스럽다. ¶느닷없는 질문에 순간 당황했다. **느닷-없이** [-다덥씨] 부. ¶아기가 ~ 울기 시작했다.
-느라 어미 '-느라고'의 준말.
-느라고 어미 동사 어간이나 높임의 '-시-' 뒤에 붙어 '하는 일로 인하여'의 뜻을 나타내는 연결 어미. ¶공부하~ 밤을 새우다.
느런-히 부 죽 늘어놓은 모양. ¶길을 따라 가로수가 ~ 서 있다.
느루 부 한꺼번에 몰아치지 않고 오래도록. **느루 먹다** 구 양식을 절약하여 예정보다 더 오랫동안 먹다. ¶쌀을 느루 먹기 위하여 보리를 섞다. **느루 잡다** 구 ㉠손에 잡은 것을 느슨하게 가지다. ¶가랫줄을 느루 잡고 당기다. ㉡시일이나 날짜를 느직하게 예정하다. ¶출발 날짜를 한 보름 느루 잡을 수 없을까.
느른-하다 형여불 **1** 몸이 피곤하여 기운이 없다. ¶느른해져 만사가 귀찮다. **2** 힘없이 부드럽다. 작나른하다. **느른-히** 부
느릅-나무 [-름-] 명 〖식〗 느릅나뭇과의 낙엽 활엽 교목. 골짜기나 개울가의 습한 데에 남. 높이는 20 m 가량, 지름 50 cm 가량, 봄에 녹자색 꽃이 핌. 나무는 건축재·땔감으로 쓰고, 껍질은 약용·식용함.
느리-광이 명 행동이 느리거나 게으른 사람. 느림보. 늘보.
***느리다** 형 **1** 빠르지 못하다. ¶동작이 ~ / 진도가 ~. **2** 꼬임이나 짜임이 성기다. ¶새끼를 느리게 꼬다. **3** 지형의 기울기가 급하지 않다. ¶느린 산비탈. **4** 성질이 누그

러져 야무지지 못하다.
[느린 소도 성낼 적이 있다] 무던해 보이는 사람도 화낼 때가 있다.
느리터분-하다 형여불 행동이나 성질 따위가 느리고 답답하다. ¶느리터분한 목소리.
느림 명 장막이나 깃발 따위에 장식으로 늘어뜨리는 좁은 헝겊이나 줄 따위.
느림-보 명 느리광이.
느릿-느릿 [-릳-릳] 부하형 **1** 동작이 매우 느린 모양. ¶~ 걷다 / ~ 대답하다. **2** 꼬임이나 짜임이 느슨하거나 성긴 모양. ¶~ 꼰 새끼. 작나릿나릿.
[느릿느릿 걸어도 황소걸음] 착실하게 꾸준히 실수 없이 함의 비유.
느릿-하다 [-리타-] 형여불 느린 듯하다. ¶느릿하게 걸어가시는 할아버지의 뒷모습.
느물-거리다 자 말이나 행동을 자꾸 능글맞게 하다. 능글맞게 치근덕거리다. ¶느물거리는 태도 / 계속 느물거리며 말을 걸어오다. **느물-느물** [-르-] 부하자
느물다 〔느무니, 느무오〕 자 말이나 행동을 음흉하게 하다.
느물-대다 자 느물거리다.
느슨-하다 형여불 **1** 잡아매거나 죈 것이 늘어져 헐겁다. ¶허리띠가 ~ / 나사가 느슨하게 죄어져 있다. **2** 마음이 풀어져 긴장됨이 없다. ¶사무실 분위기가 ~ / 성격이 느슨한 사람 / 기강이 ~. 작나슨하다. **느슨-히** 부
느시 명 〖조〗 느싯과의 새. 모래땅·들·논밭에 삶. 수컷은 날개 길이 60 cm, 암컷은 45 cm, 꽁지는 23 cm 가량, 머리·목은 회색, 등은 황갈색 바탕에 검은 가로줄 무늬가 있음. 천연기념물 제206 호임. 능에.
느즈러-지다 자 **1** 졸라맨 것이 느슨하게 되다. ¶옷고름이 ~. **2** 기한이 밀려 나가다. **3** 마음이 풀리다.
느지감-치 부 꽤 늦게. ¶난 ~ 가겠소.
느지거-니 부 느지감치.
느지막-이 부 느지막하게. ¶~ 떠나다.
느지막-하다 [-마카-] 형여불 시간이나 기한이 매우 늦다. ¶느지막하게 잠자리에 들다.
느직-이 부 느직하게. ¶아침 ~ 일어나다.
느직-하다 [-지카-] 형여불 **1** 좀 늦다. ¶아침을 느직하게 먹고 출발하다. **2** 줄 따위가 좀 느슨하다.
느타리 명 〖식〗 송이버섯과의 버섯. 가을에 산림 속 활엽수 마른나무에 남. 모양은 조개껍데기 비슷하고 빛은 갈색 내지 백색임. 식용함.
느타리-버섯 [-섣] 명 〖식〗 느타리.
***느티-나무** 명 〖식〗 느릅나뭇과의 낙엽 활엽교목. 촌락 부근의 산기슭 및 골짜기에 남. 줄기 높이 30 m, 지름 2 m 가량인데 봄에 꽃이 피고 가을에 핵과가 익음. 그늘이 넓어 정자나무로 많이 심음. 나무는 건축·기구·선박 등의 재료로 씀. 어린잎은 식용함.
늑간 (肋間) 명 〖생〗 늑골 사이.
늑골 (肋骨) 명 **1** 흉곽을 구성하는 활 모양의 긴 뼈《좌우 열두 쌍임》. 갈비뼈. **2** 선체(船體)의 바깥쪽을 형성하는 늑골 모양의 뼈대.
***늑대** 명 〖동〗 갯과의 동물. 우리나라 특산으로 산속에 삶. 이리와 승냥이의 중간종. 몸길이 130 cm 정도, 빛은 황갈색, 등에 검은 띠가 있음. 머리뼈는 가늘고 길며 앞다리가 짧음. 성질이 사납고 육식성임.
늑막 (肋膜) [능-] 명 〖생〗 늑골 안쪽에 있어서 흉곽의 내면과 폐의 표면을 싼 장액막(漿液膜). 흉막(胸膜).
늑막-염 (肋膜炎) [능망념] 명 외상(外傷)이나 결핵균의 감염으로 늑막에 생기는 염증《물이 괴는 습성(濕性)과 괴지 않는 건성(乾性)이 있음》.
늑목 (肋木) [능-] 명 체조에 쓰는 기구. 기둥이 되는 나무 사이에 많은 가로대를 고정시킨 것《몸을 바르게 하는 운동에 씀》.
늑장 명 당장 볼일이 있는데도 딴 일을 하거나 느릿느릿 행동하는 일. ¶~ 대처 / ~을 피우다 / 일행 중에 한 사람이 ~을 부리다.
늑-줄 명 동여매었으나 좀 느슨해진 줄.
늑줄(을) 주다 구 엄한 감독을 늦추어 좀 자유롭게 하다.
늑혼 (勒婚) [느콘] 명하자 억지로 혼인을 함. 또는 그 혼인.
는 조 받침 없는 말에 붙어, 사물을 구별하거나 지정하여 가리키는 뜻을 나타내는 보조사. 주격·보격·목적격·부사격 등으로 씀. ¶나~ 너를 사랑한다 / 식사~ 거르지 마라 / 그 책을 읽어~ 보았소 / 잘은 못해도 빨리~ 하오. 준ㄴ. *은.
-는- 선어미 'ㄹ'을 제외한 받침 있는 동사 어간 뒤에 붙어서, 현재를 나타내는 시제(時制) 표현의 선어말 어미. ¶먹~다 / 읽~다. * -ㄴ-.
-는 어미 동사나 '있다·없다·계시다'의 어간에 붙어, 그 동작이 현재 진행 중임을 나타내는 관형사형 전성 어미. ¶흐르~ 물 / 눈이 내리~ 오후 / 밥을 먹~ 사람 / 산에 있~ 나무. *-ㄴ[1]·-은.
-는가 어미 **1** 동사나 '있다·없다·계시다'의 어간 또는 '-았-'·'-었-'·'-겠-'·'-시-'의 뒤에 붙어, 스스로의 의심이나 하게할 자리에 물음을 나타내는 종결 어미. ¶언제 가겠~ / 어디 계시~ / 의논할 일이 있는데 시간 좀 있~. **2** ('-는가 보다·-는가 싶다·-는가 하다' 등의 꼴로 쓰여) 스스로에게 묻거나 추측을 나타내는 연결 어미. ¶울고 있~ 보다 / 무슨 일이 있~ 싶어 들렀다 / 오늘은 오~ 했지. *-ㄴ가·-은가.
는개 명 안개보다 조금 굵고 이슬비보다 좀 가는 비.
-는걸 어미 동사나 '있다·없다·계시다'의 어간 또는 '-았-'·'-었-' 등의 뒤에 붙어, 어떤 동작이나 작용에 대한 자기의 생각·느낌을 나타내는 종결 어미. ¶생각보다 빨리 가~ / 벌써 왔~ / 자리에 안 계시~. *-ㄴ걸·-은걸.
-는고 어미 '-는가'의 옛 말투 또는 점잖은 말투. ¶왜 오지 않~. *-ㄴ고·-은고.
-는구나 어미 '-는'에 '-구나'가 합친 종결 어미. 해라할 자리에 쓰여, 새삼스러운 느낌이나 뜻을 나타냄. ¶그놈 잘하~. 준-는군.
-는구려 어미 '-는'에 '-구려'가 합친 종결 어미. 하오할 자리에 쓰여, 새삼스러운 느낌이나 감탄의 뜻을 나타냄. ¶좋은 일

하시~.
-는구먼 어미 '-는'에 '-구먼'이 합친 종결 어미. ¶일찍 오~. ㊟-는군.
-는군 어미 **1** 동사 어간에 붙어, 알게 된 사실에 대한 감탄의 뜻을 나타내는 종결 어미. ¶벌써 개나리가 피~. **2** '-는구나·-는구먼'의 준말.
-는다 어미 'ㄹ'을 제외한 받침 있는 동사 어간에 붙어, 그 동작이나 작용이 현재 진행 중임을 나타내는 종결 어미. ¶사람이 웃~/길을 걷~. *-ㄴ다.
-는다고[1] 어미 'ㄹ' 받침 외의 받침 있는 동사 어간에 붙는 어미. **1** 까닭이나 근거를 나타내는 연결 어미. ¶남~ 마구 버리지 마라. **2** 자신의 생각·주장 등을 나타내는 종결 어미. ¶그 애가 얼마나 책을 잘 읽~. **3** 의문·반문 등을 나타내는 종결 어미. ¶누굴 뽑~. *-ㄴ다고[1].
-는다고[2] 어미 〔'-는다'+'고'〕 받침 있는 동사 어간에 붙어 간접 인용을 나타내는 연결 어미. ¶그는 무엇이나 잘 먹~ 하더라. *-ㄴ다고[2].
-는다나 어미 'ㄹ'을 제외한 받침 있는 동사 어간에 붙어, 인용되는 내용이 못마땅함을 나타내는 종결 어미. ¶나한테만 비밀을 털어놓~. *-ㄴ다나.
-는다네 어미 '-는다(고) 하네'가 줄어서 된, 'ㄹ'을 제외한 받침 있는 동사 어간에 붙는 종결 어미. ¶건강을 위해 매일 8km씩 걷~. *-ㄴ다네.
-는다느냐 어미 '-는다고 하느냐'의 준말. ¶그 책은 언제 읽~. *-ㄴ다느냐.
-는다느니 어미 이런다고도 하고, 저런다고도 함을 나타낼 때, 'ㄹ'을 제외한 받침 있는 동사 어간에 붙이는 연결 어미. ¶신입 사원을 뽑~ 안 뽑~ 억측이 구구하다. *-ㄴ다느니.
-는다는 어미 '-는다고 하는'이 줄어서 된, 'ㄹ'을 제외한 받침 있는 동사 어간에 붙는 관형사형 전성 어미. ¶찾~ 사람이 누구니. ㊟-는단. *-ㄴ다는.
-는다니 어미 **1** '-는다느냐'의 준말. ¶빚은 언제 갚~. **2** '-는다고 하니'의 준말. ¶네가 하느님을 믿~ 정말 놀랍구나. *-ㄴ다니.
-는다니까 어미 **1** '-는다고 하니까'의 준말. ¶매일 5km 걷~ 놀라더라. **2** 'ㄹ'을 제외한 받침 있는 동사 어간 및 형용사 '있다'의 어간에 붙어, 어떤 사실을 올바로 인식하고 있지 못하거나 미심쩍어 하는 상대방에게, 다그쳐 깨우쳐 주는 뜻을 나타내는 종결 어미. ¶빚은 반드시 갚~. *-ㄴ다니까.
-는다마는 어미 'ㄹ'을 제외한 받침이 있는 동사 어간에 붙어서, 이미 한 동작을 말하면서 뒷말이 그 사실에 구애되지 않음을 나타내는 연결 어미. ¶먹기는 먹~ 맛은 별로 없다. *-ㄴ다마는.
-는다면서 어미 'ㄹ'을 제외한 받침 있는 동사 어간 및 '있다'의 어간에 붙는 어미. **1** '-는다고 하면서'의 뜻을 나타내는 연결 어미. ¶불우한 사람을 돕~ 오히려 폐를 끼친다. **2** 직접 간접으로 들은 사실을 다짐하거나 빈정거려 묻는 데 쓰이는 종결 어미. ¶뻔뻔히 놀고 먹~. *-ㄴ다면서.
-는다손 어미 'ㄹ'을 제외한 받침 있는 동사 어간에 붙어, '치다'와 함께 쓰여 '-는다고 하더라도'의 뜻으로 쓰이는 연결 어미. ¶빨리 걷~ 치더라도 한 시간은 걸린다/죽~ 치더라도 후회할 것은 없다. *-ㄴ다손·-다손.
-는단 어미 **1** '-는다는'의 준말. ¶술을 잘 먹~ 말은 들었네. **2** '-는다고 한'이 줄어서 된, 받침 있는 동사 어간에 붙는 관형사형 전성 어미. ¶오늘 안으로 갚~ 사람이 오지도 않네. *-ㄴ단·-단.
-는단다 어미 **1** '-는다고 한다'의 준말. ¶조카를 양자로 삼~. **2** 'ㄹ'을 제외한 받침 있는 동사 어간에 붙어, '-는단 말이다'의 뜻으로 사실을 친근하게 서술하는 종결 어미. ¶바싹 말리지 않으면 썩~. *-ㄴ단다.
-는달 어미 '-는다고 할'이 줄어서 된 관형사형 전성 어미. ¶값을 더 깎~ 수가 없구나. *-ㄴ달.
-는담 어미 받침 있는 동사 어간에 붙어, '어찌 그리한단 말인고'의 뜻을 나타내는 종결 어미. ¶어쩌면 그렇게도 호들갑스럽게 웃~. *-ㄴ담.
-는답니다 [-담-] 어미 '-는다고 합니다'의 준말. ¶무엇이든지 잘 먹~. *-ㄴ답니다.
-는답디다 어미 '-는다고 합디다'의 준말. ¶요즘은 소설만 읽~. *-ㄴ답디다.
-는답시고 어미 받침 있는 동사 어간에 붙어, '-는다고'·'-는다고 하여'의 뜻으로 쓰이는 연결 어미. 타인의 행위를 빈정거려 말하거나 자신의 행위를 겸손한 뜻으로 말할 때 씀. ¶내 딴에는 열심히 씻~ 씻었건만/도둑을 잡~ 쫓아가 보았다. *-ㄴ답시고.
-는대 어미 '-는다고 해'의 준말. ¶그만 먹~. *-ㄴ대.
-는대서 어미 '-는다고 해서'의 준말. ¶웃~ 나쁠 거야 있나. *-ㄴ대서.
-는대서야 어미 '-는다고 해서야'의 준말. ¶그만한 일로 죽~. *-ㄴ대서야.
-는대야 어미 '-는다고 해야'의 준말. ¶고작 읽~ 무협 소설이지. *-ㄴ대야.
-는데 어미 동사나 '있다·없다·계시다'의 어간 또는 '-았-'·'-었-'·'-겠-'·'-시-'의 뒤에 붙는 어미. **1** 다음의 말을 끌어 내기 위해 이와 관련이 있거나 대립되는 사실을 미리 말할 때 쓰는 연결 어미. ¶너는 가~ 그는 온다/밥은 있~ 반찬이 없다. **2** 남의 의견에 동의를 구하는 태도로 스스로의 느낌을 말할 때 쓰는 종결 어미. ¶공부는 무척 잘하~/꽤 추웠겠~/아주 잘 어울리~. *-ㄴ데·-은데.
-는바 어미 동사나 형용사 '있다·없다·계시다'의 어간 또는 '-았-'·'-었-'·'-겠-'·'-시-'의 뒤에 붙어, 할 말을 하기 전에 거기에 관계되는 보충 설명을 할 때 쓰는 연결 어미. ¶집을 두 채 짓~, 한 채는 동생에게 주려 하오. *-ㄴ바.
는실-난실 [-란-] 부 하자 성적(性的) 충동을 받아 야릇하고도 잡스럽게 구는 모양.
는적-거리다 자 썩거나 삭아서 물체가 자꾸 힘없이 축축 처지거나 물러지다. ¶술에 취해 는적거리며 걸어가다. ㉲난작거리다.

는적-는적 [-정-] 부하자. ¶ 국숫발이 ~ 끊어지다.
는적-대다 자 는적거리다.
는적-이다 자 물체가 힘없이 축 처지거나 물러지다.
-는지 어미 동사나 '있다·없다·계시다'의 어간 또는 '-았-'·'-었-'·'-겠-'·'-시-'의 뒤에 붙어, 막연하게 의심을 나타내는 연결 또는 종결 어미. ¶ 그는 지금 어디에 사~ / 돈이 얼마나 있~ 모르겠다 / 시험은 잘 보았~. *-ㄴ지·-은지.
-는지라 어미 동사나 '있다·없다·계시다'의 어간 또는 '-았-'·'-었-'·'-겠-'·'-시-'의 뒤에 붙어, 다음 말에 대한 이유나 원인이 될 만한 사실을 말할 때 쓰는 연결 어미. ¶ 밤이 깊었~ 천지가 고요하오. *-ㄴ지라.
는지럭-거리다 자 **1** 물체가 물크러질 정도로 자꾸 힘없이 축 처지거나 물러지다. **2** 말이나 행동을 몹시 굼뜨게 하다. **는지럭-는지럭** [-렁-] 부하자
는지럭-대다 자 는지럭거리다.
는지렁-이 명 끈끈하고 는질거리는 액체.
는질-거리다 자 **1** 물러서 물크러질 듯한 느낌을 주다. **2** 능글능글하게 자꾸 말하거나 행동하다. **는질-는질** [-른-] 부하자
는질-대다 자 는질거리다.
는질-맞다 [-맏따] 형 말이나 행동이 매우 능청스럽고 능글맞다. ¶ 그는 나를 보자마자 는질맞게 웃었다.
는-커녕 조 '커녕'의 힘줌말로 받침 없는 말에 붙는 보조사. ¶ 노래~ 말도 못한다 / 사례~ 욕만 먹었다. *은커녕.
***늘** 부 언제나. 항상. ¶ ~ 부르는 노래.
늘그막 명 늙어 가고 있을 때. 늙은 나이. ¶ ~에 아들을 보다. ㊄늙마. *늙바탕.
***늘다** [느니, 느오] 자 **1** 수나 분량이 본디보다 많아지다. ¶ 몸무게가 ~ / 평균 수명이 ~ / 학생 수가 ~ / 재산이 ~. **2** 재주·솜씨 따위가 나아지다. ¶ 실력이 ~ / 솜씨가 많이 늘었군. ↔줄다. **3** 힘이나 세력이 커지다. ¶ 지지 세력이 ~. **4** 시간이나 기간이 길어지다. ¶ 영업 시간이 ~.
늘고 줄고 하다 구 융통성이 있다.
늘름 부 혀끝이나 손을 경망하고 재빠르게 놀리는 모양. ¶ 혀를 ~ 내밀다 / 삶은 달걀을 ~ 집어 먹다. ㉲날름·널름.
늘름-거리다 자타 **1** 입이나 손을 날쌔게 놀려 자꾸 먹거나 가지다. ¶ 혀를 ~. **2** 남의 것을 탐내어 자꾸 고개를 내밀어 끼웃거리다. ㉲날름거리다·널름거리다. **늘름-늘름** 부하자타. ¶ 혀를 ~ 내밀다 / 돈을 주는 대로 ~ 받았다.
늘름-대다 자타 늘름거리다.
***늘리다** 타 《'늘다'의 사동》 늘게 하다. ¶ 재산을 ~ / 씀씀이를 ~ / 해외 투자를 ~ / 학생 수를 ~. ↔줄이다. ☞늘이다.
늘보 명 동작이 뜨고 느린 사람의 별명.
늘비-하다 형여불 **1** 죽 늘어놓여 있다. ¶ 세간들이 늘비하게 널려 있다. **2** 죽 늘어서 있다. ¶ 빌딩들이 늘비하게 서 있다.
늘썽-늘썽 부하형 짜임새나 엮음새가 여럿이 성기고 거친 모양. ㉲날쌍날쌍.
늘썽-하다 형여불 짜이거나 엮인 것의 사이가 뜨다. ㉲날쌍하다.
늘씬 부 몸을 가누지 못할 정도로 심하게. ¶ ~ 얻어맞다 / ~ 두들겨 패다.
늘씬-늘씬 부하형 여럿이 모두 늘씬한 모양. ㉲날씬날씬.
늘씬-하다 형여불 **1** 몸이 가늘고 키가 커서 맵시가 있다. ¶ 몸매가 ~. **2** 미끈하게 길다. ¶ 다리가 ~. ㉲날씬하다. **3** ('늘씬하게'의 꼴로 쓰여) 몸을 가누지 못할 정도로 축 늘어져 있다. ¶ 늘씬하게 얻어맞다. **늘씬-히** 부
***늘어-나다** 자 길이·부피·수량 따위가 많아지다. 증가하다. ¶ 인구가 ~ / 살림이 ~ / 고무줄이 ~ / 근무 시간이 ~. ↔줄어들다.
***늘어-놓다** [-노타] 타 **1** 줄을 지어 벌여 놓다. ¶ 한 줄로 ~. **2** 여럿을 어수선하게 여기저기 두다. ¶ 장난감을 ~. **3** 사업을 여러 곳에서 경영하다. ¶ 사방에 늘어놓은 사업이 모두 잘된다. **4** 사람을 여기저기 보내어 연락을 짓다. ¶ 감시병을 곳곳에 ~. **5** 말이나 글을 이것저것 수다스럽게 꺼내어 벌여 놓다. ¶ 잔소리를 ~ / 부질없는 넋두리를 ~.
늘어-뜨리다 타 물건의 한쪽 끝을 아래로 처지게 하다. ¶ 밧줄을 ~ / 머리를 길게 ~.
늘어-서다 자 길게 줄을 지어 서다. ¶ 매표구 앞에 사람들이 늘어섰다.
늘어-앉다 [-안따] 자 줄을 지어 앉다.
늘어-지다 자 **1** 물체가 켕기는 힘으로 길어지다. ¶ 고무줄이 ~. **2** 끝이 아래로 길게 처지다. ¶ 늘어진 버들가지. **3** 한정된 어느 시간이 더 길게 되다. ¶ 공연 시간이 ~. **4** 기운이 풀려 몸을 가누지 못하다. ㉲나라지다. **5** 근심 걱정이 없어 편하게 되다. ¶ 팔자가 ~.
늘어지게 자다 구 피로가 풀리도록 실컷 자다. ¶ 한잠 늘어지게 자고 일어났다.
늘어-트리다 타 늘어뜨리다.
***늘이다** 타 **1** 본디보다 길게 하다. ¶ 고무줄을 ~. **2** 아래로 길게 처지게 하다. ¶ 발을 아래로 ~. **3** 넓게 벌여 놓다. ¶ 경계망을 ~. *늘리다.

> **'늘이다'와 '늘리다'**
> **늘이다** '늘다'란 동사에 접사 '-이-'가 붙어서 파생된 말로, '본디보다 더 길게 하다' 또는 '아래로 처지게 하다'를 뜻한다.
> 예 고무줄을 늘이다 / 밧줄을 늘이다.
> **늘리다** '늘다'란 동사에 접사 '-리-'가 붙어서 파생된 말로, '본디보다 더 크게 하거나 많게 하다'를 뜻한다.
> 예 수출량을 늘린다 / 살림을 늘린다.

늘임-새 명 말을 길게 늘이는 태도.
늘임-표 (-標) 명 《악》 음표나 쉼표의 위나 아래에 붙어서, 다른 음보다 2-3배 길게 연주하라는 음악 기호. 부호는 '𝄐'. 연장 기호. 연음 기호.
늘쩍지근-하다 형여불 매우 느른하다. ¶ 온몸이 늘쩍지근한 비 오는 날의 오후. ㉲날짝지근하다.
늘쩡-거리다 자 쉬엄쉬엄 느리게 행동하다. ㉲날짱거리다. **늘쩡-늘쩡**[1] 부하자

늘쩡-늘쩡2 부하형 성질이나 됨됨이가 매우 느리고 야무지지 못한 모양.
늘쩡-대다 자타 늘쩡거리다.
늘컹-거리다 자 너무 물러서 저절로 늘어져 처지게 되다. 작날캉거리다. **늘컹-늘컹** 부하자형
늘컹-대다 자 늘컹거리다.
늘컹-하다 형여불 너무 물러서 저절로 늘어져 처져 있다. 작날캉하다.
늘큰-거리다 자 너무 물러서 자꾸 축축 늘어지게 되다. **늘큰-늘큰** 부하자형
늘큰-대다 자 늘큰거리다.
늘큰-하다 형여불 너무 늘어지게 물렁하다. **늘큰-히** 부
늘키다 타 울음을 시원하게 울지 못하고 꿀꺽꿀꺽 참으면서 느끼어 울다.
늘푸른-나무 명 〖식〗 상록수. ↔갈잎나무.
늘-품 (-品) 명 앞으로 좋게 발전할 가능성. ¶~ 있는 사업.
***늙다** [늑따] 자 **1** 나이가 많아지다. ¶늙어 갈수록 잔소리가 많아진다. **2** 한창때를 지나 몸의 기능이 쇠퇴하다. ¶이젠 늙어서 체력이 예전같지 않다. ↔젊다. **3** 식물 따위가 지나치게 익다. ¶늙은 호박 / 늙은 오이. **[늙은 말이 콩 마다할까]** 오히려 더 좋아한다. **[늙은 말 콩 더 달란다]** 늙어 갈수록 욕심이 더 많아진다는 말.

'늙다'의 표준 발음

겹받침 'ㄺ'은 어말 또는 자음 앞에서 [ㄱ]으로 발음한다. 다만 용언의 어간 말음 'ㄺ'은 'ㄱ' 앞에서 [ㄹ]로 발음한다.
① [ㄱ]으로 발음하는 경우
늙다[늑따], 늙지[늑찌], 늙습니다[늑씀니다]
② [ㄹ]로 발음하는 경우
늙게[늘께], 늙고[늘꼬], 늙거나[늘꺼나]

늙-다리 [늑따-] 명 **1** 늙은 짐승. **2** '늙은이'를 낮잡아 이르는 말.
늙-마 [능-] 명 '늘그막'의 준말. ¶자식 덕분으로 ~에 호강하다.
늙-바탕 [늑빠-] 명 늙어 버린 판. 노경.
늙수그레-하다 [늑쑤-] 형여불 보기에 꽤 늙은 듯하다. ¶늙수그레한 남자.
늙숙-이 [늑쑤기] 부 늙숙하게.
늙숙-하다 [늑쑤카-] 형여불 조금 늙고 점잖은 태도가 있다.
늙으신-네 [늘그-] 명 '늙은이'의 존칭.
***늙은-이** [늘그니] 명 늙은 사람. ↔젊은이. **늙은이 뱃가죽 같다** 구 물건이 쭈글쭈글한 것의 비유.
늙직-하다 [늑찌카-] 형여불 보기에 어지간히 늙은 듯하다.
늙히다 [늘키-] 타 《'늙다'의 사동》 늙게 하다. ¶꽃다운 청춘을 고이 ~ / 딸을 처녀로 늙힐 셈이오.
늠그다 〔늠그니, 늠거〕 타 곡식의 껍질을 벗기다.
늠:름-스럽다 (凜凜-)[-늠-] 〔-스러우니, -스러워〕 형ㅂ불 늠름한 태도가 있다. **늠:름-스레** [-늠-] 부
늠:름-하다 (凜凜-)[-늠-] 형여불 생김새나 태도가 위풍이 있고 당당하다. ¶늠름하고 자신만만한 태도. **늠:름-히** [-늠-] 부
늠실-거리다 자타 **1** 물결 따위가 자꾸 부드럽게 움직이다. **2** 남의 것을 가지려는 마음이 생겨 슬몃슬몃 자꾸 넘겨다보다. **늠실-늠실** [-름-] 부하자타
늠실-대다 자타 늠실거리다.
늠:연-하다 (凜然-) 형여불 위엄 있고 기개가 높다. **늠:연-히** 부
늡늡-하다 [늠느파-] 형여불 성격이 너그럽고 활달하다. **늡늡-히** [늠느피] 부
능 명 넉넉하게 잡은 여유. ¶~을 두어 밥을 짓다.
능 (陵) 명 임금·왕후의 무덤. 능묘.
능 (綾) 명 얇은 비단의 한 가지.
능가 (凌駕) 명하타 능력이나 수준 따위가 어떤 대상보다 훨씬 뛰어남. ¶국제 수준을 ~하다.
능갈 명 얄밉도록 몹시 능청을 떪. ¶~ 솜씨가 여간이 아니다.
능갈-맞다 [-맏따] 형 얄밉게 몹시 능청스럽다. ¶능갈맞은 태도.
능갈-지다 형 몹시 능갈맞다.
능갈-치다 ㊀자 교묘하게 잘 둘러대다. ㊁형 아주 능청스럽게 잘 둘러대는 재주가 있다. ¶능갈치게 굴다.
능-구렁이 명 **1** 〖동〗 뱀과의 동물. 인가 근처나 논두렁 등에 흔히 나타나는데, 길이 120 cm 정도, 등이 적갈색, 배는 황갈색임. 목에서 꼬리 끝까지 69-100개의 검은 가로띠가 있음. 동작이 느리고 독이 없음. **2** 음흉하고 능청스러운 사람의 비유. ¶그는 이 방면에서 뼈가 굵은 ~다. **[능구렁이가 되었다]** 경우를 다 깨달아 알면서도 겉으로는 모르는 체할 만큼 세상일에 익숙해졌다.
능그다 〔능그니, 능거〕 타 곡식 낟알의 껍질을 벗기려고 물을 붓고 애벌 찧다.
능글-거리다 자 음흉하고 능청스럽게 굴다. ¶능글거리며 말을 걸어오다. **능글-능글** [-릉-] 부하형. ¶~ 눈웃음을 치다.
능글-대다 자 능글거리다.
능글-맞다 [-맏따] 형 음흉하고 능청스러운 태도가 있다. ¶능글맞게 굴다.
능금 명 능금나무의 열매.
능금-나무 명 〖식〗 장미과의 낙엽 활엽 교목. 인가 부근에 심으며 한국 특산임. 봄에 흰 꽃이 피고, 여름에 열매가 익는데 사과보다 작고 맛이 덜함.
능동 (能動) 명 **1** 스스로 내켜서 함. **2** 〖심〗 의식 상태가 그 내적 성질에 바탕을 두고 어떤 다른 상태로 발전하려고 하는 작용. **3** 〖언〗 주체의 자발적인 동작이나 작용을 나타내는 동사의 성질. ↔피동·수동.
능동-문 (能動文) 명 〖언〗 문장의 서술어가 능동사로 된 문장. '아이가 학교에 가다·순경이 도둑을 잡았다·책상 위에 연필을 놓았다' 따위.
능동-사 (能動詞) 명 주어가 되는 주체가 제 힘으로 하는 동작을 나타내는 동사. ↔피동사(被動詞).
능동-성 (能動性)[-썽] 명 능동적인 성질. ¶~을 결하다. ↔수동성.
능동-적 (能動的) 관명 남의 작용을 받지 않

고 자기의 힘과 의지로 활동하거나 작용하는 (것). ¶～인 사고방식 / 사태에 ～으로 대처하다. ↔수동적.

능동-태 (能動態) 명 문장의 주어가 어떤 동작이나 작용을 스스로 하였을 때의 동사의 형태. ↔수동태.

능동-형 (能動形) 명 〖언〗 능동태를 나타내는 동사의 형태(('박다·박이다·박히다' 가운데에서 '박다' 따위)).

능라 (綾羅)[-나] 명 두꺼운 비단과 얇은 비단. 능단. ¶～ 주단(綢緞).

능란-하다 (能爛-)[-난-] 형여불 익숙하고 매우 솜씨가 있다. ¶능란한 솜씨 / 말재주가 ～ / 처세에 ～. **능란-히** [-난-] 부. ¶일을 ～ 처리하다.

*__능력__ (能力)[-녁] 명 **1** 일을 감당해 내는 힘. ¶문제 해결 ～이 탁월하다 / 내 ～으로는 힘겨운 일이다 / ～을 기르다. **2** 〖법〗 법률상 어떤 일에 대하여 필요하다고 인정되는 사람의 자격((권리 능력·행위 능력·책임 능력·범죄 능력 따위)). **3** 〖심〗 지성·감정·기억 따위의 정신 현상의 여러 가지 형태. **4** 정신적·신체적 기능에 대한 가능성. ¶운동 ～이 뛰어나다.

능력-급 (能力給)[-녁-] 명 근로자의 능력에 따라 지급하는 급여(給與). 연령·기능·학력·경험 등을 기준으로 함.

*__능률__ (能率)[-뉼] 명 **1** 일정한 시간에 해낼 수 있는 일의 비율. ¶～이 오르지 않다 / ～이 낮다 / 일의 ～이 떨어지다. **2** 〖물〗 모멘트(moment)2.

능률-적 (能率的)[-뉼쩍] 관명 능률을 많이 내거나 능률이 많이 나는 (것). 헛된 것이 적고 효율이 좋은 (것). ¶～인 회사 경영.

능멸 (凌蔑·陵蔑) 명하타 업신여기어 깔봄. 능답(陵踏). ¶～을 당하다 / 국법을 ～하다 / 감히 나를 ～하다니.

능변 (能辯) 명하형 말솜씨가 능란함. 또는 그 말. ¶유창한 ～. ↔눌변.

능사 (能事) 명 **1** 자기에게 가장 알맞아 능히 감당해 낼 수 있는 일. ¶거짓말을 ～로 삼다. **2** (주로 '아니다'와 함께 쓰여) 잘하는 일. ¶어려운 일을 피하는 것만이 ～가 아니다.

능선 (稜線) 명 산등성이를 따라 죽 이어진 선. ¶～을 타다 / ～을 따라 오르다.

능소능대 (能小能大) 명하형 모든 일에 두루 능함. ¶～한 사람.

능소니 명 곰의 새끼.

능수 (能手) 명 어떤 일에 능숙한 솜씨. 또는 그런 솜씨를 가진 사람. ¶춤의 ～.

능수능란-하다 (能手能爛-)[-난-] 형여불 일 따위에 익숙하고 솜씨가 좋다. ¶능수능란하게 사람을 다루다.

능수-버들 명 〖식〗 버드나뭇과의 낙엽 교목. 개울가나 들에 나며, 우리나라 특산인데 중국·만주에도 분포함. 잎은 피침형이며 가지의 줄기가 길게 늘어짐.

능숙-하다 (能熟-)[-수카-] 형여불 잘하고 익숙하다. ¶그는 웅변에 ～ / 능숙한 수완을 발휘하다. **능숙-히** [-수키] 부

능욕 (凌辱·陵辱) 명하타 **1** 남을 업신여겨 욕보임. **2** 여자를 강간하여 욕보임. ¶～을 당하다.

능원 (陵園) 명 왕·왕비의 무덤인 능과 왕세자 등의 무덤인 원. 곧, 왕족들의 무덤.

능준-하다 형여불 능력이나 수량 따위가 표준에 차고도 남아 넉넉하다. ¶저 두 놈은 내가 능준하게 당해 낼 수 있다. **능준-히** 부

능지-처참 (陵遲處斬) 명 〖역〗 머리·몸통·팔·다리를 토막 쳐 죽이던 극형(極刑)((대역죄를 범한 자에게 내리던 형벌)). 준능지(陵遲).

능직 (綾織) 명 날줄·씨줄이 서로 몇 올씩 건너뛰어 만남으로써 무늬가 비스듬한 방향으로 나타나게 옷감을 짜는 방식. ¶～ 비단.

능청 명 마음속으로는 다른 생각을 하면서 겉으로는 천연스럽게 행동하는 태도. ¶저런 ～ 좀 보게.

능청(을) 떨다 구 능청맞게 속이거나 아무 일 없었다는 듯이 딴청을 부리다. ¶음흉하게 ～.

능청(을) 부리다 구 행동에 능청스러움을 나타내다. ¶괜히 능청 부리지 말고 솔직히 털어놓게.

능청-꾸러기 명 능청을 잘 부리는 사람.

능청-맞다 [-맏따] 형 얄밉게 능청스럽다. ¶능청맞게 굴다.

능청-스럽다 [-스러우니, -스러워] 형ㅂ불 속으로는 엉큼한 마음을 숨기고 겉으로는 천연스럽게 행동하는 데가 있다. **능청-스레** 부. ¶～ 둘러대다 / ～ 굴다.

능청-이 명 능청맞은 사람. ¶고약한 ～.

능통-하다 (能通-) 형여불 사물의 이치에 환히 통달하다. ¶한문에 능통한 사람 / 영어에 ～.

능필 (能筆) 명 잘 쓴 글씨. 또는 글씨를 잘 쓰는 사람.

능-하다 (能-) 형여불 서투르지 않고 익숙하다. ¶임기응변에 ～ / 처세에 ～ / 시문에 ～. **능-히** 부. ¶너라면 그 일을 ～ 해낼 수 있을 것이다.

늦- [늗] 두 때의 늦음을 나타내는 말. ¶～더위 / ～장가 / ～둥이 / ～되다 / ～심다.

늦-가을 [늗까-] 명 가을의 마지막 무렵. 만추(晩秋). 계추(季秋).

늦-거름 [늗꺼-] 명 **1** 제때보다 늦게 주는 거름. **2** 오래된 후에 효력이 나타나는 비료((퇴비·인분 따위)).

늦-겨울 [늗껴-] 명 겨울의 마지막 무렵. 만동(晩冬). 계동(季冬).

늦-과일 [늗꽈-] 명 보통 과일보다 늦게 여무는 과일((사과, 배, 감 따위)).

늦-깎이 [늗-] 명 **1** 나이 들어서 중이 된 사람. **2** 나이가 많이 들어서 어떤 일을 시작한 사람. ¶그때 난 나이 사십의 ～ 대학생이었다. **3** 사리를 남보다 늦게 깨닫는 일. 또는 그런 사람. **4** 과실이나 채소 등이 늦게 익은 것.

*__늦다__ [늗따] 一형 **1** 일정한 때에 뒤져 있다. ¶예정보다 늦게 도착하다 / 꽃이 늦게 핀다. ↔이르다[3]. **2** 어떤 시간이나 기간의 마지막 무렵에 속해 있다. ¶늦은 가을 / 매일 밤 늦게 귀가하다. **3** 곡조, 동작 따위의 속도가 느리다. ¶박자가 ～ / 일 처리가 ～. 二자 어떤 시간 안에 미치지 못하다. ¶기차 시간에 늦었다 / 그는 항상 출근 시간에

10분 늦는다.
[늦게 배운 도둑이 날 새는 줄 모른다] 뒤늦게 시작한 일에 재미를 붙인 사람이 그 일에 더 몰두하게 된다.
늦-더위 [늗떠-] 명 여름이 다 가도록 가시지 않는 더위. ↔일더위.
늦-되다 [늗뙤-] 자 1 나이보다 늦게 철이 들다. ¶늦된 아이. 2 곡식이나 열매 따위가 제철보다 늦게 익다. ¶늦되는 과실. ↔일되다.
늦-둥이 [늗뚱-] 명 1 나이가 들어 늦게 낳은 자식. ¶~를 보다. 2 박력이 없고 또랑또랑하지 못한 사람.
늦-모 [는-] 명 철 늦게 내는 모. 마냥모.
늦-바람 [늗빠-] 명 1 저녁 늦게 부는 바람. 2 '느리게 부는 바람'의 뱃사람 말. 3 나이 들어 늦게 난 난봉이나 호기(豪氣). ¶~이 나다.
늦-배 [늗빼] 명 늦게 까거나 낳은 새끼.
늦-벼 [늗뼈] 명 늦게 익는 벼. ↔올벼.
늦-복 (-福)[늗뽁] 명 1 늘그막에 누리는 복. ¶~이 터지다 / ~이 찾아왔다. 2 뒤늦게 돌아오는 복.
늦-봄 [늗뽐] 명 봄의 마지막 무렵. 만춘(晩春). 계춘(季春).
늦-부지런 [늗뿌-] 명 1 늙어서 부리는 부지런. 2 뒤늦게 서두르는 부지런. ¶~이 나서 어두운 줄도 모른다.
늦-뿌리다 [늗-] 타 씨앗을 제철보다 늦게 뿌리다. 만파(晩播)하다.
늦-사리 [늗싸-] 명하타 철 늦게 농작물을 거두는 일. 또는 그 농작물.
늦-서리 [늗써-] 명 제철보다 늦게 내리는 서리. 만상(晩霜).
늦-여름 [는녀-] 명 여름의 마지막 무렵. 계하(季夏).
늦-자라다 [늗짜-] 자 보통 아이보다 늦게 자라다.
늦-잠 [늗짬] 명 아침 늦게까지 자는 잠. ¶아침 10시가 넘도록 ~을 자다.
늦잠-꾸러기 [늗짬-] 명 늘 아침에 늦게까지 자는 사람. 늦잠쟁이.
늦-잡다 [늗짭-] 타 1 시간이나 날짜를 늦추어 헤아리다. ¶늦잡아도 연말까지는 일을 끝내야 한다. 2 시간이나 날짜를 늦추어 정하다. ¶여행 날짜를 ~.
늦-잡죄다 [늗짭-] 타 느지막이 다잡거나 독촉하다.
늦-장 [늗짱] 명 늑장. ¶~을 부리다.
늦-장 (-場)[늗짱] 명 1 느직하게 보러 가는 장. 2 거의 다 파할 무렵의 장.
늦-장가 [늗짱-] 명 보통 사람보다 늦게 드는 장가. ¶~를 들다 / 형은 나이 40이 넘어 ~를 갔다.
늦-장마 [늗짱-] 명 제철이 지난 뒤에 오는 장마. ¶~가 지다. 준늦마.
늦추 [늗-] 부 1 때가 늦게. ¶김장을 ~ 담다. 2 줄이나 끈 따위를 켕기지 않고 느슨하게. ¶띠를 ~ 매다.
늦추다 [늗-] 타 1 졸라맨 것을 느슨하게 하다. ¶허리띠를 ~. 2 높이 매단 것을 조금 내려오게 하다. ¶메주를 좀 늦추어 달아라. 3 긴장을 조금 풀다. ¶경계심을 늦추지 않고 있다. 4 시간이나 기일을 뒤로 미루다. ¶개학 날짜를 ~ / 입대를 대학 졸업 후로 늦추었다. 5 느리게 하다. ¶속력을 ~ / 박자를 ~ / 걸음을 ~.
늦-추위 [늗-] 명 겨울철이 다 지나갈 무렵에 드는 추위. ¶~가 기승을 부리다.
늦추-잡다 [늗-] 타 1 시간이나 기한을 늦게 잡다. ¶일정을 ~. 2 줄이나 끈을 느슨하게 잡다.
늦-하늬 [느타니] 명 늦하늬바람.
늦하늬-바람 [느타니-] 명 '서남풍'의 뱃사람 말.
***늪** [늡] 명 1 땅이 우묵하게 두려빠지고 늘 물이 괴어 있는 곳《호수보다 작고 못보다 큼》. ¶자동차가 ~에 빠지다 / 아마존 ~을 탐험하다. 2 빠져나오기 힘든 상태나 상황. ¶3연패의 깊은 ~에 빠지다 / 침체의 ~에서 헤어나다.
늪-지대 (-地帶)[늡찌-] 명 늪이 많은 지역.
늴리리 [닐-] 부 퉁소나 나발, 피리 따위 관악기의 소리를 흉내 낸 소리.
늴리리야 [닐-] 명 경기 민요의 하나. 그 후렴 '늴리리야'에서 온 이름.
늴리리-쿵더쿵 [닐-] 부 퉁소·나발 따위의 관악기와 장구·꽹과리·북 같은 타악기가 뒤섞인 풍류 소리.
닁큼 [닝-] 부 머뭇거리지 않고 단번에 빨리. 작냉큼.
닁큼-닁큼 [닝-닝-] 부 머뭇거리지 않고 잇따라 빨리. 작냉큼냉큼.
니 조 받침 없는 체언에 붙어, 여러 사물을 열거할 때 쓰는 접속 조사. ¶시골에서 사과~ 복숭아~ 배~ 잔뜩 가져왔다. *이니.
-니[1] 어미 '이다' 또는 받침 없는 용언의 어간에 붙는 연결 어미. 1 앞말이 뒷말의 원인이나 근거가 됨을 나타냄. ¶어려운 고비(이)~ 더욱 분발해라 / 봄이 되~ 꽃이 핀다. 2 어떠한 사실을 먼저 말하고 그와 관련된 다른 설명을 할 때 씀. ¶서울역에 도착하~ 저녁 일곱 시였다 / 열차에서 내린 것이 새벽 3시~, 거리에는 사람의 그림자도 없었다. *-으니[1].
-니[2] 어미 '-냐'·'-느냐'를 보다 더 친밀하고 부드럽게 의문을 나타내는 종결 어미. ¶무엇을 하~ / 어디 가~ / 오늘이 무슨 날이~. *-으니[3].
-니[3] 어미 '이다' 또는 받침 없는 형용사 어간에 붙어, 하게할 자리에 진리나 으레 있을 사실을 말할 때 쓰는 종결 어미. ¶습관적으로 도둑질하는 것은 나쁘~ / 먹게나, 시장이 반찬이~. *-으니[4].
-니[4] 어미 '이다' 또는 받침 없는 형용사 어간에 붙어, '이렇기도 하고 저렇기도 하다'는 뜻을 나타내는 연결 어미. ¶병신이~ 바보~ 욕만 한다 / 내 것이~ 네 것이~ 구별하지 말고 사용하자 / 나쁘~ 비싸~ 하고 트집을 잡다. *-으니[2]·-느니.
니그로 (Negro) 명 1 주로 중부 아프리카를 원주지로 하는 흑인종. 살빛이 검고 입술이 두툼하며 코가 편평하고 고수머리이며 키가 큼. 2 흑인.
니글-거리다 자 먹은 것이 내려가지 아니하여 속이 자꾸 메스껍고 게울 듯하다. ¶속이 ~. **니글-니글** [-리-] 부하자

니글-대다 [자] 니글거리다.

-니까 [어미] '-니'의 힘줌말. ¶어려운 때~ 참자 / 꼴뚜기가 뛰~ 망둥이도 뛴다 / 눈을 뜨~ 벌써 대낮이다. *-으니까.

-니까는 [어미] '-니까'에 '는'을 더한 힘줌말. ¶찾아가~ 밖에 나가고 집에 없었다. [준]-니깐. *-으니까는.

-니깐 [어미] '-니까는'의 준말. ¶내가 오~ 그 애가 가더라 / 무서운 사람이~ 정신 차려라. *-으니깐.

-니라 [어미] '이다' 또는 받침 없는 형용사 어간에 붙어, 해라할 자리에 진리나 으레 있는 사실을 가르쳐 줄 때 예스럽게 쓰는 종결 어미. ¶책은 마음의 양식이~ / 부모의 은혜는 크~. *-으니라.

니르바나 (산 nirvāna) [명] 〖불〗 열반(涅槃).

니스 [명] (varnish) 〖화〗 도료의 한 가지. 수지(樹脂) 등을 용제에 녹여 만든 투명 내지 반투명의 점액《광택이 나며 습기를 방지함》. 바니시.

니은 [명] 〖언〗 한글 자모 'ㄴ'의 이름.

니커보커스 (knickerbockers) [명] 무릎 근처에서 졸라매게 된 품이 넓고 느슨한 반바지《등산이나 여행, 골프 따위를 할 때 입음》.

니커보커스

니켈 (nickel) [명] 금속 원소의 하나. 천연 광석으로 생산됨. 단단한 은백색 금속이며, 잘 늘어나고 펴지는 것이 철과 비슷하나 공기·습기에는 철보다 잘 침식되지 않음. [28번 : Ni : 58.71]

니코틴 (nicotine) [명] 〖화〗 담배 속에 .2-8% 포함되어 있는 무색 휘발성의 액체 알칼로이드《독성이 강하여 신경·소뇌·연수·척추 등을 자극·마비시킴》.

니크롬 (nichrome) [명] 니켈과 크롬을 주로 한 합금. 전기 저항이 크며 잘 산화되지 않기 때문에 저항기·전열기 등에 씀.

니트 (knit) [명] 뜨개질하여 만든 옷이나 옷감. 뜨개 옷.

니트-웨어 (knit wear) [명] 뜨개질하여 만든 옷의 총칭.

니퍼 (nipper) [명] 펜치의 한 가지. 주로 전선의 절단용으로 쓰이는 공구(工具).

니힐리스트 (nihilist) [명] 허무주의자.

니힐리즘 (nihilism) [명] 허무주의.

닉네임 (nickname) [명] 별명. 이명. 애칭. ¶선생님의 ~.

님 [의명] 바느질에 사용하는 토막 친 실을 세는 말. ¶다섯 ~.

-님 [미] 남의 이름이나 어떤 명사 뒤에 붙여 존경의 뜻을 나타내는 말. ¶선생~ / 달~.

님비 (NIMBY) [명] 〔not in my backyard〕 교도소, 납골당, 장애인 학교, 쓰레기 처리 시설 등이 공공의 이익을 위해 필요한 것을 알면서도 그것을 자기 주거 지역 안에 건설하는 것에는 반대하는 일.

님프 (nymph) [명] 그리스 신화에서, 들·언덕·동굴·하천·샘·수목 등에 있는 아름다운 여자 모습의 정령(精靈)들. 요정(妖精).

닢 [닙] [의명] 쇠붙이로 만든 돈·가마니같이 납작한 물건을 세는 단위. ¶동전 두 ~ / 가마니 다섯 ~.

ㄷ (디귿) 〖언〗 **1** 한글 자모의 셋째 글자. **2** 자음의 하나. 목젖으로 콧길을 막고 혀끝을 윗잇몸에 붙여 막았다 뗄 때 나는 파열음으로서 예사소리. 받침으로 그칠 경우에는 혀끝을 떼지 않음.

ㄷ 불규칙 용:언 (─不規則用言)[디귿뿔─칙뇽─] ㄷ 불규칙 활용을 하는 용언(《묻다·걷다·듣다 따위》).

ㄷ 불규칙 활용 (─不規則活用)[디귿뿔─치콸─] 어간의 끝 'ㄷ'이 모음으로 시작되는 어미 앞에서 'ㄹ'로 변하는 형식(《'묻다'가 '물어·물으니'로 되는 경우 따위》).

ㄷ자─집 (─字─)[디귿짜─] 명 〖건〗 'ㄷ' 자 모양으로 만든 집. 종마루가 'ㄷ' 자로 됨.

다[1] 명 〖악〗 서양 음계의 칠음 중에 제1음인 도(do)의 이름. ¶ ~단조 / ~장조.

***다**:[2] ㊀부 **1** 남김없이 모두. 모조리. 전부. ¶ ~ 가져라 / 바른대로 ~ 말해라. **2** 어떠한 것이든지. ¶ 둘 ~ 좋다. **3** 거의. ¶ ~ 죽게 되었다. **4** 가벼운 놀람, 새삼스런 감탄, 은근한 비꼼을 나타내는 말. ¶ 그런 재미나는 놀이도 ~ 있어 / 별사람 ~ 보겠다. **5** 미래의 일을 부정하는 뜻을 나타내는 말. ¶ 비가 오니 야유회는 ~ 갔다. ㊁명 **1** 있는 것 모두. ¶ ~들 어디 갔느냐. **2** 생각할 수 있는 한도의 끝. ¶ 부자면 ~냐, 사람을 이렇게 괄시하다니.
[다 된 죽에 코 풀기] ㉠거의 다 된 일을 망쳐 버림. ㉡남의 다 된 일을 방해함. [다 퍼먹은 김칫독] 앓거나 굶주려서 눈이 움푹 들어간 사람. 또는 쓸모없게 된 물건의 비유.

다[3] 조 받침 없는 체언에 붙어, 둘 이상의 사물을 나열할 때 쓰는 접속 조사. ¶ 사과~ 배~ 잔뜩 먹었다.

다[4] 조 '다가'의 준말. ¶ 어디~ 두었소.

다[5] 조 서술격 조사 '이다'의, 받침 없는 체언 뒤에서의 생략형. ¶ 힘이 장사~ / 너는 용사~. *이다[3].

다─ (多) 두 명사 앞에 붙어서 '여러·많은'의 뜻을 나타내는 말. ¶ ~방면(方面) / ~용도(用途).

─다 어미 **1** 용언의 기본형을 나타내는 종결 어미. ¶ 가~ / 살~. **2** 형용사의 어간에 붙어 현재의 상태를 나타내는 종결 어미. ¶ 맑~ / 아름답~. **3** '─다고'의 준말. ¶ 돈이 없~ 낙심 마라. **4** '─다가'의 준말. ¶ 잡았~ 놓치다 / 길을 가~ 친구를 만났다.

다가 조 **1** 처소 또는 대상을 나타내는 부사격 조사. ¶ 어디~ 둘까 / 누구한테~ 맡길까. *에다가·에게다. **2** '로'·'으로' 따위 말 뒤에 붙어 그 뜻을 강조하는 보조사. ¶ 힘으로~ 밀어붙이다.

─다가 어미 **1** 계속되던 상태나 동작이 그치고 다른 상태나 동작으로 옮겨감을 나타내는 연결 어미. ¶ 흐렸~ 개다 / 잡았~ 놓아주다 / 책을 읽~ 깜빡 잠이 들었다. **2** 이유나 원인을 나타냄. ¶ 그렇게 뽐내~ 큰코다친다. **3** 어떤 행위의 되풀이나 나열을 나타냄. ¶ 아기가 울~ 웃~ 한다. ㊟─다.

다가─가다 자 거라불 **1** 어떤 대상 쪽으로 가깝게 옮겨 가다. ¶ 좀 더 안쪽으로 다가가거라 / 부엌 쪽으로 다가갔다. **2** 어떤 사람과 친해지고자 함을 나타냄. ¶ 그에게 다가가려 해도 틈이 보이질 않는다.

다가─놓다 [─노타] 자 어떤 대상이 있는 쪽으로 더 가까이 놓다. ¶ 책상을 벽 쪽으로 바싹 ~.

─다가는 어미 **1** 한 동작이나 상태가 끝나고 다른 동작이나 상태로 옮겨질 때 쓰이는 연결 어미. ¶ 공부를 열심히 하~ 또 게으름을 피운다. **2** 어느 동작이나 상태가 계속되면 뒤에 좋지 못한 결과를 가져오게 된다는 뜻으로 앞 동작을 경계하는 데 쓰이는 연결 어미. ¶ 이렇게 잠만 자~ 낙제한다 / 그냥 있~ 큰일 나겠다. ㊟─다간.

다가─들다 〔─드니, ─드오〕 자 **1** 더 가까이 가다. ¶ 화가 나신 아버지에게 다가들어 다리를 붙잡고 매달렸다. **2** 맞서서 덤벼들다. ¶ 겁없이 ~가는 혼난다.

다가─붙다 [─붇따] 자 어떤 대상 쪽으로 더 가까이 붙다. ¶ 겁이 난 동생은 형의 곁으로 다가붙었다.

다가─서다 자 어떤 대상 쪽으로 더 가까이 옮겨 서다. 가까이 가다. ¶ 소년은 소녀 쪽으로 다가섰다.

다가─앉다 [─안따] 자 어떤 대상 쪽으로 더 가까이 옮겨 앉다. ¶ 술상 앞에 ~ / 사이좋게 좀 다가앉아라.

***다가─오다** 자 너라불 **1** 어떤 대상 쪽으로 더 가까이 옮겨 오다. ¶ 이리로 다가오너라. **2** 어떤 일이나 때가 가깝게 닥쳐오다. ¶ 여름 방학이 ~ / 연말이 ~.

다각 (多角) 명 **1** 여러 각. 여러 모. **2** 여러 방면이나 부문.

다각─도 (多角度) 명 **1** 여러 각도. 여러 모. **2** 여러 방면.

다각 묘:사 (多角描寫)[─강─] 〖문〗 어떤 하나의 대상을 여러 각도로 그려 내는 표현 방법.

다각─적 (多角的) 관명 여러 방면이나 부문에 걸친 (것). ¶ ~(인) 노력을 기울이다 / 문제점을 ~으로 검토하다.

다각적 결제 (多角的決濟)[─쩨] 다각 무역에서, 당사국끼리 채권이나 채무를 상쇄하여 전체로서 수지 균형을 유지하는 결제 방식.

다각─형 (多角形)[─가켱] 명 〖수〗 셋 이상의 선분으로 둘러싸인 평면 도형. 다변형.

다각─화 (多角化)[─가콰] 명하자타 여러 방면이나 부문에 걸치도록 함. ¶ 생산 품목을 ~하다.

-다간 어미 '-다가는'의 준말. ¶이러~ 큰 일 나겠다 / 그렇게 꾸물대~ 늦겠다.
다갈-색 (茶褐色)[-쌕] 명 조금 검은 빛깔을 띤 갈색. ¶~의 모자를 쓰다.
다감-하다 (多感-) 형여불 느낌이 많고 감동하기 쉽다. 감정이나 감수성이 풍부하다. ¶다감하고 정이 많은 소녀.
-다고 어미 종결 어미 '-다'에 인용을 나타내는 조사 '고'가 합친 말. 형용사 어간이나 시제(時制)를 나타내는 어미의 뒤에 쓰임. **1** 간접 인용·원인·근거 등을 나타내는 연결 어미. ¶돈이 많~ 한다 / 잘했~ 칭찬하다 / 훌륭한 선생이었~ 소문으로 들었다. 준-다. **2** 사실이 생각한 것과 다를 때 또는 항변·반문 등을 할 때 쓰이는 종결 어미. ¶뭐, 제가 다 했~ / 그게 얼마나 크~ / 그가 범인이었~ / 아니 또 먹겠~ / 난 또 큰일이라도 났~. *-ㄴ다고·-는다고.
다공 (多孔) 명 구멍이 많음.
다공-질 (多孔質) 명 **1** 작은 구멍이 많이 있는 물질. ¶~ 벽돌을 쓰다. **2** 단단하지 못하고 푸석푸석하게 생긴 바탕.
다과 (多寡) 명 수효의 많음과 적음. 다소.
다과 (茶菓) 명 차와 과자. ¶~를 내오다 / ~회를 열다.
다구 (茶具) 명 차제구(茶諸具).
다국적 기업 (多國籍企業) 여러 나라에 계열 회사를 가지고 세계적 규모로 활동하는 거대(巨大) 기업. 세계 기업. 국제 기업.
다그다 〔다그니, 다가〕 타 **1** 어느 대상 쪽으로 가까이 옮기다. ¶칠판 쪽으로 다갔다. **2** 시간이나 날짜를 앞당기다. ¶계획보다 이틀을 다가 끝내다.
다그-치다 타 **1** 일을 빨리 끝내려고 몰아치다. ¶일손을 ~. **2** 빨리 말을 하도록 몰아붙이다. ¶다그치어 묻다.
다극 (多極) 명 **1** 극(極)이 많음. ¶~ 진공관. **2** 중심이 되는 세력 등이 대립적으로 많이 있는 상태를 이름. ¶~ 외교.
다극-화 (多極化)[-그콰] 명 국제 정치상의 힘의 분포에서 세력의 중심이 여러 갈래로 나누어지는 것.
다급-스럽다 〔-스러우니, -스러워〕 형ㅂ불 보기에 몹시 급한 데가 있다. ¶천천히 해도 되니까 다급스럽게 굴지 마라. **다급-스레** 부
다급-하다[1] [-그파-] 타여불 끌어당겨 자기가 차지하다.
다급-하다[2] [-그파-] 형여불 일이 바싹 닥쳐서 매우 급하다. ¶일이 다급하게 되다 / 그는 다급한 일이 있다며 출근하지 않았다. **다급-히** [-그피] 부
다기 (多岐) 명하형 **1** 여러 갈래. **2** 여러 방면에 걸침. *다방면.
다기 (茶器) 명 차를 끓여 담아서 마실 때 쓰는 그릇.
다기-지다 (多氣-) 형 보기보다 마음이 굳고 단단하다. ¶키는 작아도 아주 다기진 사람이다.
다기-차다 (多氣-) 형 다기지다.
다기-하다 (多技-) 형여불 여러 가지 기예에 능하다. ¶그는 다기한 재능을 가졌다.
-다나 어미 형용사의 어간이나 시제를 나타내는 선어말 어미 뒤에 붙어, 어떤 사실을 흥미가 없다거나 빈정거리는 태도로 전달할 때 반말 투로 이르는 종결 어미. ¶자기는 보고 왔~ / 전에는 착한 사람이었~. *-라나.
다난-하다 (多難-) 형여불 재난이나 어려운 일이 많다. ¶다난했던 한 해가 저물다.
-다네 어미 형용사 어간 및 시제를 나타내는 선어말 어미 뒤에 붙어, 친근감이나 감탄을 나타내는 종결 어미. ¶그곳은 매우 춥~ / 이제 막 돌아왔~. *-ㄴ다네·-라네.
다녀-가다 자타거라불 어느 곳에 왔다가 가다. 어느 곳을 들렀다가 가다. ¶큰아버지께서 금방 다녀가셨습니다.
***다녀-오다** 자타너라불 어느 곳에 갔다 오다. 어느 곳을 들렀다가 오다. ¶학교에 다녀오겠습니다 / 올 여름 휴가는 고향을 다녀올 생각이다.
다년 (多年) 명 **1** 여러 해. **2** 다년간.
다년-간 (多年間) 명부 여러 해 동안. 다년. ¶~의 노력으로 훌륭한 결실을 맺었다.
다년-생 (多年生) 명 〖식〗 여러해살이. *일년생.
다-년호 (大年號) 명 〔←대년호〕 〖역〗 군주 시대에, 임금이 즉위한 해에 붙이던 칭호. 준연호.
다뇨-증 (多尿症)[-쯩] 명 〖의〗 오줌의 양과 횟수가 병적으로 많은 증세.
-다느냐 어미 '-다고 하느냐'의 준말. ¶얼마나 비싸~ / 거기 있~. 준-다니.
-다느니 어미 이렇다고도 하고, 저렇다고도 함을 나타낼 때, 형용사 어간 및 '-았-'·'-었-'·'-겠-' 뒤에 붙는 연결 어미. ¶입이 크~ 눈이 작~ 평들이 구구하다 / 갔었~ 안 갔었~ 야단들이다 / 점심을 먹겠~ 안 먹겠~ 심술을 부린다.
-다는 어미 '-다고 하는'의 준말. ¶좋~ 물건 / 꼭 온~ 약속을 받았다.
다능-하다 (多能-) 형여불 여러 가지로 능하다. 재주가 많다.
-다니 어미 **1** 용언의 어간에 붙어, 이상하거나 의심되는 점을 되짚어 물을 때 쓰이는 종결 어미. ¶그 사람이 죽~ 믿어지지 않는다. **2** '-다고 하니'의 준말. ¶좋~ 대체 얼마나 좋은가. **3** '-다느냐'의 준말. ¶나를 언제 보았~.
-다니까 어미 **1** '다고 하니까'의 준말. ¶예쁘~ 신이 나는 모양이다. **2** 형용사 어간 및 '-았-'·'-었-' 뒤에 붙어, 사실이 그러함을 인식하고 있지 못하거나 미심쩍어하는 상대에게 다그쳐서 깨우쳐 주는 뜻을 나타내는 종결 어미. ¶그 책이 가장 재미있~ / 정말 보았~.
***다니다** ㊀자 **1** 직장·학교 등에 늘 나갔다 오다. ¶회사에 ~ / 병원에 ~. **2** 왔다 갔다 하다. 지나가고 지나오고 하다. ¶같은 길로만 ~. **3** 어떤 곳에 들러서 오다. ¶오는 길에 큰댁에 다녀서 오너라. **4** 드나들다. ¶늘 다니는 식당. ㊁타 **1** 어떤 곳을 오고 가고 하다. ¶밤거리를 ~ 도둑을 만났다 / 서울과 인천 간을 다니는 버스. **2** 어떤 목적 아래 왔다 갔다 하다. ¶사냥을 ~ / 여행을 자주 다닌다 / 친척들에게 인사를 ~.
다다 부 **1** 아무쪼록 힘 미치는 데까지. ¶~ 많이 읽어라. **2** 오직. 단지. ¶~ 자기만 하

면 된다.
다다귀-다다귀 부하형 작은 것들이 한곳에 많이 붙어 있는 모양. ¶앵두가 ~ 붙어 있는 앵두나무/꽃송이가 가지마다 ~ 피어 있다. 큰더더귀더더귀. 준다닥다닥.
다다르다 〔다다르니, 다다라〕 자 1 목적한 곳까지 이르러 닿다. ¶도서관에 ~. 2 어떤 기준에 이르러 미치다. ¶절정에 ~/한계에 ~.
다다미 (←일 *たたみ*〔畳〕) 명 일본식 돗자리 《속에 짚을 두껍게 넣은 것으로 방에 깖》.
다다-익선 (多多益善) 명 많을수록 더욱 좋음. ¶돈이 꼭 ~만은 아니다.

ㄷ

다닥-다닥 부하형 '다다귀다다귀'의 준말. ¶감나무에 감이 ~ 붙었다/산동네에는 판잣집들이 ~ 붙어 있다. 큰더덕더덕.
다닥-뜨리다 자 서로 닿아서 마주치다. ¶좁은 골목에서 그녀와 다닥뜨려 놀랐다.
다닥-치다 자 1 마주쳐서 부딪치다. ¶앞차와 ~. 2 일이나 시기가 바싹 닥치다. ¶약속 날짜가 ~.
다닥-트리다 자 다닥뜨리다.
다단-식 (多段式) 명 여러 단으로 나누어 하는 방식. ¶~ 펌프.
다단-하다 (多端-) 형여불 일의 가닥이 많다. ¶사건이 복잡하고 ~.
다달-이 부 〔←달달이〕 달마다. 매월. 매달. ¶~ 내는 세금/~ 열리는 모임.
다담-상 (茶啖床)〔-쌍〕 명 손님 대접을 위하여 음식을 차려 내는 상. 차담상.
다당-류 (多糖類)〔-뉴〕 명 〖화〗 가수 분해에 의하여 한 분자에서 두 개 이상의 단당류(單糖類)를 생성하는 탄수화물의 총칭.
다대 명 해어진 옷에 덧대고 깁는 헝겊 조각.
다대기 명 끓는 간장이나 소금물에 마늘·생강 따위를 다져 넣고 고춧가루를 뿌려 끓인 다음, 기름을 쳐서 볶은 양념. 얼큰한 맛을 내는 데 씀. ¶설렁탕에는 ~를 넣어야 맛있다.
다대-하다 (多大-) 형여불 많고 크다. ¶주시경 선생은 국어 발전에 다대한 공헌을 세웠다.
다도 (茶道) 명 차를 달여 손님에게 대접하거나 마실 때의 예법.
다독 (多讀) 명하타 많이 읽음. ¶좋은 글을 쓰려면 ~이 필요하다.
다독-거리다 타 1 흩어진 물건을 그러모아 잇따라 가볍게 두드려 누르다. ¶화롯불을 ~. 2 어린아이를 달래거나 귀여워할 때 가만가만 잇따라 두드리다. ¶아기를 다독거려 재우다. 3 따뜻이 감싸 달래다. **다독-다독** 부하타
다독-대다 타 다독거리다.
다독-이다 타 다독거려 주다.
다-되다 형 일 따위가 완전히 그르친 상태에 있다. ¶그 집안은 운이 다된 것 같다.
다듬-거리다 자타 1 물건을 찾거나 알아내려고 손으로 이리저리 자꾸 만져 보다. ¶그는 서랍 속을 다듬거려 무엇인가를 꺼내 보였다. 2 잘 모르는 길을 이리저리 찾아가다. ¶밤길을 다듬거리며 가다. 3 똑똑히 알 수 없는 일을 이리저리 생각해 가면서 말하다. ¶기억을 ~. 4 글을 읽는 데 순순히 내리읽지 못하고 군데군데 자꾸 막히다. ¶다듬거리며 책을 읽다. 5 말이 자꾸 막혀 순하게 나오지 않다. 큰더듬거리다. 센따듬거리다. **다듬-다듬** 부하자타
***다듬다** 〔-따〕 타 1 매만져서 맵시를 내다. ¶머리를 ~. 2 필요 없는 부분을 깎고 떼어 내다. ¶파를 ~. 3 거친 바닥이나 거죽을 고르게 하다. ¶시멘트 바닥을 ~. 4 다듬이질을 하다. ¶모시를 ~. 5 글 따위를 짜임새 있게 손질하다. ¶원고를 ~.
다듬-대다 자타 다듬거리다.
다듬-이 명하타 1 '다듬이질'의 준말. ¶사라져 가고 있는 ~ 소리. 2 다듬잇감. ¶멀리서 들려오는 ~ 두드리는 소리.
다듬이-질 명하타 옷감 따위를 반드럽게 하기 위하여 방망이로 두드리는 일. ¶아낙네의 ~ 소리가 낭랑하게 들려온다. 준다듬이·다듬질.
다듬잇-감 〔-이깜/-읻깜〕 명 다듬이질을 할 감. ¶~을 다듬잇돌 옆에 갖다 놓아라.
다듬잇-돌 〔-이똘/-읻똘〕 명 다듬이질을 할 때 밑에 받치는 돌.
다듬잇-방망이 〔-이빵-/-읻빵-〕 명 다듬이질을 할 때 쓰는 두 개의 나무 방망이.
다듬잇-살 〔-이쌀/-읻쌀〕 명 다듬이질이 알맞게 되어 옷감에 생기는 풀기와 윤기. ¶~이 퍼지다/~이 잡히다.
다듬-질 명하타 1 새기거나 만든 물건을 매만져 다듬는 일. 2 '다듬이질'의 준말.
다디-달다 〔-다니, -다오〕 형 1 매우 달다. ¶다디단 사탕. 2 베푸는 정이 두텁다.
다따가 부 도중에 갑자기. 별안간. ¶밥 먹다 말고 ~ 웬 과자 타령이냐.
다떠위다 자 많은 사람이 한데 모여 시끄럽게 떠들고 들이덤비다. ¶서로 사인해 달라고 다떠위는 바람에 주인공은 정신이 없다.
다라니 (陀羅尼) 명 〖불〗 범문(梵文)으로 된 긴 구(句)를 번역하지 않고 그대로 읽거나 외는 일. 또는 그 구나 주문.
다:라지다 형 사람 됨됨이가 야무지고 여간한 일에는 겁내지 아니하다. ¶어린것이 안차고 ~.
***다락** 명 〖건〗 1 부엌 천장 위에 이층처럼 만들어서 물건을 두게 된 곳. ¶꿀단지를 ~에 두다. 2 다락집.
다락-같다 〔-깓따〕 형 물건 값이 매우 비싸다. **다락-같이** 〔-까치〕 부. ¶물가가 ~ 오르다.
다락-방 (-房) 명 다락처럼 만들어 꾸민 방. ¶~에서 공부하다.
다락-집 명 〖건〗 사방을 볼 수 있도록 높은 기둥 위에 벽이 없이 마루를 놓아 지은 집. 누각(樓閣).
***다람-쥐** 명 〖동〗 1 날다람쥐·하늘다람쥐 등의 총칭. 2 다람쥣과의 동물. 쥐와 비슷하나 등에 다섯 줄의 검은 선이 있고, 길이는 12-15cm, 꼬리는 11-12cm 임. 등은 황갈색, 배 부분은 백색, 귀가 작음. 앉아 있을 때는 꼬리를 올림. 솔씨·도토리·곤충 따위를 먹고, 나무를 잘 타며 겨울에는 나무 구멍에서 삶.
[다람쥐 쳇바퀴 돌듯] 한없이 반복하나 결말이 없음. 즉, 발전이 없고 제자리걸음만 한다는 뜻.

다:랍다 〔다라우니, 다라워〕 형 ㅂ불 **1** 때가 끼어 지저분하다. ¶그 다라운 발 좀 치워라. **2** 몹시 인색하다. ¶밥 한 끼 사주기를 다랍게 아까워한다. 큰더럽다.

다랑-논 명 다랑이로 된 논. 다랑전.

다랑-어 명 〖어〗 고등엇과의 외양성(外洋性) 회유어(回游魚). 온대성 해역에 살며 고등어처럼 살이 찌고 길이는 3m 정도, 무게는 약 350kg에 달함. 등은 청흑색, 배는 회백색, 살은 암적색으로, 겨울철에 맛이 좋음.

다랑이 명 비탈진 산골짜기 같은 곳에 있는 층층으로 된 좁고 작은 논배미.

-다랗다 [-라타] 〔-다라니, -다라오〕 미 ㅎ불 형용사의 어간에 붙어, 그 뜻을 좀 더 분명히 나타내는 말. ¶굵~/높~. 준-닿다.

다래[1] 명 〖식〗 **1** 다래나무의 열매. **2** 목화의 덜 익은 열매.

다래[2] 명 관(棺)의 천판(天板)과 지판(地板) 사이에 끼우는 양옆의 널.

다래끼[1] 명 아가리가 좁고 바닥이 넓적한 바구니. 대·싸리 등으로 만듦. ¶~에 옥수수를 담다.

다래끼[1]

다래끼[2] 명 〖의〗 눈시울에 나는 작은 부스럼. 안검염(眼瞼炎).

다래-나무 명 〖식〗 다래나뭇과의 낙엽 활엽 덩굴나무. 깊은 산에 나는데, 초여름에 흰 다섯잎꽃이 핌. 열매 '다래'는 가을에 녹황색으로 익는데 달고 맛이 좋음. 줄기는 지팡이, 열매는 약용함. 등리(藤梨).

다래-다래 부 하형 작은 물건이 많이 매달려 있는 모양. ¶풋고추가 ~ 열려 있다.

다량 (多量) 명 많은 분량. ¶물품을 ~으로 구입하다/세균이 ~ 검출되다. ↔소량.

*__다루다__ 타 **1** 일을 처리하다. ¶신속 정확하게 ~. **2** 기계나 물건 따위를 움직이거나 부리다. 취급하다. ¶물건을 소중히 ~/그의 악기 다루는 솜씨는 보통이 아니다. **3** 빳빳하고 거친 물건을 매만져 쓰기 좋게 하다. ¶가죽을 ~. **4** 사람이나 짐승을 거느려 부리다. ¶부하를 잘 ~. **5** 소재나 대상으로 삼다. ¶교통 문제를 크게 다룬 기사.

다룸-가죽 명 다루어서 부드럽게 만든 가죽. 숙피(熟皮).

*__다르다__ 〔다르니, 달라〕 형 르불 **1** 같지 않다. ¶취미가 다른 사람/살아온 환경이 서로 ~. ↔같다. **2** 특별히 표나는 데가 있다. ¶역시 기술자라 다르군.

다름 아닌 구 다른 어떤 것이 아니라 바로. ¶우승자는 ~ 자네일세.

다름(이) 아니라 구 '다른 까닭이 있는 것이 아니라·말하자면'의 뜻. ¶자네를 부른 것은 ~ 점심이나 같이하고 싶어서일세.

다르랑 부 코를 고는 소리. 큰드르렁.

다르랑-거리다 자타 자꾸 코를 길게 골다. 큰드르렁거리다. **다르랑-다르랑** 부 하자타

다르랑-대다 자타 다르랑거리다.

*__다르르__[1] 부 **1** 작은 물건이 편편한 위를 미끄럽게 구를 때 나는 소리. ¶창문을 ~ 열다. **2** 작은 물건이 약하게 떠는 소리. ¶문풍지가 ~ 떨린다. 큰드르르[1]. 센따르르[1].

다르르[2] 부 **1** 글을 줄줄 읽어 내려가는 모양. ¶~ 외고 있다. **2** 어떤 일에 막힘이 없이 잘 통하는 모양. 큰드르르[2]. 센따르르[2].

다르륵 부 작은 물건이 일정하게 구르다가 딱 멎는 소리.

다르륵-거리다 자 작은 물건이 여러 번 구르다가 멎는 소리가 자꾸 나다. **다르륵-다르륵** 부 하자

다르륵-대다 자 다르륵거리다.

*__다른__ 관 **1** 특정한 사물·장소·경우가 아닌 딴. ¶~ 사람/~ 데 가서 놀아라. **2** 보통의. 여느. ¶~ 때처럼 열심히 하다.

다름-없다 [-업따] 형 비교해 보니 같거나 비슷하다. ¶이 물건은 진짜나 ~/이 친구는 형제나 ~. **다름-없이** [-업씨] 부. ¶평소와 ~ 생활하다.

*__다리__[1] 명 **1** 동물의 몸통 아래에 붙어서 딛고 서거나 걸어다니는 일을 맡은 부분. ¶아픈 ~를 치료하다. **2** 물건 아래 붙어 물건이 직접 바닥에 닿지 않게 하거나 높게 하기 위하여 버티어 놓은 부분. ¶책상 ~가 꽤 높다. **3** 안경알의 테와 연결되어 귀에 걸게 된 기다란 부분. ¶안경~가 부러지다.

다리(를) 뻗고 자다 구 걱정과 시름을 잊고 편히 자다. ¶집 문제가 해결되어 다리를 뻗고 잘 수 있겠다.

*__다리__[2] 명 **1** 강·개천 또는 언덕과 언덕 사이에 통행할 수 있게 걸쳐 놓은 시설. 교량. ¶한강 ~를 건너다/~가 끊기다. **2** 중간에 거치는 단계. ¶몇 ~ 거쳐 소식을 전하다. **3** 사물이나 사람 사이를 이어 주는 역할.

[다리 아래서 원을 꾸짖는다] 직접 말을 못하고 안 들리는 곳에서 불평이나 욕을 한다.

다리(를) 건너다 구 말이나 물건 따위가 어떤 사람을 거쳐 다른 사람에게로 넘어가다. ¶그 말이 몇 다리를 건너서 내게 들어왔다.

다리(를) 놓다 구 상대와 관련을 짓기 위하여 사이에 딴 사람을 넣다. ¶중간에서 다리를 놓아 두 사람을 맺어 주다.

다리[3] 명 예전에, 여자의 머리숱이 많아 보이게 하기 위해 덧넣었던 딴 머리. 월자(月子). ¶~를 드린 머리.

다리다 타 다리미로 옷이나 천 따위의 구김이나 주름을 문질러 펴다. ¶바지를 다려 입다.

*__다리미__ 명 다리미질하는 데 사용하는, 쇠붙이로 바닥을 매끄럽게 만든 기구. ¶~로 옷을 다리다.

다리미-질 명 하타 다리미로 옷이나 피륙 따위를 다리는 일. 준다림질.

다리-밟기 [-밥끼] 명 하자 〖민〗 정월 대보름날 밤에 다리를 밟던 풍속《열두 다리를 밟으면 그 해의 액을 면한다고 함》. 다리밟이. 답교(踏橋).

다리-밟이 [-발비] 명 하자 다리밟기.

다리-뼈 명 〖생〗 다리를 이루는 뼈《넓적다리뼈와 정강이뼈로 나뉨》. 각골(脚骨). 퇴골(腿骨).

다리-살 [-쌀] 명 〖생〗 넓적다리의 안쪽.

다리-속곳 [-꼳] 명 고유 의복의 한 가지. 여자의 옷차림에서 치마의 가장 안에 받쳐

입는 속옷.
다리-쇠 명 화로 위에 걸치고 냄비나 주전자 따위를 올려놓는 쇠로 만든 기구. ¶화로에 ~를 걸치고 번철에 떡을 구워 먹었다.

다리쇠

다리-씨름 명하자 두 사람이 마주 앉아 같은 쪽 다리의 정강이의 안쪽을 서로 걸어 대고 옆으로 넘기는 놀이. 발씨름.
다리-통 명 다리의 둘레. ¶~이 굵직하다/~이 가늘다.
다리-품 명 길을 걷는 데 드는 노력. ¶마중 나갔다가 괜히 ~만 들이고 왔다.
다리품(을) 팔다 구 ㉠길을 많이 걷다. ¶공연히 갔다가 다리품을 판 꼴이 되었다. ㉡품삯을 받고 먼 길을 걸어서 다녀오다. ¶몇 푼이라도 벌기 위해 ~.
다림 명 수평 또는 수직을 헤아려 보는 일.
다림(을) 보다 구 ㉠어떠한 것을 겨냥 대고 살펴보다. ¶줄을 치고 다림을 보아서 측량하다. ㉡이해관계를 노려 살펴보다. ¶이리 저리 다림을 보아서 사업을 시작하다.
다림-질 명하타 '다리미질'의 준말.
다림-판 (-板) 명 어떤 물체가 기울지 않고 똑바른가를 살펴보는 기구.
다릿-골 [-리꼴/-릳꼴] 명 다리뼈 속의 골.
다릿골(이) 빠지다 구 길을 많이 걸어서 다리가 몹시 피로하고 힘이 없다. ¶너무 걸어서 다릿골이 빠질 것 같다.
다릿골-독 [-리꼴똑/-릳꼴똑] 명 배가 불룩하고 매우 큰 독.
다릿-돌 [-리똘/-릳똘] 명 개울이나 내를 건너기 위해 징검다리로 놓은 돌. ¶~을 밟고 시냇물을 건넜다. 「쓰시다.
다릿-마디 [-린-] 명 다리의 뼈마디. ¶~가
다릿-목 [-린-] 명 다리가 놓여 있는 길목. ¶~에서 그녀를 기다렸다.
다릿-심 [-리씸/-릳씸] 명 다리의 힘. ¶~이 세다/~이 없다. 「이는 동작.
다릿-짓 [-리찓/-릳찓] 명하자 다리를 움직
-다마는 어미 종결 어미 '-다'에 조사 '마는'이 겹치어, '-지마는'의 뜻을 나타내는 연결 어미. ¶가기는 간~ 좀 무섭다/멀기는 멀~ 꼭 가야 한다. ㉠-다만.
-다마다 어미 -고말고. ¶좋~/기쁘~.
***다:만** 부 **1** '오직 그뿐'의 뜻. ¶~ 죽음이 있을 뿐. **2** 그 이상은 아니라도. ¶~ 얼마라도 빌려 주세요. **3** 앞의 말을 받아 조건부로 이와 반대되는 말을 할 때에 그 말머리에 쓰는 접속 부사. 단(但). ¶가도 좋다. ~ 고생은 각오해야 한다.
-다만 어미 '-다마는'의 준말. ¶좋기는 좋~/가고는 싶~.
다망 (多忙) 명하형 매우 바쁨. ¶공사 ~하신 중에도 와 주셔서 감사합니다.
다매 (多賣) 명하타 많이 팖. 「에 간~.
-다며 어미 '-다면서'의 준말. ¶내일 고향
다면 (多面) 명 **1** 면이 많음. **2** 여러 방면.
-다면 어미 '-다 하면'의 준말. ¶간~ 보내라/네 뜻이 정 그렇~ 할 수 없다.
다면-각 (多面角) 명 〖수〗 셋 이상의 평면이 한 점에 모여 이룬 뾰족한 형상.
-다면서 어미 (형용사 어간 및 '-겠-'·'-었-'·'-았-' 등 미래나 과거를 나타내는 선어말 어미에 붙어) **1** '-다고 하면서'의 뜻을 나타내는 연결 어미. ¶수고했~ 위로해 주다/가겠~ 왜 안 가니. **2** 직접 간접으로 들은 사실을 다짐하거나 빈정거려 묻는 데 쓰이는 종결 어미. ¶입원하고 있었~, 그래 지금은 어떤가. ㉠-다며.
다면-성 (多面性)[-썽] 명 여러 방면에 걸친 특성. 여러 가지 성질. ¶현대 사회의 ~.
다면-체 (多面體) 명 〖수〗 네 개 이상의 평면 다각형으로 둘러싸인 입체. ¶~에는 사면체·육면체 등이 있다.
다모-작 (多毛作) 명 한 경작지에서 한 해에 세 번 이상 경작하여 수확하는 일.
다모-증 (多毛症)[-쯩] 명 털이 지나치게 많이 나는 질환.
다-목적 (多目的) 명 여러 가지 목적. 여러 가지 목적을 겸함. ¶~으로 쓰이는 공구.
다목적 댐 (多目的dam) 여러 가지 목적, 즉 수력 발전·농공 용수·상수도·홍수 방지·관광지 등 많은 용도를 겸한 댐.
다문 (多聞) 명하형 보고 들은 것이 많음. ¶그는 매우 ~한 사람이다.
다문-다문 부하형 **1** 시간이 잦지 않게. 이따금. ¶그는 ~ 찾아왔다. **2** 공간적으로 배지 않게. 띄엄띄엄. ¶논에 허수아비들이 ~ 서 있다. ㉪드문드문.
다문-박식 (多聞博識) 명하형 보고 들은 것이 많고 지식이 넓음. ¶그는 ~해서 존경을 받는다.
다-문화 (多文化) 명 서로 국적이나 인종이 다른 사람들이 모여 이루어가는 생활 문화. ¶~ 가정/~ 정책.
***다물다** 〔다무니, 다무오〕 타 윗입술과 아랫입술 또는 그와 같이 된 두 쪽의 물건을 마주 대다. ¶입을 ~.
다물-다물 부 물건이 무더기무더기로 쌓여 있는 모양. ¶노적가리가 들판 여기저기에 ~ 쌓여 있다.
다미-씌우다 [-씨-] 타 '안다미씌우다'의 준말. ㉪더미씌우다.
다박-머리 [-방-] 명 어린아이의 다보록하게 난 짧은 머리털. 또는 그런 머리털을 가진 아이. ¶~의 또래 아이들이 놀고 있다. ㉪더벅머리.
다반-사 (茶飯事) 명 '항다반사'의 준말. ¶결근을 ~로 한다.
다발 一 명 꽃이나 푸성귀·돈 따위의 묶음. ¶장미꽃과 안개꽃을 ~로 지어 판다/가방에서 돈을 ~로 꺼내 놓다. 二 의명 꽃이나 푸성귀·돈 따위의 묶음을 세는 말. ¶시금치 한 ~.
다발 (多發) 명 **1** 많이 일어남. ¶이곳은 교통사고 ~ 지역이니 조심해서 운전해야 한다. **2** 발동기의 수가 많음. ¶~ 항공기가 착륙했다.
다발-성 (多發性)[-썽] 명 **1** 여러 가지 일이 함께 일어나는 성질. ¶동시 ~. **2** 〖의〗 두 곳 이상의 신체 부분에 동시에 병이 일어나는 성질.
다방 (茶房) 명 앉아서 차나 음료를 마시며 이야기를 나누거나 쉴 수 있게 만든 영업소. 다실. 찻집. 커피숍. ¶~에서 그녀를 기다렸다.
다-방면 (多方面) 명 여러 방면. 많은 곳. ¶

~에 걸친 활약 / ~에 취미가 있다.
다-밭다 [-받따] 형 길이가 매우 짧다. 매우 가깝다. ¶자라처럼 다밭은 목.
다변 (多辯) 명하형 말이 많음. ¶~가 / ~한 여자는 매력이 없다.
다변 (多變) 명하형 변화가 많음. 또는 많은 변화. ¶~하는 주식 시장.
다변-형 (多邊形) 명 〖수〗 다각형.
다변-화 (多邊化) 명하자타 일의 방법이나 양상이 단순하지 아니하고 복잡해짐. 또는 복잡하게 만듦. ¶세계 무역은 갈수록 ~하고 있다.
다병-하다 (多病-) 형여불 몸에 병이 많거나 잦다. ¶어머니는 다병한 누이 때문에 늘 걱정이시다.
다보록-다보록 부하형 여럿이 다 다보록한 모양. 큰더부룩더부룩.
다보록-이 부 다보록하게. ¶벌써 보리가 ~ 자라 있다.
다보록-하다 [-로카-] 형여불 풀·작은 나무·머리털 등이 무성하다. ¶다보록한 수염. 큰더부룩하다.
다보-탑 (多寶塔) 명 〖불〗 2-3단으로, 밑은 방형, 위는 원형 혹은 팔각형이며 그 위에 상륜(相輪)을 얹은 탑의 이름《다보여래의 원으로 석가가 다보여래의 사리를 탑 속에 봉안하였다는 데서 이 이름이 유래함》.
다복 (多福) 명하형 복이 많음. 많은 복. ¶~한 가정을 이루다 / 새해에도 ~하시기를 기원합니다.
다복-솔 명 가지가 다보록하게 많이 퍼진 어린 소나무. ¶무덤 가에 ~이 둘려 있다.
다부 (多夫) 명 한 여자가 둘 이상의 남편을 가짐. ↔다처(多妻).
다-부닐다 〔다부니니, 다부니오〕 자 바싹 붙어서 붙임성 있게 굴다. ¶아무래도 딸이 아들보다 다부닐게 군다.
다부지다 형 **1** 일을 해내는 솜씨 따위가 빈틈이 없고 야무지다. ¶살림꾼인 그녀는 회사 일도 다부지게 한다. **2** 생김새가 옹골차다. ¶키는 작아도 몸매는 ~.
다-분야 (多分野) 명 여러 분야. ¶그의 활동은 ~에 걸쳐 있다.
다분-하다 (多分-) 형여불 분량이나 비율이 많다. ¶그는 예술가적 소질이 ~. **다분-히** 부. ¶그럴 가능성이 ~ 있다.
다붓-다붓 [-붇따붇] 부하형 여럿이 다 다붓한 모양. ¶아이들이 ~ 모여서 놀고 있다.
다붓-이 부 다붓하게.
다붓-하다 [-부타-] 형여불 떨어진 사이가 멀지 않고 매우 가깝다.
다-붙다 [-붇따] 자 사이가 뜨지 않게 바싹 다가붙다. ¶두 연인이 다붙어 앉아 있다.
다-붙이다 [-부치-] 타 《'다붙다'의 사동》 서로 다붙게 하다. ¶중매쟁이가 두 남녀를 다붙여 앉혔다.
다비 (茶毘) 명하타 〖불〗 불에 태운다는 뜻으로, 시체를 화장(火葬)하는 일을 이르는 말《육신을 본디 이루어진 곳으로 돌려보낸다는 의미가 있음》.
다빡 부 깊이 생각하지 않고 경솔하게 대뜸 행동하는 모양. ¶~ 약속을 하고는 후회하다. 큰더뻑.
다빡-거리다 자 앞뒤를 헤아리지 아니하고 자꾸 경솔하게 행동하다. 큰더뻑거리다.
다빡-다빡 부하자
다빡-대다 자 다빡거리다.
다뿍 부하형 분량이 다소 넘치게 많은 모양. ¶밥을 ~ 담다. 큰드뿍.
다뿍-다뿍 부하형 여럿이 모두 다뿍 넘치는 모양. 큰드뿍드뿍.
다사-다난 (多事多難) 명하형 여러 가지로 일도 많고 어려움도 많음. ¶~했던 한 해를 보내다.
다사-다망 (多事多忙) 명하형 일이 많아 몹시 바쁨. ¶~하신 중에 왕림하여 주신 내빈께 감사드립니다.
다사-롭다 〔-로우니, -로워〕 형ㅂ불 조금 따뜻한 기운이 있다. ¶다사로운 햇살이 비치다. 센따사롭다. **다사-로이** 부
다사-하다 형여불 조금 따뜻하다. ¶다사한 봄볕. 센따사하다.
다사-하다 (多事-) 형여불 일이 많다. ¶다사했던 한 해를 보내다.
다산 (多産) 명하타 **1** 아이 또는 새끼를 많이 낳음. ¶무화과의 꽃말은 ~이다. **2** 물품을 많이 생산함. ¶이젠 ~에서 질로의 향상을 꾀할 때다.
다색 (多色) 명 여러 가지 빛깔. 많은 빛깔. *단색(單色).
다색 (茶色) 명 **1** 갈색. **2** 차의 종류.
***다섯** [-섣] 수관 넷에 하나를 더한 수효. ¶잎이 ~인 꽃 / ~ 사람.
다섯-모 [-섬-] 명 물체의 둘레에 이루어진 다섯 개의 모. 또는 그런 모양. 오각(五角).
다섯잎-꽃 [-섣닙꼳] 명 〖식〗 다섯 장의 꽃잎으로 이루어진 꽃《무궁화·복숭아꽃·벚꽃 따위》. 오판화(五瓣花).
다섯-째 [-섣-] 一명 다섯 개째. ¶~ 귤을 먹는다. 二수관 넷째의 다음 차례. 또는 그런 차례의. ¶~ 아들 / 달리기에서 ~로 들어왔다 / ~ 줄에 서 있었다.
다성 잡종 (多性雜種) 〖생〗 여러 쌍의 대립 유전자를 가진 부모 사이에서 생긴 잡종 《멘델 법칙이 적용 안 됨》.
다-세대 (多世帶) 명 많은 세대. 여러 세대. ¶~ 주택.
다-세포 (多細胞) 명 〖생〗 많은 세포. 한 생물체 내에 세포가 여럿임. ¶~ 동물. ↔단세포(單細胞).
다세포 생물 (多細胞生物) 〖생〗 많은 세포로 한 개체를 이룬 생물《세균류 등을 제외한 대부분의 동식물은 이에 속함》. ↔단세포 생물.
***다소** (多少) 一명 **1** 분량이나 정도의 많음과 적음. ¶~를 막론하고 주문을 받다. **2** 조금이긴 하지만 어느 정도의 뜻. ¶~나마 도움이 되었으면 좋겠다. 二부 어느 정도로. ¶그녀는 ~ 야위었다.
다소-간 (多少間) 一명 얼마간. ¶~의 의견 차이. 二부 얼마간에. 약간. ¶용서를 비니 마음이 ~ 풀린다.
다소곳-이 부 다소곳하게. ¶무릎에 두 손을 얹고 ~ 앉아 있다.
다소곳-하다 [-고타-] 형여불 **1** 고개를 좀 숙이고 말이 없다. ¶다소곳한 자세로 앉아 있다. **2** 온순한 태도가 있다. ¶엄마의 말씀을 다소곳하게 따르다.

-다손 어미 형용사의 어간이나 선어말 어미 '-았-'·'-었-'·'-겠-' 뒤에 붙는 연결 어미. '치더라도'와 함께 쓰여 '어떠한 상태에 있더라도·어떠한 동작을 하더라도'의 뜻을 나타냄. ¶아무리 적~ 치더라도 그만하면 되겠지. *-ㄴ다손·-는다손.

다수 (多數) 명하형히부 수효가 많음. 많은 수효. ¶~의 의견에 따르다. ↔소수.

다수-결 (多數決) 명 회의에서 많은 사람의 찬반에 따라 가부를 정함. ¶~의 원칙을 따르기로 했다.

다수-당 (多數黨) 명 의회 의석의 다수를 차지한 정당. ¶~의 강점을 최대한 이용하다. ↔소수당.

다-수확 (多收穫) 명 많은 수확. ¶품종 개발로 ~을 꾀하다.

다스 의명 〔←dozen〕 물건 열두 개를 한 묶음으로 세는 단위. 타(打). ¶연필 한 ~.

***다스리다** 타 **1** 나라·사회·집안 등의 일을 보살피거나 맡아 하다. ¶나라를 ~. **2** 몸이나 마음을 가다듬어 바로잡다. ¶감정을 다스린 다음 차근차근 이야기하다. **3** 어지럽던 것을 평정하다. ¶난세를 ~. **4** 병을 고치다. ¶열을 ~. **5** 죄에 대해 벌을 주다. ¶죄인을 ~. **6** 어떤 목적에 따라서 잘 정리하거나 다루어 처리하다. ¶물을 다스림은 곧 부(富)를 다스림이다.

다스-하다 형여불 좀 다습다. ¶다스한 봄 햇살. 센따스하다.

다슬기 명 〔조개〕 다슬깃과의 고둥. 하천·연못에 삶. 길이 약 3 cm, 지름 1.2 cm 가량, 황갈색 내지 흑갈색인데 때로는 백색 얼룩무늬가 있음. 폐디스토마의 제1 중간 숙주임. 삶아서 속의 살을 먹음.

다습 (多濕) 명하형 습기가 많음. ¶고온(高溫) ~한 기후.

다습다 〔다스우니, 다스워〕 형ㅂ불 알맞게 따뜻하다. ¶보일러를 틀어 냉골이었던 방을 다습게 하다. 센따습다.

***다시** 부 **1** 하던 것을 되풀이하여 또. 거듭 또. ¶~ 한 번 해라 / ~ 갔다 오너라. **2** 고쳐서 또. 새로이 또. ¶~ 만들다 / ~ 고쳐 생각하다. **3** 하다가 그친 것을 잇대어 또. ¶~ 일을 시작하다. **4** 있다가 또. 뒤에 또. ¶내일 ~ 만납시다.

다시금 부 '다시'의 강조. ¶낙엽이 지니 ~ 그녀가 보고 싶다.

다시다 타 **1** 무엇을 먹거나 먹는 것처럼 입을 놀리다. ¶입맛을 ~. **2** (주로 '무엇·아무것' 등과 함께 쓰여) 음식을 조금 먹다. ¶무엇을 다실 게 있어야지.

다시마 명 〔식〕 갈조류에 속하는 바닷말. 북방 추운 바다에 분포함. 길이 2–4 m, 폭 20–30 cm, 황갈색 또는 흑갈색의 띠 모양으로 바탕이 두껍고 미끄러우며 약간 쭈글쭈글한 무늬가 있음. 뿌리로 바위에 붙어 사는데, 식용하며 공업용 요오드의 원료로 이용됨. 곤포(昆布).

다시-없다 [-업따] 형 그보다 더 나은 것이 없을 만큼 아주 좋다. ¶다시없는 좋은 기회를 놓칠 수 없다. **다시-없이** [-업씨] 부. ¶그 사람은 ~ 순하다.

-다시피 어미 용언의 어간이나 높임의 '-시-' 따위에 붙어 '그것과 같이·그와 다름없이'의 뜻을 나타내는 연결 어미. ¶보~ 완전하다 / 먹여 살리~ 하였네 / 아시~ 그는 가난합니다 / 연구실에서 살~ 했다.

다식 (多識) 명하형 많이 알고 있음. 학식이 많음. 박식(博識). ¶그는 매우 ~하여 모르는 것이 없다.

다식 (茶食) 명 유밀과의 하나(《녹말·송화·승검초·황밤·검은깨 등의 가루를 꿀이나 조청에 섞어 다식판에 박아 냄》).

다신-교 (多神敎) 명 〔종〕 많은 신을 인정하고 이를 믿는 종교. ¶원시 종교는 대부분 ~이다. ↔일신교(一神敎).

다실 (茶室) 명 다방(茶房).

다심 (多心) 명하형히부 마음이 놓이지 않아 지나치게 생각하거나 걱정이 많음.

다심-스럽다 (多心-) 〔-스러우니, -스러워〕 형ㅂ불 다심한 태도가 있다. 보기에 다심하다. **다심-스레** 부

다양-성 (多樣性) [-썽] 명 다양한 특성. ¶사회 문화의 ~.

다양-하다 (多樣-) 형여불 모양이나 양식이 여러 가지로 많다. ¶다양한 무늬〔색상〕.

다양-화 (多樣化) 명하자타 모양·빛깔·양식 따위가 여러 가지로 다양해짐. 또는 그렇게 되게 함. ¶제품의 ~.

다언 (多言) 명 말이 많음. 여러 말.

다예 (多藝) 명 여러 가지 예능. **--하다** 형여불 여러 가지 예능에 능하다.

다:오 一 불타 해라할 자리에 쓰여, 듣는 이에게 무엇을 청하는 말. ¶나를 좀 도와 ~. 二 보동 동사 어미 '-아'·'-어' 뒤에 쓰이어, 상대편에게 그 일을 하여 줄 것을 요구하거나 간곡히 바라는 뜻의 불완전 보조 동사. ¶더우니 에어컨 좀 틀어 ~ / 벽에 못 좀 박아 ~.

-다오 어미 형용사의 어간이나 선어말 어미 '-았-'·'-었-'·'-ㄴ(는)' 뒤에 붙어서 사실을 설명하되 좀 대접하거나 친근한 맛을 나타내는 종결 어미. ¶옛날에는 제법 잘 살았~ / 그렇게는 못 한~.

다옥-하다 [-오카-] 형여불 초목 따위가 무성하다. 우거지다.

다욕 (多慾) 명하형 욕심이 많음. ¶놀부는 ~하고 몰인정한 위인이다.

다-용도 (多用途) 명 여러 가지의 쓰임새. ¶광을 ~실로 쓰고 있다.

다우 (多雨) 명하형 비가 많이 내림. 또는 많은 비.

다운 (down) 명하자타 **1** 가격이나 수량 따위를 내림. ¶가격을 ~시키다. **2** 권투에서, 상대 선수의 주먹을 맞고 쓰러짐. ¶훅을 맞고 ~되다. **3** 〈속〉 완전히 지쳐서 떨어짐. ¶술 한 잔에 ~되다. **4** 〔컴〕 컴퓨터 시스템에 문제가 생겨서 작동이 일시적으로 중단됨. ¶시스템이 ~되다.

다운로드 (download) 명하자타 〔컴〕 컴퓨터 통신망을 통하여 파일을 전송 받는 일. 멀리 떨어져 있는 다른 컴퓨터나 전자 게시판에서 필요한 파일을 받음. *업로드.

다운사이징 (downsizing) 명 **1** 〔경〕 기업의 업무나 조직 규모를 축소하는 일. **2** 〔컴〕 대형의 범용 컴퓨터로 구축한 시스템을 소형 컴퓨터 시스템으로 바꾸는 일.

다원 (多元) 명 **1** 근원이 많음. 또는 많은 근

원. ↔일원. 2〖수〗미지수가 여러 개 있음.
다원-론 (多元論)[-논] 명 〖철〗 세계를 구성하는 여러 가지의 본원적인 독립된 실재를 인정하고 세계의 본원은 이 다수의 실재에 있다고 하는 세계관.
다원 방:송 (多元放送) 두 개 이상의 방송국에서 방송되는 내용을 하나의 프로로 연결하여 내보내는 방송. ¶~으로 개표 실황을 보내다.
다원-적 (多元的) 관명 사물을 형성하는 근원이 많은 (것). ¶~ 민주주의.
다원-화 (多元化) 명하자타 사물을 형성하는 근원이 여럿이 됨. 또는 여럿이 되게 함. ¶~된 현대 사회.
다육 (多肉) 명하형 식물의 살, 특히 과일의 살이 많음.
***다음** 명 1 어떤 차례의 바로 뒤. ¶~ 토요일이 내 생일이다 / ~ 역에서 내리다 / ~은 네가 할 차례다. 2 말이나 글에서 바로 뒤따라오는 것. ¶~ 글을 읽고 물음에 답하시오. 3 버금. ¶부장 ~으로 높다. 4 사물의 둘째. ¶우체국으로부터 ~ 집. 5 어떤 일이 끝난 뒤. ¶합격한 ~에 만나자. 준담.
다음-가다 자 등급이나 차례가 비교하는 대상의 바로 뒤에 가다. 버금가다. ¶장관 다음가는 지위에 오르다.
다음-날 명 정하여지지 않은 미래의 어떤 날. 훗날. ¶~ 꼭 찾아뵙겠습니다.
다음-다음 명 다음의 다음. ¶~이 네 차례다. 준담담.
다-음절 (多音節) 명 〖언〗 음절의 수가 셋 이상으로 된 것.
다의 (多義)[-/-이] 명하형 한 단어나 표현에 여러 개의 의미가 있는 것.
다이내믹-하다 (dynamic-) 형여불 동적이며 힘이 있다. 역동적이다. ¶율동이 ~.
다이너마이트 (dynamite) 명 니트로글리세린을 규조토·목탄·면화약 등에 흡수시켜 만든 폭약《1866년 스웨덴의 노벨이 발명》. ¶굴을 뚫기 위해 ~를 터뜨렸다.
다이빙 (diving) 명하자 높은 곳에서 물속으로 뛰어드는 일. 또는 그렇게 하는 수상(水上) 경기《하이 다이빙과 스프링보드 다이빙의 2종이 있음》. ¶공중에서 세 번 회전하면서 ~하다.
다이아몬드 (diamond) 명 1〖광〗금강석. ¶~ 반지를 끼다. ☞탄생석. 2 야구장의 내야. ¶~에서 펼쳐지는 백구의 향연. 3 마름모의 붉은 무늬가 있는 트럼프 패. 준다이아.
다이어트 (diet) 명 미용·건강을 위해서 살이 너무 찌지 않도록 먹는 음식의 양과 종류를 조절하는 일. 식이 요법. ¶지나친 ~는 건강을 해친다.
다이얼 (dial) 명 1 계기류의 눈금판. ¶~을 돌려 캐비닛을 열다. 2 자동 전화기의 숫자판. ¶전화기의 ~을 돌리다. 3 라디오의 주파수를 맞추는 회전식 손잡이. ¶~을 연속극에 맞추다.
다이오드 (diode) 명 〖물〗양극과 음극이 있는 이극 진공관 또는 반도체《정류기·검파기 등에 씀》.
다이제스트 (digest) 명 1 적요. 2 흥미 있는 읽을거리를 요약해 편집한 잡지.
다-자엽 (多子葉) 명 〖식〗 하나의 싹이 틀 때, 세 개 이상의 떡잎이 생기는 일. 뭇떡잎.
다자엽-식물 (多子葉植物)[-씽-] 명 〖식〗 배(胚)에 떡잎을 세 개 이상 가진 식물《소나무 따위》. 뭇떡잎식물.
다작 (多作) 명하타 1 작품을 많이 지음. ¶~을 남기다. ↔과작. 2 농산물이나 물품을 많이 만듦. ¶이제는 ~보다 질적 향상을 꾀해야 한다.
다잡다 타 1 무엇을 단단히 잡다. 2 감독을 철저히 하여 힘써 일하게 하다. ¶아이들을 다잡아 공부시키다. 3 헛된 마음이나 들뜬 마음을 버리다. ¶마음을 다잡고 공부에만 열중하다. 4 어떤 사실을 꼭 집어 말하다.
다잡-이 명하타 늦추어진 것을 바싹 잡아 죄는 일. ¶말썽꾸러기들의 ~에는 체벌도 필요하다 / 마음을 굳게 ~하다.
다재 (多才) 명하형 재주가 많음. ¶여러 방면에 ~한 사람.
다재다능-하다 (多才多能-) 형여불 재주가 많고 능력이 풍부하다. ¶그는 하늘이 낸 다재다능한 예술가이다.
***다정** (多情) 명하형히부 1 정이 많음. ¶~도 병이런가 / ~한 눈빛. 2 교분이 두터움. ¶~한 친구.
다정다감-하다 (多情多感-) 형여불 정이 많고 감정이 풍부하다. ¶다정다감한 소녀의 속삭임.
다정-스럽다 (多情-)〔-스러우니, -스러워〕 형ㅂ불 보기에 다정하거나 정다운 데가 있다. ¶다정스러운 여인 / 다정스럽게 지내다. **다정-스레** 부
다조지다 타 일이나 말을 바싹 죄어 다그치다. ¶형사가 범인을 ~. 준다좆다.
다종-다양 (多種多樣) 명하형 종류나 양식, 모양이 여러 가지로 많음. ¶~한 상품.
다좇-치다 [-졷-] 타 '다조지다'의 힘줌말.
다-좇다 [-졷따] 타 다급하게 좇다. ¶범인의 뒤를 ~.
다죄다 타 다지어 죄다. ¶수도꼭지를 ~.
다중 (多重) 명 여러 겹. ¶~ 포장을 하다.
다중 방:송 (多重放送) '다중식 방송'의 준말.
다중식 방:송 (多重式放送) 한 주파수로 두 개 이상의 프로그램을 동시에 내보내는 라디오·텔레비전 방송. 준다중 방송.
다중 처:리 (多重處理) 〖컴〗 1 여러 개의 처리 장치를 가진 한 컴퓨터 시스템에서, 하나는 시스템을 제어하고 다른 것들은 그것을 보조하는 기능을 하게 하는 처리 방식. 2 시분할 방식으로 여러 프로그램이나 그 부분들을 동시에 처리하는 일.
다중 통신 (多重通信) 한 통신 전송로의 회선을 사용하여 수많은 통신로를 구성하는 유선 통신 및 무선 통신의 총칭.
-다지 어미 1 다짐하거나 묻는 뜻을 나타내는 반말 투의 종결 어미. ¶시집갔~ / 웬 날씨가 이렇게 춥~. 2 '-다고 하지'의 준말. ¶그를 좋아한~ 그래.
다지다¹ 타 1 누르거나 밟거나 쳐서 단단하게 하다. ¶땅을 ~ / 오이를 소금에 절인 다음 돌로 다져 놓다. 2 마음이나 뜻을 단단

히 가다듬다. ¶마음을 다져 먹다 / 결의를 ~. 3 기초나 터전을 튼튼히 하다. 강화하다. ¶기반을 ~. 4 일에 뒷말이 없도록 단단히 확인하다. ¶꼭 오라고 몇 번씩 ~.

다지다[2] 타 고기나 야채 따위를 난도질하여서 잘게 만들다. ¶양념을 ~ / 쇠고기를 ~.

다지르다 〔다지르니, 다질러〕 타 르불 다짐받기 위하여 다지다. ¶약속을 반드시 지키라고 단단히 ~.

다직-하다 [-지카-] 형 여불 (주로 '다직하면·다직해서·다직해야'의 꼴로 쓰여) '기껏 한다고 하면·기껏 많이 잡아서·기껏해야'의 뜻을 나타냄. ¶다직해야 서너 명이겠지.

ㄷ

다질리다 자 《'다지르다'의 피동》 다지름을 당하다.

***다짐** 명 하자타 1 이미 한 일이나 앞으로 할 일이 틀림없음을 확인하거나 강조하여 말함. ¶~을 받고 돈을 빌려 주다 / 성공을 ~하다. 2 마음이나 뜻을 굳게 가다듬고 정함. ¶열심히 공부하겠다고 마음속으로 ~하다 / 그를 다시는 만나지 않겠다고 ~하다.

다짐(을) 두다 구 다짐하다.

다짐(을) 받다 구 단단히 다져서 확실한 대답을 받다.

다짜-고짜 부 다짜고짜로. ¶~ 멱살을 쥐다 / ~ 반말을 하다.

다짜고짜-로 부 옳고 그름을 가리지 아니하고 단박에 들이덤벼서. ¶~ 죄인 취급을 하다.

다채-롭다 (多彩-) 〔-로우니, -로워〕 형 ㅂ불 1 색채가 어울려 호화롭다. ¶옷감이 ~. 2 여러 계획이 한데 조화되어 볼 만하다. ¶다채로운 축하 행사. **다채-로이** 부

다처 (多妻) 명 한 남자가 둘 이상의 아내를 가짐. ↔다부(多夫).

다층 (多層) 명 여러 층. 많은 층. ¶~ 석탑의 웅장한 자태.

***다치다** 자타 1 부딪치거나 맞거나 하여 상처를 입다. ¶머리를 ~. 2 남의 명예나 체면에 해를 끼치다. ¶그 사람은 다치지 마라. 3 남의 재산에 손해를 끼치다. ¶절대로 공금을 다쳐서는 안 된다.

다 카포 (이 da capo) 〖악〗 처음부터 되풀이하여 연주하라는 뜻. 반시(反始)기호《약호 : DC》.

다큐멘터리 (documentary) 명 실제로 일어난 사건의 전개에 따라 구성된, 기사(記事)·소설·영화·방송 프로 따위. 실록(實錄). ¶~ 영화.

다크-호스 (dark horse) 명 1 경마(競馬)에서 의외의 결과를 가져올지도 모를, 아직 실력이 확인되지 않은 말. 2 인물·수완 등은 확실하지 아니하나 유력하다고 지목되는 경쟁 상대. ¶이름도 모르던 선수가 ~로 떠오를 줄이야.

***다투다** 자타 1 서로 옳고 그름을 주장하여 싸우다. 시비를 하다. ¶언성을 높여 ~. 2 승부를 겨루다. 경쟁하다. ¶선두를 ~. 3 (시간·공간을 나타내는 명사와 함께 쓰여서) 늦추거나 내어줄 수 없다. ¶1분 1초를 다투는 판국 / 한 치의 땅을 다투는 국지전(局地戰).

다툼 명 하자타 다투는 일. ¶권력 ~을 하다 / 세 명의 선수가 금메달을 걸고 ~하고 있다.

다툼-질 명 하자 다투는 짓. ¶~을 일삼다.

다팔-거리다 자 1 짧은 머리털 따위가 날려서 자꾸 흔들리다. ¶뛰어가는 소녀의 머리가 바람에 ~. 2 들떠서 침착하지 못하고 자꾸 경망스럽게 행동하다. ¶다팔거리지 말고 얌전히 앉아 있어라. 큰더펄거리다.

다팔-다팔 부 하자

다팔-대다 자 다팔거리다.

다팔-머리 명 다팔다팔 흔들리는 머리털. ¶~의 소녀가 어느새 성숙한 여인이 되었다. 큰더펄머리.

***다:-하다** 一 자 여불 다 없어지다. 계속하지 못하게 되다. 끝이 나다. ¶힘이 ~ / 목숨이 다하도록 싸우다. 二 타 여불 1 마음이나 힘 또는 필요한 물자를 있는 대로 다 들이다. ¶전력을 ~ / 정성을 ~. 2 계속하던 일을 끝내어 마치다. ¶책임을 ~ / 자식된 도리를 ~.

다항-식 (多項式) 명 〖수〗 '+' 또는 '−'로 몇 개의 단항식을 이어 놓은 정식(整式). ↔단항식.

다행 (多幸) 명 하형 히부 뜻밖에 일이 잘되어 운이 좋음. ¶~한 일이다 / 그만하길 불행 중 ~이다. 준행.

다행-스럽다 (多幸-) 〔-스러우니, -스러워〕 형 ㅂ불 다행한 느낌이 있다. ¶무사하다니 ~. **다행-스레** 부

다혈-질 (多血質) [-찔] 명 〖심〗 자극에 민감하고 흥분을 잘하지만 오래가지 못하며, 성급하고 인내력이 적은 기질. ¶~의 남자. ↔점액질(粘液質).

다홍 (-紅) 명 다홍색.

다홍-색 (-紅色) 명 빨강에 노랑이 약간 섞인 짙고도 산뜻한 붉은색. 다홍빛. 다홍.

다홍-치마 (-紅-) 명 1 다홍빛 치마. 홍상(紅裳). ¶신부는 녹색 저고리에 ~를 받쳐 입었다. 2 위의 절반은 희고 아래의 절반은 붉게 만든 연. 준홍치마.

닥 명 1 〖식〗 '닥나무'의 준말. 2 종이 원료로 쓰는 닥나무 껍질.

닥-나무 [당-] 명 〖식〗 뽕나뭇과의 낙엽 활엽 관목. 산기슭 양지나 밭둑에서 자람. 높이는 약 5m가량, 초가을에 뱀딸기와 비슷한 열매가 익음. 껍질은 제지용, 열매는 약재, 어린잎은 식용함. 준닥.

닥다그르르 부 하자 1 작고 단단한 물건이 딱딱한 다른 물건에 자꾸 부딪치며 굴러가는 소리. 또는 그 모양. ¶구슬들이 ~ 소리를 내며 굴러 나왔다. 2 우레가 가까운 데서 갑자기 울리는 소리. 큰덕더그르르.

닥다글-닥다글 부 하자 1 작고 단단한 물건이 딱딱한 바닥에 자꾸 부딪치며 굴러가는 소리. 2 우레가 가까운 데서 갑자기 잇따라 울리는 소리. 큰덕더글덕더글.

닥-닥 부 1 금이나 줄을 자꾸 힘 있게 긋는 모양. 또는 그 소리. 2 적은 양의 물이 갑자기 세차게 얼어붙는 모양. 또는 그 소리. 3 소리가 나도록 자꾸 긁는 모양. 또는 그 소리. ¶누룽지를 ~ 긁다. 큰득득.

닥-뜨리다 一 자 닥쳐오는 일에 마주 서다. 직면하다. ¶난관에 ~. 二 타 함부로 다조지다. 닥트리다.

닥지-닥지 부하형 때나 먼지 등이 많이 끼거나 오른 모양. ¶때가 ~ 낀 손. 큰덕지덕지.
닥쳐-오다 [-처-] 자 가까이 다다라 오다. ¶시험 날짜가 ~ / 위험이 ~.
닥치다[1] 자 일이나 물건이 가까이 다다르다. ¶재난이 ~ / 겨울이 ~.
닥치는 대로 구 이것저것 가릴 것 없이. ¶물건을 ~ 집어 던지다.
닥치다[2] 타 입을 다물다. 말을 그치다《주로 명령조로 씀》. ¶입 닥쳐.
닥터 (doctor) 명 **1** 박사. ¶~ 코스를 밟다. **2** 의사(醫師).
닥-트리다 자타 닥뜨리다.
***닦다** [닥따] 타 **1** 때, 먼지 따위를 없애려고 문지르거나 씻어 깨끗이 하다. ¶마루를 ~. **2** 문질러 윤기를 내다. ¶구두를 ~. **3** 평평하게 고르고 다지다. ¶터를 ~. **4** 길 따위를 내다. **5** 학문이나 기술 따위를 힘써 배우다. ¶학문을 ~. **6** 기초·토대 따위를 개척해 튼튼히 하다. ¶기초를 ~. **7** 품행이나 도덕을 힘써 바르게 하다. ¶도를 ~. **8** '훌닦다'의 준말.
[닦은 방울 같다] 영리한 어린애를 이름.
닦달 [닥딸] 명하타 몰아대서 다그침. ¶담배 끊으라고 매일 ~하다.
닦아-대다 타 말소리를 높여 사리를 따져 가며 핀잔을 주다. 남의 허물을 들추어내어 몹시 나무라다.
닦아-세우다 타 꼼짝 못하게 나무라다. ¶다시는 거짓말을 하지 말라고 ~ / 부하의 잘못을 호되게 ~.
닦음-질 명하타 깨끗하게 닦는 일.
닦이다 자 《'닦다'의 피동》 닦음을 당하다. ¶깨끗이 닦인 유리창.
닦이-장이 명 닦이질로 업을 삼는 사람.
닦이-질 명하타 낡은 집이나 헌 재목 등을 닦아서 깨끗이 하는 일. ¶낡은 집을 ~하여 새집을 만들었다.
***단:**[1] 一명 짚·땔나무·푸성귀 따위의 묶음. ¶~을 짓다 / ~이 크다. 二의명 짚·푸성귀 따위의 묶음을 세는 단위. ¶나무 두 ~ / 시금치 세 ~ / 열무 한 ~.
단:[2] 명 '옷단'의 준말.
***단** (段) 一명 **1** 인쇄물의 지면을 가르고 줄을 친 구분. ¶~으로 나누다. **2** 바둑·유도·태권도 등의 잘하는 정도의 등급. ¶~을 따다. **3** 계단의 턱을 이룬 부분. ¶~을 세어 보다. 二의명 **1** 지면의 구획의 단위. ¶3~ 표제의 기사. **2** 바둑·유도·검도·태권도 등의 등급의 단위. ¶바둑 5~ / 태권도 1~. **3** 계단의 낱개를 세는 단위. ¶계단을 단번에 세 ~씩 뛰어올랐다. **4** 단보(段步). **5** 자동차의 변속 기어의 단계를 나타내는 말. ¶2~ 기어.
단: (短) 명 화투에서, 같은 종류의 띠 석 장을 갖춘 약. 곧, 홍단·초단·청단 따위.
단 (壇) 명 **1** 제사를 지내기 위하여 흙이나 돌로 쌓은 제터. ¶~을 쌓고 제를 지내다. **2** 주변보다 높게 만들어 놓은 자리. ¶강의를 하려고 ~에 오르다.
***단** (單) 관 단지. 겨우. 오직. ¶~ 하나밖에 없는 아들 / ~ 며칠이라도 묵어 가시오.
***단:** (但) 부 예외나 조건이 되는 말을 덧붙일 때 쓰는 접속 부사. 다만. ¶내일은 임시 휴교, ~ 교직원은 출근할 것.
단- (短) 두 일부 명사 앞에 붙어 '짧음'을 뜻함. ¶~거리 / ~시일. ↔장-(長).
-단 (團) 미 '단체'의 뜻. ¶청년~ / 선수~.
-단 어미 '-다고 한'·'-다고 하는'·'-다는'의 준말. ¶없~ 말인가 / 정말 온~ 말인가.
단:가 (短歌) 명 **1** 짧은 형식의 시가. 흔히, 시조를 일컬음. **2**〔악〕판소리를 부르기 전에 부르는 짧은 노래《'죽장망혜'·'만고강산' 따위》. ☞민속악.
단가 (單價)[-까] 명 물건 한 단위의 값. 낱개의 값. ¶~를 매기다 / ~가 높다.
단가 (團歌) 명 어떤 단체가 제정하여 부르는 노래. ¶우렁찬 소년단의 ~ 소리.
단가-살이 (單家-) 명하자 식구가 적어 단출한 살림. 단가살림.
단-감 명 단감나무의 열매《단단하며 맛이 좋음》. 감시(甘柿).
단감-나무 명〔식〕단감이 열리는 나무《감나무의 개량 품종》.
단:-거리 명 **1** 단으로 묶어 말린 잎나무. **2** 큰 단으로 흥정하는 땔나무.
단-거리 (單-) 명 **1** 오직 그것 하나뿐인 재료. ¶~ 레퍼토리. **2** 단벌. ¶~ 양복을 세탁소에 보냈다.
단:-거리 (短距離) 명 **1** 짧은 거리. ¶~ 통학은 걸어서 하자. ↔장거리(長距離). **2** '단거리 달리기'의 준말.
단:거리 달리기 (短距離-) 달리기 경기 중의 하나. 짧은 거리를 전력으로 달리는 운동으로서 100m·200m·400m 달리기 종목이 있음. 단거리 경주.
단걸음-에 (單-) 부 내친걸음을 멈추지 않고 단숨에. ¶~ 다녀오너라.
단:검 (短劍) 명 짧은 칼. 단도(短刀). ¶~을 휘두르다. ↔장검.
단-것 [-걷] 명 맛이 단 음식《설탕류·과자류 따위》. ¶~은 충치의 원인이다.
단:견 (短見) 명 **1** 좁은 소견. **2** 자기 의견 또는 식견을 겸손하게 일컫는 말. ¶부끄러움을 무릅쓰고 저의 ~을 말씀드리지요.
단결 (團結) 명하자 많은 사람이 한데 뭉침. 단합. ¶~하면 큰 힘이 생긴다.
단결-권 (團結權)[-꿘] 명 근로자가 사용자 또는 그 단체와 대등한 지위에서 근로 조건을 교섭하기 위하여 노동조합을 조직하고 단결할 수 있는 권리.
단:-결에 부 **1** 열기가 식지 않았을 판에. ¶~ 결판을 내다. **2** 좋은 기회가 지나기 전에. 단김에.
단경-기 (端境期) 명 철이 바뀌어 묵은 것 대신 햇것이 나오는 때.
단계 (段階)[-/-게] 명 일이 나아가는 과정. 순서. ¶시작 ~에 불과하다 / 마무리 ~에 이르다 / ~를 밟다.
단계-적 (段階的)[-/-게-] 관명 차례를 따라 밟아 가는 (것). ¶일을 ~으로 하다 / 사업을 ~으로 추진하다.
단고 (單袴) 명 남자의 홑바지. 고의(袴衣).
단:곡 (短曲) 명 짧은 악곡.
단골 명 **1** 늘 정해 놓고 거래하는 손님. 단골손님. ¶그 가게에는 ~이 많다. **2** '단골

집'의 준말. ¶ ~을 정하다. **3** '단골무당'의 준말.

단골-무당 명 〖민〗 굿할 때 늘 단골로 불러 쓰는 무당. 준단골.

단골-손님 명 단골1.

단골-집 [-찝] 명 단골로 거래를 하는 집. 준단골.

단공 (鍛工) 명하타 금속을 단련함. 또는 그런 기술자.

단과 대학 (單科大學)[-꽈-] 한 가지 계통의 학부로만 구성된 대학《공과 대학·의과 대학 따위》. ↔종합 대학.

단괴 (團塊) 명 퇴적암 속에서 어떤 특정의 성분이 농축·응집되어 주위와는 다르게 단단해진 덩어리.

ㄷ

단:교 (斷交) 명하자 **1** 교제를 끊음. 절교. ¶ 친구와의 ~. **2** 나라와 나라 사이의 외교 관계를 끊음. ¶ 두 나라가 ~를 선언하다.

단구 (段丘) 명 〖지〗 강물이나 바닷물의 침식, 땅의 융기 등으로 강·호수·바다의 연안에 생긴 계단식 지형. ¶ 해안 ~가 형성되다 / 하안 ~를 효율적으로 이용하다.

단구 (單鉤) 명 서예에서, 붓을 쥐는 방법의 하나《엄지와 집게손가락으로 붓대를 걸쳐 잡고 가운뎃손가락으로 붓대를 가볍게 받침》. 단구법. ↔쌍구(雙鉤).

단:구 (短軀) 명 키가 작은 몸. 단신(單身). ¶ 5척 ~로 전장에서 공을 세우다.

단:구 (斷口) 명 **1** 단면. **2** 〖광〗 결정 광물의 쪼개진 면 이외의 면.

단구-법 (單鉤法)[-뻡] 명 단구(單鉤).

***단군** (檀君) 명 우리 민족의 시조(始祖)로 받드는 태초의 임금. 단군왕검.

단군-기원 (檀君紀元) 명 단군이 즉위한 해인 서력 기원전 2333년을 원년으로 하는 우리나라의 기원. 준단기(檀紀).

단권 (單卷) 명 '단권책'의 준말.

단권-책 (單卷册) 명 한 권으로 된 책. 준단권(單卷).

단궤 (單軌) 명 '단선 궤도'의 준말.

단궤 철도 (單軌鐵道)[-또] **1** 하나의 궤도로 상행·하행 열차가 운행하는 철도. ↔복궤(複軌) 철도. **2** 모노레일.

단근 (單根) 명 〖식〗 외줄로 뻗은 뿌리.

단:근-질 명하타 쇠를 불에 달구어 몸을 지지는 형벌. 낙형(烙刑).

단:금 (斷金) 명하형 쇠라도 자를 만큼 굳고 강하다는 뜻으로, 교분이 아주 두터움. 또는 그 교제를 이르는 말.

단금 (鍛金) 명 쇠를 불에 달구어 두드려 펴서 원하는 형체를 만드는 일.

단기 (單騎) 명 혼자 말을 타고 감. 또는 그 사람. ¶ 화랑 관창은 ~로 말을 달려 적진에 뛰어들었다.

단:기 (短期) 명 단기간. ¶ ~ 강습을 마치다. ↔장기.

단기 (團旗) 명 어떤 단체를 상징하는 기. ¶ 보이 스카우트 ~.

단기 (檀紀) 명 '단군기원'의 준말.

단:-기간 (短期間) 명 짧은 기간. 단기(短期). ¶ 그 공사는 ~에 끝났다. ↔장기간.

단:기 금융 (短期金融)[-늉 / -] 〖경〗 상환 기한이 짧은 단기 자금의 융자. 보통 1년 이내의 경우를 말함. 콜 론(call loan)·어음 할인·어음 대부 등. ↔장기 금융.

단:기 어음 (短期-) 〖경〗 일정한 시일에 지급되는 정기 출급 어음《그 기한이 30일·60일·90일인 어음》.

단:기 자본 (短期資本) 〖경〗 **1** 기업 운영 자본 가운데 단기에 갚아야 하는 자본. **2** 기업에 단기간 투자 운용되는 자본.

단:기-전 (短期戰) 명 단기간에 승패를 판가름하는 싸움. ↔장기전.

단:김-에 부 단결에. ¶ 쇠뿔도 ~ 빼랬다.

단-꿈 명 **1** 달콤한 꿈. ¶ ~을 꾸다. **2** 달콤한 희망. ¶ ~에 부풀어 있었다.

단:-내 명 **1** 물건이 불에 눌을 때 나는 냄새. ¶ 냄비에서 ~가 난다. **2** 몸의 열이 몹시 높을 때 입이나 코에서 나는 냄새. ¶ 코에서 ~가 난다.

단념 (丹念) 명 성심(誠心).

단:념 (斷念) 명하타 품었던 생각을 버림. 미련 없이 잊어버림. 체념. ¶ 그녀를 ~하다.

-단다 어미 **1** '-다고 한다'의 준말. ¶ 선물을 받고 몹시 기쁘~. **2** 형용사 어간 또는 선어말 어미 '-(으)시-'·'-았-'·'-었-'·'-겠-' 따위에 붙어 '-단 말이다'의 뜻으로, 사실을 친근하게 서술하는 종결 어미. ¶ 아주 아름답~ / 벌써 먹었~.

***단단-하다** 형여불 **1** 무르지 않고 매우 굳다. ¶ 땅이 ~. **2** 속이 차서 야무지고 실속이 있다. ¶ 살림이 ~. **3** 약하지 않고 굳세다. ¶ 몸이 ~. **4** 헐겁거나 느슨하지 않다. ¶ 단단하게 묶어라. **5** 뜻이나 생각이 야무지다. **6** 보통 정도보다 심하다. ¶ 마음이 단단하게 틀어지다. 큰든든하다. 센딴딴하다. **단단-히** 부 **1** 단단하게. ¶ ~ 묶다. **2** 엄중히. ¶ ~ 단속하다. **3** 크게. 몹시. ¶ ~ 꾸지람 듣다.

[단단한 땅에 물이 괸다] 아끼고 쓰지 않는 사람에게 재물이 모인다.

단당-류 (單糖類)[-뉴] 명 〖화〗 가수 분해로는 더 간단하게 분해되지 않는 당류. ¶ 포도당은 ~이다.

단-대목 (單-) 명 **1** 큰 명절이나 큰일이 바싹 다가온 때. ¶ 섣달 ~. **2** 어떤 일이나 고비를 앞두고 그것에 매우 중요하게 영향을 미칠 기회나 자리. ¶ ~에 와서 일이 틀어지다. 준단목.

단:도 (短刀) 명 짧은 칼《흔히 길이 한 자 이내의 것》. 단검(短劍). ¶ ~를 빼어 들다. ↔장도.

단도-직입 (單刀直入) 명하자 혼자서 칼을 휘두르며 거침없이 적진으로 쳐들어간다는 뜻으로, 요점을 바로 말함을 이르는 말. ¶ ~으로 따져 묻다.

단도직입-적 (單刀直入的) 관명 여러 말을 늘어놓지 않고 곧바로 요점을 말하는 (것). ¶ ~으로 묻겠다 / 너무도 ~인 말에 모두 놀랐다.

단독 (單獨) 명 **1** 단 한 사람. 혼자. ¶ ~ 회견 / ~으로 일을 처리하다. **2** 단 하나. ¶ 빈 터에 ~ 건물이 서 있다.

단독 내:각 (單獨內閣)[-동-] 한 정당에 의하여 구성되는 내각. *연립 내각.

단독-범 (單獨犯) 명 〖법〗 단독 정범.

단독 정:범 (單獨正犯) 〖법〗 단독으로 범죄 구성 요건에 해당하는 행위를 한 사람. 또

는 그 행위. 단독범.
단독-제 (單獨制) 명 **1** 한 사람의 재판관에 의하여 재판권이 행사되는 제도. **2** 한 사람의 공무원으로 하나의 관청을 이루는 제도. ↔합의제(合議制).
단독 주:택 (單獨住宅) 한 채씩 따로 지은 집. ¶~은 뜰이 있어 좋다. 준주택.
단-돈 명 '약간의 돈·극히 적은 돈'의 뜻. ¶내게는 지금 ~ 십 원도 없다.
단:두 (斷頭) 명하자타 목을 자름.
단:두-대 (斷頭臺) 명 죄인의 목을 자르는 형틀. ¶~에 오르다/~의 이슬로 사라지다. *기요틴.
단-둘 명 단 두 사람. ¶~만의 비밀/~이 오붓하게 지내다.
단락 (段落)[달-] 명 **1** 일이 다 된 끝. ¶그 일부터 ~을 맺다. **2** 글을 내용상으로 끊어서 구분한 하나하나의 토막. ¶글은 ~을 구분해서 써야 한다.
단락(을) 짓다 구 일이 다 되게 끝을 맺다. ¶귀찮은 문제를 ~.
단:락 (短絡)[달-] 명하타 〖전〗 전기 회로의 두 점 사이를 저항(抵抗)이 작은 도선으로 접촉함. 쇼트.
단란-하다 (團欒-)[달-] 형여불 가족이나 가까운 사람들끼리 즐겁게 지내고 화목하다. ¶단란한 분위기/단란한 가족.
단련 (鍛鍊)[달-] 명하타 **1** 쇠붙이를 달구어 두드림. ¶쇠붙이의 ~을 위해 연이어 망치로 두드리다. **2** 몸과 마음을 닦음. ¶심신을 ~하다. **3** 힘든 일을 반복하여 익숙하게 익힘. ¶축구의 기초 기능부터 ~하다. **4** 귀찮거나 괴로운 일로 시달림. ¶집 문제로 ~을 받다.
단리 (單利)[달-] 명 〖경〗 원금에 대해서만 붙이는 이자. ↔복리(複利).
단막 (單幕) 명 〖연〗 희곡이나 연극에서 하나의 막으로 이루어지는 형식.
단막-극 (單幕劇) 명 〖연〗 한 막으로 극적 사건을 구성한 연극. ↔장막극.
단말 (端末) 명 **1** 끄트머리. 끝. **2** 통신망에서 연결되는 끝 부분.
단말-기 (端末機) 명 〖컴〗 컴퓨터에서, 중앙 처리 장치에 연결되어 필요한 정보를 입력하거나 출력하는 기능을 지닌 장치. ¶데이터 통신 시스템에 사용하는 ~.
단:-말마 (斷末魔) 명 **1** 〖불〗 숨이 끊어질 때의 고통. ¶~의 비명을 지르다. **2** 죽을 때. 임종.
단-맛 [-맏] 명 **1** 당분이 있는 것의 맛. 감미(甘味). ¶~이 나다. **2** 즐겁고 흡족한 재미.
[단맛 쓴맛 다 보았다] 세상의 즐거움과 괴로움을 다 겪었다는 말. 산전수전 다 겪었다.

> **여러 가지 단맛〔甘味〕**
> 1. **단순한 단맛**
> 달금하다, 달큼하다, 달곰하다, 달콤하다, 들큼하다, 달짝지근하다, 달착지근하다, 들쩍지근하다, 들척지근하다, 달보드레하다, 들보드레하다, 달디달다.
> 2. **단맛과 신맛**
> 달곰새금하다, 달콤새큼하다.
> 3. **단맛과 쓴맛**
> 달곰쌉쌀하다, 달곰씁쓸하다.

단:면 (斷面) 명 **1** 자른 면. 베어 낸 면. **2** 어떤 전체 현상의 부분적인 모습. ¶단편 소설은 인생의 ~을 보여 준다.
단:면-도 (斷面圖) 명 제도에서, 물체의 내부 구조를 분명하게 나타내기 위하여 절단한 것으로 가정한 단면을 그린 그림.
단:면-적 (斷面積) 명 단면의 면적.
단:멸 (斷滅) 명하자 끊어져 멸망함.
단:명 (短命) 명하형 **1** 명이 짧음. ¶~한 사람. **2** 조직 따위가 오래가지 못함. ¶~ 내각으로 끝나다.
단-모음 (單母音) 명 〖언〗 발음 도중에 입술이나 혀의 위치가 달라지지 않는 모음《우리말에서는 'ㅏ·ㅓ·ㅗ·ㅜ·ㅡ·ㅣ·ㅐ·ㅔ·ㅚ·ㅟ' 등》. ↔이중 모음.
단-무지 명 무로 담근 일본식 짠지《설말린 무를 소금을 섞은 쌀겨에 묻고 돌로 눌러서 담금》.
단문 (單文) 명 〖언〗 홑문장. ↔복문(複文).
단:문 (短文) 명하형 **1** 짧은 글. ↔장문. **2** 글을 아는 것이 넉넉하지 못함. ¶할아버지는 ~인데도 말솜씨는 뛰어나셨다.
단-물 명 **1** 민물. **2** 단맛이 나는 물. ↔짠물. **3** 알짜나 실속 있는 부분. ¶~만 빨아 먹다. **4** 〖화〗 칼슘이나 마그네슘 등 광물질이 적은 물. 연수(軟水). ↔센물.
단물-나다 [-라-] 자 오래된 옷 따위가 낡아 바탕이 해지게 되다. ¶그나마 하나뿐인 원피스도 단물났다.
단-바둑 (段-)[-빠-] 명 유단자의 기력을 갖춘 바둑. 또는 그런 기력을 갖춘 사람.
단박 명 (주로 '단박에'의 꼴로 쓰여) 그 자리에서 바로. ¶음식을 보자마자 ~에 먹어 치우다.
단발 (單發) 명 **1** 총알이나 포탄의 한 발. ¶~에 쏘아 맞히다. **2** '단발총'의 준말. **3** 엔진이 하나임. *쌍발. **4** 야구에서, 하나의 히트로 그쳐 득점에 연결되지 않는 일.
단:발 (短髮) 명 짧은 머리털. ↔장발.
단:발 (斷髮) 명하자 **1** 머리털을 짧게 자름. 또는 그 머리털. ¶~한 처녀. **2** 여자의 뒷머리를 짧게 자른 모양.
단발-기 (單發機) 명 엔진을 하나만 장치한 비행기.
단:발-머리 (斷髮-) 명 귀밑이나 목덜미 언저리에서 가지런히 자른 머리. 또는 그 머리를 한 사람. ¶~ 소녀.
단발-총 (單發銃) 명 한 번에 한 발씩 쏘게 되어 있는 총. ↔연발총. 준단발.
단방 (單方) 명 **1** '단방문'의 준말. **2** '단방약'의 준말.
단방 (單放) 명 (주로 '단방에'의 꼴로 쓰여) **1** 단 한 방의 발사. ¶~에 맞히다. **2** 뜸뜰 때의 단 한 번. **3** 단번. ¶~에 쓰러지다.
단-방문 (單方文) 명 한 가지 약만으로 처방한 방문(方文). 준단방.
단방-약 (單方藥)[-냑] 명 한 가지만으로 병을 다스리는 약. 준단방.
단방-치기 (單放-) 명하타 **1** 어떤 일을 단 한 번에 해치움. **2** 결말을 내는 마지막의 한 번.

단-배 명 입맛이 당겨 음식을 달게 많이 먹을 수 있는 배.
단배(를) 곯리다 구 음식을 달게 먹을 수 있는 배를 고프게 하다.
단배(를) 주리다 구 음식을 달게 먹을 수 있는 배를 굶주리게 하다.
단배 (單拜) 명하자 한 번 하는 절.
단배 (團拜) 명하자 여럿이 모여 단체로 하는 절. ¶신년 ~식.
단:백 (蛋白) 명 1 알의 흰자위. 난백. 2 단백질로 된 물건.
단:백-석 (蛋白石) 명 〖광〗 덩어리 또는 종 모양으로 산출되는 반투명 또는 불투명한 함수 규산의 광물. 귀(貴)단백석은 보석으로서 장식품 등으로 씀. 오팔(opal). ☞탄생석.
*단:백-질 (蛋白質) 명 〖생〗 동식물·미생물 등 모든 생물 세포의 주성분으로 생명의 기본적 구성 물질이며, 사람의 3대 영양소의 하나인 질소를 포함한 유기 화합물. 약 80%가 카세인임. 종류는 많으나 어느 것이나 산(酸)과 효소로 가수 분해를 하면 아미노산이 됨. 프로테인(protein). 흰자질.
단번 (單番) 명 단 한 번. 한 차례. 단방. ¶~에 쓰러뜨리다 / ~으로는 곤란하다.
단번-에 (單番-) 부 단 한 번에. ¶부탁을 ~ 거절하다 / 일을 ~ 해치우다.
단-벌 (單-) 명 오직 그것뿐인 한 벌의 옷. ¶~ 신사 체면이 말이 아니다.
단:병 (短兵) 명 가까운 거리에서 싸우는 데 쓰는 병기《칼·창 따위》.
단보 (段步) 의명 논밭의 면적의 단위. 1단보는 300평. 단(段).
단복 (單複) 명 1 단수와 복수. 2 단식과 복식.
단복 (團服) 명 '단(團)'이라는 이름이 붙은 단체의 사람들이 같은 색깔이나 모양으로 입는 제복.
단본위-제 (單本位制) 명 〖경〗 단일 금속을 본위 화폐로 하는 화폐 제도《금 본위제와 은 본위제가 있음》. ↔복본위제. 준단본위.
단-봇짐 (單褓-)[-보찜 / -볻찜] 명 아주 간단하게 꾸린 봇짐. ¶~을 싸다.
단-비 명 꼭 필요할 때 알맞게 오는 비. ¶오랜 가뭄 끝에 ~가 내리다.
단비 (單比) 명 〖수〗 하나의 식으로 이루어진 비《'2:3'·'5:4' 따위》. ↔복비(複比).
단사 (單絲) 명 외올로 된 실. 홑실.
단사-표음 (簞食瓢飮) 명 '도시락에 담은 밥과 표주박에 든 물'의 뜻으로, 청빈하고 소박한 생활의 비유.
단:산 (斷産) 명하자 아이를 낳던 여자가 아이를 못 낳게 됨. 또는 아이를 낳는 것을 끊음. ¶가족계획으로 ~하다.
단삼 (單衫) 명 적삼. ¶눈물이 ~을 적시다. [단삼 적삼 벗고 은가락지 낀다] 격에 맞지 않는 짓을 함을 가리키는 말.
단상 (壇上) 명 연단·교단 등의 단 위. ¶~에 올라 열변을 토하다. ↔단하.
단:상 (斷想) 명하자 1 생각을 끊음. 2 단편적인 생각. ¶~을 수첩에 적다.
단상 교류 (單相交流) 〖전〗 단 하나의 위상(位相)을 가진 교류《가정의 전등선과 같은 보통 교류를 말함》. 준단상.
단색 (丹色) 명 붉은색.
단색 (單色) 명 한 가지 빛깔. 한 색. ¶옷을 ~으로 입다.
단서 (丹書) 명 1 바위나 돌에 새겨 쓴 글씨. 2 조서(詔書).
단:서 (但書) 명 법조문이나 문서 따위에서, 앞에 나온 본문에 대한 설명이나 조건·예외를 나타내는 글. ¶~를 붙이다.
단서 (端緖) 명 일의 처음. 일의 실마리. ¶사건의 ~를 잡다 / 아무런 ~가 없다.
단선 (單線) 명 1 외줄. 2 '단선 궤도'의 준말. ↔복선.
단:선 (斷線) 명하자타 1 줄이 끊어짐. 줄을 끊음. 2 전선(電線)이나 선로가 통하지 못하게 됨. ¶보수 공사로 지하철 일부 구간이 ~되다 / 온 동네가 갑작스러운 ~으로 암흑 세계가 되었다.
단선 궤:도 (單線軌道) 가고 오는 열차가 같은 선로를 함께 사용하는 철도. 단선 철도. 준단궤·단선.
단선 철도 (單線鐵道)[-또] 단선 궤도.
단성 (丹誠) 명 거짓 없는 참된 정성. 진심에서 나온 뜨거운 정성. 단정(丹精).
단성 (單性) 명 〖생〗 생물이 암수 어느 한쪽의 생식 기관만을 갖는 일. ↔양성(兩性).
단성 (單聲) 명 〖악〗 남성 또는 여성 어느 한 쪽의 목소리. ↔혼성(混聲).
단성-화 (單性花) 명 〖식〗 한 꽃 안에 수술 또는 암술만 갖춘 꽃《소나무의 꽃·밤나무의 꽃·뽕나무의 꽃·은행나무의 꽃 따위》. 홑성꽃.
단-세포 (單細胞) 명 〖생〗 한 생물체 안에 단 하나의 세포가 있는 것. 단포(單胞). 홑세포. ↔다(多)세포.
단세포 생물 (單細胞生物) 〖생〗 단 한 개의 세포로 독립 생활을 하는 가장 낮은 단계의 생물《아메바·짚신벌레·박테리아 따위》. ↔다세포 생물.
단:소 (短小) 명하형 짧고 작음. ¶그는 몸집은 ~하나 기백은 누구 못지않다.
단:소 (短簫) 명 〖악〗 향악기(鄕樂器)에 속하는 피리의 한 가지《대로 만들며 퉁소보다 좀 짧고 가늘며 구멍은 앞에 넷, 뒤에 하나 있음》.
단속 (團束) 명하타 1 주의를 기울여 다잡거나 보살핌. ¶동생의 행동을 ~해라. 2 규칙·명령·법령 등을 잘 지키도록 통제함. ¶속도 위반 ~에 걸리다.
단:속 (斷續) 명하자타 끊어졌다 이어졌다 함. 또는 끊었다 이었다 함.
단-속곳 (單-)[-꼳] 명 여자의 속곳. 고쟁이 위에 덧입고 그 위에 치마를 입음.
단:속-적 (斷續的) 관명 끊어졌다 이어졌다 하는 (것). ¶멀리서 ~으로 들려오는 개 짖는 소리.
단-손 (單-) 명 (주로 '단손에'·'단손으로'의 꼴로 쓰여) 1 단지 한 번 쓰는 손. ¶그는 여러 장 겹쳐 놓은 기왓장을 ~에 격파했다. 2 혼잣손. ¶~으로 5남매를 키우다.
단:-솥 [-솓] 명 불에 달아 뜨거운 솥. [단솥에 물 붓기] 형편이 이미 기울어 아무리 도와주어도 보람이 없을 때 하는 말.
단수 (段數)[-쑤] 명 1 바둑·유도 따위의 단의 수. 2 수단이나 술수를 쓰는 재간의 정

도. ¶그는 자네보다 ~가 한 수 위다.
단수가 높다 구 술수에 능함을 이르는 말.
단수(單手) 명 바둑에서, 한 수만 더 두면 적의 돌을 잡게 된 상태. ¶~에 몰리다.
단수(單數) 명 **1** 단일한 수. 홑수. **2**〖언〗한 사람이나 사물을 나타내는 명사, 또는 그 명사를 받는 동사·형용사·관형사 등의 문법 형식. ¶삼인칭 ~ 현재. ↔복수.
단:수(斷水) 명하자타 **1** 물길을 막음. 또는 물길이 막힘. **2** 수도의 급수가 끊어짐. 또는 급수를 끊음. ¶일부 지역을 ~하다.
***단순**(單純) 명하형히부 **1** 간단하여 복잡하지 않음. ¶~한 짜임새 / ~한 구조의 집. **2** 단일(單一)하고 잡것이 섞이어 있지 아니함. ¶~한 김치 맛. **3** 솔직하고 순진함. ¶어린아이처럼 ~한 성격. **4** 제한이나 조건이 없음. ¶~한 육체노동.
단순 개:념(單純概念)〖논〗더는 분석할 수 없는 단순한 개념. 곧, '좋다·나쁘다·사람·사과' 따위의 개념. *복합적 개념.
단순 노동(單純勞動) 특별한 기술이 없어도 할 수 있는 단순한 노동. *숙련노동.
단순-성(單純性)[-썽] 명 단순한 성질. 또는 단순함. ¶그의 어린이 같은 ~이 호감을 준다. ↔복잡성.
단순-음(單純音) 명〖물〗단일 진동수의 음《소리굽쇠를 가볍게 두들겼을 때의 소리 따위》. 단음. 순음.
단순 재:생산(單純再生産)〖경〗투자를 추가하지 않고 계속 같은 규모로만 되풀이하는 생산.
단순-호치(丹脣皓齒) 명 붉은 입술과 흰 이의 뜻으로, 아름다운 여자의 비유. ¶양귀비의 ~를 그 누가 따르랴.
단순-화(單純化) 명하자타 단순하게 됨. 단순하게 함. ¶농산물 유통 과정을 ~하다.
단-술 명 엿기름과 밥을 식혜처럼 삭혀서 끓인 음식. 감주(甘酒).
[단술 먹은 여드레 만에 취한다] 어떤 일을 겪고 나서 한참 만에야 비로소 그 영향이 드러난다는 말.
단숨-에(單-) 부 쉬지 않고 곧장. 한숨에. ¶맥주를 ~ 들이켜다 / ~ 일을 해치우다.
단승-식(單勝式) 명 경마·경륜 등에서 1착만을 맞히는 방식. 또는 그 투표권(券). 준 단승·단식.
단:시(短詩) 명〖문〗짧은 형식의 시. ↔장시(長詩).
단:-시간(短時間) 명 짧은 시간이나 동안. ¶~에 일을 끝내다. ↔장시간.
단:-시일(短時日) 명 짧은 시일. ¶~에 피해를 복구하다. ↔장시일.
단:-시조(短時調) 명〖문〗3장 6구 45자 내외로 이루어진 시조. 평시조(平時調).
단식(單式) 명 **1** 단순한 방식이나 형식. **2**〖경〗'단식 부기'의 준말. **3** '단식 경기'의 준말.
단:식(斷食) 명하자 일정 기간 동안 음식을 먹지 않음. 절식. 절곡(絕穀). ¶~ 농성에 들어가다.
단식 경:기(單式競技) 테니스나 탁구·배드민턴 따위에서 일대일로 겨루는 경기. ↔복식 경기. 준단식.
단식 부기(單式簿記)〖경〗재산의 변동만을 기록·계산하는 부기《계산 방법이나 기록 방법이 간단하기 때문에 소기업(小企業)의 회계, 가계부 따위의 단순한 회계에 이용됨》. ↔복식 부기. 준단식.
단:식 투쟁(斷食鬪爭) 어떤 요구를 관철시키기 위하여 단식하면서 하는 시위나 농성. ¶무기한 ~에 들어가다.
단신(單身) 명 (주로 '단신으로'의 꼴로 쓰여) 혼자의 몸. 홑몸. ¶그는 ~으로 세파를 헤쳐 나갔다.
단:신(短信) 명 **1** 간략하게 쓴 편지. **2** 짤막하게 전하는 뉴스. ¶지방 ~을 전하다.
단:신(短身) 명 키가 작은 몸. 작은 키. 단구(短軀). ¶강감찬 장군도 ~이었다고 한다. ↔장신(長身).
단심(丹心) 명 한결같이 정성스러운 마음. 충성스러운 마음. ¶논개의 일편~.
단아-하다(端雅-) 형여불 단정하고 아담하다. ¶단아한 기품과 수려한 용모.
단:안(斷岸) 명 강가나 바닷가의 깎아 세운 듯한 언덕.
단:안(斷案) 명하타 **1** 어떤 일에 대한 생각을 딱 잘라 정함. 또는 그 정한 생각. ¶~을 내리다. **2**〖논〗삼단 논법에서, 전제로부터 미루어 얻은 결론.
단:애(斷崖) 명 깎아 세운 듯한 낭떠러지. ¶사나운 파도가 험준한 ~를 때리며 부서져 내리고 있었다.
단야(鍛冶) 명하타 금속을 단련함. 대장일.
단어(單語) 명 자립할 수 있는 말이나 자립 형태소에 붙으면서 쉽게 분리되는 말들. 낱말. ¶영어 ~를 외우다.

단어의 형성법

단 어		형 성 법	보 기
단일어		하나의 형태소 (용언은 어근+어미)	보리, 짐승, 먹다, 먹었다
복합어	파생어	실질형태소+형식형태소 (어근+접사)	가난뱅이, 덧니, 슬기롭다, 먹이
	합성어	실질형태소+실질형태소	손발, 빛나다, 정들다

단:언(斷言) 명하타 주저하지 않고 딱 잘라 말함. ¶네 생각이 옳다고만 ~하지 마라.
단역(端役) 명〖연〗연극이나 영화 따위에서, 대수롭지 않은 역. 또는 그 역을 맡은 사람. ¶~을 맡아 열연하다.
단:연(斷然) 부 확실히 단정할 만하게. 두드러지게. 뚜렷하게. ¶그가 ~ 우세하다.
단:연-코(斷然-) 부 '단연'의 힘줌말. ¶~ 반대하다 / ~ 앞서다.
단:연-하다(斷然-) 형여불 태도가 매우 굳세고 잘라 끊는 듯하다. **단:연-히** 부
단:열(斷熱) 명하자〖물〗열의 전도(傳導)를 막음. ¶~이 잘된 집.
단:열-재(斷熱材)[-째] 명 열을 차단하거나 보온의 목적으로 쓰는 재료《석면(石綿)·유리 섬유·코르크·규조토(硅藻土) 따위》.
단엽(單葉) 명 **1**〖식〗홑잎. **2**〖식〗홑꽃잎. **3** 잎사귀 하나를 도안화한 무늬. **4** 단엽 비행기. ↔복엽.
단엽 비행기(單葉飛行機) 양쪽 날개가 하

나씩으로 된 비행기. ㊟단엽기(單葉機).
*단오 (端午) 명 우리나라 명절의 하나. 음력 5월 5일로 그네뛰기·씨름 등을 하며 즐김. 단양(端陽). 단옷날. 수릿날.
단오-절 (端午節) 명 단오를 명절로 일컫는 말. 중오절.
단옷-날 (端午―)[-온-] 명 단오.
단원 (單元) 명 어떤 주제나 내용을 중심으로 묶은 학습 단위. ¶교과(教科) ~의 마무리 / ~ 학습.
단원 (團員) 명 어떤 단체에 속한 사람. ¶합창단 ~을 뽑다.
단원 (團圓) 명 희곡·연극·소설 등의 결말이나 끝.
단원-론 (單元論)[-논] 명 1〖철〗 일원론(一元論). 2〖생〗 모든 생물은 전부 동일한 조상에서 나왔다고 하는 학설. 단원설(說).
단원-제 (單院制) 명〖법〗 국회를 상하 양원으로 하지 않고 하나만 두는 제도. 단원 제도. ↔양원제.
단원 제:도 (單院制度)〖법〗 단원제. ↔양원 제도.
단위 (段位) 명 바둑·유도·태권도 등에서, 기량을 나타내는 단(段)의 등급《급(級)보다 높음》.
*단위 (單位) 명 1〖수〗 수량을 계산할 때 비교·기준이 되는 표준《미터·킬로그램·초 따위》. 2 어떤 조직을 구성하는 기본적 부문. ¶가정은 사회 구성의 기본 ~이다. 3 일정한 학습량. 흔히 학습 시간을 기준으로 정함. ¶국어 5~.
단위-계 (單位系)[-/-게] 명〖물〗 몇 개의 기본 단위와 보조 단위, 이것을 곱하거나 나누어서 정한 유도 단위의 전체《국제 단위계·CGS 단위계·MKSA 단위계 따위가 있음》.

'단위계'의 비교

	SI (국제)	MKSA	CGS
길이	미터: m	미터: m	센티미터: cm
질량	킬로그램: kg	킬로그램: kg	그램: g
시간	초: s	초: s	초: s
전류	암페어: A	암페어: A	—
열역학 적온도	켈빈: K	—	—
물질량	몰: mol	—	—
광도	칸델라: cd	—	—

*넓이는 길이의 제곱미터(m^2), 부피는 길이의 세제곱미터(m^3)로 나타냄.

단위 면:적 (單位面積)〖물〗 어떤 단위계에 있어서의 넓이의 단위가 1인 면적. 단위 넓이.
단위 생식 (單爲生殖)〖생〗 난자가 수정 없이 단독으로 새 개체를 만드는 생식. 단성(單性) 생식.
단:음 (短音) 명 짧게 나는 소리. ↔장음.
단음 (單音) 명 1〖물〗 단순음(單純音). 2〖악〗 독립한 선율만을 내는 소리. 3 음성의 최소 단위《ㅏ·ㅓ·ㅗ·ㅜ·ㅡ·ㅣ·ㅐ·ㅔ·ㅚ·ㅟ, ㄱ·ㄴ·ㄷ·ㄹ·ㅁ·ㅂ·ㅅ·ㅇ·ㅈ·ㅊ·ㅋ·ㅌ·ㅍ·ㅎ, ㄲ·ㄸ·ㅃ·ㅆ·ㅉ》. 홑소리. ↔복음.
단:음 (斷音) 명하자 1 내던 소리를 끊음. 2〖언〗 자음의 하나《숨이 발음과 동시에 끊어지는 소리》.
단:음 (斷飮) 명하자 술을 끊음. 단주(斷酒). 금주(禁酒).
단:-음계 (短音階)[-/-게] 명〖악〗 둘째 음과 셋째 음 사이의 음정과, 다섯째 음과 여섯째 음 사이의 음정이 반음인 음계. 몰. 마이너(minor). ↔장음계.
단음 문자 (單音文字)[-짜]〖언〗 각 글자가 자음과 모음으로 분석할 수 있는 단음을 나타내는 글자《한글의 자모(字母)와 알파벳은 이에 해당함》.
단음절-어 (單音節語) 명〖언〗 한 음절로 된 단어《손·발·산·강 따위》.
단:-음정 (短音程) 명〖악〗 장음정보다 반음 낮은 음정《단 2도·단 3도·단 6도·단 7도가 있음》.
단일 (單一) 명하형 1 단 하나인 것. ¶남북한 ~ 팀을 구성하다. 2 복잡하지 않음. ¶~ 구성의 단편 소설. 3 다른 것이 섞여 있지 않음. ¶~ 성분.
단일 경작 (單一耕作) 한 농경지에 한 종류의 농작물만 심어 가꾸는 일. 단작(單作).
단일 경제 (單一經濟)〖경〗 경제 주체가 한 자연인으로 된 경제.
단일 국가 (單一國家) 하나의 나라가 단독으로 자립하여 있는 국가. 단일국. ↔복합 국가.
단일 기판 컴퓨터 (單一基板computer)〖컴〗 하나의 기판 위에 중앙 처리 장치, 램(RAM)·롬(ROM)·입출력 포트(port) 따위를 모두 탑재하여 본체를 구성한 컴퓨터.
단일 민족 (單一民族) 하나의 인종으로 구성되어 있는 민족.
단일-성 (單一性)[-썽] 명 다른 것이 섞이지 않은 하나의 성질. ¶우리나라는 민족면에서 ~을 유지하고 있다.
단일-어 (單一語) 명〖언〗 하나의 실질 형태소로 된 말《밥·집·꽃·땅 따위》. ↔복합어(複合語). ☞단어(單語).
단일-화 (單一化) 명하자타 하나로 됨. 또는 하나로 만듦. ¶후보자의 ~ / 여러 기구를 ~하다.
단자 (單子) 명 1 부조나 선물 등 남에게 보내는 물건의 품목과 수량을 적은 종이. 2 혼인할 사람의 사주를 적은 문서.
단자 (單字)[-짜] 명〖언〗 단어(單語)를 표시한 글자.
단:자 (短資) 명〖경〗 금융 기관이나 증권 회사 간에 하루나 이틀 정도 서로 꾸어 주고 받는 단기성 자금. 콜머니(call money).
단자 (端子) 명 전기 기계에서 발생한 전력을 외부로 보내거나, 외부로부터 기계에 공급하는 회로의 끝 부분. 터미널.
단:자 시:장 (短資市場)〖경〗 상업 어음의 할인 및 단기 자금이 거래되는 시장. 콜(call) 시장.
단-자엽 (單子葉) 명〖식〗 외떡잎.
단자엽-식물 (單子葉植物)[-씽-] 명〖식〗 외떡잎식물.
단-자음 (單子音) 명〖언〗 홑으로 나는 자음《ㄱ·ㄴ·ㄷ·ㄹ·ㅁ·ㅂ·ㅅ·ㅇ·ㅈ·ㅎ·ㄲ·ㄸ·ㅃ·ㅆ·ㅉ의 열다섯》. 홑닿소리. 홑자음. ↔복자음(複子音).

단:작-스럽다 [-스러우니, -스러워] 형(ㅂ불) 하는 짓이 보기에 매우 치사스럽고 다라운 데가 있다. ¶저렇게 단작스러운 사람인 줄 몰랐다. ㉪던적스럽다. **단:작-스레** 부

단-잠 명 달게 자는 잠. ¶~에 빠지다 / ~을 깨우다.

단장 (丹粧) 명하자 1 얼굴·머리·옷차림 따위를 곱게 꾸밈. ¶~한 누나의 얼굴이 참 곱다. 2 건물·거리 따위를 손질하여 꾸밈. ¶새로 ~한 집.

단:장 (短杖) 명 1 짧은 지팡이. 2 손잡이가 꼬부라진 짧은 지팡이. ¶~을 짚고 걷다.

단장 (團長) 명 '단(團)' 자가 붙은 단체의 우두머리. ¶친선 방문단 ~으로 선임되다.

단:장 (斷章) 명하타 1 토막을 지어 몇 줄씩의 산문체(散文體)로 적은 글. 완전한 체재를 이루지 못한 문장의 한 토막. 2《악》 짧은 기악의 소곡.

단:장 (斷腸) 명 몹시 슬퍼 창자가 끊어지는 듯함. 애끊는 듯함. ¶~의 이별.

단-적 (端的)[-쩍] 관명 분명하고 직접적인 (것). ¶이 일화는 그의 성격을 ~으로 잘 보여 준다 / 그런 ~인 표현은 다소 무리가 있다 / 그런 ~인 사실이 증명해 준다.

단전 (丹田) 명 사람의 배꼽 바로 아랫부분. ¶~호흡.

단:전 (斷電) 명하자타 전기 공급을 끊거나 공급이 끊김. ¶~으로 불편을 겪다.

단:절 (短折) 명하자 1 일찍 부러짐. 2 젊은 나이에 일찍 죽음. 요절. ¶아깝게 ~한 소설가.

단:절 (斷折) 명하타 꺾거나 부러뜨림.

단:절 (斷絕) 명하타 유대나 연관 관계를 끊음. ¶대화를 ~하다 / 양국 간의 국교가 ~되다.

단:절 (斷截·斷切) 명하자타 끊어짐. 잘라 버림. 절단.

단:점 (短點)[-쩜] 명 잘못되고 모자라는 점. 결점(缺點). ¶~을 들추다 / ~을 보완하다 / 사람은 누구나 ~이 있게 마련이다. ↔장점.

단접 (鍛接) 명하타 《공》 금속의 접합할 부분을 달구어 망치로 때리거나 압력으로 붙임. 또는 그런 방법.

단:-접기 명하자 치마나 소매 따위의 단을 접는 일.

단:정 (斷定) 명하타 딱 잘라서 판단하고 결정함. ¶~을 내리다.

단:정-코 (斷定-) 부 딱 잘라 말하여. ¶그는 ~ 성공할 것이다.

단정-하다 (端正-) 형(여불) 옷차림새나 몸가짐 따위가 얌전하고 바르다. ¶품행이 ~. **단정-히** 부. ¶~ 앉아 책을 읽다.

단정-하다 (端整-) 형(여불) 깨끗이 정돈(整頓)되어 가지런하다. ¶책장에는 책들이 단정하게 꽂혀 있다.

단조 (單調) 명하형 1 가락이나 장단 따위가 변화 없이 단일함. 2 사물이 단순하고 변화가 없어 새로운 맛이 없음.

단:조 (短調)[-쪼] 명 《악》 단음계로 된 곡조. 마이너(minor). ↔장조.

단조 (鍛造) 명하타 금속을 가열하고 두드려서 필요한 형체로 만드는 일. ¶~공(工) / ~ 기계.

단조-롭다 (單調-) [-로우니, -로워] 형(ㅂ불) 단조한 느낌이 있다. ¶단조로운 생활에 싫증이 나다 / 멜로디가 ~. **단조-로이** 부

단:종 (斷種) 명하자 《생》 1 인위적으로 생식 능력을 잃게 함. 2 씨가 끊어짐.

단:죄 (斷罪) 명하자 1 죄를 처단함. ¶살인자는 마땅히 ~해야 한다. 2 죄로 단정함.

단주 (端株) 명 《경》 증권 거래소가 정한 거래 단위에 미달하는 수의 주《보통 10주 미만을 이름》.

단:주 (斷酒) 명하자 술을 끊음.

단:주 (斷奏) 명하타 《악》 스타카토.

단:죽 (短竹) 명 곰방대. ↔장죽.

***단지** 명 자그마한 항아리《목이 짧고 배가 부름》. ¶고추장 ~ / 쌀을 작은 ~에 담다.

단지 (團地) 명 주택·공장 등이 집단을 이루고 있는 일정 구역. ¶~ 안에 있는 상가 / 아파트 ~를 조성하다.

단:지 (斷指) 명하자 1 손가락을 자름. 2 예전에, 가족의 병이 위중할 때 자기 손가락을 깨물거나 잘라 그 피를 먹게 하던 일. 3 굳은 맹세의 표시로 손가락을 자름. ¶~하여 의형제를 맺다.

단:지 (但只) 부 다만. 오직. ¶내가 자신 있는 과목은 ~ 국어밖에 없다.

단:지럽다 [단지러우니, 단지러워] 형(ㅂ불) 말이나 행동이 다랍다. ¶알고 보니 그는 단지러운 사람이다. ㉪던지럽다.

단-진자 (單振子) 명 《물》 무겁고 작은 물체를 가볍고 튼튼한 줄에 매달아 자유롭게 흔들리도록 만든 장치. 단일 진자.

단짝 명 매우 친하여 늘 함께 행동하는 사이. 단짝패. ¶그들은 우연한 기회에 만나 ~이 되었다.

단참 (單站) 명 (주로 '단참에'·'단참으로'의 꼴로 쓰여) 쉬지 않고 곧장 계속함. ¶늦지 않으려고 ~에 뛰어왔다.

단창 (單窓) 명 겉창이 없는 외겹 창. ¶~이라 바람이 새어 들어온다.

단철 (鍛鐵·煅鐵) 명하자 1 쇠를 두들겨 단련함. 2 무쇠에 공기를 통하고 산화철을 섞어서 탄소분을 감소시킨 쇠. 연철(鍊鐵).

단청 (丹靑) 명하자타 옛날식 건물의 벽·기둥·천장 따위에 여러 가지 빛깔로 그림이나 무늬를 그림. 또는 그 그림이나 무늬. ¶~을 입히다 / ~이 바래다.

단체 (單體) 명 《화》 홑원소 물질.

***단체** (團體) 명 1 같은 목적을 위하여 두 사람 이상이 모여 맺은 집단《법인·정당 따위》. ¶이익 ~를 결성하다. 2 여러 사람이 모여서 이루어진 집단. ¶~로 관람하다. ↔개인.

단체 경:기 (團體競技) 단체끼리 겨루어 승부를 가리는 경기. ↔개인 경기.

단체 교섭 (團體交涉) 노동조합 대표자가 노동 조건의 유지·개선을 위해 사용자와 하는 교섭.

단체 교섭권 (團體交涉權) 노동 삼권의 하나. 노동조합 대표자가 사용자나 단체의 대표자와 근로 조건의 유지·개선 따위에 관해 직접 교섭할 수 있는 권리. ¶~은 헌법에 보장되어 있다.

단체-장 (團體長) 명 지방 자치 단체의 장.

단체-전 (團體戰) 명 단체 사이에 행하여지

는 경기. ¶ ~에서 이기다. ↔개인전.
단체 행동권 (團體行動權)[-꿘] 〔법〕 노동 삼권의 하나. 근로자가 사용자에 대하여 근로 조건 개선 따위의 주장을 관철하려고 단결해서 여러 가지 쟁의 행위를 할 수 있는 권리.
단체 협약 (團體協約) 단체와 단체 또는 단체와 개인 사이에 맺어지는 특수한 계약.
단:총 (短銃) 명 **1** 짤막한 총. ¶ 기관 ~을 휴대하다. **2** 권총.
***단추**[1] 명 **1** 옷 따위를 입고서 벌어진 두 쪽을 여미기 위하여 채우는 동그란 작은 물건. ¶ ~를 끼우다 / ~를 끄르다. **2** '누름단추'의 준말.
단:추[2] 명 단으로 묶은 푸성귀.
단:축 (短縮) 명하자타 시간이나 거리 따위가 짧게 줄어듦. 또는 짧게 줄임. ¶ 공사 기간을 ~하다.
단출-하다 형여불 **1** 식구나 구성원이 적어 홀가분하다. ¶ 단출한 식구. **2** 일이나 차림, 도구 따위가 간편하다. ¶ 단출한 살림살이. **단출-히** 부
단춧-구멍 [-추꾸- / -춛꾸-] 명 단추를 꿰게 된 구멍. ¶ ~이 너무 헐겁다.
단충 (丹忠) 명 마음에서 우러나오는 참된 충성.
단충 (丹衷) 명 마음에서 우러나오는 정성.
단층 (單層) 명 **1** 단 하나의 층으로 된 것. ¶ ~ 목조 건물을 짓다. **2** '단층집'의 준말.
단:층 (斷層) 명 〔지〕 지각 변동으로 지각이 갈라져서 한쪽은 가라앉고, 한쪽은 솟아 어긋나서 맞지 아니하는 현상. 또는 그러한 현상으로 나타난 지층.
단:층-애 (斷層崖) 명 〔지〕 단층면이 드러나 있는 급경사의 낭떠러지.
단층-집 (單層-)[-찝] 명 하나의 층으로만 된 집. ¶ ~에 독신으로 살고 있다. 준단층.
단:층 촬영 (斷層撮影) 〔의〕 엑스선 검사의 하나. 폐(肺) 질환이나 각종 장기(臟器)의 진단을 하려고 몸의 한 단면만을 촬영하여 조직의 변화를 알아보는 검사법.
단칠 (丹漆) 명 붉은 칠.
단:침 (短針) 명 **1** 짧은 바늘. **2** 시침. ↔장침(長針).
단칭 (單稱) 명 특정한 하나의 대상만을 가리키는 것. ¶ ~ 명제. ↔복칭(複稱).
단-칸 (單-) 명 단 한 칸.
단칸-방 (單-房)[-빵] 명 단 한 칸 넓이의 방. ¶ ~에 살림을 차리다.
[단칸방에 새 두고 말할까] 아주 가까운 사이에 비밀이 있을 수 없다.
단칸-살림 (單-) 명하자 단칸방에서 사는 살림. 단칸살이. ¶ ~으로 시작하다.
단-칼 (單-) 명 (주로 '단칼에'·'단칼로'의 꼴로 쓰여) 꼭 한 번 쓰는 칼. 또는 단 한 번의 뜻. ¶ ~에 두 동강을 내다 / ~로 목을 베다.
단타 (單打) 명 야구에서, 1루까지 갈 수 있는 안타. 일루타. ¶ ~를 잘 치는 선수.
단:타 (短打) 명 야구에서, 주자의 진루를 위하여 배트를 짧게 쥐고 정확하게 치는 타법.
단-통 (單-) 부 (주로 '단통에'·'단통으로'의 꼴로 쓰여) 그 자리에서 곧장. 거침없이. ¶ ~에 들통나다 / ~으로 끝장나다.
단:파 (短波) 명 〔물〕 파장(波長)이 10-100 m, 진동수가 3-30 메가헤르츠의 전자기파(電磁氣波)《원거리 무선 전신·대외 방송 등에 씀》.
단:파 방:송 (短波放送) 6-30 메가헤르츠의 전파를 사용하는 방송. 주로 멀리 떨어져 있는 지역을 위한 국내 방송이나 해외 방송 등에 씀.
단-판 (單-) 명 단 한 번에 승부를 정하는 판. ¶ 승부를 ~에 끝내다.
단판-걸이 (單-) 명 한 판으로 승부를 겨루는 일. ¶ ~로 자웅을 겨루다.
단-팥묵 [-판-] 명 팥을 삶아 앙금을 낸 다음, 설탕·한천을 넣고 조려서 굳힌 일본식 과자. 양갱.
단-팥죽 (-粥)[-팓쭉] 명 팥을 삶아 으깨어 설탕을 넣어 달게 하고, 갈분으로 걸쭉하게 하여 찹쌀 새알심을 넣은 음식. ¶ ~을 쑤어 먹다.
단패 (單牌) 명 **1** 단짝. **2** 단 두 사람으로 된 유일한 짝패.
단:편 (短篇) 명 **1** 짧은 작품. **2** '단편 소설'의 준말. ↔장편.
단:편 (斷片) 명 **1** 여럿으로 끊어지거나 쪼개진 조각. ¶ 토기의 ~이 발견되었다. **2** 전체 중의 한 부분. ¶ 체험의 ~.
단:편 소:설 (短篇小說) 〔문〕 소설을 길이상으로 나눌 때의 한 종류. 인생의 단면을 간결하게 표현한 소설《보통 200 자 원고지 70 매 정도》. ¶ ~ 작가 / 모파상의 ~. 준단편. *중편 소설·장편 소설.
단:편-적 (斷片的) 관명 전반에 걸치지 않고 한 부분에 국한된 (것). ¶ ~(인) 지식 / ~으로 말하다.
단:편-집 (短篇集) 명 〔문〕 단편 소설을 모아 엮은 책. ¶ ~을 내다.
단:평 (短評) 명 짧고 간단한 비평. ¶ 문예 전반에 대한 ~.
***단풍** (丹楓) 명 **1** 〔식〕 '단풍나무'의 준말. **2** 늦가을에 식물의 잎이 붉고 누르게 변하는 일. 또는 그렇게 변한 나뭇잎. ¶ ~이 울긋불긋하게 물들다.
단풍(이) 들다 구 식물의 잎이 가을에 붉거나 누른빛으로 변하다.
단풍-나무 (丹楓-) 명 〔식〕 단풍나뭇과의 낙엽 활엽 교목. 높이 10 m 정도, 골짜기에 남. 잎은 손바닥 모양인데 6-7 갈래로 깊게 갈라졌음. 관상용으로 널리 가꿈. 준단풍.
단풍-놀이 (丹楓-) 명하자 단풍이 든 가을의 아름다운 경치를 바라보며 즐기는 일. ¶ 가을이 되면 으레 ~를 가곤 했다.
***단풍-잎** (丹楓-)[-닙] 명 **1** 단풍이 든 잎. ¶ 가을날에 빛나는 ~. **2** 단풍나무의 잎.
단:필 (短筆) 명 서투른 글씨 재주.
단하 (壇下) 명 교단·강단 등의 단(壇) 아래. ↔단상(壇上).
단합 (團合) 명하자 한데 뭉침. 단결. ¶ 온 국민이 ~하다.
단항-식 (單項式) 명 〔수〕 숫자와 몇 개의 문자의 곱으로만 이루어진 식. 곧, 한 개의 항으로 이루어진 식《$5ax^3y \cdot 6x^2y^6$ 등》. ↔다항식.
단행 (單行) 명하자타 **1** 한 번만 하는 행동.

2 혼자서 하는 행동. 3 혼자서 감. 또는 혼자 하는 여행.

단:행(斷行) [명][하타] 결단하여 실행함. ¶개각을 ~하다 / 파업을 ~하다.

단행-본(單行本) [명] 단 한 권으로 된 책. ¶수필을 모아 ~으로 출판하다.

단향(壇享) [명] 단(壇)에서 지내는 제사.

단향-목(檀香木) [명] 자단(紫檀)·백단 등 향나무의 총칭. [준]단향.

단헌(單獻) [명] 제사 지낼 때 세 번 올릴 술잔을 한 번만 올리는 일.

단:현(斷絃) [명][하자] 1 현악기의 줄이 끊어짐. 또는 끊어진 줄. 2 아내의 죽음을 이르는 말.

단:호-하다(斷乎—) [형][여불] 결심한 것을 처리함에 과단성이 있다. ¶단호한 태도 / 단호하게 대처하다. **단:호-히** [부]. ¶~ 거절하다.

단:화(短靴) [명] 목이 없거나 짧아 발목 아래로 오는 구두. ↔장화.

닫다[1] 〔달으니, 달아〕 [자][ㄷ불] 빨리 가다. 달리다. ¶전속력으로 ~.
[닫는 데 발 내민다] 어떤 일에 열중하고 있는데 남이 중간에서 방해하다. [닫는 말에도 채를 친다] '달리는 말에 채찍질'과 같은 뜻. *달리다[1].

***닫다**[2] [타] 1 열려 있는 것을 도로 제자리로 가게 하다. ¶문을 ~. 2 영업이나 운영하던 것을 잠시 또는 아주 그만두다. ¶벌써 가게를 닫았군 / 부도가 나서 회사 문을 ~. 3 말을 그만두고 입을 다물다. ¶입을 ~.

닫아-걸다 〔-거니, -거오〕 [타] 문·창 따위를 닫고 잠그다. ¶창문을 ~.

닫집 [명] 〔건〕 궁전 안의 옥좌 위나 법당의 불좌 위에 만들어 다는 집의 모형.

닫치다 [타] 문·창 등을 힘차게 닫다.

> **'닫치다'와 '닫히다'**
> 둘 다 동사 닫다〔閉〕에서 나온 말이다.
> **닫치다** '닫다'의 강세어.
> [예] 문을 힘껏 닫쳤다.(힘차게 닫다)
> **닫히다** '닫다'의 피동사로 '닫아지다'와 대응하는 말.
> [예] 문이 저절로 닫혔다.

닫히다 [다치-] [자] 《'닫다[2]'의 피동》 열렸던 것이 닫아지다. ¶언제나 꼭 닫혀 있는 창문 / 열려 있던 대문이 바람에 닫혔다. ☞ 닫치다.

***달**[1] [명] 1 〔천〕 지구의 위성. 햇빛을 반사하여 밤에 밝은 빛을 냄. ¶~ 밝은 밤. 2 한 해를 열둘로 나눈 것의 하나. ¶~이 가고 해가 바뀌다. 3 해산할 달. ¶~이 차지 않아서 해산을 하다.
[달도 차면 기운다] 세상의 온갖 것이 한 번 성하면 다시 쇠한다. [달 보고 짖는 개] 남의 일을 알지도 못하면서 떠들어 대는 어리석은 사람.
달(이) 차다 [구] ㉠보름달이 되다. ㉡만삭(滿朔)이 되다. 해산할 달이 다 되다.

달:[2] [명] 연을 만드는 데 쓰는 가는 대오리.

***달:**[3] [의명] 30일 또는 31일을 한 단위로 세는 단위. ¶한 ~ 만에 만나다 / 석 ~ 열흘.

-달 [어미] '-다고 할'의 준말. ¶싫~ 사람이 어디 있소.

달가닥 [부][하자타] 단단하고 작은 물건이 맞닿아서 나는 소리. ¶옆방에서 ~ 소리가 난다. [큰]덜거덕. [센]딸가닥. [준]달각.

달가닥-거리다 [자타] 자꾸 달가닥하다. 또는 자꾸 달가닥 소리를 내다. ¶달가닥거리며 설거지를 하다. [큰]덜거덕거리다. [센]딸가닥거리다. [준]달각거리다. **달가닥-달가닥** [부][하자타]

달가닥-대다 [자타] 달가닥거리다.

달가당 [부][하자타] 단단하고 작은 물건끼리 맞닿아서 나는 소리. ¶뚜껑이 ~ 땅에 떨어지다. [큰]덜거덩. [센]딸가당.

달가당-거리다 [자타] 자꾸 달가당하다. 또는 자꾸 달가당 소리를 내다. ¶바람에 창문이 ~. [큰]덜거덩거리다. [센]딸가당거리다. **달가당-달가당** [부][하자타]

달가당-대다 [자타] 달가당거리다.

달각 [부][하자타] '달가닥'의 준말.

달각-거리다 [자타] '달가닥거리다'의 준말. **달각-달각** [부][하자타]

달각-대다 [자타] 달각거리다.

달갑다 〔달가우니, 달가워〕 [형][ㅂ불] 1 마음에 들어 흡족하다. ¶별로 달갑지 않은 손님. 2 거리낌 없다. 불만이 없다. ¶그 벌을 달갑게 받겠다.

달갑잖다 [-짠타] [형] 달갑지 아니하다. ¶달갑잖은 목소리.

달개 [명] 〔건〕 원채의 처마끝에 잇대어 집을 늘여 짓거나 차양을 달아 지은 의지간(倚支間). ¶~를 만들어 조그만 찻집을 내다.

달개-집 [명] 1 원채에 달아낸 달개로 된 집. 2 몸채의 뒤편 모서리에 낮게 지은 외양간.

***달걀** [명] 닭이 낳은 알. ¶~ 한 꾸러미 / ~을 삶다.
[달걀도 굴러 가다 서는 모가 있다] 어떤 일이든지 끝날 때가 있다. [달걀로 바위 치기] 대항해도 도저히 이길 수 없음을 이르는 말. [달걀로 치면 노른자다] 제일 중요한 부분이다.

달걀-꼴 [명] 달걀 같은 모양. 난상(卵狀). 난형(卵形).

달걀-노른자 [-로-] [명] 1 달걀 속에서 흰자위가 둘러싸고 있는 노란 부분. ¶~가 덜 익은 반숙. 2 사물의 가장 중요한 부분. ¶이 지역은 서울에서도 ~에 해당한다.

달-거리 [명] 1 한 달에 한 번씩 앓는 열병. 2 월경(月經).

달견(達見) [명] 1 사리에 밝아 사물을 분별할 수 있는 능력. ¶~을 가진 사람. 2 뛰어난 의견. ¶그의 ~을 듣기로 하였다.

달관(達觀) [명][하자타] 1 사물의 진실을 꿰뚫어 보는 뛰어난 식견이나 관찰. 2 깨달아 사소한 일에 얽매이지 않는 경지. 또는 그런 경지에 이르는 것. ¶~의 경지에 이르다 / 인생을 ~하다.

달구 [명] 집터 등의 땅을 다지는 데 쓰는 연장.

달구

달구다 [타] 1 불에 대어 뜨겁게 하다. ¶쇠를 ~. 2 불을 많이 때어 방을 매우 덥게 하다. ¶구들장을 ~. 3 분위기나 감정 따위를 고조시키다. ¶열띤 응원으로 축구 열기를 한층 ~.

***달구지** 명 1 소나 말이 끄는 짐수레. ¶~를 타고 가던 옛 시절이 생각난다. 2 달구지의 수로써 거기에 실린 분량을 세는 단위. ¶두엄 세 ~.

달구-질 명하타 달구로 집터나 땅을 단단히 다지는 일. ¶무덤 터를 ~하다.

달구-치다 타 꼼짝 못하게 몰아치다.

달굿-대 [-구때/-굳때] 명 땅을 다지는 데 쓰는 몽둥이. 두 손으로 윗머리를 쥐고 아래 끝으로 땅바닥을 다지게 되어 있음.

ㄷ

달그락 부하자타 단단하고 작은 물건이 부딪치거나 흔들리면서 서로 스쳐 나는 소리. 큰덜그럭. 센딸그락.

달그락-거리다 자타 자꾸 달그락하다. 또는 자꾸 달그락 소리를 내다. ¶그는 달그락거리며 무언가를 찾고 있었다. 큰덜그럭거리다. 센딸그락거리다. **달그락-달그락** 부하자타

달그락-대다 자타 달그락거리다.

달그랑 부하자타 얇은 쇠붙이의 물건이 맞닿아서 울려 나오는 소리. 큰덜그렁. 센딸그랑.

달그랑-거리다 자타 자꾸 달그랑하다. 또는 자꾸 달그랑 소리를 내다. 큰덜그렁거리다. 센딸그랑거리다. **달그랑-달그랑** 부하자타

달그랑-대다 자타 달그랑거리다.

달금-하다 형여불 알맞게 달다. 거달큼하다. **달금-히** 부

달기-살 명 소의 다리 안쪽에 붙은 고기(《주로 찌갯거리로 씀》). 죽바디.

달-나라 [-라-] 명 달을 지구처럼 하나의 세계로 여기어 일컫는 말. 월세계.

***달-님** [-림] 명 달을 의인화하여 높이어 이르는 말. ↔해님.

달:다[1] (다니, 다오) 자 1 음식 따위가 너무 끓어 지나치게 물이 졸아들다. ¶국이 너무 달았다. 2 몹시 더워지다. 몹시 뜨거워지다. ¶다리미가 ~. 3 안타깝거나 조마조마하여 마음이 타다. ¶애가 ~. 4 살이 얼어서 부르터 터지다.

***달다**[2] (다니, 다오) 타 1 물건을 높이 매어 늘어뜨리다. ¶처마에 풍경을 ~. 2 물건을 일정한 곳에 붙이다. ¶훈장을 ~/단추를 ~. 3 가설하다. ¶집에 전기를 ~/사무실에 에어컨을 ~. 4 글에 설명이나 제목 따위를 붙이다. ¶알기 쉽게 주석을 ~. 5 셈을 기록하다. ¶장부에 외상값을 ~. 6 윷판에 처음으로 말을 놓다. ¶말을 ~. 7 저울에 얹어 무게를 헤아리다. ¶쇠고기 한 근만 달아 주시오. 8 사람을 동행하여 오다. ¶모임에 여자 친구를 달고 오다.

[달고 치는데 안 맞는 장사가 있나] 아무리 강한 사람이라도 여러 사람의 합력에는 견디지 못함을 이르는 말.

달:다[3] 一불타 (주로 '달라·다오'의 꼴로 쓰여) 남에게 무엇을 주기를 청하다. ¶아기가 젖 달라고 보챈다/자유가 아니면 죽음을 달라. 二보동 동사 어미 '-어'·'-아' 등의 뒤에 쓰여, 상대편에게 그 일을 해 줄 것을 청하는 뜻의 불완전 보조 동사. ¶보증을 서 달라는데 고민이다/돈 좀 빌려 다오/무작정 와 달라는데 차편이 없다.

***달다**[4] (다니, 다오) 형 1 맛이 꿀이나 설탕과 같다. ¶커피를 너무 달게 탔다. 2 입맛이 당기게 맛이 좋다. ¶저녁을 달게 먹었다. 3 마음에 즐거운 느낌이 있다. ¶낮잠을 달게 자다. 4 당연한 것으로 여기는 마음이 있다. ¶처벌을 달게 받다. ↔쓰다[6].

[달면 삼키고 쓰면 뱉는다] 옳고 그름이나 신의를 돌보지 않고 자기의 이익만 꾀한다.

달다 쓰다 말이 없다 구 입을 다물고 아무런 반응도 나타내지 아니하다.

달달[1] 부 작은 바퀴가 단단한 바닥을 구르는 소리. 큰덜덜[1]. 센딸딸.

달달[2] 부 무섭거나 추워서 몸을 떠는 모양. ¶거지 아이가 ~ 떨고 있다. 큰덜덜[2].

달달[3] 부 1 콩·깨 등을 휘저어 가며 볶거나 맷돌에 가는 모양. ¶깨를 ~ 볶다. 2 사람을 못 견디게 볶는 모양. ¶아이가 엄마를 ~ 들볶다. 3 물건을 이리저리 들쑤셔 가며 뒤지는 모양. ¶옷장을 ~ 뒤지다. 큰들들.

달달-거리다[1] 자타 작은 바퀴 따위가 단단한 바닥에 굴러 자꾸 달달 소리가 나다. 또는 자꾸 달달 소리를 나게 하다. 큰덜덜거리다. 센딸딸거리다.

달달-거리다[2] 자타 춥거나 무서워서 작은 몸이나 그 일부를 자꾸 떨다. ¶너무 무서워서 ~. 큰덜덜거리다.

달달-대다 자타 달달거리다[1·2].

달-동네 (-洞-) [-똥-] 명 산등성이나 산비탈 등의 높은 곳에 가난한 사람들이 모여 사는 동네. 산동네. ¶~에 살고 있는 소녀 가장.

달-떡 명 달 모양으로 둥글게 만든 흰 떡.

달:-뜨다 (달뜨니, 달떠) 자 마음이 가라앉지 아니하고 조금 흥분되다. ¶봄이 오니 마음이 괜히 달뜬다/결혼 날짜가 다가올수록 마음이 달뜨고 있었다. 큰들뜨다.

***달:라다** 준 달라고 하다. ¶먹을 것을 ~/새 양복을 해 ~.

달라-붙다 [-붇따] 자 1 어떤 물건이 끈기 있게 찰싹 붙다. ¶껌이 옷에 ~. 2 붙좇아 따르다. ¶여자가 ~. 3 가까이 대들다. ¶내기를 하자고 ~. 4 한 군데에만 꼭 붙어 있다. ¶책상에 달라붙어 공부만 하다. 큰들러붙다.

***달라-지다** 자 변하여 이전과는 다르게 되다. ¶그는 너무 달라져 있었다/머리 모양이 ~.

달랑[1] 부하자타 1 작은 방울이 한 번 흔들려 나는 소리. ¶방울이 ~ 울리다. 2 침착하지 못하고 까불거나 경솔하게 행동하는 모양. 센딸랑. 3 갖거나 딸린 것이 적거나 하나만 있는 모양. ¶보따리 하나만 ~ 들고 나서다/커다란 방에 혼자 ~ 남았다. 큰덜렁[1].

달랑[2] 부하자 겁나는 일을 갑자기 당하여 가슴이 따끔하게 울리는 모양. ¶놀라서 가슴이 ~했다. 큰덜렁[2]. 센딸랑.

달랑-거리다 자타 1 자꾸 달랑 소리가 나다. 또는 자꾸 달랑 소리를 내다. ¶방울이 바람에 ~. 2 침착하지 못하고 자꾸 가볍게 행동하다. ¶달랑거리지 말고 이리 와서 앉아라. 큰덜렁거리다. 센딸랑거리다. **달랑-**

달랑[1] 부하자타
달랑-달랑[2] 부하형 돈이나 식량 따위가 얼마 남지 않은 모양. ¶월급 때가 가까워서 용돈이 ~하다.
달랑-대다 자타 달랑거리다.
달랑-쇠 명 침착하지 못하고 몹시 까부는 사람. 큰덜렁쇠.
달랑-이다 자타 1 침착하지 못하고 가볍게 까불다. ¶한시를 못 참고 ~. 2 작은 방울이나 매달린 물체 따위가 흔들리는 소리가 나다. 또는 그런 소리를 내다. ¶문에 단 방울이 ~. 큰덜렁이다.
달래 명 〖식〗 백합과의 여러해살이풀. 높이 20-50 cm, 숲 속에 나며 땅속에 둥근 모양의 흰 비늘줄기가 있고 잎은 가늘고 긴 대롱 모양임. 매운 맛이 있으며 식용함.
달래다 타 1 위로하다. ¶향수를 ~ / 울분을 ~. 2 좋고 옳은 말로 잘 구슬리거나 타이르다. ¶우는 아이를 ~.
달래-달래 부 간들간들 걷거나 행동하는 모양. ¶송아지가 ~ 어미 소 뒤를 따라간다. 큰덜레덜레. 거탈래탈래.
달러 (dollar) 一명 1 미국의 돈. ¶~는 만국 통화이다. 2 '외화(外貨)'의 비유. ¶우리 경제가 활성화되려면 ~를 벌어들여야 한다. 二의명 미국이나 캐나다 등지의 화폐 단위《기호는 $》. 불(弗).
달러 박스 (dollar box) 수출 따위로 돈을 벌어 주는 물건. 또는 그 사람. ¶토산품 개발이 ~의 역할을 담당할지도 모른다.
*달려-가다 자타거라불 뛰어가다. ¶급보를 받고 ~ / 험한 길을 ~.
*달려-들다 〔-드니, -드오〕 자 1 별안간 덤비다. ¶눈을 부릅뜨고 ~. 2 어떤 일에 끼어들다. ¶엉뚱한 사업에 ~.
*달려-오다 자타너라불 뛰어오다. ¶숨을 헐떡이며 ~ / 먼 길을 ~.
*달력 (-曆) 명 1년 가운데 월·일·이십사절기·요일·행사일 등의 사항을 날짜에 따라 적어 놓은 것. 캘린더. 월력(月曆).
달리 부 다르게. ¶~ 어쩔 도리가 없다.
*달리기 명하자 달음질하는 일. 경주. ¶~ 시합을 하다.
*달리다[1] 一타 《'닫다[1]'의 사동》 빨리 가게 하다. ¶말을 ~. 二자 빨리 가다. 뛰어가다. ¶전속력으로 ~.
[달리는 말에 채찍질] ㉠기세가 한창 좋을 때 더 힘을 가함의 비유. ㉡힘껏 하는데도 더 하라는 때 쓰는 말.
*달리다[2] 자 1 매이거나 딸리다. ¶달린 식구가 많다. 2 어떤 관계에 좌우되다. ¶합격 여부는 노력에 달렸다. 3 열려서 붙어 있다. ¶열매가 주렁주렁 달려 있다. 4 '달다[2]'의 피동. ¶문에 고리가 ~ / 턱에 수염이 ~.
달리다[3] 자 1 힘에 부치다. ¶힘이 달려 지고 말았다. 2 뒤를 잇대지 못하게 모자라다. ¶사업 자금이 ~.
달리아 (dahlia) 명 〖식〗 국화과의 여러해살이풀. 멕시코 원산, 온실 등에서 월동시켜 봄에 심음. 줄기는 흰 가루가 덮이고 높이 40-200 cm 가량, 땅속에 알뿌리가 많음. 여름에서 가을에 걸쳐 백색·홍색·자색 등의 꽃이 줄기 끝에 핌. 관상용임.
달리-하다 타여불 사정이나 조건 따위를 서로 다르게 가지다. ¶서로 의견을 ~ / 그는 내 생각과 달리했다. ↔같이하다.
달마 (達磨) 명 〔산 dharma〕 〖불〗 법(法)·진리·이법(理法)·교법(敎法) 등의 뜻.
달막-거리다 자타 자꾸 달막이다. 큰들먹거리다. 달막-달막 부하자타
달막-대다 자타 달막거리다.
달막-이다 一자 1 가벼운 물건이 들렸다 내려앉았다 하다. 2 마음이 흔들리거나, 어깨나 궁둥이가 아래위로 움직이다. ¶흥겨운 노랫가락에 궁둥이가 ~. 3 가격이 오르는 기세를 보이다. ¶해가 바뀌자 물가가 달막이기 시작하였다. 二타 1 가벼운 물건을 들었다 놓았다 하다. 2 남의 마음을 흔들리게 하다. 3 어깨·궁둥이를 위아래로 움직이다. ¶흥이 나서 어깨를 ~. 4 남을 들추어 말하다. ¶죄 없는 사람을 달막이지 마시오. 큰들먹이다.
달-맞이 명하자 〖민〗 음력 정월 보름날 저녁때 산이나 들에 나가 달이 뜨기를 기다려 맞이하는 일《달을 먼저 본 사람이 길하고 흔히 아들을 낳는다고 함》.
달맞이-꽃 [-꼳] 명 〖식〗 바늘꽃과의 두해살이풀. 화원에서 재배함. 높이 60 cm 가량, 잎은 가늘고 길며 끝이 뾰족함. 여름에 크고 노란 꽃이 저녁때 피었다가 이튿날 아침에 시들어 오므라짐.
달-무늬 [-니] 명 초승달 모양의 무늬.
달-무리 명 달 언저리에 둥글게 둘린 구름 같은 허연 테. ¶~가 지다.
달문 (達文) 명 1 익숙한 솜씨로 잘 쓴 글. 2 문맥이 분명하고 잘 통하는 세련된 문장.
*달-밤 [-빰] 명 달이 뜬 밤. 달이 떠서 밝은 밤. 월야(月夜). ¶배꽃이 흩날리는 ~이면 추억에 잠긴다.
달밤에 체조하다 구 격에 맞지 않은 짓을 한다는 말.
달-변 (-邊)[-뼌] 명 달로 계산하는 이자. 월리(月利).
달변 (達辯) 명 막힘없이 아주 말을 잘하는 솜씨. ¶그의 ~은 따를 사람이 없다.
달보드레-하다 형여불 약간 달큼하다.
*달-빛 [-삗] 명 달에서 비쳐 오는 빛. 월색(月色). 월광.
달-삯 [-싹] 명 한 달을 단위로 하여 계산하는 품삯. *월급.
달상 (達相)[-쌍] 명 장차 귀하고 높은 인물이 될 상.
달성 (達成)[-썽] 명하타 목적한 바를 이룸. ¶금년도 사업 목표를 ~하다.
달 세뇨 (이 dal segno) 〖악〗 도돌이표의 하나. 𝄋(세뇨)로 돌아가서 연주하라는 뜻으로, 'Fine' 이나 '𝄐' 에서 연주를 마침.
달-소수 명 한 달이 좀 지나는 동안. ¶편지를 보낸 지 ~나 지나도 답장이 없다.
달-수 (-數)[-쑤] 명 달의 수. 월수(月數). ¶~가 덜 차다.
달싹 부하자 붙어 있던 물건이 조금 떠들리는 모양. 큰들썩.
달싹-거리다 자타 자꾸 달싹이다. 큰들썩거리다. 센딸싹거리다. 달싹-달싹 부하자타
달싹-대다 자타 달싹거리다.
달싹-이다 一자 1 가벼운 물건이 들렸다 가라앉았다 하다. ¶물이 끓어 주전자 뚜껑이

~. **2** 마음이 흔들리거나 어깨나 궁둥이가 가벼이 아래위로 움직이다. ㉡타 **1** 가벼운 물건을 들었다 놓았다 하다. **2** 마음을 흔들어 움직이다. **3** 어깨나 궁둥이를 가벼이 위 아래로 움직이다. ㉥들썩이다.

달싹-하다 [-싸카-] 형여불 붙어 있던 가벼운 물건이 조금 떠들려 있다. ㉥들썩하다.

***달아-나다** 자거라불 **1** 빨리 뛰어가다. 빨리 내닫다. ¶뒤도 돌아보지 않고 ~. **2** 있던 것이 없어지거나 붙어 있던 것이 떨어지다. ¶단추가 ~/기회가 ~. **3** 어떤 의욕이나 느낌 따위가 사라지다. ¶입맛이 ~/잠이 ~. **4** 위험을 피하여 도망치다. ¶도둑이 ~.

[달아나는 노루 보고 얻은 토끼를 놓았다] 지나치게 욕심을 부리다가 도리어 자기 수중에 있는 것까지 잃었다는 말.

달아-매다 타 **1** 높이 걸어 드리워지도록 잡아매다. ¶나무에 그네를 ~. **2** 달아나지 못하게 고정된 물건에 묶다. ¶개를 기둥에 ~/말뚝에 고삐를 ~.

달아-보다 타 **1** 저울로 무게를 떠보다. ¶몸무게를 ~. **2** 사람의 드레를 시험해 보다. ¶인품을 ~.

달아-오르다 〔-오르니, -올라〕 자르불 **1** 쇠붙이 등이 몹시 뜨거워지다. ¶쇠가 ~. **2** 얼굴이 화끈해지다. ¶감격과 흥분으로 달아오른 표정이었다. **3** 분위기나 상태가 몹시 고조되다. ¶선거 열기가 후끈 ~.

달음박-질 명하자 급히 뛰어 달려가는 걸음. ¶그녀는 ~로 도망쳤다. ㉦달음질.

달음박질-치다 자 힘 있게 뛰어 달려가다.

달음-질 명하자 **1** 빨리 뛰어 달려가는 것. ¶녀석의 ~은 도저히 따를 수가 없다. **2** '달음박질'의 준말.

달의 (達意)[-/-이] 명하자 자기 의사를 잘 드러내서 그 뜻이 상대에게 충분히 통함.

달이다 타 **1** 액체 따위를 끓여서 진하게 만들다. ¶장을 ~. **2** 약제에 물을 부어 우러나도록 끓이다. ¶보약을 ~.

달인 (達人) 명 **1** 학문이나 기예에 뛰어난 기량을 가진 사람. 달자(達者). ¶~의 경지에 이른 솜씨. **2** 널리 사물의 이치에 통달한 사람. ¶그는 보통의 떠돌이가 아닌 ~의 풍모를 느끼게 한다.

달장 [-짱] 명 거의 한 달의 기간. ¶~이나 걸려 끝냈다.

달-장근 (-將近)[-짱-] 명 지나간 날짜가 거의 한 달이 되는 일. ¶가출한 지 ~이 되어도 돌아오지 않는다.

달-집 [-찝] 명 〖민〗 음력 정월 보름날 달맞이할 때 불을 질러 밝게 하기 위해 생소나무 가지 등을 묶어 집채처럼 쌓은 나무 무더기.

달짝지근-하다 형여불 조금 달콤한 맛이 있다. ¶포도주의 달짝지근한 맛이 좋다. ㉥들쩍지근하다. ㉮달착지근하다. **달짝지근-히** 부

달착지근-하다 형여불 조금 달콤한 맛이 있다. ㉥들척지근하다. ㉦달짝지근하다. **달착지근-히** 부

달창-나다 자 **1** 물건을 오래 써서 해지거나 구멍이 뚫리다. ¶구두가 달창나서 버리다. **2** 많던 물건이 조금씩 써서 다 없어지게 되다. ¶보리쌀조차 달창나서 굶게 생겼다.

달초 (撻楚) 명하타 부모나 스승이 훈계할 목적으로 회초리로 볼기나 종아리를 때리는 일. ¶아버지의 ~로 잘못을 뉘우치다.

달:치다 자타 **1** 지나치도록 뜨겁게 달다. ¶쇠붙이가 ~. **2** 몹시 안타깝고 들뜨다. ¶애가 ~. **3** 바싹 졸아들도록 끓이다. ¶탕약을 ~.

달카닥 부하자타 단단한 물건이 흔들려 부딪치는 소리. ¶방문을 ~하고 잠그다. ㉥덜커덕[1]. ㉦달칵.

달카닥-거리다 자타 자꾸 달카닥하다. 또는 자꾸 그런 소리를 내다. ¶달구지가 자갈길을 달카닥거리며 간다. ㉥덜커덕거리다. ㉦달칵거리다. **달카닥-달카닥** 부하자타

달카닥-대다 자타 달카닥거리다.

달카당 부하자타 단단하고 작은 물건이 세게 부딪쳐 울리는 소리. ¶커피포트가 ~ 방바닥에 떨어졌다. ㉥덜커덩. ㉦딸카당. ㉦달캉.

달카당-거리다 자타 자꾸 달카당하다. 또는 자꾸 그런 소리를 내다. ㉥덜커덩거리다. ㉦달캉거리다. **달카당-달카당** 부하자타

달카당-대다 자타 달카당거리다.

달칵 부하자타 '달카닥'의 준말.

달칵-거리다 자타 '달카닥거리다'의 준말. **달칵-달칵** 부하자타

달칵-대다 자타 달칵거리다.

달캉 부하자타 '달카당'의 준말.

달캉-거리다 자타 '달카당거리다'의 준말. **달캉-달캉** 부하자타

달캉-대다 자타 달캉거리다.

달콤새큼-하다 형여불 단맛이 나면서 조금 신맛이 있다. ¶오렌지 주스의 맛이 ~.

달콤-하다 형여불 **1** 맛이 알맞게 달다. 감칠맛이 있게 달다. ¶달콤한 초콜릿. ㉥달큼하다. **2** 아기자기하고 흥미가 있다. ¶달콤한 말로 속삭이다. **3** 편안하고 기분 좋다. ¶달콤한 잠에 빠지다. **달콤-히** 부

달큼-하다 형여불 맛이 꽤 달다. ¶배 맛이 시원하고 ~. ㉥들큼하다. ㉦달콤하다. ㉧달금하다. **달큼-히** 부

달통 (達通) 명하자타 사리에 능통함. ¶문학 이론에 ~하다.

달팽이 명 〖동〗 달팽잇과의 연체동물. 나선형의 껍데기를 지고 다니며, 암수한몸으로 알을 낳음. 머리에 두 개의 촉각이 있고 그 끝에 명암만 구분하는 눈이 있음. 여름철 습기가 많을 때나 밤에 나무나 풀 위에 올라가 세균·어린잎 등을 먹음.

달팽이 뚜껑 덮는다 구 입을 꼭 다문 채 좀처럼 말을 하지 않다.

달팽이-관 (-管) 명 〖생〗 척추동물의 내이(內耳)에 있는 달팽이 모양으로 생긴 관. 소리의 진동을 청신경에 전달함. 와우관(蝸牛管).

달-포 명 한 달 이상이 되는 동안. ¶한 ~ 전에 다녀갔다.

달-품 명 한 달에 얼마씩의 품삯을 받기로 하고 파는 품. ¶~을 팔아 생활하다.

달필 (達筆) 명 아주 잘 쓰는 글씨. ¶~이 그를 더욱 돋보이게 한다. ↔악필.

달-하다 (達-) 자타여불 **1** 일정한 정도나 수준에 이르다. ¶국제 수준에 ~/10만 명에

달하는 인파. **2** 어떤 상태에 다다르다. ¶인기가 절정에 ~. **3** 목적을 이루다. 달성하다. ¶드디어 계획량을 달했다.

***닭** [닥] 명 〖조〗 꿩과의 새. 가축으로 기르며, 머리에 붉은 볏이 있고 날개는 퇴화하여 잘 날지 못함. 수컷은 털빛이 고우며 때를 맞춰 울고 암컷은 알을 낳음. 품종이 많음.

[닭 소 보듯, 소 닭 보듯] 서로 보기만 하고 말없이 덤덤히 있는 모양. 서로 아무 관심도 없는 사이임을 비유적으로 이르는 말. [닭 잡아먹고 오리발 내놓기] 자신이 저지른 일이 드러나게 되자 엉뚱한 수단으로써 남을 속이려 함. [닭 쫓던 개 지붕 쳐다보듯] 애써 하던 일이 실패가 되어 어찌할 도리가 없이 됨.

닭-고기 [닥꼬-] 명 닭의 살코기.

닭-고집 (-固執)[닥꼬-] 명 고집이 센 사람을 조롱하는 말.

닭-띠 [닥-] 명 〖민〗 닭의 해에 태어난 사람의 띠, 즉 '유생(酉生)'을 일컬음.

닭-살 [닥쌀] 명 **1** 닭의 살가죽처럼 오톨도톨한 피부. **2** 〈속〉 소름. ¶~이 돋는다.

닭-서리 [닥써-] 명 몇 사람이 떼를 지어서 남의 집 닭을 훔쳐 먹는 장난.

닭-싸움 [닥-] 명하자 **1** 닭, 특히 싸움닭끼리 싸우게 하여 승부를 정하는 구경거리. 투계(鬪鷄). **2** 팔짱을 끼거나 한쪽 발을 손으로 잡고, 외다리로 뛰면서 상대방에 부딪쳐서 밀어 넘어뜨리는 놀이. 준닭쌈.

닭의-어리 [달기-] 명 나뭇가지나 싸리 등으로 엮어 닭을 넣어 두는 제구.

닭의-장 (-欌)[달기-] 명 닭장.

닭의-홰 [달기-] 명 닭장 속에 가로 건너질러 닭이 앉게 된 나무.

닭-장 (-欌)[닥짱] 명 닭을 가두어 기르는 우리. 닭의장.

닭-잦추다 [닥짣-] 자 새벽에 닭이 홰를 치며 울다.

***닮:다** [담따] 타 **1** 생김새나 성질 등이 비슷하게 생기다. ¶외할머니를 ~. **2** 어떤 것을 본떠 그와 같아지다. ¶부모를 닮아서 예의 바르다.

닮은-꼴 [달믄-] 명 **1** 〖수〗 크기만 다르고 모양이 같은 둘 이상의 도형. 상사형(相似形). **2** 모습이나 모양 등이 아주 흡사하다. ¶저 집 남매는 ~이다.

닮음 [달믐] 명 〖수〗 두 개의 기하학 도형이 서로 대응하는 각과 변의 길이의 비가 같은 것. 상사(相似).

닮음-비 (-比)[달믐-] 명 〖수〗 닮은꼴에서 대응하는 부분의 비. 상사비(相似比).

***닳다** [달타] 자 **1** 오래 써서 낡아지거나 줄어들다. ¶신발이 ~. **2** 액체 등이 졸아들다. ¶국이 너무 닳았구나. **3** 피부가 얼어서 붉어지다. ¶심한 추위에 닳은 피부. **4** 세파에 시달리거나 어려움을 많이 겪어 약아지다. ¶너무 닳아 싫어하다.

닳고 닳다 구 ㉠몹시 닳다. ㉡세상에 시달려서 약아빠지다. ¶닳고 닳은 여자.

***담**¹ 명 흙·돌·벽돌 따위로 집 둘레를 둘러막아 쌓아 올린 구조물. ¶~을 쌓다 / ~이 무너지다.

담 구멍을 뚫다 구 도둑질을 하다.

담:² 명 머리를 빗을 때, 빗기는 머리털의 결. ¶~이 좋다.

담:³ 명 '다음'의 준말. ¶~에 술이나 한잔 합시다.

담: (痰) 명 **1** 〖생〗 가래². ¶~이 생기다. **2** 몸의 분비액이 순환하다가 어느 부분이 삐거나 접질린 때 거기에 응결되어 결리고 아픈 증상. ¶~이 들다 / 옆구리에 ~이 결리다. **3** '담병(痰病)'의 준말.

담: (膽) 명 **1** 〖생〗 쓸개. **2** '담력'의 준말. ¶~이 크다.

담:- (淡) 두 빛이 엷음을 나타내는 말. ¶~홍색 / ~청색.

-담 (談) 미 '이야기'의 뜻. ¶경험~ / 여행~ / 체험~.

-담 어미 '-단 말인가'의 뜻의 종결 어미. ¶무엇이 그렇게 좋~.

담:-갈색 (淡褐色)[-쌕] 명 연한 갈색.

담:교 (淡交) 명 사심이 없는 깨끗한 교제. 담수지교.

담구 (擔具) 명 어깨에 메고 물건을 나르는 기구의 총칭.

***담그다** [담그니, 담가] 타 **1** 액체 속에 넣다. ¶더운물에 발을 ~. **2** 술·김치·장·젓갈 등을 만들 때 그 원료에 물을 부어 익도록 그릇에 넣다. ¶김치를 ~ / 간장을 ~ / 아가미젓을 ~.

담금-질 명하타 쇠를 달구었다가 찬물에 넣음. ¶~로 쇠를 단단하게 만들다.

***담기다** 자 **1** (('담다'의 피동)) 그릇 속에 물건이 담아지다. ¶광주리에 담긴 과일. **2** 생각이나 감정이 들어 있다. ¶정성이 담긴 선물 / 애정이 담기어 있는 눈빛.

담:낭 (膽囊) 명 〖생〗 쓸개.

담:-녹색 (淡綠色) 명 엷은 녹색. 연둣빛.

***담:다** [-따] 타 **1** 어떤 물건을 그릇에 넣다. ¶휴지를 쓰레기통에 ~. **2** 욕설을 입에 올리다. ¶입에 담지 못할 욕설. **3** 그림이나 글 따위에 나타내다. ¶그의 사상을 담은 작품. **4** 품거나 가지다. ¶선생님의 말씀을 가슴에 ~.

담:담-하다 (淡淡-) 형여불 **1** 빛깔이 엷고 맑다. ¶담담한 달빛 속에 들려오는 피리 소리. **2** 마음이 편안하고 차분하다. ¶담담한 목소리 / 심경이 ~. **3** 음식이 느끼하지 않다. ¶나물 맛이 ~. **4** 말없이 잠자코 있다. ¶그저 담담하게 앉아만 있다. **담:담-히** 부

담당 (擔當) 명하타 **1** 어떤 일을 맡음. ¶~과목 / ~ 구역. **2** 어떤 책임을 맡은 사람. 담당자. ¶그 업무의 ~이 누구냐.

담:대-하다 (膽大-) 형여불 겁이 없고 용감하다. 배짱이 두둑하다. 대담하다. ¶담대한 사람. **담:대-히** 부. ¶~ 대처하다.

담:략 (膽略)[-냑] 명하형 **1** 담력과 지략. 대담한 책략. ¶~이 뛰어난 사람. **2** 대담하고 꾀가 많음.

담:력 (膽力)[-녁] 명 겁이 없고 용감한 기운. 담기(膽氣). ¶~을 기르다 / 그의 전신에는 ~이 서려 있었다. 준담(膽).

담론 (談論)[-논] 명하타 **1** 이야기를 주고받으며 논의함. ¶~을 즐기다. **2** 어떤 주제에 관한 체계적인 말이나 글.

담박-질 명하자 '달음박질'의 준말.

담:박-하다 (淡泊―·澹泊―)[―바카―] 형 여불 **1** 욕심이 없고 마음이 깨끗하다. ¶세속사에 ~. **2** 맛이나 빛이 산뜻하다. 담백하다. ¶담박한 채소류를 좋아하다.
담방 부 하 자타 작고 가벼운 물건이 물속으로 떨어져 들어가는 소리. ¶조약돌이 ~ 소리를 내며 물속으로 가라앉다. 큰 덤벙.
담방-거리다[1] 자타 자꾸 담방 소리가 나다. 또는 자꾸 그런 소리를 내다. 큰 덤벙거리다. **담방-담방**[1] 부 하 자타
담방-거리다[2] 자 계속 들뜬 행동으로 간섭하며 까불다. ¶녀석이 너무 담방거려 밉다. 큰 덤벙거리다. **담방-담방**[2] 부 하 자
담방-대다[1] 자타 담방거리다[1].
담방-대다[2] 자 담방거리다[2].
담방-이다 자 들뜬 행동으로 무엇에나 간섭하며 함부로 까불다. 큰 덤벙이다.
***담:배** 명 **1** 〔식〕 가짓과의 한해살이풀. 남아메리카 원산의 재배 식물. 높이 1.5-2m 가량, 잎은 넓고 길며 끝이 뾰족한데 매우 크고 어긋나게 남. 여름에 담홍색의 꽃이 핌. 잎은 '담배'의 재료로, 그 성분 속의 니코틴은 농업용 살충제로 씀. 남초. **2** 담뱃잎을 말려서 만든 기호품. ¶~ 한 개비 / ~를 피우다 / ~를 한 모금 빨다.
담:배-꼬투리 명 마른 담뱃잎의 단단한 줄기.
담:배-꽁초 명 담배를 피우다 남은 작은 도막. 꽁초.
담:배-물부리 [――뿌―] 명 담뱃대로 담배를 피울 때, 입에 물고 빠는 자리에 끼우는 물건. 준 물부리.
담:배-설대 [―때] 명 담배통과 물부리 사이에 끼워 맞추는 가는 대. 준 설대.
담:배-쌈지 명 잎담배나 살담배를 넣고 다니는 주머니.
담:배-질 명 하 자 일삼아 담배만 자꾸 피우는 일. ¶학교에서 ~을 하다니.
담:백-하다 (淡白―)[―배카―] 형 여불 담박(淡泊)하다. ¶담백한 맛 / 담백한 성격.
담:뱃-갑 (―匣)[―배깝 / ―밷깝] 명 **1** 담배를 담는 작은 갑. ¶~만 한 사진기. **2** 담배를 포장한 상자갑.
담:뱃-값 [―배깝 / ―밷깝] 명 **1** 담배의 가격. ¶~이 올랐다. **2** 담배를 살 돈. ¶~이 떨어지다. **3** 〈속〉 약간의 사례금. ¶~ 정도면 될 것이다.
담:뱃-대 [―배때 / ―밷때] 명 담배를 재어서 피우는 데 쓰는 제구《담배통·담배설대·물부리로 이루어짐》. 준 대.
담:뱃-불 [―배뿔 / ―밷뿔] 명 **1** 담배에 붙은 불. ¶~에 데다. **2** 담배에 붙일 불. ¶~ 좀 빌려 주세요.
[담뱃불에 언 쥐를 쬐어 가며 벗길 놈] 도량이 작아 아무짝에도 쓸모없는 놈.
담:뱃-재 [―배째 / ―밷째] 명 담배가 탄 재. ¶재떨이에 ~를 떨다.
담:뱃-진 (―津)[―배찐 / ―밷찐] 명 담배에서 우러난 진.
담-벼락 [―뼈―] 명 **1** 담이나 벽의 겉으로 드러난 부분. ¶~에 부딪히다. **2** 미련하여 사물을 아주 이해하지 못하는 사람의 비유. ¶~이라서 통해야 말을 하지.
[담벼락하고 말하는 셈이다] 도무지 이해할 줄 모르는 사람과는 말해야 소용없다.
담:병 (痰病)[―뼝] 명 〔한의〕 몸의 분비액이 큰 열을 받아서 생기는 병의 총칭. 담증. 준 담(痰).
담보 (擔保) 명 하 타 **1** 맡아서 보증함. **2** 〔법〕 민법에서, 채무 불이행 때에 채무의 변제를 확보하는 수단으로 미리 채권자에게 제공하는 것. 물적 담보와 인적 담보의 두 종류가 있음. 보증. ¶~로 잡히다 / 집을 ~로 돈을 빌리다.
담보-권 (擔保權)[―꿘] 명 〔법〕 채무자가 채무를 이행하지 않을 때, 채권자가 그 이행을 확보할 수 있는 권리.
담보-물 (擔保物) 명 〔법〕 담보로 제공하는 물건. 담보품.
담북-장 (―醬) 명 **1** 메줏가루에 쌀가루·고춧가루를 섞고 생강을 이겨 넣어 소금을 쳐서 익힌 된장. **2** 삶은 콩을 더운 방에서 띄운 다음 양념을 치고 익힌 음식. 청국장.
담불 ㊀ 명 높이 쌓은 곡식 무더기. ㊁ 의명 벼 백 섬을 세는 단위. ¶벼 한 ~.
담비 명 〔동〕 족제빗과의 동물. 족제비와 비슷한데 몸의 길이가 수컷은 50cm, 암컷은 40cm, 꼬리는 20cm 가량, 황갈색이나 겨울에는 담색(淡色)으로 변함. 다리는 짧고 발은 검으며 모피의 질이 뛰어나 아주 비쌈. 산달.
담빡 부 깊은 생각이 없이 가볍게 행동하는 모양. ¶남의 말을 ~ 믿었다가는 크게 손해를 본다.
담뿍 부 하 형 **1** 가득 담기거나 들어 있는 모양. ¶정이 ~ 담긴 편지 / 꿀을 ~ 떠서 종지에 담다. **2** 먹물이나 칠 따위를 충분히 묻힌 모양. ¶붓에 먹물을 ~ 묻혀 글씨를 쓰다. 큰 듬뿍.
담뿍-담뿍 부 하 형 모두 담뿍하게. 여러 곳에 담뿍한 모양. 큰 듬뿍듬뿍.
담뿍-이 부 담뿍하게. ¶밥을 ~ 담다.
담상-담상 부 하 형 드물고 성긴 모양. ¶쑥이 ~ 돋기 시작한다. 큰 듬성듬성.
담:색 (淡色) 명 연한 빛깔. ↔농색(濃色).
담:석 (膽石) 명 〔의〕 사람·소·양의 쓸개관·담낭에 생기는 결석(結石). 담결석.
담:석-증 (膽石症) 명 〔의〕 쓸개관이나 담낭에 결석이 생겨 몹시 통증을 느끼는 병. 담석통(痛).
담세 (擔稅) 명 하 자 조세를 부담함.
담소 (談笑) 명 하 자 웃으면서 이야기함. ¶~를 즐기다〔나누다〕.
담:수 (淡水) 명 민물. ↔함수(鹹水).
담수 (潭水) 명 깊은 못이나 늪의 물.
담:수-어 (淡水魚) 명 〔어〕 민물고기. ↔함수어(鹹水魚).
담:수-호 (淡水湖) 명 〔지〕 담수가 모여서 된 호수. 1l 가운데 0.5g 이하의 염분을 함유하는 호수. ↔함수어(鹹水湖).
담시 (譚詩) 명 발라드(ballad)1.
담시-곡 (譚詩曲) 명 〔악〕 발라드(ballad)3.
담-쌓다 [―싸타] 자 **1** 담을 만들다. **2** 관계나 인연을 끊다. ¶술하고는 담쌓을수록 좋다 / 그녀는 이웃과 담쌓고 지낸다.
담쌓고 벽 친다 구 좋게 사귀던 사이를 끊고 지내다.
담쏙 부 손으로 탐스럽게 쥐거나 팔로 정답

게 안는 모양. ¶ ~ 껴안다. ㉪듬쑥.
담쑥-담쑥 뷔 여러 번 담쑥 쥐거나 안는 모양. ㉪듬쑥듬쑥.
담아-내다 타 1 그릇 따위에 담아서 내놓다. ¶과일을 접시에 ~. 2 글 속에 어떤 내용을 나타내다.
담:아-하다 (淡雅-) 형여불 맑고 아담하다.
담:액 (膽液) 명 〔생〕 쓸개즙.
담:약-하다 (膽弱-)[-야카-] 형여불 겁이 많고 담력이 약하다. 담소하다. ¶사내 녀석이 담약해서 걱정이다.
담:연-하다 (淡然-) 형여불 욕심이 없고 깨끗하다. **담:연-히** 뷔
담:-요 (毯-)[-뇨] 명 털 따위로 만들어 깔거나 덮게 된 요. 담자(毯子). 모포.
담임 (擔任) 명하타 1 어떤 일을 책임지고 맡아봄. 또는 그 사람. 2 '담임교사·담임선생'의 준말. ¶고3 ~을 맡다.
담임-교사 (擔任敎師) 명 초등학교·중학교·고등학교 등에서, 한 반의 학생을 담임하여 지도하고 모든 일을 처리하는 교사. 담임선생. ㊎담임.
담임-선생 (擔任先生) 명 담임교사. ㊎담임.
담자균-류 (擔子菌類)[-뉴] 명 〔식〕 진균류의 한 강(綱)《몸은 다세포의 균사가 모여서 이루어지며, 유성 생식 때 특별한 포자낭(胞子囊)을 형성함》.
담-장 (-牆) 명 담[1]. ¶초구(初球)를 끌어당겨 ~을 넘기다.
담쟁이 명 〔식〕 '담쟁이덩굴'의 준말.
담쟁이-덩굴 명 〔식〕 포도과의 낙엽 활엽 만목. 바위 밑이나 숲 속에 나는데 덩굴손으로 담이나 나무 등에 기어오름. 초여름에 담녹색 꽃이 피고 가을에 자줏빛 장과가 익음. 한국·일본·대만 등지에 분포함. ㊎담쟁이.
담:즙 (膽汁) 명 〔생〕 쓸개즙.
담:-차다 (膽-) 형 겁이 없고 대담하고 야무지다. ¶하는 짓을 보니 담찬 사람이다.
담:채 (淡彩) 명 엷은 채색.
담:채-화 (淡彩畫) 명 여린 색깔이나 물을 많이 써서 투명하게 그린 그림. ¶~는 산뜻한 느낌을 준다.
담:천 (曇天) 명 1 구름이 끼어 흐린 하늘. 2 구름이 하늘 면적의 70% 이상 낀 날씨.
담타기 명 1 허물이나 걱정을 남에게 넘겨씌우거나 넘겨 맡는 일. 2 억울한 누명이나 오명. ㉪덤터기.
  담타기(를) 쓰다 구 남의 허물이나 걱정을 넘겨받다.
  담타기(를) 씌우다 구 남에게 허물이나 걱정을 덮어씌우다.
담판 (談判) 명하타 쌍방이 서로 의논하여 옳고 그른 것을 판단함. ¶마주 앉아 ~을 짓다.
담:-하다 (淡-) 형여불 1 빛깔이 엷다. 2 욕심이 적다. ¶담한 성격. 3 맛이 느끼하지 않다.
담합 (談合) 명하자 1 서로 의논하여 정함. ¶~하여 해결하다. 2 입찰자가 상의하여 미리 입찰 가격을 협정하는 일. ¶업자 간의 ~.
담:해 (痰咳) 명 1 가래와 기침. 2 가래가 나오는 기침.
담:-홍색 (淡紅色) 명 엷은 붉은색. 담홍빛.
담화 (談話) 명하자 1 서로 이야기를 주고받음. ¶~를 나누다. 2 한 단체나 공적인 자리에 있는 사람이 어떤 일에 대한 의견이나 태도를 밝히는 말. ¶~를 발표하다.
담화-문 (談話文) 명 공적인 일에 대한 견해를 공식적으로 발표하는 글. ¶대통령이 ~을 발표하다.
답 (畓) 명 논.
***답** (答) 명하자 1 '대답'의 준말. 2 '해답'의 준말. ¶~을 맞추어 보다. 3 '회답'의 준말.
답교 (踏橋) 명하자 〔민〕 다리밟기.
-답니까 [담-] 어미 1 놀라거나 못마땅하다는 뜻으로 의문을 나타내는 합쇼체의 종결 어미. ¶그이는 왜 이렇게 일찍 갔~. 2 '-다고 합니까'의 준말. ¶뭘 먹겠~.
-답니다 [담-] 어미 1 알고 있는 사실을 알려 주는 합쇼체의 종결 어미. ¶저는 아주 건강하~. 2 '-다고 합니다'의 준말. ¶내일 온~.
-답다 〔-다우니, -다워〕 미ㅂ불 성질이나 특성이 있음을 의미하는 접미사 '-답-'이 붙어 형용사를 만드는 말. ¶남자~ / 꽃다운 나이 / 여자다운 행동.
답답-하다 [-따파-] 형여불 1 근심·걱정으로 애가 타서 갑갑하다. ¶가슴이 ~. 2 숨이 막힐 듯하다. ¶방 안의 공기가 너무 ~. 3 시원한 느낌이 없다. 4 너무 고지식하여 딱하다. ¶하는 짓이 ~. **답답-히** [-따피] 뷔
-답디까 어미 '-다고 합디까'의 준말. ¶얼마나 크~.
-답디다 어미 '-다고 합디다'의 준말. ¶고비를 넘겼~.
답례 (答禮)[담녜] 명하자 남에게서 받은 예를 갚는 일. 또는 그 예. ¶~의 선물 / ~의 인사말.
답방 (答訪) 명하자 다른 사람의 방문에 대한 답례로 방문함. 또는 그런 방문.
답배 (答杯) 명하자 술잔을 받고 그에 대한 답례로 주는 잔.
답배 (答拜) 명하자 받은 절의 답례로 하는 절. ¶신랑이 신부의 절에 ~하다.
답변 (答辯) 명하자 물음에 대하여 밝혀 대답함. 또는 그 대답. ¶~을 회피하다.
답변-서 (答辯書) 명 1 물음에 답변하는 글. 2 민사 소송에서, 피고가 소장(訴狀)에 답변하고자 사항을 적어서 제출하는 문서.
답보 (踏步) 명하자 앞으로 나아가지 못하고 제자리에 머물러 있음. 제자리걸음. ¶교육 정책은 아직도 ~ 상태이다.
답사 (答謝) 명하자 답례로 사례를 함. 또는 그 사례.
답사 (答辭) 명하자 1 회답하는 말. 2 식장에서 축사·환영사·환송사 따위에 답하는 말. ¶졸업생의 ~.
답사 (踏査) 명하타 현장에 실제로 가서 보고 듣고 조사함. ¶현지 ~를 떠나다.
답삭 뷔 왈칵 달려들어 움켜잡거나 무는 모양. ¶손을 ~ 쥐다. ㉪덥석. ㉳탑삭.
답습 (踏襲) 명하타 예로부터 해 오던 것을 그대로 따라 행하거나 이어 가는 것. ¶과거를 그대로 ~하는 것은 바람직하지 못하다.
-답시고 어미 형용사의 어간 및 선어말 어

미 '-았-'·'-었-'·'-겠-' 뒤에 붙어서, '-다고'의 뜻으로, 스스로 그러함을 자처하는 꼴을 빈정거리는 연결 어미. ¶남보다 조금 더 안~ 뻐기고 있다.
답신 (答申) 명하자 1 상사의 물음에 대하여 의견을 상신(上申)함. 또는 그 의견. 2 자문 기관이 행정 관청의 물음에 대하여 의견을 진술함. 또는 그 진술.
답신 (答信) 명하자 회답으로 보내는 통신이나 서신. ¶전보를 읽고 급히 ~을 보내다.
답-쌓이다 [-싸-] 자 1 한군데로 들이덮쳐 쌓이다. ¶바람에 낙엽이 골짜기로 ~. 2 일이나 사람 등이 한꺼번에 몰리다. ¶손님이 답쌓여 정신이 없다.
답안 (答案) 명 문제에 대한 해답. 또는 해답을 쓴 종이. ¶시험 ~을 작성하다 / ~을 제출하다.
답안-지 (答案紙) 명 문제의 답안을 쓰는 종이. 답지. ¶그의 ~는 완벽했다.
답언 (答言) 명하자 대답으로 하는 말.
답작-거리다 자 1 어떤 일에나 간섭하기를 좋아하다. ¶그는 남의 일에 답작거리기를 좋아한다. 2 자꾸 남에게 붙임성 있게 굴다. 큰덥적거리다. **답작-답작** 부하자
답작-대다 자 답작거리다.
답작-이다 자 답작거리는 행동을 하다. 큰덥적이다.
답장 (答狀) 명하자 회답하여 보내는 편지. 답간(答簡). ¶그녀의 ~을 고대하다.
답전 (答電) 명하자 전보로 회답함. 또는 그 전보. ¶~을 치다.
답지 (答紙) 명 답안지.
답지 (遝至) 명하자 한군데로 몰려듦. ¶주문이 ~하여 즐거운 비명을 지르다.
답청 (踏靑) 명하자 봄에 파랗게 난 풀을 밟으며 노니는 일. 청답.
답치기 명 질서 없이 함부로 덤벼들거나 생각 없이 덮어놓고 하는 짓.
답치기(를) 놓다 구 질서 없이 함부로 덤벼들다. ¶그렇게 답치기를 놓으면 될 일도 안 된다.
답파 (踏破) 명하타 험한 길이나 먼 길을 끝까지 걸어서 돌파함. ¶지리산을 ~하다.
닷 [닫] 관 '다섯'의 준말. ¶~ 냥 / ~ 말.
닷곱 [닫꼽] 명 다섯 홉.
닷새 [닫쌔] 명 1 다섯 날. ¶벌써 ~가 지났다. 2 '초닷샛날'의 준말. ¶오월 ~가 어머님 생신이시다.
닷샛-날 [닫쌘-] 명 1 다섯째 날. 2 '초닷샛날'의 준말. ¶음력 오월 ~이 단옷날이다.
당 (堂) 명 1 '당집'의 준말. ¶~을 세우다. 2 대청(大廳). 3 〖불〗 큰 절의 문 앞에 그 절의 이름난 승려를 세상에 알리기 위해 세우는 깃대. 4 〖불〗 신불 앞에 세우는 기의 하나. 5 서당.
당 (糖) 명 〖화〗 '당류(糖類)'의 준말.
당 (黨) 명 정당.
당 (當) 관 1 '그·바로 그·이·지금의' 등의 뜻. ¶~ 회사의 제품입니다. 2 그 당시의 나이를 나타내는 말. ¶~ 25세의 신체 건강한 청년.
당- (堂) 투 사촌 형제나 오촌 숙질 관계를 뜻하는 말. ¶~고모.
-당 (當) 미 '앞에·마다' 등의 뜻. ¶일인~ 천 원씩 거두다.
당겨-쓰다 [-쓰니, -써] 타 돈이나 물건 따위를 미리 끌어다가 쓰다. ¶다음 달 봉급을 ~.
당고 (當故) 명하자 부모의 상사(喪事)를 당함. 당상(當喪).
당-고모 (堂姑母) 명 종고모를 친근하게 일컫는 말. ¶~는 아버지의 사촌 누이다.
당고모-부 (堂姑母夫) 명 종고모부를 친근하게 일컫는 말.
당구 (撞球) 명 네모난 대 위에 상아나 플라스틱으로 만든 붉은 공과 흰 공을 놓고 큐로 쳐서 맞히어 승부를 정하는 실내 오락. ¶~공 / ~대 / ~를 치다 / ~를 즐기다.
당구-장 (撞球場) 명 당구를 치는 곳. ¶그 사람은 ~에서 살다시피 한다.
당국 (當局) 명하자 1 어떤 일을 직접 담당함. 2 어떤 정무를 맡아보는 관청. ¶관계 ~의 발표 / ~에 신고하다.
당국-자 (當局者) 명 그 일을 직접 맡아보는 자리에 있는 사람.
당권 (黨權) [-꿘] 명 정당이나 당파를 이끌고 주도하는 힘. 당의 주도권. ¶~을 장악하다.
당귀 (當歸) 명 〖한의〗 승검초의 뿌리《부인병의 약제로 씀》.
당규 (黨規) 명 정당의 규칙. 당칙.
당그랗다 [-라타] [당그라니, 당그라오] 형 ㅎ불 1 홀로 우뚝 솟아 있다. ¶큰 상에 김치 사발만 당그랗게 놓여 있다. 2 큰 건물의 안이 텅 비어 쓸쓸하다. 큰덩그렇다.
*__당근__ 명 〖식〗 미나릿과의 한해 또는 두해살이풀. 꽃줄기 높이 1-1.5 m로 거친 털이 있음. 꽃은 여름에 핌. 뿌리는 긴 원추형으로 적황색이며 맛이 달콤하고 향기가 있음. 홍당무.
당기 (當期) 명 1 바로 그 시기. 2 어떤 법률 관계를 연·월 등의 여러 기로 나눈 경우에 현재 경과 중인 기간. ¶~의 손익을 따져 보다.
당기 (黨紀) 명 당의 규율. ¶~를 지키다.
*__당기다__ 一타 1 끌어 가까이 오게 하다. ¶그 물을 ~ / 의자를 당기고 앉아라. 2 줄을 팽팽하게 하다. ¶활시위를 ~. 3 정한 시일을 줄여 미리 하다. ¶결혼 날짜를 ~. ↔ 미루다. 4 어떤 방향으로 잡아끌다. ¶방아쇠를 ~. 二자 1 마음이 무엇에 끌리다. ¶마음이 ~. 2 입맛 등이 끌리다. ¶입맛이 당기는 계절.
당길-심 (-心) [-씸] 명 자기에게로만 끌어 당기려는 욕심. ¶은근히 ~이 생기다.
*__당-나귀__ (唐-) 명 〖동〗 말과의 짐승. 말과 비슷하나 작고 앞머리의 긴 털이 없으며 귀가 길다. 털은 단색으로 황갈색·회흑색 등이 많고, 입 주위나 배는 백색임. 병에 대한 저항력이 강하여 부리기에 적당함. 준 나귀.
[당나귀 귀 치레] 쓸데없고 어울리지 않는 치레. [당나귀 찬물 건너가듯] 글을 막힘없이 읽음. [당나귀 하품한다고 한다] 당나귀가 우는 것을 보고 하품하는 줄 안다는 뜻으로, 귀머거리를 조롱하는 말.
당내 (堂內) 명 1 집안에 초상이 나면 상복을 입게 되는, 팔촌 이내의 일가. 2 불당·

사당 등의 안.
당내 (黨內) 명 한 정당의 안. ¶ ~에서 조용히 해결합시다.
당내-지친 (堂內至親) 명 팔촌 이내의 가장 가까운 일가. 준당내친.
당년 (當年) 명 **1** 그해. 이해. ¶ ~ 18세. **2** 그 나이나 연대.
당년-초 (當年草) 명 **1** 한해살이풀. **2** 한 해밖에 쓰지 못하는 물건의 비유.
당년-치 (當年-) 명 그해에 나거나 만든 물건. ¶ ~ 농산물.
당년-치기 (當年-) 명 한 해 동안밖에 쓰지 못하는 물건.
당뇨 (糖尿) 명 당분이 많이 섞인 병적인 오줌. ¶ ~가 많이 검출되다.
당뇨-병 (糖尿病)[-뼝] 명 〚의〛 혈액 속에 당분이 많아져서 당뇨가 오랫동안 계속되는 병. ¶ ~은 합병증을 일으킨다.
당-닭 (唐-)[-딱] 명 **1** 〚조〛 꿩과의 닭의 하나. 몸이 매우 작고 날개는 땅에 닿아 발이 보이지 않음. 볏이 크고 꽁지가 긺. 중국 원산으로 애완용으로 기름. **2** 키가 작고 똥똥한 사람의 별명.
당당 (堂堂) 부하형히부 **1** 매우 의젓하고 어연번듯한 모습이나 태도. ¶ 체구가 ~하다 / ~하게 신분을 밝히다 / ~히 싸워라. **2** 형세나 위세가 대단한 모양. ¶ 기세가 ~하다.
당대 (當代) 명 **1** 그 시대. ¶ ~ 최고의 문장가. **2** 이 시대. 지금의 세상. ¶ 그는 ~의 인물이다. **3** 사람의 한평생.
당도 (當到) 명하자 어떤 곳에 닿아서 이름. ¶ 목적지에 ~하다.
당도 (糖度) 명 당분의 농도. 단맛의 정도. ¶ ~가 높다.
당돌-하다 (唐突-) 형여불 **1** 올차고 도랑도랑하여 조금도 꺼리는 마음이 없다. ¶ 당돌한 말 / 두려움 없이 당돌하게 나서다. **2** 윗사람에게 대하는 것이 버릇이 없고 주제넘다. ¶ 당돌하게 대들다. **당돌-히** 부
당두 (當頭) 명하자 임박함. 닥쳐옴. 박두(迫頭). ¶ 시험 날이 ~하다.
당락 (當落)[-낙] 명 당선과 낙선. ¶ ~이 결정되면서 희비가 엇갈리다.
당랑 (螳螂)[-낭] 명 〚충〛 사마귀[2].
당랑-거철 (螳螂拒轍)[-낭-] 명 제 분수도 모르고 강적에게 반항함《'장자'에 나오는 말로, 중국 제나라의 장공(莊公)이 사냥을 나가는데 사마귀가 앞발을 들고 수레바퀴를 멈추려 했다는 데서 유래함》.
당략 (黨略)[-냑] 명 **1** 당파의 계략. **2** 정당의 정략. ¶ ~을 세우다.
당량 (當量)[-냥] 명 〚화〛 화학 당량, 전기화학 당량, 열의 일당량 등을 말하며, '화학 당량'을 약해서 '당량'이라고도 함《또, 여기에 그램 단위를 붙인 질량을 '그램 당량'이라고 함》.
당론 (黨論)[-논] 명 정당의 의견이나 논의. ¶ ~이 일치되다 / ~을 정하다.
당료 (黨僚)[-뇨] 명 정당 같은 곳에서 주로 사무를 맡아보는 사람.
당류 (糖類)[-뉴] 명 〚화〛 액체에 녹으며 단맛이 있는 탄수화물. 준당.
당리 (黨利)[-니] 명 당의 이익. ¶ ~만을 꾀해서는 안 된다.
당-마루 (堂-) 명 너새1.
당면 (唐麪) 명 녹말가루로 만든 마른 국수. 주로 잡채의 재료가 됨.
당면 (當面) 명하자 **1** 일이 바로 눈앞에 당함. ¶ ~한 문제를 해결하다 / 위기에 ~하다. **2** 대면.
당명 (黨命) 명 정당에서 내리는 명령. ¶ ~을 어겨 축출당하다.
당목 (唐木) 명 되게 드린 무명실로 폭이 넓고 바닥을 곱게 짠 피륙의 하나. 생목.
당무 (當務) 명하타 그 직무를 맡음. 또는 맡은 현재의 직무.
당무 (黨務) 명 당의 사무. ¶ ~를 맡아보다.
당밀 (糖蜜) 명 자당(蔗糖)을 만들 때 당액을 증발시키고 자당을 분리하여 남은 액체.
당배 (黨輩) 명 함께 어울리는 무리들.
당백-전 (當百錢) 명 〚역〛 조선 고종 때 발행한, 한 푼이 엽전 백 푼과 맞먹던 돈《경복궁을 지을 때 만들었음》.

당백전

당번 (當番) 명하자 어떤 일을 차례로 돌아가면서 맡음. 또는 그 사람. ¶ 급식 ~ / 나는 이번 주에 청소 ~이다. ↔비번(非番).
당부 (當付) 명하자타 말로 어찌하라고 단단히 부탁함. ¶ 선생님의 ~ 말씀이 있으셨다 / 협조를 ~하다.
당부 (當否) 명 **1** 옳고 그름. ¶ ~를 가리다. **2** 마땅함과 마땅하지 않음.
당분 (糖分) 명 당류(糖類)의 성분. ¶ ~을 섭취하다.
당분-간 (當分間) 명부 앞으로 얼마 동안. ¶ ~의 피신처 / ~ 여행할 계획이다.
당비 (黨費) 명 **1** 당의 비용. **2** 당원이 부담하는 당의 경비. ¶ ~를 내다.
당사 (當社) 명 이 회사.
당사 (黨舍) 명 정당이 들어 있는 건물.
당사-국 (當事國) 명 〚법〛 국제간의 교섭 사건에서 그 사건에 관계가 있거나 관계한 나라. ¶ ~ 간의 직접 대화가 필요하다.
당사-자 (當事者) 명 **1** 어떤 일에 직접 관계가 있는 사람. ¶ ~끼리 해결하다. **2** 〚법〛 어떤 법률 행위에 직접 관여하는 사람.
당산 (堂山) 명 토지나 부락의 수호신이 있다는, 마을 근처의 산이나 언덕.
당산-제 (堂山祭) 명 산신에게 지내는 제사.
당-삼채 (唐三彩) 명 〚공〛 녹색·남색·노랑의 세 가지 빛깔의 유약으로 그림이나 무늬를 나타낸 당나라 때의 도자기.
당상 (堂上) 명 **1** 대청 위. ¶ ~에 걸터앉다. **2** 〚역〛 조선 때, 문관은 정삼품 명선(明善)대부·봉순(奉順)대부·통정(通政)대부, 무관은 절충(折衝)장군 이상의 벼슬을 통틀어 이르던 말. **3** 〚역〛 아전들이 자기의 상관을 일컫던 말.
당상-관 (堂上官) 명 〚역〛 당상의 품계에 있는 벼슬아치.
당선 (當選) 명하자 **1** 선거에서 뽑힘. ¶ 국회의원에 ~되다. **2** 출품한 작품 따위가 심사에서 뽑힘. 입선. ¶ 신춘문예에 ~하다 / 현상 공모에 ~되다. ↔낙선.
당선-권 (當選圈)[-꿘] 명 당선될 가능성이 있는 범위. ¶ ~에서 멀어지다.

당선-작 (當選作) 명 당선된 작품. ¶신춘문예의 ~을 발표하다.
당성 (黨性)[-썽] 명 소속 정당에 대한 충실성. ¶~이 의심스럽다.
당세 (當世) 명 **1** 그 시대의 세상. ¶~의 풍류가. **2** 지금 세상. ¶~의 풍조.
당세 (黨勢) 명 당의 세력이나 기세. ¶~를 확장하다.
당송 (唐宋) 명 중국의 당나라와 송나라.
당수 (黨首) 명 한 당의 우두머리. ¶~를 선출하다.
당숙 (堂叔) 명 '종숙'의 친근한 일컬음.
당-숙모 (堂叔母)[-숭-] 명 당숙의 아내. '종숙모'의 친근한 일컬음.
***당시** (當時) 명 일이 있었던 바로 그때. ¶~를 회상하다.
***당신** (當身) 인대 **1** 하오할 자리에 상대되는 사람을 일컫는 말. ¶~은 누구요. **2** 웃어른을 높이어 일컫는 말《제삼인칭으로 씀》. ¶아버님 생전에 ~께서 아끼시던 물건들. **3** 부부가 서로 상대방을 일컫는 말. ¶여보, ~에게 미안하오.
당실-거리다 자 신이 나서 계속 가볍게 춤을 추다. ㊔덩실거리다. **당실-당실** 부하자. ¶~ 춤을 추다.
당실-대다 자 당실거리다.
당실-하다 형여불 건축물 따위가 맵시 있게 우뚝 드러나서 높다. ㊔덩실하다.
당싯-거리다 [-싣꺼-] 자 어린아이가 누워서 팔다리를 춤을 추듯이 잇따라 귀엽게 움직이다. ㊔덩싯거리다. **당싯-당싯** [-싣땅싣] 부하자
당싯-대다 [-싣때-] 자 당싯거리다.
당악 (唐樂) 명 〖악〗 **1** 중국 당나라 때의 음악. **2** 중국 음률에 의거하여 제정한 풍류. 당부악(唐部樂). ↔향악. ☞국악.
당연-시 (當然視) 명하타 당연한 것으로 여김. ¶연봉제를 ~하는 것은 생각해 볼 문제다.
당연지사 (當然之事) 명 당연한 일. ¶나이 들어 늙는 것은 ~가 아닌가.
당연-하다 (當然-) 형여불 이치로 보아 마땅하다. ¶당연한 결과가 아닌가. **당연-히** 부. ¶~ 그럴 것이다.
당오-전 (當五錢) 명 〖역〗 다섯 푼이 엽전 백 푼과 맞서던 돈. 조선 고종 20년(1883)에 만들었음. ㊟당오(當五).

당오전

당원 (黨員) 명 당적을 가진 사람.
당월 (當月) 명하자 일이 있는 바로 그달. ¶~에 끝내다.
당위 (當爲) 명 〖윤〗 마땅히 그렇게 하거나 되어야 하는 것.
당위-성 (當爲性)[-썽] 명 〖윤〗 마땅히 그렇게 하거나 되어야 할 성질. ¶그렇게 해야 할 ~이 있는가.
당의 (唐衣)[-/-이] 명 조선 때, 여자 예복의 하나《겉은 초록색, 안은 담홍색, 깃과 고름은 자줏빛으로 가슴에 봉황을 수놓은 흉배가 있고 앞자락이 짧고 뒷자락이 긺》.

당의(唐衣)

당의 (糖衣)[-/-이] 명 환약이나 정제의 변질을 막고, 먹기 좋게 하기 위해 겉을 싸는 당분이 든 얇은 막. ¶~정(錠).
당일 (當日) 명 일이 있는 바로 그날. 즉일(卽日). ¶~ 코스로 잡다 / 사건이 일어난 ~로 다녀오다.
당일-치기 (當日-) 명하타 일이 있는 바로 그날 하루에 해 버리는 일. ¶오늘 야유회는 ~이다.
당자 (當者) 명 **1** 바로 그 사람. ¶~에게 물어 보아라. **2** 당사자1.
***당장** (當場) ㊀명 무슨 일이 일어난 바로 그 자리 또는 그때. ¶효과가 ~에 나타났다. ㊁부 바로 그 자리에서 곧. ¶~ 내쫓다.
당재 (唐材) 명 〖한의〗 중국산 또는 중국을 통하여 들어온 약재. ↔초재(草材).
당쟁 (黨爭) 명하자 〖역〗 당파를 이루어 서로 싸우던 일. 당파 싸움.
당적 (黨籍) 명 당원으로 등록되어 있는 문서. ¶철새처럼 ~을 옮기는 당원이 많다 / 당에서 제명되어 ~을 잃었다.
당정 (黨政) 명 정당과 정부. 특히 여당과 정부. ¶~ 협의회.
당조짐 명하타 정신을 차리도록 단단히 단속하고 조임. ¶입 조심할 것을 다시 ~하다.
당좌 (當座) 명 〖경〗 '당좌 예금'의 준말.
당좌 수표 (當座手票) 〖경〗 당좌 예금자가 그 예금을 기초로 하여 그 은행 앞으로 발행하는 수표.
당좌 예:금 (當座預金) 〖경〗 기한을 정하지 아니하고 예금자의 청구에 따라 지급하는 예금. ㊟당좌.
당지 (當地) 명 일이 있는 바로 그곳. ¶~의 사정에 어둡다 / ~에서 들어온 소식에 따르면.
당-지기 (堂-) 명 서당이나 당집을 맡아 지키는 사람. 당직.
당지다 자 눌려 단단히 굳어지다.
당직 (當直) 명하자 근무하는 곳에서 숙직·일직 등의 당번이 됨. 또는 그 차례가 된 사람. ¶~을 서다.
당직 (黨職) 명 정당에서 맡는 직책. ¶~자 / ~에서 물러나다.
당질 (堂姪) 명 '종질'을 친근하게 일컫는 말. ¶~을 친아들처럼 여기다.
당질 (糖質) 명 **1** 당분이 들어 있는 물질. **2** 〖화〗 탄수화물 및 그 유도 물질의 총칭.
당-집 (堂-)[-찝] 명 민속 신앙의 신을 모셔 놓고 위하는 집. ¶서낭당은 서낭신을 모시는 ~이다. ㊟당(堂).
당차다 형 나이나 몸집 등에 비하여 하는 짓이나 마음이 야무지고 올차다. ¶당차게 생긴 사람 / 당차게 말하다.
당착 (撞着) 명하자 **1** 말이나 행동 따위의 앞뒤가 서로 맞지 아니함. ¶~에 빠지다. **2** 서로 맞부딪침.
당-찮다 (當-)[-찬타] 형 말이나 행동이 이치에 맞지 않거나 마땅하지 아니하다. ¶당찮은 말은 하지 마라.
당첨 (當籤) 명하자 추첨에서 뽑힘. ¶복권에 1등 ~을 바라는 것은 과욕이다.
당초 (當初) 명 일이 생긴 처음. 애초. ¶~의 결심이 흔들리다.

당최 [부] (부정적인 뜻의 말과 함께 쓰여) 도무지. 영. ¶네 말은 ~ 알아들을 수가 없구나.
당파 (黨派) [명] 정치적 목적이나 주의·주장을 같이하는 사람들끼리 모인 단체.
당풍 (黨風) [명] 당의 기풍. ¶~의 면모를 달리하다.
당-피리 (唐-) [명] 〔악〕 당악기의 하나《구멍은 여덟 개인데 한 구멍은 뒤에 있음》. ☞피리.
당하 (堂下) [명] **1** 대청의 아래. **2** 〔역〕 조선 때, 문관은 정삼품인 창선(彰善)대부·정순(正順)대부·통훈(通訓)대부 이하, 무관은 어모(禦侮)장군 이하의 벼슬의 총칭. **3** '당하관'의 준말.
당하 (當下) [명] 어떤 일을 당한 그때 또는 그 자리.
당하-관 (堂下官) [명] 〔역〕 당하의 품계에 있는 벼슬아치. [준]당하.
*__당-하다__ (當-) [一][형][여불] 사리에 맞다. 알맞거나 마땅하다. ¶당치도 않은 말씀 / 이런 처지에 그런 옷이 당할까. [二][자][여불] **1** 어떤 형편이나 때에 이르거나 처하다. 만나다. ¶막상 눈앞에 당하면 어찌할 수 없다. **2** 피해를 보다. 놀림 따위를 받다. ¶누구에게 당했느냐. [三][타][여불] **1** 넉넉히 이겨 내다. ¶혼자서 두서너 명을 ~. **2** 닥쳐오는 일을 감당하다. ¶큰일을 혼자 ~. **3** 어떤 일이나 때를 맞거나 겪다. ¶어머님 상을 당하였다.
-당하다 (當-) [미][여불] 동작을 나타내는 명사에 붙어 그 동작이 수동적임을 보이는 동사를 이루는 말. ¶거절~ / 이용~ / 결박~ / 무시~.
당한 (當限) [명][하자] 기한이 닥쳐옴. 또는 닥쳐온 기한.
당해 (當該) [명] 명사 앞에 쓰여 꼭 그 사물에 관련됨을 표시하는 말. ¶~ 관청 / ~ 사건 / ~ 법규.
당헌 (黨憲) [명] 정당의 강령이나 기본 방침. ¶~에 따르다.
당-형제 (堂兄弟) [명] 종형제.
당혜 (唐鞋) [-/-혜] [명] 울이 깊고 작은, 앞뒤에 덩굴무늬 따위를 새긴 가죽신의 하나.
당호 (堂號) [명] **1** 집이나 건물 따위에 붙인 이름. **2** 본디의 이름 이외에 부르는 다른 이름.
당혹 (當惑) [명][하자] 어떤 일을 당하여 어쩔 줄을 모름. ¶~한 표정을 짓다 / 그녀의 방자한 언동에 ~을 금치 못하다.
당화 (糖化) [명][하자][타] 〔화〕 녹말 따위 다당류를 효소나 산의 작용으로 가수 분해 해서 단당류 또는 이당류로 변화시키는 반응. 또는 그렇게 되는 일.
당화 (黨禍) [명] 당파 싸움으로 생기는 재앙과 피해. ¶~로 입은 피해.
당황 (唐惶·唐慌) [명][하자][히부] 〔←창황(愴怳)〕 놀라거나 다급하여 어찌할 바를 모름. ¶~한 기색이 역력하다.
당회 (堂會) [명] 〔기〕 장로교 등에서, 교회 안의 목사와 장로가 모이는 회합.
*__닻__ [닫] [명] 배를 고정시키기 위하여 줄에 매어 물에 던지는 제구. ¶~을 내리다.
닻을 감다 [구] 하던 일을 걷어치우고 단념하다.
닻을 올리다 [구] 새롭게 일을 시작하거나 시작하려고 마음먹다. ¶그 일을 하기로 결심했으면 어서 닻을 올려라.
닻을 주다 [구] ㉠닻줄을 풀어 닻을 물속에 넣다. ㉡일정한 곳에 머물다.

닻줄
닻장
닻채
닻혀
닻가지
닻

닻-줄 [닫쭐] [명] 닻을 매단 줄.
*__닿:다__ [다타] [자] **1** 사물이 서로 접하다. ¶서로의 손이 ~. **2** 목적지에 이르다. ¶기별이 ~ / 3시까지 제주도에 ~. **3** 어떤 정도나 범위에 미치다. ¶능력이 닿는 한도 / 거기까지 생각이 닿을 줄은 몰랐다. **4** 남의 세력을 의지할 수 있게 되다. ¶고위층에 줄이 ~. **5** 감명 깊거나 절실하게 느껴지다. ¶그의 말이 마음에 와 ~.
-닿다 [닫타] [-다니, -다오] [미][ㅎ불] '-다랗다'의 준말. ¶커~ / 곱~.
닿-소리 [다쏘-] [명] 〔언〕 자음. ↔홀소리.
닿치다 [닫-] [자] 물건이 세게 서로 접하다.
대[1] [一][명] **1** 식물의 줄기. ¶수수의 ~. **2** 막대가 길고 가늘며 속이 빈 물건의 총칭. ¶~가 휘다. **3** '담뱃대'의 준말. **4** 자루[2]. **5** 자기의 뜻을 굽히지 않으려는 의지. ¶~가 약하다. [二][의명] **1** 담배통에 담배를 담는 분량. 또는 담배를 피우는 횟수를 세는 단위. ¶담배 한 ~ 피우자. **2** 주사나 침을 맞는 횟수를 세는 단위. ¶주사를 한 ~ 맞다. **3** 쥐어박거나 때리는 횟수를 세는 단위. ¶한 ~ 때리다.
*__대__[2] [명] 〔식〕 볏과의 여러해살이 상록 교목. 줄기는 꼿꼿한데 속이 비고 마디가 있음. 땅속줄기는 가로 벋어 촘촘한 마디마다 뿌리털과 순이 남. 드물게 황록색 꽃이 피는데 꽃이 핀 다음에 죽음. 건축용·세공용으로 쓰이며 순은 식용함.
대: (大) [명] 큰 것. 중요한 것.
[대를 살리고 소(小)를 죽이다] 부득이한 때 큰 것을 위해 작은 것을 희생시키다.
대: (代) [一][명] **1** 가계(家系)나 지위를 이어 그 자리에 있는 동안. ¶~를 잇다. **2** 임금의 치세. ¶고종의 ~. [二][의명] **1** 나이나 연대를 십 년 단위로 나타내는 말. ¶십 ~. **2** 가계나 지위를 이어받은 순서를 나타내는 단위. ¶삼 ~ 독자.
대: (隊) [一][명] **1** 군사들이나 군대처럼 편성된 무리《중대·민방위대 따위》. **2** '대오'의 준말. [二][의명] 편성된 무리를 세는 말. ¶제1~.
대: (對) [一][명] **1** 같은 종류로 이루어진 짝. ¶둘은 좋은 ~가 된다. **2** 비교하거나 대조할 때의 상대. ¶일에서는 둘은 서로 ~가 된다. [二][의명] **1** 두 짝으로 한 벌이 되는 물건을 세는 말. ¶주련(柱聯) 한 ~. **2** 사물과 사물의 대비나 대립을 나타내는 말. ¶A팀 ~ B팀의 경기.

대[1](臺) 명 **1** 높이 쌓은 곳. ¶ ~를 쌓다. **2** 물건을 받치거나 올려놓는 받침이 되는 것의 총칭. ¶ 촛~.

*__대__[2](臺) 의명 탈것이나 기계, 악기 따위를 셀 때 쓰는 말. ¶ 자동차 한 ~ / 윤전기 한 ~ / 피아노 ~.

대[3] 관 길이를 나타내는 의존 명사 '자' 앞에 쓰여 '다섯'의 뜻을 나타내는 말. ¶ 그 천을 ~ 자만 떠 오너라.

대:-(大) 두 '큰'의 뜻. ¶ ~학자 / ~찬성.

-대(代) 미 **1** '값'의 뜻. ¶ 양곡(糧穀)~를 청구하다. **2** 지질 시대를 나타내는 말. ¶ 신생(新生)~.

-대(帶) 미 '띠 모양의 부분'이나 '지대'의 뜻을 나타내는 말. ¶ 화산~ / 주파수~ / 공감~ / 구명~.

-대(臺) 미 값 또는 수의 뒤에서 그 대강의 범위를 나타내는 말. ¶ 수십억~의 재산.

-대 어미 '-다 하여'의 준말. ¶ 어제 갔~요. ☞ -데.

대:가(大家) 명 **1** 학문·기술에 조예가 깊은 사람. ¶ 한국화의 ~. **2** 대대로 번창한 집안. ¶ ~도 몰락을 겪게 마련이다. **3** 큰 집.

대:가(代價)[-까] 명 **1** 물건을 산 대신의 값. 대금. ¶ ~를 지급하다. **2** 일을 하고 받는 보수. ¶ 노동의 ~. **3** 어떤 일을 함으로써 생기는 희생이나 손해. ¶ 너무 큰 ~를 치르다.

대:가(對價)[-까] 명 자기의 재산이나 노력 따위를 남에게 이용하게 하고, 그 보수로서 얻는 재산상의 이익.

대:-가다 자 거라불 정한 시간에 목적지에 이르다. ¶ 약속한 시간에 ~. ↔대오다.

대:-가람(大伽藍) 명 큰 절.

대가리 명 **1** 〈속〉 사람의 머리. ¶ ~가 아프다. **2** 동물의 머리나 길쭉한 물건의 머리가 되는 부분. ¶ 삶은 돼지 ~ / 못 ~.
[대가리를 잡다가 꽁지를 잡았다] 큰 것을 바라다 작은 것밖에 얻지 못하였다. [대가리에 쉬슨 놈] '머리에 구더기가 생긴 놈'의 뜻《어리석고 둔한 사람의 비유》.
대가리가 터지도록 싸우다 구 몹시 심하게 때리고 치고 하면서 싸우다.
대가리를 싸고 덤비다 구 기를 쓰고 덤비다. 죽을둥 살 둥 모르게 덤비다.
대가리에 피도 안 마르다 구 〈속〉 아직 어리다. ¶ 대가리에 피도 안 마른 녀석이 담배질이야.

대:가연-하다(大家然-) 자 여불 그 방면에 뛰어난 사람인 체하다. ¶ 자칭 문학에 ~.

대:-가족(大家族) 명 **1** 가족이 많음. ¶ 9인 가족이면 ~이다. **2** 직계·방계의 친족 및 노비 등을 포함한 가족《고대 사회에서 볼 수 있었음》. ¶ ~ 제도.

대:각(大角) 명 〔역〕 군중(軍中)에서 호령으로 또는 군악과 아악을 연주할 때 쓰던 관악기. 주라(朱喇).

대:각(大覺) 명하자 〔불〕 **1** 크게 도를 깨달음. 또는 그 사람. **2** '부처'의 딴 이름.

대:각(對角) 명 〔수〕 서로 맞선 각.

대각 부하자타 올차고 작은 물건이 부딪쳐 나는 소리. 큰데걱. 센대깍·때깍.

대각-거리다 자타 자꾸 대각 소리가 나다. 또는 자꾸 그런 소리를 내다. 큰데걱거리다. **대각-대각** 부하자타

대각-대다 자타 대각거리다.

대:각-선(對角線) 명 〔수〕 다각형에서 서로 이웃하지 않는 두 각의 꼭짓점을 연결하는 직선. 또는 다면체에서 같은 면에 있지 않은 두 꼭짓점을 연결하는 직선.

대간(臺諫) 명 〔역〕 조선 때, 사헌부·사간원의 벼슬의 총칭.

대갈 명 말굽에 편자를 박을 때 쓰는 징.

대:갈(大喝) 명하자 큰 소리로 꾸짖음.

대갈-마치 명 **1** 대갈을 박는 작은 마치. **2** 온갖 어려운 일을 겪어 아주 야무진 사람.

대갈마치 1

대갈-못 [-몯] 명 대가리가 큰 쇠못.

대:갈-일성(大喝一聲)[-썽] 명 꾸짖듯 크게 외치는 한마디의 소리.

대갈-통 명 〈속〉 머리통.

대:감(大監) 명 **1** 〔역〕 조선 때, 정이품 이상의 벼슬아치를 높여 부르던 말. **2** 신을 높여 부르는 무당의 말.

대:감(大鑑) 명 그 한 책만으로 어느 부문 전체의 지식을 얻을 수 있게 엮어서 펴낸 책. ¶ 미술 ~.

대:갓-집(大家-)[-가찝 / -갇찝] 명 대대로 세력이 있고 살림이 넉넉한 집안. ¶ 뜻밖에도 ~에서 매파를 보내왔다.

*__대:강__(大綱) 一명 내용의 큰 줄거리. 二부 내용의 중요한 부분만 간단하게. 대충. 얼추. ¶ 자네의 뜻은 ~ 짐작하겠네.

대:강(代講) 명하타 남을 대신하여 강의나 강연을 함.

대:-강당(大講堂) 명 크고 넓은 강당. ¶ ~에서 학생 회장 선거가 있다.

대:강-대강(大綱大綱) 부 자세하지 않고 적당히 간단하게. 대충대충. ¶ 시간이 얼마 없으니 ~ 마무리하시오.

대:-강령(大綱領)[-녕] 명 일의 가장 중요한 부분. 또는 그 부분만 따 낸 줄거리.

대강이 명 〈속〉 머리[1]. ¶ 무 ~를 자르다.

대:-갚음(對-) 명하자 남에게 입은 은혜나 당한 원한을 그대로 갚음. ¶ 옛날에 수모당한 ~을 오늘에 하다.

*__대:개__(大槪) 一명 **1** 대부분. ¶ 사람은 ~가 긍정적인 삶을 살고 있다. **2** 대체적인 사연이나 줄거리. 二부 그저 웬만한 정도로. 또는 일반적인 경우에. 대체로. 대강. ¶ ~ 알고 있다.

대:개(大蓋) 부 일의 큰 원칙으로 말하건대. ¶ ~ 여자는 마땅히 순결해야 하느니.

대:-개념(大槪念) 명 〔논〕 삼단 논법의 결론에서 술어가 되는 개념. ↔소개념.

대:거(大擧) 부 한꺼번에 많이. ¶ 7회 말에 ~ 득점하다 / ~ 침입하다.

대:-거리(代-) 명하자 밤낮으로 일하는 작업에서 일꾼이 교대함을 일컫는 말.

대:-거리(對-) 명하자 **1** 대갚음하는 것. **2** 상대하여 대듦. ¶ 감히 내게 ~를 하다니.

대:검(大劍) 명 큰 칼.

대:검(大檢) 명 〔법〕 '대검찰청'의 준말.

대:검(帶劍) 명하자 **1** 칼을 참. **2** 〔군〕 소총 끝에 꽂는 칼.

대:-검찰청 (大檢察廳) 명 〖법〗 대법원에 대응하여 설치된 최고 검찰 기관《장(長)은 검찰 총장》. 준대검.
대견-스럽다 〔-스러우니, -스러워〕 형ㅂ불 대견한 데가 있다. ¶대견스럽게도 또 일등을 했다는구나. **대견-스레** 부
대견-하다 형여불 흡족하고 자랑스럽다. ¶어린아이가 그런 일을 했다니 정말 대견하구나 / 어려운 친구를 도와주었다니 대견한 일을 했구나. **대견-히** 부
대:결 (代決) 명하타 다른 사람을 대신하여 결재함.
대:결 (對決) 명하자 **1** 양자(兩者)가 맞서서 우열이나 승패를 가림. ¶세기의 ~을 벌이다. **2** 〖법〗 법정에서 원고와 피고를 마주 불러 놓고 심판하는 일.
대:경-실색 (大驚失色)[-쌕] 명하자 크게 놀라 얼굴빛이 하얗게 변함. ¶심청의 말에 심 봉사는 ~을 하였다.
대:계 (大系)[-/-게] 명 **1** 대략적인 체계. **2** 하나의 주제 밑에 중요한 계통을 세워서 엮어 만든 책. ¶한국사 ~를 참고하다.
대:계 (大計)[-/-게] 명 큰 계획. ¶국가의 ~를 세우다.
대:고 (大鼓) 명 **1** 큰 북. **2** 〖악〗 국악기의 하나. 나무나 금속으로 된 테에 가죽을 메우고 방망이로 쳐 소리를 내는 타악기.
대:고 부 무리하게 자꾸. ¶~ 조르다.
대-고리 명 대오리로 엮어 만든 고리.
대:-고모 (大姑母) 명 아버지의 고모. 고모할머니. 왕고모.
대:고모-부 (大姑母夫) 명 대고모의 남편. 고모할아버지.
대공 명 〖건〗 들보 위에 세운, 마룻보를 받치는 짧은 기둥.
대:공 (大工) 명 솜씨가 훌륭한 장인(匠人).
대:공 (大公) 명 **1** 유럽에서, 군주 집안의 남자. **2** 유럽에서, 작은 나라의 군주의 호칭.
대:공 (對共) 명 공산주의나 공산주의자를 상대함. ¶정부의 ~ 사찰.
대:공 (對空) 명 지상에서 공중의 목표물을 상대함. ¶~ 포화 / ~ 미사일 / ~ 방어. ↔대지(對地).
대:-공원 (大公園) 명 규모가 큰 공원. ¶서울 ~.
대:공-포 (對空砲) 명 〖군〗 지상이나 함정에서 적기를 사격하는 포.
대:-공황 (大恐慌) 명 〖경〗 세계적 규모로 일어나는 경제 공황·금융 공황. 특히, 1929년의 세계 공황을 가리킬 때도 있음.
대:과 (大科) 명하자 〖역〗 과거의 문과를 소과(小科)에 대하여 일컫던 말. ↔소과.
대:과 (大過) 명 큰 허물이나 큰 잘못. ¶~ 없이 소임을 다하다 / ~를 저지르다.
대:과 급제 (大科及第) 〖역〗 '문과 급제'를 장하게 일컫던 말.
대:관 (大官) 명 〖역〗 **1** 대신. **2** 높은 벼슬에 있는 사람.
대:관 (大觀) 명하타 **1** 일의 돌아가는 모양을 널리 살피어 전체를 내다봄. ¶시국을 ~하다. **2** 뛰어난 경치.
대:관-식 (戴冠式) 명 유럽에서, 제왕이 왕관을 쓰고 왕위에 올랐음을 일반에게 널리 알리는 의식.
대:-관절 (大關節) 부 여러 말 할 것 없이 요점만 말하건대. 도대체. ¶~ 어찌 된 일이냐.
대:-괄호 (大括弧) 명 〖인〗 문장 부호의 한 가지인 〔 〕 모양의 묶음표. 묶음표 안의 말이 바깥 말과 음이 다르거나 묶음표 안에 묶음표가 있을 때에 씀《낱말〔單語〕 따위》.
대:교 (大橋) 명 큰 다리.
대구 (大口) 명 〖어〗 대구과의 한대성 바닷물고기. 몸길이는 70-75 cm이고, 머리와 입이 몹시 큼. 몸빛은 담회갈색에 배 쪽이 흼. 식용하며 간에서 간유를 빼냄.
대:구 (對句)[-꾸] 명 〖문〗 비슷한 어조나 어세를 가진 것으로 짝을 맞춘 시의 글귀《주로 한시(漢詩)에 많이 씀》.
대구루루 부 작고 단단한 물건이 단단한 바닥에서 구르는 소리. 또는 그 모양. ¶구슬이 마룻바닥에 떨어져 ~ 굴러 가다. 큰데구루루. 센때구루루.
대:구-법 (對句法)[-꾸뻡] 명 〖언〗 상대어나 어조가 비슷한 문구를 나란히 벌여 격조를 맞추는 수사법.
대:-구치 (大臼齒) 명 〖생〗 뒤어금니.
대:국 (大局) 명 **1** 일이 벌어져 있는 대체적인 형편이나 사정. **2** 바둑이나 장기 따위에서, 전체적인 승부의 형세. ¶~이 기울다.
대:국 (大國) 명 **1** 크고 강한 나라. ¶미국은 세계적인 경제 ~이다. **2** 지난날, 우리나라에서 중국을 부르던 말.
대:국 (對局) 명하자 **1** 어떤 형편이나 시국(時局)에 당면함. **2** 마주 앉아 바둑이나 장기를 둠. ¶고수와 ~하다.
대:국-적 (大局的) 관명 넓은 견지에서 사실을 판단하거나 그에 대처하는 (것). ¶~인 견지에서 생각하다.
대:군 (大君) 명 **1** 〖역〗 정궁(正宮)이 낳은 아들. ¶양녕 ~. **2** 〖역〗 고려 때, 종친의 정일품 봉작. **3** '군주'의 존칭.
대:군 (大軍) 명 많은 병사로 이루어진 군대. 대병(大兵). ¶백만 ~을 이끌고 쳐들어오다.
대:군 (大群) 명 많은 무리. ¶메뚜기의 ~.
대굴-대굴 부 작고 단단한 물건이 계속 굴러 가는 모양. ¶공이 ~ 굴러 가다. 큰데굴데굴. 센때굴때굴.
대궁 명 먹다가 밥그릇 안에 남긴 밥.
대:권 (大權)[-꿘] 명 국가 원수가 국가를 통치하는 헌법상의 권한. ¶~을 잡다.
대:궐 (大闕) 명 궁궐. ¶~ 같은 집.
대:-규모 (大規模) 명 넓고 큰 범위나 크기. ¶~ 집회〔행사〕 / ~의 공장이 들어서다. ↔소규모.
대그락 부 단단한 물건이 서로 맞닿아 나는 소리. 큰데그럭. 센때그락.
대그락-거리다 자타 계속 대그락 소리가 나다. 또는 계속 그런 소리를 내다. 큰데그럭거리다. **대그락-대그락** 부하자타
대그락-대다 자타 대그락거리다.
대그르르 부하형 가늘거나 작은 물건의 여럿 가운데 조금 굵은 모양. 큰디그르르. 센때그르르.
대-그릇 [-륻] 명 대로 만든 그릇. 죽기(竹器).
대:근 (代勤) 명하타 다른 사람을 대신하여

근무함.
대근-하다 형여불 견디기 힘들다.
대글-대글 부하형 가늘거나 작은 물건의 여럿 가운데 몇 개가 좀 굵은 모양. 큰디글디글. 센때글때글.
대:금 (大金) 명 많은 돈. ¶저축하여 ~을 마련하다.
대:금 (大笒) 명 〔악〕 저의 하나《삼금(三笒) 중 가장 큼. 독주·합주에 두루 씀》.
대:금 (代金) 명 물건의 값으로 치르는 돈. ¶신문 ~을 치르다 / ~을 선불하다.
대:금 (貸金) 명하자 돈을 꾸어 줌. 또는 그 꾸어 준 돈.
대:기 (大氣) 명 **1** 공기. ¶신선한 ~를 들이마시다. **2** 〔천〕 천체의 표면을 둘러싸고 있는 기체.
대:기 (大器) 명 **1** 큰 그릇. **2** 큰일을 할 만한 뛰어난 인재. ¶~의 풍모가 엿보인다.
대:기 (待機) 명하자 **1** 때나 기회를 기다림. **2** 〔군〕 전투 준비를 마치고 출동 명령을 기다림. **3** 공무원의 대명(待命) 처분. ¶과실로 인하여 ~ 발령을 받다.
대:기-권 (大氣圈) [-꿘] 명 〔지〕 지구 둘레를 싸고 있는 대기의 영역《밑에서부터 대류권(對流圈)·성층권(成層圈)·중간권(中間圈)·열권(熱圈)으로 구분함》.
대:-기록 (大記錄) 명 쉽사리 깨뜨리거나 세우기 힘든 기록. ¶수능 시험에서 400점 만점의 ~을 세우다.
대:기-만성 (大器晩成) 명 큰 그릇을 만드는 데는 시간이 오래 걸린다는 뜻으로, 크게 될 사람은 늦게 이루어진다는 말. ¶입지전적 인물에 ~형이 많다.
대:기 명:령 (待機命令) [-녕] **1** 〔군〕 언제든지 출동할 수 있도록 준비하고 기다리라는 명령. ¶비상 사태로 ~을 내리다. **2** 〔법〕 공무원을 직책이 없는 상태에 두는 인사 발령. 대명.
대:기-실 (待機室) 명 기다리는 사람을 위하여 마련한 방이나 장소. ¶병원 ~에서 기다리다.
대:기-압 (大氣壓) 명 〔물〕 대기의 압력.
대:-기업 (大企業) 명 자본금이나 근로자 수 따위의 규모가 큰 기업. ¶~보다는 중소기업을 활성화시켜야 한다.
대:기 오:염 (大氣汚染) 산업·교통 등 인간의 활동에 의하여 만들어지는 유독 물질이 공기를 오염시키는 일《주요 오염 물질은 매연 및 석유 산업에 의한 아황산가스와 자동차의 배기가스 속의 일산화탄소 따위의 유독 가스임》. ¶~으로 오존층이 파괴되었다.
대:길 (大吉) 명하형 운이 매우 좋거나 일이 매우 상서로움. ¶신수가 ~하다.
대깍 부하자타 올차고 작은 물질이 부딪쳐서 나는 소리. 큰데꺽. 여대각. 센때깍.
대깍-거리다 자타 자꾸 대깍 소리가 나다. 또는 자꾸 그런 소리를 내다. 큰데꺽거리다. 센때깍거리다. **대깍-대깍** 부하자타
대깍-대다 자타 대깍거리다.
대-꼬챙이 명 대나무로 만든 꼬챙이. ¶은행을 ~에 꿰어 팔다.
대꼬챙이로 째는 소리를 한다 구 날카로운 소리를 빽 지름을 이르는 말.
대:꾸 명하자 '말대꾸'의 준말. ¶묻는 말에 아무 ~도 없다.
대:꾼-하다 형여불 기운이 지쳐 눈이 쑥 들어가고 생기가 없다. ¶피로로 눈이 ~. 큰데꾼하다. 센때꾼하다.
대끼다[1] 자 **1** 무슨 일에 많이 시달리다. ¶백화점에서 손님들에게 ~. **2** 단련될 만큼 여러 가지 일을 겪다. ¶평생을 시장 바닥에서 대낀 사람.
대끼다[2] 타 애벌 찧은 보리나 수수 같은 곡식을 마지막으로 깨끗이 찧다.
대-나무 명 대를 목본으로 일컫는 말.
대-낚시 [-낙씨] 명 낚싯대를 써서 하는 낚시질. 대낚.
대:남 (對南) 명 '남쪽' 또는 '남한에 대한'의 뜻을 나타내는 말. ¶~ 간첩 / ~ 방송을 중단하다. ↔대북.
대:납 (代納) 명하자타 **1** 남을 대신하여 조세 따위를 바침. ¶세금을 ~하다. **2** 다른 물건으로 대신 바침. ¶현물로 ~하다.
*__대:-낮__ [-낟] 명 환히 밝은 낮. 백주(白晝).
대낮에 도깨비에 홀렸나 구 도무지 이해가 되지 않는 일이라는 말.
대:내 (對內) 명 내부 또는 국내에 대(對)함. ¶~ 문제. ↔대외.
대:-내외 (對內外) 명 나라와 사회의 안과 밖에 대한 것. ¶~ 정세.
대:내-적 (對內的) 관명 어떤 내부나 국내에 상관되는 (것). ¶~ 활동 / ~인 문제. ↔대외적.
대:년 (待年) 명하자 약혼한 후에 결혼할 해를 기다림.
대:농 (大農) 명 **1** 개인이 큰 규모로 짓는 농사. 또는 그런 농가. **2** 호농(豪農). *소농·중농.
대-놓고 [-노코] 부 사람을 앞에 놓고 거리낌 없이 함부로. ¶~ 욕을 하다.
대:뇌 (大腦) 명 〔생〕 척추동물의 뇌의 일부《뇌의 대부분을 차지하며 정신 작용·지각·운동·기억력 따위를 맡은 중추 기관임》. 큰골.
대:뇌 수질 (大腦髓質) 〔생〕 대뇌 피질 밑에 있는 신경 섬유의 다발.
대:뇌 피질 (大腦皮質) 〔생〕 대뇌 반구의 표면을 둘러싸고 있는 회백질의 얇은 층. 많은 주름과 홈이 있음.
대님 명 한복 바지를 입은 뒤에 그 바짓가랑이 끝을 다리에 졸라매는 끈.
대:다[1] 자 **1** 정해진 시간에 닿거나 맞추다. ¶간신히 기차 시간에 ~. **2** (주로 '대고'의 꼴로 쓰여) 무엇을 목표로 하고 겨누거나 향하다. ¶하늘에 대고 침뱉기.
*__대:다__[2] 타 **1** 서로 닿게 하다. ¶귀에 수화기를 ~. **2** 비교하다. 견주다. ¶키를 대어 보다. **3** 연결되게 하다. ¶전화를 대어 주다. **4** 대면시키다. ¶그 사람을 대어 주오. **5** 의지하다. 기대다. ¶등을 ~. **6** 탈것을 멈추어 서게 하다. ¶항구에 배를 ~. **7** 노름·내기 따위에서 돈을 걸다. ¶만 원을 ~. **8** 물을 흘려서 어느 곳으로 들어가게 하거나 끌어들이다. ¶논에 물을 ~. **9** 돈이나 물건 따위를 주어서 뒤를 보살펴 주다. ¶학비를 ~. **10** 공급하다. ¶단골집에 물건을 ~. **11** 사실을 드러내어 말하다. ¶증거를

~. 12 이유나 구실을 들고 나서다. ¶핑계를 ~.
대:다[3] 보동 동사 어미 '-아, -어'의 다음에 쓰여, 정도의 심함을 나타내는 말. ¶마구 먹어 ~/몰아 ~.
-대다 미 -거리다.
대:-다수(大多數) 명 1 대단히 많은 수. 2 거의 다. 거의 대부분. ¶의원 ~의 찬성으로 안건이 의결되다.
대:-단원(大團圓) 명 1 일의 맨 끝. 대미(大尾). ¶~을 장식하다. 2 영화나 연극 따위에서 사건의 얽힌 실마리를 풀어 결말을 짓는 마지막 장면. ¶~의 막을 내리다.
대:단-찮다 [-찬타] 형 '대단하지 아니하다'의 준말. ¶대단찮게 여기다/대단찮은 사건이다. 대:단찮-이 [-찬-] 부
*대:단-하다 형여불 1 매우 심하다. ¶엄살이 ~/고집이 ~. 2 크고도 많다. 엄청나다. ¶대단한 인기. 3 매우 중요하다. ¶감사원장은 대단한 직책이다. 4 아주 뛰어나다. ¶실력이 ~. 대:단-히 부. ¶~ 고맙습니다.
*대:담(大膽) 명하형히부 담력이 크고 용감함. ¶~한 행동을 하다/일을 ~하게 처리하다.
대:담(對談) 명하자 마주 대하고 말함. 또는 그 말. ¶선생님과 ~하다.
대:담-스럽다 (大膽-) [-스러우니, -스러워] 형ㅂ불 대담한 데가 있다. 대:담-스레 부
*대:답(對答) 명하자 1 묻는 말에 답함. ¶아는 대로 ~하다/질문에 ~하다. 2 부름에 응함. ¶힘차게 ~하다. 3 어떤 문제의 실마리나 해답. ¶책 속에 인생의 ~이 있다. 준답.
대:대(大隊) 명 1 〖역〗 군사 50명의 한 떼를 일컫던 말. 2 〖군〗 군대 편제상의 한 단위(중대의 위, 연대의 아래로 4개 중대로 편성됨). ¶~ 병력이 집결하다. 3 공군 부대 편성의 단위. 보통 4-5개 편대로 구성됨. 전대의 아래, 편대의 위.
대:대(代代) 명 거듭된 여러 세대. 세세(世世). ¶집안 ~의 가풍.
대대로 부 형편이 되어 가는 대로. ¶걱정 말고 ~ 하는 것이 좋다.
대:대-로(代代-) 부 여러 대를 계속하여. ¶~ 내려오는 명문가/~ 살아온 고향.
대:대손손(代代孫孫) 명 대대로 이어 내려오는 자손. ¶~ 영화를 누리다.
대:대-장(大隊長) 명 〖군〗 대대를 통솔하는 지휘관. 영관급의 장교로 임명함.
대:대-적(大大的) 관명 범위나 규모가 썩 큰 (것). ¶~ 행사를 벌이다/~으로 선전하다.
대:덕(大德) 명 1 넓고 큰 인덕. 또는 그런 덕을 지닌 사람. 2 〖불〗 부처. 3 〖불〗 덕이 높은 승려.
대:도(大刀) 명 큰 칼.
대:도(大度) 명하형 도량이 큼. 큰 도량.
대:도(大盜) 명 큰 도둑.
대:도(大道) 명 1 큰길. 2 행정 구획에서, 큰 도(道). 3 사람이 마땅히 지켜야 할 바른 도리. ¶천하의 ~. ↔소도.
-대도 어미 형용사 어간이나 '-었-, -겠-' 뒤에 붙어, '-다고 하여도'의 뜻의 연결 어미. ¶좋~ 그러네.
대:-도시(大都市) 명 지역이 넓고 인구가 많으며, 정치적·경제적·문화적 활동의 중심이 되는 도시. ¶~로의 인구 집중 문제.
대:도호-부(大都護府) 명 〖역〗 고려·조선 때, 지방 행정 구역의 하나.
대:독(代讀) 명하타 축사나 식사 등을 대신 읽음. ¶담화문을 ~하다.
대:동(大同) 명하자형 1 거의 같거나 비슷비슷함. 2 큰 세력이 하나로 합함. ¶~단결. 3 천하가 번영하여 화평하게 됨.
대:동(帶同) 명하타 사람을 함께 데리고 감. ¶학생을 ~하고 가정 방문을 하다.
대:-동맥(大動脈) 명 1 〖생〗 심장에서 온몸에 피를 보내는 동맥의 본줄기. ↔대정맥. 2 한 나라 교통로의 중요한 간선(幹線)의 일컬음. ¶경부선은 우리나라 철도망의 ~이다.
대:동-소이(大同小異) 명하형 거의 같고 조금 다름. 비슷비슷함. ¶먼젓번의 의견과 ~하다.
대두(大斗) 명 열 되들이 말. ¶~ 한 말.
대:두(大豆) 명 〖식〗 콩.
대두(擡頭) 명하자 어떤 세력이나 현상이 일어나거나 고개를 듦. ¶신흥 세력이 ~하다.
대두리 명 1 큰 다툼이나 시비. ¶가끔 운동 경기에서 ~가 벌어진다. 2 일이 크게 벌어진 판. ¶농담 끝에 ~로 번졌다.
대:-들다 [대드니, 대드오] 자 요구하거나 반항하느라고 세차게 달려들다. ¶물불을 가리지 않고 ~.
대-들보(大-)[-뽀] 명 1 〖건〗 큰 들보. 대량(大樑). 2 한 집안이나 나라를 이끌어 가는 중요한 사람. ¶나라의 ~.
대:등(對等) 명하형 어느 한쪽이 낫거나 못하지 않고 서로 비슷함. ¶두 사람의 실력이 ~하다.
대:등-문(對等文) 명 〖언〗 대등한 절(節)들로 짜인 글.
대:등-법(對等法)[-뻡] 명 〖언〗 어미 변화의 하나. 둘 이상의 서술어를 나란히 벌여 놓는 법.
대:등적 연결 어:미(對等的連結語尾)[-정년-] 〖언〗 연결 어미의 한 가지. 대등한 두 문장을 이어 주는 어말 어미. '산은 높고 물은 맑다.'에서의 '-고' 따위.
대:등-절(對等節) 명 〖언〗 한 문장 중에서 대등적 연결 어미로 이어져, 대등한 자격을 가지고 있는 절. '뭉치면 살고 흩어지면 죽는다.' 같은 것. 대립절(對立節).
대뜰 명 댓돌에서 집채 쪽으로 나 있는 좁고 긴 뜰.
대뜸 부 이것저것 생각할 것 없이 그 자리에서 얼른. ¶~ 잔소리부터 하네.
대:란(大亂) 명하형 1 크게 어지러움. ¶교통 ~을 가중시키다. 2 큰 난리. ¶나라에 ~이 일어나다.
대:략(大略) 一명 1 큰 모략. 2 대강의 줄거리. ¶~의 사정을 살펴보다. 二부 대체의 줄거리로. 대충. 대강. ¶~ 다음과 같다.
대:량(大量) 명 아주 많은 분량이나 수량. ¶~ 공급/섬유 제품을 ~ 수출하다.
대:량 생산(大量生産) 한 공장에서 동질

(同質)·동형(同型)의 상품을 기계력에 의하여 많은 분량으로 만들어 냄. ¶ 컨베이어 시스템과 공정의 단순화가 ~을 가능케 하였다. ㊟양산(量産).

대:련 (對聯) 명 **1** 〔문〕 시문 등에서, 대(對)가 되는 연(聯). **2** 대문이나 기둥 등에 써 붙이는 대구(對句).

대:련 (對鍊) 명하자 태권도·유도 등에서, 두 명이 서로 겨루어 공격과 방어 방법을 동시에 연습하는 일. 태권도에서는 '겨루기'라고 함. ¶ 고단자와 ~하다.

대:렴 (大殮) 명하타 소렴(小殮)을 한 다음 날, 시신에 옷을 거듭 입히고 이불로 싸서 베로 묶는 일.

대:령 (大領) 명 〔군〕 영관급의 으뜸 계급《중령의 위, 준장의 아래임》.

대:령 (待令) 명하자타 **1** 명령을 기다림. **2** 준비하고 기다림. ¶ 차를 ~하다.

대:례 (大禮) 명 **1** 조정의 중대한 의식. **2** 혼인을 치르는 큰 예식. ¶ ~를 치르다.

대:례-복 (大禮服) 명 〔역〕 국가의 중대한 의식 때 벼슬아치가 입던 예복.

대:로 (大怒) 명하자 〔←대노(大怒)〕 크게 성냄. 몹시 화를 냄. ¶ 할아버지께서 ~하여 큰소리로 꾸짖으셨다.

대:로 (大路) 명 폭이 넓고 큰 길. ¶ ~를 활보하다. ↔소로(小路).

***대로** ㊀조 **1** 그 모양과 같이. ¶ 그~ 두어라. **2** 서로 따로따로. ¶ 나는 나~ 가겠다. ㊁의명 **1** 그 모양과 같이. ¶ 본 ~ 글을 쓴다. **2** …하는 바와 같이. ¶ 원하는 ~ 이루어지다. **3** …을 좇아서. ¶ 시키는 ~ 하다. **4** 할 때마다. 족족. ¶ 나오는 ~ 먹어 치우다. **5** …하는 즉시. ¶ 날이 밝는 ~ 떠나겠다. **6** '매우 그러하다'는 뜻을 나타냄. ¶ 낡을 ~ 낡은 갓.

대로-변 (大路邊) 명 큰길 옆. 큰길 가까이. ¶ ~에 즐비한 상점들.

대롱 명 **1** 가느스름한 통으로 된 가는 대의 토막. **2** 물레의 가락에 끼우고 실을 감는 가는 통대 토막.

대롱-거리다 자 매달린 물건이 가볍게 흔들리다. **대롱-대롱** 부하자

대롱-대다 자 대롱거리다.

대:류 (對流) 명 〔물〕 열로 말미암아서 액체나 기체가 아래위로 뒤바뀌면서 움직이는 현상.

대:류-권 (對流圈)[-꿘] 명 대기권 중 가장 낮은 층. 극지방에서 고도 약 8km, 적도 지방에서 약 18km 이하, 곧 성층권 이하의 범위. *대기권(大氣圈).

***대:륙** (大陸) 명 **1** 넓고 큰 육지. **2** 지구상의 커다란 육지《유라시아·아프리카·남아메리카·북아메리카·오스트레일리아·남극의 6 대륙》.

대:륙 간 탄:도 유도탄 (大陸間彈道誘導彈) 대형 핵폭탄을 적재하고 대륙 간을 초음속으로 나는 전략용 장거리 미사일《약칭 : ICBM》.

대:륙-법 (大陸法) 명 독일·프랑스를 중심으로 하는 유럽 대륙 여러 나라의 법. 로마법의 영향을 많이 받았으며, 성문법을 중심으로 함. ↔영미법.

대:륙-붕 (大陸棚) 명 〔지〕 대륙이나 큰 섬 주위의 바다 깊이가 평균 200m까지의 완만한 경사면.

대:륙-성 (大陸性) 명 대륙적인 성질. 곧, 민족성으로는 인내력이 강하고, 기후로는 더위와 추위의 차가 심함. ¶ ~ 기질이 드러나다. ↔해양성.

대:륙성 기후 (大陸性氣候) 〔기상〕 기온의 연교차와 일교차가 매우 크고 강수량이 적으며 건조한 기후. 내륙성 기후. 대륙 기후. ↔해양성 기후.

대:륙-적 (大陸的) 관명 **1** 대륙에만 있는 (것). **2** 도량이나 기백 따위가 웅대한 (것). ¶ ~ 특징을 보이다.

대:리 (代理) 명하타 **1** 남을 대신하여 일을 처리함. 또는 그 사람. ¶ ~ 출석 / ~ 시험. **2** 회사에서 사원보다는 높고 과장보다는 아래인 직위. ¶ ~로 승진하다. **3** 〔법〕 어떤 사람이 본인을 대신하여 스스로 의사 표시를 하거나 제삼자로부터 의사 표시를 받음으로써 직접 본인에게 법률 효과가 발생하는 일《법정(法定) 대리·임의(任意) 대리 따위》.

대:리-모 (代理母) 명 불임 부부 또는 자식 키우기를 원하는 독신자를 위하여, 대신 아기를 낳아 주는 여자. *씨받이.

대:리-석 (大理石) 명 〔광〕 석회암이 높은 열과 강한 압력으로 변질된 돌. 순수한 것은 백색이고 불순한 것은 적색·회색 무늬 등이 섞임. 건축·조각·장식용임《중국 윈난성 다리(大理)에서 많이 나므로 대리석이라 함》. 마블. ¶ 바닥을 ~으로 깔다.

대:리-인 (代理人) 명 **1** 다른 사람을 대신해서 일을 처리하는 사람. **2** 〔법〕 남을 대신하여 의사 표시를 하고 또 의사 표시를 받을 권한을 가진 사람《법정 대리인과 임의 대리인이 있음》.

대:리-점 (代理店) 명 특정한 생산업자의 상품을 맡아 팔든가 소개해 주는 가게.

대:립 (對立) 명하자 의견이나 처지 따위가 서로 반대되거나 모순되어서 맞서거나 버팀. 또는 그런 관계. 대치(對峙). ¶ 구세대와 신세대의 ~ / 의견이 ~하다.

대:립 형질 (對立形質)[-리평-] 〔생〕 멘델식 유전에서, 대립하여 유전하는 우성 형질과 열성 형질.

대:마 (大馬) 명 바둑에서, 많은 점으로 넓게 자리를 차지한 돌. ¶ ~불사(不死) / ~를 잡다.

대:마 (大麻) 명 〔식〕 삼[3].

대-마루 명 **1** 지붕에서 가장 높게 마루진 부분. **2** '대마루판'의 준말.

대마루-판 명 일이 되고 안 되는 것과 이기고 지는 것이 결정되는 마지막 끝판.

대:마-초 (大麻草) 명 환각제로 쓰이는 삼의 이삭이나 잎.

대:-만원 (大滿員) 명 혼잡을 이룰 정도로 사람이 가득 참. ¶ ~의 성황을 이루다.

대-말 명 아이들이 말놀음할 때, 두 다리를 걸터타고 끌고 다니는 대막대기. ¶ 우리는 어려서부터 ~을 같이 타고 놀던 사이이다.

대:망 (大望) 명 큰 희망. ¶ 젊은이들이여, ~을 품어라.

대:망 (待望) 명하타 기다리고 바람. ¶ ~의 21세기가 밝았다.

대:매 명 단 한 번 때리는 매.
대:-매출(大賣出) 명하타 많은 물건을 마련하여 대대적인 선전을 하면서 값싸게 팔거나 경품(景品)을 붙여 팖. ¶연말 ~.
대:맥(大麥) 명 〖식〗 보리.
대:-머리 명 머리털이 많이 빠져 벗어진 머리. 또는 그런 사람.
대:-머리(大-) 명 일의 가장 중요한 부분. 대두뇌(大頭腦).
대:면(對面) 명하자타 서로 얼굴을 마주 보고 대함. ¶그와는 오늘 첫 ~이다.
대:명(大命) 명 임금의 명령. 어명(御命).
대:명(待命) 명하타 1 관원이 과실이 있을 때, 처분의 명령을 기다림. 2 대기 명령.
대:-명사(代名詞) 명 〖언〗 1 사람이나 사물의 이름을 대신 나타내는 말. 또는 그런 말들을 가리키는 품사. 2 사람이나 사물의 특색을 나타내는 것의 비유. ¶꽃은 바로 미의 ~이다.
대:-명제(大命題) 명 어떤 문제에 대한 가장 기본이 되는 논리적 주장이나 판단을 언어나 기호로 나타낸 것. ¶~는 대회의 성공적인 개최이다.
대:명-천지(大明天地) 명 아주 밝은 세상. ¶~에 이런 일이 일어나다니…….
대:모(大母) 명 할아버지와 같은 항렬인, 유복친(有服親) 이외의 할머니뻘 되는 친척의 여자.
대:모(代母) 명 1 〖가〗 영세(領洗)·견진(堅振) 성사를 받을 때, 증인으로 세우는 종교상의 여자 후견인. ↔대부. 2 어머니의 구실을 대신해 주는 여자. ¶~가 부모 입장에서 불우 청소년들을 돌보아 줄 것이다.
대:모한 관 대체의 줄거리가 되는 중요한. ¶~ 것부터 말하면 양쪽이 같다.
대목 명 1 설이나 추석 따위의 명절을 앞둔 긴요한 시기. ¶명절 ~이라 시장에 사람들로 넘쳐 난다. 2 일의 특정한 부분이나 대상. ¶주목할 만한 ~. 3 이야기·글 따위의 특정한 부분. ¶춘향가 한 ~을 부르다.
대:목(大木) 명 1 큰 건축물을 잘 짓는 목수. 2 목수(木手).
대목-장(-場) 명 큰 명절을 앞두고 서는 장. ¶설밑 ~.
대-못[-몯] 명 대나무를 깎아 만든 못.
대:-못(大-)[-몯] 명 길고 굵은 못. 큰못. ¶벽에 ~을 박았다.
대문(大文) 명 1 주해가 있는 글의 본문. 2 몇 줄이나 몇 구로 이루어진 글의 동강이나 단락. ¶이 글은 크게 두 ~으로 나뉜다.
*대:문(大門) 명 큰 문. 집의 정문. 앞대문. [대문 밖이 저승이라] 사람은 언제 죽을지 모른다는 말. [대문이 가문(家門)] 아무리 가문이 높아도 가난하여 집채나 대문이 작으면 위엄이 없어 보인다는 말.
대:문-간(大門間)[-깐] 명 대문을 여닫기 위하여 대문의 안쪽에 있는 빈 곳.
대:-문자(大文字)[-짜] 명 서양 글자에서, 큰 체로 된 글자. 글의 첫머리나 고유 명사의 첫 자 따위에 씀. ↔소문자.
대:-문장(大文章) 명 썩 잘 지은 훌륭한 글. 또는 그런 글을 잘 짓는 사람. ¶당대의 ~.
대:문-짝(大門-) 명 대문의 문짝. ¶~처럼 크다 / ~을 박차고 나가다.
대:문짝-만하다(大門-)[-짱-] 형 매우 크다. ¶신문에 기사가 대문짝만하게 나다.
대:물 담보(對物擔保) 〖법〗 특정한 재산으로 채무 이행을 보증하는 일《질권·저당권 따위》. ↔대인(對人) 담보.
대:물-렌즈(對物lens) 명 〖물〗 현미경이나 망원경 따위의 광학 기기에서 물체로 향한 쪽의 렌즈. ↔접안(接眼)렌즈.
대:-물리다(代-) 타 재산이나 가업 따위를 자손에게 물려주다. ¶집을 아들에게 ~.
대:-물림(代-) 명하자타 1 대를 물리어 잇는 일. ¶~을 받다 / 부채 만드는 일을 ~하다. 2 대를 물리는 물건. ¶도자기는 우리 집안 ~이다.
대:미(大尾) 명 맨 마지막. 대단원(大團圓). ¶축제의 ~를 장식하다.
대:민(對民) 명 민간인을 상대함. ¶~ 지원 / ~ 봉사를 활발히 전개하다.
대-바구니 명 대로 엮어 만든 바구니.
대-바늘 명 대로 만든, 끝이 곧고 뾰족한 뜨개바늘의 하나.
대:반(大盤) 명 1 큰 소반. 큰 목판. 2 푸짐하게 잘 차린 음식.
대:-반석(大盤石) 명 1 넓고 편평한 큰 바위. 2 사물이 견고하여 움직이지 않음의 비유. ¶회사를 ~ 위에 올려놓다.
대-받다 타 남의 말에 반항하여 들이대다. ¶어른이 하는 말을 ~니 무례하구나.
대:-받다(代-) 타 1 앞사람의 사물이나 일을 뒷사람이 이어받다. 2 선대의 업을 자손이 이어받다. ¶그는 가업을 대받아 하고 있다.
대-발 명 대를 엮어서 만든 발. ¶~을 치다〔늘어뜨리다〕.
대:방(大房) 명 1 큰 방. 2 〖불〗 큰방3. 3 남의 어머니·할머니를 높이어 일컫는 말. ¶~마님.
대-밭[-받] 명 대를 심은 밭. 대가 많이 서 있는 땅. ¶마을 뒤로 ~이 우거졌다.
대번 부 대번에. ¶그는 ~ 나를 알아봤다.
대번-에 부 서슴지 않고 단숨에. 한 번에 곧. ¶~ 알아채다 / ~ 승낙을 하다.
대:범-스럽다(大泛-)[-스러우니, -스러워] 형ㅂ불 대범한 데가 있다. ¶그는 매사에 ~. 대:범-스레 부
대:범-하다(大泛-) 형여불 성격이 좀스럽거나 까다롭지 않고 너그럽다. ¶대범한 성격. 대:범-히 부
대:법(大法) 명 '대법원'의 준말.
대:-법관(大法官) 명 〖법〗 대법원장과 더불어 대법원을 구성하는 법관. 대법원장의 제청에 따라 대통령이 국회의 동의를 얻어 임명함《임기는 6년임》.
대:-법원(大法院) 명 〖법〗 우리나라의 최고 법원《대법원장과 대법관으로 구성되며 상고·항고 사건과 대법원의 권한에 속하는 사건을 종심(終審)으로 재판함》. 준대법.
대:법원-장(大法院長) 명 〖법〗 대법원의 장(長).
대:변(大便) 명 사람의 똥. ¶~이 마렵다 / ~과 소변을 가리지 못하다. ↔소변.
대변(을) 보다 구 '똥을 누다'의 점잖은 말. 뒤보다.

대:변 (大變) [명] 큰 변화. 큰 사변.
대:변 (代辨) [명][하타] 1 남을 대신하여 빚을 갚음. 2 남을 대신하여 사무를 처리함.
대:변 (代辯) [명][하타] 개인이나 단체를 대신하여 그의 의견이나 태도 따위를 책임지고 말함.
대:변 (貸邊) [명] 〔경〕 복식 부기에서, 장부상의 계정계좌 오른쪽 부분《자산의 감소, 부채나 자본의 증가 등을 적어 넣음》. ↔차변(借邊).
대:변 (對邊) [명] 〔수〕 다각형에서, 한 변이나 한 각과 마주 대하고 있는 변. 맞변.
대:변-인 (代辯人) [명] 대변을 맡아 하는 사람. 대변자. ¶정부 ~/민의의 ~.
대:-변혁 (大變革) [명] 근본적인 큰 사회적 변화. 빅 뱅. ¶컴퓨터는 현대 사회에 ~을 일으켰다.
대:별 (大別) [명][하타] 크게 나눔. ¶생물은 동물과 식물로 ~된다.
대:병 (大兵) [명] 대군. ¶백만 ~을 거느린 장수/적의 ~이 침입하다.
대:-보다 [타] 서로 견주어 보다. ¶키를 ~.
대:-보름 (大-) [명] '대보름날'의 준말.
대:-보름날 (大-) [명] 〔민〕 음력 정월 보름날을 명절로 이르는 말. 상원(上元). [준]대보름.
대:본 (大本) [명] 1 크고 중요한 근본. 2 같은 종류의 물건 가운데에서 가장 큰 본새.
대:본 (貸本) [명][하자] 돈을 받고 책을 빌려 줌. 또는 그 책. 세책.
대본 (臺本) [명] 〔문〕 1 연극이나 영화의 대본. ¶연극 ~. 2 토대가 되는 책. ¶영문판을 ~으로 하여 번역하다.
대:봉 (代捧) [명][하타] 꾸어 준 돈이나 물건을 다른 것으로 대신해 받음.
대봉(을) 치다 [구] 다른 것으로 대신 채우다. ¶잃어버린 물건을 사다가 ~.
대:부 (大父) [명] 할아버지와 같은 항렬되는, 유복친(有服親) 이외의 남자 친척.
대:부 (大夫) [명] 〔역〕 고려와 조선 때에, 벼슬 품계에 붙이던 칭호. ¶통정(通政)~.
대:부 (代父) [명] 〔가〕 영세(領洗)나 견진(堅振)성사를 받을 때, 증인으로 세우는 종교상의 남자 후견인. ↔대모(代母).
대:부 (貸付) [명][하타] 1 이자와 기한을 정하고 돈을 빌려 줌. ¶은행 ~를 받다. 2 어떤 물건을 되돌려 받기로 하고 다른 사람에게 빌려 주어 쓰게 함.
대:부-금 (貸付金) [명] 이자와 기한을 정하고 빌려 주는 돈.
대:-부대 (大部隊) [명] 규모가 큰 부대. 또는 많은 수의 인원.
대:-부등 (大不等) [명] 아름드리의 큰 나무. 또는 그런 재목.
[대부등에 곁낫질이라] 큰 세력에 대해 힘이 아주 작은 것의 비유.
*대:-부분 (大部分) [명] 반이 훨씬 넘는 수효나 분량. ¶~ 찬성했다/하루의 ~을 회사에서 보내다.
대:-부인 (大夫人) [명] 1 남의 어머니를 높여 일컫는 말. 2 천자(天子)를 낳은 부인.
대:북 (對北) [명] '북쪽' 또는 '북한에 대한'의 뜻을 나타내는 말. ¶~ 방송/~ 정책. ↔대남(對南).
대:분 (大分) [명][하자타] 크게 나눔.
*대-분수 (帶分數)[-쑤] [명] 〔수〕 정수와 진분수로 된 수《2⅓ 따위》.
대:붕 (大鵬) [명] 하루에 9만 리나 난다는 상상의 큰 새《곤(鯤)이라는 물고기가 변해 되었다고 함》. 붕새.
대-비 [명] 가는 대나 가늘게 쪼갠 대오리를 엮어 만든 비.
대:-비 (大-) [명] 마당을 쓰는 큰 비.
대:비 (大妃) [명] 〔역〕 선왕의 후비(后妃).
대:비 (對比) [명][하타] 1 서로 맞대어 비교함. 2 〔심〕 두 개의 대립되는 감각이나 감정, 그 밖의 심적 활동이 시간적·공간적으로 접근하여 나타날 때에 대립된 특성이 서로 강하게 되어, 그 차이가 두드러지게 나타나는 현상. 3 회화에서 상반되는 형태·색을 나란히 배치하는 일. ¶두 색채의 ~가 아주 잘 어울렸다.
*대:비 (對備) [명][하자타] 앞으로 닥칠 일에 대응할 준비를 함. 또는 그런 준비. ¶만일에 ~하다.
대:비-책 (對備策) [명] 대비를 하기 위한 방법. ¶만일을 위한 ~을 세우다.
대-빗 [-빋] [명] 대나무로 만든 빗. 죽비(竹篦). 죽소(竹梳).
대:사 (大事) [명] 1 큰일. ¶~를 치르다. ↔소사(小事). 2 〈속〉 대례(大禮).
대:사 (大使) [명] '특명 전권 대사'의 준말. ¶주미(駐美) ~.
대:사 (大師) [명] 〔불〕 1 부처와 보살을 높여 일컫는 말. 2 나라에서 덕이 높은 선사에게 내려 주던 이름. ¶사명(四溟) ~. 3 중을 높여 이르는 말.
대:사 (大赦) [명][하타] 〔법〕 '일반 사면(赦免)'을 흔히 이르는 말.
대:사 (代謝) [명] '물질대사'의 준말.
대사 (臺詞·臺辭) [명] 〔연〕 연극이나 영화 따위에서 배우가 하는 말. ¶~를 잘 외우다. ☞희곡.
대:사-관 (大使館) [명] 대사가 주재국에서 공무를 처리하는 기관. 또는 그런 청사(廳舍). ¶영국 ~.
대:-사성 (大司成) [명] 〔역〕 고려·조선 때, 성균관의 으뜸 벼슬《정삼품임》.
대:-사전 (大辭典) [명] 수록한 단어가 많고 내용이 풍부하여 부피가 큰 사전. ¶새 국어 ~을 만들다.
대:-사헌 (大司憲) [명] 〔역〕 고려·조선 때, 사헌부의 으뜸 벼슬.
대:-살년 (大殺年)[-련] [명] 극심한 흉년.
대살-지다 [형] 몸이 강파르고 야무져 보이다. ¶대살진 외모답게 깐깐하다.
대:상 (大祥) [명] 사람이 죽은 지 두 돌 만에 지내는 제사. ¶할아버지의 ~을 지내다. *소상(小祥).
대:상 (大商) [명] 장사를 크게 하는 상인. ¶굴지의 ~.
대:상 (大賞) [명] 여러 가지 상 중에서 가장 큰 상. 그랑프리. ¶~을 수상하다〔차지하다〕.
대:상 (代償) [명][하타] 1 남에게 끼친 손해에 대해 다른 것으로 대신 물어 줌. 2 남을 대신하여 갚아 줌.
대상 (帶狀) [명] 좁고 길어서 띠같이 생긴 모

양. 떼꼴. ¶ ~을 이루고 있다.
대상(隊商) 명 사막 지방에서, 낙타나 말에 물품을 싣고 떼를 지어 먼 곳을 다니면서 장사하는 상인의 집단. 카라반.
대상(臺上) 명 **1** 높은 대의 위. **2** 하인이 주인을 높여 부르던 말.
***대:상**(對象) 명 **1** 어떤 일의 상대 또는 목표나 목적이 되는 것. ¶ 비난의 ~ / 관심의 ~이 되다. **2** 〖철〗 정신 또는 인식의 목적이 되는 것. ¶ 연구 ~.
대:상-물(對象物) 명 대상이 되는 물건.
대:상-자(對象者) 명 대상이 되는 사람이나 집단. ¶ 그는 조사 ~이다.
대:생-치(代生齒) 명 젖니가 빠진 다음에 대신 나는 이. 간니.
대:서(大書) 명하타 글씨를 두드러지게 크게 씀. 또는 그런 글씨.
대:서(大暑) 명 **1** 몹시 심한 더위. **2** 이십사절기의 하나《양력 7월 23일경에 듦》.
대:서(代書) 명하타 **1** 다른 사람을 대신하여 문서 따위를 써 주는 일. **2** 대필(代筆).
대:서(代署) 명하타 남을 대신하여 서명함.
-대서 어미 '-다고 하여서'의 준말. ¶ 키가 크~ 키다리라고 한다.
대:-서다 자 **1** 뒤를 잇대어 서다. **2** 바짝 가까이 다가서다. **3** 대들다.
대:서-소(代書所) 명 대서를 영업으로 하는 곳. 대서방. ¶ 사법 ~.
-대서야 어미 '-다고 하여서야'의 준말. ¶ 그깟 일로 그만둔~ 쓰나.
대:서-특필(大書特筆) 명하타 어떤 사실이나 사건을 특히 두드러지게 글자를 크게 쓴다는 뜻으로, 어떤 기사에 큰 비중을 두어 다룸. ¶ 신문에 ~로 게재되다.
대석(臺石) 명 받침돌.
대:석(對席) 명하자 자리를 마주하거나 같이함.
대:-선거구(大選擧區) 명 두 사람 이상의 의원을 선출하는 선거구.
대:-선배(大先輩) 명 **1** 일정한 분야에 먼저 들어서서 활동한 경험이 많고 능력이 있는 사람. ¶ 그는 직장 ~이다. **2** 자신이 나온 학교를 오래전에 나온 사람. ¶ 그는 우리보다 15년 먼저 학교를 나온 ~이다.
대:-선사(大禪師) 명 〖불〗 선종(禪宗)의 가장 높은 법계.
대:설(大雪) 명 **1** 이십사절기의 하나《양력 12월 7일경》. **2** 아주 많이 내린 눈. 장설(壯雪). ¶ ~로 교통이 두절되다.
대:성(大成) 명하자 **1** 크게 이룸. 크게 이루어짐. **2** 큰 인물이 됨.
대:성(大姓) 명 **1** 집안이 번성한 성씨. **2** 지체가 높은 집안의 성씨. 거성(巨姓).
대:성(大盛) 명하자 크게 번성함.
대:성(大聖) 명 **1** 지극히 거룩한 사람. **2** '공자'의 높임말. **3** 석가모니처럼 올바른 깨달음을 얻은 사람의 높임말.
대:성(大聲) 명 큰 목소리. ¶ ~일갈(一喝).
대:-성공(大成功) 명하자 큰 성공. 크게 성공함. ¶ 예상보다는 ~이다.
대:-성당(大聖堂) 명 〖가〗 교구의 중심이 되는 성당. 주교좌성당.
대:성-통곡(大聲痛哭) 명하자 큰 소리로 목놓아 슬피 욺. ¶ 모친의 부음을 듣자마자 ~하며 쓰러졌다.
대:-성황(大盛況) 명 매우 큰 성황. 또는 몹시 성대한 판. ¶ 공연은 예상외의 ~을 이루었다.
대:세(大勢) 명 **1** 일이 진행되어 가는 결정적인 형세. ¶ ~를 파악하다 / ~를 따르다 / ~는 이미 기울어졌다. **2** 큰 권세. ¶ ~를 쥐다. **3** 병이 위급한 상태.
대:소(大小) 명 사물의 크고 작음. 큰 것과 작은 것. ¶ ~의 점포가 죽 늘어서 있다.
대:소(大笑) 명하자 크게 웃음. ¶ 앙천(仰天)~하다.
대:소-가(大小家) 명 **1** 한집안의 큰집과 작은집. **2** 본부인의 집과 첩의 집.
대:-소동(大騷動) 명 큰 소동. ¶ 한바탕 ~이 벌어지다.
대:소-변(大小便) 명 똥과 오줌. 대소피. 양변. ¶ ~을 못 가리다.
대:소-사(大小事) 명 크고 작은 모든 일. ¶ 집안의 ~를 도맡다.
대:-소상(大小祥) 명 대상과 소상의 총칭.
대-소수(帶小數) 명 〖수〗 정수 부분이 0이 아닌 소수《3.14 따위》.
대-소쿠리 명 대로 결어 만든 소쿠리. ¶ 나물을 씻어서 ~에 받쳐 말리다.
대:속(代贖) 명하타 **1** 〖기〗 예수가 십자가의 보혈(寶血)로 인류의 죄를 대신 씻어 구원한 일. **2** 남의 죄를 대신하여 당하거나 속죄함.
대:손(貸損) 명 외상 매출금·대출금 등을 돌려받지 못하여 손해를 보는 일.
대:송(代送) 명하타 다른 것으로 대신 보냄. ¶ 상품을 ~하다.
대:수 명 〔←大事〕 중요한 일. 대단한 일. 최상의 일《주로 부정문이나 의문문에 쓰임》. ¶ 돈벌이만 잘하면 ~냐.
대:수(大數) 명 **1** 큰 수. **2** 대운(大運) 1. **3** 물건의 수가 많음.
대:수(代數) 명 '대수학'의 준말.
대수(臺數)[-쑤] 명 차·기계 등의 수. ¶ 화물차보다 승용차 ~가 많다.
대:수-롭다 [-로우니, -로워] 형ㅂ불 〔←대사(大事)롭다〕 중요하게 여길 만하다《부정하는 말 또는 의문문에 흔히 씀》. ¶ 대수롭지 않은 일에 화를 내다. **대:수-로이** 부
대:-수술(大手術) 명 〖의〗 대규모로 하는 수술. ¶ 심장 수술은 ~이다.
대:수-식(代數式) 명 〖수〗 대수의 가·감·승·제·멱(羃)·근의 여섯 기호 중 몇 개로 연결된 식.
대:수-학(代數學) 명 〖수〗 숫자 대신에 문자를 기호로 사용하여 수의 성질이나 관계 따위를 연구하는 학문. 준대수.
대-순(-筍) 명 죽순(竹筍).
대:-순환(大循環) 명 〖생〗 심장의 좌심실(左心室)에서 대동맥으로 흐르는 피가 온몸을 돈 뒤 대정맥을 통해서 우심방으로 들어오는 순환 계통. 체(體)순환.
대-숲[-숩] 명 대나무로 이루어진 숲. 죽림(竹林).
대:승(大乘) 명 〖불〗 소승 불교가 개인의 해탈에 힘쓰는 데에 대하여, 인간 전체의 평등과 성불(成佛)을 이상으로 삼는 교리《소승처럼 소극적·형식적이 아니고 적극적·

활동적임》. ↔소승(小乘).

대:승 (大勝) 명하자형 싸움이나 경기에서 크게 이김. 대승리. 대첩(大捷). ¶한국 선수가 ~을 거두다. ↔대패(大敗).

대:-승리 (大勝利)[-니] 명하자 겨루어서 크게 이김. 또는 그런 승리. 대승. ¶아군이 ~를 거두었다.

대:승 불교 (大乘佛敎) 〖불〗 대승의 교리를 기본 이념으로 하는 불교《삼론(三論)·법상(法相)·화엄·천태·진언·율(律) 따위를 비롯해 선종 등은 이에 속함》. 대승교. ↔소승 불교.

대:승-적 (大乘的) 관명 부분적인 것이나 개인적인 것에 얽매이지 않고, 보다 높고 큰 관점에서 판단하고 행동하는 (것). 대국적. ¶~ 견지. ↔소승적.

대시 (dash) 명하자 **1** 돌진. 역주. **2** 구와 구 사이에 넣는 '–'의 접속 기호. 줄표. **3** 수학 등에서의 ' ′ '의 기호. **—-하다** 자여불 일을 적극적으로 추진하다.

대:식-가 (大食家) 명 음식을 남달리 많이 먹는 사람. ¶그는 키는 작아도 ~이다.

대:-식구 (大食口) 명 많은 식구. 식구가 많음. ¶흥부네는 ~였다.

대:신 (大臣) 명 **1** 〖역〗 의정(議政)을 통틀어 이르는 말. **2** 〖역〗 조선 고종 때, 궁내부(宮內府) 각부의 으뜸 벼슬. **3** 군주국에서 장관을 이르는 말.

*__대:신__ (代身) 명하타 **1** 남의 구실이나 책임을 떠맡음. ¶주인을 ~하다. **2** 어떤 행동이나 사물, 상태를 다른 것으로 갈아 채움. ¶꿩 ~에 닭이다.

대:아 (大我) 명 **1** 〖철〗 우주의 유일절대의 본체. **2** 〖불〗 우주의 본체로서 참된 나.

대:악 (大惡) 명 매우 못된 짓. 또는 그런 짓을 하는 사람.

대:악-무도 (大惡無道)[-앙-] 명하형 아주 악독하고, 사람의 도리에 어긋나고 막됨. ¶~한 죄를 범하다.

대:안 (代案) 명 어떤 안을 대신하는 다른 안. ¶~ 학교/~을 마련하다.

대:안 (對岸) 명 강이나 호수 따위의 건너편 기슭이나 언덕. ¶~의 불 보듯 하다.

대:안 (對案) 명하자 어떤 일에 대처할 방안. ¶~을 마련하다.

대야 명 물을 담아 얼굴이나 손발 따위를 씻을 때 쓰는 둥글넓적한 그릇.

-대야 어미 '-다고 하여야'의 준말. ¶공부를 한~ 책을 사 주지.

대:양 (大洋) 명 세계의 해양 가운데에 특히 넓고 큰 바다《태평양·대서양 따위》. *오대양.

대:어 (大魚) 명 큰 물고기.

대어를 낚다 구 ㉠매우 규모가 크거나 가치 있는 것이 걸려들다. ㉡사람의 선발 따위에서 능력이나 실력이 대단한 사람을 얻다.

대:업 (大業) 명 **1** 큰 사업. ¶조국 통일의 ~. **2** 나라를 세우는 일. 홍업(洪業).

대:여 (貸與) 명하타 빌려 주거나 꾸어 줌. ¶~금(金)/비디오 ~점/각종 행사 용품을 ~해 주다.

대:-여섯 [-섣] 수관 다섯이나 여섯가량(의). ¶~ 명이 덤벼들다/~이 기다리고 있었다/~ 명밖에 모이지 않았다. 준대엿.

대:여섯-째 [-섣-] 수 다섯째나 여섯째.

대:역 (大役) 명 **1** 책임이 무거운 직책이나 직무. ¶어린 나이에 회사의 ~을 맡다. **2** '대역사(大役事)'의 준말.

대:역 (大逆) 명 왕권을 침해하거나 부모를 죽이는 등의 큰 죄. ¶~의 죄를 범하다.

대:역 (代役) 명하타 어떤 역을 맡은 사람을 대신하여 다른 사람이 맡아 하는 일. 또는 그 사람. ¶~을 쓰다.

대:역 (對譯) 명하타 원문과 번역문을 대조할 수 있게 나란히 나타내는 일. 또는 그 번역.

대:역-무도 (大逆無道)[-영-] 명하형 임금이나 나라에 큰 죄를 지어 사람의 도리에 몹시 어그러짐. 또는 그런 행위. 대역부도.

대:-역사 (大役事) 명 매우 큰 공사. 대규모의 토목 건축 공사. 준대역.

대열 (隊列) 명 **1** 질서 있게 죽 늘어선 행렬. ¶~에서 이탈하다. **2** 어떤 활동을 할 목적으로 모인 무리. ¶선진국 ~에 끼다.

대:-엿 [-엳] 수관 '대여섯'의 준말.

대:엿-새 [-엳쌔] 명 닷새나 엿새가량. ¶금방 ~가 지나갔다.

대:오 (大悟) 명하자 **1** 〖불〗 번뇌에서 벗어나 진리를 크게 깨달음. **2** 크게 깨달음. 똑똑히 이해함.

대오 (隊伍) 명 군대를 편성한 행렬. 군대 행렬의 줄. ¶~가 흐트러지다/~를 지어 나아가다. 준대(隊).

대:오-각성 (大悟覺醒) 명하자 진실을 깊이 깨닫고 올바르게 정신을 가다듬음. ¶그는 ~하여 새사람이 되었다.

대:-오다 자너라불 정한 시간에 맞추어 오다. ¶제 날짜에 ~. ↔대가다.

대-오리 명 가늘게 쪼갠 댓개비. ¶~로 바구니를 엮는다.

대:-완구 (大碗口) 명 조선 때, 쇠나 돌로 만든 둥근 탄알을 넣어 쏘던 가장 큰 화포.

대완구

*__대:왕__ (大王) 명 〖역〗 **1** '선왕'의 높임말. **2** 훌륭하고 뛰어난 임금을 높여 일컫는 말.

대:왕-대:비 (大王大妃) 명 〖역〗 왕의 살아 있는 할머니를 이르는 말.

대:외 (對外) 명 외부나 외국에 대함. ¶~ 문제/~ 원조. ↔대내.

대:외-적 (對外的) 관명 외부나 외국을 상대로 하는 (것). ¶~(인) 위신. ↔대내적.

-대요 어미 '-다고 해요'가 줄어든 말. **1** 듣거나 본 사실을 인용하여 말함. ¶잘 생각나지 않는~. **2** 듣거나 본 사실을 인용하여 그것이 사실인지 아닌지를 묻는 것을 뜻함. ¶그럼, 왜 그런 말을 했~.

대:요 (大要) 명 큰 줄거리. ¶사건의 ~.

대:욕 (大辱) 명 큰 치욕. ¶지난 축구 시합에서 당한 ~을 잊을 수 없다.

대:욕 (大慾·大欲) 명 큰 욕심. ¶~은 무욕(無慾)과 같다/너무 ~을 부리지 마라.

대:용 (代用) 명하타 다른 것의 대신으로 씀. 또는 그 물건. ¶식탁을 책상으로 ~하다.

대:용 (貸用) 명하타 빌려 씀.

대:-용량 (大容量)[-냥] 명 대단히 큰 용량. ¶~의 세탁기.

대:용량 기억 장치 (大容量記憶裝置)[-냥-] 〖컴〗 컴퓨터 내부의 주기억 장치에 비하여 매우 큰 기억 용량을 가지는 기억 장치《디스크·테이프·드럼 따위가 있음》.
대:용-물 (代用物) 명 어떤 것의 대신으로 쓰는 물건. ¶현금의 ~이 수표이다.
대:용-식 (代用食) 명 주식 대신 먹는 음식.
대:용-품 (代用品) 명 어떤 물품을 대신하여 쓰는 물품. 대품(代品). ¶천연 모피 ~으로 인조 모피를 쓴다.
대우 명 이른 봄에 보리나 밀을 심은 밭의 이랑이나 이랑 사이에 콩이나 팥 따위를 드문드문 심는 일. ¶~콩 / ~팥.
대우(를) 파다 구 다른 작물을 심은 밭이랑에 콩이나 팥 등을 심다.
대:우 (待遇) 명하타 **1** 예의를 갖추어 대함. ¶귀빈 ~. **2** 직장 따위에서 받는 보수의 수준이나 지위. ¶~를 개선하다. **3** 어떤 사회적 관계에서 대하는 태도나 방식. ¶차별 ~ / 부당한 ~. **4** 직위를 나타내는 말 뒤에 붙어, 그에 준하는 대접을 받는 직위임을 나타냄. ¶부장 ~.
대:-우주 (大宇宙) 명 〖철〗 자아(自我)를 소우주라 이르는 데 대해 실제의 우주를 일컫는 말. 마크로코스모스.
대:운 (大運) 명 **1** 몹시 좋은 운수. ¶~이 트이다. 대수(大數). **2** 하늘과 땅 사이에 돌아가는 기수(氣數). ¶~을 만나다.
대-울타리 명 **1** 굵은 대나무를 쪼개서 결어 만든 울타리. **2** 대를 촘촘히 심어 만든 울타리.
대:웅-전 (大雄殿) 명 〖불〗 석가모니불을 본존(本尊) 불상으로 모신 법당. 참고 대웅전은 '아미타불'을 본존으로 하는 '극락전(極樂殿)', '비로자나불'을 봉안(奉安)하는 '대적광전(大寂光殿)'과 함께 삼대 불전(佛殿)의 하나임.
대:원 (大圓) 명 **1** 큰 원. **2** 〖수〗 어떤 구(球)를 그 중심을 통하는 평면으로 자른 단면의 원. 또는 그 둘레. ↔소원(小圓).
대원 (隊員) 명 부대나 집단을 이루고 있는 사람. ¶탐험대 ~.
대:원-군 (大院君) 명 〖역〗 왕위를 이을 자손이 없어 왕족 중에서 왕위를 이어받았을 경우, 그 왕의 친아버지에게 봉(封)하던 직위. ¶흥선(興宣) ~.
대:-원수 (大元帥) 명 **1** 전군(全軍)을 통솔하는 대장. **2** 육해공군을 통수하는 원수(元帥)를 높이어 일컫는 칭호.
대:-원칙 (大原則) 명 근본이 되는 가장 중요한 원칙. ¶~을 지키다.
대:위 (大尉) 명 〖군〗 위관(尉官)의 으뜸 계급《중위의 위, 소령의 아래》.
대:유-법 (代喩法)[-뻡] 명 수사법에서, 비유법의 한 가지. 사물의 한 부분이나 그 속성을 들어서 전체나 자체를 나타냄《간호사를 '백의 천사', 사람의 일생을 '요람에서 무덤까지'로 나타내는 따위》.
대:응 (對應) 명하자 **1** 어떤 일이나 사태에 알맞은 조치를 취함. ¶신속한 ~ / 법적 ~을 하다. **2** 마주 대함. 상대함. **3** 서로 같음. 상등(相等)함. **4** 상대에 응하여 수작함. **5** 〖수〗 두 집합의 원소끼리 서로 짝을 이루는 것.
대:응-각 (對應角) 명 〖수〗 두 도형이 닮은꼴이거나 합동일 때, 서로 대응하는 자리에 있는 각. 짝진각.
대:응-변 (對應邊) 명 〖수〗 두 도형이 닮은꼴이거나 합동일 때, 서로 대응하는 자리에 있는 변. 짝진변.
***대:응-점** (對應點)[-쩜] 명 〖수〗 두 도형이 닮은꼴이거나 합동일 때, 서로 대응하는 두 점. 짝진점.
대:응-책 (對應策) 명 어떤 일에 대하여 취하는 방책. ¶환경 공해에 대한 ~을 마련하다.
대:의 (大意)[- / -이] 명 대강의 뜻. ¶글의 ~를 파악하다.
대:의 (大義)[- / -이] 명 **1** 마땅히 행해야 할 큰 도리. **2** 대의(大意). ¶~를 따르다.
대:의 (代議)[- / -이] 명 **1** 여러 사람을 대표하여 나온 사람들끼리의 논의. **2** 공선(公選)된 의원이 국민의 의사를 대표하여 정치를 논의하는 일.
대:의 기관 (代議機關)[- / -이-] 대의원이 정사(政事)를 논의하는 기관. ¶국회는 나라의 ~이다.
대:의-명분 (大義名分)[- / -이-] 명 **1** 사람이 마땅히 지켜야 할 도리나 본분. 떳떳한 명목. **2** 어떤 일을 꾀하는 데 내세우는 마땅한 구실이나 이유. ¶~을 내세우다 / ~ 없이 그런 행동을 해서는 안 된다.
대:의-원 (代議員)[- / -이-] 명 정당이나 단체의 대표로 선출되어, 토의·의결에 참가하는 사람. ¶학급 ~.
대:인 (大人) 명 **1** 거인. **2** 어른. 성인. ↔소인(小人). **3** '대인군자'의 준말. ¶~의 풍모를 갖추다. **4** 높은 관직에 있는 사람. **5** 남의 아버지의 높임말. **6** 문어체에서 남을 높여 이르는 말.
대:인 (代人) 명 남을 대신함. 또는 그런 사람. 대리인.
대:인 (對人) 명하자 남을 대함. ¶그는 ~ 관계가 좋다.
대:인-군자 (大人君子) 명 말과 행실이 바르고 점잖으며 덕이 높은 사람. ¶~의 풍모를 지니다. 준대인.
대:인 담보 (對人擔保) 〖법〗 사람의 신용을 채권의 담보로 하는 일《보증 채무·연대 채무 따위》. ↔대물 담보.
대:인 방어 (對人防禦) 농구·축구·핸드볼 따위에서, 한 선수가 상대 팀의 특정 선수를 맡아 수비하는 방법. 대인 방어법. 맨투맨 디펜스.
대:임 (大任) 명 아주 중대한 임무. ¶~을 완수하다 / ~을 맡게 되다.
대:임 (代任) 명하타 남을 대신하여 임무를 처리함. 또는 그 사람.
대:입 (大入) 명 '대학 입학'을 줄여 이르는 말. ¶그는 ~ 준비를 하느라 바쁘다.
대:입 (代入) 명하타 **1** 어떤 것을 대신하여 다른 것을 넣음. **2** 〖수〗 어떤 수식의 변수를 특정한 숫자나 문자로 바꾸어 넣는 일.
대:입-법 (代入法) 명 〖수〗 어떤 특정한 수치 대신에 다른 수·문자를 넣어서 푸는 대수식의 연산.
대-자 명 대나무로 만든 자. 죽척(竹尺).
대:자 (大字) 명 **1** 큰 글자. **2** 대문자. **3** 팔

과 다리를 양쪽으로 크게 벌린 모습. ¶큰 ~로 드러눕다.

대:자-대:비(大慈大悲) 명 〔불〕 넓고 커서 가없는 자비. 특히, 관세음보살이 중생을 사랑하고 불쌍히 여기는 마음. 대자비.

대-자리 명 대오리로 엮어 만든 자리. 죽석(竹席).

대:-자보(大字報) 명 대형의 벽신문이나 벽보《중국에서 비롯되었음》. ¶대학가에 ~가 나붙어 있다.

대:-자연(大自然) 명 넓고 큰 자연. 위대한 자연. ¶~의 섭리를 거역할 수는 없다.

대:작(大作) 명하자 **1** 뛰어난 작품. ¶그 영화는 불후의 ~이다. **2** 내용이 방대하고 규모가 큰 작품.

대:작(代作) 명하타 **1** 남을 대신하여 작품을 만듦. 또는 그 작품. **2** 대파(代播).

대:작(對酌) 명하자타 마주하고 술을 마심. ¶퇴근길에 회사 동료들과 ~하다.

*__대:장__(大將) 명 **1** 육해공군의 장관(將官)의 가장 높은 급. **2** 한 무리의 우두머리. ¶골목~. **3** 어떤 일을 잘하거나 즐기는 사람. ¶그는 지각 ~이다.

대:장(大腸) 명 〔생〕 소장의 끝에서 항문에 이르는 소화 기관《식물성 섬유의 소화와 수분의 흡수를 맡아봄》. 큰창자.

대장(隊長) 명 한 부대의 우두머리. ¶소방대 ~ / 남극 탐험에 ~으로 활약하다.

대장(臺帳) 명 **1** 어떤 근거가 되도록 일정한 양식으로 기록한 장부. **2** 상업상의 모든 계산을 기록한 원부. ¶출납 ~.

대:장-간(-間)[-깐] 명 풀무를 차려 놓고 시우쇠를 다루어 온갖 연장을 만드는 곳.

대:-장경(大藏經) 명 〔불〕 불경을 통틀어 모은 책. 경장(經藏)·율장(律藏)·논장(論藏) 등 모든 불경을 모아 놓은 책. 준장경.

대:장-균(大腸菌) 명 〔생〕 사람 또는 포유류의 창자 속에 있는 세균의 하나《막대기꼴로, 길이 약 2-4μ인데, 운동성이 있음. 보통 병원성이 없으나, 때로는 방광염·신우염 등의 원인이 되기도 함》.

대:-장부(大丈夫) 명 건장하고 씩씩한 사내. ↔졸장부. 준장부.

대:장-일[-닐] 명하자 대장간에서 시우쇠를 다루어 연장을 만드는 일.

대:장-장이 명 대장일을 업으로 삼는 사람. 야공(冶工). 야장(冶匠). ¶~의 힘찬 망치질 소리가 들린다.

[대장장이 집에 식칼이 논다] 어떤 물건이 흔하게 있을 듯한 곳에 많지 않거나 없음을 이르는 말.

대:-장정(大長征) 명 **1** 큰 규모로 멀리 정벌을 떠나는 일. ¶최영 장군이 명(明)나라를 치고자 ~에 올랐다. **2** 시간이 많이 걸리는 큰 일이나 행사. ¶남극 탐험의 ~을 계획하다.

대:저(大著) 명 내용이 방대하고 규모가 큰 저서. ¶그는 ~를 남겼다.

대:저(大抵) 부 대체로 보아. 무릇. ¶~ 교육은 백년지대계이다.

대-저울 명 대에 눈금이 있고 추가 매달려 있는 저울《대의 한쪽에 물건을 얹는 접시나 고리가 있고 그 가까이에 손잡이가 있음》.

저울눈
받침점
저울대
저울추
저울판

대저울

대:-저택(大邸宅) 명 매우 크고 으리으리한 집. ¶~을 지어 허세를 부리다.

대:적(大敵) 명 수가 많고 세력이 강한 적. 큰 적수. 강적. ¶~과 맞서다 / 그 나라는 지형적으로 ~에 둘러싸인 형상이다.

대:적(對敵) 명하자타 **1** 적과 마주 대함. **2** 적·세력·힘 등에 맞서 겨룸. 또는 그 상대. ¶~할 상대가 없다.

대:전(大全) 명 **1** 완전히 갖추어 모자람이 없음. **2** 어떤 사물에 관한 것을 빠짐없이 편찬한 책. ¶요리법 ~. **3** 언해본(諺解本)에 대한 원본임.

대:전(大典) 명 **1** 나라의 큰 의식. ¶민족의 ~인 전국 체육 대회가 열리다. **2** 중대한 법전.

대:전(大殿) 명 임금이 거처하는 궁전.

대:전(大篆) 명 한자 서체(書體)의 하나.

대전(大篆)

대:전(大戰) 명하자 대단히 크게 싸움. 큰 전쟁. ¶제2차 세계 ~.

대전(帶電) 명하자 어떤 물체가 전기를 띰. 또는 그렇게 함.

대:전(對戰) 명하자 경기 따위에서 맞서서 겨룸. ¶강적과 ~하다.

대:전-료(對戰料)[-뇨] 명 프로 경기에서, 시합을 하고 선수가 받는 보수.

대:-전제(大前提) 명 삼단 논법에서 대개념을 포함한 첫째 전제. ↔소전제.

대:전차-포(對戰車砲) 명 〔군〕 전차나 장갑차를 공격하는 데 쓰는 포.

대전-체(帶電體) 명 전기를 띠고 있는 물체《에보나이트 판·유리 막대 따위》.

대:절(貸切) 명하타 '전세(專貰)'의 구칭.

대:접[1] 명 위가 넓적하고 운두가 낮은 그릇《국이나 숭늉 따위를 담는 데 씀》.

대:접[2] 명 소의 사타구니에 붙은 고기.

*__대:접__(待接) 명하타 **1** 음식을 차려서 손님을 모심. ¶진수성찬을 차려 ~하다. **2** 마땅한 예로 대함. ¶~을 융숭히 받다 / 사람 ~이 말이 아니다.

대:접-받침 명 〔건〕 기둥머리의 장식으로 끼우는 대접처럼 넓적하게 네모진 나무. 대접소로(小櫨).

대:-정맥(大靜脈) 명 〔생〕 몸 안에 흐르는 피를 모아 심장의 우심방으로 들여보내는 굵은 혈관. ↔대동맥.

대:제(大帝) 명 '황제'를 높여 일컫는 말. ¶피터 ~.

대:제(大祭) 명 〔역〕 종묘에서 사맹월(四孟月)의 상순과 납일(臘日)에 지내는 제사와, 사직에서 정월 첫 신일(辛日)에 풍년을 빌며 지내는 제사. 또는 중춘(仲春)·중추(仲秋) 첫 무일(戊日)과 납일에 지내는 제사.

대:-제전(大祭典) 명 **1** 성대하게 벌인 제전. ¶민족의 ~. **2** 큰 규모로 열리는 행사. ¶인류 화합의 ~.

대:-제학(大提學) 명 〔역〕 조선 때, 홍문관과 예문관의 정이품의 으뜸 벼슬. 문형(文衡). 주문(主文).

대:조(大朝) 명 〔역〕 **1** 왕세자가 섭정하고 있을 때의 '임금'을 일컫던 말. **2** 초하루와 보름날 아침에 모든 문무백관들이 임금에게 문안을 드리고 결재를 받던 조회.
대:조(大潮) 명 조수의 차가 가장 큰 때, 또는 그때의 조수. 매월 보름달 뜰 무렵과 그믐에 일어남. 한사리. ↔소조(小潮).
대:조(對照) 명하타 **1** 둘 이상을 맞대어 봄. ¶장부를 ~하다. **2** 서로 반대되거나 달라서 대비됨. ¶둘의 성격이 ~가 된다.
대:조-법(對照法)[-뻡] 명 〔문〕 서로 반대되는 대상이나 내용을 내세워 그 대상이나 내용을 강조하는 수사법(修辭法)(('인생은 짧고 예술은 길다' 따위)).
대:조-표(對照表) 명 비교하기 쉽게 대조해 놓은 표. ¶대차(貸借) ~.
대졸(大卒) 명 '대학 졸업'의 준말. ¶~ 학력이다.
대:종(大宗) 명 **1** 대종가의 계통. **2** 사물의 주류. ¶반도체·자동차 등이 수출품의 ~을 이룬다.
대:-종가(大宗家) 명 동성동본의 일가 중 시조의 제사를 받드는 가장 큰 종가. ¶~의 며느리로 집안 살림을 다잡다.
대:종-교(大倧教) 명 〔종〕 단군 숭배 사상을 기초로 하여, 조화신(造化神)인 환인(桓因), 교화신(教化神)인 환웅(桓雄)과 치화신(治化神)인 환검(桓儉)의 삼위일체인 '한얼님'을 신앙적 대상으로 존중하는 우리나라 고유의 종교. 단군교.
대:좌(對坐) 명하자 마주 앉음. ¶양당 당수가 오랜만에 ~하여 시국담을 나누었다.
대:죄(大罪) 명 크나큰 죄. ¶~를 짓다.
대:죄(待罪) 명하자 죄인이 처벌을 기다림. ¶석고(席藁)~를 드리다.
대:주(大主) 명 **1** 무당이, 굿하는 집이나 단골로 다니는 집의 바깥주인을 일컫는 말. ↔계주(季主). **2** 여자가 자기 집의 바깥주인을 이르는 말.
대:주(大洲) 명 매우 넓은 육지. 대륙. ¶오대양(五大洋)과 육(六)~.
대:주(貸主) 명 돈이나 물건을 빌려 준 사람. ↔차주(借主).
대:-주교(大主教) 명 〔가〕 대교구를 주관하는 최고 성직. 또는 그 직에 있는 사람.
대:-주다 타 **1** 끊이지 않게 잇대어서 주다. ¶학비를 ~. **2** 방향이나 주소 따위를 가르쳐 주다. ¶범인의 집을 ~. **3** 그릇이나 자루 따위를 갖다 대거나 벌리어 물건을 넣게 하다. ¶자루를 ~.
대:주-자(代走者) 명 야구에서, 누상(壘上)에 나가 있는 주자를 대신하여 주자가 된 사람. 핀치 러너. ¶~로 나왔다가 후속 안타로 득점을 올리다.
대:-주주(大株主) 명 한 회사의 주식 가운데 많은 몫을 가진 주주. ¶그 젊은이가 이 회사의 ~이다.
대중 명하타 **1** 대강 어림잡아 헤아림. ¶거리를 ~해 보다 / 변덕이 심해서 그가 하는 행동을 ~하기가 어렵다. **2** 어떠한 표준이나 기준.
대중(을) 삼다 구 어림짐작의 기준이나 표준으로 삼다.
대중(을) 잡다 구 어림짐작으로 헤아려 짐작하다. ¶대중 잡아 계산해 보다.
대중(을) 치다 구 어림짐작으로 셈치다.
대:중(大衆) 명 **1** 수많은 사람의 무리. ¶~ 앞에서 욕설을 퍼부었다. **2** 사회의 대다수를 점하고 있는 사람들. ¶근로 ~의 생활을 보장해야 한다. **3** 〔불〕 많은 중들. 또는 비구·비구니·우바새(優婆塞)·우바이(優婆夷)의 총칭.
대:중-가요(大衆歌謠) 명 〔악〕 널리 대중들이 즐기어 부르는 노래. 일반 대중의 흥미를 위주로 한 노래. 준가요.
대:중-문화(大衆文化) 명 대중이 이루는 문화. 일반 대중의 기호나 욕구에 맞게 대량으로 만들어진 문화. ¶~ 속으로 급속히 파고들다.
대:중 사회(大衆社會) 대중의 힘에 의해 이루어지는 현대 사회((대중의 정치 참여 기회가 증대함과 동시에, 개성의 상실·정치적 무관심·현실 도피 따위의 현상이 나타남)).
대:중-성(大衆性)[-썽] 명 일반 대중이 다 같이 가까이 느끼고 즐기며 좋아할 수 있는 성질. ¶~이 결여된 작품.
대:중 소:설(大衆小說) 〔문〕 대중을 대상으로 한 흥미 위주의 소설.
대:중 심리(大衆心理)[-니] 〔심〕 군중 심리.
대중-없다[-업따] 형 **1** 미리 헤아려 짐작할 수가 없다. **2** 어떠한 기준이나 표준을 잡을 수가 없다. ¶귀가하는 시각이 ~. **대중-없이**[-업씨] 부. ¶술을 ~ 마시다.
대:중 운:동(大衆運動) 공동 목적을 위해 다수인이 일체가 되어 행하는 집단적 활동을 통틀어 이르는 말.
대:중-적(大衆的) 관명 대중을 중심으로 한 (것). 대중에게 쉽게 받아들여지는 (것).
대:중-화(大衆化) 명하자타 대중 사이에 널리 퍼져 친근하게 됨. 또는 그렇게 되게 함. ¶인터넷이 ~되고 있다.
대:지(大旨) 명 말이나 글의 대강의 내용이나 뜻. 대의(大意).
대:지(大地) 명 **1** 대자연 속의 넓고 큰 땅. ¶~에 뿌리를 박다. **2** 좋은 묏자리.
대:지(大志) 명 마음에 품은 큰 뜻. ¶젊은 이들은 ~를 품고 산다.
대지(垈地) 명 집터로서의 땅. ¶~ 면적.
대:지(帶紙) 명 지폐나 서류 따위를 둘러 감아 매는 좁고 긴 종이 오리. 띠종이.
대:지(貸地) 명 세를 받고 빌려 주는 땅.
대:지(對地) 명 공중에서 지상을 대함〔향함〕. ¶전투기의 ~ 공격. ↔대공(對空).
대지(臺地) 명 〔지〕 주위보다 높고 넓은 면적의 평평한 땅.
대지(臺紙) 명 그림이나 사진 따위를 붙이는 데 쓰이는, 바탕이 되는 두꺼운 종이.
대-지르다 〔대지르니, 대질러〕 자르불 찌를 듯이 대들다. ¶그는 경찰에게 대지르며 검문에 불응했다.
대:-지주(大地主) 명 지주 중에서도 토지를 많이 가진 사람.
대-지팡이 명 대로 만든 지팡이. 죽장(竹杖).
대:진(對陣) 명하자 **1** 적과 마주 대하여 진을 침. ¶강을 사이에 두고 ~하다. **2** 놀이

나 운동 경기에서, 서로 편을 갈라 맞섬. ¶~을 추첨으로 결정하다.

대:진-표 (對陣表) 명 운동 경기 따위에서, 서로 겨룰 상대와 경기 진행의 순서를 정하여 나타낸 표. ¶금주의 프로 야구 ~.

대:질 (對質) 명하자 서로 엇갈린 말을 하는 사람들을 마주 대하여 진술하게 함. ¶공범자를 ~시키다.

대-질리다 자 《'대지르다'의 피동》 대지름을 당하다. ¶무례한 사람들에게 ~.

대:질 심문 (對質審問) 〖법〗 원고·피고·증인 들을 대면시켜 그들에게 서면이나 말로 진술할 기회를 주는 일.

대-짜 (大-) 명 큰 것. ¶냄비를 ~로 사다.

대짜-배기 (大-) 명 대짜인 물건. 그중 가장 큰 것. ¶~로 굴비나 몇 마리 사 오게.

대-쪽 명 **1** 대를 쪼갠 조각. 댓조각. **2** 성품이나 절개 따위가 곧은 것의 비유. ¶그 양반은 성미가 ~ 같다.

대:차 (貸借) 명 **1** 돈 따위를 꾸어 줌과 꿈. ¶~ 관계. **2**〖경〗 부기에서 대변과 차변.

대-차다 형 성미가 꿋꿋하고 힘차다. ¶그런 행동을 하다니 대차구나.

대:차 대:조표 (貸借對照表) 〖경〗 일정한 시점에서의 기업의 재정 상태를 알 수 있게 나타낸 표《차변에는 자산, 대변에는 부채와 자본을 기재함》.

대:찰 (大刹) 명 〖불〗 규모가 아주 크거나 이름난 절. 거찰(巨刹). 대사(大寺).

대:책 (對策) 명 **1** 일에 대처할 계획이나 수단. ¶물가 안정 ~을 세우다. **2** 조선 때, 시정(時政)의 문제를 제시하고 그 대응책을 논의하게 한 과거 시험 과목의 한 가지.

대:처 (大處) 명 도회지.

대:처 (對處) 명하자 어떤 일에 대하여 적당한 조처를 취함. 또는 그런 조처. ¶사고에 ~하다 / 강력한 ~ 방안을 제시하였다.

대:처-승 (帶妻僧) 명 〖불〗 살림을 차려 아내와 자식을 둔 승려.

대:척 (對蹠) 명 어떤 일에 정반대가 됨. ¶~자(者) / ~되다 / ~적 입장에 서다.

대:천 (大川) 명 큰 내. 이름난 내.

대:천 (戴天) 명 하늘을 머리에 이었다는 뜻으로, 이 세상에 살아 있음의 비유. ¶불공(不共) ~의 원수.

대:천지원수 (戴天之怨讐) 명 불공대천.

대:첩 (大捷) 명하자 크게 이김. 또는 큰 승리. 대승(大勝). ¶행주 ~.

대-청 명 대나무 안에 붙은 얇고 흰 꺼풀.

대:청 (大廳) 명 한옥에서, 몸채의 방과 방 사이에 있는 큰 마루. 대청마루.

대:-청소 (大淸掃) 명하타 대규모로 하는 청소. ¶~를 하기로 마음먹다.

***대:체** (大體) 一명 어떤 일이나 내용의 기본이 되는 큰 줄거리. ¶~적인 방안. 二부 도대체. 대관절. ¶~ 어찌 된 일인가.

대:체 (代替) 명하자타 다른 것으로 바꿈. ¶새것과 ~하다.

대:체 (對替) 명하타 〖경〗 어떤 계정의 금액을 다른 계정에 옮겨 적는 일.

***대:체-로** (大體-) 부 **1** 대강의 요점만 말해서. ¶~ 잘된 편이다. **2** 전체를 보아서. 또는 일반적으로. ¶요즘 사람들은 옛날 사람들에 비해서 ~ 수명이 더 길다.

대:체-물 (代替物) 명 동질·동량·동종·동용적(同容積)의 딴 물건으로 대신하여 바꿀 수 있는 물건《쌀·화폐 따위》.

대:체 식량 (代替食糧)[-싱냥] 기존의 식량을 대신할 새로운 식량.

대:체 에너지 (代替energy) 기존의 에너지를 대신할 수 있는 새로운 에너지원《원자력·액화 천연 가스·태양열 따위》. ¶~의 개발이 시급하다.

대:체-재 (代替財) 명 〖경〗 서로 대신 쓸 수 있는 관계에 놓인 두 가지 물건《쌀과 밀가루, 만년필과 연필, 버터와 마가린 따위》.

대:-초원 (大草原) 명 넓고 큰 초원. ¶~에서 양 떼들이 한가로이 풀을 뜯고 있다.

***대:추** 명 대추나무의 열매. 익으면 빛이 붉어지고 달며 속에 단단한 씨가 있음.

대:추-나무 명 〖식〗 갈매나뭇과의 낙엽 활엽 교목. 촌락 및 밭둑에 남. 높이 5m 정도. 6월에 황록색 꽃이 피고 열매인 대추가 초가을에 익음. 목질이 매우 단단함. [대추나무 방망이다] 모질고 단단하게 생긴 사람의 비유. [대추나무에 연 걸리듯] 여기저기에 빚을 많이 지고 있음의 비유.

대:출 (貸出) 명하타 돈이나 물건 따위를 꾸어 주거나 빌려 줌. ¶도서 ~ / 무이자 ~.

대충 부 〔←대총(大總)〕 **1** 어림잡아. ¶~ 열 개쯤 될 것이다. **2** 대강. ¶일이 ~ 끝났다.

대충-대충 부 일이나 행동을 적당히 하는 모양. ¶~ 보아 넘기다.

대:-취타 (大吹打) 명 〖역〗 취타와 세악(細樂)을 대규모로 갖춘 군악.

대:치 (代置) 명하타 다른 것으로 바꾸어 놓음. ¶수판을 계산기로 ~하다.

대:치 (對峙) 명하자 서로 맞서서 버팀. ¶강을 사이에 두고 ~하고 있다.

대:치 (對置) 명하타 마주 놓음.

대:칭 (對稱) 명 **1**〖언〗 제이 인칭. **2**〖수〗 점·선·면 또는 이것들로 된 도형이 어떤 기준되는 점·선·면을 중심으로 서로 맞서는 자리에 놓이는 경우. **3** 미적 형식 원리의 하나. 수직축을 중심으로 좌우가 서로 상응하는 일. 시머트리.

대:칭 도형 (對稱圖形) 〖수〗 점이나 직선 또는 평면을 중심으로 양쪽에 자리한 두 도형이 대칭될 때의 두 도형. 맞선꼴. 맞섬꼴. ㊕대칭형.

대:칭-점 (對稱點)[-쩜] 명 대칭 중심.

대:칭 중심 (對稱中心) 〖수〗 점(點)대칭에서 대칭의 중심이나 또는 정점(定點).

대:칭-축 (對稱軸) 명 〖수〗 두 도형이 한 직선을 사이에 두고 대칭을 이룰 때의 그 직선. 맞선대. 맞섬대.

대:칭-형 (對稱形) 명 〖수〗 '대칭 도형'의 준말.

대-칼 명 대나무로 만든 칼. 죽도(竹刀).

대:타 (代打) 명하자 **1** 야구에서, 중요한 시점에서 정식 타자를 대신하여 침. **2** '대타자'의 준말. ¶~를 내보내다.

대:타-자 (代打者) 명 야구에서, 대타를 하는 사람. 핀치 히터. ㊕대타.

대-통 (-桶) 명 담뱃대의 담배 담는 부분. 담배통. ¶~에 담배를 다져 넣다.

[대통 맞은 병아리 같다] 남에게 얻어맞거나 의외의 일을 당하여 정신이 멍한 것을

비유적으로 이르는 말.

대-통 (-筒) 명 쪼개지 않고 짤막하게 자른 대의 토막. 죽통(竹筒).

대통에 물 쏟듯 하다 구 말을 거침없이 잘함을 이르는 말.

대:통 (大通) 명하자 일이나 운수 따위의 상태가 좋은 쪽으로 되어 감. ¶운수 ~.

대:통 (大統) 명 왕위를 계승하는 계통. ¶~을 잇다.

***대:통령** (大統領)[-녕] 명 공화국의 원수(《모든 행정을 통할하고 국가를 대표함》).

대:통령-령 (大統領令)[-녕녕] 명 대통령이 내리는 명령(《헌법이 부여한 권한으로 법률과 동일한 효력을 가짐》).

대:통령-제 (大統領制)[-녕-] 명 대통령을 중심으로 국정이 운영되는 정부 형태. 또는 통치 구조. *내각 책임제.

대:통령 중심제 (大統領中心制)[-녕-] 대통령제.

대:퇴-골 (大腿骨) 명 〔생〕 넓적다리의 뼈.

대:-파 (大-) 명 줄기가 길고 굵은 파.

대:파 (大破) 명하자타 **1** 크게 부서짐. ¶풍랑으로 배가 ~하다. **2** 적을 크게 쳐부숨.

대:파 (代播) 명하타 모를 내지 못한 논에 다른 곡식을 심는 일. 대용갈이. ¶~ 작물.

대:판 (大-) 명 '대판거리'의 준말. ¶아내와 ~ 싸우다.

대:판 (代辦) 명하타 **1** 남을 대신하여 일을 처리함. **2** 남을 대신하여 갚음.

대:판-거리 (大-) 명 크게 차리거나 벌어진 판. ¶~로 싸움이 벌어졌다.

대:패 명 〔공〕 나무를 곱게 밀어 깎는 연장. ¶~로 밀다.

대패

대:패 (大敗) 명하자 **1** 일을 하다 크게 실패함. **2** 싸움이나 경기 따위에서 크게 짐. ¶졸전을 벌인 끝에 ~하다. ↔대승(大勝).

대:패-질 명하타 대패로 나무를 깎는 일.

대:팻-날 [-팬-] 명 대패에 끼우는 쇠 날.

대:팻-밥 [-패빱/-팬빱] 명 대패질할 때 깎이어 나온 얇은 나무오리.

대:평-소 (大平簫) 명 〔악〕 '태평소'의 잘못.

대:-평원 (大平原) 명 **1** 넓고 큰 평평한 들. **2** 대초원. ¶~을 말을 타고 달리는 서부의 사나이들.

대:포 명 **1** 큰 술잔. **2** 술을 큰 그릇에 따라 마시는 일. **3** '대폿술'의 준말. ¶~나 한잔하세.

***대:포** (大砲) 명 **1** 화약의 힘으로 포탄을 멀리 내쏘는 무기. ¶~를 포차(砲車)로 끌고 가다. ㊟포. **2** '거짓말'이나 '허풍'을 빗대어 이르는 말.

대포(를) 놓다 구 '허풍을 치다'·'터무니없는 거짓말을 하다'를 빗대어 이르는 말.

대:포-알 (大砲-) 명 대포의 탄알. 포탄.

대:포-쟁이 (大砲-) 명 '거짓말쟁이' 또는 '허풍선이'를 빗대어 이르는 말.

대:폭 (大幅) 一명 넓은 범위. 큰 정도. 二부 아주 많이. ¶~ 인하하다. ↔소폭(小幅).

대:폭-적 (大幅的) 관명 수나 양·금액 따위에 차이가 매우 큰 (것). ¶~(인) 급료 인상 / ~으로 예산을 삭감하다.

대:폿-술 [-포쑬/-폳쑬] 명 큰 술잔으로 마시는 술. ㊟대포.

대:폿-잔 (-盞)[-포짠/-폳짠] 명 대폿술을 마실 때 쓰는 큼직한 잔.

대:폿-집 [-포찝/-폳찝] 명 대폿술을 전문으로 파는 집.

***대:표** (代表) 명하타 **1** 개인이나 단체를 대신하여 그의 의사나 성질을 외부에 나타냄. **2** '대표자'의 준말. **3** 전체를 표시할 만한 한 가지 사물 또는 한 부분.

대:표-권 (代表權)[-꿘] 명 대표하는 권한.

대:표-단 (代表團) 명 대표로 뽑힌 사람들로 이루어진 무리. ¶통상 ~을 파견하였다.

대:표-부 (代表部) 명 정식으로 국교를 맺지 않은 나라 또는 국제기구 등에 설치하는 재외 공관의 하나(《그 공관장은 특명 전권 대사 또는 특명 전권 공사임》).

대:표-음 (代表音) 명 〔언〕 어떤 자음이 받침으로 쓰일 때 제 음가대로 소리 나지 않고 그와 비슷한 소리로 나는데, 그 비슷한 소리를 이름(《'ㄱ·ㅋ·ㄲ'이 'ㄱ'으로, 'ㄷ·ㅌ·ㅅ·ㅈ·ㅊ'이 'ㄷ'으로, 'ㅂ·ㅍ'이 'ㅂ'으로 나는 따위》).

대:표 이:사 (代表理事) 주주 총회의 결의나 이사회에서 선임되어 회사를 대표하는 이사.

대:표-자 (代表者) 명 여러 사람이나 단체를 대표하는 사람.

대:표-작 (代表作) 명 개인이나 한 시대를 대표할 만한 가장 잘된 작품.

대:표-적 (代表的) 관명 어떤 집단이나 분야를 대표할 만하게 전형적이거나 특징적인 (것). ¶근대 소설의 ~ 작품이다.

대:표 전:화 (代表電話) 둘 이상의 가입 전화 회선을 대표하는 것으로 정하여, 그 전화가 통화 중일 때, 자동적으로 다른 회선에 이어지도록 된 전화.

대-푼 명 돈 한 푼이라는 뜻으로, 아주 적은 돈을 이르는 말.

대푼-짜리 명 돈 한 푼 값에 해당하는 물건이라는 뜻으로, 값어치 없는 물건.

대푼-쭝 명 한 푼의 무게.

대:풍 (大風) 명 〔기상〕 큰바람.

대:풍 (大豐) 명 곡식이 아주 잘되어 수확이 많음. 또는 그런 해. ¶올 농사는 ~이다. ↔대흉(大凶).

대-풍류 (-風流)[-뉴] 명 피리, 대금 따위 대나무로 만든 관악기가 중심이 된 연주 형태. 또는 그런 음악.

대:피 (待避) 명하자 위험이나 피해를 일시적으로 피함. ¶~ 훈련.

대:피-소 (待避所) 명 비상시에 대피할 수 있도록 만들어 놓은 곳.

대:필 (代筆) 명하타 남을 대신하여 글씨나 글을 씀. 또는 그 글씨나 글. ¶편지를 ~하다. ↔자필.

대:하 (大河) 명 **1** 큰 강. **2** 중국의 황허 강.

대:하 (大蝦) 명 〔동〕 보리새웃과의 하나. 몸의 길이는 30 cm 안팎. 우리나라·중국·동중국해 등지에 분포함. 왕새우.

대:하 (帶下) 명 〔의〕 **1** 여자 생식기에서 나

오는 희거나 붉은 점액. 냉(冷). 2 '대하증'의 준말.

*대:-하다 (對-) 자타 여불 1 마주 보다. ¶서로 얼굴을 ~. 2 상대하다. 응하다. ¶물음에 대하여 대답하라. 3 접대하다. ¶손님을 반갑게 ~. 4 대상으로 하다. 관하다. ¶정치에 대한 국민의 관심이 높아지다.

대:하-소설 (大河小說) 명 〖문〗 사람들의 생애나 가족의 역사 등을 사회적·시대적 배경과 함께 넓은 시야로 그리는 대장편 소설의 한 형식《큰 강과 같은 느낌을 주는 데서 이르는 말》.

대:하-증 (帶下症)[-쯩] 명 〖의〗 대하가 많이 흘러내리는 증상을 하나의 병증으로 보아 일컫는 말. 냉증(冷症). 준대하.

*대:학[1] (大學) 명 고등 교육의 중심을 이루는 기관으로, 학문의 이론이나 응용을 연구하고 가르치는 학교《단과 대학·종합 대학의 두 종으로 대별되며, 특수한 목적의 교육 대학·전문 대학 등이 있음》. ¶~ 교육 / ~에 다니는 딸 / 어느 ~을 졸업했느냐.

대:학[2] (大學) 명 사서(四書)의 하나. 공자(孔子)의 가르침을 정통으로 나타낸 유교(儒敎)의 경전.

대:학-가 (大學街) 명 1 대학 주변의 거리. 2 대학을 중심으로 하는 사회. ¶~에 널리 퍼진 소문.

*대:-학교 (大學校) 명 지난날, 종합 대학을 단과 대학과 구별하여 이르던 말.

대:학-교수 (大學教授) 명 대학에서 학문을 연구하고 학생들을 가르치는 사람.

대:학-생 (大學生) 명 대학에 다니는 학생.

대:학-원 (大學院) 명 대학을 졸업한 사람이 학문을 더 깊이 연구하는 곳.

대:학-인 (大學人) 명 대학에 몸담고 있는 대학생, 대학교수 등을 통틀어 이르는 말.

대:-학자 (大學者) 명 학식이 아주 뛰어나고 학문적 업적이 많은 학자.

대:학-촌 (大學村) 명 대학 주변에 형성되어 있는 마을.

대:한 (大旱) 명 큰 가뭄.

[대한 칠 년에 비 바라듯] 매우 간절히 바라는 모양.

대:한 (大寒) 명 1 지독한 추위. 2 이십사절기 중 마지막 절후. 소한(小寒)과 입춘(立春) 사이로 양력 1월 20일경에 듦.

*대:한 (大韓) 명 1 '대한 제국'의 준말. 2 '대한민국'의 준말.

*대:한-민국 (大韓民國) 명 〖지〗 우리나라의 국호. 준대한·한국.

대:한민국 임시 정부 (大韓民國臨時政府) 〖역〗 1919년 4월에 상하이(上海)에서 조직 선포한 한국의 임시 정부《그 후 충칭(重慶)으로 옮겼다가 1945년 본국으로 입국 후에 해체됨》. 상하이 임시 정부.

대:한 제:국 (大韓帝國) 〖역〗 조선 고종 34년(1897) 10월부터 1910년 8월 국권 피탈 때까지의 우리나라 국호.

대:합 (大蛤) 명 〖조개〗 백합과의 바닷조개. 담수가 혼합하는 해변의 진흙 모래밭에 사는데 껍데기의 길이는 8 cm, 높이는 6 cm, 폭은 4 cm가량이며, 빛은 회백갈색, 안쪽은 흼. 맛이 좋고 껍질은 바둑돌로 쓰거나 태워서 석회를 만듦. 대합조개.

대:합-실 (待合室) 명 역·병원 등에 손님이 쉬며 기다릴 수 있도록 마련한 곳.

*대:항 (對抗) 명하자타 1 서로 맞서서 버티어 겨룸. ¶학년 ~ 배구 경기. 2 서로 상대하여 덤빔. ¶적이 곧바로 ~해 왔다.

대:항-전 (對抗戰) 명 주로 운동 경기에서, 서로 대항하여 승부를 겨루는 일.

대:해 (大害) 명 큰 손해. 큰 재해. ¶유조선이 폭풍우로 ~를 입었다.

대:해 (大海) 명 넓고 큰 바다. ¶~로 나아가다 / 망망한 ~를 바라보다.

대:행 (代行) 명하타 남을 대신해서 행함. 또는 그 일. ¶학장 ~ / 업무를 ~하다.

대:-행성 (大行星) 명 아홉 개의 행성 가운데 특히 목성·토성·천왕성·해왕성의 일컬음. 대유성(大遊星). ↔소(小)행성.

대:-행진 (大行進) 명 특수한 목적을 위하여 많은 사람들이 줄을 지어 앞으로 나아감.

대:-혁명 (大革命)[-형-] 명 아주 큰 혁명. ¶~으로 새 정부가 들어서다.

대:현 (大賢) 명 매우 어질고 지혜로운 사람.

대:-협곡 (大峽谷) 명 거대한 산의 골짜기.

대:형 (大兄) 인대 편지에서, 벗을 높여 쓰는 말.

대:형 (大形) 명 사물의 큰 형체나 규모. ↔소형(小形).

대:형 (大型) 명 같은 종류의 물건 가운데서 큰 규격이나 규모에 속하는 것. ¶~ 차량 / ~ 냉장고. ↔소형.

대형 (隊形) 명 여러 사람이 줄지어 정렬한 형태. ¶산개(散開) ~ / ~을 짜다.

대:형-화 (大型化) 명하자타 사물의 형체나 규모가 커짐. 또는 크게 함. ¶은행의 ~를 꾀하다.

대:호 (大戶) 명 살림이 넉넉하고 식구가 많은 집안.

대:혼-란 (大混亂)[-훌-] 명 큰 혼란. ¶교통사고로 거리는 ~이 일어났다.

대:홍수 (大洪水) 명 큰 홍수. ¶노아의 ~.

대:화 (大禍) 명 큰 재앙.

*대:화 (對話) 명하자 마주 대하여 이야기함. 또는 그 이야기. ¶~의 광장을 마련하다.

대:화-극 (對話劇) 명 〖연〗 등장인물들이 몸짓이나 표정보다 대화가 중심이 되는 극.

대:화-방 (對話房) 명 〖컴〗 컴퓨터 통신망에서, 여러 사용자가 모니터 화면을 통하여 대화를 나누는 곳.

대:화-법 (對話法)[-뻡] 명 1 대화하는 방법. 2 소크라테스의 진리 탐구 방법. 상대방에게 질문을 던져 스스로 무지(無知)를 깨닫게 하여 사물에 대한 올바른 개념에 도달하게 하는 방법.

대:화-체 (對話體) 명 대화하는 형식을 취한 문체. ¶~ 문장.

대:환 (大患) 명 1 큰 근심이나 재난. 2 큰 병환. 대병(大病).

대:-환영 (大歡迎) 명하타 크게 환영함. 또는 그런 환영.

대:-활약 (大活躍) 명 아주 큰 활약.

*대:회 (大會) 명 1 어떤 행사를 위해 많은 사람이 모임. 성대한 회합. 2 기량을 겨루는 큰 모임. ¶~ 신기록 / 어린이 글짓기 ~를

개최하다 / 웅변 ~에 참가하다.
대:회-장 (大會場) 명 대회를 여는 곳.
대:흉 (大凶) 명 1 심한 흉년. 2 큰 흉작. ¶ ~이 들다 / 가뭄로 인한 ~으로 농민들의 시름만 더하다. ↔대풍.
대:흉-근 (大胸筋) 명 〖생〗 척추동물의 가슴에 있는 삼각형의 큰 근육(조류에서 특히 발달).
***댁** (宅) 一명 남의 집의 높임말. ¶ ~은 어디십니까. 二인대 상대를 높여, 직접 부르지 않고 완곡하게 이르는 말. ¶ ~은 뉘시오.

> **'댁(宅)'과 '택(宅)'**
>
> '宅'은 '택'이 본음(本音)이고, '댁'은 속음(俗音)임. 다같이 '집'을 나타내는 말이나, '댁'은 남을 높일 때 씀.
> 예 시댁 / 사돈댁 / 댁으로 찾아뵙겠습니다. 가택 / 택지 / 가일 수곡 종택(佳日樹谷宗宅)(민속 문화 자료의 하나로 경상북도 안동군에 있는 조선 후기의 주택).

-댁 (宅) 미 1 누구의 아내라는 뜻을 나타내는 명칭. ¶ 김주사~. 2 부인의 친정 동네 이름 뒤에 붙여 그 곳에서 온 부인이라는 뜻으로 쓰는 칭호. ¶ 수원~.
댁-내 (宅內)[댕-] 명 남의 집안을 높여 이르는 말. ¶ ~가 다 평안하십니까.
댁-네 (宅-)[댕-] 명 '동년배나 손아랫사람의 아내'를 이르는 말.
댁-대구르르 부 1 작고 단단한 물건이 떨어져서 구르는 소리. 2 우레가 가까운 곳에서 갑자기 세게 울리는 소리. 큰덱데구르르. 센땍대구르르.
댁대굴-댁대굴 부 작고 단단한 물건이 떨어져서 다른 물건에 잇따라 부딪치면서 굴러가는 소리. 또는 그 모양. 큰덱데굴덱데굴. 센땍때굴땍때굴.
댄서 (dancer) 명 1 무용가. 2 춤을 추는 것을 업으로 삼는 사람.
댄스 (dance) 명 주로 남녀의 사교를 위한 서양식 춤.
댄스-홀 (dance hall) 명 무도장.
댐 (dam) 명 발전·수리(水利) 따위의 목적으로 강이나 바닷물을 막아 두려고 쌓은 둑. ¶ 다목적 ~ / ~을 건설하다.
댑-싸리 명 〖식〗 명아줏과의 한해살이풀. 높이 1.5 m 정도, 가지가 많음. 잎은 가늘고 길며 끝이 뾰족함. 한여름에 담녹색 꽃이 핌. 비를 만듦.
댓: [댇] 수관 '다섯가량(의)'의 뜻. ¶ ~ 마리 / 논 ~ 마지기 / 학생 ~이 모여 있다.
댓-가지 [대까- / 댇까-] 명 대나무의 가지.
댓-개비 [대깨- / 댇깨-] 명 대를 쪼개어 잘게 다듬은 개비.
댓-돌 (臺-)[대똘 / 댇똘] 명 1 〖건〗 집채의 낙숫물이 떨어지는 곳 안쪽으로 돌려 가며 놓은 돌. 첨계(檐階). 툇돌. 2 섬돌. ¶ ~에 신발을 벗어 놓다.
댓-바람 [댇빠-] 부 1 서슴지 않고 당장. ¶ 그 소식을 듣자마자 ~으로 달려왔다. 2 단 한 번에. ¶ 도둑놈을 ~에 때려눕혔다.
댓:새 [댇쌔] 명 닷새가량. ¶ 일이 ~ 걸릴 거다 / ~ 전부터 몸이 편찮으시다.
댓-잎 [댄닙] 명 대나무의 잎. 죽엽.
댓-줄기 [대쭐- / 댇쭐-] 명 대나무의 줄기.
댓-진 (-津)[대찐 / 댇찐] 명 담뱃대의 속에 낀 진.
-댔자 [댇짜] 어미 형용사 어간·어미 '-었-'·'-았-' 뒤에 쓰이어 '-다 하였자'의 뜻을 나타내는 연결 어미. ¶ 갔~ 별수 없다.
댕 부 얇고 큰 쇠붙이의 그릇이나 종을 가볍게 칠 때에 나는 소리. 큰뎅. 센땡.
댕강 부하자타 1 여지없이 부러지거나 잘려 나가는 모양. 2 하나만 외따로 남아 있는 모양. 큰뎅겅. 센땡강.
댕강-거리다 자타 자꾸 댕강 소리가 나다. 또는 그런 소리를 내다. 큰뎅겅거리다. 센땡강거리다. **댕강-댕강** 부하자타
댕강-대다 자타 댕강거리다.
댕그랑 부하자타 작은 방울·풍경 등 쇠붙이가 흔들리거나 부딪쳐서 나는 소리. 큰뎅그렁. 센땡그랑.
댕그랑-거리다 자타 자꾸 댕그랑 소리가 나다. 또는 그런 소리를 나게 하다. 큰뎅그렁거리다. 센땡그랑거리다. **댕그랑-댕그랑** 부하자타
댕그랑-대다 자타 댕그랑거리다.
댕기 명 길게 땋은 머리 끝에 드리는 장식용 헝겊이나 끈. ¶ ~를 드리다.
댕기다 一자 불이 옮아 붙다. ¶ 옷자락에 불이 ~. 二타 불을 옮아 붙게 하다. ¶ 등잔에 불을 ~.
댕기-풀이 명하자 예전에, 관례(冠禮)를 지내고 벗들에게 한턱내던 일.
댕-댕[1] 부 작은 종이나 놋그릇 같은 쇠붙이를 잇따라 두드릴 때 나는 소리. 큰뎅뎅. 센땡땡.
댕댕[2] 부하형 1 힘이나 세도 따위가 센 모양. 2 켕기어서 팽팽한 모양. 3 속이 옹골찬 모양. 큰딩딩.
댕댕-거리다 자타 댕댕 소리가 자꾸 나다. 또는 그런 소리를 자꾸 나게 하다. 큰뎅뎅거리다. 센땡땡거리다.
댕댕-대다 자타 댕댕거리다.
댕돌-같다 [-갇따] 형 돌과 같이 매우 단단하다. **댕돌-같이** [-가치] 부
***더** 부 1 보다 많이. ¶ 조금만 ~ 주십시오. 2 보다 오래. ¶ ~ 두고 보자. 3 보다 심하게. ¶ 날씨가 ~ 추워지다. 4 더욱. ¶ ~ 잘 살자 / ~ 곱다.
-더- 선어미 '이다' 또는 용언의 어간 및 어미 '-으시-'·'-었-'·'-겠-' 등의 뒤에, 또는 어미 '-라'·'-냐'·'-니'·'-구나'·'-구려' 등의 앞에 붙어, 과거에 경험하여 알게 된 사실을 객관적으로 회상하는 뜻을 나타내는 선어말 어미. ¶ 책을 읽~라.
***더구나** 부 '더군다나'의 준말.
-더구나 어미 '이다' 또는 용언의 어간 등 뒤에 붙어, 해라할 자리에 지난 일을 알리거나 회상하여 느낌을 나타낼 때에 쓰는 종결 어미. ¶ 노래를 꽤 잘 부르~ / 신부가 정말 참하~ / 그것은 학교이~. 준-더군.
-더구려 어미 '이다' 또는 용언의 어간 등 뒤에 붙어, 하오할 자리에서, 지난 일을 알리거나 회상하여 느낌을 나타내는 종결 어미. ¶ 달이 밝~ / 꽃이 곱기도 하~ / 그가 바로 사장이~. *-구려.

-더구먼 어미 '이다' 또는 용언의 어간 등 뒤에 붙어, 혼잣말이나 반말에서, 지난 일을 회상하여 느낌을 나타내는 종결 어미. ¶빨리도 달리~ / 그는 의사~. ㊟-더군.

-더군 어미 **1** '-더구나'의 준말. ¶정말 우습~ / 멋있는 사람이~. **2** '-더구먼'의 준말. ¶아이가 귀엽~ / 높은 산이~.

더군다나 부 이미 있는 사실에 더하여. 그뿐만 아니라. ¶그는 고아이며 ~ 몸마저 불구(不具)다. ㊟더구나.

더그매 명 지붕 밑과 천장 사이의 빈 공간.

더그아웃 (dugout) 명 야구 경기장에서, 반지하실처럼 되어 있는 선수의 대기소.

더기 명 고원의 평평한 땅. ㊟덕.

더껑이 명 걸쭉한 액체의 거죽에 엉겨 굳은 꺼풀. ¶깨죽에 ~가 앉다.

더께 명 몹시 찌든 물건에 앉은 거친 때. ¶새카만 ~가 앉다.

-더냐 어미 '이다' 또는 용언의 어간 등 뒤에 붙어, 해라할 자리에서, 지난 일을 회상하여 물을 때에 쓰는 종결 어미. ¶그것이 그리 좋~ / 재미있~ / 어떤 사람이~.

더느다 〔더느니, 더너〕 타 끈·실 따위를 두 가닥을 내어 겹으로 꼬다. ¶실을 ~.

-더니[1] 어미 '이다' 또는 용언의 어간 등 뒤에 붙는 연결 어미. **1** 지난 사실이 어떤 원인이나 조건이 됨을 나타내는 말. ¶무덥~ 소나기가 온다 / 뛰어왔~ 숨이 가쁘다. **2** 지금의 사실이 과거의 경험으로 알았던 사실과 다름을 나타내는 말. ¶전에는 황무지~ 지금은 옥토가 됐다. **3** 지난 사실을 말하고 이어 그와 관련된 다른 설명을 하게 하는 말. ¶밥을 먹고 나~ 말도 없이 나가 버렸다.

-더니[2] 어미 '이다' 또는 용언의 어간 등 뒤에 붙어, 해라할 자리에서, 지난 일을 회상하여 일러 주거나 감상조로 말할 때에 쓰는 종결 어미. ¶전에는 잘살~.

-더니라 어미 '이다' 또는 용언의 어간 등 뒤에 붙어, 해라할 자리에서, 과거의 일을 회상하여 일러 줄 때 쓰는 종결 어미. ¶예전에는 자주 왔~ / 저것이 내가 다닌 학교이~.

더-더구나 부 '더더군다나'의 준말.

더-더군다나 부 '더군다나'의 힘줌말.

더더귀-더더귀 부하형 작은 것들이 곳곳에 많이 붙은 모양. ㉠다다귀다다귀. ㊟더덕더덕[1].

더-더욱 부 '더욱'의 힘줌말.

더덕 명 〖식〗 초롱꽃과의 여러해살이 덩굴풀. 깊은 산에 남. 줄기는 감겨 올라가고, 길이 2m 이상임. 잎은 타원형임. 8-9월에 자색 꽃이 핌. 덩이뿌리는 굵직한데 식용·약용함.

더덕-더덕 부하형 **1** '더더귀더더귀'의 준말. ¶분을 ~ 바르다 / 얼굴에 여드름이 ~하다. **2** 여기저기 기운 모양. ㉠다닥다닥.

더덕-북어 (-北魚) 명 얼부풀어 더덕처럼 마른 북어.

더덜-거리다 타 분명하지 않은 목소리로 말을 자꾸 더듬다. **더덜-더덜** 부하타

더덜-대다 타 더덜거리다.

더덜뭇-이 부 더덜뭇하게.

더덜뭇-하다 [-무타-] 형 여불 결단성이나 다잡는 힘이 모자라다.

더덜-없이 [-업씨] 부 더하거나 덜함이 없이. ¶~ 꼭 맞다.

더덩실 부 **1** 팔이나 다리 따위를 가볍게 흔들며 춤을 추는 모양. ¶~ 춤을 추다. **2** 가볍게 위로 떠오르는 모양. ¶달이 ~ 떠오르다. ㊎두둥실.

더뎅이 명 부스럼 딱지나 때가 거듭 붙어 된 조각. ¶~가 앉다.

더듬-거리다 자타 **1** 눈으로 보지 않고 손으로만 찾으려고 자꾸 이리저리 만져 보다. **2** 잘 알지 못하는 길을 머뭇거리며 가다. ¶집을 찾느라고 이 골목 저 골목을 ~. **3** 기억이 뚜렷하지 않은 일을 이리저리 생각해 보다. **4** 말이 자꾸 막혀서 술술 나오지 않다. **5** 글을 읽을 때 술술 내리 읽지 못하고 군데군데 막히다. ㉠다듬거리다. ㊍떠듬거리다. **더듬-더듬** 부하자타

더듬다 [-따] 타 **1** 잘 보이지 않는 것을 손으로 만져 보며 찾다. **2** 말이나 글이 자꾸 막히다. ¶말을 ~. **3** 희미한 일이나 생각을 애써 밝히려고 하다. ¶기억을 ~. **4** 대강 헤아려 셈하다.

더듬-대다 자타 더듬거리다.

더듬-이[1] 명 '말더듬이'의 준말.

더듬-이[2] 명 〖충〗 촉각(觸角).

더디 부 늦게. 느리게. ¶시간이 ~ 간다 / 심부름 간 아이가 ~ 온다.

더디다 형 움직임이나 일에 걸리는 시간이 오래다. 느리다. ¶발걸음이 ~ / 시간이 더디게 가다.

더디-더디 부 몹시 느리게.

-더라 어미 '이다' 또는 용언의 어간 등 뒤에 붙어, 해라할 자리에 지난 일을 회상하거나 감상조로 말할 때 쓰는 종결 어미. ¶덥~ / 깨고 나니 꿈이~.

-더라고 어미 '이다' 또는 용언의 어간 등 뒤에 붙어, '하다'와 함께 쓰여 간접 인용을 나타내는 연결 어미. ¶둘이 같이 가~ 합니다 / 그는 훌륭한 선생이~ 하던데.

-더라도 어미 '이다' 또는 용언의 어간 등 뒤에 붙어, '-어도'·'-아도'보다 더 강한 가정(假定)이나 양보의 뜻을 나타내는 연결 어미. ¶설령 그렇다 하~ 나는 한다 / 땅이 무너지~ 버티겠다 / 그녀가 아무리 미인이~ 나는 싫다.

-더라면 어미 '이다' 또는 용언의 어간 등 뒤에 붙어, 과거의 일을 실제와 다르게 가정하거나 희망해 보는 말투로 쓰는 연결 어미. ¶갔~ 좋았을 것을 / 내가 당사자이었~ 어떻게 했을까. ㊟-더면.

-더라손 어미 '이다' 또는 용언의 어간 등 뒤에 붙어, '치다'와 함께 쓰여 과거에 일어난 상태가 사실임을 인정하여 양보하는 뜻으로 쓰는 연결 어미. ¶아무리 날래~ 치더라도 제비만은 못하다. *-다손.

-더랍니까 [-람-] 어미 '-더라고 합니까'의 준말. ¶그가 정말 부자~. *-랍니까.

-더랍니다 [-람-] 어미 '-더라고 합니다'의 준말. ¶훌륭한 학자~. *-랍니다.

-더랍디까 어미 '-더라고 합디까'의 준말. ¶볼 만한 경치~. *-랍디까.

-더랍디다 어미 '-더라고 합디다'의 준말. ¶멋있는 신사~. *-랍디다.

-더래 어미 '-더라고 해'의 준말. ¶예쁘~/사랑했~.
*__더러__[1] 부 1 전체 가운데 얼마쯤. ¶사람이 ~ 모였더라. 2 이따금 드물게. ¶~ 만난다.
더러[2] 조 '에게'·'에 대하여'·'보고'의 뜻으로 쓰이는 부사격 조사. ¶그 사람~ 물어보오.
더러-더러 부 '더러[1]'를 강조하여 가리키는 말.
더:러움 명 더러운 것이나 더러워지는 일. ¶~을 잘 타는 옷. 준더럼.
더:러워-지다 자 1 때가 묻다. ¶옷이 ~. 2 옳지 않은 것이 생겨 추악해지다. ¶네 행실이 더러워졌구나. 3 정조를 잃다. ¶몸이 ~. 4 명예가 떨어지다. ¶너 때문에 가문이 더러워졌다.
더럭 부 한꺼번에 많이. 갑자기 세게. ¶겁이 ~ 나다 / ~ 화가 나다.
더:럼 명 '더러움'의 준말. ¶흰 옷이라 ~을 잘 탄다.
*__더:럽다__ (더러우니, 더러워) 형ㅂ불 1 때나 찌꺼기 따위가 있어 지저분하다. ¶더러운 발로 방에 들어오다. 2 언행이 순수하지 못하거나 인색하다. ¶더러운 인간. 3 못마땅하거나 불쾌하다. ¶더럽고 치사해서 못 견디겠다. 4 (주로 '더럽게'의 꼴로 쓰여) 순조롭지 않거나 고약하다. ¶일이 더럽게 되어 가는구나. 5 (주로 '더럽게'의 꼴로 쓰여) 정도가 심하거나 지나치다. ¶날씨 한번 더럽게 춥네. 작다랍다.
더:럽히다 [-러피-] 타 1 《'더럽다'의 사동》 더럽게 하다. 2 이름이나 명예를 떨어뜨리다. ¶가명(家名)을 ~. 3 침해하여 짓밟거나 욕되게 하다. ¶남의 나라 땅을 마음대로 ~. 준더레다.
더리다 형 1 격에 맞지 않아 마음에 달갑지 않다. 2 싱겁고 어리석다. 3 마음이 다랍고 야비하다.
더미 명 많은 물건이 한데 모여 쌓인 큰 덩어리《비유적으로도 씀》. ¶쓰레기 ~가 잔뜩 쌓여 있다.
더미-씌우다 [-씨-] 타 남에게 허물·책임 등을 넘겨 지우다. ¶책임을 친구에게 ~. 작다미씌우다.
더버기 명 한군데에 무더기로 쌓이거나 덕지덕지 붙은 상태. 또는 그 물건.
더벅-거리다 자 힘없는 걸음으로 느릿느릿 걸어가다. *터벅거리다. **더벅-더벅** 부하자
더벅-대다 자 더벅거리다.
더벅-머리 [-벙-] 명 더부룩하게 흩어진 머리털. 또는 그런 머리털을 가진 사람. ¶~ 총각. 작다박머리.
더부룩-더부룩 부하형 여럿이 다 거칠게 수북한 모양. 작다보록다보록.
더부룩-이 부 더부룩하게.
더부룩-하다 [-루카-] 형여불 1 머리털이나 풀·나무 등이 우거져 수북하다. ¶머리가 더부룩하게 자랐다. 작다보록하다. 거터부룩하다. 2 배가 그들먹하게 불러 시원치 않다. ¶소화가 안 되어 배 속이 ~.
더부-살이 명하자 1 남의 집에서 지내면서 일을 해 주고 삯을 받음. 또는 그런 사람. 2 남에게 얹혀사는 일.
더불다 一불자 '함께'·'같이'·'한가지로'의 뜻. ¶벗과 더불어 즐기다 / 그와 더불어 겨루다. 二불타 데리다. ¶자식을 더불고 개가하다.
더블 (double) 명 1 '겹'·'이중'·'두 갑절'의 뜻. 2 위스키 등의 양의 단위, 약 60 ml.
더블-베드 (double bed) 명 두 사람이 누워 잘 수 있는 침대. *싱글베드.
더블 베이스 (double bass) 《악》 콘트라베이스(contrabass).
더블유에이치오 (WHO) 명 〔World Health Organization〕 세계 보건 기구.
더블유티오 (WTO) 명 〔World Trade Organization〕 세계 무역 기구.
더블 클릭 (double click) 《컴》 마우스의 단추를 연이어 두 번 누르는 일. 주로 프로그램을 실행시키는 명령과 같은 기능을 함. *클릭.
더블 플레이 (double play) 야구나 소프트볼에서, 두 사람의 주자를 한꺼번에 아웃시키는 일. 병살(倂殺). 겟투(get two).
더블헤더 (doubleheader) 명 야구에서, 같은 팀이 같은 날 같은 구장에서 두 번 계속하여 경기하는 일. 연속 경기.
더빙 (dubbing) 명하자타 1 대사만 녹음된 테이프에 음악·효과음 따위를 더하여 녹음하는 일. 2 수입 필름을 자국어로 다시 녹음하는 일.
더뻑 부 앞뒤를 헤아리지 않고 마구 행동하는 모양. ¶화덕 위의 냄비를 ~ 잡았다가 손을 데었다. 작다빡.
더뻑-거리다 자 자꾸 경솔하게 불쑥 행동하다. 작다빡거리다. **더뻑-더뻑** 부하자
더뻑-대다 자 더뻑거리다.
더-아니 부 '더욱 아니'의 준말. ¶~ 좋으랴 / ~ 기쁜가.
더-없다 [-업따] 형 그 위에 더할 나위가 없다. ¶더없는 기쁨 / 이렇게 와 주시니 더없는 영광입니다.
더-없이 [-업씨] 부 더할 나위 없이. ¶~ 아름다운 경치.
*__더욱__ 부 갈수록 더 심하게. 점점 더. ¶병세가 ~ 악화되었다 / 변명을 들으니 ~ 화가 난다.
더욱-더 부 한층 더. '더욱'의 힘줌말. ¶~ 아름다워지다.
더욱-더욱 부 점점 더 정도가 높게. ¶지병이 ~ 심해 간다.
더욱-이 부 그 위에 더. 게다가. ¶몸집도 작지만 ~ 몸도 약하다.
더운-물 명 따뜻하게 데워진 물. 온수(溫水). ¶~로 샤워를 하다. ↔찬물.
더운-밥 명 갓 지어 따뜻한 밥. 온반(溫飯). ↔찬밥1.
*__더위__ 명 여름날의 더운 기운. ¶~가 기승을 부리다. ↔추위.
[더위 먹은 소 달만 보아도 헐떡인다] 어떤 것에 한 번 혼이 나면 그와 비슷한 것만 보아도 겁을 낸다.
더위(를) 먹다 구 여름에 더위 때문에 병이 생기다.
더위(를) 타다 구 더위를 몹시 견디기 어려워하다.
더위(를) 팔다 구 음력 정월 보름날 이른 아침에 누구든지 불러 대답하면 '내 더위

사 가라' 하면서 더위를 팔아 넘기다.

더위-팔기 명 〔민〕 정월 보름날 아침에 아는 사람을 만나 그의 이름을 불러 대답하면, '내 더위' 또는 '내 더위 사 가게'라고 말하는 일. 그러면 그 해는 더위를 타지 않는다고 함. 매서(賣暑).

더치다 ㊀자 나아가던 병세가 더하여지다. 병이 도지다. ¶찬바람을 쐬어 감기가 ~. ㊁타 덧들이다. ¶곤히 자는 아이를 더쳐서 울리다.

더치페이 (Dutch+pay) 명 비용을 각자 부담하는 일. 각추렴.

더펄-거리다 자타 **1** 더부룩한 털이나 머리카락 따위가 출렁거리듯 흔들리다. **2** 들뜨서 자꾸 경솔하게 행동하다. ㉶다팔거리다. **더펄-더펄** 부하자

더펄-대다 자타 더펄거리다.

더펄-머리 명 더펄거리는 머리털. 또는 그런 머리털을 가진 사람. ¶~ 총각. ㉶다팔머리.

더-하기 명 〔수〕 더하는 일. 덧셈. ↔빼기.

*__더-하다__ ㊀자여불 본디보다 심해지다. ¶병세가 갈수록 ~. ㊁타여불 더 늘리거나 많게 또 크게 하다. ¶1에 3을 ~ / 자심감을 ~. ↔빼다. ㊂형여불 (비교하여) 한쪽이 더 많거나 심하다. ¶게으르기로 말하면 그가 ~.

더할 나위 없다 구 더 이상 뭐라고 말할 것이 없다. 최상이다.

더-한층 (-層) 부 더욱더. 한층 더. ¶녹차는 ~ 부드럽고 은근한 맛이 있다.

덕 명 **1** 나뭇가지 사이나 양쪽에 버티어 놓은 나무 위에 막대기나 널을 걸치어서 맨 시렁. **2** 물 위에 앉아서 낚시질할 수 있도록 발판 모양으로 만든 대(臺).

*__덕__ (德) 명 **1** 마음이 바르고 도리에 맞는 일. **2** 〔윤〕 도덕적 이상 또는 법칙에 좇아 확실히 의지를 결정할 수 있는 인격적 능력. **3** 은혜. ¶선배의 ~을 입다. **4** 덕택. ¶염려해 주신 ~으로. **5** 공덕(功德). ¶선행을 해서 ~을 쌓다. **6** 이익. 이득. ¶시세가 올라 ~을 본 상인이 많다.

덕(을) 보다 구 남에게서 이득이나 도움을 얻다. ¶오히려 그에게서 덕을 보게 되었다.

덕(이) 되다 구 이익이나 도움이 되다.

덕기 (德氣) 명 **1** 어질고 도타운 마음씨. **2** 덕스러운 얼굴빛.

덕담 (德談) 명하자 잘되기를 비는 말. ¶설날에는 세배를 하고 ~을 나눈다. ↔악담.

덕더-그르르 부 **1** 크고 단단한 물건이 다른 단단한 물체에 떨어져서 잇따라 구르는 소리나 모양. ¶산 위에서 큰 돌멩이가 ~ 굴러 내려오다. **2** 우레가 가까운 거리에서 갑자기 세게 부딪치는 듯이 일어나는 소리. ㉶닥다그르르. *웍더그르르.

덕더글-덕더글 부 **1** 크고 단단한 물건이 딱딱한 바닥에 잇따라 부딪치며 굴러가는 소리. **2** 우레가 가까운 거리에서 갑자기 잇따라 들려오는 소리. ㉶닥다글닥다글.

덕량 (德量)[덩냥] 명 어질고 너그러운 마음씨나 생각.

덕망 (德望)[덩-] 명 덕행(德行)으로 얻은 명망. ¶~이 높은 스승 / ~을 쌓다.

덕목 (德目)[덩-] 명 충(忠)·효(孝)·인(仁)·의(義) 따위의 덕을 분류하는 명목.

덕분 (德分) 명 남에게 베풀어 준 은혜나 도움. 덕택. ¶~에 잘 쉬었다.

덕석 명 추울 때 소의 등을 덮어 주는 멍석.

덕석-밤 명 크고 넓적하게 생긴 밤.

덕성 (德性) 명 어질고 너그러운 성질. ¶~을 갖춘 여성이다.

덕성-스럽다 (德性-) 〔-스러우니, -스러워〕 형ㅂ불 성질이 어질고 너그러운 데가 있다. 덕성이 있는 듯하다. ¶덕성스럽게 생긴 처녀. **덕성-스레** 부

덕-스럽다 (德-) 〔덕스러우니, 덕스러워〕 형ㅂ불 보기에 어질고 너그럽다. **덕-스레** 부

덕업 (德業) 명 어질고 착한 사업이나 업적. ¶선생님의 ~을 기리다.

덕업-상권 (德業相勸) 명 향약의 네 덕목 중의 하나. 좋은 일은 서로 권하여 장려해야 함을 이름. *향약.

덕우 (德友) 명 **1** 착하고 어진 마음으로 사귀는 벗. **2** 덕이 있는 벗.

덕육 (德育) 명 교육의 3대 요소 가운데 하나. 인격을 닦고, 덕성을 기르는 교육. *체육·지육(智育).

덕음 (德音) 명 **1** 도리에 맞는 말. **2** 좋은 평판. **3** 임금의 말. **4** 상대편을 높이어 그의 편지나 안부를 이르는 말.

덕의 (德義)[- / -이] 명 **1** 사람으로서 지켜야 할 도덕상의 의무. **2** 덕성과 신의.

덕장 명 생선 따위를 말리기 위하여 덕을 매어 놓은 곳. 또는 그 덕. ¶~에서 황태가 건조되고 있다.

덕적-덕적 부하형 먼지나 때 따위가 두껍게 껴 있는 모양.

덕정 (德政) 명 덕으로 다스리는 어질고 바른 정치. ¶~을 베풀다.

덕지-덕지 부하형 **1** 때나 먼지가 많이 낀 모양. **2** 어지럽게 여러 겹으로 붙어 있거나 바른 모양. ㉶닥지닥지.

덕치-주의 (德治主義)[- / -이] 명 덕으로 백성을 지도·교화함을 정치의 요체로 하는 중국의 옛 정치 이념.

덕택 (德澤) 명 남에게 끼친 덕이나 혜택. 덕분. ¶선생님 ~으로 병이 호전되었습니다.

덕행 (德行)[더캥] 명 어질고 너그러운 행실. ¶~을 쌓다 / ~을 닦다.

덕화 (德化)[더콰] 명하타 덕행으로 교화시킴. 또는 그 교화. ¶만민을 ~하다.

덖다[1] [덕따] 자 때가 묻어 몹시 찌들다.

덖다[2] [덕따] 타 약간 물기 있는 음식들을 타지 않을 정도로 볶아서 익히다.

-던[1] 어미 '이다'나 용언의 어간 또는 어미 '-으시-'·'-었-'·'-겠-' 등의 뒤에 붙어, 지난 일을 돌이켜 생각하거나 일이 완결되지 못함을 나타내는 관형사형 전성(轉成) 어미. ¶같이 공부하~ 친구 / 먹~ 밥 / 존경의 대상이~ 그 시인.

-던[2] 어미 '이다' 또는 용언의 어간 등 뒤에 붙어, '-더냐'의 준말. ¶그녀가 왔~ / 친절하게 대하여 주~.

-던가 어미 '이다' 또는 용언의 어간 등 뒤에 붙는 어미. **1** 하게할 자리에 쓰여, 스스로 지난 일을 물을 때 쓰는 종결 어미. ¶그것이 좋~ 나쁘~ / 수석 합격자는 누구~. **2** 지난 일에 대해 일반적으로 의심할 때 쓰

는 연결 어미. ¶얼마나 많았~ 모르겠소/내가 본 것이 무슨 영화이~ 생각이 안 난다. *-던고.

-던걸 [어미] 〔←-던 것을〕 '이다' 또는 용언의 어간 등 뒤에 붙어, 지난 일을 돌이켜 보며, 자기 생각으로는 이러하다고 가볍게 반박하거나 감탄할 때 쓰는 종결 어미. ¶말을 잘하~/이제 담배도 안 피우~/참으로 미인이~.

-던고 [어미] '이다' 또는 용언의 어간 등 뒤에 붙는 종결 어미. **1** 하게할 자리에 쓰여, 스스로 지난 일에 대해 물을 때 예스러운 말투로 쓰는 말. ¶내가 왜 이 일을 시작했~/얼마나 보고 싶었~. **2** 지난 일에 대해 일반적으로 의심할 때 예스러운 말투로 쓰는 말. ¶어디로 가~/어디서 온 사람이~. *-던가.

-던데 [어미] '이다' 또는 용언의 어간 등 뒤에 붙는 어미. **1** 다음 말을 끌어내기 위해 관련될 만한 사실을 먼저 돌이켜서 말할 때 쓰는 연결 어미. ¶너그러워 보이는 선생이~ 교수법은 어떻던가. **2** 딴 사람의 의견을 듣고자 하는 태도로 스스로 감탄하여 보일 때 쓰이는 종결 어미. ¶구변이 좋~/듣던 대로의 훌륭한 사람이~.

-던들 [어미] '이다' 또는 용언의 어간 등 뒤에 붙어, 현재의 결과와 반대되는 어떤 사실을 가정하여 이것을 희망할 때 쓰는 연결 어미. ¶조금만 더 공부 했~ 합격했을 걸/그가 게임에 충실한 선수이었~ 지지는 않았을 텐데.

던:적-스럽다 〔-스러우니, -스러워〕 [형][ㅂ불] 하는 짓이 보기에 더러운 데가 있다. [작]단작스럽다. **던:적-스레** [부]

던져-두다 [-저-] [타] **1** 물건을 던진 채 그대로 두고 돌아보지 아니하다. ¶가방을 던져두고 다시 밖으로 나가 버렸다. **2** 하던 일 따위를 그만두고 다시 손을 대지 아니하다. ¶집안일은 던져두고 밖의 일에만 신경 쓴다.

-던지 [어미] '이다' 또는 용언의 어간 등 뒤에 붙는 연결 어미. **1** 지난 일을 돌이켜서 막연하게 의심을 나타낼 때 쓰는 말. ¶얼마나 되~ 생각이 안 난다/그 아이가 뉘 집 아이였~ 잘 모르겠다. **2** (주로 '어찌나〔어떻게나〕-던지'의 꼴로 쓰여) 지난 일을 돌이켜 보면서 그것이 다른 어떤 사실을 일으키게 하는 원인이 됨을 나타낼 때 쓰는 말. ¶어찌나 좋았~ 껑충껑충 뛰었소. *-ㄴ지·-는지.

> **'-던지'와 '(-)든지'**
>
> -던지 지난 일을 나타내는 선어말 어미 '-더-'에 어미 '-ㄴ지'가 결합된 어미
> [예] 얼마나 놀랐던지 몰라.
>
> (-)든지 물건이나 일의 내용을 가리지 아니하는 뜻을 나타내는 조사 또는 어미
> [예] 배든지 사과든지 마음대로 먹어라.(조사)
> 가든지 오든지 마음대로 해라.(연결 어미)

***던지다** [타] **1** 물건을 손으로 공중을 향해 날려 보내어 다른 곳에 다다르게 하다. ¶공을 ~. **2** 어떤 대상을 향하여 말이나 눈길을 보내거나 주다. ¶눈길을 ~. **3** 투표하다. ¶깨끗한 한 표를 ~. **4** 영향을 주거나 문제를 일으키다. ¶파문을 ~. **5** 어떤 환경에 자기 몸을 뛰어들게 하다. ¶정계에 몸을 ~.

[던져 마름쇠] 익숙하지 않은 사람이 오히려 실패하지 않는 경우를 비유하는 말.

던:지럽다 〔던지러우니, 던지러워〕 [형][ㅂ불] 말이나 행실이 더럽다. [작]단지럽다.

***덜:** [부] 어떤 기준이나 정도가 약하게. 또는 그 아래로. ¶~ 익은 감/잠이 ~ 깨다/빨래가 ~ 말랐다.

덜거덕 [부][하][자][타] 크고 단단한 물건이 맞닿아서 나는 약간 둔한 소리. ¶대문이 ~ 열린다. [작]달가닥. [센]떨거덕. [준]덜걱.

덜거덕-거리다 [자][타] 자꾸 덜거덕 소리가 나다. 또는 자꾸 덜거덕 소리를 나게 하다. [작]달가닥거리다. [센]떨거덕거리다. [준]덜걱거리다. **덜거덕-덜거덕** [부][하][자][타]

덜거덕-대다 [자][타] 덜거덕거리다.

덜거덩 [부][하][자][타] 단단하고 두꺼운 물건이 맞닿아 둔하게 울려 나는 소리. ¶철문이 ~ 닫혔다. [작]달가당. [센]떨거덩.

덜거덩-거리다 [자][타] 자꾸 덜거덩 소리가 나다. 또는 자꾸 덜거덩 소리를 나게 하다. [작]달가당거리다. [센]떨거덩거리다. **덜거덩-덜거덩** [부][하][자][타]

덜거덩-대다 [자][타] 덜거덩거리다.

덜걱 [부][하][자][타] '덜거덕'의 준말. [센]떨걱.

덜걱-거리다 [자][타] '덜거덕거리다'의 준말. **덜걱-덜걱** [부][하][자][타]

덜걱-대다 [자][타] 덜걱거리다.

덜그럭 [부][하][자][타] 단단하고 큰 물건이 부딪치거나 서로 스쳐 나는 낮고 좀 무거운 소리. ¶부엌에서 ~하는 소리가 났다. [작]달그락. [센]떨그럭.

덜그럭-거리다 [자][타] 자꾸 덜그럭 소리가 나다. 또는 자꾸 덜그럭 소리를 나게 하다. ¶부엌의 찬장이 덜그럭거린다. [작]달그락거리다. [센]떨그럭거리다. **덜그럭-덜그럭** [부][하][자][타]

덜그럭-대다 [자][타] 덜그럭거리다.

덜그렁 [부][하][자][타] 단단하고 큰 물건이 가볍게 맞부딪거나 서로 스쳐서 울려 나는 소리. ¶대장간에서 ~ 소리가 났다. [작]달그랑. [센]떨그렁.

덜그렁-거리다 [자][타] 잇따라 덜그렁 소리가 나다. 또는 잇따라 덜그렁 소리를 나게 하다. [작]달그랑거리다. [센]떨그렁거리다. **덜그렁-덜그렁** [부][하][자][타]

덜그렁-대다 [자][타] 덜그렁거리다.

***덜:다** 〔더니, 더오〕 [타] **1** 일정한 수량이나 정도에서 얼마를 떼어 줄이거나 적게 하다. ¶짐을 ~/큰 그릇에서 덜어 내다. **2** 어떤 상태나 행동의 정도를 적게 하다. ¶수고를 ~/걱정을 ~.

덜덜[1] [부] 단단한 바닥 위를 수레바퀴 등이 굴러 나는 무거운 소리. [작]달달[1]. [센]떨떨.

덜덜[2] [부] 무섭거나 추워서 몸을 몹시 떠는 모양. ¶날씨가 워낙 추워서 턱이 ~ 떨렸다. [작]달달[2].

덜덜-거리다[1] [자][타] 단단한 바닥 위를 큰 바퀴 따위가 굴러 가는 소리가 잇따라 나다. 또는 그런 소리를 내다. ¶낡은 자동차가

덜덜거리며 지나간다. [작]달달거리다.
덜덜-거리다[2] [자][타] 춥거나 무서워서 몸을 자꾸 떨다. [작]달달거리다.
덜덜-대다 [자][타] 덜덜거리다[1·2].
덜:-되다 [형] 사람 됨됨이가 모자라고 건방지다. ¶ 덜된 녀석 / 덜된 수작을 걸다.
덜:-떨어지다 [형] 나이에 비하여 됨됨이가 모자라다.
덜렁[1] [부][하][자][타] **1** 큰 방울 따위가 한 차례 흔들려 무겁게 나는 소리. **2** 침착하지 못하고 덤비는 모양. [센]떨렁[1]. **3** 가진 것이나 딸린 것이 적거나 단 하나만 있는 모양. [작]달랑[1].
덜렁[2] [부][하][자] 갑자기 놀라거나 충격을 받아서 가슴이 뜨끔하게 울리는 모양. ¶ 가슴이 ~ 내려앉다. [작]달랑[2].
덜렁-거리다 [자][타] **1** 덜렁 소리가 자꾸 나다. 또는 덜렁 소리를 자꾸 나게 하다. **2** 침착하지 못하고 자꾸 가볍게 행동하다. ¶ 공연히 덜렁거리며 거리를 돌아다니다. [작]달랑거리다. **덜렁-덜렁** [부][하][자][타]
덜렁-대다 [자][타] 덜렁거리다.
덜렁-쇠 [명] 침착하지 못하고 덤벙거리는 사람. 덜렁이. 덜렁꾼. [작]달랑쇠.
덜렁-이 [명] 덜렁쇠.
덜렁-이다 [자][타] **1** 큰 방울 따위가 흔들리어 소리가 나다. 또는 그런 소리를 내다. **2** 침착하지 못하고 가볍게 행동하다. [작]달랑이다.
덜레-덜레 [부] 건들건들 걷거나 행동하는 모양. ¶ 빈손으로 ~ 돌아오다. [작]달래달래.
덜리다 [자] 《'덜다'의 피동》 덜어지다. 덜하게 되다. ¶ 부담이 ~.
덜미 [명] '뒷덜미'와 '목덜미'를 아울러 이르는 말. ¶ 찬바람이 불어 ~가 시리다. [덜미에 사잣밥을 짊어졌다] 생사의 기로에 처하였다.
덜미를 넘겨짚다 [구] 남의 속을 떠보다.
덜미를 누르다 [구] 몹시 재촉하거나 몰아세우다. ¶ 약점을 잡고 덜미를 누른다.
덜미(를) 잡히다 [구] ㉠뒷덜미를 잡히어 행동의 자유를 잃다. ㉡못된 일 따위를 꾸미거나 하다가 발각나다. ㉢쉽게 보던 일이 뜻밖의 어려움 따위로 제대로 안 풀리다.
덜미(를) 짚다 [구] ㉠덜미잡이를 하다. ㉡덜미를 잡아 누르듯이 몹시 재촉을 하다.
덜미-잡이 [명][하][타] 사람의 뒷덜미를 잡고 끌어가는 짓. ¶ ~를 당하다.
덜커덕[1] [부][하][자][타] 다른 것에 거칠게 걸리거나 고장으로 멈추어질 때 나는 소리. ¶ 트럭이 ~ 멈추다. [작]달카닥. [준]덜컥.
덜커덕[2] [부][하][자][타] 잘못하여 탈을 내거나 남몰래 무슨 짓을 하다가 발각되는 모양. ¶ 면허도 없이 운전하다가 ~ 사고를 내다. [준]덜컥.
덜커덕-거리다 [자][타] 자꾸 덜커덕 소리가 나다. 또는 자꾸 덜커덕 소리를 나게 하다. ¶ 울퉁불퉁한 시골 비포장 길을 마차가 덜커덕거리며 가다. [작]달카닥거리다. [준]덜컥거리다. **덜커덕-덜커덕** [부][하][자][타]
덜커덕-대다 [자][타] 덜커덕거리다.
덜커덩 [부][하][자][타] 단단하고 속이 빈 큰 물건이 부딪쳐 울리는 소리. [작]달카당. [준]덜컹.
덜커덩-거리다 [자][타] 자꾸 덜커덩 소리가 나다. 또는 자꾸 덜커덩 소리를 나게 하다. ¶ 고물차가 덜커덩거리며 지나간다. [작]달카당거리다. [준]덜컹거리다. **덜커덩-덜커덩** [부][하][자][타]
덜커덩-대다 [자][타] 덜커덩거리다.
덜컥[1] [부][하][자][타] '덜커덕'의 준말.
덜컥[2] [부] 갑작스레 놀라거나 겁에 질려 가슴이 내려앉는 듯한 모양. ¶ 겁이 ~ 나다.
덜컥-거리다 [자][타] '덜커덕거리다'의 준말.
덜컥-덜컥 [부][하][자][타]
덜컥-대다 [자][타] 덜컥거리다.
덜컹 [부][하][자][타] '덜커덩'의 준말.
덜컹-거리다 [자][타] '덜커덩거리다'의 준말.
덜컹-덜컹 [부][하][자][타]
덜컹-대다 [자][타] 덜컹거리다.
덜:-하다 [형][여불] 어떤 기준이나 정도보다 약하거나 적다. ¶ 어제보다 아픔이 ~ / 단맛이 ~.
덤: [명] **1** 물건을 사고팔 때, 제 값어치 외에 조금 더 얹어 주거나 받는 물건. ¶ ~을 많이 받다. **2** 바둑에서, 흑을 쥐고, 먼저 두는 쪽이 이겼을 경우, 이긴 돌의 수에서 일정한 수를 접어 주는 일. 공제. ¶ ~을 제하고 흑이 반집을 이겼다.
덤덤-하다 [형][여불] **1** 마땅히 말할 만한 자리에서 아무 말도 없이 있다. ¶ 한참을 덤덤하게 앉아 있다. **2** 일을 당하여도 아무 느낌도 없다. ¶ 얼굴 표정이 ~. **3** 음식의 맛이 싱겁고 밍밍하다. **덤덤-히** [부]
덤벙[1] [부] 아무 일에나 함부로 덤비거나 서두르는 모양.
덤벙[2] [부][하][자][타] 크고 무거운 물건이 물속으로 떨어져 들어가는 소리. ¶ 바닷속에 ~ 뛰어들다. [작]담방. [거]텀벙.
덤벙-거리다[1] [자] 침착하지 못하고 어쩔 줄 몰라 허둥거리다. [작]담방거리다. **덤벙-덤벙**[1] [부][하][자]
덤벙-거리다[2] [자][타] 잇따라 덤벙 소리가 나다. 또는 잇따라 덤벙 소리를 나게 하다. [작]담방거리다. [거]텀벙거리다. **덤벙-덤벙**[2] [부][하][자][타]
덤벙-대다[1] [자] 덤벙거리다[1].
덤벙-대다[2] [자][타] 덤벙거리다[2].
덤벙-이다 [자] 들뜬 행동으로 아무 일에나 함부로 뛰어들다. ¶ 덤벙이더니 결국 사고를 치는구나. [작]담방이다.
덤벼-들다 〔-드니, -드오〕 [자] **1** 함부로 대들거나 달려들다. ¶ 개가 사납게 덤벼든다. **2** 어떤 일을 이루려고 적극적으로 뛰어들다. ¶ 여럿이 덤벼들어 일을 순식간에 해치웠다.
덤불 [명] 어수선하게 엉클어진 수풀.
덤불-지다 [자] 덤불을 이루다.
***덤비다** [자] **1** 함부로 대들거나 달려들다. ¶ 철없이 ~. **2** 침착하지 못하고 서두르다. ¶ 덤비지 말고 차근차근히 해라. **3** 아무 일에나 적극적으로 달려들다.
덤뻑 [부] 깊은 생각이 없이 무턱대고 덤비는 모양. ¶ ~ 나섰다가 낭패 보다.
덤터기 [명] 남에게 넘겨씌우거나 넘겨 맡는 큰 걱정거리나 허물 따위. [작]담타기.
덤터기(를) 쓰다 [구] 남의 걱정거리를 넘겨 맡다.
덤터기(를) 씌우다 [구] 남에게 걱정거리를 넘기다.

덤프-트럭 (dump truck) 명 짐받이의 한쪽을 들어 올려 짐을 한꺼번에 쏟아 내릴 수 있게 만든 화물 자동차. 덤프차. ¶ ~으로 자갈들을 실어 나르다.
덤핑 (dumping) 명하타 〖경〗 새로운 판로를 개척하기 위해 생산비보다 낮은 가격으로 상품을 파는 일. 투매. ¶소비자에게 ~ 공세를 펴다.
***덥:다** 〔더우니, 더워〕 형ㅂ불 **1** 높은 열기를 느끼다. ¶날씨가 ~ / 지금이 한창 더운 때다 / 더워서 잠을 잘 수가 없다. ↔춥다. **2** 물체에 열기가 있다. ¶더운 밥 / 더운 피.
덥석 부 왈칵 달려들어 넁큼 움켜쥐거나 입에 무는 모양. ¶아기를 ~ 안다 / 사과를 한 입 ~ 베어 먹었다. 작답삭.
덥석-덥석 부 자꾸 덥석이는 모양. ¶주는 대로 ~ 받아먹다.
덥수룩-하다 [-쑤루카다] 형여불 수염이나 머리털이 많이 자라 어수선하게 덮여 있다.
덥적-거리다 자 **1** 무슨 일에나 함부로 간섭하다. ¶주제넘게 남의 일에 덥적거리지 마라. **2** 자꾸 남에게 붙임성 있게 굴다. 작답작거리다. **덥적-덥적** 부하자
덥적-대다 자 덥적거리다.
덥적-이다 자 **1** 남의 일에 참견하다. **2** 남에게 붙임성 있게 굴다. 작답작이다.
덧[1] [덛] 명 퍽 짧은 시간. ¶어느~ 시간이 다 되었다.
덧[2] [덛] 명 빌미나 탈. ¶상처에 ~이 나다 / 그 말이 ~이 되어 싸우게 되었다.
덧- [덛] 두 '거듭'·'더함'의 뜻을 나타내는 말. ¶~니 / ~저고리 / ~붙이다.
덧-가지 [덛까-] 명 **1** 쓸데없이 더 난 나뭇가지. **2** 필요 없는 군더더기의 비유.
덧-거름 [덛꺼-] 명 농작물이 자랄 때 밑거름을 보충하기 위하여 더 주는 거름. 웃거름. 추비(追肥). ¶~을 주다.
덧-거리 [덛꺼-] 명하타 **1** 일정한 수량 외에 덧붙이는 물건. **2** 없는 사실을 지나치게 불려 말하는 일.
덧-걸다 [덛껄-] 〔덧거니, 덧거오〕 타 걸어 놓은 것 위에 다시 또 걸다.
덧-걸리다 [덛껄-] 자 **1** 《'덧걸다'의 피동》 걸리어 있는 것 위에 겹쳐 걸리다. **2** 한 가지 일에 다른 일이 겹치다.
덧게비-치다 [덛께-] 타 **1** 다른 것 위에 덧엎어 대다. **2** 남의 연이 서로 얼린 위에 더 덮어 얼리다.
덧-그림 [덛끄-] 명 그림 위에 얇은 종이를 덮어 대고 본떠 그린 그림.
덧-나다[1] [던-] 자 **1** 병이나 상처 따위를 잘못 다루어 상태가 더 나빠지다. ¶종기가 ~. **2** 일을 잘못 처리해 더욱 나빠지다. **3** 노염이 일어나다. ¶말 한마디 실수로 그의 마음을 덧나게 하다. **4** 입맛이 없어지다.
덧-나다[2] [던-] 자 덧붙거나 제자리를 벗어나서 나다. ¶이가 ~.
덧-내다 [던-] 타 《'덧나다'의 사동》 덧나게 하다. ¶병을 ~.
덧-니 [던-] 명 이가 난 줄의 곁에 겹으로 난 이. ¶~를 뽑다.
덧니-박이 [던-] 명 덧니가 난 사람.
덧-대다 [덛때-] 타 댄 위에 다시 겹쳐 대다. ¶해진 바지에 헝겊을 덧대고 깁다.
덧-들다 [덛뜰-] 〔덧드니, 덧드오〕 자 선잠이 깬 채 다시 잠이 잘 들지 않다. ¶잠이 덧들어 밤을 꼬박 새우다.
덧-들이다 [덛뜰-] 타 **1** 남을 건드려서 노하게 하다. **2** 병 따위를 덧나게 하다. **3** 《'덧들다'의 사동》 잠을 덧들게 하다.
덧-문 (-門)[던-] 명 **1** 겉창. **2** 원래의 문짝 겉쪽에 덧단 문을 두루 통틀어 이르는 말.
덧-물 [던-] 명 강이나 호수 따위의 얼음 위에 괸 물.
덧-바르다 [덛빠-] 〔덧바르니, 덧발라〕 타르불 바른 것 위에 포개어 바르다. ¶벽에 페인트를 ~.
덧-버선 [덛뻐-] 명 **1** 버선 위에 겹쳐 신는 큰 버선. **2** 양말 위에 덧신거나 맨발에 신는 목 없는 버선.
덧-붙다 [덛뿓따] 자 **1** 겹쳐 붙다. **2** 군더더기나 덧붙이기가 달라붙다.
덧-붙이다 [덛뿌치-] 타 《'덧붙다'의 사동》 **1** 있는 위에 더 붙게 하다. **2** 한 말에 더 보태어 말하다. ¶덧붙여서 말한다면.
덧-뿌리다 [덛-] 타 씨앗 따위를 뿌린 뒤에 다시 더 뿌리다.
***덧-셈** [덛쎔] 명하타 〖수〗 더하기. ↔뺄셈.
덧셈-표 (-標)[덛쎔-] 명 〖수〗 덧셈법의 부호인 '+'를 이르는 말. 가표(加標). ↔뺄셈표.
덧-소금 [덛쏘-] 명 소금으로 절일 때 맨 위에 소복이 뿌려 얹어 놓은 소금.
덧-신 [덛씬] 명 신 위에 덧신는 신.
덧-신다 [덛씬따] 타 신은 위에 겹쳐 신다.
덧-쓰다 [덛-] 〔덧쓰니, 덧써〕 타 쓴 위에 겹쳐 쓰다. ¶헬멧 위에 철모를 ~.
덧-씌우다 [덛씨-] 타 씌운 위에 겹쳐 씌우다. ¶죄를 ~.
덧-양말 (-洋襪)[던냥-] 명 신은 양말 위에 덧신는 목이 짧은 양말.
덧-얹다 [덛언따] 타 얹은 위에 겹쳐 얹다. ¶웃돈을 덧얹어 주다.
덧-없다 [덛업따] 형 **1** 세월이 속절없이 빠르다. ¶덧없는 세월. **2** 헛되고 허전하다. 무상하다. ¶덧없는 인생. **3** 확실하지 않다. 근거가 없다. ¶덧없는 말만 늘어놓는다. **덧-없이** [덛업씨] 부. ¶~ 떠도는 상념 / ~ 흘러가는 세월.
덧-옷 [덛옫] 명 옷 위에 겹쳐 입는 옷. ¶~을 입고 작업에 임하다.
덧-저고리 [덛쩌-] 명 저고리 위에 겹쳐 입는 저고리.
덧-정 (-情)[덛쩡] 명 더 끌리는 마음.
덧-창 (-窓)[덛-] 명 겉창. ¶~을 젖히자 햇살이 마구 쏟아져 들어왔다.
덧칠-하다 (-漆-)[덛-] 타여불 칠한 데에 다시 칠하다. ¶간판을 붉은색으로 ~.
***덩굴** 명 〖식〗 땅바닥으로 벋거나 다른 것에 감겨 오르는 식물의 줄기. 넝쿨. ¶칡이 ~을 벋다.
덩굴-걷이 [-거지] 명하타 **1** 덩굴을 걷어치우는 일. **2** 덩굴을 걷을 때에 따 낸 어린 열매.
덩굴-무늬 [-니] 명 여러 가지 덩굴풀이 비꼬여 벋어 나가는 모양을 한 무늬. 넝쿨무늬. 당초문.

덩굴-손 명 〖식〗 다른 물체에 감기어서 줄기를 지탱하게 하는 가는 덩굴. 권수(卷鬚).

덩굴 식물 (-植物)[-싱-] 〖식〗 덩굴이 지고 줄기가 다른 물체에 감기거나, 또는 덩굴손 따위로 다른 물체에 감겨서 벋어 올라가는 식물. 보통 풀 또는 관목임. 덩굴성 식물. 만성(蔓性) 식물.

덩굴손

덩굴-장미 (-薔薇) 명 〖식〗 장미과의 덩굴성 낙엽 관목. 줄기에 가시가 있어 예로부터 산울타리로 심는데, 잎은 깃꼴 겹잎으로 가장자리에 가는 톱니가 있음. 초여름에 원추꽃차례의 붉은 꽃이 핌.

덩굴-지다 자 식물의 줄기가 덩굴이 되어 벋다.

덩굴-치기 명 식물의 쓸모없는 덩굴을 잘라 내는 일. 주로 열매를 크게 하기 위함.

덩그렇다 [-러타]〔덩그러니, 덩그러오〕 형 ㅎ불 **1** 홀로 우뚝 드러나 있다. ¶덩그렇게 잘 지은 기와집. **2** 넓은 공간이 텅 비어 쓸쓸하다. 작당그랗다.

덩-달다 자 (주로 '덩달아'·'덩달아서'의 꼴로 쓰여) 사정도 모르고 남을 좇아서 하다. 아무 생각 없이 따라 나서다. ¶영문도 모르고 덩달아 큰소리를 치다.

덩더-꿍 부하자 **1** 북이나 장구를 흥겹게 두드리는 소리. **2** 덩달아 덤비는 모양. **덩더꿍-덩더꿍** 부하자

덩-더럭 부 장구를 울리는 소리.

덩덕새-머리 명 빗지 않아 더부룩한 머리.

덩덩 부 북·장구 등을 칠 때 나는 소리.
[덩덩하니 굿만 여겨] 무엇이 얼씬만 해도 구경거리인 줄 알고 출썩거리는 짓의 비유.

덩실 부 신이 나서 팔다리를 한 차례 크고 흥겹게 놀리며 춤을 추는 모양. ¶합격 소식을 듣고 ~ 춤을 추다.

덩실-거리다 자타 신이 나서 자꾸 춤추다. 작당실거리다. **덩실-덩실** 부하자타

덩실-대다 자타 덩실거리다.

덩실-하다 형여불 건물 따위가 웅장하게 높다. 작당실하다.

덩싯-거리다 [-신꺼-] 자 편히 누워서 팔과 다리를 잇따라 가볍게 움직이다. 작당싯거리다. **덩싯-덩싯** [-신떵신] 부하자

덩싯-대다 [-신때-] 자 덩싯거리다.

덩어리 명 **1** 뭉쳐서 크게 이루어진 덩이. ¶진흙 ~ / 얼음 ~가 수박만 하다. **2** 여럿이 모여서 뭉친 떼. ¶지렁이가 ~로 엉켜 있다. **3** 뭉쳐서 이루어진 것을 세는 단위. ¶한 ~. **4** 어떤 성질을 가진 사람이나 사물을 나타내는 말. ¶골칫~ / 심술~.

덩어리-지다 자 덩어리가 되다.

덩이 명 **1** 작은 덩어리. ¶~를 이룬 꽃술. **2** (접미사적으로 쓰여) 일부 명사 뒤에 붙어, 그러한 성질을 가지거나 그러한 일을 일으키는 사람이나 사물을 나타냄. ¶골칫~만 모였다. **3** (의존 명사처럼 쓰여) 작게 뭉쳐서 이루어진 것을 세는 단위. ¶주먹밥 한 ~로 시장기를 면하였다.

덩이-덩이 명 여러 덩이. ¶호박이 ~ 열려 있다.

덩이-뿌리 명 〖식〗 저장뿌리의 한 종류. 식물의 뿌리가 비정상적으로 살이 쪄 덩이 모양으로 된 것《고구마·무·달리아 따위》. 괴근(塊根).

덩이-줄기 명 〖식〗 땅속줄기가 가지를 치고 그 끝에 양분을 저장하여 살이 찐 것《감자·토란·돼지감자 따위》. 괴경(塊莖).

덩이-지다 자 한데 뭉쳐 덩이를 이루다.

덩저리 명 **1** 뭉쳐서 쌓인 물건의 부피. **2** 〈속〉 덩치. 몸집.

덩치 명 몸의 부피. 몸집. ¶~만 큰 녀석.

덩칫-값 [-치깝 / -칟깝] 명 덩치에 어울리는 말과 행동. ¶사람이 ~도 못하다니.
덩칫값(을) 하다 구 힘이나 체격에 맞게 제 구실을 하다.

덩크 슛 (dunk shoot) 농구에서, 높이 뛰어올라 바스켓 위에서 공을 내리꽂듯이 던져 넣는 일.

덫 [덛] 명 **1** 짐승을 꾀어 잡는 기구. ¶~을 놓다. **2** 남을 헐뜯거나 손해를 끼치기 위한 교활한 꾀.
[덫에 치인 범이요, 그물에 걸린 고기] 꼼짝없이 막다른 처지에 몰린 형세.

덮개 [덥깨] 명 **1** 덮는 물건. **2** 덮어 가리는 물건. 뚜껑.

덮개 유리 (-琉璃)[덥깨-] 커버 글라스. ↔깔유리.

***덮다** [덥따] 타 **1** 뚜껑을 씌우다. ¶솥뚜껑을 ~. **2** 가리어 감추다. ¶허물을 덮어 주다. **3** 위로부터 얹어 씌우다. ¶담요를 덮어 주다. **4** 펼쳐진 책 따위를 닫다. ¶책을 덮어 놓고 나가 놀다. **5** 한정된 범위나 공간·지역을 휩싸다. ¶서쪽 하늘을 덮은 구름.

덮-밥 [덥빱] 명 더운밥에 고기·생선·채소 따위의 꾸미를 얹은 밥. ¶고기~ / 생선~.

덮어-놓다 [-노타] 타 ('덮어놓고'의 꼴로 쓰여) 사정이나 형편을 따지지 아니하다. ¶덮어놓고 설치다.
[덮어놓고 열넉 냥 금] 내용을 살피지 않고 아무렇게나 판단함.

덮어-쓰다 〔-쓰니, -써〕 타 **1** 억울하게 부당한 누명을 쓰다. ¶죄를 ~. **2** 위로부터 써서 가리다. ¶이불을 ~. **3** 먼지·가루·물 따위를 온몸에 뒤집어쓰다. ¶눈을 덮어쓰고 있는 먼 산 / 흙먼지를 ~.

덮어-씌우다 [-씨-] 타 《'덮어쓰다'의 사동》 덮어쓰게 하다. ¶책임을 남에게 ~.

덮이다 자 《'덮다'의 피동》 **1** 드러난 것에 다른 것이 얹히어 보이지 않게 되다. ¶눈으로 덮인 산. **2** 가리워서 숨기어지다. ¶사건의 진상이 의문에 덮여 있다.

덮치기 [덥-] 명 새를 잡는 데 쓰이는 큰 그물.

덮치다 [덥-] 一자 **1** 겹쳐 누르다. ¶파도가 ~. **2** 여러 가지 일이 한꺼번에 닥치다. ¶엎친 데 덮친 격. **3** 뜻밖에 또는 갑자기 들이닥치다. ¶재난이 ~. 二타 겹쳐 누르다. 또는 갑자기 들이닥치다. ¶독수리가 병아리를 ~.

***데** 의명 **1** 곳. 장소. ¶오갈 ~가 없다. **2** 경우. 처지. ¶배 아픈 ~에 먹는 약. **3** 일. 것. ¶노래 부르는 ~도 소질이 있다.

데- 두 **1** 몇몇 동사 앞에 붙어, 완전하지 못함을 뜻하는 말. ¶~삶다 / ~알다. **2** 형용

사 앞에 붙어, '몹시·매우'의 뜻으로 쓰이는 말. ¶~바쁘다.
-데 어미 '이다' 또는 용언의 어간 등에 붙는 종결 어미. 1 하게할 자리에 지난 일을 회상하여 말할 때 쓰는 말. ¶시장엔 아직도 참외가 있~/아직도 교감이~. 2 해라할 자리에 지난 일을 생각하고 물을 때 쓰는 말. ¶그 사람 아직도 뚱뚱하~/큰 짐승이~. *-던가.

> **'-대'와 '-데'**
> -대 '다(고) 해'의 준말로, 말하는 이가 문장 속의 주어를 포함한, 다른 사람으로부터 들은 이야기를 듣는 이에게 간접적으로 전달하는 의미를 가진다.
> 예 오늘 날씨가 좋대(좋다고 해).
> -데 말하는 이 자신이 직접 경험한 지난 일을 돌이켜 말할 때 쓰는 종결 어미이다.
> 예 어제는 날씨가 좋데(좋더라).

데걱 부하자타 크고 단단한 물건이 가볍게 부딪쳐 나는 소리. 작대각. 센떼꺽.
데걱-거리다 자타 잇따라 데걱 소리가 나다. 또는 잇따라 데걱 소리를 나게 하다. 작대각거리다. **데걱-데걱** 부하자타
데걱-대다 자타 데걱거리다.
데구루루 부 크고 단단한 물건이 단단한 바닥에서 구르는 모양. 또는 그 소리. 작대구루루. 센떼구루루.
데굴-데굴 부 1 크고 단단한 물건이 계속 구르는 모양. 2 이리저리 함부로 구르는 모양. 작대굴대굴. 센떼굴떼굴.
데그럭 부 여러 개의 크고 단단한 물건이 서로 맞부딪쳐 나는 소리. 작대그락. 센떼그럭.
데그럭-거리다 자타 여러 개의 크고 단단한 물건이 서로 부드럽게 부딪쳐 자꾸 소리가 나다. 또는 그런 소리를 자꾸 나게 하다. 작대그락거리다. 센떼그럭거리다. **데그럭-데그럭** 부하자타
데그럭-대다 자타 데그럭거리다.
-데기 미 일부 명사 뒤에 붙어, '그와 관련된 일을 하거나 그런 성질을 가진 사람'을 얕잡거나 홀하게 이르는 말. ¶부엌~/새침~/소박~.
데꺽 부하자타 1 단단하고 큰 물건이 가볍게 부딪쳐 나는 소리. 작대깍. 여데걱. 2 서슴지 않고 곧. ¶~ 해치우다. 센떼꺽.
데꺽-거리다 자타 자꾸 데꺽 소리가 나다. 또는 자꾸 데꺽 소리를 나게 하다. 작대깍거리다. **데꺽-데꺽** 부하자타
데꺽-대다 자타 데꺽거리다.
데꾼-하다 형여불 몹시 지쳐 눈이 쑥 들어가고 퀭하다. ¶며칠 밤샘을 하여 눈이 ~. 작대꾼하다. 센떼꾼하다.
***데:다** ㅡ자 1 뜨거운 기운이나 물질에 닿아 살이 상하다. ¶불에 ~. 2 몹시 놀라거나 고통을 겪어 진저리가 나다. ¶그 일에는 정말 데었다. ㅡ타 불이나 뜨거운 것에 피부를 상하다. ¶손바닥을 ~.
덴 소 날치듯 한다 구 물불을 가리지 않고 함부로 날뛰는 모양을 이르는 말.
데데-하다 형여불 변변치 못하여 보잘것없다. ¶데데한 소리만 한다.
데드라인 (deadline) 명 1 최후의 선. 최후의 한계. 2 신문·잡지 따위의 원고를 마감하는 시간. 마감.
데드 볼 (dead+ball) 야구에서, 투수가 던진 공이 타자의 몸에 닿는 일. 사구(死球).
데려-가다 타거라불 함께 거느리고 가다. ¶병원에 동생을 ~. ↔데려오다.
데려-오다 타너라불 함께 거느리고 오다. ¶여자 친구를 집에 ~. ↔데려가다.
***데리다** 불타 ('데리고'·'데리러'·'데려'의 꼴로 쓰여) 아랫사람이나 동물 따위를 자기 몸 가까이 있게 하거나 따라다니게 하다. ¶항상 개를 데리고 공원에 가다/아이를 데리러 가다/아이를 데려다 주다.
데릴-사위 [-싸-] 명 처가에서 데리고 사는 사위. 예서(豫壻). ¶~를 들이다.
데면-데면 부하형 1 성질이 꼼꼼하지 않아 행동에 조심성이 없는 모양. ¶~한 사람이라 실수가 많다. 2 붙임성이 없고 텀텀한 모양. ¶~하게 대하다.
데모 (demo) 명 1 시위운동. 2 컴퓨터에서, 프로그램이나 하드웨어의 성능을 보여 주기 위한 시범.
데:-밀다 [데미니, 데미오] 타 밖에서 안으로 들어가게 밀다.
데뷔 (프 début) 명하자 일정한 활동 분야에 처음 나타나는 일. 첫 등장. ¶~ 작품/은막에 ~하다.
데-삶기다 [-삼-] 자 《'데삶다'의 피동》 완전히 삶겨지지 않다.
데-삶다 [-삼따] 타 덜 삶다.
데생 (프 dessin) 명 소묘.
데설-궂다 [-굳따] 형 성질이 털털하고 걸걸하여 꼼꼼하지 못하다. ¶아들이라 좀 데설궂은 면이 있다.
데설-데설 부하형 성질이 털털하여 꼼꼼하지 못한 모양.
데스-마스크 (death mask) 명 죽은 사람의 얼굴을 본떠서 만든 탈.
데스크 (desk) 명 1 신문사나 방송국의 편집부에서 기사의 취재와 편집을 지휘하는 직위. 또는 그런 사람. 2 호텔이나 병원 등의 접수처.
데스크톱 컴퓨터 (desktop computer) 〖컴〗 책상 위에 올려놓고 쓸 수 있는 크기의 소형 컴퓨터. 흔히, 개인용 컴퓨터나 마이크로 컴퓨터와 같은 뜻으로 쓰며, 회계 업무·사무 관리·문서 처리 따위를 행함. *노트북 컴퓨터·랩톱 컴퓨터.
데시-리터 (deciliter) 의명 부피의 단위. 1리터의 1/10《기호 : dl》.
데시-벨 (decibel) 의명 〖물〗 1 전기 통신에서 전류의 증감, 또는 전압의 증감을 나타내는 단위. 2 소리의 세기를 표준음의 세기에 비교한 수량의 단위《기호 : dB》.
데-알다 [데아니, 데아오] 타 자세히 모르고 대강이나 반쯤만 알다. ¶데알아서 건방지기만 하다.
데우다 타 찬 것에 열을 가하여 덥게 하다. ¶우유를 ~.
데이터 (data) 명 1 이론을 세우는 데 바탕이 되는 자료. ¶~ 수집. 2 관찰이나 실험·조사로 얻은 사실이나 정보. 3 〖컴〗 프로그램

을 운용할 수 있도록 기호와 숫자로 나타낸 자료. ¶~ 관리.

데이터 뱅크 (data bank) 〖컴〗 많은 자료를 컴퓨터에 입력해 두고 이용자의 필요에 따라 검색하거나 이용할 수 있게 보관하는 기관. 정보 은행.

데이터베이스 (database) 명 많은 자료를 저장해 두고 여러 가지 형태로 이용할 수 있도록 한 프로그램. 또는 그 자료.

데이터 처:리 장치 (data處理裝置) 주로 컴퓨터에 의하여 데이터의 분류·대조·집계 등을 행하는 장치.

데이터 통신 (data通信) 중앙 컴퓨터와 단말 장치를 전화·전신 회선에 연결하여 정보를 교환할 수 있게 해 놓은 체계.

데이트 (date) 명하자 이성과의 만남. 또는 그 약속. ¶그와 ~ 약속을 하다.

데-익다 자 덜 익다. 설다. ¶정성이 부족하여 시루떡이 ~.

데:치다 타 **1** 끓는 물에 슬쩍 삶아 내다. ¶시금치를 ~. **2** 단단히 혼을 내어 풀이 죽게 하다.

데카당 (프 décadent) 명 **1** 19세기 말엽 주로 프랑스를 중심으로 일어난 문예상의 한 흐름. 회의적 사상의 영향에 따라 탐미적·퇴폐적·병적인 것을 즐김. **2** 데카당파의 문인 또는 예술가. **3** 퇴폐적이며 자포자기적인 사람.

데칼코마니 (프 décalcomanie) 명 〖미술〗 초현실주의 회화 기법의 하나. 종이 위에다 물감을 두껍게 칠하고 그 위에 종이를 덮어 찍거나, 종이를 두 겹으로 접어 눌렀다가 폈을 때 나타나는 대칭적·환상적 효과를 이용한 표현 방법.

데크레센도 (이 decrescendo) 명 〖악〗 **1** 점점 여리어지는 음. 또는 그런 음절. **2** '점점 여리게'의 뜻《기호 : >; 약호 : dec., decresc.》. ↔크레셴도(crescendo).

데탕트 (프 détente) 명 긴장 완화. 특히 국제 관계 따위의 긴장 완화.

데퉁-맞다 [-맏따] 형 매우 데퉁스럽다.

데퉁-바리 명 데퉁스러운 사람.

데퉁-스럽다 〔-스러우니, -스러워〕 형ㅂ불 말과 행동이 거칠고 엉뚱하며 미련한 데가 있다. **데퉁-스레** 부

데퉁-하다 형여불 말과 행동이 거칠고 엉뚱하며 미련하다.

덱-데구루루 부 **1** 크고 단단한 물건이 단단한 바닥에 부딪치면서 빨리 굴러 가는 소리. 또는 그 모양. **2** 천둥이 먼 데서 갑자기 세게 나는 소리. 작댁대구루루. 센떽데구루루.

덱데굴-덱데굴 부 크고 단단한 물건이 단단한 바닥에 부딪쳐 튀면서 굴러 가는 소리. 또는 그 모양. ¶밤 한 톨이 ~ 굴러 나왔네. 작댁대굴댁대굴. 센떽데굴떽데굴.

덴:-가슴 명 몹쓸 재난을 겪고 잊혀지지 않아 항상 놀라는 심정. ¶화재에 ~이라 성냥불만 보아도 가슴이 섬뜩해진다.

덴겁-하다 [-거파-] 자여불 뜻밖의 일로 놀라서 몹시 허둥지둥하다.

덴덕-스럽다 〔-스러우니, -스러워〕 형ㅂ불 좀 더러운 생각이 들어 마음이 개운하지 못하다. **덴덕-스레** 부

덴덕지근-하다 형여불 매우 덴덕스럽다.

덴:-둥이 명 **1** 불에 데어서 얼굴이나 몸에 상처가 많이 난 사람을 낮잡아 이르는 말. **2** 미운 사람을 욕으로 이르는 말.

델타 (그 Δ, δ) 명 그리스 문자의 넷째 자모.

델타 (delta) 명 〖지〗 삼각주(三角洲).

뎀뿌라 (일 てんぷら) 명 튀김[1].

뎅 부 큰 종이나 쇠붙이로 된 큰 그릇 따위를 칠 때 무겁게 울리어 나는 소리. 작댕. 센뗑.

뎅겅 부하자타 **1** 큰 물방울이 쇠붙이 따위에 떨어지는 소리. 작댕강. 센뗑겅. **2** 좀 굵거나 큰 것이 여지없이 부러지거나 잘리어 나가는 모양. ¶적의 목을 ~ 자르다.

뎅겅-거리다 자타 **1** '뎅그렁거리다'의 준말. **2** 뎅겅 소리가 잇따라 나다. 작댕강거리다. 센뗑겅거리다. **뎅겅-뎅겅** 부하자타

뎅겅-대다 자타 뎅겅거리다.

뎅그렁 부하자타 큰 방울·풍경 따위가 흔들리면서 가볍게 나는 맑은 소리. 작댕그랑. 센뗑그렁.

뎅그렁-거리다 자타 잇따라 뎅그렁 소리가 나다. 또는 잇따라 뎅그렁 소리를 나게 하다. 작댕그랑거리다. 센뗑그렁거리다. 준뎅겅거리다. **뎅그렁-뎅그렁** 부하자타

뎅그렁-대다 자타 뎅그렁거리다.

뎅뎅 부 큰 종이나 쇠붙이로 된 그릇을 잇따라 두드릴 때 나는 소리. ¶괘종시계는 시간마다 ~ 울렸다. 작댕댕. 센뗑뗑.

뎅뎅-거리다 자타 잇따라 뎅뎅 소리가 나다. 작댕댕거리다. 센뗑뗑거리다.

뎅뎅-대다 자타 뎅뎅거리다.

도[1] 명 윷놀이에서의 한 끗. 윷가락을 던져서 네 짝 중에서 한 짝만이 잦혀진 것을 이르는 말. ¶~가 나오다. ☞윷짝.

***도** (度) ㊀명 어떠한 정도나 한도. ¶~가 지나친 행동. ㊁의명 **1** 각도의 단위. 직각의 1/90. **2** 온도의 단위. ¶섭씨 100~. **3** 횟수를 세는 단위. ¶2~ 인쇄. **4** 〖지〗 지구의 경도나 위도를 나타내는 단위. ¶동경 125~ 북위 37~. **5** 〖악〗 음정(音程)을 나타내는 단위.

도:[1] (道) 명 **1** 마땅히 지켜야 할 도리(道理). **2** 종교적으로 깊이 깨달은 이치. 또는 그런 경지. ¶~를 깨닫다. **3** 무술이나 기예 따위를 행하는 방법. ¶~가 트이다.

***도:**[2] (道) 명 **1** 우리나라 지방 행정 구역의 하나. **2** 도청. ¶~에 다닌다.

도 (이 do) 명 〖악〗 장음계의 첫째 음이나, 단음계의 셋째 음의 계이름.

도[2] 조 보조사의 하나. **1** 주격·목적격·보격·부사격 등으로 두루 씀. ¶철수~ 좋은 아이다 / 너~ 함께 가자 / 부모님은 딸~ 귀애하신다. **2** 감탄. ¶과연 좋기~ 하군 / 달~ 밝구나. **3** 두 가지 이상의 사물·사실을 아우르거나 열거할 때에 씀. ¶너~ 나~ 공부하자. **4** 보통 이하 또는 예상 이하의 뜻. ¶그 사람은 집~ 없소. **5** 보통 이상 또는 예상 이상의 뜻. ¶천 명~ 더 된다. **6** 특정한 사물을 들어 그것과 유사한 사물이 다른 데도 있음을 암시할 때 씀. ¶오늘~ 춥다 / 여기~ 좋군. **7** 양보. ¶삼등차~ 좋소 / 오늘 안 되면 내일~ 좋다. **8** 뜻의 강

조. ¶재미~ 없다.
도-(都) [두] '우두머리'의 뜻. ¶~편수/~목수/~원수.
-도(度) [미] 어떤 해의 뒤에 붙어 그 해의 연도를 표시하는 말. ¶2000년~/금년~.
-도(徒) [미] '거기에 딸린 사람'임을 뜻함. ¶법학~/화랑~.
-도(島) [미] '섬'의 뜻. ¶제주~/강화~.
-도(圖) [미] '그림·도면'의 뜻. ¶미인~/산수~/설계~.
도가(都家) [명] **1** 같은 장사를 하는 상인들이 모여 계나 그 밖의 장사에 대하여 의논을 하는 집. **2** 세물전(貰物廛). **3** 도매상. ¶술~.
도:가(道家) [명] 중국 선진(先秦) 때의 노자와 장자의 허무·무위(無爲)의 설을 따르던 학자의 통칭. ☞제자백가(諸子百家).
도가니 [명] **1**〖공〗쇠붙이를 녹이는 그릇《단단한 흙이나 흑연 같은 것으로 고아서 우묵하게 만듦》. 감과(坩堝). **2** 여러 사람의 감정이 아주 흥분하거나 긴장된 상태를 비유적으로 이르는 말. ¶흥분의 ~에 빠지다/불안과 공포의 ~로 몰아넣다. **3** '무릎도가니'의 준말. **4** 소의 볼기에 붙은 고기.

도가니 1

도가-머리 [명] **1**〖조〗새의 머리에 길고 더부룩하게 난 털. 또는 그런 털을 가진 새. 관모(冠毛). **2** 머리털이 부수수하게 일어선 것을 놀리어 이르는 말.
도:각(倒閣) [명][하타] 반대파가 들고일어나 집권 내각을 넘어뜨리는 일.
도감(都監) [명]〖역〗국장(國葬)·국혼(國婚) 그 밖의 큰 국사가 있을 때 설치하던 임시 관아.
도감(圖鑑) [명] 사진·그림을 모아서 설명을 덧붙여 엮은 책. ¶조류 ~/식물~.
도갓-집(都家-)[-가찝/-갇찝] [명] **1** 도가로 삼은 집. **2** 물품을 만들어서 도매하는 집.
[도갓집 강아지 같다] 사람을 많이 치르어 온갖 일에 눈치가 매우 빠르다.
도강(渡江) [명][하타] 강을 건넘. 도하(渡河).
도개 [명]〖공〗질그릇 등을 만들 때, 그 그릇의 속을 두드려서 매만지는 데 쓰는 조그마한 방망이.
도개-교(跳開橋) [명] 큰 배가 밑으로 지나갈 수 있도록 다리의 한끝 또는 양쪽이 들리게 만들어진 다리.
도거리 [명] 따로 나누지 않고 한데 합쳐 몰아치는 일. ¶물건을 ~로 흥정하다.
도검(刀劍) [명] 칼과 검. 칼이나 검을 아울러 이르는 말.
도:경(道警) [명] 각 도에 둔 지방 경찰청.
도:계(道界)[-/-게] [명] 도와 도의 경계.
도고(都庫·都賈) [명][하타] 물건을 도거리로 혼자 맡아서 파는 일. 또는 그렇게 하는 개인이나 조직.
도공(刀工) [명] 칼을 만드는 사람.
도공(陶工) [명] 옹기장이.
도관(陶棺) [명]〖역〗고대에, 점토로 만들어 썼던 관. 옹관.
도:관(導管) [명] **1**〖식〗물관(管). **2** 액체나 증기 따위를 통하게 하는 관.
도:괴(倒壞) [명][하자타] 넘어지거나 무너짐. 넘어뜨리거나 무너뜨림. ¶부실 공사로 ~ 위험에 처한 교량.
도:교(道教) [명]〖종〗황제(黃帝)·노자(老子)를 교조로 하는 중국의 다신적 종교《무위자연설과 신선 사상, 음양오행설 등이 중심이 됨》.
도:구(倒句) [명]〖문〗뜻을 강조하기 위하여 어순(語順)을 뒤바꾸어 놓은 문구《'가자, 집으로'·'나쁘다, 너는' 따위》.
***도:구**(道具) [명] **1** 일에 쓰이는 여러 가지 연장. ¶가재 ~/무대 ~. **2** 어떤 목적을 이루기 위한 수단이나 방법.
도구(賭具) [명] 노름판에 쓰는 물건《골패·화투·투전 따위》.
도굴(盜掘) [명][하타] **1**〖광〗광업권이 없는 사람이 몰래 광물을 캐내는 일. **2** 고분 따위를 허가 없이 파헤쳐 부장품을 훔치는 일. ¶많은 문화재들이 ~당하고 있다.
도그르르 [부] 작고 무거운 것이 가볍게 구르는 모양.
도근-거리다 [자타] 겁이 나서 가슴이 뛰놀다. [큰]두근거리다. **도근-도근** [부][하자타]
도근-대다 [자타] 도근거리다.
도:금(鍍金) [명][하자타] 금·은·니켈·크롬·주석 등의 얇은 금속 막을 다른 쇠붙이에 입히는 일《산화 방지와 장식을 위해서 함》. ¶은으로 ~한 숟가락.
도급(都給) [명] 어떤 공사의 완성 날짜·양·비용 따위를 미리 정하고 도맡거나 도맡아 하게 하는 일. ¶~을 맡다.
도기(陶器) [명]〖공〗오지그릇.
도깨-그릇[-른] [명] 독·항아리·중두리 따위의 그릇을 통틀어 이르는 말. [준]독그릇.
도깨비 [명] 동물이나 사람의 형상을 하고서 비상한 힘과 괴상한 재주를 가져 사람을 호리기도 하고 짓궂은 장난이나 험상궂은 짓을 많이 한다는 잡된 귀신.
[도깨비도 수풀이 있어야 모인다고] 무슨 일이든 의지할 곳이 있어야 이루어진다는 뜻. [도깨비를 사귀었나] 까닭 모르게 재산이 부쩍부쩍 늘어감을 이르는 말.
도깨비 살림 [구] 있다가도 금방 없어지는 불안정한 살림살이를 이르는 말.
도깨비에 홀린 것 같다 [구] 무슨 영문인지 정신을 못 차리다.
도깨비 장난 같다 [구] 하는 짓이 분명하지 않아서 갈피를 잡을 수 없음을 이르는 말.
도깨비-놀음 [명] 갈피를 잡을 수 없도록 괴상하게 되어 가는 일을 이르는 말.
도깨비-바늘 [명]〖식〗국화과의 한해살이풀. 잎은 마주나며 깃 모양으로 갈라지고, 8-10월에 가지나 줄기 끝에 노란 꽃이 핌. 열매에 갈고리 같은 털이 있어 옷에 잘 붙음. 귀침초(鬼針草).
도깨비-방망이 [명] 도깨비가 가지고 다닌다는 방망이. 이것을 두드리면 뭣이든지 원하는 것이 나온다고 함.
도깨비-불 [명] **1** 어두운 밤에 묘지나 습지 또는 고목(古木) 등에서 인(燐)의 작용으로 번쩍거리는 푸른빛의 불빛. 귀린(鬼燐). **2** 까닭 모르게 일어난 화재. 신화(神火).
도꼬마리 [명]〖식〗국화과의 한해살이풀. 줄기 높이 1.5 m가량. 8-9월에 황색 꽃이 핌. 열매는 타원형이고 갈고리가 있어 옷에 붙는데, 약재로 씀. 창이(蒼耳).

도-꼭지 (都-) 명 〈속〉 어떤 방면에서 가장 으뜸되는 사람.

***도:끼** 명 나무를 찍거나 패는 연장의 하나 《쐐기 모양의 큰 쇠 날의 머리 부분에 구멍을 뚫어 단단한 나무 자루를 박아 만듦》. [도끼가 제 자루 못 찍는다] 자기 허물을 자기가 알아서 고치기는 어렵다. [도끼 가진 놈이 바늘 가진 놈을 못 당한다] 도끼로는 단번에 사람을 죽일 수 있다고 하여 상대방의 사정을 봐주다가는 도리어 바늘 가진 사람에게 진다는 말. [도끼로 제 발등 찍는다] 남을 해치려고 한 짓이 자기에게 해롭게 된 경우를 이르는 말.

도:끼-날 명 도끼로 물건을 찍는 데 쓰는 쇠로 된 날카로운 부분.

도:끼-눈 명 분하거나 미워서 매섭게 쏘아보는 눈. ¶~을 뜨고 노려보다.

도:끼-질 명하자 도끼로 나무 따위를 찍거나 패는 일.

도:낏-자루 [-끼짜-/-낃짜-] 명 도끼의 손으로 잡는 부분.

도나-캐나 부 **1** 무엇이나. **2** 되는대로 마구. ¶~ 지껄이는 소리.

도난 (盜難) 명 도둑을 맞는 재난. ¶~ 신고를 하다.

도남 (圖南) 명 붕새가 남쪽을 향해 날개를 편다는 뜻으로, '웅대한 일을 꾀함'을 비유적으로 이르는 말.

도남의 날개 구 어느 곳에 가서 큰 일을 해 보겠다는 계획.

도:내 (道內) 명 행정 구역으로서의 한 도(道)의 구역 안.

도넛 (doughnut) 명 밀가루를 반죽하여 둥글거나 고리 모양으로 만들어 기름에 튀긴 서양 과자.

도:-닐다 〔도니니, 도니오〕 자타 가장자리를 빙빙 돌아다니다.

도:다녀-가다 자타거라불 왔다가 지체 없이 돌아가다.

도:다녀-오다 자타너라불 갔다가 지체 없이 돌아오다.

도다리 명 〖어〗 가자미과의 바닷물고기. 몸은 납작하고 마름모꼴인데, 길이는 약 30 cm, 두 눈은 몸의 오른쪽에 모여 있으며 입이 작음. 황갈색에 암갈색의 무늬가 흩어져 있음.

도닥-거리다 타 가볍게 두드리는 소리를 잇따라 내다. ¶할머니께서 귀엽다고 내 등을 도닥거려 주셨다. **도닥-도닥** 부하타

도닥-대다 타 도닥거리다.

도:달 (到達) 명하자 정한 곳이나 어떤 수준에 이르러 다다름.

도담-도담 부 어린애가 아무 탈 없이 잘 자라는 모양.

도담-스럽다 〔-스러우니, -스러워〕 형ㅂ불 보기에 도담한 데가 있다. **도담-스레** 부

도담-하다 형여불 어린애 따위가 탐스럽고 야무지다.

도당 (徒黨) 명 떼를 지어 다니는 무리를 얕잡아 이르는 말. ¶반역 ~을 소탕하다.

도당 (都堂) 명 마을의 수호신을 모시고 제사 지내는 집.

도당-굿 (都堂-)[-꾿] 명 한동네 사람이 도당에 모여 복을 비는 굿.

도-대체 (都大體) 부 '대체'보다 더욱 힘을 주어 강조하는 말. 대관절. ¶~ 어떻게 된 셈이냐.

***도:덕** (道德) 명 **1** 인간으로서 마땅히 지켜야 할 도리. **2** 양심, 사회적 여론, 관습 따위에 비추어 마땅히 지켜야 할 행위. ¶교통 ~을 잘 지키자. **3** 학교에서 가르치고 배우는 교과목의 하나. ¶~ 과목.

도:덕-관 (道德觀) 명 도덕에 관한 관점이나 입장.

도:덕-관념 (道德觀念) 명 도덕에 관한 관념이나 생각. ¶~이 투철한 사람.

도:덕-률 (道德律)[-덩뉼] 명 〖윤〗 도덕적 행위의 규준(規準)이 되는 법칙. 도덕법.

도:덕-성 (道德性) 명 도덕적인 품성. ¶~이 문란한 사회.

도:덕-적 (道德的) 관명 도덕에 의하여 사물을 판단하려고 하는 (것). 또는 도덕에 적합한 (것). ¶~으로 가치 있는 행동.

도도록-도도록 부하형 여럿이 모두 가운데가 조금 솟아서 볼록한 모양. 큰두두룩두두룩.

도도록-이 부 도도록하게.

도도록-하다 [-로카-] 형여불 가운데가 조금 솟아 볼록하다. 큰두두룩하다.

도:도-하다 형여불 잘난 체하여 주제넘게 거만하다. ¶너무 도도하게 굴지 마라. **도:도-히** 부

도도-하다 (陶陶-) 형여불 매우 화락하다. ¶취흥(醉興)이 ~. **도도-히** 부

도도-하다 (滔滔-) 형여불 **1** 물이 그들먹하게 퍼져 흐르는 모양이 힘차다. ¶도도하게 흘러가는 강물. **2** 말하는 모양이 거침없다. ¶도도한 웅변. **3** 벅찬 감정이나 주흥 따위를 막을 길이 없다. ¶주흥이 도도해지다. **도도-히** 부

도독-이 부 '도도록이'의 준말.

도독-하다 [-도카-] 형여불 **1** 조금 두껍다. ¶도독하게 생긴 입술. **2** '도도록하다'의 준말. 큰두둑하다. **도독-도독** 부하형

도돌이-표 (-標) 명 〖악〗 마침마딧줄에 2개의 점을 찍은 표. 곧, 𝄆, 𝄇, D.C., D.S. 따위. 악곡의 어느 부분을 되풀이하여 연주하거나 노래하도록 지시함. 반복 기호.

도두 부 위로 돋아서 높게. ¶뜰에 어린나무를 ~ 심다.

도두-뛰다 자 힘껏 높이 뛰다. ¶두 발로 도두뛰어 담을 넘다.

도두-보다 타 실상보다 더 좋게 보다. ¶자기 것은 도두보는 것이 인간의 심리다. 준돋보다. ↔낮추보다.

도두-보이다 자 도두보게 되다. ¶남의 것은 도두보이는 법이다. 준도두뵈다·돋보이다·돋뵈다.

도두-뵈다 자 '도두보이다'의 준말.

도두-치다 타 실제보다 더 많게 셈을 치다.

***도둑** 명 남의 것을 훔치거나 빼앗는 나쁜 짓. 또는 그런 짓을 하는 사람. ¶대낮에 ~이 들다.

[도둑을 맞으려면 개도 안 짖는다] 운수가 나쁘면 될 일도 안 된다. [도둑이 제 발 저리다] 죄를 지으면 마음이 조마조마하다.

도둑-고양이 명 주인 없이 아무 데나 돌아다니며 남의 집 따위에서 쓰레기를 뒤지거나 음식을 훔쳐 먹는 고양이. ¶ ~한테 생선을 맡기는 꼴이다.
도둑-글 명 남이 배우는 옆에서 몰래 듣고 배우는 글. ¶ 가난하여 ~로 배우다.
도둑-놈 [-둥-] 명 '도둑'의 낮춤말.
[도둑놈 개에게 물린 셈] 제 잘못으로 봉변을 당하여도 아무 말을 못함.
도둑-맞다 [-둥맏따] 타 물건 따위를 도둑에게 잃거나 빼앗기다. ¶ 지갑을 도둑맞아 집에 돌아갈 차비도 없다.
[도둑맞고 사립 고친다] 시기를 놓치고 때늦게 준비한다.
도둑-장가 명 몰래 드는 장가.
도둑-질 명하타 남의 것을 훔치거나 빼앗는 짓. 도적질.
[도둑질을 해도 손발이 맞아야 한다] 무엇이든지 뜻이 잘 맞아야 성취할 수 있다.
도둔 (逃遁) 명하자 몰래 도망하여 숨음.
도드라-지다 一형 **1** 가운데가 조금 볼록하게 나와 있다. ¶ 도드라져 보이는 눈. **2** 겉으로 드러나서 또렷하다. ¶ 그녀의 새까만 머리가 도드라져 보인다. 二자 **1** 가운데가 도도록하게 내밀다. ¶ 도드라진 입술. 큰두드러지다. **2** 겉으로 또렷하게 드러나다. ¶ 정평이 난 도드라진 성격 연기.
도드미 명 구멍이 굵은 체.
도등 (挑燈) 명하자 등잔의 심지를 돋우어 불을 더 밝게 함.
도:등 (導燈) 명 항구나 좁은 수로에서 안전 항로를 표시하는 등대.
도떼기-시장 (-市場) 명 정상적 시장이 아닌, 상품·중고품·고물 따위의 도산매·투매·비밀 거래로 시끌벅적하는 시장. ¶ ~처럼 혼잡하다 / ~이 새벽부터 붐빈다.
도:-뜨다 〔도뜨니, 도떠〕 형 말과 행동이 어른스럽다. ¶ 동생은 나보다 도떠서 은근히 미워진다 / 그 애는 나이에 비해 ~.
***도라지** 명 〖식〗 초롱꽃과의 여러해살이풀. 산야에 나는데, 높이는 60-100 cm, 잎은 긴 달걀꼴임. 7-8월에 종 모양의 흰색이나 하늘색 꽃이 핌. 뿌리는 먹기도 하고 한방에서 거담·진해의 약재로 씀. 준도랒.
도:락 (道樂) 명 **1** 도(道)를 깨달아 스스로 즐김. **2** 재미나 취미로 즐기어 빠짐. ¶ 화초 가꾸기를 ~으로 삼다. **3** 술·여자·도박 따위의 유흥에 취하여 빠짐. ¶ ~을 일삼아 가산을 탕진했다. **4** 색다른 일을 좋아함.
도란-거리다 자 나직한 목소리로 서로 정답게 이야기하다. 큰두런거리다. **도란-도란** 부하자
도란-대다 자 도란거리다.
도:란-형 (倒卵形) 명 달걀을 거꾸로 세운 모양. 거꿀달걀꼴.
***도랑** 명 폭이 좁고 작은 개울.
[도랑에 든 소] 먹을 것이 많음. [도랑 치고 가재 잡는다] ㉠일의 순서가 뒤바뀌어 애쓴 보람이 나타나지 않다. ㉡한 번의 노력으로 두 가지 소득을 본다는 말.
도랑방자-하다 (跳踉放恣-) 형여불 말이나 행동 등이 거리낌이 없고 제멋대로이다.
도랑-치마 명 무릎이 드러날 만큼 짧은 치마.
도래[1] 명 **1** 문이 저절로 열리지 않게 하는 데 쓰는 갸름한 나무 메뚜기. **2** 소 따위의 고삐가 자유로이 돌 수 있도록 굴레나 목사리와 고삐와의 사이에 단 쇠나 나무 고리 비슷한 물건. **3** '도래걸쇠'의 준말.
도래[2] 명 둥근 물건의 둘레.
도:래 (到來) 명하자 어떤 시기나 기회가 닥쳐옴. ¶ 새 시대의 ~.
도:래 (渡來) 명하자 **1** 물을 건너서 옴. **2** 외국에서 건너옴. ¶ 철새들의 ~.
도래-걸쇠 [-쐬] 명 문기둥에 붙여 문이 열리지 않게 하는 창호의 철물. 준도래.
도래-떡 명 초례상(醮禮床)에 놓는 큼직하고 둥글넓적한 흰떡.
도래-송곳 [-곧] 명 **1** 붓두껍의 반쪽같이 반달 모양으로 생긴 송곳 《이쪽저쪽에서 비틀면서 큰 구멍을 내는 데 씀》. **2** 나사송곳.
도래송곳
도:량 (度量) 명하타 **1** 너그러운 마음과 깊은 생각. ¶ ~이 넓은 분. **2** 길이를 재는 자와 양을 되는 되. **3** 재거나 되거나 하여 사물의 양을 헤아림.
도량 (跳梁) 명하자 거리낌 없이 함부로 날뛰어 다님.
도:량 (道場) 명 〖불〗 불도를 닦는 곳.
도:량-형 (度量衡) 명 길이·넓이·양·무게 등을 재는 기구인 자·되·말·저울의 총칭 《계량 단위나 그 제도》.
도려-내다 타 빙 돌려서 베거나 파내다. ¶ 사과의 썩은 부분을 ~.
도려-빠지다 자 한 곳을 중심으로 그 주변이 도려낸 것처럼 빠져 나가다. 큰두려빠지다.
도:력 (道力) 명 도를 닦아서 얻은 힘. ¶ ~이 높은 승려.
도:련 명 두루마기·저고리 자락의 가장자리.
도:련 (刀鍊) 명하타 종이의 가장자리를 가지런히 베는 일. ¶ ~을 치다.
도련-님 명 **1** '도령[2]'의 존칭. **2** '결혼하지 않은 시동생'의 존칭.
도련님 천량 구 아껴서 모은 오붓한 돈.
도렷-도렷 [-련또련] 부하형 **1** 여럿이 다 도렷한 모양. **2** 매우 도렷한 모양. 큰두렷두렷. 센또렷또렷.
도렷-이 부 도렷하게. 큰두렷이.
도렷-하다 [-려타-] 형여불 엉클어지거나 흐리지 않고 낱낱이 분명하다. ¶ 지난 일을 도렷하게 기억하고 있다. 큰두렷하다. 센또렷하다.
도:령 명 총각을 대접하여 일컫는 말. ¶ 뉘 집 ~인지 잘도 생겼다. 주의 '道令'으로 씀은 취음.
도로 (徒勞) 명하자 헛되이 수고함. 보람 없이 애씀. ¶ ~에 그친 노력.
***도:로** (道路) 명 사람이나 차가 다닐 수 있게 만든 좀 넓은 길. ¶ 유료 ~ / ~를 닦다.
도로 부 **1** 향하던 쪽에서 되돌아서. ¶ 가던 길을 ~ 돌아오다. **2** 또다시. ¶ 중단했던 일을 ~ 시작하다. **3** 본래와 같이 다시. 먼저와 다름없이. ¶ ~ 제자리에 놓다.
도:로-망 (道路網) 명 그물과 같이 여러 갈래로 나 있는 도로의 체계.
도:로-변 (道路邊) 명 도로의 양쪽 가장자

리. 길가. ¶ ~에까지 내놓은 물건들.
도:로 표지 (道路標識) 원활한 교통 소통과 도로 사용자의 편의를 위하여 행정 구역 간의 경계, 목표지까지의 거리, 방향이나 방면의 가리킴, 시설물 안내 등을 알리는 표지. 교통안전 표지. 도로 표지판.
도록 (都錄) 명 사람이나 물건의 이름을 통틀어 적은 목록.
도록 (圖錄) 명 자료로서의 그림·사진 등을 모은 책. 그림·사진 등을 곁들인 기록.
-도록 어미 용언의 어간에 붙어 '-ㄹ 수 있게'·'-게 하기 위하여'·'-ㄹ 때까지' 등의 뜻을 나타내는 종속적 연결 어미. ¶ 내일 입~ 해 주시오 / 늦지 않~ 유의하다.
도롱뇽 명 〖동〗 도롱뇽과의 양서류. 몸길이 15 cm 가량. 낙엽 밑이나 땅속에 살며 작은 벌레를 잡아먹음. 1-4월에 논이나 연못가의 풀밭에 나와 산란함.

도롱이

도롱이 명 비옷의 하나. 짚이나 띠 따위로 엮어, 흔히 농촌 사람들이 일할 때 어깨에 걸쳐 두름. 녹사의. ¶ ~를 쓰신 아버지의 모습.
도롱태 명 나무로 된 간단한 수레.
도료 (塗料) 명 물체의 겉에 발라 썩지 않게 하거나 아름답게 하는 재료《니스·페인트 등》.
도루 (盜壘) 명하자 야구에서, 주자가 수비자의 허점을 틈타서 다음 누로 가는 일. 스틸(steal). ¶ 2루로 ~하다.
도루-묵 명 〖어〗 도루묵과의 바닷물고기. 몸길이는 15-26 cm로 넓적하며 입이 큼. 등은 황갈색, 배 쪽은 은백색으로, 비늘이 없음. 식용(食用)함. 목어(木魚). 은어(銀魚). 환맥어(還麥魚).
도륙 (屠戮) 명하타 사람이나 짐승을 무참하게 마구 죽임. 도살(屠殺). ¶ ~을 내다 / ~이 나다.
도르다[1] 〔도르니, 돌라〕 타르불 먹은 것을 게우다. ¶ 뱃멀미로 먹은 것을 ~.
도르다[2] 〔도르니, 돌라〕 타르불 몫몫이 나누어 따로 보내 주다. ¶ 신문을 집집에 ~ / 돌떡을 이웃에 ~.
도르다[3] 〔도르니, 돌라〕 타르불 **1** 어떤 대상의 둘레를 빙 돌게 하다. ¶ 윗목에 병풍을 돌라 치다. **2** 돈 따위를 이리저리 맞추어 쓰다. ¶ 친척끼리 돈을 돌라 쓰다. **3** 그럴듯한 말로 사람을 속이다. ¶ 말을 이리저리 돌라서 이야기하다.
도르래[1] 명 장난감의 하나《얇고 갸름한 대쪽의 복판에 자루를 박아 두 손바닥으로 비비다가 날리거나, 붓두껍 따위에 꽂고 자루에 실을 감아 양쪽으로 돌림》.

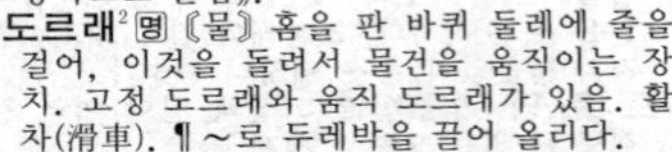
도르래[1]

도르래[2] 명 〖물〗 홈을 판 바퀴 둘레에 줄을 걸어, 이것을 돌려서 물건을 움직이는 장치. 고정 도르래와 움직 도르래가 있음. 활차(滑車). ¶ ~로 두레박을 끌어 올리다.
도르르[1] 부 말렸던 종이 따위가 풀렸다가 절로 다시 말리는 모양. ¶ 달력을 펴니 ~ 말린다. 큰두르르[1]. 센또르르[1].
도르르[2] 부 작고 동그란 물건이 굴러 가며 가볍게 울리는 소리. 또는 그 모양. ¶ 유리판 위에서 구슬을 ~ 굴리다. 큰두르르[2]. 센또르르[2].
도르리 명하타 **1** 여러 사람이 차례로 돌려 가며 음식을 내어 함께 먹는 일. ¶ 국수와 부침개를 ~하다. **2** 똑같이 나누거나 고루 돌라 주는 일.
도리 명 〖건〗 서까래를 받치기 위하여 기둥과 기둥 위에 건너 얹는 나무.
도리 (桃李) 명 **1** 복숭아와 자두. **2** 남이 천거한 어진 사람의 비유.
도:리 (道理) 명 **1** 사람이 마땅히 행하여야 할 바른 길. ¶ 효도는 자식의 ~다. **2** 방도(方道)와 길. ¶ 어찌할 ~가 없다.
도리기 명하타 여러 사람이 낸 돈으로 음식을 마련하여 나누어 먹는 일. ¶ 국수 ~ / 삼계탕 ~ / 술 ~.
도리깨 명 곡식의 낟알을 떠는 농구의 하나《장대 끝에 서너 개의 휘추리를 꿰어 달아 휘둘러 가며 침》. ¶ ~로 콩을 털다.

도리깨꼭지
도리깻장부
도리깻열
도리깨

도리깨-질 명하타 도리깨로 곡식을 두드려 낟알을 떠는 일.
도리-도리 ㊀명 어린아이가 머리를 좌우로 흔드는 동작. ¶ ~ 하며 깔깔 웃는다. ㊁감 어린아이에게 도리질을 시킬 때 쓰는 말. ¶ ~ 짝짜꿍.
도리-머리 명하자 **1** 머리를 좌우로 흔들어 거절이나 싫다는 뜻을 표하는 짓. ¶ 아이에게 약을 먹이려니 ~를 친다. **2** 도리질.
도리스-식 (Doris式) 명 〖건〗 도리스 사람들이 창시한 고대 그리스 건축 양식의 하나《간소하나 장중미가 있고 기둥이 짧고 굵으며 만두형의 기둥머리 장식 따위가 그 특색임》. 도리스 양식.
도리암직-하다 [-지카-] 형여불 동글납작한 얼굴에 키가 자그마하고 몸맵시가 있다. 준도람직하다·되람직하다.
도리어 부 **1** 오히려. ¶ 벌기는커녕 ~ 큰 손해만 봤다. **2** 반대로. ¶ 죄진 놈이 ~ 화를 낸다. **3** 차라리. ¶ ~ 죽느니만 못하다. 준되레.
도리-질 명 말귀를 겨우 알아듣는 어린아이가 어른이 시키는 대로 머리를 흔드는 재롱. 도리머리. ¶ ~을 치다.
도린-곁 [-견] 명 사람의 왕래가 드문 외진 곳.
도림-질 명하타 실톱으로 널빤지를 오리거나 새겨서 여러 가지 모양을 만드는 일. ¶ 널빤지를 ~하다.
도:립 (道立) 명 시설 따위를 도에서 세워 운영함. ¶ ~ 병원 / ~ 도서관 / ~ 공원으로 지정하다.
도마 명 식칼질할 때 받치는, 나무 따위로 만드는 두꺼운 토막이나 널조각.
도마에 오른 고기 구 어찌할 수 없이 된 운명을 비유한 말.
도마-뱀 명 〖동〗 도마뱀과의 동물. 풀밭에

사는데 몸길이는 약 19cm이고, 원통형임. 등 쪽은 암남색, 배 쪽은 담갈색임. 몸은 비늘로 덮이고 네 발은 짧고 다섯 발가락이 있음. 긴 꼬리는 위험하면 저절로 끊어졌다 재생함. 석척(蜥蜴). 석룡자(石龍子).

도마-질 명하타 도마 위에 요리할 재료를 놓고 식칼로 썰거나 다지는 일.

***도막** 명 1 짧고 작은 동강. ¶나무 ~/동강동강 ~을 내다. 2 짧고 작은 동강을 세는 단위. ¶생선 두 ~.

도막-도막 一명 도막 하나하나, 또는 도막마다 모두. ¶새끼 ~을 잇다. 二부 여러 도막으로 끊는 모양. ¶무를 ~ 썰다.

도말 (塗抹) 명하타 1 발라서 보이지 않게 가림. ¶페인트로 ~하다. 2 이리저리 임시변통으로 발라맞추어 꾸밈.

도맛-밥 [-마빱/-맏빱] 명 도마질할 때에 생기는 부스러기.

***도망** (逃亡) 명하자 피하여 달아남. 쫓겨 달아남. ¶죄를 짓고 ~을 다니다.

도망-가다 (逃亡-) 자거라불 피해 달아나다. 쫓겨 달아나다. 도망치다.

도망-질 (逃亡-) 명하자 피하여 달아나는 짓.

도망질-치다 (逃亡-) 자 도망가는 짓을 하다. 준도망치다.

도망-치다 (逃亡-) 자 '도망질치다'의 준말. ¶죽을 힘을 다해 ~.

도-맡다 [-맏따] 타 모든 책임을 혼자서 떠맡다. ¶막내가 궂은일을 ~.

도매 (都賣) 명하타 생산자에게서 상품을 받아 소매상을 상대로 하여 한데 합쳐 파는 일. ¶의류 ~를 전문으로 하다. *소매.

도매 (盜賣) 명하타 훔친 물건을 팖.

***도매-상** (都賣商) 명 물건을 도매로 파는 장사. 또는 그런 가게나 장수. ¶의류 ~을 하다. *소매상.

도메인 이름 (domain-) 〖컴〗 인터넷에 접속된 컴퓨터의 위치를 나타내는 주소의 이름.

도면 (圖面) 명 토목·건축·기계·토지·임야 등의 구조나 설계 따위를 제도기를 써서 기하학적으로 나타낸 그림. 도본(圖本). ¶설계 ~을 그리다.

도모 (圖謀) 명하타 어떤 일을 이루려고 수단과 방법을 꾀함. ¶친목을 ~하다.

***도무지** 부 1 이러니저러니 할 것 없이 아주. ¶~ 반성의 빛이라고는 없다/타일러도 ~ 듣지 않는군. 2 이것저것 할 것 없이 모두. ¶무슨 영문인지 ~ 모르겠다.

도:미 명 〖어〗 도밋과의 바닷물고기의 총칭. 몸길이 40-50cm, 몸은 타원형으로 납작하고 대부분 붉은빛임. 맛이 좋음《참돔·감성돔·붉돔·황돔·청돔 등》. 준돔.

도미 (渡美) 명하자 미국으로 건너감. ¶~ 유학생/회의 참석차 ~하다.

도미 (稻米) 명 입쌀.

도미노 (domino) 명 어떤 사태가 원인이 되어 주변으로 비슷한 사태가 확산되는 일. ¶부도 기업의 ~ 현상.

도미노 이:론 (domino理論) 어떤 지역이 공산화되면 차례로 인접 지역으로 번져 간다는 이론.

도박 (賭博) 명하자 1 돈이나 재물을 걸고 서로 따먹기를 다투는 짓. 노름. ¶~으로 파산하다. 2 요행수를 바라고 위험한 일이나 거의 가능성이 없는 일에 손을 대는 일. ¶그는 이번 사업에 ~을 걸었다.

도박-장 (賭博場) 명 노름을 하는 장소.

도발 (挑發) 명하타 남을 집적거려 일을 일으킴. ¶~ 행위를 일삼다.

도방 (都房) 명 〖역〗 고려 때, 경대승(慶大升)·최충헌(崔忠獻)이 신변 보호를 위하여 둔 사병(私兵) 기관.

도배 (徒輩) 명 함께 어울려 나쁜 짓을 하는 패거리. 떨거지. ¶폭력 ~들이 날뛰다.

도배 (塗褙) 명하타 도배지로 벽이나 반자 등을 바름. ¶천장을 ~하다.

도배-장이 (塗褙-) 명 도배하는 일을 업으로 삼는 사람.

도:백 (道伯) 명 1 〖역〗 관찰사. 2 도지사(道知事)를 예스럽게 일컫는 말.

도벌 (盜伐) 명하타 허가 없이 산의 나무를 몰래 벰. ¶국유림을 ~하다.

도범 (盜犯) 명 도둑질을 함으로써 성립하는 죄. 또는 그 범인.

도벽 (盜癖) 명 남의 물건을 훔치는 버릇. ¶~으로 망신당하다.

도벽 (塗壁) 명하자 벽에 종이나 흙을 바름.

도보 (徒步) 명하자 자전거나 차 따위를 타지 않고 걸어감. ¶~ 여행을 즐기다.

도보 (圖譜) 명 여러 종류의 동·식물의 그림을 모아서 분류하여 설명을 덧붙여 엮은 책. 도감. ¶조류 ~.

도:복 (道服) 명 1 도사(道士)가 입는 옷. 도의(道衣). 2 태권도나 유도·검도 등을 수련할 때 입는 운동복.

도:부 (到付) 명하자 1 공문(公文)이 도달함. 2 이리저리 떠돌아다니며 물건을 팖.

도:부-꾼 (到付-) 명 〈속〉 도붓장수.

도:붓-장사 (到付-)[-부짱-/-붇짱-] 명하자 물건을 가지고 이곳저곳 돌아다니며 파는 일. 행상(行商). ↔앉은장사.

도:붓-장수 (到付-)[-부짱-/-붇짱-] 명 물건을 가지고 이곳저곳 돌아다니며 장사하는 사람. 도부꾼. 행상인.

도붓장수 개 후리듯 구 마구 후려치는 모양의 비유.

도비 (徒費) 명하타 헛되이 씀.

도:사 (道士) 명 1 도를 닦는 사람. 2 도교를 믿고 수행하는 사람. 3 〖불〗 불도를 닦아 깨달은 사람. 또는 승려. 4 〈속〉 무슨 일에 도가 트이어서 아주 잘하는 사람. ¶그는 연예 정보 수집에 ~이다.

도:사리 명 1 저절로 떨어진 풋과일. 2 못자리에 난 어린 잡풀.

도사리다 자타 1 두 다리를 꼬부려서 서로 어긋매껴 앉다. ¶방 한가운데에 도사리고 앉다. 2 들뜬 마음을 가라앉히다. ¶마음을 도사리고 그의 말을 되새겨 보았다. 3 긴장된 상태로 기회를 엿보다. ¶먹잇감을 노리고 도사린 호랑이. 4 일이나 말의 끝을 조심하여 감추다. ¶그는 자신이 없는지 말끝을 도사렸다. 5 앞으로 일어날 일의 낌새가 숨어 있다. ¶항상 위험이 도사리고 있다.

도산 (逃散) 명하자 뿔뿔이 도망쳐 흩어짐. ¶한 번 싸워 보지도 않고 ~하다.

도:산[1] (倒産) 명하자 기업 따위가 재산을 잃고 쓰러짐. 파산. ¶불경기로 ~하다.

도:산[2] (倒産) 명 하타 〘의〙 산모가 출산할 때 아이의 발이 먼저 나옴.

도살 (屠殺) 명 하타 **1** 마구 죽임. ¶전쟁 영화에서 자주 ~ 장면을 보게 된다. **2** 가축을 잡아 죽임.

도살 (盜殺) 명 하타 **1** 남몰래 사람을 죽임. 암살. **2** 가축을 허가 없이 잡아 죽임.

도살-장 (屠殺場)[-짱] 명 고기를 얻으려고 소나 돼지 따위의 가축을 잡아 죽이는 곳. 도축장. 도수장. ¶소가 ~으로 끌려가고 있다.

도상 (途上) 명 **1** 길 위. **2** 일이 진행되는 과정. 중도. 도중. ¶개발 ~ 국가.

도:상 (道床) 명 **1** 철도 따위의 궤도에서 침목(枕木)이 받는 차량의 무게를 땅바닥에 고루 분산시키기 위하여 깔아 놓은 자갈 따위의 층. **2** 길바닥.

도상 (圖上) 명 지도나 도면의 위. ¶~ 작전 / ~ 실습.

도색 (桃色) 명 **1** 복숭아 빛깔. 연분홍빛. **2** 남녀 사이에 색정적인 일. ¶~ 잡지 / ~ 사진을 몰래 팔다.

도색 (塗色) 명 하타 물건에 색을 칠함. ¶차에 ~하다.

도생 (圖生) 명 하자 살아갈 방법을 찾음.

도서 (島嶼) 명 크고 작은 섬들. ¶~ 지방 / 남해에는 수많은 ~들이 있다.

도서 (圖書) 명 **1** 글씨·그림·서적 따위의 총칭. **2** 특히 '책'을 이르는 말. ¶~ 대출 / ~ 전시회.

***도서-관** (圖書館) 명 많은 도서·문서·기록 따위를 모아 두고 일반이 볼 수 있게 만든 시설. ¶공공 ~ / ~에서 자료를 찾다.

도:-서다 자 **1** 바람이 방향을 바꾸다. ¶북풍이 남동풍으로 ~. **2** 가던 길에서 돌아서다. ¶가던 길을 도서서 오다. **3** 해산할 때 태아가 자리를 바꾸어 돌다. **4** 해산한 뒤 젖멍울이 풀리고 젖이 나기 시작하다.

도서 목록 (圖書目錄)[-몽녹] 소장(所藏)·전시·재고 중인 도서나 출판한 도서의 제목·저자·출판 연월일 따위를 정리 분류하여 작성한 목록.

도서-실 (圖書室) 명 도서를 모아 두고 볼 수 있게 하는 방.

도선 (渡船) 명 나룻배.

도:선 (導船) 명 하자 항구나 내해(內海) 등을 출입·통과하는 선박에 탑승하여 그 배를 안전한 수로로 안내하는 일. 수로 안내.

도:선 (導線) 명 전기의 양극(兩極)을 이어 전류를 통하게 하는 쇠붙이 줄.

도:섭 명 주책없이 수선스럽고 능청맞게 변덕을 부리는 짓. ¶~을 떨다 / ~을 부리다.

도섭 (徒涉) 명 하타 물을 걸어서 건넘.

도:섭 (渡涉) 명 하타 물을 건넘.

도:섭-스럽다 〔-스러우니, -스러워〕 형 ㅂ불 주책없이 수선스럽고 능청맞게 변덕을 부리는 태도가 있다. **도:섭-스레** 부

도성 (都城) 명 **1** 서울. ¶~을 정하다 / ~이 함락되다. **2** 도읍 둘레에 쌓은 성곽. ¶반월성은 백제 ~으로서 중요한 요새였다.

도솔-천 (兜率天) 명 **1** 〘불〙 욕계 육천(慾界六天)의 넷째 하늘. 미륵보살의 정토(淨土). **2** 도가(道家)에서, 태상 노군(太上老君)이 있다는 하늘.

도:수 (度數)[-쑤] 명 **1** 거듭하는 횟수. ¶그 ~가 잦다. **2** 각도·온도·광도 등의 크기를 나타내는 수. ¶~가 높은 안경. **3** 어떠한 정도. ¶술 마시는 ~가 심해지다.

도수 (徒手) 명 맨손.

도:수 (導水) 명 하자 물을 일정한 방향으로 흐르도록 인도함.

도:수-제 (度數制)[-쑤-] 명 전화 요금을 사용 횟수에 따라 징수하는 제도.

도:술 (道術) 명 도를 닦아 조화를 부리는 술법. ¶~을 부리다 / ~에 걸리다.

도스 (DOS) 명 〔disk operating system〕 〘컴〙 자기 디스크 장치를 외부 기억장치로 갖춘 컴퓨터 운영 체제.

도스르다 〔도스르니, 도슬러〕 타 르불 무슨 일을 하려고 별러서 마음을 가다듬다. ¶마음을 도스르고 고시 공부를 시작하다.

도습 (蹈襲) 명 하타 옛것을 그대로 좇음. ¶구습(舊習)을 ~하다.

도:승 (道僧) 명 〘불〙 도(道)를 깨친 승려. 도통한 승려.

도-승지 (都承旨) 명 〘역〙 조선 때, 승정원(承政院)의 여러 승지 가운데의 으뜸인 정삼품 벼슬. 도령(都令).

***도시** (都市) 명 **1** 도회지. **2** 일정 지역의 정치상·경제상·문화상의 중추를 이루며, 사람들이 많이 모여 사는 곳. ¶복잡한 ~ 생활. ↔농촌·촌락.

도시 (圖示) 명 하타 그림이나 도표로 그리어 보임. ¶위치를 ~하다.

도시 (都是) 부 도무지. ¶~ 네 말을 알아들을 수가 없다.

도시-가스 (都市gas) 명 가스관(管)을 통하여 도시의 가정이나 공장에 연료용으로 공급하는 가스.

도시 국가 (都市國家) 〘역〙 도시 그 자체가 하나의 작은 국가를 이루는 정치 공동체 《아테네(Athene)를 비롯한 고대 그리스의 여러 도시가 이에 속함》.

도시락 명 플라스틱이나 얇은 나무판자·알루미늄 따위로 만들어져 간편하게 휴대할 수 있게 만든 음식 그릇. 또는 그 음식. ¶정성이 담긴 ~.

도식 (徒食) 명 하자 하는 일 없이 거저 놀고 먹음. ¶그는 ~하면서 큰소리만 친다.

도식 (塗飾) 명 하타 **1** 바니시나 칠 따위로 발라서 꾸밈. **2** 거짓으로 꾸밈.

도식 (圖式) 명 그림으로 그린 양식.

도식-화 (圖式化)[-시콰] 명 하타 도식으로 만듦. 도식과 같은 것으로 되게 함.

도심 (都心) 명 도시의 중심. ¶~에서 멀리 떨어진 전원 주택.

도심-질 명 하자타 칼 따위로 물체의 가장자리나 굽은 곳을 도려내는 일.

도안 (圖案) 명 미술품·공예품·건축물·상품 등을 만들거나 꾸미기 위하여 고안한 것을 설계하고 그림으로 나타낸 것. ¶~을 그리다 / 건축물을 ~대로 배치하다.

도야 (陶冶) 명 하타 몸과 마음을 닦아 기름. ¶인격을 ~하다.

도약 (跳躍) 명 하자 **1** 뛰어오름. **2** 급격한 진보·발전의 단계로 접어듦. ¶경제 발전의 ~ 단계 / 세계무대로 ~하다.

도약-대 (跳躍臺) 명 **1** 도약의 발판이 되는

대. 2 크게 발전하는 데 밑거름이 되는 바탕. ¶기초 과학은 기술 발전의 ~이다.
도약-판 (跳躍板) 명 1 수영에서, 뛰어내릴 때 딛는 발판. 스프링보드. 2 뜀뛰기 운동에서, 뛰어오르기 직전에 발로 구르는 판. 구름판.
도:어 (倒語) 명 〖언〗 어법상 말의 순서를 바꾸어 놓은 말(('싫어, 난'·'먹었냐, 밥' 따위)).
도연-하다 (徒然-) 형여불 하는 일이 없어 심심하다. **도연-히** 부
도연-하다 (陶然-) 형여불 술이 취하여 거나하다. **도연-히** 부. ¶한 잔 술에 ~ 취해 알딸딸해지다.
도열 (堵列) 명하자 사람들이 죽 늘어섬. 또는 그 대열. ¶~을 짓다 / 많은 시민이 연도에 ~하다.
도열-병 (稻熱病)[-뼝] 명 〖식〗 도열병균이 퍼져 벼 잎에 암갈색 반점이 생기고, 잎이 갈색으로 되어 마르는 병.
도:영 (倒影) 명 1 거꾸로 촬영한 것. 2 해질 무렵의 그림자. 3 거꾸로 비친 그림자.
도예 (陶藝) 명 도자기의 미술·공예. ¶~의 명인 / ~에 빠지다.
도와 (陶瓦) 명 질기와.
도와-주다 타 남의 일에 마음과 힘을 다해 힘써 주다. ¶이사를 도와주고 몸살이 났다.
도:외 (度外) 명 어떤 한도나 범위의 밖.
도:외-시 (度外視) 명하타 가외의 것으로 봄. 안중에 두지 않고 무시함. ¶~하고 문제 삼지 않다. ↔문제시.
도요 (陶窯) 명 도기를 굽는 가마.
도요-새 명 〖조〗 도욧과에 속하는 새의 총칭. 강변의 습윤한 데 삶. 대체로 담갈색에 흑갈색 무늬가 있고, 다리·부리가 길고 꽁지가 짧음.
도요-지 (陶窯址) 명 도기를 굽던 가마터.
도용 (盜用) 명하타 남의 것을 몰래 훔쳐 씀. ¶유명 상표를 ~한 가짜 상품.
***도움** 명 남을 돕는 일. 도와줌. ¶~이 되다 / ~을 청하다.
***도움-닫기** 명 넓이뛰기·높이뛰기·장대높이뛰기 따위에서 탄력을 위하여 일정 거리를 달림. 조주(助走).
도움-말 명 1 조언(助言). 2 문제집 따위에서 어려운 부분을 상세히 설명한 글. ¶~을 참고하여 문제를 풀다.
도원 (桃園) 명 복숭아나무가 많은 정원.
도원 (桃源) 명 '무릉도원'의 준말.
도원-결의 (桃園結義)[-/-이] 명하자 〔중국 촉나라 유비(劉備)·관우(關羽)·장비(張飛)가 도원에서 결의형제를 맹세하던 고사에서 온 말: 삼국지연의〕 의형제를 맺음.
도원-경 (桃源境) 명 1 속세를 떠난 별천지. 2 이상향.
도읍 (都邑) 명 1 서울. 2 수도. 3 좀 작은 도시. **—-하다** [-으파-] 자여불 서울로 정하다. ¶한양에 ~.
도읍-지 (都邑地) 명 서울로 정한 곳. 도읍으로 삼은 곳. ¶송악은 고려의 ~였다.
도:의 (道義)[-/-이] 명 사람이 마땅히 행해야 할 도덕상의 의리. ¶~에 어긋나다.
도:-의원 (道議員)[-/-이-] 명 도의회를 구성하는 의원. 도의회 의원.
도:의-적 (道義的)[-/-이-] 관명 도의에 맞는 (것). ¶~(인) 책임을 지다.
도:-의회 (道議會)[-/-이-] 명 지방 자치단체인 도(道)의 의결 기관. 도민에 의하여 선출된 도의원으로 구성됨.
도인 (刀刃) 명 1 칼날. 2 칼의 총칭.
도:인 (道人) 명 1 도를 깨친 사람. 도사(道士). 2 천도교를 믿는 사람.
도:인 (導因) 명 어떤 사태(事態)를 이끌어 낸 원인.
도:일 (度日) 명하자 세월을 보냄.
도:일 (渡日) 명하자 일본으로 건너감.
도:입 (導入) 명하타 1 끌어들임. ¶기술을 ~하다. 2 단원 학습 따위에서, 앞으로 배울 준비 학습으로서의 안내 역할. ¶학습의 ~ 부분.
도자 (陶瓷·陶磁) 명 도기와 자기.
***도자-기** (陶瓷器·陶磁器) 명 질그릇·오지그릇·사기그릇 따위의 총칭.
도작 (盜作) 명하타 남의 작품을 본떠서 대강 고쳐서 자기 글로 만드는 일. 또는 그 작품.
도장 (刀匠) 명 칼 만드는 사람. 도공(刀工).
도장 (徒長) 명 웃자람. *웃자라다.
도:장 (道場) 명 1 무예를 연습하거나 가르치는 곳. ¶태권도 ~. 2 〖불〗 '도량(道場)'의 잘못.
도장 (塗裝) 명하타 도료를 바르거나 칠함. ¶~ 공사.
도장 (圖章) 명 개인·단체·관직 등의 이름을 나무·뼈·수정·고무 등에 새겨 인주를 묻힌 후 서류에 찍어 증거로 삼는 물건. 인(印).
도장(을) 찍다 구 ㉠도장을 찍어 약조를 맺다. 계약하다. ㉡자기의 것으로 만들다.
도장-방 (-房) 명 여자들이 거처하는 방. 규방(閨房).
도장-집 (圖章-)[-찝] 명 1 도장포(鋪). 2 도장을 넣어 두는 주머니.
도장-포 (圖章鋪) 명 도장을 새기는 가게. 도장방. 도장집.
도:저-하다 (到底-) 형여불 1 학식이나 생각, 기술 따위가 매우 깊다. ¶의술이 ~. 2 행동이나 몸가짐이 바르고 훌륭하다. ¶도저한 행동.
도:저-히 (到底-) 부 (뒤에 부정하는 말과 함께 쓰여) 아무리 하여도. 끝끝내. ¶그 일은 ~ 못하겠다 / 더 이상 ~ 참을 수가 없다.
도적 (盜賊) 명 도둑.
도전 (挑戰) 명하자 1 싸움을 걸거나 돋움. ¶세계 챔피언에 ~하다. 2 비유적으로, 어려운 사업이나 기록 경신에 맞섬. ¶정상에 ~하다.
도:전 (導電) 명 〖물〗 전기의 전도(傳導).
도전-적 (挑戰的) 관명 싸움을 걸거나 돋우는 성질이 있는 (것). ¶~(인) 태도.
도:정 (道程) 명 1 길의 이수(里數). 2 여행의 경로. 여정(旅程).
도정 (搗精) 명하타 곡식을 찧거나 쓿는 일. 특히, 현미(玄米)를 찧거나 쓿어서 등겨를 내어 희고 깨끗하게 만듦.
도제 (徒弟) 명 서양 중세 때, 전문적인 스승에게서 직업에 필요한 지식·기능을 습득하고 일하던 어린 직공. ¶~ 교육.
도조 (賭租) 명 남의 논밭을 빌려서 부치고

그 세(稅)로 매년 내는 곡식.
도주 (逃走) 명 하자 도망. ¶필사의 ~.
도:중 (途中) 명 **1** 길을 가고 있는 동안. 왕래하는 사이. ¶여행 ~ 잠깐 들렀다. **2** 계속되는 일이 끝나지 않고 진행되는 중간. ¶부상으로 경기를 ~에 포기하다.
도:중-하차 (途中下車) 명 하자 **1** 목적지에 이르기 전에 차에서 내림. **2** 시작한 일을 끝내지 않고 도중에 그만둠. ¶병으로 출발 직전에 ~하고 말았다.
도지 (賭地) 명 **1** 도조를 물고 빌려 쓰는 논밭이나 집터. **2** 도조(賭租). ¶~를 물다.
도:지개 명 틈이 생기거나 뒤틀린 활을 바로잡는 틀. 활도지개.

도지개

도지개를 틀다 구 얌전히 앉아 있지 못하고 몸을 이리저리 꼬며 움직이다.
도:지다[1] 자 **1** 나아가거나 나았던 병이 도로 심해지다. ¶늑막염이 ~. **2** 가라앉은 노염이 다시 살아나다. ¶부아가 ~. **3** 없어졌던 것이 되살아나거나 다시 퍼지다. ¶술버릇이 ~.
도:지다[2] 형 **1** 매우 심하고 호되다. ¶도지게 마음먹다. **2** 몸이 야무지고 단단하다. ¶팔뚝이 바윗돌처럼 ~.
도:-지사 (道知事) 명 한 도의 행정을 맡은 최고 책임자. 도백. 준지사.
도짓-논 (賭地-)[-진-] 명 도조를 내고 농사짓는 논. ¶~을 부쳐 먹다.
도짓-돈 (賭地-)[-지똔 / -짇똔] 명 **1** 한 해에 얼마씩의 이자를 내기로 하고 꾸어 쓰는 돈. **2** 도조로 내는 돈.
도-차지 (都-) 명 하타 어떤 사물을 혼자 지배하거나 차지하는 일. 독차지.
***도:착** (到着) 명 하자 목적한 곳에 다다름. ¶정확한 시간에 ~하다. ↔출발.
도:착 (倒錯) 명 하자 본능·감정·덕성 따위의 이상으로 사회도덕에 어그러진 행동을 보이는 일. ¶정신 ~ 증세.
도찰 (塗擦) 명 하타 바르고 문지름.
도참 (圖讖) 명 장래의 길흉을 예언하는 술법. 또는 그러한 내용이 적힌 책. 정감록(鄭鑑錄) 따위.
도:처 (到處) 명 가는 곳. 여러 곳. 방방곡곡. ¶~에 산재하다 / ~에 도사린 위험.
도천수-관음가 (禱千手觀音歌) 명 〖문〗 신라 경덕왕 때 희명(希明)이 지은 10구체 향가. 도천수대비가.
도:첩 (度牒) 명 〖역〗 고려 말엽부터 새로 승려가 되었을 때 나라에서 내주던 신분 증명서.
도첩 (圖牒) 명 그림첩.
도청 (盜聽) 명 하타 몰래 엿듣거나 녹음하는 일. ¶~ 장치 / 전화를 ~하다.
도:청 (道廳) 명 도의 행정을 맡아보는 지방 관청. ¶~ 소재지.
도:청도설 (道聽塗說) 명 길거리에 떠도는 뜬소문.
도:체 (導體) 명 〖물〗 열 또는 전기의 전도율이 비교적 큰 물체. ↔부도체.
도축 (屠畜) 명 하타 고기를 얻기 위해 가축을 잡아 죽임.
도축-장 (屠畜場) 명 도살장(屠殺場).
도:출 (導出) 명 하타 어떤 생각이나 결론, 반응 따위를 이끌어 냄. ¶합의를 ~해 내다.
도취 (陶醉) 명 하자 **1** 술이 얼근히 취함. ¶미주(美酒)에 ~하여 흥얼거리다. **2** 어떤 것에 마음이 끌려 취하다시피 됨. ¶승리감에 ~되어 거리는 온통 축제 분위기이다 / 그녀의 그림 같은 모습에 ~하다.
도:치 (倒置) 명 하자타 차례나 위치 따위가 뒤바뀜. 또는 차례나 위치 따위를 뒤바꿈.
도:치-법 (倒置法)[-뻡] 명 글의 순서를 뒤바꿈으로써 효과를 노리는 문장상의 한 표현 기법. 예컨대, '보고 싶어, 고향이.' 와 같은 표현. ↔정치법.
도킹 (docking) 명 하자 **1** 인공위성·우주선 등이 우주 공간에서 서로 결합하는 일. **2** 배를 독(dock)에 넣는 일.
도타-이 부 도탑게. ¶우애를 ~ 하다. 큰두터이.
도탄 (塗炭) 명 몹시 곤궁하거나 고통스러운 지경. ¶백성을 ~에 빠뜨리다.
도탑다 〔도타우니, 도타워〕 형 ㅂ불 인정이나 사랑이 많고 깊다. ¶도타운 우정을 길이 간직하다. 큰두텁다.
도태 (淘汰) 명 하자타 **1** 여럿 중에서 불필요한 부분이 줄어 없어짐. ¶무능한 사람은 ~되기 마련이다. **2** 물건을 물에 넣고 일어, 좋은 것만 가림. **3** 〖생〗 선택2.
***도토리** 명 떡갈나무·갈참나무·상수리나무 등의 참나뭇과의 나무에 열리는 열매.
도토리 키 재기 구 정도가 고만고만한 사람끼리 서로 다툼을 이름.
도토리-나무 명 〖식〗 떡갈나무.
도토리-묵 명 도토리로 만든 묵.
도톨-도톨 부 하형 물건의 거죽이 들어가고 나오고 하여 매끈하지 않은 모양. 큰두툴두툴.
도톰-하다 형 여불 조금 두껍다. ¶도톰한 입술. 큰두툼하다. **도톰-히** 부
도통 (都統) ㊀명 도합(都合). ¶쓴 돈이 ~ 얼마인가. ㊁부 도무지. 전혀. ¶무슨 말인지 ~ 알 수가 없다.
도:통 (道通) 명 하자 사물의 이치를 깊이 깨달아 통함. ¶그 일에 ~한 사람.
도투락 명 '도투락댕기'의 준말.
도투락-댕기 명 어린 여자 아이가 드리는 자줏빛 댕기. ¶~를 늘어뜨리다. 준도투락.
도투마리 명 베를 짤 때 날실을 감는 틀.
[도투마리 잘라 넉가래 만들기] 아주 만들기가 쉬운 일.
도트 프린터 (dot printer) 〖컴〗 미세한 핀으로 잉크 리본을 두드려, 문자나 도형을 점의 집합으로 나타내는 인쇄 장치.
도:파 (道破) 명 하타 끝까지 다 말함. 딱 잘라 말함. 설파(說破).
도판 (圖版) 명 책에 실린 그림.
도-편수 (都-) 명 집을 지을 때 책임을 지고 일을 지휘하는 목수의 우두머리.
도포 (塗布) 명 하타 약이나 페인트 따위를 겉에 바름.
도:포 (道袍) 명 옛날에, 남자가 통상 예복으로 입던 겉옷. ¶~

도포(道袍)

자락〔차림〕.
도포-제 (塗布劑) 명 1 피부·점막(粘膜) 등에 바르는 약. 2 나무줄기나 가지의 상한 곳에 발라 해충을 막는 약제.
도:폭-선 (導爆線) 명 폭약을 아주 가느다란 금속관에 넣거나 종이·실 등으로 싸서 끈처럼 만든 도화선.
도:표 (道標) 명 행선(行先)·이정(里程) 등을 나타내어 길가에 세운 푯말.
도표 (圖表) 명 1 그림으로 나타낸 표. 그림표. ¶~를 그리다. 2〔수〕수학상의 함수 관계나 그 밖의 관계를 숫자와 직선 또는 곡선의 그림으로 나타낸 표.
도피 (逃避) 명하자 1 도망하여 몸을 피함. ¶~ 생활 끝에 붙잡히다. 2 돈이나 재산 등을 몰래 빼돌림. ¶외화 ~. 3 어떤 일에서 몸을 사려 빠져나가거나 외면함. ¶현실에서 ~하여 들어앉아 꼼짝 않다.
도피-행 (逃避行) 명하자 도망하여 피해 감. ¶사랑의 ~.
도핑 (doping) 명 운동선수 등이 운동 능력을 증진시키기 위하여 흥분제·근육 강화제 등을 먹거나 주사하는 일.
도하 (都下) 명 1 서울 지방. 2 서울 안. ¶~의 각 신문.
도하 (渡河) 명하타 강을 건넘. 도강(渡江). ¶한강을 ~하여 피란했다.
도:학 (道學) 명 1 도덕에 관한 학문. 2 성리학 또는 주자학. 3 도교(道敎).
도한 (盜汗) 명 몸이 쇠약하여 잠잘 때 저절로 나는 식은땀.
도합 (都合) 명 모두 한데 합한 셈. 도통(都統). 합계. ¶사과 일곱 배 열셋 ~ 스무 개이다.
도항 (渡航) 명하타 배로 바다를 건너감.
도해 (渡海) 명하타 바다를 건넘.
도해 (圖解) 명하타 1 문자의 설명 속에 그림을 끼워 그 부족함을 보충한 풀이. 2 그림으로 풀어 놓은 설명. 3 그림의 내용 설명.
***도형** (圖形) 명 1 그림의 모양이나 형태. 2〔수〕면(面)·선·점 따위가 모여 이루어진 꼴. 3 도식(圖式).
도호-부 (都護府) 명〔역〕1 당나라 초에 속령지의 지배를 위하여 설치했던 기관. 2 고려에서 조선 고종 때까지 있었던 지방 관아.
도:혼 (倒婚) 명하자 역혼(逆婚).
도혼-식 (陶婚式) 명 서양 풍습에서, 결혼 20주년을 기념하는 의식《부부가 서로 사기(沙器)로 된 선물을 주고받음》.
도홍 (桃紅) 명 '도홍색(桃紅色)'의 준말.
도홍-색 (桃紅色) 명 복숭아꽃 같은 엷은 분홍빛. ㊟도홍.
도화 (桃花) 명 복숭아꽃.
도화 (圖畫) 명 1 그림과 도안. 2 그림을 그림. ¶~ 시간.
도:화 (導火) 명 1 폭약을 터지게 하는 불. 2 사건 발생의 동기.
도:화-선 (導火線) 명 1 화약이 터지도록 불을 붙이는 심지. ¶~에 불을 댕기다. 2 사건 발생의 직접 원인. ¶국교 단절의 ~이 되다.
***도화-지** (圖畫紙) 명 그림을 그리는 데 쓰는 종이의 총칭.
도회 (都會) 명 '도회지(都會地)'의 준말.
도회-병 (都會病)[-뼝] 명 1 심한 생존 경쟁 따위로 특히 도회지 사람들이 걸리기 쉬운 병《신경 쇠약 따위》. 2 시골 사람이 도회지를 몹시 동경하는 심리 상태. ¶그는 ~에 걸려 결국 섬을 떠났다.
도회-지 (都會地) 명 사람이 많이 살고 있는 번화한 지역. ¶~의 뒷골목. ㊟도회.
도흔 (刀痕) 명 칼에 베인 흔적.
도-흥정 (都-) 명하타 물건을 모개로 사고 팖. 도거리흥정.
독 명 운두가 높고 중배가 좀 부르며 전이 달린 오지그릇이나 질그릇.
　독 안에 든 쥐 구 아무래도 궁지에서 벗어날 수 없는 처지.
　독 안에 들다 구 이미 잡힌 것이나 다름없다. ¶독 안에 든 신세가 되다.
독 (毒) 명 1 건강이나 생명을 해치는 성분. ¶~이 온몸에 퍼지다. 2 '해독(害毒)'의 준말. 3 '독약'의 준말. 4 '독기'의 준말.
　독(을) 올리다 구 ㉠독에 감염이 되도록 하다. ㉡남을 집적거려 독기가 치밀어 오르게 하다.
　독(이) 오르다 구 ㉠독에 감염이 되다. ㉡독기가 치밀어 오르다.
독 (dock) 명 선거(船渠).
독- (獨) 투 일부 명사 앞에 붙어 '한 사람의'의 뜻을 나타냄. ¶~무대 / ~차지.
독-가스 (毒gas) 명〔화〕생물에 큰 해가 되는 가스로, 주로 군사적 목적으로 사용됨. ¶~는 무서운 화학 무기이다.
독감 (毒感) 명 1 지독한 감기. ¶~에 걸리다. 2 유행성 감기.
독거 (獨居) 명하자 혼자 삶. ¶~ 노인 / 타향에서 ~하는 신세. ↔혼거(混居).
독거 감방 (獨居監房) 한 사람의 죄수만을 가두는 감방. ㊟독방.
독경 (讀經) 명하자〔불〕경문(經文)을 소리 내어 읽음. ¶은은히 들려오는 ~ 소리. ↔간경(看經).
독경-하다 (篤敬-) 형여불 말과 행실이 도탑고 공손하다.
독공 (篤工) 명하자 학업에 부지런히 힘씀.
독공 (獨功) 명 판소리에서, 득음(得音)을 위한 발성 연습《토굴 또는 폭포 앞에서 하는 발성 연습 따위》.
독-과점 (獨寡占) 명 독점과 과점. ¶~ 규제.
독-그릇 [-릇] 명 '도깨그릇'의 준말.
독-극물 (毒劇物)[-끙-] 명 보건과 위생에 매우 위험한 물질.
독기 (毒氣) 명 1 독의 기운. ¶온몸에 ~가 퍼지다. 2 사납고 모진 기운. ¶눈에 ~가 서리다. ㊟독.
독-나방 (毒-)[동-] 명〔충〕독나방과의 곤충. 몸빛은 황색, 앞날개의 편 길이는 3-4cm이고, 중앙에 앞뒤로 넓은 갈색 띠가 있음. 다리에 연한 털이 많으며 날개는 등그스름한데 독이 있는 털이 섞여 있어서 사람의 살갗에 닿으면 염증이 생김. 애벌레는 주로 활엽수의 잎을 갉아먹음.
독납 (督納)[동-] 명하타 세금을 내도록 독촉함.
독녀 (獨女)[동-] 명 외딸. ¶무남(無男)~.

독농-가 (篤農家)[동-] 명 농사를 성실하고 열심히 짓는 사람. ¶그는 ~로서 자부심이 대단하다.
독-니 (毒-)[동-] 명 짐승의 독이 있는 이. 독아.
독단 (獨斷) 명하타 **1** 남과 의논하지 않고 혼자서 판단하거나 결정함. ¶~은 편견에 치우치기 쉽다. **2**〖철〗근본적인 연구 없이 주관적인 생각으로만 판단함.
독단-적 (獨斷的) 관명 독단으로 하는 (것). 도그매틱. ¶~인 판단 / ~으로 처리하다.
독대 (獨對) 명하자 지난날, 벼슬아치가 홀로 임금을 대하여 정치에 관한 의견을 아뢰던 일. 전하여, 중요한 지위에 있는 높은 사람을 단독으로 면담하는 일에도 씀. ¶대통령과 ~하다.
독도-법 (讀圖法)[-뻡] 명 지도에 표시된 내용을 이해하는 기술.
독두 (禿頭) 명 대머리.
독락 (獨樂)[동낙] 명하타 혼자서 즐김.
독려 (督勵)[동녀] 명하타 감독하며 격려함. ¶부하를 ~하다 / 생산성 향상을 ~하다.
독력 (獨力)[동녁] 명 혼자의 힘. ¶이 문제는 ~으로는 해결할 수 없다.
***독립** (獨立)[동닙] 명하자 **1** 남에게 의지하지 않고 따로 섬. ¶기술을 익혀 ~해 나갔다. **2** 나라가 완전히 독립권을 행사함. ¶한국의 ~을 선포하다. **3** 개인이 한 집안을 이루어 완전히 사권(私權)을 행사함. **4** 다른 것과 완연히 별개임. ¶~ 초소 / 본건물에서 따로 ~된 건물이다.
독립-국 (獨立國)[동닙-] 명 완전한 주권을 가진 나라. 독립 국가.
독립-권 (獨立權)[동닙-] 명 한 나라가 외국의 간섭을 받지 않고 국내외적인 문제를 스스로 처리해 나갈 수 있는 권리.
독립 선언 (獨立宣言)[동닙-] 국가가 완전한 주권을 행사하는 능력을 가짐을 국내외에 알림. 또는 그 선언. ¶~문을 낭독하다.
독립 성분 (獨立成分)[동닙-]〖언〗문장에서 주성분이나 부속 성분과 직접적인 관계가 없는 성분. 독립어가 이에 속함《감탄사·호칭어·접속어·지시어 따위》. *주성분·부속 성분.
독립-심 (獨立心)[동닙-] 명 남에게 의지하지 않고 살아가려는 마음. ¶그는 ~이 매우 강하다.
독립-어 (獨立語)[동닙-] 명〖언〗어떤 문장의 다른 성분과 분리되어 독립해 쓰이는 말《감탄사·호격 조사가 붙은 명사 따위》.
독립-운동 (獨立運動)[동닙-] 명 독립을 쟁취하려는 정치 운동.
독립 채:산제 (獨立採算制)[동닙-]〖경〗동일 기업의 한 부문이 다른 부문과는 독립하여 수지 조절을 꾀하는 경영법.
독목-교 (獨木橋)[동-] 명 외나무다리.
독-무대 (獨舞臺)[동-] 명 독차지 판. 독장치는 판. 독판. ¶장기 자랑은 그녀의 ~나 다름없었다.
독물 (毒物)[동-] 명 **1** 독기 있는 물질. **2** 악독한 사람이나 짐승.
독-바늘 (毒-) 명〖충〗독침(毒針)1.
독방 (獨房) 명 **1** 혼자서 쓰는 방. 독실(獨室). **2** '독거 감방(獨居監房)'의 준말. ¶그 정치범은 ~에 수감되었다.
독배 (毒杯·毒盃) 명 독주(毒酒)나 독약이 든 그릇. ¶~를 마시다.
***독백** (獨白) 명하자타 **1** 혼자 중얼거림. **2** 무대에서 배우가 상대역 없이 혼자 말하는 대사. 모놀로그.
독-버섯 (毒-)[-섣] 명〖식〗독이 있는 버섯. 독이(毒栮).
독별-나다 (獨別-)[-라-] 형 혼자 유별나다. ¶독별나게 굴다.
독보 (獨步) 명하자 **1** 홀로 걸음. **2** 남이 따를 수 없게 뛰어남.
독보-적 (獨步的) 관명 남이 따를 수 없을 만큼 홀로 뛰어난 (것). ¶전통 공예의 ~(인) 존재.
독본 (讀本) 명 **1** 글을 읽어서 익히기 위한 책. ¶국어 ~ / 영어 ~. **2** 일반인을 위한 전문적 또는 교양적 입문서나 해설서. ¶의학 ~ / 인생 ~.
독부 (毒婦) 명 성질이나 행실이 악독한 여자.
독불-장군 (獨不將軍) 명 **1** 무슨 일이나 자기 생각대로 처리하는 사람. ¶그는 ~이라 남의 의견은 안중에도 없다. **2** 따돌림을 받는 외로운 사람. ¶그의 외고집이 자신을 ~으로 만들었다. **3** 혼자서는 장군이 될 수 없다는 뜻으로, 남과 의논하고 협조하여야 한다는 말.
독사 (毒死) 명하자 독약에 의하여 죽음.
독사 (毒蛇) 명〖동〗이빨에 독이 있어 독액을 분비하는 뱀의 총칭《살무사·코브라 따위》. 독사뱀.
[독사 아가리에 손가락을 넣는다] 매우 위험한 짓을 한다.
독-사진 (獨寫眞) 명 혼자 찍은 사진.
독살 (毒殺) 명하타 독약을 사용하여 사람을 죽임. ¶~을 당하다.
독살 (毒煞) 명 악에 받치어 생긴 모질고 사나운 기운.
독살(을) 부리다 구 악독한 성미로 남을 못되게 저주하다.
독살(을) 피우다 구 악독한 살기(殺氣)를 행동으로 나타내다.
독-살림 (獨-) 명하자 **1** 부모나 남에게 의지하지 않고 따로 사는 살림. ¶~을 차리다. **2**〖불〗작은 절에서 본사(本寺)에 의지하지 않고 따로 꾸려 가는 살림.
독살-스럽다 (毒煞-)〔-스러우니, -스러워〕 형ㅂ불 성품이나 행동이 살기가 있고 악독한 데가 있다. ¶독살스러운 여자. **독살-스레** 부
독상 (獨床) 명 혼자 먹게 차린 음식상. ¶~을 차리다. ↔겸상.
독생-자 (獨生子) 명〖기〗하나님의 외아들인 예수의 일컬음.
***독서** (讀書) 명하자 책을 읽음. ¶가을은 ~의 계절이다.
독서 백편 의자통(讀書百遍義自通) 구 같은 책을 백 번 되풀이하여 읽으면 저절로 뜻을 알게 된다는 말.
독서-삼도 (讀書三到) 명 〔독서할 때 세 가지 마음가짐에 대한 말 : 주희(朱熹)의 훈학재규(訓學齋規)에 있는 말〕 '구도(口到)·안도(眼到)·심도(心到)'에 있다 함이니, 즉

입으로 다른 말을 아니하고, 눈으로는 딴 것을 보지 말고, 마음을 하나로 가다듬고 반복 숙독(熟讀)하면 그 참뜻을 깨닫게 된다는 말.
독서-삼매 (讀書三昧) 명 오직 책 읽기에만 골몰함. ¶ ~에 빠지다.
독서-삼여 (讀書三餘) 명 책 읽기에 알맞은 세 여가. 곧, 겨울·밤·비가 올 때.
독선 (毒腺) 명 〖생〗 독액을 분비하는 샘.
독선 (獨船) 명 혼자 타려고 세를 주고 빌린 배.
독선(을) 잡다 구 배를 단독으로 세를 주고 빌리다.
독선 (獨善) 명 자기 혼자만이 옳다고 생각하고 행동하는 일. ¶ ~은 위험한 결과를 초래한다.
독선-적 (獨善的) 관명 독선에 치우친 (것). ¶ ~(인) 성격 / 그는 매사가 ~이다.
독설 (毒舌) 명 남을 헐뜯거나 해치는 모질고 악독스러운 말. ¶ ~을 퍼붓다.
독성 (毒性) 명 독이 있는 성분. ¶ ~이 강한 물질.
독소 (毒素) 명 1 〖화〗 유기 물질, 특히 고기·단백질 등이 썩어 생기는 유독성 물질. ¶ ~를 제거하다. 2 아주 해롭거나 나쁜 요소. ¶ ~ 조항을 삭제하다.
독송 (讀誦) 명하타 소리 내어 읽거나 외움. ¶ 경문을 ~하다.
독수 (毒手) 명 남을 해치려는 악독한 수단. 독아(毒牙). ¶ ~를 뻗치다 / ~에 걸려들다.
독수-공방 (獨守空房) 명 아내가 남편 없이 혼자 지냄. 독숙공방. ¶ ~의 설움.
독-수리 (禿-) 명 〖조〗 수릿과의 크고 사나운 새. 날개 길이는 70-90 cm, 꽁지는 35-40 cm, 몸빛은 암갈색, 다리는 회색, 날카로운 부리와 발톱 및 예민한 시력과 후각으로 작은 동물을 잡아먹음. 천연기념물 제 243 호.
독순-술 (讀脣術) 명 상대방의 입술의 움직이는 모양을 보고 말의 뜻을 아는 기술. 독순법(讀脣法). 독화술(讀話術).
독습 (獨習) 명하타 스승 없이 혼자 배워 익힘. 독수(獨修).
독시 (毒矢) 명 촉에 독을 바른 화살.
독시 (毒弑) 명하타 독약으로 윗사람을 죽임.
독식 (獨食) 명하타 1 혼자서 먹음. 2 성과나 이익을 혼자 차지함. ¶ 이익을 ~하려 한다. ↔분식(分食).
독신 (獨身) 명 1 형제자매가 없는 사람. 독자. 2 배우자가 없는 사람. ¶ 평생을 ~으로 지내다.
독신-자 (獨身者) 명 배우자 없이 혼자 지내는 사람.
독실 (獨室) 명 독방1.
독실-하다 (篤實-) 형여불 믿음이 두텁고 성실하다. ¶ 독실한 불교 신자. **독실-히** 부
독심-술 (讀心術) 명 상대방의 몸가짐이나 얼굴 표정 따위로 속마음을 알아내는 기술. ¶ ~을 익히다.
독아 (毒牙) 명 1 독니. 2 악랄한 수단. 독수(毒手). ¶ ~에 걸리다.
독액 (毒液) 명 독기가 들어 있는 액체.
독야청청 (獨也靑靑) 명하형 홀로 푸르고 푸름. 곧, 홀로 절개를 굳게 지키고 있음. ¶ 백설이 만건곤할 때 ~하리라.
독약 (毒藥) 명 독성을 가진 약제《아비산·염산·모르핀·황린 따위》. 독제(毒劑). ¶ 좋은 약도 때에 따라 ~이 될 수 있다. 준독(毒). *극약(劇藥).
독언 (獨言) 명하자 혼잣말.
독우 (篤友) 명 1 인정과 사랑이 깊은 우애(友愛). 2 정이 극진한 벗.
독-우물 명 밑바닥이 없는 독을 묻어서 만든 우물. 옹정(甕井).
독음 (讀音) 명 1 글 읽는 소리. 2 한자의 음. ¶ 한자에 ~을 달다.
독자 (獨子) 명 1 외아들. ¶ 삼대~. 2 독신1.
독자 (獨自) 명 1 자기 혼자. ¶ ~ 노선. 2 그 자체로 독특함. ¶ ~ 모델을 개발하다.
독자 (讀者) 명 책·신문·잡지 등 출판물을 읽는 사람. ¶ ~의 소리.
독자-란 (讀者欄) 명 신문·잡지 등에서 독자의 글을 싣는 난. ¶ ~에 투고하다.
독자-적 (獨自的) 관명 다른 것과 달리 그 자체로 독특한 (것). ¶ ~으로 연구하다.
독작 (獨酌) 명하자 혼자 술을 마심.
독-장수 명 독을 파는 것을 업으로 하는 사람.
독장수-셈 명 실속 없는 셈이나 헛수고로 애만 씀의 비유.
독장-치다 (獨場-) 자 어떤 판을 혼자서 휩쓸다. 독판치다. ¶ 양궁 경기에서 한국 선수들이 독장쳤다. 준장치다.
***독재** (獨裁) 명하자 1 상의 없이 혼자 생각으로 처리함. ¶ 히틀러의 ~에 저항하였다. 2 '독재 정치'의 준말.
독재 정치 (獨裁政治) 민주적인 절차를 무시하고 통치자 한 사람이 권력을 마음대로 행사하는 정치. 준독재.
독전 (督戰) 명하자 싸움을 감독·격려함.
독점 (獨占) 명하타 1 독차지. ¶ ~물(物) / 인기를 ~하다. 2 〖경〗 개인이나 단체가 시장을 지배하고 이익을 독차지함. 또는 그런 경제 현상. ¶ 시장 ~.
독점 가격 (獨占價格) [-까-] 〖경〗 시장의 독점에 의해 정해지는 가격. ↔경쟁 가격.
독점 자본 (獨占資本) 〖경〗 생산과 자본을 고도로 집중하여 독점함으로써 성립되는 거대한 기업 자본.
독존 (獨存) 명하자 홀로 존재함.
독존 (獨尊) 명하형 저 혼자만 높고 귀함.
독종 (毒種) 명 1 성질이 독한 사람. ¶ 바늘로 찔러도 피 한 방울 나지 않을 ~. 2 성질이 매우 독한 짐승의 품종.
독좌 (獨坐) 명하자 홀로 앉아 있음.
독주 (毒酒) 명 1 매우 독한 술. ¶ 빈속에 마시는 ~는 몸에 해롭다. 2 독약을 탄 술.
독주 (獨走) 명하자 1 혼자서 뜀. ¶ 마라톤은 외로운 ~ 경기이다. 2 경주 등에서 남을 앞질러 혼자서 앞서 나감. 3 혼자서 날뜀. ¶ ~를 견제하다.
독주 (獨奏) 명하타 〖악〗 한 사람이 악기를 연주함. ¶ 바이올린 ~. *합주·중주(重奏).
독주-회 (獨奏會) 명 〖악〗 한 사람이 연주하는 음악회. ¶ 피아노 ~.
독지 (篤志) 명 도탑고 친절한 마음. ¶ ~를 베풀다.

독지-가 (篤志家) 명 1 마음이 독실한 사람. 2 사회사업이나 공공의 일에 특히 마음을 쓰고 돕는 사람. ¶ ~의 도움으로 쉼터를 마련하다.
독직 (瀆職) 명하자 직책을 더럽힘. 특히, 공무원이 지위나 직무를 남용하여 부정행위를 저지름. ¶ ~ 사건.
독-차지 (獨-) 명하타 혼자서 모두 차지함. 독점(獨占). ¶ 재산을 ~하다.
독창 (獨唱) 명하자타 《악》 혼자서 노래를 부름. 또는 그 노래. 솔로. ¶ ~회. *중창·제창·합창.
독창 (獨創) 명하타 혼자의 힘으로 처음 생각해 내거나 만들어 냄.
독창-력 (獨創力)[-녁] 명 새로운 것을 처음 생각해 내거나 만들어 내는 능력. ¶ ~이 뛰어나다.
독창-성 (獨創性)[-썽] 명 독창적인 성향이나 성질. ¶ 한글의 ~/~을 살리다.
독창-적 (獨創的) 관명 혼자의 힘만으로 생각해 내거나 처음으로 만들어 내는 (것). ¶ ~(인) 작품.
독-채 (獨-) 명 1 따로 떨어져 하나로 된 집채. 2 한 세대가 모두를 사용하는 집채. ¶ ~에 세 들다.
독초 (毒草) 명 1 독풀. 2 쓰고 독한 담배. ¶ ~를 피우다.
독촉 (督促) 명하타 빨리 하도록 재촉함. ¶ ~이 성화같다/빚을 갚으라고 ~하다.
독촉-장 (督促狀) 명 약속이나 의무 이행을 독촉하는 문서. ¶ 빨리 세금을 납부하라는 ~을 보내다.
독침 (毒針·毒鍼) 명 1 벌·개미·전갈 따위의 복부 끝에 있는, 독을 내쏘는 바늘 같은 기관. 독바늘. 2 남을 해치거나 사냥할 때 쓰는, 독을 묻힌 바늘이나 침.
독탕 (獨湯) 명 혼자서 따로 쓰도록 된 목욕탕. **—-하다** 자여불 독탕에서 목욕하다.
독트린 (doctrine) 명 교리·주의·학설·교훈 등의 뜻으로, 국제 관계에서 한 나라가 공식적으로 표명한 정책상의 원칙. ¶ 닉슨 ~.
독특 (獨特) 명하형히부 1 특별하게 다름. ¶ ~한 맛. 2 훨씬 뛰어남.
독파 (讀破) 명하타 처음부터 끝까지 다 읽음. 독료(讀了). ¶ 책을 단숨에 ~하다.
독-판 (獨-) 명 혼자 판치는 판. 독장치는 판. 독무대(獨舞臺).
독판-치다 (獨-) 자 혼자서 판을 치다. 독장치다.
독-풀 (毒-) 명 독이 있는 풀. 독초.
독필 (毒筆) 명 남을 비방·중상하여 해치려고 놀리는 글. ¶ ~로 인신공격을 하다.
독-하다 (毒-)[도카-] 형여불 1 독기가 있다. 2 맛·냄새가 지나치게 진하다. ¶ 독한 술/독한 냄새. 3 성질이 잔인하고 악독하다. ¶ 독한 성격. 4 참고 견디는 힘이 굳세다. ¶ 마음을 독하게 먹다.
독학 (獨學)[도칵] 명하자타 스승 없이 또는 학교에 다니지 않고 혼자 공부함. ¶ ~으로 고시에 합격하다/프랑스 어를 ~하다.
독해 (讀解)[도캐] 명하타 글을 읽어 뜻을 이해함. ¶ ~하기 까다로운 문장.
독해-력 (讀解力)[도캐-] 명 글을 읽고서 뜻을 이해할 수 있는 능력. ¶ 뛰어난 ~.
독행 (獨行)[도캥] 명하자 1 혼자 길을 감. 2 혼자 힘으로 일을 행함. ¶ 독립~의 노력가. 3 세속을 따르지 않고 높은 지조로 혼자 나아감. 독왕(獨往).
독회 (讀會)[도쾨] 명 의회에서 의안을 단계적으로 심의하는 일. 또는 그 모임《대개 제일·제이·제삼의 세 독회로 나눔. 우리나라는 이 제도를 쓰지 않음》.
독후-감 (讀後感)[도쿠-] 명 책을 읽고 난 뒤의 느낌. 또는 그 감상을 적은 글. ¶ 위인전의 ~을 모집하다.
***돈:** 一명 1 상품의 교환 가치를 나타내며 상품 교환을 매개하고 가치 저장의 수단이 되는 물건. 금전. 화폐. ¶ ~을 벌다/~을 모으다. 2 재산. ¶ ~ 많은 집안. 二의명 1 옛날 엽전의 열 푼. ¶ 엽전 한 ~ 두 푼. 2 귀금속·한약재 등의 무게의 단위로, 한 푼의 열 갑절. 돈쭝. ¶ 한 ~짜리 금반지.
[돈만 있으면 귀신도 부릴 수 있다] 돈만 있으면 세상에 못할 일이 없다. [돈만 있으면 개도 멍첨지라] 천한 사람도 돈만 있으면 남들이 귀하게 대접해 준다. [돈에 침 뱉는 놈 없다] 누구나 돈을 소중히 여긴다는 말.
돈(을) 굴리다 구 돈을 빌려 주고 이익을 늘리다.
돈을 만지다 구 어떤 일을 하여 돈을 벌다.
돈을 먹다 구 〈속〉 뇌물을 받다.
돈(을) 벌다 구 돈이 생기게 하다.
돈을 뿌리다 구 돈을 아끼지 않고 여기저기 함부로 쓰다.
돈이 썩다 구 ㉠돈의 가치가 없다. ㉡반어적으로, 돈이 많다.
돈:-거리 [-꺼-] 명 돈으로 바꿀 수 있는 물건. ¶ ~가 될 만한 물건.
돈:-구멍 [-꾸-] 명 1 쇠붙이 돈에 뚫린 구멍. 2 돈이 생길 방도. ¶ ~을 찾다.
돈:-길 [-낄] 명 돈을 융통할 수 있는 길. ¶ ~이 막히다.
돈:-꿰미 명 예전에, 엽전을 꿰는 꿰미 또는 꿰어 놓은 엽전 뭉치를 이르던 말. ¶ ~를 차다.
돈:-내기 명하자 1 돈을 걸고 하는 내기. ¶ ~ 경기. 2 도박(賭博)1.
돈:-냥 (-兩) 명 (주로 '돈냥이나'의 꼴로 쓰여) 그다지 많지 않은 돈. 돈푼. ¶ ~이나 갖고 있다고 으스댄다.
돈:-놀이 명하자 남에게 돈을 빌려 주고 이자 받는 것을 업으로 하는 일. 대금업. ¶ ~로 살아가다.
돈:-닢 [-닙] 명 1 쇠붙이로 된 돈의 낱개. 2 돈냥. ¶ ~깨나 모았다.
돈:-더미 [-떠-] 명 돈을 쌓아 놓은 더미.
돈더미에 올라앉다 구 갑자기 많은 돈이 생겨 부자가 되다.
돈:-독 (-毒)[-똑] 명 돈을 지나치게 밝히는 경향. ¶ ~이 오르다.
돈독-하다 (敦篤-)[-도카-] 형여불 인정이 두텁다. 돈후(敦厚)하다. ¶ 돈독한 신앙심.
돈독-히 [-도키] 부. ¶ 우정을 ~ 하다.
돈:-맛 [-맏] 명 돈을 모으거나 쓰는 재미. ¶ ~이 들다/~을 알다.

돈:-머리 명 얼마라고 이름 붙인 돈의 액수. 머릿수. ¶ ~가 크다 / ~만 헤아리다. 준머리.
돈-바르다〔돈바르니, 돈발라〕형 르불 성미가 너그럽지 못하고 까다롭다.
돈:-반 (-半) 명 1 한 돈 위에 다섯 푼이 더 되는 분량의 무게. ¶ ~짜리 금반지. 2 엽전의 한 돈 닷 푼.
돈:-방석 (-方席)[-빵-] 명 〈속〉 돈을 썩 많이 가지고 있음을 가리키는 말.
돈방석에 앉다 구 썩 많은 돈을 가져 편안하게 되다. ¶ 개발 바람을 타고 돈방석에 앉았다.
돈:-백 (-百)[-빽] 명 백으로 헤아릴 정도의 돈. 전백(錢百). ¶ 월급이래야 고작 ~이나 받지.
돈:-벌이 [-뻘-] 명하자 돈을 버는 일. ¶ 좋은 ~ / ~에 여념이 없다.
돈:-벼락 [-뼈-] 명 갑자기 큰돈이 생김. ¶ ~을 맞다 / ~이 떨어지다.
돈:-복 (-福)[-뽁] 명 돈을 많이 가지게 된 복. ¶ ~이 터지다 / ~을 타고나다.
돈사 (豚舍) 명 돼지우리.
돈:오 (頓悟) 명하타 1 별안간 깨달음. 2〘불〙 불교의 참뜻을 문득 깨달음.
돈육 (豚肉) 명 돼지고기.
돈:-저냐 명 쇠고기·돼지고기·생선 따위의 살과 두부·파 따위 채소를 잘게 다져 섞어서 동글납작하게 만들어 마른 밀가루를 묻히고 달걀을 씌워 지진 저냐.
돈:절 (頓絶) 명하자 편지·소식 따위가 갑자기 끊어짐. 아주 끊어짐.
돈:-주머니 [-쭈-] 명 1 돈을 넣는 주머니. ¶ ~를 허리에 차다. 2 돈이 나올 원천. ¶ 주부가 ~를 쥐고 있다.
돈:-줄 [-쭐] 명 돈을 융통해서 쓸 수 있는 연줄. 자금줄. ¶ 실직으로 ~이 끊겼다 / 굵은 ~을 놓쳤다.
돈:-쭝 의명 약이나 금·은 등의 무게를 다는 저울의 단위. ¶ 금 두 ~.
돈:-치기 명하자 동전을 땅바닥에 던져 놓고 그것을 맞히는 내기를 하는 놀이.
돈:-타령 명하자 돈이 없다고 푸념을 하거나 돈 쓸 일을 늘어놓는 사설. ¶ ~ 이젠 좀 그만해라.
돈:-표 (-票) 명 수표·어음 등 현금과 바꿀 수 있는 표.
돈:-푼 명 돈냥. ¶ ~깨나 있다고 까불다 / ~이나 만진다고 껍적댄다.
돈피 (獤皮) 명 담비 종류 동물의 모피를 통틀어 이르는 말. 사피(斜皮). 초피(貂皮).
돈:호-법 (頓呼法)[-뻡] 명〘언〙 수사법에서, 사람이나 사물의 이름을 불러 주의를 환기시키는 방법(《'여러분!', '산아! 푸른 산아!' 따위》).
돈후-하다 (敦厚-) 형 여불 인정이 두텁고 후하다. 돈독(敦篤)하다. ¶ 돈후한 인품. 돈후-히 부
돋구다 타 안경의 도수 따위를 더 높게 하다.
*돋다 자 1 해나 달이 하늘에 솟아오르다. ¶ 해가 ~. 2 속에서 겉으로 생겨 나오다. ¶ 새싹이 ~ / 날개가 ~. 3 살갗에 어떤 것이 우툴두툴하게 내밀다. ¶ 두드러기가 ~. 4 감정이나 기색이 생겨나다. ¶ 얼굴에 생기가 돋는다. 5 입맛이 당기다. 동하다. ¶ 밥맛이 돋아 두 그릇을 먹었다.
*돋-보기 명 1 주로 노인이 쓰는, 작은 글자나 물건이 크게 보이는 안경. 2 확대경.
돋보기-안경 (-眼鏡) 명 돋보기1.
돋-보다 타 '도두보다'의 준말. ↔낮보다.
돋-보이다 자 '도두보이다'의 준말. ¶ 갈고 닦은 그의 기량이 한층 돋보였다.
돋-뵈다 자 '도두보이다'의 준말.
돋아-나다 자 1 해·별 따위가 하늘에 또렷이 솟아오르다. 2 겉으로 또렷이 나오거나 나타나다. ¶ 가지에 싹이 돋아나기 시작하다. 3 살갗에 우툴두툴하게 내밀어 오르다. ¶ 땀띠가 ~.
돋우다 타 1 위로 끌어 올려 도드라지거나 높아지게 하다. ¶ 램프의 심지를 ~. 2《'돋다 4'의 사동》 기분·느낌·의욕 등의 감정을 자극하여 일어나게 하다. ¶ 신명을 ~ / 용기를 ~. 3 밑을 괴거나 쌓아서 높아지게 하거나 도드라지게 하다. ¶ 발을 ~ / 북을 ~. 4《'돋다 5'의 사동》 입맛이 좋아지게 하다. ¶ 입맛을 돋우는 보약. 5 싸움을 충동질하다. 부추기다. ¶ 싸움을 ~.
돋움 명 1 높아지도록 밑을 괴는 물건. 2 발돋움2.
돋을-무늬 [-니] 명 도드라지게 나타낸 무늬.
돋을-새김 명 부조(浮彫). ¶ ~을 한 석굴암의 관세음보살상.
돋치다 자 돋아서 내밀다. ¶ 가시 돋친 말 / 뿔이 ~.
돌[1] 一 명 1 태어난 뒤에 해마다 돌아오는 그 날《주로 두세 살의 어린아이에게 씀》. 2 '첫돌'의 준말. ¶ ~떡 / ~잔치. 3 어느 시점에서 만 1년이 되는 날. ¶ 할머니께서 돌아가신 지가 한 ~이 된다. 二 의명 특정한 날이 해마다 돌아올 때, 반복되는 횟수를 세는 말. ¶ 개교 열 ~을 맞다.
*돌:[2] 명 1 바위의 조각으로 모래보다 큰 것. 넓은 뜻으로는 암석 및 광석의 통칭. 2 석재(石材). ¶ ~을 떠내다. 3 '바둑돌'의 준말. ¶ ~을 잡다. 4 굳은 것·찬 것·무정한 것의 비유. ¶ ~처럼 차가운 인간. 5 '머리가 나쁜 사람'의 비유.
[돌을 차면 발부리만 아프다] 아무 관계없는 일에 분풀이를 하면 오히려 자기에게 해롭다.
돌- 두 동식물의 품질이 낮거나 저절로 난 야생물임을 나타냄. ¶ ~미역 / ~조개.
돌:개-바람 명 1 구풍(颶風). 2 회오리바람.
돌격 (突擊) 명하자타 1 갑자기 냅다 침. 2〘군〙 적진으로 돌진하여 공격함. 또는 그런 일. ¶ ~을 감행하다.
돌:-계집 [-/-게-] 명 아이를 낳지 못하는 여자. 석녀(石女).
돌:-고드름 명〘광〙 종유동(鍾乳洞)의 천장에 고드름같이 달려 있는 석회암. 석종유(石鍾乳). 종유석(鍾乳石).
돌-고래[1] 명〘동〙 몸길이 1-5m 정도로 이가 있는 작은 고래의 속칭.
돌:-고래[2] 명 돌로만 쌓아 놓은 방고래.
돌기 (突起) 명하자 1 뾰족하게 내밀거나 도드라짐. 또는 그 부분. ¶ 해삼은 표면에 많

은 ~가 있다. **2** 어떤 일이 갑자기 일어남.

돌:-기둥 명 돌로 된 기둥.

돌:-길 [-낄] 명 **1** 돌이나 자갈이 많은 길. ¶~을 소달구지가 요란스럽게 지나간다. **2** 돌을 깐 길.

돌:-김 명 〖식〗 바닷물 속의 돌에 붙어 자란 김. 석태(石苔).

돌-나물 [-라-] 명 〖식〗 돌나물과의 여러해살이풀. 들이나 산기슭의 습지에 남. 기는 줄기의 마디마다 뿌리가 나고, 잎은 타원형, 5-6월에 노란 꽃이 핌. 어린잎과 줄기는 식용함. 잎의 즙은 해독제로 씀.

돌-날 [-랄] 명 첫돌이 되는 날.

돌:-널 [-럴] 명 〖역〗 시체를 넣기 위해 돌로 만든 궤. 석관(石棺).

***돌:다**[1] 〔도니, 도오〕 자 **1** 축을 중심으로 원을 그리면서 움직이다. ¶팽이가 ~. **2** 소문·전염병 따위가 퍼지다. ¶독감이 ~. **3** 차례로 전하여지다. ¶술잔이 ~/연판장이 ~. **4** 〈속〉 정신이 이상해지다. ¶머리가 ~. **5** 머리의 순환이 좋아지다. ¶머리가 잘 돈다. **6** 제 기능을 내어 움직이다. ¶기계가 ~. **7** 돈이나 물자 따위가 유통되다. ¶자금이 잘 돈다. **8** 어떤 기운이 몸속에 퍼지다. ¶술기운이 ~. **9** 방향·생각·노선 따위를 바꾸다. ¶뒤로 돌아/좌익에서 우익으로 ~. **10** 현기증이 나다. ¶눈이 핑 ~. **11** 기억·생각이 얼른 떠오르지 않다. ¶머릿속에서 뱅뱅 돌 뿐 입 밖에 나오지 않는다. **12** 어떤 기운이나 빛이 나타나다. ¶얼굴에 생기가 ~. **13** 눈물·침 따위가 생기다. ¶군침이 ~/눈물이 핑 ~. **14** 근무지·직책 따위를 옮겨 다니다. ¶한직으로 돌게 되다.

돌다[2] 〔도니, 도오〕 타 **1** 어떤 둘레를 따라가다. ¶운동장을 ~. **2** 가까운 길을 두고 먼 길로 에돌다. ¶빚쟁이를 피해 길을 돌아서 가다. **3** 볼일로 이곳저곳을 다니다. ¶전국을 돌면서 공연을 하다. **4** 일정한 범위 안을 이리저리 다니다. ¶순찰을 ~. **5** 무엇의 주위를 원을 그리면서 움직이다. ¶달이 지구 둘레를 ~. **6** 어떤 곳을 경유하다. ¶역을 돌아 극장에 갔다. **7** 길을 끼고 방향을 바꾸다. ¶길모퉁이를 ~. **8** 차례차례 다니다. ¶세배를 ~.

돌-다리[1] [-따-] 명 도랑에 놓은 조그마한 다리.

돌:-다리[2] 명 돌로 만든 다리. 석교.

[돌다리도 두드려 보고 건너라] 모든 일에 세심한 주의를 하여라.

돌:-담 명 돌로 쌓은 담.

돌:-대가리 명 〈속〉 **1** 몹시 어리석거나 둔한 머리. **2** 융통성이 없고 완고한 사람. 석두(石頭).

돌:-덩어리 [-떵-] 명 비교적 큰 돌덩이.

돌:-덩이 [-떵-] 명 돌멩이보다 크고, 바위보다 작은 돌.

돌:-도끼 명 〖역〗 돌로 만든 도끼. 석부(石斧).

돌도끼

돌돌 부 **1** 여러 겹으로 동글게 말리는 모양. ¶종이를 ~ 말다. **2** 작고 둥근 물건이 가볍고 빨리 구르거나 돌아가는 소리. ¶구슬이 ~ 구르다. 큰둘둘. 센똘똘. **3** 많지 않은 도랑물이나 시냇물이 좁은 목으로 부딪쳐 흐르는 소리. 또는 그 모양.

돌-떡 명 아이들의 돌날에 만들어 먹는 떡. ¶이웃에 ~을 돌리다.

돌라-가다 타 남의 것을 슬쩍 빼돌려 가져가다.

돌라-내다 타 남의 것을 슬쩍 빼돌려 내다.

돌라-놓다 [-노타] 타 **1** 각기의 몫으로 동글게 벌여 놓다. **2** 돌려놓다3. 큰둘러놓다.

돌라-대다 타 **1** 돈이나 물건을 꾸거나 얻어대다. **2** 그럴듯한 말로 꾸며 대다. 큰둘러대다. **3** 둘레를 돌려 가며 갖다 대다. ¶상처에 붕대를 ~.

돌라-막다 타 가장자리로 돌아가며 가리어 막다. 큰둘러막다.

돌라-맞추다 [-맏-] 타 **1** 다른 물건으로 대신하여 그 자리에 맞추다. **2** 그럴듯한 말로 이리저리 꾸며 대다. 큰둘러맞추다.

돌라-매다 타 **1** 한 바퀴 돌려서 두 끝을 마주 매다. 큰둘러매다. **2** 이자 따위를 본전에 합하여 새로 본전으로 삼다.

돌라-보다 타 이모저모로 골고루 살펴보다. 큰둘러보다.

돌라-붙다 [-붇따] 자 기회나 형편을 살피어 이로운 쪽으로 돌아서 붙좇다. 큰둘러붙다.

돌라-서다 자 여럿이 동글게 늘어서다. ¶모닥불 주위에 ~. 큰둘러서다.

돌라-싸다 타 안에 넣고 언저리를 동글게 싸다. 동글게 포위하다. 큰둘러싸다.

돌라-쌓다 [-싸타] 타 둘레를 동글게 쌓다. ¶막사 주변을 담으로 ~. 큰둘러쌓다.

돌라-앉다 [-안따] 자 여럿이 동글게 앉다. ¶잔디밭에 ~. 큰둘러앉다.

돌라-입다 타 한 가지 옷을 여럿이 돌려 가며 입다.

돌려-나기 명 〖식〗 줄기에 잎이 붙는 형식의 하나. 한 마디에 세 개 이상의 잎이 수레바퀴 모양으로 나는 일. 윤생(輪生).

돌려-내다 타 **1** 남을 꾀어 있는 곳에서 빼돌려 내다. **2** 한 동아리에 넣지 않고 따돌리다.

돌려-놓다 [-노타] 타 **1** 방향을 바꾸어 놓다. ¶도랑의 물길을 ~. **2** 따돌려 제외하다. **3** 생각이나 일의 상태를 바꾸어 놓다. 돌라놓다. ¶설득하여 마음을 ~.

돌려-먹다 타 마음·작정 따위를 달리 바꾸다. ¶밤사이에 생각을 ~.

돌려-보내다 타 사람이나 물건을 본디 있던 곳으로 보내다. ¶심부름꾼을 ~/선물꾸러미를 ~.

돌려-쓰다 〔-쓰니, -써〕 타 **1** 돈이나 물건을 변통하여 쓰다. ¶돈을 ~. **2** 여러 가지로 용도를 바꾸어 가며 쓰다.

돌려-주다 타 **1** 갚거나 도로 보내 주다. ¶친구에게 꾼 돈을 ~. **2** 돈을 융통해 주다.

돌려-짓기 [-짇끼] 명하타 같은 농토에 여러 가지 농작물을 해마다 바꾸어 심는 일. 윤작. 윤재(輪栽). ↔이어짓기.

돌리다[1] 자타 **1** 병의 위험한 고비를 면하게 되다. 또는 면하게 하다. ¶병세를 ~. **2** 노염이 풀리다. 또는 풀게 하다. ¶시부모님의 마음을 ~. **3** 돈이나 물건이 변통되다.

또는 돈이나 물건을 변통하다. ¶급하게 돈을 ~.

*돌리다[2] 타《'돌다'의 사동》1 돌게 하다. ¶팽이를 ~. 2 방향을 다른 쪽으로 바꾸게 하다. ¶화제를 ~. 3 여기저기로 보내다. 여러 곳으로 배달하다. ¶신문을 ~/돌떡을 ~. 4 어떤 범위의 안을 여기저기 돌아다니게 하다. ¶순찰을 ~. 5 마음을 달리 먹다. ¶마음을 돌려서 열심히 일하다. 6 가동하게 하다. 운영하다. ¶공장을 ~. 7 영화나 환등 따위를 보이게 하다. ¶영사기의 필름을 ~. 8 완곡하게 말하다. ¶말을 그렇게 돌리지 말고 솔직하게 말하시오. 9 차례로 다른 곳에 보내다. ¶술잔을 ~. 10 책임이나 공을 남에게 넘기다. ¶잘못을 친구에게 ~. 11 뒤로 미루다. ¶이것은 뒤로 돌려라. 12 어떤 무엇으로 생각하거나 그렇게 보다. ¶모든 일을 백지로 돌립시다.

돌림 명 1 차례대로 돌아가는 일. ¶~으로 한 턱씩 내다. 2 '돌림병'의 준말. ¶요즘 감기는 ~이다. 3 항렬(行列). 4 차례대로 돌아 전체를 돈 횟수를 세는 단위《의존 명사적으로 씀》. ¶술이 두 ~쯤 돌았다.

돌림-감기(-感氣)[-깜-] 명 돌아가며 전염하는 감기. 유행성 감기.

*돌림 노래〖악〗같은 노래를 일정한 마디의 사이를 두고 뒤따르며 부르는 합창. 돌림곡. 윤창.

돌림-병(-病)[-뼝] 명 유행병1. 준돌림.

돌림-자(-字)[-짜] 명 항렬자(行列字).

돌림-턱 명 여러 사람이 돌아가며 차례로 음식을 내는 턱.

돌림-판(-板) 명 1 물건을 얹어서 돌리는 판. 2 자동식 전화기의 다이얼 따위의 판. 3 도자기를 만들 때, 흙을 빚거나 무늬를 넣는 데 쓰는 기구. 녹로. 4 회람판.

돌-맞이 명하자 돌을 맞아 기념함. ¶~ 잔치.

돌:-매 명 맷돌.

돌멘(dolmen) 명〖역〗고인돌.

*돌:-멩이 명 돌덩이보다 작고 자갈보다 큰 돌. 괴석(塊石). ¶~에 걸려 넘어졌다.

돌:멩이-질 명하자 돌멩이를 던지는 짓. ¶철없이 ~하며 노는 아이들. 준돌질.

돌:-무더기 명 돌덩이가 쌓인 무더기.

돌:-무덤 명〖역〗돌을 쌓아 올려 만든 높은 무덤. 석총(石塚).

돌:-무지 명 돌이 많이 깔려 있는 땅.

돌:무지-무덤 명〖역〗돌널 위에 흙 대신 돌을 쌓아 올린 무덤. 적석총(積石塚).

돌:-반지기(-半-) 명 잔돌이나 모래가 많이 섞인 쌀.

돌발(突發) 명하자 일이 뜻밖에 일어남. 별안간 발생함. ¶~ 사고/~ 사태.

돌발-적(突發的)[-쩍] 관명 뜻밖에 일어나는 (것). ¶~ 상황.

돌:-방(-房) 명 고분 안의 돌로 된 방.

돌:-밭[-받] 명 돌이 많은 땅. ¶~을 일구다.

돌-배 명〖식〗돌배나무의 열매.

돌배-나무 명〖식〗장미과의 작은 낙엽 활엽 교목. 산·들에 나는데, 4-5월에 흰 꽃이 피고, 과실은 지름 2cm 가량으로 10월에 익음. 목재는 여러 곳에 씀.

돌변(突變) 명하자 갑작스럽게 변함. 또는 그 변화. ¶날씨가 갑자기 ~했다.

*돌:-보다 타 관심을 가지고 보살피다. 보호하다. ¶고아들을 ~/아기를 ~.

돌:-부리[-뿌-] 명 땅 위로 내민 돌멩이의 뾰족한 부분. ¶~에 걸려 고꾸라지다. [돌부리를 차면 발부리만 아프다] 쓸데없이 성을 내면 저만 해롭다.

돌:-부처 명 1 돌로 만든 불상. 석불(石佛). 2 감각이 둔하고 고집이 센 사람.

돌:-비(-碑) 명 돌로 만든 비. 석비(石碑).

돌:-비늘[-삐-] 명〖광〗운모(雲母).

돌:-비알[-삐-] 명 깎아 세운 듯한 돌의 언덕. ¶~에 있는 산장.

돌:-산(-山)[-싼] 명 1 바위나 돌이 많은 산. 석산(石山). 2 석재를 캐는 산. ¶~에서 끊임없이 남포를 터뜨린다.

돌-상(-床)[-쌍] 명 돌날에 돌잡이할 때 차려 놓는 상.

돌:-섬 명 돌이 많거나 돌로 된 섬.

돌:-소금 명〖광〗암염(岩塩).

돌:-솥[-솓] 명 돌로 만든 솥.

*돌아-가다 一자거라불 1 물체가 축을 중심으로 둥글게 움직이다. ¶바퀴가 ~. 2 본디 있던 자리로 다시 가다. ¶동심으로 ~. 3 가까운 길을 두고 먼 길로 가다. ¶시위 행렬을 피해 샛길로 돌아갔다. 4 한쪽으로 뒤틀어지다. ¶중풍으로 입이 약간 ~. 5 어떤 테두리 안을 왔다 갔다 하다. ¶집 안에서 분주히 ~. 6 차례로 옮기어 가다. ¶돌아가며 노래를 부르다. 7 차례가 되거나 차지가 되다. ¶승리는 상대방의 손에 ~. 8 끝나다. 낙착되다. ¶일이 수포로 ~. 9 일이나 세상 형편이 어떤 상태로 되어 가다. ¶그만한 나이면 세상 돌아가는 사정을 알텐데. 10 돈이나 물건 따위가 융통되거나 유통되다. ¶자금이 순조롭게 ~. 11 기능이 제대로 움직이다. ¶머리가 잘 돌아가는 사람. 12 '죽다'의 높임말. ¶그의 부친께서 돌아가셨다. 二타거라불 구부러져 가다. ¶모퉁이를 ~.

돌아-내리다 자 1 마음이 있으면서 일부러 사양하다. 비싸다. 2 빙빙 돌면서 아래로 내리다. ¶연이 ~/산을 ~.

돌아-눕다[-누우니, -누워] 자ㅂ불 방향을 바꾸어 눕다. ¶돌아누워 눈물을 닦는다.

*돌아-다니다 자타 1 여기저기 쏘다니다. ¶전국을 ~. 2 널리 유행하다. ¶독감이 ~.

돌아다-보다 타 1 뒤돌아보다. 2 돌이켜 생각하다.

돌아-들다[-드니, -드오] 자 1 돌고 돌아서 다시 제자리로 오다. 2 흐르는 물 같은 것이 굽이를 꺾어서 들어오다.

*돌아-보다 타 1 고개를 돌려 보다. ¶뒤를 ~. 2 지난 일을 다시 생각하여 보다. ¶어린 시절을 ~. 3 돌아다니며 두루 살피다. ¶공장 안을 ~. 4 돌보다. ¶가족을 ~.

*돌아-서다 자 1 뒤로 향하고 서다. ¶길을 멈추고 ~. 2 남과 등지다. ¶적이 되어 ~. 3 병이 나아지다. ¶병이 조금씩 ~. 4 생각이나 태도가 바뀌다. ¶보수파로 ~. 5 일이나 형편이 바뀌다. ¶주가가 오름세로 돌아섰다.

돌아-앉다 [-안따] [자] 방향을 반대로 바꾸어 앉다. ¶토라져서 휙 ~. [준]돌앉다.
***돌아-오다** [一][자][너라불] **1** 다시 오다. ¶고향에 ~. **2** 몫으로 주어지다. ¶책임이 ~. **3** 돌아서 오다. ¶먼 길로 ~. **4** 일정한 때가 되다. ¶돌아오는 일요일은 어머니 생신이다. **5** 차례나 순번이 되다. ¶발표할 차례가 ~. [二][타][너라불] **1** 구부러져 오다. ¶모퉁이를 ~. **2** 갔던 길을 되짚어서 오다.
돌아-치다 [자] 몹시 바쁘게 왔다 갔다 하다. ¶분주하게 ~.
돌-앉다 [-안따] [자] '돌아앉다'의 준말.
돌연 (突然) [부][하형][히부] 갑자기. 별안간. 뜻밖에. ¶~한 사고.
돌연-변이 (突然變異) [명]〖생〗어버이 계통에 없던 새로운 형질이 자손에게 갑자기 나타나는 일. 우연 변이.
돌연-사 (突然死) [명]〖의〗겉보기에 건강하던 사람이 갑자기 죽는 일《40 대 이후의 남성에 많음》. ¶그의 죽음은 스트레스로 인한 ~로 추정된다.
돌올-하다 (突兀-) [형][여불] **1** 높이 솟아 우뚝하다. **2** 두드러지게 뛰어나다.
돌:-옷 [-옫] [명] 돌에 난 이끼.
돌이키다 [타] **1** 반대 방향으로 돌리다. ¶발길을 ~. **2** 먹었던 마음을 고쳐 달리 생각하다. ¶분한 마음을 돌이키고 집으로 향했다. **3** 본디의 상태로 돌아가게 하다. ¶돌이킬 수 없는 실패. **4** 지난 일을 다시 생각하다. ¶돌이키고 싶지 않은 옛일. **5** 반성하다. ¶자신을 돌이켜 보다.
돌입 (突入) [명][하자] 막 뛰어듦. 갑자기 뛰어듦. ¶적진 속으로 ~하다 / 다음 주부터 파업에 ~하기로 결정하다.
돌-잔치 [명] 돌날에 베푸는 잔치.
돌-잡이 [명][하타] **1** 돌잡히는 일. **2** 돌쟁이.
돌-잡히다 [-자피-] [타] 돌날에 음식과 물건을 상 위에 차려 놓고 돌쟁이에게 마음대로 잡게 하다.
돌:-장이 [명] 석수(石手).
돌-쟁이 [명] 첫돌이 되거나 그 또래의 아이.
돌:-절구 [명] 돌을 파서 만든 절구.
[돌절구도 밑 빠질 때가 있다] 튼튼한 것도 오래 쓰면 결딴나는 날이 있다.
돌진 (突進) [-찐] [명][하자] 세찬 기세로 거침없이 곧장 나아감. ¶적진을 향하여 ~하다.
돌:-짐승 [명]〖역〗무덤 둘레에 세운, 돌로 만든 짐승. 석수(石獸).
돌:-집 [-찝] [명] 돌로 지은 집.
돌:쩌귀 [명] 문짝을 여닫게 하기 위하여 암짝은 문설주에, 수짝은 문짝에 박아 맞추어 꽂게 된, 쇠붙이로 만든 두 개의 물건.

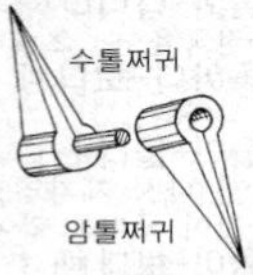

돌쩌귀

돌체 (이 dolce) [명]〖악〗'부드럽게·아름답게' 연주하라는 말.
돌출 (突出) [명][하자] **1** 툭 튀어나오거나 쑥 불거져 있음. ¶~된 간판. **2** 말·행동·생각 따위가 남의 의표(意表)를 찌름. ¶~ 행위.
돌:-칼 [명]〖역〗석기 시대의 유물인 돌로 만든 칼. 석도(石刀).
돌:-탑 (-塔) [명] 돌로 쌓은 탑. 석탑.
돌파 (突破) [명][하타] **1** 쳐서 깨뜨림. ¶적진을 ~하다. **2** 기준·기록 따위를 넘어섬. ¶목표량을 ~하다 / 인구가 4,500만을 ~하다. **3** 장애·어려움 따위를 이겨 냄. ¶우선 위기는 ~하였다.
돌파-구 (突破口) [명] **1** 견고한 진지 등의 한 쪽을 돌파하여 만든 통로나 목. ¶~를 뚫다. **2** 장애나 어려움 따위를 해결하는 실마리. ¶사태 해결의 새 ~를 찾았다.
돌:-팔매 [명] 무엇을 맞히려고 던지는 돌멩이. ¶~로 새를 잡다.
돌:팔매-질 [명][하자] 무엇을 맞히려고 돌멩이를 던지는 짓.
돌:-팔이 [명] 〔←돈팔이〕 **1** 떠돌아다니며 점이나 기술 또는 물건 따위를 팔며 사는 사람. **2** 자격이나 실력이 없이 전문직인 일을 하는 사람의 속칭. ¶~ 의사 / ~ 무당.
돌풍 (突風) [명] 갑자기 일어나는 바람《비유적으로도 씀》. ¶~을 일으키다 / 개혁의 ~이 몰아치다.
돌:-확 [명] 돌로 된 조그만 절구.
돐 [명] '돌[1]'의 잘못.
돔:[1] [명]〖어〗'도미'의 준말.
돔[2] (dome) [명] 반구형(半球形)으로 된 지붕이나 천장. ¶~ 구장.
***돕:다** 〔도우니, 도와〕 [타][ㅂ불] **1** 힘을 보태다. 협력하다. ¶서로 도우며 살다. **2** 위험한 처지나 어려운 상황에서 벗어나게 하다. ¶이해를 ~ / 불우 이웃을 ~. **3** 금전이나 물품을 주어 구제하다. ¶수재민을 ~. **4** 촉진·증진시키다. ¶이 약은 소화를 돕는다. **5** (흔히 '도와'의 꼴로 '밤' 따위와 함께 쓰여) 이용하다. ¶밤을 도와 길을 가다. **6** (흔히 '도와'의 꼴로 '길' 따위와 함께 쓰여) 재촉하다. ¶밤길을 도와 당도하다.
돗-바늘 [돋빠-] [명] 돗자리 등을 꿰매는 데 쓰는 매우 크고 굵은 바늘.
돗-자리 [돋짜-] [명] 왕골이나 골풀의 줄기를 잘게 쪼개서 친 자리. 석자(席子).
동[1] [一][명] 굵게 묶어서 한 덩이로 만든 묶음. ¶~으로 묶다 / ~을 지다. [二][의명] **1** 윷놀이에서 말이 첫 밭에서 끝 밭을 거쳐 나가는 한 차례를 세는 단위. ¶한 ~ 나다. **2** 묶음을 세는 단위《먹 열 장, 붓 열 자루, 무명·베 등의 50필, 백지 100권, 조기·비웃 등의 2,000마리, 생강 열 접, 곶감 100접의 일컬음》.
동[2] [명] **1** 사물과 사물을 잇는 마디. 또는 사물의 조리(條理). ¶~이 닿지 않는 말. **2** 언제부터 언제까지의 동안. ¶잠시 ~이 뜬 다음 말을 계속했다. **3** 저고리 소매에 이어 대는 동강의 조각. 끝동. ¶색~ / 소맷~.
동(을) 달다 [구] 말을 덧붙여서 시작하다.
동(을) 대다 [구] ㉠끊이지 않고 잇닿게 하다. ㉡말 따위를 조리에 맞게 하다.
동(을) 자르다 [구] ㉠관계를 끊다. ㉡길게 토막을 내서 끊다.
동(이) 끊기다 [구] 뒤가 계속되지 못하고 끊어지다.
동[3] [명] 무나 배추·상추 등에서 꽃이 피는 줄기. *장다리·종.
***동** (東) [명] 동쪽. ↔서(西).
[동에 번쩍 서에 번쩍] 정처가 없고 종적을 걷잡을 수 없을 만큼 이곳저곳을 왔다

갔다 함을 이르는 말.
*동:(洞) 명 1 시(市)·구(區)·읍을 구성하는 작은 행정 구획. 2 '동사무소'의 준말.
동(棟) 一명 〖건〗 종마루 등 지붕 위에 있는 마루. 二의명 집채를 세거나 차례를 나타내는 말. ¶3~ 102호.
*동(銅) 명 구리. ¶~메달.
동[4] 부 북·거문고 등의 소리. 큰둥.
동-가리 명 단으로 묶어 쌓은 무더기.
동가리-톱 명 나무를 가로로만 자르는 데 쓰는 톱. ↔내릴톱. 준동톱.
동가식서가숙(東家食西家宿) 명하자 먹을 곳 잘 곳이 없어 떠돌아다니며 지냄. 또는 그런 사람.
동감(同感) 명하자 남과 같은 생각이나 느낌. ¶나도 ~이다 / 그의 제의에 ~한다.
동:감(動感) 명 움직이는 듯한 느낌. ¶~이 넘치는 그림.
동갑(同甲) 명 같은 나이. 나이가 같은 사람. ¶그는 나와 ~이다.
동강 명 1 긴 물건을 작고 짤막하게 자른 그 토막. 동강이. ¶~ 나다 / ~ 내다. 2 짤막하게 잘라진 것을 세는 말《의존 명사적으로 씀》. ¶나무 세 ~.
동강(을) 치다 구 동강이 나게 자르다.
동강-동강 부 한 물건을 여러 동강으로 자르는 모양. ¶무를 ~ 자르다.
동거(同居) 명하자 1 한집이나 한방에서 같이 삶. ¶~인. ↔별거. 2 법적으로 부부가 아닌 남녀가 한집에서 부부 생활을 함. ¶결혼하기 전에 ~하다.
동격(同格)[-껵] 명 1 같은 자격이나 지위. 2 한 문장에서, 어떤 단어나 문절이 다른 단어나 문절과 문장의 구성상 같은 기능을 갖는 일. ¶주어와 ~인 말.
동:결(凍結) 명하자타 1 얼어붙음. 빙결(氷結). 2〖경〗 자산·자금 등의 사용 및 이동이 금지됨. 또는 그 상태. ¶자금이 ~되다 / 재산을 ~하다.
동경(東經) 명 〖지〗 지구 동반구의 경도. 본초(本初) 자오선을 0도로 하고, 동쪽으로 180도까지의 경선. ↔서경(西經).
동경(銅鏡) 명 구리로 만든 거울. 청동기 시대의 대표적 유물임. *석경(石鏡).
동:경(憧憬) 명하타 어떤 것을 그리워하며 애틋하게 생각함. ¶~의 대상 / 이상 세계를 ~하다.
동:경-심(憧憬心) 명 간절히 그리워하고 생각하는 마음. ¶~을 일으키다.
동:계(冬季)[-/-게] 명 겨울철. 동절(冬節). 동기(冬期). ¶~ 올림픽 대회.
동계(同系)[-/-게] 명 같은 계통. ¶~ 회사 / ~ 언어.
동고(同苦) 명하자 함께 고생함.
동고(銅鼓) 명 〖악〗 꽹과리.
동고-동락(同苦同樂)[-낙] 명하자 괴로움도 즐거움도 함께 함. ¶생사를 같이하며 ~하는 전우.
동-고리 명 동글납작한 작은 버들고리.
동곳[-곧] 명 상투를 튼 뒤에 풀어지지 않게 꽂는 물건.
동곳(을) 빼다 구 잘못을 인정하고 굴복하다.
동:공(瞳孔) 명 〖생〗 홍채(虹彩)의 한복판에 있는 동그란 작은 구멍. 눈동자.
동광(銅鑛) 명 〖광〗 1 구리를 캐는 광산. 동산(銅山). 동점(銅店). 2 구리를 함유한 광석. 구리광.
동교(同校) 명 1 같은 학교. 2 그 학교. 또는 이 학교.
동구(東歐) 명 〖지〗 동유럽. ↔서구.
동:구(洞口) 명 1 동네 어귀. 2 절로 들어가는 산문(山門)의 어귀.
동구래 명 1 '동구래깃'의 준말. 2 '동구래 저고리'의 준말.
동구래-깃[-긷] 명 깃부리를 반원형으로 하는 옷깃 만듦새. 준동구래.
동구래-저고리 명 길이가 짧고 앞섶이 좁으며 앞도련이 썩 동글고 뒷길이보다 좀 긴, 여자 저고리. 준동구래.
동국(東國) 명 1 중국의 동쪽에 있는 나라라는 뜻으로, 우리나라의 별칭. 2 동쪽에 있는 나라.
동:굴(洞窟) 명 깊고 넓은 굴. 동혈(洞穴).
동궁(東宮) 명 〖역〗 1 황태자. 왕세자. 2 태자궁. 세자궁.
동권(同權)[-꿘] 명 같은 권리. 동등한 권리. ¶남녀 ~.
*동그라미 명 1 원 모양의 둥근 형상. 원(圓). 2 〈속〉 돈. ¶~가 없다.
동그라미-표(-標) 명 동그랗게 그리거나 찍어서, 무엇이 맞다거나 옳음을 나타내는 표. 공표. ↔가위표.
동그라-지다 자 넘어지면서 구르다. ¶눈길에 미끄러져 ~. 큰둥그러지다.
동그랑-땡 명 〈속〉 엽전 크기의 저냐. 돈저냐.
동그랑-쇠 명 1 굴렁쇠. ¶~를 굴리며 놀다. 2 삼발이1.
*동그랗다[-라타]〔동그라니, 동그라오〕 형 ㅎ불 아주 동글다. ¶원을 동그랗게 그리다. 큰둥그렇다. 센똥그랗다.
동그래-지다 자 동그랗게 되다. ¶깜짝 놀라 눈이 ~. 큰둥그레지다. 센똥그래지다.
동그스름-하다 형여불 약간 동글다. ¶동그스름한 얼굴. 큰둥그스름하다. 동그스름-히 부
동:극(童劇) 명 '아동극'의 준말.
동근(同根) 명 1 근본이 같음. 또는 그 근본. 2 자란 뿌리가 같음. 3 형제.
동글납작-이 부 동글납작하게.
동글납작-하다[-짜카-] 형여불 생김새가 동글고 납작하다. 큰둥글넓적하다.
동글다〔동그니, 동그오〕 一형 원이나 공 모양으로 되어 있다. 큰둥글다. 二자 동그랗게 되다. 큰둥글다.
동글-동글 부하형 1 동그라미를 그리며 계속해 돌아가는 모양. 2 여럿이 모두 동근 모양. ¶아이들의 ~한 눈망울. 큰둥글둥글. 센똥글똥글.
동글리다 타 《'동글다'의 사동》 동글게 만들다. 큰둥글리다.
동급(同級) 명 1 같은 등급. 2 같은 학급이나 학년. 3 같은 계급.
동급-생(同級生) 명 같은 학급이나 학년의 학생.
동:기(冬期) 명 겨울철. 겨울 동안.
동기(同氣) 명 형제와 자매, 남매의 총칭.

동기 (同期) 명 **1** 같은 시기. ¶ ~의 작품. **2** 학교·훈련소 따위에서 같은 기(期). ¶ 입사 ~. **3** '동기생'의 준말.
동:기 (動機) 명 **1** 의사 결정이나 행위의 직접적인 원인. 계기. ¶ 범행 ~/작품을 쓰게 된 ~. **2**〖악〗모티프2.
동:기 (童妓) 명 어린 기생.
동기 (銅器) 명 구리로 만든 그릇.
동기-간 (同氣間) 명 형제자매 사이. ¶ ~의 우애가 두텁다. *형제간.
동기-생 (同期生) 명 같은 기(期)에 강습·졸업 등을 한 사람. 준동기.
동-나다 자 물건 따위가 다 떨어지다. ¶ 가게의 물건이 ~.
동남 (東南) 명 **1** 동쪽과 남쪽. **2** 남동.
동-남동 (東南東) 명 동쪽과 남동쪽과의 중간 방위.
동남-아 (東南亞) 명 동남아시아.
동남-아시아 (東南Asia) 명〖지〗아시아의 동남부 지방《대개 인도차이나 반도·인도네시아·필리핀 등 지역》.
동남-풍 (東南風) 명 남동풍.
동:내 (洞內) 명 동네 안.
동:-내의 (冬內衣)[-/-이] 명 겨울에 보온을 위하여 입는 속옷.
동:냥 명하자타 〔←동령(動鈴)〕 **1**〖불〗중이 시주를 얻으려고 돌아다님. 또는 그렇게 얻은 곡식. **2** 거지나 동냥아치가 돌아다니며 구걸함. 또는 그렇게 얻은 금품.
[동냥은 안 주고 쪽박만 깬다] 요구를 들어 주기는커녕 오히려 해친다.
동:냥-아치 명 **1** 동냥하러 다니는 사람. 준동냥치. **2**〈방〉거지.
동:냥-자루 [-짜-] 명 동냥아치가 가지고 다니는 자루.
[동냥자루를 찢는다] 변변치 못한 이익이나 공을 더 차지하려고 다툰다.
동:냥-젖 [-젇] 명 남의 젖을 얻어먹는 일. 또는 그 젖. 돌림젖. ¶ ~으로 자라다.
동:냥-중 [-쭝] 명 동냥을 다니는 중. 자미승(粢米僧).
동:냥-질 명하타 동냥하러 다니는 짓. ¶ 먹을 것을 ~하다.
***동:네** (洞-) 명 **1** 자기가 사는 집의 근처. **2** 여러 집이 모여 사는 곳. 마을.
[동네 색시 믿고 장가 못 든다] 막연하게 믿고 바라다가 일을 그르친다.
동:네-방네 (洞-坊-) 명 온 동네. 이 동네 저 동네. ¶ ~ 떠벌리고 다니다.
동:네-북 (洞-) 명 동네 사람이 함께 쓰는 북이란 뜻으로, 여러 사람이 함부로 건드리거나 대하는 사람. ¶ 나만 보고 야단들이니 내가 무슨 ~인가.
[동네북 치듯 하다] 이 사람 저 사람이 달려들어 마구 때리다.
동년 (同年) 명 **1** 같은 해. **2** 같은 나이. 동령(同齡). ¶ 그와 나는 ~이다.
동년-배 (同年輩) 명 나이가 같은 또래인 사람. ¶ ~끼리는 의기상투하는 데가 있다.
동-녘 (東-)[-녁] 명 동쪽 방향. ¶ ~ 하늘이 밝아 온다. ↔서녘.
동:-답 (洞畓) 명 동네 사람들이 공동으로 부치는 논.
동당 (同黨) 명 **1** 같은 당파(黨派). **2** 그 당.
동당-거리다 자타 북·장구 따위를 두드리는 소리가 잇따라 나다. 또는 그런 소리를 잇따라 내다. 큰둥덩거리다. **동당-동당** 부하자타
동당-대다 자타 동당거리다.
동댕이-치다 타 **1** 들어서 힘껏 내던지다. ¶ 책을 방바닥에 ~. **2** 하던 일을 딱 잘라 그만두다.
동도 (同道) 명하자 **1** 같은 도. ¶ ~ 출신. **2** 그 도. 이 도. **3** 길을 같이 감.
동동[1] 부 작은 북을 잇따라 두드리는 소리. 큰둥둥.
***동동**[2] 부 매우 안타깝거나 추울 때 발을 자꾸 구르는 모양. ¶ 조바심하며 발을 ~ 구르다.
동동[3] 부 '동실동실'의 준말. 큰둥둥.
동동-거리다 ㅡ자 잇따라 동동 소리가 나다. 큰둥둥거리다. ㅡ타 **1** 몹시 춥거나 애가 타서 발을 자꾸 구르다. **2** 잇따라 동동 소리를 나게 하다. 큰둥둥거리다.
동동-걸음 명 급하거나 추워서 발을 자주 떼며 걷는 걸음. ¶ ~을 치며 지나가다.
동동-대다 자타 동동거리다.
동동-주 (-酒) 명 맑은 술을 떠내지 않아 밥알이 동동 떠 있는 막걸리. 특주.
동등 (同等) 명하형 등급이나 정도가 같음. 또는 그런 등급이나 정도. ¶ ~한 자격/~하게 다루다/~한 대우를 받다.
동등-권 (同等權)[-꿘] 명 동등한 권리. 대등한 권리. 동권. ¶ 남녀 ~.
동-떨어지다 자 **1** 거리가 멀리 떨어지다. ¶ 마을에서 동떨어진 곳. **2** 관련이 거의 없다. ¶ 현실과 동떨어진 이론.
동떨어진 소리 구 ㉠남에게 대해 경어도 반말도 아닌 어리뻥뻥한 말씨. ㉡조리가 닿지 않는 말.
동-뜨다 〔동뜨니, 동떠〕 형 **1** 다른 것보다 훨씬 뛰어나다. **2** 동안이 뜨다. **3** 평상시와 다르다.
동라 (銅鑼)[-나] 명〖악〗징[2].
동:란 (動亂)[-난] 명 폭동·반란·전쟁 따위로 말미암아 사회가 질서를 잃고 혼란해지는 일.
동량 (棟梁·棟樑)[-냥] 명 **1** 마룻대와 들보. **2** '동량지재'의 준말. ¶ 국가의 ~.
동량지재 (棟梁之材)[-냥-] 명 한 집안이나 한 나라를 맡아 다스릴 만한 인재. 준동량.
동:력 (動力)[-녁] 명 **1**〖물〗원동기에 의해, 기계를 움직이게 하는 에너지로 변형·발생시킨 힘《전력·수력·풍력 등》. **2** 어떠한 물체를 움직이게 하는 힘. 또는 어떤 일을 추진하고 발전시키는 힘. 원동력(原動力).
동:력-선 (動力線)[-녁-] 명〖전〗배전선 가운데, 일반 전동기에 전력을 공급하는 회로(回路). *전등선.
동:력 자원 (動力資源)[-녁-] 동력을 일으키는 자원《수력·석탄·석유 등》.
동렬 (同列)[-녈] 명 **1** 같은 줄. **2** 같은 동아리. **3** 같은 수준이나 위치. **4**〖역〗같은 반열(班列). **5** 같은 항렬.
동:령 (動令)[-녕] 명〖군〗실제 동작을 하도록 지시하는 구령의 끝 부분《'앞으로 가·열중 쉬어' 등에서 '가·쉬어' 따위》. *예령.

동록(銅綠)[-녹] 명 구리 거죽에 녹이 슬어 생기는 푸른빛의 물질. 동청(銅靑). ¶그릇에 ~이 슬었다. 준녹(綠).
동록(이) 오르다 구 동록이 생겨서 빛깔이 파랗게 되다.
동료(同僚)[-뇨] 명 한 직장에서 함께 일하는 사람.
동료-애(同僚愛)[-뇨-] 명 동료를 아끼고 위하는 마음.
동류(同流)[-뉴] 명 **1** 같은 유파(流派). ¶~에 속하는 작품. **2** 동배(同輩).
동류(同類)[-뉴] 명 **1** 같은 종류나 부류. 동종(同種). **2** 같은 무리. ¶~로 취급되다.
동:륜(動輪)[-뉸] 명 실린더나 원동기의 동력에 따라 기관차를 움직이는 바퀴.
동률(同率)[-뉼] 명 같은 비율. 또는 같은 비례. ¶~ 우승.
동:리(洞里)[-니] 명 **1** 마을. **2** 동(洞)과 이(里)를 아울러 이르는 말.
동-마루(棟-) 명 〔건〕 기와로 쌓아 올린 지붕마루.
동-막이(垌-) 명하타 물을 막기 위하여 둑을 쌓는 일.
동-매 명 물건을 동이는 데 쓰는 묶는 새끼나 끈 따위.
동:맥(動脈) 명 **1**〔생〕 심장에서 피를 몸의 각 부분에 보내는 혈관. ¶~ 경화증/~ 주사. ↔정맥. **2** 어떤 분야나 부분에서 으뜸되는 수단. ¶경부선은 한국의 ~이다.
동맹(同盟) 명하자 개인·단체 및 국가가 서로의 이익이나 목적을 이루기 위해 함께 행동하기로 맹세하여 맺는 약속이나 조직체. 또는 그 관계를 맺음. ¶공수 ~/~을 맺다.
동맹(東盟) 명 〔역〕 고구려 때, 매년 시월에 지내던 제천(祭天) 행사《일종의 추수 감사제》. 영고(迎鼓).
동맹-국(同盟國) 명 서로 동맹을 맺은 나라. 맹방. 맹약국.
동맹 파:업(同盟罷業) 노동자가 단결하여 고용주에 대해 그들의 요구를 관철하기 위해 일제히 작업을 중지하는 일. 준파업.
동-메달(銅medal) 명 구리로 만든 상패. 흔히, 삼등 입상자에게 줌. 동패(銅牌).
동:면(冬眠) 명하자 **1**〔동〕 동물이 겨울 동안 활동을 멈추고 땅속·물속 등에서 수면 상태에 있는 현상. 겨울잠. ↔하면(夏眠). **2** 활동이 일시적으로 휴지 상태에 이름의 비유.
동면(東面) 명 **1** 동쪽에 있는 면. **2** 앞을 동쪽으로 둠.
동명(同名) 명 같은 이름. 이름이 서로 같음.
동:명(洞名) 명 동(洞)이나 동네의 이름.
동:-명사(動名詞) 명 〔언〕 영어 따위에서, 동사와 명사의 기능을 겸한 품사.
동명-이인(同名異人) 명 이름은 같되 사람은 다름. 또는 그 사람. ¶한 회사 안에도 ~은 더러 있다.
동몽(童蒙) 명 어려서 아직 사리에 어두운 사내아이.
***동무** 명 **1** 늘 친하게 어울리는 사람. 친구. 벗. **2** 어떤 일에 짝이 되거나 함께 일하는 사람. 동지(同志). ¶여행길 ~. **3** 광산에서 한 덕대 아래 일하는 인부.
[동무 따라 강남 간다] 동무에 끌려 할 마음 없이 행동한다.
동무-하다 자여불 서로 짝이 되어 행동을 같이하다. ¶우리 동무해서 갑시다.
동문(同文) 명 같은 글자 또는 글. ¶이하 ~입니다.
동문(同門) 명 **1** 같은 학교나 같은 스승 밑에서 배운 사람. ¶길에서 대학 ~을 만나다. **2** 같은 문중이나 종파(宗派). 또는 그 사람.
동문(東門) 명 동쪽에 있는 문.
동:문(洞門) 명 **1** 동굴의 입구. 또는 거기에 세운 문. **2** 동네 입구에 세운 문.
동문서답(東問西答) 명하자 묻는 말에 당치도 않은 대답을 함. 또는 그 대답.
동문-수학(同門受學·同門修學) 명하자 한 스승 밑에서 같이 배움. ¶우리는 ~한 사이다.
***동:물**(動物) 명 **1**〔생〕 생물을 식물과 함께 둘로 대별할 때의 하나. 운동·감각·신경 등의 기능이 발달하고 주로 유기물을 섭취하며, 세포에 세포벽이 없음. 소화·배설·호흡·순환·생식 등의 각 기관이 분화됨. 새·짐승·물고기 등의 총칭. ↔식물. **2** 특히, 사람을 제외한 짐승의 일컬음.
동:물-성(動物性)[-썽] 명 동물이 지닌 체질이나 성질. *식물성.
동:물-원(動物園) 명 살아 있는 동물을 모아 사육하면서 일반에게 관람시키는 곳.
동:물-적(動物的)[-쩍] 관명 **1** 동물의 본성과 같은 (것). ¶~ 본능. **2** 지각없이 본능대로만 행동하는 야만스러운 (것).
동:물-학(動物學) 명 동물의 분류·생태·발생·생리·유전·진화 등에 관해 연구하는 생물의 한 분야. ↔식물학.
동:민(洞民) 명 **1** 한 동네에 사는 사람. **2** 그 동(洞)에 사는 사람.
동-바 명 지게에 짐을 얹고 눌러 매는 줄.
동-바리 명 **1**〔건〕 툇마루나 좌판 밑에 받쳐 대는 짧은 기둥. **2**〔광〕 갱도 따위가 무너지지 않게 받치는 나무 기둥. 준동발.
동반(同伴) 명하자타 **1** 일을 하거나 길을 갈 때 함께 짝을 함. 또는 그 짝. ¶가족 ~/부인을 ~하다. **2** 사물이나 현상이 함께 생김. ¶고열이 ~되는 유행성 감기.
동반(東班) 명 〔역〕 문관의 반열(班列). ↔서반(西班).
동-반구(東半球) 명 〔지〕 지구를 동경(東經) 160도, 서경(西經) 20도 선에서 동서 두 쪽으로 나눈 것의 동쪽 부분. ↔서반구.
동반-자(同伴者) 명 **1** 짝이 되어 함께 행동하는 사람. ¶여행의 ~. **2** 어떤 행동에 적극적으로 참가하지는 않으나 그것을 이해하고 뜻을 함께하는 사람. 동조자(同調者). ¶~ 의식.
동-발 명 **1** 지게 몸채의 아랫부분. 지겟다리. **2** '동바리'의 준말.
동발(銅鈸) 명 〔악〕 자바라(啫哱囉)·제금·향발(響鈸) 등의 총칭.
동방(東方) 명 동쪽. 동쪽 지방.
동방(東邦) 명 **1** 동쪽에 있는 나라. **2** 우리나라.
동-방구리 명 동이보다 작고 배가 더 부른

질그릇.

동방예의지국 (東方禮儀之國)[-/-이-] 명 예의를 잘 지키는 동쪽의 나라《중국에서 우리나라를 일컫던 말》.

동배 (同輩) 명 나이나 신분이 서로 같거나 비슷한 사람. 동년배.

동백 (冬柏) 명 동백나무의 열매.

동백-기름 (冬柏-) 명 동백으로 짠 기름《머릿기름·등잔 기름 따위로 씀》.

동백-나무 (冬柏-)[-뱅-] 명 〖식〗 차나뭇과의 작은 상록 활엽 교목. 산지·해안·촌락에 남. 4-5월에 홍색·자색 또는 백색의 큰 꽃이 피고, 열매는 늦가을에 붉게 익음. 관상용이며, 씨는 머릿기름·등잔 기름 또는 약용으로 씀. 다매(茶梅).

동:병 (動兵) 명하자 군대를 움직이어 일으킴.

동병-상련 (同病相憐)[-년] 명 같은 병을 앓는 사람끼리 서로 가엾게 여긴다는 뜻으로, 어려운 처지에 있는 사람끼리 서로 동정하고 도움.

동:복 (冬服) 명 겨울옷.

동복 (同腹) 명 한 어머니에게서 태어남. 또는 그 사람. ¶ ~형제. ↔이복(異腹).

동본 (同本) 명 같은 본관(本貫).

동봉 (同封) 명하타 함께 넣어 봉함. ¶ 편지에 사진을 ~하다.

동부 명 〖식〗 1 콩과의 한해살이 덩굴풀. 열대 및 온대에서 재배함. 잎은 달걀 모양의 마름모꼴이며, 여름에 나비 모양의 흰색·담자색 꽃이 핌. 협과는 길이 30cm 가량임. 씨와 어린 깍지는 먹음. 광저기. 2 동부의 익은 열매.

동부 (同父) 명 아버지가 같음. ↔이부(異父).

동부 (同符) 명하자 1 같은 부호. 부호가 같음. 2 똑같이 들어맞음. 부합(符合).

동부 (東部) 명 1 동쪽 부분. ↔서부. 2 〖역〗 조선 때, 서울 안 5부의 동쪽 구역. 또는 그 구역을 관할하던 관아.

동부 (胴部) 명 몸통.

동-부인 (同夫人) 명하자 아내와 함께 동행함. ¶ ~해서 동창 모임에 참석하다.

동북 (東北) 명 1 동쪽과 북쪽. 2 동쪽과 북쪽 사이의 방위. ¶ ~향(向)으로 길이 났다. ↔서남.

동-북동 (東北東) 명 동쪽과 북동쪽과의 중간 방위.

동북-풍 (東北風) 명 북동풍.

동분서주 (東奔西走) 명하자 이리저리 바삐 돌아다님. 동치서주. ¶ 취직 자리를 찾아 ~하다.

동:빙 (凍氷) 명하자 결빙.

동사 (同死) 명하자 같이 죽음. 죽음을 함께 함.

동:사 (凍死) 명하자 얼어 죽음. ¶ ~ 사고.

동:사 (動詞) 명 〖언〗 사물의 동작이나 작용을 나타내는 품사. 그 뜻과 쓰임에 따라 본동사와 조동사로, 성질에 따라 자동사와 타동사로, 어미 변화에 따라 규칙 동사와 불규칙 동사로 나눔. 움직씨.

동:-사무소 (洞事務所) 명 동의 행정 사무를 맡아보는 곳. 준동.

***동산** 명 1 집이나 마을 부근에 있는 작은 산이나 언덕. 2 큰 집의 정원에 만들어 놓은 작은 산이나 숲.

동:산 (動産) 명 토지나 건물이 아닌 돈·증권·패물·골동품같이 쉽게 옮길 수 있는 재산. ↔부동산.

동-살[1] [-쌀] 명 〖건〗 창문이나 문짝 등에 가로지른 살. 동살대. ↔장살.

동-살[2] [-쌀] 명 새벽에 동이 트면서 훤하게 비치는 햇살.

동살(이) 잡히다 구 동트기 시작하여 햇살이 훤하게 비치기 시작하다.

동:상 (凍傷) 명 심한 추위로 피부가 얼어서 상하는 일. 또는 그 상처. ¶ ~에 걸리다 / ~을 입다.

동상 (銅賞) 명 상의 등급을 금·은·동으로 나누었을 때의 3등상.

동상 (銅像) 명 구리로 만든 사람·동물의 형상. ¶ 독립 유공자들의 ~.

동상-례 (東床禮)[-녜] 명 혼례가 끝난 뒤에 신랑이 신부 집에서 벗들에게 음식을 대접하는 일.

동상-이몽 (同牀異夢) 명 같은 자리에 자면서 다른 꿈을 꾼다는 뜻으로, 행동은 같이 하지만 생각은 다름. 동상각몽(同牀各夢).

동색 (同色) 명 1 같은 빛깔. 2 같은 당파. 또는 같은 편. ¶ 초록은 ~이다.

***동생** (同生) 명 1 아우나 손아래 누이. 2 같은 항렬에서 자기보다 나이가 적은 사람.

동서 (同棲) 명하자 1 법적인 부부가 아닌 남녀가 한집에서 부부 생활을 함. ¶ ~ 생활. 2 다른 종류의 동물이 한곳에서 삶.

동서 (同壻) 명 자매의 남편끼리 또는 형제의 아내끼리의 호칭. ¶ ~ 간에 우애가 깊다.

동서 (東西) 명 1 동쪽과 서쪽. 2 동양과 서양. ¶ ~ 문화의 교류. 3 공산권과 자유 진영을 이르는 말. ¶ ~ 냉전이 종식되다.

동서-고금 (東西古今) 명 동양과 서양, 옛날과 지금을 통틀어 이르는 말로, '어디서나, 언제나'의 뜻. ¶ ~에 없는 일이다.

동서남북 (東西南北) 명 동쪽·서쪽·남쪽·북쪽. 곧, 사방.

동서-양 (東西洋) 명 〖지〗 동양과 서양. 곧, 온 세계.

동석 (同席) 명하자 1 같은 석차. 2 자리를 같이함. 또는 같은 자리. ¶ 우연히 그와 ~하게 되었다.

동:선 (動線) 명 건축·도시 공간에서, 사람이나 물건이 움직이는 자취나 방향을 나타내는 선. ¶ ~을 고려해서 가구를 배치한다.

동성 (同性) 명 성별(性別)이 같음. ↔이성(異性).

동성 (同姓) 명 같은 성(姓). ↔이성(異姓).

동성-동명 (同姓同名) 명 성과 이름이 같음. 동성명.

동성-동본 (同姓同本) 명 성도 같고 본관도 같음. ¶ ~도 혼인이 가능해졌다.

동-성명 (同姓名) 명 동성동명(同姓同名).

동성-애 (同性愛) 명 같은 성(性)끼리 사랑함. 또는 그러한 관계. 동성연애.

동성-연애 (同性戀愛)[-년-] 명 동성애.

동소-체 (同素體) 명 〖화〗 같은 원소로 되어 있으나 그 구조와 성질이 전혀 다른 홑원소 물질《금강석과 흑연 등》.

동수 (同數) 명 같은 수효. ¶ 찬반(贊反) ~

로 재투표를 실시하다.
동숙 (同宿) [명][하자] 한방 또는 한곳에서 함께 잠. ¶~한 사람과 인사를 나누다.
동승 (同乘) [명][하자] 자동차·배·비행기 따위를 같이 탐. ¶같은 배에 ~하다.
***동시** (同時) [명] **1** 같은 때나 시기. ¶~ 녹음 / ~ 상영. **2** (주로 '동시에'의 꼴로 쓰여) 어떤 사실을 겸함. ¶장점인 ~에 단점이다.
동:시 (凍屍) [명] 얼어 죽은 시체.
동:시 (童詩) [명] 〔문〕 **1** 어린이가 지은 시. **2** 어린이를 위한 시.
동시-통역 (同時通譯) [명][하타] 국제 회의 등에서, 상대가 이야기를 하기 시작함과 동시에 하는 통역.
동:-식물 (動植物) [-싱-] [명] 동물과 식물.
동:신-제 (洞神祭) [명] 〔민〕 마을을 지켜 주는 신에게 지내는 제사. 동제(洞祭).
동실 [부] 작은 물체가 가볍게 떠 있는 모양. [큰]둥실.
동실-동실[1] [부] 작은 물체가 떠서 가볍게 움직이는 모양. ¶종이배가 ~ 떠내려간다. [큰]둥실둥실. [준]동동.
동실-동실[2] [부][하형] 동글고 토실토실한 모양. ¶~한 아기 얼굴. [큰]둥실둥실.
동심 (同心) [명][하자] **1** 마음을 같이함. 또는 그 마음. ¶~협력하여 어려움을 헤쳐 나가다. **2** 〔수〕 몇 개의 도형(圖形)이 모두 같은 중심을 가지는 일.
동:심 (動心) [명][하자] 마음이 움직임.
동:심 (童心) [명] 어린이의 마음. 또는 어린이처럼 순진한 마음. ¶~의 세계 / ~으로 돌아가다.
동심-원 (同心圓) [명] 〔수〕 중심을 같이하는 둘 이상의 원.
동:아 [명] 〔식〕 박과의 한해살이 덩굴 식물. 줄기가 굵으며 덩굴손으로 다른 것에 기어오름. 잎은 심장 모양이며, 여름에 황색 꽃이 피고 과실은 호박 비슷함. 맛이 좋음. 동과(冬瓜).
[동아 속 썩는 것은 밭 임자도 모른다] 남의 깊은 걱정은 아무리 가까운 사이라도 모른다.
동아리[1] [명] 크거나 긴 물건의 한 부분. ¶구운 생선의 가운데 ~는 어머니께 드렸다.
동아리[2] [명] 목적이 같은 사람들이 한패를 이룬 무리. ¶연극 ~.
동-아시아 (東Asia) [명] 〔지〕 아시아의 동부. 곧, 한국·중국·일본 등을 포함하는 지역을 이름.
동아-줄 [명] 굵고 튼튼하게 꼰 줄.
***동안** [명] 어느 때부터 어느 때까지의 사이. ¶살아 계시는 ~에.
동안(이) 뜨다 [구] ㉠시간이 오래 걸리다. ㉡거리가 멀다. 동뜨다.
동안 (東岸) [명] 동쪽 연안. ↔서안.
동:안 (童顔) [명] **1** 어린아이의 얼굴. **2** 나이 든 사람의 어린아이 같은 얼굴. ¶그의 웃는 모습은 ~ 그대로다.
동안거 (冬安居) [명][하자] 〔불〕 승려가 음력 시월 열닷샛날부터 이듬해 정월 보름날까지 일정한 곳에 살며 수도함.
동액 (同額) [명] 같은 액수.
***동양** (東洋) [명] 〔지〕 동쪽 아시아 및 그 일대를 이르는 말. ↔서양.
동양-미 (東洋美) [명] 동양적인 특색을 지닌 아름다움.
동양-사 (東洋史) [명] 동양 여러 나라의 역사. ↔서양사.
동양-화 (東洋畫) [명] 〔미술〕 중국·일본·한국 등의 동양에서 발달해 온 재래의 그림 《주로 먹·안료(顔料)로 종이나 헝겊에 그리는데 산수화·사군자를 흔히 제재로 함》. ↔서양화.
동업 (同業) [명][하자] **1** 같은 종류의 직업이나 영업. ¶~지(紙)와의 경쟁. **2** 사업을 같이함. 또는 그 사업. 동사(同事). ¶~자.
동여-매다 [타] 두르거나 감아서 묶다. ¶금이 간 항아리를 철사로 ~.
동:-영상 (動映像) [명] 〔컴〕 컴퓨터 모니터의 화상(畫像)이 텔레비전 화상처럼 움직이는 영상.
동-옷 [-옫] [명] 남자가 입는 저고리. 겹것과 핫것이 있음. 동의(胴衣).
동:요 (動搖) [명][하자] **1** 흔들려 움직임. 또는 움직여 흔들림. ¶차체가 크게 ~되다. **2** 생각이나 처지가 흔들림. ¶마음의 ~. **3** 체제·상황이 혼란스럽고 술렁임. ¶민심이 크게 ~하다.
동:요 (童謠) [명] 어린이의 정서를 표현한 정형시. 또는 거기에 가락을 붙인 노래. ¶~ 작가 / ~를 짓다.
동:원 (動員) [명][하자타] **1** 군대를 전쟁·비상사태 따위에 대처할 수 있는 태세로 바꾸는 일. ¶예비군을 ~하다 / ~된 병력을 전선에 배치하다. **2** 전시에 인적·물적 자원을 정부가 통일적으로 관리함. ¶군수 물자를 ~하다. **3** 어떤 목적을 달성하기 위해 사람이나 물건을 집중시킴. ¶주민을 사방 사업에 ~하다 / 모든 사원을 ~해 판매 현장에 투입하다.
동:원-령 (動員令) [-녕] [명] 비상사태가 발생하였을 때 병력·물자를 동원하는 명령. ¶~이 선포되다.
동위 (同位) [명] **1** 같은 위치. **2** 같은 지위나 등급.
동위-각 (同位角) [명] 〔수〕 한 직선이 두 개의 직선과 만날 때 각 직선이 같은 쪽에서 그 직선과 만드는 각.
동위 원소 (同位元素) 〔화〕 원자 번호는 같으나 질량수가 다른 원소《수소(水素) ^{1}H와 중(重)수소 ^{2}H·^{3}H 따위》. 아이소토프.
동-유럽 (東Europe) [명] 〔지〕 유럽의 동부에 있는 여러 나라《소련 해체 후에는 흔히 경제적·지리적 용어로 씀》. 동구라파.
동음 (同音) [명] 같은 소리. 동일한 음(音).
동음-어 (同音語) [명] 동음이의어.
동음-이의 (同音異義) [-/-이] [명] 글자의 소리는 같으나 뜻이 다름.
동음이의-어 (同音異義語) [-/-이-] [명] 소리는 같으나 뜻이 다른 낱말. 동음어.
동음-이자 (同音異字) [명] 발음은 같으나 글자가 다름. 또는 그 글자.
동의 (冬衣) [-/-이] [명] 겨울철에 입는 옷. 동복(冬服). ↔하의(夏衣).
동의 (同義) [-/-이] [명] 같은 뜻. 또는 뜻이 같음.
동의 (同意) [-/-이] [명][하자] **1** 같은 의미. **2** 의견을 같이함. ¶그의 주장에 ~하다. ↔

이의(異意). **3** 다른 사람의 행위를 시인함. ¶제안에 ~하다 / ~를 구하다. **4**〘법〙남의 행위를 보충 또는 승인하는 의사 표시.
동의 (同議)[-/-이] 명 의견이나 주의가 같은 의론. ↔이의(異議).
동:의 (動議)[-/-이] 명하타 회의 중에, 출석자가 예정 이외의 의안을 제출함. 또는 그 의제(議題). ¶~가 있고 재청이 나왔다.
동의-어 (同義語·同意語)[-/-이-] 명〘언〙뜻이 같은 말《'책과 서적'·'태양과 해' 따위》. ↔반의어·상대어.
동이 명 몸이 둥글고 아가리가 넓으며 양옆에 손잡이가 달린 흔히 물 긷는 데에 쓰는 질그릇. ¶~를 이고 가는 아낙네.
동이 (東夷) 명 예전에, 동쪽의 오랑캐라는 뜻으로, 중국 사람들이 그들의 동쪽에 있는 한국·일본·만주 등의 민족을 멸시하여 일컫던 말.
동이다 타 끈·실 등으로 감거나 둘러서 묶다. ¶머리를 수건으로 질끈 ~.
동인 (同人) 명 **1** 바로 그 사람. 같은 사람. **2** 뜻을 같이하여 모인 사람. ¶문학 ~.
동인 (東人) 명〘역〙조선 때, 붕당(朋黨)의 하나《서인(西人)에 대립한 김효원(金孝元)·유성룡(柳成龍) 등을 중심으로 한 당파로, 다시 남인·북인으로 나뉨》. ↔서인(西人).
동:인 (動因) 명 어떤 사태를 일으키거나 변화시키는 직접적인 원인.
동인-잡지 (同人雜誌) 명 사상·취미 등이 같은 사람끼리 편집·발간하는 간행물. 동인지.
동인-지 (同人誌) 명 동인잡지.
동일 (同一) 명하형 **1** 서로 같음. ¶~한 견해. **2** 각각 다른 것이 아니라 하나임. ¶~ 인물 / ~한 언어.
동일 (同日) 명 **1** 같은 날. **2** 그날.
동일-성 (同一性)[-썽] 명 두 개 이상의 사상(事象)·사물이 서로 구별할 수 없도록 성질이 같은 일.
동일-시 (同一視)[-씨] 명하타 **1** 둘 이상의 것을 같은 것으로 봄. 동일화. ¶의견들이 획일적으로 ~되었다. **2** 심리학에서, 남과 자기를 같은 것으로 여기어 욕구를 실현하는 일《자기가 마치 소설의 주인공이 된 것처럼 느끼는 것 따위》.
동자 명하자 밥 짓는 일.
동:자 (童子) 명 사내아이.
동:자 (瞳子) 명 눈동자.
동:자-기둥 (童子-) 명〘건〙들보 위에 세우는 짧은 기둥《상량·오량(五樑) 등을 받침》. 쪼구미. 동자주.
동:자-목 (童子木) 명 장롱 서랍 따위의 사이를 칸을 막아서 짜는 좁은 나무.
동:자-승 (童子僧) 명〘불〙나이가 어린 중. 동승(童僧). 동자중.
동:자-중 (童子-) 명〘불〙동자승.
***동:작** (動作) 명하자 **1** 몸이나 손발을 움직임. 또는 그 모양. ¶세련된 ~ / ~이 굼뜨다. **2** 무술·춤 따위에서, 특정한 몸놀림이나 손발의 움직임. ¶방어 ~을 취하다.
동:작-상 (動作相) 명〘언〙동사가 의미하는 동작의 양상·성질을 나타내는 문법 형태. 한국어에는 완료상(完了相)·진행상(進行相)·예정상(豫定相)이 있음.
동:장 (洞長) 명 동사무소의 우두머리.
동:-장군 (冬將軍) 명 혹독한 겨울 추위의 비유. ¶~이 기승을 부리다.
동-저고리 명 〈속〉 동옷.
동:적 (動的)[-쩍] 관명 움직이고 있는 (것). 힘이 작용하고 있는 (것). ¶~ 경향이 강한 그림. ↔정적(靜的).
***동전** (銅錢) 명 **1** 구리와 주석의 합금으로 만든 돈. 동화. **2** 구리·은·니켈 또는 이것들의 합금 등으로 만든 둥근 돈의 총칭. ¶백 원짜리 ~ / ~ 투입구.
동:-전기 (動電氣) 명〘물〙움직이고 있는 전기《반드시 자기(磁氣) 작용을 동반함》. *정(靜)전기.
동:절 (冬節) 명 겨울철. 동계(冬季).
동점 (同點)[-쩜] 명 같은 점수. ¶~을 기록하다.
동점 (東漸) 명하자 세력을 점점 동쪽으로 옮김. ¶서양 문화의 ~.
동접 (同接) 명하자 같은 곳에서 학업을 닦음. 또는 그 사람이나 관계.
동정 명 한복 웃깃 위에 조붓하게 덧대어 꾸미는 흰 헝겊 오리. ¶~을 달다.
동정 (同情) 명하자타 남의 슬픔·불행 따위를 이해하고 가엾게 여겨 온정을 베풂. ¶~의 눈물 / ~의 손길 / ~을 베풀다 / ~이 가다.
동정 (東征) 명하자 동방을 정벌함. 또는 동으로 원정함.
동:정 (動靜) 명 **1** 움직임과 정지. **2** 일이나 현상이 벌어지고 있는 낌새. ¶정계의 ~ / 적의 ~을 살피다. **3** 일상적인 모든 행위. 기거(起居). ¶방학 중의 ~을 일기에 쓰다.
동:정 (童貞) 명 이성(異性)과 성적인 접촉이 없이 지키고 있는 순결. 또는 그런 사람. ¶~을 지키다 / ~을 잃다.
동:정-남 (童貞男) 명 동정인 남자. 숫총각. ↔동정녀.
동:정-녀 (童貞女) 명 **1** 동정인 여자. 숫처녀. ↔동정남. **2**〘가〙'성모 마리아'를 가리키는 말.
동정서벌 (東征西伐) 명하자 여러 나라를 이리저리 정벌함.
동정-심 (同情心) 명 남의 어려운 처지를 안타깝게 여기는 마음. ¶~을 느끼다 / ~이 너무 많아 탈이다.
동제 (銅製) 명 구리로 만듦. 또는 그 물건.
동조 (同調) 명하자 **1**〘악〙같은 가락. **2** 시 따위의 음률이 같음. **3** 남의 생각·주장에 따르거나 보조를 맞춤. ¶~를 얻다 / ~하여 부화뇌동하다. **4**〘물〙어떤 진동체 고유의 진동수를 밖에서 오는 진동력의 진동수에 일치시켜 공명을 일으키는 일.
동조-기 (同調器) 명〘물〙라디오·텔레비전 등에서 안테나가 잡은 특정한 주파수의 전파를 선택하는 회로. 튜너(tuner).
동조-자 (同調者) 명 어떤 운동에 적극적으로 참가하지는 않으나, 뜻을 같이하고 협조하는 사람. ¶사상적 ~.
동족 (同族) 명 **1** 같은 겨레 또는 혈족. ↔이족(異族). **2** 동종(同宗) 1.
동족-상잔 (同族相殘) 명하자 같은 겨레끼리 서로 싸우고 죽임. ¶~의 비극.
동종 (同宗) 명 **1** 성과 본이 같은 일가. 동족. 2 같은 종파.
동종 (同種) [명] 같은 종류. ↔이종(異種).
동좌 (同坐) [명][하자] 자리를 같이하여 앉음.
동주 (同舟) [명][하자] 1 같은 배. 2 배를 같이 탐. 동선(同船). ¶오월(吳越)~.
동지 (冬至) [명] 이십사절기의 하나. 양력으로 12월 22-23일경《밤이 가장 긺》. ↔하지(夏至).
동지 (同志) [명] 목적이나 뜻이 서로 같음. 또는 그런 사람. ¶~를 만나다.
동:지 (動止) [명] 1 움직이는 일과 멈추는 일. 동정(動靜). 2 행동거지. 거동(擧動).
동지-사 (冬至使) [명] 〖역〗 조선 때, 해마다 동짓달에 중국으로 보내던 사신.
동지-섣달 (冬至-) [명] 동짓달과 섣달을 아울러 이르는 말. ¶~ 긴긴 밤.
동지-애 (同志愛) [명] 목적과 뜻을 같이하는 사람끼리의 사랑. ¶뜨거운 ~로 뭉치다.
동지-적 (同志的) [관][명] 목적과 뜻이 같은 사람이 느끼는 (것). ¶~ 우애.
동지-점 (冬至點) [-쩜] [명] 〖천〗 황도(黃道) 위에서 춘분점의 서쪽 90° 되는 점. 동지 때 태양이 이 점에 이름.
동지 팥죽 (冬至-粥) [-판쭉] 〖민〗 동짓날에 찹쌀 새알심을 넣고 쑤어 먹는 팥죽. 동지 시식(時食).
동진 (東進) [명][하자] 동쪽으로 나아감. ¶태풍이 ~ 중이다.
동질 (同質) [명] 같은 물질. 또는 같은 성질. ¶~의 물건. ↔이질(異質).
동짓-날 (冬至-) [-진-] [명] 동지가 되는 날.
동짓-달 (冬至-) [-지딸 / -짇딸] [명] 음력 11월. 십일월.
***동-쪽** (東-) [명] 해가 뜨는 쪽. ↔서쪽.
동참 (同參) [명][하자] 1 어떤 일이나 모임 따위에 같이 참가함. ¶불우 이웃 돕기에 ~하다. 2 〖불〗 승려와 신도가 한 법회에 참례하여 같이 정업(淨業)을 닦는 일.
동창 (同窓) [명] 1 같은 학교에서 공부한 사이. 2 '동창생'의 준말. ¶고교 ~ / 동기 ~.
동창 (東窓) [명] 동쪽으로 난 창. ¶~이 밝았느냐. ↔서창.
동:창 (凍瘡) [명] 〖한의〗 모진 추위에 살갗이 얼어서 생기는 헌데.
동창-생 (同窓生) [명] 1 같은 학교를 졸업한 사람. 2 한 학교를 같은 해에 졸업한 사람. ¶중학 ~. [준]동창.
동창-회 (同窓會) [명] 같은 학교 출신자들이 모여 만든 조직. 또는 그 모임. 교우회(校友會). ¶~ 명부 / 정례 ~.
동:천 (冬天) [명] 1 겨울 하늘. 2 겨울날.
동천 (東天) [명] 동쪽 하늘. ¶~이 밝아 오다.
동천 (東遷) [명][하자] 왕도 따위가 동쪽으로 옮김.
동체 (同體) [명] 1 한 몸. ¶부부는 일심(一心) ~이다. 2 같은 물체.
동체 (胴體) [명] 1 목·팔·다리를 제외한 가운데 부분. 몸통. 2 함선·비행기 등의 몸체 부분. ¶~ 착륙을 시도하다.
동:체 (動體) [명] 1 움직이는 물체. 2 〖물〗 유체(流體).
동:초 (動哨) [명] 〖군〗 일정한 지역을 돌아다니면서 순찰하는 보초. ↔입초(立哨).
동치 (同値) [명] 1 같은 값. 동가(同價). 2 〖수〗 두 개의 방정식이 같은 근(根)을 가지는 일. 등치(等値). 등가.
동치 (同齒) [명] 같은 나이.
동치다 [타] 칭칭 휩싸서 동이다. ¶상처를 붕대로 ~. [큰]둥치다.
동:치미 [명] 흔히 겨울에, 통무나 크게 썬 무에 소금물을 부어 심심하게 담근 무김치.
동침 (同寢) [명][하자] 남녀가 잠자리를 같이 함. ¶부부가 ~하다.
동:태 (凍太) [명] 얼린 명태. 동명태(凍明太). **동태가 되다** [구] 추위로 몹시 얼다.
동:태 (動態) [명] 움직이거나 활동하는 상태. 변동하는 상태. ¶저편의 ~가 수상하다 / 적의 ~를 살피다. ↔정태(靜態).
동토 (東土) [명] 동쪽에 있는 땅이나 나라.
동:토 (凍土) [명] 언 땅. 얼어붙은 땅.
동-톱 [명] '동가리톱'의 준말.
동:통 (疼痛) [명] 몸이 쑤시고 아픔. ¶어깨에 ~을 느끼다.
동-트다 (東-) [동트니, 동터] [자] 동쪽 하늘이 밝아 날이 새다. ¶동트는 새벽.
동:티 [명] [←동토(動土)] 1 흙을 잘못 다루어 지신(地神)을 노하게 하여 받는 재앙. ¶~를 내다 / 부정한 몸으로 제사를 지내면 ~가 난다. 2 공연히 건드려서 스스로 걱정이나 해를 입음을 비유하는 말. ¶호의로 한 말이 ~가 날 줄이야.
동:파 (凍破) [명][하자] 얼어서 터짐. ¶~ 예방 조치 / 수도관 ~.
동판 (銅版) [명] 구리 조각의 평면에 그림이나 글씨를 새긴 인쇄 원판. 구리판. ¶사진을 ~ 인쇄하다.
동판-화 (銅版畫) [명] 동판에 새긴 그림. 또는 동판으로 인쇄한 그림.
동편 (東便) [명] 동쪽 방향. ↔서편.
***동포** (同胞) [명] 1 형제자매. 동기(同氣). 2 같은 겨레. 같은 민족. ¶해외 ~. ☞교포(僑胞).
동포-애 (同胞愛) [명] 동포로서 서로 아끼고 사랑하는 마음. ¶뜨거운 ~.
동풍 (東風) [명] 1 동쪽에서 부는 바람. 2 봄바람.
동:-하다 (動-) [자][여불] 욕구나 감정 따위가 일어나다. ¶호기심이 ~ / 구미(口味)가 ~.
동학 (同學) [명][하자] 한 학교나 한 스승에게서 같이 공부함. 또는 그런 사람. 동접(同接). 동창(同窓). 동문. ¶~ 친구.
동학 (東學) [명] 1 〖역〗 조선 때, 서울 동쪽에 있던 사학(四學)의 하나. 2 천도교.
동학 농민 운:동 (東學農民運動) [-항-] 〖역〗 조선 고종 31년(1894)에 전봉준(全琫準)이 이끄는 동학당 교도와 농민이 합세하여 탐관오리의 숙청, 외국 세력의 축출 등을 목적으로 일으킨 운동《청일 전쟁의 도화선이 되고, 후에 항일 의병 투쟁과 3·1 운동으로 계승됨》. 동학 운동. 동학 혁명.
동항 (同行) [명] 항렬(行列)이 같음. 같은 항렬. ¶사촌끼리는 ~이다.
동:항 (凍港) [명] 겨울에 바닷물이 얼어붙어 선박이 출입할 수 없는 항구.
동해 (東海) [명] 동쪽의 바다. ↔서해.
동:해 (凍害) [명] 농작물 따위가 추위로 입는 손해나 피해. ¶~로 보리농사를 망치다.
동-해안 (東海岸) [명] 1 동쪽의 바닷가. 2 우

리나라 동해 연안. ¶ ~으로 피서 가다. ↔ 서해안.
동행(同行) [명][하자] 1 길을 같이 감. 또는 그 사람. ¶ 사장과 ~하다 / ~이 여럿이다. 2 부역(賦役)에 함께 감.
동행-인(同行人) [명] 동행하는 사람. 동행자.
동행-자(同行者) [명] 동행인(同行人).
동향(同鄕) [명] 같은 고향. ¶ ~ 친구.
동향(東向) [명][하자] 동쪽을 향함. 또는 그 방향. ¶ 집을 ~으로 짓다.
동:향(動向) [명] 정세·행동 등이 움직이는 방향. ¶ 여론의 ~을 살피다 / 정계의 ~에 관심이 집중되다 / 부동산 거래 ~을 수시로 점검하다.
동헌(東軒) [명] 〖역〗 고을 원이나 감사·병사(兵使)·수사(水使) 들이 공사(公事)를 처리하던 대청이나 집.
[동헌에서 원님 칭찬한다] ㉠겉치레로 칭찬함을 이름. ㉡아첨함을 이름.
동혈(同穴) [명] 1 같은 구덩이. 같은 구멍. 2 부부가 죽어 한 무덤에 묻힘. 또는 그 무덤. ¶ 그 노부부는 ~에 묻혔다.
동:혈(洞穴) [명] 깊고 넓은 굴의 구멍.
동형(同形) [명] 사물의 성질이나 모양이 서로 같음.
동형(同型) [명] 서로 형식이 같음.
동형 배:우자(同型配偶子) 〖생〗 유성 생식을 하는 생물에서, 암수의 구별이 있으나 형태적으로는 모양·크기가 비슷해 구별이 쉽지 않은 배우자. ↔이형 배우자.
동호(同好) [명][하자타] 1 어떤 사물을 같이 좋아하거나 취미를 같이함. 2 동호인.
동호-인(同好人) [명] 취미가 같아서 같이 즐기는 사람. ¶ 낚시 ~.
동호-회(同好會) [명] 같은 취미를 가지고 즐기는 사람의 조직. 또는 그 모임. ¶ 바둑 ~ / 산악 ~.
***동화**(同化) [명][하자] 1 다른 것이 서로 닮아서 같게 됨. 유화. ¶ 이민족을 ~시키다. 2 〖광·생〗 '동화 작용'의 준말. 3 〖심〗 어떤 의식의 요소가 다른 요소를 자기의 것으로 만듦. 4 듣고 보고 하여 자기 것으로 만듦. 5 〖언〗 말소리가 서로 이어질 때, 어느 한쪽이나 양쪽이 영향을 받아 비슷하거나 같은 소리로 바뀌는 현상. ↔이화(異化).
동화(同和) [명][하자] 같이 화합함.
동:화(動畫) [명] 만화 영화의 한 장면 한 장면의 그림《일반 만화와 구별하여 쓰는 말》. 애니메이션.
***동:화**(童話) [명] 어린이를 위하여 동심(童心)을 바탕으로 지은 이야기. 또는 그 문예 작품. ¶ ~ 작가 / ~를 들려주다.
동화(銅貨) [명] 동전(銅錢)1.
동화 작용(同化作用) 1 〖광〗 마그마가 외부의 암석을 녹여 마그마 속에 흡수하는 일. 또는 외부의 암석과 화학 반응하여 성분이 바뀌는 일. 2 〖생〗 생물체가 체외에서 취한 물질을 자기 몸에 필요한 화학 구조물로 바꾸는 일. ㊄동화(同化). 3 '탄소 동화 작용'의 준말.
동:회(洞會) [명] '동사무소'의 구칭.
***돛**[돋] [명] 돛대에 달아 바람을 받게 하는 천으로 만든 기구. ¶ 순풍에 ~을 달다 / ~을 올려 출항하다.
***돛단-배**[돋딴-] [명] 돛을 단 배. 돛배. 범선.
돛-대[돋때] [명] 돛을 달기 위해 배 바닥에 세운 기둥. 범장.

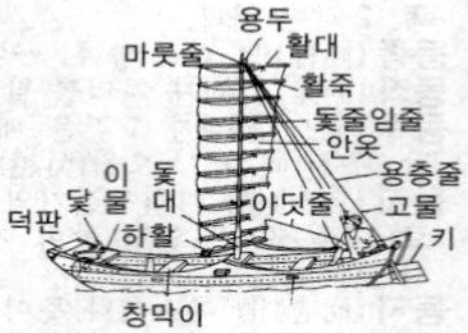

용두
활대
마룻줄
활죽
돛줄임줄
안웃
용층줄
이물
돛대
아딧줄
고물
덕판
하활
키
창막이
돛단배

돼:-먹다 [자] '되다1 ㊀'의 속된 말.
돼먹지 않다 [구] 말이나 행동이 사리에 어긋난 데가 있다. 돼먹지 못하다. ¶ 돼먹지 않은 짓.
***돼:지** [명] 1 〖동〗 멧돼짓과의 육용(肉用) 가축. 몸무게가 많이 나가며 네 다리가 짧고 주둥이가 삐죽함. 체질이 강하나, 움직임이 느리고 미련함. 2 〈속〉 욕심이 많고 미련한 사람. 3 〈속〉 몹시 뚱뚱한 사람. 4 윷놀이에서 '도'의 곁말.
돼지 멱따는 소리 [구] 몹시 듣기 싫도록 꽥꽥 지르는 소리.
돼:지-고기 [명] 식품으로서의 돼지의 살. 돈육. 제육.
돼:지-꿈 [명] 돼지가 나타나는 꿈《흔히 길몽으로 여김》. ¶ ~을 꾸면 재수가 좋단다.
돼:지-띠 [명] '해생(亥生)'인 사람의 띠.
돼:지-우리 [명] 돼지를 가두어 키우는 곳.
돼:지-해 [명] 〖민〗 '해년(亥年)'의 풀어쓴 말.
되 ㊀[명] 1 곡식·액체 등의 분량을 헤아리는 데 쓰는 그릇. 2 되에 담는 양. ¶ ~가 후하다. ㊁[의명] 곡식·액체 등의 분량을 헤아리는 단위《말의 1/10. 홉의 10배》.
[되로 주고 말로 받는다] 남을 조금 건드렸다가 큰 갚음을 당한다.
되- [두] '도리어, 다시, 도로'의 뜻. ¶ ~찾다 / ~넘기다 / ~새기다.
-되 [어미] 'ㅆ'이나 'ㅄ' 받침으로 끝나는 것 이외의 모든 어간에 붙여 쓰는 말. 1 앞말의 사실을 인정하면서 뒷말로 조건을 붙이려 할 때나, 뒷말의 사실이 앞 말의 사실에 구속되지 않음을 보일 때에 쓰는 말. ¶ 돈은 많~ 쓸 줄을 모른다. 2 다음 말을 인용할 때, 그에 앞서 쓰는 말. ¶ 그가 대답하~, "나는 결백하다"라고……. *-으되.
되-갈다〔되가니, 되가오〕 [타] 1 논밭을 다시 갈다. 2 가루 등을 다시 갈다. ¶ 곱게 되갈아서 체로 치다.
되-걸리다 [자] 병이 나았다가 다시 걸리다.
되:게 [부] 아주 몹시. 매우 심하게. 되우. 된통. ¶ ~ 덥다 / ~ 비싸다.
되-깔리다 [자] 도리어 눌려서 깔리다. ¶ 자빠뜨린 상대에게 ~.
되-넘기다 [타] 물건을 사서 곧 넘겨 팔다.
되-넘다[-따] [타] 도로 넘거나 다시 넘다. ¶ 넘어온 산을 ~.
되-뇌다 [타] 같은 말을 되풀이하여 말하다. ¶ 입버릇처럼 되뇌는 말.
되는-대로 [부] 1 함부로. 아무렇게나. 마구. ¶ ~ 지껄이다. 2 될 수 있는 한 최대로. ¶ ~ 많이 가져 와라.
***되다**1 ㊀[자] 1 물건이 다 만들어지다. ¶ 옷이 다 ~. 2 어떤 신분이나 위치·

상태에 놓이다. ¶부자가 ～/안심이 ～. **3** 일이 성취되다. ¶일이 제대로 ～. **4** 어떤 수량에 미치다. ¶합계가 만원이 ～. **5** 소용에 쓰이다. ¶약이 ～. **6** 어떤 때가 돌아오다. ¶봄이 ～. **7** 다른 상태로 변하다. ¶노랗게 ～. **8** 나이 따위를 먹다. ¶열 살이 ～. **9** 자라다. 생육(生育)하다. ¶벼가 잘 ～. **10** 경과하다. ¶떠난 지 5년이 ～. **11** 구성하다. ¶대표 선수로 된 팀/나무로 된 의자. **12** 가능하다. ¶되도록 빨리 해라. **13** 합당하거나 괜찮다. ¶될 소리 안 될 소리/가도 된다. **14** 결과를 가져오다. ¶헛수고가 ～/너에게는 해가 될 뿐이다. **15** 사람·조직의 이름이 쓰이다. ¶아버지 명의로 된 토지/주민의 이름으로 된 진정서. ㊁[보동] 부사형 동사 어미 '-게' 뒤에서 '그러한 상태에 놓이다, 그것이 가능한 상황에 이르다'의 뜻을 나타내는 보조 동사. ¶졸업을 하게 ～/일이 까다롭게 ～.

> **'돼라'와 '되라'**
>
> **돼라** '되어라'의 준말로, '되-'라는 어간에 명령형 종결 어미 '-어라'가 붙은 말이다.
> ㊀ 너는 장차 훌륭한 사람이 돼라.
>
> **되라** '되-'라는 어간에, 문어체 또는 간접 인용문에서 명령의 의미를 갖는 어미 '-라'가 붙은 말로, '되어라'로 바꿔 쓸 수 없다.
> ㊀ 할머니께서는 장차 훌륭한 사람이 되라고 말씀하셨다.

되다[2] [타] 논밭을 다시 갈다.

되:다[3] [타] 말이나 되·홉 따위로 분량을 헤아리다. ¶쌀을 말로 ～.

되:다[4] [형] **1** 물기가 적어 빡빡하다. ¶반죽이 ～/밥을 되게 짓다. ↔질다·묽다. **2** 몹시 켕겨 팽팽하다. ¶밧줄을 되게 드리다. **3** 힘에 벅차다. ¶일이 너무 되거든 쉬어 가며 해라. **4** 정도가 심하다. ¶되게 춥다.

-되다 [미] **1** '하다'가 붙을 수 있는 명사에 붙어 그 동작이 스스로 이루어짐을 나타내는 말. ¶걱정～/주목～/형성～. **2** 형용사적 명사나 부사적 어근에 붙어서 형용사를 이루는 말. ¶참～/망령～/복～.

되도록 [부] 될 수 있는 대로. ¶～ 빨리 오려무나.

되-돌다 〔되도니, 되도오〕 [자] **1** 돌던 방향을 바꾸어 반대쪽으로 돌다. **2** 향하던 곳에서 반대쪽으로 방향을 바꾸다. ¶오던 길을 되돌아서 가다.

되-돌리다 [타] **1** 《'되돌다1'의 사동》 되돌게 하다. ¶시곗바늘을 되돌려 놓다. **2** 본디의 상태로 되게 하다. ¶마음을 ～.

되-돌아가다 [자][거라불] **1** 도로 돌아가다. ¶오던 길로 ～. **2** 다시 본디의 상태로 되다. ¶어린 시절로 되돌아가고 싶다.

되-돌아들다 〔되돌아드니, 되돌아드오〕 [자] 떠나온 곳으로 되짚어 다시 돌아들다.

되-돌아보다 [자][타] **1** 이미 본 것을 다시 돌아다보다. ¶힐끗 ～. **2** 지나온 과정을 돌아보다. ¶과거를 ～.

되-돌아서다 [자] 먼저 향하던 방향으로 다시 돌아서다. ¶되돌아서서 다시 살피다.

되-돌아오다 [-도라-] [자][너라불] 되짚어서 다시 오다. ¶가던 길에서 ～/원점(原點)으로 ～.

되-들다 〔되드니, 되드오〕 [자] 다시 들거나 도로 들다.

되들고 되나다 [구] 많은 사람이 계속해 출입하다.

되똑[1] [부][하][자][타] 작은 물체가 중심을 잃고 한쪽으로 기울어지는 모양. ㊍뒤뚝.

되똑[2] [부][하][형] **1** 코 따위가 오뚝 솟은 모양. ¶눈이 동그랗고 코끝이 ～하다. **2** 오뚝 쳐든 모양. ¶고개를 ～ 쳐들다.

되똑-거리다 [자][타] 작은 물체가 중심을 잃고 자꾸 이리저리 기울어지다. 또는 그것을 자꾸 이리저리 기울이다. ㊍뒤뚝거리다.

되똑-되똑 [부][하][자][타]

되똑-대다 [자][타] 되똑거리다.

되똥 [부][하][자][타] 작고 묵직한 물건이 중심을 잃고 한쪽으로 기울어지는 모양.

되똥-거리다 [자][타] 작고 묵직한 물체가 중심을 잃고 이리저리 기울어져 가볍게 자꾸 흔들리다. 또는 그것을 자꾸 흔들다. ㊍뒤뚱거리다. **되똥-되똥** [부][하][자][타]

되똥-대다 [자][타] 되똥거리다.

되-뜨다 〔되뜨니, 되떠〕 [자] 이치에 어긋나다. ¶되뜬 소리 작작 해라.

되:레 [부] '도리어'의 준말.

되록-거리다 [자][타] **1** 크고 동그란 눈알이 힘있게 번쩍이다. **2** 똥똥한 몸이 둔하게 움직이다. **3** 성낸 빛을 행동에 나타내다. ㊍뒤룩거리다. ㊉뙤록거리다. **되록-되록** [부][하][자][타]. ¶눈알이 ～하다.

되록-대다 [자][타] 되록거리다.

되-먹히다 [-머키-] [자] 남에게 도리어 당하다. ¶잔꾀를 부리다가 ～.

되-묻다[1] [타] 털어 내도 다시 들러붙다. ¶손에 기름이 ～.

되-묻다[2] [타] 묻었다가 파내거나 꺼낸 물건을 다시 묻다. ¶김장독을 ～.

되-묻다[3] 〔되물으니, 되물어〕 [타][ㄷ불] **1** 다시 질문하다. **2** 반문하다. ¶모르는 척하고 ～.

되-바라지다 [형] **1** 아늑한 맛이 없다. **2** 지나치게 똑똑하다. ¶되바라진 계집애.

되-받다 [타] **1** 다시 돌려받다. ¶빌려 준 책을 ～. **2** 꾸짖음에 말대답을 하며 반항하다. **3** 남의 말을 그대로 되풀이하여 말하다. ㊍뒤받다.

되-살다 〔되사니, 되사오〕 [자] **1** 먹은 것이 잘 소화되지 않고 도리어 불어 오르다. **2** 거의 죽은 듯하던 것이 다시 살다. ¶응급 조처로 되살았다. **3** 잊혔던 기억·감정·기분 따위가 다시 생기다. ¶옛 모습이 되살아 어른거리다.

***되-살리다** [타] 《'되살다'의 사동》 되살게 하다. ¶조상의 빛난 얼을 오늘에 ～.

되-새기다 [타] **1** 입맛이 없어 내씹다. **2** 되새김질하다. **3** 골똘하게 자꾸 생각하다. ¶옛 어른의 말씀을 ～.

되새김-질 [명][하][타] 한 번 삼킨 먹이를 다시 게워 내어 씹는 짓.

되-쏘다 [타] **1** 빛을 받아 도로 쏘다. 반사하다. **2** 상대편의 말을 받아 공격하듯 말하다. ¶퉁명스럽게 ～.

되-씌우다 [-씨-] [타] 자기가 당할 일을 도리어 남에게 뒤집어씌우다.

되-씹다 타 1 한 말을 자꾸 되풀이하다. ¶ 끝난 말을 ~. 2 되새기다. ¶ 어린 시절의 향수를 ~.
되알-지다 형 1 힘주는 맛이나 억짓손이 몹시 세다. ¶ 되알지게 밀어붙이다. 2 힘에 벅차다. 3 몹시 올차고 야무지다. ¶ 벼 이삭이 되알지게 여물었다.
되우 부 되게. ¶ ~ 빠르다 / 독감을 ~ 앓다 / 의심이 ~ 많다.
되작-거리다 타 물건을 이리저리 들추며 자꾸 뒤지다. 큰 뒤적거리다. 거 되착거리다. **되작-되작** 부하타
되작-대다 타 되작거리다.
되작-이다 타 물건을 이리저리 들추며 뒤지다. 큰 뒤적이다. 거 되착이다.
되잖다 [-잔타] 형 '되지 아니하다'의 준말. 올바르지 않거나 이치에 닿지 않다. ¶ 되잖은 소릴랑 집어치워라.
되지-못하다 [-모타-] 형여불 1 잘 이루어지지 못하다. 2 사람답지 못하다. ¶ 되지못한 녀석.
되직-이 부 되직하게.
되직-하다 [-지카-] 형여불 묽지 않고 좀 되다. ¶ 되직한 죽.
되-질 명하타 곡식을 되로 헤아리는 일.
되-짚다 [-집따] 타 1 다시 짚다. ¶ 지팡이를 되짚고 가다. 2 다시 살피거나 반성하다. ¶ 실수가 아닌지 되짚어 보다. 3 (주로 '되짚어'의 꼴로 쓰여) '곧 되돌아서, 곧 되돌려'의 뜻을 나타내는 말. ¶ 오던 길을 되짚어 갔다.
되착-거리다 타 물건을 이리저리 뒤집으면서 뒤지다. 큰 뒤척거리다. 여 되작거리다. **되착-되착** 부하타
되착-대다 타 되착거리다.
되착-이다 타 물건을 뒤집으면서 뒤지다. 큰 뒤척이다. 여 되작이다.
되-찾다 [-찯따] 타 다시 찾거나 도로 찾다. ¶ 잃었던 기억을 ~ / 문화재를 ~.
되-채다 타 되받아서 채다. ¶ 남의 말을 ~.
되통-스럽다 (-스러우니, -스러워) 형ㅂ불 미련하거나 찬찬하지 못하여 일을 잘 저지를 듯하다. 큰 뒤퉁스럽다. **되통-스레** 부
되-팔다 (되파니, 되파오) 타 산 물건을 판 사람에게 도로 팔다. 되넘기다. ¶ 차를 ~.
*__되-풀이__ 명하타 같은 말이나 동작을 자꾸 반복함. 또는 같은 사태가 자꾸 일어남. ¶ ~해서 이야기하다 / 역사는 ~한다 / ~되는 일상사.
된:-똥 명 되게 나오는 똥. ↔진똥.
된똥 싸다 구 몹시 혼나다.
된:-맛 [-맏] 명 아주 심하게 당한 고통. ¶ ~을 보다.
된:-바람 명 1 북풍(뱃사람 말). 2 매섭게 부는 바람. 높바람. 3 『기상』 풍력 계급 6의 바람. 초속 10.8-13.8 m로 부는 바람. 웅풍. ☞ 풍력 계급.
된:-밥 명 1 되게 지은 밥. ¶ 배가 고픈 마당에 ~ 진밥 가리겠느냐. ↔진밥. 2 국이나 물에 말지 않은 밥.
된:-불 명 1 바로 급소를 맞히는 총알. ↔선불. 2 호된 타격.
된불(을) 맞다 구 ㉠ 급소에 총알을 맞다. ㉡ 호된 타격을 받다.
된:-비알 명 몹시 험한 비탈. 된비탈.
된:-서리 명 1 늦가을에 아주 되게 내린 서리. ¶ ~가 내리다. ↔무서리. 2 갑자기 당하는 큰 피해나 타격을 비유적으로 이르는 말. ¶ 부정을 일삼던 담당자들에게 ~가 내렸다.
된서리를 맞다 구 ㉠ 되게 내린 서리를 맞다. ㉡ 모진 재앙을 당해 풀이 꺾이다. ¶ 세도를 부리다가 ~.
된:-서방 (-書房) 명 몹시 가혹하고 까다로운 남편.
된서방(을) 만나다 구 몹시 까다롭고 어려운 일을 당하다. 된서방에 걸리다.
된:-소리 명 'ㄲ, ㄸ, ㅃ, ㅆ, ㅉ' 등과 같이 되게 발음되는 단(單)자음. 경음(硬音).
된:소리-되기 명 『언』 예사소리였던 'ㄱ', 'ㄷ', 'ㅂ', 'ㅅ', 'ㅈ'이 된소리, 'ㄲ', 'ㄸ', 'ㅃ', 'ㅆ', 'ㅉ'으로 되는 현상(《'웃장'이 '욷짱'으로, '등불'이 '등뿔'로 되는 따위》). 경음화(硬音化).
된:-장 (-醬) 명 1 간장을 담가 장물을 떠내고 남은 건더기. 토장(土醬). ¶ ~을 담그다. 2 메주에 소금물을 부어 익혀서 장물을 떠내지 않고 그냥 먹는 장. 장재(醬滓).
[된장에 풋고추 박히듯] 어떤 자리에서 떠나지 않고 꼭 박혀 있음을 말함.
된:장-국 (-醬-) [-꾹] 명 된장을 거른 물에 채소·육류(肉類) 따위를 넣고 끓인 국. 토장국.
된:통 부 되게. ¶ ~ 걸렸다 / ~ 혼났다.
될성-부르다 [-썽-] (-부르니, -불러) 형르불 잘될 가망이 있어 보이다.
[될성부른 나무는 떡잎부터 알아본다] 장차 크게 될 사람은 어릴 때부터 다르다.
됨됨-이 명 사람이나 물건의 생긴 품. 됨됨. ¶ 사람의 ~가 다르다.
됫-밑 [된믿] 명 곡식을 되로 되고 한 되에 차지 않게 남은 분량.
됫-박 [되빡 / 된빡] 명 1 되 대신 쓰는 바가지. 2 〈속〉 되.
됫박-질 [되빡- / 된빡-] 명하자타 1 먹을 양식을 낱되로 조금씩 사들이는 일. 2 곡식을 됫박으로 되는 일.
두 (豆) 명 굽이 높고 뚜껑이 있는, 고기붙이·국 등을 담는 나무 제기(祭器).
두 (頭) 명 〈속〉 골치. ¶ 아이고 ~야.
두 (斗) 의명 곡식이나 액체의 분량을 되는 단위. 말.
두 (頭) 의명 소나 말 등 네 발 가진 짐승의 수효를 세는 단위. 마리. ¶ 젖소 100 ~.
*__두__ 관 '둘'의 뜻. ¶ ~ 번 / ~ 마음 / ~ 개 / ~ 사람.
[두 손에 떡] 어느 것을 먼저 해야 할지 모름의 비유.
두 다리 쭉 뻗다 구 긴장을 풀고 평안한 기분으로 쉬다.
두 손 맞잡고 앉다 구 아무 일도 하지 않고 가만히 있다.
두 손뼉이 맞아야 소리가 난다 구 ㉠ 무엇이든지 혼자서는 일이 이루어지기 어렵다. ㉡ 서로 똑같기 때문에 다툼이 생긴다는 뜻. *고장난명(孤掌難鳴).
두 손(을) 들다 구 항복하거나 굴복하다. ¶ 그놈 고집에 모두 두 손 들었다.

두 손 털고 나서다 ㉠ 가진 것을 모두 잃고 남은 것 없이 물러나다.
두 주머니(를) 차다 ㉠ 슬쩍 후무리기 위해서나, 아끼기 위해서, 돈의 일부를 따로 떼어 챙기다《주로 나쁜 뜻으로 씀》.
두각(頭角) 명 **1** 짐승의 머리에 난 뿔. **2** 뛰어난 학식이나 재능 등을 비유적으로 이르는 말. ¶ ~을 나타내다.
두개(頭蓋) 명 〖생〗 척추동물의 두뇌를 덮은 긴 달걀꼴의 골격.
두개-골(頭蓋骨) 명 〖생〗 머리를 이룬 뼈. 머리뼈. 두해(頭骸).
두건(頭巾) 명 남자 상제나 어른이 된 복인(服人)이 상중에 쓰는 베로 된 건. 효건(孝巾). ㉾건(巾).

굴건 두건 수질 두건

두겁 명 **1** 가늘고 긴 물건의 끝에 씌우는 물건. ¶ 연필 ~. **2** '붓두껍'의 준말.
두견-새(杜鵑–) 명 두견이.
두견-이(杜鵑–) 명 〖조〗 두견잇과의 새. 뻐꾸기 비슷하며 등은 회청갈색, 가슴은 회청색, 배는 황갈색. 늦봄에 와서 숲 속에서 단독으로 살고 초가을에 남쪽으로 감. 딴 새집에 한 개의 알을 낳아 기름. 두견새.
두견-화(杜鵑花) 명 진달래꽃.
두고-두고 부 여러 번에 걸쳐 오랫동안. 오래도록. ¶ ~ 후회하다 / ~ 잊을 수 없는 감동.
두근-거리다 자 몹시 놀라거나 겁이 나서 가슴 속이 자꾸 세게 뛰다. ¶ 기대와 불안으로 가슴이 두근거렸다. ㉿도근거리다. **두근-두근** 부하자
두근-대다 자 두근거리다.
두꺼비 명 〖동〗 두꺼빗과의 양서류. 돌이나 풀 밑에 사는데, 개구리같이 생겼으나 그보다 크며, 피부가 두껍고, 흑갈색의 등은 우툴두툴함. 살가죽에서 독액을 냄.
[두꺼비 파리 잡아먹듯] 아무것이나 닥치는 대로 널름널름 받아먹는 모양.
두꺼비-집 명 〖전〗 〈속〉 안전기.
***두껍다** 〔두꺼우니, 두꺼워〕 형ㅂ불 **1** 두께가 크다. ¶ 책이 ~. ↔얇다. **2** 층의 높이나 집단의 규모가 크다. ¶ 독서층이 ~.
두껍-다랗다 [–라타] 〔–다라니, –다라오〕 형ㅎ불 생각보다 퍽 두껍다. ↔얄따랗다.
두껍-닫이 [–따지] 명 〖건〗 미닫이를 열 때 문짝이 들어가 가리게 된 빈 곳.
두께 명 넓적한 물건의 운두. 두꺼운 정도. ¶ ~를 재다 / 책 ~가 얇다.
두남(斗南) 명 북두칠성 이남의 천지라는 뜻으로, 온 천하의 일컬음.
두남-두다 타 **1** 편들다. **2** 가엾게 여겨 도와주다. ¶ 범도 새끼 둔 골을 두남둔다.
두뇌(頭腦) 명 **1** 뇌(腦). **2** 사물을 판단하는 슬기. ¶ 명석한 ~. **3** 지식 수준이 높은 사람의 비유. ¶ ~의 해외 유출.
두:눈-박이 명 눈이 둘 달린 것.
***두다** ㊀타 **1** 일정한 곳에 놓다. ¶ 쌀가마를 창고에 ~. **2** 일정한 시간이 미치는 동안을 있게 하다. ¶ 평생을 두고 잊을 수 없다. **3** 관계되는 사람을 머무르게 하다. ¶ 비서를 ~. **4** 간격이 생기게 하다. ¶ 휴전선에 10 리의 비무장 지대를 ~. **5** 마음 속에 간직하다. ¶ 마음에 ~. **6** 마음을 어떤 대상물에 쏟아 넣다. ¶ 정을 ~. **7** 수결(手決)을 쓰다. ¶ 도장 대신으로 수결을 ~. **8** 바둑이나 장기 등의 놀이를 하다. **9** 설치하다. ¶ 해외 지점을 ~. **10** 밥이나 떡을 만드는 데 주재료 외에 다른 것을 섞다. ¶ 밥에 콩을 ~. **11** 솜을 넣다. ¶ 이불에 솜을 ~. **12** 남기다. ¶ 그만 먹고 두었다가 먹어라. **13** 대상으로 하다. ¶ 그 문제를 두고 논쟁을 벌이다. **14** 버리다. ¶ 자식을 두고 재혼하다. **15** 어떤 사람을 가족이나 친인척으로 가지다. ¶ 자식을 둘 ~ / 교수를 사위로 ~. ㊁보동 타동사의 어미 '–아'나 '–어'의 뒤에 붙어, 그 동작의 결과를 그대로 지니어 감을 뜻하는 말. ¶ 이 기회에 잘 보아 두어라 / 맛은 없으나 그냥 먹어 ~.
두고 보다 ㉠ 어떤 결과가 될지 어느 기간 살펴보다. ¶ 한 번 더 두고 보자.
두더지 명 〖동〗 두더짓과의 포유동물. 땅속에 사는데, 쥐와 비슷하고 다리가 짧으며 발바닥이 넓고 커서 땅을 파는 데 알맞음.
두덜-거리다 자 혼잣말로 자꾸 불평하다. ㉦뚜덜거리다. ㉥투덜거리다. **두덜-두덜** 부하자
두덜-대다 자 두덜거리다.
두덩 명 우묵하게 들어간 땅의 가장자리로 두두룩한 곳. ¶ 논~.
[두덩에 누운 소] 편하여 팔자가 좋음의 비유.
두두룩-두두룩 부하형 여럿이 모두 가운데가 솟아서 불룩한 모양. ㉿도도록도도록. ㉾두둑두둑.
두두룩-이 부 두두룩하게.
두두룩-하다 [–루카–] 형여불 가운데가 솟아서 불룩하다. ¶ 보너스를 받아 지갑이 ~. ㉿도도록하다. ㉾두둑하다.
두둑 명 **1** 밭과 밭 사이의 경계를 이루는 두두룩한 곳. **2** 논·밭을 갈아 골을 타서 만든 두두룩한 바닥.
두둑-두둑 부하형 '두두룩두두룩'의 준말.
두둑-이 부 두둑하게.
두둑-하다 [–두카–] 형여불 **1** 매우 두껍다. ¶ 돈다발이 ~. **2** 넉넉하다. 풍부하다. ¶ 밑천이 ~ / 배짱이 ~. **3** '두두룩하다'의 준말. ㉿도독하다.
두둔 명하타 〔←두돈(斗頓)〕 편들어 감싸 줌. 역성을 들어줌. ¶ 제 아이만 ~하다.
두-둥둥 부 북·장구 등을 잇따라 가볍게 두드리는 소리. ¶ 북소리가 ~ 울리다.
두-둥실 부 물 위나 공중으로 가볍게 떠오르거나 떠 있는 모양. ¶ ~ 떠가는 구름. ㉿더덩실.
두드러기 명 약이나 음식의 중독으로 피부가 붉게 부르트며 몹시 가려운 증상. ¶ 온몸에 ~가 돋다.
두드러-지다 ㊀형 **1** 드러나서 뚜렷하다. ¶ 두드러진 차이. **2** 가운데가 쑥 나와 불룩하다. ¶ 이마가 두드러진 사람. ㊁자 **1** 가운데가 불룩하게 나오다. **2** 겉으로 뚜렷하게 드러나다. ¶ 유난히 두드러진 배. ㉿도드라지다.
***두드리다** 타 **1** 소리 나게 자꾸 툭툭 치다.

¶다급하게 문을 ~. **2** 감동을 주거나 격동시키다. ¶심금을 세차게 두드린 연설. [센]뚜드리다.

***두들기다** [타] 소리가 날 정도로 마구 때리거나 세게 치다. ¶늘씬하게 두들겨 맞다 / 두들겨 부수다. [센]뚜들기다.

두락 (斗落) [의명] 마지기1.

두랄루민 (duralumin) [명] 〖화〗 알루미늄에 구리·망간·마그네슘을 섞어 만든 가벼운 합금. 비행기 따위의 제작 재료로 씀《상표명》.

두량 (斗量) [명][하타] **1** 되나 말로 곡식을 되어 서 셈. 또는 그 분량. **2** 일을 헤아려 처리함. ¶살림 ~을 잘하다.

두런-거리다 [자] 여럿이 모여 낮은 목소리로 수선스럽게 또는 정답게 이야기하다. [작]도란거리다. **두런-두런** [부][하자]. ¶밤이 이슥하도록 ~ 이야기하다.

두런-대다 [자] 두런거리다.

두렁 [명] 논이나 밭가에 둘러쌓은 작은 둑이나 언덕. ¶논밭 ~.

두렁-길 [-낄] [명] 두렁 위로 난 길.

두레[1] [명] 농민들이 농사일을 공동으로 하는 마을 단위의 모임. **—-하다** [자][여불] 두레를 조직하다.

두레(를) 먹다 [구] ㉠여러 사람이 둘러앉아 먹다. ㉡농민들이 음식을 장만하여 모여 놀다. ¶올해는 언제 두레를 먹을까.

두레[2] [명] 논에 물을 퍼붓는 나무 기구.

***두레-박** [명] 줄을 길게 달아 우물물을 긷는 기구. ¶~으로 물을 퍼 올리다.

두렛-일 [-렌닐] [명] 여러 사람이 두레를 짜서 하는 농사일. 두레 농사.

두려-빠지다 [자] 한 곳이 온통 넓게 빠져나가다. [작]도려빠지다.

두려움 [명] 두려운 느낌. ¶~에 질리다.

두려워-하다 [타][여불] **1** 꺼려하거나 무서워하다. ¶죽음을 ~. **2** 공경하고 어려워하다. ¶신을 두려워하지 않는 행위.

***두렵다** 〔두려우니, 두려워〕 [형][ㅂ불] 마음에 꺼리거나 염려스럽다. ¶잘못이 들통날까 ~.

두렷-두렷 [-련뚜련] [부][하형] 여럿이 엉클어지거나 흐리지 않고 분명한 모양. [센]뚜렷뚜렷.

두렷-이 [부] 두렷하게. ¶~ 나타나다. [작]도렷이. [센]뚜렷이.

두렷-하다 [-려타-] [형][여불] 분명하다. ¶두렷한 존재. [작]도렷하다. [센]뚜렷하다.

두령 (頭領) [명] 여러 사람을 거느리는 우두머리. 또는 그를 부르는 호칭. 두목.

두루 [부] **1** 빠짐없이 골고루. ¶전국 각지를 ~ 여행하다 / ~ 찾아보다. **2** 널리. 일반적으로. ¶~ 쓰이는 물건.

두루-두루 [부] **1** '두루'를 강조한 말. ¶~ 살피다. **2** 모든 사람에게 모나지 않고 원만하게. ¶~ 좋게 지내다.

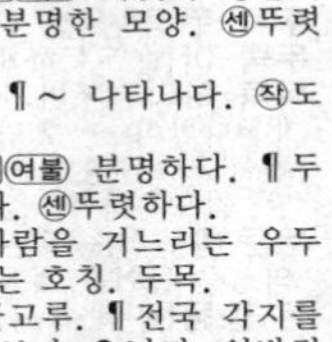
두루마기

***두루-마기** [명] 외투처럼 생긴, 겉옷 위에 입는 한국 고유의 옷. 주의(周衣).

두루-마리 [명] **1** 종이를 가로로 길게 이어 둥글게 만 물건. ¶~ 화장지. **2** 〖인〗 윤전기 따위에 쓰는 둥글게 만 종이《한 뭉치에서 신문지가 2만 5천 장 나옴》. 구칭 : 권취지(卷取紙).

두루-뭉수리 [명] **1** 일이나 형체가 제대로 이루어지지 못하고 함부로 뭉쳐진 상태. ¶그는 잘못에 대한 변명도 없이 그냥 ~로 넘어갔다. [준]뭉수리. **2** 말이나 행동이 변변치 못한 사람을 조롱하는 말.

두루뭉술-하다 [형][여불] **1** 모나지도 둥글지도 않고 그저 둥그스름하다. **2** 말이나 행동·성격 따위가 또렷하지 않다.

두루미[1] [명] 〖조〗 두루밋과의 새. 연못·냇가·초원에 삶. 날개는 62–66 cm, 목과 다리·부리가 길며 거의 순백색인데, 부리는 감람색, 다리는 회색임. 천연기념물 제202호. 학(鶴). 단정학.

두루미[2] [명] 아가리가 좁고 목이 길며 몸은 단지처럼 배가 부른 큰 병.

두루-주머니 [명] 허리에 차는 작은 주머니의 하나《아가리에 잔주름을 잡고 두 줄의 끈을 마주 꿰어 끈을 홀치면 거의 둥글게 됨》. 염낭.

두루-춘풍 (-春風) [명] 누구에게나 좋게 대하여 호감을 사는 일. 또는 그런 사람.

두루-치기[1] [명] (주로 '두루치기로'의 꼴로 쓰여) **1** 한 가지 물건을 여기저기 두루 씀. 또는 그런 물건. **2** 한 사람이 여러 방면에 능통함. 또는 그런 사람.

두루-치기[2] [명] 조개나 낙지 등을 살짝 데쳐서 양념한 음식.

***두르다** 〔두르니, 둘러〕 [타][르불] **1** 싸서 가리다. ¶울타리를 ~ / 치마를 ~. **2** 원(圓)을 그리며 돌리다. ¶숯불을 담아서 휘휘 ~. **3** 사물을 이리저리 변통하다. ¶돈을 ~. **4** 사람을 마음대로 다루다. ¶손아귀에 넣고 ~. **5** 그럴듯하게 남을 속이다. ¶그럴듯하게 둘러 말하다. **6** 겉에 기름을 고르게 바르다. ¶프라이팬에 기름을 ~. **7** 바로 가지 않고 멀리 돌다. ¶지름길을 두고 늪을 둘러 갔다. [작]도르다.

두르르[1] [부] 말렸던 것이 펴졌다가 탄력 있게 다시 말리는 모양. [작]도르르[1]. [센]뚜르르[1].

두르르[2] [부] 크고 둥그스름한 것이 구르는 모양. 또는 그 소리. [작]도르르[2]. [센]뚜르르[2].

두름 [명] **1** 조기·비웃 따위 물고기를 한 줄에 열 마리씩 두 줄로 묶은 것. 또는 그것을 세는 단위《의존 명사적으로 씀》. ¶굴비 한 ~. **2** 고사리 따위 산나물을 열 모숨 정도로 묶은 것. 또는 그것을 세는 단위《의존 명사적으로 씀》. ¶고사리 한 ~ / 취나물 두 ~.

두름-성 (-性) [-썽] [명] 주변을 부려서 이리저리 변통하여 가는 재주. 주변성. ¶~이 없다.

두름-손 [-쏜] [명] 일을 잘 처리하는 솜씨. 주변. ¶~ 좋은 삼촌.

두릅 [명] 두릅나무의 순《데쳐서 무쳐 먹음》.

두릅-나무 [-름-] [명] 〖식〗 두릅나뭇과의 낙엽 활엽 관목. 산·들에 남. 높이 5 m가량, 줄기에 가시가 많고 여름에 누르스름한 꽃이 핌. 나무껍질·열매는 약용함. 참두릅.

두리-기둥 [명] 〖건〗 둘레를 둥그렇게 깎아서 만든 기둥. 둥근기둥. 원주(圓柱). ↔모기둥.

두리-둥실 부 둥실둥실[1]. ¶두둥실 ~ 배 떠나가네《'두둥실'과 함께 쓰여 가락을 맞춤》.
두리-목 (-木) 명 둥근 재목.
두리-반 (-盤) 명 크고 둥근 소반. ↔모반.
두리번-거리다 자타 어리둥절하여 눈을 크게 뜨고 이쪽저쪽을 번갈아 둘러보다. 또는 둘러보게 되다. ¶놀란 토끼처럼 주위를 ~. **두리번-두리번** 부하자타
두리번-대다 자타 두리번거리다.
두릿-그물 [-리끄-/-릳끄-] 명 고기 떼를 둘러싸서 잡는 그물. 선망(旋網).
두:-말 명하자 **1** 이랬다저랬다 하는 말. ¶한 입으로 ~하지 마라 / 다시는 ~ 말게. **2** 이러니저러니 하는 불평이나 군말. ¶~할 필요 없다.
 두말하면 잔소리 구 이미 말한 내용이 틀림없으므로 더 말할 필요가 없다는 뜻.
 두말할 나위(가) 없다 구 너무나 분명하여, 군말을 더 보탤 여지가 없다.
두:말-없다 [-마럽따] 형 **1** 이러니저러니 여러 말이 없다. ¶처음부터 분명히 해 두어야 나중에 두말없지. **2** 이러니저러니 말할 필요도 없이 확실하다. ¶그것은 두말없는 기정사실이다. **두:말없-이** [-마럽씨] 부
두메 명 도시에서 멀리 떨어져 사람이 많이 살지 않는 산골. 두메산골. 두멧골.
두메-산골 (-山-)[-꼴] 명 도시에서 멀리 떨어지고 외진 산골. 두메.
두목 (頭目) 명 **1** 여러 사람 중 우두머리가 되는 사람. **2**〖역〗무역을 목적으로 중국 사신을 따라온 북경 상인의 호칭.
두문불출 (杜門不出) 명하자 집 안에만 틀어박혀 밖에 나다니지 않음.
두-문자 (頭文字)[-짜] 명 첫머리에 오는 글자. 머리글자.
두발 (頭髮) 명 머리털.
두:-벌 명 초벌 다음에 두 번째로 하는 일. 또는 두 번 하는 일. 재벌. ¶~ 도배를 하다 / ~ 구운 도기.
두:벌-갈이 명하타 논이나 밭을 두 번째로 가는 일.
두:벌-일 [-릴] 명 처음에 한 일이 잘못되어 다시 하는 일. ¶~을 만들다.
***두부** (豆腐) 명 물에 불린 콩을 갈아 짜낸 콩물을 끓인 후, 간수를 넣어 엉긴 것을 보자기에 싸고 눌러 물기를 뺀 식품.
두부 (頭部) 명 **1**〖생〗동물의 머리가 되는 부분. **2** 물건의 윗부분.
두부-살 (豆腐-) 명 피부가 희고 무른 살. 또는 그러한 체질의 사람.
두상 (頭上) 명 **1** '머리'의 존칭. **2** 머리 위.
두상 (頭相) 명 머리 모양이나 생김새.
두서 (頭書) 명 **1** 머리말1. **2** 본문에 앞서 모든 요소를 포함한 글.
두서 (頭緖) 명 일의 갈피나 차례. ¶~를 가리다 / ~가 없다.
두서너 관 둘 또는 서너. ¶~ 개 / ~ 살.
두서넛 [-넏] 수 둘이나 셋 또는 넷쯤 되는 수. ¶~ 먹어보다 / ~이 몰려다니다.
두서-없다 (頭緖-)[-업따] 형 말이나 글이 이랬다저랬다 하여 갈피를 잡을 수 없다. ¶두서없는 말. **두서-없이** [-업씨] 부. ¶~ 말을 하다 / ~ 쓴 글.
두-세 관 둘이나 셋의. ¶~ 권의 책.
두-셋 [-섿] 수 둘 또는 셋. ¶~씩 패를 지어 가다.
두수 (頭數) 명 소·말·돼지 따위 동물의 마릿수. ¶사육 ~.
두어 관 '둘가량의'의 뜻. ¶~ 개 / ~ 권 / ~ 사람.
두어-두다 타 본디 있던 그대로 건드리지 않고 두다. ¶가만히 ~. 준뒤두다.
두억시니 명〖민〗모질고 사나운 귀신의 하나. 야차(夜叉). ¶겉은 순한 양 같으나 속은 ~다.
두엄 명〖농〗구덩이를 파고 잡초·낙엽 따위를 넣어 썩힌 거름. 퇴비.
두엄-간 (-間)[-깐] 명 두엄을 쌓아 놓는 헛간. 퇴비사(堆肥舍).
두엄-발치 명〖농〗두엄을 넣어 썩히는 구덩이.
두엇 [-얻] 수 둘가량 되는 수.
두옥 (斗屋) 명 **1** 아주 작고 초라한 집. **2** 아주 작은 방.
두운 (頭韻) 명 시구의 첫머리에 같은 음의 글자를 되풀이해서 쓰는 수사법. 또는 그 같은 음의 글자. ¶~을 달다. *각운(脚韻)·요운(腰韻).
두유 (豆油) 명 콩기름1.
두유 (豆乳) 명 물에 불린 콩을 갈아 물을 붓고 끓여 걸러서 만든 우유 같은 액체.
두음 (頭音) 명〖언〗**1** 음절의 첫소리. '사람'에서 'ㅅ·ㄹ' 따위. **2** 단어의 첫소리. '사람'에서 'ㅅ' 따위. 머리소리.
두음 법칙 (頭音法則)〖언〗단어의 첫머리가 다른 음으로 발음되는 일《첫소리의 'ㄹ'과 중모음 앞의 'ㄴ'이 각각 'ㄴ·ㅇ'으로 발음되는 일. 래일(來日)이 내일로, 녀자(女子)가 여자로 되는 따위》. 머리소리 법칙.
두:-이레 명 아이가 태어난 지 14일이 되는 날.
두절 (杜絕) 명하자 교통이나 통신이 막혀서 끊어짐. ¶연락 ~ / 교통이 ~되다. ↔부절.
두정-골 (頭頂骨) 명〖생〗두개골 중 대뇌의 뒤쪽 위를 덮은 좌우 한 쌍의 편평하고 모난 뼈. 노정골. 두로.
두족 (頭足) 명 **1** 소·돼지 따위의 머리와 네 발. **2** 두족류의 발.
두족-류 (頭足類)[-종뉴] 명〖동〗연체동물의 하나. 발이 머리 부분에 달린 것이 특징이며, 머리의 입 주위에 8개 내지 10개의 발이 있음《꼴뚜기·오징어·낙지·앵무조개 따위》. 두족강(綱). ↔복족류.
두주 (斗酒) 명 말술1.
두주 (頭註) 명 본문의 위쪽에 적은 주석. ¶~를 달다. ↔각주(脚註).
두주불사 (斗酒不辭)[-싸] 명하자 말술도 사양하지 않는다는 뜻으로, 주량이 매우 큼을 이르는 말. ¶~의 주량.
두:-째 수관 열에서 아흔까지의 십 단위의 고유어 수 뒤에 붙어 '한째' 다음의 차례를 나타내는 말. ¶열~. *둘째.
두창 (痘瘡) 명〖한의〗천연두.
두창 (頭瘡) 명〖의〗머리에 나는 부스럼의 총칭.
두타 (頭陀) 명〖불〗**1** 속세의 번뇌를 버리고 청정하게 불도를 닦는 수행. **2** 떠돌면서 온

갖 괴로움을 무릅쓰고 불도를 닦는 일. 또는 그런 중.
두터-이 부 두텁게. 작도타이.
두텁다 [두터우니, 두터워] 형ㅂ불 1 정의(情誼)나 인정이 많다. 사랑이 깊다. ¶두터운 교분/우정[신임]이 ~. 작도탑다. 2 집단의 규모 따위가 보통 정도보다 크다. ¶선수층이 ~.
두통 (頭痛) 명 머리가 아픈 증세. ¶~이 나다/~에 시달리다.
두통을 앓다 구 골칫거리로 속을 태우다.
두통-거리 (頭痛-)[-꺼-] 명 처리하기에 머리가 아프도록 귀찮게 된 사물이나 사람. 골칫거리.
두툴-두툴 부하형 거죽이 울룩불룩하여 고르지 않은 모양. 우툴두툴. 작도톨도톨.
두툼-하다 형여불 1 꽤 두껍다. ¶두툼한 입술. 2 경제적으로 넉넉하다. ¶주머니가 ~. 작도톰하다. **두툼-히** 부
두한-족열 (頭寒足熱)[-종널] 명 머리는 차게, 발은 덥게 하는 일《건강에 좋다고 함》.
두:해-살이 명 〖식〗 1 첫해에 싹이 터서 자라다가 이듬해에 꽃이 피고 열매를 맺은 뒤 죽는 일. 또는 그런 식물. 이년생(二年生). 2 두해살이풀.
두:해살이-식물 (-植物)[-싱-] 명 〖식〗 두해살이를 하는 식물. 이년생(二年生) 식물.
두:해살이-풀 명 〖식〗 첫해에 싹이 터서 이듬해에 자라서 꽃이 피고 열매를 맺은 뒤 죽는 풀《평지·보리 따위》. 두해살이. 이년생 초본(草本).
두호 (斗護) 명하타 남을 두둔하여 보호함.
두흉-부 (頭胸部) 명 1 두부와 흉부. 머리와 가슴. 2〖동〗 머리와 가슴이 하나로 합쳐진 부분. 머리가슴.
***둑** 명 1 강물·바닷물의 범람이나 저수(貯水)를 목적으로 둘레를 돌·흙 따위로 높이 쌓은 언덕. ¶~을 쌓다. 2 높은 길을 내려고 쌓은 언덕. ¶철로 ~.
둑-길 명 둑 위로 난 길.
둔:각 (鈍角) 명 〖수〗 90° 보다 크고 180° 보다 작은 각. ↔예각.
둔:각 삼각형 (鈍角三角形)[-가켱] 〖수〗 내각의 세 각 중 하나가 둔각인 삼각형.
둔:감 (鈍感) 명하형 감각이 둔함. 또는 둔한 감각. ¶유행에 ~하다.
둔:갑 (遁甲) 명하자 1 술법으로 자기 몸을 감추거나 다른 것으로 바꿈. ¶여우가 여자로 ~하다. 2 본디 형체나 성질이 바뀌거나 가리어짐. ¶찻집이 술집으로 ~되다.
둔:기 (鈍器) 명 1 무딘 날붙이. ↔이기(利器). 2 날이 붙어 있지 않은 도구《사람을 상해하기 위해 사용하는 곤봉·벽돌 따위》. ¶~로 얻어맞다.
둔답 (屯畓) 명 〖역〗 1 주둔병의 군량을 지급하기 위한 논. 2 각 궁과 관아에 딸린 논.
둔덕 명 두두룩하게 언덕진 곳. ¶~에 올라서다.
둔덕-지다 형 지면이 두두룩하게 언덕이 되어 있다. ¶둔덕진 길.
둔:박-하다 (鈍朴-)[-바카-] 형여불 미련하면서도 순박하다. **둔:박-히** [-바키] 부
둔부 (臀部) 명 엉덩이.
둔:사 (遁辭) 명 관계나 책임을 회피하려고 꾸며 하는 말. ¶~를 쓰다.
둔영 (屯營) 명 〖역〗 군사가 주둔한 군영.
둔:재 (鈍才) 명 둔한 재주. 또는 그런 사람.
둔전 (屯田) 명 〖역〗 1 주둔병의 군량을 마련하기 위하여 설치한 밭. 2 각 궁과 관아에 딸렸던 토지.
둔:주 (遁走) 명하자 도망쳐 달아남.
둔:중-하다 (鈍重-) 형여불 1 성질이나 동작이 둔하고 느리다. ¶뚱뚱해서 몸놀림이 ~. 2 분위기·상태 따위가 께느른하고 활발하지 못하다. ¶둔중한 분위기. 3 소리가 둔하고 무겁다. ¶둔중하게 울리는 포성.
둔치 명 1 물가의 언덕. 2 장마가 져서 물이 불을 때만 잠기는 강가의 땅. 고수부지. ¶~에 쉼터를 만들다.
둔:탁-하다 (鈍濁-)[-타카-] 형여불 1 성질이 굼뜨고 흐리터분하다. ¶둔탁한 행동. 2 소리가 굵고 거칠며 무겁다. ¶발소리가 ~.
둔:통 (鈍痛) 명 둔하고 무지근한 아픔. ↔극통.
둔:팍-하다 (鈍-)[-파카-] 형여불 1 성질·행동 따위가 굼뜨고 미련하다. 2 소리 따위가 날카롭지 못하고 느리며 둔하다.
둔:필 (鈍筆) 명 1 굼뜬 글씨. 서투른 글씨. 2 필적이 서투른 사람. 3 자기의 글이나 글씨를 낮추어 이르는 말.
둔:-하다 (鈍-) 형여불 1 깨우침이 늦고 재주가 없다. ¶머리가 ~. 2 말이나 행동 따위가 느리고 굼뜨다. ¶동작이 ~. 3 감각이나 느낌이 예민하지 못하다. ¶신경이 ~. 4 생김새나 모습이 무겁고 투박하다. ¶몸이 ~. 5 소리가 무겁고 무디다. ¶멀리서 둔하게 들리는 포성. 6 기구·날붙이 따위가 육중하고 무디다. ¶둔한 흉기로 얻어맞다. 7 빛이 산뜻하지 않고 컴컴하다.
둔:화 (鈍化) 명하자 둔하여짐. ¶대립을 ~시키다/인구 증가율의 ~.
***둘:** 수 하나에 하나를 더한 수.
[둘이 먹다가 하나가 죽어도 모르겠다] 음식이 매우 맛있음을 이르는 말.
둘도 없다 구 ㉠오직 그것뿐이고 더는 없다. 하나뿐이다. ¶둘도 없는 목숨. ㉡가장 귀중하다. ¶둘도 없는 친구.
둘- 투 새끼나 알을 배지 못하는 짐승의 암컷의 뜻. ¶~암소/~암캐/~암탉.
둘-되다 형 상냥하지 못하고 미련하고 무디게 생기다. ¶둘된 사내.
둘둘 부 1 물건을 여러 겹으로 마는 모양. ¶신문지를 ~ 말다. 2 물건이 가볍고도 빨리 구르는 소리. ¶재봉틀이 ~ 소리를 내며 돌아가다. 작돌돌. 센뚤뚤.
둘러-놓다 [-노타] 타 1 여럿을 둥글게 벌여 놓다. 2 방향을 바꾸어 놓다. 작돌라놓다.
둘러-대다 타 1 돈·물건 등을 꾸거나 얻어서 대다. ¶모자라는 돈을 ~. 2 그럴듯하게 꾸며 대다. ¶말을 이리저리 ~. 작돌라대다.
둘러-막다 타 가장자리로 돌아가며 가려 막다. ¶집 둘레를 울타리로 ~. 작돌라막다.
둘러-막히다 [-마키-] 자 《'둘러막다'의 피동》 사방이 가려져서 막힘을 당하다. ¶마을이 높고 낮은 산으로 ~.
둘러-말하다 자여불 에둘러서 간접적으로 말하다. ¶이리저리 둘러말하며 핑계를 대

고 있다.
둘러-맞추다 [-맏-] 타 **1** 다른 물건으로 대신 맞추다. **2** 그럴듯한 말로 둘러대어 맞추다. ¶말을 적당히 ~. 작돌라맞추다.
둘러-매다 타 한 바퀴 둘러서 양 끝을 맞매다. ¶허리에 끈을 ~. 작돌라매다.
둘러-메다 타 들어 어깨에 메다. ¶쌀자루를 어깨에 ~.
둘러-메치다 타 둘러메어 세게 넘어뜨리다.
둘러방-치다 타 소용되는 것을 슬쩍 빼돌리고 그 자리에 다른 것을 대신 넣다.
***둘러-보다** 타 주위를 두루 살피다. ¶주변을 ~/좌중을 한번 ~. 작돌라보다.
둘러-붙다 [-붇따] 자 **1** 유리한 쪽으로 붙어 그 편이 되다. ¶사장에게 ~. **2** 둘레나 가장자리를 따라가며 붙다. 작돌라붙다.
둘러-빠지다 자 땅바닥 따위가 빙 둘러서 움쑥 꺼지다.
둘러-서다 자 여러 사람이 둥글게 늘어서다. ¶둘러서서 구경을 하다. 작돌라서다.
***둘러-싸다** 타 **1** 빙 둘러서 에워싸다. ¶적을 둘러싸고 공격하다. 작돌라싸다. **2** 둘러서 감싸다. ¶아기를 포대기로 ~. **3** 행동이나 관심의 중심으로 삼다. ¶그 문제를 둘러싸고 논쟁이 벌어졌다.
***둘러-싸이다** 자 《'둘러싸다'의 피동》 빙 둘러서 에워싸이다. ¶산으로 둘러싸인 마을.
둘러-쌓다 [-싸타] 타 빙 둘러서 쌓다. ¶성(城)을 ~. 작돌라쌓다.
둘러-쓰다 [-쓰니, -써] 타 **1** 둘러서 뒤집어 쓰다. ¶이불을 ~/머리에 수건을 ~. **2** 물건이나 돈을 변통하여 쓰다. ¶돈을 여기저기서 ~.
둘러-앉다 [-안따] 자 여러 사람이 둥글게 앉다. ¶밥상에 ~. 작돌라앉다.
둘러-업다 타 번쩍 들어서 업다. ¶우는 아이를 둘러업고 집을 나섰다.
둘러-엎다 [-업따] 타 **1** 마구 둘러서 뒤집어 엎다. ¶술상을 ~. **2** 하던 일을 중단하고 정리해 버리다. ¶일을 둘러엎고 사직하다.
둘러-차다 타 몸에 둘러 매달리게 하다. ¶허리에 칼을 ~.
둘러-치다 타 **1** 휘둘러 세차게 내던지다. ¶상대 선수를 ~. **2** 메·몽둥이 등을 휘둘러서 세게 때리다. ¶떡메를 ~. **3** 둘레를 돌아가며 막거나 가리다. ¶병풍을 ~.
[둘러치나 메어치나 매한가지(매일반)] 이렇게 하나 저렇게 하나 결과는 마찬가지다.
***둘레** 명 **1** 사물의 테두리나 바깥 언저리. ¶스커트 ~의 레이스. **2** 주위. ¶집 ~를 돌아보다.
둘레-돌 명 능묘의 봉토 주위를 둘러쌓은 돌. 호석(護石).
둘레-둘레 부하타 **1** 사방을 살피는 모양. ¶여기저기 ~하며 걷다. **2** 빙 둘러앉은 모양. ¶~ 모여 앉은 사람들.
둘리다[1] 자 그럴듯한 꾐에 속다.
둘리다[2] 자 《'두르다'의 피동》 **1** 둘러서 막히다. 둘러막히다. **2** 둘러싸이다. **3** 휘두름을 당하다.
***둘:-째** 수관 첫째의 다음(의). ¶~ 아들. * 두째.
둘째(로) 치다 구 부차적인 것으로 돌리거나 대수롭지 않은 것으로 여기다.
둘:째-가다 자 최고에 버금가다.
둘째가라면 서럽다(섧다) 구 모두가 인정하는 첫째다.
둘-하다 형여불 둔하고 미련하다.
둥[1] 의명 ('-은/는/을 둥 만/마는/말 둥'의 꼴로 쓰여) **1** 무슨 일을 하는 듯도 하고 아니하는 듯도 함을 나타내는 말. ¶보는 ~ 마는 ~. **2** 관형사형 어미 '-는' 뒤에 붙여 말이 많음을 뜻하는 말. ¶음식이 짜다는 ~ 맵다는 ~ 타박이다/이것을 하라는 ~ 저것을 하라는 ~.
둥[2] 부 북이나 거문고 따위를 치거나 타는 소리. 작동.
둥개다 자타 일을 감당하지 못하고 쩔쩔매다. ¶일거리 하나 가지고 종일 ~.
둥개-둥개 감 아기를 안거나 쳐들고 어를 때 내는 소리(('둥둥[3]'에 가락을 넣어 더 재미있게 내는 소리)). ¶~, 우리 아기.
둥굴-대 [-때] 명 둥글게 만든 평미레((곡식을 될 때 그 위를 밀어 고르게 함)).
둥그러미 명 둥글게 된 모양이나 물건. ¶담벼락에 그려진 ~.
둥그러-지다 자 큰 몸집이 넘어지면서 구르다. 나둥그러지다. ¶마룻바닥에 벌렁 나가 ~. 작동그라지다.
둥그렇다 [-러타] (둥그러니, 둥그러오) 형ㅎ불 뚜렷하게 둥글다. ¶둥그런 보름달. 작동그랗다. 센뚱그렇다.
둥그레-지다 자 둥그렇게 되다. ¶눈이 ~. 작동그래지다. 센뚱그레지다.
둥그스름-하다 형여불 약간 둥글다. ¶둥그스름한 얼굴. 작동그스름하다. 센뚱그스름하다. 준둥긋하다. **둥그스름-히** 부
둥근-톱 명 둥근 기계톱((톱니가 둘레에 둘렸음)).
둥글넓적-이 [-럽쩍-] 부 둥글넓적하게.
둥글넓적-하다 [-럽쩌카-] 형여불 둥글고 넓적하다. ¶둥글넓적한 얼굴. 작동글납작하다.
***둥글다** (둥그니, 둥그오) ㅡ형 **1** 모양이 동그라미와 같거나 비슷하다. ¶둥근 해/둥글게 만들다. 작동글다. **2** 성격이 모나지 않고 원만하다. ¶세상을 둥글게 산다. ㅡ자 둥그렇게 되다. 작동글다.
둥글-둥글 부하형 **1** 여럿이 모두 둥근 모양. ¶~하게 썰다. **2** 원을 그리며 자꾸 돌아가는 모양. ¶물방아가 ~ 돈다. 작동글동글. **3** 성격이 모나지 않고 원만한 모양. ¶성격이 ~하다/세상을 ~ 살아가다. 센뚱글뚱글.
둥글리다 타 《'둥글다ㅡ'의 사동》 모난 곳이나 턱진 곳을 둥그스름하게 만들다. ¶눈덩이를 ~. 작동글리다.
둥덩-거리다 자타 북·장구 등을 두드리는 소리가 잇따라 나다. 또는 그런 소리를 잇따라 내다. ¶둥덩거리는 풍물 소리에 마을 사람들이 모두 모였다. 작동당거리다. **둥덩-둥덩** 부하자타. ¶~ 장구 소리가 흥겹다.
둥덩-대다 자타 둥덩거리다.
둥둥[1] 부 큰 북을 계속해 치는 소리. ¶북소리가 ~ 울린다. 작동동.
***둥둥**[2] 부 **1** '둥실둥실'의 준말. ¶수박이 ~ 떠내려간다. 작동동. **2** 마음이 자꾸 들뜨는 모양.

둥둥[3] 감 어린아이를 안거나 쳐들고 어르는 소리. ¶우리 아기 ~.
둥둥-거리다 자타 잇따라 둥둥 소리가 나거나 그런 소리를 내다. 작동동거리다.
둥둥-대다 자타 둥둥거리다.
둥실 부 물건이 공중이나 물 위에 가볍게 떠 있는 모양. ¶보름달이 ~ 떴다. 작동실.
둥실-둥실[1] 부 물건이 공중이나 물 위에 가볍게 떠서 움직이는 모양. ¶~ 뜬 뭉게구름. 작동실동실. 준둥둥.
둥실-둥실[2] 부하형 둥글고 투실투실한 모양. ¶~한 얼굴. 작동실동실.
둥싯-거리다 [-싣꺼-] 자타 1 배 따위가 둔하게 둥실둥실 떠가다. 2 굼뜨고 거추장스럽게 자꾸 움직이다. **둥싯-둥싯** [-싣뚱싣] 부하자타
둥싯-대다 [-싣때-] 자타 둥싯거리다.
둥우리 명 1 댑싸리나 짚으로 바구니 비슷하게 엮어 만든 그릇. 2 기둥과 칸살 등을 나무로 하고 새끼로 얽어 만들어 병아리 따위를 기르는 데 쓰는 제구. 3 새 따위가 알을 낳거나 보금자리로 쓰기 위해 둥글게 만든 집.

둥우리 1

-둥이 미 명사 뒤에 붙어, 어떤 특징을 가지는 사람이나 동물임을 나타내는 애칭. ¶막내~ / 해방~ / 바람~ / 검~.
둥주리 명 짚으로 두껍고 크게 엮은 둥우리.
둥지 명 보금자리1.
 둥지(를) 치다 구 보금자리를 만들다.
 둥지(를) 틀다 구 둥지(를) 치다.
둥치 명 큰 나무의 밑동.
둥치다 타 1 휩싸서 동이다. ¶나뭇단을 ~. 작동치다. 2 너저분한 것을 자르다. ¶늘어진 가지를 ~.
둬:-두다 타 '두어두다'의 준말. ¶잠시 헛간에 둬두어라.
뒈:지다 자 〈비〉 죽다. ¶몰매 맞아 ~.
뒝:-벌 명 〔충〕 꿀벌과 뒝벌속의 벌. 땅속에 집을 짓고 삶. 꿀벌과 비슷하나 통통하고 암컷은 흑색, 수컷은 황색. 수컷은 가을에만 출현하고 암컷이 월동함.
***뒤:** 명 1 등이 있는 쪽. ¶내 ~에 숨어라. ↔앞. 2 그늘. 배후. ¶~를 밀어주다 / ~에서 조종하다. 3 이 다음의 때. ¶~에 다시 보자. 4 나중. 또는 그 다음. ¶일을 ~로 미루다. 5 사람의 '똥'을 점잖게 이르는 말. ¶~를 보다. 6 자취나 흔적 또는 결과. ¶수술 ~가 좋지 않다. 7 좋지 않은 감정이나 노기 등의 계속적인 작용. ¶버럭 화는 냈지만 ~가 없다. 8 일의 끝이나 마지막 부분. ¶~를 잘 부탁한다 / ~는 내가 맡겠다. 9 '엉덩이'를 점잖게 이르는 말. ¶~를 붙이고 앉다. 10 '뒤대'의 준말. [뒤에 난 뿔이 우뚝하다] 젊은 사람이 늙은 사람보다 더 훌륭하다.
 뒤가 구리다 구 결백하지 못하고 떳떳하지 못하다. ¶뒤가 구린 모양인지 슬슬 꽁무니를 뺀다.
 뒤가 급하다 구 '똥이 금방 나올 듯하다'를 완곡하게 이르는 말.
 뒤가 꿀리다 구 ㉠자신의 약점 때문에 떳떳하지 못하고 마음이 편하지 않다. ㉡'뒤가 딸리다'와 같은 뜻.
 뒤가 드러나다 구 비밀로 하거나 숨긴 일이 나타나거나 알려지다.
 뒤가 무겁다 구 똥이 잘 나오지 않아 답답한 느낌이 있다.
 뒤가 무르다 구 ㉠고집이 없다. ㉡일을 끝까지 해내는 힘이 없거나 처리가 철저하지 못하다.
 뒤가 저리다 구 자기가 한 말이나 행동의 결과가 잘못될까 봐 조마조마하다.
 뒤가 켕기다 구 약점이나 잘못이 있어 마음이 편하지 않다.
 뒤를 노리다 구 남의 결함이나 약점을 캐내기 위해 기회를 엿보다.
 뒤를 누르다 구 뒷일을 걱정하여 미리 다짐받다.
 뒤를 다지다 구 뒷일이 잘못되는 것을 막기 위하여 미리 다짐받다.
 뒤를 달다 구 앞에서 한 말에 뒤를 이어 보충하여 말하다.
 뒤를 돌아보다 구 지난 일을 회고하다.
 뒤를 두다 구 ㉠뒷일을 생각하여 당장 결말을 짓지 않고 여유를 남기다. ㉡좋지 않은 감정 따위를 계속 품다.
 뒤를 받치다 구 후원하다. 뒷받침을 하다.
 뒤(를) 빼다 구 발뺌을 하다.
 뒤를 사리다 구 뒷일을 염려하여 미리 발뺌을 하거나 조심하다.
 뒤를 재다 구 과감히 앞으로 나아가지 못하고 몸을 사리다.
 뒤를 캐다 구 은밀히 뒷조사를 하다.
뒤- 두 (주로 동사 앞에 붙어) 1 '몹시·함부로'의 뜻을 나타냄. ¶~흔들다 / ~틀다 / ~섞다 / ~떠들다. 2 '반대로·뒤집어'의 뜻을 나타냄. ¶~엎다 / ~바꾸다 / ~놓다. 3 '온통·모두'의 뜻을 나타냄. ¶~덮다.
뒤-까불다 〔뒤까부니, 뒤까부오〕 타 몹시 경망하게 행동하다. ¶뒤까불더니 고꾸라졌다.
뒤:곁 [-겯] 명 집 뒤에 있는 뜰이나 마당. 후정(後庭).
뒤:-꽁무니 명 꽁무니3.
 뒤꽁무니(를) 빼다 구 달아나거나 도망치다.
뒤:-꽂이 명 쪽 찐 머리 뒤에 덧꽂는 비녀 이외의 물건《연봉·귀이개 따위》.
뒤:-꿈치 명 '발뒤꿈치'의 준말.
뒤-끓다 [-끌타] 자 1 뒤섞여 끓다. ¶국이 솥에서 ~. 2 많은 사람이나 동물 따위가 같은 곳에서 한데 섞여 마구 움직이다. ¶방학라 그런지 수영장에는 아이들이 뒤끓었다.
뒤:-끝 [-끋] 명 1 일의 맨 나중. ¶일의 ~을 잘 맺다 / ~이 흐리다. 2 어떤 일이 있는 바로 그 뒤. ¶비 온 ~이라 추워졌다. 3 좋지 않은 감정에 이어 계속 남아 있는 감정. ¶~이 없는 사람 / ~이 개운치 않다.
 뒤끝(을) 보다 구 일의 나중 결과를 보다.
뒤:-내려긋다 [-귿따] 〔뒤내려그으니, 뒤내려그어〕 자ㅅ불 한글 모음 'ㅏ·ㅑ·ㅓ·ㅕ·ㅗ·ㅘ·ㅜ·ㅟ·ㅡ' 등의 오른쪽에 'ㅣ'를 붙여 긋다.
뒤-놀다 〔뒤노니, 뒤노오〕 자 1 이리저리 몹

시 흔들리다. 2 여기저기 돌아다니다.
뒤:-늦다 [-는따] 형 제때가 지난 뒤에도 퍽 늦다. ¶ 뒤늦은 후회/뒤늦게 알다.
뒤:늦-추다 타 《'뒤늦다'의 사동》 뒤늦게 하다. ¶ 시작을 더 이상 뒤늦출 수 없다.
뒤:-대 명 어느 지방을 중심으로 하여 그 북쪽 지방을 일컫는 말. 윗녘. ↔앞대. 준 뒤.
뒤-대다[1] 타 1 빈정거리는 태도로 비뚜로 말하다. ¶ 뒤대지 말고 바로 말해라. 2 거꾸로 가르치다.
뒤:-대다[2] 타 1 뒤를 돌보아 주다. 2 뒷돈을 잇대어 주다. ¶ 뒤대어 줄 테니 걱정 말게.
뒤-덮다 [-덥따] 타 1 죄다 덮다. ¶ 하늘을 뒤덮은 먹구름. 2 꽉 들어차게 하다. ¶ 인파가 광장을 ~.
뒤-덮이다 자 《'뒤덮다'의 피동》 뒤덮음을 당하다. ¶ 인파로 뒤덮인 유원지.
뒤:-돌다 〔뒤도니, 뒤도오〕 자 뒤로 돌다. ¶ 뒤돌아 눕다.
뒤:-돌아보다 타 1 뒤쪽을 돌아보다. ¶ 고향 산천을 ~. 2 앞서 생긴 일을 살펴보다. ¶ 어린 시절을 ~.
뒤:-돌아서다 자 1 뒤를 향하여 돌아서다. 2 관계를 끊다.
뒤-둥그러지다 자 1 뒤틀려서 우그러지다. 2 생각이나 성질이 비뚤어지다. 3 아주 세게 넘어지면서 구르다. ¶ 몰려드는 인파에 밀려 뒤둥그러졌다.
뒤듬-바리 명 어리석고 둔하고 거친 사람.
뒤:-따라가다 타거라불 뒤를 따라가다. ↔뒤따라오다.
뒤:-따라오다 타너라불 뒤를 따라오다. ↔뒤따라가다.
뒤:-따르다 〔뒤따르니, 뒤따라〕 ⊟타 1 뒤를 따르다. ¶ 형을 뒤따라 극장에 갔다. 2 먼젓사람의 뜻이나 사업 따위를 이어받아 계속하다. ¶ 성현의 뜻을 ~. ⊟자 어떤 일의 과정에 함께 따르거나 결과로서 생기다. ¶ 권리에는 의무가 뒤따른다.
뒤:-딸리다 타 《'뒤따르다'의 사동》 뒤따르게 하다. ¶ 큰집에 아들을 뒤딸려 보냈다.
뒤-떠들다 〔뒤떠드니, 뒤떠드오〕 자 왁자하게 떠들다. ¶ 왁자지껄 뒤떠드는 소리.
뒤-떨다 〔뒤떠니, 뒤떠오〕 타 몸을 몹시 흔들며 떨다. ¶ 오한으로 몸을 ~.
뒤:-떨어지다 자 1 뒤에 처지다. ¶ 대열에서 ~. 2 남만 못하다. ¶ 수학이 좀 뒤떨어진다. 3 시대에 맞지 않다. ¶ 뒤떨어진 사고방식.
뒤뚝 부 큰 물체나 몸이 쓰러질 듯이 한쪽으로 기울어지는 모양. 작 되똑.
뒤뚝-거리다 자타 중심을 잃고 자꾸 흔들리며 기울어지다. 또는 그것을 자꾸 흔들며 기울이다. ¶ 발판이 ~. 작 되똑거리다. **뒤뚝-뒤뚝** 부하자타. ¶ ~ 걸어가다.
뒤뚝-대다 자타 뒤뚝거리다.
뒤뚱 부 크고 묵직한 물체가 중심을 잃고 이리저리 흔들리는 모양.
뒤뚱-거리다 자 물건이나 몸이 중심을 잃고 이리저리 흔들리다. ¶ 뒤뚱거리는 걸음걸이/몸집이 큰 그는 유난히 뒤뚱거리며 계단을 올랐다. 작 되뚱거리다. **뒤뚱-뒤뚱** 부하자
뒤뚱-대다 자 뒤뚱거리다.
뒤뚱-발이 명 뒤뚱거리며 걷는 사람.
뒤:-뜰 명 집채의 뒤에 있는 뜰. 뒷마당. ↔앞뜰.
뒤:란 명 집 뒤의 울안.
뒤로-하다 타여불 뒤에 남겨 놓고 떠나다. ¶ 고향을 ~.
뒤룩-거리다 자타 1 크고 둥근 눈알이 힘있게 움직이다. 2 뚱뚱한 몸이 둔하게 움직이다. 3 성낸 빛이 행동에 나타나다. 작 되록거리다. 센 뛰룩거리다. **뒤룩-뒤룩** 부하자타. ¶ 요즘 먹성이 좋더니 ~ 살만 쪘다.
뒤룩-대다 자타 뒤룩거리다.
뒤:-미처 부 그 뒤에 곧 이어. ¶ ~ 따라 나오다.
뒤:-미치다 자 뒤이어 곧 한정한 곳에 이르다.
뒤-바꾸다 타 뒤집어 바꾸다. ¶ 순서를 ~.
뒤-바뀌다 자 《'뒤바꾸다'의 피동》 반대로 바꾸어지다. ¶ 순서가 ~/처지가 ~.
뒤-바르다 〔뒤바르니, 뒤발라〕 타르불 아무데나 마구 바르다. ¶ 페인트를 온 벽에 ~.
뒤:-받다 타 꾸중을 듣고 도리어 반항하다. 작 되받다.
뒤발 명하타 온몸에 뒤집어써서 바름. ¶ 흙탕물을 ~하다.
뒤:-밟다 [-밥따] 타 슬그머니 뒤를 따르다. ¶ 용의자를 ~.
뒤-버무리다 타 뒤섞어 함부로 버무리다. ¶ 갖가지 양념을 ~.
뒤-범벅 명 마구 뒤섞여서 분명치 않은 상태. ¶ 눈물과 콧물로 ~된 얼굴.
뒤변덕-스럽다 (-變德-) 〔-스러우니, -스러워〕 형ㅂ불 잘 변하는 성질이 있다. **뒤변덕-스레** 부
뒤:-보다 자 '똥을 누다'의 점잖은 말.
뒤:-보아주다 타 뒤에서 돌보아 주다. 남의 뒤를 보호하다. ¶ 소년소녀 가장을 ~.
뒤:-서다 자 1 남의 뒤를 따르다. 2 뒤지다[1]1.
뒤-섞다 [-석따] 타 한데 모아 섞다. ¶ 밀가루와 물을 ~.
뒤-섞이다 자 《'뒤섞다'의 피동》 한데 모여서 섞여지다. ¶ 신발이 ~.
뒤숭숭 부하형히부 1 정신이 어수선하고 불안한 모양. ¶ 꿈자리가 ~하다. 2 물건이 어수선하게 흩어져 있는 모양. ¶ 옷가지가 ~하게 널려 있다.
뒤스럭-거리다 자 1 변덕을 부리며 부산하게 굴다. 2 자꾸 부산하게 이리저리 뒤지다. ¶ 뒤스럭거리며 무엇을 찾다. **뒤스럭-뒤스럭** 부하자
뒤스럭-대다 자 뒤스럭거리다.
뒤안-길 [-낄] 명 1 한길이 아닌 뒷골목의 길. 2 일반의 관심이 미치지 못하는 쓸쓸한 생활이나 처지. ¶ 인생의 ~.
뒤:-어금니 명 〖생〗 앞어금니 바로 다음의 이. 대구치(大臼齒).
뒤-얽다 [-억따] 타 마구 얽다. ¶ 칡덩굴이 나무줄기를 ~.
뒤-얽히다 [-얼키-] 자 《'뒤얽다'의 피동》 마구 얽히다. ¶ 오이 덩굴이 뒤얽혀 있다.
뒤-엉기다 자 1 무리를 지어 마구 달라붙다. ¶ 뒤엉겨 싸우다. 2 액체나 물기 있는 흙가루 따위가 함부로 뭉쳐 있다. ¶ 먼지와

땀이 ~. **3** 냄새나 연기·소리 따위가 마구 섞이다. ¶소음이 뒤엉켜 시끄럽다. **4** 감정·기운 따위가 마구 뒤섞이다. ¶기쁨과 설움이 ~.

뒤-엉키다 자 마구 엉키다. ¶실이 ~.

뒤-엎다 [-업따] 타 뒤집어서 엎다. ¶계획을 ~ / 과거의 모든 학설을 ~.

뒤웅-박 명 박을 쪼개지 않고 꼭지 근처에 구멍만 뚫고 속을 파낸 바가지. 뒤웅. [뒤웅박 팔자] 입구가 좁은 뒤웅박 속에 갇히듯이, 일단 신세를 망치면 헤어 나오기가 어렵다는 말.

뒤웅박

뒤:-잇다 [-읻따] 〔뒤이으니, 뒤이어〕 자타 ㅅ불 끊어지지 않고 이어지다. 또는 그렇게 이어지도록 하다. ¶가업을 ~.

뒤적-거리다 타 자꾸 뒤적이다. ¶주머니 속을 ~. 작되작거리다. 센뒤척거리다. **뒤적-뒤적** 부하타

뒤적-대다 타 뒤적거리다.

뒤적-이다 타 물건을 찾느라고 이리저리 들추며 뒤지다. ¶잡지를 ~. 작되작이다. 센뒤척이다.

뒤져-내다 [-저-] 타 샅샅이 뒤져서 들춰내거나 찾아내다. ¶서랍에서 돈을 ~.

뒤:-조지다 타 일의 뒤끝을 단단히 다지다.

뒤:-좇다 [-졷따] 타 뒤를 따라 좇다. ¶범인을 ~.

뒤주 명 쌀 따위의 곡식을 담아 두는 세간 《나무로 궤짝같이 만듦》. ¶~에 쌀을 붓다.

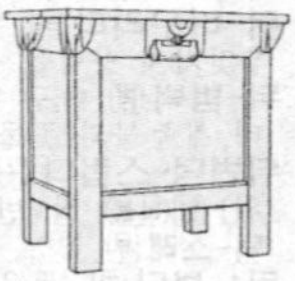

뒤주

뒤죽-박죽 명부 이것저것이 함께 섞여 엉망인 모양. 또는 그 상태. ¶생각이 많아 머릿속이 ~이다 / 그녀는 찾는 것이 없다며 서랍을 온통 ~으로 만들어 놓았다.

뒤:-지 (-紙) 명 밑씻개로 쓰는 종이.

뒤:-지다[1] 자 **1** 걸음 따위가 뒤떨어지다. 뒤서다. ¶선두에서 한참 뒤져 있는 상태다. **2** 능력·수준 따위가 미치지 못하다. ¶계획보다 훨씬 ~. **3** 기준에 미치지 못하다. ¶시대에 뒤진 사고방식.

뒤지다[2] 타 **1** 샅샅이 들추어 찾다. ¶주머니를 ~. **2** 책 따위를 한 장씩 들추어 넘기거나 한 권씩 살피다. ¶사전을 ~. 준뒤다.

***뒤-집다** 타 **1** 안과 겉을 뒤바꾸다. ¶양말을 ~. **2** 위가 밑으로, 밑이 위가 되게 하다. ¶번철의 빈대떡을 ~ / 아기가 몸을 ~. **3** 차례나 승부를 바꾸다. ¶순서를 ~ / 승부를 ~. **4** 일을 아주 틀어지게 하다. ¶결정을 ~. **5** 조용하던 것을 어지럽게 하다. ¶그 소문은 온 마을을 발칵 뒤집어 놓았다 / 역겨운 냄새가 속을 뒤집었다. **6** 제도·체제·학설 따위를 뒤엎다. ¶독재 정권을 ~ / 기존 학설을 ~. **7** 눈을 크게 홉뜨다. ¶눈을 뒤집고 덤빈다.

뒤집어-쓰다 〔-쓰니, -써〕 타 **1** 머리에 얹어 쓰다. ¶모자를 ~. **2** 온몸을 내리 덮다. ¶이불을 ~ / 행인이 물을 ~ / 머리와 옷자락에 흙먼지를 ~. **3** 남의 허물을 넘겨 맡다. ¶혼자서 죄를 ~ / 책임을 몽땅 뒤집어썼다.

뒤집어씌우다 [-씨-] 타 《'뒤집어쓰다'의 사동》 남에게 뒤집어쓰도록 하다. ¶누명을 ~.

뒤집어-엎다 [-업따] 타 **1** 안과 겉을 뒤집어서 엎다. ¶상을 ~. **2** 물건을 뒤엎어서 담긴 것을 엎지르다. ¶찻잔을 ~. **3** 일이나 상태를 전혀 딴 것으로 바꾸어 놓거나 망쳐 놓다. ¶계획을 ~. **4** 폭력 따위의 방법으로 있던 것을 없애거나 새것으로 바꾸다. ¶독재 정권을 ~.

뒤-집히다 [-지피-] 자 《'뒤집다'의 피동》 뒤집음을 당하다. ¶비바람에 우산이 ~ / 교통사고로 차가 ~ / 결과가 ~ / 눈이 허옇게 ~ / 회사가 발칵 ~.

뒤:-쪽 명 어떠한 사물의 뒷 방면. 후방(後方). ¶일행의 ~. ↔앞쪽.

뒤:-쫓기다 [-쫃끼-] 자 《'뒤쫓다'의 피동》 뒤쫓음을 당하다. ¶괴한에게 ~.

***뒤:-쫓다** [-쫃따] 타 뒤를 쫓다. ¶달아나는 범인을 ~.

뒤:-차 (-車) 명 다음 번에 오는 차. 또는 뒤쪽에 오는 차. ↔앞차.

뒤:-창 명 신이나 구두의 뒤쪽에 대는 창. 뒤축. ↔앞창.

뒤:-채 명 한 울타리 안의 뒤편에 있는 집채. ↔앞채.

뒤:-채다 자 함부로 늘어놓아 발길에 걸리다.

뒤:-처리 (-處理) 명하타 일이 벌어진 뒤나 끝난 뒤끝의 처리. 뒷갈망. ¶~를 말끔히 하다 / ~가 깨끗하다.

뒤:-처지다 자 어떤 것보다 못하거나 한 동아리에서 떨어져 뒤에 남다. ¶성적이 ~ / 시대의 변화에 ~.

뒤척-거리다[1] 타 이리저리 들추어 가며 뒤지다. ¶집 문서를 찾느라고 여기저기 ~. 작되착거리다. 여뒤적거리다. **뒤척-뒤척**[1] 부하타

뒤척-거리다[2] 타 누운 몸을 자꾸 이리저리 굴리다. ¶밤새 잠을 못자고 뒤척거리더니 얼굴이 부었구나. **뒤척-뒤척**[2] 부하타

뒤척-대다 타 뒤척거리다[1·2].

뒤척-이다 타 **1** 물건을 찾느라고 이리저리 뒤지다. **2** 몸의 누운 방향을 자꾸 바꾸다. ¶밤새 몸을 ~. 작되착이다. 여뒤적이다.

뒤쳐-지다 [-처-] 자 물건이 뒤집혀서 젖혀지다. ¶바람에 덮개가 ~.

뒤:-축 명 **1** 신이나 버선의 발뒤축이 닿는 부분. ¶~이 닳은 신발 / 운동화 ~을 꺾어 신다. **2** '발뒤축'의 준말. ¶신이 작아 ~이 아프다.

뒤치다 타 자빠진 것을 젖히다. 젖혀진 것을 엎어 놓다. ¶잠을 뒤치며 자다.

뒤:-치다꺼리 명하자 **1** 뒤에서 일을 보살펴서 도와주는 짓. ¶자식의 ~에 바쁘다. **2** 뒷수쇄. ¶손님이 간 뒤 ~하다.

뒤치락-거리다 타 자빠진 것이나 젖혀진 것을 자꾸 젖히거나 엎어 놓다.

뒤치락-대다 타 뒤치락거리다.

뒤:-탈 (-頉) 명 뒤에 생기는 탈. 후탈. ¶~이 나다 / ~ 없이 수습되다.

뒤:-통수 명 머리의 뒤쪽. 뒷골. 뒷머리. ¶ ~가 납작하다 / ~를 긁적거리다.
뒤:통수-치다 자 1 느닷없이 해를 끼치다. 2 바라던 일이 실패하여 매우 낙심하다. ¶ 시험에 떨어져 뒤통수치고 돌아왔다.
뒤퉁-스럽다 〔-스러우니, -스러워〕 형ㅂ불 미련하여 일을 잘 저지르는 버릇이 있다. ㉺되통스럽다. **뒤퉁-스레** 부
뒤-틀다 〔뒤트니, 뒤트오〕 타 1 꼬아서 비틀다. ¶ 그새를 못 참고 몸을 뒤튼다. 2 일이 올곧게 나가지 못하도록 하다. ¶ 남의 계획을 뒤틀어 놓다.
뒤-틀리다 자 1 '뒤틀다'의 피동. ¶ 너무 지루해서 몸이 자꾸 뒤틀린다. 2 감정이나 마음이 사납고 험하게 비틀어지다. ¶ 비위가 ~.
뒤틀어-지다 자 1 휘거나 비뚤어지다. ¶ 뒤틀어진 재목. 2 일·계획이 잘 안되다. 3 마음이 꼬이거나 비뚤어지다. ¶ 심사가 ~.
뒤틈-바리 명 어리석고 미련하여 하는 짓이 거친 사람.
뒤:-편 (-便) 명 뒤로 있는 쪽.
뒤:-폭 (-幅) 명 1 옷의 뒤편 조각. 2 나무로 짜는 세간의 뒤쪽에 대는 널조각. 후폭(後幅). 3 물건 뒤의 너비.
뒤:-풀이 명하자 1 말이나 글 아래 그 뜻을 잇대어서 풀이 비슷하게 노래체로 지어 붙인 말. ¶ 천자(千字) ~. 2 행사나 모임을 끝낸 뒤에 모여 여흥을 즐김.
뒤:-품 명 윗옷에서 양쪽 겨드랑이를 기준으로 하여 등에 닿는 부분의 너비.
뒤-헝클다 〔-뒤헝크니, -뒤헝크오〕 타 마구 헝클다. ¶ 장롱 안을 ~.
뒤-흔들다 〔뒤흔드니, 뒤흔드오〕 타 1 마구 흔들다. ¶ 천지를 뒤흔드는 폭음. 2 큰 파문을 일으키다. ¶ 세상을 뒤흔든 사건. 3 마음대로 지배하다. ¶ 회사 일을 혼자서 ~.
뒤-흔들리다 자 《'뒤흔들다'의 피동》 뒤흔듦을 당하다. 몹시 흔들리다. ¶ 연쇄 살인 사건으로 나라가 온통 ~.
뒨장-질 명하타 어떤 것을 뒤져내는 짓.
뒷:-간 (-間)[뒤깐 / 뒫깐] 명 변소. 측간. 화장실.
[뒷간과 사돈집은 멀어야 한다] 뒷간은 가까우면 냄새가 나고 사돈집이 가까우면 말이 많으므로 그것을 경계하는 말. [뒷간에 갈 적 마음 다르고 올 적 마음 다르다] 자기에게 필요할 때는 다급하게 굴다가 제 할 일을 다하면 마음이 달라진다.
뒷:-갈망 [뒤깔- / 뒫깔-] 명하타 일의 뒤끝을 맡아서 처리함. 뒷감당.
뒷:-감당 (-堪當)[뒤깜- / 뒫깜-] 명하타 뒷갈망. ¶ 차분히 ~을 해내다.
뒷:-거래 (-去來)[뒤꺼- / 뒫꺼-] 명하타 뒷구멍으로 하는 부정한 거래. ¶ 가짜 외제품을 ~하다.
뒷:-거리 [뒤꺼- / 뒫꺼-] 명 도심지의 뒤쪽 길거리. ¶ 도시의 ~를 방황하다.
뒷:-걱정 [뒤꺽- / 뒫꺽-] 명하자 뒤에 벌어질 일이나 또는 뒤에 남겨 둔 일에 대하여 걱정함. 또는 그 걱정. ¶ ~이 태산 같다 / ~일랑 하지 말고 잘 다녀오게.
뒷:-걸음 [뒤껄- / 뒫껄-] 명하자 1 뒤로 걷는 걸음. 2 본디보다 못하거나 뒤떨어짐.
뒷:걸음-질 [뒤껄- / 뒫껄-] 명하자 1 뒷걸음을 치는 짓. ¶ ~로 물러나다. 2 본디보다 못하거나 뒤떨어짐. ¶ 성적이 ~하다.
뒷:걸음-치다 [뒤껄- / 뒫껄-] 자 1 뒤로 물러서다. 2 본디보다 떨어지다. ¶ 경제 발전이 ~.
뒷:-골목 [뒤꼴- / 뒫꼴-] 명 큰길 뒤에 있는 좁은 골목. ¶ ~에서 놀아라.
뒷:-공론 (-公論)[뒤꽁논 / 뒫꽁논] 명하자 1 일이 끝난 뒤에 공연히 하는 평론. ¶ 부질없는 ~. 2 겉으로 나서지 않고 뒤에서 이러니저러니 하는 짓. 뒷방공론. ¶ 수군수군 ~이 많다.
뒷:-구멍 [뒤꾸- / 뒫꾸-] 명 1 뒤에 있는 구멍. 2 정상이 아닌 방법으로 일을 처리하는 길. ¶ ~ 입학 / ~으로 빼돌리다.
[뒷구멍으로 호박씨 깐다] 겉으로는 얌전한 체하면서 속으로는 온갖 짓을 다한다.
뒷:-굽 [뒤꿉 / 뒫꿉] 명 신발 바닥 뒤쪽에 있는 부분. 굽. ¶ 구두 ~이 다 닳았다.
뒷:-그루 [뒤끄- / 뒫끄-] 명 그루갈이에서 나중 번의 농사. ¶ ~로 모내기하다. ↔앞그루.
뒷:-길[1] [뒤낄 / 뒫낄] 명 집채나 마을의 뒤쪽에 있는 길.
뒷:-길[2] [뒤낄 / 뒫낄] 명 윗옷의 뒤쪽에 대는 길. ↔앞길[2].
뒷:-날 [뒨-] 명 앞으로 닥쳐올 세월. 후일(後日). 훗날. ¶ ~을 기약하다 / ~ 크게 성공할 사람.
뒷:-날개 [뒨-] 명 1 곤충의 뒷가슴마디 등에 달린 날개. 후시(後翅). 2 꼬리날개. 미익(尾翼). ↔앞날개.
뒷:-다리 [뒤따- / 뒫따-] 명 1 네발짐승의 몸 뒤쪽에 있는 다리. 2 두 다리를 앞뒤로 벌렸을 때의 뒤쪽에 놓인 다리. 3 책상 따위의 뒤쪽에 있는 다리. ↔앞다리.
뒷다리(를) 잡다 구 벗어나지 못하도록 상대방의 약점을 잡다.
뒷다리(를) 잡히다 구 상대편에게 약점이 잡혀 벗어나지 못하게 되다.
뒷:-덜미 [뒤떨- / 뒫떨-] 명 목덜미 아래 어깻죽지 사이. ¶ ~를 낚아채다. ㊟덜미.
뒷:-돈 [뒤똔 / 뒫똔] 명 1 뒤에 잇따라 대서 쓰는 밑천. 2 장사판이나 노름판에서 뒤를 대어 주는 밑천. ¶ ~을 대다. 3 은밀히 주고받는 돈. ¶ ~ 거래.
뒷:-동 [뒤똥- / 뒫똥] 명 일의 뒤에 관련된 도막. ¶ ~을 살피다.
뒷:-동산 [뒤똥- / 뒫똥-] 명 집이나 마을 뒤에 있는 동산.
뒷:-마감 [뒨-] 명하타 일의 뒤를 맺어서 끝냄. 뒷막이. ¶ ~을 서두르다.
뒷:-마당 [뒨-] 명 뒤뜰. ↔앞마당.
뒷:-마루 [뒨-] 명 집의 뒤쪽에 있는 마루.
뒷:-마무리 [뒨-] 명하타 일의 뒤끝을 마무름. 또는 그 마무른 일. ¶ 공사를 ~하다 / 일은 ~를 잘해야 한다.
뒷:-말 [뒨-] 명하자 1 계속되는 이야기의 뒤를 이음. 또는 그런 말. ¶ ~을 이어가다. 2 뒷공론으로 하는 말. 뒷소리. ¶ 결정 뒤에 ~이 많다.
뒷:-맛 [뒨맏] 명 1 음식을 먹은 뒤에 입속에 남은 맛. 뒷입맛. 후미(後味). ¶ ~이 개

운하다. **2** 일이 끝난 다음의 느낌. ¶~이 씁쓸하다.

뒷맛(이) 쓰다 구 무슨 일이 끝난 다음에 남는 느낌이 좋지 않다.

뒷:-머리 [뒨-] 명 **1** 물체나 행렬의 뒷부분. **2** 뒤통수. **3** 머리의 뒤쪽에 난 머리털. ¶~가 길다.

뒷:-면 (-面)[뒨-] 명 물건 뒤쪽의 면. 이면(裏面). 후면(後面). ↔앞면.

뒷:-모습 [뒨-] 명 뒤에서 본 모습. ¶~이 낯익다. ↔앞모습.

뒷:-모양 (-模樣)[뒨-] 명 **1** 뒤로 드러나는 모양. ↔앞모양. **2** 일이 끝난 뒤의 모양. ¶일의 ~이 우습게 되었군.

뒷:-문 (-門)[뒨-] 명 **1** 집의 뒤쪽이나 옆으로 난 문. 후문. ↔앞문. **2** 정당하지 못한 수단·방법으로 해결하는 길. ¶~ 거래가 성행하다 / ~으로 입학하다.

뒷:-물 [뒨-] 명하자 사람의 국부나 항문을 씻는 물. 또는 그 일.

뒷:-바라지 [뒤빠- / 뒫빠-] 명하타 뒤에서 보살피며 도와주는 일. ¶유학 보낸 아들 ~에 바쁘다.

뒷:-바퀴 [뒤빠- / 뒫빠-] 명 수레·차 따위의 뒤에 있는 바퀴. ↔앞바퀴.

뒷:-받침 [뒤빧- / 뒫빧-] 명하자타 뒤에서 받쳐 주는 일. 또는 그 사람이나 물건. ¶~해 줄 사람이 없다 / 여러 증언으로 ~된 증거 자료 / 그 이론을 ~할 과학적인 근거가 없다 / 돈을 풀어 경제 회복을 ~하다.

뒷:-발 [뒤빨 / 뒫빨] 명 **1** 네발짐승의 뒤에 달린 두 발. **2** 두 발을 앞뒤로 벌렸을 때의 뒤쪽에 놓인 발. ↔앞발.

뒷:발-질 [뒤빨- / 뒫빨-] 명하자 **1** 짐승이 뒷발로 차는 짓. **2** 뒤로 차는 발길질. ¶문을 ~로 닫다.

뒷:-방 (-房)[뒤빵 / 뒫빵] 명 《건》 **1** 몸채 뒤꼍에 있는 방. **2** 집의 큰방 뒤에 딸려 있는 방.

뒷:-배 [뒤빼 / 뒫빼] 명 겉으로 드러나지 않게 뒤에서 보살펴 주는 일. ¶시어머니는 집안에서 맞벌이의 ~를 보고 있다.

뒷:-부분 (-部分)[뒤뿌- / 뒫뿌-] 명 **1** 물체의 뒤쪽 부분. ↔앞부분. **2** 어떤 일이나 형식·상황 따위의 뒤를 이루는 부분. ¶연극의 ~에 클라이맥스가 있다.

뒷:북-치다 [뒤뿍- / 뒫뿍-] 자 뒤늦게 쓸데없이 수선을 떨다. ¶일을 그르치고 ~.

뒷:-사람 [뒤싸- / 뒫싸-] 명 **1** 뒤에 있거나 나중에 온 사람. ¶그의 목소리는 ~에게도 크게 들릴 정도로 우렁찼다. **2** 뒤에 오는 세대의 사람. **3** 후임자. ¶일을 마무리 짓지 못하고 ~에게 넘기다.

***뒷:-산** (-山)[뒤싼 / 뒫싼] 명 **1** 집이나 마을 뒤에 있는 산. ↔앞산. **2** 앞뒤 두 산에서 뒤쪽의 산. ¶~에 진달래가 만발하였다.

뒷:-생각 [뒤쌩- / 뒫쌩-] 명하자 일이 벌어진 다음에 일어날 일을 생각함. ¶~ 없이 일을 저지르다.

뒷:-소문 (-所聞)[뒤쏘- / 뒫쏘-] 명 어떤 사건이 지난 뒤, 그 사건에 관한 여러 가지 소문. 후문(後聞). ¶이상한 ~이 나돌다.

뒷:-손[1] [뒤쏜 / 뒫쏜] 명 겉으로는 사양하는 체하고 뒤로는 슬그머니 벌려서 받는 손. ¶~을 벌려 돈을 요구하다.

뒷:-손[2] [뒤쏜 / 뒫쏜] 명 뒷수습을 하는 일. ¶~이 가다 / ~을 보다.

뒷손(을) 쓰다 구 어떤 일이나 문제를 해결하기 위하여, 남몰래 대책을 강구하거나 뒤로 손을 쓰다.

뒷:손가락-질 [뒤쏜까- / 뒫쏜까-] 명하자 남의 뒤에서 손가락으로 가리키며 욕하는 짓. 뒷손질. ¶남에게 ~을 받다.

뒷:손-질 [뒤쏜- / 뒫쏜-] 명하자 **1** 남몰래 뒤로 손을 쓰는 짓. **2** 일이 끝난 뒤에 다시 손을 대어 매만지는 일. ¶~이 많이 간다. **3** 뒷손가락질. **4** 손을 몸 뒤로 돌려 하는 동작. ¶살짝 오라고 ~로 불러냈다.

뒷:-수발 [뒤쑤- / 뒫쑤-] 명하자 뒤에서 드러나지 않게 보살피는 일.

뒷:-수쇄 (-收刷)[뒤쑤- / 뒫쑤-] 명하자 일이 끝난 뒤에 그 남은 일을 정돈하는 일. 뒤치다꺼리.

뒷:-수습 (-收拾)[뒤쑤- / 뒫쑤-] 명하자 일이 끝난 뒤에 거두어 마무리함. ¶사고의 ~.

뒷:-시중 [뒤씨- / 뒫씨-] 명하자 뒤를 보살피며 옆에서 잔심부름하는 일.

뒷:-심 [뒤씸 / 뒫씸] 명 **1** 남이 뒤에서 도와주는 힘. ¶~만 믿고 덤비다. **2** 끝판에 가서 회복하는 힘. ¶~이 약하다〔세다〕.

뒷:-이야기 [뒨니-] 명 **1** 계속되는 이야기의 뒷부분. ¶나머지 ~는 내일 듣기로 하자. **2** 후일담(後日談).

뒷:-일 [뒨닐] 명 장차 생기는 일. 훗일. 후사(後事). ¶~을 부탁하다.

뒷:-일꾼 [뒨닐-] 명 보조하거나 허드렛일을 하는 일꾼.

뒷:-자락 [뒤짜- / 뒫짜-] 명 옷 뒤에 늘어진 자락. ¶치마 ~. ↔앞자락.

뒷:-자리 [뒤짜- / 뒫짜-] 명 **1** 뒤쪽에 있는 자리. ¶~에 서다. **2** 경쟁이나 학습에서 뒤떨어진 자리. ¶성적이 ~를 맴돌다. **3** 뒤에 남은 흔적. ¶~가 깨끗하다.

뒷:-장 (-張)[뒤짱 / 뒫짱] 명 종이의 뒷면. 또는 그 다음 장.

뒷:-전 [뒤쩐 / 뒫쩐] 명 **1** 뒤쪽이 되는 부분. ¶~으로 빠지다 / ~에 물러앉다. **2** 겉으로 드러나지 않는 배후나 뒷면. ¶~에서 공론하다. **3** 차례의 나중. ¶~으로 밀리다. **4** 배의 뒷부분. ¶~에 짐을 싣다.

뒷:-정리 (-整理)[뒤쩡니 / 뒫쩡니] 명하자 일의 뒤끝을 바로잡는 일.

뒷:-조사 (-調査)[뒤쪼- / 뒫쪼-] 명하타 은밀히 조사하는 일. 또는 그런 조사. 내사(內査). ¶흥신소에 ~를 의뢰하다.

뒷:-주머니 [뒤쭈- / 뒫쭈-] 명 **1** 바지 뒤쪽의 주머니. ↔앞주머니. **2** 남모르게 따로 마련한 돈. ¶~를 차다.

뒷:-줄 [뒤쭐 / 뒫쭐] 명 **1** 앞줄의 뒤에 있는 줄. ↔앞줄. **2** 배후의 세력. ¶~을 믿고 날뛰다.

뒷:-지느러미 [뒤찌- / 뒫찌-] 명 《어》 항문과 꼬리지느러미 사이에 있는 지느러미.

뒷:-질 [뒤찔 / 뒫찔] 명하자 물에 뜬 배가 앞뒤로 흔들리는 짓. 앞뒷질. 피칭. *옆질.

뒷:-짐 [뒤찜 / 뒫찜] 명 두 손을 등 뒤로 잦혀 마주 잡는 일.

뒷짐(을) 지다 구 참가하거나 참견하지 않

고 보기만 하다.
뒷짐(을) 지우다 구 ㉠뒷짐을 지게 하다. ㉡두 손을 등 뒤로 젖히고 묶다.
뒷:-집 [뒤찝/뒫찝] 명 집 뒤쪽으로 이웃한 집. ↔앞집.
뒹굴다 〔뒹구니, 뒹구오〕 一자타 누워서 이리저리 구르다. ¶잔디밭에 ~. 二자 **1** 한 곳에 눌어붙어 편히 놀다. ¶종일 뒹굴며 지내다. **2** 물건 따위가 함부로 버려지다. ¶쓰레기가 아무 데나 뒹굴고 있다.
듀스 (deuce) 명 테니스·탁구·배구 등에서, 승패를 결정하는 마지막 한 점을 남겨 놓고 동점을 이루는 일. 새로 두 점을 잇따라 이기는 쪽이 이김.
듀엣 (duet) 명 〖악〗 **1** 이중주(二重奏). **2** 이중창. **3** 두 사람이 추는 댄스.
드- 투 일부 용언 앞에 붙어, 정도가 심하거나 높음을 나타내는 말. ¶~날리다/~넓다/~세다.
드나-나나 부 들어가거나 나오거나. ¶~ 말썽만 부린다.
***드나-들다** 〔-드니, -드오〕 一자타 **1** 많이 들어가고 나오고 하다. ¶단골집에 ~/도서관에 ~. **2** 일정한 곳이나 여러 곳에 자주 왔다 갔다 하다. ¶몸이 약해서 병원에 ~. 二자 고르지 못하고 들쭉날쭉하다. ¶성적이 드나들어 종잡을 수 없다. 준나들다.
드난 명하자 흔히 여자가 자유로이 드나들며 고용살이함. 또는 그런 사람.
드난-꾼 명 드난살이하는 사람.
드난-살다 〔-사니, -사오〕 자 남의 집에서 드난으로 살아가다.
드난-살이 명하자 드난으로 살아가는 생활.
드-날리다[1] 타 손으로 들어서 날리다. ¶연을 ~.
드-날리다[2] 자타 들날리다. ¶명성을 ~.
드-넓다 [-널따] 형 활짝 틔어서 매우 넓다. ¶드넓은 평야.
드-높다 [-놉따] 형 매우 높다. ¶사기가 ~/드높은 가을 하늘.
드-높이 부 매우 높게. ¶~ 솟은 산/애국가가 ~ 울려 퍼지다.
***드-높이다** 타 《'드높다'의 사동》 몹시 높게 하다. ¶사기를 ~.
***드디어** 부 무엇으로 말미암아 그 결과로. 마침내. 결국. ¶고생하더니 ~ 성공했다.
드라마 (drama) 명 **1** 희곡. 각본. 연극. ¶홈 ~를 제작하다/라디오 ~의 각본을 쓰다. **2** 텔레비전 등에서 방송되는 극. **3** 극적인 사건이나 상황. ¶어제의 일은 하나의 ~를 방불케 했다.
드라마틱-하다 (dramatic-) 형여불 감동적이고 인상적인 특성이 있다. 극적이다. ¶남북 이산가족의 드라마틱한 재회.
드라이 (dry) 명하타 **1** '드라이클리닝'의 준말. **2** 젖은 머리 따위를 말리거나 다듬는 일.
드라이버 (driver) 명 **1** 운전기사. **2** 나사돌리개. **3** 골프에서, 공을 멀리 가게 치는 골프채.
드라이브 (drive) 명하자타 **1** 기분 전환을 위해 자동차를 타고 돌아다님. ¶교외로 ~를 나가다/~ 코스. **2** 테니스·탁구 등에서, 공을 위쪽으로 깎아서 세게 침.
드라이-아이스 (dry ice) 명 〖화〗 고체 이산화탄소의 딴 이름. 이산화탄소를 압축·액화한 다음 급격히 팽창시켜 만든 눈 모양의 고체《식료품 따위를 냉각하는 데 씀》.
드라이-클리닝 (dry cleaning) 명 물 대신 벤젠 같은 세척액을 사용하는 세탁. 준드라이.
드래그 (drag) 명 〖컴〗 끌기.
드러-나다 자 **1** 겉으로 나타나다. ¶갯바닥이 ~. **2** 감춘 것이 발각되다. ¶비밀이 ~.
드러-내다 타 《'드러나다'의 사동》 드러나게 하다. ¶속마음을 ~.
드러냄-표 (-標) 명 〖언〗 문장 부호의 하나. 문장 내용 중에서 중요한 부분이나 주의가 미쳐야 할 곳을 특별히 드러내어 보일 때 쓰는 '˚, •' 등의 이름《가로쓰기에는 글자 위에, 세로쓰기에는 글자 오른쪽에 찍음》. 특시표(特示標).
드러-눕다 〔-누우니, -누워〕 자ㅂ불 **1** 자기 마음대로 편히 눕다. ¶풀밭에 ~. **2** 앓아서 자리에 눕다.
드럼 (drum) 명 **1** 〖악〗 양악에서 북의 총칭. **2** 드럼통1.
드럼-통 (drum桶) 명 **1** 두꺼운 철판으로 만든 원주형의 큰 통《기름 등 액체를 넣음》. 드럼. **2** 〈속〉 키가 작고 뚱뚱한 사람을 놀리어 일컫는 말.
드렁-거리다 자타 **1** 우렁차게 울리는 소리를 자꾸 내다. **2** 코를 짧게 고는 소리를 자꾸 내다. 큰드릉거리다. **드렁-드렁** 부하자타. ¶코를 ~ 골며 자다.
드렁-대다 자타 드렁거리다.
드레 명 인격적으로 점잖은 무게. ¶나이는 어린데 퍽 ~가 있어 보인다.
드레-나다 자 바퀴나 나사못 따위가 헐거워져서 흔들거리다.
드레스 (dress) 명 여성용 겉옷으로, 허리를 잘록하게 보이도록 디자인한 원피스.
드레-지다 형 **1** 사람의 됨됨이가 점잖아 무게가 있다. **2** 물건의 무게가 가볍지 않다.
드레-질 명하자 사람의 됨됨이나 물건의 무게를 헤아리는 짓.
드로잉 (drawing) 명 **1** 한 가지 빛깔의 선으로 그린 그림. 소묘. **2** 경기에서 참가팀의 대전(對戰) 편성을 위해 하는 추첨.
드르렁 부 코를 고는 소리. 작다르랑.
드르렁-거리다 자타 코를 길게 골며 드르렁 소리를 자꾸 내다. 또는 그런 소리가 자꾸 나다. 작다르랑거리다. **드르렁-드르렁** 부하자타. ¶코를 ~ 골다.
드르렁-대다 자타 드르렁거리다.
드르르[1] 부하자 **1** 큼직한 물건이 단단한 바닥 위를 구르는 소리. ¶문을 ~ 열다. **2** 큼직한 물건이 연하게 떠는 모양. 작다르르[1]. 센뜨르르[1]. **3** 재봉틀로 조금 두꺼운 천을 박는 소리.
드르르[2] 부하형 어떤 일에 능통하여 조금도 막힘이 없이 잘하는 모양. ¶긴 시를 ~ 외다. 작다르르[2]. 센뜨르르[2].
드르륵 부 **1** 방문 따위를 거침없이 열 때 나는 소리. ¶창문을 ~ 열다. **2** 총 따위를 잇따라 쏘는 소리. 또는 그 모양.
드르릉 부 드르렁.
드르릉-거리다 자타 드르렁거리다. **드르릉-**

드르릉 부하자타
드르릉-대다 자타 드르릉거리다.
드릉-거리다 자타 1 우렁차게 울리는 소리가 자꾸 나다. ¶자동차 엔진 소리가 ~. 2 코를 짧게 고는 소리를 자꾸 내다. 또는 그런 소리가 자꾸 나다. 작드렁거리다. 드릉-드릉 부하자타
드릉-대다 자타 드릉거리다.
드리다[1] 타 '드리우다'의 잘못.
드리다[2] 타 검불·티·쭉정이 등을 없애기 위하여 떨어 놓은 곡식을 바람에 날리다. ¶바람에 벼를 ~.
드리다[3] 타 1 여러 가닥의 실이나 끈을 하나로 꼬거나 땋다. ¶실을 ~. 2 땋은 머리 끝에 댕기를 물리다. ¶갑사댕기를 ~.
*드리다[4] 타 1 '주다'의 높임말. ¶부모님께 선물을 ~. 2 신·부처에게 정성을 바치다. ¶기도를 ~/불공을 ~. 3 윗사람에게 말씀을 여쭙다. ¶문안을 ~/인사를 ~.
드리다[5] 타 집 지을 때 방·마루 등의 구조물을 만들거나 구조를 바꾸어 꾸미다. ¶방을 따로 ~/가게를 ~.
드리다[6] 타 물건 팔기를 그만두고 가게문을 닫다. ¶가게를 드릴 시간이다.
드리다[7] 보동 윗사람을 위해서 하는 동작의 뜻을 나타내는 보조 동사. ¶손님을 안내해 ~/어머님을 역까지 모셔다 ~.
드리블 (dribble) 명하타 1 축구에서, 공을 두 발로 몰고 나가는 일. 2 배구에서, 경기 중에 한 사람의 몸에 연이어 두 번 이상 공이 닿는 반칙. 3 농구에서, 공을 손으로 땅바닥에 튀기며 나아가는 일.
드리우다 자타 1 아래로 늘이다. ¶창가에 커튼이 ~/발을 드리워 햇빛을 가리다. 2 아랫사람에게 가르침을 주다. 3 이름을 후세에 전하게 하다. ¶후세에 이름을 길이 드리울 위인. 4 그늘이나 빛·그림자 따위가 깃들거나 뒤덮이다. 또는 그렇게 되게 하다. ¶땅 위에 그림자가 ~.
드릴 (drill) 명 1 송곳. 2 맨 끝에 송곳날을 단, 공작용의 구멍 뚫는 기구. 보르반(Bohr盤). 3 기본적인 내용을 되풀이하여 연습하는 반복 학습.
드림 명 길게 매달아 처지게 하는 물건. 드리개. ¶~을 단 축하 화분.
드림-줄 [-쭐] 명 마루에 오르내릴 때 붙잡을 수 있게 늘어뜨린 줄.
드림-추 (-錘) 명 〖건〗 줄에 추를 달아 벽·기둥 따위가 수직인지를 살펴보는 기구.
드링크 (drink) 명 술이나 음료수 따위 마실 것. 또는 드링크제.
드-맑다 [-막따] 형 매우 맑다. 드높게 맑다. ¶드맑은 가을 하늘.
드문-드문 부하형 1 시간적으로 잦지 않게. 이따금. ¶손님이 ~ 찾아온다. 2 공간적으로 배지 아니하게. 띄엄띄엄. ¶나무를 ~ 심다. 작다문다문. 센뜨문뜨문.
[드문드문 걸어도 황소걸음] 속도는 느리나 도리어 믿음직스럽고 알차다는 말.
*드물다 〔드무니, 드무오〕 형 1 잦지 않고 뜨다. ¶인적이 ~. 2 공간이 배지 않고 뜨다. ¶고층 건물이 드물게 서 있다. 3 흔하지 않다. ¶요즘은 갓 쓴 노인이 ~.
드뿍 부하형 분량이 다소 넘치게 많은 모양. ¶밥을 그릇에 ~ 담다. 작다뿍.
드뿍-드뿍 부하형 여럿이 모두 분량이 다소 넘치게 많은 모양. 작다뿍다뿍.
드-새다 타 길을 가다가 집이나 쉴 만한 곳에서 밤을 지내다. ¶주막에서 하룻밤을 ~.
드세다 형 1 세력이 만만찮게 세다. ¶바람이 ~/드센 그의 고집은 도무지 꺾을 수가 없다. 2 집터를 지키는 귀신이 사납다. ¶터가 드세어서 잘되는 일이 없다. 3 견디기 힘들 정도로 거칠고 사납다. ¶팔자가 ~/드센 시집살이.
드잡이 명하타 1 서로 머리나 멱살을 움켜잡고 싸우는 짓. ¶~ 싸움/~를 쳐서 다치다. 2 빚을 못 갚은 사람의 솥·그릇 등 세간살이를 가져가는 짓. 3 교군의 어깨를 쉬게 하기 위해 딴 사람이 양옆에서 들장대로 가마채를 받쳐 들고 가는 짓.
드티다 자타 1 자리가 밀리거나 옮겨져 틈이 생기다. 또는 그런 틈을 내다. ¶나무 사이를 드티어서 심자. 2 날짜·기한 등이 조금씩 연기되다. 또는 날짜 등을 연기하다. ¶이삼 일 날짜를 ~.
드팀-새 명 틈이 생긴 정도나 낌새. ¶~를 전혀 주지 않고 몰아붙이다.
득 (得) 명하타 소득 또는 이득. ↔실(失).
득남 (得男)[등-] 명하자 아들을 낳음. 생남(生男). ¶~ 턱을 내다. ↔득녀.
득녀 (得女)[등-] 명하자 딸을 낳음. 생녀. ¶~를 축하하네. ↔득남.
득달 (得達) 명하자타 목적한 곳에 다다름. 목적을 달성함.
득달-같다 [-갇따] 형 잠시도 지체하지 않다. 득달-같이 [-가치] 부. ¶~ 달려가다.
득도 (得道) 명하자 오묘한 이치나 도를 깨달음. ¶~의 길을 걷다.
득돌-같다 [-갇따] 형 1 뜻에 꼭꼭 잘 맞다. 2 조금도 지체함이 없다. 득돌-같이 [-가치] 부. ¶~ 달려오다.
득:-득 부 1 금이나 줄을 자꾸 세차게 긋는 모양. 또는 그 소리. 2 물이 갑자기 세차게 얼어붙는 모양. 또는 그 소리. ¶~ 얼어붙다. 3 세차게 긁는 모양. 또는 그 소리. ¶솥바닥을 ~ 긁다. 작닥닥.
득명 (得名)[등-] 명하자 이름이 널리 알려짐. 명성이 높아짐.
득문 (得聞)[등-] 명하타 얻어들음.
득세 (得勢) 명하자 1 세력을 얻음. ¶보수파가 ~하다. ↔실세(失勢). 2 시세가 좋게 됨. 또는 유리해진 형세.
득시글-거리다 자 사람이나 동물이 떼로 모여 자꾸 어수선하게 들끓다. ¶휴가철이 되자 바닷가에는 많은 사람들로 득시글거렸다. 준득실거리다. 득시글-득시글 부하자형
득시글-대다 자 득시글거리다.
득실 (得失) 명 1 얻음과 잃음. ¶골 ~ 차. 2 이익과 손해. ¶~을 따지다. 3 성공과 실패. 4 장점과 단점.
득실-거리다 자 '득시글거리다'의 준말. 득실-득실 부하자형. ¶사람들이 ~한 버스에 몸을 실었다.
득실-대다 자 득실거리다.
득음 (得音) 명하자 노래나 연주 솜씨가 매우 뛰어난 경지에 이름.
득의 (得意)[-/-이] 명하자 바라던 일이 이

루어져서 뽐냄. 뜻을 이루어 만족해함. ¶ ~에 찬 얼굴 / ~의 미소.

득의-만면 (得意滿面)[-/-이-] 명 뜻을 이루어 기쁜 표정이 얼굴에 가득 참.

득의-양양 (得意揚揚)[-냥/-이-냥] 명하형 뜻을 이루어 우쭐거리며 뽐냄.

득점 (得點) 명하타 시험·경기 등에서 점수를 얻음. 또는 그 점수. ¶ ~ 기회를 잃다. ↔실점(失點).

득점-력 (得點力)[-녁] 명 득점할 수 있는 능력. ¶ ~이 높은 선수를 스카우트하다.

득점-타 (得點打) 명 야구에서, 득점에 연결된 안타. ¶ 9회 말에 ~를 치다.

득죄 (得罪) 명하자 자신의 잘못으로 죄를 얻음.

득책 (得策) 명하자 훌륭한 계책을 얻음. 또는 그 계책. 득계(得計).

득표 (得票) 명하타 투표에서 찬성표를 얻음. 또는 그 얻은 표. ¶ ~ 전략을 세우다.

득:-하다 [드카-] 자여불 날씨가 갑자기 추워지다《종결형으로는 쓰지 않음》.

득-하다 (得-)[드카-] 타여불 무엇을 얻거나 이익을 얻다.

득효 (得效)[드쿄] 명하자 약 따위의 효력을 봄. 약효를 봄.

든 조 '든지'의 준말. ¶ 개~ 소~ 다 마찬가지다. *이든.

-든 어미 '-든지'의 준말. ¶ 가~ 말~ 네 마음대로 해라.

든거지-난부자 (-富者) 명 실제로는 가난하면서도 겉으로는 부자같이 보이는 사람. 준든거지. ↔든부자난거지.

든든-하다 형여불 **1** 약하지 않고 굳세다. ¶ 몸이 ~. **2** 무르지 않고 굳다. ¶ 든든하게 만든 물건. **3** 마음이 허수하지 않고 미덥다. ¶ 그 말을 들으니 마음이 ~. **4** 먹은 것이나 입은 것이 충분해서 허전하지 않다. ¶ 든든하게 입다 / 고기를 먹었더니 속이 ~. **5** 잘못이나 부족함이 없다. ¶ 매사를 든든하게 하다. **6** 알차고 실하다. ¶ 밑천을 든든하게 대 주다. 작단단하다. 센뜬뜬하다. **든든-히** 부

든-번 (-番) 명 쉬었다가 차례가 되어 다시 들어가는 번(番). ↔난번.

든-벌 명 집 안에서만 신는 신이나 입는 옷 등의 총칭. ↔난벌.

든부자-난거지 (-富者-) 명 실제는 부자면서도 겉으로는 거지같이 보이는 사람. 준든부자. ↔든거지난부자.

든-손 ⊟명 **1** 일을 시작한 김. ¶ ~에 마저 해 버리자. **2** 서슴지 않고 얼른 하는 동작. ¶ 이런 일은 ~으로 해치우자. ⊟부 망설이지 않고 곧. 그 자리에서 얼른. ¶ 죄인을 ~ 잡아오다.

든지 조 무엇이나 가리지 않는 뜻을 나타낼 때 받침 없는 말에 붙여 쓰는 보조사. ¶ 배추~ 무~ 아무것이나. 준든. *이든지. ☞-던지.

-든지 어미 무엇이나 가리지 않는 뜻을 나타낼 때 '이다'나 용언의 어간에 붙이는 연결 어미. ¶ 있~ 말~ 마음대로 해라 / 싫~ 좋~ 간에 계속 다닐 수밖에 없다. 준 -든. ☞-던지.

든직-하다 [-지카-] 형여불 사람됨이 경솔하지 않고 무게가 있다. ¶ 사람이 든직하여 믿을 만하다. **든직-히** [-지키] 부

든-침모 (-針母) 명 남의 집에 들어가 살면서 바느질을 맡아 하는 여자. ↔난침모.

듣그럽다 〔듣그러우니, 듣그러워〕 형ㅂ불 떠드는 소리가 듣기 싫다. 시끄럽다. ¶ 듣그럽게 떠들다.

듣기 명 국어 학습의 한 부분으로, 남의 말을 정확하게 알아듣고 이해하는 일. *말하기·읽기·쓰기.

듣다[1] 〔들으니, 들어〕 자ㄷ불 눈물·빗물 따위가 방울방울 떨어지다. ¶ 빗방울이 듣는 소리 / 눈물이 뚝뚝 ~.

듣다[2] 〔들으니, 들어〕 자ㄷ불 **1** 약 따위가 효험을 나타내다. ¶ 두통에 잘 듣는 약 / 그에게는 뇌물이 안 듣는다. **2** 기계 따위가 제대로 움직이다. ¶ 자동 조절기가 잘 듣지 않는다.

***듣다**[3] 〔들으니, 들어〕 타ㄷ불 **1** 귀로 소리를 느끼다. ¶ 음악을 ~ / 강의를 ~. **2** 칭찬이나 꾸지람을 받다. ¶ 꾸지람을 ~. **3** 이르는 말대로 따라 하다. ¶ 선생님 말씀을 잘 들어라. **4** 허락하다. ¶ 아버지께서는 내 청을 곧 들어 주셨다.

[듣기 좋은 노래도 한두 번이지] 아무리 좋은 것이라도 너무 자주 반복되면 싫증이 난다는 말. **[들으면 병이요 안 들으면 약이다]** 들어서 걱정될 일은 듣지 않음이 낫다.

듣도 보도 못하다 구 전혀 경험한 적이 없어 알지 못하다.

듣다-못해 [-모태] 부 어떤 말을 듣고 더 이상 참을 수 없어서. ¶ ~ 한마디 했다.

듣보기-장사 명 들어박힌 장사가 아니고, 시세를 듣보아 가며 요행수를 바라고 하는 장사. 투기상(投機商).

듣-보다 타 무엇을 찾아 살피느라고 뜻을 두어 듣고 보고 하다. ¶ 혼처를 ~.

듣-잡다 〔듣자오니, 듣자와〕 타ㅂ불 '듣다[3]'의 겸손한 말. ¶ 말씀을 듣자오니.

***들:**[1] 명 **1** 편평하고 넓게 트인 땅. ¶ ~에 핀 꽃. **2** 논밭으로 되어 있는 넓은 땅. ¶ ~에 일하러 나가다.

들[2] 의명 두 개 이상의 사물을 벌여 말할 때 맨 끝에 쓰여, 그 여러 사물을 모두 가리키거나 또 그 밖에 같은 종류의 사물이 더 있음을 뜻하는 말. 등. ¶ 전차·버스·택시 ~.

들[3] 조 부사어나 어미 뒤에 붙어, 그 문장의 주어가 복수임을 나타내는 보조사. ¶ 울지 ~ 마라 / 다~ 떠났다.

들-[1] 두 마구. 몹시. 굉장히. 무리하게. ¶ ~볶다 / ~끓다 / ~쑤시다.

들:-[2] 두 '들에서 자란'·'야생(野生)'의 뜻. ¶ ~국화 / ~버섯 / ~소.

-들 미 명사·대명사에 붙어서 복수를 나타냄. ¶ 사람~ / 우리~.

들:-개 [-깨] 명 주인 없이 제멋대로 돌아다니는 개. 야견(野犬).

들-것 [-껃] 명 환자나 물건을 실어서 나르는 기구. 담가(擔架). ¶ ~으로 나르다.

들고-나다 자 **1** 남의 일에 참견하다. ¶ 남의 싸움에 들고나지 마라. **2** 집 안의 물건을 팔려고 가지고 나가다.

들고-뛰다 자 〈속〉 달아나다. ¶ 일이 이쯤 되면 들고뛰는 수밖에 없다.

들:-고양이 [-꼬-] 명 〖동〗 살쾡이.
들고-일어나다 자 어떤 일에 항의하거나 반대하여 궐기하고 나서다. ¶ 환경 파괴에 거세게 ~.
들:-국화 (-菊花)[-구콰] 명 〖식〗 산이나 들에 나는 야생종의 국화. 감국(甘菊) 따위.
들-기름 명 들깨로 짠 기름. 법유(法油).
들-까부르다 〔들까부르니, 들까불러〕 타 르불 몹시 흔들어서 까부르다. 준들까불다.
들-깨 명 〖식〗 꿀풀과의 한해살이풀. 높이는 약 80 cm, 잎은 크고 잔털이 있음. 여름에 흰 꽃이 핌. 잎은 식용하며 씨는 들기름을 짬. 임자(荏子).
들:-꽃 [-꼳] 명 들에 피는 꽃. 야화(野花).
들-꾀다 자 한곳에 여럿이 모여들다. ¶ 개미가 먹이에 ~.
들-끓다 [-끌타] 자 **1** 여럿이 한곳에 모여들어서 수선스럽게 움직이다. ¶ 터미널은 온종일 피서객들로 들끓었다. **2** 감정·기세 따위가 매우 높아지다. ¶ 여론이 ~.
들-날리다 [-랄-] 자타 세력이나 명성을 널리 떨치다. 또는 그리되게 하다. 드날리다. ¶ 이름을 ~.
들-내 [-래] 명 들깨나 들기름에서 나는 냄새.
들:-녘 [-력] 명 들이 넓게 펼쳐진 곳. ¶ 차창 밖의 ~ 풍경.
들:-놀이 [-롤-] 명하자 들에서 노는 놀이. 야유(野遊). ¶ 온 가족이 ~ 가다.
***들다**[1] 〔드니, 드오〕 ⊟자 **1** 거처를 정하고 살다. ¶ 새집에 ~. **2** 안으로 향하다. ¶ 방 안에 ~. **3** 수면을 위한 장소에 이르다. ¶ 잠자리에 ~. **4** 물감·물기·소금기 따위가 스미거나 배다. ¶ 빨간 물이 ~. **5** 소용되다. ¶ 경비가 ~. **6** 풍흉(豐凶) 또는 절기가 되다. ¶ 풍년이 ~. **7** 사람·물건이 좋게 받아들여지다. ¶ 물건이 마음에 ~. **8** 병이 생기다. ¶ 감기가 ~. **9** 맛이 알맞게 되다. ¶ 김치가 맛이 ~. **10** 버릇이 생기다. ¶ 고약한 버릇이 ~. **11** 안에 들어 있다. ¶ 주머니에 든 돈. **12** 도둑 등이 침입하다. ¶ 간밤에 도둑이 들었다. **13** 광선이 어느 테두리 안에 미치다. ¶ 햇볕이 잘 드는 남향집. **14** 조직체에 가입하거나 합격되다. ¶ 계(契)에 ~ / 노조에 ~ / 합격선에 ~. **15** 어떤 환경이나 상태에 빠지거나 놓이다. ¶ 고생길에 ~. **16** 적금·보험 따위의 거래를 시작하다. ¶ 적금에 ~. **17** 어떤 시기가 되다. ¶ 올해 들어 경기가 회복되었다. **18** 뿌리나 열매가 속이 단단해지다. ¶ 무가 속이 ~ / 낟알이 알차게 ~. **19** 의식이 회복되거나 생각 등이 일다. ¶ 정신이 ~ / 언짢은 느낌이 ~. **20** 잠이 와서 몸과 의식에 작용하다. ¶ 깜빡 선잠이 ~. ⊟타 앞의 명사가 나타내는 일이나 행동 등을 하다. ¶ 중매를 ~ / 시중을 ~ / 역성을 ~ / 장가를 ~ / 편을 ~. ⊟보동 (동사 뒤에서 '-려(고) 들다·-자고 들다'의 꼴로 쓰여) 적극적으로 어떤 행동을 취하려고 함을 나타내는 말. ¶ 덮어놓고 때리려고 ~ / 망하자고 들면 세상에 무슨 일을 못해.
[드는 정은 몰라도 나는 정은 안다] 정이 들 때는 몰라도 정이 떨어져 싫어질 때는 역력히 알 수 있다는 말. [드는 줄은 몰라도 나는 줄은 안다] 사람이나 재물이 붇는 것은 잘 띄지 않아도 줄어드는 것은 곧 알아차린다는 뜻.
들다[2] 〔드니, 드오〕 자 **1** 비나 눈이 그치고 날이 좋아지다. 개다. ¶ 날이 든 뒤에 떠나다. **2** 땀이 그치다. ¶ 바람을 쐬니 땀이 들었다.
들다[3] 〔드니, 드오〕 자 쇠붙이 연장의 날이 날카로워 물건을 잘 베다. ¶ 칼이 잘 ~.
들다[4] 〔드니, 드오〕 자 나이가 꽤 많아지다. ¶ 나이가 좀 들어 보이는 사람.
***들다**[5] 〔드니, 드오〕 타 **1** 손에 가지다. ¶ 꽃을 든 소녀. **2** 물건을 위로 올리다. ¶ 손을 ~. **3** 어떠한 사실이나 예를 가져다 대다. ¶ 보기를 ~. **4** '먹다'의 높임말. ¶ 아침을 ~ / 진지 드세요.
들들 부 **1** 콩·깨 같은 것을 휘저으며 볶거나 맷돌에 가는 모양. ¶ 깨를 ~ 볶다. **2** 사람을 몹시 못살게 구는 모양. ¶ 왜 사람을 ~ 볶느냐. **3** 물건을 들쑤시며 뒤지는 모양. ¶ 장롱을 ~ 뒤지다. 작달달.
들-떠들다 〔들떠드니, 들떠드오〕 자 여럿이 들끓어서 떠들다.
들떼-놓고 [-노코] 부 꼭 집어 바로 말하지 않고. ¶ ~ 얼버무리다.
들-뛰다 자 '들이뛰다2'의 준말. ¶ 들뛰어도 시간에 닿기 어렵겠다.
들-뜨다 〔들뜨니, 들떠〕 자 **1** 단단한 데 붙은 얇은 것이 떨어져 안쪽으로 틈이 생기다. ¶ 장판이 ~. **2** 마음이 들썽거리다. ¶ 들뜬 기분. 작달뜨다. **3** 살빛이 누렇고 부석부석하게 되다. ¶ 아파서 얼굴이 ~.
들락-거리다 자타 들랑거리다.
들락-날락 [-랑-] 부하자 자꾸 드나드는 모양. 들랑날랑. ¶ 구멍에서 쥐가 ~하다 / 아내는 부엌을 ~하며 시중을 들었다.
들락-대다 자타 들락거리다.
들랑-거리다 자타 자꾸 들어왔다 나갔다 하다. ¶ 분주하게 집에 ~.
들랑-날랑 부하자 들락날락.
들랑-대다 자타 들랑거리다.
들러리 명 **1** 서양식 결혼식에서 신랑이나 신부를 식장으로 인도하고 거들어 주는 사람. ¶ 결혼식에 ~를 서다. **2** 주체가 아닌 곁따르는 노릇을 하는 사람의 비유. ¶ 데이트에 ~ 서다.
들러-붙다 [-붇따] 자 〔←들어붙다〕 **1** 끈기 있게 붙다. ¶ 신바닥에 껌이 ~. **2** 한곳에 머물러 자리를 뜨지 않다. ¶ 게임기 앞에만 들러붙어 있다. **3** 몹시 열중하다. ¶ 연극 일에 ~. **4** 끈기 있게 붙어 따르다. ¶ 강아지가 들러붙어 귀찮게 한다. 작달라붙다.
들레다 자 야단스럽게 떠들다.
들려-오다 자 소리나 소문 따위가 들리다. ¶ 안내 방송이 ~.
들려-주다 타 〔←들리어 주다〕 소리나 말을 듣게 해 주다. ¶ 음악을 ~.
***들르다** 〔들르니, 들러〕 자타 지나는 길에 잠깐 거치다. ¶ 약방에 들러서 학교에 가다.
***들리다**[1] ⊟자 《'듣다[3]'의 피동》 **1** 소리가 귀청을 울려 감각이 일어나다. ¶ 소리가 ~. **2** 소문이 퍼져 남들이 듣게 되다. ¶ 들리는 소문으로는 그가 사장이래. ⊟타 《'듣다[3]'의 사동》 남을 시켜서 듣게 하다. ¶ 그에게

도 그 말을 들리는 게 좋겠다.

들리다[2] 자 병이 덮치거나 못된 귀신이 들러붙다. ¶감기에 ~ / 귀신이 ~.

들리다[3] 자 물건의 뒤가 끊어져 다 없어지다. 바닥나다. ¶밑천이 ~.

들리다[4] 一자 《'들다[5]'의 피동》 남에게 들음을 당하다. ¶몸이 번쩍 ~. 二타 《'들다[5]'의 사동》 남을 시켜서 들게 하다. ¶깃발을 들리고 가다.

들마 명 가게 문을 닫을 무렵. ¶~에 전화 좀 걸어 주게.

들-머리 명 **1** 들어가는 맨 첫머리. 들목. ¶마을의 ~ / 시장 ~에 있는 가게 / 겨울 ~에 접어들다. **2** 책이나 긴 글의 앞 부분. ¶책의 ~.

들머리-판 명 있는 대로 다 들어먹고 끝장 나는 판. 준들판.

들먹-거리다 자타 자꾸 들먹이다. 작달막거리다. 센뜰먹거리다. **들먹-들먹** 부하자타

들먹다 형 못나고 마음이 올바르지 못하다.

들먹-대다 자타 들먹거리다.

들먹-이다 一자 **1** 묵직한 물체가 들렸다 가라앉았다 하다. **2** 마음이 설레다. ¶마음이 들먹여 일이 손에 잡히지 않다. **3** 어깨나 엉덩이가 아래위로 움직이다. ¶그의 어깨가 들먹이는 것으로 보아 흐느끼고 있는 것이 분명했다. **4** 가격이 오르는 기세를 보이다. ¶주식값이 ~. 二타 **1** 묵직한 물건을 올렸다 내렸다 하다. 또는 그렇게 되게 하다. **2** 남의 마음을 설레게 하다. **3** 어깨나 엉덩이를 아래위로 움직이다. ¶어깨를 들먹이며 슬피 울다. **4** 남을 들추어 말하다. ¶내 이름을 함부로 들먹이지 마라. 작달막이다. 센뜰먹이다.

들메 명하타 신이 벗어지지 않게 들메는 일.

들메-끈 명 신이 벗어지지 않게 들메는 끈.

들메다 타 신이 벗어지지 않게 끈으로 발에 다 동여매다.

들-보 [-뽀] 명 〖건〗 칸과 칸 사이의 두 기둥을 건너질러서 도리와는 'ㄱ' 자, 마룻대와는 '+' 자 모양을 이루는 나무. ¶~를 얹다 / ~가 내려앉다. 준보.

들-볶다 [-복따] 타 까다롭게 굴거나 잔소리를 하여 남을 못살게 굴다. ¶부하 직원을 ~ / 낮잠만 자는 남편을 들볶아 같이 산책을 나갔다.

들볶-이다 자 《'들볶다'의 피동》 들볶음을 당하다. ¶빚쟁이에게 ~.

들:-불 [-뿔] 명 들에 난 불. 야화(野火).

들:-소 [-쏘] 명 〖동〗 미국·인도 등지에 있는 야생(野生)의 소의 총칭. 야우(野牛). 바이슨(bison).

들-손 [-쏜] 명 그릇 따위의 옆에 달린, 반달 모양의 손잡이. ¶주전자 ~.

들-쇠 [-쐬] 명 **1** 겉창·분합 등을 떠올려 거는 쇠갈고리. 걸쇠. **2** 서랍·문짝 등에 박는 반달 모양의 손잡이.

들쇠1

들-숨 [-쑴] 명 들이쉬는 숨. 흡기(吸氣). ¶~소리. ↔날숨.

들썩 부하자타 **1** 붙어 있던 물건이 떠들리는 모양. ¶그 큰 덩치도 ~ 움직였다. 작달싹. **2** 어깨나 엉덩이가 한 번 들리는 모양. ¶모르겠다는 듯이 어깨를 ~했다. **3** 마음이 들떠서 움직이는 모양.

들썩-거리다 자타 자꾸 들썩이다. 작달싹거리다. 센뜰썩거리다. **들썩-들썩** 부하자타. ¶꽹과리 소리에 어깨가 ~한다 / 잔칫날이면 온 마을이 ~하였다.

들썩-대다 자타 들썩거리다.

들썩-이다 자타 **1** 물체가 들렸다 가라앉았다 하다. ¶물이 끓어 냄비 뚜껑이 ~. **2** 어깨나 궁둥이가 들렸다 놓였다 하다. ¶어깨를 들썩이며 춤을 추다. **3** 마음이 들떠서 움직이다. ¶여행 계획에 마음이 ~. **4** 시끄럽고 부산하게 떠들다. 작달싹이다. 센뜰썩이다.

들썩-하다 [-써카-] 형여불 **1** '떠들썩하다[1]'의 준말. 작달싹하다. **2** 하는 말이 이치에 닿아 그럴듯하다.

들썽-거리다 자 가라앉지 않고 어수선하게 자꾸 들뜨다. **들썽-들썽** 부하자

들썽-대다 자 들썽거리다.

들썽-하다 자여불 어수선하게 들떠 가라앉지 않다. ¶그 여자를 만난 후론 마음이 들썽하여 아무 일도 할 수 없다.

들-쑤시다 자타 '들이쑤시다'의 준말. ¶구멍을 ~ / 가만히 있는 사람을 ~.

들쑥-날쑥 [-쑹-] 부하형 들쭉날쭉.

들-쓰다 〔들쓰니, 들써〕 타 **1** 이불 등을 푹 덮어쓰다. ¶이불을 들쓰고 자다. **2** 모자·갓 등을 머리에 아무렇게나 얹거나 쓰다. ¶모자를 ~. **3** 물이나 먼지 따위를 온몸에 받다. ¶먼지를 ~. **4** 허물이나 책임을 억지로 넘겨 맡다. ¶누명을 ~.

들-씌우다 [-씨-] 타 《'들쓰다'의 사동》 들쓰게 하다. ¶담요를 ~ / 흠을 ~.

들-앉다 [-안따] 자 '들어앉다'의 준말.

들-앉히다 [-안치-] 타 '들여앉히다'의 준말. ¶아이를 방 안에 들앉혀 놓고 생각을 물었다.

*__들어-가다__[1] 자거라불 **1** 밖에서 안으로 향해 가다. ¶교실에 ~ / 시내로 ~. ↔나오다. **2** 구멍에 끼이거나 안에 삽입하다. ¶사진이 많이 들어간 책 / 손가락 하나가 들어갈 만큼 틈이 벌어졌다. **3** 단체의 구성원이 되다. ¶학교에 ~ / 군대에 ~. **4** 경비나 재료가 어떤 용도에 쓰이다. ¶양념이 골고루 들어간 김치 / 월급의 반 이상이 적금으로 들어간다. **5** 글이나 말의 내용이 잘 이해되다. ¶새벽 공부는 머리에 잘 들어간다. **6** 새로운 시기나 상태 따위가 비롯되다. ¶겨울 방학에 ~ / 소강 상태에 ~. **7** 전기·수도 따위의 시설이 설치되다. ¶두메산골에 전화가 ~. **8** 물체 표면이 우묵하게 되다. ¶움푹 들어간 볼 / 눈이 쑥 ~.

들어-가다[2] 타 물건 따위를 몰래 훔치다. ¶도둑이 금고를 ~.

들어-내다 타 **1** 물건을 들어서 밖으로 내놓다. ¶이삿짐을 마당으로 ~. **2** 사람을 있는 곳에서 쫓아내다.

들어-뜨리다 타 집어서 속에 넣다. ¶빨래를 세탁기에 ~.

들어-맞다 [-맏따] 자 꼭 맞다. ¶예상이 ~.

들어-맞히다 [-마치-] 타 《'들어맞다'의 사동》 꼭 맞게 하다.

들어-먹다[1] 타 1 재물이나 밑천을 헛되이 다 없애다. ¶노름으로 재산을 ~. 2 남의 것을 자기 차지로 만들다. ¶공금을 들어먹고 도망치다.
들어-먹다[2] 타 '듣다[3]'의 속된 말. ¶도대체 말을 들어먹어야 일을 시키지.
들어-박히다 [-바키-] 자 1 빈틈없이 촘촘히 박히다. ¶옥수수알이 촘촘히 ~. 2 한 군데만 꼭 붙어 있다. ¶방 안에만 들어박혀 공부만 한다. 3 드러나지 않게 속으로 박히다. ¶손에 가시가 ~.
들어-붓다 [-붇따] [-부으니, -부어] 一자 ㅅ불 비가 퍼붓듯이 쏟아지다. ¶소나기가 좍좍 ~. 二타ㅅ불 1 술을 퍼붓듯이 들이마시다. 2 담긴 물건을 들어서 붓다. ¶흙을 들어부어 구멍을 메우다.
들어-붙다 [-붇따] 자 '들러붙다'의 본딧말.
*__들어-서다__ 자타 1 안쪽으로 옮겨 서다. ¶마을 어귀에 ~. 2 어떤 곳에 자리잡다. ¶강변에 아파트가 ~. 3 새 제도나 체제가 자리를 잡다. ¶새 정부가 ~. 4 어느 시기에 접어들다. ¶장마철에 ~.
들어-앉다 [-안따] 자 1 안으로 다가앉다. ¶좀 안으로 들어앉으시오. 2 지위나 자리를 차지하다. ¶사장으로 ~. 3 바깥 활동을 그만두고 집 안에 있다. ¶집 안에 들어앉아 살림만 하다. 4 일정한 곳에 자리 잡다. ¶골짜기에 들어앉은 별장. 준들앉다.
*__들어-오다__ 자너라불 1 밖에서 안으로 향해 오다. ¶배에 물이 ~. ↔나가다. 2 단체의 구성원이 되다. ¶새로 들어온 회원. 3 취직되어 오다. ¶새로 들어온 직원. 4 수입 등이 생기다. ¶매달 10만 원씩 들어온다. 5 전기·수도 등의 시설이 설치되다. ¶첩첩 산중인 그곳 마을에도 전화가 들어왔다. 6 말이나 글이 이해되어 기억되다. ¶책의 내용이 머리에 ~. 준들오다.
들어-주다 타 청이나 원하는 것을 허락하다. 받아들이다. ¶취직 부탁을 ~.
들어-차다 자 많이 들어서 꽉 차다. ¶버스 안은 사람들로 꽉 들어차서 발 디딜 틈도 없다 / 공터였던 그곳은 어느새 아파트가 빽빽이 들어찼다.
들-엉기다 자 착 들러붙어서 엉기다.
들여-가다 타거라불 1 밖에서 안으로 가져가다. ¶밥상을 ~. 2 물건을 사서 집으로 가져가다. ¶쌀을 ~.
들여-놓다 [-노타] 타 1 밖에서 안으로 갖다 놓다. ¶방 안에 책상을 ~. 2 관계를 맺다. 진출하다. ¶정계에 발을 ~. 3 물건을 사서 집에 갖다 놓다. ¶새로 들여놓은 세탁기가 자꾸 고장이 난다.
*__들여다-보다__ 타 1 밖에서 안을 엿보다. ¶문틈으로 안을 ~. ↔내다보다. 2 가까이서 자세히 살피다. ¶꼼꼼히 ~. 3 들러서 보다. ¶입원 중인 친구를 ~.
들여다-보이다 자 《'들여다보다'의 피동》 속에 있는 것이 눈에 뜨이다. ¶속살이 ~ / 속셈이 훤히 들여다보인다.
들여다-뵈다 자 '들여다보이다'의 준말.
들여-대다 타 바싹 가까이 대다. ¶차를 ~.
들여-디디다 타 안으로 발을 옮겨 디디다. ¶떨어질라, 이쪽으로 발을 들여디뎌라.
들여-보내다 타 1 안이나 속으로 들어가게 하다. ¶외부 사람은 일체 사무실로 들여보내지 마시오. 2 단체나 조직의 구성원이 되게 하다. ¶특파원을 현지로 ~. 3 사위나 며느리 등이 되게 하다. ¶양자로 ~.
들여-세우다 타 1 안쪽으로 바싹 세우다. ¶구급차를 안마당에 들여세우고 환자를 태우다. 2 후보자를 골라 계통을 잇게 하다. ¶조카를 양자로 ~.
들여-쌓다 [-싸타] 타 들이쌓다1. ¶쌀가마를 창고에 ~.
들여-앉히다 [-안치-] 타 《'들어앉다'의 사동》 1 들어가 앉게 하다. 2 다가앉게 하다. ¶아이들을 난롯가 앞으로 ~. 3 바깥 활동을 그만두게 하고 집 안에 있게 하다. ¶아내를 집에 ~. 4 첩 등을 집에서 살도록 데려오다. 준들앉히다.
들여-오다 타너라불 1 밖에서 안으로 가져오다. ¶짐을 마당으로 ~. 2 물건을 새로 사다 놓거나 수입하다. ¶외국에서 기계류를 ~.
들-오다 자너라불 '들어오다'의 준말.
들온-말 명 〚언〛 '외래어'의 풀어쓴 말.
들은-귀 명 1 들은 경험. ¶~가 있어 물어보는 거다. 2 자기에게 이로운 말을 듣고, 그 기회를 놓치지 않으려 함을 가리키는 말. ¶~가 밝다.
들은-풍월 (-風月) 명 남에게서 들어 알게 된 변변치 않은 지식. ¶~로 시를 짓다.
들음-들음[1] 명 이따금씩 들음. 또는 그런 것. ¶~으로 소식을 대충 알고 있다.
들음-들음[2] 부 비용·물자 등이 조금씩 잇따라 드는 모양. ¶~ 비용이 꽤 들었다.
들이 부 '들입다'의 준말.
들이- 두 안으로 들이는 동작을 나타내는 말. ¶~밀다 / ~쉬다.
*__-들이__ 미 그릇의 용량을 나타내는 말. ¶한 되~ 병.
들이-갈기다 타 몹시 세게 때리다. ¶얼굴을 냅다 ~.
들이-곱다 자 안쪽으로 꼬부라지다. ¶추워서 손가락이 ~. 큰들이굽다.
들이-굽다 자 안쪽으로 꾸부러지다. ¶팔이 들이굽지 내굽나. 작들이곱다. ↔내굽다.
*__들이다__[1] 타 《1-5는 '들다[1]'의 사동》 1 안으로 향해 가거나 오게 하다. ¶친구를 방에 ~. 2 일에 대하여 비용을 내거나 힘을 쓰다. ¶수리에 백만 원을 ~ / 공을 ~. 3 맛을 붙이다. ¶고기 맛을 ~. 4 물감을 올리다. ¶빨간 물을 ~. 5 잘 가르쳐 길이 들게 하다. ¶좋은 버릇을 들이다. 6 집안에 부릴 사람을 고용하다. ¶가정부를 ~. 7 물건을 안으로 가져오다. ¶냉장고를 주방에 ~. 8 식구를 새로 맞이하다. ¶친구 딸을 며느리로 ~.
들이다[2] 타 땀을 그치게 하다. ¶땀이나 들이고 가시오.
들이-닥치다 자 갑자기 바싹 다다르다. ¶손님들이 우르르 ~.
들이-대다 一자 마구 대들다. ¶증거를 대라고 ~. 二타 1 바싹 가져다 대다. ¶권총을 ~. 2 돈이나 물건 따위를 대어 주다. ¶밑천은 얼마든지 들이대겠네. 3 물을 끌어대다. ¶논에 물을 ~. 4 급히 가서 닿다.

¶구급차를 문 앞에 ~.
들이-덤비다 자 마구 덤벼들다. ¶어른에게 함부로 ~.
들이-뛰다 자 **1** 밖에서 안으로 뛰어가다. **2** 급하게 달려가다. ¶나를 보자 들이뛰기 시작했다. 준들뛰다.
들이-마시다 타 **1** 빨아들여 마시다. ¶숨을 깊이 ~. **2** 마구 마시다. ¶독한 술을 ~.
들이-맞추다 [-맏-] 타 제자리에 들이대어 꼭 맞게 하다. ¶문짝을 문틀에 ~.
들이-몰다 [-모니, -모오] 타 **1** 안으로 향해 몰다. ¶소를 외양간으로 ~. ↔내몰다. **2** 몹시 심하게 몰다. 마구 몰다. ¶차를 시속 150 km 로 ~.
들이-몰리다 자 《'들이몰다'의 피동》 안으로 또는 한쪽으로 몰리다. ¶시위 군중이 한쪽으로 ~.
들이-밀다 [-미니, -미오] 타 **1** 안 또는 한쪽으로 밀거나 들여보내다. ¶쪽지를 문틈으로 ~. **2** 함부로 밀다. ¶서로 들이밀면서 빠져 나갔다. **3** 바싹 갖다 대다. ¶옆구리에 권총을 ~. **4** 돈이나 물건을 제공하다. ¶돈을 사업에 ~. 준디밀다.
들이-밀리다 자 《'들이밀다'의 피동》 안으로 또는 한쪽으로 들이밂을 당하다. ↔내밀리다.
들이-박다 타 **1** 안쪽으로 다가서 박다. ¶못을 금 안으로 ~. **2** 속으로 깊이 들어가게 박다. ¶파이프를 땅속에 ~. **3** 함부로 박다.
들이-박히다 [-바키-] 자 《'들이박다'의 피동》 들이박음을 당하다. ¶논바닥에 들이박힌 차.
들이-받다 타 **1** 머리를 들이대고 받다. ¶소가 뿔로 ~. **2** 함부로 받거나 부딪다. ¶버스가 교각을 ~.
들이-불다 [-부니, -부오] 자 **1** 바람이 안쪽으로 불다. ¶바람이 창 안으로 ~. **2** 바람이 세차게 불다. ¶바람이 들이불더니 담이 쓰러졌다.
들이-붓다 [-붇따] [-부으니, -부어] 타 ㅅ불 **1** 그릇 속으로 쏟아 붓다. ¶솥에 물을 ~. **2** 마구 붓다. ¶소나기가 들이붓듯이 쏟아지다. 준들붓다.
들이-비추다 타 **1** 밖에서 안쪽으로 비추다. ¶손전등으로 방 안을 ~. **2** 함부로 비추다.
들이-비치다 자 **1** 안쪽으로 비치다. ¶빛이 방으로 ~. **2** 잇따라 세차게 비치다. ¶무대 위의 여기저기서 조명이 ~.
들이-빨다 [-빠니, -빠오] 타 **1** 힘 있게 빨다. ¶자고 난 아기가 젖을 ~. **2** 안쪽으로 빨다. ¶담배를 ~.
들이-세우다 타 **1** 안으로 들여다 세우다. ¶우산을 현관에 ~. **2** 어떤 자리에 보내어 일을 맡게 하다. ¶선생님은 운동을 가장 잘하는 학생을 규율 부장으로 들이세우셨다.
들이-쉬다 타 숨을 들이켜 쉬다. ↔내쉬다.
들이-쌓다 [-싸타] 타 **1** 안쪽으로 가져다가 쌓다. 들여쌓다. **2** 마구 쌓다.
들이-쌓이다 [-싸-] 자 《'들이쌓다'의 피동》 **1** 한곳에 많이 쌓이다. ¶눈이 산골짜기에 ~. **2** 한쪽으로 쌓이다.
들이-쏘다 타 **1** 안으로 향해 쏘다. **2** 마구 쏘다. ¶어둠을 향해 총을 ~.
들이-쑤시다 一자 쿡쿡 쑤시듯이 아픈 느낌이 들다. ¶생인손이 ~. 二타 **1** 남을 가만히 있지 못하게 마구 들썩이다. **2** 무엇을 찾으려고 샅샅이 헤치다. ¶도둑이 장롱을 들이쑤셔 놓은 바람에 방 안이 엉망이 되었다. 준들쑤시다.
들이-지르다 [-지르니, -질러] 타 르불 **1** 들이닥치며 세게 지르다. ¶상대의 옆구리를 발로 ~. **2** 닥치는 대로 흉하게 많이 먹다. **3** 큰 소리를 마구 내다.
들이-치다[1] 자 비·눈·햇살 등이 안쪽으로 매우 세차게 뿌리거나 비치다. ¶소낙비가 창문에 ~ / 차 안으로 햇빛이 ~.
들이-치다[2] 타 들이닥치면서 세차게 치다. ¶적의 기지를 ~.
들이-켜다 타 세게 들이마시다. ¶냉수 한 대접을 벌컥벌컥 ~.
들이-키다 타 안쪽으로 가까이 옮기다. ↔내키다.
들이-퍼붓다 [-붇따] [-퍼부으니, -퍼부어] 一자 ㅅ불 비나 눈 따위가 마구 쏟아지다. 몹시 내리다. ¶소나기가 ~. 二타 ㅅ불 **1** 액체를 그릇에 마구 퍼붓다. **2** 욕 따위를 마구 하다. ¶비난을 ~.
들:-일 [-릴] 명 하자 밭이나 논에서 하는 일. ¶어머니는 뙤약볕 ~에 얼굴이 새까매지셨다.
들입다 부 세차게 마구. 막 무리하게 힘을 들여서. ¶~ 밀고 들어가다 / 총을 ~ 쏘아 대다. 준딥다·들이.
들:-장미 (-薔薇) [-짱-] 명 들에 저절로 나는 장미. 찔레나무.
들-장지 (-障-) [-짱-] 명 〖건〗 들어 올려서 매달아 놓게 된 장지.
들:-쥐 [-쮜] 명 〖동〗 **1** 들에 사는 쥐의 총칭. **2** 쥐의 하나. 얕은 산의 습지에 삶. 몸은 작으며 꼬리가 길어 나무를 휘감아 오름. 등은 갈색, 배는 흼.
들:-짐승 [-찜-] 명 들에서 사는 짐승. *산짐승.
들쩍지근-하다 형 여불 조금 들큼한 맛이 있다. 작달짝지근하다. 거들척지근하다. **들쩍지근-히** 부
들쭉-날쭉 [-쭝-] 부 하형 들어가고 나오고 하여 가지런하지 않은 모양. 들쑥날쑥. ¶~한 해안선.
들-창 (-窓) 명 〖건〗 **1** 들어서 여는 창. **2** 벽의 위쪽에 자그맣게 만든 창. 들창문.
들창-문 (-窓門) 명 들창.
들창-코 (-窓-) 명 코끝이 위로 들려서 콧구멍이 드러나 보이는 코. 또는 그런 사람. ¶~ 아가씨.
들척-거리다 타 무엇을 찾으려고 이리저리 쑤시어 뒤지다. ¶서류 뭉치를 ~.
들척-대다 타 들척거리다.
들척지근-하다 형 여불 조금 들큼한 맛이 있다. ¶막걸리 맛이 약간 ~. 작달착지근하다. 센들쩍지근하다. 준들치근하다. **들척지근-히** 부
들추다 타 **1** 지난 일이나 숨은 일 등을 끄집어내어 드러나게 하다. ¶남의 과거를 ~. **2** 무엇을 찾으려고 자꾸 뒤지다. ¶샅샅이 ~ / 사전을 ~. **3** 속이 드러나게 들어 올리다. ¶이불을 ~.
들추어-내다 타 들추어서 나오게 하다. ¶

부정을 ~. [준]들춰내다·추어내다.
들-치기 [명][하타] 〈속〉 남의 물건을 주인 눈을 속여 잽싸게 훔쳐 들고 달아나는 좀도둑. 또는 그런 짓. *날치기·소매치기.
들치다 [타] 물건의 한쪽 머리를 쳐들다. ¶개구쟁이 녀석들이 장난스레 여자 아이들의 치마를 들치고는 달아났다.
들큼-하다 [형][여불] 맛이 조금 달다. ¶삶은 호박이 ~. [작]달큼하다. **들큼-히** [부]
들키다 [一][자] 숨기려던 것이 남에게 알려지다. ¶담배를 피우다가 선생님께 ~. [二][타] 숨기려던 것을 남이 알아채다. ¶감시원에게 정체를 ~.
들통 [명] 비밀이나 잘못이 드러난 판국. ¶~이 나다 / ~을 내다.
들-통 (-桶) [명] 큰 들손이 달린 쇠붙이 또는 법랑제의 그릇.
들-판[1] [명] '들머리판'의 준말. ¶~이 나다 / ~을 내다.
*__들:-판__[2] [명] 들을 이룬 벌판. ¶끝없는 ~ / 추수가 끝난 빈 ~ / 홍수로 온 ~이 물에 잠기다.
들:-풀 [명] 들에 절로 나는 풀. 야초(野草).
들피 [명] 굶주려서 몸이 여위고 기운이 쇠약해지는 일.
들피-지다 [자] 굶주려서 몸이 여위고 기운이 쇠약해지다.
듬뿍 [부][하형] **1** 넘칠 정도로 가득한 모양. ¶밥을 그릇에 ~ 담다. **2** 먹이나 칠 따위를 충분히 묻힌 모양. ¶붓에 먹을 ~ 묻혀 단숨에 쓰다. 듬뿍이. [작]담뿍.
듬뿍-듬뿍 [부][하형] 그릇마다 듬뿍하게. ¶반찬을 ~ 담아 푸짐하게 상을 차리다. [작]담뿍담뿍.
듬뿍-이 [부] 듬뿍하게. 듬뿍.
듬뿍-하다 [-뿌카-] [형][여불] 그릇 같은 데에 많이 담겨 수북하다. 또는 넘칠 정도로 매우 가득하다. ¶나물을 듬뿍하게 담다.
듬성-듬성 [부][하형] 드물고 성긴 모양. ¶~ 난 콧수염. [작]담상담상.
듬성-하다 [형][여불] 배지 않고 성기다. ¶듬성한 머리 숱.
듬쑥 [부] 손으로 탐스럽게 쥐거나 팔로 정답게 안는 모양. ¶~ 손을 잡고 악수를 청하다. [작]담쑥.
듬쑥-듬쑥 [부] 여러 번 듬쑥 쥐거나 안는 모양. [작]담쑥담쑥.
듬쑥-하다 [-쑤카-] [형][여불] 사람의 됨됨이가 가볍지 않고 속이 깊다.
듬직-이 [부] 듬직하게.
듬직-하다 [-지카-] [형][여불] **1** 사람됨이 무게가 있고 믿음직스럽다. ¶듬직한 성격. **2** 나이가 제법 많다. ¶나이가 듬직한 청년.
듯 [듣] [의명] **1** '듯이'의 준말. ¶부러운 ~ 바라보았다. **2** 어미 '-ㄴ'·'-은'·'-는'·'-ㄹ'·'-을' 등의 뒤에 쓰여, 그러한 것 같기도 하고 그렇지 않은 것 같기도 하다는 뜻을 추상적으로 나타내는 말《그 아래에 '만 듯·마는 듯·말 듯' 등의 말과 함께 씀》. ¶먹은 ~ 만 ~하여 배가 출출하다.
*__-듯__ [듣] [어미] '-듯이'의 준말. ¶총알이 비 오~ 날아오다.
듯-싶다 [듣씹따] [보형] 어미 '-ㄴ'·'-은'·'-는'·'-ㄹ'·'-을' 등의 뒤에 쓰여, '것 같다'의 뜻으로 주관적 추측의 뜻을 나타내는 말. ¶아마 학생인 ~ / 고생할 ~.
듯이 [의명] 마치 그런 것처럼. ¶미친 ~ 날뛰다 / 뛸 ~ 기뻐하다. [준]듯.
-듯이 [어미] '이다'나 용언의 어간 뒤에 붙어 '그 어간이 뜻하는 내용과 거의 같게'의 뜻을 나타내는 연결 어미. ¶바늘 가는 데 실 가~ / 떡 먹~ 쉽게 되다. [준]-듯.
*__듯-하다__ [드타-] [보형][여불] 어미 '-ㄴ'·'-은'·'-는'·'-ㄹ'·'-을' 등의 뒤에 쓰여, '것 같다'의 뜻으로 객관적 추측의 뜻을 나타내는 말. ¶좀 큰 ~ / 비가 올 ~.
*__등__ [명] **1**〖생〗사람이나 동물의 가슴과 배의 반대쪽 부분. ¶~이 굽다 / ~을 긁다. **2** 물건의 뒤쪽이나 바깥쪽에 불룩하게 내민 부분. ¶의자의 ~ / 칼~.
[등이 따스우면 배부르다] 의복이 좋으면 배까지 부르다.
등에 업다 [구] 남의 세력에 의지하다.
등(을) 대다 [구] 등에 업다.
등(을) 돌리다 [구] 뜻을 같이하던 사람이나 단체와 관계를 끊고 돌아서다.
등을 벗겨 먹다 [구] 옳지 못한 방법으로 남의 재물을 빼앗다.
등(이) 달다 [구] 마음대로 되지 않아 안타까워하다. ¶등이 달아 야단이다.
등(이) 닿다 [구] ㉠소나 말의 등이 안장에 닿아 가죽이 벗겨지다. ㉡뒤로 힘 있는 곳에 의지하게 되다. ¶정계의 거물과 ~.
등:[1] (等) [명] **1** '등급'의 준말. **2** 등급이나 석차를 나타내는 말《의존 명사적으로 씀》. ¶1~ / 삼 ~.
*__등__ (燈) [명] 불을 켜서 밝게 하는 기구. ¶~이 환하다 / ~을 달다 / ~을 켜다.
등 (藤) [명] **1** '등나무'의 준말. **2** 등나무의 줄기.
등 (籐) [명] **1**〖식〗야자과의 덩굴나무. 대나무와 비슷한데 길이 200m가량 되며 마디가 있음. 잎은 1.5m가량으로 끝에 덩굴손이 있어 다른 것을 감음. 여름에 잔꽃이 모여 핌. 줄기는 윤이 나고 질겨 가구 등을 만드는 데 씀. **2** 수공품의 재료로 쓰는 등의 줄기.
*__등:__[2] (等) [의명] **1** 그 밖에도 같은 종류의 것이 더 있음을 나타내는 말. ¶소·말 ~은 가축이다. **2** 앞에 열거한 대상에 한정함을 나타내는 말. ¶과일은 사과·배·감 ~ 세 가지만 샀다. *들[2].
등:가 (等價)[-까] [명] **1** 같은 가격·가치. 값이 같음. **2**〖경〗유가 증권의 매매에서 시가(市價)와 액면 가격이 같은 경우.
등-가죽 [-까-] [명] 등에 붙어 있는 가죽.
등:각 (等角) [명]〖수〗서로 크기가 같은 각.
등-갓 (燈-)[-갇] [명] **1** 전등 따위의 위를 씌워서 반사시키는 제구. **2** 등불이나 촛불 위를 가려서 그을음을 받아 내는 제구.
등-거리 [명] 등만 덮을 만하게 걸쳐 입는 홑옷의 하나.
등:-거리 (等距離) [명] **1** 같은 거리. **2** 여러 사물에 같은 비중을 두는 일. ¶~ 노선.
등걸 [명] 줄기를 잘라 낸 나무의 밑동. 나뭇등걸. ¶~에 걸터앉다.
등걸-잠 [명] 옷을 입은 채 덮개 없이 아무데서나 쓰러져 자는 잠.

등겨 명 벼의 껍질. 벼의 겨.
[등겨 먹던 개는 들키고 쌀 먹던 개는 안 들킨다] 나쁜 짓도 크게 한 사람은 들키지 않고 작게 한 사람은 들켜서 애매하게 남의 허물까지 뒤집어쓰게 됨을 비유하는 말.
등:고 (等高) 명 높이가 똑같음.
등:고-선 (等高線) 명 〖지〗 지도상 표준 해면에서 같은 높이에 있는 지점들을 연결한 선. 등고 곡선. ¶～ 재배.
등-골[1] [-꼴] 명 〖생〗 **1** 등골뼈. ¶～이 휘게 일을 했다. **2** 척수.
등골(을) 빼먹다 구 남의 재물을 착취하거나 농락하며 빼앗아 먹다.
등골(이) 빠지다 구 견디기 어려울 정도로 몹시 힘이 들다.
등-골[2] [-꼴] 명 등 뒤 한가운데로 고랑이 진 곳. ¶～에 땀이 흘러내리다.
등골(이) 서늘해지다 구 두렵거나 무서워 등줄기에 찬물을 끼얹은 것처럼 으스스해지다.
등골(이) 오싹하다 구 심한 공포감 따위로 등줄기에 소름이 끼치는 것 같다.
등골-뼈 [-꼴-] 명 〖생〗 척추동물의 등마루를 이루는 뼈. 등뼈. 척추골.
등과 (登科) 명하자 〖역〗 과거에 급제하던 일. 등제(登第).
등교 (登校) 명하자 학생이 학교에 감. ¶～ 시간. ↔하교.
등귀 (騰貴) 명하자 물건 값이 뛰어오름. ¶물가 ～.
등귀-세 (騰貴勢) 명 오름세.
등극 (登極) 명하자 임금의 지위에 오름. 등위(登位). 즉위. ¶새로 ～한 임금.
등:급 (等級) ㊀명 높고 낮음이나 좋고 나쁨의 정도에 따라 나눈 구별. ¶～을 매기다. ㊁의명 별의 밝기를 나타내는 단위.
등기 (登記) 명하타 **1** 민법상의 권리나 사실의 존재를 공시하기 위해 일정 사항을 등기부에 기재하는 일. ¶가옥 ～ / 법인 ～ / 개인 명의로 ～된 토지. **2** '등기 우편'의 준말. ¶편지를 ～로 부치다.
등기-부 (登記簿) 명 등기 사항을 적어서 등기소에 마련해 둔 공공의 장부《부동산 등기부·선박 등기부·법인 등기부 등》.
등기-소 (登記所) 명 등기 사무를 맡아보는 관청.
등기 우편 (登記郵便) 우체국에서 우편물의 인수·배달까지의 기록을 해두어 송달의 정확을 보증하는 우편.
등-나무 (藤-) 명 〖식〗 콩과의 낙엽 활엽 덩굴성 식물. 줄기는 오른쪽으로 감아 붙고, 여름에 나비 모양의 자색 또는 흰 꽃이 핌. 정원수로 심음.
등단 (登壇) 명하자 **1** 문단 등 사회적 분야에 처음으로 등장함. **2** 연단·교단에 오름. ↔하단(下壇).
등:대 (等待) 명하자타 미리 준비하고 기다림. 등후(等候). ¶차를 ～시키다.
등대 (燈臺) 명 **1** 밤에 뱃길의 위험한 곳을 비추거나, 목표로 삼게 하기 위해 등불을 켜 놓는 대. **2** '나아가야 할 길을 밝혀 줌'의 비유. ¶희망의 ～.
등대-지기 (燈臺-) 명 등대를 지키는 사람. 등대수. ¶외로운 섬의 ～.

등-덜미 [-떨-] 명 등의 윗부분. ¶～를 잡고 꾸짖다.
등:등 (等等) 의명 여러 사물을 죽 들어 말할 때 '무엇 무엇 들'의 뜻으로 쓰는 말. ¶공책, 연필, 지우개 ～의 문구류.
등등-하다 (騰騰-) 형여불 기세를 뽐내는 꼴이 아주 높다. ¶노기가 ～ / 기세가 ～.
등-딱지 명 게·거북 따위의 등을 이룬 단단한 딱지. 배갑(背甲).
등-때기 명 '등1'의 낮은말.
등락 (登落)[-낙] 명 합격과 불합격. 급제와 낙제. ¶출제 잘못으로 ～이 엇갈리다.
등락 (騰落)[-낙] 명하자 물가의 오름과 내림. ¶주가가 ～을 거듭하다.
등록 (登錄)[-녹] 명하자타 **1** 문서에 올림. ¶주민 ～ / 새학기 ～을 마치다 / 후보자 ～이 마감되다. **2** 〖법〗 일정한 권리 관계 또는 신분 관계를 법정(法定)의 공부(公簿)에 기재하는 일. ¶관계 당국에 ～된 단체.
등록 (謄錄)[-녹] 명하타 **1** 전례(前例)를 적은 기록. **2** 베끼어 기록함. 등초(謄抄).
등록-금 (登錄金)[-녹-] 명 학교나 학원에 등록할 때 내는 돈. ¶～ 납부.
등록 상표 (登錄商標)[-녹-] 특허청에 등록 절차를 마친 상표《전용권(專用權)이 발생함》.
등록-세 (登錄稅)[-녹-] 명 〖법〗 지방세의 하나. 재산권이나 기타 권리의 취득·이전·변경·소멸에 관한 사항을 공부(公簿)에 등기하거나 등록할 때 부과함.
등록-증 (登錄證)[-녹-] 명 등록하였음을 증명하는 문서. ¶자동차 ～ / ～ 발급.
등롱 (燈籠)[-농] 명 등불을 켜서 어두운 곳을 밝히는 기구의 하나《대오리와 쇠사슬로 살을 만들고 겉에 헝겊이나 종이를 씌워 만듦》.
등-마루 명 **1** 〖생〗 등의 가운데, 등골뼈가 있어 두두룩하게 줄이 진 부분. **2** 산·파도 따위의 두두룩한 부분.
등-물 명 목물2.
등-밀이 명 **1** 〖건〗 등을 대패로 오목하게 밀어서 만든 창살. **2** 합지박이나 나막신 따위의 구붓한 등바닥을 밀어 깎는 연장.
등반 (登攀) 명하타 높은 곳에 기어오름. ¶～ 조난 사고 / 한라산 ～.
등반-객 (登攀客) 명 취미·운동으로 높은 산에 오르는 사람.
등반-대 (登攀隊) 명 산이나 높은 곳에 오르기 위하여 조직한 무리.
등-받이 [-바지] 명 의자에 앉을 때 등이 닿는 부분.
등:변 (等邊) 명 〖수〗 다변형에서 각 변의 길이가 같음. 또는 길이가 같은 변.
등본 (謄本) 명하타 원본의 내용을 전부 베낌. 또는 그 서류. ¶등기부 ～.
등부 (登簿) 명하타 관공서의 공적인 장부에 등기나 등록을 함.
등:분 (等分) 명하타 **1** 〖수〗 분량을 똑같은 부분으로 나눔. 또는 그 분량. ¶세 조각으로 ～된 수박. **2** 등급의 구분. **3** 같은 분량으로 나뉜 몫을 세는 단위《의존 명사적으로 씀》. ¶사과를 네 ～으로 자르다.
***등-불** (燈-)[-뿔] 명 **1** 등에 켠 불. 등화(燈火). ¶～이 밝다 / 희미한 ～. **2** 등잔불.

등:비 (等比) 명 〔수〕 두 개의 비가 서로 같음. 또는 그 비.
등:비-급수 (等比級數) 명 〔수〕 어느 항과 다음 항과의 비가 일정한 급수《1+2+4+8+… 등》. 기하(幾何)급수. ↔등차급수.
등:비-수열 (等比數列) 명 〔수〕 어떤 수에서 시작해 차례로 같은 수를 곱하여 만든 수열《1, 2, 4, 8, 16, … 따위》. 기하수열.
등-뼈 명 〔생〕 등골뼈.
등뼈-동물 (-動物) 명 〔동〕 척추(脊椎)동물. ↔민등뼈동물.
등사 (謄寫) 명하타 **1** 등사기로 박음. 유인(油印). ¶~된 참고 자료. **2** 등초(謄抄).
등사-기 (謄寫機) 명 〔인〕 간편한 인쇄기의 하나《등사 원지를 이용하여 같은 글이나 그림을 많이 박을 때 씀》. 등사판.
등사-판 (謄寫版) 명 등사기(謄寫機).
등산 (登山) 명하타 산에 오름. ¶그는 주말이면 거의 ~을 가지만 가끔은 바둑도 즐긴다. ↔하산(下山).
등산-가 (登山家) 명 등산을 잘하거나 즐기는 사람. 알피니스트.
등산-객 (登山客) 명 운동이나 놀이를 목적으로 산에 오르는 사람.
등산-로 (登山路)[-노] 명 산에 오르는 길. 등산길. ¶~가 험하다.
등산-복 (登山服) 명 등산할 때에 입는 옷. 등산옷. ¶간편한 ~ 차림.
등산-화 (登山靴) 명 창이 두껍고 바닥이 울퉁불퉁하며, 신기에 편한 등산용 구두.
등-살 [-쌀] 명 등에 있는 근육.
등-선 (-線) 명 **1** 등마루의 선. **2** 물건 밑바닥의 반대쪽이나 입체의 뒤쪽 선.
등선 (登仙) 명하자 **1** 신선이 되어 하늘에 오름. **2** 귀한 사람의 죽음을 일컬음.
등성이 명 **1** 사람이나 동물의 등마루가 되는 부분. **2** '산등성이'의 준말.
등세 (騰勢) 명 오름세. ↔낙세(落勢).
등:속 (等速) 명 속도가 같음. 같은 속도.
등:속 (等屬) 의명 명사 뒤에 쓰여, 그것과 같은 종류의 것들을 몰아서 이르는 말. ¶학용품 ~.
등:속 운:동 (等速運動) 〔물〕 속도가 일정한 운동《외부의 힘이 작용하지 않으면 물체는 이 운동을 함》.
등-솔 [-쏠] 명 '등솔기'의 준말. ¶저고리의 ~을 박다.
등-솔기 [-쏠-] 명 옷의 등 가운데를 맞붙여 꿰맨 솔기. ¶~가 터지다. 준등솔.
등:수 (等數)[-쑤] 명 등급에 따라 정한 차례. 또는 그 차례에 붙인 번호. ¶~가 낮다 / ~를 매기다 / ~에 들다.
***등:식** (等式) 명 〔수〕 두 개 또는 그 이상의 식을 같음표 '='로 묶어 그것이 서로 같음을 표시하는 관계식. ↔부등식.
등:신 (等身) 명 자기의 키와 같은 높이.
등:신 (等神) 명 어리석은 사람을 가리키는 말. ¶~ 같은 놈 / 사람을 ~ 취급한다.
등:신-대 (等身大) 명 사람의 크기와 똑같은 크기. ¶~의 동상.
등:신-불 (等身佛) 명 〔불〕 사람의 크기와 똑같게 만든 불상.
등심 (-心) 명 소나 돼지의 등골뼈에 붙은 고기《연하고 기름기가 많음》. 등심살.
등쌀 명 몹시 귀찮게 구는 짓. ¶아이들 ~에 책도 못 읽는다.
등쌀(을) 대다 구 남에게 몹시 귀찮게 굴거나 수선을 피우다.
등:압-선 (等壓線) 명 〔지〕 일기도상에서 기압이 같은 지점을 이어 맺은 선.
등:어-선 (等語線) 명 〔언〕 같은 언어 현상을 가진 지점을 지도상에 이어 이룬 선.
등에 명 〔충〕 등엣과의 곤충. 파리와 비슷한데, 탈피를 하며 몸빛은 황갈색에 날개는 투명함. 가슴·배에는 털이 있음. 동물의 피를 빨아 먹음.
등:온 (等溫) 명 〔물〕 온도가 똑같음. 또는 같은 온도.
등:온-선 (等溫線) 명 **1** 〔지〕 지도상에서 온도가 같은 지점을 이은 선. **2** 〔물〕 물체가 일정한 온도에서 압력의 변화를 받았을 때 압력과 부피와의 관계를 보인 곡선.
등:외 (等外) 명 정한 등급의 밖. ¶~로 밀려나다 / ~ 판정.
등용 (登用·登庸) 명하타 인재를 뽑아 씀. ¶인재를 ~하다.
등-용문 (登龍門) 명 〔잉어가 중국 황허(黃河) 강 상류의 급류를 이룬 곳인 용문(龍門)을 오르면 용이 된다는 전설에서 유래〕 출세하기 위해 통과해야 하는 어려운 과정. ¶문단의 ~ / 그 콩쿠르는 악단(樂壇)으로의 ~이다.
등원 (登院) 명하자 국회의원이 국회에 나감. ¶첫 ~ / ~을 저지하다.
등:위 (等位) 명 **1** 등급. **2** 같은 위치.
등유 (燈油) 명 등불을 켜거나 난로를 피우는 데 쓰는 기름.
등-의자 (籐椅子)[-/-이-] 명 등의 덩굴로 엮어 만든 의자.
등자 (鐙子) 명 말을 탔을 때 두 발로 디디는 제구. 말등자.
등잔 (燈盞) 명 기름을 담아 등불을 켜는 데에 쓰는 그릇.
[등잔 밑이 어둡다] 가까운 곳에서 생긴 일이 도리어 알기 어렵다. 등하불명(燈下不明).
등잔-불 (燈盞-)[-뿔] 명 등잔에 켠 불. 등불. 등화(燈火).
등장 (登場) 명하자 **1** 무대나 연단 위에 나옴. ¶인기 배우의 ~. **2** 무슨 일에 어떤 인물이 나타남. ¶기대하던 신인의 ~. **3** 새 제품이나 현상 따위가 처음으로 나옴. ¶새 모델의 ~.
등:장 (等狀)[-짱] 명하자 여러 사람이 연서(連署)하여 관청에 하소연함. 또는 그 일.
등장-인물 (登場人物) 명 소설·연극·영화 따위에 나오는 인물.
등재 (登載) 명하타 **1** 서적 또는 잡지 따위에 실음. **2** 일정한 사항을 장부나 대장에 올림. ¶호적에 ~하다 / 이름과 주소가 전화번호부에 ~되다.
등정 (登頂) 명하타 산 따위의 정상에 오름.
등정 (登程) 명하자 길을 떠남. 등도(登途).
등제 (登第) 명하자 등과(登科).
등-줄기 [-쭐-] 명 〔생〕 등마루의 두두룩하게 줄진 부분. ¶~의 굵은 땀방울.
등:지 (等地) 의명 땅 이름 밑에서 '그런 곳들'의 뜻으로 쓰는 말. ¶인천·부천 ~의

교통 사정.

등-지느러미 명 〔어〕 물고기의 등에 있는 지느러미.

등-지다 ㊀자 서로 사이가 나빠지다. ¶서로 등진 사이. ㊁타 1 뒤로 두다. ¶북악산을 등지고 남산을 바라보다. 2 관계하지 않고 멀리하거나 떠나다. ¶고향을 ~/속세를 ~.

등:질 (等質) 명 〔물〕 균질(均質).

등-짐 [-찜] 명 등에 진 짐. ¶~을 지다.

등짐-장수 [-찜-] 명 물건을 등에 지고 팔러 다니는 사람. 부상(負商). 부상꾼.

등-짝 명 〈속〉 등. ¶~에 식은땀이 흘렀다.

등:차 (等差) 명 1 등급에 따라서 생기는 차이. ¶품질에 따라 ~를 두다. 2 〔수〕 차(差)가 똑같음.

등:차-급수 (等差級數) 명 〔수〕 등차수열의 각 항을 순차로 '+' 부호로 연결하여 만든 식《2+4+6+8+… 따위가 있음》. 산술급수. ↔등비급수.

등:차-수열 (等差數列) 명 〔수〕 어떤 수에 차례대로 일정한 수를 더해서 이루어지는 수열《1, 3, 5, 7, … 따위》.

등-창 (-瘡) 명 〔한의〕 등에 나는 큰 부스럼. ¶~이 도지다.

등척 (登陟) 명하자 높은 곳에 오름. 등고(登高).

등청 (登廳) 명하자 흔히 지체 높은 사람이 관청에 출근함. ↔퇴청.

등초 (謄抄·謄草) 명하타 원본에서 베낌. 등기(謄記). ¶새로 ~된 공문서.

등촉 (燈燭) 명 등불과 촛불. ¶~을 밝히다/휘황한 ~.

등:치 (等値) 명 〔수〕 동치(同値)2.

등-치다 타 위협하거나 불법적인 방법으로 남의 재물을 빼앗다. ¶가난한 사람을 ~. [등치고 간 내먹다] 겉으로는 가장 위해 주는 체하면서 속으로는 해를 끼친다. [등치고 배 문지르다] 남을 위협하면서도 겉으로는 어루만지는 체하다.

등:치-법 (等値法) [-뻡] 명 〔수〕 연립 방정식에서, 어떤 미지수를 다른 미지수로 관계식을 만들어 그 두 개의 값을 같게 하여 푸는 방법. *대입법(代入法).

등-토시 (籐-) 명 등나무의 줄기를 가늘게 쪼개어 엮어 만든 토시《땀이 옷에 배지 않게 낌》.

등토시

등-판 명 등을 이룬 넓적한 부분. ¶넓적한 ~/~에 쌀가마니를 지다.

등판 (登板) 명하자 야구에서, 투수가 마운드에 서는 일. ¶선발로 ~하다.

등-피 (-皮) 명 등가죽.

등피 (燈皮) 명 램프에 씌워 불이 바람에 꺼지지 않게 막고 불을 반사시켜 밝게 하는 유리로 만든 물건.

등하불명 (燈下不明) 명 '등잔 밑이 어둡다'는 뜻으로, 가까이 있는 것이 도리어 알아내기 어려움을 이르는 말.

등:한-시 (等閑視·等閒視) 명하타 대수롭지 않게 보아 넘김. ¶~할 문제가 아니다/환경 보존이 ~되고 있다.

등:한-하다 (等閑-·等閒-) 형여불 마음에 두지 않거나 소홀하다. ¶부모 공경에 ~. 등:한-히 부

등-허리 명 1 등과 허리. 2 허리의 등 쪽.

등:호 (等號) 명 〔수〕 두 식 또는 두 수가 같음을 표시하는 부호. '='로 표시함. 등표.

등화 (燈火) 명 1 등불1. 2 등잔불.

등화 (燈花) 명 불심지 끝이 타서 맺힌 불똥.

등화-가친 (燈火可親) 명 '가을 밤은 등불을 가까이 하여 글 읽기에 좋다'는 뜻. ¶~의 계절.

등화-관제 (燈火管制) 명 적의 야간 공습에 대비하여 일정한 지역에 등불을 가리거나 끄게 하는 일. ¶~를 실시하다.

등황-색 (橙黃色) 명 등색보다 좀 붉은빛을 띤 누른 빛깔.

-디 어미 1 형용사의 뜻을 세게 나타내기 위해 어간을 겹쳐 쓸 때, 그 첫 줄기에 붙이는 연결 어미. ¶크~크다/희~희다/차~차다/쓰~쓴 약/좁~좁은 방. 2 '-더냐·-더니'의 준말. ¶온다~/범인이 누구~.

디그르르 부하형 가늘거나 작은 물건 가운데 조금 굵거나 큰 모양. 작대그르르. 센띠그르르.

디귿 명 한글 자모 'ㄷ'의 이름.

디글-디글 부하형 가늘거나 작은 물건 가운데 몇 개가 좀 굵거나 큰 모양. 작대글대글. 센띠글띠글.

디-데이 (D-day) 명 1 〔군〕 공격 개시 예정일. 2 계획 실시 예정일.

디디다 타 1 발을 올려놓고 서다. 발을 대고 누르다. ¶발 디딜 곳이 없다. 2 반죽한 누룩이나 메주 등을 싸서 발로 밟아 덩어리를 만들다. ¶누룩을 ~. 준딛다.

디딜-방아 [-빵-] 명 발로 디디어 곡식을 찧게 된 방아. 답구(踏臼).

방앗공이
방아채
방아확
쌀개
볼씨
디딜방아

디딤-돌 [-똘] 명 1 디디고 다닐 수 있게 드문드문 놓은 평평한 돌. 보석(步石). ¶내의 얕은 곳에 ~을 띄엄띄엄 놓다. 2 마루 아래 같은 데에 놓아 디디고 오르내릴 수 있게 한 돌. 3 '문제 해결의 바탕'의 비유. ¶실패를 재기의 ~로 삼다.

디딤-판 (-板) 명 발을 디디기 위해 놓는 판. 디딤널.

디-램 (DRAM) 명 〔dynamic random access memory〕 〔컴〕 자료 등의 판독이나 기록이 자유롭게 되는 기억 장치의 하나《기억 내용의 보전 방법이 동적(動的)이기 때문에 붙여진 이름》. 동적 램. *에스램.

디렉터리 (directory) 명 〔컴〕 파일 시스템을 관리하고 파일의 장소를 쉽게 찾도록 디스크의 요소를 분할·검색하는 정보를 포함하는 레코드의 집합. 목록.

디미누엔도 (이 diminuendo) 명 〔악〕 '차차 약하게'의 뜻. 기호 : dim.

디-밀다 〔디미니, 디미오〕 타 '들이밀다'의 준말.

디바이더 (divider) 명 양 다리 끝이 바늘로 되어 있는, 컴퍼스 모양의 제도기. 분할기

(分割器). 양각기(兩脚器).
디바이스 (device) 명 **1**〔전〕어떤 특정한 목적을 위한 전기적·기계적·전자적인 장치. **2**〔전〕전기 회로에 사용되는 트랜지스터 등의 능동 장치. **3**〔컴〕컴퓨터 시스템 중 특정한 기능을 수행하는 주변 장치. 모니터·프린터·디스크·키보드·마우스 따위.
디버깅 (debugging) 명하타〔컴〕프로그램상의 오류를 수정하는 일. 또는 그것을 위한 소프트웨어. 오류 수정.
디스인플레이션 (disinflation) 명〔경〕통화 증발을 억제하고 재정·금융 긴축을 주축으로 하는 경제 조정 정책.
디스카운트 (discount) 명하타 할인. 할인율. 에누리. ¶ 10 퍼센트의 ~.
디스켓 (diskette) 명〔컴〕플로피 디스크.

> **'디스켓'**
> 원어인 diskette의 철자 t에 영향을 받아서 '디스켙' 또는 '디스켙'으로 잘못 쓰는 경우가 많다. '외래어 표기법'에 받침에는 'ㄱ, ㄴ, ㄹ, ㅁ, ㅂ, ㅅ, ㅇ'만을 쓴다고 규정하고 있다. ㄷ, ㅌ은 받침으로 쓰지 않는다.

디스코 (disco) 명 경쾌한 레코드음악에 맞추어 자유롭게 추는 춤.
디스코텍 (discotheque) 명 디스코 음악 등 경쾌한 음악을 틀어 놓고 춤을 출 수 있는 클럽이나 술집.
디스크 (disk, disc) 명 **1** 원반(圓盤)1. **2** 축음기의 레코드. **3** 〈속〉 추간 연골 헤르니아. ¶ ~에 걸리다. **4**〔컴〕보조 기억 장치로 쓰는 둥근 판《하드 디스크·플로피 디스크와 같은 자기 디스크와 콤팩트디스크·레이저 디스크와 같은 광학 디스크가 있음》.
디스크 드라이브 (disk drive)〔컴〕디스크를 작동시켜 데이터를 판독하거나 기록하는 장치.
디스크-자키 (disk jockey) 명 라디오 방송이나 디스코텍 따위에서 레코드를 틀어 주고, 그 사이사이에 짧은 해설이나 가벼운 이야깃거리를 말하며, 청취자의 희망곡 요청에도 응하는 담당자. 준디제이(DJ)·자키.
디스토마 (distoma) 명〔동〕흡충강의 편형동물의 하나. 몸은 잎사귀·원통·원반 모양 등 여러 가지임. 포유류의 간과 폐에 기생하여 디스토마 병을 일으킴.
디스플레이 (display) 명 **1** 일정한 목적과 계획에 따라 상품 또는 작품을 전람회장 등에 전시하는 기술. **2**〔동〕동물이 구애나 위협을 하기 위해 자신을 아름답게 또는 크게 보이게 하는 모양이나 동작.
디스플레이 장치 (display裝置)〔컴〕컴퓨터의 처리 결과를 직접 눈으로 볼 수 있도록 화면에 문자나 도형을 표시하는 모니터 같은 출력 장치.
디시 (DC) 명〔악〕'다 카포(da capo)'의 약호. 도돌이표(標).
디아스타아제 (독 Diastase) 명〔화〕**1** 녹말을 맥아당과 소량의 덱스트린·포도당으로 가수 분해하는 효소. **2** 엿기름으로 만든 담황색 가루약《소화제로 씀》.
디엔에이 (DNA) 명〔deoxyribo nucleic acid〕〔화〕'디옥시리보 핵산'의 약칭.
디오니소스 (Dionysos) 명 그리스 신화의 생성신(生成神). 포도 재배의 신 또는 술의 신《로마 신화의 바커스(Bacchus)》.
디옥시리보 핵산 (deoxyribo核酸)〔생〕펜토오스(pentose)의 일종인 디옥시리보오스를 함유하는 핵산. 단백질과 결합하여 세포 안 염색체의 중요 성분을 이룸《유전(遺傳) 기구의 본체로서 유전 정보의 보존·복제에 관여하며, 리보 핵산과 더불어 생체의 종(種)이나 조직에 고유한 단백질 합성을 지배함》. 디엔에이(DNA).
디옵터 (diopter) 의명〔물〕안경 도수를 나타내는 단위《초점 거리가 1 m 인 안경의 도수를 1 디옵터라 함》.
디자이너 (designer) 명 **1** 설계자. **2** 도안가. **3** 양복이나 직물의 의장(意匠)·도안을 입안하는 사람. ¶ 컴퓨터 ~.
디자인 (design) 명하타 **1** 입안(立案). 설계. 도안《의상·공업 제품·건축 등의 실용적인 목적을 위한 것임》. ¶ 가전 제품 ~. **2** 무늬. 본.
디저트 (dessert) 명 양식에서, 식사 끝에 나오는 과자·과실 따위의 음식. 후식.
디제이 (DJ) 명 '디스크자키(disk jockey)'의 준말. ¶ 방송 ~로 일하다.
디젤 기관 (Diesel機關) 실린더의 공기를 급격히 고온으로 압축시킨 후 구멍으로 연료를 분출하여 자연 발화로 점화·폭발시키는 기관. 디젤 엔진.
디젤 엔진 (Diesel engine) 디젤 기관.
디지털 (digital) 명〔물〕데이터를 유한한 자릿수의 숫자로 나타내는 방법. ¶ ~ 방식의 시계. *아날로그.
디펜스 (defense) 명 방어. 수비《특히, 단체 방어의 일컬음》.
디프레션 (depression) 명〔경〕물가가 급격히 떨어짐으로써 일어나는 불경기.
디프테리아 (diphtheria) 명〔의〕디프테리아균으로 인한 급성 전염병. 2-7 살쯤까지 잘 걸리며 열이 나고 목이 아프며 후두가 좁아지고 심장 마비를 일으킴.
디플레 (←deflation) 명 '디플레이션'의 준말. ↔인플레.
디플레이션 (deflation) 명〔경〕인플레이션으로 떨어진 화폐 가치를 끌어올리는 수단으로 통화량을 줄이는 일. 또는 그 현상. 통화 수축. 준디플레. ↔인플레이션.
디피이 (DPE) 명〔developing, printing, enlarging〕필름의 현상·인화 및 확대. 또는 그 일을 하는 가게. 준디피(DP).
디피-점 (DP店) 명〔developing, printing〕필름의 현상·인화·확대를 하거나 그런 일을 중개하는 가게.
디피티 (DPT) 명〔diphtheria, pertussis, tetanus〕디프테리아·백일해·파상풍을 예방하는 혼합 백신.
딛다 타 '디디다'의 준말. ¶ 땅을 ~ / 좌절을 딛고 재기하다 / 폐허를 딛고 일어서다.
딜러 (dealer) 명 **1** 유통 단계에서 상품의 매입·재판매를 전문으로 하는 사람《도·소매업자나 특약점·브로커 따위》. **2** 카드 도박에서, 카드를 나눠 주는 사람. **3**〔경〕자기의 계산과 위험 부담 아래 증권을 사고파는 사람.

딜레마 (dilemma) 명 **1** 양도(兩刀) 논법. **2** 이러지도 저러지도 못하는 난처한 지경. ¶ ~에 빠지다.

딜레탕트 (프 dilettante) 명 **1** 예술이나 학문을 취미로 애호하는 사람. **2** 무슨 일이든지 위안과 취미를 본위로 하는 사람.

딥다 부 '들입다'의 준말. ¶ ~ 누르다.

딩동 부 초인종이 울리는 소리.

딩딩 부하형 **1** 살이 몹시 찌거나 부어 매우 팽팽한 모양. **2** 몹시 굳고 단단한 모양. **3** 힘이나 세도 따위가 크고 든든한 모양. **4** 팽팽한 줄 따위를 퉁겨 울리는 소리. 작댕댕[2]. 센띵띵.

ㄸ (쌍디귿) 〖언〗 'ㄷ'의 된소리.

따갑다 〔따가우니, 따가워〕 형ㅂ불 **1** 몹시 더운 느낌이 있다. ¶ 햇살이 ~. 큰뜨겁다. **2** 뾰족한 끝으로 찌르는 듯한 느낌이 있다. ¶ 상처가 따갑고 아프다 / 귀가 ~. **3** 눈길이나 충고 따위가 매섭고 날카롭다. ¶ 따가운 시선을 느끼다 / 따가운 질책을 받다.

따개 명 병이나 깡통 따위의 뚜껑을 따는 물건. 오프너(opener).

따:귀 명 '뺨따귀'의 준말. ¶ ~를 때리다.

따끈-따끈 부하형히부 매우 따끈한 모양. ¶ ~한 호떡. 큰뜨끈뜨끈.

따끈-하다 형여불 조금 따뜻한 느낌이 있다. ¶ 숭늉이 ~. 큰뜨끈하다. **따끈-히** 부. ¶ 술을 ~ 데우다.

따끔 부하형히부 **1** 따가울 정도로 몹시 더운 느낌. **2** 찔리거나 꼬집히는 것처럼 아픈 느낌. ¶ 찔린 데가 ~하다. **3** 마음에 몹시 자극되어 따가운 느낌. ¶ ~히 타이르다. 큰뜨끔.

따끔-거리다 자 **1** 따가울 정도로 몹시 더운 느낌이 자꾸 들다. **2** 찔리거나 얻어맞은 곳 또는 결리는 곳이 바늘 따위로 찌르는 것처럼 자주 아프다. ¶ 가시에 찔린 손가락이 따끔거리며 아프다. **3** 마음에 큰 자극을 받아 따가운 느낌이 자꾸 들다. 큰뜨끔거리다. **따끔-따끔** 부하자

따끔-대다 자 따끔거리다.

따님 명 남의 딸의 존칭. ↔아드님.

***따다**[1] 타 **1** 붙은 것을 잡아떼다. ¶ 꽃을 ~ / 굴을 ~. **2** 종기나 살갗 따위를 째거나 찔러 터뜨리다. ¶ 곪은 데를 따고 고름을 짜내다 / 종기를 ~ / 물집을 ~. **3** 꽉 봉한 것을 뜯다. ¶ 깡통을 ~ / 문을 따고 들어가다. **4** 글이나 말 따위에서 필요한 부분을 취하다. ¶ 시에서 한 구절을 ~. **5** 노름·경기 등에서 이겨 돈이나 상품을 얻다. ¶ 금메달을 ~. **6** 점수·자격 따위를 얻다. ¶ 학위를 ~ / 운전면허를 ~. **7** 이름·뜻을 취하여 그와 같게 하다. ¶ 지명을 따서 가게 이름을 지었다.

[따 놓은 당상(堂上)] 떼어 놓은 당상.

따다[2] 타 **1** 찾아온 사람을 핑계 대고 만나지 않다. ¶ 귀찮은 손님을 ~. **2** 싫거나 미운 사람을 돌려내어 일에 관계되지 않게 하다. ¶ 그 사람은 따고 우리끼리만 가자.

따다닥 부 **1** 기관총을 쏘는 소리. **2** 구르는 바퀴의 살 따위에 닿는 소리.

따-돌리다 타 **1** 밉거나 싫은 사람을 떼어 멀리하다. ¶ 딴 반의 친구를 ~. **2** 뒤쫓는 사람이 따라잡지 못하게 간격을 벌려 앞서 나가다. ¶ 미행을 ~.

따-돌림 명 따로 떼어 멀리하는 일. ¶ ~을 당하다 / ~을 받다.

따들싹-하다[1] [-싸카-] 형여불 물건이 잘 덮이거나 가려지지 않아 밑이 조금 떠들려 있다. 큰떠들썩하다[1].

따들싹-하다[2] [-싸카-] 형여불 **1** 여러 사람이 좀 큰 목소리로 떠들어서 시끄럽다. **2** 소문이 퍼져 좀 왁자하다. 큰떠들썩하다[2].

따듬-거리다 타 말을 하거나 글을 읽을 때 자꾸 막히다. 큰떠듬거리다. 여다듬거리다. **따듬-따듬** 부하타

따듬-대다 타 따듬거리다.

따듯-이 부 따듯하게.

따듯-하다 [-드타-] 형여불 '따뜻하다'를 부드럽게 이르는 말. ¶ 따듯한 날씨 / 마음씨가 ~. 큰뜨듯하다.

따따따 부 나팔을 부는 소리.

따따부따 부하자 딱딱한 말로 시비하는 모양. ¶ 왜 ~하는 거야.

따뜻-이 부 따뜻하게. ¶ 물을 ~ 데우다 / 손님을 ~ 맞다.

***따뜻-하다** [-뜨타-] 형여불 **1** 견디기에 알맞게 덥다. ¶ 방안이 ~. 큰뜨뜻하다1. **2** 감정이나 분위기가 정답고 포근하다. ¶ 따뜻한 마음씨.

따라 조 ('오늘'·'날' 따위의 체언 뒤에 붙어) '여느 때와 달리 별나게 또는 특별히'의 뜻을 나타내는 보조사. ¶ 그날~ 눈이 많이 왔다 / 오늘~ 유난히 길이 막힌다.

***따라-가다** 타거라불 **1** 남의 뒤를 좇아가다. ¶ 형을 따라가거라. **2** 남의 행동을 보고 흉내 내거나 시키는 대로 좇아 하다. ¶ 성현(聖賢)의 행적을 ~. **3** 남에게 뒤지지 않고 그가 하는 만큼 하다. ¶ 대중 연설로는 그를 따라갈 사람이 없다.

따라-나서다 타 남이 가는 대로 같이 나서다. ¶ 친구를 선뜻 ~.

따라-다니다 타 **1** 남의 뒤를 좇아다니다. ¶ 여자를 ~. **2** 어떤 현상이 붙어 다니다. ¶ 자유와 책임은 서로 따라다닌다.

따라-붙다 [-붇따] 타 앞지른 것을 따라가서 바싹 붙다. ¶ 앞 선수를 ~.

***따라서** 부 '그러므로'의 뜻의 접속 부사. ¶ 품질이 좋으니 ~ 값도 비싸다. 준따라.

따라-서다 타 **1** 뒤에서 좇아가서 나란히 되다. **2** 본받아서 따라나서다.

***따라-오다** 타너라불 **1** 뒤에서 좇아오다. ¶ 나를 따라오너라. **2** 그대로 본떠서 따르다. ¶ 강아지가 뒤를 졸랑졸랑 따라온다.

따라-잡다 타 앞지른 것을 따라가서 잡다. ¶ 앞서 달리는 선수를 ~ / 선진국의 첨단 기술을 ~.

따라지 명 **1** 노름판에서, 한 끗. ¶ ~를 잡다. **2** 따분한 존재. ¶ ~ 인생.

***따로** 부 **1** 한데 뒤섞이지 않고 떨어져서. ¶ ~ 두어라. **2** 서로 다르게. 별도로. ¶ 남녀를 ~ 나누어 앉히다.

따로-나다 타 가족의 일부가 딴살림을 차려 나가다. ¶ 결혼 후 살림을 ~.

따로-내다 타 《'따로나다'의 사동》 따로나게 하다. ¶ 아우의 살림을 ~.

따로-따로 부 제각기 따로. ¶ ~ 출발하다.

*따르다[1] 〔따르니, 따라〕 [자타] **1** 남의 뒤를 좇다. ¶사범을 따라 배우다. **2** 앞선 것을 좇아 같은 수준에 이르다. ¶어머니의 솜씨를 따를 수가 없다. **3** 남을 좋아하여 붙좇다. ¶잘 따르는 후배. **4** 다른 일과 더불어 일어나다. 수반하다. ¶성공에는 흔히 고생이 따른다. **5** 무엇을 끼고 나아가다. ¶강을 따라 길을 내다. **6** 관례나 법규 따위를 좇다. 본떠서 하다. ¶전례에 ~. **7** 복종하다. 준수하다. ¶지시에 ~. **8** 목적이나 입장에 각기 의거하다. ¶특징에 따른 분류.

따르다[2] 〔따르니, 따라〕 [타] 그릇을 기울여 액체를 쏟아지게 하다. ¶물을 컵에 ~.

따르르[1] [부][하자] **1** 작은 물건이 미끄럽게 구르면서 내는 소리. 또는 그 모양. ¶구슬이 ~ 구르다. **2** 작은 물건이 흔들려 떨리는 소리. 또는 그 모양. ¶자명종이 ~ 울리다. [큰]뜨르르[1]. [여]다르르.

따르르[2] [부][하형] 어떤 일에 막힘이 없이 잘 통하는 모양. ¶그런 일은 그가 ~ 꿰고 있다. [큰]뜨르르[2]. [여]다르르.

따르릉 [부][하자] 전화·자명종 따위가 울리는 소리.

따름 [의명] 어미 '-ㄹ'·'-을' 뒤에서 '그뿐'의 뜻을 나타내는 말. ¶단 하나가 있을 ~이다.

따:리 [명] 아첨. 아첨하는 말.

따리(를) 붙이다 [구] 아첨하다. 살살 꾀다.

따-먹다 [타] 장기·바둑·돈치기 등에서, 남의 말·돌을 따내거나 돈 따위를 얻다. ¶졸로 상을 ~.

따발-총(-銃) [명] 〈속〉 소련식 기관 단총.

따분-하다 [형][여불] **1** 재미가 없어 지루하다. 지겹다. ¶따분한 이야기. **2** 몹시 어색하거나 난처하다. ¶따분한 처지에 놓이다. **3** 생기가 없어 처량하다. ¶신세가 ~. **따분-히** [부]

따비 [명] 쟁기보다 좀 작고 보습이 좁게 생긴 농기구의 하나《풀뿌리를 뽑거나 밭갈이에 씀》.

따비-밭 [-받] [명] 따비로나 갈 만한 좁은 밭.

따사-롭다 〔-로우니, -로워〕 [형][ㅂ불] 좀 따뜻한 듯하다. ¶햇살이 ~. [여]다사롭다. **따사-로이** [부]

따사-하다 [형][여불] 좀 따뜻한 기운이 있다. ¶따사한 봄. [큰]따스하다. [여]다사하다.

*따스-하다 [형][여불] 좀 따습다. ¶방바닥이 ~. [작]따사하다. [큰]뜨스하다. [여]다스하다.

따습다 〔따스우니, 따스워〕 [형][ㅂ불] 알맞게 따뜻하다. [여]다습다.

따오기 [명] 〔조〕 따오깃과의 새. 산간의 무논이나 연못에 삶. 해오라기 비슷한데, 몸이 희고, 검은 부리는 밑으로 굽음. 천연기념물 제198호임.

따-오다 [타] 남의 글이나 말 가운데서 필요한 부분을 끌어 오다. ¶소설 제목을 지명에서 ~.

따옥-따옥 [부] 따오기가 우는 소리.

따옴-표(-標) [명] 〔언〕 대화나 인용하는 글이나 말 또는 강조하는 말과 글의 앞뒤에 찍는 문장 부호《큰따옴표(" ")·작은따옴표(' ')·겹낫표(『 』)·낫표(「 」) 따위가 있음》. 인용부(引用符).

*따위 [의명] **1** 그것과 같은 종류·부류임을 나타내는 말. 등(等). ¶쌀, 보리 ~의 곡식. **2** 사람이나 사물을 얕잡거나 부정적으로 일컫는 말. ¶네 ~가 뭘 아느냐 / 이 ~ 물건을 무엇에 쓰나.

따지다 [타] **1** 낱낱이 헤아리다. ¶비용을 ~ / 이자(利子)를 ~. **2** 옳고 그른 것을 밝혀 가리다. ¶이치를 ~ / 원인을 ~. **3** 중요하게 여겨 검토하다. ¶경력을 ~.

*딱[1] [부] 단단한 것이 마주치거나 부러질 때 나는 소리. ¶~ 부러지다.

딱[2] [부] **1** 단호하게 끊거나 행동하는 모양. ¶~ 잘라 말하다 / 담배를 ~ 끊다. **2** 완전히 그치거나 멎는 모양. ¶비가 ~ 그쳤다. **3** 몹시 싫거나 언짢아하는 모양. ¶그것은 ~ 질색이다. *뚝[2].

딱[3] [부] **1** 활짝 바라진 모양. ¶~ 바라진 어깨 / 입을 ~ 벌리다 / 눈을 ~ 부릅뜨고 말하다. **2** 빈틈없이 맞닿거나 들어맞는 모양. ¶양복이 ~ 맞는다 / 나들이하기에 ~ 좋은 날 / 네 말이 ~ 맞았다. **3** 굳세게 버티는 모양. ¶~ 버티고 서다. **4** 야무진 힘이나 얌전한 태도가 나타나는 모양. ¶눈을 ~ 감다. **5** 단단히 달라붙은 모양. ¶몸에 ~ 붙는 셔츠. **6** 갑자기 마주치는 모양. ¶시선이 ~ 마주치다. **7** (적은 수효를 나타내는 말 앞에 쓰여) 한정해서 꼭. 그뿐. ¶~ 한 잔씩만 더 하자 / 빈 자리는 ~ 두 개뿐이다. [큰]떡[2].

딱따구리 [명] 〔조〕 딱따구릿과에 속하는 새의 총칭. 깊은 산속에 삶. 빛은 녹색·흑색 등이며 반문이 있음. 날카롭고 단단한 부리로 나무를 쪼아 구멍을 내고 그 속의 벌레를 잡아먹음.

딱-딱 [부] **1** 단단한 물건이 계속 마주치는 소리. ¶손뼉을 ~ 치다. **2** 단단한 물건이 계속해서 꺾어지는 소리. 또는 그 모양. ¶나뭇가지를 ~ 부러뜨리다.

딱딱-거리다 [자] 딱딱한 말씨로 자꾸 을러대다. ¶장사꾼이 오히려 손님에게 딱딱거린다.

딱딱-대다 [자] 딱딱거리다.

딱딱-하다 [-따카-] [형][여불] **1** 굳어서 단단하다. ¶딱딱한 빵. **2** 태도·말씨·분위기 따위가 부드러운 맛이 없고 엄격하다. ¶딱딱한 사람 / 딱딱한 분위기 / 딱딱한 문장 / 딱딱하게 굳은 표정을 짓다.

딱부리 [명] '눈딱부리'의 준말.

딱-성냥 [명] 단단한 곳이면 아무 데나 그어도 불이 일어나게 만든 성냥.

딱장-대 [-때] [명] **1** 성질이 온화한 맛이 없이 딱딱한 사람. ¶~ 같은 사람. **2** 성질이 사납고 굳센 사람.

딱장-받다 [타] 도둑을 때려 가며 그 죄를 불게 하다.

딱정-벌레 [명] 〔충〕 **1** 딱정벌렛과의 곤충. 길이 약 1 cm, 빛은 금록색 내지 등적색, 밤에 곤충을 잡아먹음. **2** 갑충.

딱지[1] [명] **1** 상처나 헌데에서 나온 피나 진물이 말라붙어 생긴 껍질. ¶~가 앉다 / ~가 떨어지다. **2** 종이에 붙은 티. **3** 게·소라·거북 따위의 몸을 싸고 있는 단단한 껍데기. **4** 몸시계나 손목시계의 겉 뚜껑.

딱지가 덜 떨어지다 [구] 어린아이의 쇠딱지

가 미처 다 떨어지지 못했다는 뜻으로, 아직 철없는 티를 덜 벗은 상태이다.
딱지[2] (-紙) 명 **1** 우표나 증지(證紙) 또는 어떤 마크를 그린 종잇조각의 속칭. ¶상품에 빨간 ~를 붙이다. **2** '놀이딱지'의 준말. ¶~를 치다. **3** 어떤 대상에 대한 평가나 인정. ¶총각 ~를 떼다 / 배신자라는 ~가 붙은 사람. **4** 〈속〉 교통 위반 따위에 대한 처벌서류. ¶신호 위반 ~를 떼다. **5** 〈속〉 재개발 지역의 현주민에게 주는 아파트 입주권. ¶~를 팔아 새집을 샀다. **6** '퇴짜'를 속되게 일컫는 말. ¶번번이 ~를 놓다 / 선볼 때마다 ~를 맞다.
딱지-치기 (-紙-) 명 하자 놀이딱지를 땅바닥에 놓고 다른 딱지로 쳐서 뒤집히면 따먹는 아이들 놀이.
딱-총 (-銃) 명 **1** 화약을 종이나 대통 같은 것의 속에 싸서 심지에 불을 붙여 터지게 만든 장난감. **2** 화약을 종이에 싸서 세게 치면 터지도록 만든 아이들의 장난감 총.
딱-하다 [따카-] 형 여불 **1** 사정이나 처지가 애처롭고 가엾다. ¶딱한 사정. **2** 난처하다. ¶입장이 ~. **딱-히**[1] [따키] 부. ¶~ 여기다.
딱-히[2] [따키] 부 정확하게 꼭 집어서. ¶~ 무어라 말하기가 어렵구나.
딴[1] 의명 (인칭 대명사 뒤에서 '딴은·딴에는'의 꼴로 쓰여) 자기 나름대로의 생각이나 기준. ¶내 ~에는 열심히 했는데.
*__딴__[2] 관 다른. 틀리는. ¶~ 이야기 / ~ 회사의 제품.
딴-것 [-걷] 명 다른 것. ¶~은 젖혀 놓고.
딴기 (-氣) 명 냅뜰 기운.
딴기-적다 (-氣-) 형 기력이 약하여 앞질러 나서는 기운이 없다.
딴딴-하다 형 여불 **1** 몹시 굳다. ¶딴딴하게 얼다. **2** 약하지 않고 굳세다. ¶근육이 ~. **3** 배 속이 차서 힘차다. ¶알집이 ~. **4** 마음이 허수하지 않고 미덥다. 큰 뜬뜬하다. 여 단단하다. **딴딴-히** 부
딴-마음 명 **1** 딴것을 생각하는 마음. ¶공부할 때는 ~ 갖지 마라. **2** 배반하는 마음. 이심(異心). ¶~을 품다.
딴-말 명 하자 아무 관계도 없는 말. 본뜻에 어그러지는 말. ¶~하지 마라. *딴소리.
딴-사람 명 모습·신분 따위가 전과 달라진 사람. ¶오랜만에 만난 그는 생판 ~이 되어 있었다.
딴-살림 명 하자 따로 사는 살림. ¶~을 차리다.
딴-생각 명 하자 **1** 엉뚱한 생각. ¶~을 갖지 마라. **2** 다른 데로 쓰는 생각. ¶~하느라 말을 잘 못 들었다.
딴-소리 명 하자 '딴말'의 조금 낮춤말. ¶~만 늘어놓다.
딴은 부 남의 말을 긍정하여, 그럴 듯하다는 뜻을 나타내는 말. 하기는. 과연. ¶~ 그렇군 / ~ 그럴 법하다. *제법·하기야.
딴-이 명 〖언〗 한글 자모의 'ㅣ'가 다른 모음에 붙을 때의 일컬음. 'ㅏ·ㅓ·ㅗ·ㅜ'에서 'ㅐ·ㅔ·ㅚ·ㅟ'의 'ㅣ'.
딴-전 명 그 일과는 전혀 관계가 없는 일. 딴청. ¶~을 벌이다 / ~을 피우다.
딴-죽 명 〔←딴족〕 씨름이나 태껸에서, 발로 상대방의 다리를 옆으로 치거나 끌어당겨 넘어뜨리는 재주.
딴죽(을) 걸다 구 동의하였던 일을 딴전을 부리며 어기다.
딴-채 명 본채와 별도로 떼어서 지은 집채. 별채. ¶아들 내외는 ~에서 산다.
딴-청 명 딴전. ¶~ 부리지 마라 / 짐짓 ~을 피우고 있네.
딴-판 명 **1** 다른 판. ¶~을 벌이다. **2** 아주 다른 모양. ¶형제의 성격이 ~이다. **3** 아주 다른 판국이나 형세. ¶정세가 ~으로 변하다.
*__딸__ 명 여자로 태어난 자식. ↔아들.
[딸 없는 사위] ㉠실상이 없으면 거기에 딸린 것은 귀할 것이 없다는 말. ㉡인연이 끊어지면 정의(情誼)도 따라서 없어진다는 뜻. ㉢쌍을 이루고 있던 것이 한 쪽이 없어져서 허전하고 서운하다는 뜻.
딸가닥 부 하자타 단단하고 작은 물건이 맞닿아서 나는 소리. 큰 떨거덕. 여 달가닥. 준 딸각.
딸가닥-거리다 자타 계속해 딸가닥 소리가 나다. 또는 그런 소리를 나게 하다. 큰 떨거덕거리다. 여 달가닥거리다. 준 딸각거리다. **딸가닥-딸가닥** 부 하자타
딸가닥-대다 자타 딸가닥거리다.
딸가당 부 하자타 쇠붙이 따위 작은 물건이 맞닿아서 나는 소리. 큰 떨거덩. 여 달가당.
딸가당-거리다 자타 잇따라 딸가당 소리가 나다. 또는 그런 소리를 나게 하다. 큰 떨거덩거리다. 여 달가당거리다. **딸가당-딸가당** 부 하자타
딸가당-대다 자타 딸가당거리다.
딸각 부 하자타 '딸가닥'의 준말. 큰 떨걱.
딸각-거리다 자타 '딸가닥거리다'의 준말. **딸각-딸각** 부 하자타
딸각-대다 자타 딸각거리다.
딸그락 부 하자타 단단하고 작은 물건이 움직이어 맞부딪거나 스쳐서 나는 소리. 작 떨그럭. 여 달그락.
딸그락-거리다 자타 잇따라 딸그락 소리가 나다. 또는 그런 소리를 나게 하다. 큰 떨그럭거리다. 여 달그락거리다. **딸그락-딸그락** 부 하자타
딸그락-대다 자타 딸그락거리다.
딸그랑 부 하자타 얇은 쇠붙이로 된 물건이 맞부딪거나 스쳐서 울리는 소리. 큰 떨그렁. 여 달그랑.
딸그랑-거리다 자타 잇따라 딸그랑 소리가 나다. 또는 그런 소리를 나게 하다. 큰 떨그렁거리다. 여 달그랑거리다. **딸그랑-딸그랑** 부 하자타
딸그랑-대다 자타 딸그랑거리다.
딸:기 명 〖식〗 장미과에 속하는 여러해살이 풀. 과실의 한 가지로 5-6월에 흰 꽃이 피고, 꽃받침이 발달한 붉은 열매는 달아서 식용함.
딸:기-코 명 코끝이 딸기처럼 빨갛게 된 코. ¶주독이 올라 ~가 되다.
딸까닥 부 하자타 작고 단단한 것이 맞부딪치는 소리. 준 딸깍.
딸까당 부 하자타 작고 단단한 것이 부딪쳐 울리는 소리. 준 딸깡.
딸깍 부 하자타 '딸까닥'의 준말.

딸깍-발이 명 신이 없어 마른 날에도 나막신을 신는다는 뜻으로, 가난한 선비를 일컬음.
딸깡 부하자타 '딸까당'의 준말.
딸꾹 부 딸꾹질하는 소리.
딸꾹-거리다 자 계속해 딸꾹질 소리가 나다. **딸꾹-딸꾹** 부하자
딸꾹-대다 자 딸꾹거리다.
딸꾹-질 명하자 횡격막의 경련으로 들이쉬는 숨이 방해를 받아 목구멍에서 이상한 소리가 나는 증세.
딸딸 부 단단한 바닥에 굳은 바퀴 같은 것이 구르는 소리. 큰떨떨. 여달달[1].
딸딸-거리다 자타 계속해 딸딸 소리가 나다. 또는 그런 소리를 나게 하다. 여달달거리다[1]. **딸딸-딸딸** 부하자타
딸딸-대다 자타 딸딸거리다.
딸랑 부하자타 **1** 작은 방울 따위가 흔들리어 세게 울리는 소리. **2** 침착하지 못하고 가볍게 행동하는 모양. 큰떨렁. 여달랑.
딸랑-거리다 자타 **1** 작은 방울이 자꾸 흔들려 계속해 딸랑 소리가 나다. 또는 그런 소리를 계속해 나게 하다. **2** 침착하지 못하고 계속 까불다. 여달랑거리다. **딸랑-딸랑** 부하자타
딸랑-대다 자타 딸랑거리다.
딸랑-이 명 흔들면 딸랑딸랑 소리가 나게 만든 어린아이의 장난감.
딸리다[1] 자 **1** 어떤 것에 매이거나 붙어 있다. ¶가구가 딸린 셋집. **2** 어떤 부서나 종류에 속하다. ¶호랑이는 고양잇과에 딸려 있다.
딸리다[2] 타 《'따르다[1]'의 사동》 따르게 하다. ¶할아버지에게 손주를 딸려 보냈다.
딸림-음 (-音) 명 〘악〙 으뜸음 다음으로 중요한 음으로, 조(調)를 지배하는 제5도음. 속음(屬音). 도미넌트.
딸-세포 (-細胞) 명 〘생〙 세포 분열로 생긴 두 개의 세포. 낭세포(娘細胞).
딸싹-거리다 자타 자주 딸싹이다. 또는 자주 딸싹이게 하다. 큰뜰썩거리다. 여달싹거리다. **딸싹-딸싹** 부하자타
딸싹-대다 자타 딸싹거리다.
딸싹-이다 자타 **1** 갭직한 물건이 들렸다 가라앉았다 하다. 또는 그렇게 되게 하다. **2** 마음이 흔들리어 움직이다. 또는 그렇게 되게 하다. **3** 어깨나 궁둥이가 가벼이 아래위로 움직이다. 또는 그렇게 되게 하다. 큰뜰썩이다.
딸-아이 명 **1** 남에게 자기 딸을 이르는 말. **2** 딸로 태어난 아이. 준딸애. ↔아들아이.
딸-애 명 '딸아이'의 준말. ↔아들애.
딸카닥 부하자타 작고 단단한 물건이 맞부딪는 소리. 준딸칵.
딸카당 부하자타 작고 단단한 물건이 부딪쳐 울리는 소리. 여달카당. 준딸캉.
***땀**[1] 명 **1** 사람이나 동물의 피부에서 내돋는 찝찔한 액체. ¶~이 비 오듯 하다. **2** '노력·수고'의 비유. ¶피와 ~으로 이룩한 결과.
땀을 들이다 구 ㉠몸을 시원하게 하여 땀을 없애다. ㉡잠시 쉬다.
땀(을) 빼다 구 힘들거나 어려운 고비를 겪느라고 크게 혼이 나다.
땀[2] 명 바느질할 때에 바늘을 한 번 뜬 자국. 바늘땀. ¶~이 촘촘하다.
땀-구멍 [-꾸-] 명 몸 밖으로 땀을 내보내는 살갗의 구멍.
땀-기 (-氣)[-끼] 명 땀이 조금 나는 기운. ¶~가 있다.
땀-나다 자 **1** 땀이 몸 밖으로 나오다. **2** 몹시 힘이 들거나 애가 쓰이다.
땀-내 명 땀에 젖은 옷이나 몸에서 나는 냄새. 또는 땀에서 나는 냄새. ¶~를 풍기다.
땀-띠 명 〘의〙 땀을 많이 흘려 피부가 자극되어 생긴 발진. ¶가슴에 ~가 돋다.
땀-방울 [-빵-] 명 물방울처럼 맺힌 땀의 덩이. ¶이마에 구슬 같은 ~이 송골송골 맺혔다.
땀-샘 명 〘생〙 포유류에서, 땀을 분비하고 체온을 조절하는 분비선. 한선(汗腺).
땀-투성이 명 온몸이나 옷이 땀으로 흠뻑 젖은 상태. ¶~가 되어 달려오다.
***땅**[1] 명 **1** 바다를 제외한 뭍. 육지. ¶~에 묻다. **2** 논·밭의 총칭. ¶기름진 ~. **3** 영토 또는 영지(領地). ¶독도는 한국 ~이다. **4** 토지나 택지. ¶~을 담보로 융자를 받다. **5** 지방 1. ¶전라도 ~.
[땅 짚고 헤엄치기] 아주 쉬움.
땅에 떨어지다 구 권위·명성 따위가 크게 손상되다. ¶신용이 ~.
땅을 치다 구 매우 원통해 하다. ¶땅을 치며 아쉬워하다.
땅(을) 파먹다 구 속되게 농사를 지으며 살아가다.
땅[2] 부하자 총을 쏠 때 나는 소리. 거탕[3].
땅[3] 부하자 쇠붙이를 몹시 쳐서 울리는 소리. 큰떵.
땅-값 [-깝] 명 **1** 땅의 값. 땅의 가격. ¶~이 오르다. **2** 땅을 빌려 사용할 경우에 내는 돈.
땅-개 [-깨] 명 〈속〉 **1** 키가 몹시 짤막한 개. **2** 키가 작고 됨됨이가 단단하며 잘 싸다니는 사람.
땅-거미 명 해가 진 뒤 컴컴하기까지의 어스레한 동안. 박모(薄暮). ¶~가 지다 / ~가 내리기 시작하는 거리의 풍경.
땅-광 [-꽝] 명 뜰이나 집채 아래에 땅을 파서 만든 광. 지하실.
***땅-굴** (-窟)[-꿀] 명 **1** 땅속으로 뚫린 굴. **2** 땅을 파낸 큰 구덩이. 토굴(土窟). ¶~에 고구마를 저장하다.
땅기다 자 몹시 켕기어지다. ¶옆구리가 땅기면서 아프다.
땅-꾼 명 뱀을 잡아서 파는 사람.
땅-끝 [-끋] 명 **1** 육지의 마지막 지점. **2** 땅속의 가장 깊은 곳.
땅-내 명 땅에서 나는 냄새. 흙내.
땅내(를) 맡다 구 ㉠옮겨 심은 식물이 새 뿌리를 내려 생기가 나게 되다. ㉡동물이 그 땅에서 생명을 얻다.
땅-덩어리 [-떵-] 명 땅덩이.
땅-덩이 [-떵-] 명 땅의 큰 덩이《대륙·국토·지구 등을 가리키는 말》. 땅덩어리. ¶~가 큰 나라 / ~에 비해 인구가 적다.
땅딸막-하다 [-마카-] 형여불 키가 작고 옆으로 딱 바라지다. ¶땅딸막한 사내.
땅딸-보 명 키가 땅딸막한 사람.
땅딸-이 명 땅딸보.

땅-땅[1] 뷔하자 계속하여 총을 쏠 때에 나는 소리. 거탕탕[2].
땅-땅[2] 뷔 쇠붙이를 계속해 몹시 칠 때에 나는 소리. 큰떵떵[1].
땅-땅[3] 뷔 기세 좋게 으르대는 모양. ¶큰소리를 ~ 치다. 큰떵떵[2]. 거탕탕[3].
땅땅-거리다[1] 자 아무 근심 걱정 없이 큰소리치며 지내다. ¶땅땅거리며 산다. 큰떵떵거리다[1].
땅땅-거리다[2] 자타 계속해 땅땅 소리가 나다. 또는 계속해 그런 소리를 나게 하다. 큰떵떵거리다[2].
땅땅-대다[1] 자 땅땅거리다[1].
땅땅-대다[2] 자타 땅땅거리다[2].
땅-뙈기 명 얼마 안 되는 논밭의 조각. ¶~나 부쳐 먹고 사는 사람.
땅-뜀 [-띔] 명 무거운 것을 들어 땅에서 뜨게 하는 일.
땅뜀(도) 못하다 구 ㉠무거운 것을 조금도 들어 올리지 못하다. ㉡조금도 알아내지 못하다. ㉢감히 생각조차 못하다.
땅뜀(을) 하다 구 감히 생심(生心)을 내다.
땅-마지기 명 몇 마지기의 논밭. ¶~나 부쳐 먹는 농사꾼.
땅-문서 (-文書) 명 땅의 소유권을 증명하는 문서. ¶~를 잡히고 빚을 내다.
땅-바닥 [-빠-] 명 **1** 땅의 거죽. 지면(地面). ¶~을 파다. **2** 땅의 맨바닥. ¶~에 앉다.
땅-볼 (-ball) 명 야구·축구에서, 땅 위로 굴러 가도록 치거나 찬 공.
땅-속 [-쏙] 명 지하1. ¶~에 묻히다.
땅속-뿌리 [-쏙-] 명 〖식〗 땅속에 묻혀 있는 식물의 보통 뿌리.
땅속-줄기 [-쏙-] 명 〖식〗 땅속에 있는 식물의 줄기(《감자·양파·백합 등이 있음》). 지하경.
땅-재주 (-才-)[-째-] 명하자 광대가 땅에서 뛰어넘는 재주. ¶~를 부리다.
땅-줄기 [-쭐-] 명 땅으로 벋어 나간 줄기.
땅-콩 명 〖식〗 콩과의 한해살이풀. 모래땅에 심음. 여름 동안 나비 모양의 황색 꽃이 핌. 열매는 씨방이 땅속에서 자라 고치 모양으로 익은 것인데 맛이 좋고 기름도 많음. 호(胡)콩. 낙화생.
땋:다 [따타] 타 머리털이나 실 등을 둘 이상의 가닥으로 갈라서 엇결어 짜 엮어서 한 가닥으로 하다. ¶머리를 두 갈래로 ~.
***때**[1] 명 **1** 시간의 어떤 순간이나 부분. ¶~를 알리는 종소리 / ~를 같이 하여 / ~ 아닌 큰 장마. **2** 좋은 기회나 운수. ¶~를 기다리다 / ~가 이르다. **3** 끼니 또는 식사 시간. ¶두 ~를 거르다. **4** 경우(境遇)2. ¶~에 따라서는 / ~가 ~니만큼. **5** 시대나 연대. 그 당시. ¶신라 ~ / 어렸을 ~. **6** 일정한 시기 동안. ¶방학 ~. **7** 계절이나 절기. ¶~는 바야흐로 봄이다.
***때**[2] 명 **1** 몸이나 옷에 묻은 더러운 먼지 따위의 물질. ¶~를 밀다 / 벽지에 ~가 끼었다. **2** 불순하고 속된 것. ¶구태의연하고 ~ 묻은 구정치인. **3** 까닭 없이 뒤집어쓴 더러운 이름. 오명(汚名). ¶~를 벗고 새 출발하다. **4** 시골티나 어린 티. ¶~도 안 벗은 놈 / ~ 빼고 광 내고 어디에 가느냐.
때가 타다 구 때가 잘 묻다. 때가 쉽게 앉다. ¶이 옷감은 때가 잘 탄다.
때:-가다 자거라불 〈속〉 죄지은 사람이 잡혀가다.
때구루루 뷔 작고 단단한 물건이 단단한 바닥에서 구르는 소리. 또는 그 모양. 큰떼구루루. 여대구루루.
때굴-때굴 뷔하자타 작고 단단한 물건이 자꾸 구르는 모양. 큰떼굴떼굴. 여대굴대굴.
때그락 뷔하자타 여러 개의 단단한 물건이 서로 맞닿아서 나는 소리. 큰떼그럭. 여대그락.
때그락-거리다 자타 계속해 때그락 소리가 나다. 또는 계속해 그런 소리를 나게 하다. 큰떼그럭거리다. **때그락-때그락** 뷔하자타
때그락-대다 자타 때그락거리다.
때그르르 뷔하형 **1** 가늘거나 작은 물건 중에서 드러나게 조금 굵거나 큰 모양. 큰띠그르르. 여대그르르. **2** 설익은 밥알이 끈기가 없이 오돌오돌한 모양.
때글-때글 뷔하형 여러 개 가운데서 몇 개가 드러나게 조금 굵거나 큰 모양. 큰띠글띠글. 여대글대글.
-때기 미 일부 명사에 붙어 그 명사를 속된 말로 만드는 말. ¶귀~ / 배~ / 볼~.
때-까치 명 〖조〗 때까칫과의 새. 숲·평원 등에 삶. 까치보다 좀 작은데, 머리는 적갈색, 배 아래는 감람색, 날개는 흑색, 부리가 날카롭고 성질이 사나움. 잡은 먹이는 나뭇가지에 꿰어 놓는 습성이 있음. 개고마리.
때깍 뷔하자타 작고 단단한 물건이 가볍게 부딪치거나 부러지는 소리. 큰떼꺽. 여대각·대깍.
때깍-거리다 자타 때깍 소리가 계속 나다. 또는 때깍 소리를 계속 나게 하다. 여대깍거리다. **때깍-때깍** 뷔하자타
때깍-대다 자타 때깍거리다.
때깔 명 천이나 물건 등이 눈에 선뜻 비치는 맵시와 빛깔. ¶~ 고운 옷감.
때꾼-하다 형여불 눈이 쑥 들어가고 생기가 없다. ¶감기를 앓더니 두 눈이 때꾼하구나. 큰떼꾼하다. 여대꾼하다.
때-늦다 [-늗따] 형 **1** 정한 시간보다 늦다. ¶때늦은 손님. **2** 마땅한 시기가 지나다. ¶때늦은 후회 / 때늦은 감이 있다. **3** 제철보다 늦다. ¶때늦은 과일.
때:다[1] 자 〈속〉 죄인이 잡히다. ¶도둑질하다 때 들어갔다.
***때:다**[2] 타 아궁이 속에 불을 지펴 타게 하다. ¶군불을 ~.
때:다[3] 타 '때우다'의 준말.
때때 명 〈소아〉 **1** '때때옷'의 준말. **2** 어린아이가 새옷·새것들을 가리키는 말. 고까. 꼬까.
***때때-로** 뷔 가끔. 시시로. ¶~ 눈에 띄다.
때때-신 명 〈소아〉 빛깔이 알록달록하여 고운, 어린아이의 신. 고까신. 꼬까신.
때때-옷 [-옫] 명 〈소아〉 알록달록한 색을 넣어 곱게 지은 어린아이의 옷. 꼬까옷. 고까옷. 준때때.
때려-누이다 타 주먹이나 몽둥이 따위로 쳐서 쓰러지게 하다. 때려눕히다. ¶강도를 맨손으로 ~.
때려-눕히다 [-누피-] 타 때려누이다.

때려-잡다 타 **1** 때려서 잡다. ¶몽둥이로 멧돼지를 ~. **2** 결정적인 타격으로 다시는 일어나지 못하게 하다. ¶적을 ~. **3** 대담하게 짐작하다. ¶눈치로 ~.

때려-죽이다 타 주먹이나 몽둥이 따위로 때려서 죽이다. 무자비하게 죽이다.

때려-치우다 타 〈속〉 하던 일을 아주 그만두다. ¶직장을 때려치우고 독립을 하다.

***때-로** 부 **1** 경우에 따라서. ¶원숭이도 ~ 나무에서 떨어진다. **2** 이따금. ¶~ 문득 생각나는 사람.

***때리다** 타 **1** 손이나 손에 쥔 것 따위로 아프게 치다. ¶뺨을 ~. **2** 글이나 말로 타인의 잘못을 비난하다. ¶신문에 부정을 ~. **3** 세차게 부딪치다. ¶빗방울이 유리창을 때린다. **4** 심한 충격을 주다. ¶뜻밖의 소식이 우리의 뒤통수를 때렸다. [때리는 시어머니보다 말리는 시누이가 더 밉다] 직접 해치는 사람보다 위해 주는 듯이 거짓 꾸미는 사람이 더 밉다.

때-마침 부 그때에 마침. ¶문을 나서려는데 ~ 전화가 왔다.

때-맞다 [-만따] 형 (주로 '때맞게'의 꼴로 쓰여) 늦지도 이르지도 않게 시기가 꼭 알맞다. ¶때맞게 비가 오다.

때-맞추다 [-맏-] 자 (주로 '때맞추어'의 꼴로 쓰여) 때를 맞추다. 시기에 알맞도록 하다. ¶때맞추어 단비가 내렸다.

***때문** 의명 어떤 일의 까닭이나 원인. ¶너 ~에 일을 망쳤다.

때우다 타 **1** 뚫어졌거나 깨진 자리에 딴 조각을 대어 막다. ¶구멍을 ~. **2** 간단한 음식으로 끼니를 넘기다. ¶빵으로 끼니를 ~. **3** 다른 고생 따위로 곤욕을 대신하여 넘기다. ¶굿을 하여 액운을 ~. **4** 다른 수단을 써서 대충 치러 넘기다. ¶식사 대접으로 고마움을 ~. **5** 별로 하는 일 없이 시간을 대강 보내다. ¶시간을 ~. 준 때다.

땍-대구르르 부 작고 단단한 물건이 땅바닥이나 마룻바닥 같은 곳에 되게 떨어져서 구르는 소리. 큰 떽데구르르. 여 댁대구르르.

땍때굴-땍때굴 부 작고 단단한 물건이 다른 것에 부딪쳐 튀면서 구르는 소리. 큰 떽떼굴떽떼굴. 여 댁대굴댁대굴.

땔ː-감 [-깜] 명 불을 때는 데 쓰는 재료. 땔거리. ¶~을 마련하다.

땔ː-나무 [-라-] 명 불을 때는 데 쓰는 나무붙이. 준 나무.

땜ː[1] 명하타 '땜질'의 준말.

땜ː[2] 명하자 어떤 액운을 넘기거나 다른 고생으로 대신 겪는 일. ¶팔자~ / ~하는 셈 치자.

땜[3] 의명 '때문'의 준말.

땜ː-납 (-鑞) 명 납과 주석의 합금《땜질에 씀》. 준 납.

땜ː-장이 명 땜일을 업으로 삼는 사람.

땜ː-질 명하타 〔←때움질〕 **1** 금이 가거나 뚫어진 것을 때워 고치는 일. **2** 떨어진 옷을 깁는 일. **3** 한 부분만 고치는 일. ¶임시변통으로 ~하여 넘기다. 준 땜.

땟-국 [때꾹 / 땐꾹] 명 **1** 꾀죄죄하게 묻은 때. ¶~이 흐르는 옷. **2** 땟물[1].

땟-물[1] [땐-] 명 때가 섞여 있는 더러운 물. 또는 때로 범벅이 된 땀이나 물기. 땟국.

땟-물[2] [땐-] 명 겉으로 나타나는 모습이나 몸매. ¶~이 훤하다.

땡[1] 명 **1** 화투에서, 같은 짝 두 장으로 이루어진 패. ¶장~ / ~이 나오다. **2** 뜻밖의 좋은 수나 우연히 걸려든 복. ¶~을 잡았다.

땡[2] 부 얇고 작은 쇠붙이 그릇을 칠 때에 나는 소리. 큰 뗑. 여 댕.

땡-감 명 덜 익어 떫은 감.

땡강 부하자타 **1** '땡그랑'의 준말. **2** 작은 물방울이 쇠붙이 따위에 떨어지는 소리. 큰 뗑겅. 여 댕강.

땡강-거리다 자타 **1** '땡그랑거리다'의 준말. **2** 작은 물방울이 쇠붙이 따위에 떨어지는 소리가 나다. 또는 그런 소리를 계속해 내다. 큰 뗑겅거리다. **땡강-땡강** 부하자타

땡강-대다 자타 땡강거리다.

땡그랑 부하자타 방울이나 풍경 따위가 세게 흔들리어 나는 소리. 큰 뗑그렁. 여 댕그랑. 준 땡강.

땡그랑-거리다 자타 계속해 땡그랑 소리가 나다. 또는 계속해 땡그랑 소리를 나게 하다. ¶처마 끝의 풍경이 땡그랑거린다. 큰 뗑그렁거리다. 준 땡강거리다. **땡그랑-땡그랑** 부하자타

땡그랑-대다 자타 땡그랑거리다.

땡글-땡글 부하형 땡땡하고 둥글둥글한 모양. ¶~한 얼굴.

땡-땡[1] 부하자타 작은 종이나 꽹과리 같은 쇠붙이를 계속해 세게 두드릴 때에 나는 소리. ¶종이 ~ 울리다. 큰 뗑뗑. 여 댕댕.

땡땡[2] 부하형 **1** 속에서 불어나서 겉으로 켕기는 모양. **2** 살이 몹시 찌거나 붓거나 하여 팽팽한 모양. ¶배가 ~하다. **3** 속이 옹골지게 차 있는 모양. 큰 띵띵. 거 탱탱.

땡땡-거리다 자타 자꾸 땡땡 소리가 나다. 또는 자꾸 땡땡 소리를 나게 하다. 큰 뗑뗑거리다.

땡땡-대다 자타 땡땡거리다.

땡땡-이[1] 명 **1** 둥근 대틀에 종이를 바르고 양쪽에 구슬을 단 아이들의 장난감《자루를 쥐고 돌리면 땡땡 소리가 남》. **2** 〈속〉 종(鐘).

땡땡이[1]1

땡땡이[2] 명 〈속〉 해야 할 일을 하지 않고 눈을 피해 가며 게으름을 피우는 일. ¶~를 부리다.

땡-볕 [-볃] 명 따갑게 내리쬐는 뙤약볕. ¶~에서 밭일을 하는 농군.

땡-잡다 자 뜻밖에 큰 행운이 생기다. ¶가만히 있어도 땡잡는 수가 있군.

땡추 명 〔불〕 '땡추중'의 준말.

땡추-중 명 〔불〕 파계하여 승려답지 않은 사람의 낮춤말. 준 땡추.

떠-가다 자타 공중이나 물 위를 떠서 가다. ¶구름이 ~ / 잎이 물 위를 ~. ↔떠오다.

떠꺼-머리 명 장가나 시집갈 나이가 넘은 총각·처녀가 땋아 늘인 긴 머리. 또는 그런 머리를 한 사람.

떠나-가다 자타 **1** 본디 자리를 떠서 옮겨 가다. ¶똑딱선이 항구를 ~. **2** (주로 '떠나가게, 떠나가라고, 떠나갈 듯이'의 꼴로 쓰여) 주위가 떠서 나갈 듯이 소리가 요란하다. ¶교실이 떠나갈 듯이 떠들어 댔다.

*떠나다 자타 1 다른 곳으로 옮겨 가다. ¶고향을 ~. 2 어떤 일과 관계를 끊다. ¶직장을 ~. 3 죽다. ¶세상을 ~. 4 사라지다. 없어지다. 떨어지다. ¶집안에 우환이 떠나지 않는다. 5 일을 하러 나서다. ¶출장을 ~.
떠나-보내다 타 아쉬운 마음으로 떠나게 하다. ¶손자를 먼 객지로 ~.
떠나-오다 자타 있던 데서 일정한 곳으로 옮겨 오다. ¶고향에서 ~/집을 ~.
떠-내다 타 1 액체의 얼마를 퍼내다. ¶거품을 ~. 2 초목 등을 흙과 함께 파내다. ¶뗏장을 ~. 3 살이나 다른 고체의 얼마를 도려내다. ¶회를 ~.
떠-내려가다 자 물 위에 떠서 물결을 따라 옮겨 가다. ¶단풍잎이 ~.
떠-넘기다 타 할 일이나 책임을 남에게 미루다. ¶잘못을 부하에게 ~.
떠-다니다 자타 1 공중이나 물 위를 떠서 오고 가고 하다. ¶구름이 ~. 2 정처 없이 이리저리 다니다. ¶객지를 ~.
떠다-밀다 〔-미니, -미오〕 타 1 손으로 세게 밀다. ¶언덕 아래로 ~. 2 자기 일을 남에게 넘기다. 준떠밀다.
떠-대다 타 거짓으로 꾸며 대답하다.
떠-돌다 〔떠도니, 떠도오〕 자타 1 정한 곳 없이 이곳저곳을 옮겨 다니다. ¶배를 타고 바다를 ~. 2 소문이 널리 퍼지다. ¶세상에 떠도는 소문. 3 공중이나 물 위에 떠서 이리저리 움직이다. ¶물 위에 기름이 ~.
떠돌아-다니다 자타 1 정한 곳 없이 이곳저곳을 옮겨 다니다. ¶일자리를 좇아서 전국을 떠돌아다녔다. 2 소문 따위가 계속 퍼져 나가다.
떠돌-이 명 정처 없이 떠돌아다니는 사람. ¶~ 신세로 전락하다.
떠돌이-별 명 〖천〗 행성(行星).
떠돌이-새 명 〖조〗 아주 가까운 지역을 이리저리 철을 따라 옮겨 다니는 새《꾀꼬리·후루룩비쭉새 따위》.
*떠:들다[1] 〔떠드니, 떠드오〕 ㊀자 1 시끄럽게 큰 소리로 지껄이다. ¶시끄럽게 떠드는 소리. 2 매우 술렁거리다. ㊁자타 1 소문 따위를 퍼뜨리다. ¶언론에서 그 사건에 대해 계속 떠든다. 2 견해·입장 등을 계속 주장하다. ¶말로만 민주화를 떠든다.
떠-들다[2] 〔떠드니, 떠드오〕 타 덮이거나 가린 것의 한쪽을 조금 걷어 쳐들다. ¶이불을 떠들고 손을 넣어 보다.
떠들썩-거리다 자 여러 사람이 시끄럽게 자꾸 떠들다. ¶사람들로 떠들썩거리는 회의장.
떠들썩-대다 자 떠들썩거리다.
떠들썩-하다[1] [-써카-] 형 여불 잘 덮이거나 가려지지 않아 조금 떠들려 있다. 작따들싹하다[1]. 준들썩하다.
떠들썩-하다[2] [-써카-] ㊀형 여불 1 여러 사람이 큰 소리로 마구 떠들어 몹시 시끄럽다. ¶술판이 ~. 2 소문이 퍼져 왁자하다. ¶세상을 떠들썩하게 한 사건. 작따들싹하다[2]. ㊁자 여불 여러 사람이 시끄럽게 마구 떠들다. ¶밖이 왜 이렇게 떠들썩하느냐. 준들썩하다.
떠-들추다 타 남의 비밀을 드러내다. ¶부정을 ~.
떠-들치다 타 물건의 한 부분을 들어 올리다. ¶상보를 ~.
떠듬-거리다 자타 말을 하거나 글을 읽을 때 순조롭지 못하고 자꾸 막히다. ¶떠듬거리며 말하다. 작따듬거리다. 여더듬거리다. 떠듬-떠듬 부 하 자타
떠듬-대다 자타 떠듬거리다.
떠름-하다 형 여불 1 좀 떫다. 2 좀 얼떨떨한 느낌이 있다. ¶그 일로 마음이 ~. 3 마음이 썩 내키지 않다. ¶대답이 ~. 떠름-히 부
떠-맡기다 [-맏끼-] 타 《'떠맡다'의 사동》 떠맡게 하다. ¶책임을 남에게 ~.
떠-맡다 [-맏따] 타 할 일 따위를 모두 맡다. ¶생계를 ~.
떠-먹다 타 떠서 먹다. ¶밥 한술을 ~.
떠-메다 타 1 쳐들어서 어깨에 걸치거나 올려놓다. ¶술에 취한 친구를 ~. 2 어떤 일이나 책임을 떠맡다.
떠-밀다 〔떠미니, 떠미오〕 타 '떠다밀다'의 준말. ¶등을 ~.
떠-받다 타 머리나 뿔로 세게 밀어 부딪치다. ¶황소가 사람을 ~.
떠-받들다 〔떠받드니, 떠받드오〕 타 1 번쩍 쳐들어 위로 올리다. 2 공경하여 섬기다. ¶스승으로 ~. 3 소중히 다루다.
떠-받치다 타 떨어지거나 쓰러지지 않도록 밑에서 위로 받쳐서 버티다. ¶담을 통나무로 ~.
떠-받히다 [-바치-] 자 《'떠받다'의 피동》 떠받음을 당하다. ¶황소에게 ~.
떠버리 명 늘 시끄럽게 떠드는 사람.
떠-벌리다 타 이야기를 과장하여 늘어놓다. ¶대단찮은 일을 ~.
떠-벌이다 타 크게 벌이거나 차리다. ¶잔치를 ~.
떠-보다 타 1 저울로 달아 보다. 2 언행으로 사람의 인격을 헤아리다. 3 남의 속뜻을 슬며시 알아보다. ¶넌지시 속을 ~.
떠세 명 하 타 돈이나 세력을 믿고 젠체하고 억지를 쓰는 짓. ¶~를 부리다.
떠-안다 [-따] 타 일이나 책임 따위를 도맡다. ¶남의 일을 ~/빚을 ~.
떠-오다 자 물 위나 공중에 떠서 이쪽으로 오다. ↔떠가다.
*떠-오르다 〔떠오르니, 떠올라〕 자 르불 1 솟아서 위로 오르다. ¶동해에 떠오르는 태양. 2 생각이 나다. ¶좋은 생각이 ~. 3 얼굴에 어떤 표정이 나타나다. ¶반가운 빛이 ~. 4 관심을 모을 만큼 뚜렷하게 나타나다. ¶새 강자로 ~.
떠오르는 별 구 새로이 등장하여 두각을 나타내는 사람. ¶재계의 ~.
떠-올리다 타 《'떠오르다 2·3'의 사동》 1 기억이나 생각을 되살리다. ¶지난 일을 ~. 2 어떤 표정을 나타내다. ¶미소를 ~.
떠-이다 타 1 높이 쳐들어 이다. ¶산봉우리가 구름을 떠이고 있다. 2 소중히 여겨 받들다. ¶충무공은 우리 겨레가 떠이고 받드는 성웅이다.
떠죽-거리다 자 1 젠체하고 되지 못하게 자꾸 지껄이다. 2 싫은 체하고 자꾸 사양하다. 떠죽-떠죽 부 하 자
떠죽-대다 자 떠죽거리다.
떠지껄-하다 ㊀자 여불 떠들썩하게 큰 소리

로 지껄이다. 二형여불 여럿이 큰 소리로 지껄여 떠들썩하다. ¶시장 골목이 ~.

*떡[1] 명 1 곡식 가루를 찌거나 삶아 익힌 음식의 총칭. ¶~을 찌다. 2 〈속〉 성격이 무척 유순한 사람. ¶그 사람은 익은 ~이다. 3 떡밥.
[떡 본 김에 제사 지낸다] 우연히 운 좋은 기회에, 하려던 일을 해치운다. [떡 줄 사람은 꿈도 안 꾸는데 김칫국부터 마신다] 상대방의 속도 모르고 지레 바란다. [떡 해 먹을 집안] 마음이 화합하지 못한 집안.
떡 먹듯 구 예사로 쉽게. ¶그 사람은 거짓말을 ~ 한다.
떡을 치다 구 ㉠양이나 정도가 충분하다. ㉡일을 제대로 다루지 못하고 쩔쩔매거나 망치다.
떡(이) 되다 구 큰 곤욕을 당하거나 매를 많이 맞다.
떡이 생기나 밥이 생기나 구 실속 없는 일에 열성을 내는 사람을 두고 빈정대는 말.
떡 주무르듯 하다 구 저 하고 싶은 대로 마음대로 다루다.

떡[2] 부 1 크게 벌어진 모양. ¶~ 벌어진 어깨. 2 완전히 들어맞는 모양. ¶생각이 서로 ~ 들어맞다. 3 굳세게 버티는 모양. ¶~ 버티고 서다. 4 태도가 매우 점잖거나 의젓한 모양. ¶회전의자에 ~ 앉으니 썩 어울린다. 5 갑자기 마주치는 모양. ¶눈길이 ~ 마주쳤다. 6 단단히 들러붙은 모양. ¶껌이 바닥에 ~ 들러붙었다. 작딱[3].

떡-가래 명 가래떡의 낱개. ¶~를 뽑다.

떡-가루 명 떡을 만드는 곡식 가루. ¶~를 치다.

떡갈-나무 [-라-] 명 〖식〗 참나뭇과의 낙엽 활엽 교목. 해변 지대나 산허리 이하에 잘 자람. 마른 잎은 겨우내 가지에 붙어 있으며 도토리가 가을에 열림. 목재는 단단하여 쓰이는 곳이 많음. 도토리나무.

떡-값 [-깝] 명 〈속〉 1 설이나 추석 때 회사 등에서 직원에게 주는 특별 수당. ¶~이 나오다. 2 공사 입찰에서 담합하여 낙찰된 업자가 다른 업자들에게 분배하는 담합 이익금. 3 자신의 이익과 관련된 사람에게 잘 보이기 위하여 바치는 돈.

떡-고물 명 1 떡 거죽에 묻히거나 떡의 켜 사이에 까는 고물. 2 일을 부정하게 봐주고 얻는 금품의 비유.

떡-국 명 가래떡을 얄팍하고 어슷하게 썰어 맑은장국에 넣어 끓인 음식.

떡-두꺼비 명 탐스럽고 암팡지게 생긴 갓난 남자 아이. ¶~ 같은 아들을 낳다.

떡떠그르르 부하자 1 크고 단단한 물건이 잇따라 다른 단단한 물체에 세게 부딪치면서 구르는 소리. 또는 그 모양. 2 천둥이 먼 곳에서 갑자기 맹렬하게 부딪치듯이 울리는 소리.

떡떠글-떡떠글 부하자 1 크고 단단한 물건이 다른 단단한 물체에 잇따라 세게 부딪치며 구르는 소리. 2 천둥이 먼 곳에서 갑자기 맹렬하게 부딪치듯이 울리는 소리.

떡-떡 부 1 물이 금방금방 얼어붙는 모양. ¶물이 ~ 얼어붙다. 2 단단한 것이 마주치거나 부러질 때 나는 소리. ¶이가 ~ 마주치다. 3 여럿이 다 또는 잇따라 단단히 들러붙는 모양. ¶엿이 입천장에 ~ 붙는다.

떡-메 [떵-] 명 떡을 치는 메《흰떡이나 인절미를 칠 때 씀》. ¶~로 떡밥을 찧다.

떡-밥 명 1 낚시 미끼의 하나《쌀겨에 콩가루·번데기 가루 등을 섞어 만듦》. 2 떡을 만들기 위해 시루에 쪄 낸 밥.

떡-방아 명 떡쌀을 찧는 방아. ¶~를 찧다.

떡-보 명 떡을 남달리 잘 먹는 사람.

떡-보 (-褓) 명 떡을 처음 칠 때 흩어지지 않게 싸는 보자기.

떡-볶이 명 가래떡을 토막 내서 고기와 양념을 섞어 볶은 음식.

떡-살 명 흰떡 등을 눌러 모양과 무늬를 찍어 내는 나무판.

떡-소 명 송편이나 계피떡 속에 넣는 재료《팥이나 콩·대추·깨소금 따위》.

떡-시루 명 떡을 찌는 데 쓰는 시루.

떡-심 명 1 억세고 질긴 근육. ¶쇠고기의 ~. 2 성질이 검질긴 사람의 비유.
떡심(이) 좋다 구 끈질기게 비위가 좋다.

떡-쌀 명 떡 만드는 데 쓰는 쌀. ¶~을 빻다 / ~을 담그다.

떡-잎 [떵닙] 명 〖식〗 식물의 배(胚)에 붙어 있고, 싹이 트면 최초로 나오는 잎. 자엽(子葉).

떡-집 명 떡을 만들어 파는 집.

떡-판 (-板) 명 1 기름떡을 올려놓는 판. 2 안반. 3 〈속〉 여자 엉덩이. 4 〈속〉 넓적하고 못생긴 얼굴. ¶생김새는 ~이지만 심성은 곱다.

떨거덕 부하자타 단단하고 큰 물건이 맞부딪치는 소리. 작딸가닥. 여덜거덕. 준떨걱.

떨거덕-거리다 자타 자꾸 떨거덕 소리가 나다. 또는 자꾸 떨거덕 소리를 나게 하다. ¶떨거덕거리며 그릇을 씻다. 작딸가닥거리다. 여덜거덕거리다. 준떨걱거리다. **떨거덕-떨거덕** 부하자타

떨거덕-대다 자타 떨거덕거리다.

떨거덩 부하자타 크고 단단한 물건이 부딪쳐 울리는 소리. 작딸가당. 여덜거덩. 준떨겅.

떨거덩-거리다 자타 자꾸 떨거덩 소리가 나다. 또는 자꾸 떨거덩 소리를 나게 하다. 작딸가당거리다. 여덜거덩거리다. **떨거덩-떨거덩** 부하자타

떨거덩-대다 자타 떨거덩거리다.

떨거지 명 겨레붙이나 한통속으로 지내는 사람들을 얕잡아 이르는 말. ¶처갓집 ~.

떨걱 부하자타 '떨거덕'의 준말. 작딸각. 여덜걱.

떨걱-거리다 자타 '떨거덕거리다'의 준말. **떨걱-떨걱** 부하자타

떨걱-대다 자타 떨걱거리다.

떨구다 타 떨어뜨리다. ¶시선을 ~ / 고개를 ~.

떨그럭 부하자타 크고 단단한 물건이 부딪쳐 흔들리면서 맞닿는 소리. 작딸그락. 여덜그럭.

떨그럭-거리다 자타 자꾸 떨그럭 소리가 나다. 또는 자꾸 떨그럭 소리를 나게 하다. 작딸그락거리다. **떨그럭-떨그럭** 부하자타

떨그럭-대다 자타 떨그럭거리다.

떨그렁 부하자타 얇고 큰 쇠붙이 따위가 맞부딪치거나 스쳐 울리는 소리. 작딸그랑. 여덜그렁.

떨그렁-거리다 [자타] 자꾸 떨그렁 소리가 나다. 또는 자꾸 떨그렁 소리를 나게 하다. (작)딸그랑거리다. **떨그렁-떨그렁** [부하자타]

떨그렁-대다 [자타] 떨그렁거리다.

떨기 [명] 풀이나 나무의 한 뿌리에서 여러 줄기가 나와 더부룩하게 된 무더기. ¶한 ~ 장미꽃.

떨기-나무 [명] 〔식〕 관목(灌木).

떨꺼덩 [부하자타] 크고 단단한 물건이 부딪쳐 울리는 소리. (준)떨껑.

떨껑 [부하자타] '떨꺼덩'의 준말.

***떨:다**[1] 〔떠니, 떠오〕 [자타] **1** 생물체나 물체가 작은 폭으로 빠르게 반복하여 흔들리다. ¶손을 ~ / 문풍지가 ~. **2** 몹시 추워하거나 두려워하다. ¶추워서〔무서워서〕 온몸을 ~. **3** 몹시 인색하여 좀스럽게 굴다. ¶단돈 천 원에 벌벌 ~.

***떨:다**[2] 〔떠니, 떠오〕 [타] **1** 붙은 것을 흔들거나 털어서 떨어지게 하다. ¶먼지를 ~. (거)털다. **2** 어떤 속에서 얼마를 덜어 내다. ¶내 몫은 떨고 주겠네. **3** 줄 셈에서 받을 셈을 빼다. ¶월급에서 세금을 ~. **4** 팔다 남은 것을 몽땅 팔거나 사다. ¶이 채소들을 2천 원에 떨어 가십시오. **5** 어떤 성질·행동을 겉으로 나타내어 부리다. ¶아양을 ~ / 능청을 ~ / 육갑을 ~.

떨떠름-하다 [형여불] **1** 떫은 맛이 있다. ¶떨떠름한 땡감. **2** 마음이 내키지 않다. ¶떨떠름한 표정. **떨떠름-히** [부]

떨떨 [부] 단단한 바닥에 수레바퀴 등이 구르는 소리. (작)딸딸. (여)덜덜[1].

떨렁 [부] **1** 큰 방울이 흔들리어 나는 소리. **2** 침착하지 못하고 까부는 모양. (작)딸랑. (여)덜렁.

***떨리다**[1] [자] 《'떨다[1]'의 피동》 몹시 춥거나 무섭거나 분하여 몸이 재게 흔들리다. ¶목소리가 ~.

떨리다[2] [자] 《'떨다[2]'의 피동》 **1** 달렸던 데서 떨어져 나오다. ¶먼지가 깨끗이 ~. **2** 무리에서 밀려나다. ¶불량 학생이 학교에서 떨려 나가다.

떨어-내다 [타] 떨어져서 나오게 하다. ¶먼지를 ~ / 콩깍지에서 콩을 ~.

***떨어-뜨리다** [타] **1** 위에 있던 것을 아래로 내려가게 하다. ¶이층에서 ~. **2** 붙은 것을 떨어지게 하다. ¶나무에서 사과를 ~ / 사이를 ~. **3** 가졌던 것을 빠뜨려 흘리다. ¶연필을 ~. **4** 뒤에 처지게 하다. ¶대열에서 그를 ~. **5** 값을 깎아 싸게 하다. ¶값을 ~. **6** 옷·신 따위를 해어뜨려 못 쓰게 만들다. ¶구두를 ~. **7** 쓰이던 물건이 없어져 뒤가 딸리게 하다. ¶재고품을 ~. **8** 입찰이나 시험 따위에 붙지 않게 하다. ¶시험에서 10명을 ~. **9** 가치·명성·지위 따위를 잃게 하다. ¶위신〔신용〕을 ~. **10** 고개를 아래로 숙이다. ¶힘없이 고개를 ~. **11** 거리가 벌어지게 하다. ¶창고는 본채와 떨어뜨려 지었다. **12** 어떤 사람들을 사이가 멀어지게 하다. ¶그 두 남녀를 떨어뜨릴 사람은 없다. **13** 정도·수준을 낮아지게 하거나 줄어들게 하다. ¶사기를 ~ / 입맛을 ~.

***떨어-지다** [자] **1** 위에서 아래로 내려지다. ¶빗방울이 ~. **2** 붙었던 것이 갈라지거나 떼어지다. ¶단추가 ~. **3** 헤어지다. ¶부모와 떨어져 살다. **4** 정이 없어지거나 멀어지다. ¶정이 ~. **5** 흘러서 빠지다. ¶주머니에서 동전이 ~. **6** 이익이 남다. ¶본전을 빼고 십만 원이 ~. **7** 값이 내리다. ¶쌀값이 ~. **8** 옷·신 따위가 해어지다. ¶구두가 ~. **9** 쓰이던 것이 바닥이 나서 뒤가 달리다. ¶밑천이 ~. **10** 수준이 못하다. ¶기술이 ~. **11** 거리·간격이 있다. 뒤로 처지다. ¶1위와 100 m가량 ~. **12** 어떤 상태나 처지에 빠지다. ¶타락의 길로 ~. **13** 꾐이나 술책에 넘어가다. ¶감언이설에 ~. **14** 병이나 버릇이 없어지다. ¶학질이 ~. **15** 시험이나 선거 따위에 뽑히지 못하다. ¶입학 시험에 ~. **16** 함락되다. ¶요새가 적에 ~. **17** 명령·호령 등이 내리다. ¶불호령이 ~. **18** 전보다 나쁜 상태로 되다. 감퇴하다. ¶성적이 ~ / 손님이 ~. **19** 일이 끝나다. ¶작업이 내일이면 떨어진다. **20** 부합되다. ¶숫자가 맞아 ~. **21** 숨이 끊어지다. ¶막 숨이 떨어졌다. **22** 두 지점 사이에 일정한 거리를 두다. ¶집에서 많이 떨어진 곳. **23** 유산되다. ¶아이가 ~. **24** 우수리 없이 나뉘다. ¶나뉘어 ~. **25** 지정된 신호가 나타나다. ¶청신호가 떨어졌으니 횡단보도를 건너자.

떨어-트리다 [타] 떨어뜨리다.

떨이 [명하타] 팔다가 조금 남은 물건을 다 떨어 싸게 파는 일. 또는 그 물건. ¶사과 한 무더기를 ~로 팔다.

떨쳐-나서다 [-처-] [자] 어떤 일에 세차게 나서다. ¶통일을 위해 ~.

***떨치다**[1] [자타] 위세나 명성 따위가 널리 알려지다. 또는 널리 드날리다. ¶문명(文名)이 ~ / 맹위를 ~.

떨치다[2] [타] **1** 세게 흔들어 떨어지게 하다. ¶붙잡는 손을 떨치고 가 버렸다. **2** 어떤 생각이나 명예, 욕심 따위를 버리다. ¶불안을 떨쳐 버리다.

떨커덕 [부하자타] 단단하고 큰 물건이 맞부딪치는 소리. (준)떨컥.

떨커덩 [부하자타] 단단하고 큰 물건이 부딪쳐 울리는 소리. (준)떨컹.

떨컥 [부하자타] '떨커덕'의 준말.

떨컹 [부하자타] '떨커덩'의 준말.

떨-켜 [명] 〔식〕 낙엽 질 무렵 잎자루와 가지가 붙은 곳에 생기는 특수한 세포층. 이층(離層). 분리층(層).

***떫:다** [떨따] [형] **1** 맛이 거세어 입 안이 텁텁하다. 날감 맛과 같다. ¶떫은 감. **2** 말이나 행동이 덜되고 못마땅하다. ¶떫은 표정을 짓다.

떫:디-떫다 [떨띠떨따] [형] 몹시 떫다.

떫:은-맛 [떨븐맏] [명] 설익은 감의 맛처럼 거세고 텁텁한 맛. 날감 맛. 삽미(澁味). ¶~을 우리다. ☞맛[1].

> **여러 가지 떫은맛〔澁味〕**
>
> 1. **단순한 떫은맛**
>   떠름하다, 떨떠름하다, 떫디떫다.
> 2. **신맛과 떫은맛**
>   시금떨떨하다, 시금털털하다.

떳떳-이 [떧-] 부 떳떳하게. ¶ ~ 행동하다.
떳떳-하다 [떧떠타-] 형여불 반듯하고 굽힘이 없다. 언행이 바르고 어그러짐이 없다. ¶떳떳한 직업 / 평생을 떳떳하게 살다.
떵 부 1 두꺼운 쇠붙이를 몹시 쳐서 울리는 소리. 2 총포를 쏘는 소리. 작땅.
떵-떵[1] 부 1 두꺼운 쇠붙이를 잇따라 몹시 쳐서 울리는 소리. 2 총포를 잇따라 쏘는 소리. 작땅땅[2].
떵떵[2] 부 기세 좋게 으르대는 모양. 작땅땅[3]. 거텅텅[3].
떵떵-거리다[1] 자 큰소리치며 아주 호화롭게 거들먹거리며 살다. ¶ 한때는 떵떵거리던 집안. 작땅땅거리다[1].
떵떵-거리다[2] 자타 잇따라 떵떵 소리가 나다. 또는 잇따라 떵떵 소리를 내다. 작땅땅거리다[2].
떵떵-대다[1] 자 떵떵거리다[1].
떵떵-대다[2] 자타 떵떵거리다[2].
*****떼**[1] 명 목적이나 행동을 같이하는 무리. ¶소 ~ / ~로 몰려다니다.
떼[2] 명 흙을 붙여 뿌리째 떠낸 잔디. ¶~를 뜨다 / 무덤에 ~를 입히다.
떼[3] 명 나무나 대 등의 토막을 엮어 물에 띄워서 타고 다니게 된 물건.
떼[4] 명 부당한 요구나 청을 들어 달라고 고집하는 짓. ¶~를 쓰다.
떼-강도 (-强盜) 명 여럿이 떼를 지어 저지르는 강도.
떼-거리[1] 명 〈속〉 떼[4].
떼-거리[2] 명 〈속〉 떼[1]. ¶~로 몰려다니다 / ~로 덤비다.
떼-거지 명 1 떼를 지어 다니는 거지. 2 재변으로 졸지에 헐벗게 된 많은 사람. ¶하루아침에 ~가 되다.
떼걱 부하자타 크고 단단한 물건이 가볍게 부딪치거나 부러지는 소리. 여데걱. 센떼꺽.
떼구루루 부 좀 크고 단단한 물건이 단단한 바닥에서 구르는 소리. 또는 그 모양. 작때구루루. 여데구루루.
떼굴-떼굴 부하자타 잇따라 떼구루루 구르는 모양. 작때굴때굴. 여데굴데굴.
떼그럭 부하자타 크고 단단한 물건들이 서로 맞닿는 소리. 작때그락. 여데그럭.
떼그럭-거리다 자타 잇따라 떼그럭 소리가 나다. 또는 그런 소리를 잇따라 내다. 작때그락거리다. **떼그럭-떼그럭** 부하자타
떼그럭-대다 자타 떼그럭거리다.
떼꺽 부하자타 1 크고 단단한 물건이 가볍게 부딪치거나 부러지는 소리. 작때깍. 여데걱·데꺽·떼걱. 2 서슴지 않고 곧. 여데꺽. *제꺽[2].
떼꾼-하다 형여불 눈이 쑥 들어가고 생기가 없다. ¶눈이 ~. 작때꾼하다. 여데꾼하다.
*****떼:다**[1] 타 1 붙었던 것을 떨어지게 하다. ¶벽에서 벽보를 ~. 2 장사를 하려고 상품을 한꺼번에 사다. ¶물건을 도매로 ~. 3 봉한 것을 뜯다. ¶편지를 떼어 보다. 4 먹던 것을 못 먹게 하다. ¶벌써 젖을 떼었나. 5 요구를 거절하다. ¶모처럼의 청을 떼어 버릴 수가 없었다. 6 제(除)하다. 덜다. 빼다. ¶ 월급에서 가불금을 ~. 7 수표나 어음을 발행하다. ¶수표를 ~. 8 관계하던 것을 그만두다. ¶떼려야 뗄 수 없는 악연. 9 배우던 것을 끝내다. ¶기초를 ~. 10 병이나 버릇을 고치다. ¶학질을 ~. 11 낙태하다. ¶아이를 ~. 12 말문을 열다. 말을 시작하다. ¶서두를 ~/ 차마 입을 뗄 수가 없었다. 13 걸음을 옮기다. ¶발걸음을 ~.
[떼어 놓은 당상] 일이 확실하여 변동이 있을 수 없을 때나, 으레 자기 차지가 될 것이 조금도 틀림없음을 이르는 말. 따 놓은 당상. ¶합격은 ~이다.
떼:다[2] 타 하고서도 아니한 체하다. ¶시치미를 ~.
떼:다[3] 타 빌려 온 것을 다시 돌려주지 않다. ¶꾸어 온 돈을 ~.
떼-돈 명 졸지에 한꺼번에 많이 생긴 돈. ¶주식으로 ~을 벌다. ↔푼돈.
떼:-먹다 타 '떼어먹다'의 준말.
떼:-밀다 〔떼미니, 떼미오〕 타 〔←떠밀다〕 힘을 주어 밀다. ¶등을 억지로 ~.
떼-쓰다 〔떼쓰니, 떼써〕 자 부당한 말로 자기 의견이나 요구만을 억지로 주장하다. ¶장난감을 사 달라고 ~.
떼어-먹다 타 1 갚을 것을 갚지 않다. ¶빚진 돈을 ~. 2 남의 몫을 중간에서 가로채다. 준떼먹다.
떼-이다 타 《'떼다[3]'의 피동》 빌려 준 것을 받을 수 없게 되다. ¶돈을 ~.
떼-쟁이 명 떼를 잘 쓰는 사람.
떼적 명 비나 바람 따위를 막으려고 치는 거적 같은 것.
떼-죽음 명하자 한꺼번에 모조리 죽음. ¶물고기들이 ~을 당하다.
떼:-치다 타 1 달라붙는 것을 떼어 물리치다. 2 요구나 부탁 등을 거절하다. ¶청탁을 ~. 3 붙잡는 것을 뿌리치다. ¶잡는 손을 ~. 4 생각이나 정 따위를 딱 끊어 버리다. ¶모자 사이의 정을 떼칠 수는 없다.
떽-데구루루 부 크고 단단한 물건이 다른 물건에 부딪치면서 빨리 구르는 소리. 또는 그 모양. 작땍대구루루. 여덱데구루루.
떽떼굴-떽떼굴 부 크고 단단한 물건이 다른 것에 자꾸 부딪치면서 구르는 소리. 또는 그 모양. 작땍때굴땍때굴. 여덱데굴덱데굴.
뗀:-석기 (-石器) 명 《역》 구석기 시대에, 돌을 깨서 만든 돌연장. 타석기. 타제 석기. *간석기.
뗏-목 (-木)[뗀-] 명 떼를 만들어 물에 띄워 운반하는 재목.
뗏-장 [떼짱 / 뗃짱] 명 흙이 붙은 채로 뿌리째 떠낸 잔디 조각. ¶~을 뜨다 / ~을 새로 입히다.
뗑 부 두껍고 큰 쇠붙이로 된 그릇을 두드리는 소리. 작땡. 여뎅.
뗑겅 부하자타 1 큰 쇠붙이 따위가 부러지거나 떨어지는 소리. 2 큰 물방울이 쇠붙이 따위에 떨어지는 소리. 작땡강. 여뎅겅.
뗑겅-거리다 자타 1 큰 쇠붙이 따위가 부러지거나 떨어지는 소리가 잇따라 나다. 2 큰 물방울이 쇠붙이 따위에 떨어지는 소리가 잇따라 나다. 작땡강거리다. **뗑겅-뗑겅** 부하자타
뗑겅-대다 자타 뗑겅거리다.
뗑그렁 부하자타 큰 쇠붙이나 방울, 종, 풍

경 같은 것이 흔들리거나 부딪칠 때 나는 소리. [작]땡그랑. [여]뎅그렁.
뗑그렁-거리다 [자][타] 자꾸 뗑그렁 소리가 나다. 또는 그런 소리를 자꾸 내다. [작]땡그랑거리다. **뗑그렁-뗑그렁** [부][하자타]
뗑그렁-대다 [자][타] 뗑그렁거리다.
뗑-뗑 [부][하자타] 큰 쇠붙이의 그릇을 잇따라 두드리는 소리. ¶종을 ~ 치다. [작]땡땡.
뗑뗑-거리다 [자][타] 잇따라 뗑뗑 소리가 나다. 또는 그런 소리를 잇따라 내다. ¶학교 종이 ~. [작]땡땡거리다.
뗑뗑-대다 [자][타] 뗑뗑거리다.
***또** [부] **1** 거듭하여. ¶같은 일이 ~ 생기다. **2** '그뿐 아니라 다시 더'의 뜻의 접속 부사. ¶용기도 있고 ~ 슬기도 있다. **3** 그래도 혹시. ¶여름이라면 ~ 몰라도 겨울에 찬물로 목욕하다니. **4** 앞 말의 내용을 부정하거나 의아하게 여길 때 쓰는 말. ¶일은 ~ 무슨 일.
***또는** [부] '그렇지 않으면', '혹은'의 뜻의 접속 부사. ¶오늘 ~ 내일 찾아갈까 한다.
또-다시 [부] '다시'를 강조하여 일컫는 말. 한 번 더. 거듭하여 다시. ¶같은 곳에서 ~ 사고가 났다.
또닥-거리다 [타] 잘 울리지 않는 물체를 가볍게 두드리는 소리를 잇따라 내다. ¶연필로 책상을 ~. [거]토닥거리다. **또닥-또닥** [부][하타]. ¶책상을 ~ 뚜드리다.
또닥-대다 [타] 또닥거리다.
또드락-거리다 [타] 작고 단단한 물건을 가락에 맞추어 가볍게 두드려서 소리를 자꾸 내다. **또드락-또드락** [부][하타]
또드락-대다 [타] 또드락거리다.
또랑-또랑 [부][하형] 조금도 흐린 점이 없이 아주 밝고 똑똑한 모양. ¶~한 목소리 / 질문에 ~ 대답한다.
또래 [명] 나이나 수준이 서로 비슷비슷한 무리. ¶같은 ~의 아이들.
또렷-또렷 [-렫-렫] [부][하형] 매우 또렷한 모양. ¶~ 빛나는 눈망울. [큰]뚜렷뚜렷.
또렷-이 [부] 또렷하게.
또렷-하다 [-려타-] [형][여불] 엉클어지거나 흐리지 않고 썩 분명하다. ¶기억이 ~. [큰]뚜렷하다.
또르르[1] [부] 말렸던 종이 같은 것이 풀렸다가 다시 저절로 말리는 모양. ¶장판지가 ~ 말리다. [큰]뚜르르[1]. [여]도르르.
또르르[2] [부] 작고 동그스름한 것이 가볍게 구르는 소리. 또는 그 모양. ¶동전이 ~ 구르다 / 땀이 ~ 흘러내리다. [큰]뚜르르[2]. [여]도르르.
또바기 [부] 언제나 한결같이 꼭 그렇게. ¶인사를 ~ 잘하다.
또박-거리다 [자] 발자국 소리를 또렷이 내며 걷는 소리가 잇따라 나다. ¶누군가 또박거리며 다가오고 있다. 구둣소리. [큰]뚜벅거리다. **또박-또박**[1] [부][하자]
또박-대다 [자] 또박거리다.
또박-또박[2] [부][하형] **1** 흐리터분하지 않고 똑똑히. ¶글씨를 ~ 쓰다. **2** 차례를 거르지 않고 일일이. ¶세금을 ~ 잘 내다.
또아리 [명] '똬리'의 잘못.
***또한** [부] **1** '마찬가지로·한가지로·역시'의 뜻의 접속 부사. ¶그도 ~ 인간이었다. **2** 그 위에 더. ¶노래도 잘 부르고 ~ 춤도 잘 춘다.
***똑**[1] [부][하자] **1** 좀 작은 것이 떨어지는 소리. ¶물방울이 ~ 떨어지다. **2** 가늘거나 작은 것이 부러지는 소리. ¶지팡이가 ~ 부러지다. **3** 조금 단단한 물건을 한 번 두드리는 소리. [큰]뚝[1].
똑[2] [부] **1** 계속되던 것이 갑자기 그치는 모양. ¶소식이 ~ 끊어졌다. **2** 거침없이 따거나 떼는 모양. ¶사과를 ~ 따먹다. **3** 다 쓰고 없는 모양. ¶양식이 ~ 떨어지다. [큰]뚝[2].
똑[3] [부] 아주 틀림없이. ¶어머니를 ~ 닮다. ☞꼭.
***똑-같다** [-깓따] [형] **1** 조금도 틀림이 없다. ¶길이가 ~ / 목소리가 ~. **2** 새롭거나 특별한 것이 없다. ¶매일 똑같은 생활. **똑-같이** [-까치] [부]. ¶~ 분배하다 / ~ 생겼다.
똑딱 [부][하자타] **1** 단단한 물건을 가볍게 두드리는 소리. [큰]뚝딱[1]. **2** 수단추와 암단추를 눌러 채우는 소리.
똑딱-거리다 [자][타] 단단한 물건을 가볍게 두드리는 소리가 잇따라 나다. [큰]뚝딱거리다. **똑딱-똑딱** [부][하자타]. ¶~ 못을 박는 소리가 들렸다.
똑딱-단추 [명] 쇠로 된 단추의 하나《끼거나 뺄 때 똑딱 소리가 남. 속옷 같은 데에 닮》. 스냅.
똑딱-대다 [자][타] 똑딱거리다.
똑딱-선 (-船) [명] 발동기로 움직이는 작은 배. ¶연안에는 ~이 운항되고 있다.
똑-떨어지다 [자] 꼭 일치하다. 맞아떨어지다. ¶똑떨어지게 말할 수는 없지만.
똑-똑 [부] **1** 작은 물건이 잇따라 떨어지는 소리. ¶물방울이 ~ 떨어지다. **2** 작은 물건이 잇따라 부러지며 나는 소리. ¶연필이 ~ 부러지다. **3** 조금 단단한 물건을 잇따라 두드릴 때 나는 소리. ¶문을 ~ 두드리다. [큰]뚝뚝[1].
***똑똑-하다** [-또카-] [형][여불] **1** 분명하다. ¶발음이 ~. **2** 사리에 밝고 매우 영리하다. ¶똑똑한 소년. **똑똑-히** [-또키] [부]
똑-바로 [부] **1** 한쪽으로 기울지 않고 곧게. ¶자세를 ~ 하다. **2** 틀림없이 사실대로. ¶~ 밝히다.
똑-바르다 〔똑바르니, 똑발라〕 [형][르불] **1** 어느 쪽에도 기울지 않고 곧다. ¶똑바른 길. **2***도리나 사실에 맞다. 올바르다. ¶똑바른 정신.
똘똘 [부] **1** 물건을 여러 겹으로 마는 모양. 또는 여러 겹으로 뭉쳐진 모양. ¶달력을 ~ 말다. **2** 물건이 가볍고도 세게 구르는 소리. ¶~ 구르다. [큰]뚤뚤. [여]돌돌. **3** 여럿이 뜻을 모아 뭉치는 모양. ¶한마음으로 ~ 뭉치다.
똘똘-이 [명] 똑똑하고 영리한 아이.
똘똘-하다 [형][여불] 똑똑하고 영리하다. ¶똘똘하게 생기다. **똘똘-히** [부]
똘마니 [명] 〈속〉 불량배의 우두머리가 거느리는 부하. ¶~들을 풀어 해치우다.
***똥** [명] **1** 사람이나 동물이 먹은 것이 삭아 항문으로 나오는 찌끼. ¶~을 누다. **2** 갈아 쓰던 먹물이 벼루에 말라붙은 찌끼. 먹똥. [똥 누고 밑 아니 씻은 것 같다] 일한 뒤가 꺼림칙하다. [똥 누러 갈 적 마음 다르고

올 적 마음 다르다] '뒷간에 갈 적 마음 다르고 올 적 마음 다르다'와 같은 말. [똥 묻은 개가 겨 묻은 개 나무란다] 제 흉은 더 많으면서 대단치 않은 남의 허물을 흉본다. [똥이 무서워서 피하나 더러워서 피하지] 악한 사람과는 겨루지 않고 피하는 것이 낫다. [똥 친 막대기] 천하게 되어 가치가 없음.

똥(을) 싸다 구 〈속〉 몹시 힘들다. ¶다 마치느라고 똥 쌌네.

똥(이) 되다 구 면목·체면이 형편없이 되다. ¶너 때문에 내 얼굴이 똥이 되었다.

똥-값 [-깝] 명 〈속〉 터무니없이 싼값. ¶~에 팔아 치우다 / 대량 생산으로 ~이 되다.

똥-개 [-깨] 명 잡종의 개.

똥-구멍 [-꾸-] 명 〈속〉 항문(肛門). [똥구멍으로 호박씨 깐다] 겉으로 얌전한 체하면서 속으로는 엉뚱한 짓을 한다. [똥구멍이 찢어지게 가난하다] 아주 가난하다는 말.

똥그랗다 [-라타] 〔똥그라니, 똥그라오〕 형 ㅎ불 아주 동글다. ¶똥그란 눈 / 눈을 똥그랗게 뜨다. 큰뚱그렇다. 여동그랗다.

똥그래-지다 자 똥그랗게 되다. ¶놀라서 눈이 ~. 큰뚱그레지다. 여동그래지다.

똥그스름-하다 형여불 약간 동글하다. ¶달덩이처럼 ~. 큰뚱그스름하다. 여동그스름하다. **똥그스름-히** 부

똥글-똥글 부하형 1 여러 개가 다 똥그란 모양. 2 똥그라미를 그리며 자꾸 돌아가는 모양. 큰뚱글뚱글. 여동글동글.

똥기다 타 모르는 사실을 깨달아 알도록 암시를 주다. ¶그는 한 마디만 똥겨 주면 금세 알아차린다.

똥-끝 [-끋] 명 똥구멍에서 나오는 똥자루의 앞부분.

똥끝(이) 타다 구 ㉠애가 타서 똥자루가 굳어지고 빛이 까맣게 되다. ㉡몹시 마음을 졸이다. ¶걱정 때문에 똥끝이 탄다.

똥-독 (-毒)[-똑] 명 똥 속에 있는 독. ¶~이 오르다.

똥똥 부하형히부 1 물체의 한 부분이 붓거나 부풀어서 도드라진 모양. 2 키가 작고 살이 쪄 몸이 옆으로 퍼진 모양. 큰뚱뚱.

똥-마렵다 〔똥마려우니, 똥마려워〕 형ㅂ불 똥이 나올 듯하다.

똥-물 명 1 똥이 섞인 물. 2 구토가 심할 때 나오는 누르스름한 물.

똥물에 튀할 놈 구 지지리 못나서 아무짝에도 쓸모없는 놈이라는 뜻으로 남을 욕하는 말.

똥-배 [-빼] 명 〈속〉 똥똥하게 불러 나온 배. ¶~가 나오다 / ~가 부르다.

똥-싸개 명 1 똥을 가리지 못하는 아이. ¶오줌싸개 ~. 2 실수로 똥을 싼 아이를 놓으로 일컫는 말. 3 〈속〉 몹시 못난 사람.

똥-오줌 명 똥과 오줌. ¶~을 가리다.

똥-자루 [-짜-] 명 1 굵고도 긴 똥 덩이. 2 키가 작고 살이 쪄 볼품없는 사람을 놀림조로 이르는 말.

똥-줄 [-쭐] 명 급히 내깔기는 똥의 줄기.

똥줄(이) 나게 구 몹시 다급하게 달아남을 이르는 말.

똥줄(이) 당기다 구 몹시 두려워 겁내다.

똥줄(이) 빠지다 구 ㉠몹시 혼이 나 급하게 달아남을 가리키는 말. ㉡몹시 힘들다.

똥줄(이) 타다 구 〈속〉 똥끝(이) 타다. *똥끝.

똥-집 [-찝] 명 〈속〉 1 큰창자. 2 몸무게. 3 위(胃).

똥-차 (-車) 명 1 똥을 실어 나르는 차. 분뇨차. 2 〈속〉 헌 차. 3 〈속〉 결혼 등 적절한 시기를 놓친 사람. ¶~가 밀려 결혼이 자꾸 늦어진다.

똥창 명 소의 창자 중 새창의 한 부분.

똥창(이) 맞다 구 〈속〉 뜻이 서로 맞다.

똥-칠 (-漆) 명하자 1 똥을 묻히는 짓. 2 체면이나 명예를 더럽히는 일의 비유. ¶얼굴에 ~하다.

똥-통 (-桶) 명 1 똥을 담거나 담아 나르는 통. 2 〈속〉 좋지 않거나 낡아 빠진 것을 비유하는 말. ¶~ 학교.

똥-파리 명 1 똥에 모이는 파리. 2 〖충〗 똥파릿과의 파리. 똥오줌이나 썩은 물질에 많이 모임. 몸은 황갈색에 황색 털이 빽빽이 나고 날개는 황색을 띰. 3 〈속〉 아무 일에나 간섭하거나 잇속을 찾아 덤비는 사람.

똬르르 부하자 물 같은 것이 좁은 목으로 쏟아지는 소리.

똬:리 명 1 짐을 머리에 일 때 머리에 받치는 고리 모양의 물건《짚이나 천을 틀어서 만듦》. ¶~를 얹다. 2 둥글게 빙빙 틀어 놓은 것. 또는 그런 모양. ¶구렁이가 ~를 틀고 있다.

똬리1

뙈:기 명 1 논밭의 한 구획. ¶밭 한 ~ 없다. 2 하찮은 조각. ¶이불 ~ / 요 ~를 깔다. 3 경계를 지은 논밭의 구획을 세는 단위《의존 명사적으로 씀》. ¶밭 두 ~.

뙤다 자 1 그물코나 바느질한 자리의 올이 터지다. 2 물건의 귀가 깨져서 떨어지다.

뙤록-거리다 자타 1 또렷또렷한 눈알이 힘있게 번쩍이다. 2 똥똥한 몸이 둔하게 움직이다. 3 성난 빛이 행동에 나타나다. 큰뛰룩거리다. 여되록거리다. **뙤록-뙤록** 부하자타

뙤록-대다 자타 뙤록거리다.

뙤약-볕 [-뼏] 명 여름날에 강하게 내리쬐는 뜨거운 볕. ¶~ 아래서 김을 매다.

뙤-창 (-窓) 명 '뙤창문'의 준말.

뙤창-문 (-窓門) 명 방문에 낸 작은 창문. 준뙤창.

뚜 부 고동이나 기적·나팔 따위가 울리는 소리.

***뚜껑** 명 1 그릇이나 상자 따위의 아가리를 덮는 물건. 덮개. ¶~을 덮다. 2 만년필 따위의 촉을 보호하기 위하여 겉에 씌우는 물건. ¶펜 ~을 닫다. 3 〈속〉 모자.

뚜껑(을) 열다 구 일의 실정이나 결과 따위를 보다. ¶선거란 뚜껑을 열어 봐야 안다.

뚜덜-거리다 자 불평하는 말로 혼자 중얼거리다. 여두덜거리다. 거투덜거리다. **뚜덜-뚜덜** 부하자. ¶~ 불평을 늘어놓다.

뚜덜-대다 자 뚜덜거리다.

뚜두두둑 부하자 1 소낙비나 우박이 잇따라 세게 떨어지는 소리. 2 나뭇가지 등이 천천히 부러지는 소리.

뚜드리다 타 세게 여러 번 때리다. 자꾸 힘

있게 두드리다. ¶문을 ~. [여]두드리다.
뚜들기다 [타] 마구 세게 뚜드리다. [여]두들기다. ¶드럼을 ~.
뚜-뚜 [부] 기적이나 나팔, 고동 따위가 잇따라 울리는 소리.
뚜렷-뚜렷 [-련-련] [부][하형] **1** 여럿이 모두 뚜렷한 모양. **2** 매우 뚜렷한 모양. [작]또렷또렷. [여]두렷두렷.
뚜렷-이 [부] 뚜렷하게. [여]두렷이.
***뚜렷-하다** [-려타-] [형][여불] 엉클어지거나 흐리지 않고 똑똑하고 분명하다. ¶주관이 ~. [작]또렷하다. [여]두렷하다.
뚜르르[1] [부] 폭이 넓은 종이 따위가 탄력 있게 말리는 모양. ¶신문지를 ~ 말다. [작]또르르[1]. [여]두르르[1].
뚜르르[2] [부] 크고 둥그스름한 것이 구르는 소리. ¶차바퀴가 ~ 구르다. [작]또르르[2]. [여]두르르[2].
뚜벅-거리다 [자] 발자국 소리를 뚜렷이 내며 걷는 소리가 잇따라 나다. [작]또박거리다. **뚜벅-뚜벅** [부][하자]. ¶~ 구두 소리가 나다.
뚜벅-대다 [자] 뚜벅거리다.
뚜-쟁이 [명] **1** 돈을 받고 매춘을 알선하는 사람. **2** '중매인'의 낮춤말. [준]뚜.
뚝[1] [부][하자] **1** 갑자기 또는 많이 떨어지는 소리. ¶호박이 ~ 떨어지다 / 물방울이 ~ 떨어지다. **2** 큰 물건이 갑자기 부러지는 소리. ¶지팡이가 ~ 부러지다. **3** 조금 단단한 물건을 한 번 두드리는 소리. [작]똑[1].
뚝[2] [부] **1** 계속되던 것이 갑자기 그치는 모양. ¶울음을 ~ 그치다. [작]똑[2]. **2** 순위·성적 따위가 현저하게 떨어지는 모양. ¶성적이 ~ 떨어지다. **3** 다 쓰고 없는 모양. ¶월말이 되니 돈이 ~ 떨어졌다. [작]똑[2]. **4** 말이나 행동, 일 처리 따위를 망설이지 않고 단호히 하는 모양. ¶시치미를 ~ 떼다. **5** 거리가 먼 모양. ¶회사는 집에서 ~ 떨어져 있다.
뚝-딱[1] [부][하자타] 단단한 물건을 조금 가볍게 두드리는 소리. [작]똑딱. [센]툭탁.
뚝-딱[2] [부] 무엇을 거침없이 시원스럽게 해치우는 모양. ¶숙제를 ~ 끝내다 / 밥 한 그릇을 ~ 해치우다.
뚝딱-거리다 [자타] **1** 단단한 물건을 조금 가볍게 두드리는 소리가 잇따라 나다. [작]똑딱거리다. **2** 갑자기 놀라거나 겁이 나서 가슴이 계속 뛰다. **뚝딱-뚝딱** [부][하자타]. ¶~ 가슴이 몹시 두근거린다.
뚝딱-대다 [자타] 뚝딱거리다.
뚝-뚝[1] [부] **1** 큰 물체나 물방울 따위가 잇따라 떨어지는 소리. ¶눈물을 ~ 흘리다. **2** 크고 단단한 물체가 잇따라 부러지거나 끊어지는 소리. ¶가지가 ~ 부러지다. **3** 단단한 것을 잇따라 두드리는 소리. **4** 거침없이 잇따라 따거나 떼는 모양. ¶나뭇잎을 ~ 따다. [작]똑똑.
뚝-뚝[2] [부] **1** 여럿 사이의 거리가 많이 떨어져 있는 모양. ¶사이를 ~ 떼어 놓다. **2** 값이나 성적, 순위 따위가 계속해서 몹시 떨어지는 모양. ¶물건 값이 ~ 떨어지다.
뚝뚝-이 [부] 뚝뚝하게. ¶~ 굴다.
뚝뚝-하다 [-뚜카-] [형][여불] **1** 바탕이 거세고 단단하다. ¶뚝뚝한 옷감. **2** 인정미가 없이 굳기만 하다. 무뚝뚝하다. ¶사람이 너무 ~. [준]뚝하다.
뚝배기 [명] 찌개나 지짐이 등을 끓이거나 국밥·설렁탕 따위를 담는 오지그릇.
[뚝배기보다 장맛이 좋다] 겉보다 속이 훨씬 낫다. 실속이 있다. [뚝배기 깨지는 소리] ㉠음성이 곱지 못하고 탁한 것을 이름. ㉡잘 못하는 노래나 말의 비유.
뚝별-나다 [-라-] [형] 화를 잘 내는 별난 성질이 있다. ¶제발 뚝별나게 굴지 마라.
뚝별-스럽다 [-스러우니, -스러워] [형][ㅂ불] 뚝별난 경향이 있다. **뚝별-스레** [부]
뚝-심 [명] **1** 굳세게 버티는 힘. ¶~이 센 사람 / ~이 좋다. **2** 좀 미련하게 불뚝 내는 힘. ¶~을 쓰다.
뚝-하다 [뚜카-] [형][여불] '뚝뚝하다'의 준말.
뚤뚤 [부] **1** 물건을 여러 겹으로 말거나 감는 모양. ¶신문지를 ~ 말다. **2** 좀 묵직한 물건이 가볍고도 세게 구르거나 돌아가는 소리. [작]똘똘. [여]둘둘.
***뚫다** [뚤타] [타] **1** 구멍을 내다. ¶단춧구멍을 ~. **2** 막힌 곳을 통하게 하다. ¶터널을 ~. **3** 깊이 연구하여 이치를 깨닫다. ¶이곳 지리를 훤히 뚫고 있다. **4** 장애물을 헤치다. ¶포위망을 ~ / 난관을 뚫고 나아가다. **5** 융통하거나 해결할 길을 알아내다. ¶돈줄을 ~ / 판로를 ~. **6** 마음이나 미래를 예측하다. ¶마음을 뚫어 보다.
뚫리다 [뚤-] [자] 《'뚫다'의 피동》 뚫어지다. ¶터널이 ~ / 자금줄이 ~.
뚫어-지다 [뚤-] [자] **1** 구멍이나 틈이 생기다. ¶이 송곳이면 잘 뚫어진다. **2** 길이 통하여지다. ¶굴이 ~. **3** 이치를 깨닫게 되다. **4** (동사 '보다'·'바라보다' 등과 함께 쓰여) '계속 집중하여'의 뜻을 나타내는 말. ¶뚫어져라 쏘아보다.
뚱그렇다 [-러타] [뚱그러니, 뚱그러오] [형][ㅎ불] 크고 뚜렷하게 둥글다. [작]똥그랗다. [여]둥그렇다.
뚱그레-지다 [자] 뚱그렇게 되다. ¶놀라서 눈이 ~. [작]똥그래지다. [여]둥그레지다.
뚱그스름-하다 [형][여불] 약간 둥글다. [작]똥그스름하다. [여]둥그스름하다. **뚱그스름-히** [부]
뚱글-뚱글 [부][하형] **1** 여럿이 모두 둥그런 모양. ¶~ 잘 익은 수박들. **2** 동그라미를 그리며 자꾸 돌아가는 모양. [작]똥글똥글. **3** 모가 없이 원만한 모양. [여]둥글둥글.
뚱기다 [타] **1** 팽팽한 줄 따위를 퉁겨 움직이게 하다. ¶가야금 줄을 ~. **2** 슬쩍 귀띔해 주다. 암시해 주다. ¶정보를 ~.
뚱기-치다 [타] 몸 따위를 세차게 움직이다.
뚱-딴지 [명] **1** 우둔하고 무뚝뚝한 사람. **2** 행동이나 사고방식 따위가 너무 엉뚱한 사람.
뚱딴지-같다 [-갇따] [형] 행동이나 사고방식 따위가 엉뚱하다. ¶뚱딴지같은 생각을 하다. **뚱딴지-같이** [-가치] [부]. ¶아니, ~ 그게 무슨 소리냐.
뚱땅-거리다 [자타] 여러 가지 악기나 단단한 물건 따위를 세게 쳐서 울리는 소리가 잇따라 나다. 또는 그런 소리를 잇따라 내다. ¶시끄럽게 ~. **뚱땅-뚱땅** [부][하자타]
뚱땅-대다 [자타] 뚱땅거리다.
뚱뚱 [부][하형][히부] **1** 살이 쪄 몸이 가로 퍼진 모양. ¶살이 ~ 찌다. **2** 팽창되어 부피가 큰 모양. ¶얼굴이 ~ 붓다. [작]똥똥.

뚱뚱-보 [명] 뚱뚱이.
뚱뚱-이 [명] 살이 쪄서 뚱뚱한 사람을 놀림조로 이르는 말. ↔홀쭉이.
뚱-보 [명] 1 심술 난 것처럼 뚱해서 붙임성이 적은 사람. 2 뚱뚱이.
뚱:-하다 [형](여불) 1 말수가 적고 묵직하며 붙임성이 없다. ¶사람이 워낙 뚱해서 사귀기가 힘들다. 2 못마땅해서 시무룩하다. ¶온종일 뚱하고 있다.
뛰 [부] 기적 소리.
***뛰-놀다** 〔뛰노니, 뛰노오〕 [자] 1 이리저리 뛰어다니며 놀다. ¶아이들이 뛰놀 만한 놀이터도 없다. 2 맥박·심장 등이 세게 뛰다.
뛰다[1] [자] 1 물방울·진흙덩이 따위가 공중으로 튀어 흩어지다. ¶잉크가 옷에 뛰었다. 2 〈속〉 달아나다. ¶경찰이 나타나자 도둑은 냅다 뛰었다. 3 맥박이나 심장 따위가 벌떡거리다. ¶가슴이 마구 ~. 4 값 따위가 갑자기 오르다. ¶엄청나게 뛴 땅값. 5 ('펄펄'·'펄쩍'·'길길이' 등과 함께 쓰여) 대단한 기세를 나타내다. ¶펄펄 뛰며 화를 내다 / 길길이 뛰며 반대하다.
***뛰다**[2] [자타] 1 어떤 공간을 달려 지나가다. ¶100 m 를 11 초대에 ~. 2 몸을 솟구쳐 무엇을 넘다. ¶도랑을 훌쩍 뛰어 건너가다. 3 순서 따위를 거르거나 넘기다. ¶15쪽에서 30쪽으로 ~. 4 어떤 자격으로 일하거나 적극적으로 활동하다. ¶아직 현역으로 뛰고 있다 / 목표를 위해 열심히 ~.
[뛰는 놈 위에 나는 놈이 있다] 잘난 사람이 있으면 그보다 더 잘난 사람이 있다.
[뛰어야 벼룩] 도망쳐 보아야 크게 벗어날 수 없다는 말.
뛰다[3] [타] 1 그네를 타고 앞뒤로 왔다 갔다 하다. ¶그네를 ~. 2 널에 올라 발을 굴러 공중으로 오르내리다. ¶설날에 널을 ~.
뛰룩-거리다 [자타] 1 크고 둥그런 눈알이 힘있게 자꾸 움직이다. ¶두 눈을 뛰룩거리며 둘레를 살피다. 2 뚱뚱한 몸이 둔하게 움직이다. 3 성난 빛을 행동에 나타내다. (작)뙤록거리다. (여)뒤룩거리다. **뛰룩-뛰룩** [부](하자타). ¶큰 몸집을 흔들며 ~ 걸어가다.
뛰룩-대다 [자타] 뛰룩거리다.
***뛰어-가다** [-/-여-] [자타](거라불) 달음박질로 빨리 가다. ¶단숨에 ~ / 운동장을 힘차게 ~.
뛰어-나가다 [-/-여-] [자타](거라불) 몸을 솟치면서 빨리 달려서 밖으로 나가다. ¶대판 싸우고 집을 ~ / 밖으로 ~.
***뛰어-나다** [-/-여-] [형] 여럿 중에서 훨씬 낫다. ¶뛰어난 성적.
뛰어-나오다 [-/-여-] [자타](너라불) 몸을 솟치면서 빨리 달려 밖으로 나오다. ¶불길 속에서 어린아이를 들러업고 ~.
뛰어-내리다 [-/-여-] [자타] 몸을 솟구쳐 높은 데서 아래로 내리다. ¶기차에서 ~ / 언덕을 뛰어내려 가다.
***뛰어-넘다** [-따/-여-따] [타] 1 몸을 솟구쳐서 높은 것의 위를 넘다. ¶담을 훌쩍 ~. 2 순서를 걸러 나아가다. ¶한 계급 뛰어넘어 진급했다. 3 어떤 수준을 벗어나다. ¶상상을 뛰어넘는 일.
뛰어-놀다 [-/-여-] 〔-노니, -노오〕 [자] 뛰놀다. ¶운동장에서 뛰어노는 아이들.
뛰어-다니다 [-/-여-] [자타] 1 겅중겅중 뛰면서 여기저기 돌아다니다. ¶운동장을 신나게 ~. 2 이리저리 바삐 돌아다니다.
***뛰어-들다** [-/-여-] 〔-드니, -드오〕 [자] 1 높은 데서 물속으로 몸을 던지다. ¶수영장에 ~. 2 몸을 던져 위험한 속으로 들어가다. ¶불길 속에 ~. 3 갑자기 들어오다. ¶인도(人道)로 뛰어든 버스. 4 어떤 일이나 사건에 관련을 맺다. ¶남의 싸움에 ~ / 정치판에 ~.
뛰어-오다 [-/-여-] [자타](너라불) 달음박질로 달려오다. ¶여기까지 단숨에 뛰어왔다 / 산길을 ~.
***뛰어-오르다** [-/-여-] 〔-오르니, -올라〕 [자타](르불) 1 몸을 날리어 높은 데에 오르다. ¶달리는 기차에 ~ / 언덕을 뛰어올라 가다. 2 값이나 지위 따위가 갑자기 오르다. ¶물가가 ~ / 지위가 ~.
뛰쳐-나가다 [-처-] [一][자](거라불) 힘 있게 뛰어나가다. ¶바깥으로 ~. [二][타](거라불) 어디를 벗어나 떠나가다. ¶회사를 ~.
뛰쳐-나오다 [-처-] [一][자](너라불) 힘 있게 뛰어나오다. ¶시위대가 거리로 ~. [二][타](너라불) 어디를 벗어나 떠나오다. ¶불길 속을 ~.
뜀 [명] 1 두 발을 모으고 몸을 솟구쳐 앞으로 나아가는 짓. 2 몸을 솟구쳐 높은 데를 오르거나 넘는 짓.
뜀-뛰다 [자] 두 발을 모으고 몸을 솟구쳐 앞으로 나아가거나 높은 데에 오르다.
뜀박-질 [명](하자) 1 뜀을 뛰는 짓. (준)뜀질. 2 달음박질.
***뜀-틀** [명] 기계 체조 용구의 하나. 찬합처럼 여러 층으로 포개 놓을 수 있는, 상자 모양으로 만든 나무틀.
뜨-개 [명] 1 '뜨개질'의 준말. 2 '뜨갯것'의 준말.
뜨개-바늘 [명] '뜨개질바늘'의 준말.
뜨개-질 [명](하자) 털실 따위로 떠서 옷이나 장갑 등을 만드는 일. (준)뜨개.
뜨개질-바늘 [명] 뜨개질에 쓰는 대나 쇠바늘. (준)뜨개바늘.
뜨갯-것 [-개껃/-갣껃] [명] 뜨개질하여 만든 물건. 편물. (준)뜨개.
뜨거워-지다 [자] 1 상당한 자극을 느낄 정도로 온도가 높아지다. ¶국이 ~. 2 감정이나 열정 따위가 세차지다. ¶눈시울이 ~.
뜨거워-하다 [타](여불) 뜨거움을 느끼다.
***뜨겁다** 〔뜨거우니, 뜨거워〕 [형](ㅂ불) 몹시 더운 느낌이 있다《비유적으로도 씀》. ¶햇볕이 ~ / 뜨거운 사이 / 뜨거운 눈물 / 낯이 ~. (작)따갑다.
뜨거운 맛을 보다 [구] 호된 고통이나 어려움을 겪다. ¶한번 더 뜨거운 맛을 봐야 알겠니.
-뜨기 [미] 명사 뒤에 붙어 그 사람을 조롱하여 이르는 말. ¶사팔~ / 시골~.
뜨끈-뜨끈 [부](하형)(히부) 매우 뜨뜻한 느낌이 자꾸 일어나는 모양. ¶~한 군고구마. (작)따끈따끈.
뜨끈-하다 [형](여불) 매우 뜨뜻한 느낌이 있다. (작)따끈하다. **뜨끈-히** [부]
뜨끔 [부](하형)(히부) 1 찔리거나 맞아서 아픈 느낌. ¶가시에 찔려 ~했다. 2 양심에 자극되어 뜨거운 느낌. ¶~한 맛을 뵈다 / 그 말을 듣고 내심 ~하였다. [작]따끔.

뜨끔-거리다 [자] 1 상처나 결리는 곳이 쑤시듯이 자꾸 아프다. ¶근육통으로 옆구리가 뜨끔거린다. 2 마음에 큰 자극을 받아 뜨거운 느낌이 들다. ¶거짓말이 들통 날까 봐 가슴이 뜨끔거렸다. [작]따끔거리다. **뜨끔-뜨끔** [부] [하자]. ¶옆구리가 ~ 결린다.

뜨끔-대다 [자] 뜨끔거리다.

뜨끔-따끔 [부][하자] 뜨끔거리고 따끔거리는 모양. ¶침을 맞고 ~해서 혼났다.

뜨내기 [명] 1 일정한 거처가 없이 떠돌아다니는 사람. ¶~ 신세. 2 어쩌다가 간혹 하는 일.

*__뜨다__[1] 〔뜨니, 떠〕 [자] 1 물 위나 공중에 있거나 위쪽으로 솟아오르다. ¶물 위로 ~/해가 ~/무지개가 ~. 2 연줄이 끊어져 연이 제멋대로 날아가다. 3 착 달라붙지 않고 틈이 생기다《비유적으로도 씀》. ¶습기로 장판이 ~. 4 들썽하게 됨을 비유적으로 나타낸 말. ¶분위기가 좀 떠 있는 것처럼 보인다. 5 공간적으로 사이가 벌어지다. 시간적으로 동안이 멀어지다. ¶10리나 사이가 ~. 6 빌려 준 것을 받지 못하다. ¶그에게 빌려 준 돈이 뜨고 말았다. 7 〈속〉 유명해지다. ¶요즘 그 노래가 갑자기 뜨기 시작했다.

뜨다[2] 〔뜨니, 떠〕 [자] 1 물기 있는 물체가 제 훈김으로 썩기 시작하다. ¶퇴비가 ~. 2 누룩·메주 따위가 발효하다. ¶메주 뜨는 냄새. 3 얼굴빛이 누르고 부은 것같이 되다. ¶누렇게 뜬 얼굴/부황이 들어 얼굴이 떴다.

뜨다[3] 〔뜨니, 떠〕 [타] 〖한의〗 병난 자리나 거기 관련되는 혈(穴)에 약쑥으로 불을 붙여 태우다. ¶뜸을 ~.

뜨다[4] 〔뜨니, 떠〕 [타] 1 있던 곳에서 자리를 옮기거나 떠나다 ¶고향을 ~/자리를 ~. 2 죽다. ¶교통사고로 세상을 ~.

뜨다[5] 〔뜨니, 떠〕 [타] 1 일부를 떼어 내다. ¶강에서 얼음을 ~. 2 물속에 있는 것을 건져 내다. ¶그물로 물고기를 ~. 3 담긴 물건을 퍼내거나 덜어 내다. ¶물을 떠서 마시다. 4 종이나 김 따위를 틀에 펴서 낱장으로 만들어 내다. ¶손으로 뜬 종이. 5 고기를 일정한 크기로 떼어 내다. ¶각을 떠 발리다. 6 고기를 얇게 저미다. ¶생선회를 ~. 7 피륙에서 옷감이 될 만큼 끊어 내다. ¶피륙점에서 옷감을 ~. 8 숟가락으로 음식을 퍼서 먹다. ¶한술 ~.

뜨다[6] 〔뜨니, 떠〕 [타] 1 감았던 눈을 열다. ¶졸린 눈을 겨우 떴다. ↔감다. 2 처음으로 소리를 듣다. ¶귀를 뜬 갓난아기.

뜨다[7] 〔뜨니, 떠〕 [타] 1 실이나 끈 따위로 옷·천·그물 따위를 짜다. ¶그물을 ~. 2 한 땀 한 땀 바느질하다. ¶스웨터를 ~. 3 먹실로 살갗에 문신을 새기다.

뜨다[8] 〔뜨니, 떠〕 [타] 소가 뿔로 들이받거나 밀치다.

뜨다[9] 〔뜨니, 떠〕 [타] 무엇을 본떠 그와 같게 만들다. ¶본을 ~.

뜨다[10] 〔뜨니, 떠〕 [타] 속마음을 알아보려고 말·행동을 넌지시 걸어 보다. ¶상대방의 마음을 슬쩍 ~.

뜨다[11] 〔뜨니, 떠〕 [형] 1 행동 따위가 느리고 더디다. ¶동작이 ~. 2 감수성이 둔하다. ¶눈치가 ~. 3 입이 무겁다. 말수가 적다. ¶말이 ~. 4 연장의 날이 무디다. 5 쇠붙이가 불에 잘 달구어지지 않다. ¶쇠가 떠서 좋지 않다. 6 비탈진 정도가 둔하다. ¶물매가 ~. 7 시간적으로 동안이 오래다. ¶버스의 배차 간격이 떠서 불편하다.

뜨더귀 [명][하타] 갈가리 찢거나 조각조각 뜯어 내는 짓. 또는 그 조각.

뜨듯-이 [부] 뜨듯하게.

뜨듯-하다 [-드타-] [형][여불] 뜨겁지 않을 정도로 온도가 알맞게 높다. [작]따듯하다.

뜨뜻미지근-하다 [-뜯-] [형][여불] 1 차지도 않고 뜨겁지도 않다. ¶목욕물이 ~. 2 하는 일이나 성격이 분명하지 못하다. ¶뜨뜻미지근한 태도.

뜨뜻-이 [부] 뜨뜻하게.

뜨뜻-하다 [-뜨타-] [형][여불] 1 알맞을 정도로 덥다. ¶뜨뜻한 방. [작]따뜻하다1. 2 부끄럽거나 무안하여 얼굴이나 귀에 열이 오르다. ¶뜻밖의 책망에 얼굴이 ~.

뜨락 [명] 뜰.

뜨르르[1] [부][하자] 1 큼직한 물건이 미끄럽게 구르는 소리. 2 큼직한 물건이 세게 떠는 모양. [작]따르르[1]. [여]드르르[1].

뜨르르[2] [부][하형] 어떤 일을 전혀 막힘 없이 잘하는 모양. [작]따르르[2]. [여]드르르[2].

-뜨리다 [미] 동사의 어미 '-아·-어'나 동사의 어간, 또는 어근에 붙어 그 동작에 힘을 주어 결정지음을 나타내는 접미사. -트리다. ¶떨어~/자빠~.

뜨막-하다 [-마카-] [형][여불] 왕래·소식이 한참 동안 뜨음하다.

뜨문-뜨문 [부][하형] 1 시간적으로 잦지 않게. 이따금. ¶영화관에는 ~ 간다. 2 공간적으로 배지 않게. ¶무늬가 ~ 있는 벽지. [여]드문드문.

뜨물 [명] 곡식을 씻은 부옇게 된 물.

[뜨물에도 아이가 든다] 일이 지연되기는 해도 반드시 이루어진다.

뜨스-하다 [형][여불] 좀 뜨습다. ¶방바닥이 ~. [작]따스하다.

뜨습다 〔뜨스우니, 뜨스워〕 [형][ㅂ불] 알맞게 뜨뜻하다.

뜨악-하다 [-아카-] [형][여불] 마음이 내키지 않아 꺼림칙하고 싫다. ¶뜨악한 기분.

뜨음-하다 [형][여불] 잦거나 심하던 것이 한동안 그치다. ¶길에 행인이 ~. [준]뜸하다.

뜨이다 [자] 《'뜨다'의 피동》 1 감았던 눈이 열리다. ¶새벽에 눈이 ~. 2 몰랐던 사실이나 숨겨졌던 본능을 깨닫게 되다. ¶귀가 번쩍 뜨일 만한 이야기/성에 눈이 ~. 3 눈에 들어오다. 또는 발견되다. ¶남의 눈에 뜨이지 않게 하라/겨울 용품이 눈에 ~. 4 두드러지게 드러나다. ¶눈에 뜨이게 발전한 한국 사회. [준]띄다.

뜬-구름 [명] 1 하늘에 떠다니는 구름. ¶~ 한 조각. 2 '덧없는 세상일'의 비유. ¶~ 같은 인생.

뜬금-없다 [-업따] [형] 갑작스럽고도 엉뚱하다. ¶뜬금없는 소리. **뜬금-없이** [-업씨] [부]. ¶~ 그게 무슨 소리요.

뜬-눈 [명] (주로 '뜬눈으로'의 꼴로 쓰여) 밤에 잠을 이루지 못한 눈. ¶~으로 밤을 새우다.
뜬뜬-하다 형여불 1 약하지 않고 굳세다. 2 속이 차서 야무지다. 3 마음이 허전하지 않고 미덥다. 작딴딴하다. 여든든하다. **뜬뜬-히** 부
뜬-세상(-世上) 명 덧없는 세상.
뜬-소문(-所聞) 명 근거 없이 떠돌아다니는 소문. ¶ 연예계의 ~.
뜯게 명 해지고 낡아서 입지 못하게 된 옷.
뜯게-질 명하타 해지고 낡아서 입지 못하게 된 옷의 솔기를 뜯는 일.
뜯기다 一자 《'뜯다'의 피동》 벌레 따위에게 피를 빨리다. ¶ 밤새 모기한테 ~. 二타 1 남에게 무엇을 빼앗기다. ¶ 깡패들에게 금품을 ~. 2 내기에 지다. ¶ 노름에서 많은 돈을 뜯겼다. 3《'뜯다'의 사동》 마소에게 풀을 뜯어 먹게 하다. ¶ 멧갓에서 소에게 풀을 ~.
*__뜯다__ 타 1 붙은 것을 떼다. 조각조각 떼어 내다. ¶ 닭털을 ~/봉투를 뜯어 내용을 살펴보다. 2 노름판에서 돈을 얻다. ¶ 개평을 ~. 3 남을 졸라 조금씩 얻어 오다. 4 현악기의 줄을 퉁겨 소리를 내다. ¶ 가야금을 ~. 5 입에 물고 떼어 먹다. ¶ 갈비를 ~/소가 풀을 ~. 6 손가락으로 비틀어 자르다. ¶ 봄나물을 ~. 7 재물·돈 따위를 억지로 빼앗거나 얻다. ¶ 불량배들이 유흥업소에서 정기적으로 돈을 뜯었다. 8 벌레 따위가 피를 빨아 먹다. ¶ 모기가 온몸을 ~.
뜯어-고치다 타 잘못되거나 나쁜 점을 새롭게 고치다. ¶ 집을 ~/사고방식을 ~.
뜯어-내다 타 1 붙어 있는 것을 떼어 내다. ¶ 옷에서 실밥을 ~. 2 조각조각 떼어 내다. ¶ 기계를 ~. 3 조르거나 위협하여 얻어 내다. ¶ 돈을 ~.
뜯어-말리다 타 어울려 싸우는 것을 떼어 못하게 말리다. ¶ 패싸움을 ~.
뜯어-먹다 타 남의 재물을 졸라서 얻거나 억지로 빼앗아 가지다. ¶ 이자나 뜯어먹고 사는 처지.
뜯어-벌이다 타 1 무엇을 뜯어내서 죽 벌여 놓다. ¶ 부품을 ~. 2 얄미운 태도로 이야기를 늘어놓다.
뜯어-보다 타 1 봉한 것을 헤치고 그 속을 살피다. ¶ 편지를 ~. 2 여러모로 자세히 살피다. ¶ 모습을 찬찬히 ~. 3 글에 서툴러서 겨우 이해하다. ¶ 한문을 간신히 ~.
뜯이 [뜨지] 명하타 헌 옷을 빨아서 뜯어 새로 만드는 일.
뜯적-거리다 타 손톱·칼끝 따위로 자꾸 뜯어 진집을 내다. **뜯적-뜯적** 부하타
뜯적-대다 타 뜯적거리다.
*__뜰__ 명 집 안의 앞뒤나 좌우로 가까이 딸린 빈터. ¶~을 거닐다.
뜰뜰 부 1 바퀴 따위가 단단한 바닥을 구르는 소리. 또는 그 모양. 2 위력이나 명령이 썩 잘 시행되는 모양.
뜰먹-거리다 자타 자꾸 뜰먹이다. 여들먹거리다. **뜰먹-뜰먹** 부하자타
뜰먹-대다 자타 뜰먹거리다.
뜰먹-이다 一자 1 묵직한 물체가 들렸다 내려앉았다 하다. 2 마음이 흔들리거나 어깨나 궁둥이가 아래위로 움직이다. 二타 1 묵직한 물체를 올렸다 내렸다 하다. 2 남의 마음을 흔들리게 하다. 3 어깨·궁둥이를 위아래로 움직이다. 4 남을 들추어 말하다. 여들먹이다.
뜰썩-거리다 자타 잇따라서 뜰썩이다. 작딸싹거리다. 여들썩거리다. **뜰썩-뜰썩** 부하자타
뜰썩-대다 자타 뜰썩거리다.
뜰썩-이다 자타 1 묵직한 물건이 들렸다 내려앉았다 하다. 또는 그렇게 되게 하다. 2 마음이 흔들리어 움직이다. 또는 그렇게 되게 하다. 3 어깨나 궁둥이가 가벼이 아래위로 움직이다. 또는 그렇게 되게 하다. ¶ 휘모리장단에 어깨가 ~. 작딸싹이다. 여들썩이다.
뜸[1] 명 띠나 부들 등의 풀로 거적처럼 엮은 물건《비·바람·볕을 막는 데 씀》.
뜸[2] 명 〖한의〗 병을 고치기 위해 약쑥으로 살 위의 혈(穴)에 놓고 불을 붙이는 일. ¶ 허리에 ~을 뜨다.
뜸[3] 명 음식을 찌거나 삶을 때, 불을 흠씬 땐 뒤에도 얼마 동안 그대로 두어서 푹 익게 하는 일. ¶ ~이 들다.
뜸(을) 들이다 구 ㉠음식물을 뜸이 들게 하여 잘 익히다. ¶ 밥을 ~. ㉡일을 할 때, 쉬거나 하기 위해 한동안 가만히 있다. ¶ 뜸들이지 말고 서둘러라.
뜸[4] 명 한동네 안에서 몇 집씩 따로 모여 있는 구역.
뜸베-질 명하자 소가 뿔로 물건을 닥치는 대로 받는 짓.
뜸부기 명 〖조〗 뜸부깃과의 새의 하나. 여름철에 냇가·연못·풀밭 따위에 삶. 날개 길이 10 cm 가량, 부리와 다리가 길며, 등은 감람갈색, 눈가·가슴은 적동색임. 잘 날지 못하고 아침저녁으로 '뜸북뜸북' 하고 욺.
뜸-자리 명 〖한의〗 1 뜸을 뜨는 자리. 구혈(灸穴). 구소(灸所). 2 뜸을 떠서 생긴 흉터.
뜸:-하다 형여불 '뜨음하다'의 준말.
*__뜻__ [뜯] 명하타 1 무엇을 하려고 속으로 품은 마음. ¶ 큰 ~을 품다/고인의 ~을 받들다. 2 글이나 말의 속내. ¶ ~이 통하지 않는 말. 3 어떤 일이나 행동이 지니는 가치나 중요성. ¶ 뜻 깊은 날.
뜻(을) 받다 구 남의 뜻을 이어받아 그대로 따르다. ¶ 아버지의 뜻을 받아 가업을 잇다.
뜻(을) 세우다 구 목표를 마음에 품고 결심하다. ¶ 과학자가 될 뜻을 세우다.
뜻(이) 맞다 구 ㉠서로 생각이 같다. ¶ 뜻맞는 친구끼리 배낭여행을 가다. ㉡서로 마음에 들다.
뜻-글자(-字) [뜯끌짜] 명 표의(表意) 문자. ↔소리글자.
뜻-대로 [뜯때-] 부 마음먹은 대로. ¶ 일이 ~ 되다.
*__뜻-밖__ [뜯빡] 명 생각 밖. ¶ ~의 선물/참 ~이다.
뜻밖-에 [뜯빠께] 부 의외로. ¶ 걱정했던 일이 ~ 잘되었다.
뜻-있다 [뜨딛따] 형 1 일 따위를 하고 싶다. ¶ 아무 때고 뜻있으면 이야기하렴. 2 드러나지 않은 사정이나 실상이 있다. ¶ 뜻있는 미소를 짓다. 3 가치나 보람이 있다. ¶ 뜻있는 나날들.
뜻-풀이 [뜯-] 명하타 〖언〗 글이나 낱말의

연결 어미. ¶나이는 어릴망정 철은 다 들었다 / 입은 옷은 누더기일망정 마음만은 깨끗하다오. *-을망정.

-ㄹ**밖에** [-빠께] 어미 받침 없는 어간에 붙어서 '-ㄹ 수밖에 다른 수가 없다'는 뜻을 나타내는 종결 어미. ¶달라니 줄밖에. *-을밖에.

-ㄹ**뿐더러** 어미 받침 없는 어간에 붙어 어떤 일이 그뿐만으로 그치지 않고 그 밖의 어떤 다른 일이 더 있음을 나타내는 연결 어미. ¶그런 물건은 비쌀뿐더러 썩 드물다 / 박애는 미덕일뿐더러 자기를 위한 길이기도 하다. *-을뿐더러.

-ㄹ**새** [-쌔] 어미 받침 없는 어간에 붙어서 그 일의 전제 또는 원인으로서 이미 사실화된 것이나 진행 중인 일을 설명하는 연결 어미. ¶샘이 깊을새 물빛 더욱 푸르더라 / 이윽고 돛을 올릴새 배가 미끄러지듯 나아갔다 / 때는 전시일새 세상이 몹시 어지러웠다. *-을새.

-ㄹ**세** [-쎄] 어미 '이다'·'아니다'의 어간에 붙어서 하게할 자리에 자기의 생각을 설명하는 종결 어미. ¶바로 날세 / 그것은 내 것이 아닐세 / 오늘이 초하루일세.

-ㄹ**세라** [-쎄-] 어미 받침 없는 어간에 붙어 행여 그리 될까 염려하는 뜻을 나타내는 연결 또는 종결 어미. ¶불면 날세라 쥐면 꺼질세라 / 앞에 가는 사람들에게 뒤질세라 열심히 따라갔다 / 행여 감기일세라 덮어놓고 약을 먹인다. *-을세라.

-ㄹ**세말이지** [-쎄-] 어미 받침 없는 어간에 붙어 남이 예상하여 말한 조건을 객관적으로 부인하는 종결 어미. ¶비가 그칠세말이지 / 나보고 자꾸 변상하라니 글쎄 잃어버린 게 날세말이지.

-ㄹ**수록** [-쑤-] 어미 받침 없는 어간에 붙어서 어떤 일이 더하여 감을 나타내는 연결 어미. ¶갈수록 태산이라 / 여문 이삭일수록 고개를 수그린다. *-을수록.

-ㄹ**시** [-씨] 어미 '이다'·'아니다'의 어간에 붙어 '-ㄹ 것이'·'-ㄴ 것이'의 뜻으로 추측하여 판단한 사실이 틀림없음을 나타내는 연결 어미. ¶이건 가짜가 아닐시 분명하오 / 기록 착오일시 분명하다.

-ㄹ**쏘냐** 어미 받침 없는 어간에 붙어 '-ㄹ 것인가'의 뜻으로 강한 부정을 나타내는 종결 어미. ¶어찌 나를 이길쏘냐 / 그가 과연 고향을 떠날쏘냐. *-을쏘냐.

-ㄹ**작시면** [-짝-] 어미 받침 없는 동사 어간에 붙어서 '그러한 입장에 이르게 되면'의 뜻을 나타내는 연결 어미《우습거나 언짢은 경우에 잘 씀》. ¶꼬락서니를 볼작시면 그야말로 가관이다. *-을작시면.

-ㄹ**지** [-찌] 어미 받침 없는 어간에 붙어서 추측으로 의심을 나타내는 연결 어미. ¶언제 끝날지 모르겠다 / 내 몫이 얼마일지 두고 보아야겠다. *-을지.

-ㄹ**지나** [-찌-] 어미 받침 없는 어간에 붙어서 '마땅히 그러할 것이나'의 뜻을 나타내는 연결 어미. ¶내가 갈지나 사정이 있어서 애를 보내오 / 네가 공부로는 첫째일지나 몸이 약해서 반장을 못 시키겠다. *-을지나.

-ㄹ**지니** [-찌-] 어미 받침 없는 어간에 붙어서 '마땅히 그러할 것이니'의 뜻을 나타내는 연결 어미. ¶연말 전에 다 가릴지니 그리 아오 / 통일이 우리의 지상(至上) 목표일지니 힘써 국력을 배양하자. *-을지니.

-ㄹ**지니라** [-찌-] 어미 받침 없는 어간에 붙어 '마땅히 그러할 것이니라'의 뜻을 나타내는 종결 어미. ¶모름지기 부모에게 효도할지니라 / 그렇게 함이 순리일지니라. *-을지니라.

-ㄹ**지라** [-찌-] 어미 받침 없는 어간에 붙어서 '마땅히 그러할 것이라'의 뜻을 나타내는 연결 또는 종결 어미. ¶하루라도 빨리 가는 것이 마땅할지라 / 그것을 해결하는 것이 급선무일지라. *-을지라.

-ㄹ**지라도** [-찌-] 어미 받침 없는 어간에 붙어서 '비록 그러하더라도'의 뜻으로 미래의 일을 양보의 뜻으로 가정하는 연결 어미. ¶실패할지라도 하고 보자 / 백만장자일지라도 절약을 해야지 / 바보일지라도 그런 것쯤은 알고 있으리라. *-을지라도.

-ㄹ**지어다** [-찌-] 어미 받침 없는 동사의 어간에 붙어 '마땅히 그러하여라'의 뜻을 나타내는 종결 어미. ¶나를 따를지어다 / 나라에 충성을 다할지어다. *-을지어다.

-ㄹ**지언정** [-찌-] 어미 받침 없는 어간에 붙어서, 뒤 절을 강하게 시인하기 위하여 그와 반대되는 내용을 시인하는 뜻을 나타내는 연결 어미. ¶배를 주릴지언정 구걸은 않겠소 / 그놈이 장사일지언정 결코 약골이 아니오. *-을지언정.

-ㄹ**진대** [-찐-] 어미 **1** 받침 없는 어간에 붙어서 '가령 그러할 터이면'의 뜻으로 예스럽게 쓰는 연결 어미. ¶출세를 못할진대 돈이나 벌어 보자. **2** 받침 없는 어간에 붙어서 '-ㄹ 것 같으면'의 뜻을 나타내는 연결 어미. ¶내가 볼진대 그는 결코 사업에 성공할 위인은 아닌 것 같소 / 기왕 낙제일진대 멋지게 놀아나 보자. *-을진대.

-ㄹ**진댄** [-찐-] 어미 '-ㄹ진대'의 힘줌말. *-을진댄.

-ㄹ**진저** [-찐-] 어미 받침 없는 어간에 붙어서 '마땅히 그러할 것이다' 또는 '아마 그러할 것이다'의 뜻으로 예스럽게 쓰는 종결 어미. ¶더욱 빛날진저 / 그야말로 한국의 명사일진저. *-을진저.

라[1] 명 〖악〗 레(re)음의 우리나라 이름.

라 (이 la) 명 〖악〗 7음 음계의 제 6 계명. '가' 음(音)의 이탈리아 음명.

라[2] 조 **1** '라고1'의 준말. ¶그는 손을 번쩍 들며 '내가 이겼다'~ 하더라. **2** '라서'의 준말. ¶뉘~ 나를 당하랴. *이라.

-**라** 어미 **1** '이다'·'아니다'의 어간에 붙어서 서술하는 뜻을 나타내는 종결 어미. ¶신사의 할 짓이 아니~ / 그게 정의이~. **2** '이다'·'아니다'의 어간에 붙어서 아랫말의 전제적 사실을 서술하는 연결 어미. ¶밤이 아니~ 바로 대낮 같구나 / 대단한 노력가이~ 남이 노는 데도 일을 한다. **3** 받침 없는 동사의 어간에 붙어 명령을 나타내는 종결 어미. ¶보~ / 갈 테면 가~ / 조금 더 가까이 다가서~. **4** '-라고[2]'의 준말. ¶일이 급하게 되었으니 일찍 떠나~ 해라. **5** '-라서'의 준말. ¶기대했던 것이 아니~ 실망했다. *-으라.

ㄹ

라고 조 1 직접 인용을 나타내는 부사격 조사. ¶ '언제 왔소' ~ 물었다. 준라. *고. 2 받침 없는 체언에 붙어 그 사물을 특별히 지적해서 가리키는 보조사. ¶ 어린아이~ 그런 짓을 못 하겠나 / 여기가 어디~ 감히 들어오느냐. *이라고.

-라고[1] 어미 1 '이다'·'아니다' 또는 받침 없는 동사 어간에 붙어, 반문할 때 쓰이는 종결 어미. ¶ 무엇이~ / 네가 한 짓이 아니~ / 또 갔다오~. 2 '이다'·'아니다'의 어간에 붙어, 잘못 인식했음을 깨달았을 때에 쓰는 종결 어미. ¶ 난 또 뭐~.

-라고[2] 어미 1 받침 없는 동사의 어간에 붙어서 명령의 내용을 나타내는 연결 어미. ¶ 빨리 오~ 일러라. *-으라고. 2 '이다'·'아니다'의 어간에 붙어서, 제삼자에게 내용을 확인시키는 뜻으로 간접 인용의 꼴로 쓰이는 연결 어미. ¶ 진리가 아니~ 우기다 / 좋은 책이~ 하더이다. 준-라.

ㄹ

-라나 어미 1 '이다'·'아니다'의 어간에 붙어, 무엇을 무관심하게 여기거나 빈정거리는 태도로 말할 때 쓰는 종결 어미. ¶ 그런 작품이 명작이~ / 자기는 폭군이 아니~. 2 받침 없는 동사 어간에 붙어, 시키는 일에 대해 못마땅하게 또는 귀찮게 여기는 뜻을 나타내는 반말 투의 종결 어미. ¶ 날더러 또 가보~. *-으라나.

-라네 어미 1 '-라고 하네'의 준말. ¶ 빨리 가~. *-으라네·-다네. 2 하게할 자리에서 '이다'·'아니다'의 어간에 붙어, 어떤 사실에 대해 가볍게 감탄하거나 주장할 때 쓰는 종결 어미. ¶ 이것은 사실이~ / 그것은 내 본심이 아니~.

-라느냐 어미 '-라고 하느냐'의 준말. ¶ 누구에게 가~ / 뭘 보~ / 누가 널 보고 바보~. *-으라느냐.

-라느니 어미 1 이렇게 하라기도 하고, 저렇게 하라기도 함을 나타낼 때, 받침 없는 동사에 붙이는 연결 어미. ¶ 하~ 그만두~ 지시가 엇갈려 어리둥절하다. *-으라느니. 2 이러하다 하기도 하고 저러하다 하기도 함을 나타낼 때, '이다'·'아니다'에 붙는 연결 어미. ¶ 출품 작품이~ 아니~ 추측이 엇갈리다 / 모조품이~ 진품이~ 한바탕 입씨름이 벌어졌다.

라는 조 '라고 하는'의 준말. 어떤 사실을 특별히 집어서 화제로 삼을 때 나타내는 부사격 조사. ¶ '첫술에 배부르랴' ~ 속담. 준란. *이라는.

-라는 어미 '-라고 하는'의 준말. ¶ 출두하~ 통고를 받다. *-으라는.

-라니 어미 1 '이다'·'아니다'의 어간에 붙어 미심한 말을 되짚어 묻거나 감탄·놀람 따위를 나타내는 종결 어미. ¶ 그 사람이 아니~ / 미스터 김이~, 누구 말인가. 2 '-라고 하니'의 준말. ¶ 당장 나가~ 어디로 가나. *-으라니.

-라니까 어미 1 '-라고 하니까'의 준말. ¶ 가~ 순순히 물러가더라 / 공짜~ 양잿물도 마시려 든다. 2 받침이 없거나 ㄹ 받침의 동사 또는 형용사 '계시다'의 어간에 붙어, 그리 하라고 일렀는데도 듣지 않는 상대에게, 재차 강력히 촉구하는 뜻을 나타내는 종결 어미. ¶ 빨리 오~ / 여기 계시~. *-다니까. 3 '이다'·'아니다'의 어간에 붙어, 의심하거나 깨닫지 못하고 있는 상대에게, 다그쳐서 깨우쳐 주는 뜻을 나타내는 종결 어미. ¶ 그는 분명히 수재~ / 그게 아니~. *-으라니까.

라니냐 (에 la Niña) 명 태평양의 중부 및 동부의 적도 지역의 해면 수온이 평년보다 낮아지는 현상. *엘니뇨(el Niño).

라-단조 (-短調)[-쪼] 명 '라' 음을 으뜸음으로 하는 단조.

라도 조 받침 없는 말에 붙는 보조사. 1 강조하는 뜻으로 쓰임. ¶ 꿈에서~ 만나 보고 싶다 / 먼 곳으로 가더~ 날 잊지는 마라. 2 같지 아니한 사물을 구태여 구별하지 않음을 나타냄. ¶ 너~ 가 봐야지 / 부정한 것이라면 금덩어리~ 나는 싫다. *이라도.

-라도 어미 '이다'·'아니다'의 어간에 붙어서, 설사 그렇다고 가정하여도 상관없음을 나타내는 연결 어미. ¶ 네가 아니~ 좋다 / 아무리 많은 돈이~ 거저는 싫다.

라돈 (radon) 명 〖화〗 라듐이 알파(α) 붕괴 할 때 생기는 비활성(非活性) 기체인 방사성 원소. 천연으로 우라늄 또는 지하수나 온천 등에 함유하고 있음. [86번 : Rn : 222]

라듐 (radium) 명 〖화〗 방사성 동위 원소의 하나. 우라늄과 함께 피치블렌드 속에 존재함. 알파·베타·감마의 세 가지 방사선을 내며, 가장 안정된 ^{226}Ra의 반감기는 1602년이며 라돈으로 변화하고 마지막에 납이 됨. [88번 : Ra : 226.03]

라든지 조 받침 없는 체언에 붙어서 여러 가지 사물 따위를 열거할 때 쓰는 보조사. ¶ 지위~ 명예~. *이라든지.

-라든지 어미 '-라고 하든지'의 준말. ¶ 가~ 그만두~ 하시오 / 아니~ 그렇다든지 확언을 해라. *-으라든지.

라디안 (radian) 의명 〖수〗 각도의 이론상의 단위. 원의 반지름의 길이와 같은 호(弧)의 길이가 원의 중심에서 이루는 각《1 라디안은 약 57° 17′ 44.8″》.

라디에이터 (radiator) 명 1 방열기(放熱器). 2 자동차의 엔진 냉각기.

***라디오** (radio) 명 1 방송국에서 보낸 전파를 받아 소리로 바꿔 주는 기계 장치. 2 방송국에서 일정한 시간내에 음악·드라마·뉴스·강연 등의 음성을 전파로 방송하여, 수신 장치를 갖추고 있는 여러 청취자들이 듣게 하는 것. 3 무선 전화.

라디오 방:송 (radio放送) 라디오를 통하여 뉴스·음악·오락·강연 등을 청취자에게 보내 주는 방송.

라디오 비컨 (radio beacon) 무선 표지.

라르고 (이 largo) 명 〖악〗 1 '느리게 그리고 폭이 넓게'의 뜻. 2 곡의 빠르기가 아주 느린 속도. 또는 그런 악장이나 악곡.

라마-교 (lama教) 명 〖불〗 티베트·중국의 동북부·몽골·네팔 등지에 퍼진 불교의 한 파. 8세기 중엽 인도에서 전래한 대승 불교의 비밀교가 티베트 재래의 풍속·신앙과 동화되어 발달한 종교. 교주는 달라이 라마. 나마교(喇嘛教).

-라며 어미 '-라면서'의 준말. ¶ 빨리 오~ 손짓한다 / 힘이 장사~ 뽐낸다 / 나더러 먼저 가~ 졸졸 따라온다. *-으라며.

라면 (←중 拉麵·老麵) 명 간단히 조리할 수 있도록 만든 중국식 국수. 기름에 튀겨 말린 것으로 물만 넣고 끓이면 됨. 인스턴트 라면.

-라면 어미 '-라고 하면'의 준말. ¶가~ 가지 / 배~ 더 먹겠다. *-으라면.

-라면서 어미 받침 없는 동사 및 '이다'·'아니다'의 어간에 붙는 어미. **1** '-라고 하면서'의 뜻을 나타내는 연결 어미. ¶먼저 떠나~ 여비를 주었다 / 그게 아니~ 극구 변명을 한다 / 제가 바보~ 자학(自虐)에 빠져 있다. **2** 직접 간접으로 받은 명령이나 들은 사실을 다짐하거나 빈정거려 묻는 데 쓰이는 종결 어미. ¶미리 가~ / 네가 대표~ / 자원한 것이 아니~. 준-라며. *-다면서·-으라면서.

라벨 (프 label) 명 상표·상품명·제조 회사명 등을 표시하기 위하여 상품에 붙이는 종이나 천 조각. 레테르(letter).

라비린토스 (Labyrinthos) 명 그리스 신화에서, 크레타의 왕 미노스가 짓게 하였다는 미궁(迷宮). 복잡한 미로(迷路)로, 빠져나가기 힘들었다 함(('미궁, 미로'의 뜻으로 쓰임)).

라서 조 받침 없는 말에 붙어서 주격 조사 '가'의 뜻으로 '감히'·'능히'의 뜻을 포함하는 주격 조사. ¶뉘~ 나를 탓하리오. 준라. *이라서.

-라서 어미 '이다'·'아니다'의 어간에 붙어, '때문에'의 뜻으로 쓰이는 연결 어미. ¶수석 합격이 아니~ 좀 실망했다 / 이런 형편이~ 못 가겠소. 준-라.

-라손 어미 '이다'·'아니다'의 어간에 붙어, '치다'와 함께 쓰여 가정하는 뜻을 나타내는 연결 어미. ¶가령 그가 도둑이 아니~ 치자 / 아무리 영웅이~ 치더라도 그 일은 할 수 없겠지. *-더라손.

라스트 신 (last scene) 연극이나 영화 등에서의 마지막 장면.

라야 조 받침 없는 체언에 붙어서 어떤 사물을 지정하는 보조사. ¶그~ 그 일을 해낼걸 / 먼 훗날에~ 그 진가를 알게 될 것이다. *이라야.

-라야 어미 '이다'·'아니다'의 어간이나 어미 '-으시-' 뒤에 붙는 연결 어미. **1** 꼭 그러해야 함을 나타냄. ¶겁쟁이가 아니~ 한다 / 대졸자~ 한다. **2** -래야2.

라야-만 조 '라야'를 힘 있게 하는 말. ¶꼭 너~ 그나마 만나 볼 용의가 있다. *이라야만.

-라야만 어미 '-라야'를 힘 있게 하는 말. ¶거짓말쟁이가 아니~ 신용이 유지된다.

-라오 어미 **1** '-라고 하오'의 준말. ¶거기서 기다리~. *-으라오. **2** '-라'와 '-오'가 합쳐서 된 말. '이다'·'아니다'의 어간에 붙어서 어떤 사실을 설명하되 좀 대접하거나 친근한 맛을 나타내는 종결 어미. ¶그는 선수권 보유자가 아니~ / 건강이 제일이~.

라운드 (round) 명 **1** 권투에서, 경기의 한 회. ¶3~에서 케이오시키다. **2** 골프에서, 18홀을 한 바퀴 도는 일. ¶마지막 ~에서 보기 없이 버디만 6개를 잡았다.

라운지 (lounge) 명 호텔·극장·공항 등의 휴게실. ¶칵테일 ~.

라이너 (liner) 명 **1** 정기선(定期船)이나 정기 항공기를 이르는 말. **2** 코트 안에 대는 천이나 털 따위를 이르는 말. ¶~ 코트. **3** 〔공〕 기계가 마모되는 것을 막기 위하여 붙이는 판. **4** 야구에서, 타자가 쳐서 일직선으로 날아가는 공. 라인 드라이브.

라이덴-병 (Leyden 瓶) 명 〔물〕 축전기의 한 가지. 유리병의 바닥과 안팎에 주석박(朱錫箔)을 바르고, 병마개에 금속 막대기를 꽂아 아래 끝에 쇠사슬을 늘이어 안의 주석박과 접속되게 만든 것.

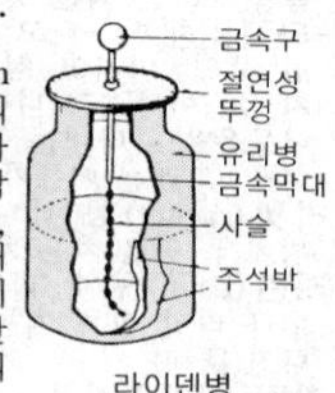

라이덴병

라이벌 (rival) 명 경쟁 상대. 경쟁자. 호적수. 맞수. ¶~ 회사 / 사랑의 ~.

라이브 (live) 명 (스튜디오에서 행하는 녹음·녹화에 대하여) 실제로 무대에서 하는 생연주. ¶~ 뮤직 / ~ 무대.

라이선스 (license) 명 **1** 행정상의 면허. 또는 그 면허장. **2** 수출입 기타 대외 거래의 허가. 또는 그 허가증. **3** 기업 사이에 맺는 기술의 사용 허가. ¶~ 생산.

라이터 (lighter) 명 주로 담배 피울 때, 성냥 대신 쓰는 자동 점화기(點火器).

라이트 (light) 명 **1** 빛. 광선. **2** 조명. 조명등(照明燈).

라이트-급 (light級) 명 권투·레슬링·역도 따위의 경기에서, 선수의 체중에 따라 나눈 등급의 하나. 권투의 경우 아마추어는 57-60 kg, 프로는 58.98-61.23 kg 임.

라이트 윙 (right wing) 축구나 하키 따위에서, 전위(前衛) 중 오른쪽 위치. 또는 그곳을 담당하는 선수. *레프트 윙.

라이트 펜 (light pen) 〔컴〕 끝에 감광 소자(感光素子)가 붙은 연필 모양의 입력 장치. 이것을 모니터 화면의 점·선·그림 따위를 수정하거나 이동시키는 데 씀. 광전펜(光電 pen).

라이플 (rifle) 명 **1** 탄환에 회전성을 주어, 나가는 힘을 강하게 하기 위해 총열 안벽에 나선 모양의 홈을 만든 총. **2** 소총.

라이플 사격 경기 (rifle射擊競技) 라이플·권총·에어 라이플 따위로 표적을 제한 시간 내에 한정된 탄알의 수로 쏘아 명중률을 겨루는 경기.

라인 (line) 명 **1** 선(線). **2** 운동 경기장의 경계를 나타내기 위해 그은 선. 줄. ¶파울~. **3** 기업에서, 구매·제조·운반·판매 등 기본적인 활동을 분담 수행하고 있는 부문. ¶생산 ~.

라인-업 (line-up) 명 **1** 야구에서, 출전한 선수의 타순(打順). 또는 그 배치. **2** 축구 경기 개시 때의 정렬(整列). **3** 어떤 공동의 목적을 이루기 위해 모인 사람들의 구성. 진용.

라인 프린터 (line printer) 〔컴〕 처리된 결과를 한 번에 1행씩 인쇄하는 장치. 대형 컴퓨터에서 많은 데이터를 고속으로 인쇄하는 데 이용됨.

ㄹ

라일락 (lilac) 명 〔식〕 물푸레나뭇과의 작은 낙엽 활엽 교목. 늦봄에 보라색·백색 따위의 꽃이 네 갈래진 작은 대롱 모양으로 핌. 향기가 좋아 관상용으로 많이 재배함. 자정향(紫丁香).

라-장조 (-長調)[-쪼] 명 〔악〕 '라' 음이 으뜸음 '도'가 되는 장조.

-라지 어미 1 '-라고 하지'의 준말. ¶할 테면 하~ / 마시고 싶다면 마시~. *-으라지. 2 '이다'·'아니다'의 어간에 붙어, 캐어물음을 나타내는 종결 어미. ¶네가 범인이~ / 고래는 어류가 아니~.

라켓 (racket) 명 테니스·탁구·배드민턴 따위에서, 공을 치는 채.

라틴 (Latin) 명 1 '라틴 어'의 준말. 2 라틴어나 라틴 민족 계통을 이르는 말. 취음: 나전(羅甸).

ㄹ

라틴 아메리카 (Latin America) 〔지〕 북아메리카 남부에서 남아메리카에 걸친(서인도 제도 포함), 전에 에스파냐·포르투갈 양국의 식민지였던 지방의 총칭.

라틴 어 (Latin語) 〔언〕 인도·유럽 어족에 속하는 말《옛 로마에서 쓰이고, 오늘날의 이탈리아 어·프랑스 어 등의 근원이 됨》. ㊟라틴.

라틴 음악 (Latin音樂) 룸바·탱고·차차차·삼바 등 라틴 아메리카의 음악.

-락 어미 뜻이 상대되는 두 동사나 형용사의 받침 없는 어간에 붙어 각각 그 두 동작이나 상태가 번갈아 되풀이됨을 나타내는 연결 어미. ¶하루 종일 비가 오~가~한다. *-으락.

락타아제 (lactase) 명 〔화〕 젖당을 가수 분해하여 갈락토오스(galactose)와 포도당을 만드는 효소. 젖당 분해 효소.

락토오스 (lactose) 명 〔화〕 말토오스형의 이당류(二糖類)의 하나. 젖에서 단백질과 지방을 빼내고 증발 결정시켜 얻을 수 있음. 젖당(糖).

락트-산 (←lactic酸) 명 〔화〕 락토오스나 포도당을 젖산균으로 발효시켜 만드는 유기산의 하나. 조청과 같은 물질로 무색이며 신맛이 나고 냄새는 없음. 염색·식품 공업에서 환원제·감미제로 씀. 젖산.

란 (欄) 명 신문·잡지 편집상의 한 구분. 또는 일정한 지면《흔히, 한자말 뒤에 붙음》. ¶독자 투고~ / 가정~. *난(欄).

란 조 '라는'의 준말. ¶'흥진비래(興盡悲來)'~ 격언. *이란.

-란 (卵) 미 어떤 명사 뒤에 붙어서 알·난자(卵子)의 뜻을 나타내는 말《흔히, 한자말 뒤에 붙음》. ¶무정(無精)~ / 수정~.

-란 어미 '-라고 한·-라고 하는·-라고 하는 것은·-라는 것은·-라는'의 준말. ¶여기가 아니~ 말이냐 / 그를 없애~ 사람이 누구냐 / 개~ 사납게 길러야 한다. *-으란.

-란다 어미 1 '-라고 한다'의 준말. ¶곧 오~ / 빨리 가~ / 그의 말로는 화가~. *-으란다. 2 '이다'·'아니다'의 어간에 붙어, '-란 말이다'의 뜻으로, 친근하게 서술하는 종결 어미. ¶사실은 그게 아니~ / 성경 말씀은 곧 진리~.

란제리 (←프 lingerie) 명 여성의 양장용 속옷.

-랄 어미 '-라고 할'의 준말. ¶너더러 가~ 수는 없지 / 차림새로 보아 도저히 신사~ 수가 없다. *-으랄.

-람 어미 1 받침 없는 동사 및 '이다'·'아니다'의 어간에 붙어 '-란 말인가'의 뜻을 나타내는 종결 어미. ¶그게 무슨 사람의 짓이~ / 그래도 내가 이긴 것이 아니~ / 누가 내일 또 가 보~. 2 '-라면'의 준말. ¶스승이~ 좀 더 신중히 해야지 / 가~ 가겠다. *-으람·-담.

람다 (그 Λ, λ) 명 그리스 자모의 11번째.

람바다 (lambada) 명 브라질에서 비롯된 빠르고 관능적인 춤과 노래.

-랍니까 [람-] 어미 '-라고 합니까'의 준말. ¶언제 또 오~ / 제 탓이 아니~ / 자기가 주인이~. *-으랍니까.

-랍니다 [람-] 어미 1 '라고 합니다'의 준말. ¶책을 사~ / 회사의 책임자~. *-으랍니다. 2 '이다'·'아니다'의 어간에 붙어, 어떤 사실을 친근하게 다져서 설명하는 종결 어미. ¶우습게 볼 게 아니~ / 어제 그곳을 찾아간 게 바로 저 분이~.

-랍디까 어미 '-라고 합디까'의 준말. ¶언제 나오~ / 누가 박사~. *-으랍디까.

-랍디다 어미 '-라고 합디다'의 준말. ¶자기가 아니~ / 빨리 오~ / 대단한 겁쟁이~. *-으랍디다.

랍비 (히 rabbī) 명 〔성〕 유대교에서, 율법학자에게 쓰는 존칭《신약에서는 스승》.

-랍시고 어미 '이다'·'아니다'의 어간에 붙어서, 스스로 그러함을 자처(自處)하는 꼴을 빈정거리는 연결 어미. ¶저것도 그림이~ 그렸는가 / 사장이~ 거만하다. *-ㄴ답시고·-답시고.

랑 조 받침 없는 체언에 붙어 두 개 이상의 사물을 동등 자격으로 열거할 때 쓰는 접속 조사. ¶사과~ 배~ 많이 있으니 실컷 먹어라 / 오빠~ 언니~ 함께 가다. *이랑[2].

랑데부 (프 rendez-vous) 명하자 1 밀회. 2 인공위성이나 우주선이 우주 공간에서 만나는 일.

-래 어미 '-라고 해'의 준말. ¶들어오~ / 여기가 자기 집이~. *-으래.

래글런 (raglan) 명 어깨를 따로 달지 않고 깃에서 바로 소매로 이어지게 만든 품신한 외투. 또는 그런 재단법.

-래도 어미 '-라고 하여도'의 준말. ¶누가 뭐~ 가야겠다 / 그것이 아니~ 좋다.

래드 (rad) 의명 〔물〕 방사선 흡수량을 나타내는 단위. 1래드는 물체 1g에 흡수되는 100 erg의 에너지량(量).

-래서 어미 '-라고 하여서'의 준말. ¶읽어 보~ 실력을 테스트하자 / 내 아우~ 두둔하는 것이 아니다. *-으래서.

-래서야 어미 '-라고 하여서야'의 준말. ¶두 달도 못 돼서 그만두~ 되겠소 / 무자격자~ 채용할 수가 없지 않나. *-으래서야.

-래야 어미 1 '-라고 하여야'의 준말. ¶열녀~ 옳은 평가가 되겠다 / 그에게 곧 가~ 되겠다. *-으래야·-대야. 2 '이다'·'아니다'의 어간에 붙어, 대수롭지 않게 여기어 접어주는 뜻을 나타내는 연결 어미. ¶집이~ 겨우 10평 남짓밖에 안 된다.

-래요 어미 '-라고 하여요'의 준말. ¶지금 곧 떠나~ / 그이는 부자~. *-으래요.

래커 (lacquer) 명 셀룰로오스 또는 합성수지 용액에 가소제(可塑劑)·안료 따위를 섞은 도료《건조가 빠르고 오래감》.
랜덤 샘플링 (random sampling) 전체를 조사할 수 없을 적에 일부분을 조사하여 전체를 예측하는 여론 조사의 한 방법. 임의 추출(법).
랜덤 액세스 메모리 (random access memory) 〖컴〗 램(RAM).
랜딩 (landing) 명 **1** 비행기 따위의 착륙. **2** 스키에서, 점프를 한 뒤 땅에 떨어지며 취하는 동작. 또는 그 지점.
랜턴 (lantern) 명 손에 들고 다니는 전등. 각등(角燈). 제등(提燈). ¶ 밤낚시를 가면서 ~을 빠뜨렸다.
랠리 (rally) 명 **1** 테니스·탁구·배드민턴 등에서, 네트를 사이에 두고 서로 공을 주고받으며 계속하여 치는 일. **2** 자동차에 의한 장거리 경주《악조건 아래에서 일정한 코스를 일정한 시간과 속도로 달려, 기술과 인내력을 겨룸》.
램 (RAM) 명 〔random access memory〕 〖컴〗 컴퓨터 본체에 설치하는 기억 소자(素子)의 한 가지. 사용자의 요구에 따른 정보와 명령을 처리·수행하며, 수시로 입력과 삭제가 가능함. 막기억 장치. 랜덤 액세스 메모리.
램프 (lamp) 명 **1** 기계의 상태를 나타내는 표시등. **2** '남포등(燈)'의 본딧말. **3** 알코올 램프 같은 가열용(加熱用) 장치.
랩 (rap) 명 〖악〗 팝 음악의 한 형식. 강렬하고 반복적인 리듬에 맞춰서 말하듯이 읊조리는 음악. 1970년 후반부터 뉴욕의 흑인들 사이에서 퍼짐. 랩뮤직.
랩 (wrap) 명 식료품 포장용의 폴리에틸렌제의 얇은 막.
랩소디 (rhapsody) 명 〖악〗 다소 관능적이면서 자유로운 형식을 갖는 환상적이며 기교적인 악곡. 광시곡(狂詩曲).
랩 타임 (lap time) 경주·경영(競泳) 따위에서, 전(全)코스 중 일정 구간마다 걸리는 시간. ¶ 반환 지점에서의 ~. 준랩.
랩톱 컴퓨터 (laptop computer) 무릎 위에 올려놓고 쓸 수 있는 가볍고 작은 컴퓨터《보통 컴퓨터보다 작고 노트북 컴퓨터보다는 큼》.
-랬자 [랟짜] 어미 받침 없는 동사 및 '이다'·'아니다'의 어간에 붙어, '-라고 했자'의 뜻을 나타내는 연결 어미. ¶ 집이~ 겨우 눈비를 가릴 정도다 / 가~ 안 갈걸.
랭크-되다 (rank-) 자 순위가 매겨지다. ¶ 그는 공동 5위에 랭크돼 있다.
랭킹 (ranking) 명 성적에 따른 순위. 등급. ¶ 미들급 세계 ~ 2위.
-랴 어미 **1** 받침 없는 어간에 붙어서 이치로 보아 '어찌 그러할 것이냐'라고 반문하는 뜻을 나타내는 종결 어미. ¶ 누굴 탓하~ / 출가하였다 하여 어찌 남이~. **2** 받침 없는 동사 어간에 붙어서 장차 자기가 할 일에 대하여 상대자의 뜻을 묻는 종결 어미. ¶ 몇 시에 가~. **3** 받침 없는 동사 어간에 붙어, 두 가지 이상의 동작을 하는 뜻을 나타내는 연결 어미. ¶ 애 보~ 빨래 하~ 정신없다 / 학교에 다니~ 아르바이트하~ 바쁘다. *-으랴.
량 (輛) 의명 차량의 수의 단위. ¶ 객차 8~.
-량 (量) 미 '분량'·'수량' 등의 뜻《흔히, 한자말 뒤에 붙음》. ¶ 생산~ / 분자~.
-러 어미 받침이 없거나 ㄹ 받침의 동사 어간에 붙어 가거나 오는 동작의 직접 목적을 나타내는 연결 어미. ¶ 꽃 구경하~ 가자 / 돈 벌~ 일터에 나간다. *-으러.
-러니 어미 '이다'·'아니다'의 어간에 붙어서 '-더니'의 뜻으로 예스럽게 서술하는 연결 어미. ¶ 그는 진실한 신자가 아니~ 끝내 개종(改宗)하고 말았군 / 어제는 충신이~ 오늘은 역적이라.
-러니라 어미 '이다'·'아니다'의 어간에 붙어서 '-더니라'의 뜻으로 예스럽게 서술하는 종결 어미. ¶ 주객(酒客)이 아니~ / 기품 있는 가문이~.
러닝 (running) 명 **1** 달리는 일. 경주. **2** 스키 용어로, 활강. **3** '러닝셔츠'의 준말.
러닝메이트 (running mate) 명 **1** 미국에서 헌법상 밀접한 관계에 있는 두 관직 중 차위 직(次位職)의 선거 입후보자. 특히, 부통령 입후보자를 말함. **2** 어느 일에 보조 격으로 종사하는 동료. **3** 어느 특정한 사람과 항상 상종하여 늘 함께 볼 수 있는 사람.
러닝-셔츠 (running shirts) 명 흔히 경주·경기할 때 입는 소매 없는 셔츠. 또는 그런 모양의 속옷. 준러닝.
러닝 호머 (running+homer) 야구에서, 타구가 펜스를 넘지는 않았지만 야수가 공을 쫓고 있는 사이에 타자가 베이스를 돌아 홈인하는 일. 그라운드 홈런.
러버 라켓 (rubber racket) 표면에 고무를 붙인 탁구 라켓.
러 불규칙 용:언 (-不規則用言) [-칭뇽-] 〖언〗 러 불규칙 활용을 하는 용언《동사 '이르다'와 형용사 '누르다'·'푸르다' 뿐임》.
러 불규칙 활용 (-不規則活用) [-치괄-] 〖언〗 어미가 '-어'로 될 것이 '-러'로 바뀌는 활용 형식. 동사 '이르다'가 '이르러'로, 형용사 '푸르다'가 '푸르러'로 바뀌는 따위.
러브 레터 (love letter) 연애 편지.
러브 스토리 (love story) 연애 소설. 사랑 이야기.
러브-신 (love scene) 명 연극·영화에서 남녀의 애정·연정을 연출하는 장면.
러시아워 (rush hour) 명 출퇴근이나 통학 등으로 교통 기관이 혼잡을 이루는 시간.
러키-세븐 (lucky seven) 명 **1** '7'을 행운의 숫자라는 뜻으로 이르는 말. **2** 야구에서, 9회 중 7회째《이 회를 점수가 많이 나는 행운의 회라 하여 득점을 기대함》.
럭비 (Rugby) 명 '럭비풋볼'의 준말.
럭비-풋볼 (Rugby football) 명 각 15명씩의 두 팀이 겨루는 경기. 일정 규칙의 범위 안에서, 럭비공을 자기 편끼리 손과 발을 써서 주고받으며 상대방 진지 문에 그어진 선에 공을 대면 득점함. 경기 시간은 전후반 40분씩임. 러거(rugger). 준럭비.
럭스 (lux) 의명 〖물〗 조명도(照明度)의 단위. 1 m^2 넓이에 1루멘(lumen)의 광속(光束)이 일정하게 분포하고 있을 경우의 표면 조명도. 기호 Lx.

-련가 어미 '이다'·'아니다'의 어간에 붙어서 '-던가'의 뜻으로 예스럽게 쓰는 의문형 종결 어미. ¶아, 이거야말로 꿈이 아니~ / 이게 꿈이~ 생시~. *-ㄹ런가.
-런들 어미 '이다'·'아니다'의 어간에 붙어서 '-던들'의 뜻으로 예스럽게 쓰는 연결 어미. ¶병자가 아니~ 우는 소리는 하지 않는다 / 그게 사실이~ 큰일 날 뻔했다.
럼 (rum) 명 당밀 또는 사탕수수의 찌꺼기에 물을 부어 발효시킨 증류주.
럼-주 (rum酒) 명 럼.
레 (이 re) 명 〔악〕 서양 음악 7음계의 제2음. '라' 음(=D음)의 이탈리아 음명.
레드-카드 (red card) 명 운동 경기에서, 심판에게 경고를 받은 선수가 다시 고의 반칙 등을 했을 때, 퇴장의 표시로 주심이 보이는 빨간 쪽지.
레디-믹스 (ready-mix) 명 〔건〕 현장에서 혼합하지 않고 시멘트 공장에서 미리 혼합하여 콘크리트 공사 현장으로 운반해 오는 시멘트·모래·자갈·물 따위의 혼합물. *레미콘.
레모네이드 (lemonade) 명 레몬 즙에 물·설탕·시럽·탄산 등을 탄 청량음료. 레몬수.
레몬 (lemon) 명 〔식〕 운향과의 상록 교목. 인도 원산. 밀감꽃 비슷한 흰 다섯잎꽃이 일년 내내 피고, 열매는 처음에 초록빛이었다가 노랗게 익고 향기가 진함. 과즙에는 시트르산·비타민 C가 들어 있어 음식 향기를 돋우는 데 씀.
레미콘 (remicon) 명 〔ready-mixed concrete〕 물과 모래·시멘트를 믹서차(mixer車)로 배합한 콘크리트. 또는 그 믹서차.
레벨 (level) 명 **1** 표준. 수준. ¶~이 높다 / ~을 맞추다 / 서로 ~이 맞지 않는다. **2** 수준기(水準器).
레스토랑 (프 restaurant) 명 서양식 요리를 만들어 파는 음식점. 양식점.
레슨 (lesson) 명 일정한 시간에 받는 개인 교습. 특히 음악·발레·미술 따위를 개인적으로 배우는 일. 개인 지도. ¶피아노 ~을 받다.
레슬러 (wrestler) 명 레슬링 선수. ¶프로 ~.
레슬링 (wrestling) 명 씨름 비슷한 서양식 경기《상대자의 양 어깨를 동시에 경기장 바닥에 닿게 한 사람이 이기는데, 그레코로만형(型)과 자유형이 있으며 경기자의 체중에 따라 체급을 매김》.
레이다 (radar) 명 레이더.
레이더 (radar) 명 〔radio detecting and ranging〕 마이크로파(波)를 발사하여 그 반사를 받아서 상대방의 상태나 위치를 수상관(受像管)에 비춰 목표물을 찾아내는 탐지기. 전파 탐지기.
레이더-망 (radar網) 명 〔군〕 여러 지역의 레이더를 한곳으로 집중하여 목표에 대한 정보를 제공할 수 있게 한 조직망.
레이서 (racer) 명 경기용의 자동차·오토바이·요트 따위의 탈것. 또는 그 경기자.
레이스 (lace) 명 무명실·명주실·베실 등을 바늘로 떠서 그 짜임새나 크기에 따라 여러 가지 구멍 뚫린 무늬를 나타낸 서양식의 수예 제품《각종 장식으로 씀》.
레이스 (race) 명 경주·경영(競泳)·경조(競漕) 등 그 속도를 겨루는 경기의 총칭.
레이아웃 (layout) 명 **1** 서적이나 신문·잡지 등에서, 지면의 정리와 배치. 편집 배정. **2** 양재에서, 패턴(pattern) 종이의 배열. **3** 정원(庭園) 같은 것의 설계.
레이온 (rayon) 명 인조 견사. 또는 그것으로 짠 피륙. 레용.
레이저 (laser) 명 〔light amplification by stimulated emission of radiation〕 〔물〕 유도 방출(放出)에 따른 빛의 증폭(增幅) 장치. 또는 이에 따라 방출되는 주파수·위상(位相)이 모두 일정한 평행 광선. 초(超)원거리 통신·물성(物性) 연구·의료 등 다방면으로 응용되고 있음.
레이저 광선 (laser光線) 〔물〕 레이저에서 방출되는 단색의 평행 광선. 우주 통신·정밀 공작 등에 널리 응용됨.
레이저 내:시경 (laser內視鏡) 〔의〕 내시경의 끝에 레이저 광선 발사 장치가 붙어 있는 의료용 기기《소화관(消化管)의 지혈·암 치료 따위에 쓰임》.
레이저 디스크 (laser disk) 〔물〕 비디오디스크의 한 가지. 디스크에 기록되어 있는 음성·화상(畫像) 자료를 레이저 광선을 조사(照射)하여 재생함. 음질과 화질이 뛰어나며 디스크의 수명이 오래감. 엘디(LD).
레인 (lane) 명 **1** 볼링에서, 앨리(alley). **2** 트랙(track) 경기나 수영 경기의 코스.
레인지 (range) 명 오븐(oven) 위에 풍로를 앉힌 조리 기구.
레인코트 (raincoat) 명 비옷.
레일 (rail) 명 **1** 철도 차량이나 전차 등을 달리게 하기 위하여 땅 위에 까는 가늘고 긴 강철재(材). **2** 궤도.
레임-덕 (lame duck) 명 임기 종료를 앞둔 대통령 등 지도자나 그 시기의 지도력의 공백 상태.
레저 (leisure) 명 여가를 이용한 휴식이나 행락(行樂).
레저 산:업 (leisure産業) 여가를 즐기는 데 필요한 시설을 제공하거나 용구·재료의 판매·수송 등을 하는 산업. 여가 산업.
레즈비언 (lesbian) 명 여성의 동성애자. ↔ 게이.
레지 명 〔←register〕 다방 같은 데서 손님을 접대하며 차를 나르는 여자.
레지던트 (resident) 명 전문의의 자격을 얻기 위하여 인턴 과정을 마친 후에 밟는 수련의(修鍊醫)의 한 과정. 수련 기간은 4년임. 전공의(專攻醫).
레지스탕스 (프 résistance) 명 **1** 저항. 저항 운동. **2** 침략군이나 점령군에 대한 저항 운동. 특히 제2차 대전 중 독일 점령군에 대한 프랑스의 저항 운동.
레지스터 (register) 명 **1** 기록. 등록. **2** 금전 등록기. **3** 〔컴〕 주로 연산을 위한 수치로 된 정보를 등록받아 일시적으로 기억하는 회로나 장치. 데이터를 해독하는 기능이 매우 빠름.
레커-차 (wrecker車) 명 고장 난 자동차 따위를 끌기 위하여 크레인을 장치한 자동차. 구난차(救難車).
레코드 (record) 명 **1** 음반. **2** 〔컴〕 필드(field)의 집합으로 파일(file)을 구성하는 기

본 단위.

레코드-플레이어 (record player) 명 레코드에 녹음되어 있는 신호를 재생하는 장치. 모터·픽업·턴테이블(turntable) 등으로 구성됨.

레크리에이션 (recreation) 명 운동이나 오락 등을 하여 심신의 피로를 푸는 일. 또는 그 운동이나 오락.

레테르 (네 letter) 명 **1** 라벨. **2** 〈속〉 어떤 인물 등에 대한 명예롭지 못한 평가. ¶그에게는 구두쇠라는 ~가 붙었다.

레토르트 (retort) 명 **1** 증류 등을 할 때 쓰는, 목이 굽은 플라스크 모양의 화학 실험 기구. **2** 110-140℃ 의 온도로 통조림·익힌 식품 따위를 가열·살균하는 장치.

레토르트1

레퍼토리 (repertory) 명 극단 또는 연주가가 공연을 위해 준비한 작품의 목록. 연주 곡목. ¶~ 선정 / ~가 다양하다.

레포츠 (←leisure+sports) 명 레저를 겸한 스포츠《골프·스키·스카이다이빙 등》.

레프트 윙 (left wing) 축구나 하키 따위에서, 전위(前衛) 중 왼쪽 위치. 또는 그곳을 담당하는 선수. *라이트 윙.

*__렌즈__ (lens) 명 〖물〗 한쪽 또는 양쪽 표면이 곡면으로 되어 있는 투명한 물체. 보통, 유리나 수정을 갈아서 만드는데 빛을 모으는 볼록 렌즈와 빛을 분산시키는 오목 렌즈가 있음. 안경·카메라·망원경 등에 씀.

렌치 (wrench) 명 너트나 볼트 또는 파이프 따위를 죄거나 푸는 공구(工具). 스패너.

렌치

렌터카 (rent-a-car) 명 세를 내고 빌리는 자동차. 임대 자동차.

-려 어미 '-려고'의 준말《'하다' 앞에만 쓰임》. ¶내일 떠나~ 한다. *-으려.

-려거든 어미 '-려고 하거든'의 준말. ¶가~ 지금 떠나라. *-으려거든.

-려고 어미 받침이 없거나 ㄹ 받침의 동사 어간에 붙어, 어떠한 일이 일어나거나 또는 장차 어떤 행동을 하고자 하는 뜻을 나타내는 연결 어미. ¶눈이 내리~ 한다 / 무엇을 보~ 하나. 준-려. *-으려고.

-려기에 어미 '-려고 하기에'의 준말. ¶슬쩍 달아나~ 붙들어 놓았다. *-으려기에.

-려나 어미 '-려고 하나·-려는가'의 준말. ¶비는 언제쯤 오~. *-으려나.

-려네 어미 '-려고 하네'의 준말. ¶나는 모레 돌아오~. *-으려네.

-려느냐 어미 '-려고 하느냐'의 준말. ¶너는 언제 가~. 준-련. *-으려느냐.

-려는 어미 '-려고 하는'의 준말. ¶주~ 사람은 꿈도 안 꾸고 있는데 김칫국부터 마신다. *-으려는.

-려는가 어미 '-려고 하는가'의 준말. ¶언제 떠나~. *-으려는가.

-려는고 어미 '-려고 하는고'의 준말. ¶너희는 왜 싸우~. *-으려는고.

-려는데 어미 '-려고 하는데'의 준말. ¶집을 막 나서~ 비가 왔다. *-으려는데.

-려는지 어미 '-려고 하는지'의 준말. ¶그녀가 어디로 가~ 아무도 모른다. *-으려는지.

-려니 어미 받침이 없거나 ㄹ 받침 어간에 붙여 쓰는 연결 어미. **1** 혼자 속으로만의 추측으로 '그러하겠거니'의 뜻을 나타냄. ¶그래도 양심가이~ 여겼지 / 이달에는 취직이 되~ 하고 기다렸다. **2** '…하려고 하니'의 뜻을 나타냄. ¶막상 자~ 잠이 안 온다. *-으려니.

-려니와 어미 받침이 없거나 ㄹ 받침 어간에 붙어서, 미래의 일이나 가정적인 일에 관하여 '그러하겠거니와'·'-지마는'의 뜻을 나타내는 연결 어미. ¶그는 학자도 아니~ 정치가도 아니다 / 너도 너~ 내 처지도 좀 생각해 봐라. *-으려니와.

-려다 어미 '-려다가'의 준말. ¶차를 타~ 떨어졌다. *-으려다.

-려다가 어미 '-려고 하다가'의 준말. ¶그는 무슨 말을 하~ 그냥 지나쳤다. 준-려다. *-으려다가.

-려더니 어미 '-려고 하더니'의 준말. ¶그는책을 사~ 돈이 모자라는지 그냥 가 버렸다. *-으려더니.

-려더라 어미 '-려고 하더라'의 준말. ¶그는 그 책 두 권을 모조리 베끼~. *-으려더라.

-려던 어미 '-려고 하던'의 준말. ¶자~ 사람이 왜 일어나오. *-으려던.

-려던가 어미 '-려고 하던가'의 준말. ¶그는언제 떠나~. *-으려던가.

-려도 어미 '-려고 하여도'의 준말. ¶아무리 뒤를 캐~ 못 캐겠다. *-으려도.

-려면 어미 '-려고 하면'의 준말. ¶빨리 도착하~ 기차로 가라 / 질문을 하~ 지금 해라. *-으려면.

-려무나 어미 받침이 없거나 ㄹ 받침 동사 어간에 붙어서 손아랫사람에게 제 뜻대로 하라는 뜻을 나타내는 종결 어미. ¶일찍 자~ / 자세히 읽어 보~. *-으려무나.

-려서는 어미 '-려고 하여서는'의 준말. ¶꾀를 부리~ 못 써. *-으려서는.

-려서야 어미 '-려고 하여서야'의 준말. ¶이 마당에 다된 일을 포기하~ 되나. *-으려서야.

-려야 어미 '-려고 하여야'의 준말. ¶도저히 가~ 갈 수 없는 형편이다. *-으려야.

-려오 어미 '-려고 하오'의 준말. ¶내일은 꼭 방문하~. *-으려오.

-력 (力) 미 '능력·힘' 등의 뜻. ¶단결~.

-련 어미 '-려느냐'의 준말. ¶네가 가~ / 언제 오~. *-으련.

-련마는 어미 받침이 없거나 ㄹ 받침 어간에 붙어서 미래의 일이나 가정의 사실을 말할 때 '-겠건마는'의 뜻으로 쓰는 연결 어미. ¶오라면 기꺼이 가~ 기별이 없다 / 벌써 결혼할 나이~ 생각이 없다고만 한다. 준-련만. *-으련마는.

-련만 어미 '-련마는'의 준말. ¶선물을 사 주면 좋아하~ 살 돈이 없다. *-으련만.

-렴 어미 '-려무나'의 준말. ¶마음대로 해 보~. *-으렴.

-렵니까 [렴-] 어미 '-려고 합니까'의 준말.

ㄹ

¶어디로 가~. *-으렵니까.
-렵니다 [렴-] 어미 '-려고 합니다'의 준말. ¶의사가 되~. *-으렵니다.
-렷다 [련따] 어미 **1** 받침 없는 어간에 붙어서 경험으로나 이치로 미루어 일이 으레 그러할 것이나 또는 그리 될 것을 추정할 때 쓰는 종결 어미. ¶내일 이맘때면 비가 오~/내년은 윤년이~. **2** 받침 없는 어간에 붙어 추상되는 사실에 대해 인정하는 뜻을 다지는 데 쓰는 종결 어미. ¶내 말대로 순종하~/네가 바로 범인이~. **3** 받침 없는 동사 어간에 붙어, 명령을 나타내는 종결 어미. ¶분부대로 거행하~/네 죄를 이실직고하~. *-으렷다.
-령 (令) 미 '법령·명령'의 뜻. ¶금지~/총동원~/시행~.
-령 (領) 미 나라 이름 밑에 붙여 그 나라 영토임을 나타내는 말. ¶영국~/미국~.
-령 (嶺) 미 재나 산의 이름. ¶대관~.
-례 (例) 미 '예(例)'의 뜻. ¶판결~.
로 조 받침이 없거나 ㄹ 받침이 있는 체언에 붙는 부사격 조사. **1** 수단·방법 또는 연장을 나타냄. ¶코~ 숨을 쉬다/주머니칼~ 연필을 깎다. *로써. **2** 재료를 나타냄. ¶나무~ 집을 짓다. *로써. **3** 이유·원인을 나타냄. ¶배탈~ 결근하다. **4** 장소·방향을 나타냄. ¶그리~ 가면 길이 막힌다. **5** 신분·지위·자격을 나타냄. ¶선배~ 앉아서 가만히 보고 있을 수가 없다. *로서. **6** 그렇게 되는 대상임을 나타냄. ¶친구의 딸을 며느리~ 삼다/볶음밥을 먹기~ 했다. **7** 때·시간을 나타냄. ¶회의는 내일~ 정해졌다. **8** 결과를 나타냄. ¶뽕밭이 푸른 바다~ 변했다. **9** 구성·비율 등을 나타냄. ¶연리를 10퍼센트~ 정하다/물은 산소와 수소~ 이루어진다. **10** 근거·표준·목표 등을 나타냄. ¶친절을 모토~ 하다. *으로.
-로 (路) 미 **1** '길'의 뜻. ¶교차~/항공~. **2** 도회지의 큰 도로를 둔 동네의 이름에 붙는 접미어. ¶퇴계~/세종~.
로가리듬 (logarithm) 명 〖수〗 '로그(log)'의 본딧말.
로고 (logo) 명 회사명·상품명·타이틀 따위를 나타내기 위하여 독특한 글자체를 이용하여 개성적으로 디자인된 조립 문자.
로고 (LOGO) 명 〖컴〗 프로그래밍 언어의 하나. 어린이용의 대화식으로 고안되어, 기호 처리나 화상(畫像) 표현이 용이함. 주로 교육 및 인공 지능 연구에 쓰임.
-로고 어미 '이다'·'아니다'의 어간에 붙어서 '-로군'의 뜻으로 혼잣말을 예스럽게 나타내는 종결 어미. ¶그건 유익한 일이~/해괴한 처사~/참으로 훌륭한 문장이~.
로고스 (그 logos) 명 〔'말·언어'의 뜻〕 **1** 〖철〗 만물 사이의 질서를 구성하는 조화적·통일적 원리로서의 이성(理性). **2** 〖기〗 삼위일체의 제2위인 그리스도.
-로구나 어미 '이다'·'아니다'의 어간에 붙어서, 해라할 자리에나 또는 스스로 새삼스러운 감탄을 나타내는 종결 어미. ¶진짜가 아니~/이런 곳이 바로 별천지~. 준-로군·-구나.
-로구려 어미 '이다'·'아니다'의 어간에 붙어서 하오할 자리에 새삼스러운 감탄을 나타내는 종결 어미. ¶개인 재산이 아니~/벌써 가을이~. 준-구려.
-로구먼 어미 '이다'·'아니다'의 어간에 붙어서 반말이나 혼잣말에 새삼스러운 감탄을 나타내는 종결 어미. ¶짐승의 짓이 아니~/벌써 한 시~/별일도 아니~. 준-구먼·-로군.
-로군 어미 **1** '-로구나'의 준말. ¶훌륭한 사람이~/가상할 만한 짓이 아니~. **2** '-로구먼'의 준말. ¶자네도 백발이~/별로 신통한 일이 아니~.
로그 (log) 명 〖수〗 1이 아닌 양수(陽數) a와 N이 주어졌을 때 $N=a^b$라는 관계를 만족시키는 실수 b의 값을, a를 밑으로 하는 N의 로그라고 하며, $b=\log_a N$으로 나타냄. 대수.
로그아웃 (logout) 명 〖컴〗 네트워크와의 접속을 끊는 절차. 컴퓨터 시스템에 로그인하여 중앙에 있는 컴퓨터나 다른 단말기와 메시지를 주고받던 단말기가 교신을 끝내고 네트워크에서 나오는 일. ↔로그인.
로그인 (login) 명 〖컴〗 다중 사용자 시스템을 사용하기 위하여 컴퓨터에 사용자임을 알리는 일. 대개의 경우, 사용자의 이름과 비밀 번호를 입력하여 네트워크에 접속함. ↔로그아웃.
-로다 어미 '이다'·'아니다'의 어간에 붙어서 '-로구나'의 뜻을 예스럽게 나타내는 종결 어미. ¶과연 명창이~/자식의 도리가 아니~.
-로되 어미 '이다'·'아니다'의 어간에 붙는 연결 어미. **1** 앞말의 사실을 인정하면서 뒷말로 조건을 덧붙여 한정하는 뜻으로 '-되'보다 좀 더 힘 있게 쓰는 말. ¶생모는 아니~ 아기를 귀애한다/맞는 해답이~ 완전하지는 않다. **2** 뒷말이 앞말에 대립적인 뜻을 나타내는 말. ¶부자는 아니~ 큰 주택을 갖고 있다/명색은 사장이~ 전혀 실권이 없다.
로드 게임 (road game) 어웨이 게임. 원정 경기. ↔홈 게임.
로드 쇼 (road show) 〖연〗 일반 영화관에서 상영하기 전에 특정 극장에서 독점 개봉하는 일.
로드스터 (roadster) 명 지붕을 자유롭게 접을 수 있는 자동차.
-로라 어미 '이다'·'아니다'의 어간에 붙어서 말하는 사람이 자기의 동작을 의식적으로 초들어 말할 때 '-다'의 뜻을 나타내는 연결 어미. ¶도둑이 아니~ 억지를 쓰다. *-노라.
로마네스크 (프 Romanesque) 명 〖건〗 10세기 말경 프랑스에서 일어나 12세기 중엽까지 서유럽 각지에 영향을 미쳤던 미술·건축의 양식《고대 클래식 양식의 여러 요소를 부활시키고 동양 취미를 가미한 것이 특징임. 교회 건축에 그 예가 많음》.
로마 숫:자 (Roma數字) [-수짜/-숟짜] 로마 시대에 생겨 현재 세계적으로 쓰이는 숫자《Ⅰ·Ⅱ·Ⅲ·Ⅳ·Ⅴ·Ⅵ 따위》.
로마-자 (Roma字) 명 라틴 어를 표기하는 문자로서, 로마 시대에 발달해 현재 유럽 여러 나라에서 쓰이고 있는 표음 문자《보통 26자》.

아라비아숫자	로마숫자	아라비아숫자	로마숫자	아라비아숫자	로마숫자
1	I	11	XI	101	CI
2	II	15	XV	200	CC
3	III	20	XX	400	CD
4	IV	40	XL	500	D
5	V	41	XLI	600	DC
6	VI	50	L	900	CM
7	VII	60	LX	1,000	M
8	VIII	70	LXX	2,000	MM
9	IX	90	XC	5,000	$\bar{V}$
10	X	100	C	10,000	$\bar{X}$

로마자 표기 (Roma字表記) 로마자로 우리말을 표기하는 일. 로마나이즈.
로망 (프 roman) 명 〖문〗 중세기 프랑스의 로맨스 어로 씌어진 전기담(傳奇譚).
로맨스 (romance) 명 **1** 남녀 사이의 사랑 이야기. 또는 연애 사건. **2** 로망.
로맨스-그레이 (romance+grey) 명 머리가 희끗희끗한 매력 있는 초로(初老)의 신사. 또는 그 머리.
로맨스 어 (Romance語) 〖언〗 통속 라틴 어를 공통의 모어(母語)로 하는 여러 언어의 총칭《이탈리아 어·프랑스 어·에스파냐 어·포르투갈 어·루마니아 어 등》. 로망 어.
로맨티시스트 (romanticist) 명 **1** 낭만파. 낭만주의자. **2** 공상가. 몽상가.
로맨티시즘 (romanticism) 명 낭만주의.
로맨틱-하다 (romantic–) 형여불 낭만적인 데가 있다. 비현실적이고 공상적인 데가 있다.
로봇 (robot) 명 **1** 복잡하고 정교한 기계 장치로 손발 및 신체 각부가 규칙적으로 활동하는 자동 인형. 인조인간. **2** 어떤 조작이나 작업을 자동적으로 할 수 있는 기계 장치. ¶산업용 ~. **3** 남의 지시대로 움직이는 사람. 권한이 없이 어떤 지위에 앉아만 있는 사람. 허수아비. 바지저고리. ¶명색은 사장이나 실은 ~이다.
로-부터 조 받침이 없거나 ㄹ 받침으로 끝나는 체언에 붙어 '에서부터'의 뜻을 나타내는 부사격 조사. ¶친구~ 빌린 책 / 서울~ 보내온 인편. *으로부터.
로비 (lobby) 명하자 **1** 호텔이나 극장·회사 등 사람이 많이 드나드는 건물에서, 현관으로 통하는 통로를 겸한 공간《의자 등을 놓아 휴게실·응접실로 씀》. ¶호텔 ~에서 기다리다. **2** 국회 의사당의 응접실. **3** 정치인·정당·국회의원 등 권력자에게 어떤 단체나 기업 따위를 위해서 이해 문제를 진정하거나 부탁하는 활동. ¶~ 자금 / ~ 활동을 전개하다.
로비스트 (lobbyist) 명 의회의 로비를 무대로 특정 압력 단체의 이익을 위하여 청원·진정을 중개하는 원외(院外) 단체의 활동자.
로빙 (lobbing) 명 **1** 테니스에서, 공을 높이 쳐서 상대편의 머리 위로 넘겨 코트의 후방으로 떨어뜨리는 일. **2** 축구에서, 골문 앞으로 공을 높고 느리게 차 올리는 일. **3** 탁구에서, 공을 높고 느리게 띄워 올려 넘기는 일.
로서 조 받침이 없거나 ㄹ 받침으로 끝나는 체언에 붙는 부사격 조사로, 그러한 자격·지위·신분을 나타냄. ¶학자~ 발언하다 / 그 학생들의 담임교사~ 전적으로 책임을 지겠다. *으로서.
-로세 어미 '이다'·'아니다'의 어간에 붙어서 '-ㄹ세'의 뜻으로 감탄을 나타내는 종결 어미. ¶훌륭한 문장이~ / 그건 쉬운 일이 아니~.
로션 (lotion) 명 피부 표면을 다듬는 데 쓰는, 알코올 성분이 많은 화장수(化粧水). 미안수(美顔水). ¶크림 ~ / 핸드 ~.
로스-구이 (←roast–) 명 고기 따위를 불에 굽는 일. 또는 그렇게 한 고기.
로스트-비프 (roast beef) 명 **1** 큰 덩어리째로 오븐에 구운 쇠고기. **2** 뜨거운 재에 묻어서 구운 쇠고기.
로써 조 받침이 없거나 ㄹ 받침이 붙는 체언에 붙어, 도구·수단·재료의 뜻을 나타내는 부사격 조사. ¶의협과 용기~ 사건에 대처하여라. 준로. *으로써.
로열-박스 (royal box) 명 극장·경기장 등의 귀빈석·특별석.
로열티 (royalty) 명 특허권·상표권 등 남의 산업 재산권이나 저작권을 사용하는 대가로 지급하는 사용료. ¶~를 지급하다.
로커빌리 (rock–a–billy) 명 광열적(狂熱的)인 재즈 음악. 또는 그런 음악에 맞추어 추는 춤.
로케 명 〖연〗 '로케이션'의 준말.
로케이션 (location) 명하자 〖연〗 영화에서, 실제의 경치를 배경으로 하는 촬영. 현지 촬영. 준로케.
로켓 (rocket) 명 고체 또는 액체 연료의 폭발로 다량의 가스를 발생시켜 그 반동으로 추진시키는 장치《폭발에 필요한 산소를 자체 내에 가지고 있는 점이 제트 엔진과 다름》. ¶~을 발사하다.
로켓 엔진 (rocket engine) 로켓의 추진력을 이용한 엔진.
로켓-탄 (rocket彈) 명 〖군〗 로켓 장치로 발사하는 탄환《유도탄으로 발전함》.
로켓-포 (rocket砲) 명 〖군〗 로켓탄을 발사하는 무기의 총칭.
로코코 (프 rococo) 명 프랑스 루이 15세 시대의 건축·장식 양식《복잡한 소용돌이·당초무늬·꽃과 잎의 무늬 등 곡선 무늬에 담채(淡彩)와 금빛을 병용했음》.
로큰롤 (미 rock'n'roll) 명 〖악〗 1950년대에 미국에서 일어나 유행하기 시작한 광열적인 댄스 음악. 리듬 앤드 블루스에 컨트리 음악 요소를 가미한 것. 준록(rock).
로터리 (rotary) 명 교통이 복잡한 시가의 네거리 같은 데에 교통정리를 목적으로 둥글게 만들어 놓은 교차로.
로테이션 (rotation) 명 **1** 야구에서, 투수를 차례로 기용하는 일. 또는 그런 순위. **2** 배구에서, 서브를 넣는 팀의 선수가 차례로 시계 방향으로 자리를 옮기는 일. **3** 순환. 교류. 교대.
로프 (rope) 명 굵은 밧줄《보통 둘레 1–10인치의 것》. ¶~를 타고 올라가는 훈련.
록 (rock) 명 〖악〗 '로큰롤'의 준말.
-록 (錄) 미 '기록·문서'의 뜻. ¶속기~.
록-클라이밍 (rock–climbing) 명 등산에서, 바위를 기어오르는 일. 또는 그런 기술. 암

ㄹ

벽 등반.

-론 (論) 미 **1** 그것에 관해 논술한 것임을 나타내는 말. ¶ 작가~ / 문장~. **2** '주장·의견·이론'의 뜻. ¶ 유물~ / 전쟁 무용~을 주장하다.

롤 (roll) 명 **1** 감는 일이나 감아서 만드는 일. 또는 그 감은 것. **2** 롤러.

롤러 (roller) 명 회전시켜서 쓰는 원통형의 물건. 금속 등의 압연(壓延), 정지용(整地用)의 굴림대, 인쇄할 때 잉크칠을 하는 굴림대 등 용도가 많음.

롤러-스케이트 (roller skate) 명 바닥에 작은 바퀴 네 개가 달린 스케이트《주로 마룻바닥이나 콘크리트 바닥에서 탐》.

롤러-코스터 (roller coaster) 명 나선(螺線) 모양의 경사진 레일에 차대(車臺)를 끌어올렸다가 급속도로 미끄러져 내려가게 하는 오락 장치.

롤링 (rolling) 명 **1** 배나 비행기의 좌우로 흔들리는 동요. 옆질. ↔피칭. **2** 회전하는 압연기의 롤에 금속 재료를 넣어 판자 모양으로 만드는 일.

롤-빵 (roll+ㅍ pão) 명 둥글게 말아 구운 빵.

롬 (ROM) 명 〔read only memory〕《컴》 읽기 전용의 기억 장치. 데이터를 기록하면 다시는 그 내용을 바꿀 수 없고 읽을 수만 있음. 읽기 전용 기억 장치.

-롭다 〔-로우니, -로워〕 미ㅂ불 받침 없는 명사나 어간 뒤에 붙어 '그러하다·그럴 만하다'의 뜻으로 형용사를 만드는 말. ¶ 평화~ / 이~ / 애처~. *-스럽다.

롱런 (long-run) 명하자 연극이나 영화의 장기 흥행. ¶ 그 영화는 5개월 이상 ~했다.

롱 숏 (long shot) 《연》 카메라를 피사체에서 멀리하여 전경을 모두 찍을 수 있도록 하는 촬영 방법. 원사(遠寫). *클로즈업.

롱 슛 (long shoot) **1** 축구·핸드볼 등에서, 골을 향해 멀리서 공을 차거나 던지는 일. **2** 농구에서, 먼 거리에서 바스켓을 향하여 공을 던지는 일.

롱-스커트 (long skirt) 명 긴치마.

롱 패스 (long pass) 축구·농구·핸드볼 등에서, 공을 길게 차거나 던져서 하는 패스.

뢴트겐 (독 Röntgen) ㅡ명 《물》 엑스선(X線). ㅡ의명 《물》 엑스선이나 감마선(γ線)의 양 또는 세기를 나타내는 단위. 기호는 R.

-료 (料) 미 **1** '대금·요금'의 뜻. ¶ 보험~ / 수업~. **2** '재료'의 뜻. ¶ 향신~ / 조미~.

-루 (樓) 미 '높은 건물·다락집·요릿집' 등의 뜻. ¶ 경회~ / 촉석~.

루머 (rumour) 명 터무니없는 소문. 뜬소문. 유언(流言). 풍문.

루멘 (lumen) 의명 《물》 광속(光束)을 나타내는 SI 유도 단위. 1칸델라의 점광원(點光源)을 중심으로 하여 1m 반경으로 그린 구면(球面) 위에서 1m^{2}의 면적을 통과하는 빛의 다발. 기호는 lm.

루비 (ruby) 명 **1** 《광》 강옥석(鋼玉石)의 하나《붉은빛을 띤 보석》. 홍옥(紅玉). ☞탄생석. **2** 《인》 7호 활자를 달리 일컫는 말.

루주 (ㅍ rouge) 명 립스틱.

루트 (root) 명 **1** 《수》 근(根)《기호 : √》. 근수. **2** 어근(語根).

루트 (route) 명 **1** 길. **2** 통로. 경로. ¶ 판매~ / 정상 ~에 의한 수입.

루프 (loop) 명 **1** 피임(避姙) 용구의 하나. 자궁 내에 장치하는 금속제·플라스틱제의 고리. **2** '루프 안테나'의 준말. **3** '루프선(線)'의 준말.

루프-선 (loop線) 명 경사가 심한 곳에서 경사를 완만히 하기 위해 나사 모양으로 부설한 선로(線路). 같은 지점을 고도를 달리하여 빙빙 돌면서 차차 높은 곳으로 올라가게 하는 것임. ㊉루프.

루프 안테나 (loop antenna) 텔레비전·라디오 수신용의 고리 모양으로 된 안테나. 주로 실내용. ㊉루프.

루핑 (roofing) 명 《건》 지붕을 이는 일. 또는 그 일에 쓰는 재료《섬유 제품에 아스팔트 가공을 한 물막이 천》.

룰 (rule) 명 규칙《운동 경기나 놀이에서 질서나 법칙을 말함》. ¶ ~을 지키다.

룰렛 (roulette) 명 **1** 도박 도구의 하나《직사각형 테이블 중앙에 1에서 36까지 숫자를 박은 구멍 뚫린 원반을 놓고, 원반을 돌리면서 작은 공을 던져 원반을 정지시켰을 때에 공의 들어간 구멍의 숫자로 내기함》. **2** 양재에서, 점선을 치는 톱니바퀴.

룸메이트 (roommate) 명 기숙사·하숙 등에서 같은 방을 쓰는 사람.

룸-살롱 (room+ㅍ salon) 명 칸막이된 방에서 양주·맥주 등의 술을 마시게 된 고급 술집.

룸펜 (독 Lumpen) 명 부랑자나 실업자(失業者). ¶ ~ 생활.

-류 (流) 미 어떤 사람 또는 유파의 특유한 방식·풍류의 뜻. ¶ 자기~ / 영국~.

-류 (類) 미 **1** 그와 같은 종류에 속하는 것을 가리키는 말. ¶ 금속~ / 염기~. **2** 《생》 생물 분류학에서 '강(綱)'·'목(目)'·'과(科)'·'속(屬)' 따위에 해당하는 분류군(群)을 관용으로 쓰는 말. ¶ 곤충~ / 양치~.

류머티즘 (rheumatism) 명 《의》 급성·만성의 관절 류머티즘 및 근육 류머티즘의 총칭《관절 류머티즘은 한랭·습기 등이 원인이 되어 관절이 붓고 쑤시며 열이 나고, 근육 류머티즘은 등과 허리가 갑자기 따끔따끔 아프고 열은 없음》.

룩색 (rucksack) 명 등산·하이킹 때에 필요한 것을 넣고 등에 지는 배낭의 하나.

-률 (律)[뉼] 미 ㄴ 받침 이외의 받침 있는 명사 뒤에 붙어 '법칙'의 뜻을 나타내는 말. ¶ 황금~ / 도덕~. *-율.

-률 (率)[뉼] 미 ㄴ 받침 이외의 받침 있는 명사 뒤에 붙어 '비율'의 뜻을 나타내는 말. ¶ 합격~ / 사고 발생~. *-율.

'률'과 '율'의 표기

본음이 '률'인 한자 '律, 率, 慄, 栗'은 단어의 첫머리에 올 적에는 두음 법칙에 따라 '율'로 적고 그 이외의 경우에는 본음대로 '률'로 적는다.

다만 예외적으로 모음이나 'ㄴ'받침 뒤에 오는 '률'은 실제 발음에 따라 '율'로 적는다.

① '률'로 적는 경우
법률(法律), 명중률(命中率), 합격률(合格率), 생률(生栗)

② '율'로 적는 경우

자율(自律), 선율(旋律), 비율(比率), 백분율(百分率), 전율(戰慄)

르네상스 (프 Renaissance) 명 14세기 말엽에서 16세기 초에 걸쳐 이탈리아를 중심으로 전 유럽에 파급된 학문상·예술상의 혁신 운동《인간성의 존중, 개성의 해방을 목표로 하는 한편 그리스·로마의 고전 문화의 부흥을 외치는 등 유럽 문화의 근대화에 사상적 원류가 되었음》. 문예 부흥.

르 불규칙 용:언 (−不規則用言) [−칭농−] 〖언〗 르 불규칙 활용을 하는 용언.

르 불규칙 활용 (−不規則活用) [−치콸−] 〖언〗 어간의 끝 음절 '르'가 모음 앞에서 'ㄹ' 받침으로 줄고 어미 '아'·'어'·'이'가 각각 '라'·'러'·'리'로 변하는 형식 《'고르다'가 '골라'로 변하는 따위》.

르포 명 '르포르타주'의 준말. ¶현지 ~.

르포-라이터 (←프 reportage+영 writer) 명 어떤 사건이나 고장·풍물 따위를 현지에서 직접 취재하여 기사로 싣거나 책으로 내는 사람.

르포르타주 (프 reportage) 명 **1** 신문·잡지·방송 따위에서, 현지 보고 기사. **2** 현실을 보고자의 주관을 가미하지 않고 객관적으로 서술한 문학. 기록 문학. 보고 문학. 준 르포.

를 조 받침 없는 체언에 붙어 목적격을 만드는 목적격 조사. ¶나~ 보라 / 국기~ 꽂다 / 흥분이 가라앉지~ 않았다. 준 ㄹ[2]. *을.

***리** (里) 의명 우리나라 거리의 단위《1리는 약 0.4 km》. ¶천 ~를 멀다 않고.

리 (浬) 의명 해리(海里).

***리** (理) 의명 어미 '-ㄹ' 뒤에 붙어 '까닭·이치'의 뜻으로 쓰는 말《반드시 부정 또는 반문하는 말로 뒤가 이어짐》. ¶올 ~가 없다 / 그 회사가 망할 ~가 있나.

리 (釐·厘) 의명 숫자 뒤에서 이(釐)의 뜻으로 쓰는 말. ¶일 전 오 ~ / 2푼 5 ~.

-리-[1] 미 어간의 끝 음절이 'ㄹ'·'ㄿ', 또는 '르'인 자동사 또는 타동사를 사동사 또는 피동사로 만드는 어간 형성 접미사. ¶얼~다 / 놀~다 / 곯~다 / 굴~다. *-구-·-기-·-우-·-이-.

-리 (裡) 미 '안·가운데·속' 등의 뜻. ¶암암~에 허락하다 / 비밀~에 진행되다 / 성황~에 끝나다.

-리-[2] 선어미 (받침 없는 용언의 어간에 붙어) **1** 어떤 여건에 대한 추측을 나타내는 말. ¶노력하는 만큼 꼭 성공하~라. **2** 어떤 일을 할 의지를 나타내는 말. ¶내일 다시 전화하~다. *-으리-.

-리 어미 **1** 받침이 없거나 ㄹ 받침 어간에 붙어 혼자 스스로 묻거나 반문하는 뜻을 나타내는 종결 어미. ¶난들 어이 하~ / 그게 어찌 사람의 짓이~. **2** '-리라'의 준말. ¶나는 자유의 역군이 되~ / 그 사람이 필시 도둑이~. *-으리.

리그 (league) 명 야구·축구·농구 등 경기 단체의 연맹.

리그-전 (league戰) 명 여러 단체가 대전하는 운동 경기로, 참가한 모든 팀이 적어도 한 번 이상 서로 대전하게 되는 경기 방식. 가장 많이 이긴 팀이 이김. 연맹전. *토너먼트.

-리까 어미 합쇼할 자리에서, 받침 없는 동사 어간에 붙어 손윗사람에게 미래의 일이나 의향을 물을 때 쓰는 종결 어미. ¶언제 오~ / 어떻게 하~. *-으리까.

리넨 (linen) 명 아마(亞麻)의 섬유로 짠 얇은 직물의 총칭. 굵은 실로 짠 것은 양복지, 가는 실로 짠 것은 셔츠·손수건 등으로 씀. 아마포(布).

리놀륨 (linoleum) 명 아마인유(亞麻仁油)의 산화물인 리녹신에 나무의 진·고무질 물질·코르크 가루 따위를 섞어 삼베 같은 데에 발라서 두꺼운 종이 모양으로 눌러 편 것《서양식 건물의 바닥이나 벽에 붙임》. ¶~ 장판.

-리니 어미 받침 없는 어간에 붙어 '-ㄹ 것이니'의 뜻을 나타내는 연결 어미. ¶사노라면 기쁜 날도 오~ 실망하지 마라 / 그는 훌륭한 분이~ 잘 따르렷다. *-으리니.

-리다 어미 **1** 받침 없는 동사 어간에 붙어 하오할 자리에 '즐겨 그리 하겠소'의 뜻으로 자기 의사를 서술하는 종결 어미. ¶곧 돌아오~. **2** 받침 없는 어간에 붙어 '그러할 것이오'의 뜻으로 하오할 자리에서 추측이나 경고하는 뜻을 나타내는 종결 어미. ¶무리하다 병나~ / 필시 도둑이~. *-으리다.

리더 (leader) 명 전체를 이끌어 가는 위치에 있는 사람. 지도자.

리더-십 (leadership) 명 지도자로서의 지위·임무 또는 통솔력. 지도력. ¶~이 있는 사람 / ~을 발휘하다.

리드 (lead) 명하자타 **1** 선두에 섬. 앞장섬. 지휘. 인도. ¶부장의 ~가 훌륭하다. **2** 몇 점을 앞서 얻음. 우세한 입장에 있음. ¶크게 ~하다. **3** 야구에서, 주자(走者)가 도루하려고 베이스에서 떨어짐. ¶2-3 m 씩 ~하다. **4** 신문의 뉴스 기사에서 본문의 앞에 그 요점을 추려서 쓴 짧은 문장.

리드 (reed) 명 〖악〗 **1** 피리·리드 오르간·오보에·클라리넷 등의 악기에 장치하는 얇은 떨림판《쇠나 갈대로 만들며, 불면 떨리어 소리를 냄》. 혀. **2** 바순·클라리넷 등 리드가 있는 악기의 총칭.

리드미컬-하다 (rhythmical−) 형여불 율동적이거나 음률적인 특성이 있다. ¶리드미컬한 음악.

***리듬** (rhythm) 명 **1** 〖문〗 운율(韻律). **2** 〖악〗 음악의 3요소 중의 하나. 음의 센박과 여린박을 규칙적으로 배치하여 시간적인 흐름에 질서감을 나타냄. ¶~ 악기. **3** 일정한 규칙에 따라 반복되는 움직임. ¶생활의 ~이 깨지다. **4** 선(線)·형·색의 비슷한 요소를 반복하여 이루는 통일된 율동감. ¶~을 타다.

리듬 체조 (rhythm體操) 반주 음악에 맞추어 연기하는 여자의 체조 경기《공·링·로프·리본·곤봉·훌라후프 등의 소(小)도구를 이용함》. 신(新)체조.

리라 (그 lyra) 명 〖악〗 **1** 고대 그리스의 작은 현악기. 하프 비슷한데 '유(U)'·'브이(V)' 형의 틀 위쪽에 막대기를 지르고 4, 7 또는 10현을 걺. **2** 취주악에 사용하는 휴대 연주용의 리라형(型) 철금(鐵琴).

ㄹ

-리라 어미 받침 없는 어간에 붙어 '-ㄹ 것이다'의 뜻으로 추측이나 미래의 의지를 나타내는 종결 어미. ¶사흘 후면 오～/바로 이런 곳이 무릉도원이～. 준-리. *-으리라.

-리로다 어미 받침 없는 어간에 붙어 감탄조로 '-리라'의 뜻을 나타내는 종결 어미. ¶정처 없이 가～/그냥 놔두면 무너지～/새 세상이 오～. *-으리로다.

-리만큼 어미 받침 없는 용언의 어간에 붙어 '-ㄹ 정도로'의 뜻을 나타내는 연결 어미. ¶몸을 못 가누～ 마시다/흡족하～ 비가 왔다. *-으리만큼.

리메이크 (remake) 명 예전에 있던 영화·음악·드라마 따위를 새롭게 다시 만듦. 이때 전체적인 줄거리나 제목 따위는 예전의 것을 그대로 사용함.

리모컨 (←remote control) 명 1 '리모트 컨트롤'의 준말. 2 원격 제어용의 장치. ¶～으로 텔레비전을 켜다〔끄다〕.

리모트 컨트롤 (remote control) 원격 제어. 원격 조작. 준리모컨.

리무진 (프 limousine) 명 1 운전석과 뒤 좌석 사이를 칸막이한 호화로운 대형 승용차. 2 공항 이용객 전용 버스.

리바운드 (rebound) 명 1 배구에서, 상대편 손의 방어벽(壁)에 공이 닿아 되돌아올 경우에 공격을 되풀이하는 일. 2 럭비에서, 공이 손·발·다리 이외의 곳에 맞고 상대편의 방향으로 나아가는 일. 3 농구에서, 슛한 공이 골인하지 않고 튀어 나오는 일. ¶～ 볼/～ 슛.

리바이벌 (revival) 명하타 1 〔연〕 오래된 영화와 연극 등을 다시 상영함. 2 사라진 유행 따위가 다시 유행함. ¶～된 유행가/～ 붐을 일으키다.

리버럴-하다 (liberal-) 형여불 자유주의적인 태도가 있다. ¶리버럴한 행동.

리베이트 (rebate) 명 1 〔경〕 판매자가 지급 대금의 일부를 사례금·보상금의 형식으로, 일정 비율의 금액을 산 사람에게 돌려주는 일. 또는 그 돈. 2 흔히, 음성적인 사례비.

리벳 (rivet) 명 〔건〕 대가리가 둥글고 두툼한 버섯 모양의 굵은 못(빌딩·철교 등의 철골(鐵骨)의 조립 또는 선체 철판의 연결 등에 씀).

리보솜 (ribosome) 명 〔생〕 세포질 속에 있는 소포체(小胞體)·미토콘드리아·엽록체에 부착하여 존재하는 아주 작은 알갱이 모양의 물질. 함유한 리보 핵산에 의해 단백질의 생합성(生合成)을 함.

리보오스 (ribose) 명 〔화〕 펜토오스의 하나로 백색 결정(結晶). 물에 녹으며, 리보 핵산이나 여러 가지 조(助)효소의 구성 성분으로서 생체에 널리 분포함.

리보 핵산 (←ribose核酸) 〔화〕 리보오스를 함유하는 핵산. 디옥시리보 핵산과 더불어 유전 기구의 본체를 이루며, 유전 정보의 보전 및 복제를 함. 또는 단백질과 결합하여 세포질 안의 리보솜의 중요 성분을 이루며, 단백질 합성에 중요 역할을 함. 전령 RNA·운반 RNA 따위가 있음. 아르엔에이(RNA). *디옥시리보 핵산.

리본 (ribbon) 명 1 끈이나 띠 모양의 장식용 헝겊(모자나 옷의 목 닿는 부분에 매어 예식용이나 장식용으로 씀). 2 타자기·워드프로세서에 쓰는, 잉크 먹인 좁은 띠 모양의 물건. 3 리듬 체조에 쓰는, 긴 띠 모양의 천(손잡이가 달려 있음).

리비도 (독 Libido) 명 정신 분석학에서, 인간 행동의 밑바탕을 이루는 성적 욕망.

리사이틀 (recital) 명 〔악〕 독주회. 또는 독창회. ¶피아노 ～.

리셉션 (reception) 명 어떤 사람을 환영하거나 어떤 일을 축하하기 위하여 베푸는 공식적인 파티. ¶～에 참석하다.

리셋 (reset) 명 〔컴〕 1 작동한 데이터 처리 시스템을 작동 전의 상태로 되돌리는 일. 2 기억 장치나 계수기·레지스터 따위를 영(零)의 상태로 되돌리는 일.

리스 (lease) 명 기계나 설비 따위의 장기간에 걸친 임대. 임대(賃貸).

리스 산:업 (lease産業) 기계·설비·차량·선박·컴퓨터 등을 장기간 임대하는 산업.

리스크 (risk) 명 1 위험. ¶영업상의 ～/～가 적다〔크다〕. 2 보험에서, 손해를 입을 가능성.

리스트 (list) 명 목록. 표. 명부. 일람표. 가격표. 명세서. ¶미술품의 ～/전출 ～에 오르다.

리시버 (receiver) 명 1 수신기. 수화기. 이어폰. 2 테니스·탁구·배구 따위의 경기에서, 리시브하는 사람.

리시브 (receive) 명하타 테니스·탁구·배구에서, 서브(serve)한 공을 받아넘김.

리아스식 해:안 (rias式海岸)[-시캐-] 〔지〕 곶(串)과 후미가 톱니처럼 굴곡이 심하고 복잡하게 들쭉날쭉한 해안선.

리어-카 (rear+car) 명 자전거 뒤에 달거나, 사람이 직접 끌기도 하는, 바퀴가 둘 달린 작은 수레. 손수레.

리얼리즘 (realism) 명 1 현실주의. 2 사실주의. 3 실재론.

리얼리티 (reality) 명 1 진실성. 현실성. 2 실재성(實在性).

리얼-하다 (real-) 형여불 현실과 같은 느낌이 있다. 사실적이다. ¶리얼한 묘사.

리을 명 한글 자모의 자음 'ㄹ'의 이름.

리조트 (resort) 명 피서·피한(避寒)·휴양을 위해 마련한 곳. 휴양지.

리치 (reach) 명 권투 따위에서, 상대방까지 닿는 팔의 길이. ¶～가 길다.

리케차 (rickettsia) 명 〔의〕 세균보다 작고 바이러스보다 큰 미생물의 총칭(발진티푸스 따위의 병원체).

리코더 (recorder) 명 〔악〕 세로로 부는 플루트의 하나인 목관 악기.

리코딩 (recording) 명 레코드·라디오 따위의 녹음·녹화.

리콜-제 (recall制) 명 1 소환제(召還制). 2 결함 상품 등을 회수하는 제도. 상품에 결함이 발견될 경우, 생산자는 이를 공표하고, 회수하거나 무료로 점검·교환·수리하여 주는 제도.

리터 (liter) 의명 부피의 단위(4℃의 물 1kg의 부피가 1리터임). 기호 : *l*·L.

리트머스 (litmus) 명 〔화〕 '리트머스이끼'류에서 짜낸 자줏빛 색소. 알칼리를 만나면 청색, 산(酸)을 만나면 붉은색이 됨《알칼리성 또는 산성 반응의 지시약(指示藥)》.

리트머스 시험지 (litmus試驗紙) 〖화〗 리트머스 종이.

리트머스 종이 (litmus–) 〖화〗 리트머스의 수용액을 물들인 종이. 산성·알칼리성의 반응을 판별하기 위한 청색과 붉은색의 두 가지가 있음. 리트머스 시험지.

리포터 (reporter) 명 신문·잡지·방송 등 보도 기관의 탐방 기자. 보도자.

리포트 (report) 명 **1** 조사·연구의 보고나 보고서. **2** 대학생이 교수에게 제출하는 소논문. ¶～를 작성하다.

리프트 (lift) 명 **1** 스키장이나 관광지에서 사람을 실어 나르는 의자식의 탈것. **2** 엘리베이터. **3**〖광〗 갱내에서 쓰는 양수 펌프.

리플레 (←reflation) 명 〖경〗 '리플레이션'의 준말.

리플레이션 (reflation) 명 〖경〗 디플레이션에 의하여 지나치게 내린 일반 물가 수준을, 정상의 높이까지 끌어올리기 위하여, 인플레이션이 되지 아니할 정도로 통화량을 팽창시키는 일. ㊟리플레.

리플릿 (leaflet) 명 광고용·선전용의 인쇄물. 광고지. 광고 쪽지.

리허설 (rehearsal) 명 〖연〗 연극·음악·방송 등에서, 공개를 앞두고 실제처럼 하는 연습. 예행 연습.

린스 (rinse) 명 머리를 감은 뒤, 샴푸나 비누의 알칼리 성분을 중화(中和)시키고 머리털에 윤기를 주기 위하여, 레몬 즙이나 유성제(油性劑) 등으로 머리를 헹구는 일. 또는 그것에 쓰는 세제.

린치 (lynch) 명 법의 정당한 절차를 밟지 않고 사사로이 가하는 참혹한 형벌. 사형(私刑). ¶～를 당하다 / ～를 가하다.

릴 (reel) ㊀명 **1** 실·철사·녹화 테이프 등을 감는 틀. **2** 낚싯대의 밑 부분에 달아, 낚싯줄을 풀고 감을 수 있게 한 장치. 감개. ㊁의명 영화용 필름 길이의 단위. 1릴은 약 305 m. 권(卷).

릴–낚시 (reel–)[–낙씨] 명 낚싯대에 릴을 장치하고, 그 손잡이를 돌려서 줄을 풀었다 감았다 하면서 물고기를 잡는 낚시.

릴레이 (relay) 명 **1** 중계. ¶성화 ～. **2** 계전기(繼電器). **3** '릴레이 경주'의 준말.

릴레이 경:주 (relay競走) 이어달리기. 계주(繼走). ¶8백 미터 ～. ㊟릴레이.

릴리프 (relief) 명 돋을새김. 부조(浮彫).

–림 (林) 미 '숲'·'삼림'의 뜻. ¶보호～ / 원시～ / 국유～.

림프 (lymph) 명 〖생〗 고등 동물의 조직 사이를 채우는 무색의 액체《혈관과 조직을 연결하며, 장에서는 지방의 흡수·운반을 함. 세균의 침입을 막고 체표(體表)를 보호함》. 임파(淋巴). 림프액.

림프–관 (lymph管) 명 〖생〗 림프가 흐르는 관(管). 정맥과 비슷한 구조이고 같은 방향으로 흐름.

림프–구 (lymph球) 명 〖생〗 백혈구의 일종. 골수와 림프 조직에서 만들어지고 림프샘·비장(脾臟)·흉선(胸腺) 등에서 증식·분화함. 항체를 만드는 T림프구와 면역 기능 조절 작용을 하는 B림프구가 있음.

림프–샘 (lymph–) 명 〖생〗 림프가 흐르는 림프관의 각처에 있는 둥근 조직《작은 것은 좁쌀만 하고 큰 것은 콩만 함. 목·겨드랑이·샅 등에 있으며, 이 안에 들어온 병원균 따위를 없애는 구실을 함》. 림프선. 림프절. 임파선(淋巴腺).

림프–선 (lymph腺) 명 〖생〗 림프샘.

림프–액 (lymph液) 명 〖생〗 림프.

림프–절 (lymph節) 명 〖생〗 림프샘.

립스틱 (lipstick) 명 여자들이 화장할 때, 입술에 바르는 연지. 루주.

립–싱크 (lip sync) 명 〖연〗 텔레비전이나 발성 영화에서, 화면에 나오는 배우와 가수의 입술 움직임과 녹음된 음성을 일치시키는 일.

링 (ring) 명 **1** 고리. 고리 모양의 물건. ¶～ 모양의 귀고리. **2** 권투나 프로 레슬링의 경기장. ¶～ 위에 오르다. **3** 기계 체조 기구의 하나. 위에서 내려뜨린 두 줄의 로프 끝에 쇠고리를 달아 놓은 것. **4** '링 운동'의 준말. **5** 피임구의 하나.

링거 (Ringer) 명 '링거액(液)'의 준말.

링거–액 (Ringer液) 명 〖약〗 체액 대용으로 쓰이는 생리적 식염수. 중병 환자나 출혈이 심한 사람의 피하나 정맥에 주사함《영국의 약리학자 링거가 처음 고안함》. ㊟링거.

링거 주:사 (Ringer注射) 〖의〗 피하나 정맥에 링거액을 놓는 주사.

링게르 명 '링거(Ringer)'의 잘못.

링 운:동 (ring運動) 남자 체조 경기의 한 종목. 2개의 로프에 매달린 2개의 링을 사용해 물구나무서기·십자버티기 따위의 연기를 통하여 기술과 동작의 아름다움을 겨룸. ㊟링.

링커 (linker) 명 축구에서, 포워드와 풀백을 연결하는 하프백을 이르는 말. 자기편의 중앙에서 공격과 수비로 활약하는 중요한 위치임. 링크맨.

링크 (link) ㊀명 〖컴〗 두 개의 프로그램을 연결하는 일. 또는 그런 방법. ㊁의명 야드파운드법에 의한 거리의 단위. 1링크는 1체인의 1/100《약 0.2 m》.

링크 (rink) 명 옥내(屋內) 스케이트장.

ㅁ (미음) **1** 한글 자모의 다섯째 글자. **2** 자음의 하나. 입술을 다물어 입 안을 비우고 목에서 나오는 소리를 콧구멍으로 내보내어 내는 유성음(有聲音).

-ㅁ[1] [미] ㄹ 받침 또는 받침 없는 용언의 어간에 붙어 명사를 만드는 접미사. ¶기쁨/슬픔/꿈/삶. *-음[1].

-ㅁ[2] [어미] **1** ㄹ 받침이거나 받침 없는 용언 또는 '이다'의 어간에 붙는 명사형 전성 어미. ¶네 일은 네가 함이 옳다/좋은 사람임이 밝혀졌다. *-기[2]. **2** ㄹ 받침 또는 받침 없는 용언의 어간에 붙는 서술형 종결 어미. 흔히 고지문(告知文)이나 기록문 등에 씀. ¶출입을 금함. *-음[2].

-ㅁ세 [어미] ㄹ 받침 또는 받침 없는 동사 어간에 붙어 하게할 자리에 기꺼이 하겠다는 뜻을 나타내는 종결 어미. ¶내가 함세/갖다 둠세/거들어 줌세. *-음세.

-ㅁ에도 [어미] 명사형 어미 '-ㅁ'에 조사 '에'와 '도'가 붙은 것으로 어떤 조건을 나타내는 연결 어미(주로 '불구하고' 앞에 씀). ¶눈이 옴에도 불구하고. *-음에도.

-ㅁ에랴 [어미] 받침 없는 어간에 붙어 되물으면서 느낌을 나타내는 종결 어미. ¶바람이 차가운데 비까지 옴에랴. *-음에랴.

마: [명] 〖식〗 맛과의 여러해살이 덩굴풀. 높이는 1m 가량. 여름에 보라색 꽃이 핌. 밭에 재배하며 육아(肉芽)는 식용, 덩이뿌리는 강장제로 씀. 서여(薯蕷). 산우(山芋).

마 (麻) [명] 〖식〗 삼[3].

마 (魔) [명] **1** 일이 꼬이게 헤살을 부리는 요사스러운 장애물. ¶~가 끼다/~가 들다. **2** (주로 '마의'의 꼴로 쓰여) 궂은일이 자주 일어나는 장소나 때. ¶~의 건널목. **3** 마귀. **4** (주로 '마의'의 꼴로 쓰여) 이겨내기 어려운 장벽. ¶육상 100m 달리기에서 ~의 10초 벽을 깼다.

-마 [어미] 받침 없는 동사 어간에 붙어 해라할 자리에 자기가 기꺼이 하겠다는 뜻을 나타내는 종결 어미. ¶도와주~. *-으마.

마가린 (margarine) [명] 동식물 유지(油脂)에 발효유·식염·비타민류를 넣고 반죽하여 버터 모양으로 만든 식품. 인조버터.

마:각 (馬脚) [명] 말의 다리.

마각을 드러내다 [구] 숨기고 있던 일이나 정체를 드러내다.

마각이 드러나다 [구] 숨기고 있던 일이나 정체가 드러나다.

마감 [명] 정해진 기한의 끝. ¶~ 시간에 맞추다/응모가 ~되다. —**-하다** [타][여불] 하던 일을 마물러서 끝내다. ¶한 해를 ~.

마개 [명] 병이나 그릇의 아가리나 구멍 따위에 끼워 막는 물건. ¶코르크 ~/~를 따다/~로 막다.

마경 (麻莖) [명] 삼대.

마경 (魔境) [명] 악마가 있는 곳. 마계(魔界).

마고자 [명] 저고리 위에 덧입는 옷(저고리와 비슷하나 깃과 동정이 없고, 앞을 여미지 않으며 두 자락을 맞대어서 단추를 끼워 입음).

마고자

마고-할미 (麻姑-) [명] **1** 전설에 나오는 신선 할미. **2** '노파'를 달리 이르는 말.

마:구 (馬具) [명] 말을 부리는 데 쓰는 기구.

***마구** [부] **1** 아주 심하게. 몹시 세차게. ¶비가 ~ 쏟아지다. **2** 아무렇게나 함부로. ¶쓰레기를 ~ 버리다. [준]막.

마:구-간 (馬廐間)[-깐] [명] 말을 기르는 곳.

마구리 [명] **1** 길쭉한 토막·상자 따위의 양쪽 머리의 면. ¶서까래 ~. **2** 길쭉한 물건의 양 끝에 대는 것. ¶베개의 ~. —**-하다** [타][여불] 기다란 물건 끝을 막다.

마구-발방 [명][하자] 분별없이 함부로 하는 말이나 행동.

마구-잡이 [명] (주로 '마구잡이로'의 꼴로 쓰여) 시비와 선악을 따지지 않고 마구 하는 짓. ¶~로 일을 하다.

마:권 (馬券)[-꿘] [명] 경마에서, 이길 것으로 예상하는 말에 돈을 걸고 사는 표.

마귀 (魔鬼) [명] 요사스러운 귀신의 통칭. 악마. 마(魔). ¶~가 들리다.

마그나 카르타 (라 Magna Carta) 영국 헌법의 근거가 된 최초의 문서(1215년 6월 존 왕과 봉건 귀족과의 타협에 의해 성립된 것으로, 개인의 권리와 자유를 침해하지 않을 것을 약정함). 대헌장(大憲章).

마그네사이트 (magnesite) [명] 삼방 정계(三方晶系)의 투명한 광물(내화(耐火) 재료·시멘트 재료·산화마그네슘염 제조 등에 씀). 고토석(苦土石). 능고토석.

마그네슘 (magnesium) [명] 〖화〗 은백색의 가벼운 금속 원소. 산에 잘 녹고, 수소를 발생하며, 전성(展性)이 좋음. 사진 촬영 때 플래시·불꽃놀이·환원제 등에 씀. [12번 : Mg : 24.31]

마그마 (magma) [명] 〖지〗 땅속 깊은 곳에서 암석이 지열로 녹아 반액체로 된 고온의 조암(造岩) 물질. 이것이 식어서 굳으면 화성암이 됨. 암장(岩漿).

마기-말로 [부] 실제라고 가정하고 하는 말로. ¶~ 그렇다면 가만 안 둔다.

마:나-님 [명] '나이 많은 부인'의 존칭.

마냥[1] [부] **1** 언제까지나 줄곧. ¶~ 기다리다. **2** 부족함이 없이 실컷. ¶~ 먹어 대다. **3** 다른 것이 섞이지 않고 한 가지로 몹시. ¶하늘은 ~ 푸르기만 하다. **4** 느긋한 마음으로 느릿느릿. ¶바람 부는 해변을 ~ 걷다.

마냥[2] [조] '처럼'의 잘못.

마냥-모 [명] 늦게 심는 모. 늦모.

마네킹 (mannequin) 명 의류점에서 옷·장신구 등을 입혀 놓은 인체 모형.

마녀 (魔女) 명 **1** 마술을 부려 사람에게 해를 끼친다는 여자. **2** 악마처럼 성질이 악한 여자의 비유.

마노 (瑪瑙) 명 석영·단백석(蛋白石)·옥수(玉髓)의 혼합물. 수지상(樹脂狀) 광택을 내며 때때로 다른 광물이 침투하여 고운 무늬를 나타냄《장식물·조각 재료 등으로 사용함》. 단석(丹石). 문석(文石).

***마:누라** 명 **1** 중년이 넘은 아내를 허물없이 이르는 말. **2** 〈속〉 중년이 넘은 여자. ¶ 슈퍼 주인 ~.

마는 조 '-다'·'-냐'·'-오'·'-자'·'-지' 따위 종결 어미에 붙어, 앞의 말을 시인하면서 의문이나 어긋나는 상황 따위를 나타내는 보조사. ¶ 사고 싶다~ 돈이 없다 / 구경을 가고 싶지~ 시간이 없다. 준 만.

***마늘** 명 〖식〗 백합과의 여러해살이풀. 밭에 재배하는데, 잎은 가늘고 길며, 땅속의 둥근 비늘줄기는 갈색 껍질로 싸임. 비늘줄기는 독특한 냄새를 내며 향신료·강장제·양념으로 씀. 대산(大蒜). ¶ ~을 다지다.

마늘-모 명 바둑에서, 입 구(口) 자 형태로 놓는 수.

마늘-장아찌 명 마늘이나 마늘종·마늘잎을 식초와 설탕에 절여 진간장에 넣어 간이 밴 다음에 먹는 반찬.

마늘-종 [-쫑] 명 마늘의 꽃줄기《장아찌로 만들어 먹음》.

마니-교 (摩尼教) 명 3세기에 페르시아 사람 마니가 조로아스터교(教)·기독교·불교 등을 혼합하여 만든 종교.

마니아 (mania) 명 한 가지 일에 매우 열중하는 사람. 또는 그런 일. ¶ 영화 ~.

마닐라-삼 (Manila-) 명 〖식〗 파초과의 여러해살이풀. 필리핀 원산. 바나나 비슷하며 높이는 6m 정도이고 줄기의 섬유로 로프·그물·종이 등을 만듦.

마:님 명 지체가 높은 집안의 부인에 대한 존칭.

-마:님 미 '나리·대감·영감' 따위에 붙어 존대의 뜻을 나타내는 말. ¶ 나리~ / 대감~ / 영감~.

마:다[1] 타 짓찧어 부스러뜨리다. *짓마다.

마다[2] 조 낱낱이 다 그러함을 나타내는 보조사. ¶ 그 여자는 웃을 때~ 덧니가 보인다.

마:다-하다 타 여불 거절하거나 싫다고 말하다. ¶ 궂은일도 마다하지 않다.

마담 (프 madame) 명 술집·다방·여관 따위의 여주인. ¶ 얼굴 ~.

***마당** 一 명 **1** 집의 앞뒤나 어떤 곳에 닦아 놓은 단단하고 평평한 땅. ¶ 널찍한 ~ / ~을 쓸다. **2** 어떤 일이 이루어지고 있는 곳. ¶ 씨름판이 벌어진 ~. 二 의명 **1** ('-은'·'-는' 등의 뒤에 쓰여) 어떤 일이 이루어지는 판이나 상황. ¶ 떠나는 ~에 무엇을 말하겠는가. **2** 판소리·탈춤·산대놀음 등 민속극의 단락을 세는 단위. ¶ 판소리 열두 ~.

마당(을) 빌리다 구 신랑이 신부의 집에 가서 초례식(醮禮式)을 지내다.

마당-과부 (-寡婦) 명 초례를 올리고 이내 남편을 잃은 청상과부.

마당-극 (-劇) 명 동네 마당에서 벌이는, 주로 풍자적인 내용의 탈춤.

마당-놀이 명 **1** 옥내의 무대가 아닌 탁 트인 마당에서 벌이는 민속적인 놀이. **2** 북청(北青) 사자놀음의 한 장면.

마당-맥질 명 하자 우툴두툴하게 파인 마당에 흙을 이겨 고르게 하는 짓《농가에서 추수 전에 함》.

마당-발 명 **1** 볼이 넓고 바닥이 평평하게 생긴 발. *채발. **2** 비유적으로, 대인 관계가 넓음. 또는 그런 사람. ¶ 소문난 ~.

마당-질 명 하타 곡식의 이삭을 털어 알곡을 거두는 일.

마:대 (馬臺) 명 장롱 맨 밑의 받침다리.

마대 (麻袋) 명 거친 삼실로 짠 큰 자루.

마도로스 (←네 matroos) 명 주로 외항선(外航船)의 선원을 일컫는 말.

마돈나 (이 Madonna) 명 **1** 성모 마리아. 또는 그 그림·조각. **2** 기품 있는 여자나 애인을 높여 부르는 말.

마되 명 말과 되. 두승(斗升).

마되-질 명 하자 말이나 되로 곡식 따위를 되는 일.

마:두-출령 (馬頭出令) 명 급작스레 명령을 내림. 또는 그 명령.

마들-가리 명 **1** 나무의 가지가 없는 줄기. **2** 잔 가지로 된 땔나무. **3** 해어진 옷의 솔기. **4** 새끼나 실 따위가 엉켜 맺힌 마디.

***마디** 명 **1** 대·갈대·나무 따위의 줄기에 가지나 잎이 나는 부분. 또는 불룩하게 두드러진 부분. ¶ ~가 진 대나무. **2** 뼈끼리 맞닿은 부분. 관절. ¶ ~가 굵은 손. **3** 〖동〗 체절(體節). **4** 새끼·실 따위가 엉키거나 맺힌 곳. ¶ ~를 풀다. **5** 말이나 노래 따위의 한 도막. ¶ 노래 한 ~ / 몇 ~ 이야기를 건네다. **6** 〖언〗 절(節)1. **7** 〖악〗 악보의 세로줄로 구분된 작은 부분. 소절(小節). **8** 〖물〗 정상(定常) 진동 또는 정상파(定常波)에서, 진폭이 0 또는 극소가 되는 부분.

마디다 형 **1** 쉽게 닳거나 없어지지 않다. ¶ 장작이 마디게 타다. ↔헤프다. **2** 자라는 속도가 더디다. ¶ 마디게 자라는 나무.

마디-마디 명 낱낱의 마디. 모든 마디. ¶ ~가 아프다 / ~에 깊은 뜻이 담긴 명언.

마디-지다 형 마디가 있다. ¶ 거칠고 마디진 손.

마따나 조 '말' 뒤에만 붙어 '말한 바와 같이'의 뜻을 나타내는 부사격 조사. ¶ 네 말~ 한국은 많이 변했군.

마땅찮다 [-찬타] 형 '마땅하지 아니하다'의 준말. ¶ 마땅찮은 처사.

마땅-하다 형 여불 **1** 사물이 어떤 조건에 잘 어울리게 알맞다. ¶ 마땅한 일자리. **2** 마음에 들어 좋다. ¶ 하는 짓이 마땅치 않다. **3** 그렇게 하거나 되는 것이 옳다. 당연하다. ¶ 벌 받아 ~. **마땅-히** 부. ¶ ~ 지켜야 할 도리.

마뜩-이 부 마뜩하게.

마뜩잖다 [-잔타] 형 '마뜩하지 아니하다'의 준말. ¶ 그의 태도가 ~.

마뜩-하다 [-뜨카-] 형 여불 (주로 '않다'·'못하다'와 함께 쓰여) 마음에 들 만하다. ¶ 마뜩지 않은 눈초리로 흘겨보다.

마라톤 (marathon) 명 '마라톤 경주'의 준말. ¶ ~ 선수.

마라톤 경:주 (marathon競走) 장거리 달리기의 한 종목. 정식 경기에서는 42.195 km를 달림.
마라톤-회담 (marathon會談) 명 장시간에 걸쳐 쉬지 않고 계속하는 회담.
마력 (魔力) 명 **1** 까닭을 설명할 수 없는 이상한 힘. ¶요괴의 ~. **2** 마음을 사로잡거나 세게 끄는 힘. ¶등산에는 사람을 열중케 하는 ~이 있다.
마:력 (馬力) 의명 동력이나 일의 양을 나타내는 실용 단위《말 한 필의 힘에 해당하는데, 1초당 75 kg의 물체를 1 m 움직이는 힘 ; 기호는 HP》.
***마련** ㊀명하타 **1** 사물을 이리저리 마름질하여 계획을 세움. 또는 그 준비. ¶자금을 ~하다 / 중장기 대책의 ~. **2** 속셈이나 궁리. ¶무슨 ~이 있을 게다. ㊁의명 어미 '-게'·'-기'의 뒤에 쓰여, '당연히 그리하게 되어 있음'을 나타냄. ¶사람은 죽게 ~이다 / 돈이 있으면 쓰기 ~이다.
마렵다 〔마려우니, 마려워〕 형ㅂ불 대소변이 나오려는 느낌이 있다. ¶뒤가 ~.
마로니에 (프 marronnier) 명 《식》 칠엽수과의 낙엽 교목. 프랑스·이탈리아 등지에서 가로수로 재배하는데 높이는 30 m 가량임. 초여름에 종 모양의 붉은 꽃이 피고, 씨는 치질·자궁 출혈 등의 치료약으로 씀.
***마루**[1] 명 집채 안에 땅바닥과 사이를 띄우고 널빤지를 깔아 놓은 곳. ¶~를 깔다.
마루[2] 명 **1** 등성이를 이룬 지붕이나 산 따위의 꼭대기. ¶해가 서산 ~에 걸려 있다. **2** 일이 한창인 고비.
마루 운:동 (-運動) 체조 경기의 하나. 12 m 사방의 매트 위에서, 남자는 50-70초 이내에, 여자는 60-90초 이내에 도약·회전·공중제비 등의 기술로 표현의 아름다움을 겨루는 경기. 여자는 음악 반주에 맞추어 함.
마루-청 (-廳) 명 마룻바닥에 까는 널.
마루-터기 명 산마루·용마루의 두드러진 턱. ¶~에서 쉬다. 준마루턱.
마루-턱 명 '마루터기'의 준말. ¶뒷산 ~에 오르다.
마루-폭 (-幅) 명 바지나 고의 따위의 허리에 달아 사폭(斜幅)을 대는 긴 헝겊.
마룻-대 [-루때 / -룯때] 명 용마루 밑에 서까래가 걸리게 된 도리.
마룻-바닥 [-루빠- / -룯빠-] 명 마루의 바닥. ¶~을 걸레질하다.
마룻-보 [-루뽀 / -룯뽀] 명 《건》 대들보 위의 동자기둥 또는 고주(高柱)에 얹혀, 중도리와 마룻대를 받치어 주는 들보를 가리킴. 종량(宗樑).
마룻-줄 [-루쭐 / -룯쭐] 명 배의 돛을 달아 올리고 내리는 줄. 용총줄.
마르 (독 Maar) 명 《지》 화산 형태의 하나. 미약한 폭발로 생긴 작은 화구(火口). 화구의 가장자리는 약간 높고 화구저는 지표보다 낮음.
***마르다**[1] 〔마르니, 말라〕 자르불 **1** 물기가 날아가다. ¶옷이 잘 말랐다. **2** 야위다. ¶몸이 마른 학생. **3** 갈증이 나다. ¶뛰었더니 몹시 목이 마르는구나. **4** 강이나 우물 따위의 물이 줄어 없어지다. ¶어떤 가뭄에도 이 샘은 마르지 않는다. **5** 돈이나 물건 따위가 없어지다. ¶주머니가 바싹 ~. **6** 감정이나 열정 따위가 없어지다. ¶애정이 ~.
***마르다**[2] 〔마르니, 말라〕 타르불 옷감이나 재목 따위의 재료를 치수에 맞추어 자르다. ¶옷감을 ~.
마르크스-주의 (Marx主義) [- / -이] 명 마르크스와 엥겔스가 제창한 혁명적 사회주의 이론《생산 수단의 사회화에 따른 무계급 사회의 실현을 꾀함》.
마른-갈이 명하타 마른논에 물을 넣지 않고 가는 일. ↔진갈이.
마른-걸레 명 물기가 없는 걸레. ¶~로 마루를 문지르다. ↔물걸레.
마른-기침 명하자 가래가 나오지 않는 기침. 건기침.
마른-날 명 비나 눈이 내리지 않고 갠 날. ↔진날.
마른-논 명 건답(乾畓).
[마른논에 물 대기라] ㉠일이 몹시 힘들다는 뜻. ㉡아무리 힘을 들여 일을 해도 뚜렷한 성과가 없다는 뜻.
마른-반찬 (-飯饌) 명 건어물·포육 등과 같은 마른 재료로 물기 없이 만든 반찬. ↔진반찬.
마른-밥 명 **1** 주먹같이 단단하게 뭉친 밥. **2** 국 없이 반찬만으로 먹는 밥.
마른-버짐 명 얼굴 같은 데 까슬까슬하게 번지는 흰 버짐. 건선(乾癬). ↔진버짐.
마른-번개 명 마른하늘에서 치는 번개.
마른-빨래 명하자 **1** 흙 묻은 옷을 비비어 말짱하게 하는 일. **2** 휘발유·벤젠 따위 약품으로 옷의 때를 지워 빼는 일.
마른-신 명 **1** 기름으로 겯지 않은 가죽신. **2** 마른땅에서만 신는 신. ↔진신.
마른-안주 (-按酒) 명 포·땅콩처럼 물기가 없는 안주. ↔진안주.
마른-옴 명 몹시 가려우며 긁으면 허물이 벗어지는 옴. 건개(乾疥).
마른-일 [-닐] 명하자 바느질이나 길쌈같이 물에 손을 묻히지 않고 하는 일. ↔진일.
마른-입 [-닙] 명 **1** 국이나 물을 먹지 아니한 입. ¶~을 축이다. **2** 잔입. *맨입.
마른-자리 명 물기가 없는 자리. ↔진자리.
마른-장마 명 장마철에 비가 아주 적게 오거나 갠 날이 계속되는 날씨.
마른-천둥 명 마른하늘에서 치는 천둥. ——**하다** 자여불 마른하늘에서 천둥이 치다.
마른-침 명 음식물을 대했을 때나, 몹시 긴장했을 때에 무의식중에 힘들여 삼키는 적은 양의 침.
마른침을 삼키다 구 몹시 걱정하거나 초조해하다.
마른-타작 (-打作) 명하자 벼를 베어 바싹 말린 뒤에 하는 타작.
마른-풀 명 꼴이나 퇴비 원료로 쓰기 위하여 베어 말린 풀. 건초.
마른-하늘 명 비나 눈이 오지 아니하는 맑게 갠 하늘.
[마른하늘에 날벼락] 뜻밖의 불행.
마른-행주 명 물에 적시지 않은 행주. ¶~로 물기를 닦다. ↔진행주.
마름[1] 명 이엉을 엮어서 말아 놓은 단. 또는 그것을 세는 단위.

마름[2] 명 〖식〗 마름과의 한해살이풀. 연못 등에 나는데 뿌리는 흙 속에 내리나 잎은 물 위에 뜨고, 여름에 흰 꽃이 핌. 마름모꼴로 된 열매는 식용함.

마름[3] 명 지난날, 지주를 대리하여 소작권을 관리하던 사람. 사음(舍音). ¶우는 애와 ~에게는 못 당한다.

마름-돌 [-똘] 명 일정한 치수의 크기로 잘라 놓은 돌.

마름-모 명 〖수〗 네 변의 길이가 모두 같으나 모든 각이 직각이 아닌 사각형. 능형(菱形). 마름모꼴.

마름-새 명 옷감이나 재목 따위를 마름질해 놓은 맵시. 또는 그런 상태.

마름-쇠 명 지난날, 도둑이나 적을 막기 위하여 흩어 두었던, 끝이 뾰족한 송곳처럼 생긴 서너 개의 발을 가진 쇠못. 능철(菱鐵). 여철(藜鐵).

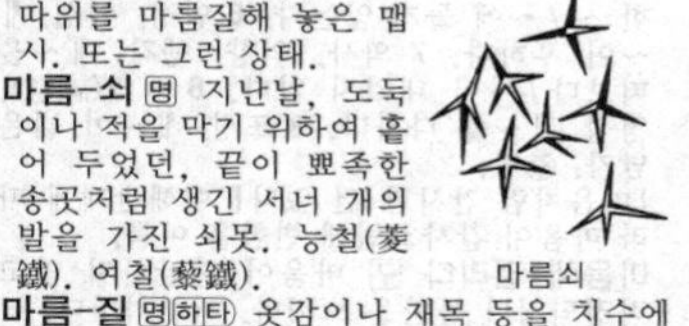
마름쇠

마름-질 명하타 옷감이나 재목 등을 치수에 맞추어 재거나 자르는 일. 재단. ¶비단을 ~하여 바지를 짓다.

*__마리__ 의명 짐승이나 물고기의 수효를 세는 단위. ¶도미 세 ~.

마리화나 (marihuana) 명 대마(大麻)의 잎이나 꽃을 말려 가루로 만든 마약의 일종《주로 담배에 섞어 피움》.

*__마:마__[1] (媽媽) 명 1 '별성마마'의 준말. 2 '손님마마'의 준말. 3 〈속〉 천연두. ──하다 자여불 천연두를 앓다.

마:마[2] (媽媽) 명 〖역〗 1 임금과 그 가족들의 칭호 뒤에 붙여 이르던 말. ¶상감 ~. 2 '벼슬아치의 첩'에 대한 높임말.

마:마-꽃 (媽媽-) [-꼳] 명 마마할 때 온몸에 부스럼처럼 돋는 것.

마멀레이드 (marmalade) 명 오렌지·레몬의 껍질로 만든 잼.

마멋 (marmot) 명 〖동〗 다람쥣과의 짐승. 토끼만 하며 회색 털로 덮여 있음. 북아메리카·유럽 등지의 건조한 초원에 군생하며, 겨울에는 굴속에서 동면함.

마멸 (磨滅) 명하자 갈려서 닳아 없어짐. ¶부품이 ~되다.

마모 (磨耗) 명하자 닳아서 작아지거나 없어짐. ¶베어링이 심하게 ~되었다/~를 방지하기 위해 윤활유를 친다.

마:목 (馬木) 명 가마·상여 등을 올려 놓을 때 괴는, 네 발 달린 나무 받침틀.

마목 (痲木) 명 〖한의〗 근육이 굳어 감각이 없으며 몸을 마음대로 움직일 수 없는 병.

마무르다 〔마무르니, 마물러〕 타르불 1 물건의 가장자리를 꾸며서 끝을 마치다. ¶단을 ~. 2 일의 뒤끝을 맺다. ¶이야기를 재치 있게 ~.

마무리 명하타 일의 끝맺음. ¶~ 작업/~를 깨끗이 하다/협상을 ~ 짓다/공사가 ~되다.

마물 (魔物) 명 재앙을 끼치는 요사스러운 물건. ¶돈은 ~이다/그 여자가 정말 ~이란 말인가.

마-바리 명 논 한 마지기에 두 섬의 곡식이 남을 일컫는 말.

마:-바리 (馬-) 명 짐을 실은 말. 또는 그 짐. ¶~를 풀다.

마:바리-꾼 (馬-) 명 마바리를 몰고 다니는 것을 업으로 삼는 사람.

마:방 (馬房) 명 〖역〗 1 마구간을 갖추고 있던 주막집. 2 절 안에서 손님의 말을 매어 두던 곳.

마-방진 (魔方陣) 명 〖수〗 자연수를 정사각형 모양으로 배열하여 가로·세로·대각선의 합이 모두 같아지게 만든 것. 방진(方陣).

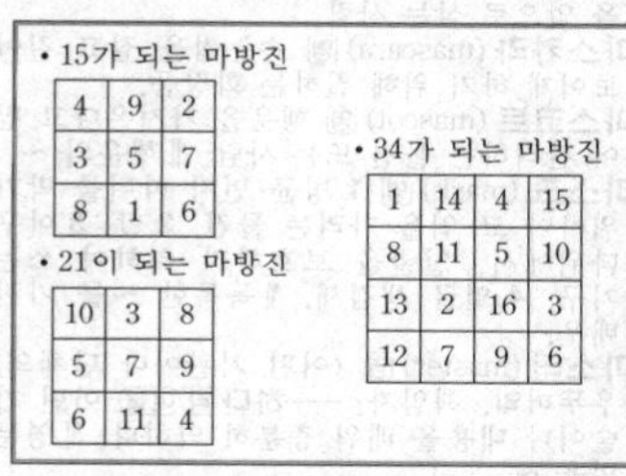

• 15가 되는 마방진

4	9	2
3	5	7
8	1	6

• 21이 되는 마방진

10	3	8
5	7	9
6	11	4

• 34가 되는 마방진

1	14	4	15
8	11	5	10
13	2	16	3
12	7	9	6

마법 (魔法) 명 마력(魔力)으로 불가사의한 일을 행하는 술법. ¶마녀의 ~에 걸리다.

마법-사 (魔法師) 명 마법을 부리는 사람. *마술사·요술쟁이.

마:부 (馬夫) 명 1 말구종. 2 말을 부려 마차나 수레를 모는 사람. 마차꾼. 3 〖민〗 배송(拜送)을 낼 때에 싸리말을 모는 사람.

마:분-지 (馬糞紙) 명 1 짚으로 만든, 빛깔이 누렇고 품질이 낮은 두꺼운 종이. 2 판지(板紙).

마블 (marble) 명 1 대리석(大理石). 2 대리석으로 만든 조각물.

마비 (痲痺·麻痺) 명 1 신경·근육이 그 기능을 잃는 병. ¶근육이 ~를 일으키다. 2 본디의 기능이 둔해지거나 정지되는 일. ¶사고로 교통이 ~되었다.

마빚다 [-빋따] 타 비집어 내다.

마빡 명 〈속〉 이마.

마사 (磨砂) 명 금속제(製)의 기물을 닦는 데 쓰는 점성(粘性)이 없는 백토(白土).

마사지 (massage) 명하타 1 안마. 2 피부를 문질러 곱고 건강하게 하는 일. 또는 그런 미용법. ¶~를 받다.

마:상 (馬上) 명 말의 등 위. ¶~에서 떨어지다.

마석 (磨石) 명하자 1 맷돌. 2 돌로 된 물건을 반들반들하게 갊.

마성 (魔性) 명 사람을 미혹시키는 악마와 같은 성질. ¶~을 드러내다.

마세 (프 massé) 명 당구에서, 큐를 수직으로 세워 공을 치는 법.

마-소 명 말과 소. 우마(牛馬).

마-속 명 곡식을 되는 말의 용량.

마손 (磨損) 명하자 마찰로 인하여 쓸리어 닳음. ¶마찰 부분의 ~이 심하다.

마수 명하자 1 처음에 팔리는 것으로 미루어 예측하는 그날의 장사 운. ¶오늘 장사는 ~가 좋다. 2 '마수걸이'의 준말. ¶한나절이 지나서야 겨우 ~했다.

마-수 (-數) 명 말〔斗〕의 수량.

ㅁ

마수 (魔手) 명 음흉하고 흉악한 사람의 손길. ¶ ~를 뻗치다.
마수-걸이 명하자타 **1** 맨 처음으로 물건을 파는 일. ¶ 아직 ~도 못했다. 준마수. **2** 맨 처음으로 부딪는 일.
마술 (魔術) 명 **1** 사람의 마음을 호리는 묘한 술법. ¶ ~을 걸다. **2** 도구나 손재주로 사람의 눈을 속이는 기술. 요술(妖術). ¶ ~을 부리다.
마술-사 (魔術師)[-싸] 명 마술을 행하는 것을 업으로 삼는 사람.
마스카라 (mascara) 명 속눈썹을 짙고 길어 보이게 하기 위해 칠하는 화장품.
마스코트 (mascot) 명 행운을 가져온다고 믿어 간직하는 물건 또는 사람. ¶ 행운의 ~.
마스크 (mask) 명 **1** 병균·먼지 따위를 막기 위하여 코·입을 가리는 물건. **2** 탈. **3** 야구 따위에서, 얼굴을 보호하기 위하여 쓰는 기구. **4** 얼굴 생김새. ¶ 독특한 ~를 가진 배우.
마스터 (master) 명 (어떤 기관이나 단체의) 우두머리. 책임자. **—-하다** 타여불 어떤 기술이나 내용을 배워 충분히 익히다. ¶ 영문법을 ~.
마스터베이션 (masturbation) 명하자 수음.
마스터플랜 (master plan) 명 기본이 되는 설계도. 기본 계획. 기본 설계. ¶ 장기적인 ~을 세우다.
***마시다** 타 **1** 물이나 술 따위의 액체를 목구멍으로 넘기다. ¶ 국물을 후루룩 ~ / 막걸리를 벌컥벌컥 ~. **2** 공기나 냄새 따위를 들이쉬다. ¶ 신선한 공기를 마셔라.
마:신 (馬身) 의명 경마에서, 말의 코끝에서 궁둥이까지의 길이. ¶ 1 ~의 차로 이기다.
마실 명 이웃에 놀러 다니는 일.
마애 (磨崖) 명하자 자연 암벽에 글자나 불상 따위를 새김.
마애-불 (磨崖佛) 명 자연 암벽에 새긴 불상.
마야 문명 (Maya文明) 기원 전후부터 9세기까지 중앙아메리카에서 발달한 마야 족의 고대 문명《상당한 수준의 금속 문화를 가졌고, 일종의 상형 문자도 사용하였음》.
마약 (痲藥·麻藥) 명 마취 작용을 하며 습관성을 가진 약으로, 오래 계속해서 먹으면 중독 증상을 일으키는 물질의 총칭《아편·모르핀·코카인·헤로인·LSD 따위》.
마왕 (魔王) 명 **1** 마귀의 왕. **2** 〔불〕 천마(天魔)의 왕. 정법(正法)을 해치고 중생이 불도에 들어가는 것을 방해하는 귀신.
마요네즈 (프 mayonnaise) 명 샐러드용 소스. 달걀노른자·샐러드유·소금·식초 등을 섞어서 만듦.
마우스 (독 Maus) 명 〔동〕 생물학·의학 등의 실험용 생쥐.
마우스 (mouse) 명 〔컴〕 입력 장치의 하나《커서(cursor)를 움직이는 데 씀》.
마우스피스 (mouthpiece) 명 **1** 〔악〕 관악기의 입에 대고 부는 부분. **2** 권투에서, 선수의 입 안이나 이를 보호하기 위하여 입에 무는 물건《고무나 스펀지로 만듦》.
마운드 (mound) 명 **1** 야구에서, 투수가 공을 던지기 위하여 서는 약간 높은 곳《중앙에 투수판(投手板)이 있음》. ¶ ~에 서다. **2** 골프에서, 벙커나 그린 주위의 작은 언덕이나 둑.

***마을** 명 **1** 시골에서, 여러 집이 모여 사는 곳. 동리. 촌락. ¶ ~ 풍속 / ~에서 떨어진 곳. **2** 이웃에 놀러 다니는 일. ¶ 밤늦도록 ~만 다닌다.
마을(을) 가다 구 이웃에 놀러 가다.
***마음** 명 **1** 사람의 지식·감정·의지의 움직임. 또는 그 움직임의 근원이 되는 정신적 상태. 감정. ¶ ~을 정리하다. **2** 시비 선악을 판단하고 행동을 결정하는 정신 활동. 사려 분별. ¶ ~이 흐리다 / 들뜬 ~. **3** 겉으로는 알 수 없는 속으로 가지는 생각. 본심. ¶ ~에 없는 말. **4** 성격. 천성. ¶ ~이 바르다. **5** 기분. 감정. 느낌. ¶ 쓸쓸한 ~ / ~에 들지 않는다. **6** 인정. 인심. ¶ ~이 후하다. **7** 의사. 의향. 생각. ¶ ~을 떠보다 / ~이 내키지 않다. **8** 성의(誠意). 정성. ¶ ~을 다하다. **9** 도량. ¶ ~이 넓은 남자. 준맘.
[마음처럼 간사한 건 없다] 이해관계에 따라 마음이 간사스럽게 변함을 이름.
마음에 걸리다 구 마음이 편안하지 않고 걱정되거나 불안을 느끼다. 꺼림칙하다.
마음에 두다 구 잊지 아니하고 마음속에 새겨 두다. 염두에 두다. 의식하다.
마음에 들다 구 어떤 대상이 마음이나 감정에 좋게 여겨지다.
마음에 없다 구 하거나 가지고 싶은 생각이 없다. ¶ 마음에 없는 말 하지도 마라.
마음에 있다 구 하거나 가지고 싶은 생각이 있다.
마음에 차다 구 마음에 흡족하게 여기다.
마음은 굴뚝 같다 구 마음은 간절하다.
마음(을) 놓다 구 의심하거나 걱정하지 아니하다. 안심하다.
마음(을) 다잡다 구 생각을 한 곳에 집중시키다.
마음(을) 붙이다 구 마음을 기울이어 전념하다.
마음을 비우다 구 사심이나 욕심을 다 버리다.
마음(을) 사다 구 관심을 갖게 하다. 호감을 품게 하다.
마음(을) 쓰다 구 신경을 써서 배려하다.
마음(을) 졸이다 구 걱정되어 마음이 몹시 쓰이다.
마음의 문을 열다 구 외부의 영향을 받아들일 태도가 되어 있다.
마음의 준비 구 계획이나 각오.
마음(이) 가다 구 생각이나 관심이 쏠리다.
마음이 가볍다 구 유쾌하고 걱정이 없다.
마음(이) 내키다 구 하고 싶다.
마음이 돌아서다 구 마음이 달라져 정상적인 상태로 되다.
마음(이) 들뜨다 구 마음이 가라앉지 않고 들썽거리는 상태가 되다.
마음이 무겁다 구 ㉠유쾌하지 못하고 침울하다. ㉡심각하고 생각이 깊다.
마음(이) 쓰이다 구 어떤 일에 생각이 자꾸 가다.
마음-가짐 명 마음을 쓰는 태도. 마음의 자세. ¶ ~이 올바르다 / ~을 굳게 하다. 준맘가짐.
마음-결 [-껼] 명 마음의 바탕. ¶ ~이 비단 같다. 준맘결.

마음-고생(-苦生)[-꼬-] 명 마음속으로 겪는 고생. 정신적인 고통. ¶~을 심하게 겪다. 준맘고생.
마음-공부(-工夫)[-꽁-] 명 정신적으로 수양을 쌓는 일.
마음-껏[-껃] 부 마음에 흡족하도록. ¶기쁨을 ~ 누리다. 준맘껏.
***마음-대로** 부 하고 싶은 대로. ¶네 ~ 해라 / 엿장수 ~ 될까. 준맘대로.
마음-먹다 자 무엇을 하겠다고 마음속으로 작정하다. ¶일이 마음먹은 대로 쉽게 풀렸다. 준맘먹다.
마음-보[-뽀] 명 마음을 쓰는 본새를 나쁘게 이르는 말. ¶~가 틀렸다. 준맘보.
마음-속[-쏙] 명 마음의 속. 가슴속. 심중(心中). ¶~이 편하지 않다 / ~ 깊이 간직하다. 준맘속.
***마음-씨** 명 마음을 쓰는 태도. ¶~ 고운 처녀. 준맘씨.
마음-자리[-짜-] 명 마음의 본바탕. 심지(心地). ¶~가 틀려먹은 사람. 준맘자리.
마음-잡다 자 마음을 바로 가지거나 새롭게 결심하다. ¶마음잡고 공부하다.
마의(麻衣)[-/-이] 명 삼베로 지은 옷.
마이너(minor) 명 〖악〗 **1** 단조(短調). **2** 단음계(短音階).
마이너스(minus) 명 **1** 〖수〗 (어떤 수를) 뺌. 빼기. **2** 〖수〗 뺄셈표. **3** 음수·음전기·음극 등을 나타내는 말. 또는 그 기호 '-'의 이름. **4** 반응 검사 등에서 음성임을 나타내는 말. 네거티브. ¶아르에이치 ~ / ~ 반응이 나타나다. **5** 부족·결손·적자·불이익 등을 뜻하는 말. ¶500만 원의 ~ / ~ 요인. ↔플러스(plus). ―**-하다** 타 여불 빼기하다.
마:이동풍(馬耳東風) 명 남의 말을 귀담아 듣지 않고 지나쳐 흘려 버림을 이르는 말.
마이신(mycin) 명 '스트렙토마이신'의 준말.
마이컴(micom) 명 마이크로컴퓨터.
마이크(mike) 명 '마이크로폰'의 통칭. ¶~를 잡고 노래를 한다.
마이크로-미터(micrometer) 명 정밀한 기계의 치수나 종이의 두께, 철사의 지름 등 미소한 길이를 재는 기구《100만분의 1m까지 잴 수 있음》. 측미계(測微計).

마이크로미터

마이크로-버스(microbus) 명 소형 버스.
마이크로-웨이브(microwave) 명 〖물〗 마이크로파(波).
마이크로-컴퓨터(microcomputer) 명 〖컴〗 마이크로프로세서를 사용하여 만든 컴퓨터. 하나의 칩 속에 중앙 처리 장치가 들어 있음. 마이컴. *메인 프레임 컴퓨터·미니컴퓨터·슈퍼컴퓨터.
마이크로-파(micro波) 명 〖물〗 파장이 1m에서 수 mm, 주파수 300에서 수십만 메가헤르츠의 전자기파(電磁氣波). 극초단파(UHF)·센티미터파(SHF)·밀리미터파(EHF)로 세분됨. 통신·레이더·텔레비전에 이용됨. 마이크로웨이브.
마이크로-폰(microphone) 명 음파를 전기 신호로 바꾸는 장치의 총칭《특히 녹음기나 확성기에 연결하는 것을 말함》. 마이크.
마이크로-프로세서(microprocessor) 명 마이크로컴퓨터의 중앙 처리 장치의 기능을 1개의 칩에 집적한 것. 연산과 제어를 실행할 수 있음《단말기·프린터·팩시밀리·각종 전자 제품 등에 씀》.
마이크로-필름(microfilm) 명 책·신문 등을 축소 복사하여 쓰는 보존용 필름《필요할 때 확대하거나 확대 인화하여 읽음》.
마일(mile) 의명 야드파운드법의 거리의 단위《1609.4m에 상당》.
마임(mime) 명 〖연〗 **1** 몸짓과 표정으로 하는 연기《고대 그리스 및 로마에서 성행하였음》. **2** 무언극. 팬터마임.
마:작(麻雀) 명 중국에서 건너온 실내 오락. 네 사람이 136개의 패(牌)를 가지고 짝을 맞추는 놀이.
마:장(馬場) 명 **1** 말을 매어 두거나 놓아기르는 곳. **2** 경마장.
마장 의명 오 리나 십 리가 못 되는 거리를 '리' 대신으로 이르는 말. ¶한 ~ / 여기서 두어 ~ 가면 절이 있다.
마저 一부 남김없이 모두. ¶이것까지 ~ 먹자. 二조 '까지도'·'까지 모두'의 뜻의 보조사. ¶너~ 한패였더냐.
마:적(馬賊) 명 지난날, 말을 타고 떼를 지어 다니던 도둑. ¶~에게 쫓기다.
마전 명하타 생피륙을 바래는 일. ¶~하지 않은 무명.
마:전(-廛) 명 예전에, 장터에서 삯을 받고 곡식을 마질하던 곳.
마:제(馬蹄) 명 말굽1.
마제(磨製) 명하타 돌 따위를 갈아서 연장이나 기구를 만드는 일.
마제 석기(磨製石器) '간석기'의 구용어. 준마석기.
마조히즘(masochism) 명 이성에게서 정신적·신체적 학대를 받는 데서 성적 쾌감을 느끼는 변태 성욕. 피학대 성욕 도착증. ↔사디즘.
마:주(馬主) 명 말의 주인. 주로 경마에서 말의 주인.
***마주** 부 서로 똑바로 향하여. ¶책상을 ~ 놓다 / 서로 ~ 보고 앉다 / ~ 서서 이야기하고 있다 / 의자를 ~ 잡고 나르다 / 바둑판을 가운데 두고 ~ 앉다.
마주-나기 명 〖식〗 잎이 마디마다 두 개씩 마주 붙어서 나는 일. 대생(對生). ↔어긋나기.
마주-나무 명 말이나 소를 매어 두는 나무.
마주르카(mazurka) 명 〖악〗 폴란드의 민속 춤곡. 또는 그 곡에 맞추어 추는 춤《3/4 또는 3/8 박자로 왈츠보다 느림》.
마주-잡이 명하자 두 사람이 마주 메는 일. 또는 그런 상여나 들것.
마주-치다 자 **1** 서로 부딪치다. ¶손바닥을 마주쳐 신호를 보내다. **2** 우연히 서로 만나다. ¶나는 여러 번 그와 마주쳤다. **3** 눈길이 서로 닿다. ¶시선이 ~. **4** 어떤 경우나 처지에 부닥치다. ¶예상 밖의 일에 마주쳐 몹시 당황했다.
마주-하다 타 여불 마주 대하다. ¶학교를 마주하고 있는 집 / 식탁을 마주하고 앉다.
마중 명하타 오는 사람을 나가 맞이함. ¶역

으로 ~을 나가다. ↔배웅.
마중-물 명 펌프에서 물이 나오지 않을 때 물을 끌어 올리기 위하여 위에서 붓는 물. ¶~을 붓다.
마지(麻紙) 명 삼 껍질 또는 삼베의 섬유로 만든 종이.
마지(摩旨) 명 〖불〗 부처에게 올리는 밥. 마짓밥.
마-지기 의명 **1** 논밭의 넓이의 단위. 한 말의 씨를 뿌릴 만한 넓이(《논은 150–300 평, 밭은 100 평 내외임》). 두락(斗落). **2** ('논'·'밭' 따위의 뒤에 쓰여) 약간의 그것이라는 뜻을 나타냄. ¶논 ~나 가지고 있다고 으스댄다.
*__마지막__ 명 일의 순서나 시간에서 맨 끝. 끝. 최후. ¶~ 열차를 놓치다 / ~ 숨을 거두다.
마:지-못하다 [-모타-] 형 여불 (주로 '마지못해'의 꼴로 쓰여) 마음이 내키지는 않으나 사정에 따라서 그렇게 하지 않을 수 없다. ¶마지못해 승낙하다.
마:지-아니하다 보동 여불 (주로 '-아'·'-어'의 뒤에 쓰여) 충심으로 그렇게 함을 강조할 때 쓰는 말. ¶바라 ~. 준마지않다.
마:지-않다 [-안타] 보동 '마지아니하다'의 준말. ¶동경해 마지않던 분을 뵙다.
마직(麻織) 명 마직물.
마직-물(麻織物)[-징-] 명 삼으로 짠 피륙의 총칭. 마직.
마진(痲疹) 명 홍역.
마진(margin) 명 **1** 원가와 판매가의 차액. 이익금. 중간 이윤. **2** 중개인에게 맡기는 증거금. **3** 수수료.
마-질 명하타 곡식 등을 말로 되는 일.
마짓-밥(摩旨-)[-지빱 / -진빱] 명 〖불〗 마지(摩旨).
*__마:차__(馬車) 명 말이 끄는 수레.
마:차-꾼(馬車-) 명 마부(馬夫)2.
*__마찬가지__ 명 서로 똑같음. 매한가지. ¶먹은 거나 ~다 / 어떻게 하든 결과는 ~다.
마찰(摩擦) 명하자 **1** 두 물건이 서로 닿아서 비빔. ¶~로 열이 생기다. **2** 〖물〗 한 물체가 다른 물체 위에서 운동하려 할 때, 그 닿는 면에서 받는 저항. ¶~ 계수. **3** 이해나 의견이 맞지 않아 서로 충돌하는 일. 알력. ¶파벌 간에 ~이 심하다.
마찰-력(摩擦力) 명 〖물〗 두 물체가 마찰할 때 작용하는 두 물체 사이의 저항력.
마찰-음(摩擦音) 명 〖언〗 입 안이나 목청 따위의 조음 기관(調音器官)이 좁혀져서, 그 사이를 통과하는 숨이 마찰하여 나는 소리(《ㅅ·ㅆ·ㅎ 등》). 갈이소리.
마천-루(摩天樓)[-철-] 명 하늘을 찌를 듯이 높이 솟은 고층 건물.
마:철(馬鐵) 명 말편자.
마취(痲醉) 명하타 독물·약물로 얼마 동안 의식이나 감각을 잃게 함. 몽혼. ¶전신을 ~시키고 수술하다 / ~에서 깨어나다.
마취-제(痲醉劑) 명 마취시키기 위하여 쓰는 약(《클로로포름·에테르·알코올·아편·모르핀 따위》). 마취약.
마치[1] 명 못을 박거나 무엇을 두드리는 데 쓰는 연장. ¶~로 못을 박다.
[마치가 가벼우면 못이 솟는다] 위엄이 없으면 아랫사람이 순종하지 않고 반항한다.
마:치(馬齒) 명 자기의 나이를 낮추어 이르는 말. 마령(馬齡).
마치(march) 명 〖악〗 행진곡.
*__마치__[2] 부 (주로 '같다'·'처럼'·'-ㄴ 듯'·'-ㄴ 양' 등과 함께 쓰여) 거의 비슷하게. 흡사. ¶~ 봄 날씨 같다 / ~ 자기가 사장인 듯 굴다.
마치다[1] 자 **1** 못이나 말뚝 따위를 박을 때, 속에 무엇이 받치다. ¶무언가 마치는 것이 있는 것처럼 못이 들어가지 않는다. **2** 몸의 어느 부분이 아프고 결리다. ¶옆구리가 딱딱 ~.
*__마치다__[2] 자타 **1** 어떤 일이나 과정·절차 따위가 끝나다. 또는 그렇게 하다. ¶근무를 ~ / 임기를 ~. **2** 사람이 삶을 끝내다. ¶고향에서 여생을 마치려 한다. 준맟다.
마치-질 명하타 마치로 무엇을 박거나 두드리는 일.
*__마침__ 부 **1** 어떤 경우나 기회에 알맞게. ¶보고 싶었는데 ~ 잘 왔군. **2** 우연히 공교롭게도. ¶일이 ~ 그렇게 되었네.
마침-구이 명하타 애벌구이한 자기에 유약을 발라 마지막으로 구워 내는 공정. 참구이. ↔설구이.
*__마침-내__ 부 드디어. 기어이. 결국. 끝내. 종내. ¶~ 결실을 보다 / ~ 소원을 이루다.
마침-맞다 [-맏따] 형 (주로 '마침맞게'·'마침맞은'의 꼴로 쓰여) 어떤 경우나 기회에 꼭 알맞다. ¶마침맞은 신붓감.
마침-몰라 부 그때를 당하면 어떻게 될지 모르나. 어찌 될지는 몰라도.
마침-표(-標) 명 **1** 〖언〗 문장의 끝맺음을 나타내는 문장 부호(《온점·고리점·물음표·느낌표가 있음》). 종지부(終止符). **2** 〖악〗 악곡의 끝을 나타내는 표. 종지 기호.
마침표를 찍다 구 끝내다.
마카로니(이 macaroni) 명 실 또는 관(管) 모양으로 만들어 말린 이탈리아식 국수(《이탈리아 명물임》).
마케팅(marketing) 명 〖경〗 제품을 생산자로부터 소비자에게 합리적으로 이전하기 위한 기획 활동. 시장 조사·상품 계획·선전·판매 촉진 따위.
마크(mark) 명 **1** 기호. **2** 상표. ¶유명 ~가 붙은 옷. **3** 휘장. ¶학교 ~가 달린 모자. **4** 축구·농구에서, 상대편의 공격을 가까이에서 방해하는 일. ¶~가 심하다. **—-하다** 자타 여불 **1** 축구·농구에서, 상대편의 공격을 가까이에서 방해하다. ¶그를 철저히 마크해라. **2** 기록하다. ¶제 1 위를 ~.
마투리 명 〔←말투리〕 섬이나 가마로 잴 때, 한 섬이나 한 가마가 되지 못하고 남은 양. 말합.
마티에르(프 matière) 명 〖미술〗 물감·캔버스·필촉·화구(畫具) 따위가 만들어 내는 대상의 재질감. 질감.
마-파람 명 남쪽에서 불어오는 바람(《본디 뱃사람 말》). 마풍(麻風). 앞바람.
[마파람에 게 눈 감추듯] 음식을 빨리 먹어 버림을 일컫는 말.
마:패(馬牌) 명 〖역〗

마패

ㅁ

지름 10 cm 쯤 되게 만든 구리쇠의 둥근 패《조선 때, 관원이 나랏일로 지방에 갈 때에 역마를 거저 탈 수 있는 권한을 증명하던 표》.

마:편 (馬鞭) 명 말을 모는 채찍. 말채찍.

마:필 (馬匹) 명 **1** 말[1]. **2** 말 몇 마리. ¶ ~깨나 있다고 잰다.

마하 (Mach) 의명 속도의 단위. 유체의 속도와 그 유체 속의 음속의 비, 또는 정지한 유체 속을 물체가 움직일 때는 그 속도와 음속의 비로 나타냄. 보통 마하 1은 초속 약 340 m, 시속 약 1,224 km 로 침《기호는 M》. 마하수.

마호가니 (mahogany) 명 〖식〗 멀구슬나뭇과의 상록 교목. 열대 식물로 북아메리카 동남부·서인도 제도에 분포하며 높이는 30 m 정도. 목재는 단단하고 윤기가 있으며 내수성이 강해 기구재나 가구재로 씀.

마호메트-교 (Mahomet教) 명 〖종〗 이슬람교.

*__마흔__ 수관 열의 네 배. 사십. ¶ 그녀는 ~이 넘어 보인다 / ~ 명.

*__막__ (幕) 一명 **1** 겨우 비바람을 가릴 정도로 임시로 지은 집. **2** 칸을 막기도 하고 위를 덮기도 하고 옆으로 둘러치기도 하는 천으로 된 물건《천막 등》. ¶ ~을 치다. 二의명 연극에서 나누어진 한 단락을 세는 말. ¶ 2 ~ 3 장. *장(場)·경(景).

막을 내리다 구 무대 공연이나 어떤 행사를 끝내다.

막을 열다 구 공연이나 어떤 행사나 일을 시작하다.

막을 올리다 구 막을 열다.

막이 오르다 구 무대 공연이나 어떤 행사가 시작되다.

막 (膜) 명 **1** 〖생〗 생물체의 내부에서 모든 기관을 싸고 있거나 경계를 이루는 얇은 층《고막·복막·세포막 등》. **2** 물건의 표면을 덮고 있는 얇은 물질.

*__막__[1] 부 **1** 바로 지금. ¶ 기차가 ~ 떠났다. **2** 바로 그때. ¶ 밥을 먹고 나니까 ~ 손님이 왔다.

막[2] 부 '마구'의 준말. ¶ ~ 달리다 / ~ 욕을 해 대다.

막- 두 **1** '거칠거나 품질이 낮은'의 뜻을 나타냄. ¶ ~국수 / ~소주. **2** '닥치는 대로 하는'의 뜻을 나타냄. ¶ ~말 / ~노동 / ~벌이 / ~일. **3** '주저없이'·'함부로'의 뜻을 나타냄. ¶ ~보다 / ~되다. **4** '마지막'·'끝'의 뜻. ¶ ~둥이 / ~차.

막-가다 자 막되게 행동하다. 앞뒤를 생각하지 않고 행패를 부리다. ¶ 막가는 놈.

막간 (幕間) 명 **1** 연극에서, 한 막이 끝나고 다음 막이 시작되기까지의 동안. **2** 어떤 일의 한 단락이 끝나고 다음 단락이 시작될 때까지의 동안. ¶ ~을 이용해서 안내 말씀을 드립니다.

막강 (莫強) 명하형 더할 수 없이 강함. ¶ ~을 자랑하다 / ~한 군대 / ~한 권력.

막-걸다 〔막거니, 막거오〕 타 노름판에서 가진 돈을 모두 걸고 단판으로 내기하다.

막-걸리 명 청주를 떠내지 않고 그대로 걸러 짠 술《빛깔은 탁하며 맛은 텁텁하고 알코올 성분이 적음》. 탁주. ↔맑은술.

막-국수 명 메밀로 가락을 굵게 뽑아 육수에 만 국수《강원도의 향토 음식임》.

막-깎다 [-깍따] 타 머리털을 바짝 짧게 깎다. ¶ 머리를 ~.

막내 [망-] 명 여러 형제자매 중에 맨 마지막으로 난 사람. ↔맏이.

막내-둥이 [망-] 명 '막내'를 귀엽게 일컫는 말.

막내-딸 [망-] 명 맨 끝으로 난 딸.

막내-아들 [망-] 명 맨 끝으로 난 아들. 말자(末子). 계자(季子).

[막내아들이 첫아들이라] 막내아들이 가장 소중히 여겨짐의 비유.

막냇-누이 [망낸-] 명 맨 끝의 누이.

막-노동 (-勞動)[망-] 명하자 막일 1. ¶ ~을 해서 생계를 이어 가다.

막-노동자 (-勞動者)[망-] 명 주로 공사판에서 막일을 하는 노동자.

막-놀다 [망-] 〔막노니, 막노오〕 자 버릇없이 함부로 놀거나 행동하다.

*__막다__ 타 **1** 통하지 못하게 하다. ¶ 구멍을 ~ / 길을 ~ / 입을 ~ / 막았던 귀에서 손을 떼다. **2** 앞이 가리도록 둘러싸다. ¶ 집을 울타리로 ~. **3** 사이를 가리다. ¶ 칸을 ~. **4** 하는 짓을 더 못하게 하다. ¶ 싸움을 ~ / 내 말을 막지 마라. **5** 어떤 현상이 일어나지 못하게 하다. ¶ 홍수를 ~ / 피해를 ~. **6** 넓게 번지는 것을 못하게 만들다. ¶ 소문이 퍼지는 것을 ~. **7** 물리치다. 방어하다. ¶ 외적을 ~ / 상대 팀의 공격을 ~. **8** 돈을 갚거나 결제하다. ¶ 돌아오는 어음을 ~.

막-다르다 형 (주로 '막다른'의 꼴로 쓰여) 더 나아갈 수 없게 앞이 막히다. ¶ 막다른 집 / 막다른 지경에 이르다.

[막다른 골목이 되면 돌아선다] 일이 막다른 지경에 이르면 또 다른 방책이 생긴다.

막다른 골목 〔골〕 구 일이 더는 어떻게 할 수 없는 절박한 경우. ¶ ~에 몰리다.

막-달 명 해산할 달. ¶ ~이 차다.

막-담배 명 품질이 좋지 못한 담배.

*__막대__ 명 '막대기'의 준말.

*__막대-그래프__ (-graph) 명 〖수〗 비교할 양이나 수치의 분포를 막대 모양의 길이로 나타낸 그래프.

*__막대기__ 명 가늘고 기름한 나무나 대나무의 토막. ¶ ~로 때리다. 준막대.

막대-자석 (-磁石) 명 막대 모양의 자석《철·니켈 등의 길쭉한 토막을 다른 자석으로 문질러 만듦》.

막대-잡이 명 **1** '오른쪽'을 맹인을 상대로 말할 때에 쓰는 말. **2** 〈속〉 인도하여 주는 사람. 길라잡이.

막-대패 명 재목을 애벌로 깎을 때 쓰이는 대패.

막대-하다 (莫大-) 형여불 더할 수 없이 많거나 크다. ¶ 막대한 영향 / 막대한 손실.

막대-히 부

막댓-가지 [-때까- / -땐까-] 명 가는 막대.

막-도장 (-圖章) 명 잡다한 일에 쓰기 위해 인감을 내지 않은 개인의 도장.

막-돌 명 쓸모없이 아무렇게나 생긴 돌. 잡석(雜石).

막돼-먹다 형 〈속〉 막되다.

막-되다 형 (주로 '막된·막되게'의 꼴로 쓰여) 말이나 행동이 버릇없고 거칠다. ¶막된 사람.
막-둥이 명 1 '막내아들'을 귀엽게 이르는 말. 막내둥이. ¶~로 태어나다. 2 잔심부름을 하는 사내아이.
막론-하다 (莫論-)[망논-] 타여불 (주로 '막론하고'의 꼴로 쓰여) 의논할 것조차 없다. 말할 나위도 없다. ¶지위 고하를 막론하고.
막료 (幕僚)[망뇨] 명 1 중요한 계획의 입안이나 시행 따위의 일을 보좌하는 간부. 2 〚역〛 비장(裨將).
막막-하다 (寞寞-)[망마카-] 형여불 1 고요하고 쓸쓸하다. ¶막막한 산중의 밤. 2 의지할 데가 없어서 답답하고 외롭다. ¶막막한 심경을 토로하다. **막막-히** [망마키] 부
막막-하다 (漠漠-)[망마카-] 형여불 1 너르고 멀어서 아득하다. ¶막막하게 펼쳐진 광야. 2 아득하고 막연하다. ¶살아갈 길이 ~. **막막-히** [망마키] 부
막-말 [망-] 명하자 1 뒤에 여유를 두지 않고 잘라서 하는 말. ¶~로 한마디만 더 하겠다. 2 되는대로 함부로 또는 속되게 하는 말. ¶~을 쏟아 붓다 / 어른께 버릇없이 ~로 덤비다.
막무가내 (莫無可奈)[망-] 명 융통성이 없고 고집이 세어 어찌할 수가 없음. 무가내하. 막가내하. ¶아무리 말해도 ~였다 / ~로 우겨 대다.
막-바지 명 1 어떤 일이나 현상의 마지막 단계. ¶~에 다다르다 / ~ 협상을 벌이다. 2 막다른 곳. ¶산골짜기의 ~.
막-벌[1] 명 마지막의 한 차례. ¶이제야 ~ 논매기를 끝냈다.
막-벌[2] 명 마구 입는 옷이나 막 신는 신 등.
막-벌다 〔막버니, 막버오〕 자 막일을 하여 돈을 벌다.
막-벌이 명하자 막일로 돈을 버는 일. ¶~로 근근이 살아가다.
막-베 명 거칠게 짠 베.
막-보다 타 얕보아 마구 대하다. ¶사람을 막보고 함부로 대하다.
***막사** (幕舍) 명 1 판자나 천막으로 임시로 허름하게 지은 집. ¶~에 수용하다. 2 군대가 거주하는 건물.
막-사리 명 얼음이 얼기 전의 조수(潮水).
막-살다 〔막사니, 막사오〕 자 아무렇게나 되는대로 살다.
막상 부 실제에 이르러. ¶~ 해 보니 생각보다 어렵다.
막상막하 (莫上莫下)[-마카] 명하형 더 낫고 더 못함의 차이가 거의 없음. ¶~의 기량.
막-새 명 1 처마 끝을 잇는 수키와《한 끝에 둥그런 혀가 달리고 전자(篆字) 또는 그림 무늬가 있음》. 드림새. 막새기와. ↔내림새. 2 처마 끝에 나온 암키와와 수키와.

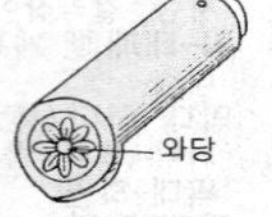

막새 1

막-서다 자 1 싸울 것같이 대들다. 2 어른, 아이를 가리지 않고 대들다.
막설 (莫說) 명하타 1 말을 그만둠. 2 하던 일을 그만둠.
막-술 명 음식을 먹을 때에, 마지막으로 드는 숟갈. ↔첫술.
막심-하다 (莫甚-) 형여불 대단히 심하다. 아주 대단하다. ¶손해가 ~. **막심-히** 부
막아-내다 타 막아서 물리치다. 방어하고 감당해 내다. ¶적의 공격을 ~.
막아-서다 타 앞을 가로막고 서다. ¶차 앞을 ~.
막역지간 (莫逆之間) 명 허물이 없는 아주 가까운 사이.
막역-하다 (莫逆-)[-여카-] 형여불 허물이 없이 아주 친하다. ¶막역한 친구 / 막역한 관계. **막역-히** [-여키] 부
막연-하다 (漠然-) 형여불 1 아득하다. ¶살아갈 길이 ~. 2 똑똑하지 못하고 어렴풋하다. ¶막연한 대답. **막연-히** 부. ¶~ 기다리기만 하다.
-막이 미 막는 일. 막는 것. ¶바람~ / 보~.
막-일 [망닐] 명하자 1 가리지 않고 닥치는 대로 하는 육체적 노동. 막노동. ¶~로 살아가다. 2 대수롭지 않은 허드렛일. ¶~을 도맡다.
막자 명 알약을 갈아서 가루약으로 만드는 데 쓰이는, 사기나 유리로 만든 작은 방망이. 유봉(乳棒).
막자-사발 (-沙鉢) 명 알약을 갈아서 가루로 만드는 그릇《사기·유리 따위로 만듦》. 유발(乳鉢).

막자사발

막-잡이 명 1 허름하게 아무렇게나 쓰는 물건. 조용품(粗用品). 2 어떤 물건 가운데서 좋은 것은 골라내고 남은 찌꺼기.
막장 명하자 〚광〛 갱도의 막다른 곳. ¶석탄을 캐러 ~에 들어가다.
막-장 (-醬) 명 허드레로 먹기 위하여 담는 된장《메주에 볶은 콩가루를 섞은 뒤 소금·고춧가루·고운 겨를 넣고 띄움》.
막중-대사 (莫重大事) 명 대단히 중대한 일. ¶~를 수행 중이다.
막중-하다 (莫重-) 형여불 매우 중요하다. ¶막중한 책무. **막중-히** 부
막-지르다 〔막지르니, 막질러〕 타르불 1 앞질러 가로막다. ¶내 말을 막지르지 마라. 2 함부로 냅다 지르다.
막-차 (-車) 명 그날의 마지막 차. ¶~를 겨우 타다. ↔첫차.
막차를 타다 구 〈속〉 어떤 일이 끝나 갈 무렵에 뒤늦게 뛰어들다. ¶무슨 사업이든 막차를 타면 손해를 본다.
막-창자 명 〚생〛 맹장(盲腸).
막-초 (-草) 명 품질이 아주 낮은 살담배.
막-치 명 아무렇게나 만들어 품질이 낮은 물건. 조제품(粗製品).
막-토 (-土) 명 집 지을 때에 아무 땅에서든지 파서 쓸 수 있는 보통 흙.
막-판 명 1 어떤 일의 끝이 되는 판. ¶일이 ~에 접어들다 / ~ 대역전에 실패하다. ↔첫판. 2 일이 아무렇게나 마구 되는 판.
막판에 몰리다 구 더 이상 물러나거나 달리 해 볼 수 없는 여건에 처하다.
막-필 (-筆) 명 막 쓰기 위하여 허름하게 만든 붓.
막하 (幕下)[마카] 명 1 〚역〛 주장(主將)이

거느리던 장교와 종사관(從事官). 2 지휘관이나 책임자가 거느리는 사람. 또는 그런 지위.
막-해야[마캐-] 부 아무리 나쁘다 하여도. ¶~ 본전은 되겠지.
막후(幕後)[마쿠] 명 드러나지 않은 뒷면. 특히 정치적인 이면의 상황. ¶~ 접촉/~ 공작/~의 인물.
막히다[마키-] 자 1《'막다'의 피동》 막음을 당하다. ¶숨이 탁 ~/막힌 하수구를 뚫다. 2 어려운 대목에서 순조롭게 풀리지 않게 되다. ¶생각이 막혀 말이 나오지 않다/말문이 ~. 3 꼼짝 못하게 되어 하려던 일을 못하게 되다. ¶혼삿길이 ~/출셋길이 막혀 버리다.
막힘-없다[마키멉따] 형 일이 순조롭게 진행되어 방해받지 않다. ¶막힘없는 대답. **막힘-없이**[마키멉씨] 부. ¶일이 ~ 진행되다.
만(卍) 명 〖불〗 인도에서 전해 오는 길상(吉祥)의 표상. 불상의 가슴·손·발 따위에 그려, 공덕이 원만함을 나타내는 상(相)으로, 석가의 가슴 복판에 찍혀 있었다는 표지. 불교나 절의 표지로 씀. 만자(卍字).
만(滿) ㊀명 (주로 '만으로'의 꼴로 쓰여) 시기나 햇수가 꽉 참을 나타내는 말. ¶~으로 열 살. ㊁관 정해진 기간이 꽉 참을 나타내는 말. ¶~ 스무 살/일을 ~ 하루 만에 끝내다.
만(灣) 명 바다가 육지 속으로 쑥 들어온 곳. 바닷가의 큰 물굽이. 해만(海灣).
만[1] 의명 (주로 '만에'·'만이다'의 꼴로 쓰여) 동안이 얼마 계속되었음을 뜻하는 말. ¶이틀 ~에 깨어나다/이게 얼마 ~인가.
만[2] 의명 '-ㄹ·-을' 뒤에 쓰이는 말. 1 그 정도에 이름을 뜻함. ¶화를 낼 ~도 하다. 2 그렇게 할 가치가 있음을 나타냄. ¶한 번쯤 해 볼 ~도 하다. *만하다.
***만:**(萬) 수관 천의 열 배. ¶~ 원짜리 돈/~에 하나라도 실수하면 안 된다.
만[3] 조 어떤 사물을 단독으로 또는 한정하여 일컫는 보조사. 1 어느 것에 한정됨을 나타냄. ¶빚~ 지다/나~ 피난을 갔었다. 2 여럿 중에서 어느 것을 선택함. ¶너~ 알고 있어라. 3 최소한도로 기대하는 마지막 선. ¶딱 한잔~ 하자. 4 강조하는 뜻. ¶일을 시켜~ 주십시오/그를 만나야~ 하오/오기~ 해 봐라. 5 ('하다'·'못하다'와 함께 쓰여) 비교하는 뜻. ¶키가 너~ 한 아이/자네 아우는 자네~ 못하군. 6 행위나 상태의 정도. ¶그는 빙그레 웃기~ 했다/허황된 거짓말~ 같았다. 7 늘 그러함을 나타냄. ¶술~ 먹으면 잔소리를 한다/나~ 보면 좋아하는 아이. 8 무엇이 되기 위한 최소한의 정도. ¶생각~ 해도 끔찍한 일. 9 '겨우 그 정도'의 뜻을 나타냄. ¶내게 그~ 돈이야 없겠느냐.
만[4] 조 '마는'의 준말. ¶내 비록 늙었다~ 그만한 힘은 있다.
만가(挽歌·輓歌) 명 1 상여를 메고 갈 때에 하는 노래. 상엿소리. 2 죽은 사람을 애도하는 가사.
만:가-하다(滿家-) 형 여불 1 집에 가득 차다. 2 집에 재물과 양식이 많다.
만:각(晩覺) 명 하자타 1 늙은 뒤에 지각이 남. 2 뒤늦게 깨달음.
만:감(萬感) 명 여러 가지 느낌. 온갖 생각. ¶~이 교차하다.
만:강(滿腔) 명 마음속에 꽉 참. ¶~의 경의를 표합니다.
만:강-하다(萬康-) 형 여불 편안하다. 만안(萬安)하다. ¶기체후 만강하옵신지요.
만:개(滿開) 명 하자 꽃이 활짝 핌. 만발(滿發). ¶진달래가 ~하다.
만:건곤-하다(滿乾坤-) 형 여불 하늘과 땅에 가득 차다. ¶백설이 만건곤하니.
만:겁(萬劫) 명 〖불〗 지극히 오랜 시간.
만:경(晩景) 명 1 해 질 무렵의 경치. 모경(暮景). 2 철이 늦은 때의 경치.
만:경(晩境) 명 늙바탕. 말년. 모경(暮境).
만경-되다 자 눈에 정기가 없어지게 되다.
만:경-창파(萬頃蒼波) 명 한없이 넓고 푸른 바다나 호수의 물결.
만:계(晩計)[-/-게] 명 하타 1 늙바탕의 일을 미리 계획함. 또는 그 계획. 2 뒤늦은 계획.
만:고(萬古) 명 1 아주 먼 옛날. 2 (주로 '만고에'의 꼴로 쓰여) 한없는 세월. ¶~에 빛날 업적. 3 (주로 '만고의'의 꼴로 쓰여) 비길 데가 없음. ¶~의 충신.
만:고-강산(萬古江山) 명 만고에 변함없는 강산. ¶~을 유람하다.
만:고불멸(萬古不滅) 명 하자 오랜 세월을 두고 없어지지 아니함. ¶~의 업적.
만:고불변(萬古不變) 명 하자 오랜 세월을 두고 변하지 아니함. ¶~의 진리.
만:고-상청(萬古常靑) 명 오랜 세월을 두고 언제나 푸름.
만:고-천하(萬古天下) 명 1 아득한 옛적의 세상. 2 만대에 영원한 이 세상.
만:고-풍상(萬古風霜) 명 오랜 세월 동안 겪어 온 온갖 고생. ¶갖은 ~을 겪다.
만:공(滿空) 명 하형 공중에 가득 참. 또는 그런 공중. ¶~에 가득한 달빛.
만:-공산(滿空山) 명 하자 빈 산에 가득 참. ¶명월이 ~하니.
만:국(萬國) 명 세계의 모든 나라. 만방(萬邦). ¶~ 박람회.
만:국-기(萬國旗) 명 세계 각국의 기.
만:군(萬軍) 명 많은 군사.
만:권(萬卷) 명 매우 많은 책. ¶~의 서적을 소장하다.
만:귀잠잠-하다(萬鬼潛潛-) 형 여불 깊은 밤에 모든 것이 다 자는 듯이 고요하다.
만근(輓近) 명 몇 해 전부터 지금까지의 기간. 근래.
만:금(萬金) 명 꽤 많은 돈. ¶~으로도 바꿀 수 없는 우정.
만:기(晩期) 명 말기.
만기(滿期) 명 1 정한 기한이 다 참. 또는 그 기한. 2 〖경〗 어음 금액이 지급될 날로 어음상에 기재된 날짜. 만기일. ¶회사채의 ~가 한꺼번에 몰리다/단기 여신 ~를 연장하다.
만기-일(滿期日) 명 1 만기가 되는 날. 2 만기(滿期)2.
만끽(滿喫) 명 하타 1 음식을 마음껏 먹고 마심. 2 욕망을 마음껏 충족함. ¶아름다운 자연을 ~하다.

*만나다 ㊀타 1 마주 대하다. ¶옛친구를 ~/선배를 만나러 가다. 2 어떤 때나 일을 당하다. ¶좋은 세월을 ~/횡재를 ~/고개를 만나 에움길로 갔다. 3 비·눈·바람 따위를 맞게 되다. ¶소나기를 ~/태풍을 만나 피해를 보았다. 4 어떤 사실이나 사물을 눈앞에 대하다. ¶쓰라린 운명과 ~. 5 인연으로 관계를 맺게 되다. ¶남편을 잘 만난 여자/까다로운 상사를 만나 고생한다. ㊁자 1 가거나 와서 대하게 되다. ¶둘이 만나 의논하자/그들은 만나기만 하면 싸운다. 2 인연으로 관계가 이루어지다. ¶이승에서 만나는 것이 모두 전생의 인연이다. 3 선·강·길 따위가 서로 엇갈리거나 맞닿다. ¶두 직선이 만나는 점/여러 내가 만나 강을 이룬다.
[만나자 이별] 서로 만나자마자 곧 헤어짐을 말함.

만:난(萬難) 명 온갖 어려움. 여러 가지 장애. ¶~을 무릅쓰고 활로를 타개하다.

만:날(萬-) 부 매일같이 계속하여. 맨날. ¶~ 그 타령이다.
[만날 뗑그렁] 생활이 넉넉하여 만사에 걱정이 없음.

만:냥-판(萬兩-) 명 떡 벌어지게 호화로운 판국. ¶부잣집 잔치라 ~이로군.

만:년(晩年) 명 나이가 들어서 늙은 때. 노년. ¶~에 이르러 호강하다. ↔초년.

만:년(萬年) 명 언제까지나 변하지 않고 같은 상태임. ¶~ 청춘/~ 야당.

만:년-설(萬年雪) 명 아주 추운 지방이나 높은 산지에 언제나 녹지 않고 쌓여 있는 눈. 만년빙.

만:년-필(萬年筆) 명 펜대 속의 잉크가 끝에 꽂은 펜으로 알맞게 흘러나오도록 된 펜의 일종.

만:능(萬能) 명하형 모든 일에 다 능통하거나 모든 일을 다 할 수 있음. ¶~ 스포츠맨/물질 ~의 시대.

만다라(曼陀羅·曼茶羅) 명 〔산 Mandala〕 1 〖불〗 우주 법계의 온갖 덕을 망라한 것이라는 뜻으로, 부처가 증험한 것을 그린 불화(佛畫). 2 부처나 보살의 상을 모시고 예배하며 공양하는 단.

만:단(萬端) 명 1 여러 가지 얼크러진 일의 실마리. 2 (주로 '만단의'의 꼴로 쓰여) 온갖 수단이나 방법. ¶~의 준비를 갖추다.

만:단-정회(萬端情懷) 명 온갖 정서와 회포. ¶~를 풀다.

만:달(晩達) 명하자 늙은 뒤에 벼슬과 명망이 높아짐.

만:담(漫談) 명하자 재미있고 우스운 말로써 세상과 인정을 비판하고 풍자하는 이야기를 함. 또는 그 이야기. ¶~가(家).

만:당(滿堂) 명하형 집이나 대청·강당에 가득히 참. 또는 가득 찬 사람들. ¶~의 청중으로부터 갈채를 받다/~하신 신사 숙녀 여러분.

만:대(萬代) 명 아주 오래 계속되는 세대. ¶이름을 ~에 빛내다.

만:덕(萬德) 명 많은 선행이나 덕행.

만돌린(mandoline) 명 〖악〗 비파같이 생긴 서양의 현악기. 평퍼짐한 바닥에 강철 줄을 네 쌍 늘인 악기. 픽(pick)으로 퉁겨서 연주함.

만:동(晩冬) 명 늦겨울.

만두(饅頭) 명 밀가루 등을 반죽하여 소를 넣고 빚어서 삶거나 찌거나 기름에 튀겨 만든 음식.

만두-소(饅頭-) 명 만두의 속에 넣는 고명.

만두-피(饅頭皮) 명 만두를 빚을 때 만두소를 넣고 싸는 데 쓰는, 밀가루 반죽으로 만든 얇은 반대기.

만:득(晩得) 명하타 1 늙어서 자식을 낳음. 만생(晩生). 2 만득자.

만:득-자(晩得子) 명 늙어서 낳은 자식. 만생자(晩生子). 만득(晩得).

*만들다 〔만드니, 만드오〕 ㊀타 1 기술과 힘을 들여 목적하는 사물을 이루다. ¶상품을 ~/옷을 만들어 입다. 2 규칙이나 법·제도 따위를 정하다. ¶규칙을 ~/법률을 ~. 3 모임·단체 따위를 조직하다. ¶동아리를 ~. 4 허물·상처 등을 생기게 하다. ¶얼굴에 상처를 ~. 5 돈을 마련하다. ¶경비를 ~. 6 틈·시간 등을 짜내다. ¶틈을 만들어 놀러 갈게. 7 말썽·일 등을 일으키거나 꾸미어 내다. ¶일거리만 만드는구나. 8 글이나 노래를 짓거나 문서 등을 짜다. ¶한 시간 안에 보고서를 만들어 내라. 9 (조사 '으로'·'로' 다음이나 모양·정도를 나타내는 부사 다음에 쓰여) 무엇이 되게 하다. ¶자식을 의사로 ~/제 것으로 ~. ㊁보동 (어미 '-게'·'-도록'의 다음에 쓰이어) 그 동작이나 상태가 이루어지게 하다. ¶적을 꼼짝 못하게 ~/분위기가 일을 서두르도록 만들고 있다.

만듦-새 [-듬-] 명 물건의 만들어진 됨됨이나 짜임새. ¶~가 꼼꼼하다.

만:려(萬慮)[말-] 명하자 여러 가지로 생각함. 또는 그 생각.

만료(滿了)[말-] 명하자 한도나 기한이 꽉 차서 끝남. 또는 그 한도·기한. ¶임기가 ~하면 무엇을 하겠나/대출 기한이 어제 날짜로 ~되었습니다.

만루(滿壘)[말-] 명 야구에서, 1·2·3루에 주자가 있는 상태. 풀 베이스. ¶~ 홈런.

만류(挽留)[말-] 명하타 어떤 일을 못하게 붙들고 말림. 만지(挽止). 만집(挽執). ¶사직을 ~하다.

만:리(萬里)[말-] 명 아주 먼 거리. ¶창피하여 천리나 ~나 달아나고 싶었다.

만:리-장성(萬里長城)[말-] 명 1 중국 북쪽에 있는 긴 성. 진의 시황제가 흉노의 침입을 막기 위하여 크게 증축하였음. 2 창창한 앞날의 비유. ¶앞날이 ~ 같은데 왜 그러는가. 3 남녀의 교합의 비유. ¶하룻밤에 ~을 쌓았다.

만:리-장천(萬里長天)[말-] 명 높고 넓은 하늘. 구만리장천.

만:리-창파(萬里滄波)[말-] 명 끝없이 넓은 바다. ¶뱃전에 기대어 ~를 바라보다.

만:만(萬萬) ㊀명 1 만의 만 배. 곧, 1억. 2 느낌의 정도가 이루 헤아릴 수 없을 만큼. ¶감사 ~이올시다. ㊁부 아주. ¶~ 뜻밖에.

만만-디(중 慢慢的) 명 굼뜸. 느림.

만:만부당(萬萬不當) 명하형 천부당만부당.

만:-만세(萬萬歲) 감 '만세'를 한층 강조하

여 부르는 말.

만만-찮다 [-찬타] 형 **1** 손쉽게 다룰 수 없다. ¶만만찮은 사람. **2** 그렇게 쉽지 않다. ¶만만찮은 일. **3** 수나 양이 적지 않다. ¶사람들이 만만찮게 모였다.

만만-하다 형여불 **1** 연하고 보드랍다. ¶만만한 음식. **2** 마음대로 대할 만하다. ¶그는 만만하게 볼 사람이 아니다. 큰문문하다. **만만-히** 부. ¶~보다간 큰코다친다.

만:만-하다 (滿滿-) 형여불 부족함이 없이 넉넉하다. ¶자신이 ~/여유가 만만해 보인다. **만:만-히** 부

만:만-하다 (漫漫-) 형여불 끝없이 지루하다. **만:만-히** 부

만:면 (滿面) 명 (주로 '만면에'의 꼴로 쓰여) 온 얼굴. ¶~에 웃음을 띠다. **—-하다** 형여불 얼굴에 가득히 나타나다. ¶희색이 만면한 얼굴.

만:목 (萬目) 명 많은 사람의 눈. 많은 사람이 지켜봄.

만목 (蔓木) 명〖식〗덩굴로 뻗어 나가는 나무. 덩굴나무.

만:목 (滿目) 명 **1** 눈에 가득 차 보임. **2** 눈에 보이는 데까지의 한계.

만:무 (萬無) 명하형 (주로 의존 명사 '리' 다음에 쓰여) 앞의 내용이 사실일 리가 결코 없음. 전혀 없음. ¶그럴 리 ~다/살아 있을 리가 ~하다.

만:무방 명 염치가 없는 사람. 막된 사람.

만:문 (漫文) 명 **1** 수필. **2** 만필(漫筆).

만-물 명하타 그해의 벼농사에서 논의 김을 마지막으로 매는 일.

만:물 (萬物) 명 세상에 있는 모든 물건. ¶천지의 ~/인간은 ~의 영장이다.

만:물-상 (萬物相)[-쌍] 명 온갖 물건의 가지가지 모양. ¶금강산 ~.

만:물-상 (萬物商)[-쌍] 명 일상생활에 필요한 온갖 물건을 파는 장사. 또는 그런 가게. ¶~을 차리다.

만:민 (萬民) 명 모든 백성. 모든 사람. 만(萬)백성. 만성(萬姓). ¶법 앞에서는 ~이 평등하다.

만:반 (萬般) 명 (주로 '만반의'의 꼴로 쓰여) 여러 가지. 빠짐없이 전부. ¶~의 준비를 갖추다.

만:발 (滿發) 명하자 **1** 꽃이 활짝 다 핌. 만개(滿開). ¶진달래가 ~하다. **2** 추측이나 웃음 따위가 한꺼번에 일어나다. ¶추측이 ~하다/웃음꽃이 ~하다.

만:방 (萬方) 명 **1** 모든 곳. **2** 마음과 힘이 쓰이는 여러 군데.

만:방 (萬邦) 명 모든 나라. 만국. ¶명성을 ~에 떨치다.

만:방 (萬放) 명 바둑에서, 승패가 91집 이상으로 갈릴 때의 일컬음.

만:-백성 (萬百姓) 명 모든 백성. 만민. ¶~을 어루만지다.

만:법 (萬法) 명 **1**〖불〗우주 간의 모든 법. 제법(諸法). **2** 모든 법률이나 규정.

만:병 (萬病) 명 온갖 병. 백병(百病). ¶감기는 ~의 근원이다.

만:병-통치 (萬病通治) 명하자 **1** 약효가 여러 가지 병을 모두 고침. **2** 어떤 대책이 여러 경우에 두루 효력을 나타냄.

만:병통치-약 (萬病通治藥) 명 **1** 여러 가지 병을 다 고칠 수 있는 약. ¶엉터리 ~에 속지 말아야 한다. **2** 여러 경우에 두루 효력을 나타내는 대책. ¶핵미사일이 전쟁 억지에 ~이 될 수는 없다.

만:보 (漫步) 명하자 한가롭게 거닒. 또는 그러한 걸음걸이.

만:복 (晩福) 명 늘그막에 누리는 복.

만:복 (萬福) 명 많은 복록. 온갖 복. ¶댁내에 ~이 깃들기를 기원합니다. **—-하다** 형여불 매우 복되다.

만:복 (滿腹) 명 배가 잔뜩 부름. 또는 부른 배. ¶~감(感).

만:-부득이 (萬不得已) 부하형 '부득이'의 힘줌말. ¶~한 사정으로 늦었습니다.

만:분 (萬分) 명하타 **1** 대단함. **2** 만으로 나눔. ¶~의 일.

만:분지일 (萬分之一) 명 만으로 나눈 그 하나라는 뜻으로, 아주 적은 경우를 일컫는 말. ¶베푸신 은혜의 ~이라도 갚아야지.

만:사 (萬事) 명 여러 가지 일. ¶~가 다 귀찮다/네 생일에는 ~를 제쳐 놓고 가겠다.
만사는 불여 튼튼 구 무슨 일이나 튼튼히 하여야 된다는 말.

만:사-태평 (萬事太平·萬事泰平) 명하형 **1** 모든 일이 잘되어 평안함. **2** 성질이 너그럽거나 어리석어서 모든 일에 아무 걱정이 없음.

만:사-형통 (萬事亨通) 명하자 모든 일이 뜻한 대로 잘됨.

만:사-휴의 (萬事休矣)[-/-이] 명 애쓴 것이 헛수고로 돌아감.

만삭 (滿朔) 명하자 해산달이 다 참. 또는 달이 차서 배가 몹시 부름. ¶~이 된 배.

만:산 (晩産) 명하타 **1** 늘그막에 아이를 낳음. **2** 예정한 날짜를 지나서 아기를 낳음. ↔조산.

만:산 (滿山) 명하형 **1** 온 산에 가득함. 또는 그런 산. ¶진달래가 ~에 흐드러지게 피었다. **2**〖불〗절 전체. 또는 절에 있는 모든 승려.

만:상 (晩霜) 명 때가 지나서 내리는 늦봄의 서리. 늦서리.

만:상 (萬狀) 명 여러 가지 모양.

만:상 (萬象) 명 온갖 사물의 형상.

만:생 (晩生) 一명하타 만득(晩得). 二인대 선배에게 대한 자기의 겸칭.

만:생-종 (晩生種) 명 같은 식물 중에서 특히 늦되는 종류. 늦은씨. 준만종(晩種). ↔조생종(早生種).

만:석 (萬石) 명 **1** 곡식의 일만(一萬) 섬. **2** 아주 많은 곡식.

만:석-꾼 (萬石-) 명 곡식 만 섬을 거두어들일 만한 논밭을 가진 큰 부자.

만:선 (滿船) 명하자 배에 사람이나 짐 또는 고기 따위를 가득히 실음. 또는 그런 배. ¶이번 출어에서 ~하여 귀항했다.

만:선-두리 명〖역〗관리가 겨울에 예복을 입을 때에 머리에 쓰던 제구《휘양과 비슷함》.

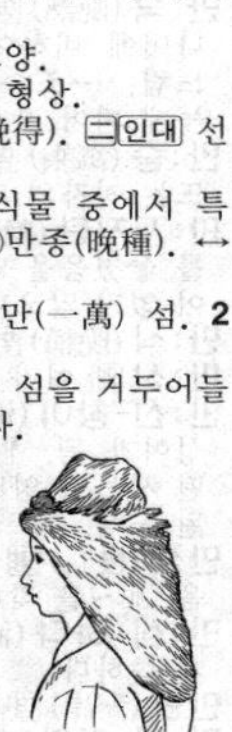

만:성 (晩成) 명하자타 늦게

만선두리

이루어지거나 이룸. ↔속성.
만:성(萬姓) 명 1 많은 성. 2 만민.
만성(慢性) 명 1〖의〗급히 악화되지도 않고 쉽사리 낫지도 않는 병의 성질. ↔급성. 2 버릇이 되어 고치기 힘든 상태나 성질. ¶ 이제는 ~이 되어 아무렇지도 않다.
만성-병(慢性病)[-뼝] 명〖의〗심한 증상을 나타내지도 아니하고 잘 낫지도 않으며 오래 끄는 병. ↔급성병.
만:성-보(萬姓譜) 명 모든 성씨(姓氏)의 계보를 모은 책.
만성-적(慢性的) 관명 만성인 (것). ¶ ~ 질환 / ~ 적자.
만:세(萬世) 명 아주 오랜 세대. 영원한 세월. ¶ 이름을 ~에 전하다.
***만:세**(萬歲) 一명 1 만년(萬年). 2 영원히 삶. 길이 번영함. 3 귀인, 특히 천자나 임금의 죽음을 일컫는 말. 二명감 바람이나 경축·환호 따위를 나타내기 위하여 두 손을 높이 들면서 외치는 소리. ¶ ~를 부르다 / ~ 삼창.
만:세-력(萬歲曆) 명 앞으로 백 년 동안의 천문과 절기를 추산하여 만든 책력. 만력. 천세력.
만:세-후(萬歲後) 명 현재 살아 있는 임금의 '죽은 뒤'를 완곡하게 일컫는 말.
만:수(萬壽) 명 썩 오래 삶. 또는 장수(長壽)를 비는 말. ¶ ~를 누리다.
만:수(滿水) 명 댐이나 저수지에 물이 가득 참. ¶ 홍수로 댐이 ~가 됐다.
만:수-무강(萬壽無疆) 명하자 아무 탈 없이 오래 삶《건강과 장수를 빌 때 쓰는 말》. 만세무강. ¶ ~하시기를 기원합니다.
만:수-받이[-바지] 명 1 아주 귀찮게 구는 말이나 행동을 싫증 내지 않고 잘 받아 주는 일. 2 무당이 굿할 때 한 사람이 소리하면 다른 사람이 따라서 같은 소리를 받아 하는 일. ──**하다** 一타여불 온갖 말을 잘 받아 주다. 二자여불 무당이 서로 소리를 받다.
만:수-운환(漫垂雲鬟) 명 가닥가닥이 흩어져 드리워진 쪽 찐 머리.
만:숙(晩熟) 명하자 1 열매가 늦게 익음. 2 나이에 비하여 정신적·육체적으로 발달이 느림. ↔조숙(早熟). 3 시기나 일 따위가 늦게 되어 감.
만:승(萬乘) 명 1 일만 채의 수레. 2 천자 또는 천자의 자리.
만:시지탄(晩時之歎) 명 시기에 늦어 기회를 놓쳤음을 안타까워하는 한탄. ¶ ~의 감이 없지 않으나 이제라도 대책을 세우자.
만:식(晩植) 명하타 모 따위를 늦게 심음.
만:신 명 여자 무당을 높여 일컫는 말.
만:신-창이(滿身瘡痍) 명 1 온몸이 상처투성이가 됨. ¶ 얻어맞아서 ~가 되다. 2 어떤 사물이 엉망진창이 됨. ¶ 전쟁으로 ~가 된 도시.
만심(慢心) 명 남을 업신여기는 거만한 마음. ¶ ~을 갖다.
만:심-하다(滿心-) 형여불 마음에 흐뭇하게 족하다.
만안(灣岸) 명 만의 연안.
만:안-하다(萬安-) 형여불 신상이 아주 평안하다《웃어른의 안부를 물을 때 쓰는 말》. 만강하다. ¶ 귀체 만안하십니까.
만:앙(晩秧) 명 늦모.
***만:약**(萬若) 명부 만일. ¶ ~의 경우 / ~을 위해 대비해야 한다 / ~ 비가 온다면 내일로 미루자.
만:양(萬樣) 명 여러 가지 모양.
만언(慢言) 명 1 깊이 생각하지 않고 함부로 하는 말. 만언(漫言). 2 거만한 말.
만:역(萬域) 명 많은 나라들. 만방(萬邦).
만연(蔓延·蔓衍) 명하자 전염병이나 나쁜 현상이 널리 퍼짐. ¶ 전염병이 ~하다 / ~하는 적당주의.
만연-체(蔓衍體) 명〖문〗내용에 비해 많은 어구를 이용하여, 반복·설명·수식 등으로 문장을 늘인 문체. ↔간결체.
만:연-하다(漫然-) 형여불 1 맺힌 데가 없다. 2 길고 멀어서 막연하다. 3 어떤 목적이 없이 되는대로 하는 태도가 있다. **만:연-히** 부. ¶ ~ 살아가다.
만용(蠻勇) 명 사리를 분간하지 않고 함부로 날뛰는 용맹. ¶ ~을 부리다.
만:우-절(萬愚節) 명 4월 1일. 서양 풍습에서, 가벼운 거짓말로 서로 속이면서 즐거워하는 날임.
만:운(晩運) 명 1 늙어서의 운수. 2 늘그막에 돌아오는 행운. ¶ 환갑을 넘기면서 ~이 텄다.
만원(滿員) 명 정한 인원이 다 참. ¶ 연일 ~의 대성황 / 지하철이 ~을 이루다.
만:월(滿月) 명 1 가장 완전하게 둥근 달. 보름달. 영월(盈月). 2 만삭(滿朔).
만월(彎月) 명 구붓하게 이지러진 초승달이나 그믐달.
만:유(萬有) 명 우주에 존재하는 온갖 것. 만물(萬物).
만:유(漫遊) 명하자 한가로이 이곳저곳을 두루 다니며 구경하고 놂.
만:유루-없다(萬遺漏-)[-업따] 형 여러모로 갖추어져 빈틈이 없다. **만:유루-없이**[-업씨] 부
만:유-인력(萬有引力)[-일-] 명〖물〗질량을 가진 모든 물체 사이에 작용하는 인력. 그 힘은 두 물체의 질량의 곱에 비례하고 거리의 제곱에 반비례함. 뉴턴이 발견함.
만이(蠻夷) 명 옛날 한인(漢人)이 중국의 남쪽과 동쪽에 있는 종족을 일컫던 말.
만:이천-봉(萬二千峰) 명 산봉우리가 많은 금강산의 빼어난 산세를 일컬음.
만인(挽引) 명하타 끌어서 당김. 잡아당김.
만:인(萬人) 명 1 매우 많은 사람. 2 모든 사람. ¶ ~의 칭송을 받다.
만인(蠻人) 명 미개한 종족의 사람. 야만인.
만:인지상(萬人之上) 명 예전에, 정승의 지위를 일컫던 말《영의정·좌의정·우의정》. ¶ 일인지하(一人之下) ~.
***만:일**(萬一) 一부 '혹시 그러한 경우에는·어떤 일을 가정하고서'의 뜻으로 하는 말. 만약. ¶ ~ 내가 너라면 이렇게 하지는 않겠다 / ~ 비가 오면 중지한다. 二명 있을지도 모르는 뜻밖의 경우. ¶ ~을 위한 대비.
만입(灣入) 명하자 바닷물이나 강물이 활처럼 뭍으로 휘어 들어옴.
만:자(卍字)[-짜] 명 1 卍과 같은 형상의 무늬나 표지. 2〖불〗만(卍).

만:장 (萬丈) 명 매우 높음. 또는 대단함. 만인(萬仞). ¶ ~폭포 / 술이 ~으로 취했다.
만:장 (滿場) 명하자 **1** 회장(會場)에 가득 모임. 또는 그런 회장. ¶ ~하신 신사 숙녀 여러분. **2** 회장에 가득 모인 사람들. ¶ ~의 기립 박수를 받다.
만장 (輓章·挽章) 명 죽은 사람을 슬퍼하여 지은 글. 장사 때 비단·종이에 적어서 기를 만들어 상여 뒤를 따름. 만사(輓詞). 만시(輓詩). ¶ ~의 행렬이 길게 이어졌다.
만:장-봉 (萬丈峰) 명 매우 높은 산봉우리.
만:장-일치 (滿場一致) 명 모든 사람의 의견이 같음. ¶ ~로 가결하다.
만:재 (滿載) 명하타 **1** 자동차·배 따위에 물건을 가득 실음. ¶화물을 ~한 트럭. **2** 신문·잡지 따위에 기사를 가득 적어 넣음. ¶ 흥미 위주의 읽을거리를 ~한 잡지.
만:적 (滿積) 명하타 물건을 가득 쌓음.
만:전 (萬全) 명하형 조금도 허술함이 없이 아주 완전함. 아주 안전함. ¶ ~을 기하다.
만점 (滿點)[-쩜] 명 **1** 규정된 점수에 꽉 찬 점수. ¶시험에서 백 점 ~을 받았다. **2** 부족함이 없이 만족할 만한 정도. ¶ 솜씨가 그만하면 ~이다.
만:조 (滿潮) 명 밀물이 가장 높은 해면까지 꽉 차게 들어오는 현상. 또는 그런 때. ↔ 간조(干潮).
만:조-백관 (滿朝百官) 명 조정의 모든 벼슬아치.
만족 (滿足) 명하자형히부 마음에 흡족함. ¶ 이만하면 ~합니까 / 방정식을 ~시키는 값 / 대답을 ~히 여기다.
만족 (蠻族) 명 야만스러운 종족. 야만족.
만족-감 (滿足感) 명 만족한 느낌. ¶ 한 번 승리에 너무 ~에 빠지지 마라.
만족-도 (滿足度) 명 만족의 정도. ¶ 이용자의 ~는 운영의 효율성을 평가하는 척도.
만족-스럽다 (滿足-)〔-스러우니, -스러워〕 형ㅂ불 꽤 만족할 만한 데가 있다. ¶ 만족스러운 표정을 짓다. **만족-스레** 부
만:종 (晩鐘) 명 저녁 때 절이나 교회에서 치는 종.
만:좌 (滿座) 명하형 여러 사람이 가득 늘어앉은 자리. 또는 자리에 앉은 사람들. ¶ ~의 웃음을 사다.
***만지다** 타 **1** 여기저기 손을 대어 주무르거나 쥐다. ¶환자의 몸을 만져 보다. **2** 다루거나 손질하다. ¶ 머리를 ~ / 라디오를 ~. **3** 어떤 물건이나 돈 따위를 가지다. ¶ 월급쟁이라 목돈을 만져 볼 기회가 없다.
만지작-거리다 타 가볍게 주무르듯이 자꾸 만지다. ¶ 옷고름을 ~ / 꽃을 만지작거리지 마라. **만지작-만지작** [-장-] 부하타
만지작-대다 타 만지작거리다.
만질만질-하다 형여불 만지거나 주무르기 좋게 연하고 보드랍다.
만:찬 (晩餐) 명 손님을 초대하여 함께 먹는 저녁 식사. ¶ ~에 초대하다.
만:찬-회 (晩餐會) 명 여러 사람을 청하여 저녁 식사를 겸하는 연회. ¶ ~가 열리다.
만:-천하 (滿天下) 명 온 천하. 전 세계. ¶ ~에 고한다.
만:첩 (萬疊) 명 썩 많은 여러 겹. 만중. ¶ ~ 푸른 산속에 접어들다.
만:추 (晩秋) 명 늦가을.
만:춘 (晩春) 명 늦봄.
만:취 (晩翠) 명 겨울이 되어도 변하지 않는 초목의 푸른빛.
만:취 (漫醉·滿醉) 명하자 술에 잔뜩 취함. ¶ ~하여 정신을 잃다 / ~해서 몸도 가누지 못하다.
만치 의명조 만큼. ¶ 눈곱~도 몰랐다.
***만큼** ㅡ의명 **1** (주로 '-을, -는, -은' 따위 뒤에 쓰여) 앞말과 거의 같은 수량이나 정도 또는 '실컷'의 뜻을 나타내는 말. ¶ 싫증이 날 ~ 먹다 / 배운 ~ 득이 된다. **2** (주로 '-는, -은, -느니'나 '-으니' 또는 '-던' 따위 뒤에 쓰여) 원인이나 근거가 됨을 뜻하는 말. ¶ 받은 ~ 주어야지 / 알지 못하고 저질렀던 ~ 이번은 용서한다. ㅡ조 (체언 뒤에 붙어) 앞말과 거의 같은 한도·수량을 나타내는 부사격 조사. ¶ 누구나 너~은 할 수 있다 / 명주는 무명~ 질기지 못하다.
만:태 (萬態) 명 여러 가지 형태. 천자만태.
만:파 (晩播) 명하타 씨를 늦게 뿌림.
만:파 (萬波) 명 한없이 밀려오는 파도.
만판 부 **1** 마음껏 넉넉하고 흐뭇하게. ¶ 이 밤을 ~ 즐겨 보자 / ~ 마시다. **2** 다른 것은 없이 오로지 한가지로. ¶공부는 안 하고 ~ 놀기만 한다.
만:평 (漫評) 명하타 **1** 일정한 주의나 체계 없이 생각나는 대로 비평함. 또는 그런 비평. ¶주간 ~. **2** 만화를 그려서 인물·사회를 풍자적으로 비평함. ¶ 한 컷짜리 ~이 유행하다.
만:필 (漫筆) 명 일정한 형식이나 체계 없이 느끼거나 생각나는 대로 글을 쓰는 일. 또는 그 글. 만문(漫文). 만록(漫錄).
만:하 (晩夏) 명 늦여름.
***만-하다** 보형여불 (동사의 관형형 어미 '-ㄹ'이나 '-을' 뒤에 쓰여) **1** 동작이나 상태가 거의 어떤 정도에 미치어 있음을 나타냄. ¶좀 편할 만하니까 병이 났다. **2** 어떤 사물의 값어치나 형편 또는 능력이 넉넉한 정도에 이름을 나타냄. ¶ 읽을 만한 책 / 그럭저럭 지낼 ~ / 그런 책을 살 만한 돈이 없다. *만[2].
만:학 (晩學) 명하자타 나이가 들어 뒤늦게 배움. 또는 그 공부. ¶ ~의 꿈을 실현하다.
만:학-천봉 (萬壑千峰) 명 첩첩이 겹쳐진 깊고 큰 골짜기와 수많은 산봉우리.
만행 (蠻行) 명 야만스러운 행동. ¶ 천인공노할 ~을 저지르다.
만:호 (萬戶) 명 아주 많은 집.
만:혼 (晩婚) 명하자 나이가 들어서 늦게 결혼함. 또는 그런 결혼. ¶ ~의 부부. ↔조혼(早婚).
만:화 명〘생〙 지라와 이자의 통칭.
만:화 (晩花) 명 **1** 늦은 철에 피는 꽃. **2** 제철이 지나 늦게 피는 꽃.
***만:화** (漫畫) 명 **1** 이야기 따위를 간결하고 익살스럽게 그린 그림《대화를 삽입하여 나타냄》. 만필화. ¶ 신문에 ~를 연재하다. **2** 붓 가는 대로 아무렇게나 그린 그림. **3** 사물이나 현상의 특징을 과장하여 인생이나 사회를 풍자·비평한 그림. ¶ 시사 ~.
만:화-가 (漫畫家) 명 만화를 전문으로 그리는 사람.

ㅁ

만:화-경 (萬華鏡) 명 원통 속에 여러 가지로 물들인 유리 조각을 장치하고 사각형의 유리판을 세모지게 짠 것을 넣은 것. 통 끝의 작은 구멍으로 들여다보면 온갖 형상이 대칭적으로 나타나게 된 장난감.

만:화-방창 (萬化方暢) 명하형 따뜻한 봄날에 온갖 생물이 나서 자라 흐드러짐.

만:화 영화 (漫畫映畫) 만화를 연속적으로 촬영하여 실제 활동하는 것처럼 보이게 만든 영화.

만회 (挽回) 명하타 바로잡아 돌이킴. ¶ 인기를 ~하다 / 실점을 꽤 ~했다.

만:휘-군상 (萬彙群象) 명 온갖 사물과 현상. 삼라만상(森羅萬象).

만:흥 (漫興) 명 저절로 일어나는 흥취.

*__많:다__ [만타] 형 수효나 분량이 일정한 기준을 넘다. 적지 않다. ¶ 말이 ~ / 경험이 많은 사람 / 호기심이 많았던 시절 / 오늘은 할 일이 ~ / 그분은 나이가 많습니다. ↔적다. **많:이** [만-] 부. ¶ 너무 ~ 먹은 것 같다 / 집 짓는 데 돈이 ~ 들었다.

많:아-지다 [만-] 자 많게 되다. ¶ 인구가 ~ / 차량이 많아져 거리는 더욱 혼잡해졌다. ↔적어지다.

맏- 두 1 '맏이'의 뜻. ¶ ~누이 / ~손녀. 2 '그해에 처음 나온'의 뜻. ¶ ~나물.

맏-누이 [만-] 명 맨 먼저 난 누이. 큰누이.

맏-딸 명 맨 먼저 낳은 딸. 큰딸. 장녀. ¶ ~은 살림 밑천이다.

맏-며느리 [만-] 명 맏아들의 아내. 큰며느리. ¶ 종갓집 ~.

맏-물 [만-] 명 그해 들어 맨 처음 나는 푸성귀나 해산물 또는 곡식이나 과일. 선물(先物). 신출(新出). ↔끝물.

맏-배 명 짐승이 새끼를 낳거나 까는 첫째 번. 또는 그 새끼.

맏-상제 (-喪制) 명 맏아들로서의 상제. 상사(喪事)를 당한 맏아들. 상주.

맏-손녀 (-孫女) 명 맨 먼저 낳은 손녀. 큰손녀. 장손녀.

맏-손자 (-孫子) 명 맨 먼저 낳은 손자. 큰손자. 장손.

맏-아들 명 맨 먼저 낳은 아들. 큰아들.

맏-이 [마지] 명 1 형제자매 중에서 가장 먼저 태어난 사람. ¶ ~가 집안일을 도맡아 하다. ↔막내. 2 나이가 남보다 많음. 또는 그런 사람. ¶ 나보다 4년 ~인 선배.

맏-자식 (-子息) 명 첫 번째로 낳은 자식.

맏-잡이 명 〈속〉 맏아들이나 맏며느리가 되는 사람.

맏-파 (-派) 명 맏아들의 갈래《곧 맏아들의 손자들》. 장파(長派).

맏-형 (-兄) [마텽] 명 맏이가 되는 형.

*__말__[1] 명《동》말과(科)에 속하는 동물의 총칭. 아시아·유럽 원산으로 몸집이 크며 목덜미에 갈기가 있음. 힘이 세며 인내력이 강해 운반·농경·승용·경마 따위에 씀. ¶ ~을 타고 달리다 / ~을 몰고 가다. [말 갈 데 소 간다] ㉠갈 곳이 아닌 곳을 간다. ㉡남이 할 수 있는 일이면 나도 할 수 있다. [말 갈 데 소 갈 데 다 다녔다] 온갖 곳을 두루 돌아다녔다. [말 타면 경마 잡히고 싶다] 사람의 욕심이란 한이 없다. 득롱망촉(得隴望蜀). 차청입방(借廳入房). [말 태우고 버선 깁는다] 준비가 늦었다.

말[2] 명《식》1 물속에 나는 민꽃식물의 총칭. 2 가랫과의 여러해살이 수초(水草). 녹갈색으로 줄기는 30 cm, 잎은 길이 10 cm, 폭 3 mm 정도의 선형임. 여름에 황록색 꽃이 핌. 개울·도랑가에 남. 잎은 먹음. 3 '바닷말'의 준말.

말[3] 명 1 장기·고누·윷 따위의 말판에서, 일정한 규칙에 따라 옮기는 물건. 2 장기짝의 하나《날 일자(日字)로 다님》. 마(馬).

말[4] ㊀명 곡식·액체·가루 따위의 분량을 되는 데 쓰는 그릇. ㊁의명 곡식·액체·가루 따위의 분량을 헤아리는 단위. 되의 열 갑절임. 두(斗). ¶ 쌀 열 ~.

*__말:__[5] 명 1 사람의 생각·느낌 따위를 목구멍을 통하여 조직적으로 나타내는 소리. 어사(語辭). 언어. 언사. ¶ ~을 가르치다 / ~과 글 / ~이 거칠다. 2 낱말·구·속담·문장 등을 두루 일컬음. ¶ 내 사전에 불가능이란 ~은 없다. 3 일정한 내용의 이야기. ¶ 남의 ~만 한다 / 관련자들이 서로 ~을 맞추다. 4 소문이나 풍문 따위. ¶ ~이 퍼지다. 5 말투나 말씨. ¶ 가는 ~이 고와야 오는 ~이 곱다. 6 ('-(으)라는, -(다)는, -ㄴ' 뒤에서 '말이다'와 함께 쓰여) 확인이나 강조를 나타냄. ¶ 고양이 목에 누가 방울을 달겠단 ~인가 / 이런 책을 읽으라는 ~이냐. 7 ('-기에, -(으)니' 등의 뒤에서 '말이지'의 꼴로) '망정이지'의 뜻을 나타냄. ¶ 증인이 있었기에 ~이지 하마터면 내가 누명을 쓸 뻔했다 / 일찍 왔으니 ~이지 비를 맞을 뻔했다. 8 ('-아야, -어야' 뒤에서 '말이지'의 꼴로 쓰여) 어떤 행위가 잘 이루어지지 않음을 탄식함. ¶ 아무리 불러도 대답을 해야 ~이지. 9 ('-(으)ㄹ 말로는, -(으)ㄹ 말로야'의 꼴로 쓰여) '-(으)ㄹ 것 같으면'의 뜻을 나타냄. ¶ 꼭 성공할 ~로는 누군들 그걸 사양하겠소. 10 (명사 뒤에서 '말이냐, 말이야'의 꼴로 쓰여) 강조의 뜻을 나타냄. ¶ 오늘 ~이야, 합격자 발표를 한대. 11 ('말이야, 말인데, 말이죠' 따위의 꼴로 쓰여) 어감을 고르거나 군소리로 쓰는 말. ¶ 그런데 ~이야 / 하지만 ~이죠 / 우리끼리니깐 ~인데. [말로 온 동네 다 겪는다] 음식이나 물건으로는 많은 사람을 대접하기 벅차므로 말로나마 잘 대우한다. 또는 말로만 남을 대접하는 체한다. [말 많은 집은 장맛도 쓰다] ㉠집안에 잔말이 많아 화목하지 못하면 살림이나 모든 일이 잘 안된다는 뜻. ㉡입으로만 그럴듯하게 말하지만 실상은 좋지 못하다는 뜻으로 하는 말. [말은 해야 맛이고 고기는 씹어야 맛이다] 마땅히 할 말은 해야 서로 사정이 통한다. [말이 많으면 쓸 말이 적다] 말이 많으면 오히려 효과가 적다. [말 잘하고 징역 가랴] 말을 잘하면 징역 갈 것도 면한다는 뜻으로, 말의 중요성을 이르는 말. [말 잘하기는 소진 장의(蘇秦張儀)로군] 말솜씨가 썩 좋은 사람을 보고 일컫는 말. [말 한마디에 천금이 오르내린다] 말 한 마디 한 마디가 중요하다. [말 한마디에 천 냥 빚도 갚는다] 말만 잘하면 어려운 일이나 불가능해 보이는 일도 해결된다.

말만 앞세우다 구 말만 앞질러 하고 실천은 아니하다.
말(을) 내다 구 ㉠이야깃거리 삼아 말을 시작하다. ㉡비밀스러운 일을 다른 사람에게 말하다. ¶말을 내지 말아 다오.
말(을) 놓다 구 존대하던 말씨를 반말 또는 '하게'로 바꾸어 말하다.
말(을) 돌리다 구 이야기하려는 내용을 간접적으로 돌려 말하다.
말(을) 듣다 구 ㉠남이 시키는 대로 하다. ㉡꾸지람·시비·책망 등을 받다. ㉢도구·기계 따위가 다루는 사람의 뜻대로 움직이다.
말(을) 못하다 구 말로는 차마 나타낼 수 없다. ¶말 못할 사정이 있다.
말(을) 붙이다 구 상대방에게 말을 걸다.
말(을) 비치다 구 상대방이 알아챌 수 있을 만큼 넌지시 말을 하다.
말(을) 삼키다 구 하려던 말을 그만두다.
말(을) 옮기다 구 남에게 들은 말을 다른 사람에게 전하여 퍼뜨리다.
말(이) 나다 구 ㉠어떤 이야기가 시작되다. ¶이왕 말 난 김에 얘기하겠다. ㉡비밀스러운 일이 다른 사람의 입에 오르내리다. ¶말이 나면 곤란하니까 조심해라.
말(이) 되다 구 ㉠하는 말이 이치에 맞다. ¶말이 되지 않는 소리를 한다. ㉡어떤 사실에 대하여 서로 간에 말이 이루어지다. ¶이번 주말에 만나기로 말이 되어 있다.
말(이) 떨어지다 구 승낙·명령 따위의 말이 나오다. ¶말이 떨어지기 무섭게 달려가다.
말(이) 많다 구 ㉠매우 수다스럽다. ¶너는 너무 ~. ㉡논란이 많다. ¶이번 인사이동은 정말 말이 많았다.
말(이) 아니다 구 ㉠말이 이치에 맞지 않다. ¶말이 아닌 소리 작작해라. ㉡사정·형편 따위가 몹시 어렵거나 딱하다. ¶집안 사정이 ~/체면이 ~.
말(이) 없다 구 말수가 매우 적다. ¶무뚝뚝하고 말이 없는 사람.
말(이) 적다 구 평소에 말수가 적다.
말이 통하다 구 말의 뜻이 이해되어 의사가 전달되다. ¶그와 나는 말이 통한다.
말:[6] 명 톱질할 때나 먹을 그을 때, 그 밑에 받치는 나무.
말(末) 의명 어떤 기간의 끝이나 끝 무렵. ¶학년 ~/고려 ~ 조선 초/9회 ~.
말- 투 그 물건이 크다는 것을 나타내는 말. ¶~매미/~버짐.
말-가웃[-욷] 명 말아웃.
말-갈기 명 말의 목덜미에서 등에까지 난 긴 털.
말:갛다[-가타][말가니, 말가오] 형ㅎ불 1 흐리지 않고 맑다. ¶바닥까지 보일 정도로 물이 ~. 2 국물 따위가 진하지 않고 묽다. ¶말간 국물. 3 정신이나 의식 따위가 또렷하다. ¶말간 정신으로는 그런 짓을 못했을 거다. 큰멀겋다.
말:개-지다 자 흙탕물 따위가 말갛게 되다. ¶물이 ~. 큰멀게지다.
말:-거리[-꺼-] 명 1 말썽거리. ¶~가 못 된다. 2 이야기의 재료. 이야깃거리.
말:-결[-껼] 명 (주로 '말결에'의 꼴로 쓰여) 무슨 말을 하는 김. ¶무슨 ~에 그 말이 튀어나왔다.
말:-곁[-껻] 명 남이 말하는 곁에서 덩달아 참견하는 말. ¶쓸데없이 ~을 하여 싸움을 붙이고 말았다.
말곁(을) 달다 구 남이 말하는 곁에서 덩달아 말하다.
말계(末計)[-/-게] 명 마지막 끝판에 세운 계책. 궁계(窮計).
말-고삐 명 말굴레에 매어 말을 끄는 줄. ¶~를 꼭 잡아라.
말:-공대(-恭待) 명하자 말로써 상대를 공대함. ¶깍듯한 ~.
말괄량이 명 말이나 행동이 얌전하지 못하고 덜렁거리는 여자.
말-구유 명 말먹이를 담아 주는 그릇.
말-구종(-驅從) 명 말을 탈 때에 고삐를 잡고 끌거나 뒤에서 따르는 하인.
말-굽 명 1 말의 발톱. ¶~을 갈아 주다. 2 말굽추녀.
말굽-자석(-磁石) 명 말굽처럼 꾸부려 만든 자석. 마제형 자석.
말굽-추녀 명 안쪽 끝을 말굽 모양으로 만들고 추녀 양쪽으로 붙이는 서까래. 말굽.
말:-귀[-뀌] 명 1 말의 뜻. ¶~를 알아듣다. 2 남이 하는 말의 뜻을 알아듣는 슬기. ¶~가 어둡다.
말그스레-하다 형여불 말그스름하다.
말그스름-하다 형여불 조금 말갛다. 큰멀그스름하다. **말그스름-히** 부
말긋-말긋[-근-귿] 부하형 액체 속에 덩어리가 섞여 있는 모양. ¶국에 토란이 ~ 들어 있다.
말:기 명 치마나 바지 등의 맨 윗허리에 둘러서 댄 부분.
말기(末技) 명 변변치 못한 작은 기술이나 재주. 말예(末藝).
말기(末期) 명 1 어떤 시기의 끝 무렵. 끝의 시기. ¶조선 ~. 2 어떤 일의 끝 무렵. ¶~ 증상. ↔초기.
말기-적(末期的) 관명 한 시대의 끝에 이르러 무질서하고 쇠약한 (것). ¶갖가지 ~ 증상이 잇따라 나타나다.
말:-길[-낄] 명 남과 말을 주고받을 수 있는 방도. ¶이웃과 ~을 트다.
말:-꼬리 명 말의 끝 부분. 말끝. ¶퉁명스럽게 남의 ~를 자르다.
말꼬리(를) 물고 늘어지다 구 남의 말 가운데서 꼬투리를 잡아서 꼬치꼬치 따지고 들다.
말꼬리(를) 잡다 구 남의 말을 듣고 있다가 그 말 자체를 가지고 시비를 걸다.
말:-꼬투리 명 어떤 일이 생기게 된 말의 동기. ¶~를 잡고 캐다.
말-꼴 명 말을 먹이기 위한 풀. 마초(馬草).
말:-꾸러기 명 1 잔말이 많은 사람. 2 말썽꾼.
말끄러미 부 눈을 똑바로 뜨고 오도카니 한 곳만 바라보는 모양. ¶~ 바라보다. 큰물끄러미.
말끔 부 조금도 남김없이 모두 다. ¶남은 빚을 ~ 갚았다.
말끔-하다 형여불 티 하나 없이 깨끗하다. ¶말끔한 옷차림. 큰멀끔하다. **말끔-히** 부. ¶걱정이 ~ 가시다/부채를 ~ 정리하다.
말:-끝[-끋] 명 말하는 끝. 말꼬리. ¶~마

다 욕이군 / ~을 맺지 못하고 눈물짓다.
말끝(을) 달다 [구] 끝난 말에 덧붙여서 말하다.
말끝(을) 잡다 [구] 말꼬리(를) 잡다. ¶사사건건 말끝을 잡고 늘어진다.
말끝(을) 흐리다 [구] 말끝을 분명히 맺지 못하고 얼버무리다.

말년 (末年)[-련] [명] **1** 일생의 마지막 무렵. ¶~을 쓸쓸하게 보내다. **2** 어떤 시기의 마지막 몇 해 동안. ¶제대 ~에 교통사고를 당했다.

말:-눈치 [-룬-] [명] 말하는 속에 은근히 드러나는 어떤 태도. ¶그의 ~가 승낙할 것 같소.

*__말다__[1] 〔마니, 마오〕 [타] **1** 넓적한 물건을 돌돌 감아 원통형으로 겹치게 하다. ¶두루마리를 ~/발을 말아 올리다. **2** 얇고 넓적한 물건에 내용물을 넣고 돌돌 감아 싸다. ¶종이에 담배를 ~/김에 밥을 ~/돈뭉치를 신문지에 말아 가지고 갔다.

*__말다__[2] 〔마니, 마오〕 [타] 밥이나 국수 따위를 물이나 국물에 넣어서 풀다. ¶국수를 ~/찬물에 밥을 ~.

*__말:다__[3] 〔마니, 마오〕 [一][타] **1** ('-다(가)'의 뒤에 쓰여) 하던 일을 그만두다. ¶먹다 만 사과 / 일을 하다 말면 어떻게 해 / 가다 말고 되돌아오다. **2** ('-거나 말거나, -거니 말거니, -나 마나, -든지 말든지, -ㄹ까 말까' 따위와 같은 중복형의 구조에 쓰여) '아니하다'의 뜻을 나타냄. ¶공부를 하거나 말거나 참견 마라 / 보나 마나 뻔하다 / 갈까 말까 망설이다. **3** (동작성을 내포하는 일부 명사 뒤에 쓰여) '하지 말다'의 뜻을 나타냄(('하지'가 생략된 꼴임)). ¶걱정 마라 / 염려 마세요 / 말도 마라. **4** ('말고'의 형태로 쓰여) '아님'을 나타냄. ¶그것 말고 저걸 주시오 / 너 말고 네 친구에게 한 말이다. **5** (조사가 붙은 일부 부사 뒤에 쓰여) 부정(否定)하는 뜻을 나타냄. ¶더도 말고 한 번만 만납시다. [二][보동] **1** (동사의 어미 '-지'의 뒤에 쓰여) 그 동작을 막는 뜻을 나타냄. ¶가지 말게 / 꿈도 꾸지 마라. **2** (어미 '-고(야)' 뒤에 쓰여) 그 동작이 결국 이루어졌거나 기어이 이루겠다는 뜻을 나타냄. ¶죽고 말았다 / 이루고야 말겠다. **3** ('-고말고, -다마다'의 꼴로 쓰여) 앞말의 뜻을 긍정적으로 강조할 때 종결형으로 씀. ¶가고말고 / 좋다마다. **4** ('-자 마자'의 꼴로 쓰여) 한 움직임이 이루어지고 곧 다른 움직임으로 이어짐을 나타냄. ¶종이 치자 마자 밖으로 뛰어나갔다. [三][보형] (일부 형용사 뒤에 쓰여) '그만두다'의 뜻을 나타냄. ¶슬퍼 마라 / 부끄러워 말게. [참고]$_1$ 'ㄴ, ㄷ, ㅂ, ㅅ'·'오' 따위로 시작되는 어미 앞에서나, 명령형 '말라, 말아(라)'에서는 어간 'ㄹ'이 탈락되는 경우가 있음. 곧, '보나마나, 가다마다(='가고말고'의 뜻), 하지 맙시다, 가지 마세요, 먹지 마오, 나가지 마라' 따위. *-고말고·-다마다. [참고]$_2$ 다만 '말라'의 경우, 인용의 조사 '고'가 뒤에 올 때는 그대로 씀. 곧, '하지 말라고 했다' 따위. 이때의 구성은 '말-+-으라고'이기 때문임.

말:-다툼 [명][하자] 말로 옳고 그름을 가리는 다툼. 입씨름. 언쟁. ¶~이 끝내 주먹다짐으로 변했다.

말단 (末端)[-딴] [명] **1** 맨 끄트머리. ¶태백산맥 ~에 속하는 산. **2** 사람·일·부서 따위의 맨 아래. ¶~ 직원 / ~ 행정.

말대 (末代)[-때] [명] **1** 시대의 끝. 말세(末世). 말기. **2** 먼 후대. ¶~까지 그 이름이 빛나다.

말:-대꾸 [명][하자] 남의 말을 받아 제 의사를 나타냄. 또는 그 말. ¶부모에게 ~하면 못쓴다. [준]대꾸.

말:-대답 (-對答) [명][하자] 손윗사람의 말에 이유를 붙여 반대하는 뜻으로 말함. 또는 그런 대답. ¶감히 ~을 하다니.

말:더듬-이 [명] 말을 더듬는 사람. [준]더듬이.

말:-동무 [-똥-] [명][하자][타] 말벗. ¶환자의 ~가 되다 / 옆집 사람과 ~하며 지내다.

말똥-거리다 [타] 생기가 있고 말간 눈알을 자꾸 굴리며 말끄러미 쳐다보다. ¶아기가 눈을 말똥거리며 쳐다본다. [큰]멀뚱거리다.
말똥-말똥[1] [부][하타]

말똥-구리 [명] 《충》 쇠똥구리.

말똥-대다 [타] 말똥거리다.

말똥-말똥[2] [부][하형] **1** 정신이나 눈빛이 맑고 생기 있는 모양. ¶정신이 ~하다. **2** 눈만 동글게 뜨고 다른 생각 없이 말끄러미 쳐다보는 모양. ¶남의 얼굴을 ~ 쳐다보다. [큰]멀뚱멀뚱[2].

말뚝 [명] **1** 땅에 두드려 박는 기둥이나 몽둥이. 아래쪽 끝이 뾰족함. ¶~에 매인 소. **2** 말뚝잠.
말뚝(을) 박다 [구] ㉠울타리를 치다. 경계를 긋다. ㉡고정시키다. ㉢〈속〉 어떤 직업이나 지위에 오래 머물다. ¶말뚝 박고 군대 생활할 셈이다.

말뚝-잠 [명] 꼿꼿이 앉은 채로 자는 잠.

말:-뜻 [-뜯] [명] 말의 뜻이나 속내. 어의(語意). ¶~을 알아차리다.

말-띠 [명] 말해에 태어난 사람의 띠. ¶~ 아가씨.

말라-깽이 [명] 〈속〉 몸이 바싹 마른 사람.

말라리아 (malaria) [명] 학질모기가 매개하는 말라리아 원충에 의한 전염병. 간헐적이고 발작적인 고열이 나며, 적혈구의 파괴로 빈혈 및 황달을 일으키는 수가 많음. 학질.

말라-붙다 [-붇따] [자] 액체가 바싹 졸거나 말라서 물기가 아주 없어지다. ¶가뭄으로 논이 말라붙었다.

말라-비틀어지다 [자] **1** 사람이나 사물이 쪼글쪼글하게 말라서 뒤틀리다. ¶말라비틀어진 잡풀들이 바람에 흔들리다. **2** (주로 '말라비틀어진'의 꼴로 쓰여) 하찮고 보잘것없다. ¶어디서 그런 말라비틀어진 소리를 하느냐.

말라-빠지다 [자] (주로 '말라빠진'의 꼴로 쓰여) 몹시 하찮고 보잘것없다. ¶이것이 그 말라빠진 개정안이란 말이냐.

말라-죽다 [자] ('말라죽은, 말라죽을'의 꼴로 쓰여) 아무 쓸데없다. ¶권력·돈, 그것들이 다 뭐 말라죽은 것들이기에 / 쥐뿔도 없으면서 무슨 말라죽을 옷 타령이냐.

말랑-거리다 [자] 자꾸 말랑한 느낌을 주다. [큰]물렁거리다. **말랑-말랑** [부][하형]. ¶~한 빵.

말랑-대다 자 말랑거리다.
말랑-하다 형여불 1 야들야들하게 보드랍고 무르다. ¶말랑한 홍시. 2 사람의 성질이 무르고 맺힌 데가 없어 만만하다. ¶내가 그토록 말랑하게 보였느냐. 큰물렁하다.
말려-들다 [-드니, -드오] 자 1 무엇에 감기어 안으로 들어가다. ¶기계에 말려들어 크게 다치다. 2 본인이 원하지 않는 관계 또는 위치에 끌리어 들어가다. ¶남의 싸움판에 ~.
말로 (末路) 명 1 생애의 마지막 무렵. 만년(晩年). ¶그의 ~는 비참했다. 2 망하여 가는 마지막 무렵의 상태. ¶독재자의 ~.
말리다[1] 자 1 《'말다[1]'의 피동》 둘둘 감기다. ¶종이가 ~. 2 어떤 일에 휩쓸리다. ¶엉뚱한 일에 말려 증언대에 서다.
말리다[2] 타 남이 하고자 하는 일을 못하게 하다. ¶싸움은 말리고 흥정은 붙이랬다.
***말리다**[3] 타 《'마르다[1]'의 사동》 젖은 것을 마르게 하다. ¶빨래를 널어 ~.
말림 명하타 1 산에 있는 나무나 풀을 함부로 베지 못하게 단속하여 가꿈. 금양(禁養). 2 '말림갓'의 준말.
말림-갓 [-깓] 명 나무나 풀을 함부로 베지 못하게 단속하는 땅이나 산《나뭇갓과 풀갓이 있음》. 준갓·말림.
말:-마디 명 말의 토막. ¶~깨나 한다고.
말마디나 하다 구 말을 꽤 조리 있게 잘하다. ¶그는 그래도 제법 말마디나 하는 사람이다.
말:-막음 명하자 1 남에게서 불리하거나 성가신 말을 하지 못하도록 어름어름 미리 막는 일. 2 주고받던 이야기의 끝을 막음.
말:-맛 [-맏] 명 말이 주는 느낌. 어떤 말에서 오는 맛. 어감.
말:-머리 명 1 말의 첫머리. ¶~를 꺼내다. 2 이야기할 때 끌고 가는 말의 방향. 화제. ¶슬쩍 ~를 돌리다.
말:-문 (-門) 명 말을 할 때에 여는 입. ¶~을 떼다.
말문(을) 막다 구 말을 하지 못하게 하다.
말문(을) 열다 구 말을 시작하다. 말문을 떼다.
말문이 막히다 구 하려던 말이 나오지 않게 되다. ¶조리 있는 반박에 말문이 막히고 말았다.
말미 명 직업에 매인 사람이 다른 일로 말미암아 얻는 겨를. 휴가. ¶~를 받다 / 겨우 ~를 얻어 냈다.
말미 (末尾) 명 말·문장·번호 등의 연속되어 있는 것의 맨 끝. ¶집행문은 판결 정본의 ~에 부기(附記)한다.
말미암다 [-따] 자 어떤 현상이나 사물이 원인이나 이유가 되다. ¶부주의로 말미암은 사고 / 폭우로 말미암아 큰 피해를 당했다.
말미잘 명 〖동〗 해변말미잘과의 강장(腔腸) 동물. 간조선(干潮線)의 바위 사이나 모래 땅에 묻혀 사는데 몸은 원통 모양이며, 체벽(體壁)은 암흑색, 흡반(吸盤)은 선록색, 구반(口盤)은 녹갈색임.
말:-밑천 [-믿-] 명 1 말을 계속 이어 갈 수 있는 재료. ¶~이 떨어졌다. 2 말하는 데 들인 노력. ¶~도 못 건질 말을 한다.
말:바꿈-표 (-標) 명 줄표.
말:-발 [-빨] 명 듣는 사람이 긍정할 수 있게 하는 말의 힘. ¶~이 센 사람.
말발(이) 서다 구 말하는 대로 시행이 잘되다. ¶말발이 서는 이야기라야 곧이듣지.
말-발굽 [-꿉] 명 말의 발굽. ¶~ 소리도 요란하게 달려가다.
말-밭 [-빧] 명 윷놀이나 고누·장기 따위의 말이 다니는 길.
말:-버릇 [-뻐릊] 명 늘 써서 버릇이 된 말의 투. 어투. ¶~을 고치다 / ~이 고약하다.
말-벌 명 〖충〗 말벌과의 벌. 몸에 긴 털이 있고 독침이 있음. 과실·벌꿀 등에 해를 끼치며 해충도 잡아먹음. 대황봉(大黃蜂). 마봉(馬蜂). 왕벌.
말:-벗 [-뻗] 명하자타 더불어 이야기할 만한 친구. 말동무. ¶~이 있어 심심하지 않다.
말:-보 [-뽀] 명 평소에 말이 없는 사람의 입에서 막힘없이 터져 나오는 말. ¶~가 터지다.
말복 (末伏) 명 삼복의 마지막 복. 입추가 지난 뒤의 첫 번째 경일(庚日).
말:-본 명 1 〖언〗 문법. 2 말본새.
말:-본새 [-뽄-] 명 말하는 태도나 모양새. 말본. ¶~가 거칠다.
말사 (末寺) [-싸] 명 〖불〗 본사(本寺)의 관리를 받는 규모가 작은 절. 또는 본사에서 갈려 나온 절.
말살 (抹殺·抹撥) [-쌀] 명하타 있는 것을 뭉개어 없애 버림. ¶인권과 자유를 ~하려던 독재자 / 일제는 우리말을 ~하려 했다.
말-상 (-相) 명 얼굴이 긴 사람의 별칭.
말석 (末席) [-썩] 명 1 맨 끝의 자리. 말좌(末座). ¶~을 더럽히다《자기 자리의 겸사말》. 2 지위나 등급의 맨 끝. ¶~을 차지하다. ↔수석·상석(上席).
말세 (末世) [-쎄] 명 1 정치·도덕·풍속 등이 아주 쇠퇴한 시대. 망해 가는 세상. ¶이렇게 되면 ~라고 할 밖에. 2 〖불〗 말법(末法)의 세상. 3 〖기〗 예수가 탄생한 때부터 재림할 때까지의 세상.
말소 (抹消) [-쏘] 명하타 주로 기록되어 있는 사실을 지워 없애 버림. 말거(抹去). ¶자구를 ~하다 / 주민 등록이 ~되다.
말:-소리 [-쏘-] 명 1 말하는 소리. 어성(語聲). ¶상냥한 ~ / ~를 낮추다. 2 말에 쓰이는 소리. 음성.
말소리를 입에 넣다 구 다른 사람에게 들리지 아니하도록 중얼중얼 낮은 목소리로 말하다.
말:-속 [-쏙] 명 말의 깊은 속뜻.
말손 (末孫) [-쏜] 명 혈통이 먼 손자. 원손(遠孫). 계손(系孫). ¶왕가의 ~.
말:-솜씨 [-쏨-] 명 말하는 솜씨. ¶유창한 ~ / ~가 뛰어나다.
말-수[1] (-數) [-쑤] 명 말로 되어 보는 수량. 두수(斗數).
말:-수[2] (-數) [-쑤] 명 사람이 입으로 하는 말의 수효. ¶나이가 들면 ~가 많아진다.
말-술 [-쑬] 명 1 한 말 가량의 술. 두주(斗酒). 2 많이 마시는 술. ¶~을 사양하지 아니하다.
말:-실수 (-失手) [-쑤] 명하자 실수로 말을 잘못함. 또는 그 말. 실언. ¶~가 없도록 조심해라.

말:-싸움 명하자 말다툼. ¶그 건은 다행히 도 ~으로 그쳤다.
말:썽 명 트집이나 문젯거리를 일으키는 말이나 행동. ¶~을 부리는 사람 / ~을 일으키다 / ~을 빚다 / 라디오마저 잡음을 내며 ~을 부린다 / 그가 바로 ~ 많은 해커이다.
말:썽-거리 [-꺼-] 명 말썽이 일어날 만한 일이나 사물. 말거리.
말:썽-꾸러기 명 〈속〉 말썽꾼.
말:썽-꾼 명 걸핏하면 말썽을 부리는 사람.
말쑥-이 부 말쑥하게. ¶~ 차려 입은 신사.
말쑥-하다 [-쑤카-] 형여불 지저분함이 없어 깨끗하다. ¶말쑥한 옷차림. 작말쑥하다. 큰멀쑥하다.
*__말:씀__ 명하자타 **1** 남의 말의 높임말. ¶선생님 ~대로 하겠습니다. **2** 자기의 말의 낮춤말. ¶~을 올리다. ☞말하다.
말:-씨 명 **1** 말하는 태도나 버릇. ¶공손한 ~. **2** 말에서 느껴지는 어조. ¶서울 ~ / 부드러운 ~.
말:-씨름 명하자 입씨름.
말씬 부하형히부 잘 익거나 물러서 연하고 말랑한 모양. 큰물씬[2].
말씬-거리다 자 잘 익거나 물러서 연하고 말랑한 느낌을 주다. 큰물씬거리다. **말씬-말씬** 부하형
말씬-대다 자 말씬거리다.
말아-먹다 타 재물 따위를 통째로 날리다. ¶살림하는 꼴이 집안 말아먹게 생겼다.
말-아웃 [-욷] 명 말로 되고 남은 반 가량의 분량. 말가웃.
말:없음-표 (-標)[-업씀-] 명 줄임표.
말:-없이 [-업씨] 부 **1** 아무런 말도 아니하고. ¶~ 사라지다. **2** 아무 사고나 말썽이 없이. ¶일이 ~ 잘되어야 할 터인데.
말엽 (末葉) 명 어떤 시대를 처음·가운데·끝의 셋으로 나눌 때의 마지막 시기. ¶통일 신라 ~. *초엽·중엽.
말운 (末運) 명 **1** 다 된 운. 막다른 운수. **2** 말년의 운수나 시운. ¶~이 좋은 사람.
말음 법칙 (末音法則) 〖언〗 국어에서, 한 음절의 받침이 제 음가(音價)를 발휘하지 아니하는 것에 관한 법칙《부엌→부억, 좋소→존소, 꽃 아래→꼳 아래》. 받침 규칙. 끝소리 규칙.
말일 (末日) 명 **1** 어떤 시기나 기간의 마지막 날. **2** 그달의 마지막 날. 그믐날. ¶이달 ~까지 해결해야 한다.
말:-장난 명하자 실속 없는 말이나 쓸데없는 말재주를 일삼는 짓. ¶~에 불과한 표현 / ~을 치다.
말:-재간 (-才幹)[-째-] 명 말재주.
말:-재주 [-째-] 명 말을 잘하는 재주. 말재간. 화술. ¶~가 뛰어나다.
말:-전주 명하자 이 사람 말은 저 사람에게, 저 사람 말은 이 사람에게 좋지 않게 전해 이간질하는 짓.
말절 (末節)[-쩔] 명 맨 끝 부분. 맨 끝절.
말-조롱 명 사내아이가 차는 밤톨만 한 크기의 조롱. ↔서캐조롱.
말:-조심 (-操心) 명하자 말이 잘못되지 않게 마음을 쓰는 일. ¶어른 앞에서는 언제나 ~을 해야 한다.
말:-주변 [-쭈-] 명 말을 이리저리 척척 둘러대는 재주. ¶~이 좋은 사람.
말직 (末職)[-찍] 명 맨 끝자리의 직위.
말:-질 명하자 이러니저러니 하고 말로 다투거나 쓸데없이 말을 옮기는 짓. ¶~이나 하고 다니는 놈.
말짜 (末-) 명 버릇없이 구는 사람이나 가장 나쁜 물건을 일컫는 말. ¶저놈 아주 인간 ~야.
말짱 부 (부정의 뜻을 나타내는 서술어와 함께 쓰여) 속속들이 모두. ¶~ 헛일이군.
말짱-하다[1] 형여불 **1** 흠이 없고 온전하다. ¶아직도 말짱한 물건. **2** 지저분하지 않고 깨끗하다. ¶집 안을 말짱하게 치우다. **3** 정신이 맑고 또렷하다. ¶술에 취했어도 정신은 ~. **4** 속셈이 있고 약삭빠르다. ¶꾀가 말짱한 녀석 같으니라구. **5** 전혀 터무니없다. ¶말짱한 거짓말 하지 마라. 큰멀쩡하다. **말짱-히** 부
말짱-하다[2] 형여불 사람의 성질이 부드럽고 만만하다. 큰물쩡하다.
말-째 (末-) 명 맨 끝의 차례.
말:-참견 (-參見) 명하자 남의 말에 끼어들어 말하는 짓. ¶남의 집안일에 ~하다.
말초 (末梢) 명 **1** 나뭇가지의 끝에서 갈려 나간 잔가지. 우듬지. **2** 사물의 끝 부분.
말초 신경 (末梢神經) 뇌 또는 척수에서 나와 전신에 퍼져 중추 신경계와 피부·근육·감각 기관 등을 연락하는 신경의 총칭.
말초-적 (末梢的) 관명 사물의 근본에서 벗어나 사소한 (것). 또는 문제 삼을 가치가 없는 (것). ¶~(인) 문제〔자극〕.
말-총 명 말의 갈기나 꼬리의 털. 마미(馬尾). ¶~으로 모자를 엮다.
말:-치레 명하자 실속이 없이 말로 겉만 꾸밈. ¶~만 번드르르하다.
말캉-거리다 자 자꾸 말캉한 느낌이 들다. ¶군고구마가 맛있게 말캉거린다. 큰물컹거리다. **말캉-말캉** 부하자형
말캉-대다 자 말캉거리다.
말캉-하다 형여불 너무 익거나 곪아서 물크러질 정도로 말랑하다. ¶감이 말캉하게 잘 익었다. 큰물컹하다.
말코지 명 벽 따위에 달아서 물건을 걸게 된 나무 갈고리.

말코지

말타아제 (maltase) 명 말토오스를 두 분자의 포도당으로 가수 분해하는 효소《효모·세균·식물 종자·동물의 침이나 장액(腸液) 등에 존재함》.
말토오스 (maltose) 명 〖화〗 녹말이나 글리코겐에 엿기름이나 디아스타아제와 같은 효소를 작용시켜, 가수 분해를 할 때 생기는 당류의 하나《무색의 바늘 모양의 결정으로 덱스트린과 함께 엿의 주성분이 됨》. 맥아당. 엿당.
말:-투 (-套) 명 말하는 버릇이나 본새. ¶퉁명스러운 ~ / ~가 못마땅하다.
말-판 명 윷·고누·쌍륙 따위의 말이 가는 길을 그린 판.
말판(을) 쓰다 구 말판에 말을 놓다.
말-편자 명 말굽에 대갈을 박아 붙인 쇠.
말피기-관 (Malpighi管) 명 〖생〗 이탈리아의 해부학자 말피기가 발견한 곤충의 배설

기관(한쪽은 막혀 있는 긴 관 모양의 기관으로 여러 쌍이 있음).

말피기 소:체 (Malpighi小體) 〘생〙 신소체(腎小體).

말:-하기 명 말의 표현 능력을 가르치는 초등학교 등의 국어 교과의 한 부문. *듣기·쓰기·읽기.

***말:-하다** 자타여불 **1** 생각이나 느낌 따위를 말로 나타내다. ¶느낌을 ~. **2** 어떤 사실을 말로 알려 주다. ¶합격 소식을 그에게 말해 주었다. **3** 무엇을 부탁하다. ¶일자리 한 군데 말해 주게. **4** 말리는 뜻으로 타이르거나 꾸짖다. ¶아무리 말해도 듣지 않는다. **5** 어떤 사정이나 사실·현상 따위를 나타내 보이다. ¶숭례문은 조선 시대의 건축미를 말해 준다. **6** 어린아이가 처음으로 말을 시작하다. **7** 평하거나 논하다. ¶네가 말한 그대로다. **8** ('말하자면'의 꼴로 쓰여) '말로 나타내기로 하면, 이를테면'의 뜻을 나타냄. ¶말하자면 새장 속의 새와도 같다. **9** (주로 '…(으)로 말하면'의 꼴로 쓰여) 확인·강조의 뜻을 나타냄. ¶머리 좋기로 말하면 그를 따를 사람이 없다.

말할 것도 없다 구 당연한 일이라 일부러 말할 필요도 없다. ¶독도는 말할 것도 없이 우리 영토다.

말할 수 없이 구 말로 표현할 수 없을 정도로, 분량이나 정도가 큼을 나타냄. ¶이루 ~ 기쁘다.

'말하다'의 쓰임새

예사말

말하다. 예 내가 말한 대로 해라 / 그는 이렇게 말했다.

이야기하다(말이 이야기를 가리킬 때). 예 친구에게 학교에 간다고 이야기했다〔말했다〕.

높임말

말씀하시다. 예 아버지께서 말씀하신 대로 했다 / 선생님은 이렇게 말씀하셨다.

이르시다. 예 공자께서 이르시기를.

겸사말

말씀(을) 드리다. 예 아버지께 말씀 드리고 수영장에 갔다 / 선생님께 이렇게 말씀을 드렸습니다.

말씀(을) 올리다. 예 아버지께 말씀을 올리고 고향을 떠났다.

이 밖에 '여쭈다, 여쭙다, 아뢰다, 사뢰다' 따위의 말이 있다.

말:-허리 명 하고 있는 말의 중간. ¶남의 ~를 꺾다 / ~를 끊다.

말-혁 (-革) 명 말안장 양쪽에 꾸밈새로 늘어뜨린 고삐. 준혁(革).

***맑다** [막따] 형 **1** 잡스럽거나 더러운 것이 섞이지 않아 투명하고 깨끗하다. ¶물이 ~ / 맑은 공기를 마시다. **2** 살림이 넉넉하지 못하다. 가외의 수입이 없다. ¶살림이 ~. **3** 구름이나 안개가 끼지 아니하여 날씨가 좋다. ¶맑은 하늘 / 전국이 대체로 맑겠다. ↔흐리다. **4** 진실하고 조촐하다. ¶마음을 맑고 깨끗하게 하다. **5** 소리가 트이어 탁하지 않다. ¶맑은 목소리. **6** 정신이 초롱초롱하고 또렷하다. ¶맑은 정신으로 말하다.

[맑은 물에 고기 안 논다] 사람이 너무 청렴하거나 깔끔하면 사람이나 재물이 따르지 아니한다.

'맑다'의 표준 발음

겹받침 'ㄺ'은 어말 또는 자음 앞에서 [ㄱ]으로 발음한다. 다만 용언의 어간 말음 'ㄺ'은 활용할 때 'ㄱ' 앞에서 [ㄹ]로 발음한다.

① [ㄱ]으로 발음하는 경우

맑다[막따], 맑지[막찌], 맑습니다[막씀니다]

② [ㄹ]로 발음하는 경우

맑게[말께], 맑고[말꼬], 맑거나[말꺼나]

맑디-맑다 [막띠막따] 형 더할 수 없이 맑다. 매우 맑다. ¶맑디맑은 날씨.

맑스그레-하다 [막쓰-] 형여불 조금 맑은 듯하다. 큰묽스그레하다.

맑은-술 [말근-] 명 찹쌀을 쪄서 지에밥과 누룩을 버무려 빚어서 담갔다가 용수를 박고 떠낸 술. 약주. 청주. ↔막걸리.

맑은-장국 (-醬-) [말근-꾹] 명 쇠고기를 잘게 썰어 양념을 하여서 맑은 장물에 끓인 국. 준장국.

맑히다 [말키-] 타 **1** ('맑다'의 사동) 맑게 하다. ¶물을 ~. **2** 어지러운 일을 깨끗하게 마무리하다.

맘: 명 '마음'의 준말. ¶~ 놓기는 아직 이르다 / 서로 ~이 맞는다.

맘:-껏 [-껃] 부 '마음껏'의 준말. ¶~ 뛰놀다 / ~ 의지를 펼치다.

맘:-대로 부 '마음대로'의 준말. ¶일이 ~ 되지 않는다 / ~ 해 보렴.

맘:대로-근 (-筋) 명 〘생〙 '수의근'의 풀어 쓴 용어. ↔제대로근.

맘마 명 〈소아〉 밥. 음식물. ¶아가야, ~ 줄 테니까 울지 마.

맘보-바지 (에 mambo-) 명 〈속〉 통을 좁게 하여 몸에 꼭 맞게 한 바지.

맘:-씨 명 '마음씨'의 준말. ¶~가 곱다 / ~가 좋다.

맙:-소사 감 어처구니없는 일을 보거나 당할 때 탄식하는 소리. ¶아이고 ~, 그걸 몰랐다니 / 오 하느님 ~.

***맛¹** [맏] 명 **1** 음식 따위에 혀를 대어 느끼는 감각. ¶달콤한 ~ / 국물 ~이 좋다. **2** 어떤 사물이나 현상에 대한 재미나 만족감. ¶싼 ~에 그것을 샀다. **3** 체험을 통해서 알게 된 느낌이나 분위기. ¶한 번쯤 실패의 쓰라린 ~을 보는 것도 좋다. **4** ('-(아)야'의 뒤에 쓰여) 바라는 바의 것. 만족스러운 것. 성에 참. ¶꼭 인사를 받아야 ~이냐 / 하필 오늘 가야 ~인가.

[맛 좋고 값싼 갈치자반] 한 가지 일이 두 가지로 이롭다는 뜻.

맛만 보(이)다 구 일부분만 조금 경험하게 하다. ¶오늘은 첫시간이니까 대강 맛만 보기로 하자.

맛(을) 내다 구 음식 맛을 입에 맞도록 하다. ¶제대로 맛을 내려면 간을 잘 맞추어야 한다.

맛(을) 들이다 구 좋아하거나 재미를 붙이다. ¶ 돈벌이에 ～.
맛(을) 보이다 구 혼이 나게 하다. ¶ 따끔한 맛을 보여 주어야겠다.
맛(을) 붙이다 구 마음에 당겨 재미를 붙이다. ¶ 바둑에 맛을 붙이다.
맛(이) 가다 구 〈속〉 정상이 아닌 듯하다. ¶ 계속된 야간작업으로 직원들은 맛이 간 얼굴들을 하고 있다.
맛(이) 들다 구 좋아지거나 즐거워지다. 재미를 붙이다. ¶ 노름에 맛이 들면 집안이 망할 수가 있어.
맛(이) 붙다 구 마음에 당겨 재미가 나다. ¶ 등산에 맛이 붙어 자주 산에 간다.
맛 좀 보다 구 (주로 '맛 좀 봐라'의 꼴로 쓰여) 고통과 아픔을 경험하다. ¶ 너 한번 맛 좀 봐라.

> **맛**
>
> **신맛** 〔酸味〕… 식초 같은 맛《시다》
> **쓴맛** 〔苦味〕… 소태 같은 맛《쓰다》
> **매운맛** 〔辛味〕… 고추 같은 맛《맵다》
> **단맛** 〔甘味〕… 설탕 같은 맛《달다》
> **짠맛** 〔鹹味〕… 소금 같은 맛《짜다》
> ※이상의 맛을 예전에는 오미(五味)라 하였고 싱거운 맛〔淡味〕을 넣어 육미(六味)라 하였음.
> **떫은맛** 〔澁味〕… 덜 익은 감 같은 맛《떫다》

맛² [맏] 명 〖조개〗 **1** 가리맛과와 긴맛과의 조개의 총칭. **2** '가리맛'의 준말.
맛-깔 [맏-] 명 음식 맛의 성질.
맛깔-스럽다 [맏-] [-스러우니, -스러워] 형 ㅂ불 **1** 입에 당길 만큼 맛이 있다. ¶ 찌개가 맛깔스럽게도 끓었구나. **2** 마음에 들다.
맛깔-스레 [맏-] 부
맛-나다 [만-] 형 맛이 좋다. 맛있다. ¶ 맛난 반찬 / 맛나게도 먹는구나.
맛난-이 [만-] 명 **1** 맛을 돋우기 위해 음식물에 치는 조미료. ¶ ～를 치다. **2** 맛이 있는 음식. **3** 〈속〉 화학조미료.
맛-대가리 [맏때-] 명 '맛¹'을 낮잡아 이르는 말. ¶ 음식이 ～라곤 하나도 없다.
맛맛-으로 [만-] 부 **1** 여러 가지 음식을 조금씩 바꾸어 가며 색다른 맛으로. ¶ 음식은 ～ 먹어야 물리지 않는다. **2** 마음이 당기는 대로. ¶ ～ 연방 먹어 댄다.
맛-바르다 [맏빠-] [맛바르니, 맛발라] 형 르불 맛있게 먹던 음식이 곧 없어져 양이 차지 않다.
맛-보기 [맏뽀-] 명 맛맛으로 먹기 위해 조금 차린 음식.
맛-보다 [맏뽀-] 타 **1** 음식의 맛을 알려고 미리 조금 먹어 보다. ¶ 국을 ～. **2** 몸소 겪어 보다. ¶ 온갖 고생을 다 ～ / 박진감 넘치는 스릴을 ～.
맛-살 [맏쌀] 명 **1** 맛의 껍데기 속에 든 살. **2** '가리맛살'의 준말.
맛-소금 [맏쏘-] 명 화학조미료를 첨가한 조리용 소금. ¶ ～을 치다.
맛-없다 [마덥따] 형 **1** 음식 맛이 좋지 않다. ¶ 맛없는 찌개. **2** 재미나 흥미가 없다. **3** 하는 짓이 싱겁다. **맛-없이** [마덥씨] 부 맛없게. ¶ 음식을 ～ 먹다.
***맛-있다** [마딛따 / 마싣따] 형 맛이 좋다. 맛나다. ¶ 맛있게 밥을 먹다.
[맛있는 음식도 늘 먹으면 싫다] 아무리 좋은 일이라도 되풀이하면 싫증이 난다.

> **'맛있다'의 표준 발음**
>
> '맛있다'의 표준 발음은 [마딛따]이지만 실제 발음을 고려하여 [마싣따]도 표준 발음으로 허용한다. 이것은 예외적인 경우이며 보통은 받침 있는 단어와 모음으로 시작된 단어가 결합한 복합어에서는 받침을 대표음으로 바꾼 뒤에 뒤 음절 첫소리로 옮겨 발음하는 것이 원칙이다. 예를 들면, '맛없다'를 [마섭따]가 아니고 [마덥따]로 발음하는 것이 그 예이다.

맛-적다 [맏쩍-] 형 재미나 흥미가 거의 없어 싱겁다.
망 명 새끼로 그물처럼 얽어 만든 큰 망태기《갈퀴나무 따위를 담아 짊어짐》.
망:¹ (望) 명 **1** 상대편의 동태를 알기 위해 멀리서 동정을 살피는 일. ¶ ～을 보다 / ～을 세워 놓고 남의 집에 들어가다. **2** 명망.
망에 들다 구 후보자로 지목되어 삼망(三望) 안에 끼이다.
망(을) 서다 구 일정한 곳에서 동정을 살피다. ¶ 오늘 밤은 내가 망을 서야겠다.
망:² (望) 명 **1** 지구를 중심으로 해와 달의 위치가 일직선이 되는 때. 만월(滿月). 망월(望月). **2** 음력 보름. 망일(望日).
망 (網) 명 그물 모양으로 만들어 가리거나 치는 물건의 통칭.
-망 (網) 미 그물처럼 널리 치밀하게 얽혀져 있는 조직·짜임새 등의 뜻을 나타냄. ¶ 수사～ / 경비～.
망가-뜨리다 타 망그러지게 하다. ¶ 시계를 잘못 만져 망가뜨렸다.
망가-지다 자 **1** 부서지거나 찌그러져 못 쓰게 되다. 망그러지다. ¶ 충돌 사고로 자동차가 망가졌다. **2** 상황이나 상태 따위가 나빠지다. ¶ 망가진 자존심 / 이번 일로 내 인생은 완전히 망가졌다.
망가-트리다 타 망가뜨리다.
망:각 (妄覺) 명하타 외계의 자극을 잘못 지각하거나 없는 자극을 있는 것처럼 생각하는 병적 현상《착각과 환각으로 나뉨》.
망각 (忘却) 명하타 어떤 사실을 잊어버림. 망실(忘失). 망치(忘置). ¶ 책임을 ～한 행위 / 이 사건은 결코 ～할 수 없다.
망간 (독 Mangan) 명 붉은빛을 띤 회색의 금속 원소. 철과 비슷하나 철보다 단단하고 부스러지기 쉬우며 화학성도 강함. 합금 재료·건전지·화학 약품 등으로 씀. [25번 : Mn : 54.94]
망:거 (妄擧) 명 망령된 짓. 분별없는 행동.
망건 (網巾) 명 상투를 튼 사람이 머리에 두르는 그물처럼 생긴 물건《말총·곱소

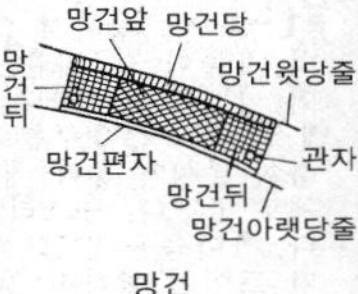

망건

리·머리카락으로 만듦》.
[망건 쓰자 파장] 시기를 놓쳐 소기의 목적을 이루지 못하게 됨.
망고 (mango) 명 〔식〕 옻나뭇과의 상록 교목. 동남아 원산으로 높이는 30m 정도이며, 잎은 혁질(革質)이고 광택이 남. 2–3월에 붉은색을 띤 흰 꽃이 가지 끝에 핌. 과실 '망고'는 맛이 좋고 열대 지방에서 재배함.
망:곡 (望哭) 명하자 **1** 먼 곳에서 임금이나 부모의 상사를 당한 때, 또는 곡을 할 자리에 가지 못할 때, 그쪽을 향하여 곡을 함. **2** 국상을 당해 대궐 문 앞에서 백성들이 모여 곡을 함.
망:구 (望九) 명 아흔을 바라본다는 뜻으로, 여든한 살의 일컬음. 망구순(望九旬).
망구다 타 망하게 하다. ¶신세를 ~.
망국 (亡國) 명하자 **1** 망하여 없어진 나라. ¶~의 한(恨). **2** 나라를 망침. ¶~ 외교.
망국-병 (亡國病) 명 나라를 망치는 고질적인 병폐. ¶부정부패는 무서운 ~이다.
망국-적 (亡國的) 관명 나라를 망치는 (것). ¶~인 지역 감정.
망군 (亡君) 명 죽은 임금.
망그러-지다 자 망가지다. ¶냄비가 ~.
망그-지르다 〔-지르니, -질러〕 타르불 짜여져 있는 물건을 찌그러뜨리거나 부서뜨려 못 쓰게 만들다.
망극-하다 (罔極-) [-그카-] 형여불 **1** 어버이나 임금에게 상서롭지 못한 일이 생겨 몹시 슬프다. **2** 임금이나 부모의 은혜가 한이 없다. ¶성은이 망극하옵니다.
망:-꾼 (望-) 명 망을 보는 사람.
망나니 명 **1** 〔역〕 예전에, 죄인의 목을 베던 사람. **2** 언동이 막된 사람의 별명.
망년-회 (忘年會) 명 연말에 그해의 온갖 괴로움을 잊자는 뜻으로 베푸는 모임. 송년 모임. 송년회.
망:대 (望臺) 명 적이나 주위의 동정을 살피는 높은 대. 망루. 관각(觀閣).
망:동 (妄動) 명하자 아무 분별없이 망령되이 행동함. ¶~을 삼가라.
망:둥어 명 〔어〕 망둥엇과의 바닷물고기의 총칭. 몸은 작고, 흔히 바닷가의 모래땅에 살며, 좌우의 배지느러미가 합쳐져서 흡반(吸盤)처럼 되어 있는 것이 특징임. ¶장마다 ~ 날까《늘 자기에게 알맞은 일만 있는 것이 아니라는 뜻》.
망:둥-이 명 〔어〕 망둥어.
[망둥이가 뛰면 꼴뚜기도 뛴다] 남의 행동에 편승하여 덩달아 설친다. [망둥이 제 동무 잡아먹는다] 동류(同類)나 친척 간에 서로 싸움을 비유한 말.
망라 (網羅)[-나] 명하타 물고기나 새를 잡는 그물이란 뜻으로, 널리 구하여 모두 받아들임의 일컬음. ¶사회 각층의 명사들이 ~되다 / 전시회는 소품에서 대작까지 다양하게 ~되어 있다.
망령 (亡靈)[-녕] 명 **1** 죽은 사람의 영혼. **2** 혐오스러운 과거의 잔재. ¶독재자의 ~을 보는 듯하다.
망:령 (妄靈)[-녕] 명 늙거나 정신이 흐려서 말과 행동이 정상을 벗어남. 또는 그런 상태. ¶~이 들다 / ~을 부리다 / 저 나이에 벌써 ~이 났나.
망:령-되다 (妄靈-)[-녕뙤-] 형 망령이 든 상태이다. ¶망령된 노인네의 헛소리. **망:령-되이** [-녕뙤-] 부. ¶~ 혀를 놀리다.
망:령-스럽다 (妄靈-)[-녕-]〔-스러우니, -스러워〕 형ㅂ불 망령이 든 것처럼 보이는 데가 있다. **망:령-스레** [-녕-] 부
망:루 (望樓)[-누] 명 망대(望臺). ¶~에 올라가 사방을 바라보다.
망:륙 (望六)[-뉵] 명 예순을 바라본다는 뜻으로, 쉰한 살의 일컬음.
망막 (網膜) 명 〔생〕 눈알의 가장 안쪽의 맥락막(脈絡膜) 안에 시신경의 세포가 막 모양으로 층을 이룬 부분. 그물막.
망막-하다 (茫漠-)[-마카-] 형여불 **1** 넓고 멀다. 아득하다. ¶망막한 대평원. **2** 마음이 답답하다. ¶망막한 심정.
망망-대해 (茫茫大海) 명 한없이 넓고 큰 바다. ¶끝없이 펼쳐진 ~의 겨울 바다.
망망-하다 (忙忙-) 형여불 매우 바쁘다. **망망-히** 부
망망-하다 (茫茫-) 형여불 **1** 넓고 멀다. ¶망망한 바다. **2** 막연하고 아득하다. **망망-히** 부
망명 (亡命) 명하자 혁명 또는 그 밖의 정치적인 이유 때문에 남의 나라로 몸을 피함. ¶~지 / ~ 길에 오르다 / 정치적 탄압을 피해 외국으로 ~했다.
망모 (亡母) 명 돌아가신 어머니. 선비(先妣). ↔망부(亡父).
망:발 (妄發) 명하자 **1** 망령이나 실수로 그릇된 말이나 행동을 함. 또는 그 말이나 행동. ¶어른에게 그 무슨 ~인가 / 그런 농담이 굳이 ~이 될 거야 없지 않은가. **2** 망언. ¶~을 거두시오.
망:배 (望拜) 명하타 멀리서 연고가 있는 쪽을 향하여 절을 함. 또는 그렇게 하는 절. 요배(遙拜).
망:백 (望百) 명 백을 바라본다는 뜻으로, 아흔한 살을 일컫는 말.
망:-보다 (望-) 타 멀리서 남의 동정을 살피다. ¶골목길에서 누가 나오나 ~.
망부 (亡父) 명 돌아가신 아버지. ¶~의 1주기. ↔망모(亡母).
망:부-석 (望夫石) 명 멀리 떠난 남편을 기다리다 죽어서 되었다는 돌. 또는 그 위에 서서 기다렸다는 돌.
망사 (網紗) 명 그물같이 설피고 성기게 짠 김. ¶~ 모기장.
망:상 (妄想) 명하타 **1** 이치에 어그러진 생각. 망념(妄念). ¶~에 사로잡히다 / 지나친 욕심으로 일확천금을 ~하다. **2** 〔심〕 병적 원인에 의해서 생기는 것으로 사실의 경험이나 논리에 따르지 않는 믿음《피해망상·과대망상 등이 있음》.
망상 (網狀) 명 그물처럼 생긴 모양.
망상-스럽다 〔-스러우니, -스러워〕 형ㅂ불 요망하고 깜찍한 데가 있다. **망상-스레** 부
망:새 명 **1** 전각·문루와 같은 전통 건물의 지붕 대마루 양쪽 머리에 얹는 장식 기와. **2** 집의 합각머리나 너새 끝에 얹는, 용의 머리처럼 생긴 장식. 용두(龍頭).
망:석-중이 명 **1** 나무로 만든 꼭두각시의 하나. 팔다리에 맨 줄을 움직여 춤을 추게

함. 2 남이 부추기는 대로 행동하는 사람. ㊂망석중.
망설-거리다 타 자꾸 머뭇거리고 뜻을 정하지 못하다. ¶한동안 망설거리다가 용기를 내어 말했다. **망설-망설** 부하타
망설-대다 타 망설거리다.
망설-이다 타 머뭇거리고 뜻을 결정하지 못하다. 주저하다. ¶대답〔결정〕을 ~.
망신 (亡身) 명하자 말이나 행동을 잘못하여 자신의 지위·명예·체면 따위를 망침. ¶~을 톡톡히 당하다 / 실수를 들추어 ~을 시키다.
[망신하려면 아버지 이름자도 안 나온다] 망신을 당하려면 내내 잘되던 일도 비뚤어진다.
망신-살 (亡身煞)[-쌀] 명 망신을 당할 운수. ¶~이 끼다.
망신살(이) 뻗치다 구 큰 망신을 당하다. 또는 계속 망신을 당하다.
망신-스럽다 (亡身-)〔-스러우니, -스러워〕 형ㅂ불 망신을 당하는 느낌이 있다. ¶자식 놈 때문에 망신스러워 얼굴을 들 수가 없구나. **망신-스레** 부
망실 (亡失) 명하타 잃어버려서 없어짐. ¶지급된 장비는 어떤 일이 있어도 ~하면 안 된다.
망아 (忘我) 명하자 어떤 사물에 마음을 빼앗겨 자신을 잊어버림. ¶~의 경지.
***망아지** 명 말의 새끼.
망:언 (妄言) 명하자 이치나 사리에 맞지 아니하고 망령되게 말함. 또는 그 말. 망설(妄說). ¶~을 일삼다.
망연-자실 (茫然自失) 명하자 어이가 없어 정신이 나간 듯함. ¶갑작스러운 친구의 부음을 듣고 ~하다.
망연-하다 (茫然-) 형여불 1 넓고 멀어서 아득하다. ¶험한 산길을 갈 일이 ~. 2 아무 생각 없이 멍하다. ¶그녀는 하늘만 바라보며 망연하게 서 있었다. **망연-히** 부. ¶~ 서 있다.
망울 명 1 우유나 풀 따위에 작고 둥글게 엉겨 굳은 덩이. ¶풀에 ~이 지다. 2 림프샘이 부어오른 자리. ¶~이 서다. ㊀멍울. 3 '꽃망울'의 준말. 4 눈망울.
망울-망울[1] 부 망울마다.
망울-망울[2] 부하형 우유나 풀 따위에 망울이 잘고 동글게 엉긴 모양. ㊀멍울멍울.
망울-지다 자 망울이 생기다. ¶목련화가 ~.
망:원-경 (望遠鏡) 명 두 개 이상의 볼록 렌즈를 맞추어 멀리 있는 물체를 크고 분명하게 보이도록 만든 장치. 만리경(萬里鏡). 천리경.
망:원 렌즈 (望遠lens) 먼 곳의 물체를 확대해서 촬영하기 위하여 초점 거리를 길게 만든 렌즈.
망은 (忘恩) 명하자 은혜를 잊거나 모름.
망인 (亡人) 명 죽은 사람. 망자(亡者). ¶~의 명복을 빌다.
망:일 (望日) 명 음력 보름날.
망자 (亡者) 명 망인(亡人). ¶~의 영.
망:전 (望前) 명 음력 보름이 되기 전.
망정 의명 (주로 '-기에'·'-니(까)' 따위의 뒤에서 '망정이지'의 꼴로 쓰여) 다행히 그러함의 뜻을 나타냄. ¶네가 도와주었기에 ~이지 밤늦게까지 해야 할 뻔했다 / 단비가 내리니 ~이지 가물이 들 뻔했다.
망:제 (望祭) 명 1 먼 곳에서 조상의 무덤 있는 쪽을 향하고 지내는 제사. 2〖역〗음력 보름날 종묘에서 지내던 제사.
망조 (亡兆)[-쪼] 명 망하거나 패할 조짐.
망조가 들다 구 망해 가는 징조가 생기거나 보이다.
망종 (亡種) 명 몹쓸 종자란 뜻으로, 행실이 아주 못된 사람을 욕으로 이르는 말.
망종 (芒種) 명 1 까끄라기가 있는 곡식《벼·보리 따위》. 2 24절기의 하나. 6월 6일경으로 보리는 익어 먹게 되고 볏모는 자라서 심게 됨.
망:주-석 (望柱石) 명 무덤 앞의 양쪽에 세우는 여덟모가 진 한 쌍의 돌기둥. ㊂망주(望柱).
망중 (忙中) 명 바쁜 가운데. ¶~에 틈을 내주셔서 고맙습니다.
망중-한 (忙中閑) 명 바쁜 가운데 어쩌다 생기는 한가한 때.
망:집 (妄執) 명하자 1〖불〗망상(妄想)을 버리지 못하고 집착함. ¶~에 사로잡히다. 2 망령된 고집.
망측-하다 (罔測-)[-츠카-] 형여불 이치에 어그러져서 어이가 없거나 보기가 민망하다. ¶아이고 망측해라. **망측-히** [-츠키] 부
망치 명 단단한 물건이나 달군 쇠를 두드리는 데에 쓰는, 쇠로 만든 연장《마치보다 큼》.

망치

망치다 타 1 나라·집안 따위를 망하게 하다. ¶나라를 망칠 놈. 2 그르치어 못 쓰게 만들다. 결딴내다. ¶신세를 ~.
망:칠 (望七) 명 일흔을 바라본다는 뜻에서 나이 '예순한 살'을 이르는 말.
망태 (網-) 명 '망태기'의 준말.
망태기 (網-) 명 가는 새끼나 노로 엮어 만든 그릇《물건을 담아 들고 다니는 데 씀》. ¶~를 짊어지고 약초 캐러 간다. ㊂망태.

망태기

망토 (프 manteau) 명 소매가 없이 어깨에서부터 내리 걸치는 외투의 한 가지.
망:팔 (望八) 명 여든을 바라본다는 뜻으로, 나이 '일흔한 살'의 일컬음.
망-하다 (亡-) ㊀자여불 1 개인이나 집안 또는 단체 따위가 결딴이 나다. ¶집안이 ~. ↔흥하다. 2 (주로 '망할'의 꼴로 쓰여) 못마땅한 사람이나 대상을 저주하는 뜻으로 쓰는 말. ¶망할 자식들. ㊁형여불 아주 고약하다. ¶읽기가 망한 책 / 보기가 ~.
망:향 (望鄕) 명하자 고향을 그리워함. ¶~의 한을 풀다.
맞- [맏] 두 1 '마주 대하는'의 뜻을 나타냄. ¶~장구 / ~들다. 2 서로 어슷비슷함을 나타냄. ¶~바둑 / ~먹다.
맞-갖다 [맏깓따] 형 마음이나 입맛에 꼭 맞다. ¶맞갖은 반찬.
맞갖잖다 [맏깓짠타] 형 마음이나 입맛에 맞지 않다. ¶맞갖잖은 소리만 한다.

맞-걸다 [맏껄-]〔맞거니, 맞거오〕 자 **1** 마주 걸다. ¶팔을 맞건 모습이 무척 다정해 보인다. **2** 노름판에서 서로 돈을 걸다.
맞-겨누다 [맏껴-] 타 서로 상대편을 맞추기 위하여 방향과 거리를 똑바로 잡다. ¶적과 총을 ~.
맞-겨루다 [맏껴-] 타 서로 우열이나 승부를 가리다. ¶친구와 실력을 ~.
맞-견주다 [맏껸-] 타 서로 마주 대어 보다. ¶친구와 힘을 ~.
맞-고소 (-告訴)[맏꼬-] 명하자타 고소를 당한 사람이 고소한 사람을 상대로 마주 고소하는 일. 대소(對訴).
맞-고함 (-高喊)[맏꼬-] 명 양편에서 같이 지르는 고함. 또는 한쪽의 고함에 대하여 맞받아 지르는 고함. ¶~을 치다.
맞꼭지-각 (-角)[맏-] 명〖수〗두 직선이 교차할 때 생기는 네 각 중 상대하는 두 개의 각《그 크기가 같음》.
*__맞다__[1] [맏따] 자 **1** 틀리지 아니하다. ¶답이 ~. **2** 어울리다. 조화하다. ¶분에 맞는 생활 / 그녀는 네게 맞지 않는다 / 옷 빛깔이 너한테 꼭 맞는다. **3** 마음에나 입맛에 들다. ¶음식이 내 입에 맞는다. **4** 크기나 규격이 다른 것에 합치하다. ¶발에 맞는 신. **5** 일치하다. 하나가 되다. ¶장단이 ~ / 의견이 ~ / 앞뒤가 맞지 않는 말. **6** 손해가 되지 않다. ¶수지가 맞는 장사. **7** 겨눈 것이 목표에 똑바로 닿다. ¶화살이 정통으로 맞았다. **8** 서로 통하다. ¶마음에 맞는 친구 / 눈이 ~《남녀가 서로 좋아하게 되다》.
*__맞다__[2] [맏따] 타 **1** 오는 사람을 기다려 받아들이다. ¶손님을 ~. **2** 자연히 돌아오는 철이나 날을 당하다. ¶생일을 ~ / 인생의 황혼기를 ~. **3** 가족의 일원으로 데려오다. ¶아내를 ~ / 친구의 딸을 며느리로 ~. **4** 비나 눈 등을 몸으로 받다. ¶비를 ~ / 벼락을 ~. **5** 때리는 매나 총알 따위를 그대로 받다. ¶매를 ~. **6** 어떤 일을 당하다. ¶야단을 ~ / 도둑을 ~. **7** 죽다. ¶쓸쓸한 최후를 ~. **8** 주사·침 따위로 치료를 받다. ¶침을 ~. **9** 점수를 받다. ¶100 점을 ~. **10** 서명·날인 따위를 찍어 받다. ¶결재를 ~.
[맞은 놈은 펴고 자고 때린 놈은 오그리고 잔다] 남을 괴롭힌 사람은 뒷일이 걱정되어 마음이 불안하나, 해를 당한 사람은 마음만은 편하다는 말.
-맞다 [맏따] 미 (일부 명사나 어근 뒤에 붙어) '그것을 지니고 있음'의 뜻의 형용사를 만듦. ¶궁상~ / 빙충~ / 징글~ / 능청~ / 쌀쌀~.
맞-닥뜨리다 [맏딱-] 자 서로 부딪칠 정도로 마주 대하여 닥치다. ¶골목길에서 친구와 ~ / 위기에 맞닥뜨리기 전에 대비하다.
맞-닥치다 [맏딱-] 자 **1** 이것과 저것이 서로 마주 다다르다. ¶뜻밖에 빚쟁이와 ~. **2** 이것과 저것이 함께 닥치다. ¶달리기에서 1등과 2등이 거의 동시에 맞닥쳤다.
맞-닥트리다 [맏딱-] 자 맞닥뜨리다.
맞-담배 [맏땀-] 명 마주 보고 피우는 담배. ¶어른 앞에서 ~를 피우다니.
맞-당기다 [맏땅-] 자타 **1** 양쪽으로 끌리다. ¶고무줄이 맞당겨지더니 결국 끊어졌다. **2** 양쪽에서 마주 잡아 끌다. ¶두 팀은 서로 밧줄을 맞당기기 시작했다.
맞-닿다 [맏따타] 자 마주 닿다. ¶골목이 좁아 지붕끼리 ~.
맞-대꾸 [맏때-] 명하자 남의 말을 맞받아서 대꾸함. ¶지지 않고 ~하다.
맞-대다 [맏때-] 타 **1** 마주 닿게 하다. ¶머리를 맞대고 궁리하다 / 무릎을 ~ / 맞대 놓고 욕을 하다. **2** 같은 자격으로 서로 비교하다. ¶친구와 키를 맞대어 보다.
맞-대들다 [맏때-] 자 맞서서 달려들다.
맞-대면 (-對面)[맏때-] 명하자타 얼굴을 마주 보며 대함.
맞-대응 (-對應)[맏때-] 명하자 상대방의 행동이나 태도에 맞섬. ¶사사건건 ~하다.
맞-대하다 (-對-)[맏때-] 타 마주 대하다. ¶아버지를 맞대하고 솔직히 말씀드리다.
맞-돈 [맏똔] 명 물건을 살 때 그 자리에서 값으로 치르는 돈. 또는 품삯으로 즉석에서 주는 돈. 직전(直錢). 현금.
맞-두다 [맏뚜-] 타 장기·바둑 따위를 대등한 자격과 조건으로 두다.
맞-들다 [맏뜰-]〔맞드니, 맞드오〕 타 **1** 물건을 마주 들다. ¶무거운 짐을 맞들고 갔다. **2** 힘을 합하다. 협력하다. ¶일을 서로 맞들어 하다.
맞-뚫다 [맏뚤타] 타 양쪽에서 마주 들어가며 구멍을 내다. ¶터널을 ~.
맞-먹다 [만-] 자 힘·거리·시간·분량·수준·정도가 같거나 비슷하다. ¶네가 나와 맞먹겠다 / 한 달 월급과 맞먹는 돈을 날리다.
맞-물다 [만-]〔맞무니, 맞무오〕 타 **1** 양쪽에서 마주 물다. ¶맞물고 돌아가는 톱니바퀴. **2** 아래윗니·입술·주둥이 따위를 마주 물다. ¶어금니를 ~. **3** 끊어지지 않고 잇닿다. ¶뒤를 맞물고 이어지는 차량 행렬.
맞-물리다 [만-] 一자《'맞물다'의 피동》마주 물리다. ¶톱니바퀴가 서로 맞물려 돌아간다. 二타《'맞물다'의 사동》맞물게 하다. ¶손가락을 맞물리게 하여 깍지를 끼다.
맞-바꾸다 [맏빠-] 타 값을 따지지 아니하고 물건끼리 서로 바꾸다. ¶시계와 카메라를 ~.
맞-바둑 [맏빠-] 명 실력이 같은 사람끼리 두는 바둑. 호선(互先). ↔접바둑.
맞-바람 [맏빠-] 명 양쪽에서 마주 불어오는 바람. ¶~이 치다.
맞-받다 [맏빧-] 타 **1** 정면으로 부딪치다. ¶버스와 트럭이 맞받는 사고가 났다. **2** 노래나 말을 곧 이어받다. ¶노래를 맞받아 부르다. **3** 남의 말이나 행동 따위에 정면으로 상대하다. ¶신경질을 부리는 그에게 맞받아 화를 내다.
맞받아-치다 [맏빧-] 타 남의 말이나 행동에 곧바로 대응하여 나서다. ¶날아오는 상대방의 주먹을 맞받아쳤다.
맞-받이 [맏빠지] 명 맞은편에 마주 바라보이는 곳. ¶저 강 건너 ~에 살다.
맞-벌이 [맏뻘-] 명하자 부부가 모두 직업을 갖고 돈을 벎. ¶~ 부부.
맞-부딪다 [맏뿌딛따] 자타 힘 있게 마주 닿다. ¶쇠붙이끼리 맞부딪혀 불꽃이 튀다.
맞-부딪뜨리다 [맏뿌딛-] 타 힘 있게 마주

닿게 하다.

맞-부딪치다 [맏뿌딛-] 자타 마주 부딪치다. ¶ 적수끼리 ~ / 쇠와 쇠를 ~.

맞-부딪트리다 [맏뿌딛-] 타 맞부딪뜨리다.

맞-부딪히다 [맏뿌디치-] 자 《'맞부딪다'의 피동》 맞부딪음을 당하다.

맞-불 [맏뿔] 명 **1** 불이 타고 있는 맞은편에서 마주 놓는 불. ¶ ~을 놓다. **2** 마주 대고 붙이는 담뱃불.

맞불(을) 놓다 구 ㉠불붙은 맞은편에서 불을 놓다. ㉡마주 겨누고 총질을 하다.

맞-붙다 [맏뿓따] 자 **1** 마주 닿다. ¶ 하늘과 땅이 맞붙은 지평선. **2** 싸움이나 내기 등에서 서로 상대하여 겨루다. ¶ 강자끼리 맞붙어 싸우다. **3** (주로 '맞붙어'의 꼴로 쓰여) 서로 떨어지지 않고 함께하다. ¶ 저 두 사람은 늘 맞붙어 다닌다.

맞-붙들다 [맏뿓뜰-] (맞붙드니, 맞붙드오) 타 마주 붙들다. ¶ 빨래를 맞붙들고 잡아당기다.

맞-비비다 [맏삐-] 타 마주 대고 비비다. ¶ 아기와 볼을 ~ / 두 손을 ~.

맞-상대 (-相對)[맏쌍-] 명하자 마주 상대함. 또는 그런 상대. ¶ 누가 나와 ~할래.

***맞-서다** [맏써-] 자 **1** 마주 서다. ¶ 둘이 서로 노려보며 맞서 있다. **2** 서로 굽히지 아니하고 버티다. ¶ 양편의 의견이 ~. **3** 어떤 상황에 부닥치거나 직면하다. ¶ 부정과 맞서 싸우다.

맞-선 [맏썬] 명 결혼을 위하여 당사자끼리 직접 만나 보는 일. ¶ ~을 보다.

맞-수 (-手)[맏쑤] 명 '맞적수'의 준말. ¶ 자네는 내 ~가 아니야.

맞아-들이다 타 **1** 찾아온 사람을 맞이하여 안으로 인도하다. ¶ 어서 손님을 맞아들여라. **2** 가족의 일원으로 받아들이다. ¶ 친구의 아들을 사위로 ~.

맞아-떨어지다 자 (흔히 '꼭, 딱, 잘, 척척' 따위와 함께 쓰여) 어떤 기준에 꼭 맞다. ¶ 예상이 꼭 ~.

맞은-쪽 명 마주 상대되는 쪽.

맞은-편 (-便) 명 마주 상대되는 편.

-맞이 미 오는 사람이나 일·날·때를 맞는 일 따위를 뜻함. ¶ 손님~ / 생일~ / 달~ / 설~ / 봄~.

***맞이-하다** 타여불 **1** 오는 것을 맞다. ¶ 새해를 ~. **2** 가족의 일원이 되게 하다. ¶ 옆집 처녀를 며느리로 ~.

맞-잡다 [맏짭-] 자 **1** (손이나 물건을) 마주 잡다. ¶ 두 손을 맞잡고 울다. **2** 어떤 일에 서로 협력하다. ¶ 손을 맞잡고 일하다.

맞잡-이 [맏짭-] 명 **1** 서로 힘이 비슷한 두 사람. **2** 서로 비슷한 정도나 분량. ¶ 그때의 돈 50만 환은 지금 돈 5만 원 ~지.

맞-장구 [맏짱-] 명 남의 말에 그렇다고 덩달아 같은 말을 하는 일.

맞장구-치다 [맏짱-] 자 남의 말에 그렇다고 덩달아 같은 말을 하다.

맞-적수 (-敵手)[맏쩍-] 명 힘·재주·기량 따위가 어슷비슷한 두 상대. ㊟맞수.

맞-절 [맏쩔] 명하자 마주 하는 절. ¶ 신랑 신부가 ~을 하다.

맞-줄임 [맏쭐-] 명하타 〖수〗 약분.

***맞추다** [맏-] 타 **1** 조화를 이루다. ¶ 보조를 ~ / 관련자들이 서로 말을 ~. **2** 다른 대상에 닿게 하다. ¶ 아내에게 입을 ~. **3** 떨어져 있는 부분을 제자리에 맞게 하다. 결합하다. ¶ 분해 부품을 다시 ~. **4** 기준이나 정도에 맞게 하다. ¶ 간을 ~ / 시간에 맞추어 전화를 걸다. **5** 마음에 들게 하다. ¶ 형의 비위를 ~ / 아내의 기분을 맞추어 주다. **6** 순서를 고르게 하거나 짝을 채우다. ¶ 짝을 ~ / 화투짝을 ~. **7** 일정한 규격에 맞게 하다. ¶ 옷을 맞추어 입다. **8** 일정한 대상을 비교하여 살피다. ¶ 답안지를 맞추어 보다. **9** 열이나 차례 따위에 바르게 하다. ¶ 일련번호를 ~. *맞히다[1].

맞춤 [맏-] 명하타 **1** 떨어져 있는 것을 제자리에 맞게 대어 붙임. **2** 일정한 규격에 맞추어 만듦. 또는 그렇게 만든 물건. ¶ ~ 가구 / ~ 구두.

맞춤-법 (-法)[맏-뻡] 명 〖언〗 **1** 글자를 일정한 규칙에 맞도록 쓰는 법. 철자법. ¶ ~에 맞게 써라. **2** 한글 맞춤법. ¶ ~ 통일안.

맞히다[1] [마치-] 타 《'맞다[1]'의 사동》 맞게 하다. ¶ 정답을 ~ / 화살을 과녁에 ~.

맞히다[2] [마치-] 타 《'맞다[2]'의 사동》 눈·비나 매·침·도둑 따위를 맞게 하다. ¶ 비를 ~ / 침을 ~ / 예방 주사를 ~.

***맡기다** [맏끼-] 타 **1** 《'맡다[1]1'의 사동》 자신의 일을 남에게 미루다. ¶ 내게 맡겨라 / 일을 남에게 맡기고 놀기만 한다. **2** 《'맡다[1]3'의 사동》 물건 따위를 남이 보관하게 하다. ¶ 짐을 ~. **3** 하게 내버려두다. ¶ 상상에 ~ / 자율에 ~.

***맡다[1]** [맏따] 타 **1** 일이나 책임을 자신이 담당하다. ¶ 2학년 담임을 ~ / 과장직을 ~. **2** 면허나 증명·허가 따위를 받다. ¶ 허가를 ~. **3** 물건 따위를 받아 보관하다. ¶ 보따리를 맡아 두다. **4** 차지하다. ¶ 자리를 맡아 두어라. **5** 주문 따위를 받다. ¶ 주문을 ~ / 부탁을 ~.

맡다[2] [맏따] 타 **1** 냄새를 코로 느끼다. ¶ 흙냄새를 ~. **2** 형편이나 낌새를 눈치 채다. ¶ 기자들이 무슨 냄새를 맡았는지 우루루 몰려왔다.

맡아-보다 타 어떤 일을 맡아서 하다. ¶ 인사 행정을 ~.

매[1] 명 사람이나 짐승을 때리는 곤장·막대기·몽둥이·회초리 따위의 총칭. 또는 그것으로 때리는 일. ¶ ~로 다스리다.

[매도 먼저 맞는 놈이 낫다] 기왕 겪어야 할 일이라면 어렵고 괴롭더라도 먼저 치르는 편이 낫다. [매 위에 장사 있나] 매로 때리는 데는 견딜 사람이 없다.

매(를) 들다 구 회초리나 막대기 따위로 때리다. ¶ 사랑의 ~.

매[2] 명 **1** '맷돌'의 준말. **2** '매통'의 준말.

매[3] 명 소렴(小殮) 때에 시체에 수의(壽衣)를 입히고 그 위를 매는 베 헝겊.

매:[4] 명 〖조〗 맷과 매속의 맹조(猛鳥)의 총칭. 수리보다 작고 부리가 짧고 발·발톱이 가늘며, 날개와 꽁지는 비교적 폭이 좁으나 수리보다 빠르게 낢. 촌가 부근에 급강하하여 작은 새나 병아리 등을 잡아먹음. 사냥용으로 사육하기도 함. 천연기념물 제 323 호. 송골매. 해동청(海東靑).

[매를 꿩으로 보다] 사나운 사람을 순한

사람으로 잘못 보다.
매(枚) 의명 장. ¶원고지 10～.
매:(每) 관 '마다'·'각각'의 뜻. ¶～ 주일/～ 끼니.
매:[5] 부 양이나 염소의 울음소리.
-매[1] 미 '맵시'·'모양'의 뜻. ¶몸～/눈～/입～.
-매[2] 어미 받침 없는 어간 또는 어미 '-으시-'에 붙어, 어떤 사실에 대한 원인이나 근거를 나타내는 연결 어미. ¶그가 돌아왔다 하～ 마음을 놓았더니/내가 보～ 그럴 듯하더라. *-으매.
매:가(買價)[-까] 명 물건을 사는 값.
매:가(賣價)[-까] 명 물건을 파는 값.
매:각(賣却) 명하타 물건을 팔아 버림. ¶부동산을 ～하다.
매개 명 일이 되어 가는 형편.
매개(를) 보다 구 일이 되어 가는 형편을 살피다.
매개(媒介) 명하타 **1** 사이에 서서 양편의 관계를 맺어 줌. ¶화폐는 물품 교환의 ～이다. **2** 퍼뜨림. ¶쥐는 페스트균을 ～한다.
매-개념(媒槪念) 명 〖논〗 중(中)개념.
매개 모:음(媒介母音) 〖언〗 두 자음 사이에 끼어 음을 고르게 하는 소리(《'먹으니·먹으면'의 '으' 따위》). 조음소.
매개-물(媒介物) 명 매개가 되는 물건.
매개-체(媒介體) 명 둘 사이에서 어떤 관계를 맺어 주는 구실을 하는 것.
매:거(枚擧) 명하타 낱낱이 들어 말함.
매:관-매:직(賣官賣職) 명하자 돈이나 재물을 받고 벼슬을 시킴. 매관. 매관육작(鬻爵). 매직(賣職).
매:국(賣國) 명하자 개인의 이익을 위하여 국가의 주권이나 이권을 남의 나라에 팔아먹음. ¶～ 행위.
매:국-노(賣國奴)[-궁-] 명 매국 행위를 하는 사람. ¶～를 철저히 가려내다.
매:기(每期) ㊀명 일정하게 나뉘진 하나하나의 시기. ¶～에 지급되는 배당금. ㊁부 정해진 시기마다. ¶보너스는 ～ 100% 씩 지급된다.
매:기(買氣) 명 상품을 사려는 마음. 살 사람들의 인기. ¶～가 없다.
매기다 타 기준에 따라 차례·값·등수 따위를 정하다. ¶값을 ～/등급을 ～. 준매다.
매끄러-지다 자 비탈지거나 매끄러운 곳에서 한쪽으로 밀리어 나가거나 넘어지다. 큰미끄러지다.
매끄럽다 〔매끄러우니, 매끄러워〕 형ㅂ불 **1** 거칠지 아니하고 반들반들하다. ¶매끄러운 눈길. **2** 수더분한 데가 없고 약삭빠르다. ¶아주 매끄러운 처세. **3** 글이나 말에 조리가 있고 거침이 없다. ¶매끄러운 문장. 큰미끄럽다.
매끈-거리다 자 매끄럽고 반드러워 자꾸 밀리어 나가다. 큰미끈거리다. **매끈-매끈** 부하형. ¶～한 마룻바닥.
매끈-대다 자 매끈거리다.
매끈-하다 형여불 **1** 흠이나 거친 데가 없이 부드럽고 반들하다. ¶매끈한 다리. **2** 차림새나 꾸밈새가 환하고 깨끗하다. ¶옷을 매끈하게 차려입었다. **3** 생김새가 말쑥하고 곱다. ¶매끈하게 잘생긴 얼굴. 큰미끈하다. **매끈-히** 부
매끌-매끌 부하형 매우 매끄러운 모양. 큰미끌미끌.
매:-끼(每-) ㊀명 한 끼니 한 끼니. ¶～를 빵으로 대신하다. ㊁부 끼니마다. ¶～ 고기를 빼놓지 않다.
매나니 명 **1** 일을 하는 데 아무 도구도 없이 맨손뿐임. ¶～로 왔구나. **2** 반찬이 없는 밥. ¶아침을 ～로 때우다.
매너(manner) 명 행동 방식이나 자세. 태도. 버릇. 몸가짐. ¶세련된 ～/그라운드 ～가 좋은 선수/테이블 ～가 나쁘다.
매너리즘(mannerism) 명 일정한 방식이나 태도가 되풀이되어 독창성과 신선미를 잃는 일. ¶～에 빠지다.
매:년(每年) 명부 매해. 해마다. ¶～ 정기 총회를 열다.
매뉴얼(manual) 명 기계의 조작 방법을 풀이해 놓은 사용 지침서. 사용서. 설명서. 편람. 안내서.
매니저(manager) 명 **1** 호텔·회사 등의 관리인. 지배인. ¶호텔의 ～. **2** 연예인·운동 선수 등에 딸리어 섭외 따위의 시중을 드는 사람.
매니큐어(manicure) 명 손톱을 화장하는 일. 또는 그런 화장품.
***매:다**[1] 타 **1** 끈 따위의 두 끝을 풀리지 아니하게 동여 묶다. ¶옷고름을 ～/허리띠를 단단히 ～. **2** 끈 따위로 꿰매거나 동여 무엇을 만들다. ¶책을 ～/붓을 ～. **3** 달아나지 못하게 말뚝 같은 데에 붙잡아 묶다. ¶소를 말뚝에 ～. **4** 어떤 데에서 떠나지 못하고 딸리어 있다. ¶편집에 목을 매고 일하다. **5** 베를 짜려고 날아 놓은 실에 풀을 먹여 고루 다듬어 말리어 감다. **6** 바닥에 떨어지지 않도록 끈 따위로 무엇을 가로 걸거나 드리우다. ¶그네를 ～/빨랫줄을 ～.
매:다[2] 타 논이나 밭에 난 잡풀을 뽑다. ¶밭을 매고 논을 매는 농사일.
***매:-달**(每-) 명부 매월. 한 달 한 달. 달마다. 다달이. ¶～ 첫째 월요일에 만나다/～ 500만 원의 수입.
매:-달다 〔매다니, 매다오〕 타 **1** 묶어서 드리우거나 걸다. ¶메주를 매달아 놓다. **2** 교수형에 처하다.
***매:-달리다** 자 **1**(《'매달다'의 피동》) 매닮을 당하다. ¶처마 끝에 매달린 풍경. **2** 붙들고 늘어지다. ¶철봉에 ～/어머니에게 매달리는 아이. **3** 꽃이나 열매가 달려 있다. ¶주렁주렁 매달린 배. **4** 주가 되는 것에 딸리어 붙다. ¶적은 수입에 일곱 식구가 ～. **5** 어떤 일에 몸과 마음이 쏠려 있다. ¶이제까지는 집안일에만 매달려 왔다. **6** 어떤 것에 의존하다. ¶단어의 뜻에만 ～.
[매달린 개가 누워 있는 개를 웃는다] 남보다 못한 형편에 있으면서 남을 오히려 비웃는다는 뜻.
매:대기 명 (주로 '매대기를 치다'의 꼴로 쓰여) **1** 반죽이나 진흙·똥 따위를 함부로 아무 데나 뒤바르는 짓. ¶벽에다 진흙으로 ～를 쳤다. **2** 정신을 잃고 아무렇게나 하는 몸짓. ¶술에 취해 길바닥에서 ～를 치고 있다.
매:도(罵倒) 명하타 몹시 욕하거나 꾸짖음.

¶ 입정 사납게 ~하다 / 부정한 공무원으로 ~하다.
매:도 (賣渡) 명하타 물건을 팔아넘김. ¶ 아파트를 ~하다.
매:도-인 (賣渡人) 명 물건을 팔아 넘겨주는 사람.
매독 (梅毒) 명 스피로헤타 팔리다라는 나선균(螺旋菌)에 의해 감염되는 만성 성병《선천적인 경우와 성행위로 전염하는 경우가 있음》. 창병(瘡病).
매듭 명 **1** 노·실·끈 따위를 잡아매어 마디를 이룬 것. ¶ ~이 풀리다. **2** 끈이나 실을 잡아매어 마디를 짓거나 고를 내어 장식이나 무늬를 만드는 공예. ¶ 취미로 ~을 배우다. **3** 일의 마무리. ¶ 이 일은 여기서 ~이 지어진 셈이다.
매듭-짓다 [-짇따] (-지으니, -지어) 타ㅅ불 **1** 노·실·끈 따위를 잡아매어 매듭을 만들다. **2** 어떤 일을 순서에 따라 마무리하다. ¶ 다음 회의 때 매듭지읍시다.
매력 (魅力) 명 사람의 마음을 사로잡아 끄는 힘. ¶ ~ 있는 여자 / ~을 느끼다 / ~에 끌리다 / ~을 잃다.
매력-적 (魅力的) 관명 매력이 있는 (것). ¶ ~(인) 몸매.
매련 명하형 터무니없는 고집을 부릴 정도로 어리석고 둔함. ¶ ~한 언행. 큰미련.
매련-스럽다 (-스러우니, -스러워) 형ㅂ불 매련하게 보이는 데가 있다. 큰미련스럽다. **매련-스레** 부
매료 (魅了) 명하타 사람의 마음을 완전히 사로잡아 홀림. ¶ 독자의 마음을 ~하다 / 품위 있는 익살에 ~되다.
매립 (埋立) 명하타 하천이나 바다 따위를 돌·흙으로 메워 돋움. ¶ 논을 ~하여 공장터로 만들다.
매립-지 (埋立地) 명 낮은 땅을 돌·흙 따위로 메워 돋운 땅. ¶ ~를 조성하다.
매-만지다 타 **1** 잘 가다듬어 손질하다. ¶ 옷매무새를 ~ / 머리를 ~. **2** 부드럽게 어루만지다. ¶ 강아지를 ~.
매매 (賣買) 명하타 물건을 팔고 사는 일. ¶ ~ 계약서 / 부동산 ~를 성사시키다 / 좋은 값으로 ~되다.
매매-춘 (賣買春) 명 여자 몸을 성적 대상으로 팔고 사는 일.
매머드 (mammoth) 명 **1** 〖동〗 코끼릿과의 화석 동물. 코끼리와 비슷하나 훨씬 크고 흑색의 긴 털과 3m에 달하는 굽은 어금니가 있음. 시베리아·북아메리카 등지에서 화석이 발견됨. **2** '큰', '대형', '대규모의', '거대한 것'의 뜻으로 쓰는 말. ¶ ~ 도시 / ~ 빌딩.
매:명 (買名) 명하자 재물이나 수단을 써서 명예를 구함.
매:명 (賣名) 명하자 재물이나 권리를 얻으려고 이름이나 명예를 팖. ¶ ~ 행위.
매몰 (埋沒) 명하타 파묻거나 파묻힘. ¶ 광산에서 ~ 사고가 나다 / 홍수로 논이 ~되다.
매몰-스럽다 (-스러우니, -스러워) 형ㅂ불 보기에 매몰한 데가 있다. ¶ 매달리는 아이의 손을 매몰스럽게 뿌리치다. **매몰-스레** 부
매몰-차다 형 아주 쌀쌀맞다. ¶ 매몰찬 태도.
매몰-하다 형여불 인정이나 붙임성이 없이 쌀쌀맞다. ¶ 간청을 매몰하게 거절하다.
매무새 명 옷을 입은 맵시. ¶ ~가 곱다.
매무시 명하타 옷을 입을 때 매고 여미는 따위의 뒷단속. 옷매무시. ¶ 급하게 ~를 가다듬다.
매:문 (賣文) 명하자 돈을 벌기 위해 실속 없는 글을 지어 팖. ¶ ~ 행위.
매:물 (賣物) 명 팔 물건. 팔 것. ¶ 부동산 ~ / ~이 쏟아지다.
***매:미** 명 〖충〗 매밋과 곤충의 총칭. 몸길이는 2-7cm 정도, 빛은 어두운 녹색, 날개는 투명함. 가늘고 긴 관(管) 모양의 입으로 나무진을 빨아 먹으며, 수컷은 배에 발성기(發聲器)와 공명기(共鳴器)가 있어 맴맴 하고 욺. 보통 6-7년 걸려 성충이 됨.
매:번 (每番) 一명 각각의 차례. ¶ ~ 독촉을 해도 소용이 없다. 二부 번번이. ¶ ~ 늦게 오다 / 같은 말을 ~ 되풀이하다.
매복 (埋伏) 명하자 상대편의 동태를 살피거나 불시에 공격하려고 일정한 곳에 숨음. ¶ 숲 속에 ~하여 명령을 기다리다.
매부 (妹夫) 명 **1** 손위 누이의 남편. 자형(姉兄). **2** 손아래 누이의 남편. 매제(妹弟).
매:부리-코 명 매부리같이 코끝이 뾰족하게 내리 숙은 코. 또는 그런 코를 가진 사람.
매:사 (每事) 一명 하나하나의 모든 일. ¶ ~에 빈틈이 없다. 二부 일마다. ¶ 그는 ~ 그런 식이다.
매사는 불여(不如) **튼튼** 구 어떤 일이든지 튼튼히 하여야 한다는 말.
매:상 (買上) 명하타 관공서 등에서 민간으로부터 물건을 사들임. ¶ 추곡(秋穀) ~. ↔ 불하(拂下).
매:상 (賣上) 명하타 **1** 상품을 팖. **2** '매상고'의 준말. ¶ ~이 오르다 / 늘어나는 ~으로 즐거운 비명을 지르다.
매:상-고 (賣上高) 명 일정한 기간에 상품을 판 수량이나 대금의 총계. ¶ ~를 늘리다 / ~가 오르다. 준매고(賣高)·매상(賣上).
매:상-액 (賣上額) 명 상품을 판 금액. ¶ 요즈음 ~이 많이 늘었다.
매:석 (賣惜) 명하타 물건 값이 오를 것으로 예상하고 팔기를 꺼리는 일. 석매(惜賣). * 매점(買占)·사재기.
매설 (埋設) 명하타 지뢰·수도관 등을 땅속에 설치함. ¶ 지뢰 ~ 작업 / 폭발물이 ~되어 있는 지역.
매섭다 (매서우니, 매서워) 형ㅂ불 **1** 겁이 날 만큼 성질이나 기세 따위가 모질고 독하다. ¶ 매섭게 쏘아보다. **2** 정도가 매우 심하다. ¶ 매섭게 추운 날씨 / 매서운 강바람. **3** 이치에 맞고 날카롭다. ¶ 매서운 비평. 큰무섭다.
매:수 (買收) 명하타 **1** 물건을 사들임. ¶ ~ 가격 / 상한가로 ~ 주문이 들어오다. **2** 금품 등으로 남의 마음을 사서 자기편으로 만듦. ¶ ~공작 / 뇌물로 ~하다 / 돈에 ~되어 당을 옮기다.
매:수 (買受) 명하타 물건을 사서 넘겨받음. ¶ ~인.
매스 게임 (mass game) 많은 사람이 일제히 행하는 맨손 체조나 율동.
매스껍다 (매스꺼우니, 매스꺼워) 형ㅂ불 **1** 구역질이 날 것처럼 속이 울렁거리는 느낌

이 있다. ¶차멀미로 속이 ~. **2** 태도나 행동 따위가 비위에 거슬리게 아니꼽다. ¶거들먹거리는 꼴이 정말 ~. ㊔메스껍다.

매스 미디어 (mass media) 많은 사람에게 어떤 사실·정보·사상 등을 전달하는 매체. 곧, 라디오·텔레비전·신문·잡지·영화 따위. 대중 매체.

매스-컴 (←mass communication) 명 대중 전달 또는 대량 통보의 뜻. 신문·잡지·텔레비전·라디오·영화 등의 매스 미디어로 대중에게 많은 정보를 전달하는 일. 또는 그런 기관.

매슥-거리다 자 매스꺼운 느낌이 자꾸 나다. ¶체했는지 속이 매슥거린다. ㊔메슥거리다. **매슥-매슥** [-승-] 부하자

매슥-대다 자 매슥거리다.

매:시 (每時) 명부 '매시간'의 준말. ¶~ 60 km의 속도.

매:-시간 (每時間) 명부 한 시간 한 시간. 한 시간마다. ¶~ 혈압을 잿다 / ~ 약물을 마셔야 한다. ㊟매시.

매:식 (買食) 명하자 음식을 사서 먹음. 또는 그 음식.

매실 (梅實) 명 매실나무의 열매.

매실-나무 (梅實-)[-라-] 명〖식〗장미과의 낙엽 활엽 교목. 높이는 5 m, 이른 봄에 백색 또는 연분홍색 꽃이 핌. 정원수로 심고 과실은 식용하거나 약용함. 매화나무.

매씨 (妹氏) 명 **1** 남의 손아래 누이의 높임말. **2** 자기의 손위 누이를 일컫는 말.

매암 명 제자리에서 뺑뺑 도는 장난. ㊟맴.

매암-매암 부 '맴맴'의 본딧말.

매:약 (賣藥) 명하자 **1** 약을 팖. **2** 약국에서 약방문에 따라 미리 만들어 놓고 파는 약.

매양 부 번번이. 언제든지. 늘. ¶~ 놀기만 한다.

매연 (煤煙) 명 **1** 연료가 탈 때 나오는, 그을음이 섞인 연기. ¶~을 내뿜는 차량 / ~과 소음으로 인한 공해. **2** 철매.

매염 (媒染) 명하타 물감이 섬유에 직접 물들지 않는 경우에 매염제를 써서 물들게 하는 일.

매염-제 (媒染劑) 명 매염에 쓰는 물질《타닌계(tannin系) 물질이나 알루미늄·철·크롬·구리·백반 등의 수용성(水溶性) 금속 염류(塩類) 따위》. 매염료.

***매우** 부 보통 정도보다 퍽 지나치게. 대단히. 몹시. ¶~ 아름다운 사람 / 한글은 ~ 독창적이고 과학적이다.

매욱-스럽다 [-스러우니, -스러워] 형ㅂ불 매욱하게 보이는 데가 있다. ㊔미욱스럽다. **매욱-스레** 부

매욱-하다 [-우카-] 형여불 하는 짓이나 됨됨이가 어리석고 둔하다. ㊔미욱하다.

매운-맛 [-맏] 명 **1** 고추에서 나는 알알한 맛. 신미(辛味). ☞맛[1]. **2** 알알하고 독한 느낌이나 기분의 비유. ¶~ 좀 봐야 알겠느냐.

매운-탕 (-湯) 명 생선을 주로 하고 고기·채소·두부 따위와 갖은 양념에 고추장을 풀어 얼큰하게 끓인 찌개. ¶대구 ~.

매움-하다 형여불 혀가 얼얼한 맛을 느낄 정도로 맵다. ¶매움하고 달콤한 수정과.

매:월 (每月) 명부 매달. 다달이. ¶~ 20만 원을 용돈으로 쓴다.

매:음 (賣淫) 명하자 여자가 돈을 받고 아무 남자에게나 몸을 팖. 매춘. 매색(賣色).

매:음-녀 (賣淫女) 명 매음하는 여자. 매소부. 매춘부.

매이다 자《'매다'의 피동》 **1** 맴을 당하다. ¶구두끈이 잘 매인다. **2** 남에게 딸려, 부림을 당하거나 구속을 받게 되다. ¶일에 매여 꼼짝도 못하다.

매인 목숨 구 남에게 매여 사는 신세.

매:인 (每人) ㊀명 한 사람 한 사람. ¶~의 임무가 막중하다. ㊁부 한 사람마다.

***매:일** (每日) ㊀명 그날그날. 하루하루. ¶~의 증시 상황을 파악하다. ㊁부 날마다. 나날이. 하루하루마다. ¶~ 하는 회의.

매:일-같이 (每日-)[-가치] 부 날마다. ¶~ 산에 오르다.

매-일반 (-一般) 명 (주로 '매일반이다'의 꼴로 쓰여) 결국 같은 형편. 마찬가지. 매한가지. ¶선과 악도 죽음 앞에서는 ~이다.

매:입 (買入) 명하타 사들임. 매득(買得). ¶토지 ~ / ~ 시기를 가늠하다.

매-잡이[1] 명 **1** 매듭의 단단한 정도. **2** 일을 맺어 마무르는일. ¶일은 ~가 중요하다.

매:-잡이[2] 명하타 **1** 매를 잡는 사람. **2** 매를 잡는 사냥.

매장 (埋葬) 명하타 **1** 시체나 유골을 땅에 묻음. **2** 못된 짓을 한 사람을 사회에서 용납되지 못하게 함. ¶부패 정치인은 ~되어야 한다.

매장 (埋藏) 명하타 **1** 묻어서 감춤. **2** 지하자원 따위가 땅속에 묻히어 있음. ¶동해 먼 바다에 석유가 ~되어 있다고 한다.

매:장 (賣場) 명 물건을 파는 곳. ¶백화점의 아동복 ~.

매장-량 (埋藏量)[-냥] 명 지하자원 따위가 땅속에 묻힌 분량.

매:절 (買切) 명하타 상인이 팔다가 남더라도 반품하지 않는다는 조건으로 한데 몰아서 사는일.

매:점 (買占) 명하타 물건 값이 오를 것을 예상하고 폭리를 얻기 위해 물건을 몰아 사둠. 사재기.

매:점 (賣店) 명 어떤 기관이나 단체 안에서 물건을 파는 작은 상점. ¶구내 ~.

매:점 매:석 (買占賣惜) 물건 값이 오를 것을 예상하여, 어떤 상품을 한꺼번에 많이 사 두고 되도록 팔지 않으려는 일.

매정-스럽다 [-스러우니, -스러워] 형ㅂ불 얄미울 정도로 쌀쌀맞고 인정이 없는 듯하다. ¶청을 매정스럽게 거절하다. ㊔무정스럽다. **매정-스레** 부

매정-하다 형여불 얄미울 정도로 쌀쌀맞고 인정이 없다. ¶그토록 매정할 수가 있을까. ㊔무정하다. **매정-히** 부

매제 (妹弟) 명 누이동생의 남편. ↔매형(妹兄)·자형(姉兄).

매조미-쌀 (-糙米-) 명 벼를 매통에 갈아서 왕겨만 벗기고 속겨는 벗기지 아니한 쌀. 현미(玄米).

매-조지 명 일의 끝을 단단히 단속하여 마무리 짓는 일.

매-조지다 타 일의 끝을 단단히 단속하여 마무리 짓다. ¶일을 매조지기는커녕 오히

려 잡쳤다.
매:주 (每週) ㊀명 그 주일 그 주일. ¶ ~마다 새로운 계획을 세운다. ㊁부 한 주일마다. ¶ ~ 토요일은 쉰다.
매:주 (買主) 명 물건을 사는 사람. 구매자.
매:주 (賣主) 명 물건을 파는 사람. 판매자.
매지근-하다 형여불 더운 기운이 조금 있다. 큰미지근하다. **매지근-히** 부
매지-매지 부 좀 작은 물건을 여럿으로 나누는 모양. 큰메지메지.
매:직 (賣職) 명하자 매관매직.
매직-잉크 (magic+ink) 명 휘발성이 강한 유성(油性) 잉크.
매직-펜 (magic+pen) 명 매직잉크를 넣어 쓰는 펜. 펠트펜.
매:진 (賣盡) 명하자 남김없이 다 팔림. ¶ 이번 공연은 표가 ~되었다.
매:진 (邁進) 명하자 어떤 일을 전심전력을 다하여 해 나감. ¶ 학업에만 ~하다.
매-질 명하타 매로 때리는 짓. ¶ ~을 해서라도 바른길로 이끌어 주십시오.
매질 (媒質) 명 〘물〙 파동 또는 물리적 작용을 한 곳에서 다른 곳으로 옮기는 매개물.
매체 (媒體) 명 **1** 어떤 작용을 널리 전달하는 물체. 또는 그런 수단. ¶ 방송 ~. **2** 〘물〙 매질(媒質)이 되는 물체. 매개체.
매초롬-하다 형여불 젊고 건강하여 아름다운 태가 있다. 큰미추룸하다. **매초롬-히** 부
매:춘 (賣春) 명하자 매음. ¶ ~ 행위.
매:춘-부 (賣春婦) 명 매음녀. 준춘부.
매:출 (賣出) 명하타 물건을 내어 팖. 방매(放賣). ¶ ~이 점점 늘어나다.
매:-치 명 매를 놓아서 잡은 새나 짐승. ↔ 불치.
매치 (match) 명하타 **1** 경기. 시합. ¶ 라이트급 타이틀 ~. **2** 조화를 이루어 잘 어울리게 함. ¶ 옷 빛깔에 ~되는 넥타이.
매치-광이 명 매친 사람. 큰미치광이.
매치다 자 **1** 정신에 약간 이상이 생겨 언행이 보통 사람과 다르게 되다. **2** 상식에서 좀 벗어나는 행동을 하다. 큰미치다.
매캐-하다 형여불 연기나 곰팡이 따위의 냄새가 맵고 싸하다. ¶ 담배 연기에 목구멍이 ~. 큰메케하다.
매콤-하다 형여불 냄새나 맛이 약간 맵다. ¶ 겨자 맛이 ~.
매크로 (macro) 명 〘컴〙 **1** 여러 개의 명령문을 묶어 처리 절차를 미리 정의하여 두는 기능. **2** 키보드에서, 하나의 키로 미리 정의된 일련의 명령을 실행시키는 기능.
매-통 명 벼를 갈아 겉겨를 벗기는 데 쓰는 농기구. 목매. 준매.

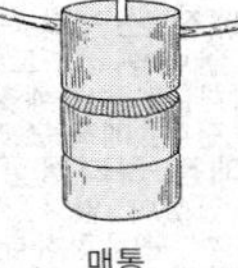
매통

매트 (mat) 명 **1** 침대 틀 위에 까는 두꺼운 깔개. **2** 체조·유도·레슬링 따위의 운동을 할 때 부상을 방지하기 위해 바닥에 까는 푹신한 깔개. **3** 신의 흙을 털기 위해 현관이나 방 입구에 놓아두는 깔개.
매트리스 (mattress) 명 침대용의 두툼한 요.
매-파 (-派) 명 외교 정책 등에서 강경파의 일컬음. ↔비둘기파.
매파 (媒婆) 명 혼인을 중매하는 할멈.
매:판 (買辦) 명 외국 자본에 붙어 사리(私利)를 탐하여 자기 나라의 이익을 해치는 일. 또는 그런 사람.
매:판 자본 (買辦資本) 〘경〙 식민지나 후진국 등에서, 외국 자본과 결탁하여 자국민의 이익을 돌보지 않는 토착 자본. ↔민족 자본.
매:표 (買票) 명하타 **1** 차표나 입장권 따위의 표를 삼. **2** 투표할 사람에게 돈을 주고 표를 얻음.
매:표 (賣票) 명하타 차표나 입장권 따위의 표를 팖.
매:표-구 (賣票口) 명 차표나 입장권 따위의 표를 파는 창구. 매표창구.
매:표-소 (賣票所) 명 차표나 입장권 따위의 표를 파는 곳. ¶ ~ 앞에 사람들이 길게 늘어섰다.
매:표-원 (賣票員) 명 입장권·차표 따위를 파는 사람.
매-품 명 예전에, 돈을 받고 남의 매를 대신 맞던 일.
매품(을) 팔다 구 남의 매를 대신 맞고 돈을 받다.
매:품 (賣品) 명 파는 물품. ↔비(非)매품.
매-한가지 명 마찬가지. 매일반. ¶ 자네나 나나 컴맹인 것은 피차 ~야.
매:-해 (每-) 명부 매년. 해마다. ¶ 입학 지원자 수가 ~ 준다고 한다.
매향 (梅香) 명 매화의 향기.
매:혈 (買血) 명하자 급한 병 등에 대한 수혈에 대비하여 제공자에게서 피를 삼.
매:혈 (賣血) 명하자 제 몸의 피를 빼어 팖.
매형 (妹兄) 명 손위 누이의 남편. 자형(姉兄). ↔매제(妹弟).
매:호 (每戶) ㊀명 한 집 한 집. ¶ ~의 총수입액 비교. ㊁부 한 집마다.
매혹 (魅惑) 명하타 남의 마음을 사로잡아 호림. ¶ ~을 느끼다 / 그녀의 미모에 ~되었다 / 멋진 연기로 관중을 ~하다.
매혹-적 (魅惑的) 관명 남을 매혹할 만한 데가 있는 (것). ¶ ~인 자태.
매화 명 〈궁〉 임금의 똥.
매화(를) 보다 구 똥을 누다.
매화 (梅花) 명 **1** 매실나무. **2** 매실나무의 꽃. 매화꽃.
매화-나무 (梅花-) 명 〘식〙 매실나무.
매화-틀 명 〈궁〉 임금이 뒤볼 때에 쓰던, 가지고 다닐 수 있는 변기.
매:회 (每回) ㊀명 각 회. 한 회 한 회. ¶ ~의 회의록. ㊁부 각 회마다. 한 회 한 회마다. ¶ 결승전에서 ~ 득점하다.
매-흙 [-흑] 명 초벽·재벽이 끝난 다음 벽거죽에 바르는 보드라운 잿빛의 흙. 준매.
맥 (脈) 명 **1** '혈맥'의 준말. ¶ ~을 찾아 주사를 놓다. **2** '맥박'의 준말. ¶ ~이 고르다 / ~을 짚다. **3** '광맥'의 준말. ¶ ~을 찾아내다. **4** '맥락'의 준말. ¶ ~을 같이하는 이야기. **5** '잎맥'의 준말. **6** 풍수지리에서, 산맥이나 지세의 정기가 흐르는 줄기. ¶ ~과 혈(穴). **7** 기운이나 힘. ¶ ~을 잃고 드러눕다.
[맥도 모르고 침통 흔든다] 사리나 속내도 모르고 덤빈다.

맥(도) 모르다 구 일의 속내나 까닭 따위를 알지 못하다. ¶ 맥도 모르고 덤비다.
맥(을) 놓다 구 긴장 따위가 풀려 멍하게 되다. ¶ 그 말을 듣고부터 맥을 놓고 앉아만 있다.
맥(을) 못 추다 구 힘을 쓰지 못하다. ¶ 맥도 못 추고 넘어지다.
맥을 쓰다 구 ㉠힘을 쓰다. ㉡효력을 나타내다.
맥(을) 짚다 구 남의 속셈을 알아보다.
맥(이) 빠지다 구 힘이 없어지다. ¶ 맥 빠진 얼굴을 하다 / 비로 경기가 중지되어 맥이 빠져 버렸다.
맥(이) 풀리다 구 기운이나 긴장이 풀어지다. ¶ 시험을 치르고 나니 온몸의 맥이 풀려 버린 것 같다.
맥고-모자 (麥藁帽子) 명 밀짚·보릿짚으로 만든 서양식 여름 모자(《위가 납작하고 갓 양태가 큼》). 밀짚모자. 준맥고자.
맥곡 (麥穀) 명 보리·밀 등의 곡식. 하곡(夏穀). *미곡(米穀).
맥-놀이 (脈-)[맹-] 명 〖물〗 진동수의 차이가 극히 작은 두 개의 소리굽쇠를 때릴 경우, 그 두 소리가 서로 간섭하여 주기적으로 강약을 반복하는 현상.
맥락 (脈絡)[맹낙] 명 **1** 〖생〗 혈관이 서로 연락되어 있는 계통. **2** 사물 따위가 서로 이어져 있는 관계나 연관. ¶ ~이 닿는 이야기 / 일련의 사건을 같은 ~으로 파악하다. 준맥.
맥류 (麥類)[맹뉴] 명 보리 종류(《보리·참밀·귀리·호밀 등》).
맥맥-이 (脈脈-)[맹-] 부 줄기차게 끊임없이. ¶ 3·1 정신을 ~ 이어 오다.
맥맥-하다 [맹매카-] 형여불 **1** 코가 막히어 숨쉬기가 답답하다. ¶ 감기로 코가 ~. **2** 생각이 잘 돌지 아니하다. ¶ 앞일이 도무지 ~. **맥맥-히** [맹매키] 부
맥박 (脈搏) 명 심장의 박동에 따라 일어나는 혈관 벽의 주기적인 파동. ¶ ~을 재다 / ~이 약하다 / ~이 고르다. 준맥.
맥박(이) 치다 구 ㉠맥박이 뛰다. ㉡힘차게 용솟음치다.
맥반-석 (麥飯石) 명 〖광〗 황백색의 거위 알 또는 뭉친 보리밥 모양의 천연석(《정수(淨水) 작용이 있는 돌로 알려짐》).
맥분 (麥粉) 명 **1** 밀가루. **2** 보릿가루.
맥시 (maxi) 명 자락이 발목까지 내려오는 여자용 스커트나 코트. *미니(mini)·미디.
맥시멈 (maximum) 명 **1** '최대'·'최고'의 뜻. **2** 〖수〗 극대. ↔미니멈.
맥아 (麥芽) 명 엿기름.
맥아-당 (麥芽糖) 명 말토오스.
맥-없다 (脈-)[-업따] 형 기운이 없다. ¶ 지친 듯이 맥없는 웃음을 띠다. **맥-없이** [-업씨] 부 **1** 기운 없이. ¶ ~ 물러나다. **2** 아무 이유도 없이. 공연히. ¶ ~ 화를 내다.
맥주 (麥酒) 명 엿기름가루를 물과 함께 끓여 당화시킨 다음, 홉을 넣어 향기와 쓴맛이 있게 한 뒤에, 효모를 넣어 발효시킨 술.
맥주-병 (麥酒甁)[-뼝] 명 **1** 맥주를 담는 병. 또는 맥주가 담긴 병. **2** 수영이 아주 서투른 사람의 별명.
맥줏-집 (麥酒-)[-쭈찝 / -쭏찝] 명 주로 맥주를 파는 술집.
맥진 (脈診) 명하타 **1** 진맥(診脈). **2** 맥박의 수나 강약으로 병세를 판단하는 진단법.
맥진 (驀進) 명하자 좌우를 돌아볼 겨를이 없이 힘차게 나아감.
맥진-하다 (脈盡-) 자여불 맥이 풀리고 기운이 빠지다.
맥-쩍다 형 **1** 심심하고 재미가 없다. ¶ 하는 일 없이 맥쩍게 앉아 시간만 보내다. **2** 부끄럽고 쑥스럽다. ¶ 잃어버리고 나서 또 달라기가 ~.
맥황 (麥黃)[매꽝] 명 보리·밀에 황(黃)이 내리어 누렇게 되는 병. 황증(黃烝).
***맨:**[1] 관 '더 할 수 없이 가장'의 뜻을 나타냄. ¶ ~ 꼭대기 / ~ 꼴찌 / ~ 처음 / ~ 마지막 / 내가 ~ 먼저다.
맨[2] 부 '아무것도 섞이지 않고 그것뿐'이란 뜻을 나타냄. ¶ ~ 장사꾼이다 / ~ 책밖에 없다.
맨- 두 (일부 명사 앞에 붙어) '다른 것이 섞이지 않고 오직 그것뿐'인 뜻을 나타냄. ¶ ~발 / ~손 / ~주먹.
맨:날 부 만날.
맨-눈 명 안경이나 현미경 등을 이용하지 아니하고 직접 보는 눈. 육안(肉眼). ¶ 너무 작아서 ~으로는 안 보인다.
맨-다리 명 살이 드러난 다리. 적각(赤脚).
맨둥-맨둥 부하형히부 산에 나무가 없어 반반한 모양. 큰민둥민둥.
맨드라미 명 〖식〗 비름과의 한해살이풀. 높이 90 cm 정도, 여름철에 닭의 볏 모양의 꽃이 핌. 계관(鷄冠).
맨드리 명 **1** 옷을 입고 매만진 맵시. ¶ ~가 곱다. **2** 물건의 만들어진 모양새.
맨-땅 명 **1** 아무것도 깔지 아니한 땅. ¶ ~에 앉다. **2** 거름을 주지 아니한 생땅. ¶ 화초를 ~에 심다.
맨-머리 명 **1** 아무것도 쓰지 않은 머리. **2** 낭자를 하지 아니하고 그대로 쪽 찐 머리.
맨-몸 명 **1** 옷을 입지 아니하고 벌거벗은 몸. 알몸. ¶ 덥다고 ~으로 자다. **2** 아무것도 지니지 않은 상태나 형편. ¶ 아무런 준비도 없이 ~으로 길을 나서다.
맨-바닥 명 아무것도 깔지 아니한 바닥. ¶ 차가운 ~에 드러눕다.
맨-발 명 아무것도 신지 아니한 발. ¶ ~로 모래밭을 걷다 / ~로 뛰어나와 맞다.
맨발로 뛰다 구 어떤 일에 매우 열성적으로 활동하다. ¶ 10년을 맨발로 뛰어 사업을 이 정도로 키웠다.
맨발(을) 벗고 나서다 구 어떤 일에 아주 적극적으로 개입하다. ¶ 친구 일이라면 ~.
맨발(을) 벗다 구 맨발이 되다.
맨-밥 명 반찬이 없는 밥.
맨-살 명 아무것도 입거나 걸치지 아니하여 드러난 살. ¶ 큰 수건으로 ~을 가리다.
맨션 (mansion) 명 대저택이란 뜻으로, 고급 아파트.
맨-손 명 **1** 아무것도 가지지 아니한 손. 빈손. ¶ ~으로 찾아가다. **2** 아무것도 끼거나 감지 아니한 손. ¶ 뜨거우니 ~으로 잡지 마라.
맨손 체조 (-體操) 도구나 기구 없이 손·발·목·몸통 등을 움직이며 하는 체조. 도수 체

조. ↔기계 체조.

맨송-맨송 부하형히부 **1** 몸에 털이 있을 곳에 털이 없어 반반한 모양. ¶머리털이 ~ 다 빠지다. **2** 산에 나무나 풀이 없어 반반한 모양. **3** 술을 마시고도 취하지 아니하여 정신이 말짱한 모양. ¶많이 마셨는데도 왠지 ~하다. **4** 일거리가 없거나 생기는 것이 없어 심심하고 멋쩍은 모양. ¶하는 일 없이 ~ 날을 보내다. 큰민숭민숭.

맨-얼굴 명 화장을 하지 아니한 얼굴. ¶~이 더 예쁘구나.

맨-입 [-닙] 명 **1** 아무것도 먹지 아니한 입. ¶~으로 하루를 보내다. **2** 아무 대가도 없는 상태. ¶~으로 취직을 부탁하다 / ~으로야 말해 줄 수가 있나.

맨-정신 (-精神) 명 흐릿하거나 취하지 아니한 맑은 정신. ¶~으로 그런 짓을 할 수가 있을까.

맨-주먹 명 **1** 어떤 무기나 도구도 가지지 아니한 상태. ¶~으로 맞서 싸우다. **2** 아무것도 갖추지 못한 상태. ¶~으로 시작한 사업이 이만큼 성장했구나.

맨투맨 디펜스 (man-to-man defense) 구기(球技)에서, 경기자가 각각 자신의 상대를 정해서 방어하는 방법. 대인 방어.

맨틀 (mantle) 명 지구의 지각(地殼)과 핵 사이에 있는 부분.

맨홀 (manhole) 명 **1** 땅속에 묻은 수도관·하수관·지하 케이블 등을 검사하고 수리하거나 청소하기 위해 드나들 수 있게 만든 구멍. **2** 터널 또는 철교 등의 옆에 사고를 피하고자 만들어 놓은 구멍이나 자리. **3** 배의 갑판 위에 사람이 출입할 수 있게 만든 작은 승강구.

맴:[1] 명 '매암'의 준말.

맴[2] 부 매미가 울음을 그칠 때에 내는 소리.

맴:-돌다 〔맴도니, 맴돌아〕 자타 **1** 제자리에서 뱅뱅 돌다. ¶독수리가 하늘을 ~. **2** 어떤 대상의 주변을 빙빙 돌다. ¶탑 주위를 맴돌면서 딸의 합격을 빌다. **3** 같은 범위나 장소에서 되풀이하여 움직이다. ¶어색한 분위기가 ~ / 성적이 하위권에서 ~.

맴매 명하타 〈소아〉 **1** 때리는 매. ¶~ 가져오너라. **2** 매로 때리는 일.

***맴:-맴**[1] 부 〈소아〉 아이들이 매암을 돌 때에 부르는 소리. 또는 그 모양. ¶고추 먹고 ~ 담배 먹고 ~.

맴-맴[2] 부 매미가 우는 소리. *매암매암.

***맵다** 〔매우니, 매워〕 형ㅂ불 **1** 맛이 알알하다. ¶찌개가 너무 맵구나. **2** 성질이 사납고 독하다. ¶시집살이 ~ 한들. **3** 몹시 춥다. ¶강바람이 몹시 ~. **4** 연기 따위가 눈·코를 아리게 하다. ¶매운 연기.

맵시 명 곱게 매만진 모양새. ¶옷을 ~ 있게 입다 / 양장으로 ~를 내다.

맵싸-하다 형여불 맵고 싸하다. ¶맵싸한 계핏가루.

맵쌀 명 찐 메밀을 약간 말리어 찧어서 껍질을 벗긴 메밀.

맵-짜다 형 **1** 음식 맛이 맵고 짜다. **2** 성미가 독하고 사납다. ¶맵짠 눈으로 흘겨보다.

맷-가마리 [매까- / 맫까-] 명 매를 맞아 마땅한 사람.

맷-감 [매깜 / 맫깜] 명 **1** 매를 맞아 마땅한 언행. ¶하는 짓마다 ~이다. **2** 매를 때릴 물건.

맷-돌 [매똘 / 맫똘] 명 곡식을 가는 데 쓰는 기구 《둥글넓적한 돌 두 개를 포개고 윗돌 아가리에 갈 곡식을 넣으면서 손잡이를 돌려서 갈게 됨》. 준매.

맷맷-이 [맨-] 부 맷맷하게. 큰밋밋이.

맷맷-하다 [맨매타-] 형여불 생김새가 매끈하게 곧고 길다. 큰밋밋하다.

맷-방석 (-方席) [매빵- / 맫빵-] 명 매통이나 맷돌 밑에 까는, 짚으로 만든 전이 있는 둥근 방석.

맷-집 [매찝 / 맫찝] 명 **1** 매를 견디어 내는 힘이나 정도. ¶~ 좋은 권투 선수. **2** 때려 볼 만한 통통한 살집. ¶~ 좋은 놈.

맹- 투 '아무것도 섞지 않은'의 뜻. ¶~물 / ~탕.

맹:- (猛) 투 '맹렬한, 정도가 매우 심한'의 뜻. ¶~활약 / ~연습.

맹:견 (猛犬) 명 매우 사나운 개. ¶~ 주의.

맹:공 (猛攻) 명하타 '맹공격'의 준말.

맹:-공격 (猛攻擊) 명하타 맹렬하게 공격함. ¶~을 시작하다. 준맹격·맹공.

맹:금 (猛禽) 명 성질이 사납고 육식을 하는 새의 총칭《매·수리 따위》.

맹:꽁-맹꽁 부하자 맹꽁이가 잇따라 우는 소리. 맹꽁징꽁.

맹:꽁이 명 **1** 〖동〗 맹꽁잇과의 개구리. 길이는 5cm 정도, 등은 황청색, 배는 담황색임. 날이 흐리거나 비가 올 때 특히 요란스레 욺. **2** 〈속〉 야무지지 못하고 답답한 사람을 놓으로 이르는 말. ¶~ 같은 친구.

맹:꽁이-배 명 맹꽁이의 배처럼 불룩 튀어나온 배.

맹:독 (猛毒) 명 심한 독. ¶독사의 ~.

맹:랑-하다 (孟浪-) [-낭-] 형여불 **1** 생각하던 바와 달리 허망하다. ¶맹랑한 소문. **2** 매우 똘똘하고 깜찍하다. ¶맹랑한 꼬마 녀석. **3** 처리하기가 매우 어렵고 묘하다. ¶일이 점점 맹랑하게 되어 가는군. **맹:랑-히** [-낭-] 부

맹:렬-하다 (猛烈-) [-녈-] 형여불 기세가 사납고 세차다. ¶맹렬한 기세로 달려들다. **맹:렬-히** [-녈-] 부. ¶~ 싸우다.

맹맹-하다[1] 형여불 **1** 음식 따위가 제 맛이 나지 아니하고 싱겁다. ¶찌개가 ~. **2** 마음이 허전하고 싱겁다. ¶맹맹한 기분으로 한참 멀거니 앉아 있었다. 큰밍밍하다.

맹맹-하다[2] 형여불 코가 막혀 말을 할 때 코의 울림 소리가 나면서 갑갑하다. ¶감기에 걸려 코가 ~.

맹:모삼천지교 (孟母三遷之敎) 명 맹자의 어머니가 맹자를 가르치기 위해 세 번 이사했다는 고사. 준맹모삼천.

맹목 (盲目) 명 **1** 먼눈[1]. **2** 분별이나 판단을 못하는 눈.

맹목-적 (盲目的) 관명 사리를 따지거나 분별이 없이 무턱대고 하는 (것). ¶~(인) 사랑 / ~으로 순종하다.

맹문 명 **1** 일의 시비나 경위. ¶~도 모르고 덤비다. **2** 일의 시비나 경위를 모름. ¶그 일에 ~인 사람을 뽑다니.
맹-물 명 **1** 아무것도 타지 아니한 물. ¶~만 마시고 단식하다. **2** 언행이 싱겁고 야물지 않은 사람. ¶어쩌면 그리도 ~이냐. [맹물 같은 소리] 실속이 없거나 내용이 없는 소리.
맹:박(猛駁) 명하타 맹렬히 반박함.
맹방(盟邦) 명 동맹을 맺은 나라. 동맹국. ¶피로 맺은 ~.
맹서(盟誓) 명하자타 '맹세'의 본딧말.
맹:성(猛省) 명하타 매우 깊이 반성함. ¶~을 촉구하다.
맹세(盟誓) 명하자타 굳게 약속하거나 다짐함. 또는 그 약속이나 다짐. ¶~를 깨뜨리다 / 천지신명께 ~하다.
맹세-코(盟誓-) 부 다짐한 대로 꼭. ¶하늘에 ~ 약속은 반드시 지킨다.
***맹:수**(猛獸) 명 사나운 짐승. ¶~ 사냥.
맹:습(猛襲) 명하타 맹렬히 습격함.
맹신(盲信) 명하타 옳고 그름을 가리지 않고 덮어놓고 믿음. ¶외래 사상에 대한 ~.
맹아(盲啞) 명 시각 장애인과 청각 장애인.
맹아(萌芽) 명 **1** 식물에 새로 트는 싹. **2** 사물의 시초가 되는 것. ¶실학사상의 ~.
맹아-기(萌芽期) 명 **1** 식물이 싹틀 무렵. **2** 사물이 처음 생기는 시기. ¶신문화의 ~.
맹아 학교(盲啞學校) 맹아자에게 특수 교육을 하는 학교.
맹약(盟約) 명하자타 **1** 굳게 맹세한 약속. ¶~을 어기다. **2** 동맹국 사이의 조약.
맹:-연습(猛練習)[-년-] 명하자 맹렬하게 하는 연습. ¶경기를 앞두고 ~에 들어가다.
맹:위(猛威) 명 사나운 위세. 맹렬한 위력. ¶무더위가 ~를 떨치다.
맹인(盲人) 명 눈이 먼 사람. 맹자. 시각 장애인. 소경.
맹장(盲腸) 명 대장(大腸)의 위 끝으로, 소장에 이어진 길이 6cm 정도의 관《아랫배의 오른편 아래에 있음》. 막창자.
맹:장(猛將) 명 용맹한 장수. ¶~ 아래 약졸(弱卒) 없다.
맹장-염(盲腸炎)[-념] 명 〖의〗 충수염(蟲垂炎).
맹점(盲點)[-쩜] 명 **1** 〖생〗 시신경이 망막으로 들어오는 곳에 있는 희고 둥근 부분《시세포가 없어서 빛을 분간하지 못함》. 맹반(盲斑). **2** 미처 생각이 미치지 못한 모순되는 점이나 틈. 허점. ¶~을 바로잡다.
맹종(盲從) 명하자타 옳고 그름을 가리지 않고 덮어놓고 따름. ¶부모님 말씀에는 무조건 ~했다.
맹주(盟主) 명 맹약을 맺은 개인이나 단체의 우두머리. ¶~로 선출되다.
맹추 명 똑똑하지 못하고 흐리멍덩한 사람을 얕잡아 이르는 말. ¶이런 ~ 같은 사람 봤나. 큰멍추.
맹:-추격(猛追擊) 명하타 맹렬하게 추격함. ¶시민의 ~으로 도둑을 잡았다.
맹:타(猛打) 명하타 **1** 몹시 때림. 맹렬한 공격. **2** 야구에서, 투수의 공을 계속 쳐내 공격함. ¶~를 퍼붓다.
맹탕(-湯) 一명 **1** 맹물처럼 아주 싱거운 국. ¶찌개가 ~이다. **2** 옹골차지 못하고 성질이 싱거운 사람의 일컬음. ¶저 사람, 생각과는 달리 ~이로구나. 二부 무턱대고 그냥. ¶공부는 하지 않고 ~ 놀기만 한다.
맹:-포격(猛砲擊) 명하타 맹렬한 포 사격. ¶적군에게 ~을 퍼붓다.
맹폭(盲爆) 명하타 정해진 목표 없이 마구 퍼붓는 폭격. 또는 무차별 폭격.
맹:-하다 형여불 싱겁고 흐리멍덩하여 멍청한 듯하다. ¶약으면서도 맹한 데가 있다.
맹-학교(盲學校) 명 시각 장애인들에게 특수한 교육을 베푸는 학교. 맹인 학교.
맹:호(猛虎) 명 **1** 사나운 범. ¶~와 같은 기세. **2** 몹시 사나운 사람을 비유적으로 이르는 말.
맹:-활약(猛活躍) 명하자 세차고 뛰어난 활약. ¶신인들의 ~이 돋보이다.
맹:-훈련(猛訓練)[-훌-] 명하자 맹렬한 훈련. ¶~에 돌입하다.
***맺다**[맫따] 一자 **1** 물방울이나 땀방울 따위가 생겨나 매달리다. ¶이마에 땀방울이 ~. **2** 열매나 꽃망울 따위가 생기거나 그것을 이루다. ¶장미에 꽃망울이 ~. 二타 **1** 끄나풀 등의 두 끝을 얽어 매듭을 만들다. ¶그물을 ~. **2** 하던 일을 끝내다. ¶목이 메어 말을 맺지 못하다. **3** 인연이나 관계 따위를 이루거나 짓다. ¶맺은 언약 / 협정을 ~ / 사랑을 ~. **4** 열매나 꽃망울 따위를 이루다. ¶좋은 나무가 좋은 열매를 맺는다. [맺은 놈이 풀지] 무엇이든 처음 하던 사람이 끝을 내야 한다.
맺고 끊은 듯하다 구 일이나 행동이 사리가 분명하고 빈틈이 없다. ¶일을 맺고 끊은 듯이 처리하다.
맺음-말 명 결론.
맺히다[매치-] 자 **1** 《'맺다'의 피동》 물방울이나 꽃망울 따위가 달리다. ¶눈물이 ~ / 이슬이 ~ / 진달래에 꽃망울이 ~. **2** 마음속에 응어리져 있다. ¶원한이 ~ / 가슴에 맺힌 한. **3** 살 속에 피가 뭉치다. ¶피가 맺히도록 맞았다. **4** 사람의 됨됨이가 빈틈이 없다. ¶야무지고 맺힌 데가 있는 성격.
맺힌 데가 없다 구 ㉠성격이 꽁하지 않다. ¶언뜻 보아 맺힌 데가 없는 듯하다. ㉡사람의 됨됨이가 꽉 짜인 데가 없다. ¶사람이 물러서 ~.
먈갛다[-가타]〔먈가니, 먈가오〕 형ㅎ불 환하게 말갛다.
먈쑥-하다[-쑤카-] 형여불 모양이 지저분하지 않고 깨끗하다. 큰말쑥하다. **먈쑥-히**[-쑤키] 부
머 一지대 '무엇'의 준말. ¶~ 말이냐. 二감 어린아이나 여자들이 어리광 조로 뜻 없이 하는 군말. ¶난 싫어 ~ / 아이들이야 다 그렇지 ~.
머금다[-따] 타 **1** 삼키지 않고 입속에 넣고만 있다. ¶입 안에 머금었던 물을 내뱉었다. **2** 눈물을 흘리지 않고 지니다. ¶눈물을 머금고 떠나다. **3** 감정이나 생각 따위를 표정이나 태도로 조금 드러내다. ¶미소를 ~. **4** 나무나 꽃이 물기를 지니다. ¶봄비를 머금은 버드나무 / 아침 이슬을 머금은 푸른 숲.
머:나-멀다〔-머니, -머오〕 형 (주로 '머나

먼'의 꼴로 쓰여) 몹시 멀다. ¶머나먼 옛날/머나먼 나그넷길.

머루 명 〖식〗 **1** 포도과의 개머루·왕머루 따위의 총칭. **2** 포도과의 낙엽 덩굴나무. 왕머루와 비슷한데 잎 뒷면에 적갈색 털이 있으며, 흑자색 열매가 달림. 식용함.

***머리**[1] 명 **1** 사람이나 동물의 목 위의 부분. 두부(頭部). ¶~를 숙여 인사하다/~에 모자를 쓰다. **2** 물건의 꼭대기 또는 앞부분. ¶차 ~에 치다. **3** 일의 시작. ¶~도 끝도 없는 일. **4** 단체의 우두머리. ¶조직의 ~ 노릇을 하다. **5** 생각하고 판단하는 능력. ¶~가 좋다/~를 깨우치다. **6** '머리털'의 준말. ¶~가 길다/~를 염색하다. **7** 어떤 때가 시작될 무렵. ¶해질 ~. **8** 한쪽 끝 또는 가장자리. ¶밭~/책상~. **9** 사물의 앞 또는 위의 비유. ¶마치의 ~ 쪽.

[머리 검은 짐승은 남의 공을 모른다] 사람은 짐승보다도 남의 은혜를 모르는 수가 많다.

머리가 가볍다 구 상쾌하여 마음이나 기분이 거뜬하다.

머리(가) 굳다 구 ㉠완고하다. ㉡기억력 따위가 무디다.

머리(가) 굵다 구 머리(가) 크다.

머리가 깨다 구 생각하거나 이해하는 정도가 뒤떨어지지 않다. ¶할아버지는 머리가 깬 분이셨다.

머리가 돌다 구 ㉠임기응변으로 생각이 잘 돌거나 미치다. ㉡정신이 이상하게 되다. ㉢생각이 혼란스럽고 복잡하다. ¶어찌나 일이 복잡한지 머리가 돌 지경이다.

머리가 돌아가다 구 생각이 잘 미치다. 두뇌 회전이 빠르다.

머리가 무겁다 구 기분이 좋지 않거나 골이 띵하다.

머리가 복잡하다 구 고민이 많다. ¶머리가 복잡하다고 술만 마신다.

머리가 수그러지다 구 존경하는 마음이 일어나다. ¶그분 앞에 서면 저절로 머리가 수그러진다.

머리(가) 썩다 구 사고방식이나 사상이 낡아 쓰지 못하게 되다.

머리(가) 아프다 구 머릿살(이) 아프다.

머리가 젖다 구 어떤 사상이나 인습 따위에 물들다.

머리(가) 크다 구 성인이 되다.

머리(를) 감다 구 머리를 물로 씻다.

머리(를) 굴리다 구 머리를 써서 묘안을 생각해 내다. ¶머리를 굴려 내놓은 안을 묵살하다.

머리(를) 굽히다 구 굴복하다.

머리(를) 긁다 구 수줍거나 무안해서 어쩔 줄 모르다.

머리(를) 깎다 구 ㉠이발하다. ㉡중이 되다. ㉢〈속〉 교도소에 복역하다.

머리(를) 내밀다 구 어떤 자리에 모습을 나타내다.

머리(를) 들다 구 ㉠눌려 있거나 숨겨 온 생각이나 의심 따위가 머리에 떠오르다. ㉡차차로 세력을 얻어 세상에 알려지게 되다. 대두(擡頭)하다.

머리(를) 맞대다 구 의논하거나 결정하기 위하여 서로 마주 대하다. ¶몇몇이 머리를 맞대고 수군거리고 있다.

머리(를) 모으다 구 ㉠중요한 이야기를 하려고 바투 모이다. ㉡의견을 종합하다.

머리(를) 숙이다 구 ㉠머리(를) 굽히다. ㉡수긍하거나 경의를 표하다. ㉢사죄하다.

머리를 스치다 구 문뜩 생각이 떠오르다. ¶기막히게 좋은 생각이 머리를 스치고 지나갔다.

머리(를) 식히다 구 냉정한 태도를 취하다. 또는 흥분한 심정이나 긴장된 기분을 풀어 마음을 돌리다.

머리(를) 싸고 구 있는 힘과 마음을 다하여. ¶머리 싸고 돈벌이에 매달리다.

머리(를) 싸매다 구 있는 힘을 다하여 노력하다. ¶머리를 싸매고 공부하다.

머리(를) 썩이다 구 몹시 애를 쓰다.

머리(를) 쓰다 구 깊이 생각하거나 아이디어를 찾아내다. ¶머리를 쓰면 해답은 절로 나온다.

머리(를) 얹다 구 ㉠여자의 긴 머리를 두 갈래로 땋아 엇바꾸어 양쪽 귀 뒤로 돌려서 이마 위쪽에 한데 틀어 올리다. ㉡어린 기생 등이 자라서 머리를 쪽 찌다. ㉢시집가다.

머리(를) 얹히다 구 ㉠어린 기생과 관계를 맺어 그 머리를 얹어 주다. ㉡처녀를 시집보내다.

머리를 쥐어짜다 구 몹시 애를 써서 궁리하다. ¶아무리 머리를 쥐어짜도 신통한 수가 나오지 않는다.

머리를 짓누르다 구 정신적으로 강한 자극이 오다. ¶머리를 짓누르는 압박감.

머리(를) 풀다 구 부모상(喪)을 당하여 틀었던 머리를 풀다.

머리(를) 흔들다 구 ㉠진저리를 치다. ㉡거절하거나 부인하다.

머리에 그리다 구 상상하다.

머리에 새겨 넣다 구 단단히 기억해 두다.

머리에 서리가 앉다 구 머리가 희끗희끗해지다. 늙다.

머리에 피도 안 마르다 구 아직 어른이 되려면 멀었다. 아직 나이가 어리다.

머리[2] 명 **1** 덩어리를 이룬 수량의 정도를 일컫는 말. **2** '돈머리'의 준말. ¶~를 헤아리다.

-머리 미 일부 명사에 붙어, 그 명사를 속된 말이 되게 하는 말. ¶버르장~/인정~/주변~/안달~.

머리-글 명 머리말.

머리-글자 (-字)[-짜] 명 **1** 이니셜(initial). **2** 한 단어의 첫머리에 나오는 글자.

머리-기사 (-記事) 명 톱(top)기사.

머리-꼭지 명 머리의 맨 위의 가운데.

머리-끄덩이 명 머리를 한데 뭉친 끝. ¶~를 잡아끌어 넘어뜨리다.

머리-끝 [-끋] 명 머리털의 끝.

머리끝에서 발끝까지 구 온몸 전체. 위에서 아래까지 온통.

머리끝이 쭈뼛쭈뼛하다 구 두려움이나 추위 때문에 섬뜩해져서, 머리털이 곤두서는 느낌이다.

머리-띠 명 머리에 매는 띠. ¶~를 두르다.

머리-말 명 **1** 책이나 논문의 첫머리에 내용이나 목적 따위를 간단히 적은 글. ¶~을 쓰다. **2** 서론.
머리-맡 [-맏] ㉮명 누웠을 때의 머리 부근. 침상(枕上). ¶~에서 시중을 들다. ↔발치.
머리-빗 [-빋] 명 머리를 빗는 데 쓰는 빗.
머리-뼈 명 〖생〗 사람이나 동물의 머리를 이루고 있는 뼈. 두개골.
머리-숱 [-숟] 명 머리털의 양. ¶~이 많다.
머리-싸움 명 머리를 써서 겨루거나 싸우는 일. ¶~이 한창이다 / 장사도 결국 ~이다.
머리-쓰개 명 수건이나 장옷 등 여자가 머리에 쓰는 물건의 총칭.
머리-악 명 〈속〉 기(氣).
머리악을 쓰다 구 〈속〉 기를 쓰다. ¶구경이라면 머리악을 쓰고 덤벼든다.
머리-채 명 길게 늘어진 머리털. ¶~를 잡아끌다 / 숱이 많고 칠흑 같은 ~.
*__머리-카락__ 명 머리털의 낱개. ¶젖은 ~을 쓸어 올리다. ㊟머리칼.
[머리카락 뒤에서 숨바꼭질한다] 얕은꾀로 남을 속이려 든다.
머리-칼 명 '머리카락'의 준말. ¶~이 바람에 날리다.
머리-털 명 머리에 난 털. 두발. 모발(毛髮). ㊟머리.
머리-통 명 **1** 머리의 둘레. ¶~만 컸지 속은 비었다. **2** '머리¹'의 낮춤말. ¶~이 깨지게 싸우다 / ~을 쥐어박다.
머리-핀 (-pin) 명 여자가 머리를 치장하는 데 쓰는 핀.
머리-하다 자여불 머리를 손질하다. ¶미장원에서 ~.
머릿-결 [-리껼 / -릳껼] 명 머리카락의 질이나 상태. ¶고운 ~.
머릿-골 [-리꼴 / -릳꼴] 명 **1** 뇌(腦). **2** 〈속〉 머리¹. ㊟골.
머릿-기름 [-리끼- / -릳끼-] 명 머리털에 바르는 기름.
머릿-돌 [-리똘 / -릳똘] 명 정초식(定礎式) 때, 연월일 따위를 새겨서 일정한 자리에 앉히는 돌. 귓돌. 초석. 정초(定礎).
머릿-살 [-리쌀 / -릳쌀] 명 **1** 머리 속에 있는 신경의 줄. **2** '머리' 또는 '머리 속'을 낮잡아 이르는 말.
머릿살(을) 앓다 구 〈속〉 골치를 앓다.
머릿살(이) 아프다 구 ㉠〈속〉 골치가 아프다. ㉡머릿살(이) 어지럽다.
머릿살(이) 어지럽다 구 마음이 어수선하다.
머릿-속 [-리쏙 / -릳쏙] 명 상상이나 생각을 하거나 지식이 쌓인다고 믿는 머리 안의 추상적인 공간. 뇌리. ¶~이 복잡하다.
머릿-수 (-數)[-리쑤 / -릳쑤] 명 **1** 사람의 수. ¶~를 세어 보다. **2** 돈머리 따위의 수. ¶돈의 ~가 모자란다.
머릿-수건 (-手巾)[-리쑤- / -릳쑤-] 명 부녀자가 먼지 따위를 피하거나 추위를 막기 위하여 머리에 둘러 감는 천.
머무르다 〔머무르니, 머물러〕 자르불 **1** 도중에 멈추거나 어떤 곳에 잠깐 묵다. ¶기차가 간이역에 잠시 머물렀다. **2** 더 나아가지 못하고 일정한 수준이나 범위에 그치다. ¶공동 7위에 ~ / 사태는 여기에 머무르지 않았다. **3** 남의 집에 묵다. ¶여관에 ~. ㊟머물다.

> **'머무르다'와 '머물다'**
>
> '머물다'는 '머무르다'의 준말로 표준어이다. 주의해야 할 것은 모음 어미가 연결될 때에는 준말의 활용형을 인정하지 않는다는 점이다.
>
> ㉮ 서울에 머물러(○)
> 서울에 머물어(×)
>
> '서두르다, 서둘다'·'서투르다, 서툴다'도 같은 경우이다.
>
> 서둘러서(○)－서둘어서(×)
> 서툴렀다(○)－서툴었다(×)

머무적-거리다 자 말이나 행동 따위를 선뜻 행하지 못하고 자꾸 망설이다. ¶결행에 앞서 ~. ㊟머뭇거리다. **머무적-머무적** [-정-] 부하자
머무적-대다 자 머무적거리다.
머물다 〔머무니, 머무오〕 자 '머무르다'의 준말. ¶여관에 ~ / 삼위에 ~. ☞머무르다.
머뭇-거리다 [-묻꺼-] 자 '머무적거리다'의 준말. ¶대문간에서 ~. **머뭇-머뭇** [-문-묻] 부하자. ¶~하며 말을 잇지 못한다.
머뭇-대다 [-묻때-] 자 머뭇거리다.
머스터드 (mustard) 명 서양 겨자. 또는 그 열매로 만든 조리용의 겨자.
머슴 명 주로 농가에서 고용살이하는 남자. ¶~을 들이다 / ~을 두다. ㊟멈.
머슴(을) 살다 구 머슴 노릇을 하다.
머슴-살이 명하자 머슴 노릇을 하는 생활. 고공살이. ㊟멈살이.
머시¹ 감 사람이나 사물의 이름이 얼른 생각나지 않거나 밝혀 말하기 곤란할 때 쓰는 군소리. ¶그, ~, 그거 말이야.
머:시² ㊟ 무엇이. ¶~ 어째.
머쓱-하다 [-쓰카-] 형여불 **1** 어울리지 않게 키가 크다. ¶키만 머쓱하게 크다. **2** 어색하고 열없다. ¶면박을 받고 머쓱해서 물러섰다. **머쓱-히** [-쓰키] 부
머위 명 〖식〗 국화과의 여러해살이풀. 산에 남. 뿌리줄기는 짧고 여름에 수꽃은 황백색, 암꽃은 백색으로 핌. 잎은 데쳐 먹음.
머저리 명 어리보기. ¶~ 같은 녀석.
머:지-않다 [-안타] 형 (주로 '머지않아'의 꼴로 쓰여) 시간적으로 오래지 아니하다. ¶머지않아 해가 솟을 것이다.
머츰-하다 형 비나 눈 따위가 잠시 그쳐 뜸하다. ¶오후가 되니 비가 좀 ~.
머큐로크롬 (Mercurochrome) 명 살균·소독제의 하나. 녹색을 띤 적갈색의 유기(有機) 수은 화합물《수용액(水溶液)·연고로 만들어 씀 ; 상표명》.
머플러 (muffler) 명 **1** 목도리. **2** 소음기(消音器). **3** 권투용 장갑.
*__먹__ 명 **1** 벼루에 물을 붓고 갈아서 글씨를 쓰거나 그림을 그리는 데 쓰는 검은 물감《아교를 녹인 물에 그을음을 반죽하여 굳혀서 만듦》. ¶~을 갈다. **2** '먹물'의 준말.
먹- 두 일부 명사 앞에 붙어 '검은 빛깔'의 뜻을 나타냄. ¶~구름 / ~빛.
먹-거리 명 먹을거리.
먹고-살다 〔-사니, -사오〕 자 생활하다. 생계를 유지하다. ¶품팔이로 ~.
먹-구름 명 **1** 몹시 검은 구름. ¶무겁게 깔

린 ~/~이 하늘을 덮다. **2** 어떤 일의 좋지 않은 상태. ¶전쟁의 ~이 짙어지다.

먹-그림 명 **1** 먹으로만 그린 그림. 묵화(墨畫). **2** 먹으로 윤곽만을 그려 그 위에 채색을 더하는 그림.

먹-놓다 [멍노타] 타 재목을 다룰 때 치수에 맞춰 먹·연필이나 금쇠 따위로 금을 긋다.

먹는-샘물 [멍-] 명 지하수·샘물 등 자연 상태의 물을 먹는 데 알맞게 물리적으로 처리한 샘물.

먹는-장사 [멍-] 명 음식 따위를 만들어 파는 장사.

먹다[1] 자 귀나 코가 막혀 제 기능을 하지 못하게 되다. ¶코 먹은 소리/귀가 ~.

***먹다**[2] 一타 **1** 음식 등을 입을 거쳐 배 속으로 들여보내다. ¶술을 ~/모이를 ~. **2** 담배 또는 아편 따위를 피우다. **3** 남의 재물을 부당하게 차지하거나 가로채다. ¶공금을 ~/곗돈을 먹고 달아나다. **4** 수익이나 이문을 차지하다. ¶나머지 이익은 네가 다 먹어라. **5** 꾸지람·욕·핀잔 따위를 듣다. ¶호되게 욕을 ~. **6** 어떤 마음이나 감정을 품다. ¶마음을 굳게 먹고 담배를 끊다. **7** 공포나 위협으로 두려움을 느끼다. ¶겁을 ~. **8** 나이를 더하다. ¶내년이면 오십을 먹는구나. **9** 더위나 너리 등의 병에 걸리다. ¶더위를 ~. **10** 어떤 등급을 차지하거나 점수를 따다. ¶1등을 먹었다. **11** 운동 경기 따위에서 점수를 잃다. ¶한 골 ~. **12** 〈속〉 뇌물을 받다. ¶뇌물을 먹고 잡혀가다. **13** 물이나 습기 따위를 빨아들이다. ¶종이가 물을 ~. **14** 봉록 따위를 받다. ¶녹(祿)을 ~. **15** 〈속〉 여자의 정조를 유린하다. **16** 〈속〉 매 따위를 맞다. ¶주먹을 한 방 먹고 나가떨어졌다. **17** 약을 씹거나 마시다. ¶나는 저 약을 한 달이나 먹었다. 二자 **1** 연장이 소재를 깎거나 자르거나 갈다. ¶대패가 잘 먹는다. **2** 배어들거나 고루 퍼지다. ¶화장이 잘 먹는 피부/풀이 잘 ~. **3** 돈이나 물건 따위가 들거나 쓰이다. ¶양복 한 벌에 30만 원 ~. **4** 벌레·균 따위가 파 들어가거나 퍼지다. ¶벌레 먹은 사과/옷에 좀이 먹었다. 三보동 '-아'·'-어' 뒤에 쓰여, 그 행동을 강조하는 말. ¶농사를 지어 ~/이제는 장사를 해 먹기도 힘들게 되었다.

[먹는 개도 아니 때린다] 음식을 먹는 사람을 때리거나 꾸짖지 말라는 뜻. [먹은 죄는 없다] 배가 고파서 남의 음식을 훔쳐 먹는 죄는 그리 대단치 않다. [먹을 콩으로 알고 덤빈다] ㉠먹지도 못할 것을 먹으려고 덤빈다. ㉡만만한 것으로 알고 차지하거나 이용하려고 든다. [먹지도 못하는 제사에 절만 죽도록 한다] 아무 소득도 없는 일에 수고만 한다.

먹고 들어가다 구 유리한 점을 미리 차지하고서 관계하다.

먹고 떨어지다 구 관여하던 일에서 어떤 이득을 챙기고 더 이상 관여하지 않다. ¶그까짓 것 먹고 떨어지라고 해.

먹먹-하다 [멍머카-] 형여불 귀가 갑자기 막힌 듯이 소리가 잘 들리지 않다. ¶폭죽 소리에 귀가 ~. **먹먹-히** [멍머키] 부

먹-물 [멍-] 명 **1** 벼루에 먹을 갈아 까맣게 만든 물. ¶~이 번지다. 준먹. **2** 먹빛같이 검은 물. ¶오징어의 ~. **3** 지식이나 학식이 많은 사람.

먹-보 명 밥을 많이 먹는 사람. 식충이.

먹-빛 [-삗] 명 먹물의 빛깔과 같이 검은빛.

먹새 명 **1** 먹음새. ¶~가 좋은 녀석. **2** 먹성.

먹-성 (-性) 명 음식을 먹는 성미나 분량. ¶~이 까다롭다/덩치를 보니 ~도 크겠다.

먹-실 명 먹물을 묻히거나 칠한 실.

먹실(을) 넣다 구 먹실을 꿴 바늘로 살갗을 뜨고 먹을 살 속에 넣어 문신 따위를 새기다.

먹을-거리 [-꺼-] 명 사람이 먹는 물건의 총칭. 식량. 식품. ¶~를 장만하다.

먹음-새 명 **1** 음식을 먹는 태도. 먹새. **2** 음식을 만드는 범절.

먹음직-스럽다 [-스러우니, -스러워] 형ㅂ불 보기에 먹음직한 데가 있다. ¶차린 음식상이 먹음직스러워 보인다. **먹음직-스레** 부. ¶포도가 ~ 익었다.

먹음직-하다 [-지카-] 형여불 음식이 보기에 맛이 있을 듯하다. ¶먹음직한 과일들이 수북하다.

***먹이** 명 동물의 먹을거리. ¶소에게 ~로 여물을 주다.

먹이 그물 〖생〗 생물의 먹이 연쇄가 횡적·종적으로 얽히어서 그물처럼 복잡하게 이루어진 먹이 관계.

***먹이다** 타 《'먹다[2]'의 사동》 **1** 음식을 먹게 하다. ¶아기에게 젖을 ~. **2** 가축 등을 기르다. ¶젖소를 ~. **3** 〈속〉 뇌물을 주다. ¶뇌물을 ~. **4** 욕 따위를 얻어먹게 하다. ¶부모에게 욕을 ~. **5** 공포나 위협을 느끼게 하다. ¶아이에게 겁을 ~. **6** 더위나 너리를 먹게 하다. **7** 배어들거나 고루 퍼지게 하다. ¶장판지에 기름을 ~. **8** 물건을 사거나 장만하기에 돈이 들게 하다. **9** 사람을 양육하다. ¶가족을 ~. **10** 기계나 틀 따위에 물건·재료 따위를 넣다. ¶작두에 풀을 ~. **11** 주먹 따위로 타격을 가하다. ¶도전자에게 결정타를 ~.

먹여 살리다 구 생활을 할 수 있도록 돌보다. ¶처자식을 ~.

먹이 사슬 〖생〗 먹이 연쇄.

먹이 연쇄 (-連鎖) 초식 동물을 육식 동물이 잡아먹고 그 동물을 다른 육식 동물이 잡아먹음으로써 이루어지는 생물 간의 관계. 먹이 사슬. 식물 연쇄.

먹잇-감 [-이깜/-읻깜] 명 짐승이나 물고기 따위의 먹이가 되는 것. ¶~을 찾아 나서다.

먹-자 명 목수가 재목에 먹으로 금을 그을 때 쓰는 'ㄱ' 자 모양의 자《짧은 쪽은 잣눈이 있고, 긴 쪽은 금을 긋는 데 씀》.

먹장-구름 명 먹빛같이 시꺼먼 구름.

먹-장어 (-長魚) 명 〖어〗 꾀장어과의 바닷물고기. 얕은 바다에 사는데, 뱀장어 비슷함. 길이는 50cm 내외이고 엷은 자줏빛임.

먹-종이 명 검정색의 복사지. 먹지.

먹-줄 명 **1** 먹통에 딸려 목재에 검은 줄을 곧게 치는 데 쓰이는 실이나 노로 만든 줄. **2** 먹줄을 쳐서 낸 줄. ¶~을 긋다.

[먹줄 친 듯하다] 무엇이 한결같이 쭉 곧고 바르다.

먹-지(一紙)명 복사할 때에 끼워 쓰는, 한 쪽 또는 양쪽 면을 검게 칠한 얇은 종이. 복사지.

먹-칠(一漆)명하자 1 먹을 칠함. 또는 검은 칠. 2 명예·체면 따위를 더럽힘. ¶더 이상 부모 얼굴에 ~하지 마라.

먹-통(一桶)명 1 목공·석공들이 먹줄을 치는 데 쓰는 그릇. 2 먹물을 담아 두는 통.

먹통명〈속〉멍청이. 바보.

먹혀-들다[머켜-]〔-드니, -드오〕자 이해되거나 받아들여지다. ¶그에게는 내 말이 먹혀들지 않는다.

먹히다[머키-]자 1《'먹다²'의 피동》먹음을 당하다. 2 먹게 되다. 먹어지다. ¶속이 거북해 밥이 잘 먹히지 않는다. 3 말이나 행위가 잘 받아들여지다. ¶지시가 잘 ~. 4 돈이나 재물 따위가 들다. ¶공사비가 예상보다 많이 먹혔다.

먼:-눈[1]명 시력을 잃어 보이지 않는 눈.

먼:-눈[2]명 먼 곳을 바라다보는 눈. ¶~이 밝다.

먼:-데명 '뒷간'을 완곡히 이르는 말.

먼데(를) 보다 구 '뒤보다·뒷간에 가다'를 완곡히 이르는 말.

먼:-동명 날이 밝아 올 무렵의 동쪽 하늘. ¶~이 트다 / ~이 밝아 오다.

먼:-먼관 '머나먼'의 뜻. ¶~ 옛날.

먼: 바다 기상 예보에서, 한반도를 중심으로 육지에서 동해는 20 km, 서해 및 남해는 40 km 밖의 바다. *앞바다.

먼:-발치명 조금 멀찍이 떨어진 곳. ¶~에서 지켜보다.

먼:-빛[-빋]명 ('먼빛으로'의 꼴로 쓰여) 멀리 보이는 정도나 모양. ¶~으로 본 그의 모습.

먼:산-바라기(一山一)명 눈동자나 목의 생김새가 늘 먼 데를 바라보는 것같이 보이는 사람.

먼:-일[-닐]명 먼 훗날에 닥쳐올 일. ¶~을 예상해 보다.

***먼저** ㊀명 시간으로나 순서에서 앞선 때. ¶~의 실수는 용서해 준다 / 네가 ~냐 내가 ~냐. ㊁부 시간으로나 순서에서 앞서서. ¶~ 실례하겠습니다.

[먼저 먹은 후 답답] 남보다 먼저 먹고 나서 남이 먹을 때에는 답답하게 바라만 보고 있음을 이르는 말.

먼젓-번(一番)[-저뻔/-젇뻔]명 지난번. ¶~에 갔을 때와 똑같더라.

***먼지**명 가늘고 보드라운 티끌. ¶책꽂이에 ~가 쌓이다.

먼지-떨이명 먼지를 떠는 기구《가는 자루에 말총·새털·헝겊 조각 따위를 동여매어 만듦》. 총채.

먼지-투성이명 온통 먼지로 더럽게 된 상태. ¶방 안이 온통 ~이다.

먼:-촌(一寸)명 촌수가 먼 일가. 먼 친척.

멀거니부 정신없이 물끄러미 보고 있는 모양. ¶~ 하늘만 쳐다보다.

멀건-이명 정신이 흐리멍덩한 사람.

멀:겋다[-거타]〔멀거니, 멀거오〕형ㅎ불 1 흐릿하게 맑다. ¶개울물이 ~. 작말갛다. 2 국물 따위가 묽다. ¶멀건 국물. 3 눈이 거슴츠레하다. ¶눈을 멀겋게 뜨고 천장만 바라보다.

멀:게-지다자 멀겋게 되다. 작말개지다.

멀그스레-하다형여불 멀그스름하다.

멀그스름-하다형여불 조금 멀겋다. 작말그스름하다. **멀그스름-히**부

멀끔-하다형여불 훤하게 깨끗하다. ¶멀끔하게 생긴 젊은이. 작말끔하다. **멀끔-히**부. ¶방을 ~ 치워라.

멀:다[1]〔머니, 머오〕자 1 시력이나 청력 따위를 잃다. ¶사고로 눈이 ~ / 귀가 멀어서 무슨 말인지 모르겠다. 2 판단력을 잃다. ¶돈에 눈이 멀어 친구를 배반하다.

***멀:다**[2]〔머니, 머오〕형 1 거리가 많이 떨어져 있다. ¶회사까지는 그리 멀지 않다 / 먼 고향 길을 가다 / 눈이 피로해지면 먼 데를 본다. 2 시간적으로 동안이 오래다. ¶먼 장래〔옛날〕/ 방학이 되려면 아직 멀었다. 3 사이가 서먹서먹하다. ¶두 사람 사이가 멀게 느껴진다. 4('-기에, -려면'의 뒤에 쓰여) 기준에 못 미치다. ¶화가가 되려면 아직 멀었다. 5 소리가 몹시 약하다. ¶전화 소리가 멀어서 잘 들리지 않는다. 6 촌수가 뜨다. ¶먼 친척. 7(주로 '멀게, 멀다 하고'의 꼴로 쓰여) 어떤 시간이나 거리가 채 되기 전이다. ¶이틀이 멀게 찾아오곤 한다 / 사흘이 ~ 하고 병원에 들락날락한다. ↔가깝다.

[먼 데 무당이 영하다] 잘 아는 사람보다 새로 만난 사람을 더 중히 여긴다. [먼 사촌보다 가까운 이웃이 낫다] 남이라도 가까이 사는 편이 더 친숙하다는 말.

멀대명〈방〉장대처럼 멀쑥하게 크기만 하고 멍청한 사람.

멀뚱-거리다타 생기가 없고 멀건 눈알을 자꾸 굴리다. ¶공상에라도 잠긴 듯 두 눈을 멀뚱거리고 있다. 작말똥거리다. **멀뚱-멀뚱**[1]부하타

멀뚱-대다타 멀뚱거리다.

멀뚱-멀뚱[2]부하형 1 눈만 멀거니 뜨고 다른 생각 없이 물끄러미 쳐다보는 모양. 작말똥말똥[2]. 2 국물 같은 것이 건더기가 적어 멀건 모양.

멀뚱-하다형여불 눈빛이나 정신 따위가 생기가 없다. ¶한동안 말없이 멀뚱한 표정을 짓다. **멀뚱-히**부. ¶~ 쳐다보다.

***멀:리**부 멀게. ¶~ 떨어진 고향 산천 / 앞일을 ~ 내다보다. ↔가까이.

***멀:리-뛰기**명 달려오다가 어느 지점에서 멀리 건너뛰기를 겨루는 육상 경기.

멀:리-멀리부 아주 멀리. ¶~ 울려 퍼지는 노랫소리.

멀:리-하다타여불 1 멀리 떨어져 있게 하다. ¶나쁜 친구를 ~. 2 어떤 사물을 삼가거나 기피하다. ¶술을 ~ / 한동안 책을 멀리하고 지냈다. ↔가까이하다.

***멀미**명하자 1 배·비행기·차 등의 흔들림을 받아 메스껍고 어지러워지는 증상. ¶버스만 타면 ~가 난다. 2 진저리가 나게 싫은 증세. ¶~를 내다 / 이제 그 잔소리엔 ~가 난다.

멀쑥-이부 멀쑥하게.

멀쑥-하다[-쑤카-]형여불 1 멋없이 키가 크고 묽게 생기다. ¶멀쑥하게 자란 소나무. 2 물기가 많아 되지 않고 묽다. ¶죽이 ~. 3 훤하고 깨끗하다. ¶멀쑥하게 차려

입은 젊은이. ㉶말쑥하다.
멀어-지다 자 **1** 거리가 떨어지게 되다. ¶달리는 차창 밖으로 멀어져 가는 고향 마을/우승권에서 ~. **2** 사이가 버성기게 되다. ¶그들은 진학 후 사이가 멀어졌다.
멀쩡-하다 형여불 **1** 흠이 없이 매우 온전하다. ¶사지(四肢)가 ~. ㉶말짱하다. **2** 뻔뻔스럽다. ¶멀쩡하게 거짓말을 하다. **3** 정신이 아주 맑고 또렷하다. ¶술에 몹시 취했음에도 정신은 ~. **4** 속셈이 있고 약삭빠르다. ¶나이는 어려도 속은 멀쩡한 녀석이다. **멀쩡-히** 부
멀찌가니 부 멀찍이.
멀찌감치 부 멀찍이. ¶~ 떨어져 그들을 엿보았다.
멀찌막-이 부 아주 멀찍이. ¶~ 앉다.
멀찌막-하다 [-마카-] 형여불 꽤 멀찍하다. ¶멀찌막한 곳에서 사이렌 소리가 들리다.
멀찍-멀찍 [-찡-] 부하형 여러 개의 사이가 모두 꽤 멀찍한 모양. ¶~ 떨어져 바라보고 있다.
멀찍-이 부 약간 멀게. 멀찌감치. 멀찌가니. ¶가까이 있지 말고 ~ 떨어져라. ↔가직이.
멀찍-하다 [-찌카-] 형여불 약간 멀다. ¶멀찍한 곳에서 구경을 하다. ↔가직하다.
멀티-미디어 (multimedia) 명 〔컴〕 영상·음성·문자·그래픽 등의 여러 미디어 매체들을 한데 모아 하나의 매체로 통합시킨 복합 매체.
멀티비전 (multivision) 명 여러 개의 화면에 하나의 영상을 만들어 내거나, 각기 다른 영상을 만들어 내는 장치.
멀티윈도 (multi-window) 명 〔컴〕 하나의 디스플레이 장치에서 화면을 여러 개로 나누고, 각각의 화면에 독립된 정보를 나타낼 수 있는 기능.
***멈추다** ㊀자 **1** 비나 눈 따위가 그치다. ¶비가 잠시 멈추더니 다시 내리기 시작했다. **2** 행동을 그치다. ¶차가 ~/아기 울음소리가 멈추었다. ㊁타 일·동작·움직임 등을 잠시 그치게 하다. ¶일손을 ~/시선을 ~.
멈칫 [-칟] 부하자타 하던 일이나 동작을 갑자기 멈추는 모양. ¶그를 보자 ~했다.
멈칫-거리다 [-칟꺼-] 자타 **1** 자꾸 멈칫하다. ¶나도 모르게 걸음을 멈칫거렸다. **2** 자꾸 망설이다. ¶묻는 말에 멈칫거리며 대답을 하지 않는다. **멈칫-멈칫** [-친-칟] 부하자타
멈칫-대다 [-칟때-] 자타 멈칫거리다.
***멋** [먿] 명 **1** 차림새·행동·생김새 등이 세련되고 아름다움. ¶~으로 쓰는 안경/잔뜩 ~을 내다. **2** 고상한 품격이나 운치. ¶~에 겹다/고유의 ~을 지닌 도자기/한시의 ~을 아직 모른다.
멋-대가리 [먿때-] 명 〈속〉 멋. ¶~ 없이 키만 큰 녀석.
멋-대로 [먿때-] 부 마음대로. 하고 싶은 대로. ¶~ 지껄이다/~ 해라.
멋-들다 [먿뜰-] 〔멋드니, 멋드오〕 자 멋이 생기다. ¶차림새가 멋들어 보인다.
멋-들어지다 [먿뜰-] 형 아주 멋있다. 멋지다. ¶한 곡조 멋들어지게 뽑다.
멋-모르다 [먼-] 〔멋모르니, 멋몰라〕 자르불 까닭·영문·내막 따위를 알지 못하다. ¶밀담하는 자리에 멋모르고 끼어들다.
멋-스럽다 [먿쓰-] 〔멋스러우니, 멋스러워〕 형ㅂ불 멋진 데가 있다. ¶양복을 멋스럽게 차려입다. **멋-스레** [먿쓰-] 부
멋-없다 [머덥따] 형 격에 어울리지 않아 싱겁다. ¶멋없는 정치 이야기. **멋-없이** [머덥씨] 부 멋없게. ¶~ 키만 크다.
멋-있다 [머딛따/머싣따] 형 보기에 썩 좋거나 훌륭하다. ¶멋있는 그림/멋있게 차려입다.

> **'멋있다'의 표준 발음**
>
> '멋있다'의 표준 발음은 [머딛따]이지만 실제 발음을 고려하여 예외적으로 [머싣따]도 표준 발음으로 허용한다. 받침 있는 단어와 모음으로 시작된 단어가 결합한 복합어에서는 받침을 대표음으로 바꾼 뒤에 뒤 음절 첫소리로 옮겨 발음하는 것이 원칙이다.
>
> '멋없다'를 [머섭따]로 발음하지 않고 [머덥따]로 발음하는 것이 그 예이다.

멋-쟁이 [먿쨍-] 명 멋있는 사람. 멋을 잘 부리는 사람. ¶~로 소문난 우리 아저씨.
멋-지다 [먿찌-] 형 아주 멋이 있다. 썩 훌륭하다. ¶실내 장식을 멋지게 꾸미다/멋진 연기.
멋-쩍다 [먿-] 형 **1** 동작이나 모양이 격에 어울리지 아니하다. **2** 거북하다. 어색하다. ¶혼자 가기가 ~/멋쩍게 서 있다.
멋:-하다 [머타-] 형여불 '무엇하다'의 준말. ¶멋하면 내 것과 바꿀까.
***멍**[1] 명 맞거나 부딪혀서 피부 속에 퍼렇게 맺힌 피. ¶부딪친 자리가 시퍼렇게 ~이 들었다.
멍(이) 지다 구 ㉠어떤 일의 내부에 탈이 생기다. ㉡마음속에 쓰라린 고통의 흔적이 남다.
멍[2] 명 '멍군'의 준말.
[멍이야 장이야] 멍군 장군.
멍게 명 〔동〕 멍겟과의 원색(原索)동물. 주먹만 한데 껍데기에 젖꼭지 같은 돌기가 많음. 몸 밑에 해초 뿌리 같은 것이 달려 있어 바위에 붙어 삶. 속살은 주로 회로 먹음. 우렁쉥이.
멍군 명감하자 장기에서, 장군을 받아 막아 내는 일. 또는 그때 하는 말. ㊟멍.
[멍군 장군] 서로 비슷하여 시비를 가리기 어렵다는 뜻.
멍-들다 〔멍드니, 멍드오〕 자 **1** 마음속에 쓰라린 고통의 흔적이 남다. ¶멍든 이내 가슴을 누가 알아주랴. **2** 일이 속으로 탈이 생기다. ¶오늘 계획은 완전히 멍들었다.
멍-멍 부 개가 짖는 소리.
멍멍-거리다 자 개가 자꾸 짖다.
멍멍-대다 자 멍멍거리다.
멍멍-이 명 〈속〉 개.
멍멍-하다 형여불 정신이 나간 것같이 어리벙벙하다. ¶정신이 온통 ~. **멍멍-히** 부. ¶충격이 심했던지 ~ 앉아 있다.
멍석 명 짚으로 엮은 네모진 자리《흔히 곡식을 널어 말리는 데 씀》.
멍석-말이 [-성-] 명하타 〔역〕 옛날 권세 있

는 집안에서 사사로이 멍석에 사람을 말아 놓고 뭇매를 치던 일. 또는 그런 형벌.

멍에 명 **1** 마소의 목에 얹어 수레나 쟁기를 끌게 하는 '∧' 모양의 막대. **2** '행동에 구속을 받거나 무거운 짐을 짐'의 비유. ¶~를 짊어지다. **3** 거룻배·돛단배 따위의 뱃전 밖으로 내민 창막이 각목의 끝 부분.

멍에(를) 메다〔쓰다〕 구 ㉠행동에 구속을 받다. ㉡어떤 고역을 치르게 되다.

멍울 명 **1** 우유나 풀 따위에 작고 둥글게 엉기어 굳은 덩이. ¶풀을 ~이 지지 않게 쑤다. ㉶망울. **2**〘의〙 림프샘이나 몸 안의 조직에 병적으로 생기는 둥글둥글한 덩이.

멍울(이) 서다 구 몸에 멍울이 생기다.

멍울-멍울 부하형 우유나 풀 따위 속에 멍울이 여기저기 작고 둥글게 엉기어 있는 모양. ㉶망울망울.

멍청-이 명 아둔하고 어리석은 사람. 멍텅구리. ¶저런 ~ 같으니라고.

멍청-하다 형여불 **1** 아둔하고 어리석어 사물을 제대로 판단하고 처리하는 능력이 없다. ¶아무리 멍청해도 그 정도는 할 수 있을거야. **2** 자극에 대한 반응이 무디고 어리벙벙하다. ¶멍청한 얼굴을 하다. **멍청-히** 부. ¶~ 서 있지 말고 일을 하게.

멍추 명 기억력이 부족하고 흐리멍덩한 사람. ㉶맹추.

멍텅구리 명 멍청이. ¶이런 ~를 봤나.

멍:-하니 부 멍하게. ¶기가 막혀 ~ 서서 보고만 있다.

멍:-하다 형여불 정신이 나간 듯 자극에 반응이 없다. ¶처음 당하는 일이라 정신이 ~/멍하니 먼 산을 바라보다. **멍:-히** 부

멎다 [먿따] 자 **1** 비나 눈 따위가 그치다. ¶겨우 바람이 멎었다. **2** 움직임이나 동작이 그치다. 멈추다. ¶기침이 멎는 약/울음소리가 ~/심장의 박동이 ~.

메[1] 명 무엇을 치거나 박을 때 쓰는 무거운 방망이《묵직하고 둥그스름한 나무토막이나 쇠토막에 구멍을 뚫고 자루를 박았음》. ¶~로 떡을 치다.

메[2] 명 **1** 제사 때 신위(神位) 앞에 올리는 밥. ¶~를 올리다. **2**〈궁〉 밥.

메[3] 명 '산'의 예스러운 말. ¶태산이 높다하되 하늘 아래 ~이로다.

메- 두 차지지 않고 '메진'의 뜻. ¶~조/~수수. ↔찰-·차-.

메가-바 (megabar) 의명 압력의 단위. 1 cm² 에 대하여 100만 다인의 힘이 가해질 때의 압력《기호 : Mbar》. *바(bar).

메가-바이트 (megabyte) 의명〘컴〙 기억 용량의 단위. 1메가바이트는 1,048,576 바이트 또는 1,024 킬로바이트《기호 : MB》.

메가-비트 (megabit) 의명〘컴〙 기억 용량의 단위. 1메가비트는 1,048,576 비트 또는 1,024 킬로비트《기호 : Mb》.

메가-사이클 (megacycle) 의명 메가헤르츠.

메가-톤 (megaton) 의명 핵폭탄의 폭발력을 나타내는 단위. 1메가톤은 TNT 100만 톤의 폭발력에 해당함《기호 : Mt》.

메가폰 (megaphone) 명 음성이 멀리 들리게 입에 대고 말하는, 나팔 모양의 도구.

메가폰을 잡다 구 영화에서 감독을 맡다.

메가-헤르츠 (megahertz) 의명〘물〙 전자기파의 주파수의 단위. 1초에 대하여 100만 헤르츠의 진동수《기호 : MHz》. 메가사이클.

메:기 명〘어〙 메깃과의 민물고기. 길이는 20–100 cm, 머리는 편평하며 입이 몹시 크고 네 개의 긴 수염이 있음. 몸에 비늘이 없고 미끈미끈한 액이 있음.

메기다[1] 타 **1** 두 편이 노래를 주고받고 할 때 한편이 먼저 부르다. **2** 둘이 마주 잡고 톱질할 때 한 사람이 톱을 밀어 주다.

메기다[2] 타 **1** 화살을 시위에 물리다. **2** 윷놀이에서, 말을 맨 끝밭에까지 옮기어 놓다.

메김-소리 [-쏘-] 명 노래를 주고받을 때 메기는 소리.

메나리 명 농부들이 논일하며 부르는 농부가의 하나.

메뉴 (menu) 명 **1** 식단(食單). **2**〘컴〙 사용자가 선택하여 이용할 수 있도록 명령어의 내용을 프로그램으로 내장하여 둔 조작 순서 일람표.

메:다[1] 자 **1** 묻히거나 막히다. ¶목이 ~. **2** 어떤 장소에 가득 차다. ¶강당이 메어 터지게 사람들이 모였다. **3** 감정이 북받쳐 목소리가 잘 나지 않다. ¶감격에 가슴이 메어 말이 안 나오다.

***메:다**[2] 타 물건을 어깨에 걸치거나 지다. ¶카메라를 ~.

메:다-꽂다 [-꼳따] 타 '메어꽂다'의 힘줌말. ¶바닥에 힘껏 ~.

메달 (medal) 명 표창이나 기념의 표지로 둥글고 납작한 금·은·동 따위에 초상·문자·회화 따위를 새긴 패.

메달리스트 (medalist) 명 경기 따위에서, 입상하여 메달을 받은 사람. 메달 수령자.

메달-박스 (medal+box) 명 대회에서, 어느 나라 또는 단체가 메달을 많이 차지하는 종목.

메들리 (medley) 명〘악〙 여러 노래의 일부를 조금씩 모아 만든 곡. 접속곡.

메디안 (median) 명〘수〙 '중앙값'의 영어명.

메-떡 명 멥쌀 따위 메진 곡식으로 만든 떡. ↔찰떡.

메-떨어지다 형 언행이 어울리지 않고 촌스럽다. ¶메떨어진 행동.

***메뚜기** 명〘충〙 **1** 메뚜깃과에 속하는 곤충의 총칭. **2** '벼메뚜기'의 준말.

[메뚜기도 유월이 한철이라] ㉠제때를 만난 듯이 날뛰는 사람을 풍자하는 말. ㉡모든 것이 전성기는 매우 짧다는 말.

메-뜨다 〔메뜨니, 메떠〕 형 밉살스럽도록 동작이 느리고 둔하다.

메롱 감 〈소아〉 '그럴 줄 몰랐지' 하는 뜻으로 상대방을 놀리는 말.

메리야스 명 〔에 medias, 포 meias〕 면사나 모사로 신축성 있고 촘촘하게 짠 직물《내의·장갑·양말 등을 만듦》.

메리트 (merit) 명〘경〙 **1** 가격·임금·보험료 등에 차이를 두는 일. **2** 상품 값을 결정하는 품위·사용 가치·경제 효과 등의 총칭.

메-마르다 〔메마르니, 메말라〕 형르불 **1** 땅이 물기가 없고 기름지지 아니하다. ¶메마른 논에 물을 대다. ↔걸다[2]. **2** 살갗이 윤기가 없고 까슬까슬하다. ¶메마른 살결. **3**

인정이 없어 따뜻하거나 부드럽지 못하다. ¶메마른 인상. 4 공기가 건조하다.

메모 (memo) [명][하타] 말을 전하거나 잊지 않기 위하여 간략하게 적어 둠. 또는 그런 글. ¶약속 날짜를 ~해 두다 / 이 ~를 전해 주게.

메모리 (memory) [명] 〖컴〗 기억 장치.

메모-지 (memo紙) [명] 메모를 하기 위한 종이. 또는 메모한 종이. ¶~에 이름과 전화 번호를 남기다.

메밀 [명] 〖식〗 마디풀과의 한해살이풀. 잎은 삼각형의 심장형이며 초가을에 흰 꽃이 핌. 세모진 열매는 가루를 내어 먹고 줄기는 가축의 먹이로 씀.

메밀-가루 [-까-] [명] 메밀 열매의 가루.

메밀-국수 [명] 메밀가루로 만든 국수.

메밀-꽃 [-꼳] [명] 1 메밀의 꽃. 2 파도가 일 때 하얗게 부서지는 물보라.

메밀꽃(이) 일다 [구] ㉠메밀꽃이 피다. ㉡물보라가 하얗게 부서지면서 파도가 일다.

메밀-묵 [명] 껍질을 벗긴 메밀을 불려 갈아서 앙금을 앉혀 쑨 묵.

메-밥 [명] 멥쌀로 지은 밥. ↔찰밥.

메-벼 [명] 메진 벼. ↔찰벼.

메부수수-하다 [형][여불] 언행이 메떨어지고 시골티가 나다. **메부수수-히** [부]

메스 (네 mes) [명] 1 수술이나 해부할 때에 쓰는, 작고 예리한 칼. 해부도(解剖刀). ¶~를 잡다. 2 잘못된 일이나 병폐를 없애기 위한 조치.

메스(를) 가하다 [구] ㉠수술을 하다. ㉡어떤 잘못된 일이나 병폐를 없애려고 손을 쓰다.

메스껍다 〔메스꺼우니, 메스꺼워〕 [형][ㅂ불] 1 먹은 것이 되넘어 올 것 같이 속이 매우 울렁거리는 느낌이 있다. ¶기름 냄새에 속이 ~. 2 언행이 비위에 거슬리게 몹시 아니꼽다. ¶돈 좀 있다고 거들먹거리는 꼴이 정말 ~. [작]매스껍다.

메스 실린더

메스-실린더 (←measuring cylinder) [명] 액체의 부피를 잴 수 있게 만든, 눈금이 새겨진 원통형의 시험관.

메슥-거리다 [자] 메스꺼운 느낌이 자꾸 나다. ¶속이 메슥거려 아무것도 못 먹겠다. [작]매슥거리다. **메슥-메슥** [-승-] [부][하자]. ¶속이 ~하다.

메슥-대다 [자] 메슥거리다.

메시아 (Messiah) [명] 〖기〗 1 구약 성서에서, 초인간적 예지(叡智)와 능력을 가지고 이스라엘을 통치하는 왕. 2 신약 성서에서, 이 세상에 태어난 예수 그리스도.

메시지 (message) [명] 1 어떤 사실을 알리거나 주장 또는 경고하기 위한 전언(傳言). ¶합격 축하 ~. 2 문예 작품이 담고 있는 사상이나 의도. ¶그 작품이 들려 주는 ~는 무엇인가. 3 언어나 기호로 전달되는 정보 내용.

***메아리** [명] 골짜기나 산에서 소리를 지르면 되울려오는 소리. 산울림.

메아리-치다 [자] 메아리로 울리다. ¶'야호' 소리가 산 너머에까지 ~.

메어-꽂다 [-꼳따] [타] 어깨 너머로 둘러메어서 힘껏 땅에 내리꽂다. ¶상대 선수를 바닥에 ~. [준]메꽂다.

메어-치다 [타] 어깨 너머로 둘러메어 힘껏 내리치다. ¶상대를 힘껏 마룻바닥에 ~. [준]메치다.

메우다[1] [타] 1 《'메다'의 사동》 구멍이나 빈 곳을 채워 메게 하다. ¶시장을 메운 주부들 / 적자를 ~. 2 시간을 적당히 때우다.

메우다[2] [타] 1 둥근 물체에 테를 끼우다. ¶테를 ~. 2 쳇바퀴 따위의 쳇불을 맞추어 끼우다. ¶체를 ~. 3 천이나 가죽을 씌워 북·장구 따위를 만들다. 4 마소의 목에 멍에를 얹어서 매다. 5 활에 활시위를 얹다. ¶활시위를 ~. [준]메다.

메이다 [타] 《'메다[2]'의 피동》 멤을 당하다. ¶쌀자루를 어깨에 ~.

메이-데이 (May Day) [명] 매년 5월 1일에 행하여지는 국제적 노동제(勞動祭).

메이저 리그 (major league) 미국 프로 야구 연맹의 최상위 두 리그. 내셔널 리그와 아메리칸 리그로 나뉨.

메이커 (maker) [명] 상품을 만드는 사람. 또는 그 회사. 제작자. 제조업체. ¶일류 ~.

메이크업 (makeup) [명] 화장하는 일. 특히, 배우가 출연할 때의 화장·분장.

메인-이벤트 (main event) [명] 권투·레슬링 따위에서 마지막에 벌어지는 가장 중요한 경기.

메인 프레임 컴퓨터 (main frame computer) 〖컴〗 대용량의 메모리와 고속 처리 기능을 가진, 다수의 사용자가 함께 쓸 수 있는 대규모 컴퓨터《주로 대기업·은행·병원 따위에서 다량의 단말기를 연결하여 활용함》. 대형 컴퓨터. *마이크로컴퓨터·미니컴퓨터·슈퍼컴퓨터.

메-조 [명] 차지지 않고 메진 조《알이 굵고 빛이 노르며 끈기가 적음》. ↔차조.

메조-소프라노 (이 mezzo-soprano) [명] 〖악〗 1 소프라노와 알토와의 중간 음역(音域). 2 메조소프라노의 여자 가수.

메조 포르테 (이 mezzo forte) 〖악〗 '조금 세게'의 뜻. 약호 : *mf*.

메조 피아노 (이 mezzo piano) 〖악〗 '조금 여리게'의 뜻. 약호 : *mp*.

메주 [명] 무르게 삶은 콩을 찧어, 뭉쳐서 띄워 말린 것《간장·된장·고추장 따위를 담그는 원료로 씀》. ¶~를 띄우다.

메지 [명] 일의 한 가지가 끝나는 단락.

메지(가) 나다 [구] 한 가지 일이 끝나다.

메지(를) 내다 [구] 한 가지 일을 끝내다.

메지(를) 짓다 [구] 일의 한 단락을 짓다.

메-지다 [형] 밥·떡·반죽 따위가 끈기가 적다. 차지지 않다. ↔차지다.

메지-대다 [타] 한 가지 일을 단락 지어 치우다.

메지-메지 [부] 여러 몫으로 따로따로 나누는 모양. ¶~ 골고루 나누다. [작]매지매지.

메-질 [명][하타] 메로 물건을 치는 짓. ¶달군 쇠를 ~하다.

메추라기 [명] 〖조〗 꿩과의 새. 몸길이는 약 18 cm 정도이고, 몸빛은 황갈색에 갈색과 흑색의 가는 세로무늬가 있음. 몸은 병아리 비슷한데 꽁지가 짧음. [준]메추리.

메추리 [명] 〖조〗 '메추라기'의 준말.

메:-치기 명 유도에서, 기술을 걸어 상대를 던지거나 쓰러뜨리는 기술의 총칭.
메:-치다 타 '메어치다'의 준말.
메카 (Mecca) 명 1 〔지〕 사우디아라비아의 홍해 연안의 도시《이슬람교의 교조인 마호메트의 탄생지》. 2 어떤 분야의 중심이 되어 사람들의 동경·숭배의 대상이 되는 곳. ¶전자 산업의 ~.
메커니즘 (mechanism) 명 1 '기계 장치'라는 뜻에서, 사물의 작용 원리나 구조. 2 〔문〕 작품의 내용을 지탱하는 기교 또는 수법. 3 〔철〕 기계론(機械論) 1. 4 〔심〕 어떤 행위를 성취시키는 의식적 또는 무의식적 심리 과정. 정신 분석학에서는 무의식적 방호 수단을 지칭함.
메케-하다 형 여불 연기나 곰팡이 따위의 냄새가 맵고 싸하다. ¶담배 연기로 사무실 안이 ~. 작매캐하다.
메타포 (metaphor) 명 〔문〕 수사학(修辭學)에서의 비유적 표현. 은유. 암유(暗喩).
메탄 (methane) 명 〔화〕 못이나 늪에서 침전된 식물질이 썩어 발생된 무색무취의 가스. 기체 화합물 중에서 가장 가벼움《연료·화학 약품·수소 등을 만드는 데 씀》. 메탄가스.
메탄올 (methanol) 명 목재를 건류할 때 생기는 향기 있는 액체《독성이 강하며 음료로 쓰지 못하고 연료·용제·포르말린 등의 제조용으로 씀》. 메틸알코올.
메트로놈 (metronome) 명 〔악〕 악곡의 박절(拍節)을 측정하거나 템포를 지시하는 기계. 박절기.
메트로폴리스 (metropolis) 명 거대 도시.
메트로폴리탄 (metropolitan) 명 어떤 대도시가 중·소도시와 그 밖의 지역에 지배적인 영향을 미쳐 그 중심이 되었을 때의 지역 전체.
메틸-알코올 (methyl alcohol) 명 메탄올.
멘델의 법칙 (Mendel-法則)[-/-에-] 오스트리아의 유전학자 멘델이 1865년에 발표한 세 가지의 유전 법칙. 독립의 법칙, 우열의 법칙, 분리의 법칙이 있음. 멘델리즘.
멘스 (←menstruation) 명 월경(月經).
멜라닌 (melanin) 명 동물의 조직이나 세포에 있는 흑색 또는 흑갈색의 색소《양에 따라 피부나 머리카락, 망막의 색깔이 결정됨》. ¶~ 색소.
멜로-드라마 (melodrama) 명 1 유럽에서, 음악을 반주로 하여 대사를 낭독하던 오락성이 강한 음악극. 2 주로 연애를 주제로 한 감상적이고 통속적인 대중극. ¶인기 절정의 ~.
멜로디 (melody) 명 선율. 가락. ¶감미로운 ~ / 이 ~는 귀에 익다.
멜론 (melon) 명 〔식〕 박과의 덩굴성 한해살이 식물. 서양종의 참외로 과실은 타원형 또는 구형, 녹색 껍질에 잔 그물 무늬가 있으며 향기롭고 맛이 닮.
멜:빵 명 1 짐을 어깨에 걸어 둘러메는 끈. 2 바지 따위가 흘러내리지 않도록 어깨에 걸치는 끈. 3 소총을 어깨에 멜 수 있게 만든 띠 모양의 줄.
멤버 (member) 명 단체를 구성하는 일원. 회원. ¶팀의 ~가 다 모였다
멤버십 (membership) 명 단체의 구성원임. 또는 그 자격이나 지위.
멥-새 명 〔조〕 멧새1.
멥쌀 명 메벼에서 나온, 끈기가 적은 쌀. 경미(粳米). ¶찹쌀보다 ~의 수확량이 훨씬 많다. ↔찹쌀.
멧-갓 [메깓 / 멘깓] 명 나무를 함부로 베지 못하게 가꾸는 산.
멧-돼지 [메뙈- / 멘뙈-] 명 〔동〕 멧돼짓과의 산짐승. 돼지의 원종으로, 목에서 등에 걸쳐 빳빳한 털이 나 있으며 빛은 흑색 또는 흑갈색임. 주둥이가 매우 길고 목은 짧으며 강대한 엄니가 위로 솟아 있음. 잡식성이며 성질이 사나움. 산돼지.
멧-부리 [메뿌- / 멘뿌-] 명 산등성이나 산봉우리의 가장 높은 꼭대기. ¶하늘을 찌를 듯 날카롭게 솟은 ~들.
멧-새 [메쌔 / 멘쌔] 명 〔조〕 1 되샛과에 속하는 새. 참새와 비슷한데 몸빛은 붉은빛이 짙은 밤빛을 띰. 멥새. 2 '산새'의 예스러운 말.
며 조 받침 없는 말에 붙어, 두 가지 이상의 사물을 같은 자격으로 이어 주는 접속 조사. ¶개~ 돼지~ 소~ 많다. *이며.
-며 어미 1 (ㄹ 받침 또는 받침 없는 어간에 붙어) 두 가지 이상의 동작 또는 상태를 아울러 말할 때에 쓰는 연결 어미. ¶일하~ 싸우자 / 그는 부자이~ 행운아다. 2 '-면서'의 준말. ¶책을 주~ 말했다. *-으며.
며느-님 명 남의 며느리의 존칭.
***며느리** 명 아들의 아내. 자부(子婦). ¶둘째 ~를 맞아들이다.
[며느리가 미우면 발뒤축이 달걀 같다고 나무란다] 미운 사람에 대해서 공연히 트집을 잡아 억지로 흠을 만든다. [며느리가 미우면 손자까지 밉다] 한 사람이 미우면 그에 딸린 사람까지도 밉게 보인다. [며느리 사랑은 시아버지, 사위 사랑은 장모] 며느리는 시아버지에게 귀염을 받고, 사위는 장모에게 더 사랑을 받는다. [며느리 자라 시어미 되니 시어미 티를 더 잘한다] 자기가 남의 밑에서 당하던 괴로움은 생각지 않고 아랫사람에게 더 심하게 군다.
며느리-발톱 명 1 새끼발톱 뒤에 덧달린 작은 발톱. 2 말이나 소 따위 짐승의 뒷발에 달린 발톱. 3 날짐승의 수컷의 다리 뒤쪽에 있는 각질의 돌기.
며느릿-감 [-리깜 / -릳깜] 명 며느리가 될 만한 여자. 또는 며느리가 될 대상자. ¶옆집 처녀를 ~으로 점찍다.
며칟-날 [-친-] 명 '며칠1'의 본딧말.
***며칠** 명 1 그달의 몇째 되는 날. ¶오늘이 ~이냐. 2 몇 날. ¶그 후 ~이 지나다.
멱[1] 명 목의 앞쪽. ¶닭의 ~을 따다.
멱[2] 명 '멱서리'의 준말.
[멱 진 놈 섬 진 놈] 가지가지로 다른 모양을 한 여러 놈이라는 뜻.
멱:[3] 명 '미역1'의 준말.
멱-둥구미 명 짚으로 결어 만든, 둥글고 울이 높은 그릇《농가에서 곡식을 담음》. 준둥구미.

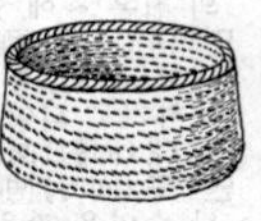
멱둥구미

멱-따다 자타 〈속〉 목을 칼로 찌르다. ¶돼

지 멱따는 소리.
멱-살 명 1 사람의 멱 부분의 살. 또는 그 부분. 2 사람의 목 아래에 여민 옷깃. ¶서로 ~을 잡고 다투다.
멱살-잡이 명하자타 멱살을 잡는 일. ¶~하며 싸우다.
멱서리 명 짚으로 날을 촘촘히 결어서 만든 그릇의 하나《곡식을 담음》. 준멱.
***면**:[1] (面) 명 1 낯이나 체면. ¶~이 깎이다 / ~을 가리다. 2 무엇을 향하고 있는 쪽. ¶우리나라는 삼 ~이 바다이다. 3 겉으로 드러난 쪽의 평평한 바닥. 표면. ¶~이 고르다. 4〖수〗도형의 한 요소. 길이와 너비를 가진 2차원의 연속체로 평면·곡면 등이 있음. 5 책이나 신문 따위의 지면. ¶제1 ~에 크게 취급되다. 6 측면이나 방면. ¶사회적인 ~을 고려하다.
면:[2] (面) 명 지방 자치 단체인 시나 군(郡)을 몇으로 나눈 지방 행정 구획의 하나. 하부 조직으로 이(里)를 둠.
면 (綿) 명 무명 또는 무명실. ¶~으로 지은 옷.
면 (麵·麪) 명 국수.
-면 어미 '이다'의 어간, ㄹ 받침 또는 받침 없는 용언의 어간에 붙는 연결 어미. 1 불확실한 사실을 가정하여 말함. ¶이곳으로 오~ 말해 주겠다 / 눈이 오~ 스키를 타러 갈 거다. 2 분명한 사실을 어떤 일에 대한 조건으로 말함. ¶꽃이 피~ 새도 울겠지 / 충분히 자~ 피로가 풀린다. 3 어떤 일이나 상태가 잘되기를 희망하거나 그렇게 되지 않음을 애석해하는 뜻을 나타냄. ¶내가 아닌 자네가 하~ 잘 될 거야 / 산이 험하~ 못 올라갈 텐데. 4 단순히 근거나 결과를 조건적으로 말함. ¶꼬리가 길~ 밟히는 법이다 / 스승이~ 다 같은 줄 아느냐. 5 ('-면 -ㄹ수록'의 꼴로 쓰여) 정도가 심해짐을 나타냄. ¶주~ 줄수록 양냥거린다 / 보~ 볼수록 예쁘다. 6 ('-면 몰라도'의 꼴로 쓰여) 실현되기 어려운 조건을 들면서 뒤에 오는 말을 강조하는 뜻을 나타냄. ¶네가 가~ 몰라도 아마 그들은 오지 않을 것이다 / 모르~ 몰라도 그렇지 않을 거야. 7 ('-면 -(었)지'의 꼴로 쓰여) 단호한 거부의 뜻을 나타냄. ¶내가 하~ 했지 네겐 시키지 않겠다. *-으면.
면:경 (面鏡) 명 얼굴을 비추어 보는 작은 거울.
면:구-스럽다 (面灸-)〔-스러우니, -스러워〕 형ㅂ불 마주 대하기가 부끄러운 데가 있다. 민망스럽다. 면괴스럽다. ¶면구스러울 만큼 부부 사이가 좋다. **면:구-스레** 부
면:구-하다 (面灸-) 형여불 마주 대하기가 부끄럽다. 면괴하다.
면:내 (面內) 명 한 면의 관할 구역 안. ¶그의 집은 ~에 있다.
면:담 (面談) 명하자 서로 만나서 이야기함. 면화(面話). ¶~을 거절하다 / 내일 사장과 ~하기로 되어 있다.
면:대 (面對) 명하자타 대면(對面).
면:도 (面刀) 명하자타 1 얼굴에 난 잔털이나 수염을 깎음. 2 '면도칼'의 준말.
면:도-기 (面刀器) 명 면도하는 데 쓰는 기구《전기면도기·안전면도기 따위》.
면:도-날 (面刀-) 명 1 면도칼의 날. 2 안전면도기에 끼게 된, 날이 선 얇은 쇳조각.
면:도-질 (面刀-) 명하자 면도하는 일.
면:도-칼 (面刀-) 명 면도하는 데에 쓰는 칼. ¶~에 베다. 준면도.
면:려 (勉勵)[멸-] 명하자타 1 스스로 노력하거나 힘씀. 2 남을 힘쓰게 함.
면류 (麵類)[멸-] 명 밀국수나 메밀국수 따위의 국수류.
면:류-관 (冕旒冠)[멸-] 명〖역〗제왕의 정복(正服)에 갖추어 쓰던 관.
면:-면 (面面) 명 1 각각의 여러 사람. 여러 얼굴. ¶모인 사람의 ~을 살펴보다. 2 여러 면(面). 각 방면.
면:면-이 (面面-) 부 1 저마다 따로따로. 앞앞이. 각자. ¶모인 사람 모두에게 ~ 인사하다. 2 각 면마다.
면면-하다 (綿綿-) 형여불 끊이지 아니하고 끝없이 이어 있다. **면면-히** 부. ¶~ 이어온 민족정신.
면:모 (面貌) 명 1 얼굴의 모양. 2 사람이나 사물의 겉모양. 또는 그 됨됨이. ¶~를 새롭게 하다 / 프로 선수의 ~가 드러났다.
면:목 (面目) 명 1 얼굴의 생김새. 2 남을 대하는 낯. 체면. ¶~이 서지 않다. 3 사람이나 사물의 겉모습. ¶~을 일신하다.
면목(이) 없다 구 부끄러워 남을 대할 용기가 나지 않다. ¶경기에 또 지고 나니 응원단을 볼 ~.
면:-무식 (免無識) 명하자 겨우 무식이나 면함. 또는 그런 정도의 학식.
면밀-하다 (綿密-) 형여불 자세하고 빈틈이 없다. ¶면밀한 관찰. **면밀-히** 부. ¶~ 판단하다.
면:-바르다 (面-)〔면바르니, 면발라〕 형르불 거죽이 반듯하다.
면:박 (面駁) 명하타 면전에서 꾸짖거나 나무람. ¶~을 주다.
면-발 (麵-)[-빨] 명 국수의 가락. 국숫발. ¶~이 쫄깃쫄깃하다.
면-방적 (綿紡績) 명 목화의 섬유로 실을 뽑는 일. 면방.
면-방직 (綿紡織) 명 무명실로 천을 짜는 일. 무명길쌈.
면:-백두 (免白頭) 명하자 늙어서 처음으로 변변하지 못한 벼슬을 함. 면백(免白).
면봉 (綿棒) 명 끝에 솜을 말아 붙인 가느다란 막대.
면:-빗 (面-)[-빋] 명 살쩍을 빗어 넘기는 작은 빗. 면소(面梳).

면빗

면사 (綿絲) 명 솜에서 자아낸 실. 무명실.
면:-사무소 (面事務所) 명 면의 행정 사무를 맡는 기관. 면청(面廳). 준면소(面所).
면:사-포 (面紗布) 명 결혼식 때 신부가 머리에 써서 뒤로 늘이는 흰빛의 사(紗). ¶~를 쓰다.
면:상 (面上) 명 얼굴의 위. 또는 얼굴. ¶~을 후려갈기다.
면:상 (面相·面像) 명 1 얼굴의 생김새. 용모. ¶~이 반반하다. 2 관상 볼 때 얼굴의 상. ¶크게 될 ~이로구나.
면:색 (面色) 명 얼굴빛. 안색.

-면서 [어미] '이다'의 어간, ㄹ 받침 또는 받침 없는 용언의 어간에 붙는 연결 어미. 1 두 가지 이상의 움직임이나 사태가 동시에 겸하여 있음을 나타냄. ¶눈물을 흘리~ 이야기하다 / 의사이~ 뛰어난 소설가다. 2 두 가지 이상의 움직임이나 사태가 맞서 있음을 나타냄. ¶나쁜 줄 알~ 모르는 척하다 / 나쁜 사람이~ 선한 사람 행세를 한다. [준]-며. *-으면서.

면-섬유 (綿纖維) [명] 목화에서 뽑은 섬유《가늘고 유연하며 습기를 잘 흡수함》.

면:세 (免稅) [명][하타] 세금을 면제함. ¶~ 수입품 / 수출을 위한 수입 원자재는 ~된다.

면:세-점 (免稅店) [명] 외화 획득이나 외국인 여행자를 위하여 세금을 면제하여 파는 비과세 상점.

면:세-점 (免稅點)[-쩜] [명] 과세를 면제할 때, 그 기준이 되는 한도. ¶~을 올리다.

면:세-품 (免稅品) [명] 세금이나 관세가 면제된 수출입품.

면:수 (面數)[-쑤] [명] 물체의 면이나 책의 페이지 수. ¶신문의 ~가 증가하다 / ~를 채우기 위해 컷을 삽입하다.

면:식 (面識) [명] 얼굴을 아는 정도의 관계. 안면. ¶~이 없는 사람.

면:식-범 (面識犯) [명] 피해자와 가해자가 서로 얼굴을 아는 관계인 사건의 범인. ¶~으로 추정하다.

면:역 (免疫) [명][하타] 1 사람이나 동물의 몸 안에 병원균이나 독소가 침입하여도 발병(發病)되지 않을 만한 저항력이 있는 일. ¶인체의 ~ 기능을 높이다. 2 반복되는 자극 따위에 무디어지는 일. ¶웬만한 고생쯤은 이미 ~이 되어 있다 / 비행기 소음에도 이젠 ~이 생겼다.

면:역-성 (免疫性) [명] 면역이 되는 성질. ¶나이가 들면 ~이 약해진다.

면:역-체 (免疫體) [명] 항체(抗體).

면:장 (面長) [명] 면의 행정을 주관하는 공무원.

***면:적** (面積) [명]〖수〗일정한 평면이나 구면의 크기. 넓이. ¶~이 넓다.

면:전 (面前) [명] 얼굴을 마주 대한 앞. 눈앞. ¶~에서 말하기 쑥스럽다.

면:접 (面接) [명][하자타] 1 서로 대면하여 만나 봄. 대면(對面). ¶찾아오는 손님과 ~하느라 바쁘다. 2 '면접시험'의 준말. ¶~을 치르다.

면:접-시험 (面接試驗) [명] 직접 만나 보고 그 인품·언행 등을 시험하는 일. 흔히 필기시험 후 최종적으로 심사함. ¶~을 무난히 통과하다. [준]면접.

면:제 (免除) [명][하타] 1 책임이나 의무를 지우지 아니함. ¶수업료를 ~해 주다 / 수재민의 학비는 ~된다. 2〖법〗채권자가 일방적인 의사 표시로써 그 채무를 면제해 주는 일.

면:죄 (免罪) [명][하자] 죄를 면함. ¶~를 받다.

면:죄-부 (免罪符) [명] 1〖역〗중세 가톨릭교회에서 죄를 용서하는 대가로 금품을 받고 발행한 증서. 2 책임이나 죄를 없애 주는 조치나 증명서. ¶기소 중지 처분을 내림으로써 용의자에게 ~를 준 꼴이 되었다.

면:지 (面紙) [명]〖인〗책의 앞뒤 표지의 안쪽의 지면.

면:직 (免職) [명][하타] 일정한 직무에서 물러나게 함. ¶실수를 저질러 ~당하다.

면직 (綿織) [명] '면직물(綿織物)'의 준말.

면직-물 (綿織物)[-징-] [명] 무명실로 짠 피륙의 총칭. [준]면직.

면:책 (免責) [명][하자] 1 책임이나 책망을 면함. ¶책임자인 만큼 그의 ~은 불가능하다. 2〖법〗채무의 전부 또는 일부가 소멸하여, 채무자로서 법률상의 의무를 면함.

면:책 특권 (免責特權)〖법〗국회의원이 국회에서 행한 발언과 표결에 관하여는 국회 밖에서 책임을 지지 아니하는 특권.

면:천 (免賤) [명][하자] 예전에, 천민의 신분을 면하고 평민이 됨.

면:-치레 (面-) [명][하자] 체면이 서도록 어떤 행동을 일부러 함. 외면치레.

면:탈 (免脫) [명][하타] 죄를 벗음.

면포 (綿布) [명] 무명.

면:피 (免避) [명][하타] 면하여 피함.

면:-하다 (免-) [타][여불] 1 책임이나 의무에서 벗어나다. ¶책임을 ~. 2 직무나 직위 따위를 그만두다. ¶사장직을 면하니 마음이 홀가분하다. 3 어떤 일을 당하지 않게 되다. ¶비난을 ~ / 수해를 ~. 4 어떤 상태나 처지에서 벗어나다. ¶낙제를 면하고 겨우 진급하다 / 결혼 7년 만에 셋방살이 신세를 면하였다.

면:-하다 (面-) [자][타][여불] 1 정면으로 향하다. ¶바다에 면한 항구 도시. 2 어떤 일에 부닥치다. ¶위기에 면한 정국.

면:학 (勉學) [명][하자] 학문에 힘을 씀. ¶~의 열기.

면:허 (免許) [명][하타] 1 특정한 일을 할 수 있는 공식적인 자격을 관청이 허가하는 일. ¶자동차 운전 ~. 2 특수한 행위를 특정한 사람에게만 허가하는 행정 처분. ¶총기 소지 ~ / 수출 ~.

면:허-증 (免許證)[-쯩] [명] 면허의 내용 및 사실을 기재한 증서. ¶~ 소지자.

면화 (棉花·綿花) [명]〖식〗목화.

면:회 (面會) [명][하자타] 일반인의 출입이 제한되는 기관 따위에 찾아가 사람을 만나 봄. ¶~ 사절 / 환자는 중태이므로 ~가 안 됩니다 / 군에 복무 중인 아들을 ~하다.

멸공 (滅共) [명][하자] 공산주의·공산주의자를 멸함.

멸구 [명]〖충〗멸구과의 곤충. 몸의 길이는 2 mm 정도, 몸빛은 녹색인데 배와 다리는 누런 백색, 딱지날개는 대체로 녹색임. 여름·가을에 출현하여 등불에 모여들며, 과수·농작물에 해를 줌.

멸균 (滅菌) [명][하자타] 살균. ¶~된 우유.

멸렬 (滅裂) [명][하자] 찢기고 흩어져 없어짐. ¶지리~.

멸망 (滅亡) [명][하자] 망하여 없어짐. ¶로마 제국의 ~ / 핵폭탄은 인류의 ~을 초래할지도 모른다.

멸문 (滅門) [명][하타] 한 집안을 다 죽여 없앰. ¶~의 화를 당하다.

멸사-봉공 (滅私奉公)[-싸-] [명] 사를 버리고 공을 위하여 힘써 일함. ¶~의 공.

멸살 (滅殺)[-쌀] [명][하타] 씨도 없이 죽여 버림. 몰살(沒殺).

멸시(蔑視)[-씨] 명하타 업신여기거나 하찮게 여겨 깔봄. ¶ ~의 눈초리 / 가난하다고 ~를 당하다니.
멸실(滅失)[-씰] 명하자 1 멸망하여 없어짐. 2〖법〗물품·가옥 따위가 그 가치를 상실할 정도로 파손됨.
멸족(滅族)[-쪽] 명하자타 한 가족이나 한 종족이 망하여 없어짐. 또는 멸하여 없앰.
멸종(滅種)[-쫑] 명하자타 생물의 한 종류가 모두 없어짐. 또는 모두 없앰. ¶ 밀렵으로 ~의 위기에 처한 희귀 동물.
멸치 명〖어〗멸칫과의 바닷물고기. 몸길이 13cm 정도, 등은 암청색, 배는 은백색이며, 젓·조림 등을 만들어 먹음.
멸칭(蔑稱) 명 경멸하여 일컬음. 또는 그렇게 부르는 말.
멸-하다(滅-) 자타여불 망하여 모두 없어지다. 또는 그렇게 하다. ¶ 적을 ~.
멸후(滅後) 명 1 멸망한 후. 2〖불〗입적한 후. 곧, 석가의 사후(死後).
명(名) 명 이름1. ¶ 동물~ / 단체~.
명:(命) 명 1 목숨1. ¶ ~이 길다 / ~이 다하다. 2 '운명'의 준말. 3 '명령'의 준말. ¶ 사장의 ~을 받다.
[명 짧은 놈 턱 떨어지겠다] 너무 오래 기다리게 되었을 때 갑갑하여 이르는 말.
명 붙이다 구 ㉠목숨을 잇다. ㉡자신의 몸을 남에게 의지하다.
명(銘) 명 1 금석(金石)·그릇·비석 등에 남의 공적 또는 사물의 내력을 새긴 글귀. 2 기물(器物)에 제작자의 이름을 새기거나 쓴 것. 3 마음에 새기거나 써 놓고 교훈으로 삼는 어구. ¶ 좌우의 ~.
***명**(名) 의명 사람의 수효를 나타내는 단위. ¶ 야구는 한 팀이 9~이고, 축구는 11~이다.
명-(名) 두 '이름 높은·훌륭한·우수한'의 뜻. ¶ ~가수 / ~강의.
명가(名家) 명 1 명문(名門)1. 2 어떤 분야에 이름이 난 사람. 또는 그런 집. 3〖역〗중국 춘추 전국 시대에 명목과 실제가 일치해야 한다고 주장한 학파. ☞제자백가.
명개 명 갯가나 흙탕물이 지나간 자리에 앉은 검고 보드라운 흙.
명검(名劍) 명 이름난 검. 좋은 칼.
명견(名犬) 명 이름난 개. 혈통이 좋은 개.
명견(明見) 명 1 앞일을 잘 내다봄. 2 현명한 생각. 밝은 견해.
명경(明鏡) 명 맑은 거울.
명경-지수(明鏡止水) 명 맑은 거울과 조용한 물이란 뜻으로, 맑고 고요한 심경을 이르는 말.
명곡(名曲) 명 유명한 악곡. 뛰어나게 잘된 악곡. ¶ 심금을 울리는 ~.
명공(名工) 명 기술이 뛰어난 장인(匠人).
명과(銘菓) 명 특별한 제법으로 만들어 그 업체의 상표가 붙은 좋은 과자.
명관(名官) 명 백성을 잘 다스려서 이름이 난 관리.
명관(明官) 명 선정을 베푸는 관리. 현명한 관리. ¶ 구관(舊官)이 ~이라.
명구(名句) 명 1 뛰어나게 잘 지은 글귀. 2 유명한 글귀.
명궁(名弓) 명 1 '명궁수(名弓手)'의 준말. 2 유명한 활. 유서 깊은 활. ¶ 천하의 ~.
명-궁수(名弓手) 명 활을 잘 쏘기로 이름난 사람. 준명궁.
명기(名妓) 명 이름난 기생. ¶ 송도 ~ 황진이.
명기(名器) 명 유명한 기물. ¶ 바이올린의 ~ 스트라디바리우스.
명기(明記) 명하타 똑똑히 밝히어 적음. 분명히 기록함. ¶ 원작자의 이름을 ~하다.
명기(銘記) 명하타 명심(銘心).
명년(明年) 명 내년.
명단(名單) 명 어떤 일에 관계된 사람의 이름을 적은 표. ¶ 합격자 ~에 이름이 오르다 / 대표 선수 ~을 확정해 발표했다.
명단(明斷) 명하타 명확히 판단을 내림. 또는 그 판단. 명결(明決).
명달(明達) 명하자 총명하고 사리에 밝음.
명담(名談) 명 1 사리에 맞고 뜻이 깊고 멋있는 말. ¶ 약점을 정확히 찌른 ~. 2 유명한 격담(格談).
명답(名答) 명 질문에 꼭 알맞은 대답. ¶ 참으로 ~이오.
명답(明答) 명하자 분명하게 대답함. 또는 그런 대답.
명당-자리(明堂-)[-짜-] 명 1 풍수지리에서, 그 자리에 뫼를 쓰면 후손이 부귀영화를 누린다는 자리. 명당. 2 썩 좋은 장소나 지위의 비유. ¶ ~에 집을 짓다.
명덕(明德) 명 1 밝고 인도(人道)에 맞는 행동. 공명한 덕행. 2 사람의 맑은 본성.
명도(明度) 명 색의 삼 요소의 하나. 색의 밝고 어두운 정도. 밝기.
명도(明渡) 명하타〖법〗건물·토지·선박 따위를 남에게 주거나 맡김. 또는 그런 일.
명란(明卵)[-난] 명 명태의 알.
명란-젓(明卵-)[-난젇] 명 명태의 알로 담근 젓. ¶ ~을 상에 올리다.
***명랑**(明朗)[-낭] 명하형히부 밝고 쾌활함. 유쾌하고 활발함. ¶ ~한 아침 / 아이들의 ~한 웃음소리.
명려-하다(明麗-)[-녀-] 형여불 산수의 경치가 맑고 곱다.
***명:령**(命令)[-녕] 명하타 1 윗사람이나 상위 조직이 아랫사람이나 하위 조직에 무엇을 하게 함. 또는 그런 내용. ¶ 상부의 ~에 따라 시행하다. 준명(命)·영(令). 2〖군〗상급자나 상위 조직이 하급자나 하위 조직에 군사적 행위를 하게 함. 또는 그런 내용. ¶ 공격 ~을 내리다. 3〖컴〗연산(演算)·기억·입출력 따위의 특정한 처리를 하도록 지정하는 일. 또는 그런 지시.
명:령-문(命令文)[-녕-] 명 1 명령의 내용을 적은 글. 2〖언〗말하는 사람이 듣는 사람에게 무엇을 시키거나 행동을 요구하는 문장(('보아라, 가, 불을 꺼라' 따위)).
명:령-서(命令書)[-녕-] 명 명령의 내용을 적어서 명령을 받는 사람에게 주는 문서.
명:령-어(命令語)[-녕-] 명〖컴〗컴퓨터에 연산이나 일정한 동작을 명령하는 기계어.
명:령-적(命令的)[-녕-] 관명 명령하여 시키거나 지시하는 (것). ¶ 고압적이며 ~인 말투.
명:령-조(命令調)[-녕쪼] 명 명령하는 것 같은 말투. ¶ 그는 ~로 말했다.

명:령-형 (命令形)[-녕-] 명 《언》 명령이나 요구의 뜻을 나타내는 동사 또는 보조 동사의 활용형(('-아라, -어라, -게, -오, -ㅂ시오' 따위)). 시킴꼴.

> **명령형 어미**
>
> 명령문의 종결 어미로는 높임법에 따라 '-아라, -게, -오, -ㅂ시오' 등이 쓰인다. 또, 특정한 개인을 상대로 하는 것이 아닌 신문이나 잡지 또는 시험 문제지 같은 인쇄물에서는 '-(으)라' 형이 쓰인다.
>
> 예 빨리 가 보아라.
> 이리 와서 앉게.
> 빨리 인도로 나오시오.
> 자리에 앉으십시오.
> 마음에 드는 것을 하나 골라라.
> 아래 물음에 알맞은 답을 고르라.
> 정부는 수해 대책을 시급히 세우라.

명론-탁설 (名論卓說)[-논-] 명 이름난 이론과 뛰어난 학설. ¶과시 ~이로고.

명료-성 (明瞭性)[-뇨썽] 명 뚜렷하고 분명한 성질. ¶문장 성분을 너무 생략하면 글의 ~이 떨어진다.

명료-하다 (明瞭-)[-뇨-] 형여불 뚜렷하고 분명하다. ¶간단하고 명료한 대답. **명료-히** [-뇨-] 부. ¶사태의 추이를 ~ 파악하다.

명리 (名利)[-니] 명 명예와 이익. ¶~에 급급하다 / ~만을 추구하다.

명망 (名望) 명 명성과 인망. ¶~을 누리다.

명망-가 (名望家) 명 명망이 높은 사람. ¶사계(斯界)의 ~.

명:맥 (命脈) 명 **1** 맥이나 목숨을 이어 가는 근본. ¶~이 끊어지지 아니하다. **2** 어떤 일의 지속에 필요한 최소한의 중요 부분. ¶사업은 ~을 간신히 유지하고 있다.

명멸 (明滅) 명하자 **1** 불이 켜졌다 꺼졌다 함. ¶~하는 네온. **2** 먼 데 있는 것이 보였다 안 보였다 함. ¶바다 멀리 작은 섬이 ~하고 있다. **3** 나타났다 사라졌다 함.

명:명 (命名) 명하자 사람·사물·사건 따위에 이름을 지어 붙임.

명명백백-하다 (明明白白-)[-빼카-] 형여불 아주 뚜렷하다. ¶명명백백한 증거. **명명백백-히** [-빼키] 부. ¶~ 밝혀 내다.

명명-하다 (明明-) 형여불 **1** 아주 환하게 밝다. **2** 분명하여 의심할 바 없다. ¶사건의 전모를 명명하게 밝히다. **명명-히** 부

명목 (名目) 명 **1** 겉으로 내세우는 이름. ¶~뿐인 사장. **2** 구실이나 이유. ¶살인은 어떠한 ~으로든 중죄이다 / ~이 서다.

명목 (瞑目) 명하자 **1** 눈을 감음. **2** 편안한 죽음의 비유.

명문 (名文) 명 뛰어나게 잘 지은 글. ¶그 문장은 당대의 ~이다.

명문 (名門) 명 **1** 훌륭한 가문. 유명한 문벌. 명가(名家). ¶~ 출신. **2** 이름난 좋은 학교. ¶야구의 ~ / ~대학을 나오다.

명문 (明文) 명 **1** 명백하게 기록된 문구. 또는 그런 조문(條文). ¶법률에 ~이 없다. **2** 사리를 명백히 밝힌 글.

명문 (銘文) 명 금석(金石)이나 기명(器皿) 따위에 새긴 글.

명문-가 (名門家) 명 명문에 속하는 집안.

명문-화 (明文化) 명하타 **1** 문서로 명백히 함. ¶사무 규칙을 ~하여 배포하다. **2** 법률의 조문에 밝힘. ¶주권은 국민에게 있다고 헌법에 ~되어 있다.

명물 (名物) 명 **1** 어떤 지방의 유명한 사물. **2** 한 지방의 특산물. ¶우리 고향의 ~은 사과이다. **3** 남다른 특징이 있어 인기 있는 사람. ¶우리 사무실의 ~인 미스터 박.

명민-하다 (明敏-) 형여불 총명하고 민첩하다. ¶명민한 젊은이.

명반 (明礬) 명 〔화〕 백반(白礬).

명-배우 (名俳優) 명 연기를 잘하여 이름난 배우. ¶당대의 ~. 준명우(名優).

명백-하다 (明白-)[-배카-] 형여불 아주 뚜렷하다. ¶명백한 증거가 드러나다. **명백-히** [-배키] 부. ¶진상을 ~ 밝히다.

명변 (明辯) 명하타 명백히 말함. 또는 그렇게 말하는 재주.

명복 (冥福) 명 죽은 뒤에 저승에서 받는 복. ¶삼가 고인의 ~을 빕니다.

명부 (名簿) 명 이름·주소·직업 따위를 기록한 장부. ¶사원 ~.

명:부 (命婦) 명 〔역〕 봉작(封爵)을 받은 부인의 통칭((내(內)명부·외(外)명부가 있음)).

명부 (冥府) 명 〔불〕 **1** 사람이 죽어서 간다는 곳. 저승. **2** 사람이 죽은 뒤에 심판을 받는다는 곳. 명조(冥曹). ¶~의 사자(使者).

명분 (名分) 명 **1** 도덕적으로 마땅히 지켜야 할 도리. 본분. ¶~ 없는 행동 / ~에 따르다. **2** 표면상의 이유. 명목. ¶~을 내세우다 / ~만은 그럴듯하다.

명:분 (命分) 명 운수(運數).

명불허전 (名不虛傳) 명 명성이나 명예가 헛되이 퍼진 것이 아니라 그만한 까닭이 있다는 뜻을 나타내는 말.

명사 (名士) 명 **1** 세상에 널리 알려진 사람. ¶학계의 ~. **2** 이름난 선비.

명사 (名詞) 명 사물의 이름을 나타내는 품사. 이름씨.

명사 (名辭) 명 하나의 개념을 언어로 나타낸 것. 명제(命題)의 구성 요소가 되며, 주사(主辭)와 빈사(賓辭)로 나뉨.

명사 (明沙) 명 썩 곱고 깨끗한 모래.

명사-구 (名詞句)[-꾸] 명 명사의 구실을 하는 구.

명-사수 (名射手) 명 총이나 활 따위를 잘 쏘는 사람. ¶백발백중의 ~.

명사-절 (名詞節) 명 명사의 구실을 하는 절.

명사-형 (名詞形) 명 용언이 명사와 같은 구실을 하게 하는 활용형.

> **'ㄹ'로 끝난 용언의 명사형**
>
> 명사형 어미 '-(으)ㅁ'은 용언의 어간이 자음이면 '-음'으로, 모음이면 '-ㅁ'으로 적는다. 그러나 'ㄹ'로 끝난 용언만은 '-ㄻ'으로 적는다. '살다'의 명사형 '삶', '알다'의 명사형 '앎'이 그 예이다. '울음'·'얼음'처럼 '-음'이 붙은 것은 용언의 활용형이 아닌 파생 명사이다.
>
> 명사형 명사
> 예 날다 - 낢(○) - 날음(×)
> 놀다 - 놂(○) - 놀음(○) - 노름(○)

살다－삶(○)－살음(×)
알다－앎(○)－알음(○)
얼다－얾(○)－얼음(○)
울다－욺(○)－울음(○)

명사형 어ː미 (名詞形語尾) 〖언〗 용언의 어간에 붙어, 앞의 말에 대한 서술 기능을 뒤의 말에 대해서는 명사 구실을 하게 하는 어말·어미(《'-기, -(으)ㅁ' 따위》). 명사형 전성 어미.
명사형 전ː성 어ː미 (名詞形轉成語尾) 〖언〗 명사형 어미.
명산 (名山) 명 이름난 산. ¶ ~ 영봉.
명산 (名産) 명 명산물.
명산-대찰 (名山大刹) 명 이름난 산과 매우 큰 산.
명-산물 (名産物) 명 어떤 지방이나 나라의 이름난 산물. 명산. ¶ 한국의 ~인 인삼.
명산-지 (名産地) 명 명산물이 나는 땅. 또는 그 지방. ¶ 우리 고장은 배의 ~이다.
명상 (名相) 명 **1** 이름난 관상쟁이. **2** '명재상(名宰相)'의 준말.
명상 (瞑想·冥想) 명하자 눈을 감고 고요히 생각함. 또는 그런 생각. ¶ ~에 잠기다.
명색 (名色) 명 어떤 부류에 넣어 부르는 이름. ¶ 어린 녀석이 ~이 사내라고 뻣뻣하구나 / ~이 여자라고 손은 곱다.
명색이 좋다 구 실질이 없이 이름만 듣기 좋다. ¶ 명색이 좋아 데릴사위지 잡일꾼에 불과하다.
명색 (冥色·瞑色) 명 해 질 무렵의 어둑어둑한 빛. 또는 그런 경치. 모색(暮色).
명석-하다 (明晳-) [-서카-] 형 여불 생각이나 판단력이 분명하고 똑똑하다. ¶ 두뇌가 ~ / 명석한 판단을 내리다.
명성 (名聲) 명 세상에 널리 떨친 이름. 세상에 알려진 좋은 평판. ¶ 대중적인 ~을 얻다 / 그는 고고학자로서 ~이 자자하다.
명성 (明星) 명 샛별.
명세 (明細) 명하형히부 **1** 분명하고 자세함. **2** 물품이나 금액 따위의 분명하고 자세한 내용. ¶ ~를 알리다.
명세-서 (明細書) 명 물품이나 금액 따위를 분명하고 자세하게 적은 문서. ¶ 거래 ~.
명소 (名所) 명 경치나 고적 등으로 이름난 곳. ¶ 관광 ~.
명수 (名手) 명 기술이나 기능 따위에서 소질과 솜씨가 뛰어난 사람. 명인(名人). ¶ 판소리의 ~ / 사격의 ~.
명수 (名數) [-쑤] 명 **1** 사람의 수효. 인원수. **2** 〖수〗 단위의 이름과 수치를 붙인 수(《10원, 5m 따위》).
명승 (名勝) 명 **1** 이름난 경치. ¶ 천하의 ~. **2** 명승지. ☞기념물.
명승 (名僧) 명 학식이나 덕행이 높은 이름난 스님. 유명한 스님. 대덕(大德).
명승-고적 (名勝古跡) 명 훌륭한 경치와 역사적인 유적. ¶ ~을 탐방하다.
명-승부 (名勝負) 명 경기나 경쟁에서 승부가 멋지게 이루어지는 일. ¶ 그 시합은 축구계에서 ~로 알려져 있다.
명승-지 (名勝地) 명 경치 좋기로 이름난 곳. 명승.
명시 (明示) 명하타 분명하게 드러내 보임. ¶ 장소와 시간을 ~하다 / 언론의 자유는 헌법에 ~되어 있다.
명시 (明視) 명하타 밝고 똑똑하게 봄.
명시 거ː리 (明視距離) 〖물〗 눈이 피로를 느끼지 않고 가장 똑똑히 물체를 볼 수 있는 거리(《건강한 눈은 약 25 cm 임》).
명시-적 (明示的) 관명 내용이나 뜻을 분명히 드러내 보이는 (것). ¶ 사건의 진상을 ~으로 다루다.
명신 (名臣) 명 이름난 훌륭한 신하.
명실 (名實) 명 겉에 드러난 이름과 속에 있는 실상.
명실-공히 부 겉으로나 실제에 있어서나 같게. 소문과 사실이 다 같이. ¶ ~ 뛰어난 작품이다.
명실-상부 (名實相符) 명하형 이름과 실상이 서로 꼭 맞음.
명심 (銘心) 명하타 마음에 새기어 둠. 각심(刻心). 명간(銘肝). ¶ 깊이 ~하다.
명아주 명 〖식〗 명아줏과의 한해살이풀. 높이는 1m 정도, 잎은 마름모의 달걀꼴이며, 어린잎은 선홍색으로 아름다움. 여름에 작은 담녹색 꽃이 핌. 어린잎과 씨는 식용하고, 줄기는 지팡이를 만듦.
명안 (名案) 명 훌륭한 안. 좋은 생각. 양안(良案). ¶ ~을 짜내다.
명암 (明暗) 명 **1** 밝음과 어둠. **2** 기쁜 일과 슬픈 일. 또는 행복과 불행. ¶ 인생의 ~ / ~이 엇갈리다. **3** 회화(繪畫)·사진 따위에서, 색의 농담(濃淡)·강약이나 밝은 정도.
명약 (名藥) 명 효력이 좋아 이름난 약.
명약관화 (明若觀火) 명하형 불을 보듯 분명하고 뻔함. ¶ ~한 사실.
명언 (名言) 명 이치에 들어맞는 훌륭한 말. 널리 알려진 말. ¶ 천고의 ~.
명역 (名譯) 명 아주 잘된 번역.
명-연기 (名演技) [-년-] 명 아주 훌륭한 연기. 준명기(名技).
명예 (名譽) 명 **1** 훌륭하다고 일컬어지는 이름이나 자랑. ¶ ~를 회복하다 / ~를 더럽히다 / 가문의 ~를 손상시키다. **2** (지위나 직명(職名) 앞에 쓰여) 공적을 기리고 존경의 뜻을 나타내기 위하여 특별히 붙여 주는 칭호. ¶ ~ 총재 / ~ 회장.
명예-롭다 (名譽-) 〔-로우니, -로워〕 형ㅂ불 명예로 여길 만하다. ¶ 명예로운 퇴진 / 명예롭게 물러나다. **명예-로이** 부
명예-스럽다 (名譽-) 〔-스러우니, -스러워〕 형ㅂ불 명예로 여길 만한 데가 있다. ¶ 명예스러운 전통을 후대에 물려주다. **명예-스레** 부
명예-심 (名譽心) 명 명예를 얻으려는 욕심. 또는 명예를 중요시하는 마음.
명예-욕 (名譽慾) 명 명예를 얻으려는 욕망. ¶ ~이 강하다 / ~에 들뜬 사람.
명예 제대 (名譽除隊) 〖군〗 전투 중에 부상을 당하거나, 평시에 임무를 수행하다 부상을 당하여 하는 제대.
명예-직 (名譽職) 명 봉급을 받지 않고 명예만으로 담당하는 공직. *유급직.
명예-퇴직 (名譽退職) 명 근로자가 정년이나 징계에 의하지 아니하고 스스로 직장을 그만두는 일.
명예 훼ː손 (名譽毁損) 공공연하게 남의 체

면을 손상하게 하고 그 명예를 더럽힘.
명왕-성 (冥王星) 명 〖천〗 태양계의 가장 바깥쪽을 도는 천체《1930년 발견, 지구보다 작아 반지름은 약 1,137 km, 공전 주기는 약 248년》.
명:운 (命運) 명 운명(運命)1. ¶ ~을 걸다.
명월 (明月) 명 **1** 밝은 달. **2** 음력 8월 보름날 밤의 달. 명월(名月).
명의 (名義)[-/-이] 명 **1** 명분과 의리. ¶ ~가 서지 않다. **2** 문서상의 권한과 책임이 있는 사람이나 기관·단체 등의 이름. ¶ ~를 바꾸다 / 회사 ~로 문서를 발송하다 / 가옥을 부인 ~로 등기하다.
명의 (名醫)[-/-이] 명 병을 잘 고쳐 이름난 의사.
명의 변:경 (名義變更)[-/-이-] 〖법〗 권리자가 변경되었을 때, 그것에 대응하여 증권 또는 장부에 그 이름을 바꾸어 적는 일. 명의 개서.
명의-인 (名義人)[-/-이-] 명 **1** 개인이나 단체를 대표하여 명의를 내세운 사람. **2** 〖법〗 내용이나 실질의 관계와는 별도로 외형에 표시되는 표면상의 주체.
명인 (名人) 명 어떤 분야에서 기예가 뛰어나 유명한 사람. 명수. ¶ 바둑의 ~.
명일 (名日) 명 '명절·국경일'의 통칭.
명일 (明日) 명 내일. ↔작일.
명:일 (命日) 명 기일(忌日).
명작 (名作) 명 이름난 훌륭한 작품. ¶ 불후의 ~을 남기다.
명장 (名匠) 명 기술이 뛰어나 이름난 장인. 명공(名工).
명장 (名將) 명 이름난 장수. 뛰어난 장군.
명-장면 (名場面) 명 영화나 연극의 아주 훌륭한 장면. ¶ ~만 모아서 보여 주다.
명-재상 (名宰相) 명 정사(政事)에 뛰어나 이름난 재상. 준명상(名相)·명재(名宰).
명저 (名著) 명 훌륭한 저술. 유명한 저서.
명전 (明轉) 명 연극에서, 조명이 되어 있는 채 무대를 바꾸는 일. ↔암전(暗轉).
명절[1] (名節) 명 **1** 명분과 절의(節義). **2** 명예와 절조(節操).
***명절**[2] (名節) 명 민속적으로 해마다 일정하게 지키어 즐기거나 기념하는 날《설·단오·한가위 등》. ¶ ~이 다가온다 / ~을 쇠다.

대표적 고유 명절(음력)

설(정월 초하루) … 차례, 세배, 성묘, 널뛰기, 연날리기 등.
대보름(정월 보름) … 부럼 깨기, 오곡밥 지어 먹기, 윷놀이 등.
한식(2월) … 산소의 사초(莎草) 등.
초파일(4월) … 연등(燃燈) 등.
단오(5월 초닷새) … 창포물로 머리 감기, 그네뛰기, 씨름 등.
유두(6월 보름) … 맑은 물로 머리 감기, 국수 먹기.
백중(7월 보름) … 재(齋) 올리기.
가위(8월 보름) … 제사, 성묘, 강강술래.
동지(11월) … 팥죽 쑤어 먹기.

명정 (明正) 명하타 올바르게 밝힘.
명정 (酩酊) 명하자 정신을 차리지 못할 정도로 술에 취함. 대취(大醉).
명정 (銘旌) 명 다홍 바탕에 흰 글씨로 죽은 사람의 품계·관직·성씨 따위를 적은 기.
명정-하다 (明淨-) 형여불 밝고 맑다.
명:제 (命題) 명하자 **1** 시문 따위에 제목을 정함. 또는 그 제목. **2** 논리적 판단의 내용과 주장을 언어나 기호로 표현한 것《'A는 B다'와 같은 것》.
명조-체 (明朝體) 명 〖인〗 중국 명나라 때의 서풍(書風)을 따른 활자체《내리긋는 획은 굵고 건너긋는 획은 가늚》. 준명조.
명주 (明紬) 명 명주실로 무늬 없이 짠 피륙. 면주(綿紬). ¶ ~ 저고리.
[명주 자루에 개똥] 겉치장은 그럴듯하나 실은 보잘것없는 사람을 이르는 말.
명주 (銘酒) 명 특별한 제조법으로 빚고, 고유한 상표가 붙은 좋은 술.
명주-붙이 (明紬-)[-부치] 명 명주실로 짠 여러 가지 피륙. 주속(紬屬).
명주-실 (明紬-) 명 누에고치에서 뽑은 가늘고 고운 실.
명:-줄 (命-)[-쭐] 명 〈속〉 수명. ¶ ~이 길다 / 그들은 광산에 ~을 걸고 살아간다.
명:중 (命中) 명하자 화살이나 총알·포탄 따위가 겨냥한 곳에 바로 맞음. ¶ 화살이 과녁에 ~했다 / 적에게 총알이 ~되었다.
명증 (明證) 명하타 **1** 명백하게 증명함. 또는 명백한 증거. 명징(明徵). **2** 〖철〗 간접적인 추리에 의하지 않고 직관적으로 진리임을 인지할 수 있는 일. 직증(直證).
명지 (明知) 명하타 분명하게 앎.
명지 (銘誌) 명 비석이나 종 따위에 새긴 글. ¶ 비석의 ~를 한글로 새겨 넣다.
명징 (明徵) 명하타 **1** 명증(明證)1. **2** 사실이나 증거로 분명히 함.
명징-하다 (明澄-) 형여불 깨끗하고 맑다. ¶ 명징한 논리 전개.
명찰 (名札) 명 성명·소속 등을 적어서 달고 다니는 헝겊 또는 종이나 플라스틱 따위. 명패(名牌). 이름표. ¶ ~을 달다.
명찰 (名刹) 명 이름난 절. 유명한 사찰(寺刹). ¶ ~을 순례하다.
명찰 (明察) 명하타 사물을 똑똑히 살핌.
명창 (名唱) 명 **1** 뛰어나게 잘 부르는 노래. **2** 노래를 뛰어나게 잘 부르는 사람.
명철-하다 (明哲-) 형여불 총명하고 사리에 밝다. ¶ 명철한 이성 / 명철하게 분석하다.
명철-히 부
명:치 명 〖생〗 사람 몸의 급소의 하나로, 가슴뼈 아래 한가운데 오목하게 들어간 곳. 심와(心窩).
명:치-끝 [-끝] 명 명치뼈의 아래쪽.
명:치-뼈 명 명치에 내민 뼈.
명칭 (名稱) 명 사물을 부르는 이름. 호칭. 이름. ¶ ~을 바꾸다 / ~을 붙이다.
명-콤비 (←名combination) 명 호흡이 아주 잘 맞는 훌륭한 짝. 주로, 연예인에 대하여 일컬음. ¶ ~를 이루다.
명쾌-하다 (明快-) 형여불 **1** 명랑하고 쾌활하다. ¶ 명쾌한 기분. **2** 말이나 글의 조리가 명백하여 시원하다. ¶ 명쾌한 해답을 듣다. **명쾌-히** 부. ¶ 난제를 ~ 해결하다.
명-탐정 (名探偵) 명 사건 해결 능력이 뛰어나 이름이 널리 알려진 탐정.

명태 (明太) [명] 〖어〗 대구과의 바닷물고기. 대구와 비슷하나 홀쭉하고 길며 몸길이는 60 cm 정도. 한류성 어류로 우리나라 동해에서 잡히는 중요 수산물의 하나임.

명토 (名-) [명] 일부러 꼭 지적하여 말하는 이름이나 설명 따위.

명토(를) 박다 [구] 이름을 대거나 지목하다. ¶명토를 박아 말한다.

명투-하다 (明透-) [형][여불] 속속들이 알아 분명하다.

명판 (名板) [명] **1** 회의·대회·직장 등의 이름을 적어, 사람의 눈에 잘 띄는 곳에 달아 놓은 판. **2** 상표 따위와 함께 회사명이나 공장 이름 따위를 적은 패쪽《흔히 기계·기구·가구 따위에 붙임》.

명-판관 (名判官) [명] 이름난 훌륭한 재판관. ㊄명판.

명패 (名牌) [명] **1** 이름이나 직위를 써서 책상 위에 놓는, 길고 세모진 패. 이름패. **2** 문패. **3** 명찰(名札).

명:패 (命牌) [명] 〖역〗 **1** 조선 때, 임금이 삼품 이상의 벼슬아치를 부를 때 보내던 나무패《위쪽에 '命' 자를 쓰고 붉은 칠을 하였음》. **2** 형장으로 가는 사형수의 목에 걸던 패.

명패1

명편 (名篇) [명] 썩 잘된 책이나 작품. ¶주옥 같은 ~.

명품 (名品) [명] 뛰어나거나 이름난 물건. 또는 그런 작품. ¶~을 감상하다.

명필 (名筆) [명] **1** 매우 잘 쓴 글씨. ¶천하의 ~. **2** 명필가.

명필-가 (名筆家) [명] 글씨 잘 쓰기로 이름난 사람. ¶한석봉은 조선 ~의 한 사람이다.

명:-하다 (命-) [타][여불] **1** 명령하다. ¶양심이 명하는 바. **2** 임명하다. ¶과장에 ~.

명:한 (命限) [명] 목숨의 한도.

명함 (名銜·名啣) [명] **1** 성명·주소·직업·신분·전화번호 따위를 적은 네모난 종이쪽. **2** 남의 성명의 존댓말. 성함.

명함을 내밀다 [구] 존재를 드러내어 보이다. ¶연예계에 처음으로 ~.

명함-판 (名銜判) [명] 크기가 명함만 한 사진판《길이 8.3 cm, 너비 5.4 cm 정도》.

명현 (明賢) [명][하형] 밝고 현명함. 또는 그런 사람. ¶~의 뜻을 이어받다.

명현-하다 (瞑眩-) [형][여불] 어지럽고 눈앞이 캄캄하다.

명호 (名號) [명] **1** 명목(名目)1. **2** 이름과 호.

명호 (冥護) [명][하타] 드러나지 않는 가운데 신명이 보호함. ¶신불의 ~를 빌다〔입다〕.

명화 (名花) [명] **1** 아름답기로 이름난 꽃. **2** 아름다운 기생을 꽃에 비유한 말.

명화 (名畫) [명] **1** 아주 잘 그린 그림. 이름난 그림. ¶~를 전시하다. **2** 그림을 잘 그리기로 이름난 사람. **3** 잘 만들어진 유명한 영화. ¶~를 상영하다.

명화-적 (明火賊) [명] **1** 불한당(不汗黨)1. **2** 〖역〗조선 철종 때 횡행하던 도둑의 무리.

명확-성 (明確性) [명] 명백하고 확실한 성질. ¶~이 결여된 해설.

명확-하다 (明確-) [-화카-] [형][여불] 뚜렷하여 틀림이 없다. 명백하고 확실하다. ¶명확한 대답 / 누구의 책임인지 명확하지 않다. **명확-히** [-화키] [부]. ¶진상을 ~ 밝히다.

명-후년 (明後年) [명] 내후년.

명-후일 (明後日) [명] 모레.

*__몇__ [멷] [一][관] 뒤에 오는 말과 관련되어, 확실하지 않은 수나 그리 많지 않은 수를 막연하게 이르는 말. ¶~ 사람이 모였느냐 / ~ 시간이 걸릴까. [二][수] 확실하지 않은 수나 약간의 수를 막연하게 이르는 말. ¶모두 ~이냐 / 우리 ~이라도 함께 가 보세.

몇-몇 [면멷] [一][관] '몇[一]'의 힘줌말. ¶~ 사람만 찬성했다. [二][수] '몇[二]'의 힘줌말. ¶~을 제외하고는 반대했다 / 놀이터에서 아이들 ~이 뛰놀고 있다.

메구 (袂口) [-/메-] [명] 소맷부리.

메별 (袂別) [-/메-] [명][하자] 소매를 잡고 작별한다는 뜻으로, 헤어짐. 이별.

*__모__[1] [명] **1** 옮겨 심기 위하여 가꾸어 기른 어린 벼. ¶~를 심다. **2** 모종.

모(를) 붓다 [구] 밭이나 논에 못자리를 만들고 씨를 배게 뿌리다.

모(를) 찌다 [구] 모내기를 하기 위하여 못자리에서 모를 뽑다. ¶못자리에서 모를 쪄서 나누어 주다.

모[2] [명] 윷놀이에서, 윷가락의 네 짝이 다 엎어진 경우《끗수는 다섯 끗임》. ☞윷짝.

모[3] [一][명] **1** 물건이 거죽으로 쑥 나온 끝. ¶~가 나다. **2** 〖수〗 선과 선의 끝이 만난 곳. **3** 〖수〗 면과 면이 만난 부분. 모서리. **4** 구석이나 모퉁이. ¶한쪽 ~로 비켜서다. **5** 성질이나 사물이 특히 표가 나는 점. ¶~가 나는 사람. **6** 사람이나 사물의 면면이나 측면. ¶어느 ~로 보나 나무랄 데가 없다. **7** 두부나 묵을 네모지게 썬 것. ¶두부 ~가 큼직하다. [二][의명] 두부나 묵 따위를 세는 단위. ¶두부 한 ~ / 도토리묵 세 ~.

모(를) 꺾다 [구] 몸을 약간 옆으로 향하다.

모 (毛) [명] 동물의 몸에서 깎아 낸 털로 만든 섬유《특히, 양모(羊毛)》. 털.

모: (母) [명] 어머니.

모: (某) [一][인대] (성(姓) 뒤에 쓰여) '아무개'의 뜻을 나타냄. ¶김 ~ 여사. [二][관] 아무. 어떤. ¶~ 인사 / ~ 단체 / ~ 회사.

-모 (帽) [미] (일부 명사에 붙어) '모자'의 뜻을 나타냄. ¶운동~ / 등산~.

모가비 [명] 막벌이꾼이나 광대 같은 패의 우두머리.

*__모가지__ [명] 〈속〉 **1** 목1. **2** 해고나 면직(免職). ¶너의 행실로 보면 당장 ~다.

[모가지가 열 개 있어도 모자란다] 하는 짓마다 무모하고 위험한 짓을 하는 것을 경고하는 말.

모가지가 떨어지다 [구] 〈속〉 ㉠죽임을 당하다. ㉡어떤 직위에서 그만두게 되다.

모가지(가) 잘리다 [구] 〈속〉 직장에서 쫓겨나다. 해고되다.

모가지를 자르다 [구] 〈속〉 직장에서 쫓아내다. 해고하다.

모가치 [명] 제 몫으로 돌아오는 물건. ¶자는 사람은 ~가 없다.

모개 [명] (주로 '모개로'의 꼴로 쓰여) 모두 한데 묶은 수효. ¶~로 사면 싸다.

모개-흥정 [명][하타] 모개로 하는 흥정. ¶~으로 처분하다.

모갯-돈 [-개똔/-갣똔] 명 액수가 많은 돈. 모개로 된 돈. ¶푼돈을 모아 ~을 만들다. ↔푼돈.

모:경 (冒耕) 명하자 허락 없이 남의 땅에 농사를 지음.

모:경 (暮景) 명 저녁때의 경치. 만경(晩景).

모:경 (暮境) 명 늙바탕. 만경(晩境).

모:계 (母系)[-/-게] 명 어머니 쪽의 핏줄 계통. ↔부계.

모계 (謀計)[-/-게] 명하타 계교를 꾸밈. 또는 그 계교. ¶~에 빠지다.

모:계 중심 사회 (母系中心社會)[-/-게-] 원시 사회에서, 혈통이나 상속 관계가 어머니의 계통을 중심으로 이루어지던 형태. 모계 사회.

모:계 혈족 (母系血族)[-쪽/-게-쪽] 어머니를 중심으로 하는 친계(親系)《어머니·외조부모·외종 형제 자매 등》. 모계친.

모골 (毛骨) 명 터럭과 뼈.

모골이 송연(悚然)하다 구 너무 끔찍스러워 몸이 오싹해지다. ¶모골이 송연한 참혹한 사고 현장.

모공 (毛孔) 명 털구멍.

모과 (-菓) 명 네모진 과줄. 방과(方菓).

모:과 (←木瓜) 명 모과나무의 열매.

모:과-나무 (←木瓜-) 명 〔식〕 장미과의 낙엽 활엽 교목. 촌락 부근에 심는데, 높이는 10 m 정도이며, 봄에 담홍색 꽃이 핌. 노란 열매는 기침 약재로 씀.

모과나무 심사(心思) 구 모과나무처럼 뒤틀리어, 심술궂고 성깔이 순순하지 못한 마음씨를 이르는 말.

모:교 (母校) 명 자기가 졸업한 학교. ¶~의 선생님/~를 찾아가다/~에 장학금을 기부하다.

모구 (毛毬) 명 옛날 사구(射毬)에 쓰던 공《지름이 한 자 정도의 공을 채로 결어서 털가죽으로 싸고 고리를 달아서 긴 끈을 꿰었음. 말을 타고 끌며 달려감》.

모구

모:국 (母國) 명 **1** 자기가 태어난 나라. 흔히, 외국에 있으면서 자기 나라를 가리키는 말. ¶해외 동포의 ~ 방문. **2** 따로 떨어져 나간 나라에서 그 본국을 가리키는 말.

모:국-어 (母國語) 명 모국의 말. 자기 나라의 말. 모어(母語).

모:권 (母權)[-꿘] 명 **1** 어머니로서의 권리. **2** 원시 가족 제도에서, 가족에 대한 어머니의 지배권. ↔부권(父權).

모근 (毛根) 명 〔생〕 털이 피부에 박힌 부분. 털뿌리.

모금 (募金) 명하자 기부금이나 성금 따위를 모음. ¶불우 이웃 돕기 ~ 운동.

***모금** 의명 물·술 따위가 입에 머금는 분량. ¶물 한 ~/담배를 한 ~ 빨다.

***모:기** 명 〔충〕 모깃과에 딸린 곤충의 통칭. [모기도 낯짝이 있지] 염치없고 뻔뻔스럽다는 말. [모기 보고 칼 빼기] 사소한 일에 지나치게 성을 냄을 이르는 말. 견문발검(見蚊拔劍).

모-기둥 명 〔건〕 모가 난 기둥. ↔두리기둥.

모기-약 (-藥) 명 모기를 쫓거나 잡는 데 쓰는 약. ¶~을 바르다/~을 뿌리다.

모:-기업 (母企業) 명 최초로 설립되어, 계열 관계에 있는 다른 기업의 중심이 되는 기업.

모:기-장 (-帳) 명 모기를 막으려고 치는 장막《생초나 망사로 만듦》. ¶~을 치다/~안에서 잠을 자다.

모:기-향 (-香) 명 독한 연기로 모기를 쫓기 위해 피우는 향《보통 제충국(除蟲菊)을 원료로 막대 또는 나선 모양으로 만듦》.

모:깃-불 [-기뿔/-긷뿔] 명 모기를 쫓기 위해 풀 따위를 태워 연기를 내는 불.

모:깃-소리 [-기쏘-/-긷쏘-] 명 **1** 모기가 날아다닐 때 내는 소리. **2** 아주 가냘픈 소리의 비유. ¶~만 한 목소리.

모꼬지 명하자 놀이나 잔치 그 밖의 일로 여러 사람이 모임.

모-나다 一자 **1** 물건의 거죽에 모가 생기다. ¶모난 돌. **2** 일을 유달리 두드러지게 하다. ¶일을 모나게 하다. 二형 **1** 말이나 행동 등이 둥글지 못하고 까다롭다. 성질이 원만치 못하다. ¶모난 성격/모나게 행동하다. **2** 무슨 물건이 유효하게 쓰이다. ¶돈을 헛되이 쓰지 말고 모나게 써라. [모난 돌이 정 맞는다] ㉠두각을 나타내는 사람이 남에게 미움을 받게 된다. ㉡강직한 사람은 남의 공박을 받는다.

모나리자 (이 Mona Lisa) 명 〔미술〕 1500 년경 이탈리아의 화가 다빈치가 그린 여인상. 신비적인 미소로 유명함.

모낭 (毛囊) 명 〔생〕 피부의 진피(眞皮) 안에서 모근을 싸고 털의 영양을 맡는 주머니. 털주머니.

모-내기 명하자 모를 못자리에서 논으로 옮겨 심는 일. 이앙. 모심기.

모-내다 자 **1** 모를 못자리에서 논으로 옮기어 심다. 이앙하다. 모심다. **2** 모종을 내다.

모:녀 (母女) 명 어머니와 딸. ↔부자(父子).

모:년 (某年) 명 아무 해. 어느 해. ¶~ 모월 모일.

모노-드라마 (monodrama) 명 〔연〕 한 사람의 배우가 하는 연극.

모노-레일 (monorail) 명 선로가 한 가닥인 철도《차체가 선로에 매달리는 방식과 선로 위를 구르는 방식의 두 가지가 있음》.

모놀로그 (monologue) 명 독백.

모눈 명 〔수〕 모눈종이에 그려진 사각형.

***모눈-종이** 명 일정한 간격을 두고 직각으로 교차된 여러 개의 가로줄과 세로줄을 그린 종이. 방안지(方眼紙).

모니터 (monitor) 명 **1** 방송국·신문사나 일반 회사 등의 의뢰로, 방송 내용·기사 또는 제품 따위의 내용·효과 등에 관하여 의견·평을 말하는 사람. **2** 라디오·텔레비전 방송이나 송신 상태를 감시하는 장치나 사람. **3** 〔컴〕 중앙 처리 장치로 제어되는 디스플레이 장치의 일컬음. **4** 방사능을 관리하는 데 쓰는 감시 장치. **5** 감시용 텔레비전 따위의 화면. ¶~로 각 전시장의 안전 상태를 점검하다.

모닝-콜 (morning call) 명 호텔 따위에서, 투숙객을 지정한 시간에 깨워 주는 서비스《흔히 전화로 함》.

모닥-불 명 잎나무나 검불 따위를 모아 놓

고 피우는 불. 또는 그 불의 더미. ¶우리 일행은 숙소 마당에 피워 놓은 ~ 앞에 모여 앉았다.

모대 (帽帶) 명 1〖역〗정복을 입을 때 쓰던 사모(紗帽)와 각띠. 2 모자와 띠. ―-하다 자여불〖역〗관대를 입고 사모를 쓰다.

모더니스트 (modernist) 명 현대적 감각이나 경향을 좇는 사람.

모더니즘 (modernism) 명 1 최신 유행이나 현대적인 감각을 좇으려는 경향. 2 철학·문학·미술 따위에서, 전통주의와 사상에 대립하여, 근대적·기계 문명적·주관주의적인 것을 강하게 주장하는 여러 경향의 총칭.

모데라토 (이 moderato) 명〖악〗'보통 빠르기로'의 뜻.

모델 (model) 명 1 작품을 완성하기 전에 만든 보기. 또는 완성된 작품의 대표적인 보기. ¶최근 개발한 자동차 신~. 2 본보기나 모범. ¶저 정도면 신랑감의 ~이라 할 만하다. 3 그림·조각·사진의 소재가 되는 특정한 물건이나 사람. 4 소설·희곡 등의 소재가 되는 사람이나 사건. 5 조각에서, 진흙 따위로 만든 원형(原型)《이 원형에서 다시 석고의 형을 만듦》. 6 '패션모델'의 준말. ¶저 가수는 요즘 ~로 활동 중이다.

모델 하우스 (model house) 아파트 등을 건축할 때 견본용으로 실제와 똑같게 지어 놓은 집.

모뎀 (modem) 명〖컴〗변복조 장치.

모도록 부하형 채소·풀 등의 싹이 빽빽하게 난 모양. ¶봄풀이 ~하다.

모도록-이 부 모도록.

모도리 명 빈틈없는 아주 야무진 사람.

모:-도시 (母都市) 명〖지〗가까이 있는 다른 도시에 대하여 경제적·사회적으로 지배적 기능을 가지는 도시. ↔위성 도시.

모:독 (冒瀆) 명하타 말이나 행동으로 더럽혀 욕되게 함. ¶인격을 ~하다.

*__모두__ 一명 수효나 양에서 빠짐이나 넘침이 없는 전체. ¶~가 다 찬성이요 / 아이들 ~에게 차근차근 설명하다 / 우리 ~의 책임이다. 二부 1 수효나 양을 한데 합하여. ¶~ 얼마냐 / ~ 15명이 모였다. 2 빼거나 남기지 않고. ¶~ 다 먹었다 / 범죄 사실을 ~ 털어놓다.

모:두 (冒頭) 명 말이나 문장의 첫머리. ¶결론은 이미 ~에 나 있는 셈이다.

모둠-발 명 가지런히 같은 자리에 모은 두 발. ¶~로 뛰다.

모듈 (module) 명 1〖건〗건축물 따위를 지을 때 기준으로 삼는 치수. 2〖컴〗컴퓨터 시스템에서, 일부 부품을 떼어 내어 교환하기 쉽도록 설계된 각 부분. 3〖컴〗프로그램을 기능별로 나눈 부분.

모드[1] (mode) 명 1 유행 복식. ¶최신 ~. 2〖수〗통계 자료의 대푯값의 하나. 최대의 도수를 가지는 변량(變量)의 수치. 3〖악〗선법(旋法).

모드[2] (mode) 명〖컴〗키보드에서 한글 모드란 한글을 사용할 수 있는 상태를 말하며, 영어 모드란 영어를 사용할 수 있는 상태를 이름.

*__모:든__ 관 빠짐이나 남김없이 모두의. 여럿을 다 합친. ¶~ 점에서 이쪽이 낫다 / ~ 국민은 법 앞에 평등하다.

모들-뜨기 명 1 두 눈동자가 안쪽으로 치우친 사람. 2 몸이 심하게 자빠지거나 나가떨어지는 일. ¶~로 나가떨어지다.

모-뜨다 〔모뜨니, 모떠〕 타 남이 하는 말과 행동을 그대로 흉내 내어 본뜨다.

모라토리엄 (moratorium) 명 한 국가가 경제적·정치적인 이유로 외국의 차관 따위에 대하여 일시적으로 상환을 연기하는 일. 지급 유예.

모락-모락 [-랑-] 부 1 곱고 순조롭게 잘 자라는 모양. ¶새싹이 ~ 자라다. 2 연기·냄새·김 따위가 피어오르는 모양. ¶김이 ~ 나다. 큰무럭무럭.

모란 (←牡丹) 명〖식〗미나리아재빗과의 낙엽 활엽 관목. 중국 원산으로 관상용으로 재배함. 잎은 크며 늦봄에 여러 겹의 큰 꽃이 피는데, 보통 붉으나 개량 품종에 따라 흰색·누런색 등 여러 가지가 있음. 뿌리의 껍질은 약재로 씀. 목단.

모란-꽃 (←牡丹-)[-꼳] 명 모란의 꽃.

모:람 (冒濫) 명하자 웃어른에게 버릇없이 함부로 행동함.

모람-모람 부 가끔가끔 한데 몰아서.

*__모래__ 명 자연히 잘게 부스러진 돌의 부스러기. ¶~벌판 / ~ 섞인 바람.
[모래 위에 물 쏟는 격] 소용없는 일을 함.
[모래 위에 선 누각] 기초가 튼튼하지 못해 곧 허물어질 수 있는 물건 등의 비유.

모래-무지 명〖어〗잉엇과의 민물고기. 모래 위나 속에서 사는데, 몸길이는 15 cm 정도. 은백색으로 홀쭉하고 머리가 큰 편이며, 등과 옆구리에 황갈색 반점이 있고 배쪽은 흼.

*__모래-밭__ [-받] 명 1 모래가 넓게 덮여 있는 곳. ¶고운 ~이 펼쳐지다. 2 흙에 모래가 많이 섞여 있는 밭.

모래-사장 (-沙場) 명 모래톱.

모래-성 (-城) 명 1 모래를 성처럼 쌓은 것. 2 '쉽게 허물어지는 것'의 비유.

모래-시계 (-時計)[-/-게] 명 작은 구멍을 통해서 일정한 양의 모래가 떨어지는 시간으로 시각을 측정하는 장치.

모래시계

모래-알 명 모래의 낱 알갱이. ¶반짝이는 바닷가의 ~.

모래-주머니 명 1 모래를 넣은 주머니. 2〖조〗조류(鳥類)의 위의 일부분. 먹은 것을 으깨어 부수는 작용을 함《곡류를 먹는 조류에만 있음》. 사낭(砂囊).

모래-집 명 양막(羊膜).

모래-찜질 명 여름철에 뜨거운 모래땅에 몸을 묻고 땀을 내는 일《피부에 자극을 주어서 단련하는 효과가 있음》. 사욕(沙浴). 사증(沙蒸).

모래-톱 명 강가나 바닷가의 넓은 모래벌판. 모래사장(沙場).

모래-판 명 1 모래가 많이 깔린 평평한 곳. 2 씨름판. ¶금년도 ~의 왕자.

모래-펄 명 모래가 덮인 개펄.

모래-흙 [-흑] 명 모래가 많이 섞인 흙. 보통 80% 이상의 모래가 섞인 흙. 사토(砂土).

모략 (謀略) 명하타 **1** 계략이나 책략. **2** 사실을 왜곡하거나 속임수로 남을 해롭게 함. 또는 그런 일. ¶ ~에 빠지다 / ~을 일삼다.

*__모:레__ 一명 내일의 다음 날. 명후일(明後日). ¶ ~가 네 생일이지. 二부 내일의 다음 날에. ¶ ~ 찾아가 뵙겠습니다.

모:로 부 **1** 비껴서. 대각선으로. ¶ ~ 자르다. **2** 옆쪽으로. ¶ ~ 눕다 / 게처럼 ~ 걷다. [모로 가도 서울만 가면 된다] 어떤 수단을 써서라도 목적만 이루면 된다.

모롱이 명 산모퉁이의 휘어 둘린 곳. ¶ 저기 보이는 ~만 돌면 마을이다.

모:루 명 대장간에서 달군 쇠를 올려 놓고 두드릴 때 받침으로 쓰는 쇳덩이. 철침(鐵砧).

모루

모류 (毛類) 명 **1** 털을 가진 짐승의 총칭. 모족(毛族). **2** 솜털이나 강모(剛毛)를 가진 곤충. 모충(毛蟲).

*__모르다__ 〔모르니, 몰라〕 타르불 **1** 알지 못하다. ¶ 어찌할 바를 ~ / 그런 줄은 전혀 몰랐다 / 나도 모르는 사람. **2** 이해하지 못하다. 깨치지 못하다. ¶ 진리를 ~ / 분수를 모르고 까불다. **3** 경험이 없다. ¶ 전쟁을 모르는 젊은 세대 / 실패를 모르는 사람처럼 불행한 사람은 없다. **4** 지식이나 기능이 없다. ¶ 일본어를 모르다 / 운전을 할 줄 모른다. **5** ('…밖에' 뒤에 쓰여) 어떤 것 외에 다른 것을 소중히 여기지 않는다. ¶ 돈밖에 모르는 사람. **6** ('얼마나, 어찌' 따위와 함께 쓰여) 말로 표현할 수 없을 만큼 대단하다. ¶ 대학에 합격했다니 얼마나 기쁜지 모르겠다. **7** 무관심을 나타내다. ¶ 가건 말건 나는 몰라 / 온다면 모르겠지만 오지 않아도 할 수 없지. **8** (주로 '모르게'의 꼴로 쓰여) 의식하지 못하다. ¶ 골을 넣는 순간 나 자신도 모르게 소리를 질렀다 / 그 얘기를 들으면서 나도 모르게 눈물이 흘렀다. ↔알다.
[모르면 약이요 아는 게 병] 아무것도 아는 것이 없으면 도리어 마음이 편하나, 좀 알고 있으면 걱정거리만 되어 해롭다는 말.
모르면 모르되〔몰라도〕 구 꼭 그러하다고는 할 수 없으나 십중팔구는. ¶ ~ 그 여자는 기혼녀일 거야.

모르모트 (←프 marmotte) 명 《동》 '기니피그'를 일상적으로 일컫는 말.

모르-쇠 명 아는 것이나 모르는 것이나 모두 모른다고 잡아떼는 것. ¶ 곤란한 경우에는 ~가 제일이다.
모르쇠(를) 잡다〔대다〕 구 그저 덮어놓고 모른다고 잡아떼다.

모르타르 (mortar) 명 회나 시멘트에 모래를 섞어 물에 갠 것《주로 벽돌과 석재를 접합할 때 씀》.

모르핀 (morphine) 명 아편에 들어 있는 중요한 알칼로이드의 하나《무색무취의 결정체로 맛이 쓰고 많이 사용하면 중독 증상이 일어남. 마취제와 진통제로 씀》.

모름지기 부 사리를 따져 보건대 마땅히. 또는 반드시. ¶ 청년은 ~ 씩씩해야 한다.

모름-하다 형여불 생선이 싱싱한 맛이 없고 조금 타분하다.

모리 (謀利·牟利) 명하자 도덕과 의리는 생각지 않고 오로지 부정한 이익만 꾀함.

모리-배 (謀利輩) 명 온갖 수단과 방법으로 자기의 이익만 꾀하는 사람이나 무리.

모린 (毛鱗) 명 털과 비늘이라는 뜻으로, 짐승과 물고기를 이르는 말.

모멘트 (moment) 명 **1** 어떤 일의 원인. 기회. 계기. **2** 〘물〙 어떤 벡터의 크기와 정점(定點)에서 그 벡터에 내려 그은 수선(垂線)의 길이를 거듭제곱으로 곱한 양.

모면 (謀免) 명하타 어떤 일이나 책임을 꾀를 써서 벗어남. ¶ 사고를 ~하다 / 책임을 ~할 길이 없다.

모면-책 (謀免策) 명 모면하려는 방법이나 꾀. ¶ ~을 강구하다.

모:멸 (侮蔑) 명하타 업신여기고 얕잡아 봄. ¶ ~에 찬 눈길.

모:멸-감 (侮蔑感) 명 모멸을 당하는 느낌. ¶ 친구의 배신에 씁쓸한 ~을 느끼다.

모:멸-적 (侮蔑的)[-쩍] 관명 업신여기고 얕잡아 보는 느낌이 있는 (것). ¶ ~인 태도.

모:모 (某某) 一인대 아무아무. ¶ ~의 알선. 二관 아무아무. ¶ ~ 인사 / ~ 회사.

모모-이 부 모마다. 이모저모 다. ¶ ~ 살펴보다.

모:모-한 (某某-) 관 아무아무라고 손꼽을 만한. ¶ ~ 사람은 다 모였다.

모:몰-염치 (冒沒廉恥)[-렴-] 명하자 염치없는 줄을 알면서도 이를 무릅쓰고 함. 준 모렴(冒廉)·모몰.

모-반 (-盤) 명 여섯 모나 여덟 모로 된 음식을 담아 나르는 나무 그릇. ↔두리반.

모:반 (母斑) 명 선천적으로 피부에 나타난 갈색·흑색의 반문《주근깨·점 따위》.

모반 (謀反) 명하자타 국가나 조정 또는 군주를 배반하여 군사를 일으켜 전복을 꾀함《지금의 내란죄에 해당함》. ¶ ~을 꾀하다 / ~에 가담하다.

모반 (謀叛) 명하자타 자기 나라를 배반하고 남의 나라를 좇기를 꾀함《지금의 외환죄에 해당함》.

모발 (毛髮) 명 **1** 사람의 몸에 난 온갖 털. **2** 사람의 머리털. ¶ ~에 염색을 하다 / ~이 손상되다.

모방 (模倣·摸倣) 명하타 **1** 본뜨거나 본받음. ¶ 남의 것을 ~하다 / 부모는 자식들의 ~의 대상이 된다. ↔창조. **2** 사회 집단을 구성하는 개개인의 결합 관계를 성립시키는 요인으로서의 반복 행위.

모방-성 (模倣性)[-썽] 명 다른 것을 본뜨거나 본받으려고 하는 성질. ¶ ~이 엿보이는 유행.

모-밭 [-받] 명 묘목을 기르는 밭. 묘포(苗圃).

모범 (模範) 명 본받아 배울 만한 대상. ¶ ~을 보이다 / ~으로 삼다.

모범-생 (模範生) 명 학업과 품행이 모범이 될 만한 학생. ¶ 귀감이 되는 ~.

모범-수 (模範囚) 명 교도소의 규칙을 잘 지켜 다른 죄수의 모범이 되는 죄수.

모범-적 (模範的) 관명 모범이 될 만한 (것). ¶ ~(인) 사례 / ~인 가장.

모범-택시 (模範taxi) 명 일반 택시보다 설비가 좋고 요금이 비싸며 질 높은 서비스를 제공하는 택시.
모:법 (母法)[-뻡] 명 어떤 법의 근거가 되는 법률.
모병 (募兵) 명하자 병사를 모집함. 모군(募軍). ¶ 신병을 ~하다.
모-불사 (貌不似)[-싸] 명 **1** 꼴이 꼴 같지 않음. **2** 얼굴 생김이 보잘것없고 흉악함. 또는 그런 사람.
모빌 (mobile) 명 〖미술〗 움직이는 조각의 뜻으로, 가느다란 철사·실 등으로 여러 가지 형태의 금속 조각·나뭇조각을 매달아 균형을 이루게 한 조형품(造形品).
모빌-유 (mobile油) 명 〖화〗 자동차의 내연 기관처럼 급회전하는 기계의 마찰과 마멸 및 열을 덜기 위한 윤활유의 한 가지.
모사 (毛紗) 명 털실로 짠 얇은 사(紗).
모사 (毛絲) 명 짐승의 털로 만든 실. 털실.
모사 (茅沙) 명 제사를 지낼 때, 그릇에 담은 모래와 거기에 꽂는 띠의 묶음.
모사 (模寫) 명하타 **1** 사물을 형체 그대로 그림. 또는 그런 그림. **2** 어떤 그림을 보고 그와 똑같이 그림.
모사 (謀士) 명 **1** 꾀를 써서 일이 잘 이루어지게 하는 사람. **2** 남을 도와 꾀를 내는 사람. 책사(策士).
모사 (謀事) 명하자타 일을 꾀함. 또는 그런 일. ¶ ~를 꾸미다.
[모사는 재인(在人)이요 성사(成事)는 재천(在天)이라] 일을 꾸미는 것은 사람이지만, 일의 되고 안되는 것은 하늘의 뜻에 달렸다는 말.
모사 전:송 (模寫電送) 팩시밀리의 하나. 화면·문자·사진 등을 전송하여 딴 곳에서 이것을 재현하는 통신 방식. 복사 전송. * 사진 전송.
모사-품 (模寫品) 명 **1** 원작을 그대로 옮기어 그린 미술 작품. **2** 본떠서 그린 그림.
모살 (謀殺) 명하타 미리 꾀하여 사람을 죽임. ¶ ~한 혐의가 짙다.
모삿-그릇 (茅沙-)[-사끄륻 / -삳끄륻] 명 모사를 담는 그릇《보시기같이 생겼으면서 굽이 아주 높음》. 모사기(茅沙器).
모상 (模相) 명 대상의 겉모습을 있는 그대로 본떠서 나타낸 것.
모새 명 썩 잘고 고운 모래. 세사(細沙).
모:색 (暮色) 명 **1** 날이 저물어 가는 어스레한 빛. **2** 저녁때의 경치.
모색 (摸索) 명하타 방법이나 실마리를 더듬어 찾음. ¶ 해결책을 ~하다 / 대화와 타협이 ~되어야 할 시기다.
모샤브 (moshav) 명 이스라엘의 공동 취락의 한 형태. 소농들의 집합체로서, 농토는 각자가 경작하되, 그 밖의 것은 마을 전체가 공유하는 부락.
***모서리** 명 **1** 물체의 모가 진 가장자리. ¶ 책상 ~. **2** 〖수〗 다면체(多面體)에서 각 면의 경계를 이루고 있는 선분(線分)들. 모.
모:선 (母船) 명 **1** 어떤 작업의 중심체가 되는 큰 배나 비행기. **2** 원양 어업에서, 부속 어선을 거느리고 그 어업 활동의 중심이 되어 어획물의 처리·냉동 등을 하는 큰 배. **3** 우주선 중에서, 사령선(司令船)과 기계선(機械船)이 연결된 것.
모:선 (母線) 명 **1** 〖수〗 선의 운동으로 면이 그려졌을 경우, 그 면에 대하여 그 선을 일컫는 말. **2** 〖수〗 뿔면에서 곡면을 만드는 직선. **3** 발전소 또는 변전소에서, 개폐기를 거쳐 각 외선(外線)에 전류를 분배하는 단면적이 큰 간선(幹線).
모:-선망 (母先亡) 명하자 어머니가 아버지보다 먼저 세상을 떠남.
모:성 (母性) 명 여성이 어머니로서 갖는 감정·이성·의지 등의 특징. 또는 그런 본능. ↔부성(父性).
모:성-애 (母性愛) 명 자식에 대한 어머니의 본능적인 사랑. ¶ ~를 느끼다. ↔부성애.
모세-관 (毛細管) 명 '모세 혈관'의 준말. 준모관(毛管).
모세관 현:상 (毛細管現象) 〖물〗 가는 관(管)을 액체나 수은 속에 넣어 세웠을 때, 관 안의 액면(液面)이 관 밖의 액면보다 높아지거나 낮아지는 현상.
모:-세포 (母細胞) 명 〖생〗 분열하기 전의 세포. ↔딸세포.
모세 혈관 (毛細血管) 동맥과 정맥을 잇고 조직 속에 그물 모양으로 퍼져 있는 가는 혈관《이 곳에서 혈액과 조직 사이의 물질 교환·가스 교환이 행해짐》. 실핏줄. 준모세관.
모션 (motion) 명 **1** 몸놀림이나 동작. ¶ 큰 ~으로 손짓을 한다. **2** 어떤 행동의 예비적인 몸짓이나 동작. ¶ 금방 뛰쳐나갈 듯한 ~을 취하다.
모순 (矛盾) 명 〔중국 초(楚)나라 사람이 방패와 창을 팔면서 말하기를, '이 방패는 어떤 창도 뚫지 못한다' 하고, 또 '이 창은 어떤 것도 뚫을 수 있다' 고 하므로, '그 창으로 그 방패를 찌르면 어떻게 되느냐' 고 물으니 아무 말도 못했다는 고사에서 유래 : 한비자(韓非子)의 난일편(難一篇)에서 나온 말〕 **1** 말이나 행동 또는 사실의 앞뒤가 맞지 않음. ¶ 현 실정과 ~된 개혁안 / 자신의 발언의 ~된 점을 모르다. **2** 〖철〗 두 판단이 중간에 존재하는 것이 없이 서로 대립하여 양립하지 못하는 관계《유(有)와 무(無), 동(動)과 정(靜) 따위》.
모순-성 (矛盾性)[-썽] 명 서로 모순되는 성질이나 상태. ¶ 계획의 ~을 지적하다.
모순-적 (矛盾的) 관명 서로 모순된 (것). ¶ 과학과 종교의 ~인 관계.
모숨 의명 길고 가는 물건이 한 줌 안에 들 만한 수량. ¶ 담배 한 ~ / 풀을 한 ~ 뽑다.
모숨-모숨 부 여러 모숨으로. ¶ 잎담배를 ~ 묶다.
모스 부호 (Morse符號) 점과 선을 배합하여 문자·기호를 나타내는 전신용 부호《미국의 발명가 모스가 고안》.
모스크 (mosque) 명 이슬람교에서, 집단 예배를 보는 신앙 공동체의 중심지로 군사·정치·사회·교육 따위의 공공 행사가 이루어지는 건물.
모슬렘 (Moslem) 명 이슬람교도.
***모습** 명 **1** 사람의 생긴 모양. ¶ 어머니의 생전 ~을 그려 보다. **2** 자취나 흔적. ¶ ~을 나타내다. **3** 자연이나 사물의 드러난 모양. ¶ 밤거리의 ~ / 아이의 잠든 ~이 마치 천사 같구나.

모시 [명] **1** 모시풀 껍질의 섬유로 짠 피륙. 저포(紵布). **2** 〖식〗 '모시풀'의 준말.
모시 (某時) [명] 아무 때. 아무 시간. ¶ 모일(某日) ~에 모임이 있으니 꼭 참석해라.
***모:시다** [타] **1** 웃어른이나 존경하는 사람을 가까이에서 받들다. ¶ 부모님을 정성껏 ~. **2** 웃어른이나 존경하는 사람을 받들어 안내하다. ¶ 할아버지를 창덕궁으로 ~/손님을 안방으로 ~. **3** 제사·장사·환갑 등을 지내다. ¶ 제사를 ~. **4** 떠받들어 자리 잡게 하다. ¶ 사장으로 ~/훌륭한 선생님을 모시게 되어 기쁘다.
모시-조개 [명] 〖조개〗 가막조개.
모시-풀 [명] 〖식〗 쐐기풀과의 여러해살이풀. 밭에서 재배하는데 높이는 2m 정도, 뿌리줄기는 목질로 땅속에 뻗어 번식함. 줄기의 껍질은 섬유를 채취하여 옷감 등으로 씀. [준]모시.
모-심기 [-끼] [명][하자] 모내기.
모-심다 [-따] [자] 모내다1.
모:씨 (母氏) [명] 흔히 아랫사람과 말할 때 그의 어머니를 일컫는 말.
모:씨 (某氏) [인대] 아무 양반. '아무개'의 존칭. ¶ 박(朴) ~.
모아-들다 〔-드니, -드오〕 [자] 여럿이 어떤 범위 안으로 향하여 모여들다. ¶ 접수 창구로 모아드는 응시자들.
모:야 (暮夜) [명] 깊은 밤. 이슥한 밤.
모:야간-에 (暮夜間-) [부] 어두운 밤중에. 이슥한 밤중에.
모:야모야 (某也某也) [인대] 아무아무. 아무개아무개. 모야수야(某也誰也).
***모양** (模樣) [一][명] **1** 겉으로 나타나는 생김새나 모습. ¶ ~이 아주 좋다/열심히 일하는 ~이 보기 좋구나. **2** 외모에 부리는 멋. 맵시. ¶ ~을 잔뜩 내고 외출하다. **3** 어떠한 형편이나 되어 가는 꼴. ¶ 사는 ~이 말이 아니다/그 ~으로 공부해서는 안 돼. **4** 위신이나 체면. ¶ 너 때문에 내 ~이 엉망이 되었다. **5** 어떤 모습과 같은 모습. ¶ 펭귄 ~으로 뒤뚱거리며 걷다. [二][의명] ('모양으로'의 꼴로 쓰거나, '같다, 이다'와 함께 쓰여) 짐작이나 추측을 나타냄. ¶ 회사를 그만둔 ~이더군/의심이 풀리지 않는 ~으로 질문을 계속했다/인연이 아닌 ~이니 없었던 일로 합시다.
[모양이 개잘량이라] 체면과 명예를 완전히 잃었음을 가리키는 말.
모양(이) 사납다 [구] 보기에 매우 흉하다.
모양(이) 아니다 [구] 모양이 안되어서 차마 볼 수가 없다.
모양(이) 있다 [구] 보기에 좋다. 맵시가 있다. ¶ 모양 있게 차려입은 한복.
모양-내다 (模樣-) [자] 꾸미어 맵시를 내다. ¶ 일은 하지 아니하고 모양내는 데만 신경을 쓴다.
모양-새 (模樣-) [명] **1** 모양의 됨됨이. ¶ 겉 ~만 보고 판단하다. **2** 체면이나 일이 되어 가는 꼴. ¶ ~가 말이 아니다.
모양-체 (毛樣體) [명] 〖생〗 눈 안의 수정체를 둘러싼 근육성의 기관(수정체의 두께 곧, 초점 거리를 조절함).
모:어 (母語) [명] **1** 자라면서 배운 바탕이 되는 말. **2** 모국어. **3** 〖언〗 언어의 발달 과정에서 그 모체가 되는 언어. ¶ 프랑스 어의 ~는 라틴 어이다.
***모여-들다** 〔-드니, -드오〕 [자] 여럿이 어떤 범위 안으로 향하여 오다. ¶ 식장으로 축하객이 ~/군중이 모여들기 시작한다.
모역 (謀逆) [명][하자타] **1** 반역을 꾀함. **2** 예전에, 종묘·궁전·능 등을 파괴하기를 꾀한 죄의 이름.
모옥 (茅屋) [명] **1** 띠나 이엉 따위로 지붕을 인 초라한 집. ¶ ~ 한 채. **2** 자기 집의 겸칭.
모:욕 (侮辱) [명][하타] 깔보고 욕되게 함. ¶ ~을 주다/~을 당하다.
모:욕-감 (侮辱感) [명] 모욕을 당하는 느낌. ¶ 무심코 하는 반말이겠지만 나는 심한 ~을 느꼈다.
모:욕-적 (侮辱的) [관][명] 깔보고 업신여기는 (것). ¶ ~인 발언을 서슴지 않다.
모:월 (某月) [명] 아무 달. 어느 달. ¶ ~ 모일에 체육 대회가 열릴 계획이다.
모:유 (母乳) [명] 제 어머니의 젖. 어미젖.
***모으다** 〔모으니, 모아〕 [타] **1** 한데 합치다. ¶ 두 손을 모아 빌다/낙엽을 주워 모았다. **2** 특별한 것을 구하여 갖추어 가지다. ¶ 우표를 ~/골동품을 사 ~. **3** 돈이나 재물을 쌓아 두다. ¶ 돈을 꽤 모았다. **4** 정신이나 의견 따위를 한곳에 집중하다. ¶ 계속 노력을 기울이기로 의견을 모았다. **5** 여러 사람을 한곳에 오게 하거나 한 단체에 들게 하다. ¶ 회원을 ~. **6** 다른 사람들의 관심이나 흥미를 끌다. ¶ 젊은이들의 인기를 한 몸에 모은 탤런트. **7** 조각을 한데 맞추거나 쌓아 무엇을 만들다. ¶ 배를 ~. [준]모다.
모:음 (母音) [명] 성대의 진동을 받은 소리가 입술·코·목구멍의 장애에 의한 마찰을 받지 아니하고 나오는 유성음(곧 ㅏ·ㅑ·ㅓ·ㅕ·ㅗ·ㅛ·ㅜ·ㅠ·ㅡ·ㅣ 따위). 홀소리. ↔자음(子音).
모음-곡 (-曲) [명] 〖악〗 여러 악곡을 모아서 하나의 곡으로 구성한 기악곡. 조곡(組曲).
모:음 교체 (母音交替) 〖언〗 한 어근 안의 모음이 바뀌어 문법 기능이나 뜻·품사 따위가 달라지는 언어 현상. 인도·유럽 어족에 주로 나타나며, 영어에서 'sing, sang, sung'이 되는 것 따위와 우리말에서 '늙다'가 '낡다'로, '작다'가 '적다'로 바뀌면 뜻이 다른 어휘로 분화되는 것 따위를 말함. 모음 전환.
모:음 동화 (母音同化) 〖언〗 모음과 모음이 서로 닮게 되는 변화. 모음 조화가 대표적인 예임.
모:음 조화 (母音調和) 모음 동화의 하나. 두 음절 이상으로 된 단어에서, 뒤의 모음이 앞 모음의 영향을 받아 그와 가깝거나 같은 소리로 되는 언어 현상('보아라, 부어라, 촐랑촐랑, 출렁출렁' 따위).
모의 (模擬·摸擬) [-/-이] [명][하타] 실제의 것을 본떠서 시험적으로 해 봄. 또는 그런 일. ¶ ~시험.
모의 (謀議) [-/-이] [명][하타] **1** 어떤 일을 꾀하고 의논함. ¶ 나는 친구와 함께 고향을 떠나 취직하기로 ~하고 기차에 몸을 실었다. **2** 〖법〗 여럿이 범죄의 계획 및 실행 방법을 의논함. 또는 그 의논. ¶ ~에 가담하다/그들은 사전에 범행을 ~했다.

*모이 명 닭이나 날짐승의 먹이.
*모이다[1] 자 《'모으다'의 피동》 1 여럿이 한 곳으로 오다. 집합하다. ¶유세장에 모인 유권자들/우리는 매월 한 번씩 모인다. 2 사물이나 돈이 들어와 쌓이다. 저축되다. ¶돈이 모이면 백과사전을 사겠다. 3 마음이나 생각·힘 따위가 한곳에 집중되다. ¶작은 힘이 모여 큰 힘이 된다. 준뫼다.
모이다[2] 형 작고도 야무지다. ¶몸집은 작아도 모인 사람이다.
모이-주머니 명 〔조〕 새의 소화관의 하나. 주머니 모양이며, 먹은 것을 일시 저장, 모래주머니로 보냄. 멀떠구니. 소낭(嗉囊).
모:일 (某日) 명 아무 날. 어떤 날. ¶~ 모시에 여기서 다시 만나자.
*모임 명 1 어떤 목적으로 때와 곳을 정하여 모이는 일. ¶과별로 ~이 있을 겁니다. 2 어떤 목적으로 조직한 단체. ¶계 ~/우리 ~에는 그런 사람이 없다.
모:자 (母子) 명 어머니와 아들. ¶~가 손을 잡고 걸어가다. *부녀.
모:자 (帽子) 명 예모를 차리거나 추위·더위·먼지 등을 막기 위하여 머리에 쓰는 물건.
모:자-간 (母子間) 명 어머니와 아들 사이.
*모:자라다 자형 1 양이나 정도에 미치지 못하다. ¶잠이 ~/힘이 모자라 그를 당할 수 없다/백 원이 ~. ↔자라다. 2 지능이 정상적인 사람보다 낮다. 저능하다. ¶왠지 좀 모자라는 사람처럼 보인다.
모자이크 (mosaic) 명 〔미술〕 여러 가지 빛깔의 돌·색유리·조가비·타일·나무 등의 조각을 맞추어 도안·그림 등으로 나타낸 것. 또는 그런 미술 형식.
모작 (模作) 명하타 남의 작품을 그대로 본떠서 만듦. 또는 그 작품. ¶밀레의 만종을 ~하다. ↔창작(創作).
모-잡이 명 모낼 때 모를 심는 일꾼.
모재 (募財) 명하자 돈을 여러 사람에게서 거두어 모음.
모-쟁이 명 모를 낼 때 모춤을 별러 돌리는 일꾼.
모-점 (-點) 명 〔언〕 세로쓰기에 쓰는 쉼표 《、》.
모:정 (母情) 명 자식에 대한 어머니의 심정. ¶지극한 ~.
모:정 (慕情) 명 그리워하는 심정. ¶~을 가슴에 품고 나타내지 않다.
모조 (模造) 명하타 모방하여 만듦. 또는 그런 것. ¶~ 가죽/경쟁 회사의 상품을 ~하다.
*모조리 부 하나도 빼지 않고 모두. ¶~ 가져가다/죄상을 ~ 털어놓다.
모조-지 (模造紙) 명 양지(洋紙)의 하나《질이 강하고 질기며 윤택이 남》. 백상지.
모조-품 (模造品) 명 다른 물건을 본떠서 만든 물건. ¶진품은 비싸서 ~을 사 왔다.
*모종 명하타 옮겨 심기 위해 가꾼, 벼 이외의 온갖 어린 식물. 또는 그것을 옮겨 심음. ¶화초를 ~하다.
모종(을) 내다 구 모종을 옮겨 심다.
모:종 (某種) 명 (흔히 '모종의'의 꼴로 쓰여) 어떠한 종류. 어느 종류. ¶~의 조치.
모종-삽 명 모종을 옮길 때 쓰는 작은 삽.
모:주 (母酒) 명 1 약주를 뜨고 난 찌끼 술. 밑술. 2 '모주망태'의 준말.
[모주 장사 열 바가지 두르듯] 내용은 빈약한 것을 겉만 꾸며 낸다는 말.
모주 (謀主) 명 일을 주장하여 꾀하는 사람.
모주 (謀酒) 명하자 술 마시기를 꾀함.
모:주-꾼 (母酒-) 명 모주망태.
모:주-망태 (母酒-) 명 술을 늘 대중없이 많이 먹는 사람. 모주꾼. 준모주.
모:죽지랑-가 (慕竹旨郎歌) 명 〔문〕 신라 효소왕 때, 득오(得烏)가 스승인 죽지랑의 죽음을 애도하여 불렀다는 8구체의 향가.
모-지다 형 1 생김새가 둥글지 않고 모가 나 있다. 2 성격이 원만하지 못하다. 모질다. ¶그녀는 너무 모져서 친구가 없다.
모지라-지다 자 물건의 끝이 닳거나 잘려서 없어지다. ¶붓끝이 ~. 큰무지러지다.
모지락-스럽다 〔-스러우니, -스러워〕 형ㅂ불 억세고 모진 듯하다. ¶마음을 모지락스럽게 먹다. 모지락-스레 부
모지랑-붓 〔-붇〕 명 끝이 다 닳은 붓.
모지랑-비 명 끝이 다 닳은 비.
모지랑이 명 오래 써서 끝이 닳아 떨어진 물건. ¶~가 된 호미.
모직 (毛織) 명 털실로 짠 피륙.
모직-물 (毛織物) 〔-징-〕 명 털실로 짠 물건의 총칭. ¶~로 맞춘 양복.
모:질다 〔모지니, 모지오〕 형 1 언행이 몹시 매섭고 독하다. ¶모진 짓을 하다/마음을 모질게 먹다. 2 참고 견디지 못할 일을 잘 배겨 낼 만큼 억세다. ¶온갖 고생을 모질게 이겨 내다. 3 기세가 몹시 매섭고 사납다. ¶모진 풍파를 겪다/바람이 모질게 분다. 4 정도가 지나치게 심하다. ¶모진 고문을 이겨 내다.
[모진 놈 옆에 있다가 벼락 맞는다] 악한 사람을 가까이 하면 그 사람에게 내린 화를 같이 당하게 된다는 말.
모:질음 명 어떤 고통을 견뎌 내려고 모질게 쓰는 힘.
모질음(을) 쓰다 구 모질게 힘을 쓰다.
모집 (募集) 명하타 조건에 맞는 사람이나 사물 따위를 뽑아서 모음. ¶채권 ~/회원을 ~하다/신입 사원 ~에 응시하다/주식을 ~하다.
모집다 타 1 허물이나 결함 따위를 명백하게 지적하다. ¶남의 허물을 ~. 2 모조리 집다.
모:-집단 (母集團) 명 통계 용어로, 측정이나 조사를 하기 위하여 표본을 뽑아내는, 바탕이 되는 집단.
모짝 부 있는 대로 한 번에 모조리 몰아서. ¶장마에 무배추가 ~ 떠내려갔다.
모짝-모짝 〔-짱-〕 부 1 한쪽에서부터 차례로 모조리. ¶배추를 ~ 뽑아 한쪽으로 쌓다. 2 차차 조금씩 개먹어 들어가는 모양. ¶누에가 뽕잎을 ~ 갉아먹는다.
모쪼록 부 될 수 있는 대로. 아무쪼록. ¶~ 몸조심하여라.
모-찌기 명하자 모판에서 모를 뽑음. 또는 그런 일.
모착-하다 〔-차카-〕 형여불 위아래를 자른 듯이 짤막하고 똥똥하다.
모창 (模唱) 명하자타 남의 노래를 흉내 냄.
모책 (謀策) 명하자타 어떤 일을 처리하거나

모면할 꾀를 세움. 또는 그 꾀. ¶~을 쓰다.

모:처 (某處) 명 아무 곳. 어떠한 곳. ¶시내 ~에 있는 음식점은 유명한 곳이다.

모처럼 부 1 벼르고 별러서 처음. 벼른 끝에. ¶~ 갔더니 출타 중이었다 / ~ 잡은 기회를 놓칠 수 없다. 2 일껏 오래간만에. ¶~ 오셨는데 차린 것이 없습니다 / 날씨가 ~ 개었다.
[모처럼 능참봉을 하니까 한 달에 거둥이 스물아홉 번] 소원이 겨우 이루어지기는 하였으나 그로 인하여 도리어 번잡스럽게만 되었다. [모처럼 태수(太守)가 되니 턱이 떨어져] 어렵게 이룬 일이 허사가 되다.

모:천 (母川) 명 물고기가 태어나서 바다로 내려갈 때까지 자란 하천《송어·연어 따위가 바다에서 거슬러 올라와 알을 낳는 곳으로 삼음》.

모:체 (母體) 명 1 아이나 새끼를 밴 어미의 몸. ¶~의 건강은 아기의 건강과 직결된다. 2 갈려 나온 조직·사고(思考) 등의 근본이 되는 것. ¶이 회사의 ~가 되는 대기업.

모춤-하다 형 여불 길이나 분량이 한도보다 조금 지나치다.

모충 (謀忠) 명하자 남을 위하여 꾀를 냄.

모:친 (母親) 명 '어머니'를 정중히 이르는 말. ↔부친.

모:친-상 (母親喪) 명 어머니의 상사(喪事). ↔부친상. 준모상(母喪).

모:칭 (冒稱) 명하타 이름을 거짓으로 꾸며 댐. 사칭(詐稱).

모태 명 안반에 놓고 한 번에 칠 수 있는 떡 덩이《인절미나 흰떡 따위》.

모:태 (母胎) 명 1 어머니의 태 안. 2 사물의 발생·발전의 근거가 되는 토대. ¶고향은 내 인격 형성의 ~이다.

모터 (motor) 명 1 가솔린이나 경유 따위의 연료를 에너지로 바꾸어 기계나 탈것을 작동시키는 장치. 발동기. 2 전동기(電動機).

모터-바이시클 (motor bicycle) 명 가솔린 엔진을 장치하여 움직이게 된 자전거. 모터사이클. 오토바이. 모터바이크.

모터-보트 (motor-boat) 명 모터를 추진기로 사용하는 보트. 발동기선.

모터사이클 (motorcycle) 명 오토바이.

모텔 (motel) 명 자동차 여행자가 숙박하기에 편리한 여관.

모토 (motto) 명 행동이나 생활의 표어나 신조로 삼는 짤막한 말. ¶그는 성실을 평생의 ~로 삼았다.

*__모퉁이__ 명 1 구부러지거나 꺾어져 돌아간 자리. ¶~에서 왼쪽으로 돌아라. 2 변두리나 구석진 곳. ¶방의 한쪽 ~에 쭈그려 앉다. 3 일정한 범위의 어느 부분. ¶그러면 나도 한 ~ 거들겠다.

모퉁잇-돌 [-이똘 / -읻똘] 명 〔건〕 주춧돌.

모티브 (motive) 명 모티프.

모티프 (프 motif) 명 1 예술 작품에서 표현의 동기가 된 작가의 중심 사상. 2 〔악〕 음악 형식을 구성하는 가장 작은 단위《둘 이상의 음이 모인 것으로, 선율의 기본이 되며 또 일정한 의미를 가진 소절(小節)을 이룸》. 동기.

모-판 (-板) 명 못자리 사이를 떼어 직사각형으로 다듬어 놓은 구역.

모포 (毛布) 명 담요.

모피 (毛皮) 명 털이 붙은 채로 벗긴 짐승의 가죽. 털가죽. ¶~ 코트.

모피-상 (毛皮商) 명 모피를 매매하는 장사. 또는 그런 장수.

모필 (毛筆) 명 짐승의 털로 만든 붓.

모필-화 (毛筆畫) 명 붓으로 그린 그림《동양화는 대개 이에 속함》.

모함 (謀陷) 명하타 나쁜 꾀를 써서 남을 어려운 처지에 빠지게 함. ¶~에 빠지다 / 남을 함부로 ~하지 마라.

모:항 (母港) 명 1 배의 근거지가 되는 항구. 2 출항하여 떠나온 항구.

모해 (謀害) 명하타 모략을 써서 남을 해침. ¶친구를 음으로 양으로 ~하다.

모:험 (冒險) 명하자 위험을 무릅쓰고 어떤 일을 함. 또는 그 일. ¶~에 찬 아프리카 오지 여행 / 땅투기를 하는 것은 ~이다.

모:험-가 (冒險家) 명 모험을 즐기거나 자주 하는 사람.

모:험-담 (冒險談) 명 모험을 하면서 겪은 사실이나 행동에 대한 이야기.

모:험-심 (冒險心) 명 위험을 무릅쓰고 어떤 일을 하려는 마음. ¶탐험은 ~ 없이는 불가능하다.

모:험-적 (冒險的) 관명 모험스러운 (것). 모험성을 띤 (것). ¶자기 과시를 위해 ~인 행동을 하는 것은 어리석다.

모:형 (母型) 명 〔인〕 납을 부어 활자를 만드는 판. 자모(字母).

모형 (模型·模形) 명 1 같은 모양의 물건을 만들기 위한 틀. 2 실물을 본떠서 만든 물건. ¶거북선의 ~ / 이 아파트 ~은 신도시에 들어설 계획이다. 3 작품을 만들기 전에 미리 만든 본보기나 만든 작품을 줄여서 만든 본보기.

모형-도 (模型圖) 명 모형을 그린 그림.

모호-하다 (模糊-) 형 여불 언행이 흐리터분하여 분명하지 못하다. ¶모호한 속내 / 태도가 ~.

모:화 (慕化) 명하자 덕을 사모하여 감화됨.

모:화 (慕華) 명하자 중국의 문물·사상을 우러러 사모함. ¶~사상(思想).

모:-회사 (母會社) 명 〔경〕 자본에 참가하여 임원을 파견하거나 도급을 맡게 해서 다른 기업을 지배하는 회사. ↔자회사.

모:후 (母后) 명 황제의 어머니인 황태후(皇太后).

*__목__ 명 1 척추동물의 머리와 몸을 잇는 잘록한 부분. ¶~을 움츠리다 / 화환을 ~에 걸어 주다. 2 '목구멍'의 준말. ¶~이 컬컬하다. 3 모든 물건에서 목1에 해당하는 부분. ¶~이 긴 양말. 4 곡식의 이삭이 달린 부분. 5 다른 곳으로는 빠져나갈 수 없는 통로의 중요하고 좁은 곳. ¶통로의 ~을 지키다. 6 목을 통해 나오는 소리. ¶~이 쉬도록 울다 / ~을 가다듬다.
목에 칼이 들어와도 구 무슨 일이 닥치더라도 굽히지 않고 끝까지.
목에 핏대를 세우다 구 몹시 노하거나 흥분하여, 목에 핏줄이 드러나게 하다.
목에 힘을 주다 구 거드름을 피우거나 남을 깔보는 듯한 태도를 취하다.
목을 걸다 구 ㉠목숨을 바칠 각오를 하다.

㉡직장에서 쫓겨나는 위험을 무릅쓰다.
목(을) 놓아 [구] 참거나 삼가지 않고 소리를 크게 내어. ¶~ 통곡하다.
목(을) 따다 [구] 짐승을 잡을 때, 목을 자르다.
목(을) 베다 [구] 목(을) 자르다.
목을 빼다 [구] 몹시 초조하게 기다리다.
목(을) 자르다 [구] 직장에서 쫓아내다.
목을 조이다〔**죄다**〕 [구] 괴롭혀 망하게 하거나 못살게 하다. ¶대학 입시라는 압박감이 고등학생의 목을 조이고 있다.
목을 축이다 [구] 목이 말라 물이나 술 따위를 마시다. ¶시원한 막걸리로 ~.
목을 틔우다 [구] 목소리가 잘 나오게 하다.
목을 풀다 [구] 목소리가 잘 나오게 하려고 연습하다.
목이 간들간들하다 [구] ㉠목숨이 위태롭다. ㉡직장에서 밀려날 형편에 놓여 있다.
목이 날아가다〔**달아나다**〕 [구] ㉠죽음을 당하다. ㉡직장에서 쫓겨나게 되다. ¶언제 목이 날아갈지 몰라 일에 의욕이 없다.
목이 떨어지다 [구] ㉠죽음을 당하다. ㉡직장을 그만두게 되다.
목(이) 마르게 [구] 몹시 애타게.
목이 붙어 있다 [구] ㉠겨우 살아 있다. ㉡겨우 해고를 면하다.
목이 빠지다 [구] 몹시 애타게 기다리다.
목(이) 잠기다 [구] 목이 쉬어서 목소리가 잘 나오지 않게 되다.
목(이) 타다 [구] 심하게 갈증을 느끼다.
목이 터져라(고) [구] 매우 큰 소리로. ¶~ 응원하다.
목 (木) [명] **1** 오행(五行)의 하나《방위로는 동쪽, 계절로는 봄, 색으로는 청(靑)이 됨》. **2** '목요일'의 준말.
목 (目) [명] **1** 예산 편제상의 단위《항(項)과 절(節)의 사이》. **2** 〖생〗 생물 분류학상의 단위《강(綱)과 과(科)의 사이》. ¶나비~.
목가 (牧歌) [명] **1** 목동·목자의 노래. **2** 전원 생활을 주제로 한 시가.
목가-적 (牧歌的) [관][명] 목가처럼 소박하고 서정적인 (것). ¶~인 정서가 풍기는 곳.
목각 (木刻) [명][하타] **1** 나무에 그림이나 글씨 따위를 새김. 또는 그 그림이나 글씨. ¶~ 불상. **2** '목각화'의 준말. **3** '목각 활자'의 준말. **4** 중국의 목판화.
목각-화 (木刻畫)[-까콰] [명] 나무에 새긴 그림. [준]목각.
목각 활자 (木刻活字)[-까콸짜] 나무에 새긴 활자. [준]목각.
목간 (沐間) [명][하자] **1** '목욕간'의 준말. **2** 목욕간에서 목욕함.
목간-통 (沐間桶) [명] 목욕간의 목욕통.
목갑 (木匣) [명] 나무로 만든 갑.
목강-하다 (木強-) [형][여불] 억지가 세고 만만치 않다.
목-거리 [명] 목이 붓고 아픈 병.

> **'목거리'와 '목걸이'**
>
> **목거리** 목이 붓고 아픈 병.
> [예] 목거리가 잘 낫지 않는다.
> **목걸이** 목에 거는 물건이나 장식품.
> [예] 그녀은 늘 목걸이를 걸고 다닌다.

목-걸이 [명] **1** 목에 거는 물건. **2** 주로 보석이나 귀금속 따위로 된 목에 거는 장식품. ¶진주 ~. ☞목거리.
목검 (木劍) [명] 검술 연습용의 나무로 만든 칼. 목도(木刀).
목격 (目擊) [명][하타] 직접 봄. 목견. ¶범행 현장을 ~하다.
목격-담 (目擊談) [명] 목격한 것에 대한 이야기. ¶교통사고의 ~을 듣다.
목격-자 (目擊者) [명] 목격한 사람. 눈으로 직접 본 사람. ¶사건의 ~를 찾는 데 총력을 기울이다.
목골 (木骨) [명] 〖건〗 나무로 된 뼈대. ↔철골.
목공 (木工) [명] **1** 나무를 다루어 물건을 만드는 일. **2** 목수.
목공-소 (木工所) [명] 나무로 가구·창문 따위를 만드는 곳.
목공-품 (木工品) [명] 나무를 다루어 만든 가공품《책상·소반 따위》.
목곽 (木槨) [명] 〖역〗 무덤에 관과 부장품을 넣기 위하여 나무로 궤처럼 만든 시설.
목관 (木棺) [명] 나무로 짠 관.
목관 악기 (木管樂器) 〖악〗 몸통이 나무로 되고 그 악기 자체에 발음체(發音體)가 달려 있는 관악기《금속제 관악기도 포함되며 플루트·클라리넷·색소폰·퉁소·피리 따위가 있음》.
목-구멍 [명] 기도(氣道)나 식도(食道)로 통하는 입 안의 깊숙한 안쪽. 인후(咽喉). ¶~에 가시가 걸리다. [준]목.
[목구멍이 포도청] 먹고살기 위하여 해서는 안 되는 짓까지 하게 된다는 말.
목구멍 때도 못 씻었다 [구] 양에 차지 못하게 아주 조금 먹었음을 가리키는 말.
목구멍에 풀칠한다 [구] 굶지 아니하고 겨우 살아간다.
목구멍의 때를 벗긴다 [구] 오랫만에 좋은 음식을 배부르게 먹는다.
목구멍이 크다 [구] ㉠양이 커서 많이 먹다. ㉡욕심이 많다.
목근 (木根) [명] 나무의 뿌리.
목근 (木槿) [명] 〖식〗 무궁화나무.
목근 (木筋) [명] 콘크리트 구조물에 철근 대신 심으로 넣는 목재. ¶~ 콘크리트.
목금 (木琴) [명] 〖악〗 실로폰(xylophone).
목기 (木器) [명] 나무로 만든 그릇.
목-기러기 (木-) [명] 나무로 만들어 채색한 기러기《전통 혼례 때 산 기러기 대신 씀》.
목-놀림 [몽-] [명] 어린아이의 목구멍을 축일 정도로 젖을 적게 먹임. 또는 그 정도로 적게 나는 젖의 분량.
목-다리 (木-) [명] 다리가 불편한 사람이 겨드랑이에 끼는 지팡이. 협장(脇杖).
목단 (牧丹) [명] 〖식〗 모란.
목-달이 [명] **1** 버선목의 안찝 헝겊이 겉으로 걸쳐 넘어와서 목이 된 버선. **2** 밑바닥은 다 해어지고 발등만 덮이는 버선.
목대 [명] 멍에 양쪽 끝의 구멍에 꿰어, 소의 목 양쪽에 대는 가는 나무.
목대(를) 잡다 [구] 여러 사람을 거느리고 일을 시키다.
목대-잡이 [명] 목대를 잡아 일을 시키는 사람.
목-덜미 [명] 목의 뒤쪽과 그 아래 근처. ¶~

를 쓰다듬다.
목덜미를 잡히다 구 ㉠약점이나 급소를 잡히다. ㉡피할 수 없이 죄가 드러나게 되다. ¶범죄 사실이 ~.
목도 명하타 무거운 물건이나 돌덩이를 밧줄로 얽어 어깨에 메고 옮기는 일. 또는 그 일에 쓰는 둥근 나무 몽둥이. ¶~를 메다.
목도 (木刀) 명 1 목검(木劍). 2 〔미술〕 예새.
목도 (目睹) 명하타 목격. ¶충격적인 광경을 ~하다.
목-도리 명 추위를 막거나 모양으로 목에 두르는 물건. ¶~를 두르다.
목-도장 (木圖章) 명 나무로 만든 도장. 목인(木印). ¶~을 파다.
목-돈 명 1 한몫으로 된 비교적 많은 돈. ¶~을 마련해서 동생 결혼 자금으로 내놓다 / 적은 비용을 투자해 ~을 챙기다. 2 굿할 때 무당에게 먼저 주는 돈.
목동 (牧童) 명 마소나 양 따위 가축에 풀을 뜯기며 돌보는 아이.
목랍 (木蠟)[몽납] 명 옻나무·거망옻나무의 열매를 짓찧어서 만든 납《양초·성냥·화장품 등의 재료와 기구의 광택을 내는 데 씀》. 목(木)초.
목련 (木蓮)[몽년] 명 〔식〕 목련과의 낙엽 활엽 교목. 산허리에 나는데, 높이는 10 m 정도이며, 봄에 잎이 돋기 전에 크고 향기 있는 흰 꽃이 핌. 나뭇결이 치밀하여 기구·건축재로 쓰고, 꽃망울과 나무껍질은 약용함.
목례 (目禮)[몽녜] 명하자 눈짓으로 하는 인사. 눈인사. ¶~를 나누다 / ~로 답하다.
목로 (木路)[몽노] 명 얕은 물에서 배가 다닐 만한 곳에 나뭇가지를 꽂아 표시한 뱃길.
목로 (木壚)[몽노] 명 주로 선술집에서, 술잔을 벌여 놓기 위하여 널빤지로 좁고 기다랗게 만든 상.
목로-술집 (木壚-)[몽노-찝] 명 술청에 목로를 차려 놓고 술을 파는 집. 목로주점. ㈜목롯집.
목로-주점 (木壚酒店)[몽노-] 명 목로술집.
목록 (目錄)[몽녹] 명 1 어떤 것들의 이름이나 제목 따위를 차례로 적은 것. ¶재고품 ~ / 재산 ~. 2 책 첫머리에 책 내용의 제목을 순서대로 적은 조목(條目). 목차.
목류 (木瘤)[몽뉴] 명 옹두리. *옹이.
목리 (木理)[몽니] 명 1 나뭇결. 2 나이테.
목마 (木馬)[몽-] 명 1 어린아이들의 놀이나 승마 연습용으로 쓰는 기구의 하나《나무로 말의 모양처럼 깎아 만들어 그 위에 탐》. 2 건축할 때에 사용하는 발돋움의 하나.
목-마르다 [몽-] 〔목마르니, 목말라〕 ㊀형 르불 1 물이 마시고 싶다. ¶운동을 하니 ~. 2 (주로 '목마르게'의 꼴로 쓰여) 몹시 바라거나 아쉬워하다. ¶구원을 목마르게 기다리다. ㊁자르불 몹시 간절하다. ¶사랑에 목말라 하다.
[목마른 놈이 우물 판다] 일이 급하고 필요한 사람이 제일 먼저 서둘러서 시작한다는 말.
목-말 [몽-] 명 남의 어깨 위에 두 다리를 벌리고 앉거나 올려놓고 서는 짓. ¶~을 타다 / ~을 태우다.
목매기-송아지 [몽-] 명 아직 코를 뚫지 않고 목에 고삐를 맨 송아지.
목-매다 [몽-] 자타 목매달다.
목-매달다 [몽-] [목매다니, 목매다오] 자타 1 죽거나 죽이려고 끈이나 줄 따위로 높은 곳에 목을 걸어 매달다. ¶생활고로 목매달아 죽다. 2 〈속〉 어떤 일이나 사람에게 전적으로 의지하다. ¶여러 식구가 구멍가게에 목매달고 살다.
목-메다 [몽-] 자 기쁨이나 설움 따위가 북받쳐 목구멍이 막히다. ¶졸지에 남편을 잃고 목메어 울다.
목멱-산 (木覓山)[몽-] 명 〔지〕 서울 '남산(南山)'의 옛 이름.
목면 (木棉·木綿)[몽-] 명 1 판야과 식물의 총칭. 2 여러해살이 목본(木本)의 목화(木花). 3 목화. 4 무명.
목목-이 [몽-] 부 요긴한 길목마다. ¶경찰이 ~ 지키고 있다.
목-물 [몽-] 명하자 1 사람의 목에 닿을 만큼 깊은 물. 2 팔다리를 뻗고 구부린 사람의 허리 위에서 목까지를 물로 씻는 일. 또는 그 물. 등물. ¶~을 끼얹다.
목민 (牧民)[몽-] 명하자 임금이나 원이 백성을 다스리는 일. ¶~의 근본.
목민-관 (牧民官)[몽-] 명 백성을 다스리는 벼슬아치. 곧, 고을의 원이나 수령.
목-발 (木-) 명 '목다리'의 속칭.
목본 (木本) 명 단단한 줄기를 가진 식물. 곧, 나무. ¶~ 식물. ↔초본(草本).
목부 (牧夫) 명 목장에서 소·말·양 등을 돌보며 키우는 사람.
목불인견 (目不忍見) 명 눈으로 차마 볼 수 없음. 불인견. ¶~의 참상.
목-뼈 명 〔생〕 머리와 몸 사이를 잇는 목의 뼈. 경골(頸骨). 경추(頸椎).
목사 (牧師) 명 〔기〕 기독교회의 교직《교회와 교구를 관리하며, 예배를 인도하고 신자를 지도함》.
목-사리 명 소나 개 따위 짐승의 목에 두르는 굴레《위와 밑으로 각각 두르는 줄》.
목산 (目算) 명 눈으로 어림셈함. 암산.
목상 (木像) 명 나무로 만든 불상. 신상(神像)이나 인물의 형상 등의 조각.
목새 명 물결에 밀려 한곳에 쌓인 보드라운 모래.
목석 (木石) 명 1 나무와 돌. 2 나무나 돌과 같이 감정이 무디고 무뚝뚝한 사람의 비유.
목석-같다 (木石-)[-깓-] 형 감정이 무디고 무뚝뚝하다. ¶목석같은 사람에게도 눈물은 있다.
목선 (木船) 명 나무로 만든 배. 목조선. 나무배. ¶~을 타고 대서양을 건너다.
목성 (木星) 명 태양계의 다섯째 행성《가장 큰 별로 금성처럼 밝게 빛나며, 위성이 16개임》. 덕성(德星).
***목-소리** 명 1 목구멍에서 나는 소리. 곧, 말소리. 음성. ¶고운 ~ / 떨리는 ~로 말을 꺼내다. 2 말로 나타내는 의견이나 주장. ¶비난의 ~가 여기저기에서 터져 나왔다.
목수 (木手) 명 나무를 다루어 집을 짓거나 가구·기구 따위를 만드는 일로 업을 삼는 사람. 목공. 대목(大木).
[목수가 많으면 집을 무너뜨린다] 의견이 너무 많으면 도리어 일을 망친다.

***목숨** 명 1 숨을 쉬며 살아 있는 힘. 살아 가는 원동력. 명(命). 생명. ¶ ~이 붙어 있다 / ~을 구하다. 2 수명1. ¶ ~이 길다.
목숨을 거두다 구 숨이 끊어져 죽다.
목숨을 건지다 구 죽을 뻔하다가 살아나다.
목숨(을) 걸다 구 어떤 목적을 이루기 위하여 죽음을 각오하다.
목숨(을) 끊다 구 죽다. 또는 죽이다.
목숨을 도모하다 구 죽을 지경에서 살길을 찾다.
목숨(을) 바치다 구 어떤 대상을 위하여 생명을 걸고 일하다.
목숨을 버리다 구 ㉠스스로 죽다. ㉡죽을 결심을 하다. 또는 죽은 셈 치고 열심히 일하다.
목숨을 아끼다 구 죽기를 아깝게 여기다. 더 오래 살려고 생각하다.
목숨을 잃다 구 생명을 잃다. 죽다. ¶그 전투에서 수많은 병사들이 목숨을 잃었다.
목숨이 왔다 갔다 하다 구 몹시 위험한 고비에 처하다.
목-쉬다 자 목이 잠겨 소리가 제대로 나지 아니하다. ¶목쉰 소리.
목양 (牧羊) 명하자 양을 침.
목-양말 (木洋襪)[몽냥-] 명 무명실로 짠 양말. 면양말.
목요-일 (木曜日) 명 칠요일의 하나. 일요일로부터 다섯째 날. 준목요(木曜)·목(木).
목욕 (沐浴) 명하자 머리를 감으며 온몸을 씻는 일. ¶욕조에 들어가 ~해라 / 몸이 불편한 노인을 ~시켜 주다.
목욕-간 (沐浴間) 명 목욕실로 쓰는 칸살. 준목간(沐間).
목욕-실 (沐浴室) 명 목욕하는 시설을 갖춘 방. 준욕실.
목욕-재계 (沐浴齋戒)[-/-게] 명하자 부정(不淨)을 타지 않도록 목욕하고 마음을 가다듬는 일. ¶ ~하고 치성을 드리다.
***목욕-탕** (沐浴湯) 명 목욕할 수 있도록 설비를 갖추어 놓은 곳. 또는 그런 시설을 갖추고 영업을 하는 곳. 준욕탕(浴湯).
목욕-통 (沐浴桶) 명 목욕물을 담는 통. 욕조(浴槽). 준욕통.
목이 (木耳·木栮) 명 〖식〗 1 나무에서 돋은 버섯. 2 '목이버섯'의 준말.
목이-버섯 (木耳-)[-섣] 명 〖식〗 가을철에 뽕나무·말오줌나무 등의 죽은 나무에 나는 버섯. 사람의 귀와 비슷한데, 갓의 지름은 2-9cm, 안쪽은 적갈색, 거죽은 연한 갈색이며, 회색의 짧은 털이 빽빽이 남. 말려서 식용하는데, 잡채 따위의 중국 요리에 많이 씀. 준목이.
목인 (木印) 명 나무에 새긴 도장. 목도장.
목자 (牧者) 명 1 양을 치는 사람. 2 〖기〗 신자의 신앙생활을 보살피는 성직자를 일컫는 말《교인을 양에 비유한 말》.
***목장** (牧場) 명 소·말·양 따위를 놓아먹이는 설비를 갖춘 구역.
목재 (木材) 명 건축이나 가구 따위에 쓰는 나무의 재료. *석재.
***목적** (目的) 명하타 이루고자 하는 일이나 나아가려는 방향. ¶ ~을 위한 수단 / ~을 달성하다 / ~했던 산봉우리에 다다르다.
목적 (牧笛) 명 목자나 목동이 부는 피리.
목적격 조:사 (目的格助詞) 〖언〗 체언 뒤에 붙어, 그 체언을 주어의 동작이나 작용의 목적물이 되게 하는 조사《'를, 을'이 있음》. 부림자리토씨.
목적-론 (目的論)[-쩡논] 명 1 〖철〗 모든 사물은 목적에 따라 규정되고 목적을 실현하기 위하여 존재한다는 이론. 2 〖윤〗 행위의 정·부정은 인생 최고의 목적에 이를 수 있는 경향의 유무에 따라서 판단된다는 이론. ↔기계론.
목적-물 (目的物)[-쩡-] 명 〖법〗 법률 행위의 목적이 되는 물건.
목적-세 (目的稅) 명 특정한 목적을 위한 경비에 충당하려고 징수하는 세《방위세·교육세 따위》. ↔보통세.
목적-어 (目的語) 명 〖언〗 문장에서 동사의 동작의 대상이 되는 말. 곧, 타동사의 목적이 되는 말《'밥을 먹다'에서 '밥을' 따위》. 부림말. 객어(客語).
목적-의식 (目的意識)[-/-쩌기-] 명 〖윤〗 자기 행위의 목적에 관한 뚜렷한 자각.
목적-지 (目的地) 명 목표로 삼는 곳. 지목한 곳. ¶ ~에 도달하다.
목적 프로그램 (目的program) 〖컴〗 고급 언어를, 컴퓨터가 읽을 수 있는 기계어나 다른 저급 언어로 번역한 형태의 프로그램.
목전 (目前) 명 눈앞. 당장. ¶ ~의 이익 / 위기가 ~에 닥치다 / 승리를 ~에 두다.
목-젖 [-쩓] 명 목구멍의 안쪽 뒤 끝에 위에서 아래로 내민 둥그스름한 살. 현옹(懸壅). 현옹수(垂).
목젖이 간질간질하다 구 말을 하고 싶어 조바심이 나다.
목젖(이) 떨어지다 구 몹시 먹고 싶어하다.
목제 (木製) 명하타 나무를 재료로 하여 만듦. 또는 그런 물건. 목조. ¶ ~ 그릇.
목제-품 (木製品) 명 나무로 만든 물품.
목조 (木造) 명하타 1 목제(木製). ¶ ~ 불상. 2 나무로 건물의 주요 뼈대를 짜 맞추는 구조. ¶ ~ 가옥.
목조 (木彫) 명 나무에 어떤 모양을 새기거나 깎거나 쪼아서 만드는 일. 또는 그런 작품. ¶ ~ 인형.
목지 (牧地) 명 1 목장이 있는 땅. 2 좋은 목장을 만들 수 있는 땅.
목직-이 부 목직하게. ¶무게가 제법 ~ 느껴진다.
목직-하다 [-찌카-] 형여불 작은 물건이 보기보다 제법 무겁다. ¶지갑이 꽤 ~. 큰묵직하다.
목질 (木質) 명 1 목재로서의 나무의 질. 2 줄기의 내부에 있는 단단한 부분. 3 목재와 같이 단단한 성질. ¶ ~로서는 최고의 품질이다.
목차 (目次) 명 목록이나 제목·조항 따위의 차례. ¶책의 ~를 찬찬히 훑어보다.
목첩 (目睫) 명 1 눈과 속눈썹. 2 아주 가까운 때나 곳을 이르는 말. ¶위험이 ~에 닥치다.
목청 명 1 후두의 중앙부에 위치한 소리를 내는 부분. 성대(聲帶). ¶ ~에 힘을 주어 대꾸하다. 2 목에서 울려 나오는 소리. 노래 부르는 목소리. ¶ ~을 가다듬다.

목청(을) 돋우다 [구] 목소리를 높이다. ¶목청을 돋워가며 설명에 열중했다.

목청을 뽑다 [구] 큰 목소리로 노래를 부르다. ¶구성지게 목청을 뽑아 보아라.

목청을 올리다 [구] 목소리를 크게 내다. ¶목청을 올려 악을 쓰며 덤비다.

목청-껏 [-껃] [부] 있는 힘을 다하여 소리를 질러. ¶~ 외치다.

목청-소리 [명] 〖언〗 목청 사이에서 나는 소리(('ㅎ' 따위)). 성대음(聲帶音). 후음(喉音). 목구멍소리.

목초 (牧草) [명] 말·양·소 따위에게 먹이는 풀. 꼴.

목초-지 (牧草地) [명] 가축의 사료가 되는 풀이 자라는 곳. 목초를 기르는 곳. 꼴밭. 풀밭. ¶~를 조성하다.

목축 (牧畜) [명][하자] 소·말·양·돼지 등 가축을 많이 기름. 목양(牧養).

목축-업 (牧畜業) [명] 목축을 경영하는 직업이나 사업.

목침 (木枕) [명] 나무토막으로 만든 베개.

목탁 (木鐸) [명] **1** 〖불〗 나무를 둥글넓적하게 깎아 속을 파서 방울처럼 만들어 고리 모양의 손잡이를 단 물건((불공과 예불(禮佛) 때, 또는 식사와 공사(公事) 때 침)). **2** 세상 사람을 깨우쳐 바르게 인도할 만한 사람이나 기관의 비유. ¶신문은 사회의 ~이다.

목탄 (木炭) [명] **1** 숯. **2** 버드나무·오동나무 따위 결이 좋고 무른 나무를 태워서 만든 가느다란 막대 모양의 숯((데생이나 밑그림을 그릴 때 씀)).

목판 (木板) [명] **1** 음식을 담아 나르는 그릇((얇은 널빤지로 바닥을 대고 조붓한 전을 엇비슷하게 사방으로 둘렀음)). 목반(木盤). **2** 널조각.

목판 (木版·木板) [명] 나무에 글·그림 등을 새긴 인쇄용의 판.

목판-본 (木版本) [명] 목판으로 박은 책. 판각본.

목판-화 (木版畫) [명] 목판으로 찍은 그림.

목-포수 (-砲手) [명] 사냥할 때, 짐승이 다니는 목을 지키는 포수.

***목표** (目標) [명][하타] **1** 어떤 목적을 이루려고 실제의 대상으로 삼는 것. 또는 그 대상. ¶~를 세우고 일을 하다 / ~했던 대로 공사가 끝났다 / ~ 지점을 향해 돌진하다. **2** 〖심〗 행동을 취하여 이루려는 최후의 대상.

목표-물 (目標物) [명] 목표로 하는 물건. ¶~을 정확히 조준하다.

목하 (目下) [모카] [一][명] 바로 이때. 지금. ¶~의 사태. [二][부] 바로 지금. ¶~ 검토 중.

목화 (木花) [모콰] [명] 〖식〗 아욱과의 한해살이풀. 밭에 재배하는데 높이 60 cm 정도. 가을에 담황색 또는 백색의 다섯잎꽃이 핌. 씨에 붙은 면화는 피륙이나 실의 원료가 되고 씨에서 기름을 짬. 목면.

목화 (木靴) [모콰] [명] 〖역〗 예전에, 사모관대를 할 때에 신던 신발((검은빛의 사슴 가죽으로 목이 길게 만듦)).

목화(木靴)

[목화 신고 발등 긁기] 마음에 차지 않거나 미지근하다는 말.

목화-송이 (木花-) [모콰-] [명] 목화가 익어서 벌어진 송이.

목회 (牧會) [모쾨] [명][하자] 〖기〗 목사가 교회를 맡아 설교를 하고, 신자의 신앙생활을 지도하는 일.

목회-자 (牧會者) [모쾨-] [명] 〖기〗 교회에서 설교를 하며 신자의 신앙생활을 지도하는 사람((목사·전도사 등)).

***몫** [목] [명] **1** 여럿으로 나누어 가지는 각 부분. ¶제 ~을 챙기다. **2** 임무나 비중 따위. ¶맏형 ~을 하다 / 회사에서 큰 ~을 차지하다. **3** 〖수〗 나눗셈에서, 피제수를 제수로 나누어 얻는 수. ¶10 나누기 2면 ~은 5이다.

몫몫 [몽목] [명] 한 몫 한 몫. 각각의 몫. ¶~으로 나누다.

몫몫-이 [몽목씨] [부] 한 몫 한 몫마다. 몫마다. ¶~ 공평하게 나누다.

몬다위 [명] **1** 마소의 어깻죽지. **2** 낙타의 등에 두두룩하게 솟은 살.

몬순 (monsoon) [명] 〖기상〗 계절풍.

몬순 지대 (monsoon地帶) 〖지〗 계절풍이 부는 지대((약 반년을 주기로 겨울에는 대륙에서 대양으로, 여름에는 대양에서 대륙으로 바람의 방향이 바뀌는 대륙 변두리 지대)). 계절풍 지대.

몰 (歿) [명] 주로 약력(略歷) 같은 데서, '죽음'의 뜻. 졸(卒). ¶1998년 ~.

몰 (mole) [의명] 〖화〗 물질의 양을 나타내는 단위의 하나. 분자·원자·이온 등 동질의 입자가 아보가드로수만큼 존재할 때, 이것을 1몰이라고 함((기호는 mol)).

몰- [두] **1** (일부 용언 앞에 붙어) '죄다, 전부'의 뜻을 나타냄. ¶~밀어내다. **2** (몇몇 명사 앞에 붙어) '모두 한곳으로 몰린'의 뜻을 나타냄. ¶~매 / ~표.

몰- (沒) [두] (일부 명사 앞에 붙어) '없음'을 강조하는 말. ¶~상식 / ~염치 / ~지각.

몰각 (沒却) [명][하타] **1** 아주 없애 버림. ¶자기를 ~하고 공을 위해 진력하다. **2** 무시해 버림. ¶현실을 ~한 분수에 넘치는 행위.

몰강-스럽다 (-스러우니, -스러워) [형][ㅂ불] 인정이 없이 억세며 성질이 악착같고 모질다. ¶너무도 몰강스러운 분위기. **몰강-스레** [부]. ¶~ 굴다.

몰개성-적 (沒個性的) [관][명] 뚜렷한 개성이 없는 (것). ¶옷차림이 너무 ~이다.

몰골 [명] 볼품없는 모양새. ¶그런 ~로 어딜 가려는지 모르겠다 / ~이 말이 아니군.

몰골-법 (沒骨法) [-뻡] [명] 동양화에서, 윤곽선을 그리지 않고 먹이나 물감을 찍어서 한 붓에 그리는 법. 몰선묘법(沒線描法).

몰골-사납다 (-사나우니, -사나워) [형][ㅂ불] 얼굴이나 모양새가 좋지 않다. ¶그 몰골사나운 꼴이 뭐냐.

몰골-스럽다 (-스러우니, -스러워) [형][ㅂ불] 모양새가 볼품없는 듯하다. **몰골-스레** [부]

몰끽 (沒喫) [명][하타] 남기지 않고 다 먹어 버림. 몰탄(沒呑). 몰식(沒食).

몰년 (沒年) [-련] [명] 죽은 해. 또는 죽은 해의 나이. 졸년(卒年).

***몰:다** (모니, 모오) [타] **1** 어떤 대상을 바라는 처지나 방향으로 움직이게 하다. ¶소를

~/공격수가 공을 몰면서 상대편 수비진을 돌파하다. **2** 좋지 않은 것으로 여겨 그렇게 다루다. ¶역적으로 ~/무고한 사람을 범인으로 ~. **3** 탈것 등을 부리거나 운전하다. ¶트럭을 몰고 창고로 갔다. **4** 한곳으로 모으거나 합치다. ¶자기 고장 출신 후보에게 표를 몰아주었다/기세를 몰아 적진으로 돌진했다/남은 것을 떨이로 몰아서 팔았다.

몰두 (沒頭)[-뚜] 명하자 어떤 일에 온 정신을 다 기울여 열중함. ¶시험 공부에 ~하다/창작 활동에 ~하다.

몰:라-보다 타 **1** 사물을 보고도 알아차리지 못하다. ¶몰라보게 컸군/몰라보게 예뻐지다. **2** 예의를 갖추어야 할 대상에 대하여 무례하게 굴다. ¶어른을 몰라보는 못된 녀석. **3** 진정한 가치를 제대로 평가하지 못하다. ¶사람을 몰라보고 잔일만 시키다니.

몰:라-주다 타 알아주지 아니하다. ¶그토록 남의 속을 몰라주니 답답할 뿐이다. ↔알아주다.

몰락 (沒落) 명하자 **1** 재물이나 세력 따위가 쇠하여 보잘것없이 됨. ¶~한 세도가. **2** 멸망하여 모조리 없어짐. ¶공산주의의 ~.

몰랑-거리다 자 몰랑한 느낌을 주다. ¶몰랑거리는 인절미. 큰물렁거리다. **몰랑-몰랑** 부하형

몰랑-대다 자 몰랑거리다.

몰랑-하다 형여불 **1** 야들야들하게 보드랍고 조금 무른 듯하다. ¶몰랑한 연시가 먹기 좋구나. **2** 몸이나 성질이 무르고 야무지지 못하다. ¶사람이 너무 몰랑해서 이 작업을 제대로 해낼까. 큰물렁하다.

***몰:래** 부 남이 모르게 가만히. 남의 눈을 피하여 살짝. ¶~ 엿듣다/~ 도망가다.

몰:래-몰래 부 **1** 그때마다 모르게. ¶~ 사모은 기호품. **2** 아주 모르게. ¶~ 다가가다.

몰려-가다 자 **1** 여럿이 한쪽으로 밀려가다. ¶쉬는 종이 치자 아이들이 매점으로 우르르 ~. **2** 구름 따위가 한꺼번에 밀려가다. ¶먹구름이 산 너머로 몰려가더니 어느새 날이 개었다.

몰려-나가다 자 여럿이 떼를 지어 나가다. ¶영화가 끝나자 많은 사람들이 우르르 밖으로 몰려나갔다.

몰려-나오다 자 여럿이 떼를 지어 나오다. ¶군인들의 행진을 보려고 많은 사람들이 거리로 몰려나왔다.

몰려-다니다 자 여럿이 뭉치어 다니다. ¶끼리끼리 ~.

몰려-들다 [-드니, -드오] 자 **1** 여럿이 떼를 지어 모여들다. ¶구경꾼이 꾸역꾸역 광장으로 몰려들었다. **2** 구름이나 파도 따위가 한꺼번에 몰리다. ¶먹구름이 몰려드는 것을 보니 비가 올 것 같다. **3** 피곤이나 흥분 따위가 한꺼번에 닥치다. ¶연일 계속되는 야근에 피로가 ~.

몰려-오다 자 **1** 여럿이 뭉쳐 한쪽으로 밀려오다. ¶지원군이 ~. **2** 구름 따위가 한꺼번에 밀려오다. ¶금세라도 소나기가 몰려올 것 같은 하늘. **3** 잠이나 피로 따위가 한꺼번에 밀려오다. ¶작업이 끝나자 시장기가 몰려왔다.

몰리다 자 **1** (('몰다'의 피동)) 몲을 당하다. ¶궁지에 ~/모퉁이로 ~. **2** 여럿이 한곳으로 모여들다. ¶우르르 행사장으로 ~. **3** 한꺼번에 많이 밀리다. ¶일에 몰리어 정신없다. **4** 무엇이 모자라 곤란을 당하다. ¶돈에 ~.

몰리브덴 (독 Molybdän) 명 〔화〕 크롬과 비슷한, 은백색의 금속 원소((천연으로는 휘수연석(輝水鉛石) 따위의 광석에서 얻음. 강철에 섞어 고속도강을 만드는 데 씀)). 수연(水鉛). [42번 : Mo : 95.94]

몰-매 명 뭇매. ¶초주검이 되도록 ~를 맞다.

몰방 (沒放) 명하타 **1** 총포나 폭발물 따위를 한곳을 향해 한꺼번에 쏘거나 터뜨림. **2** 〔광〕 남포 따위의 폭발물을 한꺼번에 여러 개를 터뜨림.

몰사 (沒死)[-싸] 명하자 죄다 죽음. ¶비행기 추락 사고로 온 가족이 ~하다.

몰살 (沒殺)[-쌀] 명하자타 죄다 죽임. 또는 그런 죽음. ¶그 당시 마을 주민이 ~당했다/이 골짜기에서 적군을 ~시켰다.

몰-상식 (沒常識)[-쌍-] 명하형 상식이 아주 없음. ¶~한 처사.

몰세 (沒世)[-쎄] 명하자형 **1** 한평생을 다하고 세상을 떠남. **2** 끝없이 오램.

몰수 (沒收)[-쑤] 명하타 〔법〕 **1** 형법상의 부가형(附加刑)의 하나((범죄 행위에 제공한 물건이나 범죄 행위의 결과 또는 그 보수로 얻은 물건 따위의 소유권을 국가에 귀속시키는 일)). ¶장물을 ~하다. **2** 소유권을 빼앗아 국가에 귀속시키는 법원의 결정. ¶보석 보증금의 ~.

몰씬[1] 부 심한 냄새를 풍기는 모양. ¶된장 냄새가 ~ 났다. 큰물씬[1].

몰씬[2] 부하형히부 폭 익거나 물러서 연하고 몰랑한 느낌. ¶~ 익은 감. 큰물씬[2].

몰씬-거리다 자 폭 익거나 물러서 연하고 몰랑한 느낌이 들다. 큰물씬거리다. **몰씬-몰씬** 부하형

몰씬-대다 자 몰씬거리다.

몰아 (沒我) 명 스스로를 잊은 상태. ¶~의 경지에 이르다.

몰아-가다 타 **1** 몰아서 일정한 방향으로 이끌다. ¶생사람을 범인으로 ~/바람이 구름을 ~. **2** 있는 대로 휩쓸어서 가져가다. ¶판돈을 한 사람이 다 몰아갔다.

몰아-내다 타 **1** 몰아서 쫓거나 나가게 하다. ¶침략자를 국경 밖으로 ~. **2** 어떤 처지나 상태에서 벗어나게 하다. ¶머릿속에서 잡념을 ~.

몰아-넣다 [-너타] 타 **1** 몰아서 안으로 들어가게 하다. ¶돼지를 우리 안에 ~. **2** 어떤 처지나 상태에 빠지게 하다. ¶경쟁 상대를 궁지에 ~/불안과 공포의 도가니로 ~.

몰아-닥치다 자 한꺼번에 세게 밀어닥치다. ¶한파가 ~/경제 위기가 ~.

몰아-대다 타 기를 펴지 못하도록 마구 해대다. ¶사람을 정신 차리지 못하게 ~.

몰아-들다 [-드니, -드오] 자 한꺼번에 밀리어 들다. ¶항구에 폭풍우가 마구 ~.

몰아-들이다 타 **1** 몰아서 억지로 들어오게 하다. ¶적군을 함정으로 ~. **2** 있는 대로 휩쓸어 들어오게 하다.

몰아-붙이다 [-부치-] 타 **1** 한쪽으로 몰려

가게 하다. ¶이삿짐을 한쪽 구석으로 ~. 2 남을 어떤 상태나 상황으로 몰려가게 하다. ¶애먼 사람을 범인으로 ~.

몰아-세우다 타 1 마구 다그치거나 나무라다. ¶아이들을 몰아세우기만 했지 따뜻하게 대해 준 적이 없다. 2 근거도 밝히지 않고 나쁜 처지로 몰아가다. ¶멀쩡한 사람을 도둑으로 ~.

몰아-쉬다 타 숨 따위를 한꺼번에 모아 세게 또는 길게 쉬다. ¶숨을 가쁘게 ~.

몰아-애 (沒我愛) 명 오로지 그 대상에게만 빠져 버리는 사랑.

몰아-오다 一자 한쪽으로 몰려서 한꺼번에 오다. ¶별안간 비가 ~. 二타 모두 휩쓸어 오다. ¶경제 위기를 몰아온 대기업들의 부실 운영.

몰아-주다 타 1 여러 번에 줄 것을 한꺼번에 주다. ¶밀린 임금을 ~. 2 여러 사람에게 나누어 줄 것을 한 사람에게 모아 주다. ¶자기 고장 출신 후보에게 표를 ~.

몰아-치다 자타 1 한꺼번에 몰려 닥치다. ¶강추위가 ~. 2 한꺼번에 급히 하다. ¶작업을 ~. 3 심하게 구박하거나 나무라다. ¶버릇없이 구는 아이를 호되게 ~.

몰-염치 (沒廉恥) 명하형 염치가 없음. ¶~한 작태. ☞파렴치(破廉恥).

몰이 명 짐승이나 물고기를 잡으려는 곳으로 몰아넣는 일. 또는 그렇게 몰아넣는 사람.

몰이-꾼 명 몰이를 하는 사람.

몰-이해 (沒利害)[-리-] 명하자 이해(利害)를 떠남.

몰-이해 (沒理解)[-리-] 명하형 이해함이 전혀 없음. ¶예술에 대한 ~.

몰-인정 (沒人情) 명하형 인정이 전혀 없음. ¶~한 사람 / 부탁을 ~하게 거절하다.

몰입 (沒入) 명하자 깊이 파고들거나 빠짐. ¶감정을 ~하다 / 황홀경에 ~하다 / 연구에 ~하다.

몰-지각 (沒知覺) 명하형 지각이 전혀 없음. ¶~한 사람 / 서슴없이 ~한 행동을 하다.

몰취미 (沒趣味) 명하형 취미가 전혀 없음. ¶~한 성격. 준몰미(沒味).

몰칵 부 냄새가 코를 찌를 듯이 갑자기 나는 모양. 큰물컥.

몰칵-거리다 자 코를 찌를 듯이 심한 냄새가 자꾸 나다. **몰칵-몰칵** 부하형

몰칵-대다 자 몰칵거리다.

몰캉-거리다 자 여럿이 다 몰캉하여 물크러질 듯이 무르다. ¶몰캉거리는 홍시. 큰물컹거리다. **몰캉-몰캉** 부하형

몰캉-대다 자 몰캉거리다.

몰캉-하다 형여불 너무 익거나 곪아서 아주 무르다. ¶몰캉한 감. 큰물컹하다.

몰큰 부 연기나 냄새 따위가 갑자기 풍기는 모양. ¶수산 시장에 들어서자 비린내가 ~ 풍겼다. 큰물큰.

몰큰-몰큰 부하형 연기나 냄새 따위가 자꾸 나는 모양. ¶그녀가 움직일 때마다 화장품 냄새가 ~ 난다. 큰물큰물큰.

몰패 (沒敗) 명하자 1 아주 패함. 대패(大敗)함. ¶백군이 ~하였다. 2 여럿이 다 패함.

몰-표 (-票) 명 한 출마자에게 무더기로 쏠리는 표. ¶~가 쏟아지다.

몰풍-스럽다 (沒風-) [-스러우니, -스러워] 형ㅂ불 정이 없고 냉랭하며 통명스러운 데가 있다. ¶몰풍스러운 언행.

몰후 (歿後) 명 죽은 뒤.

***몸** 명 1 사람이나 동물의 머리에서 발까지의 모두. 또는 그것의 활동 기능이나 상태. ¶~이 좋지 아니하다 / ~에 좋은 약. 2 물건의 기본을 이루는 동체(胴體). 3 '몸엣것'의 준말. 4 잿물을 올리기 전의 도자기의 덩치. 5 (관형어 뒤에 쓰여) 신분. 처지. ¶귀하신 ~ / 군에 입대할 ~.

몸 둘 바를 모르다 구 어떻게 처신해야 할지 모르겠다.

몸에 배다 구 익숙해지다.

몸으로 때우다 구 돈으로 해결할 일을 대신 일을 해 주거나 벌을 받아 해결하다.

몸을 가지다 구 ㉠아이를 배다. ㉡월경을 하다.

몸을 던지다 구 정열을 다하여 일에 열중하다.

몸(을) 두다 구 일정한 곳에 의지하고 일을 하거나 살아가다.

몸(을) 바치다 구 ㉠목숨을 희생하다. ㉡헌신하다. ㉢정조를 바치다.

몸을 버리다 구 ㉠정조를 더럽히다. ㉡건강을 해치다. ¶담배를 심하게 피워 ~.

몸(을) 붙이다 구 어떤 곳에 몸을 의지하여 생활하다. 기숙하다. ¶몸 붙일 곳이 없다.

몸을 빼다 구 책임을 벗어나다.

몸을 사리다 구 행동을 조심하다.

몸을 아끼다 구 열심히 일하지 않다.

몸(을) 팔다 구 돈을 받고 성관계를 하다. 매음하다.

몸(을) 풀다 구 ㉠아이를 낳다. 해산하다. ㉡피로를 덜다.

몸(이) 나다 구 살이 올라서 몸이 뚱뚱해지다.

몸(이) 달다 구 매우 초조해하다.

몸-가짐 명 몸을 움직이거나 차리고 있는 태도나 모양. ¶~이 조신한 여자.

몸-값 [-깝] 명 1 팔려 온 몸의 값. 2 사람의 몸을 담보로 요구하는 돈. ¶~을 톡톡히 하다. 3 사람의 가치를 돈으로 빗대어 하는 말. ¶프로 선수들의 ~이 올라가고 있다.

몸-놀림 명 몸을 움직이는 일. ¶가벼운 ~.

몸-단속 (-團束) 명하자 1 위험에 처하거나 병에 걸리지 않도록 미리 조심함. ¶날씨가 갑자기 추워졌으니 ~을 잘 하여라. 2 옷차림을 제대로 함.

몸-단장 (-丹粧) 명하자 몸치장.

몸-담다 [-따] 자 어떤 조직이나 분야에 종사하거나 그 일을 하다. ¶신문사에 몸담고 있다 / 우리 회사에 몸담고 있는 한 열심히 일해야 한다.

몸-동작 (-動作)[-똥-] 명 몸을 움직이는 동작. ¶유연한 ~.

몸-뚱어리 명 〈속〉 몸뚱이.

***몸-뚱이** 명 1 사람이나 짐승의 몸의 덩치. ¶~가 크다. 2 〈속〉 몸.

몸-매 명 몸의 맵시. ¶날씬한 ~.

몸-맵시 명 몸을 보기 좋게 매만져 낸 모양. ¶~가 좋다.

***몸-무게** 명 몸의 무게. 체중. ¶~를 줄이다.

몸-부림 명하자 1 있는 힘을 다하거나 감정

이 격할 때, 온몸을 흔들고 부딪는 짓. ¶ 빠져나가려고 ~을 쳐 보다. **2** 잠잘 때 이리저리 뒹굴며 자는 짓.

몸부림-치다 자 **1** 온몸을 심하게 흔들고 부딪다. ¶ 몸부림치며 통곡하다. **2** 어떤 일을 이루거나 고통 따위를 견디려고 몹시 애쓰다. ¶ 자식을 여읜 슬픔에 ~.

몸살 명 몹시 피로하여 일어나는 병. ¶ ~로 앓아 눕다.

몸살(이) 나다 구 ㉠몸살을 앓다. ㉡어떤 일을 하고 싶어 안달이 나서 못 견디다. ¶ 컴퓨터를 못 사 ~.

몸살-감기 (-感氣) 명 몹시 피로하여 생기는 감기. ¶ ~로 결근하다.

몸살-기 (-氣)[-끼] 명 몸살을 앓는 것과 같은 기운. 또는 몸살이 날 것 같은 기운. ¶ ~가 있어 조퇴하다 / ~가 돌다.

몸-상 (-床)[-쌍] 명 환갑 잔치 같은 때에 큰상 앞에 놓는 간단한 음식상.

몸-서리 명 몹시 싫증이 나거나 무서워 몸이 떨리는 일.

몸서리-나다 자 몹시 싫거나 무서워서 몸이 떨리다.

몸서리-치다 자 지긋지긋하도록 싫증이 나거나 무서워 몸을 떨다. ¶ 몸서리쳐지는 6·25 전쟁.

몸소 부 **1** 직접 제 몸으로. ¶ ~ 실천하다 / 본보기를 ~ 보여 주시다. **2** 친히. ¶ 선생님이 ~ 찾아 주셨다.

몸-속 [-쏙] 명 몸의 속. 몸 안. ¶ ~에 감추다.

몸-수색 (-搜索) 명하타 무엇을 찾아내려고 남의 몸을 뒤지는 일. ¶ 경찰이 용의자를 ~하다.

몸-싸움 명하자 서로 몸을 부딪치며 싸우는 일. ¶ ~을 벌이다.

몸엣-것 [-에껃 /-엗껃] 명 **1** 월경으로 나온 피. 월경수. 월수. 준몸. **2** 월경(月經).

몸져-눕다 [-저-] (-누우니, -누워) 자ㅂ불 병이나 고통이 심하여 몸을 가누지 못하고 누워 있다. ¶ 과로로 ~.

몸-조리 (-調理) 명하자 허약해진 몸의 기력을 회복하도록 보살핌. 몸조섭. ¶ ~에 전념하다.

몸-조심 (-操心) 명하자 **1** 병들거나 다치지 않도록 몸을 조심하여 돌봄. **2** 언행을 삼감.

몸-종 [-쫑] 명 지난날, 양반집 여자에게 딸려서 잔심부름하던 여자 종.

몸-주체 명 몸을 거두거나 가누는 일. ¶ 술에 너무 취해 ~도 못하다.

*__몸-집__ [-찝] 명 몸의 부피. 덩치. 체구. ¶ ~이 크다 / ~이 아주 좋은데.

몸-짓 [-찓] 명하자 몸을 놀리는 모양. ¶ 어색한 ~을 하다.

몸-차림 명하자 몸치장. ¶ ~이 단정하다 / ~을 세련되게 하다.

몸-채 명 몇 채로 된 살림집의 주된 집채.

몸-체 (-體) 명 물체나 구조물의 중심이 되는 부분. ¶ 컴퓨터의 ~.

몸-치장 (-治粧) 명하자 장신구 따위로 몸을 잘 매만져서 맵시 있게 꾸밈. 몸단장. 몸차림. ¶ ~을 요란하게 하다.

몸-통 명 사람이나 동물의 몸에서 머리·팔·다리 등 딸린 것들을 제외한 가슴·배 부분. 동부(胴部). 동체(胴體). ¶ ~이 크다.

몸-피 명 **1** 몸통의 굵기. ¶ ~가 뚱뚱하다. **2** 활의 몸의 부피.

*__몹:시__ 부 더할 수 없이 심하게. ¶ ~ 당황하다 / ~ 기분이 좋다.

몹:쓸 관 악독하고 고약한. ¶ ~ 놈들 / ~ 짓 / ~ 병.

*__못__[1] [몯] 명 재목 따위의 접합이나 고정에 쓰는 물건《쇠·대·나무 따위로 가늘고 끝이 뾰족하게 만듦》. ¶ 벽에 ~을 박다 / 옷이 ~에 걸려 찢어졌다.

못(을) 박다 구 ㉠남의 마음속에 원통한 생각 따위가 깊이 맺히게 하다. ¶ 여인의 가슴에 못을 박은 사나이. ㉡어떤 사실을 분명하게 하다. 다짐하다. ¶ 약속을 지키도록 단단히 ~ / 원칙만은 깰 수 없다고 못을 박았다.

못(이) 박히다 구 원통한 생각 따위가 마음속에 깊이 맺히다. ¶ 남의 가슴에 못이 박히는줄도 모르고 함부로 욕을 하다.

못[2] [몯] 명 손바닥이나 발바닥에 생기는 굳은 살. ¶ 손바닥에 ~이 박이다.

*__못__[3] [몯] 명 넓고 우묵하게 팬 땅에 늘 물이 괴어 있는 곳《늪보다 작음》. 연못. ¶ ~에서 개구리 소리가 야단스럽다.

*__못:__[4] [몯] 부 (동사 앞에 쓰여) 동작을 할 수 없다거나 상태가 이루어지지 않았다는 부정의 뜻을 나타냄. ¶ ~ 쓰게 만들다 / 오늘은 ~ 간다 / 시끄러워 ~ 자겠다. [못 먹는 감 찔러나 본다] 일이 제게 불리할 때에 심술을 부려 훼방한다는 말. [못 먹는 떡 개 준다] 남에게 못쓸 찌꺼기나 주는 야박한 인심을 이르는 말. [못 먹는 잔치에 갓만 부수다] 아무 이득 없이 손해만 보게 됨을 이르는 말.

못-가 [몯까] 명 못의 가장자리. 지두(池頭). 지반(池畔).

못:-나다 [몬-] 형 **1** 얼굴이 잘나거나 예쁘지 아니하다. ¶ 못난 얼굴이 아니다. **2** 능력이 모자라거나 어리석다. ¶ 못난 녀석 / 못난 소리 하지 마라. ↔잘나다.

못:난-이 [몬-] 명 못나고 어리석은 사람.

못:내 [몬-] 부 **1** 마음에 두거나 잊지 못하고 계속해서. ¶ ~ 안타깝게 생각하다. **2** 이루 다 말할 수 없이. ¶ 합격 소식에 ~ 기뻐하다.

못-논 [몬-] 명 모를 심은 논.

못:다 [몯따] 부 (동사 앞에 쓰여) '다하지 못함'을 나타냄. ¶ ~ 이루다 / ~ 읽다 / ~한 사랑.

못-대가리 [몯때-] 명 못의 윗부분에 망치로 쳐 박거나 장도리 따위로 다시 뺄 수 있게 만든 평평한 부분.

못:-되다 [몯뙤-] 형 **1** 성질이나 품행 따위가 좋지 않거나 고약하다. ¶ 못된 녀석 / 못된 버릇을 고치다. **2** 일이 뜻대로 되지 않은 상태이다. ¶ 농사가 못되어 걱정이다. [못된 송아지 엉덩이에서 뿔이 난다] 되지 못한 사람이 교만하게만 군다. [못된 일가 항렬만 높다] 쓸데없는 것일수록 성(盛)하기만 하다.

못:마땅-하다 [몬-] 형여불 마음에 들지 않아 좋지 않다. ¶ 못마땅한 듯 눈살을 찌푸리다. **못:마땅-히** [몬-] 부. ¶ ~ 여기다.

못-물 [몬-] 명 논에 모를 내는 데 필요한

물. ¶ ~을 대다.

못:-미처 [몯-] 명 아직 이르지 못한 거리나 지점. ¶ 역 ~에 유명한 식당이 있다.

못:-살다 [몯쌀-] (못사니, 못사오) 자 **1** 가난하게 살다. ¶ 못사는 형편에 절약해야지. ↔잘살다. **2** (주로 '못살게'의 꼴로 쓰여) 기를 못 펴게 하다. ¶ 왜 강아지를 못살게 구니.

못:-생기다 [몯쌩-] 형 생김새가 보통보다 못하다. ¶ 못생긴 여자 / 다리가 못생겼다. [못생긴 며느리 제삿날에 병난다] 미운 사람이 더 미운 짓만 저지른다. ↔잘생기다.

못:-쓰다 [몯-] (못쓰니, 못써) 자 **1** (주로 '-으면, -어서' 뒤에 쓰여) 옳지 않다. 좋지 않다. 안 되다. ¶ 게으름 피우면 못써 / 너무 작아서 못쓰겠다. **2** (주로 '못쓰게'의 꼴로 쓰여) 얼굴이나 몸이 축나다. ¶ 앓았다더니 얼굴이 못쓰게 상했구나.

못-자리 [모짜- / 몯짜-] 명하자 **1** 볍씨를 뿌려 모를 기르는 논. 또는 그 논바닥. 묘판(苗板). **2** 논에 볍씨를 뿌리는 일.

못-줄 [모쭐 / 몯쭐] 명 모를 심을 때 줄을 맞추기 위하여 대고 심는 줄.

못:지-아니하다 [몯찌-] 형여불 일정한 수준이나 정도에 미치다. ¶ 프로 선수 못지아니한 기량. 준못지않다.

못:지-않다 [몯찌안타] 형 '못지아니하다'의 준말. ¶ 전문가 못지않은 솜씨. **못:지-않이** [몯찌안-] 부

못-질 [몯찔] 명하자 **1** 못을 박는 일. ¶ 벽에 ~하다. **2** 못을 박듯 마음을 아프게 하는 일. ¶ 가슴에 ~하는 말.

못:-하다[1] [모타-] 一형여불 **1** (흔히, '만, 보다'의 뒤에 쓰여) 견주어서 정도·수준이 떨어지다. ¶ 너보다 못한 사람 / 아들만 ~. **2** ('못해도'의 꼴로 쓰여) 아무리 적게 잡아도. ¶ 못해도 1억은 받을 것이다. 二보형여불 **1** (형용사의 어미 '-지'의 뒤에 쓰여) 어떤 상태에 미칠 수 없다. ¶ 아름답지 ~ / 맑지 ~. **2** (주로 '-다'의 다음에 쓰여) '정도가 극도에 달한 나머지'의 뜻을 나타내는 말. ¶ 뺨이 시리다 못하여 아프다.

*__못:-하다__[2] [모타-] 一타여불 일정한 수준에 못 미치거나 할 능력이 없다. ¶ 질문에 대답을 ~ / 살림을 ~. 二보동여불 (동사 어미 '-지'의 뒤에 쓰여) 능히 할 수 없음을 나타냄. ¶ 뛰지 ~ / 술에 너무 취해 몸을 가누지 ~.

몽개-몽개 부 연기나 구름 따위가 둥근 형상을 이루어 잇따라 나오는 모양. 큰뭉게뭉게.

몽고-반 (蒙古斑) 명 어린아이의 엉덩이나 허리 등에 나타나는 푸른색의 반점《신생아에 뚜렷하나 자라면서 없어짐》. 소아반(小兒斑).

몽그라-뜨리다 타 몽그라지게 하다. 큰뭉그러뜨리다.

몽그라-지다 자 쌓인 물건이 무너져 주저앉다. 큰뭉그러지다.

몽그라-트리다 타 몽그라뜨리다.

몽근-벼 명 까끄라기가 없는 벼.

몽근-짐 명 부피에 비해 제법 무거운 짐. ↔부픈짐.

몽글-거리다 자 먹은 음식이 잘 삭지 않아 가슴에 뭉친 듯한 느낌이 자꾸 들다. 큰뭉글거리다. 거몽클거리다. **몽글-몽글**[1] 부하자

몽글다 (몽그니, 몽그오) 형 낟알이 까끄라기나 허섭스레기가 붙지 않아 깨끗하다.

몽글-대다 자 몽글거리다.

몽글리다 타 **1** 《'몽글다'의 사동》 곡식의 까끄라기나 허섭스레기를 떨어지게 하다. **2** 어려운 일을 당하게 하여 단련시키다. **3** 옷맵시를 가뜬하게 차려 모양을 내다.

몽글-몽글[2] 부하형 덩어리진 물건이 말랑말랑하고 매끄러운 느낌. ¶ 잘 익어 ~한 포도 알. 큰뭉글뭉글[2].

몽깃-돌 [-긷똘] 명 밀물과 썰물 때 배가 밀려 나가지 않도록 배의 고물에 다는 돌.

몽니 명 음흉하고 심술궂게 욕심 부리는 성질. ¶ ~를 부리다. 준몽.

몽니(가) 궂다 구 몽니가 심하다.

몽니(가) 사납다 구 몽니가 매우 세다. 준몽사납다.

몽달-귀 (-鬼) 명 총각이 죽어 되었다는 귀신. 몽달귀신.

몽달-귀신 (-鬼神) 명 몽달귀.

몽당-붓 [-붇] 명 끝이 닳아서 무딘 붓. 독필(禿筆).

몽당-비 명 끝이 다 닳아 모지라져서 자루만 남은 비.

몽당-연필 (-鉛筆) [-년-] 명 많이 깎아 써 길이가 아주 짧아진 연필.

몽당이 명 **1** 뾰족한 끝이 닳아 거의 못 쓰게 된 물건. **2** 공 모양으로 감은 실이나 노끈의 뭉치.

몽당-치마 명 몹시 해어져서 아주 짧게 된 치마.

몽둥이 명 조금 굵직하고 긴 막대기《주로 사람이나 가축을 때릴 때 씀》. 목봉(木棒). ¶ ~로 때리다 / ~로 얻어맞다.

몽둥이-맛 [-맏] 명 정신이 날 만큼 몽둥이로 얻어맞은 경험.

몽둥이-질 명하타 몽둥이로 때리는 짓.

몽둥이-찜질 명하타 찜질을 하듯 온몸을 몽둥이로 마구 때리는 짓. 몽둥이찜.

몽둥잇-바람 [-이빠- / -읻빠-] 명 몽둥이로 심하게 때리거나 얻어맞는 일.

몽:-따다 자 알면서 모르는 체하다.

몽땅[1] 부 있는 대로 죄다. ¶ 돈을 ~ 날리다.

몽땅[2] 부 상당한 부분을 대번에 자르는 모양. ¶ 긴 머리를 ~ 자르다. 큰뭉떵. 거몽탕.

몽땅-몽땅 부 잇따라 상당한 부분을 대번에 자르는 모양. ¶ 무를 ~ 썰다. 큰뭉떵뭉떵. 거몽탕몽탕.

몽땅-하다 형여불 끊어서 몽쳐 놓은 것처럼 짤막하다. ¶ 몽땅한 스커트. 큰뭉떵하다. 거몽탕하다.

몽똑 부하형 끝이 아주 짧고 무딘 모양. ¶ ~한 무 토막. 큰뭉뚝. 거몽톡.

몽똑-몽똑 [-똥-] 부하형 여럿이 다 몽똑한 모양. ¶ 나뭇가지를 ~ 자르다. 큰뭉뚝뭉뚝. 거몽톡몽톡.

몽똥-그리다 타 되는대로 대강 뭉쳐 싸다. ¶ 옷가지만 몽똥그려 싸다. 큰뭉뚱그리다.

몽롱-하다 (朦朧-) [-농-] 형여불 **1** 빛이 흐릿하다. ¶ 몽롱한 눈빛. **2** 정신이 흐리멍덩하다. ¶ 기억이 ~.

몽리 (蒙利) [-니] 명하자 **1** 이익을 얻음. 또

는 덕을 봄. 2 저수지, 보(洑) 따위의 수리 시설 등으로 물을 받음. ¶~ 구역.
몽매 (蒙昧) 명하형 어리석고 사리에 어두움. ¶~한 처사 / ~한 사람들을 깨우치다.
몽:매 (夢寐) 명 (주로 '몽매에도'의 꼴로 쓰여) 잠을 자면서 꿈을 꿈. 또는 그 꿈. ¶~에도 그리던 조국.
몽:매-간 (夢寐間) 명 (주로 '몽매간에, 몽매간에도'의 꼴로 쓰여) 꿈을 꾸는 동안. ¶~에도 잊지 못할 그대.
몽:상 (夢想) 명하타 1 꿈속에서 생각함. 2 꿈 같은 헛된 생각을 함. 또는 그런 생각. ¶~에 잠기다 / 우주 비행을 ~하다.
몽:설 (夢泄) 명하자 꿈에 성적인 쾌감을 느끼면서 사정(射精)함. 몽유(夢遺). 몽색(夢色). 몽정(夢精).
몽실-몽실 부하형히부 통통하게 살이 쪄 야들야들하고 보드라운 느낌을 주는 모양. ¶~한 아기의 뺨. 큰뭉실뭉실.
몽우리 명 꽃망울.
몽:유-병 (夢遊病)[-뼝] 명 〔의〕 정신병의 하나. 잠을 자다가 갑자기 일어나서 어떤 행동을 하는 병. 정신이 나도 그런 일은 기억하지 못함.
몽:정 (夢精) 명하자 몽설(夢泄).
몽:중 (夢中) 명 꿈속. ¶~에서 겪었던 일이 생생하게 떠오르다.
몽진 (蒙塵) 명하자 〔역〕 머리에 먼지를 쓴다는 뜻으로, 임금이 난리를 피하여 다른 곳으로 옮아감. ¶임금이 ~을 떠나다.
몽짜 명 음흉하고 심술궂게 욕심을 부리는 짓. 또는 그런 사람. ¶~를 부리다.
몽짜(를) 치다 구 어리석은 체하면서 자기 할 일을 다하다.
몽짜-스럽다 〔-스러우니, -스러워〕 형ㅂ불 몽짜를 부리는 듯하다. **몽짜-스레** 부
몽총-하다 형여불 1 붙임성 없이 새침하고 냉정하다. 2 부피나 길이가 좀 모자라다. ¶바지가 ~. **몽총-히** 부
몽치 명 짤막하고 단단한 몽둥이《예전에는 무기로도 썼음》. ¶~로 때리다.
[몽치 깎자 도둑이 뛴다] 기회를 놓쳐 소용이 없게 됨을 이르는 말.
몽치다 자타 1 한데 합쳐 한 덩어리가 되다. 또는 그렇게 되게 하다. ¶눈을 꾹꾹 ~. 2 괴로움·울화·슬픔 따위가 마음속에 맺히다. ¶한이 가슴에 ~. 큰뭉치다.
몽클 부하형 1 먹은 음식이 삭지 않고 가슴에 몽쳐 있어 묵직한 느낌. 2 슬픔·노여움 따위가 가슴에 맺혀 답답한 느낌. 큰뭉클.
몽클-거리다 자 1 먹은 음식이 소화되지 아니하고 가슴에 몽쳐 있는 듯한 느낌이 자꾸 들다. 2 슬픔이나 노여움이 가슴에 맺혀 답답한 느낌이 자꾸 들다. 큰뭉클거리다. 여몽글거리다.
몽클-대다 자 몽클거리다.
몽클-몽클 부하형 덩이진 물건이 말랑말랑하고 매끄러운 모양. ¶젖가슴이 ~하다. 큰뭉클뭉클.
몽키다 자 한데 모여 덩어리가 되다. ¶풀린 실이 ~. 큰뭉키다.
몽타주 (프 montage) 명 1 따로따로 촬영된 화면으로 전체의 유기적인 구성을 이룩하는, 영화나 사진의 편집 구성의 한 수법. 화면 구성. 2 몽타주 사진. ¶범인의 ~를 만들다.
몽타주 사진 (montage寫眞) 여러 사람의 사진에서 코·입모습·눈매 등 부분만 따서 어떤 사람의 모습을 이루게 한 사진《흔히 범죄 수사에서 용의자의 용모 사진에 응용함》. 합성 사진. 몽타주. ¶범인의 ~이 거리에 나붙다.
몽탕 부 1 전부. 2 꽤 많은 부분을 대번에 자르는 모양. ¶허리까지 내려온 머리를 ~ 자르다. 큰뭉텅. 센몽땅.
몽탕-몽탕 부 한 부분씩 자꾸 대번에 자르는 모양. 큰뭉텅뭉텅. 센몽땅몽땅.
몽탕-하다 형여불 끊어서 몽쳐 놓은 것처럼 짤막하다. ¶허리에는 몽탕한 방망이를 찼다. 큰뭉텅하다. 센몽땅하다.
몽톡 부하형 길이가 짧고 끝이 끊은 듯이 무딘 모양. ¶심 끝이 ~한 연필. 큰뭉툭. 센몽똑.
몽톡-몽톡 [-통-] 부하형 여럿의 사물이 다 몽톡한 모양. ¶~한 연필들. 큰뭉툭뭉툭. 센몽똑몽똑.
몽혼 (朦昏) 명하자 1 한때 정신을 잃음. 2 마취. ¶~ 주사를 놓다.
몽:환 (夢幻) 명 1 현실이 아닌 꿈과 환상. 2 이 세상의 모든 사물의 덧없음의 비유.
몽:환-적 (夢幻的) 관명 현실이 아닌 꿈이나 환상과 같은 (것). ¶~ 분위기에 젖다.
뫼: 명 사람의 무덤. 묘(墓).
뫼(를) 쓰다 구 묏자리를 잡아서 송장을 묻다.
묏:-자리 [뫼짜- / 묃짜-] 명 뫼를 쓸 자리. 묫자리. ¶~를 잘 잡다.
묘: (卯) 명 지지(地支)의 넷째.
묘: (妙) 명 말할 수 없이 빼어나고 훌륭함. 또는 매우 교묘함. ¶조화(造化)의 ~ / 운영의 ~ / 용병의 ~를 체득하다.
묘: (墓) 명 뫼. ¶~를 쓰다.
묘:기 (妙技) 명 절묘한 기술과 재주. ¶고난도 ~를 선보이다.
묘:년 (卯年) 명 〔민〕 태세(太歲)의 지지(地支)가 묘(卯)로 된 해. 토끼해.
묘:당 (廟堂) 명 〔역〕 1 '의정부'의 별칭. 2 종묘와 명당(明堂)의 뜻으로, 나라의 정치를 하던 곳. 곧, 조정.
묘:략 (妙略) 명 묘책. ¶~을 세우다.
묘:령 (妙齡) 명 (주로 '묘령의'의 꼴로 쓰여) 여자의 꽃다운 나이, 곧 이십 전후의 나이. ¶~의 아가씨.
묘:리 (妙理) 명 오묘한 이치. ¶자연의 ~ / ~를 터득하다.
***묘:목** (苗木) 명 옮겨 심는 어린나무. 나무모. 모나무. ¶~을 옮겨 심다.
묘:미 (妙味) 명 미묘한 재미나 흥취. 묘취(妙趣). ¶낚시의 ~를 만끽하다.
묘:방 (妙方) 명 1 아주 교묘한 방법. 묘법. 묘책. ¶해결의 ~을 강구하다. 2 훌륭한 약방문. 신묘한 처방.
묘:법 (妙法)[-뻡] 명 1 묘방(妙方)1. 2 〔불〕 뜻이 깊고 신비로운 진리. ¶부처님의 ~을 따르다.
묘:비 (墓碑) 명 무덤 앞에 세우는 비석. 묘석(墓石). ¶~를 세우다.
묘:비-명 (墓碑銘) 명 묘비에 새긴 글. ¶무

명용사의 ~.
묘:사 (描寫) 명 하타 대상이나 사물·현상 따위를 언어로 서술하거나 그림을 그려서 나타냄. ¶심리 ~ / 사실을 있는 그대로 ~하다 / 영화에 그는 실제 이상으로 용감하게 ~되었다.
묘:상 (苗床) 명 **1** 꽃·나무·채소 따위 모종을 키우는 자리. 모판. **2** 못자리.
묘:생 (卯生) 명 묘년 곧 토끼해에 태어난 사람.
묘:석 (墓石) 명 묘비.
묘:소 (墓所) 명 '산소(山所)'의 높임말.
묘:수 (妙手) 명 **1** 좋은 방법이나 솜씨. ¶~를 쓰다. **2** 솜씨가 절묘한 사람. **3** 바둑·장기에서, 생각해 내기 힘든 좋은 수. ¶~를 두다.
묘:술 (妙術) 명 기묘한 꾀나 술법. ¶~에 넘어가다 / ~을 부리다.
묘:안 (妙案) 명 뛰어나게 좋은 생각. ¶~을 생각해 내다 / ~이 떠오르다.
묘:약 (妙藥) 명 **1** 신통하게 잘 듣는 약. ¶이 병에는 ~이 없다. **2** 문제 해결에 매우 효과적인 것. ¶사랑의 ~.
묘:역 (墓域) 명 묘소로서 정한 구역.
묘:연-하다 (杳然-) 형 여불 **1** 아득하고 멀어서 눈에 아물아물하다. **2** 오래되어서 기억이 알쏭달쏭하다. ¶기억이 ~. **3** 소식이나 행방 따위를 알 수 없다. ¶행방이 ~.
묘:연-히 부
묘:연-하다 (渺然-) 형 여불 넓고 멀어서 아득하다. ¶묘연한 망망대해.
묘:월 (卯月) 명 월건(月建)이 묘(卯)로 된 달. 음력 2월.
묘:-위전 (墓位田) 명 소출을 묘제(墓祭)의 비용으로 쓰기 위해 가꾸는 논밭.
묘:-입신 (妙入神) 명 하자 놀랍도록 세밀하고 교묘한 지경에 들어감.
묘:전 (墓田) 명 묘위전(墓位田)의 준말.
묘:절-하다 (妙絶-) 형 여불 더할 수 없이 교묘하다. 절묘하다. ¶솜씨가 참으로 묘절하구나.
묘:제 (墓祭) 명 산소에서 지내는 제사.
묘:주 (墓主) 명 무덤의 주인.
묘:지 (墓地) 명 무덤이 있는 땅. 또는 그 구역. ¶~에 매장하다.
묘:지 (墓誌) 명 죽은 사람의 이름·신분·행적 따위를 기록한 글《사기 판(砂器板)에 적거나 돌에 새겨서 관(棺)과 함께 묻음》. 광지(壙誌).
묘:-지기 (墓-) 명 남의 산소를 지키며 보살피는 사람. 묘직(墓直).
묘:책 (妙策) 명 매우 교묘한 꾀. 묘계(妙計). 묘략. 묘방(妙方). 묘산(妙算). ¶~이 떠오르다 / ~을 짜내다.
묘:체 (妙諦) 명 오묘한 진리. 묘리. ¶~를 터득하다.
묘:출 (描出) 명 하타 어떤 대상·현상 따위를 그림이나 글 따위로 그려 냄. ¶사건 현장을 생생하게 ~하다.
묘:파 (描破) 명 하타 밝히어 남김없이 그려 냄. ¶인간의 심리를 해학적 필치로 ~했다.
묘:판 (苗板) 명 **1** 못자리. **2** 모판.
묘:포 (苗圃) 명 묘목을 심어서 기르는 밭. 모밭.
묘:표 (墓表) 명 무덤 앞에 세우는 푯돌《성명·생년월일·신분 등을 새김》. 표석(表石).
***묘:-하다** (妙-) 형 여불 **1** 모양이나 동작이 색다르다. ¶묘하게 생기다. **2** 일이나 이야기 따위가 기이하여 표현하거나 규정하기 어렵다. ¶묘한 관계 / 기분이 ~ / 일이 묘하게 됐다. **3** 수완이나 재주 따위가 뛰어나거나 약빠르다. ¶묘한 수 / 묘한 재주 / 묘한 꾀를 생각해 내다.
묘:혈 (墓穴) 명 무덤 구멍. 시체를 묻는 구덩이. 광혈(壙穴).
묘혈을 파다 구 스스로 파멸의 길로 나아가다.
묫:-자리 (墓-) [묘짜-/묟짜-] 명 묏자리.
무[1] 명 윗옷의 양쪽 겨드랑이 아래에 대는 딴 폭.
***무:**[2] 명 『식』 십자화과의 한해살이 또는 두해살이의 재배 초본. 줄기 높이 60 cm–1 m 이며, 봄에 담자색이나 흰 꽃이 줄기 끝에 핌. 뿌리는 빛이 희고 살이 많음. 잎과 뿌리는 중요한 채소이고 중앙아시아가 원산지임.
무: (戊) 명 천간(天干)의 다섯째.
무: (武) 명 전쟁에 관한 일 또는 무술·병법을 이르는 말. ↔문(文).
무 (無) 명 하형 없음. 존재하지 않음. ¶~에서 유(有)를 창조하다. ↔유(有).
무- (無) 투 '그것이 없음'의 뜻. ¶~관심 / ~의식 / ~일푼.
무:가 (巫歌) 명 무당의 노래.
무가 (無價) [-까] 명 **1** 값이 없음. **2** 값을 매길 수 없을 만큼 귀중함.
무가-내 (無可奈) 명 무가내하. ¶~로 고집을 부린다.
무가-내하 (無可奈何) 명 어찌할 수가 없음. 무가내. 막무가내. 막가(莫可)내하. ¶~로 받아들이지 않는다.
무-가당 (無加糖) 명 당분을 첨가하지 않음. ¶~ 오렌지 주스.
무-가치 (無價值) 명 하형 아무 값어치가 없음. ¶~한 일 / ~하게 여기다.
무간-하다 (無間-) 형 여불 허물없이 가깝다. ¶무간한 사이. **무간-히** 부
무-감각 (無感覺) 명 하형 **1** 감각이 없음. ¶동상으로 발가락이 ~해지다. **2** 주위 사정이나 분위기 따위에 무관심함. ¶~한 표정을 짓다.
무강-하다 (無疆-) 형 여불 **1** 한이 없다. 끝이 없다. **2** 편지나 인사말에서, 윗사람의 안부를 묻거나 건강을 기원하는 말. ¶아무쪼록 무강하시기를 빕니다.
무개-차 (無蓋車) 명 덮개나 지붕이 없는 차《스포츠 카 따위》. ↔유개차.
무거리 명 곡식 따위를 빻아 체에 쳐서 가루를 내고 남은 찌끼. ¶~ 개떡.
***무겁다** 〔무거우니, 무거워〕 형 ㅂ불 **1** 무게가 많이 나가다. ¶무거운 돌 / 체중이 ~. **2** 언행이 매우 신중하다. ¶입이 ~. **3** 부담·책임·비중 따위가 크거나 중대하다. ¶무거운 사명. **4** 병이나 죄가 심하거나 크다. ¶죄가 ~. **5** 기분이 언짢거나 우울하다. ¶무거운 마음 / 머리가 ~. **6** 힘이 빠져서 느른하다. ¶무거운 발걸음. **7** 동작이 느리고 둔하다. ¶궁둥이가 ~ /

바퀴가 무겁게 돌아간다. ↔가볍다. **8** 세금이 너무 많다. ¶세금을 무겁게 부과하다. **9** 임신으로 움직이기 어렵다.

무겁디-무겁다 〔-무거우니, -무거워〕 형 ㅂ불 아주 무겁다.

***무게** 명 **1** 물건의 무거운 정도. 중량. ¶~를 달다 / ~가 많이 나가다. **2** 언행의 침착하고 의젓한 정도. ¶~ 있는 사람. **3** 가치나 중요성의 정도. ¶~ 있는 내용.

[무게가 천 근이나 된다] 묵직하고 믿음직스러운 사람을 이르는 말.

무게 중심(-中心) 〖물〗 물체의 각 부분에 미치는 중력의 합력(合力)이 작용하는 점.

무결-하다(無缺-) 형 여불 결점이나 결함이 없다.

무경위-하다(無涇渭-) 형 여불 사리의 옳고 그름에 대한 분별이 없다. 몰(沒)경위하다. ¶무경위한 언행.

무-계획(無計劃)[-/-게-] 명 하형 계획이 없음. ¶충동적이며 ~한 소비 행태.

무고(無故) 명 하형 히부 **1** 아무런 까닭이 없음. **2** 아무 탈 없이 평안함. 무사. ¶식구들이 모두 ~하다. ↔유고(有故).

무:고(誣告) 명 하타 없는 일을 거짓으로 꾸며 고발하거나 고소함. ¶~ 혐의로 구속되다 / ~로 맞고소하다.

무:고(舞鼓) 명 **1** 나라 잔치 때, 기생들이 춤추며 치던 큰 북. **2** 북춤.

무:고-죄(誣告罪)[-쬐] 명 남을 형사 처분 또는 징계 처분을 받게 할 목적으로 허위 사실을 신고함으로써 성립하는 죄.

무고-하다(無辜-) 형 여불 아무런 잘못이나 허물이 없다. ¶무고한 피해자 / ~고 주장하다. **무고-히** 부. ¶~ 유배를 당하다.

무:곡(舞曲) 명 **1** 춤과 악곡. **2** 춤곡.

무골-충(無骨蟲) 명 **1** 뼈가 없는 벌레의 총칭. **2** 줏대 없이 물렁한 사람을 비웃는 말.

무골-호인(無骨好人) 명 줏대가 없이 두루뭉술하고 순하여 남의 비위를 잘 맞추는 사람.

무:공(武功) 명 전장에서 세운 공적. 무훈(武勳). ¶혁혁한 ~을 세우다.

무-공해(無公害) 명 자연이나 사람에게 해를 주지 않음. ¶~ 농산물.

무:과(武科) 명 〖역〗 조선 때 무예와 병서에 능통한 사람을 뽑던 과거. ↔문과.

무:관(武官) 명 **1** 군에 적을 두고 군사 일을 맡아보는 관리. **2** 〖역〗 무과 출신의 벼슬아치. 무변(武弁). ↔문관(文官).

무관(無冠) 명 하형 지위가 없음. 무관(無官). 무위(無位).

무관의 제왕 구 〈속〉 왕관이 없는 임금이라는 뜻으로, 언론인 특히 기자를 가리키는 말.

무-관심(無關心) 명 하형 관심이나 흥미가 없음. ¶경제와 정치에 ~한 젊은이들 / 돈에는 전혀 ~한 척하다.

무관-하다(無關-) 형 여불 관계가 없다. ¶나와는 무관한 이야기다. **무관-히** 부

무교(無敎) 명 믿는 종교가 없음.

무구-하다(無垢-) 형 여불 **1** 마음이나 몸이 맑고 깨끗하다. ¶무구한 눈빛으로 바라보다. **2** 꾸밈없이 자연 그대로 순박하다. **무구-히** 부

무-국적(無國籍) 명 개인이 어느 나라의 국적도 갖지 않는 일.

무궁(無窮) 명 하형 히부 끝이 없음. 한이 없음. ¶귀사의 ~한 발전을 기원합니다.

무궁-무진(無窮無盡) 명 하형 히부 한도 없고 끝도 없음. ¶자원이 ~하다.

***무궁-화**(無窮花) 명 〖식〗 **1** 무궁화나무. **2** 무궁화나무의 꽃. 우리나라의 국화(國花)임. 근화(槿花).

무궁화-나무(無窮花-) 명 〖식〗 아욱과의 낙엽 활엽 관목. 관상용·울타리용으로 심음. 높이 2-3m이며 가지가 많음. 여름에 꽃이 피는데 빛깔은 담자색·백색·자색·홍색 등으로 다양함. 무궁화.

무균(無菌) 명 균이 없음. ¶~ 처리한 우유.

무극(無極) 명 하형 **1** 끝이 없음. **2** 〖철〗 우주의 근원인 태극(太極)의 처음 상태. **3** 〖물〗 전극(電極)이 없음.

무근-하다(無根-) 형 여불 **1** 뿌리가 없다. **2** 근거가 없다. ¶무근한 소문.

무급(無給) 명 급료가 없음. 보수가 없음. 무료. ¶~으로 일하다 / ~ 휴가를 실시하다. ↔유급.

***무:기**(武器) 명 **1** 전쟁에 쓰는 온갖 기구. 병기. ¶불법으로 ~를 소지하다 / 새로운 ~를 개발하다. **2** 중요한 수단이나 도구의 비유. ¶눈물을 ~로 애원하다.

무기(無期) 명 '무기한'의 준말. ¶~ 연기하다. ↔유기.

무기(無機) 명 **1** 생명이나 활력이 없음. **2** '무기 화학·무기 화합물'의 준말.

무:기-고(武器庫) 명 무기를 보관하는 창고. 병기고.

무-기력(無氣力) 명 하형 기운과 힘이 없음. ¶투지가 없고 ~한 사람.

무기력-감(無氣力感) 명 어떤 일을 감당할 수 있는 기운과 힘이 없는 기분이나 느낌. ¶~에 찌들다.

무-기명(無記名) 명 **1** 이름을 적지 않음. ¶~으로 투서하다. **2** '무기명식'의 준말. ¶~ 예금. ↔기명(記名).

무기명-식(無記名式) 명 증권 및 투표 등에 그 권리자의 이름 또는 상호 등을 쓰지 아니하는 방식. 준무기명. ↔기명식.

무기명 투표(無記名投票) 투표용지에 투표자의 이름을 쓰지 아니하는 투표. 익명 투표. ↔기명 투표.

무기-물(無機物) 명 생활 기능이 없는 물질이나 그것을 원료로 인공적으로 만든 물질의 총칭《물·공기·광물 등》. ↔유기물.

무기-산(無機酸) 명 〖화〗 비금속 원소 또는 탄소를 갖지 아니한 산의 총칭《염산·황산·질산 등》.

무기-수(無期囚) 명 무기형을 선고받고 징역살이하는 죄수.

무기 염류(無機鹽類)[-뉴] 〖화〗 무기산과 염기로 되어 있는 염의 총칭《식염·황산암모늄·질산칼슘 따위》.

무기-음(無氣音) 명 〖언〗 소리 낼 때에 입김이 거세게 나지 않는 소리《곧, ㅊ·ㅋ·ㅌ·ㅍ·ㅎ 이외의 모든 자음》. ↔유기음.

무기-질(無機質) 명 〖화〗 생체 유지에 없어서는 안 되는 영양소. 뼈·조직·체액 등에 포함되어 있는 칼슘·인·물·철·요오드 따위

의 총칭.
무기 징역 (無期懲役) 〔법〕 평생 동안 교도소에 가두는 징역. ↔유기 징역.
무기-체 (無機體) 명 〔화〕 생활 기능이 없는 물체《광석·물·공기 등》. ↔유기체.
무-기한 (無期限) 명 정한 기한이 없음. ¶ ~ 농성을 시작하다 / ~으로 휴업을 강행하다. 준무기. ↔유기한.
무기-형 (無期刑) 명 종신 구금을 내용으로 한 자유형. 무기 금고와 무기 징역의 총칭. ↔유기형.
무기 화:학 (無機化學) 〔화〕 순수 화학의 한 분과. 탄소 화합물 이외의 모든 원소 및 화합물을 연구 대상으로 하는 화학. 준무기(無機). ↔유기 화학.
무기 화:합물 (無機化合物)[-함-] 〔화〕 탄소를 포함하고 있지 아니한 화합물 및 이산화탄소 등과 같은 간단한 탄소 화합물의 총칭. 준무기(無機). ↔유기 화합물.
무꾸리 명하자 무당이나 판수 등에게 길흉을 점치는 일.
무난-하다 (無難-) 형여불 **1** 별로 어렵지 않다. ¶무난하게 목표를 달성하다. **2** 단점이나 흠이 별로 없다. ¶무난한 연주. **3** 무던하다. ¶성격이 무난한 사람. **무난-히** 부. ¶~ 합격하다.
무-날 명 음력으로 한 달 동안에 무수기가 같은 두 날. 음력 9일과 24일.
무남-독녀 (無男獨女)[-동-] 명 아들이 없는 집안의 외딸. ¶~로 귀염을 받다.
무너-뜨리다 타 **1** 무너지게 하다. ¶담을 ~. **2** 질서·체제 따위를 파괴하다. ¶윤리 의식을 ~. **3** 권력을 빼앗거나 나라를 멸망하게 하다. ¶독재 정권을 ~. **4** 구상이나 생각 따위를 깨다. ¶신념을 ~. **5** 세력 따위를 없애거나 약화시키다. **6** 형태나 상태 따위를 깨다. ¶균형을 ~.
***무너-지다** 자 **1** 쌓인 물건이 허물어져 내려앉다. ¶벽이 ~ / 비로 둑이 무너졌다. **2** 몸이 힘을 잃고 쓰러지다. ¶무너지듯 주저앉다. **3** 권력이 소멸하거나 나라가 망하다. ¶왕조가 ~. **4** 질서나 체계 따위가 파괴되다. ¶질서가 ~. **5** 계획이나 구상 따위가 이루어지지 못하다. ¶공든 탑이 무너져 버렸다. **6** 한계선 따위가 돌파되다. ¶방어선이 ~. **7** (주로 '마음, 가슴' 등과 함께 쓰여) 슬픈 일 따위를 당하여 감정이 안정을 잃고 내려앉다. ¶억장이 ~.
무너-트리다 타 무너뜨리다.
무-넘기 명 **1** 알맞게 괴고 남은 물이 밑의 논으로 흘러 넘게 논두렁의 한 곳을 낮춘 부분. *물꼬. **2** 봇물을 대기 위해 도랑을 걸쳐 막은 부분.
무:녀 (巫女) 명 무당.
무녀리 명 〔←문(門)열이〕 **1** 한배의 새끼 중 가장 먼저 태어난 새끼. **2** 〈속〉 언행이 좀 모자란 사람의 비유.
무념 (無念) 명하형 **1** 〔불〕 무아(無我)의 경지에 이르러 망상(妄想)이 없음. **2** 아무 감정이나 생각이 없음.
무념-무상 (無念無想) 명 **1** 〔불〕 무아(無我)의 경지에 이르러 일체의 상념이 없음. ¶~의 경지. **2** 아무런 생각이 없음. 또는 그런 상태.
무-논 명 **1** 물이 늘 괴어 있는 논. **2** 물을 쉽게 댈 수 있는 논. 수전(水田). 수답(水畓).
무느다 〔무느니, 무너〕 타 쌓인 것을 흩어지게 하다. 준문다.
무능 (無能) 명하형 능력이나 재능이 없음. ¶~한 지도자 / 그 사건으로 그의 ~이 드러났다. ↔유능.
무-능력 (無能力)[-녁] 명하형 **1** 일을 해낼 만한 힘이 없음. ¶돈 버는 데 ~한 남편. **2** 〔법〕 행위 능력이 없음.
무능력-자 (無能力者)[-녁-] 명 **1** 능력이 없는 사람. ¶경제적인 ~로 몰리다. **2** 〔법〕 행위 능력이 없는 사람《미성년자·금치산자·한정 치산자 등》.
***무늬** [-니] 명 **1** 물건의 거죽에 어룽진 어떤 모양. ¶얼룩덜룩한 ~의 옷. **2** 옷감·조각 등을 장식하기 위한 모양. ¶~를 수놓다.
무:단 (武斷) 명 무력이나 억압을 써서 강제로 행함. ¶~으로 점거하다.
무단 (無斷) 명하형히부 미리 승낙을 얻지 않음. ¶~ 외출을 하다 / ~ 복제를 금한다 / 건널목을 ~ 횡단하지 마라.
무단-결근 (無斷缺勤) 명하자타 아무 허락이나 연락 없이 결근함. ¶~으로 징계를 받다.
무-담보 (無擔保) 명하자 **1** 담보물이 없음. **2** 담보물을 내어 놓지 않음. ¶~ 대출을 하다.
***무:당** 명 〔민〕 귀신을 섬겨 길흉을 점치고 굿을 하는 여자. 무녀(巫女). 무자(巫子). 사무(師巫). 주의 '巫堂'으로 씀은 취음.
[무당이 제 굿 못하고 소경이 저 죽을 날 모른다] 자기 일은 자기가 처리하기 어렵다.
무:당-벌레 명 〔충〕 무당벌렛과의 갑충. 몸길이 8mm 정도, 딱지날개는 황갈색 바탕에 19개의 흑색 무늬가 있음. 몸은 달걀 모양으로 둥글게 불쑥 나와 있고 아래쪽은 편평함. 진딧물을 잡아먹는 익충임.
***무:대** (舞臺) 명 **1** 노래·춤·연극 등을 공연하기 위하여 관람석 앞에 좀 높게 만든 단. 스테이지. ¶~ 의상을 준비하다 / ~가 밝아지다 / ~에 오르다. **2** 기량을 나타내 보이는 곳. ¶외교 ~에서 활약하다. **3** 이야기의 배경의 비유. ¶서민 생활을 ~로 한 소설.
무대에 서다 구 공연을 하다. ¶이번 공연에 주연으로 ~.
무대에 올리다 구 연극 따위를 공연하다. ¶명성황후를 ~.
무:대 예:술 (舞臺藝術) 무대 위에서 연출되는 예술. 특히, 연극의 일컬음.
무:대 장치 (舞臺裝置) 공연을 위하여 무대를 꾸미는 일. 또는 그 장치《배경·구조물·소품·조명 따위》.
무더기 一명 많은 물건을 한데 수북이 쌓은 더미. ¶돌멩이 ~. 二의명 한데 수북이 쌓였거나 뭉쳐 있는 더미를 세는 단위. ¶한 ~에 1000 원.
무더기-무더기 부 무더기가 여기저기 있는 모양. ¶~ 쌓여 있는 볏단 / 돌멩이가 ~ 쌓여 있다.
무-더위 명 찌는 듯 견디기 어려운 더위. 증열(蒸熱). 증염(蒸炎). 증서(蒸暑). ¶본격적인 ~가 기승을 부리기 시작했다.

무덕-지다 형 '무드럭지다'의 준말.
무덕-하다 (無德-)[-더카-] 형여불 인덕이 없다. 덕망이 없다. ¶무덕한 소치로다. ↔유덕하다.
무던-하다 형여불 **1** 정도가 어지간하다. ¶신랑감으로는 ~. **2** 성질이 너그럽고 수더분하다. ¶무던한 인상. **무던-히** 부. ¶~ 애를 먹인다.
*__무덤__ 명 송장·유골을 땅에 묻어 놓은 곳. 분묘. ¶~에 묻다/~을 파헤치다.
무덤덤-하다 형여불 마음에 아무 느낌이 없이 예사스럽다. ¶무덤덤한 표정/무덤덤한 성격.
*__무덥다__ 〔무더우니, 무더워〕 형ㅂ불 찌는 듯이 덥다. ¶찜통같이 무더운 여름 날씨/이렇게 무더워서야 잠을 잘 수 있나.
무:도 (武道) 명 **1** 무사가 마땅히 지켜야 할 도리. **2** 무예·무술 등의 총칭. ¶~에 능하다. ↔문도(文道).
무:도 (舞蹈) 명하자 **1** 춤을 춤. **2** 무용.
무도-하다 (無道-) 형여불 언행이 도리에 어긋나서 막되다. ¶천하에 무도한 놈. **무도-히** 부
무:도-회 (舞蹈會) 명 여러 사람이 사교춤을 추는 모임. 댄스파티. ¶~에 초대 받다.
무독-하다 (無毒-)[-도카-] 형여불 **1** 해로운 것이나 독기가 없다. ¶인체에 무독한 물질. **2** 성질이 착하고 순하다.
무:동 (舞童) 명 **1** 조선 때, 궁중의 잔치 때에 춤을 추고 노래를 부르던 사내아이. **2** 걸립패(乞粒牌)에 속하여 남의 목말을 타고 춤추던 아이.
　무동(을) 서다 구 남의 어깨 위에 올라서다.
　무동(을) 타다 구 남의 어깨 위에 올라타다.
무:두-질 명하타 **1** 짐승의 날가죽에서 털과 기름을 뽑아 가죽을 부드럽게 다루는 일. **2** 매우 시장하거나 병으로 속이 쓰리고 아픈 것을 가리키는 말.
무:둣-대 [-두때/-둗때] 명 무두질할 때에 쓰는 칼.
무드 (mood) 명 대체적으로 느끼는 분위기나 기분. 정서. 분위기. ¶~를 잡다/~에 약하다.
무드기 부 수북하게 쌓일 정도로 많이.
무드럭-지다 형 두두룩하게 많이 쌓여 있다. 준무덕지다.
무-득점 (無得點) 명 득점이 없음. ¶경기가 ~으로 끝나다/~으로 비기다.
무디다 형 **1** 날카롭지 못하다. ¶무딘 면도날/날이 무디어 잘 깎이지 않는다. **2** 느끼거나 깨닫는 힘이 약하다. ¶감각이 ~. **3** 표현이 시원스럽지 못하다. ¶글재주가 ~. **4** 말씨가 무뚝뚝하여 우악스럽다. ¶말을 무디게 하다.
무뚝뚝-이 부 무뚝뚝하게. ¶~ 바라만 보고 있다.
무뚝뚝-하다 [-뚜카-] 형여불 성질이 쾌활하지 않고 정다운 면이 없다. 아기자기한 맛이 없다. ¶무뚝뚝한 말투/그는 아무에게나 ~.
무뚝-무뚝 [-뚱-] 부하타 **1** 음식을 이로 큼직큼직하게 떼어 먹는 모양. ¶그녀는 무를 썰다 말고 ~ 잘라 먹었다. **2** 말을 이따금 조리에 맞게 하는 모양.
무뜩 부 '문뜩'의 준말.
무뜩-무뜩 [-뜽-] 부 '문뜩문뜩'의 준말.
무람-없다 [-업따] 형 친한 사이나 어른에게 스스럼없고 버릇이 없다. 예의가 없다. ¶본데없이 자라서 ~. **무람-없이** [-업씨] 부. ¶~ 굴다.
무량 (無量) 명하형 헤아릴 수 없이 많음. 무한량. ¶감개가 ~하다.
무량수-불 (無量壽佛) 명 〖불〗 수명이 한없는 부처. 곧, 아미타불.
*__무럭-무럭__ [-렁-] 부 **1** 힘차게 잘 자라는 모양. ¶하루가 다르게 ~ 자라다. **2** 연기·냄새 따위가 치밀어 일어나는 모양. ¶아지랑이가 ~ 피어오르다. 작모락모락. **3** 생각이나 느낌이 계속 일어나는 모양.
무려 (無慮) 부 어떤 수효를 말할 때, 그 수가 예상보다 많음을 나타내는 말. ¶사상자가 ~ 수천 명에 달했다/물가가 한 달 새에 ~ 두 배나 올랐다.
무:력 (武力) 명 **1** 군사상의 힘. ¶~ 도발을 일삼다/~을 행사하다. **2** 마구 욱대기는 힘. ¶~으로 나를 누르려 한다.
무력 (無力) 명하형 **1** 힘·세력이 없음. ¶적의 공격에 ~하다. **2** 능력·활동력이 없음. ¶~한 사나이.
무력-감 (無力感) 명 자기에게 힘이나 능력 등이 없다는 것을 알았을 때의 허탈하고도 맥 빠진 듯한 느낌. ¶~에 빠지다.
무력-증 (無力症) 명 늙거나 오래 앓거나 굶주린 까닭으로 온몸의 기운이 떨어져 힘을 쓰지 못하는 증세. ¶그 노인은 ~으로 옴짝달싹하지 못하였다.
무력-화 (無力化)[-려콰] 명하자타 힘이 없게 됨. 또는 그렇게 함. ¶선제공격으로 적을 ~시키다/내부 알력으로 ~되다.
*__무렵__ 의명 바로 그때쯤. 일이 벌어질 그즈음. ¶동생은 해가 질 ~에 돌아왔다/퇴근 ~에 회의를 소집하다.
무례 (無禮) 명하형히부 예의가 없음. 예의에 벗어남. ¶~한 언행은 삼가해라/~하게 굴다.
무뢰-배 (無賴輩) 명 무뢰한의 무리.
무뢰-한 (無賴漢) 명 일정한 직업이 없이 돌아다니며 불량한 짓을 하는 사람. ¶광포한 ~으로 변하다.
무료 (無料) 명 **1** 값이나 요금이 없음. ¶~로 제공하다. **2** 무급(無給). ¶~ 봉사를 하다. ↔유료.
무료 (無聊) 명하형히부 **1** 조금 부끄러운 생각이 있음. ¶~한 얼굴. **2** 지루하고 심심함. ¶~하게 시간을 보내다/~하던 차에 잘 오셨소.
무르녹다 자 **1** 과일이나 삶은 음식이 익을 대로 익어서 흐무러지다. ¶홍시가 무르녹아 나무에 매달려 있다. **2** 무슨 일이 한창 이루어지려는 단계에 달하다. ¶분위기가 한창 무르녹을 즈음 그가 자리를 박차고 일어났다.
무르다[1] 〔무르니, 물러〕 자르불 굳은 물건이 푹 익거나 하여 녹실녹실하게 되다. ¶감자가 잘 ~/감이 너무 물러 맛이 변하다.
무르다[2] 〔무르니, 물러〕 타르불 **1** 사거나 바

꾼 물건을 도로 주고 돈이나 물건을 되찾다. ¶시계를 샀다가 도로 물렸다/주고받은 것을 ~. 2 장기나 바둑에서, 한 번 둔 것을 안 둔 것으로 하여 다시 두다. ¶일수 불퇴니 물러 달라고 하지 마라.

무르다[3] 〔무르니, 물러〕 형 르불 1 단단하지 아니하다. ¶반죽이 ~. 2 마음이나 힘이 약하다. ¶사람이 좀 무른 것이 흠이다/그는 특히 여자에게 ~.

[무른 감도 쉬어 가면서 먹어라] 쉬운 일이라도 침착하게 차근차근히 해야 함을 이르는 말.

무르-익다 자 1 과일이나 곡식 따위가 흐무러지도록 푹 익다. ¶무르익은 오곡백과. 2 사물이 적당한 시기에 이르다. 사물이나 시기가 충분히 성숙하다. ¶사랑이 ~/여름이 한창 무르익고 있다.

무르춤-하다 자 여불 물러서려는 듯이 하며 행동을 갑자기 멈추다. ¶그의 대갈일성에 모두들 무르춤했다. 준무춤하다.

무르팍 명 〈속〉 무릎. ¶넘어져 ~이 깨지다. 준물팍.

무릅-쓰다 〔-쓰니, -써〕 타 1 어려운 일을 그대로 참고 견디어 해내다. ¶위험을 ~. 2 위로부터 덮어 내려오는 것을 피하지 않고 그대로 쓰다. ¶비를 무릅쓰고 구조에 나서다.

무릇 [-른] 부 대체로 살펴보건대. 대체로 보아. 대저. ¶~ 필요는 발명의 어머니이다.

무릇-하다 [-르타-] 형 여불 무른 듯하다.

무:릉-도원 (武陵桃源) 명 1 신선이 살았다는 전설적인 중국의 명승지. 2 세속을 떠난 별천지. 준도원(桃源). *선경(仙境).

***무릎** [-릅] 명 정강이와 넓적다리 사이에 있는 관절의 앞쪽. 슬두(膝頭).

무릎(을) 꿇다 구 항복하다. 굴복하다. ¶무릎을 꿇고 애원하다.

무릎(을) 치다 구 몹시 좋은 일이나 놀랄 만한 일이 있을 때 무릎을 탁 치다. ¶무릎을 치며 기뻐하다.

무릎-걸음 [-릅껄-] 명 꿇은 무릎으로 걷는 걸음. ¶~을 치다/~으로 다가가다.

무릎-깍지 [-릅-] 명 앉아 두 무릎을 세우고 무릎이 팔 안에 안기도록 깍지를 낀 자세. ¶~를 하고 앉아 있다.

무릎-도가니 [-릅또-] 명 1 소의 무릎 종지뼈와 거기에 붙은 고깃덩이. ¶~를 고아 먹다. 2 〈속〉 슬개골. 준도가니.

무릎-맞춤 [-릅맏-] 명하자 두 사람의 말이 서로 어긋날 때, 제삼자 앞에서 전에 한 말의 옳고 그름을 따지는 일. ¶~으로 시비를 가리다.

무릎 반:사 (-反射)[-릅빤-] 〖생〗 무조건 반사의 한 가지. 무릎을 치면 아랫다리가 앞으로 뻗는 반사. 각기병 따위의 진단에 씀. 슬개 반사. 슬개건 반사.

무릎-베개 [-릅뻬-] 명하자 남의 무릎을 베개 삼아 베는 일. ¶~하고 잠들다.

무릎-뼈 [-릅-] 명 〖생〗 슬개골.

무릎-장단 [-릅짱-] 명 무릎을 치며 장단을 맞추는 일. ¶~으로 흥을 돋우다.

무리[1] 명 1 여럿이 모여 한 동아리를 이룬 사람들. ¶교복을 입은 학생들의 ~. 2 짐승의 떼. ¶한 ~의 소 떼.

무리[2] 명 〖천〗 해·달의 주위에 때때로 보이는 둥근 테《대기 속의 작은 물방울이 빛의 굴절이나 반사로 생김》. ¶달~/햇~.

***무리** (無理) 명하자형 1 도리가 아님. 이치에 맞지 않음. ¶~한 요구/자주 부탁하는 것은 ~다/그가 나에게 이렇듯 화를 내는 것도 ~는 아니다. 2 힘에 부치는 일을 억지로 우겨서 함. ¶여자가 하기는 ~이다/~해서 할 필요는 없다. 3 〖수〗 가감승제 및 멱법(冪法)의 범위에서 유리 연산(有理演算) 이외의 관계를 포함하는 일. ↔유리.

무리-무리 부 적당한 시기를 좇아 여러 차례에 걸쳐 무리를 지어. ¶명절이 다가오니 시장에는 온갖 과일이 ~ 나왔다.

무리-수 (無理數) 명 〖수〗 실수(實數)이면서 정수·분수의 형식으로 나타낼 수 없는 수 《$\sqrt{5}$·원주율 π 따위》. ↔유리수.

무릿-가루 [-리까-/-릳까-] 명 무리를 말린 흰 가루. ¶~로 송편을 빚다.

무릿-매 [-린-] 명 노끈에 돌을 매어 두 끝을 잡아 휘두르다가 한쪽 끝을 놓으면서 멀리 던지는 팔매. ¶~를 멀리 던지다.

무:마 (撫摩) 명하타 1 손으로 어루만짐. 마무(摩撫). 2 마음을 달래어 어루만짐. ¶흥분한 군중을 ~하다. 3 분쟁이나 사건 따위를 어물어물 덮어 버림. ¶뇌물을 주고 사건을 ~하려 했다.

무:-말랭이 명 반찬거리로 썰어서 말린 무. ¶~장아찌를 담그다. 준말랭이.

무망-중 (無妄中) 명 (주로 '무망중에'의 꼴로 쓰여) 별 생각이 없는 사이. ¶~에 저지른 일이니 용서하여 주십시오.

무망-하다 (無望-) 형 여불 희망이 없다. 가망이 없다. ¶이 나이에 도시에서 취직하기란 무망한 노릇이다.

무-면허 (無免許) 명 면허가 없음. ¶~로 운전하다/~ 의사가 구속되다.

***무명** 명 무명실로 짠 피륙. 무명베. 목면(木綿). 면포(綿布). 백목(白木). ¶~ 고의적삼을 입다. 준명.

무:명 (武名) 명 무용이 뛰어나 알려진 이름. ¶~을 떨치다. ↔문명(文名).

무명 (無名) 명하형 1 이름이 없거나 이름을 모름. ¶~의 고지(高地). 2 세상에 이름이 널리 알려져 있지 않음. ¶~ 가수 시절. ↔유명.

무명 (無明) 명 〖불〗 그릇된 의견이나 고집 때문에 불교의 진리를 깨닫지 못한 마음의 상태《모든 번뇌의 근원이 됨》.

무명-실 명 솜을 자아 만든 실. 면사(綿絲). 목면사.

무명-씨 (無名氏) 명 이름을 세상에 드러내지 않은 사람. 이름을 알 수 없는 사람. 실명(失名)씨. ¶~의 투서.

무명-지 (無名指) 명 약손가락.

무명-활 (無名指) 명 솜을 타는 활. 준활.

무모 (無謀) 명하형히부 깊은 사려가 없음. 신중하지 못함. ¶~한 계획/~하게 대들다간 큰코다친다.

무:무-하다 (貿貿-·瞀瞀-) 형 여불 교양이 없어 말과 행동이 무지하고 서투르다. 무:무-히 부

무문 (無紋) 명하형 무늬가 없음. ¶~ 토기.

무미-건조 (無味乾燥) 명하형 재미나 멋이

없고 메마름. 건조무미. ¶~한 생활/글이 너무 ~하고 단조롭다.
무미-하다 (無味-) 형여불 1 맛이 없다. 2 재미가 없다.
무:반 (武班) 명 〖역〗 고려·조선 때, 무관의 반열. 호반(虎班). ↔문반(文班).
무-방비 (無防備) 명 아무런 방비가 없음. ¶~ 상태에 있다.
무방-하다 (無妨-) 형여불 지장이 없다. ¶수업 중 창문을 열어도 ~. **무방-히** 부
무-배당 (無配當) 명 〖경〗 이익 배당이 없음. 특히, 주식에서 배당이 없는 일.
무법 (無法) 명하형 1 법이 없음. 법을 무시하거나 어김. ¶~ 지대. 2 도리에 어긋나고 난폭함. ¶~한 짓을 하다.
무법-자 (無法者) 명 법을 무시하는 사람. 막되어 난폭한 행동을 하는 사람. ¶폭주족들은 도로의 ~들이다.
무법-천지 (無法天地) 명 법이 없는 세상. 질서 없는 난폭한 사회. ¶밤에는 깡패가 설치는 ~가 된다.
무변 (無邊) 명하형 끝 닿는 데가 없음. ¶~한 우주.
무병 (無病) 명하형 병이 없음.
무병-장수 (無病長壽) 명하자 병 없이 건강하게 오래 삶. ¶~를 빌다.
무-보수 (無報酬) 명 보수가 없음. ¶야학에서 ~로 가르치다/~로 변론을 맡다.
무-분별 (無分別) 명하형 분별이 없음. ¶~한 행동/~한 도시 개발.
무비 (無比) 명하형 (주로 '무비의' 의 꼴로 쓰여) 아주 뛰어나서 비할 데가 없음. ¶고금 ~의 명장/통쾌 ~하다.
무-비판 (無批判) 명하자 옳고 그름에 대해 별생각 없이 그대로 받아들임.
무비판-적 (無批判的) 관명 옳고 그름을 판단하지 않고 무조건 받아들이는 (것). 맹목적. ¶~인 사대주의 사상/외래 문물을 ~으로 받아들이다.
무:사 (武士) 명 예전에, 무예를 익히어 전쟁에 종사하던 사람. 무부(武夫). ¶~ 정신으로 무장하다. ↔문사(文士).
무사 (無死) 명 야구에서, 아직 한 사람도 아웃이 안 된 일. 노 아웃. ¶~ 만루에서 홈런을 치다.
무사 (無事) 명하형히부 1 아무런 일이 없음. 2 아무 탈 없음. 무고(無故). ¶~ 귀환을 빌다/~히 임무를 마치다.
무-사고 (無事故) 명 사고가 없음. ¶~ 운전으로 표창장을 받다.
무:사-도 (武士道) 명 무사로서 마땅히 지켜야 할 도리. ¶~ 정신이 몸에 배어 있다.
무-사마귀 명 피부의 거죽에 밥알만 하게 두드러져 난 흰 군살.
무사-주의 (無事主義)[-/-이] 명 모든 일에 말썽 없이 대강 무난히 지내려는 소극적인 태도나 경향.
무사-태평 (無事太平) 명하형 1 아무 탈 없이 편안함. ¶~을 빌다. 2 아무 일에도 개의하지 않고 태평함. ¶어떤 일에나 ~한 사람이다.
무사-하다 (無私-) 형여불 사심 없이 공정하다. ¶공평~. **무사-히** 부
무산 (無產) 명 재산이 없음. ¶~ 대중/토지를 잃은 ~ 농민 계층. ↔유산.
무:산 (霧散) 명하자 안개가 걷히듯 흩어져 사라짐. 또는 헛되이 끝남. ¶정부의 방침이 국회의 반대로 ~되었다/외자 유치 계획이 ~되다.
무산 계급 (無產階級)[-/-게-] 자본주의 사회에서 재산이 없어 노동력을 팔아 그 임금으로 생활해 가는 계급. 프롤레타리아. ↔유산 계급.
무산-대중 (無產大衆) 명 노동자·빈농 등 재산이 없는 가난한 대중.
무산-자 (無產者) 명 재산이 없는 사람. 무산 계급에 속하는 사람들. ↔유산자.
무상 (無上) 명하형 (주로 '무상의' 의 꼴로 쓰여) 그 위에 더할 수 없음. 가장 좋음. ¶~의 영광이로소이다.
무상 (無常) 명하형 1 정함이 없음. 때가 없음. 무시. ¶밤낮없이 ~으로 드나든다. 2 모든 것이 덧없음. ¶인생은 ~한 것이다. 3 〖불〗 상주(常住)함이 없다는 뜻으로, 나고 죽고 흥하고 망하는 것이 덧없음을 이르는 말.
무상 (無想) 명하형 1 일체의 상념(想念)이 없음. 2 무심(無心).
무상 (無償) 명 1 보상이 없음. 2 값을 치르지 아니하여도 되는 일. ¶~ 원조를 받다/밀가루를 ~으로 배급하다/침수 차량 ~ 점검 서비스를 실시한다. ↔유상.
무상-출입 (無常出入) 명하자타 거리끼지 않고 아무 때나 드나듦. ¶친구 사무실에 ~하다/그는 우리 집을 제 집처럼 ~한다.
무색 (-色) 명 물감을 들인 빛깔. ¶흰 저고리와 ~ 치마.
무색 (無色) 명하형 1 아무 빛깔도 없음. ¶~무취의 기체. ↔유색. 2 부끄러워서 볼 낯이 없음. 무안(無顏). ¶가수가 ~할 정도의 노래 솜씨.
무색-옷 (-色-)[-옫] 명 물감을 들인 천으로 지은 옷. 색복(色服). 색의(色衣). 준색옷.
무생-물 (無生物) 명 생활 기능·생명이 없는 물건《돌·물·공기 따위》. ↔생물.
무:-생채 (-生菜) 명 무를 채 쳐서 갖은 양념을 하여 무친 나물.
무-서리 명 늦가을에 처음 오는 묽은 서리. ↔된서리.
무서움 명 무서워하는 느낌. ¶~을 타다/~에 떨다. 준무섬.
무서워-하다 타여불 무섭게 여기다. ¶쥐를 무서워하는 아이/높은 데 오르기를 ~.
무선 (無線) 명 1 전선을 가설하지 않는 일. ↔유선. 2 '무선 전신' 의 준말. 3 '무선 전화' 의 준말.
무선 전:신 (無線電信) 서로 떨어져 있는 곳에서 전파로 교신하는 통신. 준무선(無線)·무전.
무선 전:화 (無線電話) 전선을 사용하지 않고 전파를 이용한 전화. 준무선·무전. ↔유선 전화.
무선 통신 (無線通信) 〖물〗 전파를 이용해서 행하는 통신의 총칭. 무선 전신·무선 전화·라디오 방송·텔레비전 방송 따위. ↔유선 통신.
무선 호출기 (無線呼出機) 휴대용 소형 수신기에 개인 가입자 번호를 부여하여 그

하는 존재.
무위-도식 (無爲徒食) 명하자 아무 하는 일 없이 놀고먹기만 함. ¶ ~으로 날을 보내다.
무의-무탁 (無依無托)[-/-이-] 명 의지하고 의탁할 곳이 없음. ¶ ~한 노인들. 준무의탁. *사고무친.
무의미-하다 (無意味-)[-/-이-] 형여불 1 아무 뜻이 없다. ¶ 무의미한 외마디 소리. 2 가치나 의의가 없다. ¶ 무의미한 싸움.
무-의식 (無意識)[-/-이-] 명 1 자기의 행위를 자신이 의식하지 못하는 상태. ¶ ~ 상태 / ~ 세계 / ~중에 본심을 드러내다. 2 〔심〕 꿈·최면·정신 분석 등에 따르지 아니하고는 의식되지 않는 상태로, 정신 상태에 영향을 주는 마음의 심층.
무의식-적 (無意識的)[-/-이-] 관명 무의식의 상태에 있는 (것). ¶ ~으로 행동하다 / ~으로 되풀이하다. ↔의식적.
무의-촌 (無醫村)[-/-이-] 명 의사나 의료 시설이 없는 마을. ¶ ~ 순회 진료.
무-의탁 (無依託)[-/-이-] 명 '무의무탁'의 준말. ¶ ~ 노인을 부양하다.
무-이자 (無利子) 명 이자가 붙지 않음. ¶ ~로 돈을 빌려 주다.
무익 (無益) 명하형 이익이 없음. 이로울 것이 없음. ¶ ~한 논쟁. ↔유익(有益).
무:인 (武人) 명 무사(武士)인 사람. 무예를 닦은 사람. 또는 무관의 직에 있는 사람. ¶ ~ 집권 정치. ↔문인(文人).
무:인 (拇印) 명 손도장. 지장(指章). ¶ 인장 대신 ~을 찍다.
무인 (無人) 명 1 사람이 없음. ¶ ~ 비행기 / ~ 카메라. ↔유인(有人). 2 일손이 모자람.
무인-도 (無人島) 명 사람이 살지 않는 섬. ¶ 배가 표류하다 도착한 곳은 ~였다.
무인지경 (無人之境) 명 1 사람이 없는 곳. 무인경. ¶ 지평선만이 보이는 ~. 2 아무것도 거칠 것이 없는 판. ¶ 마치 ~을 가듯 전장을 휩쓸었다.
무-일푼 (無一-) 명 돈이 하나도 없음.
무임 (無賃) 명 1 임금이 없음. 2 값을 내지 않음. ¶ ~ 승객을 적발하다. ↔유임.
무임-소 (無任所) 명 공통적 직책 이외에 따로 맡은 임무가 없음. ¶ ~ 장관.
무임-승차 (無賃乘車) 명 찻삯을 내지 않고 차를 탐. ¶ ~를 하려다 들키다.
무-자격 (無資格) 명하형 자격이 없음. ¶ ~ 의사를 구속하다. ↔유자격.
무자맥-질 명하자 물속에 들어가서 떴다 잠겼다 하며 팔다리를 놀리는 짓. 준자맥질.
무자비-하다 (無慈悲-) 형여불 인정이 없다. 쌀쌀하고 모질다. ¶ 무자비한 고문 / 하는 짓이 ~ / 민중을 무자비하게 탄압하다.
무-자식 (無子息) 명하형 아들도 딸도 없음. 준무자(無子).
[무자식 상팔자] 자식이 없는 것이 도리어 걱정됨이 없이 편하다는 말.
무-자위 명 물을 높은 데로 끌어 올리는 기계. 양수기.
무작-스럽다 〔-스러우니, -스러워〕 형ㅂ불 보기에 무지하고 우악한 데가 있다. ¶ 무작스럽게 두들겨 패다. **무작-스레** 부
무-작위 (無作爲) 명 1 일부러 일을 꾸미거나 뜻을 더하지 않고 우연하게 행하는 모양. ↔작위(作爲)[2]. 2 일어날 수 있는 모든 일이 동등한 확실성을 가지고 일어나게 하는 일. ¶ ~로 표본을 추출하다.
무-작정 (無酌定) 명하형 1 정함이 없음. ¶ ~ 상경하다 / 그는 그녀를 ~ 기다렸다. 2 좋고 나쁨을 가리지 않음. ¶ ~ 나무라다.
무:장 (武將) 명 1 무술에 뛰어난 장수. 2 군대의 장군. ¶ 지략이 뛰어난 ~.
무:장 (武裝) 명하자 1 전투를 할 목적으로 장비함. 또는 그 장비. ¶ ~ 해제 / 공격에 대비하여 ~을 갖추다. 2 필요로 하는 사상이나 기술 등을 단단히 갖춤의 비유. ¶ 온 국민이 정신 ~을 하다.
무장 부 갈수록 더. ¶ 날씨가 하루하루 ~ 더워만 간다.
무-저항 (無抵抗) 명하자 저항하지 않음. ¶ ~ 운동을 계속하다.
무적 (無敵) 명하형 겨룰 만한 맞수가 없음. ¶ ~의 장사 / 팔씨름이라면 사내(社內)에서는 ~이다.
무적 (無籍) 명하형 국적·호적·학적 따위가 해당 문서에 기록되어 있지 않음. ¶ ~ 선수가 끼여 있다.
무전 (無電) 명 1 '무선 전신'의 준말. ¶ ~을 쳐서 알리다. 2 '무선 전화'의 준말.
무전-기 (無電機) 명 무선 전신 또는 무선 전화용 기계.
무전-여행 (無錢旅行)[-녀-] 명 여비 없이 하는 여행. ¶ 전국 일주 ~을 떠나다.
무전-취식 (無錢取食) 명 값을 치를 돈도 없이 남이 파는 음식을 청해서 먹음.
무-절제 (無節制)[-쩨] 명하형 절제함이 없음. ¶ ~한 생활을 하다.
무정-란 (無精卵)[-난] 명 수정되지 않은 알. 홀알. *수정란.
무정 명사 (無情名詞) 〔언〕 식물이나 무생물을 가리키는 명사. ↔유정(有情) 명사.
무-정부 (無政府) 명 정부가 존재하지 않음. ¶ ~ 상태에 놓이다.
무정부-주의 (無政府主義)[-/-이] 명 일체의 정치 권력을 부정하고 절대적 자유가 행하여지는 사회를 실현하려는 주의. 아나키즘.
무정부주의-자 (無政府主義者)[-/-이-] 명 〔사〕 무정부주의를 신봉하고 주장하는 사람. 아나키스트.
무정-세월 (無情歲月) 명 덧없이 흘러가는 세월. ¶ ~이 원망스럽구나.
무정-스럽다 (無情-) 〔-스러우니, -스러워〕 형ㅂ불 따뜻한 정이 없는 듯하다. ¶ 무정스럽게 거절하다. 작매정스럽다. **무정-스레** 부
무정-하다 (無情-) 형여불 정이 없다. 인정이 없다. ¶ 무정한 세월 / 무정하게도 일언지하에 청을 거절했다. 작매정하다. **무정-히** 부
무-정형 (無定形) 명하형 1 일정한 형체가 없음. 2 〔화〕 열을 가하면 액체로 되는 따위의 물질 상태.
무제 (無題) 명 제목이 없음《흔히 시나 예술 작품 따위에서 일정한 제목이 없다는 뜻으로 제목 대신 사용함》.
무-제한 (無制限) 명하형 제한이 없음. ¶ ~ 방출(放出) / ~ 공급.

무-조건 (無條件)[-껀] [一][명][하형] 아무 조건도 없음. [二][부] 조건 없이. 덮어놓고. ¶그의 의견을 ~ 받아들이다.

무조건 반:사 (無條件反射)[-껀-] 〖심〗 자극에 대한 본능적인 반응《입 안에 먹을 것을 넣으면 침이 나오는 따위》. ↔조건 반사.

무조건-적 (無條件的)[-껀-] [관][명] **1** 아무 조건도 없는 (것). ¶~인 사랑. **2** 절대적인 (것). ¶~인 복종을 요구하다.

무좀 [명] 백선균이나 효모균이 손바닥이나 발바닥, 특히 발가락 사이에 침입하여 잘게 물이 잡히며 몹시 가려운 피부병. ¶~으로 발바닥이 헐다.

무-종교 (無宗敎) [명] 종교가 없음. 또는 어느 종교에도 속하지 아니함.

무-종아리 [명] 발뒤꿈치와 장딴지 사이의 부분.

무죄 (無罪) [명][하형] **1** 아무 잘못이나 허물이 없음. **2** 〖법〗 피고 사건이 법률상 죄가 되지 아니하거나 범죄의 증명이 없음. 또는 그러하다는 판결. ¶~를 증명하다 / ~로 석방되다. ↔유죄.

무-주택 (無住宅) [명] 자기 소유의 주택이 없음. ¶~ 세대주.

무-중력 (無重力)[-녁] [명] 중력이 없음.

무중력 상태 (無重力狀態)[-녁-] 〖물〗 궤도에 오른 우주선 등에서 체험할 수 있는, 무게를 느끼지 않는 상태.

무:지 (拇指) [명] 엄지손가락.

무지 (無地) [명] 전체가 한 빛깔로 무늬가 없음. 또는 그런 천. ¶~의 천.

무지 (無知) [명][하형] **1** 지식이 없음. 아는 것이 없음. ¶~의 탓으로 돌리다. **2** 하는 짓이 어리석고 우악함. ¶~한 짓을 하는 불한당 같은 놈.

무지 (無智) [부] 훨씬 정도에 지나치게. ¶저 여자는 돈을 ~ 쓴다 / 오늘은 ~ 춥다.

***무지개** [명] 비가 그친 뒤, 태양의 반대쪽에 반원형으로 길게 뻗쳐 나타나는 일곱 빛깔의 줄《대기 중의 물방울에 햇빛이 굴절 반사되어 일어남》. 홍예(虹霓). ¶아침 ~는 비가 올 징조요, 저녁 ~는 맑을 징조다.

무지근-하다 [형][여불] **1** 뒤가 잘 안 나와서 기분이 무겁다. ¶아랫배가 ~. **2** 머리나 가슴이 띵하고 무엇에 눌린 듯 무겁다. ㊄ 무직하다. **무지근-히** [부]

무지러-지다 [자] 물건의 끝이 몹시 닳거나 잘라져 없어지다. ¶무지러진 붓. ㊅모지라지다.

무지렁이 [명] **1** 헐었거나 무지러져서 못 쓰게 된 물건. **2** 어리석고도 무식한 사람. ¶산골 ~라는 말은 들어도 정말 정직한 사람이다.

무지르다 〔무지르니, 무질러〕 [타][르불] **1** 물건의 한 부분을 잘라 버리다. **2** 말을 중간에서 끊다. ¶그는 그녀의 이야기를 무지르고 일어섰다.

무지막지-스럽다 (無知莫知-)〔-스러우니, -스러워〕 [형][ㅂ불] 보기에 무지막지한 데가 있다. **무지막지-스레** [부]

무지막지-하다 (無知莫知-) [형][여불] 매우 무지하고 우악스럽다. ¶하는 짓이 ~.

무지-몽매 (無知蒙昧) [명][하형] 지식이 없고 사리에 어두움. ¶~한 사람을 깨우치다.

무지-무지 (無知無知) [부][하형] **1** 몹시 놀랄 정도로 대단하게. ¶~ 큰 집 / ~하게 짜다. **2** 매우 우악스럽게. ¶~한 고문.

무지-스럽다 (無知-)〔-스러우니, -스러워〕 [형][ㅂ불] 보기에 무지한 데가 있다. **무지-스레** [부]

무직 (無職) [명] 일정한 직업이 없음. 무직업.

무직-자 (無職者) [명] 일정한 직업이 없는 사람. ¶~들에게 일자리를 마련해 주다.

무직-하다 [-지카-] [형][여불] '무지근하다'의 준말. ¶뒤가 ~.

무진 (無盡) [부][하형] 다함이 없을 만큼 매우. 무진히. ¶~ 고생을 하다 / ~ 애썼다.

무진-장 (無盡藏) [一][명][하형] **1** 한없이 많이 있음. ¶~한 지하자원. **2** 〖불〗 덕이 넓어 끝이 없음. 닦고 또 닦아도 다함이 없는 법의(法義). [二][부] 굉장히 많이. ¶광석이 ~ 묻혀 있는 곳이다.

무질리다 [자] 《'무지르다'의 피동》 무지름을 당하다.

무-질서 (無秩序)[-써] [명][하형] 질서가 없음. ¶~하게 나붙은 간판들 / 혼란과 ~를 틈타 잇속을 차리다.

무:쪽-같다 [-깓따] [형] 〈속〉 사람의 생김새가 몹시 못나다《흔히, 여자의 경우를 가리킴》. **무:쪽-같이** [-까치] [부] 무쪽같게. ¶~ 생기다.

***무-찌르다** 〔무찌르니, 무찔러〕 [타][르불] **1** 닥치는 대로 마구 쳐 없애다. ¶적의 대부대를 ~. **2** 사정을 돌보지 않고 마구 쳐들어가다.

무-찔리다 [자] 《'무찌르다'의 피동》 무찌름을 당하다.

무-차별 (無差別) [명][하형] **1** 차등을 두어 구별하지 않음. **2** 앞뒤 가리지 않음. ¶~ 폭격을 감행하다.

무-착륙 (無着陸)[-창뉵] [명][하자] 항공기가 목적지에 닿기까지 도중에 한 번도 착륙하지 않음. ¶~ 대륙 횡단 비행.

무참-스럽다 (無慘-)〔-스러우니, -스러워〕 [형][ㅂ불] 보기에 무참한 데가 있다. **무참-스레** [부]

무참-하다 (無慘-) [형][여불] 몹시 끔찍하고 참혹하다. ¶무참한 최후를 맞이하다. **무참-히** [부]. ¶~ 학살당했다.

무:-채 [명] 채칼로 치거나 칼로 가늘게 썬 무. 또는 그것을 무친 반찬.

무-채색 (無彩色) [명] 명도의 차이는 있으나 색상과 채도가 없는 색《흰색·회색·검은색 따위》. ↔유채색.

무책 (無策) [명][하형] 아무 계책이 없음. ¶지금으로서는 ~이 상책이다.

무-책임 (無責任) [명][하형] **1** 책임이 없음. ¶그 일의 관계자로서 ~하다고 할 수 없다. **2** 책임감이 없음. ¶~한 답변을 하다.

***무척** [부] 매우. 대단히. ¶~ 기뻐하다.

무척추-동물 (無脊椎動物) [명] 척추 없는 동물의 총칭. ↔척추동물.

무:-청 [명] 무의 잎과 줄기.

무춤 [부] 무르춤한 태도로. ¶가다가 ~ 서더니 뒤돌아본다.

무춤-하다 [자][여불] '무르춤하다'의 준말.

무취 (無臭) [명][하형] 아무 냄새가 없음. ¶무색~의 기체.

무취미-하다 (無趣味-) 형여불 취미가 없다. 몰취미(沒趣味)하다.
무치다 타 나물 따위에 갖은 양념을 섞어 버무리다. ¶콩나물을 무쳐 먹다.
무치-하다 (無恥-) 형여불 부끄러움이 없다.
무침 명 채소나 말린 생선·해초 따위에 갖은 양념을 하여 무친 반찬. ¶도라지 ~을 상에 올리다.
무크 (mook) 명 〔magazine과 book의 합성어〕 잡지와 단행본의 성격을 아울러 가진 출판물. 부정기 간행물.
무탈-하다 (無頉-) 형여불 **1** 병이나 사고가 없다. ¶어린애가 무탈하게 잘 자라다. **2** 까다롭거나 스스럼이 없다. ¶그와는 서로 무탈한 사이다. **3** 트집이나 허물 잡힐 데가 없다. ¶무탈한 행위.
무턱-대고 부 특별한 까닭이나 계획이 없이 그냥. 덮어놓고. ¶~ 덤비다.
무-테 (無-) 명 테가 없음. ¶~안경.
무통 분만 (無痛分娩) 진통의 괴로움을 완화시켜 쉽게 분만하는 일.
무퇴 (無退) 명하자 후퇴하거나 물러서지 않음. ¶임전(臨戰)~의 각오.
무-투표 (無投票) 명 투표하는 일이 없음. 투표를 생략함. ¶~ 당선.
무트로 부 한꺼번에 많이. ¶~ 가져가라.
무패 (無敗) 명 싸움·경기에서 한 번도 지지 않음. ¶3승 ~로 준결승전에 나아가다.
무-표정 (無表情) 명하형 아무 표정이 없음. 표정에 아무 변화가 없음. ¶~한 얼굴을 하다.
무풍 (無風) 명 **1** 바람이 없음. **2** 다른 곳의 재난이나 번거로움이 미치지 아니하는 평화롭고 안전한 상태.
무학 (無學) 명 배운 것이 없음.
무한 (無限) 명하형히부 수량·정도·시간 따위에 제한이나 한계가 없음. ¶~한 영광 / ~히 기쁘다. ↔유한.
무한-대 (無限大) 명하형 **1** 한없이 큼. ¶~로 뻗어 나가다. **2** 〖수〗 얼마만큼이라도 큰 절댓값을 취할 수 있는 변수. 기호 x(변수)→∞로 나타냄. ↔무한소.
무-한량 (無限量)[-할-] 명하형 일정하게 정해진 분량이 따로 없을 만큼 많음. 끝이나 한이 없이 많음. ¶~ 기쁘다 / ~으로 보태 줄 수는 없다.
무한-소 (無限小) 명하형 **1** 더할 수 없이 작음. **2** 〖수〗 극한값이 '0'이 되는 경우와 같은 변수. 기호 x(변수)→0으로 나타냄. ↔무한대.
무한 소:수 (無限小數) 〖수〗 소수점 이하가 한없이 계속되는 소수《원주율·순환 소수 따위》. ↔유한 소수.
무-한정 (無限定) 명하형 한정이 없음. ¶~ 걷다 / ~ 기다릴 수는 없다.
무한 책임 (無限責任) 회사의 채무에 대하여 자신의 재산까지도 포함하여 갚아야 하는 책임. ↔유한 책임.
무:함 (誣陷) 명하타 없는 사실을 꾸며 남을 어려운 지경에 빠지게 함. ¶간신의 ~을 받다. *모함(謀陷).
무해 (無害) 명하형 해가 없음. 해롭지 않음. ¶인체에 ~하다. ↔유해.
무-허가 (無許可) 명 허가를 받지 않음. ¶달동네에는 ~ 판잣집들이 즐비하다 / ~로 영업을 시작하다.
무혈 (無血) 명 피를 흘리지 않음. 폭력적 수단을 쓰지 않음. ¶~ 쿠데타.
무-혐의 (無嫌疑)[-/-이] 명하형 혐의가 없음. 무혐. ¶~로 풀려나다.
무:협 (武俠) 명 무술에 능한 협객(俠客). ¶~ 소설을 읽다.
무형 (無形) 명하형 형상·형체가 없음. ¶지식은 ~의 재산. ↔유형.
무형 문화재 (無形文化財) 무형의 문화적인 소산으로 역사적으로나 예술적으로 가치가 있는 것《음악·무용·공예 기술 등》. ↔유형 문화재.
무-형식 (無形式) 명하형 형식이 없음. 형식이 갖추어져 있지 않음.
무형-인 (無形人) 명 (유형인인 자연인에 대하여) 법인(法人).
무화-과 (無花果) 명 **1** 무화과나무의 열매. **2** 무화과나무.
무화과-나무 (無花果-) 명 〖식〗 뽕나뭇과의 낙엽 활엽 관목. 정원에 심는데 높이 3m 정도, 봄·여름에 담홍색 꽃이 핌. 과실은 가을에 암자색으로 익는데 식용함.
무효 (無效) 명하형 **1** 보람이 없음. 효력이 없음. ¶당첨을 ~로 하다 / 백약이 ~하다. **2** 〖법〗 행위자가 목적으로 한 법률상의 효과가 없음. ¶개표 때 ~표가 나오다.
무효-화 (無效化) 명하자타 무효가 됨. 또는 그렇게 되게 함. ¶계약이 ~되다.
무후 (無後) 명하형 대(代)를 이어갈 자손이 없음. 무사(無嗣).
무:훈 (武勳) 명 무공. ¶임진왜란 때 혁혁한 ~을 세우다.
무휴 (無休) 명 휴일이 없음. 쉬지 않음. ¶편의점은 연중 ~로 장사를 한다.
무:희 (舞姬)[-히] 명 춤을 추는 일을 업으로 삼는 여자. ¶~들이 춤 연습을 하다.
묵 명 메밀·녹두·도토리 등의 앙금을 되게 쑤어 굳힌 음식《메밀묵·녹두묵 따위》.
묵가 (墨家) 명 〖역〗 제자백가의 한 파《중국 춘추 전국 시대 노(魯)나라의 사상가 묵자(墨子)의 학설을 신봉함》. ☞제자백가.
묵객 (墨客) 명 먹을 가지고 글씨를 쓰거나 그림을 그리는 사람. ¶문인 ~이 모여 예술을 논하다.
묵계 (默契)[-/-께] 명하자 말 없는 가운데 뜻이 서로 맞음. 또는 그렇게 해서 성립된 약속. 묵약(默約). ¶그들 사이에는 ~가 있었다 / ~ 아래 부정한 일을 하다.
묵과 (默過) 명하타 잘못을 알고도 모르는 체하고 그대로 넘김. ¶부정을 ~할 수는 없었다.
묵념 (默念)[뭉-] 명하자 **1** 묵묵히 생각에 잠김. **2** 잠시 눈을 감고 죽은 이가 평안히 잠들기를 머리 숙여 빎. 묵도(默禱). ¶전몰장병에 대한 ~을 하다.
***묵다** 자 **1** 오래되다. ¶묵은 때. **2** 일정한 곳에서 나그네로 머물다. ¶며칠 친구 집에 ~. **3** 밭이나 논이 사용되지 않아서 그대로 남아 있다. ¶묵은 논.
[묵은 낙지 꿰듯] 일이 매우 쉽다. [묵은 낙지 캐듯] 일을 단번에 해치우지 않고 두고두고 조금씩 한다.

묵도 (默禱) 명하자 소리를 내지 않고 마음속으로 기도함. 또는 그 기도. 묵념. ¶자기 전에 ~를 올리다.
묵독 (默讀) 명하타 소리를 내지 않고 읽음. ¶책을 ~하다. ↔음독(音讀).
묵례 (默禮)[뭉녜] 명하자 말없이 고개만 숙이어 인사함. 또는 그렇게 하는 인사. ¶서로 ~를 나누다.
묵묵부답 (默默不答)[뭉-] 명 잠자코 대답이 없음. ¶~으로 일관하다.
묵묵-하다 (默默-)[뭉무카-] 형여불 말없이 잠잠하다. ¶그는 묵묵하게 쳐다볼 뿐 아무런 말이 없다. **묵묵-히** [뭉무키] 부. ¶~ 일만 하다.
묵비-권 (默祕權)[-꿘] 명 〔법〕 피고나 피의자가 자기에게 불리한 진술을 거부하고 침묵할 수 있는 권리. ¶~이 있음을 알려 주다 / ~을 행사하다.
묵-사발 (-沙鉢) 명 1 묵을 담은 사발. 2 〈속〉 얻어맞거나 하여 얼굴 따위가 형편없이 깨지고 뭉개진 상태. ¶~이 되도록 얻어터지다. 3 여지없이 망한 경우의 비유. ¶적은 이번 전투에서 ~이 되었을 것이다.
묵살 (默殺) 명하타 의견이나 제안 따위를 듣고도 못 들은 척하거나 무시함. ¶재산 공개 여론을 정면으로 ~했다.
묵상 (默想) 명하자 1 묵묵히 마음속으로 생각함. ¶잠시 ~에 잠기다. 2 〔종〕 말을 하지 않고 마음속으로 기도를 드림. ¶~ 기도를 하다.
묵-새기다 자 별로 하는 일 없이 한곳에서 오래 묵으며 세월을 보내다.
묵시 (默示) 명하타 1 직접적으로 드러내지 않고 은연중에 뜻을 나타내어 보임. 2 〔기〕 하나님이 계시를 통하여 진리를 알게 해 주는 일.
묵시 (默視) 명하타 1 가만히 눈여겨봄. 2 간섭하지 않고 묵묵히 보기만 함. ¶이제 더 이상 ~할 수 없다.
묵시-적 (默示的) 관명 은연중에 뜻을 나타내 보이는 (것). ¶~으로 합의를 보다.
묵어-가다 자 한곳에 머물러 자고 가다. ¶저희 집에서 하룻밤 묵어가세요.
묵연-하다 (默然-) 형여불 말없이 잠잠하다. **묵연-히** 부. ¶~ 명상에 잠기다.
묵은-세배 (-歲拜) 명하자 섣달 그믐날 저녁에 그해를 보내는 인사로 웃어른에게 하는 절.
묵은-쌀 명 해묵은 쌀. ¶~이라 많은 바구미가 생겼다. ↔햅쌀.
묵은-해 명 새해를 맞이하여 지난해를 일컫는 말. ¶~를 보내고 새해를 맞이하다. ↔새해.
묵음 (默音) 명 〔언〕 발음되지 않는 소리(('삶다'가 '삼따'로 발음될 때의 받침 'ㄹ' 음 따위)).
묵인 (默認) 명하타 모르는 체하고 슬며시 승인함. 묵허(默許). ¶~하기 어려운 처사 / 실수를 ~하다.
묵정-밭 [-받] 명 오래 묵혀 거칠어진 밭. 진전(陳田). ¶~을 파고 씨앗을 뿌리다. ㊟ 묵밭.
묵정이 명 오랫동안 묵은 물건.
묵주 (默珠) 명 〔가〕 묵주 기도에 사용하는 염주와 같은 성물(聖物). 로사리오.
묵중-하다 (默重-) 형여불 말이 적고 태도가 신중하다. ¶그는 평소 몸가짐이 ~.
묵직-묵직 [-찡-] 부하형 여럿이 다 보기보다 꽤 무거운 상태. ¶학생들의 책가방이 하나같이 ~하다.
묵직-이 부 묵직하게.
묵직-하다 [-찌카-] 형여불 보기보다 꽤 무겁다. ¶묵직한 가방. ㊕목직하다.
묵향 (墨香)[무컁] 명 먹의 향기. ¶~이 그윽한 매화도.
묵화 (墨畫)[무콰] 명 먹으로 그린 동양화. 먹그림.
묵화(를) 치다 구 묵화를 그리다.
묵히다 [무키-] 타 ('묵다'의 사동)) 1 쓰지 않고 그냥 버려두다. ¶땅을 ~ / 그 아까운 솜씨를 그냥 묵혀 두면 되나. 2 나그네를 집에 두어 머무르게 하다.
*__묶다__ [묵따] 타 1 끈이나 줄 따위로 잡아매다. ¶짐을 ~ / 단을 ~. 2 몸을 마음대로 움직이지 못하게 얽어매다. ¶도둑을 잡아 줄로 묶어 놓고 경찰에 신고했다. 3 한군데로 모아 합치다. ¶종이는 종이대로 끈으로 묶어 재활용으로 내놓았다. 4 법령 등으로 금지 또는 제한하다. ¶공원용지로 ~.
*__묶음__ ㊀명 한데 모아서 묶어 놓은 덩이. ㊁의명 꽃이나 푸성귀 따위의 묶어 놓은 덩이를 셀 때 쓰는 단위. 속(束). ¶시금치 한 ~.
묶음-표 (-標) 명 문장 부호의 하나. 숫자·문자나 문장·수식의 앞뒤를 막아 딴 것과의 구별을 하는 기호((( )·{ }·〔 〕 등)). 괄호.
묶이다 자 ('묶다'의 피동)) 묶음을 당하다. ¶손발이 ~.
문[1] (文) 명 1 〔언〕 한 가지 정돈된 생각을 나타내는 한 줄거리의 말. 문장. 2 학문·문학·예술 등을 무(武)에 상대하여 이르는 말. ¶~은 무(武)보다 강하다. ↔무(武).
*__문__[1] (門) 명 1 여닫는 물건((방문·대문 등)). 2 어떤 것을 받아들이거나 어디에 들어가기 위한 통로. ¶취업의 ~이 좁다.
문(을) 닫다 구 ㉠하루의 근무 시간을 마치고 사업소의 문을 닫다. ¶문 닫을 시간에 손님이 오다. ㉡사업을 그만두다. 폐업하다. ¶경기 불황으로 문을 닫은 지 오래다.
문(을) 열다 구 ㉠하루의 영업을 시작하다. ㉡개업하다. ㉢문호를 개방하다.
문[2] (門) 명 (일부 명사 뒤에 붙어) 1 학술 전문의 종류를 크게 분류하는 말. ¶법학~. 2 씨족을 구별하여 그 집안을 가리키는 말. ¶이씨(李氏)~. 3 〔생〕 동식물의 분류학상(分類學上)의 단위((강(綱)의 위, 계(界)의 아래)). ¶척추동물~.
문: (問) 명 물음. 문제.
문[2] (文) 의명 신발의 크기를 나타내는 단위((1문은 약 2.4 cm)). ¶9 ~ 반.
문[3] (門) 의명 대포나 기관총 따위의 수를 세는 단위. ¶야포 십 ~.
-문 (文) 미 명사 뒤에 붙어, '문장·문서'의 뜻을 나타내는 말. ¶감상~ / 담화~.
문가 (門-)[-까] 명 문의 옆.
문간 (門間)[-깐] 명 대문 또는 중문(重門)이 있는 곳. ¶~에 들어서다.
문간-방 (門間房)[-깐빵] 명 문간 옆에 있는 방. ¶~에 세들다.

문간-채 (門間-)[-깐-] 명 대문간 곁에 있는 집채. 행랑채.
문갑 (文匣) 명 문서나 문구(文具) 따위를 넣어 두는 방 세간. ¶~ 서랍에 넣어 두다.
문객 (門客) 명 권세 있는 집안의 식객. 또는 권세 있는 가문에 날마다 문안 오는 손님. ¶~이 줄을 잇다.
문건 (文件)[-껀] 명 공적인 성격을 띤 문서나 서류.
문고 (文庫) 명 **1** 책이나 문서를 넣어 두는 상자. **2** 책을 넣어 두는 곳. 서고(書庫). **3** 출판물의 한 형식. 보급을 목적으로 하여, 값이 싸고 또 가지고 다니며 읽기 편리하도록 작게 만들어 낸 총서류(叢書類). 문고본.

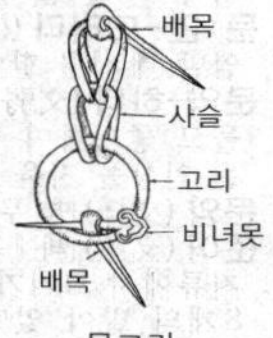

문고리

문-고리 (門-)[-꼬-] 명 문을 여닫고 잠그는 데 쓰는 쇠고리. ¶~를 벗기다. 준고리.
문고-본 (文庫本) 명 문고판 형식으로 간행한 책.
문고-판 (文庫判) 명 문고본의 판형(判型) 《세로 14.8cm, 가로 10.5cm》.
문과[1] (文科)[-꽈] 명 **1** 문학·사학·철학 등 문화에 관한 학문의 부문. **2** 인문 과학 부문을 연구하는 대학의 한 분과. ↔이과.
문과[2] (文科) 명 〖역〗 조선 때, 문관을 뽑던 과거《제술(製述)·경서 강론(經書講論)·대책(對策) 등의 시험을 보았으며, 초시(初試)·복시(覆試)·전시(殿試)의 세 단계가 있었음》. 대과(大科). ↔무과.
문과 급제 (文科及第) 〖역〗 문과 전시(殿試)에 합격함.
문관 (文官) 명 〖역〗 문과 출신의 벼슬아치. ↔무관.
문구 (文句)[-꾸] 명 글의 구절. 글귀. ¶난삽한 ~.
문권 (文券)[-꿘] 명 땅·집 등에 관한 소유권이나 권리를 나타낸 문서. 문기(文記).
*__문단__ (文段) 명 문장의 단락. ¶~을 나누다.
문단 (文壇) 명 문인들의 사회. 문림(文林). 문원(文苑). 사림(詞林). ¶~의 등용문.
문-단속 (門團束) 명하자 탈이 없도록 문을 단단히 닫아 잠금. ¶~을 철저히 하고 외출해라.
문답 (文答) 명하자 글로써 회답함. 또는 그 회답. ¶~을 기다리다.
문:답 (問答) 명하자 물음과 대답. 또는 서로 묻고 대답함. ¶물가 정책에 관한 ~을 주고받다 / ~이 오고 가다.
문:답-법 (問答法) 명 〖철〗 토론할 때 질문으로 상대방이 자기의 무지(無知)를 깨닫게 함으로써 진리를 인식하도록 이끄는 방법. 산파법(産婆法).
문:답-식 (問答式) 명 **1** 문답하는 방식. **2** 피교육자의 자기 활동을 중요시하여 문답을 중심으로 학습을 진행하는 방식. ¶~ 교수법을 채택하다.
문대다 타 마구 여기저기 문지르다. ¶아내는 기름 묻은 손을 행주에 쓱쓱 문댔다.
문도 (文道) 명 **1** 문학의 길. 학문의 길. **2** 문인이 닦아야 할 도리. ↔무도(武道).
문둥-병 (-病)[-뼝] 명 한센병(Hansen病).
문둥-이 명 한센병에 걸린 사람. 나환자.
문드러-지다 자 **1** 썩거나 지나치게 익어서 물러지다. ¶호박이 썩어 ~. **2** 해져서 찢어지다. ¶옷이 바래고 문드러졌다.
*__문득__ 부 생각이나 느낌 따위가 갑자기 떠오르는 모양. ¶~ 어린 시절이 생각나다. 센문뜩.
문득-문득 [-뜽-] 부 어떤 생각이나 느낌 따위가 갑자기 자꾸 떠오르는 모양. ¶~ 헤어진 그가 생각난다. 센문뜩문뜩.
문뜩 부 생각이 갑자기 떠오르는 모양. 불현듯이. 여문득. 준무뜩.
문뜩-문뜩 [-뜽-] 부 어떤 생각이 갑자기 자꾸 떠오르는 모양. 여문득문득. 준무뜩무뜩.
문:란 (紊亂)[물-] 명하형히부 도덕이나 질서 따위가 어지러움. ¶풍기 ~을 단속하다 / 질서가 ~하다.
문례 (文例)[물-] 명 문장을 짓는 법이나 쓰는 법을 보이는 보기. ¶~가 풍부하다.
문루 (門樓)[물-] 명 궁문(宮門)·성문 위에 지은 다락집.
문리 (文理)[물-] 명 **1** 학문의 조리(條理). **2** 사물의 이치를 깨달아 아는 힘. **3** 문과와 이과.
문망 (文望) 명 학문으로 널리 알려진 이름과 신망(信望). ¶~이 높다.
문맥 (文脈) 명 문장의 줄거리. 글의 맥락. ¶~이 통하다.
문맥이 닿다 구 문장의 앞뒤 관계가 잘 이해되다. ¶글이 문맥이 닿지 않아 이해하기 어렵다.
문맹 (文盲) 명 글을 읽거나 쓸 줄 모름. 또는 그런 사람. ¶~ 퇴치 운동을 벌이다.
문맹-자 (文盲者) 명 글을 읽거나 쓸 줄 모르는 사람. 까막눈이. 문맹. ¶~를 위해 야학을 열다.
문면 (文面) 명 글의 대강의 내용. 서면. ¶~으로 살피다.
문명 (文名) 명 글을 잘해 드러난 이름. ¶~을 날리다. ↔무명(武名).
*__문명__ (文明) 명 사람의 지혜가 깨서 자연을 정복하여 사회가 정신적·물질적으로 진보된 상태. ¶~의 이기 / 외국의 ~을 받아들이다. ↔미개·야만.
문명-국 (文明國) 명 문명이 발달한 나라. 문명국가.
문명-인 (文明人) 명 문명이 발달한 사회에서 사는, 지혜와 생활수준이 높은 사람. ↔미개인·야만인.
문묘 (文廟) 명 공자(孔子)를 모신 사당. 성묘(聖廟). 공자묘.
문무 (文武) 명 **1** 문관과 무관. **2** 학식과 전략. ¶~를 겸비한 장수.
문무-백관 (文武百官) 명 문관과 무관의 총칭. ¶~이 품계대로 도열하다.
문문-하다 형여불 **1** 부드럽고 무르다. ¶감자를 문문하게 찌다. **2** 아무렇게나 쉽게 다룰 만하다. ¶사람을 문문하게 보다. 작만만하다. **문문-히** 부. ¶~ 보았다가는 큰코다친다.
문물 (文物) 명 정치·경제·학문·예술·종교 등 문화의 산물. ¶서양 ~의 전래.

문민 (文民) [명] 직업 군인이 아닌 일반 국민. ¶~ 정부 시대가 열리다.
문-바람 (門-)[-빠-] [명] 문이나 문틈으로 들어오는 바람. 문풍(門風). ¶~이 차다.
문-밖 (門-)[-박] [명] **1** 문의 바깥. ¶그는 요즘에는 ~ 나들이도 않는다. **2** 성문의 밖. ↔문안.
문밖-출입 (門-出入)[-박-] [명] 자기 집 문밖으로 나돌아다님. ¶~이 허용되다.
문반 (文班) [명] 문관의 반열(班列). ↔무반.
문방 (文房) [명] **1** 책을 읽거나 글을 쓰는 방. 서재(書齋). **2** '문방구'의 준말.
***문방-구** (文房具) [명] **1** 붓·종이·먹·벼루·펜·잉크·연필 등 학용품과 사무용품의 총칭. [준]문구(文具)·문방(文房). **2** 학용품과 사무용품 따위를 파는 곳. ¶~에 들러 연필을 사다.
문방-사우 (文房四友) [명] 종이·붓·먹·벼루의 네 문방구. 문방사보(文房四寶).
문:배-나무 [명] 〖식〗 장미과의 낙엽 활엽 교목. 높이 10m 정도, 산기슭에 나며, 4월에 흰 꽃이 짧은 가지 위에 핌. 과실은 10월에 누렇게 익음. 우리나라 서울의 특산종임.
문:뱃-내 [-밴-] [명] 술 취한 사람의 입에서 나는 술 냄새《문배의 냄새와 비슷함》.
문벌 (門閥) [명] 대대로 내려오는 그 집안의 사회적 신분이나 지위. 문지(門地). 가벌(家閥). ¶~이 좋은 집안.
***문법** (文法)[-뻡] [명] 언어의 구성 및 운용상의 규칙. 또는 그것을 연구하는 학문.
문:병 (問病) [명][하타] 앓는 사람을 찾아보고 위로함. 병문안. ¶친구 ~을 다녀오다.
문부 (文簿) [명] 뒤에 자세히 참고할 문서나 장부. 문안. 문적(文蹟). 부책(簿册).
문-빗장 (門-)[-빋짱] [명] 문을 닫고 가로질러 잠그는 막대기나 쇠장대. ¶~을 걸다. [준]빗장.
문사 (文士) [명] **1** 학문으로 입신하는 선비. **2** 문필에 종사하는 사람. **3** 문학에 뛰어나고 시문을 잘 짓는 사람. 사백(詞伯). ¶당대의 뛰어난 ~. ↔무사(武士).
문-살 (門-)[-쌀] [명] 문짝의 뼈대가 되는 나무오리나 대오리. ¶~을 맞추다.
문:상 (問喪) [명][하타] 조상(弔喪). ¶초상집에 ~을 가다.
문:상-객 (問喪客) [명] 조문객. ¶~들이 줄을 잇다.
문서 (文書) [명] **1** 글로 일정한 사상을 적어 표시한 것의 총칭. ¶컴퓨터로 ~를 작성하다. **2** 문권(文券). **3** 문부(文簿).
[문서 없는 상전] 까닭 없이 남에게 까다롭게 구는 사람. [문서 없는 종] 행랑살이 하는 사람, 또는 아내나 며느리를 비유적으로 이르는 말.
문서-화 (文書化) [명][하타] 문서의 형식으로 작성함. 문서를 만듦. ¶양자 간 합의 사항을 ~하다.
문선 (文選) [명][하자] **1** 훌륭한 글을 가려 뽑음. 또는 그렇게 해서 만든 책. **2** 〖인〗 활판 인쇄에서, 원고대로 활자를 뽑음. 채자(採字).
문-설주 (門-柱)[-쭈] [명] 문의 양쪽에 세워 문짝을 끼워 달게 된 기둥. [준]설주.
문신 (文臣) [명] 문관인 신하. ↔무신(武臣).
문신 (文身) [명][하자타] 살갗을 바늘로 찔러 먹물이나 물감으로 글씨·그림·무늬 따위를 새김. 또는 그렇게 한 몸. 자문(刺文). ¶~을 새기다.
문안 (文案) [명] 문서·문장의 초안. ¶~을 작성하다.
문-안 (門-) [명] **1** 문의 안. **2** 성문의 안. ¶~에 살다. ↔문밖.
문:안 (問安) [명][하자] 웃어른께 안부를 여쭘. 또는 그런 인사. ¶~ 편지 / ~ 인사를 드리다 / ~을 올리다.
문:안-드리다 (問安-) [자] '문안하다'의 높임말. ¶시골 할아버지께 ~.
문약-하다 (文弱-)[-야카-] [형][여불] 글만 받들고 좋아하여 나약하다. ¶그에게서는 ~는 인상을 지울 수가 없다.
문양 (文樣) [명] 무늬. ¶다양한 ~의 도자기.
문어 (文魚) [명] 〖동〗 낙짓과의 연체동물. 낙지류에서 크기가 가장 크며 길이 3m 정도, 8개의 발이 있고, 자갈색의 엷은 그물 무늬가 있음.
문어 (文語) [명] 시가·문장에 쓰는 말. 문장어(文章語). ↔구어(口語).
문어-체 (文語體) [명] 문어로 쓰인 문장의 체. 문장체. ¶~와 구어체를 섞은 글. ↔구어체.
문언 (文言) [명] **1** 문장 속의 어구. **2** 편지의 문구.
문-얼굴 (門-) [명] 문짝의 양옆과 위아래에 이어 댄 테두리 나무. 문광(門框).
문예 (文藝) [명] **1** 문학과 예술. **2** 시·소설·희곡·수필 등 미적 현상을 사상화(思想化)하여 묘사·표현한 예술 작품의 총칭. 예술문학. ¶~ 작품 / 신문·잡지의 ~면.
문예 부:흥 (文藝復興) **1** 〖역〗 르네상스(Renaissance). **2** 침체·타락된 문예가 다시 흥성하게 되는 일.
문예 사조 (文藝思潮) 한 시대를 통하여 문학 예술을 움직이는 사상의 뚜렷한 흐름이나 경향.
문외-한 (門外漢) [명] **1** 그 일에 전문가가 아닌 사람. ¶나는 그 방면에는 ~이다. **2** 직접 관계가 없는 사람.
문우 (文友) [명] 글로써 사귄 벗. 글벗.
문의 (文意·文義)[-/-이] [명] 글의 뜻. ¶~를 파악하다.
문:의 (問議)[-/-이] [명][하타] 알 만한 사람에게 궁금한 점을 물어서 의논함. ¶~ 사항 / 전화 ~ 사절 / 담당자에게 ~하다.
문인 (文人) [명] 문필(文筆)에 종사하는 사람. ¶~에서 정치가로 변신하다. ↔무인(武人).
문인-화 (文人畫) [명] 직업적 화가가 아닌 문인이 취미로 그리는 그림.
문자[1] (文字) [명] 예전부터 전하여 내려오는 어려운 문구《한자로 된 숙어나 속담·격언 등》. ¶~를 섞어 말하다.
문자(를) 쓰다 [구] 한자로 된 어려운 숙어나 속담·격언을 섞어 말하다. 유식한 체하다. ¶공자 앞에서 문자 쓰네.
***문자**[2] (文字)[-짜] [명] **1** 말의 음과 뜻을 표시하는 시각적 기호. 글자. **2** 〖수〗 수·양 등을 나타내는 데 쓰이는 숫자 밖의 글자. **3** 〖컴〗 키보드로 화면에 표시할 수 있는 한글·알파벳·한자·숫자 따위의 총칭.

고기가 모인다] 덕망이 있어야 사람이 따른다. [물이 깊을수록 소리가 없다] 생각이 깊고 덕이 있는 사람은 겉으로 떠벌리거나 뽐내지 않는다는 말. [물이 너무 맑으면 고기가 아니 산다] 사람이 지나치게 결백하면 남이 따르지 않는다. [물이 아니면 건너지 말고 인정이 아니면 사귀지 말라] 인정에 의한 사귐이어야만 참된 사귐이라는 말. [물이 와야 배가 오지] 남에게 베푸는 것이 있어야 갚음이 있다.

물 끓듯 하다 구 여러 사람이 몹시 술렁거리다. ¶비난의 소리가 물 끓듯 하였다.

물 뿌린 듯이 구 많은 사람이 갑자기 숙연해지거나 조용해지는 모양. 물을 끼얹은 듯. ¶~ 잠잠해지다.

물 쓰듯 하다 구 돈이나 물건을 헤프게 낭비하다. ¶쉽게 번 돈이라고 물 쓰듯 하여 탕진하다.

물 얻은〔만난〕 고기 구 어려운 지경에서 벗어나 크게 활약할 판을 만나게 된 처지.

물에 물 탄 것 같다 구 아무 맛이 없고 싱겁다. ¶싱겁기는 ~.

물 위의 기름 구 서로 조화하지 못해 섞이지 않고 겉도는 것의 비유.

물을 끼얹은 듯 구 물 뿌린 듯이.

물(을) 내리다 구 떡가루에 꿀물이나 찬물을 쳐 가며 성긴 체에 다시 치다.

물(을) 맞다 구 병을 고치려고 약수터에 가서 약수를 먹거나 몸을 씻다. 또는 높은 곳에서 떨어지는 물을 맞다. 물맞이하다.

물인지 불인지 모른다 구 사리를 분간하지 못하고 함부로 행동한다. ¶물인지 불인지 모르고 덤빈다.

물 찬 제비 구 ㉠몸매가 매끈하여 보기 좋은 사람의 비유. ㉡몸이 날쌔고 민첩한 행동의 비유.

물 퍼붓듯 한다 구 ㉠말이 매우 빠르고 세차다. ㉡비가 마구 쏟아진다.

물[2] 명 물감이 물건에 묻어서 드러나는 빛깔. ¶~을 들이다 / ~이 바래다.

물[3] 명 물고기 따위의 싱싱한 정도. ¶~이 좋은 생선.

물이 가다 구 물고기의 싱싱한 맛이 없어지다.

물[4] 의명 1 옷을 한 번 빨래할 때마다의 동안. ¶한 ~ 빤 옷. 2 채소·과실·어물 등이 사이를 두고 한목 한목 무리로 나오는 차례. ¶끝~의 포도.

-물 (物) 미 물건이나 물질의 뜻을 나타내는 말. ¶청과~ / 분실~ / 화합~ / 첨가~.

물-가 [-까] 명 바다·못·강 등 물이 있는 곳의 가장자리. ¶~를 산책하다.

물가 (物價)[-까] 명 물건의 값. 상품의 시장가격. ¶~ 조절 / ~가 비싸다 / ~가 오르다 / ~가 내리다.

물가-고 (物價高)[-까-] 명 물건 값이 오르는 일. 또는 높은 물가. ¶~에 시달리다.

물가 지수 (物價指數)[-까-] 물가의 변동을 표시하는 통계 숫자《어떤 기준년의 물가를 100으로 하고, 그 뒤 어떤 시기에 있어서의 물가의 변동 상태를 기준년의 물가 100에 대한 비례 수로 나타냄》.

물-갈이 명하타 1 논에 물을 넣고 가는 일. 2 수족관이나 수영장 등의 물을 가는 일. 3 비유적으로, 어떤 일에 관계된 사람들을 갈아 치우는 일. ¶가을 인사이동 때 대폭적인 ~가 예상된다.

물-갈퀴 명 1〔동〕오리·개구리·기러기 등의 발가락 사이에 있는 막(膜)《헤엄을 치는 데 편리함》. 복(蹼). 2 발에 끼고 헤엄치는, 오리발 모양의 잠수 용구의 하나. 오리발. ¶~로 헤엄치다.

***물-감** [-깜] 명 1 물들이는 감. 염색의 재료. 염료. ¶~을 들이다. 2 회화·서양화 등에 쓰이는 채료(彩料). 그림물감.

물-개 [-깨] 명〔동〕북태평양 특산의 물갯과의 바다짐승. 길이가 수컷은 2m, 암컷은 1m가량, 등은 회흑색, 배는 적갈색임. 귀가 작고 얼굴이 짧으며, 지느러미처럼 생긴 네 다리는 헤엄과 보행에 씀. 해구(海狗). 바닷개.

물-거품 명 1 물이 다른 물이나 물건에 부딪쳐서 일어나는 거품. 수포(水泡). 포말(泡沫). 2 비유적으로, 노력이 헛되게 되거나 아무 보람이 없는 것. ¶그동안 쌓은 노력이 ~이 되어 버렸다.

***물건** (物件) 명 1 일정한 형체를 갖춘 모든 물질적 대상. 2 상품. ¶비싼 ~ / ~이 없어서 못 판다 / ~을 맡기다. 3 제법 어떤 구실을 하는 사람. 또는 특이한 인물. [물건을 모르거든 금 보고 사라] 물건의 값이 그 물건의 품질의 좋고 나쁨을 나타낸다는 말.

물건-값 (物件-)[-깝] 명 물건의 값. ¶~을 깎다 / 계산대에서 ~을 치르다.

물-걸레 명 물에 축여서 쓰는 걸레. ¶~로 닦다. ↔마른걸레.

물-것 [-껏] 명 사람의 살을 무는 모기·빈대·벼룩 등의 총칭.

***물-결** [-껼] 명 1 바람 등에 의해서 물이 움직이어 수면이 올라갔다 내려왔다 하는 운동. 또는 그 운동의 모양. ¶~이 일다 / ~이 잔잔하다. 2 전하여, 물결처럼 움직이거나 밀어닥치는 것. ¶시대의 ~ / 사람의 ~.

물결-치다 [-껼-] 자 1 물결이 일어나다. 2 감정이 크게 움직이거나 울렁이다.

물결-표 (-標)[-껼-] 명〔언〕이음표의 하나. '내지(乃至)'의 뜻을 나타낼 때나, 어떤 말의 앞이나 뒤에 들어갈 말 대신에 쓰는 문장 부호 '~'의 이름.

물경 (勿驚) 부 놀라지 말라는 뜻으로, 엄청난 것을 말할 적에 쓰는 말. ¶~ 5억 원의 손해.

물고 (物故) 명하자타 죄인이 죽음. 또는 죄인을 죽임.

물고(가) 나다 구 〈속〉 죽다.

물고(를) 내다 구 〈속〉 죽이다.

물고(를) 올리다 구 명령에 따라 죄인을 죽이다.

***물-고기** [-꼬-] 명 어류의 총칭. 준고기.

물고기(의) 밥이 되다 구 물에 빠져 죽다.

물-곬 [-꼴] 명 물이 흘러 빠져나가도록 만들어 놓은 작은 도랑.

물-관 (-管) 명 〔식〕 속씨식물에서 뿌리로 흡수한 수분이나 양분을 줄기로 보내는 관 모양의 조직. 도관(導管).

물구나무-서다 자 두 손으로 바닥을 짚고 거꾸로 서다.

물-굽이 [-꿉-] 명 바다·강에서 물이 구부러져 흐르는 곳.

물권(物權)[-꿘] 명 〖법〗 특정한 물건을 직접 지배하여 이익을 얻을 수 있는 배타적(排他的) 권리《점유권·소유권·지상권·지역권·전세권(傳貰權)·유치권(留置權)·질권(質權)·저당권 등의 8종류가 있음》.
물-귀신(-鬼神)[-뀌-] 명 **1**〖민〗 물속에 있다는 잡귀. 수백(水伯). **2** 자기가 궁지에 빠졌을 때, 다른 사람까지 끌고 들어가려는 사람의 비유.
물귀신(이) 되다 구 〈속〉 물에 빠져 죽다.
물-그릇[-끄릇] 명 물을 담는 그릇. 또는 물이 담긴 그릇. ¶~을 떨어뜨리다.
물-그림자[-끄-] 명 물에 비치어 나타난 그림자. ¶수면에 나타난 미루나무의 ~.
물긋-물긋[-근-귿] 부하형 퍽 묽은 듯한 모양. ¶죽을 ~하게 쑤다.
물긋-하다[-그타-] 형여불 묽은 듯하다. ¶물긋한 죽.
***물-기**(-氣)[-끼] 명 축축한 물의 기운. 수분. ¶~가 마르다 / ~를 닦다.
물-기둥[-끼-] 명 기둥처럼 공중에 솟구쳐 오른 물줄기. 수주(水柱). ¶~이 솟다.
물-길[-낄] 명 **1** 배가 다니는 길. 수정(水程). ¶~ 100리 / ~을 트다. *뱃길. **2** 물이 흐르거나 물을 보내는 통로. 수로(水路). ¶~을 내다.
물-꼬 명 **1** 논에 물이 넘나들도록 만든 어귀. ¶~를 트다. **2** 일이나 이야기의 실마리. ¶남북 화해의 ~가 트이다.
물끄러미 부 우두커니 한 곳만 바라보는 모양. ¶~ 먼 산을 바라보다. 작말끄러미.
물-난리(-亂離)[-랄-] 명 **1** 큰물이 져서 일어난 수라장. ¶갑작스러운 집중 호우로 ~를 겪다. **2** 먹을 물이 모자라 일어나는 소동. ¶가뭄으로 ~가 극심하다.
물납(物納)[-랍] 명하타 조세 등을 물품으로 바침. *금납(金納).
물-놀이[-롤-] 명하자 **1** 잔잔한 물이 공기의 움직임으로 물 위에 잔물결이 이는 현상. **2** 물가에서 노는 놀이. ¶~를 가다.
물:다[1] 〔무니, 무오〕 타 '물쿠다2'의 준말.
[물어도 준치, 썩어도 생치(生雉)] 본디 좋은 것은 비록 상해도 그 본질에는 변함이 없음.
물다[2] 〔무니, 무오〕 타 **1** 마땅히 내거나 갚아야 할 것을 치르다. ¶세금을 ~. **2** 남에게 입힌 손해를 갚다. ¶치료비를 물어 주다.
***물다**[3] 〔무니, 무오〕 타 **1** 이빨이나 집게 같이 벌어진 두 물건이 무엇을 사이에 넣고 누르다. ¶개가 사람을 물고 놓지 않는다 / 톱니바퀴가 ~. **2** 물건을 입속에 머금다. ¶아기가 알사탕을 문 채 잠들었다. **3** 곤충이나 벌레 따위가 주둥이 끝으로 살을 찌르다. ¶모기가 ~. **4** 〈속〉 사람이나 이권 등을 차지하다. ¶그녀는 돈 많은 늙은 남자를 물어 재혼했다.
[무는 개를 돌아본다] 보채야만 관심을 끌 수 있다. [무는 호랑이는 뿔이 없다] 무엇이든 다 갖추기가 쉽지 않다.
물고 늘어지다 구 ㉠어떤 일을 진득하게 붙잡고 놓지 아니하다. ¶약점을 끝까지 ~. ㉡〈속〉 어떤 사람이나 이권 등을 잡고 놓지 않다. ¶요구가 관철될 때까지 ~.
물고 뜯다 구 ㉠서로 맞붙어 물거니 뜯거니 하며 싸우다. ¶국회에서 여야가 물고 뜯고 난리를 쳤다. ㉡악랄한 수단·방법으로 남을 헐뜯다.
물-독[-똑] 명 물을 담아 두는 독.
[물독 뒤에서 자랐느냐] 마르고 키만 큰 사람을 이르는 말. [물독에 빠진 생쥐 같다] 옷차림이 흠뻑 젖어 초라하게 된 모양.
물동-량(物動量)[-똥냥] 명 물자가 이동하는 양. ¶~이 늘다〔많다〕.
물-동이[-똥-] 명 물을 긷는 데 쓰는 동이. ¶~를 이다.
***물-들다** 〔물드니, 물드오〕 자 **1** 빛깔이 스미거나 옮아서 묻다. ¶단풍잎에 붉게 ~. **2** 사상·행실·버릇 따위가 영향을 받아 닮다. ¶악에 ~.
물-들이다 타 《'물들다'의 사동》 물들게 하다. ¶머리를 노랗게 ~ / 노을이 온 마을을 붉게 물들였다.
물-때[1] 명 **1** 아침저녁으로 조수가 들어오고 나가는 때. ¶~에 맞추어 개펄로 조개잡이를 나가다. **2** 밀물이 들어오는 때.
물-때[2] 명 물에 섞인 깨끗하지 못한 것이 다른 데에 옮아서 생기는 때. ¶~가 끼다.
물-똥 명 '물찌똥'의 준말.
물량(物量) 명 물건의 분량. ¶~ 공세를 펴다 / ~을 확보하다.
***물러-가다** 자 **1** 있던 자리에서 뒤로 가다. **2** 윗사람 앞에서 도로 나가다. ¶썩 물러가지 못할까. **3** 지위나 하던 일을 내어 놓고 가다. ¶사장 자리에서 ~. **4** 앞으로 드티어 나가다. ¶날짜가 ~. **5** 있던 현상이 사라져 가다. ¶더위가 ~.
물러-나다 자 **1** 꼭 짜인 물건의 틈이 벌어지다. ¶책상 다리가 ~. **2** 하던 일이나 지위를 내어놓고 나오다. ¶관직에서 ~. **3** 윗사람 앞에 있다가 도로 나오다. ¶어전에서 ~. **4** 뒤로 가다. 후퇴하다. ¶한 발 ~.
물러-서다 자 **1** 뒤로 비켜 서다. ¶다섯 발 뒤로 ~. **2** 지위나 하던 일을 내놓다. **3** 맞서서 버티던 일을 그만두다. ¶물러서지 않고 끝까지 버티다 / 두 손 들고 ~.
물러-앉다[-안따] 자 **1** 뒤로 물러나 앉다. ¶조금씩 ~. **2** 지위나 하던 일을 내놓고 아주 나가다. ¶아들에게 사장 자리를 내주고 물러앉았다. **3** 건물이나 물체 따위가 바닥으로 무너져 내려앉다. ¶지반이 약해 건물이 물러앉았다.
물러-오다 자 **1** 가다가 피하여 도로 오다. ¶밤길을 떠났다가 폭풍우를 만나는 바람에 곧 물러오고 말았다. **2** 사 온 물건을 도로 주고 치른 돈이나 다른 물건으로 받아 오다.
물러-지다 자 **1** 물건이 무르게 되다. ¶고구마가 푹 ~. **2** 잔뜩 먹었던 마음이 누그러지다.
물렁-거리다 자 건드리는 대로 모조리 물렁한 느낌이 들다. 작말랑거리다·몰랑거리다. **물렁-물렁** 부하형
물렁-대다 자 물렁거리다.
물렁-뼈 명〖생〗 연골(軟骨)2.
물렁-살 명 **1** 단단하지 않고 무르고 연한 살. **2**〖어〗 물고기의 지느러미를 이룬 연한 줄기. 연조(軟條).
물렁-하다 형여불 **1** 매우 부드럽고 무르다.

물씬-물씬[2] 부 코를 찌르도록 심한 냄새가 자꾸 나는 모양. ¶옆 좌석에 앉은 사람에게서 술내가 ~ 난다.
물아 (物我) 명 〖철〗 1 외물(外物)과 자아(自我). 2 객관과 주관. 3 물질계와 정신계.
물-아래 명 물이 흘러 내려가는 아래쪽 방향이나 그 지역. ↔물위.
물-안개 명 강이나 호수, 바다 등에서 많이 끼는 안개.
물-안경 (-眼鏡) 명 수중안경.
물-약 (-藥)[-략] 명 액체로 된 약. 수약(水藥). *가루약·알약.
물어-내다 타 물건이나 돈을 물어 주다. 변상하다. ¶가게 유리창을 깨고 유리 값을 물어냈다.
물어-뜯다 타 1 이나 부리로 물어서 뜯다. ¶그는 손톱을 물어뜯는 버릇이 있다. 2 서로 헐뜯고 괴롭히다. ¶서로 물어뜯고 싸우다. 준무뜯다.
물어-물어 부 이 사람에게 묻고 또 저 사람에게도 물어《자꾸 물어서 간신히 알아내는 모양》. ¶~ 집을 간신히 찾아가다.
물어-보다 자타 무엇을 알기 위해 상대편에게 묻다. ¶이름을 ~.
물역 (物役) 명 집을 짓는 데 쓰는 돌·기와·모래·흙 등의 총칭. ¶~ 가게.
물-엿 [-렫] 명 아주 묽게 곤 엿.
물-오르다 〔물오르니, 물올라〕 자 르불 1 봄철에 나무에 물기가 오르다. ¶물오른 나뭇가지. 2 성숙해지다. 한창때에 이르다. ¶그녀는 어느새 물오른 나이가 되어 있었다.
물-오리 명 〖조〗 청둥오리.
물-오징어 명 말리지 않은 생오징어.
물외 (物外) 명 1 세상 물정의 바깥. 2 형체 있는 물건 이외의 세계.
물욕 (物慾) 명 재물을 탐내는 마음. ¶~이 전혀 없는 사람 / ~에 눈이 멀다.
물-웅덩이 명 물이 괴어 있는 웅덩이. ¶~에 빠지다.
물-위 명 물이 흘러오는 위편. 상류. ¶~ 물아래로 갈려 편쌈을 하다. ↔물아래.
***물음** 명 묻는 일. 또는 묻는 말. ¶다음 ~에 답하시오.
물음-표 (-標) 명 마침표의 하나. 문장에서, 의심이나 물음을 나타낼 때에 그 글의 끝에 쓰는 문장 부호《?》. 의문부.
물의 (物議)[-/-이] 명 뭇사람의 서로 다른 비판이나 불평. ¶~가 분분하다 / ~를 빚다〔일으키다〕.
물-이끼 [-리-] 명 〖식〗 물이낏과의 이끼류. 습지·물속·바위 위에 모여 나는데, 백색이나 담녹색이고 줄기에 많은 가지가 나오며, 수많은 작은 잎이 빽빽이 남. 흡수력이 강하여 수분을 오래 저장함.
***물자** (物資)[-짜] 명 경제나 생활에 필요한 물품이나 자재. 물재(物材).
물-장구 명 헤엄칠 때 발로 물 위를 잇따라 치는 일. ¶개울에서 ~를 치며 놀다.
물장구-치다 자 물 위에 엎드려 발로 물 위를 잇따라 치다.
물-장난 명하자 물에서 놀거나 물을 가지고 노는 장난.
물-장사 명하자 1 먹는 물을 팔거나 물을 길어다 주는 영업. 2 〈속〉 술이나 음료수를 파는 장사. ¶~로 돈을 벌다.
물적 (物的)[-쩍] 관명 물건이나 물질에 관한 (것). ¶~ 자원 / ~ 피해가 크다. ↔심적(心的).
물적 증거 (物的證據)[-쩍-] 물건으로 뚜렷이 드러난 증거《도구·장물 따위》. ¶~를 제시하다. 준물증(物證). ↔인적 증거.
물정 (物情)[-쩡] 명 세상의 형편이나 인심. ¶세상 ~에 어둡다.
물주 (物主)[-쭈] 명 공사판이나 장사 따위에서 밑천을 대는 사람. ¶사업이 나날이 번창하는 데는 ~가 있었기 때문이다.
물-줄기 [-쭐-] 명 1 물이 모여 개천·강으로 흘러가는 줄기. 2 물이 좁은 구멍에서 힘있게 내뻗치는 줄. ¶~가 세다.
물증 (物證)[-쯩] 명 '물적 증거'의 준말. ¶~을 확보하다〔잡다〕.
물-지게 [-찌-] 명 물을 져 나르는 지게.
물-질 명하자 해녀가 바다 속에 들어가 해산물을 채취하는 일. ¶~로 소라·전복 등을 딴다.
***물질** (物質)[-찔] 명 1 물체를 이루는 실질. 물건의 본바탕. 2 재산이나 재물을 달리 이르는 말. ¶~을 탐내다. 3 〖물〗 물체를 형성하는 요소의 하나로, 공간의 일부를 차지하며 질량·밀도·탄성 등의 물리적 성질을 갖는 것. 4 〖철〗 인간의 의식에 반영하되, 의식에서 독립하여 존재하는 것.
물질-계 (物質界)[-찔-/-찔게] 명 물질의 세계. 물계(物界).
물질-대사 (物質代謝)[-찔-] 명 〖생〗 생물이 영양 물질을 섭취하고 필요하지 않은 생성물을 몸 밖으로 내보내는 작용. 물질 교대. 신진대사. 준대사.
물질 명사 (物質名詞)[-찔-] 〖언〗 나누어 셀 수 없는 물질을 나타내는 명사《물·술·불·공기 따위》. *추상 명사.
물질-문명 (物質文明)[-찔-] 명 물질을 기초로 하는 문명. ↔정신문명.
물질-문화 (物質文化)[-찔-] 명 기계·도구·건조물·교통 통신 수단 따위의, 인간이 자연환경에 적응하며 생활하기 위해서 창조한 문화.
물질-적 (物質的)[-찔쩍] 관명 1 물질과 관련된 (것). 2 금전이나 재물에 관계되는 (것). ¶~ 보상 / ~으로 도움을 주다. ↔정신적.
물질-주의 (物質主義)[-찔- / -찔-이] 명 1 정신적인 가치인 예술·종교 등을 무시하고 의식주 등 물질적인 만족을 중요시하는 주의. 2 〖철〗 유물론(唯物論).
물-집 [-찝] 명 살가죽이 부르터 오르고 그 속에 물이 괸 것. 수포(水疱). ¶~이 잡히다〔터지다〕.
물쩡-하다 형여불 사람의 성질이 무르다. ¶사람이 물쩡한 탓에 어디서나 바보 취급을 당한다. 작말짱하다. **물쩡-히** 부
물찌-똥 명 1 죽죽 내쏘는 묽은 똥. 2 튀겨서 일어나는 크고 작은 물덩이. 준물똥.
***물체** (物體) 명 1 구체적인 형체를 가지고 존재하는 것. ¶미확인 비행 ~. 2 물건의 형체. 3 〖철〗 지각이나 정신이 없는 유형물. 길이·너비·높이의 3차원에 의하여 공간을 차지함.
물총-새 (-銃-) 명 〖조〗 물총샛과의 새. 하

천·연못가에 사는데, 몸의 길이는 17cm가량임. 부리는 길고 등은 꽁지까지 광택 있는 암녹색, 배는 갈색, 다리는 붉은색, 턱과 목은 백색으로 매우 아름다움. 물 위 상공에 머물러 있다가 총알처럼 날쌔게 물속으로 들어가 물고기·새우·곤충 등을 잡아먹음. 비취(翡翠). 쇠새. ㊄물새.

물컥 부 코를 찌를 듯이 매우 심한 냄새가 갑자기 나는 모양. ¶생선 썩은 냄새가 ~ 나다. ㊅몰칵.

물컥-거리다 자 코를 찌를 듯이 매우 심한 냄새가 자꾸 나다. **물컥-물컥** 부하형

물컥-대다 자 물컥거리다.

물컹-거리다 자 여럿이 다 물컹하여 건드리는 대로 물크러질 듯한 느낌을 주다. ¶광주리의 홍시가 물컹거리다. ㊅말캉거리다·몰캉거리다. **물컹-물컹** 부하형

물컹-대다 자 물컹거리다.

물컹-하다 형여불 너무 익거나 곯아서 물크러질 듯이 물렁하다. ¶물컹한 감촉. ㊅말캉하다·몰캉하다.

물-켜다 자 물을 한꺼번에 많이 마시다.

물쿠다 자타 **1** 날씨가 찌는 듯이 덥다. **2** 너무 무르거나 풀려서 본디 모양이 없어지게 하다. ㊄물다[1].

물크러-뜨리다 타 몹시 물크러지게 하다. ¶감을 오래 두어 ~.

물크러-지다 자 너무 썩거나 풀려서 본디 모양이 없어지도록 헤어지다. ¶너무 삶아서 고기가 다 물크러졌다. ㊄물커지다.

물크러-트리다 타 물크러뜨리다.

물큰 부 냄새가 한꺼번에 확 끼치는 모양. ¶악취가 ~ 나다. ㊅몰큰.

물큰-물큰 부하형 냄새가 한꺼번에 자꾸 확확 끼치는 모양. ㊅몰큰몰큰.

물-탱크 (-tank) 명 물을 담아 두는 큰 통.

*__물-통__ (-桶) 명 **1** 물을 담는 통의 총칭. **2** 물을 긷는 데 쓰는 통. 질통. **3** 물을 넣어서 가지고 다닐 수 있게 만든 자그마한 통.

물표 (物票) 명 물건을 보내거나 맡긴 증표.

물푸레-나무 명 〖식〗 물푸레나뭇과의 낙엽 활엽 교목. 산 중턱 습지에 나는데 늦봄에 흰 꽃이 핌. 나무는 가구재임. 목서(木犀).

물-풀 명 수초(水草).

물품 (物品) 명 물건이나 제품.

물-홈 명 장지를 드나들게 하거나 널빈지를 끼기 위하여 문지방이나 문틀에 길게 파 놓은 홈.

물화 (物貨) 명 물품과 재화.

물활-론 (物活論) 명 〖철〗 범심론(汎心論)의 한 형태. 세상 만물은 본디 생명·영혼·마음이 있다고 하는 주장. 만물 유생론(有生論). 원소(原素) 생활론.

*__묽다__ [묵따] 형 **1** 죽이나 반죽 따위에 물기가 너무 많다. ¶죽이 ~. ↔되다. **2** 사람이 체격에 비해 올차거나 맺힌 데가 없이 무르다. ¶사람이 ~.

묽스그레-하다 [묵쓰-] 형여불 조금 묽은 듯하다. ㊅맑스그레하다.

뭇[1] [묻] 의명 **1** 장작·채소 등을 한 묶음씩 작게 묶은 단. ¶장작 두 ~. **2** 볏단을 세는 단위. **3** 생선을 묶어 세는 단위《열 마리의 일컬음》. **4** 〖역〗 조세를 계산하기 위한 토지 넓이의 단위《열 줌이 한 뭇이고, 열 뭇이 한 짐임》.

뭇[2] [묻] 관 수효가 매우 많은. ¶~ 사내 / ~ 사건.

뭇다 [묻따] 〔무으니, 무어〕 타ㅅ불 조각을 잇거나 붙여서 만들다. ¶무어 만든 방석.

뭇-떡잎 [묻떵닙] 명 〖식〗 다자엽(多子葉).

뭇떡잎-식물 [묻떵닙씽-] 명 다자엽식물.

뭇-매 [문-] 명 여럿이 한꺼번에 덤벼 때리는 매. 몰매. ¶~를 맞다〔때리다〕. *물매[1].

뭇-발길 [묻빨낄] 명 **1** 여럿이 덤벼 함부로 걷어차는 짓. ¶~에 차이어 크게 다치다. **2** 여러 사람들의 논박이나 나무람의 비유. ¶그는 학부모들의 ~이 두려워 자진 사퇴할 뜻을 밝혔다.

뭇-사람 [묻싸-] 명 여러 사람. 많은 사람. ¶~의 입에 오르내리다.

뭇-시선 (-視線)[묻씨-] 명 여러 사람의 눈길. ¶~을 끌다.

뭇-입 [문닙] 명 **1** 여러 사람의 입. **2** 여러 사람이 나무라는 말. 중구(衆口). ¶~에 오르내리다.

뭉개다 一타 **1** 물건을 문질러 으깨거나 짓이기다. ¶구둣발로 밟아 ~. **2** 어떤 생각을 애써 지우다. ¶어두운 과거를 기억 속에서 뭉개 버리다. **3** 비트적거리며 조금씩 움직이다. ¶엉덩이를 뭉개며 자리를 옮기다. 二자 일을 어찌할 줄 몰라서 머무적거리다. 뭉그대다. ¶빨리 끝내지 않고 뭘 그리 뭉개느냐.

뭉개-지다 자 문질리어 으깨지다.

뭉게-구름 명 적운(積雲).

뭉게-뭉게 부 **1** 구름·연기 등이 덩이를 지어 자꾸 피어오르는 모양. ¶뭉게구름이 ~ 피어오르다. **2** 생각이나 느낌이 잇따라 일어나는 모양. ㊅몽개몽개.

뭉그-대다 一타 제자리에서 몸을 그냥 비비대다. 二자 뭉개다 **二**.

뭉그러-뜨리다 타 힘껏 뭉그러지게 하다. ¶돌담을 ~. ㊅몽그라뜨리다. ㊈뭉크러뜨리다.

뭉그러-지다 자 **1** 쌓인 물건이 허물어져 주저앉다. ¶흙담이 ~. ㊅몽그라지다. **2** 몹시 썩거나 지나치게 물러서 본디 모양을 찾아볼 수 없게 되다. ㊈뭉크러지다. ㊄뭉거지다.

뭉그러-트리다 타 뭉그러뜨리다.

뭉그적-거리다 자타 제자리에 앉은 채로 나아가지 못하고 느릿느릿 비비대다. ¶뭉그적거리는 꼴이 일을 거들 생각이 전혀 없는 것 같다. **뭉그적-뭉그적** [-정-] 부하자타

뭉그적-대다 자타 뭉그적거리다.

뭉그-지르다 〔-지르니, -질러〕 타르불 쌓인 물건을 세게 허물다. 뭉그러지게 하다. 뭉기다.

뭉근-하다 형여불 불기운이 느긋하면서도 끊이지 아니하고 꾸준하다. ¶뭉근한 불로 달이다. **뭉근-히** 부

뭉글-거리다 자 먹은 음식이 잘 삭지 아니하여 가슴에 뭉치어 움직이다. ¶잘못 먹었는지 배 속이 뭉글거린다. ㊅몽글거리다. ㊈뭉클거리다. **뭉글-뭉글**[1] 부하자

뭉글-대다 자 뭉글거리다.

뭉글-뭉글[2] 부하형 덩이진 물건이 말랑말랑하고 몹시 매끄러워 붙잡기가 어려운 모

양. ㉧몽글몽글[2].

뭉기다 타 **1** 아래쪽으로 추어 내리다. **2** 무너져 주저앉게 하다. 뭉그지르다.

뭉떵 부 큼직하게 대번에 뚝 자르거나 잘리는 모양. ¶～ 한입 잘라먹다. ㉧몽땅[2]. ㉠뭉텅.

뭉떵-뭉떵 부 잇따라 제법 크게 자르거나 잘리는 모양. ¶떡을 ～ 자르다. ㉧몽땅몽땅. ㉠뭉텅뭉텅.

뭉떵-하다 형여불 큰 덩어리로 뚝 잘라 놓은 듯이 짤막하고 뭉툭하다. ㉧몽땅하다. ㉠뭉텅하다.

뭉뚝 부하형 끝이 아주 짧고 무딘 모양. ¶～한 연필. ㉧몽똑. ㉠뭉툭.

뭉뚝-뭉뚝 [-뚱-] 부하형 낱낱이 다 뭉뚝한 모양. ¶타다 남은 초들이 모두 ～하다. ㉧몽똑몽똑. ㉠뭉툭뭉툭.

뭉뚱-그리다 타 **1** 되는대로 대강 뭉쳐 싸다. ¶짐을 ～. **2** 여러 사실을 대강 요약하다. ¶갖가지 의견을 ～. ㉧몽똥그리다.

뭉실-뭉실 부하형 살찌고 기름져서 부드러워 보이는 모양. ㉧몽실몽실.

뭉쳐-나기 [-처-] 명 〖식〗 초목 따위가 더부룩하게 무더기로 나는 일. 총생(叢生). 족생(簇生).

뭉치 명 **1** 뚤뚤 말린 덩이. 또는 엉키거나 뭉치어서 이룬 덩이. ¶신문 ～. **2** 한데 뭉치거나 말린 덩이를 세는 단위. ¶한 ～. **3** 소의 볼기 아래에 붙어 있는 고깃덩이. *뭉텅이.

*__뭉치다__ 一자 **1** 여럿이 합쳐서 한 덩어리가 되다. ¶한데 뭉치기가 쉽지 않다. **2** 마음을 합쳐 단결하다. ¶뭉쳐서 이 난관을 극복하자. ㉧몽치다. 二타 여럿을 합쳐서 한 덩어리로 만들다. ¶눈을 ～ / 겨레의 힘을 뭉쳐서 외세를 몰아내다. ㉧몽치다.

뭉칫-돈 [-치똔 / -칟똔] 명 **1** 뭉치로 된 액수가 많은 돈. **2** 목돈1.

뭉크러-뜨리다 타 힘껏 뭉그러지게 하다. 아주 뭉그러지게 하다. ㉨뭉그러뜨리다.

뭉크러-지다 자 몹시 썩거나 지나치게 물러서 본 모양을 찾아볼 수 없이 찌그러지다. ㉨뭉그러지다2.

뭉크러-트리다 타 뭉크러뜨리다.

뭉클 부하형 **1** 먹은 음식이 삭지 않고 가슴에 뭉쳐 있어 무직한 느낌. **2** 큰 감동이나 슬픔, 노여움 따위의 감정이 갑자기 가슴에 꽉 차 오르는 느낌. ¶선수들의 분투하는 모습을 보니 가슴이 ～하다. ㉧몽클.

뭉클-거리다 자 **1** 먹은 음식이 잘 소화되지 않고 가슴에 뭉쳐 자꾸 무직하다. **2** 감정이 북받치어 가슴이 꽉 차는 느낌이 자꾸 들다. ㉧몽클거리다. ㉨뭉글거리다.

뭉클-대다 자 뭉클거리다.

뭉클-뭉클 부하형 속은 조금 단단하고 겉이 물러서 건드리는 대로 이리저리 불거지게 미끄러지는 모양. ㉧몽클몽클.

뭉키다 자 여럿이 뭉치어 한 덩어리가 되다. ㉧몽키다.

뭉텅 부 한 부분을 대번에 뚝 잘라 끊는 모양. ㉧몽탕. ㉦뭉떵.

뭉텅-뭉텅 부 잇따라 뭉텅 자르거나 잘리는 모양. ㉧몽탕몽탕. ㉦뭉떵뭉떵.

뭉텅-이 명 한데 뭉치어 이룬 큰 덩이. ¶종이 ～ / ～ 돈이 생기다. *뭉치.

뭉텅-하다 형여불 끊어서 뭉쳐 놓은 듯 짤막하다. ㉧몽탕하다. ㉦뭉떵하다.

뭉툭 부하형 끝이 짧고 무딘 모양. ¶～ 잘려 나가다 / 돼지가 ～한 코를 실룩거리다. ㉧몽톡. ㉦뭉뚝.

뭉툭-뭉툭 [-퉁-] 부하형 여럿이 다 뭉툭한 모양. ¶연필이 닳아 모두 ～하다. ㉧몽톡몽톡. ㉦뭉뚝뭉뚝.

뭍 [묻] 명 **1** 육지. ¶～에 오르다. **2** 섬사람들이 본토 땅을 이르는 말. ¶～으로 시집가다.

뭍-바람 [묻빠-] 명 밤에 육지에서 바다로 부는 바람. 육풍(陸風). ↔바닷바람.

뭍-사람 [묻싸-] 명 뭍에서 사는 사람. 육지인. ↔섬사람.

뭍-짐승 [묻찜-] 명 육지에 사는 짐승.

*__뭐:__ 지대감 '무어'의 준말. ¶그것이 ～냐 / ～, 부산에 간다고 / 세상이란 다 그런 거지, ～.

뭐니 뭐니 해도 구 이러쿵저러쿵 말해 보아도. 무어니 무어니 해도. ¶～ 배고픈 설움이 제일 크다.

뭐:-하다 형여불 '무엇하다'의 준말. ¶빈손으로 가기가 좀 ～ / 뭐하면 가지 않아도 좋다.

뭘 준 무엇을. ¶～ 주랴 / ～ 하는 사람이냐.

뭣: [뭗] 지대 '무엇'의 준말. ¶～에 쓰려고 그러느냐.

뭣:-하다 [뭐타-] 형여불 '무엇하다'의 준말. ¶뭣하면 제가 가겠습니다.

뮤지컬 (musical) 명 미국에서 발달한 음악극의 한 형식. 음악·노래·무용으로 이루어져 뮤지컬 코미디나 뮤지컬 플레이를 종합한 것.

-므로 어미 ㄹ 받침 또는 받침 없는 어간에 붙어 까닭을 나타내는 연결 어미. ¶수재가 아니～ 공부를 더 열심히 한다 / 좋게 만들～ 값이 비싸다 / 정직한 사람이～ 존경을 받는다. *-으므로. ☞-으므로.

미: (未) 명 지지(地支)의 여덟째.

미: (美) 명 **1** 아름다움. ¶조화의 ～ / 자연의 ～를 추구하다. **2** 〖철〗 지각·감각·정감을 자극하여 내적 쾌감을 주는 대상. **3** 〖지〗 '미주·미국'의 준말. **4** 평점(評點)의 하나. 우(優)의 아래, 양(良)의 위.

미 (이 mi) 명 〖악〗 7음 음계의 제3계명(階名). 곧, '마' 음.

미:- (未) 두 아직 일이 다 이루어지지 않음을 나타내는 말. ¶～완성 / ～성년.

미가 (米價) [-까] 명 쌀값. ¶～ 조절.

미각 (味覺) 명 음식의 맛을 느끼는 감각《침에 섞여진 음식물 등이 혓바닥의 미뢰(味蕾)를 자극하여 일어남》. 미감(味感).

미:간 (未刊) 명 책이 아직 간행되지 않음. *근간·기간(既刊).

미간 (眉間) 명 '양미간'의 준말. ¶～을 잔뜩 찌푸리다.

미감 (味感) 명 미각(味覺).

미:감 (美感) 명 아름답다는 느낌. 또는 미에 대한 감각.

미:개 (未開) 명하형 **1** 생활이나 문화 수준의 정도가 낮고 문명이 발달하지 못한 상태. ¶～ 민족. ↔문명. **2** 꽃 등이 아직 피지

아니함.
미:-개발(未開發)명하타 아직 개발하지 아니함. ¶~ 지역.
미:개-인(未開人)명 미개한 사회에 사는 인지(人智)가 아직 덜 깬 사람. ↔문명인.
미:개-지(未開地)명 **1** 아직 개명되지 못한 땅. **2** '미개척지'의 준말.
미:-개척(未開拓)명 아직 개척하지 못함. ¶생물학의 ~ 분야.
미:개척-지(未開拓地)명 아직 개척하지 못한 땅이나 분야. 준미개지.
미:거(美擧)명 훌륭하게 잘한 일.
미:거-하다(未擧-)형여불 철이 없고 사리에 어둡다. ¶미거한 자식입니다.
미:결(未決)명하타 **1** 아직 결정되지 아니함. ¶~ 서류. **2**〖법〗범죄 혐의로 구치된 사람의 죄의 유무가 아직 결정되지 않음. ¶판결은 아직 ~이다. ↔기결. **3** '미결수'의 준말.
미:결-수(未決囚)[-쑤]명〖법〗형사 피의자 또는 형사 피고인으로 법적 판결이 나지 않은 상태로 구금되어 있는 사람. 준미결. ↔기결수(旣決囚).
미:결-안(未決案)명 아직 결정을 내리지 못한 안건.
미곡(米穀)명 쌀을 비롯한 갖가지 곡식. *맥곡.
미곡-상(米穀商)명 미곡을 사고파는 상인이나 가게. ¶동네에서 ~을 하다.
미골(尾骨)명〖생〗척추의 맨 아랫부분에 있는 뼈. 원래 퇴축적(退縮的)인 3-5개의 미추(尾椎)가 유착한 것임. 꼬리뼈.
미:관(美觀)명 아름답고 훌륭한 경치 또는 경관. ¶도시의 ~을 해치다.
미관-말직(微官末職)[-찍]명 지위가 아주 낮은 벼슬. 또는 그런 위치에 있는 사람.
미관-상(美觀上)명 미적(美的) 견지.
미:구(未久)명 (주로 '미구에'의 꼴로 쓰여) 얼마 오래지 않음. ¶~에 도착할 것이다 / 새 사옥은 ~에 착공할 예정이다.
미:궁(迷宮)명 **1** 한번 들어가면 쉽게 빠져나올 수 없게 되어 있는 곳. ¶~ 속을 헤매다. **2** 사건이 얽혀서 쉽게 해결하기 어려운 상태. ¶살인 사건 수사가 ~에 빠지다.
미:급(未及)명하자 아직 미치지 못함.
***미꾸라지**명〖어〗기름종갯과의 민물고기. 논·개천 등의 흙바닥 속에 사는데, 몸길이 20 cm 정도로 가늘고 길며 미끄러움. 등은 암녹색에 검은 점이 많이 나 있으며 배는 흼. 추어(鰍魚).
[미꾸라지 용 됐다] 미천하고 보잘것없던 사람이 크게 되었다는 말. [미꾸라지 한 마리가 온 웅덩이를 흐려 놓는다] 한 사람의 좋지 않은 행동이 여러 사람에게 나쁜 영향을 미친다는 뜻.
미끄러-뜨리다타 미끄러지게 하다.
***미끄러-지다**자 **1** 반들반들하고 미끄러운 곳에서 밀려 나가거나 넘어지다. ¶빙판에서 ~. 작매끄러지다. **2**〈속〉바라던 일이 틀어지다. 시험 등에 불합격하다. ¶대학 입학시험에 두 번이나 ~.
미끄러-트리다타 미끄러뜨리다.
미끄럼명 (주로 '지치다, 타다'와 함께 쓰여) 얼음판·눈 위나 미끄럼대에서 미끄러지는 일. ¶~을 지치다 / ~을 타다.
미끄럼-대(-臺)[-때]명 앉아서 미끄러져 내려올 수 있게 비스듬히 세운 아이들의 놀이 시설. 미끄럼틀.
미끄럼-틀명 미끄럼대.
미끄럽다〔미끄러우니, 미끄러워〕형ㅂ불 저절로 밀리어 나갈 만큼 반드럽다. ¶눈길이 ~. 작매끄럽다.
미끈-거리다자 미끄럽고 반드러워서 자꾸 밀리어 나가다. ¶뱀장어는 미끈거려 잡기 어렵다 / 기름 묻은 손이 자꾸 미끈거린다. 작매끈거리다. **미끈-미끈**부하형
미끈-대다자 미끈거리다.
미끈-하다형여불 흠이나 거친 데가 없이 훤칠하고 말쑥하다. ¶미끈한 다리 / 미끈하게 생기다. 작매끈하다. **미끈-히**부
미끌-미끌부하형 매우 미끄러운 모양. 작매끌매끌.
미끼명 **1** 낚시 끝에 꿰어 물리는 물고기의 밥《지렁이 따위》. **2** 사람이나 동물을 꾀어서 이끄는 물건이나 수단. ¶돈을 ~로 사람을 유혹하다.
미나리명〖식〗미나릿과의 여러해살이풀. 연못가·습지 등에 나는데, 높이 30 cm 가량, 잎은 어긋나고 달걀꼴임《잎과 줄기는 식용함》.
미나리-꽝명 미나리를 심는 논.
미나리-아재비명〖식〗미나리아재빗과의 여러해살이풀. 산과 들에 나는데, 미나리와 비슷하며 높이 50 cm 가량, 초여름에 누른 다섯잎꽃이 핌. 모간(毛茛).
미:남(美男)명 '미남자'의 준말. ¶~ 배우로 알려지다. ↔추남(醜男).
미:-남자(美男子)명 얼굴이 썩 잘생긴 남자. 준미남.
미:납(未納)명하타 내야 할 것을 아직 내지 않았거나 내지 못함. ¶~한 수업료의 독촉을 받다.
미:납-금(未納金)명 아직 내지 않았거나 내지 못한 돈. ¶보너스를 받아 그동안 밀린 ~을 모두 납부하다.
미네랄(mineral)명 칼슘·철·인·칼륨·나트륨·마그네슘 따위의 광물성 영양소. 광물질. ¶~ 함유 비타민.
미:녀(美女)명 용모가 아름다운 여자. 잘생긴 여자. 미인. ↔추녀(醜女).
미뉴에트(minuet)명〖악〗4분의 3박자의 프랑스 옛 춤곡《뒤에 기악의 형식으로 소나타·현악곡·교향곡의 악장에도 쓰였음》.
미늘명 **1** 낚시 끝의 안쪽에 있는, 거스러미처럼 되어 고기가 물면 빠지지 아니하게 된 작은 갈고리. 구거(鉤距). **2** '갑옷미늘'의 준말.
미늘(을) 달다구 기와나 비늘 모양으로, 위쪽의 아래 끝이 아래쪽의 위 끝을 덮어 누르게 달다.
미니(mini)명 **1** '소형'의 뜻. ¶~버스. **2** '미니스커트'의 준말. *미디·맥시.
미니멈(minimum)명 수량이나 정도가 최소인 것. ↔맥시멈.
미니스커트(miniskirt)명 옷자락 끝이 무릎보다 위에 있는 매우 짧은 길이의 스커트의 총칭. 준미니.
미니어처(miniature)명 실물과 같은 모양

으로 정교하게 만들어진 작은 모형(模型).
미니-컴퓨터 (minicomputer) 명 〖컴〗 규격·속도·능력 면에서 메인 프레임 컴퓨터와 마이크로 컴퓨터 사이에 위치하는 컴퓨터. 주로 과학 기술 계산·프로세서 제어 등에 쓰임. 소형 컴퓨터.
미:다[1] 자 **1** 털이 빠져 살이 겉으로 드러나다. **2** 찢어지다.
미:다[2] 타 팽팽하게 켕긴 가죽·종이 등을 잘못 건드려 구멍을 내다.
미:다[3] 타 싫게 여기어 따돌리고 멀리하다.
미:-닫이 [-다지] 명 문이나 창 따위를 옆으로 밀어 여닫는 방식. 또는 그런 문이나 창. *여닫이.
미:달 (未達) 명하자 어떤 한도에 이르거나 미치지 못함. ¶정원 ~ / 함량 ~ / 생계비에 ~하는 급료.
미:담 (美談) 명 듣는 사람이 감동할 만한 갸륵한 이야기. ¶흐뭇한 ~ / ~의 주인공.
미:답 (未踏) 명하타 아직 아무도 밟지 않음. ¶전인(前人)~의 땅.
미:-대다 타 **1** 싫거나 잘못된 일의 책임을 남에게 밀어 넘기다. **2** 일을 오래 질질 끌다. ¶그렇게 미대지 말고 얼른 끝내라.
미더덕 명 〖동〗 미더덕과의 원색(原索)동물. 길이 4 cm, 지름 2 cm 정도의 달걀 모양의 황갈색 몸에 4 cm 가량의 자루가 붙어 있어, 그 끝으로 바위 등에 붙어 삶. 겉껍질은 매우 딱딱하고 살은 식용함.
미:덕 (美德) 명 아름답고 갸륵한 덕행. ¶겸손의 ~ / 양보의 ~을 쌓다.
미덥다 〔미더우니, 미더워〕 형ㅂ불 믿음성이 있다. ¶미더운 사람.
미동 (微動) 명하자 아주 작은 움직임. ¶~도 하지 않고 그림처럼 앉아 있다.
미들-급 (middle級) 명 체급별 운동 경기에서 체중 한계의 하나. 권투의 경우, 아마추어에서는 71-75 kg, 프로에서는 69.85-72.57 kg 인 체중. 또는 그 체중의 선수. 미들웨이트.
미등 (尾燈) 명 자동차 따위의 뒤에 붙은 등. 테일라이트.
미:-등기 (未登記) 명하타 아직 등기를 하지 아니함. ¶~ 전매(轉賣).
미디 (middy) 명 서양식 옷차림에서, 장딴지의 중간까지 내려오는 옷자락의 길이《미니와 맥시의 중간 길이》. *맥시·미니.
미디어 (media) 명 매체(媒體). 매개체(媒介體). 대중 매체. ¶매스 ~.
미라 (포 mirra) 명 오랫동안 썩지 않고 굳어 본디의 상태에 가까운 모습으로 남아 있는 사람이나 동물의 시체. 목내이(木乃伊).
미래 명 못자리를 골라 다듬는 농기구의 하나. ¶~로 바닥을 고르다.
***미:래** (未來) 명 **1** 앞으로 올 때. 앞날. 장래. ¶~의 세계 / ~에 대한 희망. ↔현재·과거. **2** 〖언〗 장차 행할 것을 표시하는 시제. 어간에 '-겠-'을 더하여 씀. '먹겠다, 가겠다' 등. 올적. ↔과거. **3** 〖불〗 삼세(三世)의 하나. 죽은 뒤의 세상. 내세(來世).
미:래-사 (未來事) 명 앞으로 있을 일. ¶~를 예언하다.
미:래-상 (未來像) 명 이상(理想)으로서 그리는 미래의 모습. 비전(vision). ¶밝은 ~을 그리다.
미량 (微量) 명 아주 적은 분량. ¶~의 독극물이 검출되다.
미레-자 명 목수가 먹으로 금을 그을 때 사용하는 'ㄱ' 자 모양으로 된 자. 먹자. 묵척(墨尺).
미레-질 명하자 대패를 거꾸로 쥐고 앞으로 밀어 깎는 일.
미:려-하다 (美麗-) 형여불 아름답고 곱다. ¶미려한 경관. **미:려-히** 부
미력 (微力) 명하형 **1** 적은 힘. **2** 남을 위하여 애쓰는 자기의 힘을 겸손하게 일컫는 말. ¶~하나마 노력해 보겠다 / ~이나마 도움이 된다니 다행이다.
미련 명하형 터무니없는 고집을 부릴 정도로 어리석고 둔함. ¶~한 생각 / ~을 부리다. ㉦매련.
[미련하기는 곰일세] 몹시 미련한 사람의 비유.
미:련 (未練) 명 생각을 딱 끊을 수 없어 남아 있는 마음. ¶아직 그 지위에 ~이 있다.
미련-스럽다 〔-스러우니, -스러워〕 형ㅂ불 어리석고 둔한 데가 있다. ㉦매련스럽다.
미련-스레 부
미련-퉁이 명 몹시 미련한 사람을 낮잡아 이르는 말.
미:로 (迷路) 명 **1** 어지럽게 갈래가 져 한번 들어가면 빠져나오기 어려운 길. ¶~처럼 어지러운 골목길을 빠져나오다. **2** 해결할 방도를 찾을 수 없어 곤란한 상태. **3** 〖생〗 내이(內耳). **4** 〖심〗 동물이나 인간의 학습 연구에 쓰이는 장치의 하나《출발점에서 목표까지 이르는 길을 섞갈리게 만들어 놓고, 잘못 가는 횟수 및 걸리는 시간이 줄어드는 것을 평가함》.
미루-나무 명 〖식〗 버드나뭇과의 낙엽 활엽 교목. 강변·밭둑에 심는데, 줄기는 높이 30 m 가량으로 곧게 자라며 잎은 광택이 남. 포플러(poplar). 은백양.
미루다 타 **1** 정한 기일을 나중으로 넘기다. ¶내일로 ~ / 본격적인 논의는 다음 달로 미루어졌다. ↔당기다. **2** 일을 남에게 넘기다. ¶책임을 남에게 미루지 마라. **3** 이미 아는 것으로 다른 것을 비추어 헤아리다. ¶여러 정황으로 미루어 무슨 일이 생긴 게 분명하다.
미루적-거리다 타 일을 자꾸 미루어 시간을 질질 끌다. ¶시계를 자주 보며 ~. ㊅미적거리다. **미루적-미루적** [-정-] 부하타. ¶~하다 시한을 넘기다.
미루적-대다 타 미루적거리다.
미륵 (彌勒) 명 〖불〗 **1** '미륵보살'의 준말. **2** 돌부처1.
미륵-보살 (彌勒菩薩) 명 도솔천(兜率天)에 살며, 56 억 7 천만 년 후에 성불(成佛)하여 이 세상에 내려와 제 2 의 석가로서 모든 중생을 제도(濟度)한다는 보살. 미륵자존(慈尊). ㊅미륵. *관세음보살.
미륵-불 (彌勒佛) 명 미륵보살.
***미리** 부 어떤 일이 아직 생기기 전에. 앞서서. ¶~ 준비해야지 / ~ 의논하다.
미리내 명 〈옛〉 은하수.
미리-미리 부 '미리'를 강조한 말. ¶~ 대비하여야 한다.

미:립 명 경험에서 얻은 묘한 이치나 요령. ¶~을 얻다.
미립이 트이다 구 경험을 통해 이치나 요령을 깨닫게 되다.
미:립-나다 [-림-] 자 경험을 통하여 요령이 생기다.
미-립자 (微粒子) 명 〖물〗 아주 작은 입자.
***미:만** (未滿) 명하형 정한 수효나 정도에 차지 못함. ¶18 세 ~의 소년.
미만 (彌滿·彌漫) 명하형 널리 가득 차 그들먹함. ¶소설의 소재는 거리에 ~해 있다.
미:망 (未忘) 명 잊을 수가 없음.
미:망 (迷妄) 명하자 사리에 어두워 갈피를 잡지 못하고 헤맴. 또는 그런 상태. 미혹. ¶~에 빠지다.
미:망-인 (未亡人) 명 남편이 죽고 홀로 사는 여자《아직 죽지 못한 사람이라는 뜻》. 과부. ¶전쟁 ~.
미:명 (未明) 명 날이 밝기 전. 날이 샐 무렵. ¶내일 ~에 출발한다.
미:명 (美名) 명 그럴듯한 명목이나 명분. 훌륭하게 내세운 이름. ¶개발이라는 ~ 아래 독재 정치를 펴다.
미:모 (美貌) 명 아름다운 얼굴 모습. ¶~의 여인 / ~를 자랑하다.
미모사 (mimosa) 명 〖식〗 콩과의 한해살이 풀. 높이 30-50 cm, 여름에 다홍색 꽃이 피고 꼬투리를 맺음. 잎을 건드리면 이내 닫혀지며 아래로 늘어짐. 관상용으로 브라질이 원산지. 감응초(感應草). 신경초(神經草). 함수초(含羞草).
미목 (眉目) 명 **1** 눈썹과 눈. **2** 얼굴 모양. ¶~이 수려하다.
미:몽 (迷夢) 명 흐릿한 꿈이란 뜻으로, 무엇에 홀린 듯 똑똑하지 못하고 얼떨떨한 정신 상태. 꿈같은 어리석은 생각. ¶~에서 깨어나지 못하다.
미묘-하다 (微妙-) 형여불 어떤 현상이나 내용이 뚜렷하게 드러나지 않으면서 야릇하고 묘하다. ¶미묘한 감정 변화 / 미묘한 의견 차이를 보이다. **미묘-히** 부
미:문 (未聞) 명하타 아직 듣지 못함. ¶전대 ~의 사건.
미:문 (美文) 명 아름다운 글귀로 쓰여진 글. 아름다운 문장.
미물 (微物) 명 **1** 변변치 못하고 작은 물건. **2** 인간에 비해 보잘것없는 작은 것이라는 뜻으로, 동물을 이르는 말. ¶개는 말 못하는 ~이지만 주인에게 충직하다. **3** 변변치 못한 사람을 낮잡아 이르는 말. ¶제 앞도 못 가리는 ~.
미미-하다 (微微-) 형여불 보잘것없이 아주 작다. ¶미미한 존재. **미미-히** 부
미:-발표 (未發表) 명하타 아직 발표를 하지 않음. ¶~의 논문.
미:백 (美白) 명하타 살갗을 아름답고 희게 함. ¶~ 크림.
미복 (微服) 명하자 지위가 높은 사람이 무엇을 몰래 살피러 다닐 때 입는 남루한 옷차림.
미봉 (彌縫) 명하타 일의 빈 구석이나 잘못된 것을 임시변통으로 이리저리 꾸며 대어 맞춤.
미봉-책 (彌縫策) 명 임시로 꾸며 대어 눈가림만 하는 일시적인 대책. ¶임시방편의 ~ / 그런 ~은 통하지 않는다.
미분 (微分) 명하타 〖수〗 **1** 어떤 함수에서, 독립 변수의 값이 미소한 변화에 응하는 함숫값의 변화. **2** 어떤 함수의 미분 계수(係數) 또는 도함수(導函數)를 구하는 일. *적분.
미:-분화 (未分化) 명하자 아직 분화하지 않음. ¶~ 상태.
미:불 (未拂) 명하타 아직 지급하지 아니함. 미지급. ¶~ 임금을 완불하다.
미:비 (未備) 명하형 아직 다 갖추지 못함. 불완전함. ¶서류가 ~하다.
미쁘다 〔미쁘니, 미뻐〕 형 믿음성이 있다. 미덥다.
미쁨 명 믿음직하게 여기는 마음.
미사 (라 Missa) 명 〖가〗 천주께 드리는 제사. 천주를 찬미하고 속죄를 원하며 다시 은총받기를 기도하는데, 예수의 최후의 만찬을 본떠서 행함. 미사성제(聖祭). ¶~를 드리다.
미사리 명 삿갓·방갓·전모의 밑에 대어 머리에 쓰게 된 둥근 테두리.

미사리

미:사-여구 (美辭麗句) 명 아름다운 말로 듣기 좋게 꾸민 글귀. ¶~를 나열하다.
미사일 (missile) 명 〖군〗 로켓이나 제트 엔진으로 추진되어, 유도 장치에 의하여 목표에 이르는 공격 무기. 유도탄. ¶적기를 향해 ~을 쏘다.
미삼 (尾蔘) 명 인삼의 잔뿌리.
미:상 (未詳) 명하형 확실하거나 분명하지 않음. 알려지지 않음. ¶성명 ~ / 연대 ~ / 작자 ~의 작품.
미:상불 (未嘗不) 부 아닌 게 아니라 과연.
미색 (米色) 명 **1** 쌀의 빛깔. **2** 엷은 노랑.
미:색 (美色) 명 **1** 아름다운 빛깔. **2** 여자의 고운 얼굴. 아름다운 여자. ¶~에 빠지다.
미-생물 (微生物) 명 현미경이 아니면 보지 못하는 작은 생물《박테리아·원생동물·균류 등》. ¶~ 검사.
미:성 (未成) 명하자타 **1** 아직 완성되지 못함. ↔기성. **2** 아직 결혼을 하지 않아 어른이 되지 못함.
미:성 (美聲) 명 아름다운 목소리. ¶~의 오페라 가수.
미:-성년 (未成年) 명 **1** 아직 어른이 되지 못한 나이. **2** 〖법〗 만 20 세가 되지 못해 법률상으로 모든 권리 행사를 할 수 없는 나이. 미정년(未丁年). ↔성년.
미:성년-자 (未成年者) 명 〖법〗 만 20 세가 되지 않은 사람.
미:성숙 (未成熟) 명하형 **1** 채 여물지 못함. **2** 아직 성숙하지 못함.
미:-성인 (未成人) 명 아직 어른이 되지 못한 사람. ↔성인.
미:-성취 (未成娶) 명하자 아직 장가를 들지 못함. 미장가. 준미취(未娶).
미세 (微細) 명하형 분간하기 어려울 정도로 아주 작음. ¶~한 입자(粒子).
미션 (mission) 명 **1** 선교(宣敎). 전도. **2** 전도 단체. **3** '미션 스쿨'의 준말.
미션 스쿨 (mission school) 기독교 단체에

서 전도와 교육 사업을 목적으로 경영하는 학교. [준]미션.
미소(微笑) [명][하자] 소리를 내지 않고 빙긋이 웃는 웃음. ¶모나리자의 ~/~를 머금다/얼굴에 ~를 짓다.
미:-소년(美少年) [명] 용모가 아름다운 소년. ¶홍안(紅顔)의 ~.
미소-하다(微小-) [형][여불] 아주 작다. ¶미소한 생물.
미소-하다(微少-) [형][여불] 아주 적다. ¶미소한 차이/미소한 분량도 치명적이다.
미:속(美俗) [명] 미풍(美風).
미송(美松) [명] 북아메리카에서 산출되는 소나무. 또는 그 재목. 높이 100 m, 지름 13 m 정도에 달함. 재목의 빛은 적황색 또는 적색임. 건축재 및 펄프 재료로 쓰이나, 더럼을 잘 타고, 진이 스며 나오며, 갈라지기 쉬움.
미수 [명] 꿀물 따위에 미숫가루를 탄 여름철의 음료. 미식(糜食).
미:수(未收) [명][하타] **1** 아직 다 거두지 못함. ¶~ 없이 다 거두다. **2** '미수금'의 준말.
미:수(未遂) [명][하타] **1** 목적을 이루지 못함. **2**〔법〕 범죄에 착수하여 그 목적을 이루지 못한 일. ¶살인 ~/~에 그치다. ↔기수.
미수(米壽) [명] ('米'의 파자(破字)가 '八十八'인 데서) 여든여덟 살. *희수(喜壽).
미수(眉壽) [명][하자] 눈썹이 세도록 오래 산다는 뜻으로, 오래 삶을 축수하는 말.
미:수-금(未收金) [명] 아직 거두어들이지 못한 돈. [준]미수.
미:수-범(未遂犯) [명] 범죄 실행에 착수했으나 그 행위를 끝마치지 못했거나, 결과가 발생하지 않은 범죄. 또는 그 범인. ¶~으로 처벌받다.
미:수-죄(未遂罪)[-쬐] [명] 미수범으로 그친 범죄. ¶살인 ~로 기소되다.
미:숙련-공(未熟練工)[-숭년-] [명] 아직 일에 익숙하지 못한 직공.
미:숙-아(未熟兒) [명] 출생할 때의 체중이 2.5 kg 이하의 아이. ↔성숙아.
미:숙-하다(未熟-)[-수카-] [형][여불] **1** 과실 등이 채 익지 않다. **2** 일에 익숙하지 못하다. ¶미숙한 솜씨.
***미:술**(美術) [명] 공간 및 시각(視覺)의 미를 표현하는 예술의 한 분야《그림·조각·건축·공예 따위》. 조형 예술.
미:술-가(美術家) [명] 미술품을 전문적으로 창작하는 예술가. 아티스트.
미:술-계(美術界)[-/-게] [명] 미술가들의 사회. ¶~의 경향.
미:술-관(美術館) [명] 회화·조각 등의 미술품을 수집·진열하여, 일반의 관람과 연구에 이바지하는 시설.
미:술 전:람회(美術展覽會)[-절-] [명] 미술 작품을 전시하여 관람시키는 전람회. [준]미전(美展).
미:술-품(美術品) [명] 예술적으로 창작된 미술 작품《회화·조각·공예 따위》.
미숫-가루[-수까-/-숟까-] [명] 찹쌀이나 그 밖의 곡식을 볶거나 쪄서 간 가루.
미스(miss) [명] 실수. 잘못. ¶교정 ~/서브 ~/~를 범하다.
미스(Miss) [명] **1** 미혼 여성의 성 앞에 붙이는 호칭. **2** 미혼 여성. 처녀. ¶그녀는 아직 ~다. **3** 대표적인 미인으로 뽑힌 미혼 여성. ¶~ 코리아.
미스터(mister, Mr.) [명] 남자의 성(姓) 앞에 붙이는 호칭. 군(君). 씨(氏). *미즈.
미스터리(mystery) [명] **1** 설명하거나 이해할 수 없는 이상한 일. ¶~ 사건으로 남다. **2** 추리 소설. 탐정 소설.
미시(微視) [명] 일부 명사 앞에 쓰여, 작게 보임 또는 작게 봄의 뜻. *거시(巨視).
미시 경제학(微視經濟學)〔경〕 개별적 가계(家計)나 개별적 기업의 합리적 경영 활동을 분석하면서 경제 전체의 운영 법칙을 밝히고자 하는 연구 분야. 마이크로 경제학. ↔거시 경제학.
미시-적(微視的) [관][명] **1** 사람의 감각으로 직접 식별할 수 없는 크기의 (것). ¶~ 세계. **2** 사물이나 현상을 개별적·부분적으로 관찰하는 (것). ¶~ 관점/~으로 다루다. ↔거시적(巨視的).
미시즈(Mrs.) [명] 결혼한 여성의 성(姓) 앞에 붙여 부르는 호칭. 부인(夫人). 여사.
미식(米食) [명][하자] 쌀밥을 주식으로 함.
미:식(美食) [명][하자] 좋은 음식을 먹음. 또는 맛있는 음식. ¶~에 싫증이 나다.
미:식-가(美食家) [명] 음식에 대해 특별한 기호를 가진 사람.
미식-축구(美式蹴球) [명] 미국에서 발달한 럭비와 축구를 혼합한 경기. 한 팀이 11명씩으로 구성되며, 공을 상대편 엔드 존에 터치다운함으로써 득점하는 것으로, 매우 격렬한 경기임. 아메리칸 풋볼.
미:신(迷信) [명][하타] 종교적·과학적 견지에서 망령되다고 생각되는 믿음《점을 치거나 굿을 하는 따위》. ¶~을 타파하다.
미:심(未審) [명][하형][히부] 일이 확실하지 않아 늘 마음이 놓이지 않음.
미:심-스럽다(未審-)〔-스러우니, -스러워〕 [형][ㅂ불] 의심 가는 데가 있다. ¶미심스러우면 직접 확인해 보세요.
미:심-쩍다(未審-) [형] 일이 분명하지 못하여 마음에 꺼림하다. ¶그의 태도가 미심쩍어 신원을 확인해 보다. **미:심-쩍이** [부]
미싱 [명] 〔←sewing machine〕 재봉틀. ¶~ 자수.
미아(迷兒) [명] **1** 길을 잃고 헤매는 아이. ¶~ 보호소. **2** 남에게 대한 자기 아들의 겸칭. 가아(家兒).
***미안**(未安) [명][하형][히부] 남에게 대하여 마음이 편안하지 못하고 부끄러움. ¶약속을 못 지켜서 ~하다/이거 참 ~합니다.
미안-스럽다(未安-)〔-스러우니, -스러워〕 [형][ㅂ불] 미안한 데가 있다.
미안-쩍다(未安-) [형] 미안한 느낌이 있다. ¶미안쩍은지 애써 외면을 한다.
미약(媚藥) [명] **1** 성욕을 일으키는 약. 음약(淫藥). **2** 상대방에게 연정을 일으키게 한다는 약.
미약-하다(微弱-)[-야카-] [형][여불] 미미(微微)하고 약하다. ¶미약한 호흡 소리.
미어-뜨리다[-/-여-] [타] 팽팽하게 켕긴 종이·가죽 등을 세게 건드려 구멍을 내다.
미어-지다[-/-여-] [자] **1** 팽팽하게 켕긴 종이나 가죽 따위가 해져서 구멍이 나다. **2**

터질 듯하게 꽉 차다. ¶자루가 미어지게 쌀을 퍼 넣다. **3** 가슴이 찢어지는 듯이 심한 고통이나 슬픔을 느끼다. ¶가슴이 미어지는 아픔을 느끼다.
미어-터지다 [-/-여-] [자] 공간이 꽉 차 터질 듯이 들어차다. ¶귀성객들로 열차 안은 미어터질 지경이었다.
미어-트리다 [-/-여-] [타] 미어뜨리다.
미역[1] [명] 냇물이나 강물에 들어가 몸을 담그고 씻거나 노는 일. ¶~을 감다. [준]멱.
미역[2] [명] 〔식〕 갈조류 미역과의 해조. 해안 바위에 붙어 있는데, 잎은 넓고 길이 2m 가량이고 흑갈색·황갈색을 띰. 요오드와 칼슘의 함유량이 많아 임산부·아동 등에 좋음. 감곽(甘藿). 해채(海菜).
미역-국 [명] 미역을 넣어 끓인 국. [준]멱국.
미역국(을) 먹다 [구] 〈속〉 ㉠직장 같은 데서 해고당하다. ㉡시험 등을 치러서 떨어지다. ㉢퇴짜를 맞다.
미:연 (未然) [명] (주로 '미연에'의 꼴로 쓰여) 아직 그렇게 되지 아니함. ¶사고를 ~에 방지하다.
미열 (微熱) [명] 그리 높지 않은 몸의 열. ¶~이 있다.
미온 (微溫) [명] 미지근함.
미온-적 (微溫的) [관][명] 태도가 소극적이거나 미적지근한 (것). ¶~ 조치 / ~인 태도. ↔열정적.
미:완 (未完) [명][하타] 미완성. ¶~인 채로 남겨진 원고.
미:-완성 (未完成) [명][하타] 끝을 다 맺지 못함. 미완(未完). ¶~ 어음 / 일이 ~으로 끝나다.
미:용 (美容) [명][하타] 얼굴이나 머리를 매만짐. 용모를 아름답게 단장함.
미:용-사 (美容師) [명] 머리나 얼굴을 아름답게 꾸미는 일을 업으로 하는 사람.
미:용-실 (美容室) [명] 미장원(美粧院).
미:용 체조 (美容體操) 몸매를 아름답게 하기 위하여 하는 체조.
미욱-스럽다 [-스러우니, -스러워] [형][ㅂ불] 매우 미욱한 데가 있다. ¶먹는 모양이 ~ / 미욱스럽기는 꼭 곰 같다. [작]매욱스럽다.
미욱-스레 [부]
미욱-하다 [-우카-] [형][여불] 하는 짓이나 됨됨이가 어리석고 미련하다. ¶미욱한 사람 / 미욱하게 굴다. [작]매욱하다.
미운-털 [명] 몹시 미워하여 못살게 구는 언턱거리. ¶~이 박혔나, 못살게 굴게.
미움 [명] 밉게 여기는 마음. ¶~을 사다 / ~받을 짓을 하다.
미워-하다 [타][여불] 밉게 여기다. ¶죄는 미워해도 사람은 미워하지 마라.
미음 [명] 한글 자모 'ㅁ'의 이름.
미음 (米飮) [명] 쌀 등을 끓여 체에 밭인 음식 《흔히 병자·어린아이들이 먹음》. ¶~을 쑤다. [준]밈.
미:-의식 (美意識) [명] 미를 느끼거나 이해하는 감각과 경험. 창작하거나 감상할 때의 미에 대한 개인적인 의식.
미이다 [자] 《'미다[2]'의 피동》 미어뜨림을 당하다. ¶종이가 ~.
미:인 (美人) [명] 용모가 아름다운 여자. 미녀. 미희. ¶~ 대회.
미:인-계 (美人計) [-/-게] [명] 미인을 이용하여 남을 꾀는 계략. ¶~에 걸려들다.
미:인-박명 (美人薄命) [-방-] [명] 미인은 불행하거나 병약하여 수명이 짧은 경우가 많다는 말.
미작 (米作) [명][하자] 벼농사. ¶~ 지대.
미장 [명][하타] 건축 공사에서 벽이나 천장, 바닥 따위에 흙이나 시멘트 따위를 바름. 또는 그런 일.
미:장 (美匠) [명] 의장(意匠).
미:장 (美粧) [명][하타] 얼굴이나 머리 등을 아름답게 다듬어 단장함. 미용.
미:장 (美裝) [명][하타] 아름답게 차리고 꾸밈.
미장-공 (-工) [명] 미장을 업으로 하는 사람. 미장이.
***미:장-원** (美粧院) [명] 요금을 받고 미용술을 베풀어 용모·두발·외모 등을 단정하게 화장해 주는 집. 미용실(美容室).
미장-이 [명] 미장공.
미:적 (美的) [-쩍] [관][명] 사물의 아름다움에 관한 (것). ¶~ 감정 / ~ 감각이 없다.
미적-거리다 [타] **1** 무거운 것을 조금씩 앞으로 내밀다. **2** '미루적거리다'의 준말. **미적-미적** [-정-] [부][하타]
미적-대다 [타] 미적거리다.
미-적분 (微積分) [명] 〔수〕 미분과 적분.
미적지근-하다 [형][여불] **1** 조금 더운 기운이 있는 듯하다. ¶물이 ~. **2** 행동·태도·성격 따위가 소극적이고 흐리멍덩하다. ¶미적지근한 태도. **미적지근-히** [부]
미:정 (未定) [명][하타] 아직 정하지 못함. ¶행선지는 ~입니다.
미:제 (未濟) [명] 일의 처리가 아직 끝나지 않음. ¶~ 사건. ↔기제.
미제 (美製) [명] 미국에서 만들어 낸 물품.
미주 (美洲) [명] 아메리카 주(洲).
미:주 (美酒) [명] 맛이 좋은 술. 가주(佳酒).
미주알 [명] 항문을 이루는 창자의 끝 부분. 밑살.
미주알-고주알 [부] 이것저것 모두 속속들이 캐어묻는 모양. ¶~ 캐묻다.
미즈 (Miz, Ms.) [명] 여성의 이름이나 성(姓) 앞에 붙이는 경칭《미혼·기혼을 가리지 않음》. ¶~ 스탠리. ↔미스터.
미:-증유 (未曾有) [명][하형] 지금까지 한 번도 있어 본 적이 없음. ¶~의 대참사.
미:지 (未知) [명][하타] 아직 모름. 아직 알려지지 않음. ¶~의 세계. ↔기지(旣知).
***미지근-하다** [형][여불] **1** 차지도 않고 뜨겁지도 않다. ¶방바닥이 ~. **2** 행동이나 태도, 성격 등이 흐리멍덩하다. ¶처사가 ~. [작]매지근하다. **미지근-히** [부]
[미지근해도 흥정은 잘한다] 누구나 다 한 가지 재주는 가지고 있다는 뜻.
미:-지급 (未支給) [명][하타] 주게 되어 있는 것을 아직 주지 아니함. ¶~ 임금 / ~된 체불 노임.
미:-지불 (未支拂) [명][하타] 미지급.
미:지-수 (未知數) [명] **1** 예상이 닿지 않는 앞일의 셈속. ¶실력은 ~다 / 성공 여부는 아직 ~다. **2** 〔수〕 방정식에서 아직 알려져 있지 않은 수. ↔기지수(旣知數).
미:지-칭 (未知稱) [명] 모르는 사람이나 사물을 가리키는 대명사. 곧, 누구·아무·무엇·

어디 따위.
미진 (微塵) 명 **1** 작은 티끌이나 먼지. **2** 아주 작고 변변하지 못한 물건.
미진 (微震) 명 흔들리는 정도가 아주 약한, 진도 1의 지진. ☞진도.
미:진-하다 (未盡—) 형 여불 아직 다하지 못하다. 아직 충분하지 못하다. ¶미진한 느낌 / 뭔가 미진한 데가 있다 / 미진한 부분은 추후에 보완한다.
***미처** 부 ('못하다'·'않다'·'모르다' 따위의 부정어와 함께 쓰여) 아직. 채. ¶예전엔 ~ 몰랐다 / 바빠서 ~ 준비를 못했다.
미천-하다 (微賤—) 형 여불 신분이나 지위 등이 보잘것없고 천하다. ¶미천한 신분 / 출신이 ~.
미:추 (美醜) 명 아름다움과 추함.
미추-골 (尾椎骨) 명 〔생〕 꼬리 쪽에 있는 등골뼈. 꽁무니뼈.
미추룸-하다 형 여불 매우 젊고 건강해서 기름기가 돌고 아름다운 태가 있다. ㉧매초롬하다. **미추룸-히** 부
미:취 (未娶) 명 하자 '미성취(未成娶)'의 준말.
미:-취학 (未就學) 명 하자 아직 학교에 들어가지 못함. ¶~ 아동.
미치-광이 명 **1** 미친 사람. **2** 말과 행동이 정상적인 상태가 아닌 사람. **3** 어떤 일에 지나칠 만큼 열중하는 사람. ㉧매치광이.
미치다[1] 자 **1** 정신에 이상이 생기다. ¶심리적 갈등과 충격으로 ~. **2** 몹시 흥분해 보통 때와 다르게 날뛰다. ¶만취해서 미쳐 날뛰다. ㉧매치다. **3** 어떤 일에 지나칠 정도로 푹 빠지다. ¶도박에 ~.
[미친 체하고 떡판에 엎드러진다] 도리를 잘 알면서도 일부러 모르는 체하고 욕심을 부린다.
미치다[2] ㊀자 **1** 일정한 곳에 이르다. ¶선수가 결승점에 못 미쳐 넘어지다. **2** 어떤 대상에게 힘이나 작용이 가해지다. ¶불행은 점점 가족에게 미치기 시작했다 / 윗사람의 잘못이 아랫사람에게까지 그 영향이 ~. **3** 말이나 생각이 이르다. ¶화제가 자신의 과실에 미치자 슬그머니 사라졌다. ㊁타 끼치다. ¶영향을 ~.
미:칭 (美稱) 명 **1** 아름다운 칭찬. **2** 아름답게 일컫는 이름.
미크론 (micron) 의명 길이의 단위. 1 mm 의 1,000 분의 1《기호 : μ. 국제 단위계에서는 '마이크로미터'를 씀》.
미:태 (美態) 명 아름다운 자태.
미태 (媚態) 명 아양을 부리는 태도.
***미터** (meter) 의명 미터법에 의한 길이의 기본 단위. m 로 표시함《1 m 는 100 cm》.
미터-기 (meter器) 명 가스·전기·택시 따위의 자동 계기(計器).
미터-법 (meter法) 명 미터를 길이, 리터를 부피, 킬로그램을 질량의 기본 단위로 하는 십진법의 도량형법.
미투리 명 삼이나 노 따위로 짚신처럼 삼은 신《흔히 날이 여섯임》. 마혜(麻鞋). 망혜(芒鞋). 승혜(繩鞋).
미팅 (meeting) 명 **1** 남녀 간의 만남. ¶~을 주선하다. **2** 집회. 모임. ¶~ 룸.
미:풍 (美風) 명 아름다운 풍속. 미속(美俗).
¶전래의 ~ / ~이 점차 사라지고 있다.
미풍 (微風) 명 솔솔 부는 바람. ¶한 줄기 ~이 불다.
미:풍-양속 (美風良俗)[-냥-] 명 아름답고 좋은 풍속이나 기풍. ¶~을 해치다 / ~이 사라져 간다.
미:필 (未畢) 명 하타 아직 끝내지 못함. ¶병역을 ~하다.
미:학 (美學) 명 〔철〕 자연·예술에서, 미의 본질과 구조를 해명하는 학문. 미적 현상 일반을 대상으로, 그 내적·외적 조건과 기초를 연구함. 심미학(審美學).
미:-해결 (未解決) 명 하타 아직 해결을 짓지 못함. ¶~의 문제 / ~인 채로 남아 있다.
미행 (尾行) 명 하타 사람의 뒤를 몰래 따라감. ¶용의자를 ~하다 / ~을 눈치채다.
미혹 (迷惑) 명 하자 **1** 무엇에 홀려 정신을 차리지 못함. ¶재물에 ~하다 / 아름다운 여인에게 ~되다. **2** 정신이 헷갈려 갈팡질팡 헤맴.
미:혼 (未婚) 명 아직 결혼하지 않음. ¶~ 여성. ↔기혼.
미:혼-모 (未婚母) 명 결혼을 하지 않은 몸으로 아이를 낳은 여자. ¶성의 개방으로 ~가 늘어나고 있다.
미:혼-자 (未婚者) 명 아직 결혼하지 않은 사람. ↔기혼자.
미:화 (美化) 명 하타 아름답게 꾸밈. ¶교내 ~ 작업 / 침략을 ~하다.
미화 (美貨) 명 미국의 화폐.
미:화-법 (美化法)[-뻡] 명 〔문〕 수사법에서 강조법의 일종으로, 표현 대상을 실제보다 아름답게 나타내는 방법《'화장실, 양상군자(梁上君子)' 따위》.
미:-확인 (未確認) 명 하타 아직 확인되지 아니함. ¶~ 보도.
미:확인 비행 물체 (未確認飛行物體) 정체를 알 수 없는 비행 물체《비행접시 따위》. 유에프오(UFO).
미:흡 (未洽) 명 하형 아직 흡족하지 못함. 만족스럽지 않음. ¶언론은 정부의 조처가 ~하다고 평가했다.
미:희 (美姬)[-히] 명 아름다운 여자. 미인.
믹서 (mixer) 명 **1** 시멘트·모래·자갈 따위를 혼합하여 섞는 콘크리트 제조용 기계. 콘크리트 믹서. **2** 과실 등을 이겨 즙을 내는 기구. ¶딸기를 ~로 갈아 주스를 만들다. **3** 방송국에서 음량·음질의 조정을 하는 장치. 또는 그런 일을 하는 사람.
민- 두 **1** 아무 꾸밈새나 덧붙어 딸린 것이 없음을 나타내는 말. ¶~얼굴 / ~저고리. **2** 가지지 않거나 없음을 나타내는 말. ¶~무늬 / ~꽃식물 / ~소매.
-민 (民) 미 '사람·민족·백성'의 뜻을 나타내는 말. ¶실향(失鄕)~ / 영세~ / 유목~.
민가 (民家) 명 일반 서민이 사는 집. 민호(民戶). ¶산골 ~에 숨어든 도망자.
민간 (民間) 명 **1** 보통 사람들의 사회. ¶~에 전승된 설화. **2** 관청이나 정부에 속하지 않음. ¶~ 기업 / ~단체 / ~ 주도의 시민운동.
민간 설화 (民間說話) 예로부터 민간에 전하여 내려오는 이야기. 민담(民譚).
민간 신:앙 (民間信仰) 예로부터 민간에 전

해 내려오는 신앙.
민간-인(民間人)명 관리나 군인이 아닌 일반 사람. ¶영내에 ~ 출입을 통제하다. ↔관인(官人).
민감-하다(敏感-)형여불 느낌이나 반응이 예민하다. ¶민감한 반응을 보이다 / 지역 문제에는 ~. **민감-히**부
민경(民警)명 민간과 경찰. ¶~ 일체.
민국(民國)명 민주 정치를 시행하는 나라.
민권(民權)[-꿘]명 국민의 권리. 국민이 정치에 참여하는 권리. ¶~ 운동 / ~ 확장.
민꽃-식물(-植物)[-꼳씽-]명 재래의 식물 분류의 하나. 수술·암술의 구별이 없고 포자로 번식하는 식물《세균류·조류(藻類)·선태류·양치류(羊齒類) 등》. 은화(隱花)식물.
민-날명 칼집 따위에 들어 있지 않고, 밖으로 날카롭게 드러나 있는 칼이나 창 따위의 날.
민-낯[-낟]명 여자의 화장하지 않은 얼굴.
민담(民譚)명 민간 설화.
민답(民畓)명 민간인 소유의 논.
민-대가리명 〈속〉 민머리.
민도(民度)명 국민의 생활이나 문화 수준의 정도. ¶~가 낮다.
민둥-민둥부하형히부 산에 나무가 없어 번번한 모양. 작맨둥맨둥.
민둥-산(-山)명 나무가 없는 번번한 산. 벌거숭이산. ¶~이 울창하게 변했다.
민둥-하다형 **1** 겸연쩍고 어색하다. **2** 산에 나무가 없어 번번하다.
민들레명〖식〗국화과의 여러해살이풀. 산과 들에 나는데, 뿌리는 깊고, 땅속줄기에서 잎이 무더기로 남. 봄에 하나의 꽃줄기 끝에 한 송이의 노랗거나 흰 꽃이 핌. 씨는 수과(瘦果)로서 흰 깃털이 있어 바람에 날려 퍼짐. 뿌리는 약용함. 포공영(蒲公英).
민등뼈-동물(-動物)명〖생〗무척추(無脊椎)동물. ↔등뼈동물.
민란(民亂)[밀-]명 포악한 정치 따위에 대항하여 백성들이 일으킨 폭동이나 소요. 민요(民擾). ↔군란(軍亂).
민력(民力)[밀-]명 국민의 노력(勞力)이나 재력(財力).
민망-스럽다(憫惘-)〔-스러우니, -스러워〕형ㅂ불 민망한 느낌이 있다. 면구스럽다. ¶바로 보기에 민망스러운 광경 / 민망스럽기 그지없다. **민망-스레**부
민망-하다(憫惘-)형여불 답답하고 딱해 걱정스럽다. 민연(憫然)하다. ¶보기에 ~ / 너무 민망하여 무슨 말을 꺼낼 수가 없었다. **민망-히**부. ¶고아를 ~ 여기는 마음.
민-머리명 **1** 벼슬을 하지 못한 사람. 백두(白頭). **2** 정수리까지 벗어진 대머리. **3** 쪽찌지 않은 머리.
민-며느리명 장래에 며느리로 삼으려고 관례를 하기 전에 데려다가 기르는 계집아이.
민멸(泯滅)명하자 자취나 흔적이 아주 없어짐. 민몰(泯沒).
민무늬-근(-筋)[-니-]명〖생〗내장의 여러 기관이나 혈관 따위의 벽에 있어서 그 운동을 다스리는 근육. 평활근(平滑筋). 무문근(無紋筋). ↔가로무늬근(筋). *불수의근(不隨意筋).
민-물명 강이나 호수 따위처럼 짜지 않은 물. 담수. ↔바닷물.
민물-고기[-꼬-]명 민물에서 사는 물고기. 담수어(淡水魚). ↔바닷물고기.
민물-낚시[-락씨]명 강이나 호수, 저수지 따위의 민물에서 물고기를 낚는 일. ↔바다낚시.
민박(民泊)명하자 민가에 숙박하는 일.
민방(民放)명 '민영 방송'의 준말.
민-방공(民防空)명 적의 공습에 대비하여 민간에서 행하는 방어.
민-방위(民防衛)명 적의 침공이나 안녕질서를 위태롭게 할 재난에서 주민의 생명과 재산을 보호하기 위한 일체의 자위적인 활동. ¶~ 훈련.
민법(民法)[-뻡]명 공법에 대한 사법(私法) 일반, 또는 특별 사법을 제외한 보통 사법의 전체《형식상으로는 민법전을 말함》.
민병(民兵)명 국가의 위급에 대처해 민간인으로 조직한 군사 및 그 군대. 민군(民軍). ¶~을 조직하다.
민복(民福)명 국민의 복리.
민본-주의(民本主義)[-/-이]명 국민의 의사를 존중해서 정치를 해야 한다는 주장. 곧 민주주의를 달리 이르는 말.
민사(民事)명 **1** 일반 국민에 관한 일. **2**〖법〗사법(私法)의 적용을 받게 되는 사항. ↔형사.
민사 소송(民事訴訟) 사법 기관이 개인의 요구에 의해 사법상(私法上) 권익 등의 보호를 목적으로 행하는 재판상의 절차. ¶재산 다툼으로 ~을 제기하다. ↔형사 소송.
민생(民生)명 일반 국민의 생활 또는 생계. ¶~ 문제 / ~이 도탄에 빠지다.
민생-고(民生苦)명 일반 국민의 생활고. ¶~에 허덕이다.
민선(民選)명하타 일반 국민이 선거로 뽑음. ¶~ 도지사〔시장〕. ↔관선(官選).
민성(民聲)명 국민의 소리. 사회의 여론.
민속(民俗)명 민간 생활과 결부된 신앙·풍속·전승 문화 등의 총칭. 민풍(民風).
민속-놀이(民俗-)[-송-]명 민간에서 발생하여 전해 내려오는, 그 지방의 생활과 풍속을 반영한 놀이.
민속-악(民俗樂)명〖악〗옛날부터 민간에서 자연적으로 발생하여 전해 내려오는 음악의 총칭.

대표적 민속악

1. 성악(聲樂)
① 판소리…북장단에 맞춰 한 사람이 부르는 극가(劇歌). 현재는 다섯 마당이 불림.
② 단가(短歌)…판소리를 하기 전에 목소리를 가다듬기 위해 부르는 짧은 노래. 만고강산(萬古江山) 따위.
③ 병창(竝唱)…판소리 중 노래하는 사람이 자신의 가야금 반주에 맞춰 부르는 노래 형식.
④ 잡가(雜歌)…소리꾼이 부르는 긴 노래. 앉은소리와 선소리가 있음.
㉠ 앉은소리…경기잡가·서도잡가·남도잡가 따위.
㉡ 선소리…경시산타령·서도산타령·화초사거리 따위.

⑤ 민요(民謠)…대중들이 생활 속에서 자연스레 부르는 노래. 지방마다 특색이 있음. 경기민요·서도민요·남도민요 따위.

2. 기악(器樂)

① 산조(散調)…기악 독주 음악. 가야금산조·거문고산조·대금(大琴)산조 따위가 있음.

② 시나위…향피리·대금·해금(奚琴) 등으로 편성하여 연주하는 남도 무악(南道巫樂)의 한 가지. 불협화음(不協和音)을 내는 듯하면서도 조화를 이룸.

③ 농악(農樂)…농부들이 두레를 짜서 일할 때의 음악. 꽹과리·징·장구·북 등을 치며 행진·의식·판놀음 등을 함.

민속-학(民俗學)[-소칵] 명 민간에 전승(傳承)되어 온 문화를 연구하는 학문《풍속·습관·전설·신앙 따위》.

민수(民需) 명 민간의 수요(需要). 민간에서 필요한 것. ¶~ 물자. ↔관수·군수.

민숭-민숭 부하형히부 **1** 털이 있어야 할 자리에 털이 없어 밋밋한 모양. ¶민숭민숭한 대머리. **2** 산에 나무나 풀이 없는 모양. ¶풀 한 포기 없이 민숭민숭한 바위산. **3** 술을 마셨어도 취한 기운이 없는 모양. 작맨송맨송.

민습(民習) 명 민간의 풍습.

민심(民心) 명 국민들의 마음. 민정(民情). ¶~이 뒤숭숭하다 / ~을 수습하다.
[민심이 천심(天心)] 백성들의 마음을 어길 수 없다는 뜻.

민약-설(民約說) 명 사회나 국가의 발생 존립이 국민 각자의 자유 의지 계약에 의한다고 하는 루소 등의 학설. 사회 계약설.

민어(民魚) 명 〖어〗 민어과의 바닷물고기. 길이 60-90 cm, 길고 납작하며 주둥이가 둔함. 빛은 등 쪽이 회청색, 배 쪽은 담색임. 식용하는데 맛이 좋음.

민영(民營) 명 민간인이 하는 경영. ¶~ 주택. ↔관영(官營)·국영(國營).

민영 방:송(民營放送) 민간 자본으로 민간인이 운영하는 방송《주된 수입원은 광고 소득임》. 민간 방송. 준민방.

민영-화(民營化) 명하타 관에서 운영하던 것을 민간인의 경영 체제로 바꿈. ¶국영 기업체의 ~ / 공기업을 ~하다.

민예(民藝) 명 민중의 생활 속에 전해진 그 지방 특유의 공예나 예술 따위. ¶~품.

민완(敏腕) 명하형 일을 재빠르고 재치 있게 잘 처리함. ¶~ 형사 / ~ 기자.

***민요**(民謠) 명 민중 속에서 자연적으로 생겨나 전해져 내려온, 민중의 생활 감정을 소박하게 담은 노래의 총칭. ☞민속악.

민요(民擾) 명 폭정 등에 항거하여 일반 백성이 일으킨 소요. 민란(民亂).

민원(民怨) 명 국민의 원망. ¶~을 사다.

민원(民願) 명 주민이 행정 기관에 대하여 원하는 바를 요구하는 일. ¶~ 사무 / ~ 창구 / 쉴 새 없이 쏟아지는 ~을 제대로 처리할 수 없다.

민유(民有) 명 국민 개인의 소유. ¶~림(林) / ~지(地). ↔국유(國有).

민의(民意)[-/-이] 명 국민의 의사. ¶~를 수렴하다 / ~를 대변하다 / 국정에 ~를 반영하다.

민-저고리 명 회장을 대지 않은 저고리.

민정(民政) 명 **1** 공공의 안녕 유지와 국민의 복리 증진을 꾀하는 행정. **2** 민간인에 의한 정치. ¶~ 이양 / ~ 복귀. ↔군정.

민정(民情) 명 **1** 국민의 사정과 형편. ¶~을 시찰하다 / ~에 어둡다. **2** 민심.

민정 헌:법(民定憲法)[-뻡] 국민이 선출한 의회에서 또는 국민 투표에 의하여 제정된 헌법. 민약 헌법. *흠정 헌법.

***민족**(民族) 명 한 지역에서 태어나 생활하면서 언어·습관·문화·역사 등을 함께하는 인간 집단. ¶단일 ~ / ~ 해방 운동 / ~의 영웅 이순신 장군.

민족 국가(民族國家) 하나의 민족이 주체가 되어 있는 국가.

민족 문화(民族文化)[-종-] 한 민족의 생활 감정과 언어·풍속 등을 토대로 하여 이루어진 민족 고유의 독특한 문화. ¶고유한 ~를 이룩하다.

민족-사(民族史) 명 어느 한 민족이 겪어 내려온 역사. ¶왜곡된 ~를 바로잡다.

민족-성(民族性) 명 어떤 민족의 특유한 성질. ¶근면한 ~.

민족 운:동(民族運動) **1** 타민족으로부터 압박을 받는 민족이 독립을 하려고 하는 운동. **2** 흩어져 있는 같은 민족이 단일한 민족 국가를 건설하려는 운동.

민족-의식(民族意識)[-/-이-] 명 같은 민족에 속한다는 자각. 곧, 민족이 단결하여, 그 자신의 존속·독립·발전을 꾀하는 집단적인 의지 및 감정. ¶~의 발로.

민족 자결(民族自決) 한 민족이 자기 민족의 문제를 자주적으로 결정하는 일.

민족 자결주의(民族自決主義)[-/-이] 민족 자결의 원칙을 실현하려는 주의. 제1차 세계 대전 후 미국 대통령 윌슨이 제창함.

민족 자본(民族資本) 〖경〗 식민지나 발전도상국 등에서, 외국 자본에 저항하는 그 나라의 토착 자본. ↔매판 자본.

민족-적(民族的) 관명 온 민족이 관계되거나 포함되는 (것). ¶~인 자긍심 / ~ 시련에 직면하다.

민족-정신(民族精神) 명 어떤 민족이 공유하는 독특한 정신적 개성. 민족혼.

민족-주의(民族主義)[-/-이] 명 민족의 통일과 독립·발전을 최고의 이념적 가치로 여기고 중시하는 주의.

민족-혼(民族魂)[-조콘] 명 그 민족만이 지니고 있는 고유한 정신. 민족정신.

민주(民主) 명 **1** 주권이 국민에게 있음. **2** '민주주의'의 준말.

민주 공:화국(民主共和國) 주권이 국민에게 있고 주권의 행사가 국민의 의사에 따라 이루어지는 국가. 국체는 민주제, 정체는 공화제인 나라.

민주 국가(民主國家) 민주 정치를 실시하는 국가. 민주국. 민주주의 국가.

민주-적(民主的) 관명 민주주의에 적합한 (것). ¶~ 절차와 방법 / ~으로 운영하다.

민주 정치(民主政治) 국가의 주권이 국민에게 있고 국민의 의사에 따라 운용되는 정치. ¶~가 뿌리내리다.

***민주-주의**(民主主義)[-/-이] 명 주권이 국민에게 있으며 국민 스스로가 국민을 위하

여 정치를 행하는 주의. [준]민주.
민주주의-적 (民主主義的) [관][명] 민주주의의 원칙을 따르는 (것). ¶~ 정치 제도.
민주-화 (民主化) [명][하자타] 민주적으로 되어 감. 또는 그렇게 되게 함. ¶~ 운동 / 사회가 점차 ~되어 가다.
민-줄 [명] 개미를 먹이지 않은 연줄.
민중 (民衆) [명] 국가나 사회를 구성하고 있는, 다수의 일반 국민. 흔히, 피지배 계급으로서의 일반 대중을 가리킴. 민서(民庶).
민중 운:동 (民衆運動) 민중이 어떤 목적을 달성하기 위해 하는 운동. ¶선거 부정을 추방하기 위한 ~.
민중-적 (民衆的) [관][명] 민중을 위주로 하거나 민중에 널리 퍼진 (것).
민지 (民智) [명] 국민의 슬기.
민-짜 [명] 아무 꾸밈새가 없는 물건. 민패.
민첩-하다 (敏捷-)[-처파-] [형][여불] 동작·이해·판단 따위가 재빠르고 날쌔다. ¶민첩한 행동. **민첩-히** [-처피] [부]. ¶~ 피하다.
민촌 (民村) [명] 조선 때, 상민(常民)이 모여 살던 마을. ↔반촌(班村).
민춤-하다 [형][여불] 미련하고 덜되다.
민틋-이 [부] 민틋하게.
민틋-하다 [-트타-] [형][여불] 울퉁불퉁하지 않고 평평하며 비스듬하다.
민-패 [명] 민짜.
민폐 (民弊)[-/-폐] [명] 민간에 끼치는 폐해. ¶~ 근절 / ~를 끼치다.
민화 (民話) [명] 민간에 전해 내려오는 옛날 이야기.
민화 (民畫) [명] 조선 때, 서민층에 전승되어 내려온 민예적(民藝的)인 그림《익살스러우며 소박함이 그 특징임》.
민활-하다 (敏活-) [형][여불] 재빠르고 활발하다. ¶민활한 수완 / 민활한 동작 / 민활하게 움직이다. **민활-히** [부]
민회 (民會) [명]〘역〙고대 그리스·로마의 도시 국가에 있었던 시민의 총회.
믿-기다 [자]《'믿다'의 피동》믿어지다. ¶그의 말이 사실로 믿기지 않는다.
*__믿다__ [타] **1** 꼭 그렇게 여겨서 의심하지 않다. ¶지구는 둥글다고 믿는다 / 계획대로 이루어질 것으로 믿는다. **2** 마음으로 의지하고, 기대를 저버리지 않을 것이라고 여기다. 신뢰하다. ¶아버지를 믿고 의지하다 / 그 회사 제품이라면 믿을 수 있다. **3** 신이나 종교를 받들고 따르다. ¶불교를 ~.
[믿는 나무에 곰이 핀다] 믿는 터에 뜻밖의 파탄이 생긴다. [믿는 도끼에 발등 찍힌다] 믿고 있던 일이 어긋나거나 믿고 있던 사람에게 오히려 해를 입다.
믿음 [명] **1** 믿는 마음. ¶~을 저버리다. **2** 신앙. ¶~이 깊다 / ~을 지키다.
믿음-성 (-性)[-썽] [명] 믿을 만한 성질. 믿음직한 성질. 신뢰성.
믿음성-스럽다 (-性-)[-썽-] (-스러우니, -스러워) [형][ㅂ불] 믿음직한 성질이 있다. ¶당당한 행동이 ~. **믿음성-스레** [-썽-] [부]
믿음직-스럽다 (-스러우니, -스러워) [형][ㅂ불] 믿음직한 데가 있다. ¶그의 단호한 태도가 ~. **믿음직-스레** [부]
믿음직-하다 [-지카-] [형][여불] 매우 믿을 만하다. ¶보기에 ~.
*__밀__[1] [명]〘식〙볏과의 한해살이 또는 두해살이 풀. 줄기는 곧고 높이 약 1m, 마디는 속이 비어 있음. 열매는 녹말과 단백질이 많아 중요한 곡식으로서 세계적으로 널리 재배되고 있음. 참밀.
밀:[2] [명] 꿀벌이 벌집을 만들기 위해 분비하는 물질. 밀랍(蜜蠟).
*__밀-가루__ [-까-] [명] 밀을 빻아 만든 가루. 맥분(麥粉). 소맥분.
[밀가루 장사하면 바람이 불고 소금 장사하면 비가 온다] 운수가 사나우면 일이 공교롭게 매번 틀어진다는 말.
밀감 (蜜柑) [명]〘식〙운향과의 상록 활엽 관목. 높이 3m가량, 첫여름에 흰 다섯잎꽃이 피고, 장과(漿果)는 첫겨울에 황적색으로 익음. 열매는 식용하고, 그 껍질은 향료·진피(陳皮) 대용이 됨. 귤나무.
밀:-개 [명] 밀가루 반죽 따위를 밀어 얇게 펴는 기구.
밀-거래 (密去來) [명][하타] 법을 어기면서 몰래 사고파는 행위. ¶마약을 ~하다.
밀계 (密計)[-/-게] [명] 은밀하게 꾸민 계략. 밀책(密策). ¶~를 꾸미다.
밀계 (密契)[-/-게] [명][하자] 비밀리에 계약을 맺음. 또는 그 계약.
밀계 (密啓)[-/-게] [명][하타] 임금에게 넌지시 글을 아룀. 또는 그 글. 비계(祕啓).
밀고 (密告) [명][하타] 남몰래 넌지시 일러바침. 몰래 고자질함. ¶스트라이크 모의를 ~하다.
밀교 (密敎) [명] **1**〘불〙해석·설명 등을 할 수 없는 경전(經典)·주문·진언 등. **2**〘불〙7세기 후반에 인도에서 흥했던 대승 불교의 한 파. ↔현교(顯敎). **3**〘역〙임금이 살아 있을 때 종친·중신 등에게 남모르게 뒷일을 부탁하여 내린 비밀 교서.
밀-국수 [명] 밀가루로 만든 국수.
밀:-기름 [명] 밀랍과 참기름을 섞어서 끓여 만든 머릿기름.
밀-기울 [-끼-] [명] 밀을 빻아서 체로 가루를 빼고 남은 찌꺼기. 맥부(麥麩). 맥피(麥皮).
*__밀:다__ (미니, 미오) [타] **1** 힘을 주어 앞으로 나아가게 하다. ¶수레를 ~. **2** 거침새가 있는 바닥을 빤빤하게 깎다. ¶대패로 통나무를 ~ / 머리를 빡빡 ~. **3** 추천하거나 추대하다. ¶회장으로 ~. **4** 가루 반죽을 밀방망이로 얇고 넓게 펴다. ¶밀가루 반죽을 얇게 ~. **5** 표면에 붙은 것이 떨어지도록 문지르다. ¶때를 ~. **6** 등사하거나 인쇄하다. ¶시험 문제를 등사기로 ~.
밀담 (密談)[-땀] [명][하자] 남몰래 비밀히 이야기함. 또는 그 이야기. 밀화(密話). ¶~을 나누다 / ~하는 모습은 남 보기에 좋지 않다.
밀도 (密度)[-또] [명] **1** 빽빽이 들어선 정도. ¶인구 ~. **2** 내용이 충실한 정도. ¶~ 높은 이야기. **3**〘물〙한 물질의 어느 온도에서 단위 체적의 질량《단위는 g/cm^3》.
밀:-뜨리다 [타] 갑자기 힘 있게 밀어 버리다. ¶밀뜨려 넘어지게 하다.
밀랍 (蜜蠟) [명] 꿀벌의 집을 만드는 주성분. 꿀을 짜내고 남은 찌꺼기를 가열·압축하여 만드는 유지(油脂) 등. 화장품·초·전기 절연·광택제(光澤劑) 등에 사용됨. 납(蠟). 밀.

밀레니엄 (millennium) 명 1 천년 (동안). ¶ 2000 년을 맞으면서 새 ~에 대해 거는 우리의 기대가 크다.
밀려-가다 자 **1** 한꺼번에 떼를 지어 가다. ¶우르르 ~/군중에 섞이어 광장으로 ~. **2** 떼밀려서 가다. ¶바람에 ~.
밀려-나다 자 **1** 떼밂을 당하여 어느 위치에서 밀리다. ¶길 옆으로 ~. **2** 어떤 자리에서 쫓겨나다. ¶사장 자리에서~.
밀려-다니다 자 **1** 미는 힘에 밀려 다니다. ¶군중 속에 섞여 ~. **2** 여럿이 떼를 지어 돌아다니다. ¶관광객들이 떼를 지어 ~.
밀려-닥치다 자 한꺼번에 여럿이 들이닥치다. ¶문을 열자 손님들이 밀려닥쳤다.
밀려-들다 〔-드니, -드오〕 자 한꺼번에 여럿이 몰려들다. ¶축구 팬들이 경기장에 ~.
밀려-오다 자 **1** 미는 힘에 밀려서 이쪽으로 오다. ¶조수(潮水)가 ~. **2** 여럿이 단박에 몰려오다. ¶물밀듯이 밀려오는 적군/메뚜기 떼가 구름처럼 밀려왔다.
밀렵 (密獵) 명하타 금하는 것을 어기고 몰래 사냥함. ¶~이 성행하다.
밀령 (密令) 명 남모르게 명령을 내림. 또는 그 명령.
밀리 (milli) 의명 '밀리미터'의 준말.
밀리그램 (milligram) 의명 무게의 단위. 1 그램의 1/1000《기호 : mg》.
***밀리다** 자 **1** 처리하지 못한 일이나 물건이 쌓이다. ¶집세가 ~/주문이 밀려 배달이 더디다/차가 ~. **2** 《'밀다'의 피동》 떼밂을 당하다. ¶인파에 밀려 넘어지다/때가 ~.
밀리리터 (milliliter) 의명 용량의 단위. 1 리터의 1/1000《기호 : ml》.
밀리미터 (millimeter) 의명 길이의 단위. 1/10 센티미터《기호 : mm》. 준밀리.
밀리-바 (millibar) 의명 기압을 나타내는 국제 단위. 10^6 다인/cm^2 이 1바(bar)로, 이의 1/1000 에 해당함《기호 : mb》. 기상 용어는 '헥토파스칼'.
밀림 (密林) 명 큰 나무들이 빽빽하게 들어선 깊은 숲. 정글. ¶울창한 ~ 지대.
밀:-막다 타 **1** 밀어서 막다. **2** 못하게 하거나 말리다. **3** 핑계를 대고 거절하다. ¶부탁을 밀막아 버리다.
밀매 (密賣) 명하타 거래가 금지된 물품을 몰래 팖. ¶마약을 ~하다.
밀명 (密命) 명하자타 몰래 내리는 명령. 밀령. ¶~을 받고 교섭에 나서다.
밀모 (密毛) 명 빽빽하게 난 털.
밀모 (密謀) 명하타 주로 나쁜 일을 비밀히 모의함. 또는 그 모의.
밀-무역 (密貿易) 명하타 세관을 통하지 않고 몰래 하는 무역. *밀수.
밀:-문 (-門) 명 밀어서 열게 된 문.
밀-물 명 육지로 향해 조수가 밀려오는 현상. 또는 그 조류. ↔썰물.
밀-반입 (密搬入) 명하타 물건 따위를 몰래 안으로 들여옴. ↔밀반출.
밀-반죽 명하자 밀가루의 반죽.
밀-반출 (密搬出) 명하타 물건 따위를 몰래 밖으로 내감. ¶외화를 해외로 ~하다. ↔밀반입.
밀:-방망이 명 가루 반죽을 밀어서 얇고 넓게 펴는 데 쓰는 방망이.
밀-밭 [-받] 명 밀을 심은 밭.
밀-범벅 명 밀가루에 청둥호박과 청대콩 같은 것을 섞어 만든 범벅.
밀보 (密報) 명하자타 몰래 보고함. 또는 그 보고.
밀-보리 명 **1** 밀과 보리. **2** 쌀보리.
밀봉 (密封) 명하타 단단히 붙여서 꼭 봉함. ¶~한 편지.
밀봉 (蜜蜂) 명 〔충〕 꿀벌.
밀사 (密使) [-싸] 명 비밀히 보내는 사자(使者). ¶~로 적지에 잠행하다.
밀생 (密生) [-쌩] 명하자 빈틈없이 빽빽하게 남. ¶자생 난이 ~한 군락지.
밀서 (密書) [-써] 명 비밀히 보내는 편지나 문서. ¶국왕의 ~.
밀선 (密船) [-썬] 명 법을 어기고 몰래 다니는 배. ¶~을 타고 밀입국하다.
밀송 (密送) [-쏭] 명하타 남몰래 보냄.
밀수 (密輸) [-쑤] 명하타 법을 어기고 비밀히 하는 수입이나 수출.
밀-수입 (密輸入) [-쑤-] 명하타 법을 어기고 물품을 몰래 사들여 오는 일. ¶국내로 마약을 ~하다. ↔밀수출.
밀-수출 (密輸出) [-쑤-] 명하타 법을 어기고 물품을 몰래 내다 파는 일. ¶금괴를 ~하다. ↔밀수입.
밀수-품 (密輸品) [-쑤-] 명 법을 어기고 몰래 사들여 온 물품. ¶~을 압수하다.
밀실 (密室) [-씰] 명 남이 함부로 출입하지 못하게 비밀로 쓰는 방. ¶~에 감금하다.
밀-알 명 **1** 밀의 낟알. **2** 어떤 일에 작은 밑거름이 되는 것.
밀약 (密約) 명하타 비밀히 약속함. 또는 그러한 약속. 짬짜미. ¶~을 맺다.
밀어 (密語) 명하자 남이 알아듣지 못하게 넌지시 하는 말.
밀어 (蜜語) 명 달콤한 말. 특히, 남녀 간의 정담. ¶~를 속삭이다/~를 나누다.
밀어-내다 타 **1** 밀어서 밖으로 나가게 하다. ¶몸싸움으로 상대자를 선 밖으로 ~. **2** 힘이나 압력을 가하여 어떤 지위나 자리에서 물러나게 하다. ¶사장을 밀어내고 그 자리를 차지하다/경쟁자를 밀어내고 승진하다.
밀어-닥치다 자 여럿이 한꺼번에 몰려 닥치다. ¶채권자들이 밀어닥쳐 아우성친다.
밀어-뜨리다 타 힘껏 밀치다.
밀어-붙이다 [-부치-] 타 **1** 한쪽으로 힘주어 밀다. ¶상대방을 구석으로 ~. **2** 고삐를 늦추지 않고 계속 몰아붙이다. ¶계속 밀어붙여 상대 팀을 꺾다.
밀어-젖히다 [-저치-] 타 **1** 밀문을 힘껏 밀어 열다. ¶다짜고짜 대문을 밀어젖히고 행패를 부린다. **2** 밀어서 한쪽으로 기울어지게 하다.
밀어-제치다 타 세차게 밀어 뒤로 가게 하다. ¶밀어제치고 앞으로 나서다.
밀어-주다 타 **1** 적극적으로 도와주다. ¶밀어주겠다며 돈을 요구하다. **2** 어떤 지위를 차지하도록 내세워 지지하다. ¶선배를 회장으로 밀어주었다.
밀어-트리다 자 밀어뜨리다.
밀월 (蜜月) 명 **1** 결혼 초의 즐겁고 달콤한 동안. 허니문. **2** 친밀한 관계. ¶~ 관계.

밀월-여행 (蜜月旅行)[-려-] 명 신혼여행.
밀의 (密意)[-/-이] 명 은밀한 뜻.
밀의 (密議)[-/-이] 명하타 남몰래 가만히 의논함. 비밀한 회의. ¶~를 거듭하다.
밀-입국 (密入國) 명하자 정식 절차를 밟지 않고 몰래 입국함. ¶~자(者).
밀장 (密葬)[-짱] 명하타 남의 땅에 몰래 지내는 장사. *암장(暗葬).
밀:-장지 (-障-)[-짱-] 명 옆으로 밀어서 여닫는 장지.
밀-전병 (-煎餠) 명 밀가루로 만든 전병.
밀접-하다 (密接-)[-쩌파-] 형여불 **1** 썩 가깝게 맞닿아 있다. **2** 썩 가까운 관계에 있다. ¶밀접한 관계 / 두 사람 사이가 아주 밀접해졌다. **밀접-히** [-쩌피] 부
밀정 (密偵)[-쩡] 명하자 몰래 사정을 살핌. 또는 그런 사람. ¶~을 잠입시키다.
밀조 (密造)[-쪼] 명하타 허가 없이 몰래 만듦. ¶마약을 ~하다.
밀주 (密酒)[-쭈] 명하자 허가 없이 몰래 술을 담금. 또는 그 술. ¶~ 막걸리 / ~ 단속에 걸리다.
밀지 (密旨)[-찌] 명 임금이 몰래 내리던 명령. 밀칙.
밀집 (密集)[-찝] 명하자 빈틈없이 빽빽이 모임. ¶~ 대형 / 인가가 ~해 있다.
밀-짚 [-찝] 명 밀알을 떨고 난 밀의 줄기.
*__밀짚-모자__ (-帽子)[-찜-] 명 밀짚·보릿짚 등으로 만든 여름 모자.
밀:-차 (-車) 명 밀어서 움직이는 작은 짐수레. ¶환자는 수술실로 향하는 ~에 누워 있다.
밀착 (密着) 명하자 **1** 빈틈없이 단단히 붙음. ¶~ 수비를 펼치다. **2** 확대기를 거치지 않고 음화 필름에다 직접 인화지나 양화 필름을 대고 복사함. **3** 서로의 관계가 매우 가깝게 됨. ¶두 나라 어느 쪽에도 ~하지 않는 등거리 외교 관계를 유지하다.
밀쳐-놓다 [-처노타] 타 앞에 있는 어떤 물건을 다른 곳으로 밀어 놓다. ¶밥상을 한 쪽으로 ~.
밀-초 (蜜-) 명 밀랍으로 만든 초. 납촉(蠟燭). 황초. 황촉.
밀:치다 타 힘껏 밀다. ¶뭐가 바쁜지 그는 사람들을 밀치고 앞으로 뛰어갔다.
밀:치락-달치락 부하자 서로 밀고 잡아당기고 하는 모양. ¶먼저 타려고 ~하다.
밀칙 (密勅) 명 밀지(密旨).
밀크 (milk) 명 우유.
밀탐 (密探) 명하타 은밀히 정탐함. ¶~꾼 / 적정(敵情)을 ~하다.
밀통 (密通) 명하자 **1** 부부가 아닌 남녀가 몰래 정을 통함. **2** 소식이나 사정을 몰래 알려 줌.
밀:-트리다 타 밀뜨리다.
밀파 (密派) 명하타 어떤 임무를 맡겨 비밀히 사람을 보냄. ¶간첩을 ~하다.
밀폐 (密閉)[-/-페] 명하타 꼭 닫거나 막음. ¶~한 용기(容器).
밀항 (密航) 명하자 법적인 절차를 밟지 않거나 운임을 내지 않고 몰래 해외로 나가는 일. ¶~선(船)을 타고 밀입국하다.
밀행 (密行) 명하자 **1** 남몰래 다님. **2** 비밀히 어떤 곳으로 감. 잠행(潛行).
밀회 (密會) 명하자타 비밀히 모이거나 만남《특히 남녀가 몰래 만나는 일》. ¶연인들이 ~를 즐기다.
*__밉다__ 〔미우니, 미워〕 형ㅂ불 **1** 생김새가 볼품이 없다. ¶용모가 밉지는 않다. **2** 하는 짓이나 말이 마음에 거슬려 싫다. ¶거짓말을 잘해 ~. ↔곱다.
[미운 벌레가 모로 긴다] 미운 사람이 하는 행동은 모두 비위에 거슬린다. [미운 아이 떡 하나 더 준다] 겉으로 귀여워하는 체한다. [미운 털이 박혔나] 몹시 미워하여 못살게 군다.
밉-보다 타 밉게 보다.
밉-보이다 자 《'밉보다'의 피동》 밉게 보이다. ¶장모에게 ~.
밉살-맞다 [-만따] 형 '밉살스럽다'를 얕잡아 쓰는 말.
밉살-스럽다 〔-스러우니, -스러워〕 형ㅂ불 말이나 행동이 남에게 몹시 미움을 받을 만하다. ¶하는 짓이 ~ / 밉살스럽게 굴다.
밉-상 (-相) 명 미운 얼굴이나 행동. ¶얼굴이 그렇게 ~은 아니다. ↔곱상.
밋밋-이 [민-] 부 밋밋하게.
밋밋-하다 [민미타-] 형여불 **1** 생김새가 거침새 없이 곧고 길다. ¶밋밋하고 훤칠하게 잘생기다. 작맷맷하다. **2** 특색이나 변화가 없이 평범하다. **3** 경사나 굴곡이 심하지 않고 평평하고 비스듬하다.
밍밍-하다 형여불 **1** 맛이 몹시 싱겁다. ¶국이 밍밍하면 간장을 넣어라. **2** 술·담배의 맛이 독하지 않다. ¶맥주가 김이 빠져 ~. 작맹맹하다[1].
밍크 (mink) 명 〖동〗 족제빗과의 짐승. 북아메리카 원산으로 물가에 사는데, 털빛은 암갈색, 꼬리는 흑색, 목 아래 백반이 있음. 급류를 헤엄쳐 물고기 등을 잡아먹음. 모피는 외투 등에 씀. ¶~코트.
*__및__ [믿] 부 '그 밖에·그리고·또'의 뜻의 접속 부사. 급(及). ¶문학에는 시·소설 ~ 희곡 등이 있다.
*__밑__ [믿] 명 **1** 무엇이 있는 자리의 아래나 아래쪽. 또는 물체의 아랫부분. ¶책상 ~ / 인도교 ~. **2** 정도·지위·나이 따위가 낮거나 적음. ¶형보다 세 살 ~이다. **3** 안쪽. ¶~에 내의를 입다. **4** ('밑에서'의 꼴로 쓰여) 지배·보호·영향 등을 받는 처지임을 나타냄. ¶계모 ~에서 자란 아이. **5** 일의 기초나 바탕. ¶밑을 튼튼하게 다지다. **6** '밑구멍'의 준말. **7** '밑바닥'의 준말. ¶~ 빠진 독. **8** '밑동'의 준말. ¶무 ~.
[밑 빠진 가마〔독〕에 물 붓기] ㉠쓸 곳이 많아 아무리 벌어도 항상 부족함을 이르는 말. ㉡아무리 힘들여 애써도 보람이 나타나지 않음을 이르는 말.
밑도 끝도 없다 구 까닭 모를 말을 불쑥 꺼내어 갑작스럽거나 갈피를 잡을 수 없다는 말. ¶밑도 끝도 없이 불쑥 한마디 하다.
밑(이) 구리다 구 숨기고 있는 과실이나 범죄 때문에 떳떳하지 못하다.
밑(이) 질기다 구 한번 자리를 잡으면 좀처럼 떠날 줄을 모른다.
밑-각 (-角)[믿깍] 명 〖수〗 이등변 삼각형의 밑변의 양끝을 꼭짓점으로 하는 내각(內角). 저각(底角).

밑-감 [믿깜] 명 바탕이 되는 재료.
밑-거름 [믿꺼-] 명 **1** 씨를 뿌리거나 모내기 전에 주는 거름. 기비(基肥). ¶ ~을 주다. **2** 어떤 일을 이루는 데 바탕이 되는 요인. ¶ 조국 발전의 ~이 되다.
밑-구멍 [믿꾸-] 명 **1** 어떤 물건의 밑에 뚫린 구멍. **2** 항문이나 여자의 음부를 간접적으로 일컫는 말. 준 밑.
[밑구멍으로 호박씨 깐다] 겉으로 드러내지 않고 남모르게 의뭉스러운 짓을 한다.
밑-그림 [믿끄-] 명 **1** 모양의 대충만을 초잡아 그린 그림. 원화(原畫). ¶ ~을 완성하다. **2** 수본(繡本)으로 쓰려고 종이나 헝겊에 그린 그림.
밑-글 [믿끌] 명 **1** 이미 배운 글. **2** 이미 알고 있어 밑천이 되는 글.
***밑-넓이** [민널비] 명 〖수〗 밑면을 이룬 넓이. 밑면적. 저면적.
밑-돌 [믿똘] 명 〖건〗 **1** 동바리의 밑을 받친 돌. **2** 담이나 건축물 따위의 밑바닥에 쌓은 돌.
밑-돌다 [믿똘-] (밑도니, 밑도오) 자타 어떤 기준에 미치지 못하다. 하회(下廻)하다. ¶ 생산비보다 밑도는 농산물 값 / 금년 쌀 수확량이 평년작을 밑돌 것으로 예상된다. ↔웃돌다.
밑-동 [믿똥] 명 **1** 긴 물건의 맨 아랫동아리. **2** 채소 등의 뿌리. **3** 나무줄기에서 뿌리에 가까운 부분. ¶ 나무 ~. 준 밑.
밑-둥치 [믿뚱-] 명 둥치의 밑 부분.
밑-들다 [믿뜰-] (밑드니, 밑드오) 자 무·감자 따위의 뿌리가 굵게 자라다.
밑-머리 [민-] 명 치마머리·다리 등을 드릴 때 본디 있는 제 머리털.
***밑-면** (-面)[민-] 명 **1** 밑바닥의 면. **2** 〖수〗 다면체가 어느 면 위에 있다고 생각할 때, 그 면과 접촉한 다면체의 면. 저면(底面).
밑-면적 (-面積)[민-] 명 밑넓이.
밑-바닥 [믿빠-] 명 **1** 물건의 아래로 향한 겉의 바닥. ¶ 구두 ~. **2** 어떤 사건이나 현상의 바탕. ¶ ~에 깔린 생각. **3** 사회의 최하층. ¶ ~ 생활을 면치 못하다. **4** 빤히 들여다보이는 남의 속뜻. 저의(底意). ¶ ~이 들여다보인다. 준 밑.
밑-바탕 [믿빠-] 명 기본이 되는 바탕.
밑-반찬 (-飯饌)[믿빤-] 명 만들어서 오래 두고 언제나 손쉽게 내어 먹을 수 있는 반찬《젓갈·자반·장아찌 따위》.
밑-받침 [믿빧-] 명하타 **1** 밑에 받치는 물건. **2** 어떤 일이나 현상의 바탕이나 근거 또는 힘이 되는 것. ¶ 저축은 경제 성장의 ~이 된다.
밑-밥 [믿빱] 명 물고기나 새가 모이게 하기 위하여 미끼로 던져 주는 먹이.
***밑-변** (-邊)[믿뼌] 명 〖수〗 **1** 삼각형에서 꼭지각에 대한 변. 특히 이등변 삼각형에서는 등변이 아닌 변을 일컬음. **2** 사다리꼴에서, 평행한 두 변. 위의 것은 윗변, 아래의 것은 아랫변이라고 함. 저변(底邊).
밑-불 [믿뿔] 명 불을 피울 때에 불씨가 되는, 본디 살아 있는 불. ¶ ~이 약하다.
밑-뿌리 [믿-] 명 **1** 밑에 있는 뿌리. **2** 사물이나 현상의 바탕이나 기초. ¶ 조직의 ~부터 흔들리다.
밑-살 [믿쌀] 명 **1** 항문 주위의 살. **2** 미주알. **3** 소의 볼깃살의 하나《국거리로 씀》.
밑-술 [믿쑬] 명 **1** 약주를 뜨고 난 찌끼 술. 모주(母酒). **2** 술을 빚을 때 누룩·밥과 함께 조금 넣는 묵은 술.
밑-신개 [믿씬-] 명 그넷줄의 맨 아래에 걸쳐 두 발을 디디거나 앉게 된 물건.
밑-실 [믿씰] 명 재봉틀의 북에 감은 실.
밑-씨 [믿-] 명 〖식〗 씨방 속에 생기는, 뒤에 씨가 되는 기관(器官). 배낭(胚囊)·주심(珠心)·주피(珠皮)로 구성됨.
밑-씻개 [믿씯깨] 명 똥을 누고 밑을 씻는 종이 따위의 총칭.
밑-자리 [믿짜-] 명 **1** 여러 자리 가운데 아래쪽에 있는 자리. **2** 맷방석·바구니 등의 처음 결기 시작하는 밑바닥. **3** 사람이 깔고 앉는 자리. **4** 〖악〗 화음의 밑음이 낮은 음에 놓인 자리. 기본 위치.
밑-절미 [믿쩔-] 명 사물의 기초가 되는 본디 있던 바탕. 준 밑.
***밑-줄** [믿쭐] 명 문장 부호의 하나. 가로로 쓴 글에서 중요한 부분의 밑에 잇따라 긋는 줄. 언더라인. ¶ ~을 긋다 / ~ 친 글의 뜻을 써라.
밑-줄기 [믿쭐-] 명 나무나 풀 따위 줄기의 밑 부분.
밑-지다 [믿찌-] 자타 들인 밑천을 다 건지지 못하다. 손해를 보다. ¶ 밑지고 팔다.
[밑져야 본전] 손해를 본대도 본전은 남는다는 뜻으로, 일이 잘못되어도 손해 볼 것이 없다는 말.
밑지는 장사 구 자기에게 아무 이득이 없고 오히려 손해를 보는 일.
밑-짝 [믿-] 명 맷돌 등 아래위 두 짝이 한 벌로 되어 있는 물건의 아래짝.
밑-창 [믿-] 명 **1** 신의 바닥 밑에 붙이는 창. ¶ 구두 ~을 갈다. ↔속창. **2** 맨 밑바닥. ¶ ~이 빠지다.
밑-천 [믿-] 명 어떤 일을 하는 데 필요한 돈이나 물건, 기술, 실력 따위. 자본. ¶ ~을 대 주다 / ~을 까먹다 / ~이 많이 드는 장사 / 건강이 ~이다.
밑천이 드러나다 구 ㉠평소에 숨겨져 있던 제 바탕이나 성격이 표면에 나타나다. ㉡ 가지고 있는 돈이나 물건이 다 떨어지다.
밑천이 짧다 구 밑천이 적거나 부족하다.
밑-층 (-層)[믿-] 명 아래층. 하층. ¶ 우리는 아파트 ~에 삽니다.
밑-칠 [믿-] 명 목재나 쇠로 된 제품에 기본 칠감을 바르기 전에, 거친 겉면을 고르게 하거나 기본 칠감을 덜 먹게 하기 위하여 다른 칠감으로 애벌칠을 하는 일.
밑-판 (-板)[믿-] 명 밑에 대는 판. 또는 밑이 되는 판.
뭉 (경미음) 〈옛〉 'ㅁ' 소리를 내면서 입술을 조금 덜 닫고 내는 소리.

ㅂ (비읍) **1** 한글 자모의 여섯째 글자. **2** 자음의 하나. 목젖으로 콧길을 막고 입술을 다물었다가 뗄 때에 나는 무성 파열음. 받침으로 그칠 때는 입술을 떼지 않음.

-ㅂ네 [어미] 주로 '하다' 앞에서 받침 없는 어간에 붙어, 어떤 사실을 못마땅한 투로 이르는 말. ¶양반입네 하며 거들먹거린다 / 독서실에 갑네 하며 놀러만 다닌다.

-ㅂ니까 [어미] 받침 없는 어간에 붙어 합쇼할 자리에서 의문을 나타내는 종결 어미. ¶지금 어디 갑니까 / 그 사람이 범인이 아닙니까 / 이것이 인삼입니까. *-습니까.

-ㅂ니다 [어미] 받침 없는 어간에 붙어 합쇼할 자리에서 존대하여 현재의 동작이나 상태를 나타내는 종결 어미. ¶나는 집에 갑니다 / 내가 한 짓이 아닙니다 / 저분이 사장입니다. *-습니다.

-ㅂ디까 [어미] 받침 없는 어간에 붙어 하오할 자리에서 지난 일을 돌이켜 물음을 나타내는 종결 어미. ¶언제 온다고 합디까 / 얼마나 큽디까 / 누구라고 합디까 / 합격한 것이 아닙디까. *-습디까.

-ㅂ디다 [어미] 받침 없는 어간에 붙어 하오할 자리에서 지난 일을 돌이켜 말함을 나타내는 종결 어미. ¶몹시 빠릅디다 / 잘 잡디다 / 인기가 대단합디다. *-습디다.

ㅂ 불규칙 용:언 (-不規則用言)[-칭뇽-] ㅂ 불규칙 활용을 하는 용언.

ㅂ 불규칙 활용 (-不規則活用)[-치콸-] 〖언〗 어간의 끝 'ㅂ'이 모음으로 시작되는 어미 앞에서 '오'나 '우'로 변하는 현상《곧, '곱다'가 '고와·고우니', '덥다'가 '더워·더우니' 따위로 변함》.

-ㅂ쇼 [어미] '-ㅂ시오'의 준말. ¶어서 옵쇼. *-읍쇼.

-ㅂ시다 [어미] 받침 없는 동사 어간에 붙어, 하오할 자리에서 존대하여 같이 행동하기를 원할 때에 쓰는 종결 어미. ¶먹고 갑시다 / 깨끗이 씁시다. *-읍시다.

-ㅂ시오 [어미] 받침 없는 동사의 어간에 붙어, 합쇼할 자리에서 존대하여 명령의 뜻을 나타내는 종결 어미. ¶어서 가십시오. (준) -ㅂ쇼. *-읍시오.

바[1] [명] '참바'의 준말. ¶~로 동이다.

바[2] [명] 서양 음악의 7음 체계에서 네 번째 음이름.

바[1] (bar) [명] **1** 몽둥이. 막대기. 문빗장. **2** 높이뛰기 등에서, 높이를 나타내기 위해 걸쳐 놓는 막대. **3** 〖악〗 세로줄. **4** 서양식으로 차린 술집.

***바**[3] [의명] '방법' 또는 '일'의 뜻으로 쓰는 말. ¶기뻐서 어찌할 ~를 모르다 / 몸둘 ~를 모르겠다 / 네가 알 ~가 아니다 / 이미 전술한 ~와 같다.

바[2] (bar) [의명] 〖물〗 압력의 절대 단위《$1cm^2$ 에 대하여 10^6 다인(dyne)의 힘이 작용할 때의 압력》.

***바가지** [명] **1** 물을 푸거나 물건을 담는 그릇. ¶~로 물을 푸다. **2** 터무니없이 비싼 요금이나 물건값. **3** 아내가 남편에게 늘어놓는 불평이나 불만의 소리. **4** 의존 명사적으로 쓰여, 액체나 곡식을 바가지에 담아 그 분량을 세는 단위. ¶물 한 ~를 벌떡벌떡 들이켜다.

바가지(를) 긁다 [구] 주로 아내가 남편에게 불평과 잔소리를 심하게 하다. ¶아내의 바가지 긁는 소리로 하루가 시작되었다.

바가지(를) 쓰다 [구] 부당하게 많은 값을 치르거나 어떤 일을 도맡아 책임을 지게 되다. ¶술집에서 되게 바가지를 썼다.

바가지(를) 씌우다 [구] 터무니없는 요금이나 값을 내게 하다. ¶5만원이나 ~.

바가지(를) 차다 [구] 쪽박(을) 차다. ¶노름에 빠지더니 결국 바가지를 찼더구나.

-바가지 [미] 일부 명사에 붙어, 그 일을 자주 하는 사람이나 그 일을 낮잡는 뜻을 나타냄. ¶주책~ / 고생~.

바각 [부하자타] 작고 단단한 물건이 맞닿아서 나는 소리. ¶바가지를 숟가락으로 ~ 긁다. (큰)버걱. (센)빠각.

바각-거리다 [자타] 바각 소리가 계속하여 나다. 또는 바각 소리를 계속하여 내다. (큰)버걱거리다. (센)빠각거리다. **바각-바각** [부하자타]

바각-대다 [자타] 바각거리다.

바겐세일 (bargain-sale) [명] 기간을 정하여 어떤 상품을 정가보다 특별히 싸게 파는 일. 할인 판매. ¶백화점 ~ 기간 중이라 교통이 매우 혼잡하다.

바곳 [-곧] [명] 옆에 자루가 달린 길쭉한 송곳.

바곳

***바구니** [명] **1** 대·싸리·플라스틱 등을 쪼개어 둥글게 결어 속이 깊숙하게 만든 그릇. ¶~를 끼고 시장에 가다. **2** 수량을 나타내는 말 뒤에 쓰여, 바구니에 담는 분량을 세는 단위. ¶나물과 과일 등을 한 ~ 사 왔다.

바:구미 [명] 〖충〗 **1** 바구밋과의 곤충의 총칭. **2** 바구밋과 곤충의 하나. 몸길이는 2.3-3.5 mm, 긴 타원형이며 몸빛은 광택 있는 적갈색 내지 흑갈색임. 쌀·보리 등을 파먹는 해충임.

바그르르 [부하자] 적은 물이나 거품 따위가 넓게 퍼지면서 일어나거나 끓어오르는 소리. 또는 그 모양. ¶찌개가 ~ 끓는다. (센)빠그르르. *보그르르.

바글-거리다 [자] **1** 적은 양의 액체 따위가 넓게 퍼지며 자꾸 끓어오르다. ¶주전자의 물이 바글거리며 끓는다. (센)빠글거리다. **2** 사람·짐승·벌레 등이 많이 모여 움직이다. ¶백화점에 사람들이 바글거린다. **3** 마음이

쓰여 속이 타다. ㉪버글거리다. **바글-바글** 부하자

바글-대다 자 바글거리다.

***바깥** [-깥] 명 밖이 되는 곳. 밖으로 향한 쪽. 밖. ¶~ 공기가 차다 / ~을 내다보다. ↔안.

바깥-날 [-깐-] 명 방 안 같은 데서 바깥의 날씨를 일컫는 말.

바깥-마당 [-깐-] 명 집 밖에 있는 마당. ↔안마당.

바깥-문 (-門)[-깐-] 명 **1** 대문 밖에 또 있는 문. **2** 겹 문의 바깥쪽에 달린 문. 외문. ↔안문.

바깥-바람 [-깥빠-] 명 **1** 바깥에서 부는 바람이나 바깥 공기. ¶그는 병원 창문을 활짝 열더니 ~을 들이마셨다. **2** 바깥세상의 기운이나 흐름. ¶~을 쐬러 외국에 나가다.

바깥-방 (-房)[-깥빵] 명 바깥채에 딸린 방. ↔안방.

바깥-부모 (-父母)[-깥뿌-] 명 늘 밖의 일을 보는 부모라는 뜻에서, 아버지를 말함. 밭어버이. ㉠밭부모. ↔안부모.

바깥-사돈 (-查頓)[-깥싸-] 명 딸의 시아버지나 며느리의 친정아버지와 같은 남자 사돈의 일컬음. ㉠밭사돈. ↔안사돈.

바깥-사람 [-깥싸-] 명 남편을 예사롭게 또는 낮추어 이르는 말.

바깥-상제 (-喪制)[-깥쌍-] 명 남자 상제. ㉠밭상제. ↔안상제.

바깥-세상 (-世上)[-깥쎄-] 명 **1** 자기가 살고 있는 고장이 아닌 밖의 세상. **2** 자기 나라 밖의 세상. **3** 군대·교도소·벽촌 등에서, '일반 사회'를 일컫는 말. ¶~이 어떻게 돌아가는지 모르겠다.

바깥-손님 [-깥쏜-] 명 **1** 남자 손님. ↔안손님. **2** 외부에서 온 손님.

바깥-식구 (-食口)[-깥씩-] 명 한 집안의 남자 식구. ↔안식구.

바깥-양반 (-兩班)[-깐냥-] 명 한 집안의 남자 주인 또는 남편. 밖. ↔안양반.

바깥-어른 [-깐-] 명 '바깥양반'의 높임말.

바깥-일 [-깐닐] 명 **1** 가정 밖에서 보는 일. 주로 남자들이 보는 일. ↔안일. **2** 집 밖에서 일어나는 일. ¶~ 돌아가는 얘기에는 관심 없다. **3** 집 밖에서 하는 일. ¶겨울에는 ~ 하기가 어렵다. **4** 집안 살림 이외의 일. ¶직장에 다니는 아내는 집안일이나 ~이나 열심이다.

바깥-주인 (-主人)[-깥쭈-] 명 바깥양반. ㉠밭주인. ↔안주인.

바깥-지름 [-깥찌-] 명 〖수〗 관(管)이나 공 따위의 바깥쪽으로 잰 지름. 외경(外徑). ↔안지름.

바깥-짝 [-깥-] 명 **1** 어떤 표준 거리에서 더 가는 곳. ¶십리 ~에 나갈 수 없다. **2** 한시에서, 한 구를 이루는 두 짝 가운데 뒤에 있는 짝. **3** 안팎 두 짝인 물건에서 바깥에 있는 짝. ↔안짝.

바깥-쪽 [-깥-] 명 바깥으로 드러난 쪽. ¶~을 내다보다. ㉠밭쪽. ↔안쪽.

바깥-채 [-깥-] 명 한 집의 바깥쪽에 있는 채. ↔안채.

바깥-출입 (-出入)[-깥-] 명하자 바깥에 나다니는 일. ¶~을 삼가다.

바께쓰 명 〔← bucket〕 양동이.

***바꾸다** 타 **1** 어떤 것을 주고 다른 것을 받다. ¶옷을 바꾸어 입다 / 자리를 ~ / 쌀과 보리를 ~. **2** 원래의 내용이나 상태를 다른 것으로 고치다. ¶머리 모양을 ~ / 습관을 ~ / 분위기를 바꾸어 보다 / 계획을 바꾸었다. **3** 말이나 이름, 표현을 다른 것으로 하다. ¶가게 이름을 ~. **4** 곡식이나 피륙을 사다.

바꿔 말하다 구 먼저 한 말을 다른 말로 바꾸어서 말하다.

바꾸이다 자 《'바꾸다'의 피동》 바꾸어지다. ㉠바뀌다.

바꿈-질 명하타 **1** 물건과 물건을 바꾸는 일. **2** 피륙을 사는 일.

***바뀌다** 자 '바꾸이다'의 준말. ¶해가 ~ / 장관이 바뀌었다 / 두 사람의 처지가 바뀌었다 / 그의 태도가 바뀐 이유를 모르겠다.

바나나 (banana) 명 〖식〗 파초과(芭蕉科)의 여러해살이풀. 열대·아열대 지방에서 과수로 재배함. 넓고 긴 잎이 뭉쳐나고 초여름에 담황색의 꽃이 핌. 과실은 약간 긴 활 모양으로 씨가 없고 익으면 누른빛이 됨.

바냐위다 형 반지랍고도 아주 인색하다.

바느-실 명 바늘과 실.

바느-질 명하타 바늘에 실을 꿰어 옷을 짓거나 꿰매는 일. 침선(針線). ¶~ 솜씨가 좋다 / 정성스레 한 땀 한 땀 ~하다.

바느질-감 [-깜] 명 바느질할 옷이나 옷감 따위. 바느질거리. ¶아내는 ~을 반짇고리에 담았다.

***바늘** 명 **1** 가늘고 끝이 뾰족하며 머리에 구멍이 있는 쇠《실을 꿰어 바느질하는 데에 씀》. 봉침(縫針). ¶~에 찔려 피가 나다. **2** 뜨개질할 때 실을 뜨는, 가늘고 긴 막대. **3** 주사·낚시·전축 따위에서, 가늘고 길며 한 쪽 끝이 뾰족한 부품이나 부분. **4** 시계·저울 따위에서, 눈금을 가리키는 뾰족한 물건. ¶시계의 ~이 12시를 가리켰다. **5** 모양·용도가 '바늘'과 비슷한 것.

[바늘 가는 데 실 간다] 밀접한 관계가 있는 것은 서로 따른다. [바늘 도둑이 소도둑 된다] 작은 도둑이 차차 큰 도둑이 된다. [바늘로 찔러도 피 한 방울 안 난다] ㉠사람이 매우 단단하고 야무지다. ㉡지독하게 인색하다.

바늘-겨레 명 바늘을 꽂아 두는 작은 물건. 바늘방석.

바늘-구멍 [-꾸-] 명 **1** 바늘로 뚫은 작은 구멍. **2** 바늘귀. **3** 바늘귀처럼 아주 작은 구멍. ¶부자가 천국에 들어가는 것은 낙타가 ~에 들어가기보다 어렵다.

[바늘구멍으로 황소바람 들어온다] 추울 때는 작은 구멍으로 들어오는 바람도 차다.

바늘-귀 [-뀌] 명 바늘의 위쪽에 뚫린, 실을 꿰는 구멍. 침공(針孔). ¶~에 실을 꿰다.

바늘-대 [-때] 명 돗자리나 가마니를 칠 때 쓰는, 가늘고 길쭉한 막대기.

바늘-방석 (-方席) 명 **1** 바늘겨레. **2** 앉아 있기에 불안한 자리의 비유.

[바늘방석에 앉은 것 같다] 자리에 그대로 있기가 몹시 거북하고 불안하다.

바늘-쌈 명 바늘 스물네 개를 종이로 납작하게 싼 뭉치.

바늘-허리 명 바늘의 가운데 부분.
바니시 (varnish) 명 〖화〗 니스.
바닐라 (vanilla) 명 〖식〗 난초과의 여러해살이 덩굴풀. 열대에 분포함. 자라면 뿌리가 없어지고 공기뿌리로 삶. 잎은 줄기 끝에 타원형으로 나고 황록색 꽃이 핌. 과실은 오이만 하며 익기 전에 바닐린을 채취함.
***바다** 명 **1** 〖지〗 지구 위에 짠물이 괴어 있는 넓은 곳《지구 표면적의 약 70.8%, 3억 6천 1백만 km²임》. ¶배를 타고 ~로 나가다 / 올 여름 방학에는 ~에 가기로 아들과 약속했다. **2** 비유적으로, 매우 넓거나 넘치도록 널리 퍼져 있는 상태나 모양. ¶불~ / 눈물~ / ~와 같은 은혜. **3** 〖천〗 달이나 화성 표면의 어둡고 평탄한 곳. ¶고요한 ~.
[바다는 메워도 사람의 욕심은 못 채운다] 사람의 욕심은 한이 없다.
바다-거북 명 〖동〗 바다거북과의 거북. 등딱지는 길이 1m 내외의 심장형으로, 어두운 녹색에 어두운 황색의 얼룩점이 있음. 바다에 살며 해초를 주식으로 하고 여름에 알을 낳음.
바다-낚시 [-낙씨] 명 바다에서 물고기를 낚는 일. ↔민물낚시.
바다-표범 (-豹-) 명 〖동〗 물범.

ㅂ

***바닥** 명 **1** 물체가 편평한 평면을 이룬 부분. ¶모래 ~ / 짐을 ~에 놓아라. **2** 그릇·신 등의 밑 부분. ¶구두 ~. **3** 일이나 소비할 수 있는 물건이 다 된 끝. ¶쌀이고 연탄이고 다 ~이 났다. **4** 피륙의 짜임새. ¶~이 고운 천. **5** 지역이나 장소. ¶서울 ~ / 시장 ~에서 자란 사람. **6** 증권 거래에서, 최저 가격. ¶~ 시세 / ~을 치고 반등하다. ↔상투·천장.
[바닥 다 보았다] 모든 것이 다 되어 끝장이라는 말《흔히 금광에서 씀》.
바닥(을) 긁다 구 ㉠생계가 곤란하다. ¶사업에 실패한 뒤로는 바닥을 긁고 있다. ㉡무리 안의 바닥 지위에서 맴돌다. ¶그의 영어 점수는 바닥을 긁는 수준이다.
바닥(이) 드러나다 구 ㉠밑바닥이 드러나다. 숨겨져 있던 정체가 드러나다. ㉡다 소비되어 동이 나게 되다. ¶외화(外貨) 낭비로 바닥이 드러난 국가 경제.
바닥(이) 질기다 구 증권 거래에서, 바닥으로 보이는 시세에서 더 내리지 아니하고 오래 버티다.
바닥-권 (-圈) 명 기록이나 성적, 주가 따위의 시세가 더 이상 내려가기 어려울 만큼 낮은 상태의 범위. ¶성적이 ~을 맴돌고 있다 / 경기 침체로 주식 시세가 ~이다.
바닥-나다 [-당-] 자 **1** 신 바닥 따위가 닳아서 구멍이 나다. **2** 돈이나 물건 따위가 다 써서 없어지다. ¶한 달 생활비가 보름 만에 바닥났다.
바닥-내다 [-당-] 타 일정한 양의 물건이나 돈을 다 써 버리다.
바닥-상태 (-狀態) 명 〖물〗 분자·원자·원자핵 등에서 에너지가 가장 낮고 안정된 상태. 기저(基底) 상태.
바닥-세 (-勢) 명 주가, 인기 따위가 더 이상 내려가기 어려울 만큼 낮은 상태에 있는 상황. 바닥시세.
바닥-재 (-材) 명 건물의 바닥에 쓰는 건축재료. ¶~를 나무로 바꾸다.
바닥-칠 (-漆) 명 칠할 물건의 겉에 맨 먼저 바르는 칠.
***바닷-가** [-다까 / -닫까] 명 바닷물과 땅이 서로 닿은 곳이나 그 근처. ¶~에서 조개를 줍다 / ~로 휴가를 떠났다.
바닷-길 [-다낄 / -닫낄] 명 해로.
바닷-말 [-단-] 명 〖식〗 해조(海藻). 준말.
바닷-물 [-단-] 명 바다의 짠물. 해수(海水). ¶~에 몸을 담그다. ↔민물.
바닷-물고기 [-단-꼬-] 명 바닷물에 사는 물고기. 준바닷고기. ↔민물고기.
바닷-바람 [-다빠- / -닫빠-] 명 바다에서 불어오는 바람. 해풍(海風). ¶~을 쐬니 한결 마음이 가볍다. ↔뭍바람.
바닷-새 [-다쌔 / -닫쌔] 명 해조(海鳥).
바대[1] 명 바탕의 품.
바대[2] 명 홑적삼이나 고의 등의 잘 해지는 부분에 튼튼하라고 안으로 덧대는 헝겊 조각. ¶~를 대다.
바동-거리다 자타 **1** 자빠지거나 주저앉거나 매달려서 팔다리를 자꾸 내저으며 몸을 움직이다. ¶달아나려고 묶인 손발을 ~. **2** 힘에 겨운 처지에서 벗어나려고 바득바득 애를 쓰다. ¶빚을 갚겠다고 ~. 큰 버둥거리다. **바동-바동** 부하자타
바동-대다 자타 바동거리다.
***바둑** 명 두 사람이 흑백의 돌을 바둑판에 번갈아 두어 가며 서로 에워싸서 집을 많이 차지함을 다투는 놀이. ¶~을 두다.
바둑-돌 명 **1** 바둑 둘 때 쓰는 돌《흑이 181개, 백이 180개임》. 바둑알. 준돌. **2** 모 없이 둥글둥글하며 반드러운 돌.
바둑-알 명 바둑돌1.
***바둑-이** 명 털에 검은 점과 흰 점이 바둑무늬 모양으로 뒤섞여 있는 개. 또는 그런 개의 이름.
바둑-판 (-板) 형 바둑을 두는 데 쓰는 판.
바둑판-같다 (-板-)[-간따] 형 반듯반듯하게 질서가 정연하다.
바둥-거리다 자타 '바동거리다'의 큰말.
바드득 부하자타 **1** 단단하거나 질긴 물건을 되게 비빌 때 되바라지게 나는 소리. ¶이를 ~ 갈다. **2** 무른 똥을 힘들여 눌 때 되바라지게 나는 소리. 큰부드득. 센빠드득. 거파드득.
바드득-거리다 자타 바드득 소리가 자꾸 나다. 또는 바드득 소리를 자꾸 내다. 큰부드득거리다. **바드득-바드득** 부하자타
바드득-대다 자타 바드득거리다.
바드럽다 〔바드러우니, 바드러워〕 형ㅂ불 빠듯하게 위태하다.
바득-바득 부 **1** 제 고집만 자꾸 부리거나 졸라대는 모양. ¶자기 말이 정답이라고 ~ 우기다 / ~ 졸라 대다. **2** 무리로 악지스럽게 애쓰는 모양. ¶살려고 ~ 기를 쓰다. 큰부득부득. 센빠득빠득.
바들-거리다 자타 자꾸 몸을 작게 바르르 떨다. ¶아이는 추위에 바들거리는 강아지를 얼른 안았다. 큰부들거리다. 거파들거리다. **바들-바들** 부하자타. ¶꽃샘추위에 몸을 ~ 떨다.
바들-대다 자타 바들거리다.
바듯-이 부 바듯하게. ¶기한을 ~ 잡다. 큰

부듯이. ㉦빠듯이.

바듯-하다 [-드타-] [형][여불] **1** 꼭 맞아서 헐렁거리지 아니하다. ¶새로 맞춘 구두가 발에 ~. **2** 간신히 정도에 미치다. ¶발돋움을 해야 바듯하게 닿을 정도의 높이 / 생활비가 ~. ㉦빠듯하다.

바디 [명] 베틀·가마니를 따위에 딸린 기구의 하나《대오리로 만들어 베 또는 가마니의 날을 고르며 씨를 쳐서 짜는 구실을 함》.

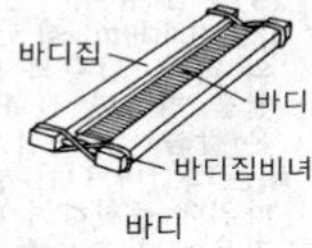

바디

바:라 [명] '파루(罷漏)'의 변한말.

바:라 (哱囉) [명] 〖악〗 **1** 나각(螺角). **2** '자바라(啫哱囉)'의 준말.

바:라기 [명] 음식을 담는 조그만 사기그릇.

*__바라다__ [타] 생각대로 되기를 원하다. ¶요행을 바라지 마라 / 부디 행복하길 바란다 / 돈을 ~.

바라다-보다 [타] 얼굴을 바로 향하고 쳐다보다. ¶창밖을 물끄러미 바라다보았다.

바라문 (婆羅門) [명] 〔산 Brāhmana〕 브라만.

바라문-교 (婆羅門敎) [명] 〖종〗 브라만교.

바라밀 (波羅蜜) [명] 〖불〗 '바라밀다'의 준말.

바라밀다 (波羅蜜多) [-따] [명] 〔산 Paramita〕 〖불〗 보살(菩薩)의 수행. 현실의 생사의 차안(此岸)에서 열반의 피안(彼岸)으로 건넌다는 뜻. ㊟바라밀.

*__바라-보다__ [타] **1** 바로 향하여 보다. ¶달을 ~ / 앞만 바라보고 뛰다. **2** 무슨 일에 간섭하지 않고 옆에서 지켜보다. ¶엄마는 칭얼대는 아이를 바라보고만 있다. **3** 은근히 희망·기대를 가지다. ¶우승을 ~ / 내일을 바라보고 살다. **4** 어떤 나이에 이를 날을 가까이 두고 있다. ¶나이 50을 ~.

바라-보이다 [자] 《'바라보다'의 피동》 멀리서 눈에 띄다. ¶멀리 항구가 바라보인다.

바라지[1] [명][하타] 일을 돌보아 주거나 음식이나 옷을 대어 주는 일. ¶해산 ~ / 옥(獄) ~ / 자식 ~.

바라지[2] [명] 〖건〗 방에 햇빛이 들게 하려고 바람벽의 위쪽에 낸 작은 창.

바:라-지다[1] [자] **1** 갈라져서 사이가 뜨다. ¶바라진 문틈으로 제법 차가운 바람이 들어온다. **2** 넓게 퍼져서 활짝 열리다. **3** 가로로 퍼져서 똥똥하게 되다. ㊍벌어지다.

바:라-지다[2] [형] **1** 키가 작고 가로 퍼져 똥똥하다. ¶어깨가 딱 ~. **2** 그릇의 속은 얕고 위가 납작하다. ¶바라진 대접. **3** 마음이 웅숭깊지 못하다. 되바라지다. ¶나이에 비하여 바라진 아이.

바라지-창 (-窓) [명] 〖건〗 바라지[2].

바:라-춤 (哱囉-) [명] 〖불〗 불전(佛前)에 재(齋)를 올릴 때, 자바라를 치고 천수다라니를 외면서 추는 춤.

바라크 (프 baraque) [명] **1** 허름하게 임시로 지은 작은 집. 판잣집. 가건물. **2** 〖군〗 군대의 막사.

바락 [부] 성이 나서 갑자기 기를 쓰거나 소리를 지르는 모양. ¶화를 ~ 내다 / ~ 소리를 지르다. ㊍버럭.

바락-바락 [부] 성이 나거나 하여 자꾸 기를 쓰는 모양. ¶~ 악을 쓰다 / ~ 대들다. ㊍버럭버럭.

*__바람__[1] [명] **1** 기압의 변화에 따라 일어나는 공기의 움직임《태풍·폭풍·계절풍·무역풍 등의 구분이 있음》. ¶~에 쓰러진 나무 / ~ 한 점 없는 날 / 쌀쌀한 ~이 일다. **2** 속이 빈 물체 속에 넣는 공기. ¶타이어에서 ~이 샌다. **3** 들뜬 마음이나 행동. ¶무슨 ~이 불어 저 야단들이냐. **4** 〈속〉 풍병(風病). 중풍. **5** 작은 일을 불려서 크게 말하는 일. 허풍. ¶그 친구 어찌나 ~이 센지 믿을 수가 없다. **6** 남의 비난의 목표가 되거나 어떤 힘의 영향을 잘 받아 불안정한 일. ¶~을 잘 타는 자리. **7** 한꺼번에 밀어닥치는 어수선한 분위기나 소용돌이. ¶민주화 ~ / 선거 ~이 불다 / 감원 ~이 불다. **8** 남을 부추기거나 얼을 빼는 짓. ¶구경을 가자고 ~을 불어넣다. **9** (주로 '바람같이'·'바람처럼'의 꼴로 쓰여) 매우 빠름을 이르는 말. ¶~같이 사라지다.
[바람 부는 대로 물결치는 대로] 확고한 주관과 결심이 없이 되는대로 내맡긴다는 뜻. [바람이 불어야 배가 가지] 선행 조건이 해결되어야 목적하는 바의 일이 이루어짐을 이르는 말.

바람(을) 넣다 [구] 남을 부추겨서 무슨 행동을 하려는 마음이 생기도록 만들다.

바람(을) 등지다 [구] 바람이 불어오는 반대쪽으로 향하다.

바람(을) 쐬다 [구] ㉠기분 전환을 위하여 바깥이나 딴 곳을 거닐거나 다니다. ¶바람을 쐬니 한결 몸이 가벼웠다. ㉡외국이나 외지에 잠깐 다녀오다. ¶여권이 나오는 대로 외국 바람을 쐴 작정이다.

바람(을) 안다 [구] 바람이 불어오는 쪽으로 향하다. ¶바람을 안고 걷다.

바람을 일으키다 [구] 사회적으로 큰 관심을 불러 모으다.

바람(을) 잡다 [구] ㉠마음이 들떠 돌아다니다. ㉡허황한 짓을 꾀하다.

바람(이) 들다 [구] ㉠무 따위의 속살이 푸석푸석하게 되다. ¶바람 든 무. ㉡마음이 들뜨다. 허황한 바람이 마음에 차다. ㉢거의 다 되어 가는 일에 딴 방해가 생기다.

바람(이) 자다 [구] ㉠불던 바람이 그치다. ㉡들떴던 마음이 가라앉다.

바람[2] [명] 바라는 마음. 소망. ¶간절한 ~.

바람[3] [의명] **1** 무슨 일의 결에 따라 일어나는 기운. 어떤 일의 근거나 원인. ¶자꾸 먹으라는 ~에 혼났소 / 급히 먹는 ~에 체했다. **2** 몸에 차려야 할 것을 차리지 않고 나서는 차림. ¶속옷 ~으로 나가다.

바람[4] [의명] 실·새끼 따위의 한 발쯤 되는 길이. ¶한 ~의 새끼.

*__바람-개비__ [명] **1** 풍향계. **2** 팔랑개비.

바람-결 [-껼] [명] 바람이 지나가는 움직임. 풍편(風便). ¶~에 자네 소식을 들었다 / ~에 보리 이삭이 나부끼다.

바람-구멍 [-꾸-] [명] 바람이 통하는 구멍. ¶숭숭 뚫린 ~으로 찬바람이 들어온다.

바람-기 (-氣) [-끼] [명] **1** 바람이 불어올 듯한 기운. 바람의 기세. ¶~ 하나 없는 무더운 날씨. **2** 주로 남녀 관계로 일어나는 들뜬 마음. 끼[1]. ¶~가 있는 남편 / 그의 ~

는 나이가 들어도 여전하다.

바람-꼭지 [명] 튜브의 바람을 넣는 구멍에 붙은 꼭지.

바람-꽃 [-꼳] [명] 큰 바람이 일어나려고 할 때 먼 산에 구름같이 끼는 뽀얀 기운.

바람-나다 [자] **1** 남녀 관계로 하여 마음이 들뜨다. ¶바람난 남편. **2** 하는 일에 능률이 한창 나다.

바람-둥이 [명] 곧잘 바람을 피우고 다니는 사람. ¶그는 ~라고 회사에 소문이 자자하다.

바람-막이 [명][하자] **1** 바람을 막는 일. **2** 바람을 막는 물건.

바람-맞다 [-맏따] [자] **1** 상대방이 만나기로 한 약속을 어겨 헛걸음하다. ¶여자한테 ~. **2** 풍병에 걸리다. ¶바람맞아 자리에 눕다. **3** 몹시 마음이 들뜨다.

바람-맞이 [명] 바람을 잘 맞는 곳.

바람-맞히다 [-마치-] [타] 《'바람맞다1' 의 사동》 기다리다가 허탕을 치게 하다.

바람-받이 [-바지] [명] 바람을 몹시 받는 곳. ¶~에 있는 집이라 외풍이 세다.

바람-벽 (-壁)[-뼉] [명] 〖건〗 방을 둘러막은 둘레. [준]벽.

바람-살 [-쌀] [명] 세찬 바람의 기운. ¶매운 ~을 안고 나아가다.

바람-잡이 [명] 야바위꾼이나 치기배 따위와 한통속으로서, 서로 짜고 옆에서 바람을 넣거나 남의 얼을 빼는 구실을 하는 사람. ¶~ 노릇을 하다.

바람직-스럽다 〔-스러우니, -스러워〕 [형][ㅂ불] 좋다고 여길 만하다. 바람직하다. ¶바람직스럽지 못한 행동. **바람직-스레** [부]

바람직-하다 [-지카-] [형][여불] 바랄 만한 가치가 있다. ¶바람직한 일.

바람-피우다 [자] 한 이성(異性)에만 만족하지 않고, 몰래 다른 이성과 관계를 가지다.

바:랑 [명] **1** '배낭'의 변한말. **2** 〖불〗 중이 등에 지고 다니는 자루 같은 큰 주머니.

바:래다[1] [一][자] 볕이나 습기를 받아 색이 변하다. 오래되어 변색하다. ¶색이 ~ / 빨아도 바래지 않는 옷감. [二][타] 빨래 등을 볕에 쬐어 희게 하다. ¶광목을 ~.

바래다[2] [타] 가는 사람을 어느 곳까지 따라가거나 바라보다. ¶손님을 ~ 드렸다.

바래다-주다 [타] 가는 사람을 어느 곳까지 함께 가 주다. ¶작은오빠를 역까지 ~.

***바로** [一][부] **1** 바르게. 곧게. ¶마음을 ~ 가져라. **2** 정확히. 틀림없이. ¶~ 맞히다. **3** 곧. 지금 곧. ¶지금 ~ 가시오. **4** 곧장. 중도에서 지체하지 않고. ¶옆길로 빠지지 말고 집에 ~ 가거라. **5** 똑바로. 위로 곧게. ¶~ 세우다 / 선을 ~ 긋다. **6** 다름이 아니라 곧. ¶~ 오늘이 내 생일이다. **7** 시간적·공간적으로 아주 가까이. ¶~ 눈앞에 있다 / ~ 이 무렵의 일이다. [二][의명] 일정한 방향이나 곳을 가리키는 말. ¶저 ~에 우리 집이 있어요. [三][감] 군대에서, 본디 자세로 돌아가라는 구령. ¶우로봐, ~.

바로미터 (barometer) [명] **1** 〖물〗 기압계. **2** 사물을 추측하는 준거(準據)나 척도. ¶혈압은 건강의 ~다.

바로-바로 [부] 그때그때 곧. ¶일을 미루지 않고 ~ 해치우다.

바로-잡다 [타] **1** 굽은 것을 곧게 하다. ¶자세를 ~ / 옷매무새를 ~. **2** 잘못된 것을 고치다. ¶마음을 ~ / 국정(國政)을 ~.

바로크 (baroque) [명] 17-18세기에 유럽에서 유행한 회화·건축·조각·문학·음악·장식 미술의 한 양식.

바륨 (barium) [명] 〖화〗 알칼리 토금속 원소의 하나. 담황색 또는 은백색이고 연하며, 열을 가하면 산화바륨이 됨. 화학적 성질은 칼슘과 비슷함. [56번 : Ba : 137.33]

바르다[1] 〔바르니, 발라〕 [타][르불] **1** 헝겊·종이 따위에 풀칠하여 다른 물건에 붙이다. ¶장지문에 창호지를 ~. **2** 물·도료·약·화장품 등을 묻히다. ¶뺨에 분을 ~ / 상처에 약을 ~. **3** 이긴 흙 따위를 다른 물체에 붙이다. ¶흙을 벽에 ~.

바르다[2] 〔바르니, 발라〕 [타][르불] **1** 속에 있는 알맹이를 꺼내려고 겉을 쪼개어 헤치다. ¶밤송이를 ~. **2** 뼈다귀의 살 따위를 걷거나 생선의 가시를 추려 내다. ¶생선을 발라 먹다.

***바르다**[3] 〔바르니, 발라〕 [형][르불] **1** 사리나 도리에 맞다. ¶바른 말 / 예의가 ~ / 인사성이 바른 사람. **2** 기울어지거나 비뚤어지지 않고 곧다. ¶바른 자세 / 선을 바르게 긋다. **3** 그늘지지 않고 햇볕이 잘 들다. ¶양지가 바른 언덕. **4** 사실과 어긋남이 없다. ¶숨기지 말고 바르게 대답해라.

바르르 [부][하자] **1** 적은 물이 넓게 퍼져 갑자기 끓어오르는 모양이나 소리. **2** 속이 좁은 사람이 대수롭지 않은 일에 갑자기 성을 내는 모양. ¶~ 성을 내다. **3** 덩치가 작은 것이 가볍게 발발 떠는 모양. ¶손을 ~ 떨다. **4** 얇은 종이나 펴 놓은 나뭇개비에 불이 타오르는 모양. ¶바싹 마른 낙엽이 ~ 타다. [큰]버르르. [거]파르르.

바르작-거리다 [타] 신체의 한 부분을 구속당하였을 때 또는 어려운 고비를 헤어나려고 팔다리를 내저으며 작은 몸을 자꾸 움직이다. [큰]버르적거리다. [준]바릊거리다.

바르작-바르작 [부][하타]

바르작-대다 [타] 바르작거리다.

바르-집다 [타] **1** 오므라진 것을 벌려 펴다. **2** 숨은 일을 들추어내다. ¶비밀을 ~. **3** 작은 일을 크게 떠벌리다. [큰]버르집다.

바른 [관] 오른. 오른쪽의.

바른-길 [명] **1** 굽지 않고 곧은 길. **2** 참된 도리. 정당한 길. ¶~로 인도하다.

바른-대로 [부] 사실과 다름없이. ¶숨김없이 ~ 말해라.

바른-말 [명] **1** 사리에 맞는 말. ¶말이야 ~이지, 누가 그런 말을 믿겠나. **2** 어법에 맞는 말.

바리[1] [명] **1** 놋쇠로 만든 여자의 밥그릇. **2** 〖불〗 '바리때'의 준말.

바리[1]1

바리[2] [一][명] 마소의 등에 잔뜩 실은 짐. ¶장작 ~. [二][의명] **1** 말이나 소의 등에 잔뜩 실은 짐을 세는 단위. ¶나무 한 ~ / 콩 두 ~. **2** 윷놀이에서, 말 한 개를 이르는 말.

바리-공주 (-公主) [명] 〖민〗 지노귀새남에서 무당이 색동옷을 입고 부르는 여신(女神) 이름.

ㅂ

바리-나무 명 마소에 바리로 실은 땔나무.

바리때

바리-때 명 〖불〗 중이 쓰는, 나무나 놋쇠 따위로 대접같이 만들어 안팎을 칠한 그릇. 준바리.

바리-바리 명 여러 바리. ¶신부가 혼수를 ~ 싣고 가다.

바리케이드 (barricade) 명 흙·통·철망·철제 장애물 등으로 길 위에 임시로 쌓은 방벽. ¶~를 치다 / ~를 뚫고 들어가다.

바리톤 (baritone) 명 〖악〗 **1** 테너와 베이스 사이의 남성 음역. 또는 그 음역의 가수. **2** 색소폰과 유사하며, 주로 군악대에서 사용하는 놋쇠로 만든 관악기.

바림 명 〖미술〗 색칠할 때에, 한쪽을 진하게 하고 다른 쪽으로 갈수록 차츰 엷고 흐리게 하는 일. 그러데이션.

바바리 (←Burberry) 명 바바리코트.

바바리-코트 (←Burberry coat) 명 방수 처리한 무명 개버딘의 비옷. 또는 그와 비슷한 천으로 만든 코트. 주로 봄·가을용으로, 영국의 제조 회사 이름에서 유래됨.

바베큐 명 '바비큐(barbecue)'의 잘못.

바벨 (barbell) 명 근육 단련 훈련이나 역도에 쓰는, 양 끝에 바퀴처럼 생긴 쇳덩이가 달린 기구. 역기(力器).

바벨-탑 (Babel塔) 명 **1** 〖성〗 구약 성서 창세기에 나오는 탑《노아(Noah)의 자손들이 하늘에 닿는 탑을 쌓다가 하느님이 노하여 공사를 끝내지 못했다 함》. **2** 실현 가능성이 없는 가공적 계획의 비유.

***바:보** 명 못나고 어리석은 사람. ¶그를 믿는 내가 ~다.

바:보-스럽다 〔-스러우니, -스러워〕 형ㅂ불 보기에 바보 같다. ¶바보스러운 웃음 / 바보스러워 보일 만큼 순진하다.

바:보-짓 [-짇] 명 바보 같은 행동. ¶그의 말에 속아서 ~을 하고 말았다.

바비큐 (barbecue) 명 돼지나 소 따위를 통째로 불에 구운 요리. 또는 그 굽는 화로.

***바쁘다** 〔바쁘니, 바빠〕 형 **1** 일이 많거나 급하여 쉴 겨를이 없다. ¶눈코 뜰 새 없이 바쁜 하루를 보내다 / 먹고살기에 ~ / 일손이 ~. **2** 몹시 급하다. ¶바쁜 걸음을 옮기다 / 갈 길이 ~. **3** '-기(가) 바쁘게'의 꼴로, '어떤 행동이 끝나자마자 곧'의 뜻으로 쓰는 말. ¶숟가락을 놓기가 바쁘게 쓰러져 잤다 / 말이 떨어지기 바쁘게 앞으로 달려 나갔다.

바삐 부 바쁘게. 속히. 급하게. ¶~ 일손을 놀리다 / ~ 갈 곳이 있다 / ~ 움직이다 / 너무 ~ 굴지 마라.

바삭 부하자타 **1** 가랑잎이나 마른 검불 따위를 밟았을 때에 나는 소리. ¶낙엽 더미 속에서 다람쥐가 ~ 소리를 냈다. **2** 단단하고 부스러지기 쉬운 물건을 깨물 때 나는 소리. 큰버석. 센바싹.

바삭-거리다 자타 바삭 소리가 잇따라 나다. 또는 바삭 소리를 잇따라 나게 하다. 큰버석거리다. 센바싹거리다. **바삭-바삭** 부하자타

바삭-대다 자타 바삭거리다.

바삭바삭-하다 [-사카-] 형여불 부드럽고 잘 마른 물건이 쉽게 바스러질 듯한 느낌이 있다. ¶바삭바삭한 과자.

바서-지다 자 **1** 단단한 물건이 깨어져 여러 조각이 나다. ¶유리가 밟히어 ~. **2** 짜여진 물건이 제대로 쓸 수 없게 조금 깨어지거나 헐어지다. **3** 희망이나 기대가 무너지다. 큰부서지다.

바셀린 (Vaseline) 명 〖화〗 석유에서 얻은 탄화수소의 혼합물. 무색 또는 담황색의 연고 상태임《감마제(減磨劑)·녹 방지제·화약·포마드·연고 등에 씀 ; 상표명》.

바수다 타 두드려 자디잘게 깨뜨리다. ¶분쇄기로 자갈을 ~. 큰부수다. 준밧다.

바순 (bassoon) 명 〖악〗 파곳(fagott).

바스-대다 자 **1** 가만히 있지 못하고 자꾸 몸을 조금 움직이다. **2** 마음이 설레다. ¶가슴이 바스대어 뜬눈으로 밤을 지새다. 큰부스대다.

바스라기 명 잘게 바스러진 물건 조각. 큰부스러기.

바스락 부하자타 마른 검불이나 나뭇잎, 종이 따위를 밟거나 뒤적일 때 나는 소리. ¶~하고 풀잎 스치는 소리가 난다. 큰버스럭.

바스락-거리다 자타 자꾸 바스락 소리가 나다. 또는 그 소리를 내다. ¶가을이 되니 가랑잎이 바스락거리는 소리가 들린다. 큰버스럭거리다. **바스락-바스락** 부하자타

바스락-대다 자타 바스락거리다.

바스러-뜨리다 타 바수어서 깨뜨리다. 큰부스러뜨리다.

바스러-지다 자 **1** 깨어져 조금 잘게 조각이 나다. ¶푸석한 흙덩이가 힘없이 바스러진다. 큰부스러지다. **2** 얼굴이 나이에 비하여 쪼그라지다. ¶얼굴은 바스러지고 몸은 더 여위어 있었다.

바스러-트리다 타 바스러뜨리다.

바스스 부하형 **1** 조용히 일어나는 모양. **2** 머리털 등이 난잡하게 일어서거나 흩어진 모양. **3** 바스라기 같은 것이 어지럽게 흩어지는 소리. 또는 그 모양. **4** 미닫이 따위를 조용히 여닫는 모양. 또는 그 소리. **5** 물건의 사개가 물러나는 모양. 큰부스스.

바스켓 (basket) 명 농구에서, 백보드에 장치된 철제의 링과 거기 매단 그물.

바슬-바슬 부하형 덩이진 가루 따위가 물기가 말라서 쉽게 바스러지는 모양. 큰버슬버슬. 거파슬파슬.

바심[1] 명하타 **1** 〖건〗 재목을 연장으로 다듬는 일. **2** 굵은 것을 잘게 만드는 일.

바심[2] 명하타 **1** '풋바심'의 준말. **2** 타작1.

바심-질 명하타 〖건〗 재목을 바심하는 일.

바싹 부 **1** 물기가 아주 없이 마르거나 타 버리는 모양. ¶~ 마른 솔가지에 불이 붙다. **2** 아주 가까이 달라붙거나 몹시 죄거나 우기는 모양. ¶~ 다가앉다 / ~ 껴안다. **3** 몹시 긴장하거나 힘을 주는 모양. ¶강추위에 어깨를 ~ 움츠리다 / ~ 정신을 차리다. **4** 거침새 없이 갑자기 나아가거나 늘거나 주는 모양. ¶주전자의 끓는 물이 ~ 줄어들다 / ~ 서둘러야 오늘 안으로 일을 끝낼 것이다. 큰부썩. **5** 단단한 물건을 깨물거나 가랑잎 같은 것을 밟을 때에 나는 소리. 큰버썩. 여바삭. **6** 몸이 매우 마른 모양. ¶병

치레로 ~ 야위다.

바싹-거리다 자타 바싹 소리가 자꾸 나다. 또는 자꾸 바싹 소리를 나게 하다. 여바삭거리다. **바싹-바싹** 부하자타

바싹-대다 자타 바싹거리다.

바야흐로 부 이제 한창. 이제 막. ¶때는 ~ 만물이 소생하는 봄이다.

바운드 (bound) 명하자 구기(球技)에서, 공이 지면에 부딪혀 튐. ¶투(two) ~.

***바위** 명 **1** 부피가 큰 돌. 암석. ¶넓적한 ~에 걸터앉아 쉬다. **2** 가위바위보에서 주먹을 내민 것. ¶~를 내다.
[바위를 차면 제 발부리만 아프다] 일시적 흥분으로 무모한 짓을 하면 자기에게만 손해가 온다는 말.

바위-섬 명 주로 바위로 이루어진 섬.

바위-틈 명 **1** 바위의 갈라진 틈. **2** 바위와 바위의 틈.

바윗-돌 [-위똘/-윋똘] 명 바위. ¶큼직한 ~이 절벽 아래로 굴러 떨어졌다.

바이 부 (주로 부정하는 말과 함께 쓰여) 다른 도리 없이 전연. 아주. ¶딱한 처지를 ~ 모르는 것은 아니다. *바이없다.

바이러스 (virus) 명 **1** 초현미경적인 미생물로 식물에 기생하는 것은 구조가 단순하고 동물에 기생하는 것은 다소 복잡함《핵단백질을 주요 성분으로 하는데, 증식 능력이 있으며 인플루엔자·천연두·소아마비 등을 일으킴》. 여과성(濾過性) 병원체. **2**〖컴〗컴퓨터에 침입해서 기억 데이터나 프로그램을 파괴하는 프로그램.

바이-메탈 (bimetal) 명〖물〗열팽창률이 다른 두 장의 금속을 한데 붙여 합친 것. 온도가 높아지면 팽창률이 작은 금속 쪽으로 구부러지고, 온도가 낮아지면 그 반대쪽으로 굽음《화재경보기·자동 온도 조절기 등에 씀》.

바이브레이션 (vibration) 명〖악〗**1** 진동. 떪. **2** 진동시켜서 내는 목소리.

바이블 (Bible) 명 **1** 성서. **2** 권위가 있고 지침이 될 만한 책. ¶경영학의 ~.

바이샤 (산 Vaiśya) 명 인도의 카스트 제도에서 세 번째 지위인 평민 계급. 브라만교 법전(法典)에서는 농업·목축업·상업에 종사하도록 규정함《오늘날에는 상인 계급을 이름》.

바이스 (vise) 명 기계 공작에서, 작은 공작물을 꽉 죄어서 고정시키는 기계.

바이스

바이어 (buyer) 명〖경〗물품을 사기 위해서 외국에서 온 상인. 수입상. 구매상. ¶외국에서 온 ~를 접대하다.

바이-없다 [-업따] 형 **1** 전연 방법이 없다. 어찌할 도리가 없다. **2** 비할 데 없이 매우 심하다. ¶기쁘기 ~. **바이-없이** [-업씨] 부

바이오리듬 (biorhythm) 명 생명의 활동을 통하여, 육체·감정·지성(知性) 등에 나타나는 주기적인 현상.

바이오-산업 (bio産業) 명 생물의 기능을 이용하여 유용 물질을 생산하는 산업. 바이오인더스트리.

바이오스 (BIOS) 명 〔Basic Input Output System〕 컴퓨터와 외부 주변 장치에서 정보 전달을 제어하는 운영 체제의 기본 프로그램.

바이올린 (violin) 명〖악〗현악기의 하나《중앙부가 잘록한 타원형의 통에 줄 넷을 매어 활로 문질러 연주함. 독주·실내악·관현악 따위에 널리 씀》.

바이킹 (Viking) 명〖역〗8-12세기에 걸쳐 유럽 각지에서 활약한 노르만 족의 별칭《호전적·모험적인 민족으로 해상을 무대로 약탈과 침략을 자행하였음》.

바이트 (bite) 명 깎는 기구의 일종. 선반(旋盤)·평삭반(平削盤) 등에 붙여 금속 공작물 등을 깎는 데 씀.

바이트 (byte) 一명 하나의 단위로 다루어지는 이진 문자의 집합. 8비트를 1바이트로 구성함. 二의명 컴퓨터가 처리하는 정보량(情報量)의 단위《기호 : B》. *비트.

바인더 (binder) 명 **1** 서류·잡지 등을 철(綴)하여 꽂는 물건. **2** 곡물을 베어서 단으로 묶는 농업용 기계.

바자 명 대·갈대·수수깡 등으로 발처럼 엮거나 결은 물건《울타리용》. ¶수숫대로 ~를 엮다.

바자 (bazaar) 명 공공 또는 사회사업 등의 자금을 모으기 위하여 벌이는 시장. ¶~회/불우 이웃 돕기 ~를 열다.

바자-울 명 바자로 만든 울타리.

바:자위다 형 성질이 너무 알뜰하여 너그러운 맛이 없다. 손이 밭다.

바작-바작 부 **1** 잘 마른 물건을 잇따라 씹거나 빻는 소리. ¶과자를 ~ 소리를 내며 먹다. **2** 잘 마른 물건이 타는 소리. ¶볏짚이 ~ 탄다. **3** 마음이 몹시 죄이는 모양. ¶~ 애를 태우다. **4** 몹시 초조하여 입술이 자꾸 마르는 모양. ¶빛 독촉에 그의 입술은 ~ 말라 들어갔다. 큰버적버적. 센빠작빠작.

바:장이다 자 부질없이 짧은 거리를 왔다갔다 하다. 큰버정이다.

바주카-포 (bazooka砲) 명〖군〗포신(砲身)을 어깨에 메고 직접 조준하여 발사하는 휴대용 로켓식 대전차포. 준바주카.

***바지** 명 아랫도리에 입는 옷의 하나. 위는 통으로 되고 아래에는 두 다리를 꿰는 가랑이가 있음. ¶~를 입다.

바지 (barge) 명 바지선(船).

바지락 명〖조개〗참조갯과에 속하는 바닷조개. 껍데기는 높이 3 cm, 폭 4 cm 내외이고, 3-5월에서 8-9월까지 알을 낳음. 민물이 섞이는, 염도(塩度)가 낮은 바닷가의 모래 수렁에 서식함. 살은 식용함. 바지락조개.

바지랑-대 [-때] 명 빨랫줄을 받치는 장대.
[바지랑대로 하늘 재기] 도저히 불가능한 일의 비유.

바지런 명하형히부 놀지 않고 일을 꾸준히 함. ¶~을 떨다/~을 피우다/그녀는 ~하다 못해 억척스럽다. 큰부지런.

바지런-스럽다 〔-스러우니, -스러워〕 형ㅂ불 바지런한 데가 있다. ¶바지런스러운 사람. 큰부지런스럽다. **바지런-스레** 부

바지-선 (barge船) 명 운하·하천·항내(港內) 등에서 사용하는 밑바닥이 평평한 화물선.

바지-저고리 명 **1** 바지와 저고리. **2** 제구실을 못하는 사람. **3** 〈속〉 촌사람.
[바지저고리만 다닌다] 사람이 아무 속이 없고 맺힌 데가 없이 행동한다.

바지지 부하자 뜨거운 쇠붙이 등에 적은 양의 물기가 닿을 때 나는 소리. 큰부지지. 센빠지지.

바지직 부하자 **1** '바지지' 소리가 급하게 그치는 모양. **2** 묽은 똥을 급하게 눌 때 되바라지게 나는 소리. 큰부지직. 센빠지직.

바지직-거리다 자 바지직 소리가 잇따라 나다. ¶초가 바지직거리며 탄다. 큰부지직거리다. 센빠지직거리다. **바지직-바지직** 부하자

바지직-대다 자 바지직거리다.

바지-춤 명 바지의 허리 부분을 접어 여민 사이. ¶~을 여미다/~을 추스르다/~을 잡고 뛰어나가다.

바지-통 명 **1** 바지의 품. **2** 바짓가랑이의 너비.

바짓-가랑이 [-지까-/-짇까-] 명 다리를 꿰는 바지의 부분. ¶~가 찢어지다/~를 붙잡고 늘어지다.

바짓-단 [-지딴/-짇딴] 명 바지의 아래 끝을 접어서 감친 부분. ¶~이 뜯겨 치렁거리다.

바짓-부리 [-지뿌-/-짇뿌-] 명 바짓가랑이의 끝 부분.

바짝 부 **1** 물기가 아주 졸아붙는 모양. ¶빨래가 ~ 마르다. **2** 아주 차지게 달라붙거나 세차게 죄거나 우기는 모양. ¶~ 다가앉다/허리를 ~ 졸라매다. **3** 사물이 거침새 없이 자꾸 늘거나 줄거나 줄기차게 나아가는 모양. ¶강물이 ~ 줄어들었다. 큰부쩍. **4** 몹시 긴장하거나 힘을 주는 모양. ¶정신 ~ 차려라/고개를 ~ 들고 쳐다보다. **5** 몸이 몹시 마른 모양. ¶몰라보게 ~ 마른 그녀는 아픈 기색이 역력했다. 큰버쩍.

바짝-바짝 부 '바짝'의 힘줌말. 큰부쩍부쩍. ¶입이 ~ 탄다.

*__바치다__[1] 타 **1** 신이나 웃어른에게 드리다. ¶신전에 햇곡을 ~. **2** 마음과 몸을 내놓다. ¶나라에 목숨을 ~. **3** 세금·공납금 등을 내다. ¶세금을 ~.

바치다[2] 타 무엇을 지나칠 정도로 바라거나 즐기다. ¶여자를 ~. *밝히다6·밭다[3]6.

바캉스 (프 vacance) 명 휴가. 주로 피서지·휴양지 등에서 지내는 경우를 이름. ¶바닷가로 ~를 떠나다.

바-코드 (bar code) 명 상품의 포장이나 꼬리표에 표시된 막대기 모양의 흑백 줄무늬 기호《제품의 국적·제조원·상품 종류·가격 등이 암호화됨》.

*__바퀴__[1] 一명 돌게 하기 위하여 둥근 테 모양으로 만든 물건. ¶자동차 ~. 二의명 어떤 둘레를 빙 돌아서 본디 위치까지 이르는 횟수를 세는 단위. ¶운동장을 한 ~ 돌아오다.

바퀴[2] 명 〖충〗 **1** 바퀫과 곤충의 총칭. **2** 바퀫과의 곤충. 몸은 1-1.5 cm의 납작한 타원형이며, 황갈색임. 전 세계적으로 분포하여 음식물과 의복에 해를 끼침. 살아 있는 화석(化石)으로 치기도 함. 바퀴벌레. 향랑자(香娘子).

바퀴-벌레 명 〖충〗 바퀴[2].

바퀴-살 명 바퀴통에서 테를 향하여 방사상으로 뻗은 가느다란 나무오리나 쇠 막대.

바퀴-통 (-筒) 명 바퀴의 축이 지나며, 바퀴살이 그 주위에 꽂힌 바퀴의 중앙 부분.

바퀫-자국 [-퀴짜-/-퀻짜-] 명 바퀴가 지나간 흔적. 궤적. ¶~이 선명히 나 있다.

*__바탕__[1] 명 **1** 타고난 성질이나 체질 또는 모든 재질. ¶~이 좋은 사람. **2** 물건의 재료. 또는 그 품질. ¶~이 거친 옷감. **3** 그림·글씨·수·무늬 등을 놓는 물체의 바닥. ¶흰 ~에 검은 점의 무늬. **4** 사물의 근본을 이루는 토대. ¶사실주의를 ~으로 한 작품. **5** 물체의 뼈대나 틀이 되는 부분. ¶수레의 ~.

바탕[2] 의명 **1** 무슨 일을 한차례 끝내는 동안을 세는 단위. ¶씨름〔욕〕을 한 ~ 하다. **2** 길이의 단위. 활을 쏘아 살이 미치는 거리. **3** 어떤 무렵이나 때.

바탕-색 (-色) 명 **1** 물체가 본디 가지고 있는 빛깔. **2** 그림을 그릴 때 바탕에 맨 먼저 칠하는 색깔.

바터-제 (barter制) 명 **1** 화폐를 매개로 하지 않는 물물 교환 제도. **2** 무역 통제의 한 수단으로서의 교환 무역. 구상 무역.

바텐더 (bartender) 명 카페나 바의 카운터에서 칵테일 따위를 만드는 사람.

바통 (프 bâton) 명 **1** 배턴. ¶~을 넘겨주다/~을 이어받다. **2** 비유적으로, 어떤 지위나 일 따위를 뒷사람에게 넘겨주는 것. ¶정권의 ~을 물려받다.

바투 부 **1** 두 물체의 사이가 썩 가깝게. ¶~ 앉아라. **2** 시간이나 길이가 매우 짧게. ¶고삐를 ~ 잡다/발톱을 ~ 깎지 마시오/결혼 날짜를 너무 ~ 잡다.

바특-이 부 바특하게. ¶손톱을 ~ 깎다.

바특-하다 [-트카-] 형여불 **1** 두 대상이나 물체 사이가 조금 가깝다. **2** 시간이나 길이가 조금 짧다. ¶시간이 너무 ~. **3** 국물이 적어 톡톡하다. ¶바특하게 끓인 찌개.

*__박__[1] 명 〖식〗 박과의 한해살이풀. 밭에나 담·지붕에 올려 재배함. 줄기는 잔털이 나고 덩굴손이 있으며 잎은 심장형인데 손꼴 모양으로 째짐. 여름에 흰 꽃이 저녁부터 피었다가 아침에 시듦. 열매는 둥근 호박 모양이며, 바가지를 만듦.
박을 타다 구 일을 벌여 놓고 이익을 얻지 못하다.

박 (拍) 명 〖악〗 **1** 국악의 타악기(打樂器)의 한 가지. 풍류와 춤의 시작과 끝, 곡조의 박자를 이끄는 데 씀. **2** '박자'의 준말.

박 (拍)1

박 (箔) 명 금·은·주석·구리 등을 두드려 종이같이 얇고 판판하게 편 것.

박 (泊) 의명 객지에서 묵는 밤의 횟수를 세는 말. ¶3~4일의 일정.

박[2] 부 **1** 단단한 물건의 두드러진 면을 세게 한 번 갈거나 긁는 소리. **2** 단단하고 얇은 물건을 대번에 찢는 소리. ¶메모지를 ~ 찢다. 큰벅.

박격-포 (迫擊砲) 명 〖군〗 구조가 간단한 근거리용 곡사포.

박-고지 명 여물지 않은 박의 속을 파내고 길게 오려서 말린 반찬거리.

ㅂ

박공(膊栱) 명 마룻머리나 합각머리에 '∧' 자 꼴로 붙인 두꺼운 널빤지.

***박다** 타 **1** 두들기거나 틀어서 꽂히게 하다. ¶못을 ~/나무에 쐐기를 ~/마당에 말뚝을 박았다/나사를 박아 고정시켰다. **2** 붙이거나 끼워 넣다. ¶자개를 박은 장롱. **3** 음식에 소를 넣다. ¶송편에 소를 ~. **4** 인쇄물 등에 글자나 그림을 찍어 넣다. ¶명함을 ~. **5** 사진을 찍다. **6** 어떤 물건의 속에 밀어 넣다. ¶입던 옷을 대충 장롱에 박아 두고 외출 준비를 했다. **7** 판(版)에 넣어 그 모양과 같게 하다. ¶다식(茶食)을 ~. **8** 바느질에서 실을 곱걸어서 꿰매다. ¶재봉틀에 치맛단을 ~. **9** 식물이 뿌리를 내리다. **10** 글씨 따위의 획을 정확하게 쓰다. ¶얌전하게 박아 쓴 글씨. **11** 시선을 한곳에 고정시키다. ¶화면에 시선을 박은 채, 떠날 줄을 모르다. **12** 얼굴 따위를 눌러서 대다. ¶베개에 코를 박고 엎드려 자다. **13** 머리 따위를 부딪치다. ¶전봇대에 이마를 박았다.

박다위 명 종이나 삼노를 꼬아서 만든 멜빵 《짐짝을 메는 데 씀》.

박달 명 〖식〗 '박달나무'의 준말.

박달-나무 [-라-] 명 〖식〗 자작나뭇과의 낙엽 활엽 교목. 산허리 이하의 깊숙한 숲 속에 남. 높이 9-12m로 회흑색이며, 봄에 갈색 꽃이 핌. 목질(木質)이 단단하여 바퀴·빗·조각·기계·기구 따위로 널리 씀. 단목(檀木). 준박달.

박대(薄待) 명하타 인정 없이 모질게 대함. 푸대접. ¶무능한 남편을 ~하다. ↔후대.

박덕(薄德) 명하형 심덕이 두텁지 못하거나 덕행이 적음. ¶나의 ~을 용서하기 바란다. ↔후덕(厚德).

박동(搏動) 명하자 맥이 뜀. ¶심장이 힘차게 ~하고 있다.

박두(迫頭) 명하자 기일이나 시간이 가까이 닥쳐옴. ¶입학 시험일이 ~하다.

박람(博覽)[방남] 명하타 **1** 여러 분야의 책을 많이 읽음. **2** 여러 곳을 다니며 사물을 널리 봄.

박람-강기(博覽強記)[방남-] 명하자 책을 널리 많이 읽고 기억을 잘함.

박람-회(博覽會)[방남-] 명 농·공·상업 등에 관한 온갖 물품을 진열·전시하여 생산물의 개량 발전 및 산업의 진흥을 꾀하는 행사. ¶무역 ~.

박력(迫力)[방녁] 명 힘차게 밀고 나가는 강한 힘. ¶~ 있는 연기.

박력-분(薄力粉)[방녁-] 명 글루텐 함량에 따라 나눈 밀가루 종류의 하나. 찰기가 적은 메진 밀가루로 비스킷·튀김 등을 만들 때 씀. ↔강력분(強力粉).

박론(駁論)[방논] 명하타 **1** 논박. **2** 논박하는 논설.

박리(剝離)[방니] 명하타 벗김. 벗겨 냄.

박리(薄利)[방니] 명 적은 이익. ↔폭리.

박리-다매(薄利多賣)[방니-] 명하타 이익을 적게 보고 많이 파는 일.

박막(薄膜)[방-] 명 **1** 동식물의 몸 안의 기관을 싸고 있는 얇은 막. **2** 얇은 막.

박멸(撲滅)[방-] 명하타 모조리 잡아 없앰. ¶해충을 ~하다/기생충이 ~되다.

박명(薄明)[방-] 명 해가 뜨기 전이나 해가 진 후, 주위가 얼마 동안 희미하게 밝은 상태. ¶어슴푸레한 새벽 ~에 길을 떠났다.

박명(薄命)[방-] 명하형 **1** 기구한 운명. 팔자가 사나움. ¶~한 여인. **2** 목숨이 짧음.

박모(薄暮)[방-] 명 땅거미.

박문(博聞)[방-] 명하자 사물을 널리 들어 많이 앎. 흡문(洽聞).

박물(博物)[방-] 명 **1** 여러 사물에 대하여 견문이 썩 넓음. **2** '박물학'의 준말. **3** 온갖 사물과 그에 관한 참고가 될 만한 물건.

***박물-관**(博物館)[방-] 명 고고학 자료와 미술품, 역사적 유물, 그 밖의 학술적 자료를 수집·보존·진열하고 일반에 전시하는 시설.

박물-학(博物學)[방-] 명 동물·식물·광물·지질학의 총칭. 준박물.

박박[1] 부 **1** 단단한 물건의 도드라진 바닥을 자꾸 세게 갈거나 긁는 소리. ¶바가지를 ~ 긁다. **2** 얇고 질긴 종이나 천 따위를 잇따라 되바라지게 찢는 소리. ¶종이를 ~ 찢다. **3** 세게 문지르거나 닦는 모양. ¶윤이 나게 ~ 문질러 닦아라. **4** 머리털을 아주 짧게 깎은 모양. ¶머리를 ~ 깎고 나니 뒷덜미가 서늘했다. **5** 자꾸 기를 쓰거나 우기는 모양. ¶악을 쓰며 ~ 대들다. 큰벅벅. 센빡빡.

박박[2] 부 얼굴이 몹시 얽은 모양. 센빡빡.

박보(博譜) 명 장기 두는 법을 풀이한 책.

박복(薄福) 명하형 복이 없음. 팔자가 사나움. ¶~을 한탄만 하지 마라/그는 ~하게 한평생을 살았다.

박봉(薄俸) 명 적은 봉급. ¶그는 ~에 허덕이면서도 불우한 이웃을 도우려 애썼다.

박빙(薄氷) 명 **1** 살얼음. **2** (주로 '박빙의' 의 꼴로 쓰여) 근소한 차이를 비유적으로 이르는 말. ¶~의 접전이 펼쳐지다/~의 리드를 지키다.

***박사**(博士) 명 **1** 대학원이 박사 학위 논문 심사 등에 합격한 사람에게 수여하는 학위. 또는 그 학위를 받은 사람. ¶어렵게 공부하여 ~ 학위를 따다. **2** 어떤 일에 능통하거나 널리 아는 것이 많은 사람. ¶그 아이는 장난감 로봇 ~다.

박사(薄紗) 명 얇은 사(紗).

박살 명 깨어져 조각조각 부서지는 일. ¶살림이 ~ 나다/꽃병을 ~ 내다.

박살(撲殺) 명하타 때려죽임.

박-새 명 〖조〗 박샛과의 새. 숲 속에 삶. 참새만 한데, 머리는 흑백색, 뺨과 배는 백색, 등은 황록색, 날개는 흑색에 흰 띠가 있음. 해충을 잡아먹는 보호조임.

박색(薄色) 명 여자의 아주 못생긴 얼굴. 또는 그런 사람. ¶일색(一色) 소박은 있어도 ~ 소박은 없다.

박석(薄石) 명 넓고 얇게 뜬 돌.

박석-고개(薄石-) 명 땅이 질어서 또는 풍수지리상 지맥을 보호하기 위하여 얇은 돌을 깔아 놓은 고개.

박-속 명 박의 안의 씨가 박혀 있는 하얀 부분. ¶~같이 흰 살결.

박수 명 남자 무당.

박수(拍手) 명하자 환영이나 축하 따위의 뜻으로 손뼉을 침. ¶연극이 끝나자 방청객들은 열렬한 ~를 보냈다.

박수-갈채 (拍手喝采) 명하자 손뼉을 치고 소리를 질러 반기며 기뻐하거나 찬성함. ¶ ~를 보내다 / ~가 쏟아지다.
박스 (box) 一명 **1** 물건을 넣어 두기 위하여 만든 네모난 그릇. 상자. 궤. ¶라면 ~. **2** 신문 따위에서 기사를 네모꼴의 테두리로 둘러싼 것. ¶~ 기사에 실린 글. 二의명 상자를 단위로 세는 말. ¶맥주 다섯 ~.
박식 (博識) 명하형 학식이 많음. 견문이 넓어 아는 것이 많음. ¶~을 자랑하다 / 여러 분야에 두루 ~하다.
박신-거리다 자 사람이나 짐승 등이 좁은 곳에 많이 모여 활발하게 움직이다. ¶온 동네 사람들이 잔칫집에서 ~. 큰벅신거리다. **박신-박신** 부하자
박신-대다 자 박신거리다.
박-쌈 명하자 남의 집에 보내려고 음식을 담고 보자기로 쌈. 또는 그렇게 싼 함지박.
박애 (博愛) 명하타 모든 사람을 차별 없이 사랑함. 범애.
박애-주의 (博愛主義)[-/-이] 명 인종적·종교적 편견이나 국가적 이기심을 버리고 인류 전체의 복지 증진을 위하여 서로 평등하게 사랑하여야 한다는 주의. 사해동포주의.
박약 (薄弱) 명하형 **1** 굳세지 못함. ¶의지가 ~하다. **2** 뚜렷하지 못하고 어렴풋함. 불확실하고 불충분함. ¶이론적 근거가 ~하다. **3** 얇고도 약함.
박-우물 명 바가지로 물을 뜰 수 있는 얕은 우물.
박은-이 명 책을 인쇄한 사람. 인쇄인.
박음-질 명하타 바느질의 하나. 실을 곱걸어서 꿰매는 일《온박음질과 반박음질의 두 가지가 있음》.
-박이 미 **1** '무엇이 박혀 있는 사람이나 짐승 또는 물건'의 뜻. ¶점~ / 차돌~ / 금니~. **2** 무엇이 박혀 있는 곳 또는 한곳에 일정하게 고정되어 있음을 나타내는 말. ¶붙~ / 장승~.
박이-것 [-걷] 명 **1** 박아서 만든 물건의 총칭. **2** 박이옷.
박이다[1] 자 **1** 버릇이나 습관, 태도, 생각 따위가 몸에 깊이 배다. ¶인이 박여 담배를 못 끊는다. **2** 손바닥이나 발바닥 따위에 굳은살이 생기다. ¶마디마디 못이 박인 농부의 손.
박이다[2] 타 《'박다'의 사동》 인쇄물이나 사진을 박게 하다.
박이부정 (博而不精) 명하형 널리 알지만 정밀하지는 못함.
박이-옷 [-옫] 명 박음질을 하여 지은 옷. 박이것.
***박자** (拍子) 명 〖악〗 **1** 박(拍)1. **2** 곡조의 진행하는 시간을 헤아리는 단위. ¶4분의 3 ~ / ~를 맞추다.
박작-거리다 자 많은 사람이 좁은 곳에 모여 뒤끓어 움직이다. ¶행사장에 가 보니 박작거리는 사람들로 발 디딜 틈이 없다. 큰벅적거리다. **박작-박작** 부하자
박작-대다 자 박작거리다.
박장 (拍掌) 명하자 손바닥을 마주 침.
박장-대소 (拍掌大笑) 명하자 손뼉을 치며 크게 웃음. ¶진행자의 유머에 방청객들은 ~를 했다.
박재 (薄才) 명 변변하지 못한 재주.
박절-기 (拍節器) 명 〖악〗 메트로놈.
박절-하다 (迫切-) 형여불 인정이 없고 야박하다. ¶박절하게 뿌리치다 / 박절하게 굴다. **박절-히** 부
박정-스럽다 (薄情-) 〔-스러우니, -스러워〕 형ㅂ불 박정한 듯하다. **박정-스레** 부
박정-하다 (薄情-) 형여불 인정이나 동정심이 없고 쌀쌀하다. ¶박정한 사람 / 그의 부탁을 박정하게 거절하다. **박정-히** 부
박제 (剝製) 명하타 동물의 생태 표본의 하나《동물의 내장을 발라내고 안에 솜 따위의 심(心)을 넣어 방부·방충 처리를 하여 살았을 때와 같은 모양으로 만듦》. ¶~된 꿩 / ~한 물소 머리.
박:-쥐 명 〖동〗 박쥣과의 짐승. 몸은 쥐와 비슷한데, 앞다리가 날개처럼 변형되어 날아다님. 성대에서 초음파를 내어 그 반사로 방향을 조정함. 밤에 활동하며 갑충·나비 등을 잡아먹음.
박지 (薄地) 명 박토(薄土).
박지 (薄志) 명하형 **1** 의지가 박약함. 또는 그 의지. **2** 촌지(寸志).
박지 (薄紙) 명 얇은 종이.
박-지르다 〔박지르니, 박질러〕 타르불 힘껏 차서 쓰러뜨리다.
박진 (迫眞) 명하형 표현 등이 진실에 가까움. ¶~한 연기.
박진-감 (迫眞感) 명 진실에 가까운 느낌. ¶~ 넘치는 전투 장면.
박차 (拍車) 명 **1** 승마(乘馬) 구두의 뒤축에 댄 쇠로 만든 물건《그 끝에 톱니바퀴가 달려 있어 말의 배를 차서 빨리 달리게 하는 데 씀》. **2** 어떤 일의 촉진을 위하여 더하는 힘. ¶신제품 개발에 ~를 가하다.
박-차다 타 **1** 발길로 냅다 차다. ¶대문을 박차고 황급히 나가다. **2** 제게 돌아오는 것을 내쳐 버리다. 내쳐 물리치다. ¶유혹을 박차고 공부에 열중하다 / 역경을 박차고 일어나다.
박-치기 명하자타 머리, 특히 이마로 무엇을 세게 들이받는 일. ¶~가 장기(長技)인 프로 레슬러.
박-타다 자 **1** 톱 따위로 박을 두 쪽으로 가르다. **2** 바라던 일이 어긋나 낭패를 보다.
박탈 (剝脫) 명하자타 벗겨져 떨어짐. 또는 벗겨 떨어지게 함.
박탈 (剝奪) 명하타 재물이나 권리 따위를 강제로 빼앗음. ¶자유를 ~하다 / 선수 자격을 ~하다 / 권리가 ~되다.
박테리아 (bacteria) 명 〖생〗 세균.
박토 (薄土) 명 매우 메마른 땅. ¶~를 개간하여 옥토로 만들다. ↔옥토(沃土).
박통 (博通) 명하자 온갖 사물에 널리 통하여 앎. ¶온갖 사물에 ~한 지도자.
박판 (薄板) 명 얇은 널빤지나 철판.
박편 (剝片) 명 벗겨져 떨어진 조각.
박편 (薄片) 명 **1** 얇은 조각. **2** 현미경으로 보기 위하여 얇게 만든 시료(試料).
박피 (剝皮) 명하타 껍질이나 가죽을 벗김.
박피 (薄皮) 명 얇은 껍질.
박하 (薄荷)[바카] 명 〖식〗 꿀풀과의 여러해살이풀. 습지에 나는데, 높이는 60-90 cm,

ㅂ

여름에 담자색 또는 백색의 작은 꽃이 줄기 윗부분에 핌. 한방에서는 잎을 약용하고 향기가 좋아 향료·음료·약재로 씀.
박-하다 (薄-)[바카-] 형 여불 **1** 인색하다. 후하지 아니하다. ¶학점이 박하기로 소문난 교수님 / 인심이 박한 세상. **2** 두껍지 아니하고 얇다. **3** 이익이나 소득이 보잘것없이 적다. ¶이문이 박한 장사. ↔후하다.
박하-사탕 (薄荷沙糖)[바카-] 명 박하유를 넣어 만든 사탕.
박하-유 (薄荷油)[바카-] 명 박하의 잎과 줄기를 건조·증류하여 냉각 정제한 담황색 액체《청량제·홍분제·비누의 향료로 씀》.
박학 (博學)[바칵] 명하형 학식이 매우 넓고 아는 것이 많음. ¶그의 ~에 정말 놀랐다. ↔천학(淺學).
박학 (薄學)[바칵] 명하형 학식이 얕고 좁음. ↔박학(博學). *천학(淺學).
박학-다식 (博學多識)[바칵-] 명하형 학식이 넓고 아는 것이 많음.
박학-다재 (博學多才)[바칵-] 명하형 학식이 넓고 재주가 많음.
박해 (迫害)[바캐] 명하타 힘이나 권력 따위로 약한 처지의 사람을 못살게 굴거나 해를 입힘. ¶~에 시달리다 / 독재 정권의 모진 ~를 피해 외국으로 망명했다.
박히다 [바키-] 자 《'박다'의 피동》 박음을 당하다. ¶벽에 박혀 있는 못 / 시선이 허공에 박혀 있었다 / 물방울 무늬가 점점이 ~ / 그의 인상이 강하게 뇌리에 박혔다.
***밖** [박] 명 **1** 무슨 테나 금을 넘어선 쪽. ¶대문 ~ / 이 선 ~으로 나가면 실격이다. ↔안. **2** 겉으로 드러나 보이는 부분. ¶~은 노랑, 속은 빨강. ↔속. **3** 정해 놓은 범위 안에 들지 않은 것. 이외(以外). ¶그 ~의 사람들 / 예상 ~의 결과가 나왔다. **4** 바깥. ¶~에 나가 놀다. **5** 한데. ¶~에서 밤을 지새웠다.
밖에 조 '그것 말고는, 그것 이외에는'의 뜻의 보조사《뒤에 반드시 부정이 따름》. ¶날 알아주는 사람은 너~ 없다 / 천 원~ 가진 것이 없다.
반 명 얇게 펴서 만든 조각. *솜반.
반: (反) 명 〔철〕 변증법의 세 계기(契機) 중, 부정을 뜻하는 계기. 반정립.
***반:** (半) 명 **1** 둘로 똑같이 나눈 것의 한 부분. ¶연필 ~ 다스 / 수박을 ~으로 가르다. **2** 일이나 물건의 중간. ¶그 일은 아직 ~도 끝나지 않았다 / 시작이 ~이다 / 쪽지를 ~으로 접어 서랍에 넣었다.
***반** (班) 명 **1** ㉠어떤 공통점을 가지고 조직된 작은 집단. ¶~을 편성하다. ㉡(접미사적으로 쓰여) 그 부서임을 나타내는 말. ¶연극~. **2** 통(統)을 다시 가른 지방 행정 단위. ¶우리 ~ 주민들. **3** 한 학년을 한 교실의 수용 인원 단위로 나눈 명칭. ¶1학년은 다섯 개 ~으로 되어 있다.
반 (盤) 명 소반·예반·쟁반 등의 총칭.
반:- (反) 두 '반대'의 뜻을 나타냄. ¶~비례 / ~작용 / ~독재 / ~체제.
반가 (班家) 명 양반의 집안. ¶지체 높은 ~의 맏며느리.
반:-가부좌 (半跏趺坐) 명 〔불〕 한쪽 발을 한쪽 다리의 허벅다리에 얹고, 다른 쪽 발을 반대쪽 무릎 밑에 넣고 앉는 자세. ¶~를 틀다. 준반가좌. *결(結)가부좌.

반가부좌

반:가-상 (半跏像) 명 〔불〕 반가부좌로 앉은 부처의 상(像).
반가움 명 반가운 감정이나 마음. ¶휴가 나온 아들을 만난 ~에 어머니는 눈물을 글썽거리셨다.
반가워-하다 타 여불 반가움을 느끼다. 반갑게 여기다. 반기다.
반가이 부 반갑게. ¶제대하고 돌아온 아들을 ~ 맞다.
반:각 (半角) 명 **1** 〔수〕 어떤 각(角)의 반(半). **2** 〔인〕 식자(植字) 과정에서 해당 활자의 반이 되는 크기의 공간이나 간격.
반:감 (反感) 명 반발하는 마음. 불쾌하게 생각하여 반항하는 감정. ¶고집이 센 사람은 남의 ~을 사기 쉽다 / 경쟁 상대에게 ~을 품고 있다.
반:감 (半減) 명하자타 절반으로 줆. 또는 절반으로 줄임. ¶흥미가 ~하다 / 효과가 ~되다.
반:감-기 (半減期) 명 〔물〕 방사성 원소나 소립자(素粒子)가 붕괴 또는 다른 원소로 변할 경우, 그 원자 수가 최초의 반으로 감소될 때까지 걸리는 시간.
***반갑다** 〔반가우니, 반가워〕 형 ㅂ불 바라던 일이 성취되거나 그리던 사람을 만나서 즐겁고 기쁘다. ¶친구를 반갑게 맞이하다 / 합격했다니 반가운 소식이구나.
반:-값 (半-)[-깝] 명 본래 값의 절반. 반가(半價). 반금. ¶재고 상품을 ~에 사다.
반:개 (半開) 명하자타 **1** 반쯤 열리거나 벌어짐. 또는 반쯤 열거나 벌림. **2** 꽃이 반쯤 핌. **3** 개화(開化)가 다 되지 못함.
반:-걸음 (半-) 명 한 걸음의 절반. 반보(半步).
반:격 (反擊) 명하자타 되받아 공격함. ¶~을 가하다 / ~에 나서다.
반:경 (半徑) 명 **1** 〔수〕 '반지름'의 구용어. **2** 행동이 미치는 범위. ¶행동~이 넓다.
반:고리-관 (半-管) 명 〔생〕 척추동물의 내이(內耳) 상부에 있는 기관《삼면으로 갈라진 세 관에 림프가 차 있어 그 움직임으로 몸의 평형과 위치를 감각함》. 삼반규관(三半規管).
반:고-지 (反古紙) 명 글씨 같은 것을 써서 못 쓰게 된 종이.
반:-고체 (半固體) 명 완전한 고체 상태가 아니고 물렁물렁하며 큰 점착성으로 그 형태를 이루고 있는 고체《묵·두부 따위》.
반:곡 (反曲) 명하자 뒤로 구부러지거나 반대로 휨.
반:골 (反骨·叛骨) 명 세상의 풍조나 권세, 권위 따위를 무작정 좇지 않고 저항하는 기질. 또는 그런 사람. ¶그는 ~ 기질이라 바른말을 잘한다.
반:공 (反共) 명하자 공산주의에 반대함. ¶~ 의식 / ~ 교육 / ~을 국시로 삼다. ↔용공(容共).
반:공 (反攻) 명하타 공격을 당하다가 반대로 공세를 취함.
반:관-반:민 (半官半民) 명 정부와 민간이

공동으로 출자하여 경영하는 사업 형태.

반:구 (半句) [명] **1** 한 구의 반. **2** 아주 짤막하고 간단한 말.

반:구 (半球) [명] **1** 구의 절반. **2**〖수〗 중심을 통하는 한 평면으로 구(球)를 2등분했을 때의 그 한 부분. **3** 지구면을 두 쪽으로 나눈 한 부분.

반:구-형 (半球形) [명] 구(球)를 절반으로 나눈 모양. 반구의 형상.

반:군 (反軍) [명][하자] 군부에 반대함.

반:군 (叛軍) [명] 반란군.

반:-그림자 (半―) [명] **1**〖물〗 광원이 비교적 클 경우 불투명체의 뒤에 생기는 그림자 내에 약간은 빛이 들어간 흐릿한 부분. 반영(半影). 반그늘. ↔본그림자. **2**〖천〗 태양 흑점의 바깥쪽을 이루는 흐릿한 부분.

반:-금 (半―) [명] 반값.

반기 [명] 잔치 또는 제사 때, 동네 사람에게 나누어 주려고 작은 목판이나 그릇에 몫몫이 담은 음식. **―-하다** [자][여불] 반기를 나누어 도르다. 또는 나누어 담다.

반:기 (反旗) [명] **1** 반대의 뜻을 나타낸 행동이나 표시. ¶당국의 시책에 ~를 들다. **2** 반기(叛旗).

반:기 (半期) [명] **1** 어떤 기간의 절반. **2** 한 해의 반.

반:기 (半旗) [명] 조의를 표하여 다는 국기 《깃대 끝에서 기폭만큼 내려서 닮》. 조기(弔旗). ¶~를 게양하다.

반:기 (叛旗) [명] 반란을 일으킨 표시로 드는 기. ¶~를 들다.

반기 (飯器) [명] 밥을 담는 그릇. 밥그릇.

반기다 [타] 반가워하다. 반갑게 맞다. ¶그는 찾아온 손님을 반기며 악수를 청하였다.

반:-나마 (半―) [부] 반이 조금 지나게. ¶~ 먹었더니 배가 부르다.

반:-나절 (半―) [명] 한나절의 반. ¶이 일을 끝내려면 ~은 걸린다.

반:-나체 (半裸體) [명] 살을 반쯤 내놓은 몸. ¶~의 여자. [준]반라(半裸).

반:납 (返納) [명][하타] 도로 돌려줌. ¶도서관에 책을 ~하다 / 여름휴가를 ~하다.

반:년 (半年) [명] 한 해의 반. ¶저런 차를 사려면 내 월급의 ~치는 든다.

반:노 (叛奴) [명] 예전에, 상전(上典)을 배반한 종.

반:농 (半農) [명] 생업의 반이 농업인 일.

반:-닫이 (半―)[-다지] [명] 앞의 위쪽 절반이 문짝으로 되어 아래로 잦혀 여닫게 된 궤 모양의 가구.

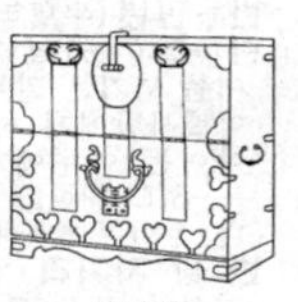

반닫이

반:-달¹ (半―) [명] **1** 반원형의 달. ¶~ 같은 눈썹. **2** 반월 모양으로 된 연(鳶)의 꼭지. **3** 속손톱.

반:-달² (半―) [명] 한 달의 반. 보름 동안.

반:달-꼴 (半―) [명] 반월형.

반:-달음 (半―) [명][하자] 거의 뛰는 만큼 빠른 걸음. ¶~을 치다.

반:-달음질 (半―) [명][하자] 뛰다시피 빨리 걷는 일. ¶오솔길을 ~로 뛰다.

반:달-형 (半―形) [명] 반월형.

반:당 (反黨) [명][하자] **1** 반역을 꾀하는 무리. **2** 자기 당의 취지에 위반·반대되는 일. ¶~ 행위.

***반:대** (反對) [명][하자타] **1** 어떤 사물과 대립·역(逆)의 관계에 있는 일. ¶~ 방향 / 형제가 성격이 전혀 ~다. **2** 남의 말이나 의견에 찬성하지 않고 맞서서 거스름. ¶~를 무릅쓰다 / 개정안에 ~하다 / 자네 의견에 나는 ~다 / 무조건 통합을 ~한다 / ~되는 의견을 내놓다. ↔찬성.

반:대 개:념 (反對概念)〖논〗 어떤 유개념(類概念)에 종속하는 개념 중에서, 그 내포(內包)로 보아 최대의 차이를 갖는 두 개의 개념. 대(大)와 소(小), 현(賢)과 우(愚)와 같이 대립적 관계에 있는 개념.

반:대-급부 (反對給付) [명] **1** 어떤 일에 대응하여 얻게 되는 이익. **2**〖법〗 쌍무(雙務) 계약에서, 한쪽의 급부에 대하여 다른 쪽이 하는 급부《매매(賣買)에서 물건의 양도에 따른 대금의 지급 따위》.

반대기 [명] 가루를 반죽한 것이나 삶은 푸성귀 따위를 편편하고 둥글넓적하게 만든 조각.

반:대-론 (反對論) [명] 반대되거나 반대하는 의견이나 논설.

반:대-말 (反對―) [명]〖언〗 반의어.

반:대-색 (反對色) [명] 섞여서 백색 또는 회백색(灰白色)이 되는 두 개의 색광(色光). 곧, 서로 보색(補色)을 이루는데, 빨강과 초록, 주황과 파랑 같은 것임.

반:대 신:문 (反對訊問)〖법〗 증인 신문에서, 증인 신청을 한 당사자가 먼저 신문한 다음 그 상대방 당사자가 하는 신문.

반:대-어 (反對語) [명]〖언〗 반의어.

반:대-쪽 (反對―) [명] 반대되는 쪽. ¶~으로 발길을 돌렸다.

반:대-파 (反對派) [명] 반대되는 처지에 있는 무리. ¶~를 설득하다.

반:대-편 (反對便) [명] **1** 반대되는 방향. 반대되는 쪽에 있는 곳. ¶길 ~으로 건너가다. **2** 반대하는 무리.

반:도 (半島) [명]〖지〗 삼면이 바다에 싸이고 한 면은 육지에 이어진 땅.

반:도 (叛徒) [명] 반란을 꾀하거나 그에 가담한 무리. 반역의 도당. ¶~를 토벌하다.

반:-도체 (半導體) [명]〖물〗 도체(導體)와 절연체의 중간 성질을 갖는 물질. 낮은 온도에서는 전기가 거의 통하지 않으나 높은 온도에서는 전기가 잘 통함. 실리콘·게르마늄 등이 있으며 트랜지스터·집적 회로·정류기 등에 널리 씀.

반:도체 메모리 (半導體memory)〖컴〗 연산(演算)에 필요한 데이터나 명령 따위 정보를, 장기적으로 또는 일시적으로 기억해 두는 집적 회로.

반:도체 소자 (半導體素子)〖물〗 반도체를 사용한 전자 회로 소자. 정류기·트랜지스터·발광(發光) 소자·광전 변환(光電變換) 소자 따위가 있음.

반:-독립 (半獨立)[-동닙] [명] 반은 남의 힘을 입고 있는 독립.

반:-독재 (反獨裁) [명] 독재를 반대하는 일.

반:동 (反動) [명][하자] **1** 한 작용에 대하여 반대로 일어나는 작용. ¶~이 적은 총을 개

발하다. 2 역사의 움직임에 역행하여 진보적인 운동에 반대하는 보수적인 운동. ¶~ 보수 세력 / ~으로 몰리다.

반:동-적 (反動的) 관명 역사의 움직임에 역행하여, 진보를 저지하려는 (것). ¶~ 경향.

반드럽다 〔반드러우니, 반드러워〕 형ㅂ불 1 윤기가 나고 매끈매끈하다. ¶반드러운 대리석. 2 사람됨이 약빨라서 어수룩한 맛이 없다. ¶반드럽게 생기다. 큰번드럽다. 센빤드럽다.

반드레-하다 형여불 실속 없이 겉모양만 반드르르하다. 큰번드레하다. 센빤드레하다.

반드르르 부하형 윤기가 있고 매끄러운 모양. 큰번드르르. 센빤드르르.

***반드시** 부 꼭. 틀림없이. 기필코. ¶~ 이겨야 한다. *반듯이.

> **'반드시'와 '반듯이'**
>
> 반드시 '꼭, 틀림없이'의 뜻이다.
> 예 약속은 반드시 지켜라.
> 반듯이 '반듯하다'의 어근에 접미사 '-이'가 붙어서 파생된 부사이다. '비뚤어지거나 기울거나 굽지 않고 바르게'의 뜻이다.
> 예 고개를 반듯이 들어라.

반득 부하자타 한 번 반득이는 모양. 큰번득. 센반뜩·빤득.

반득-거리다 자타 자꾸 반득이다. 큰번득거리다. 센반뜩거리다. **반득-반득** 부하자타

반득-대다 자타 반득거리다.

반득-이다 자타 물체 따위에 반사된 빛이 잠깐씩 나타나다. 또는 그렇게 되게 하다. 큰번득이다. 센빤득이다·반뜩이다.

반들-거리다[1] 자 1 거죽이 아주 매끄럽고 윤이 나다. ¶이마가 ~ / 교실 마룻바닥이 ~. 2 어수룩한 맛이 조금도 없이 약게만 굴다. 큰번들거리다. 센빤들거리다. **반들-반들**[1] 부하형. ¶새로 산 구두를 ~ 윤이 나게 닦다 / 일은 하지 않고 ~ 꾀만 부린다.

반들-거리다[2] 자 이리 핑계 저리 핑계하며 게으르게 놀기만 하다. 큰번들거리다. 센빤들거리다. **반들-반들**[2] 부하자

반들-대다[1] 자 반들거리다[1].

반들-대다[2] 자 반들거리다[2].

반듯-반듯 [-듣빤듣] 부하형 1 여러 물건이 비뚤어지거나 기울거나 굽지 않고 바른 모양. 2 생김새가 반반한 모양.

반듯-이 부 반듯하게. ¶~ 앉히다. 큰번듯이. 센반뜻이. ☞반드시.

반듯-하다 [-드타-] 형여불 1 물건들이 비뚤어지거나 기울거나 굽지 않고 바르다. ¶물건을 반듯하게 놓다. 2 생김새가 반반하다. ¶반듯한 얼굴. 3 생각이나 행동이 비뚤어지지 않고 바르다. ¶사람 됨됨이가 ~. 큰번듯하다. 센반뜻하다.

반:등 (反騰) 명하자 〖경〗 떨어지던 물가나 주식 따위의 시세가 다시 오름. ¶주가가 ~할 기미를 보이다. ↔반락(反落).

반딧-불 [-디뿔 / -딘뿔] 명 1 반딧불이의 꽁무니에서 반짝이는 불빛. 2 반딧불이. [반딧불로 별을 대적하랴] 되지 않을 일은 아무리 억척을 부려도 불가능하다.

반딧-불이 [-디뿔- / -딘뿔-] 명 〖충〗 반딧불잇과의 곤충. 애벌레는 맑은 물에 서식하며, 이듬해 변태한 엄지벌레는 배 끝에 발광기(發光器)가 있어 여름 밤에 반짝거리며 날아다님. 개똥벌레. 단량(丹良). 단조(丹鳥).

반뜩 부하자타 한 번 반뜩이는 모양. 큰번뜩. 여반득.

반뜩-거리다 자타 자꾸 반뜩이다. ¶먹이를 발견한 맹수의 반뜩거리는 눈빛. 큰번뜩거리다. 여반득거리다. **반뜩-반뜩** 부하자타

반뜩-대다 자타 반뜩거리다.

반뜩-이다 자타 물체 따위에 반사된 작은 빛이 잠깐씩 나타나다. 또는 그렇게 되게 하다. ¶햇살이 ~ / 눈을 ~. 큰번뜩이다. 여반득이다.

반뜻 [-뜯] 부 작은 불빛 따위가 갑자기 나타났다가 곧 없어지는 모양. 큰번뜻.

반뜻-반뜻[1] [-뜯빤뜯] 부하형 작은 빛이 잇따라 갑자기 나타났다 없어졌다 하는 모양. 큰번뜻번뜻.

반뜻-반뜻[2] [-뜯빤뜯] 부하형 여럿이 모두 반듯한 모양.

반뜻-이 부 반뜻하게. 큰번뜻이. 여반듯이.

반뜻-하다 [-뜨타-] 형여불 아주 반듯하다. 큰번뜻하다. 여반듯하다.

반:라 (半裸)[발-] 명 '반나체'의 준말.

반:락 (反落)[발-] 명하자 오르던 시세가 갑자기 떨어짐. ↔반등(反騰).

반:란 (叛亂·反亂)[발-] 명하자 정부나 지배자에 대항하여 내란을 일으킴. ¶~을 일으키다 / ~을 진압하다.

반:란-군 (叛亂軍)[발-] 명 반란을 일으킨 군대. 반군(叛軍).

반:려 (伴侶)[발-] 명 짝이 되는 동무. ¶~ 동물 / 일생의 ~가 되다.

반:려 (返戾)[발-] 명하타 반환(返還)1. ¶사표를 ~하다 / 노조 설립 신고서가 ~되다.

반:려-자 (伴侶者)[발-] 명 반려가 되는 사람. 짝이 되는 사람. ¶인생의 ~《배우자》.

반:론 (反論)[발-] 명하자타 남의 의견에 대하여 반대 의견을 폄. 또는 그 반대 의견.

반:론-권 (反論權)[발-꿘] 명 남의 논설이나 비난, 논평 따위에 대하여 반박할 수 있는 권리. ¶~의 행사.

반:-만년 (半萬年) 명 오천 년. ¶~ 역사.

반:-말 (半-) 명 1 존대도 하대도 아닌 어름어름 넘기는 말투. ¶~ 투로 말하다. 2 손아랫사람에게 하듯 낮추어 하는 말. ¶그 아이는 아무에게나 ~을 마구 해 댄다. ―-하다 자여불 반말의 말씨를 써서 말하다. ¶아무에게나 ~.

반:말-지거리 (半-) 명하자 반말로 함부로 지껄임. 또는 그런 말투.

반:말-질 (半-) 명하자 반말을 하는 짓. 반말지거리. ¶~을 삼가라.

반:면 (反面) 명 (주로 '반면에'의 꼴로 '-은·-는' 따위의 다음에 쓰여) 어떠한 사실과 반대되거나 다른 방면. ¶기쁜 ~에 슬픔도 있다 / 힘이 드는 ~에 보람도 있다.

반:면 (半面) 명 1 한 면의 반. 2 양쪽 면의 한 쪽. 3 얼굴의 좌우 어느 한쪽.

반면 (盤面) 명 1 바둑·장기·레코드 등의 판의 겉면. 2 바둑·장기의 형세. 국면. ¶~에 긴장감이 돌다.

반:-면식 (半面識) 명 **1** 잠깐 만난 일이 있었을 뿐인데도 얼굴을 기억하고 있는 일. **2** 조금 아는 처지.

반명 (班名) 명 **1** 양반이라고 일컬을 만한 명색(名色). **2** 반(班)의 이름.

반:-모음 (半母音) 명 〖언〗 모음의 성질을 가지나 모음에 비해서 자음적 요소가 많은 소리. 단독으로 음절을 만들지 않고, 대개 모음에 선행함. 한국어 'ㅑ, ㅠ, ㅛ'의 첫머리에서 나는 'ㅣ'〔j〕, 'ㅘ, ㅝ'의 첫머리에서 나는 'ㅗ, ㅜ'〔w〕 따위와 같은 음.

반:목 (反目) 명하자 서로 사이가 좋지 않고 미워함. ¶~과 대립이 계속되다.

반:목-질시 (反目嫉視)[-씨] 명하자 서로 미워하고 질투하는 눈으로 봄. ¶~하는 두 집안.

반:문 (反問) 명하자타 물음에 대답하지 않고 되받아서 물음. 또는 그 물음. ¶질문의 뜻을 ~하다 / 묻는 말에 새삼스레 무슨 소리냐고 ~하다.

반문 (斑文·斑紋) 명 얼룩얼룩한 무늬.

반:-물 명 검은빛을 띤 짙은 남빛. 반물색. 반물빛. ¶~ 저고리.

반:-물질 (反物質)[-찔] 명 〖물〗 전자·양성자·중성자로 이루어지는 실재(實在)의 물질에 대하여 그 반입자(反粒子)인 양전자·반양성자·반중성자로 이루어지는 물질《이론적일 뿐 실재는 아직 확인되지 않았음》.

반:-미치광이 (半-) 명 말과 행동이 정상적이지 못한 사람.

반:민 (反民) 명 **1** '반민족'의 준말. **2** '반민주'의 준말.

반:민 (叛民) 명 반역한 사람들. 반란을 일으키거나 반란에 가담한 백성.

반:-민족 (反民族) 명 민족을 반역함. 준반민(反民).

반:민족-적 (反民族的) 관명 자기 민족의 이익에 반대되는 (것). ¶~인 행위.

반:-민주 (反民主) 명 민주주의에 반대하는 일. 또는 반대되는 일. 준반민(反民).

반:민주-적 (反民主的) 관명 민주주의에 반대되는 (것). ¶~인 관료.

반:-바지 (半-) 명 길이가 무릎까지 내려오는 짧은 바지. ¶~ 차림으로 밖에 나가다.

반:박 (反駁) 명하타 남의 의견이나 비난에 대하여 맞서 공격함. ¶~ 성명 / 그들의 주장에 대하여 조목조목 ~하다.

반:박 (半拍) 명 한 박자의 반.

반:박-문 (反駁文)[-방-] 명 반박하는 내용을 담은 글.

반:-반 (半半) 명 **1** 무엇을 똑같이 가른 각각의 몫. ¶수입을 ~으로 나누다. **2** '반의 반'의 준말.

반반-하다 형여불 **1** 바닥이 고르고 반듯하다. ¶반반하게 땅을 고르다. **2** 생김생김이 얌전하고 예쁘장하다. ¶반반한 여자. **3** 물건이 제법 쓸 만하고 보기에 좋다. ¶반반한 옷 하나 없다. **4** 지체가 상당하다. ¶어느 모로 보나 반반한 집안이다. 큰번번하다. **반반-히** 부

반:발 (反撥) 명하자 **1** 탄력이 있는 물체가 되받아서 퉁김. **2** 어떤 상태나 행동 등에 맞서 세차게 반대함. ¶~이 심하다 / 강력한 ~에 부딪히다.

반:발-력 (反撥力) 명 반발하는 힘.

반:발-심 (反撥心)[-씸] 명 지지 않고 반항하려는 마음. ¶부모의 지나친 간섭은 자녀들에게 강한 ~을 일으킨다.

반:백 (半白) 명 **1** 반백(斑白). ¶~의 머리털. **2** 현미와 백미가 반반 섞인 쌀.

반:백 (半百) 명 **1** 백의 절반. 쉰. **2** 백 살의 반. 쉰 살. ¶~의 나이가 되다.

반백 (斑白) 명 흑백이 반반 정도로 섞인 머리털. 반백(半白). ¶~의 신사.

반:-벙어리 (半-) 명 혀가 짧거나 하여 남이 잘 알아듣지 못하게 말을 하는 사람.

반벙어리 축문 읽듯 구 떠듬떠듬 또는 어물어물 입 안에서 웅얼거리는 모양을 비유적으로 이르는 말.

반-베 (斑-) 명 반물빛의 실과 흰 실을 섞어 짠 수건 감의 폭이 좁은 무명. 반포(斑布).

반별 (班別) 명 반마다 따로따로.

반:-병신 (半病身) 명 **1** 몸이 성하지 못하여 제대로 움직일 수 없는 사람. **2** 반편이.

반:-보 (半步) 명 반걸음.

반:복 (反復) 명하타 같은 일을 되풀이함. ¶~ 훈련 / 같은 말을 자꾸 ~하다 / ~되는 잔소리에 질렸다.

반:복 (反覆) 명하타 **1** 언행을 이랬다저랬다 하여 자꾸 고침. **2** 생각을 엎치락뒤치락함.

반:복 기호 (反復記號) 〖악〗 '도돌이표'의 한자 이름.

반:복-법 (反復法) 명 같거나 비슷한 어구를 되풀이하는 수사법《'옛날 옛날 아주 먼 옛날' 따위》.

반:-봉건 (半封建) 명 자본주의 체제 안에 남아 있는 봉건적 생활 상태.

반:분 (半分) 명하타 절반으로 나눔. 또는 그만한 분량. ¶이익금을 똑같이 ~하다.

반:비 (反比) 명 〖수〗 한 비의 전항과 후항을 바꾸어 놓은 비《A:B에 대한 B:A 따위》. 역비(逆比). ↔정비(正比).

반:-비례 (反比例) 명하자 어떤 양이 커질 때 다른 쪽 양이 그와 같은 비율로 작아지는 관계. ↔정(正)비례.

반:비알-지다 (半-) 자 땅이 약간 비탈지다.

반빗 (飯-)[-빋] 명 지난날, 반찬 만드는 일을 맡아보던 여자 하인. 찬모(饌母).

반빗-간 (飯-間)[-빋깐] 명 음식을 만드는 곳. 찬간(饌間).

반빗-아치 (飯-)[-빋-] 명 예전에, 반빗 노릇을 하던 사람.

반:사 (反射) 명하자타 **1** 〖물〗 일정한 방향으로 나가는 파동이 다른 물체의 표면에 부딪쳐서 그 방향을 바꾸는 현상. ¶빛의 ~ / 햇빛이 거울에 ~되다. **2** 〖생〗 의지(意志)와는 관계없이 자극에 대하여 일어나는 신체의 생리적인 반응.

반:사-각 (反射角) 명 〖물〗 법선(法線)과 반사선이 짓는 각. 그 각도는 입사각과 같음.

반:사-경 (反射鏡) 명 〖물〗 광선을 받아서 반사하는 거울.

반:사-광 (反射光) 명 '반사 광선'의 준말.

반:사 광선 (反射光線) 〖물〗 물체의 표면에 부딪쳐 반사되는 광선. 준반사광.

반:사-로 (反射爐) 명 〖물〗 연료가 연소하여 생기는 고온의 불꽃·가스를 노 안에 보내

어 불꽃을 반사시켜 광석 또는 금속을 가열하는 용광로의 하나.
반:사-면 (反射面) 명 빛을 받아 반사하는 면.
반:사-열 (反射熱) 명 〔물〕 볕이나 불에 단 물체에서 내쏘는 열.
반:사 운:동 (反射運動) 〔생〕 자극에 대하여 무의식적으로 일어나는 근육의 운동.
반:사 이:익 (反射利益) 〔법〕 어떤 법률의 시행으로 국민이 간접적으로 누리는 이익.
반:사 작용 (反射作用) **1** 〔심〕 심리상으로 반사 운동이 일어나는 작용. **2** 〔물〕 파동(波動)이 반사되는 작용.
반:사-적 (反射的) 관명 어떤 자극에 순간적으로 반응하여 무의식으로 하는 (것). ¶ ~ 행동 / 손전등을 얼굴에 비추자 ~으로 손을 올려 눈을 가렸다.
반:-사회적 (反社會的) 관명 사회의 규범이나 질서, 이익에 반대되는 (것). ¶ ~ 인물.
반:삭 (半朔) 명 반달[2].
반상 (班常) 명 양반과 상사람. ¶ ~의 구별 / ~을 가리지 않다.
반상 (飯床) 명 **1** '반상기'의 준말. **2** 격식을 갖추어 차린 밥상. 밥·국·김치·장류(醬類)·조치류를 기본으로 하고, 숙채·생채·구이·조림·전·마른반찬·회 따위의 반찬의 수효에 따라 3첩·5첩·7첩·9첩·12첩 반상의 구별이 있음.
반상 (盤上) 명 **1** 반(盤)의 위. ¶ ~ 진미(珍味). **2** 바둑·장기판의 위. ¶ ~ 최대의 곳.
반상-기 (飯床器) 명 반상 하나를 차리게 만든 한 벌의 그릇. 준반상.
반-상회 (班常會) 명 정부 행정 조직의 최하 단위인 반(班) 구성원의 월례회(月例會)《이웃끼리 서로 돕는 정신을 기르기 위하여 모임》.
반색 명하자 바라고 기다리던 사람이나 사물을 볼 때 몹시 반가워함. 또는 그런 기색. ¶ 손님을 ~하며 맞다.
반:생 (半生) 명 한평생의 절반. 반생애. ¶ ~을 교직에 몸 바치다.
반석 (盤石·磐石) 명 **1** 넓고 평평한 큰 돌. **2** 아주 안전하고 견고함. ¶ ~ 같은 지반.
반:-설음 (半舌音) 명 훈민정음에서 'ㄹ' 소리를 이르는 말. 반혓소리.
***반:성** (反省) 명하타 자신의 언행이나 생각에 대하여 잘잘못이나 옳고 그름 따위를 스스로 돌이켜 생각함. ¶ 깊이 ~하다 / ~의 기색이 없다 / ~하는 빛이 뚜렷하다.
반:-세기 (半世紀) 명 한 세기의 절반. 곧, 50년.
반:-소매 (半-) 명 팔꿈치 정도까지 내려오는 짧은 소매. 반팔.
반:송 (返送) 명하타 도로 돌려보냄. 환송(還送). ¶ 수취인 불명으로 편지가 ~되다.
반송 (搬送) 명하타 **1** 운반하여 보냄. 실어 보냄. **2** 음성·화상(畫像) 등의 신호를 변조(變調)라는 수단으로 고주파에 실려 보냄.
반:-송장 (半-) 명 아주 늙거나 병이 들어 거의 죽게 된 사람.
반:수 (半數) 명 전체의 절반이 되는 수. ¶ ~ 이상이 반대하다.
반:숙 (半熟) 명하자타 과실·곡식 또는 음식물이 반쯤 익음. 또는 반쯤 익힘. ¶ 달걀을 ~하다.
반:-승낙 (半承諾) 명하타 대체로 좋겠다는 정도로 하는 승낙.
반:시 (半時) 명 아주 짧은 동안. ¶ 아이가 ~도 엄마 곁을 떠나려 하지 않는다.
반:-시옷 (半-)[-옫] 명 한글 옛 자모의 하나인 'ㅿ'의 이름. 가벼운시옷.
반:-식민지 (半植民地)[-싱-] 명 형식적으로는 주권을 가진 독립국이면서 다른 나라에 제압되어 식민지 상태에 있는 나라.
반:신 (半身) 명 온몸의 절반. ¶ ~이 마비되다. *상반신·하반신.
반:신 (半信) 명하타 반쯤만 믿음.
반:신 (返信) 명 회답하는 편지나 전보 따위의 통신. 회신. ¶ ~ 우표.
반:신-반:의 (半信半疑)[-/-이] 명하타 반쯤은 믿고 반쯤은 의심함. ¶ 아직도 ~하는 상태에 있다.
반:신불수 (半身不隨)[-쑤] 명 〔의〕 뇌의 손상으로 인해 몸의 절반이 마비되어 쓸 수 없게 되는 일. 또는 그러한 사람. ¶ 중풍으로 ~가 되다.
반:신-상 (半身像) 명 상반신의 사진·초상 또는 소상(塑像) 따위의 총칭.
반:심 (叛心) 명 배반하려는 마음. 배심(背心). 반의(叛意).
반:액 (半額) 명 **1** 전액의 반. **2** 원래의 값의 반. ¶ 어린이는 입장료가 ~이다.
반야 (般若) 명 〔불〕 대승 불교에서, 불법의 참된 이치를 아는 최고의 지혜.
반야-경 (般若經) 명 〔불〕 완전한 지혜의 실천이라는 '반야바라밀'의 깊은 이치를 설(說)한 경전의 총칭.
반야-바라밀 (般若波羅蜜) 명 〔불〕 육바라밀의 여섯째. 지혜의 빛에 의하여 참다운 지혜를 얻어 열반의 묘경에 이르는 일.
반:-양성자 (反陽性子)[-냥-] 명 〔물〕 양성자에 대한 반입자(反粒子). 양성자와 접촉하면 서로 파괴되는데, 우주를 파괴하는 힘이 있다고 함. 앤티프로톤(antiproton). 기호는 P. 반양자(反陽子). *반중성자(反中性子).
반:-양장 (半洋裝)[-냥-] 명 **1** 제본법(製本法)의 한 가지. 속장을 실로 매고 겉장을 속장에 붙여 씌운 다음 겉장과 속장을 함께 마무르는 방식. 또는 그렇게 제본한 책. **2** 반쯤 서양식으로 꾸민 복장.
반:어 (反語) 명 뜻을 강조하기 위하여, 원래 하고자 하는 말을 반대로 표현하는 말. '못난 사람'을 '잘난 사람', 또는 '못된 꼴'을 보고 '그 꼴 좋다'라고 하는 따위.
반:어-법 (反語法)[-뻡] 명 **1** 문장의 뜻을 강조하기 위하여 반어를 사용하는 수사법. **2** 상대방의 틀린 점을 깨우치기 위하여 반대의 결론에 도달하는 질문을 하여 진리로 이끄는 일종의 변증법.
반:역 (反逆·叛逆) 명하자타 **1** 나라와 겨레를 배반함. ¶ 민족 ~ 행위. **2** 통치자에게서 권력을 빼앗으려고 함. ¶ ~을 꾀하다.
반:역-자 (反逆者) 명 반역을 하거나 꾀하는 사람. ¶ 민족의 ~.
반열 (班列) 명 품계나 신분, 등급의 차례. 반차(班次). ¶ 대가(大家)의 ~에 오르다.
반:영 (反映) 명하자타 **1** 빛이 반사하여 비

ㅂ

리. 반잇소리.
*반:칙 (反則) 명하자 주로 운동 경기에서 규칙이나 규정을 어김. ¶~이 심한 선수 / ~을 범하다.
반:-코트 (半coat) 명 길이가 허리쯤까지 내려오는 외투.
반:-타작 (半打作) 명하타 1 배메기. 2 소득이나 수확이 예상의 절반쯤밖에 되지 못함을 이름.
반:탁 (反託) 명하자 신탁 통치를 반대함. ↔찬탁.
반:투-막 (半透膜) 명 〖화〗 용액 중의 용매(溶媒)만을 통과시키고 용질(溶質)을 통과시키지 않는 막. 반투벽.
반:-투명 (半透明) 명하형 1 투명도가 낮은 성질이 있음. ¶~ 유리 / ~ 용기. 2 한쪽에서 보면 투명하고 반대쪽에서 보면 불투명하게 보이는 일.
반:투-성 (半透性)[-썽] 명 〖생〗 용액의 용매는 통과시키나 용질은 통과시키지 않는 성질.
반:파 (半破) 명하자 반쯤 부서짐. ¶산사태로 가옥이 ~되다.
반:-팔 (半-) 명 반소매. ¶~ 셔츠.
반:편 (半偏) 명 '반편이'의 준말. ¶그것도 모르다니 이 ~ 같으니라고.
반:편-스럽다 (半偏-) 〔-스러우니, -스러워〕 형ㅂ불 사람됨이 모자란 듯하다. ¶생김새는 반편스러워 보이지만, 실은 대단한 수재(秀才)다. 반:편-스레 부
반:편-이 (半偏-) 명 지능이 보통 사람보다 낮은 사람. 반병신. 준반편.
반:-평생 (半平生) 명 평생의 절반이 되는 동안. ¶자선 사업에 ~을 몸 바치다.
반포 (頒布) 명하타 세상에 널리 펴서 알림. ¶율령(律令)을 ~하다 / 1446 년 훈민정음이 ~되었다.
반:-푼 (半-) 명 〔←반분(半分)〕 1 아주 적은 돈. 2 한 푼 길이의 절반.
반:품 (返品) 명하타 일단 사들인 물건을 도로 돌려보냄. 또는 그러한 물품. ¶지난달치 잡지는 ~이 많다.
반:-풍수 (半風水) 명 서투른 풍수.
[반풍수 집안 망친다] 서투른 재주를 함부로 부리다가 도리어 일을 망친다.
반:-하다[1] 자여불 무엇에 마음이 취하여 홀리다. ¶미모에 ~ / 그의 인품에 반했다.
반:-하다 (反-) 자여불 반대가 되다. ¶정의에 반한 행동 / 부모의 의사에 ~ / 예상에 반하여 동메달에 그쳤다 / 공부는 열심히 하는 데 반하여 성적이 나쁘다.
반:-하다[2] 형여불 1 어두운 가운데 밝은 빛이 비치어 환하다. ¶동쪽 하늘이 ~. 2 무슨 일이 그렇게 될 것이 분명하다. ¶실패할 것은 ~. 3 바쁜 가운데 잠깐 틈이 생기다. ¶잠시도 반할 틈이 없네. 4 병세가 좀 가라앉다. ¶병세가 잠시 반하더니 또 악화됐다. 큰번하다. 센빤하다. 반:-히 부
반합 (飯盒) 명 밥을 지을 수 있게 된, 알루미늄제(製)의 휴대용 식기《주로 군대나 등산객들이 씀》.
반:항 (反抗) 명하자 순종하지 않고 저항함. ¶사춘기의 이유 없는 ~ / 억압적인 아버지에게 ~하다.
반:항-기 (反抗期) 명 〖심〗 아동의 자아의식이 대단히 강하게 되어 반항을 나타내는 시기《정상적인 발달 과정에서는 3-5세, 12-13세에 두 번 나타남》.
반:항-심 (反抗心) 명 반항하는 마음. ¶~을 불러일으키다.
반:항-아 (反抗兒) 명 기성세대나 기존의 권위에 맞서거나 대드는 사람.
반:항-적 (反抗的) 관명 반항하는 태도나 경향이 있는 (것). ¶~(인) 태도를 취하다.
반:핵 (反核) 명 핵무기나 핵연료의 사용을 반대함. ¶~ 시위 / 반전 ~ 운동.
반행 (頒行) 명하타 1 출판물을 인쇄 반포함. 2 세상에 널리 배포함.
반:향 (反響) 명 1 〖물〗 메아리처럼 음향이 어떤 물체에 부딪쳐 반사하여 다시 들리는 현상. 2 어떤 일에 영향을 받아 일어나는 반응 현상. ¶대단한 ~을 불러일으키다.
반:-허락 (半許諾) 명하타 반쯤 허락함.
반:-허리 (半-) 명 1 허리 높이의 절반 정도. 2 물건이나 일의 절반 정도.
반:-혁명 (反革命)[-형-] 명 혁명에 의해 성취된 사태에 반대하여 옛 상태로 돌리려는 운동. ¶~ 세력.
반:-혓소리 (半-)[-혀쏘- / -혇쏘-] 명 〖언〗 '반설음(半舌音)'의 풀어쓴 말.
반호 (班戶) 명 양반의 집.
반:혼 (返魂) 명하타 1 반우(返虞). 2 〖불〗 죽은 사람을 화장하고, 그 혼을 집으로 도로 불러들임. 또는 그런 일.
반:-홀소리 (半-)[-쏘-] 명 〖언〗 '반모음(半母音)'의 풀어쓴 말.
반:환 (返還) 명하자타 1 빌리거나 가져온 것을 도로 돌려줌. 반려(返戾). ¶입장료를 ~하다 / 약탈당한 문화재가 ~되다 / 홍콩이 중국에 ~되었다. 2 되돌아오거나 감. ¶~ 지점을 돌다.
반:환-점 (返還點)[-쩜] 명 경보·마라톤에서, 선수들이 돌아오는 점을 표시한 표지.
반:-회장 (半回裝) 명 여자 저고리의 끝동, 깃, 고름만을 자줏빛·남빛의 헝겊으로 대어 꾸민 회장.
반:회장-저고리 (半回裝-) 명 반회장으로 된 저고리《나이가 좀 많은 여자가 입음》.
반:-휴일 (半休日) 명 한나절만 일하고 쉬는 날. 반공일.
반:-흘림 (半-) 명 초서(草書)와 행서(行書)의 중간 정도로 흘려 쓰는 글씨체.
받-내다 [반-] 타 몸을 쓰지 못하는 사람의 대소변을 받아 내다.
*받다 ㊀타 1 주는 것을 가지다. ¶선물을 ~ / 팩스를 ~. 2 어떤 행동이나 작용의 영향을 당하거나 입다. ¶존경을 ~ / 혐의를 ~ / 귀염을 못 ~. 3 돈이나 서류 따위를 걷다. ¶입장료를 ~. 4 점수나 학위를 따다. ¶박사 학위를 ~. 5 빛·열·바람 따위의 기운이 닿다. ¶햇빛을 ~. 6 물건을 모개로 사들이다. ¶물건을 받아다가 판다. 7 담을 것에 액체나 반찬거리를 집어넣다. ¶수돗물을 ~. 8 내려오는 것을 잡다. ¶공을 ~. 9 우산 같은 것을 펴서 들다. ¶양산을 ~. 10 뿔이나 머리 따위로 세차게 부딪치다. ¶소가 뿔로 사람을 ~. 11 남의 뒤를 곧 이어서 그와 같게 행동하

다. ¶내 노래를 받아라. **12** 사람을 맞아들이다. 접대하다. ¶손님을 ~. **13** 조산(助産)하다. ¶아이를 ~. **14** 중요한 일을 할 날짜를 정하다. ¶결혼 날짜를 ~. 二자 **1** 음식이 비위에 맞다. ¶오늘따라 술이 잘 받는다. **2** 색깔이나 모양이 잘 어울리다. **3** 화장품 따위가 잘 발린다. ¶오늘따라 화장이 잘 받는다. **4** 사진이 잘 나온다.

[받고 차기다] 남의 은혜를 입고도 갚지 않는다는 말.

받아 놓은 밥상 구 이미 작정이 되어 피하려야 피할 수 없는 일. 또는 틀림없고 걱정할 필요가 없는 일.

-받다 미 명사 뒤에서 '입다·당하다' 등의 뜻을 나타내는 말《피동의 동사를 만듦》. ¶강요~/버림~/주목~.

*__받-들다__ 〔받드니, 받드오〕 타 **1** 공경하여 모시다. ¶늙은 부모님을 ~. **2** 가르침이나 뜻 따위를 소중히 여겨 따르다. ¶국민의 뜻을 ~. **3** 물건을 받쳐 들다. ¶잔을 ~.

받아-넘기다 타 **1** 남의 말을 받아서 척척 대답하다. ¶까다로운 질문을 잘 받아넘겼다. **2** 물건 따위를 받아서 다른 사람에게 넘겨주다. **3** 넘어온 공을 쳐서 상대편 쪽으로 보내다. **4** 상대의 공격을 요령 있게 피해 나가다.

ㅂ

*__받아-들이다__ 타 **1** 돈이나 물건을 거두어 받다. **2** 받아서 제 것으로 하다. ¶대륙 문화를 ~. **3** 남의 말이나 청 따위를 들어주다. ¶충고를 ~. **4** 어떤 사실을 인정하고 수용하다. ¶현실을 ~. **5** 조직체에서 어떤 사람을 구성원으로 들어오게 하다. ¶신입회원을 ~.

받아-먹다 타 주는 것을 받아서 먹다. ¶새끼들이 먹이를 ~/뇌물을 ~.

받아-쓰기 명하타 남이 하는 말이나 읽은 글을 그대로 옮겨 씀. 또는 그런 일. ¶~ 시험을 보다.

받아-쓰다 〔-쓰니, -써〕 타 남이 하는 말이나 읽은 글을 그대로 옮겨 쓰다. ¶강의를 노트에 ~.

받자 명하타 **1** 지난날, 관아에서 환곡이나 조세를 받아들이던 일. **2** 남이 괴롭게 굴거나 부탁하는 것을 잘 받아 줌. ¶귀엽다고 자식들을 ~하니까 너무 버릇없이 군다.

받잡다 〔받자오니, 받자와〕 타ㅂ불 '받다'의 높임말.

받치다 一타 **1** 우산이나 양산을 펴 들다. ¶우산을 받치고 가다. **2** 어떤 물건의 밑이나 안에 다른 물건을 대다. ¶기둥을 ~. **3** 주변에서 돕다. **4** 한글을 적을 때, 모음 뒤에 자음을 붙이다. 二자 **1** 앉거나 누웠을 때 밑바닥이 배기다. **2** 속에서 어떤 기운이 치밀다. ¶분이 ~/설움이 받쳐서 목메어 울다. **3** 먹은 것이 잘 소화되지 않고 위로 치밀다.

> **'받치다'와 '받히다'**
>
> **받치다** '받다'의 어간에 강세를 나타내는 접미사 '-치-'가 결합한 형태로 '우산 따위를 펴들다, 밑에서 괴다'의 뜻이다.
> 예 우산을 받치고 간다/책받침을 받친다.
>
> **받히다** '받다'에 피동 접미사 '-히-'가 결합해서 만들어진 피동사로 '머리나 뿔 따위에 받음을 당하다'의 뜻이다.
> 예 쇠뿔에 받혔다.

*__받침__ 명 **1** 물건의 밑바닥을 받치는 물건. ¶책~/~을 괴다. **2** 한글에서 끝소리로 되는 자음. 종성(終聲).

받침 규칙 (-規則) 〖언〗 말음 법칙.

받침-대 (-臺)[-때] 명 지주(支柱).

받침-돌 [-똘] 명 물건의 밑바닥에 받쳐 놓는 돌. ¶비석에 ~을 괴다.

받침-점 (-點)[-쩜] 명 **1** 〖물〗 지레 따위를 지탱하는 고정된 점. 지렛목. **2** 〖건〗 구조물을 받치고 있는 부분. 지점(支點).

받침-틀 명 길고 무거운 물건 양쪽 끝의 밑에 괴는 틀.

받히다 [바치-] 자 《'받다■10'의 피동》 떠받음을 당하다. ¶소에게 ~/ 자동차에 받혀서 크게 다쳤다. ☞받치다.

*__발__[1] 명 **1** 〖생〗 사람이나 동물의 다리 맨 끝 부분. ¶구두가 ~에 꼭 맞다. **2** 물건 밑에 달려서 그 물건을 받치게 된 짧은 부분. ¶장롱의 ~. **3** 걸음. ¶~이 빠르다/~을 멈추다. **4** 한시의 시구 끝에 다는 운자(韻字). ¶~을 달다.

[발 없는 말이 천 리 간다] 비밀로 한 말도 잘 퍼지니 조심하라는 말.

발 벗고 나서다 구 적극적으로 나서다.

발에 차이다〔채다〕 구 여기저기 흔하게 널려 있다.

발(을) 끊다 구 오가지 않거나 관계를 끊다. ¶그 사람과는 발을 끊은 지 오래다.

발을 동동 구르다 구 몹시 안타까워 애를 태우다.

발(을) 들여놓다 구 어떤 자리에 드나들거나 어떤 일에 몸담다. ¶연예계에 ~.

발(을) 빼다 구 어떤 일에서 관계를 완전히 끊고 물러나다.

발(을) 뻗고 자다 구 곤란에서 벗어나 마음 놓고 편히 자다.

발(을) 씻다 구 발(을) 빼다.

발(이) 길다 구 무엇을 먹게 된 판에 마침 한몫 끼어 운이 좋다.

발이 내키지 않다 구 선뜻 행동으로 옮길 마음이 나지 않다.

발(이) 넓다 구 사귀어 아는 사람이 여러 계층에 다양하게 있다. ¶그는 정계에 ~.

발이 닳다 구 분주하게 많이 돌아다니다.

발이 떨어지지 않다 구 마음이 놓이지 않아 선뜻 떠날 수 없다.

발이 뜸하다 구 자주 다니던 곳에 한동안 가지 않다.

발(이) 묶이다 구 몸을 움직일 수 없거나 활동할 수 없는 형편이 되다.

발이 손이 되다 구 손만으로는 부족하여, 발까지 동원할 지경에 이르다.

발이 익다 구 자주 다녀 보아서 그 길에 익숙하다.

발이 잦다 구 어떤 곳에 자주 다니다.

발이 저리다 구 잘못한 것이 있어 마음이 켕기다. ¶제 발이 저리니까 못 본 체하고 지나가지.

발:[2] 명 가늘게 쪼갠 대오리나 갈대 같은 것으로 엮어 무엇을 가리는 데 쓰는 물건.

무용수.
발령 (發令) 명하자타 **1** 직책이나 직위에 관련된 명령을 내림. 또는 그 명령. ¶승진 ~/인사 ~/지방 근무지로 ~되다. **2** 긴급한 상황이 생겨 경보를 발함. ¶공습경보를 ~하다/태풍 경보가 ~되다.
발로 (發露) 명하자 마음속의 것이 겉으로 드러남. ¶우정의 ~/그의 죽음은 희생정신의 ~이다.
발론 (發論) 명하자타 제안이나 의논 따위를 먼저 꺼냄. ¶문제점을 ~하다.
발름-거리다 자타 탄력 있는 물건이 부드럽고 넓게 바라졌다 닫혔다 하다. 또, 그리 되게 하다. ¶코를 ~. 큰벌름거리다. **발름-발름** 부하자타
발름-대다 자타 발름거리다.
발름-하다 형여불 탄력 있는 물건이 오므라져 있지 않고 조금 바라져 있다. 큰벌름하다. **발름-히** 부
발리 (volley) 명 **1** 테니스에서, 공이 떨어지기 전에 받아치는 일. **2** 발리킥.
발리다[1] 一자 (('바르다[1]'의 피동)) 바름을 당하다. ¶뺨에 분이 발려 있다/벽에 시멘트가 ~. 二타 (('바르다[1]'의 사동)) 바르게 하다. ¶찢어진 문을 새로 ~/산뜻한 흰색으로 벽을 ~.
발리다[2] 一자 (('바르다[2]'의 피동)) 속의 것이 발라냄을 당하다. 二타 (('바르다[2]'의 사동)) 발라내게 하다.
발:리다[3] 타 **1** 둘 사이를 넓히다. ¶틈을 ~. **2** 열어서 속의 것을 드러내다. ¶껍질을 까서 ~. **3** 오므라진 것을 펴서 열다. ¶책을 발려 놓다. **4** 일을 진행시키다. 큰벌리다. **5** 물건을 늘어놓다. ¶상품을 발려 놓다.
발리-킥 (volley kick) 명 축구에서, 공이 땅에 떨어지기 전에 차는 일. 발리.
발림[1] 명 살살 비위를 맞추어 달래는 일.
발림[2] 명 〖악〗 판소리에서, 극적인 효과를 위하여 창하는 사람이 곁들이는 몸짓이나 손짓. 너름새.
발림-수작 (-酬酌) 명 살살 비위를 맞추기 위하여 하는 말이나 행동. ¶~ 그만 해라.
발막 명 지난날, 잘사는 집의 노인이 신던 마른신의 하나((뒤축과 코에 꿰맨 솔기가 없고, 코끝이 넓적하며, 가죽 조각을 대고 하얀 분을 칠함)). 발막신.

발막

발막-하다 [-마카-] 형여불 염치없고 뻔뻔스럽다.
발-맞추다 [-맏-] 자 여러 사람이 말이나 행동을 같은 방향으로 일치시키다. ¶시대 흐름에 발맞추어 나가다.
발매 명하타 산판의 나무를 한목에 베어 냄.
발매 (發賣) 명하타 상품을 내어 팖. 또는 그것을 팔기 시작함. ¶새 음반을 ~하다/귀성 열차표가 ~되자 곧 매진되었다.
***발명** (發明) 명하타 전에 없던 것을 새로 생각해 내거나 만들어 냄. ¶증기 기관의 ~/금속 활자를 ~한 나라.
발명-가 (發明家) 명 발명을 전문적으로 하는 사람.
발명-품 (發明品) 명 없던 것을 새로 고안해 만든 물건. ¶기발한 ~.
발모 (發毛) 명하자 몸에 털이 남((흔히 머리털의 경우를 이름)). ¶~ 촉진제. ↔탈모.
발-모가지 명 〈속〉 **1** 발. **2** 발목.
발-목 명 다리와 발이 이어지는 관절 부분. ¶~이 삐다.
발목(을) 잡히다 구 ㉠어떤 일에 꽉 잡혀서 벗어나지 못하다. ¶국제 원유가(原油價)에 발목을 잡힌 국가 경제. ㉡남에게 어떤 단서나 약점을 잡히다.
발묵 (潑墨) 명하자 글씨나 그림에서 먹물이 번져 퍼지게 하는 수법.
발문 (跋文) 명 책 끝에 본문 내용의 대강이나 발간 경위에 관계된 사항을 간략하게 적은 글. 발사(跋辭). 준발(跋).
발-밑 [-믿] 명 **1** 발바닥. **2** 발바닥이 닿는 자리. 또는 그 언저리.
발-바닥 [-빠-] 명 발 아래쪽의 땅을 밟는 평평한 부분. 족장(足掌). 족척(足蹠). ¶~에 불이 나게 쫓아다니다. ↔발등.
발바닥에 흙 안 묻히고 살다 구 힘든 일을 하지 않고 가만히 앉아서 편하게 살다.
발바리 명 **1** 〖동〗 갯과의 하나. 몸이 작고 다리가 짧으며 성질이 온순함. 애완용이며 원산지는 중국임. **2** 〈속〉 진중하지 못하고 큰 볼일 없이 여기저기 돌아다니는 사람.
발-바심 명하타 곡식의 이삭을 발로 밟아서 낟알을 떨어내는 일.
발-바투 부 **1** 발 앞에 바짝 닥치는 모양. ¶~ 다가서다. **2** 때를 놓치지 않고 재빠르게. ¶솔깃한 이야기에 ~ 덤비다.
발발 (勃發) 명하자 전쟁이나 큰 사건 따위가 갑자기 일어남. ¶전쟁이 ~하다/러일 전쟁이 ~된 해.
발발 부 **1** 춥거나 무섭거나 하여 약하게 자꾸 떠는 모양. ¶두 손이 ~ 떨리다/추위에 ~ 떨고 있다. **2** 대단치도 않은 것을 몹시 아끼는 모양. ¶돈 몇 푼 가지고 ~ 떤다. **3** 몸을 바닥에 대고 작은 동작으로 기는 모양. ¶어린애가 방바닥을 ~ 기어 다니다. 큰벌벌.
발-받다 [-반따] 형 (주로 '발받게'의 꼴로 쓰여) 무슨 일이든지 기회를 놓치지 않고 재빠르게 붙잡아 이용하는 소질이 있다. ¶발받게 일을 도와주다.
발-버둥 명 (주로 '치다'와 함께 쓰여) 발버둥이. ¶놓치지 않으려고 ~을 치다.
발버둥-이 명 (주로 '치다'와 함께 쓰여) **1** 불평불만이 있어 다리를 뻗었다 오므렸다 하며 몸부림을 하는 일. ¶아이가 장난감을 사 달라고 ~를 친다. **2** 무슨 일을 피하려고 몹시 애를 쓰는 일. ¶파산을 면하려고 ~ 치다.
발버둥-질 명하자 (주로 '치다'와 함께 쓰여) 발버둥이 치는 짓. ¶~ 치면서 떼를 쓰다. 준버둥질.
발-병 (-病)[-뼝] 명 (주로 '나다'와 함께 쓰여) 발에 생기는 병. ¶나를 버리고 가시는 님은 십 리도 못 가서 ~이 난다.
발병 (發兵) 명하자 전쟁을 위하여 군사를 일으킴. 발군(發軍).
발병 (發病) 명하자 병이 남. ¶전염병이 ~하다/콜레라의 ~이 보고되다.
발복 (發福) 명하자 운이 틔어 복이 닥침. ¶당대에 ~하여 부귀와 영화를 누리다.

발본 (拔本) 명하자타 **1** 장사를 해서 이익이 남아 밑천을 뽑음. **2** 나쁜 일의 근본 원인을 아주 없애 버림.
발본-색원 (拔本塞源) 명하타 나쁜 일의 근원을 아주 뽑아서 없애 버림. ¶부정부패를 ~하다.
발부 (發付) 명하타 증서·영장 등을 발행함. 발급. ¶사전 구속 영장을 ~하다 / 고지서가 ~되다.
발-부리 [-뿌-] 명 발끝의 뾰족한 부분. ¶돌에 ~가 걸려 넘어지다 / ~로 돌을 걷어차다.
발분 (發憤·發奮) 명하자 분발(奮發). ¶위인전을 읽고 ~해서 공부하다.
발-붙이다 [-부치-] 자 의지하다. 디디고 서다. ¶발붙일 터전을 잡다 / 버스가 만원이라 발붙일 틈도 없다.
발-뺌 명하자 책임을 면하려고 핑계를 대며 피하는 짓. ¶이제 와서 ~을 하다니.
발사 (發射) [-싸] 명하타 총포·미사일·로켓 따위를 쏨. 방사(放射). ¶미사일 시험 ~에 성공하다 / 최루탄을 ~하다.
발산 (發散) [-싼] 명하자타 **1** 정열, 울분, 감정 따위를 행동으로 나타내어 밖으로 풀어 없앰. ¶젊음을 ~하다. **2** 열·빛·냄새 따위가 퍼져서 흩어짐. 또는 퍼져서 흩어지게 함. ¶열을 ~하다 / 체취가 ~되다. ↔수렴.
발상 (發祥) [-쌍] 명하자 **1** 역사적으로 큰 의의를 가질 만한 일이 처음으로 시작됨. ¶문명의 ~. **2** 상서로운 일이나 행복의 조짐이 나타남.
발상 (發喪) [-쌍] 명하자 상제가 머리를 풀고 슬피 울어서 초상난 것을 알리는 일. 거애(擧哀).
발상 (發想) [-쌍] 명하타 어떤 생각을 해냄. 또는 그 생각. ¶시대착오적인 ~ / ~을 전환하다.
발상-지 (發祥地) [-쌍-] 명 **1** 나라를 세운 임금이 태어난 땅. **2** 큰 사업이나 문화가 처음으로 일어난 땅. ¶고대 문명의 ~.
발-살 [-쌀] 명 발가락의 사이. 발새. ¶무좀 때문에 ~이 짓물렀다.
발-새 [-쌔] 명 발살.
발색 (發色) [-쌕] 명하자 **1** 컬러 필름·염색 따위에서, 색채의 됨됨이. **2** (화공 처리를 하여) 빛깔을 냄.
발생 (發生) [-쌩] 명하자 **1** 어떤 일이나 사물이 생겨남. ¶인류의 ~ / 화재가 ~하다 / 도난 사건이 ~되다. **2** 〖생〗 난자가 발육하여 성체(成體)가 되는 과정. 또는 배자(胚子)가 자라서 개체의 식물이 되는 과정. 개체 발생.
발생-적 (發生的) [-쌩-] 관명 발생에 관련된 (것). ¶~인 현상.
발생-지 (發生地) [-쌩-] 명 어떤 일이나 사물이 생겨난 곳. ¶사건 ~.
발설 (發說) [-썰] 명하자타 말을 입 밖으로 내어 남이 알게 함. ¶극비 사항이므로 ~을 절대 금한다 / 외부에서 ~된 소문.
발섭 (跋涉) [-썹] 명하타 **1** 산을 넘고 물을 건너서 감. **2** 여러 곳을 두루 돌아다님.
발성 (發聲) [-썽] 명하자 목소리를 냄. ¶~ 연습을 하다.
발성-기 (發聲器) [-썽-] 명 〖생〗 발성에 관여하는 기관《사람의 성대·구강·비강 따위》. 발음 기관.
발성-법 (發聲法) [-썽뻡] 명 〖악〗 성악의 기초 훈련으로 행하는 발성 방법.
발성 영화 (發聲映畫) [-썽녕-] 영사(映寫)할 때에 영상(映像)과 동시에 음성·음악 등이 나오는 영화. 토키. ↔무성 영화.
발-소리 [-쏘-] 명 걸을 때 발이 바닥에 닿아서 나는 소리. ¶~를 죽이고 살금살금 다가가다.
발송 (發送) [-쏭] 명하타 물건이나 편지·서류 등을 부침. ¶공문이 ~되다 / 화물을 ~하다.
발-솥 [-솓] 명 발 세 개가 달린 솥.
발신 (發身) [-씬] 명하자 천하고 가난한 처지를 벗어나 형편이 펴임.
발신 (發信) [-씬] 명하타 소식이나 우편·전신을 보냄. ¶~ 날짜 / 인공위성에서 전파를 ~하다. ↔수신.
발신-음 (發信音) [-씬-] 명 송수화기를 들었을 때, 전화를 걸 수 있는 상태에 있음을 알려 주는 소리.
발신-인 (發信人) [-씬-] 명 발신한 사람. 발신자. ↔수신인.
발신-지 (發信地) [-씬-] 명 발신한 곳.
발심 (發心) [-씸] 명하자 **1** 무슨 일을 하겠다고 마음먹음. **2** 〖불〗 보리심(菩提心)을 일으킴.
발-싸개 명 버선을 신을 때 잘 들어가게 하기 위해 발을 싸는 헝겊이나 종이.
발싸심 명하자 **1** 몸을 비틀면서 비비적거리는 짓. **2** 어떤 일을 하고 싶어 안절부절못하고 들먹거리며 애를 쓰는 짓.
발아 (發芽) 명하자 〖식〗 **1** 나무나 풀의 눈이 틈. ¶배나무가 ~하다. **2** 씨앗에서 싹이 나옴. 아생(芽生). ¶~가 늦어지다. ↔발근(發根).
발-아래 명 **1** 서 있는 곳의 바로 아래. 또는 서 있는 곳에서 굽어볼 수 있는 곳. ¶~ 엎드리다 / 산 정상에 올라서 보니 구름이 ~에 펼쳐져 있다. **2** 능력이나 자질이 어떤 사람보다 못한 수준.
발악 (發惡) 명하자 앞뒤를 헤아리지 않고 모진 짓을 하며 악을 씀. ¶최후의 ~.
발안 (發案) 명하타 **1** 어떤 새로운 안을 생각해 냄. **2** 의안(議案)을 내놓음.
발암 (發癌) 명하자 암이 생김. 또는 암이 생기게 함.
발암 물질 (發癌物質) [-찔] 〖의〗 암종 또는 다른 악성 종양의 발육을 자극하는 물질.
발양 (發揚) 명하타 마음·기운·재주·기세 따위를 떨쳐 일으킴. ¶애국심을 ~하다 / 한민족의 독립 의식이 ~된 3·1 운동.
발언 (發言) 명하자타 말을 꺼내어 의견을 나타냄. 또는 그 말. 발어(發語). ¶무책임한 ~을 하다.
발언-권 (發言權) [-꿘] 명 **1** 회의에서 발언할 수 있는 권리. ¶~을 얻다. **2** 발언에 대한 권위나 영향력. ¶군부의 ~이 강화되다. ㊟언권(言權).
발열 (發熱) 명하자 **1** 물체가 열을 냄. 또는 열이 남. **2** 〖의〗 체온이 높아짐.
발열-량 (發熱量) 명 〖물〗 연료가 일정 단위량만큼 완전 연소하였을 때 발생하는 열밀을 ~. 5 밤을 새우다. ¶뜬눈으로 밤을 ~. 6 드러나게 좋아하다. ¶돈을 ~.

*밟:다 [밥따] 타 1 발을 어떤 대상 위에 대고 디디거나 디디며 걷다. ¶층계를 ~/낙엽을 밟으며 걷다. 2 물건 위에 발을 올려놓고 누르다. ¶옆 사람의 발을 ~/담배를 밟아 끄다. 3 남의 뒤를 몰래 좇다. ¶혐의자의 뒤를 ~. 4 이전 사람이 한 대로 행하다. ¶전철(前轍)을 ~. 5 일에 순서를 거쳐 행하다. ¶절차를 ~. 6 사물의 경험을 하다. ¶무대를 ~. 7 비유적으로 어떤 곳에 도착하다. ¶고국 땅을 다시 ~.

> **'밟다'의 표준 발음**
>
> 겹받침 'ㄼ'은 일반적으로 어말 또는 자음으로 시작된 조사나 어미 앞에서 [ㄹ]로 발음한다.
>
> 예 넓다 [널따], 얇다 [얄따]
>
> 그러나 '밟-'만은 예외적으로 자음 앞에서 [밥]으로 발음한다.
>
> 예 밟다 [밥따], 밟고 [밥꼬], 밟지 [밥찌], 밟게 [밥께]

밟히다 [발피-] 一자타 《'밟다'의 피동》 남의 밟음을 당하다. ¶발등을 ~. 二타 《'밟다'의 사동》 밟게 하다. ¶허리를 ~.

*밤[1] 명 해가 진 뒤부터 새벽 밝아지기 전까지의 동안. ¶역사는 ~에 이루어진다/겨울철은 ~이 길다. ↔낮.
[밤 말은 쥐가 듣고 낮 말은 새가 듣는다] 항상 말조심하라는 말.
밤과 낮을 잊다 구 밤인지 낮인지 모를 정도로 쉬지 아니하고 줄곧 일하다.
밤을 돕다 구 ('밤을 도와'의 꼴로 쓰여) 밤을 이용하다. ¶밤을 도와 도망치다.
밤을 밝히다 구 밤을 새우다.

*밤:[2] 명 밤나무의 열매. ¶~을 까다/~이 여물다/~이 굵다.

밤-거리 [-꺼-] 명 밤의 길거리. ¶~를 마냥 쏘다니다/~를 헤매다.

밤-교대 (-交代)[-꾜-] 명 밤과 낮으로 조(組)를 나누어 교대로 일하는 경우, 밤에 하는 당번. ↔낮교대.

밤-길 [-낄] 명 밤에 걷는 길.

밤:-꽃 [-꼳] 명 밤나무의 꽃. 밤느정이.

밤:-나무 명 〔식〕 참나뭇과의 낙엽 활엽 교목. 산기슭·들·자갈땅에서 자람. 높이 5-15m이며, 초여름에 꽃이 피고 견과(堅果)인 '밤'이 초가을에 익음. 나무는 단단하여 선재(船材)·토목·건축용으로 많이 씀. 율목(栗木).

*밤-낮 [-낟] 一명 밤과 낮. 주야(晝夜). 일야(日夜). ¶~으로 일만 하다. 二부 밤에나 낮에나. 늘. 언제나. ¶그 학생은 ~ 놀기만 한다.
밤낮을 가리지 않다 구 어떤 일을 쉬지 않고 계속하다.
밤낮이 따로 없다 구 밤낮을 가리지 않다.

밤낮-없이 [-낟업씨] 부 언제나. 늘. ¶~ 술타령이다.

밤-눈 명 밤에 사물을 볼 수 있는 시력. ¶~이 밝다/~이 어둡다.

밤:-느정이 명 밤꽃. 준밤늦.

밤-늦다 [-늗따] 형 밤이 깊다. ¶밤늦게 여기저기 돌아다니다/밤늦은 시간에 전화벨이 울리다.

밤-들다 〔밤드니, 밤드오〕 자 밤이 깊어지다. 이슥하여지다. ¶밤들도록 잠을 이루지 못하다.

밤-무대 (-舞臺) 명 밤업소(業所)에서 연예인이 공연하는 무대. ¶~에 출연하다/~밖에 서지 못하는 삼류 가수.

밤-사이 [-싸-] 명 밤이 지나는 동안. 야간(夜間). ¶~비가 왔다. 준밤새.

밤-새 [-쌔] 명 '밤사이'의 준말. ¶~ 한잠도 못 잤다.

밤새-껏 [-껃] 부 밤새도록. ¶오랜만에 만나 ~ 얘기를 나누다.

밤-새다 자 (주로 '밤새도록'의 꼴로 쓰여) 밤이 지나 날이 밝아 오다. ¶밤새도록 일하다.

밤-새우다 자 잠을 자지 않고 밤을 밝히다. ¶밤새워 일에 몰두하다. 준밤새다.

밤-새움 명하자 밤을 새우는 일. 철야(徹夜). ¶초상집에서 ~하다. 준밤샘.

밤:-색 (-色) 명 익은 밤의 껍질과 같은 갈색 빛깔. 초콜릿색.

밤-샘 명하자 '밤새움'의 준말. ¶~ 공부/상가에서 이틀을 ~하다시피 했다.

밤-손님 [-쏜-] 명 '도둑'을 빗대어 이르는 말. ¶어젯밤에 ~이 들었다.

밤:-송이 명 밤알을 싸고 있는, 두껍고 가시가 돋친 겉껍데기. 율방(栗房). ¶~를 까다/~에 찔리다.

밤-안개 명 밤에 낀 안개. ¶~가 끼다.

밤:-알 명 밤의 낱개.

밤-일 [-닐] 명하자 1 밤에 하는 일. 야업(夜業). ↔낮일. 2 〈속〉 성교.

밤-잠 [-짬] 명 밤에 자는 잠. ¶~이 없다/~을 설치다. ↔낮잠.

밤-재우다 타 하룻밤을 지내게 하다. ¶양념한 고기를 ~.

밤-중 (-中)[-쭝] 명 1 깊은 밤. 야분(夜分). 야중(夜中). ¶깜깜한 ~. 2 어떤 일이나 사실에 대하여 전혀 모름.

밤-차 (-車) 명 정해진 노선을 밤에 다니는 차. 주로 열차를 이름. ¶~로 출발하다.

밤-참 명 밤중에 먹는 군음식. 야찬(夜餐). ¶~을 챙겨 먹다.

밤:-톨 명 1 밤의 낱알. 2 밤만 한 크기의 형용. ¶~만 한 녀석.

밤-하늘 명 밤의 하늘. ¶깜깜한 ~에 반짝이는 별들.

*밥[1] 명 1 곡류 따위를 익혀 끼니로 먹는 음식. 주로 쌀밥의 일컬음. ¶~을 짓다. 2 끼니로 먹는 음식. 식사. ¶일에 쫓겨 ~을 거르다. 3 동물 먹이의 총칭. ¶물고기의 ~이 되다《물에 빠져 죽다》. 4 자기 차지가 되는 모가치. ¶제 ~도 못 찾아 먹다. 5 남에게 눌려 지내거나 이용만 당하는 사람. ¶한동안 기세가 좋더니 하루아침에 권력의~이 되었다.
[밥 빌어다가 죽 쑤어 먹을 놈] 게으른 데다가 소견마저 없는 사람. [밥 아니 먹어도 배부르다] 좋은 일이 생겨서 마음에 만족하다.
밥 먹듯 하다 구 일상생활에 흔히 있는 일

처럼 예사로 하다. ¶굶기를 ~.
밥(을) 주다 [구] 시계의 태엽을 감아 주다.
밥² [명] 연장으로 베고 깎은 물건의 부스러기《톱밥·대팻밥 따위》.
밥-값 [-깝] [명] 1 밥을 먹는 데 드는 돈. ¶ ~을 내다. 2 밥벌이 정도의 구실을 비유하는 말. ¶ ~은 하고 다닌다.
밥-그릇 [-른] [명] 1 밥을 담아 먹는 그릇. 식기(食器). 2 밥벌이를 위한 일자리를 일컬음. ¶ ~ 싸움 / ~ 챙기기에 바쁘다.
밥-맛 [밤맏] [명] 1 밥의 맛. 2 식욕. ¶ ~이 나다 / ~이 떨어지다.
밥맛-없다 [밤마덥따] [형] 하는 짓 따위가 불쾌감을 주어 상대하기가 싫다. ¶밥맛없는 친구. **밥맛-없이** [밤마덥씨] [부]. ¶하도 ~ 굴어 같이 다니기 싫다.
밥-물 [밤-] [명] 1 밥을 지을 때 쓰는 물. ¶ ~을 맞추다. 2 밥이 끓을 때 넘쳐흐르는 걸쭉한 물. 곡정수(穀精水).
밥-밑 [밤믿] [명] 밥을 지을 때 쌀 밑에 놓는 잡곡류. ¶밥에 ~을 두다.
밥-벌레 [명] 일은 하지 않고 밥만 축내는 사람을 낮잡아 이르는 말. 식충이.
밥-벌이 [명][하자] 1 먹고살기 위하여 하는 일. ¶ ~ 나가다. 2 겨우 밥이나 먹고 살아갈 정도의 벌이. ¶ ~도 안 되는 직장.
밥-상 (-床) [명] 음식을 차려 먹는 상. 식상(食床). ¶ ~을 차리다.
밥상-머리 (-床-) [명] 차려 놓은 밥상의 한 쪽 언저리. ¶ ~에 앉다.
밥-솥 [-쏟] [명] 밥을 짓는 솥. 식정(食鼎). ¶ ~에 붙은 누룽지를 긁어내다.
밥-숟가락 [명] 1 밥을 떠먹는 숟가락. 2 얼마 안되는 적은 밥. 밥술. [준]밥숟갈.
밥-숟갈 [명] '밥숟가락'의 준말.
밥-술 [명] 1 '생계(生計)'를 비유적으로 이르는 말. ¶알뜰하게 산 덕에 ~ 걱정 없이 지낸다. 2 밥숟가락.
밥술(을) 놓다 [구] 죽다.
밥술이나 먹게 생겼다 [구] 생김새가 복 있어 보이고 잘 살게 생겼다.
밥-알 [명] 밥의 낱낱의 알. 반립(飯粒).
밥알이 곤두서다 [구] 아니꼽거나 비위에 거슬리다. ¶그 꼴을 보니 슬며시 밥알이 곤두서기 시작했다.
밥-장사 [명][하자] 밥을 짓고 음식을 만들어 파는 영업. ¶ ~를 시작하다.
밥-장수 [명] 밥을 짓고 음식을 만들어 파는 사람.
밥-주걱 [명] 밥을 푸는 기구. [준]주걱.
밥-주머니 [명] 〈속〉 1 밥만 먹고 아무 일도 하지 않는 쓸모없는 사람을 이르는 말. 2 위(胃).
밥-줄 [명] 1 '먹고 살아가는 길'이란 뜻으로 '직업'의 속칭. 2〖생〗식도(食道).
밥줄이 끊어지다 [구] 직업을 잃다.
밥줄이 붙어 있다 [구] 아직 직장에 다니고 있다. ¶이 나이에도 아직 ~.
밥-통 (-桶) [명] 1 밥을 담는 통. 2 〈속〉 위(胃). 3 제구실을 못하는 어리석은 사람.
밥-투정 [명][하자] 밥을 더 달라거나 먹기 싫어 짜증을 부리는 짓. ¶ ~하는 버릇이 있는 사람 / 식성이 까다로워 ~이 심하다.
밥-풀 [명] 1 풀 대신으로 무엇을 붙이는 데 쓰는 밥알. 2 밥알.
밥-하다 [바파-] [자][여불] 밥을 짓다. ¶밥하랴 빨래하랴 눈코 뜰 새 없다.
밧-줄 [바쭐 / 받쭐] [명] 볏짚이나 삼으로 세 가닥을 지어 굵다랗게 꼰 줄. ¶ ~로 동여매다.
방: [명] 윷판의 한가운데에 있는 밭.
방을 따다 [구] 윷놀이에서 말을 방에서 꺾인 첫 밭에 놓다.
***방** (房) [명] 사람이 살거나 일을 하기 위하여 벽 따위로 막아 만든 공간. ¶ ~이 좁다 / ~을 구하러 다니다 / ~ 한 칸을 세주다 / ~을 빼다.
방(을) 놓다 [구] 방고래를 켜고 구들을 놓아 방바닥을 만들다.
방: (榜) [명] 1 '방목(榜目)'의 준말. 2 '방문(榜文)'의 준말.
방 (放) [의명] 1 총포를 발사하는 횟수를 세는 말. ¶한 ~ 쏘다. 2 주먹이나 방망이 따위로 때리는 횟수를 세는 말. ¶주먹 한 ~에 나가떨어지다 / 홈런 한 ~을 날리다. 3 사진을 찍는 횟수나 필름 장수를 세는 단위. ¶한곳에서 여러 ~ 찍을 필요는 없다.
방:가 (放歌) [명][하자] 거리낌 없이 큰 소리로 노래를 불러 댐.
방갈로 (bungalow) [명] 본디 지붕이 뾰족하고 높은, 인도 벵골 지방의 독특한 주택 양식으로, 산이나 유원지 같은 곳에 지은 야영 건물이나 별장.
방계 (傍系)[-/-게] [명] 1 주된 계통에서 갈라져 나간 갈래. ¶ ~ 조직. 2 시조가 같은 혈족 가운데 직계에서 갈라져 나간 친계(親系). ↔직계.
방-고래 (房-)[-꼬-] [명] 방의 구들장 밑으로 불길과 연기가 통하여 나가는 고랑. 갱동(炕洞). [준]고래.
방곡 (防穀) [명][하자] 곡식을 다른 곳으로 내가지 못하게 막음.
방:곡 (放穀) [명][하자] 저장한 곡식을 팔려고 시장으로 냄.
방공 (防共) [명][하자] 공산주의 세력을 막아 냄.
방공 (防空) [명][하자] 적의 항공기나 미사일 공격을 막음. ¶ ~ 시설을 갖추다.
방공-호 (防空壕) [명] 공습 때 대피하기 위하여 땅을 파서 만든 시설.
방:과 (放課) [명][하자] 그날의 수업을 끝냄. ¶ ~ 후에 영화 구경을 가다.
방관 (傍觀) [명][하타] 어떤 일에 직접 나서지 않고 곁에서 보기만 함. ¶악이나 불의를 ~하지 않다.
방관-자 (傍觀者) [명] 방관하는 사람.
방관-적 (傍觀的) [관][명] 방관하는 (것). ¶ ~(인) 태도.
방광 (膀胱) [명]〖생〗비뇨기의 한 기관. 신장(腎臟)에서 흘러내리는 오줌을 한동안 저장하여 두는 주머니 모양의 기관. 오줌통.
방광-염 (膀胱炎)[-념] [명]〖의〗세균의 감염 등으로 방광 점막에 생기는 염증《오줌이 자주 마렵고 탁하며, 눌 때는 아프고 열이 남》. 방광 카타르.
방-구들 (房-)[-꾸-] [명] 고래를 켜서 구들장을 덮고 흙을 발라 만든 방바닥에 불을 때어 덥게 하는 장치. 온돌(溫突). [준]구들.
방:구리 [명] 물을 긷거나 술을 담는 데 쓰는

질그릇((동이와 비슷하나 좀 작음)).
방:-구멍 명 연의 한복판에 둥글게 뚫어 놓은 구멍.
방-구석 (房-)[-꾸-] 명 **1** 방 안의 네 귀퉁이. ¶ ~을 살피다. **2** 방 또는 방 안을 낮춤말. ¶ ~에만 처박혀 있다.
***방:귀** 명 배 속의 음식물이 부패·발효되면서 항문으로 나오는 구린내 나는 가스. ¶ ~ 냄새 / ~를 뀌다.
[방귀가 잦으면 똥 싸기 쉽다] 무슨 일이나 소문이 잦으면 실현되기 쉽다는 말. [방귀 뀐 놈이 성낸다] 자기가 잘못하고 오히려 성낸다는 말.
방그레 부 소리 없이 입만 약간 벌려 부드럽게 웃는 모양. 큰벙그레. 센빵그레.
방글-거리다 자 좋아서 입만 벌리고 부드럽게 자꾸 웃다. 큰벙글거리다. 센빵글거리다. **방글-방글** 부하자
방글-대다 자 방글거리다.
***방금** (方今) 명부 바로 조금 전이나 후. 금방. ¶ ~ 일을 마쳤다 / 어쩌다 보니 그 소식을 ~에야 들었다.
방긋 [-귿] 부하자 소리 없이 입을 예쁘게 벌려 가볍게 한 번 웃는 모양. ¶ ~ 웃어 보이다. 큰벙긋. 센방끗·빵긋·빵끗.
방긋-거리다 [-귿꺼-] 자 소리 없이 입을 예쁘게 벌려서 자꾸 웃다. 큰벙긋거리다.
방긋-방긋 [-귿빵귿] 부하자
방긋-대다 [-귿때-] 자 방긋거리다.
방긋-이 부 **1** 방긋하게. **2** 소리 없이 입을 살며시 벌려 웃는 모양. ¶ 손을 흔들며 ~ 웃다. 큰벙긋이.
방긋-하다 [-그타-] 형여불 입이나 문 따위의 틈새가 조금 열려 있다. 약간 벌려 있다. 큰벙긋하다. 센방끗하다·빵긋하다·빵끗하다.
방:기 (放棄) 명하타 내버리고 돌아보지 아니함. ¶ 직무를 ~하다.
방끗 [-끋] 부하자 소리 없이 입만 벌리고 살짝 웃는 모양. 큰벙끗. 여방긋. 센빵끗.
방끗-거리다 [-끋꺼-] 자 자꾸 방끗이 웃다. 큰벙끗거리다. 센빵끗거리다. **방끗-방끗** [-끋빵끋] 부하자
방끗-대다 [-끋때-] 자 방끗거리다.
방끗-이 부 **1** 방끗하게. ¶ 방문을 ~ 열다. **2** 방끗. ¶ ~ 웃고 있는 아이의 모습. 큰벙끗이. 센빵끗이.
방끗-하다 [-끄타-] 형여불 입이나 문 따위의 틈새가 조금 열려 있다. 살짝 벌어져 있다. 큰벙끗하다. 센빵끗하다.
방:-나다 (榜-) 자 **1** 〖역〗 과거에 급제한 사람의 성명이 발표되다. **2** 일이 되고 안 되는 것이 아주 드러나서 끝나다.
방년 (芳年) 명 여자의, 이십 세 전후의 꽃다운 나이. 방령(芳齡). ¶ ~ 18세.
방:뇨 (放尿) 명하자 오줌을 눔. ¶ 노상 ~.
방:담 (放談) 명하자 생각나는 대로 거리낌 없이 말함. 또는 그런 이야기. ¶ 친구와 ~을 나누다.
방:대-하다 (厖大-·尨大-) 형여불 양이나 규모가 매우 많고도 크다. ¶ 방대한 예산 / 방대한 자료. **방:대-히** 부
방도 (方道·方途) 명 어떤 일을 해 나갈 방법. ¶ ~를 세우다〔마련하다〕 / 이길 ~는 오직 한 가지다.
방독-면 (防毒面)[-동-] 명 〖군〗 독가스·세균 따위에 의한, 눈·코·입의 피해를 막기 위하여 얼굴에 덮어쓰는 마스크. 가스 마스크.
방:랑 (放浪)[-낭] 명하자타 정처 없이 떠돌아다님. ¶ ~의 길을 떠나다.
방:랑-벽 (放浪癖)[-낭-] 명 정처 없이 떠돌아다니기를 좋아하는 버릇.
방:랑-자 (放浪者)[-낭-] 명 정처 없이 이곳저곳을 떠돌아다니는 사람.
방략 (方略)[-낙] 명 어떠한 일을 꾀하고 행하기 위하여 세운 방법과 계략.
방:류 (放流)[-뉴] 명하타 **1** 가두어 놓은 물을 터놓아 흘려보냄. ¶ 폐수를 불법으로 ~하다 / 오염 물질이 ~되다. **2** 어린 물고기를 흐르는 강물에 놓아 줌. ¶ 남대천에서 연어 새끼를 ~하다.
방리 (方里)[-니] 명 사방으로 일 리(一里)가 되는 넓이.
방:만-하다 (放漫-) 형여불 하는 일 따위가 야무지지 못하고 엉성하다. ¶ 방만한 경영으로 도산하다. **방:만-히** 부
방망이 명 **1** 무엇을 두드리거나 다듬는 데 쓰는 제구. ¶ ~를 휘두르다. **2** 야구에서, '타격'의 비유.
방망이-질 명하자 **1** 방망이로 다듬거나 두드리는 일. **2** 가슴이 몹시 두근거리는 상태. ¶ 놀라서 가슴이 ~을 치다.
방:매 (放賣) 명하타 물건을 내놓아 팖. 매출(賣出). ¶ 가구를 헐값에 ~하다 / 고물이 ~되다.
방면 (方面) 명 **1** 어떤 장소나 지역이 있는 방향. 또는 그 일대. ¶ 부산 ~. **2** 어떤 분야. ¶ 문학 ~ / 그 ~에는 문외한(門外漢)이다 / 그는 이 ~의 권위자이다.
방:면 (放免) 명하타 붙잡아 가두어 두었던 사람을 놓아 줌. ¶ 훈계 ~ / 모범수들을 ~하다.
방명 (芳名) 명 남의 이름의 존칭.
방명-록 (芳名錄)[-녹] 명 어떤 모임이나 예식 따위에 참석한 사람들의 이름을 적어 놓은 책. 방함록. ¶ ~에 서명하다.
방모 (紡毛) 명하자 **1** 짐승의 털로 실을 뽑음. **2** 방모사.
방모-사 (紡毛絲) 명 짐승의 털을 자아 만든 실. 보풀이 많으며 부드럽고 따뜻함.
방:목 (放牧) 명하타 가축을 우리에 가두지 않고 놓아기르는 일. ¶ 소를 ~하다.
방:목 (榜目) 명 〖역〗 과거에 급제한 사람의 성명을 적던 책. 준방(榜).
방:목-장 (放牧場) 명 가축을 놓아기르는 일정한 장소.
방묵 (芳墨) 명 **1** 향기가 좋은 먹. **2** 남의 글이나 편지의 높임말.
방문 (方文) 명 '약방문'의 준말.
***방문** (房門) 명 방으로 드나드는 문. ¶ ~을 두드리다 / ~을 걸어 잠그다.
방:문 (訪問) 명하타 사람이나 장소를 찾아가서 봄. ¶ 선생님 댁을 ~하다.
방:문 (榜文) 명 예전에, 어떤 일을 여러 사람에게 알리기 위하여 길거리에 써 붙이던 글. 준방(榜).
방:문-객 (訪問客) 명 찾아오는 손님. ¶ ~

이 줄을 잇다.
방:문-기 (訪問記) 명 어떤 곳을 찾아가서 보고 들은 것을 적은 기록.
방:문-단 (訪問團) 명 방문하기 위하여 조직한 단체나 집단. ¶고향 ~.
방:문-자 (訪問者) 명 찾아오는 사람.
방물 명 여자들이 쓰는 화장품·바느질 기구·패물 따위의 물건.
방-바닥 (房-)[-빠-] 명 방의 바닥. ¶그는 ~에 엎드려 책을 보고 있다.
방방 (房房) 명 여러 방. 또는 모든 방. ¶~마다 사람들이 꽉 차 있다.
방방곡곡 (坊坊曲曲) 명 한 군데도 빠짐없는 모든 곳. 도처. ¶삼천리 ~/~ 안 다닌 데가 없다. 준곡곡(曲曲).
방방-이 (房房-) 부 모든 방마다. ¶~ 찾아가서 인사를 했다.
방백 (方伯) 명 〔역〕 관찰사(觀察使).
방백 (傍白) 명 연극에서, 청중에게는 들리나 무대 위에 있는 상대방에게는 들리지 않는 것으로 약속하고 말하는 대사.
방:벌 (放伐) 명하타 1 쫓아내어 죽임. 2 덕을 잃은 군주는 토벌해 쫓아내야 한다는 옛 중국의 역세(易世) 혁명관(革命觀).
방범 (防犯) 명하자 1 범죄가 생기지 않도록 막음. ¶우범 지대에서는 특히 ~에 신경을 써야 한다. 2 '방범대원'의 준말.
방범-대 (防犯隊) 명 흔히 파출소에 딸려, 방범을 위해 조직한 단체.
방범대-원 (防犯隊員) 명 방범대에 소속하여, 특히 야간의 범죄를 막기 위해 순찰을 도는 사람. 준방범.
***방법** (方法) 명 어떤 일을 해 나가거나 목적을 이루기 위한 수단이나 방식. ¶새로운 ~/김장을 담그는 ~/뾰족한 해결 ~이 없다/~을 강구하다.
방법-론 (方法論)[-범논] 명 학문의 연구 방법에 관한 이론.
방벽 (防壁) 명 공격을 막기 위한 벽. 또는 그런 역할을 하는 사물.
방부 (防腐) 명하타 썩지 않게 함.
방부-제 (防腐劑) 명 〔화〕 미생물의 활동을 막아 물질이 썩지 않게 하는 약제. 식품 방부제 외에도 의약품·화장품 방부제와 공업용 방부제 등이 있음.
방분 (方墳) 명 고분 분류의 한 가지. 모양이 네모진 무덤.
방:불-하다 (彷彿-·髣髴-) 형여불 1 거의 비슷하다. 2 (주로 '…을 방불케 하다'의 꼴로 쓰여) 무엇과 같다고 느끼게 하다. ¶실전을 방불케 하는 훈련. **방:불-히** 부
방비 (防備) 명하타 적이나 재해 따위를 막을 준비를 함. 또는 그 준비. ¶수도권 ~/~를 굳게 하다.
방사 (房事) 명하자 남녀가 성교하는 일.
방:사 (放射) 명하자타 1 중앙의 한 점에서 바퀴살 모양으로 내뻗침. ¶~되는 에너지. 2 〔물〕 복사(輻射).
방:사 (放飼) 명하타 가축을 가두지 않고 놓아기름.
방사 (紡絲) 명하자 섬유를 자아서 실을 뽑음. 또는 그 실.
방:사-능 (放射能) 명 〔물〕 자연적 혹은 인공적으로 방사선을 내는 현상이나 성질. ¶~에 오염되다.
방:사능-진 (放射能塵) 명 낙진(落塵).
방사-림 (防沙林) 명 산이나 바닷가에서 비에 씻기거나 바람에 날리는 모래를 막기 위하여 심어 가꾼 숲.
방:사-상 (放射狀) 명 중앙의 한 점에서 사방으로 바퀴살처럼 죽죽 내뻗친 모양. 방사형. ¶~ 도로.
방:사-선 (放射線) 명 〔물〕 방사성 원소의 붕괴(崩壞)에 따라 방출되는 입자선(粒子線) 또는 복사선(輻射線)《알파선(α線)·베타선(β線)·감마선(γ線)이 있음》.
방:사-성 (放射性)[-썽] 명 〔물·화〕 물질이 방사능을 가진 성질.
방:사-형 (放射形) 명 방사상.
방:생 (放生) 명하타 〔불〕 사람에게 잡힌 생물을 놓아주는 일. ¶자라를 연못에 ~하다.
방석 (方席) 명 바닥에 앉을 때 밑에 까는 작은 깔개. ¶손님에게 ~을 내드리다.
방석-니 (方席-)[-성-] 명 〔생〕 송곳니 다음의 첫 어금니.
방선 (傍線) 명 세로쓰기에서 글줄의 오른편에 내리긋는 줄. 곁줄. *밑줄.
방설 (防雪) 명하자 눈사태·폭설 따위로 발생하는 피해를 막음.
방:성 (放聲) 명하자 소리를 크게 지름. 또는 그 소리.
방:성-대곡 (放聲大哭) 명하자 대성통곡.
방-세 (房貰)[-쎄] 명 남의 집 방을 세 들어 살면서 내는 돈. ¶~가 밀리다/~가 오르다/~를 내다.
방-세간 (房-)[-쎄-] 명 방 안에 갖추어 놓고 살림하는 데 쓰는 물건.
방손 (傍孫) 명 방계 혈족의 자손.
***방:송** (放送) 명하타 라디오·텔레비전의 전파에 실어 뉴스·음악·강연·연예 등을 보냄. ¶드라마를 ~하다/라디오 ~에 귀를 기울이다/이산 가족 상봉 실황이 ~되다.
***방:송-국** (放送局) 명 일정한 시설을 갖추고 방송을 하는 기관.
방:송-극 (放送劇) 명 라디오·텔레비전을 통해 방송하는 극. 방송 드라마.
방:송-망 (放送網) 명 라디오·텔레비전 등에서 각 방송국을 연결시켜 동시에 같은 프로그램을 방송하는 체제. 네트워크.
방수 (防水) 명하자 물이 새거나 스며들거나 넘쳐 흐르는 것을 막음. ¶~ 처리/~가 잘되다.
방:수 (放水) 명하타 물을 흘려보냄. 또는 그 흘려보낸 물. ¶~ 시설.
방:수-로 (放水路) 명 홍수를 막거나, 수력 발전소에서 이용한 물을 하천으로 흘려보내기 위하여 인공적으로 만든 수로.
방수-림 (防水林) 명 수해를 막기 위하여 강가나 바닷가에 만들어 놓은 숲.
방술 (方術) 명 방법과 기술.
방습 (防濕) 명하자 습기를 막음.
방습-재 (防濕材) 명 〔건〕 건물 내부에 습기가 스며들지 않도록 사용하는 재료《도료·합성수지 따위》.
방습-제 (防濕劑) 명 〔화〕 습기를 방지하는 약제《진한 황산·염화칼슘 따위》. 건조제.
방시레 부하자 입을 약간 벌리고 소리 없이 살그머니 예쁘게 웃는 모양. ¶~ 웃으며 인사

를 하다. (큰)벙시레. (센)빵시레.

방식 (方式) [명] 일정한 방법이나 형식. 법식. ¶영업 ~/생활 ~/자기 ~대로 하다.

방실-거리다 [자] 소리 없이 입을 살짝 벌려 정겹고 예쁘게 자꾸 웃다. ¶아기가 방실거리며 바라보다. (큰)벙실거리다. **방실-방실** [부][하자]

방실-대다 [자] 방실거리다.

방:심 (放心) [명][하자] **1** 마음을 다잡지 않고 놓아 버림. 정신을 차리지 않음. ¶~ 상태/~은 금물이다. **2** 안심(安心).

방심 (傍心) [명] 〔수〕 삼각형의 방접원(傍接圓)의 중심.

방싯 [-싣] [부][하자] **1** 소리 없이 입을 예쁘게 벌리며 가볍게 한 번 웃는 모양. ¶아기가 ~ 웃으며 엄마 품에 안긴다. **2** 문 따위가 소리 없이 살짝 열리는 모양. ¶문이 ~하고 열린다. (큰)벙싯. (센)빵싯.

방싯-거리다 [-싣꺼-] [자] 입을 예쁘게 벌려 소리 없이 자꾸 가볍게 웃다. (큰)벙싯거리다. **방싯-방싯** [-싣빵싣] [부][하자]

방싯-대다 [-싣때-] [자] 방싯거리다.

방아 [명] 곡식을 찧거나 빻는 기구. ¶~ 찧는 소리가 요란하다.

방아-깨비 [명] 〔충〕 메뚜깃과의 곤충. 여름철 풀밭에 많은데, 수컷은 가늘고 작으며, 암컷은 통통하고 크며 녹색 또는 회색임. 앞날개는 배보다 길며 뒷다리가 크고 길어, 잡으면 방아 찧듯 몸을 놀림. 용서(舂黍).

방아-쇠 [명] 소총·권총 등에서 총알을 발사하는 장치. 굽은 쇠 모양이며 집게손가락으로 잡아당겨서 총을 쏨. ¶~를 당기다.

방아-채 [명] 방앗공이를 끼운 긴 나무.

방아 타:령 〔악〕 방아를 주제로 한 경기·서도 민요의 한 가지. 4분의3 박자로 되어 있음.

방아-품 [명] 남의 방아를 찧어 주고 삯을 받는 품. ¶~을 팔다.

방아-확 [명] 방앗공이로 찧을 수 있게 돌절구 모양으로 우묵하게 판 돌.

방안 (方案) [명] 일을 처리할 방법이나 계획. ¶해결 ~/설득력 있는 ~을 제시하다/최종 ~이 확정되다.

방앗-간 (-間) [-아깐/-앋깐] [명] 방아로 곡식을 찧거나 빻는 곳. 정미소. ¶~에서 고추를 빻다.

방앗-공이 [-아꽁-/-앋꽁-] [명] 방아확 속에 든 곡식 따위를 찧는 데 쓰는 길쭉한 몽둥이. ¶~로 쌀을 찧다.

방약 (方藥) [명] **1** 약제를 알맞게 섞는 일. **2** 처방에 따라 지은 약. **3** 막힌 일을 해결할 수 있는 방법. ¶문제 해결의 ~을 찾다.

방약무인 (傍若無人) [-양-] [명][하형] 곁에 사람이 없는 것처럼 거리낌 없이 함부로 말하고 행동함. ¶~한 태도에 분개하다.

방어 (防禦) [명][하타] 상대편의 공격을 막음. ¶공격은 최선의 ~이다/~ 태세를 갖추다/타이틀을 ~하다.

방어 (魴魚) [명] 〔어〕 전갱잇과의 바닷물고기. 몸은 1m가량, 긴 방추형이고 등은 청회색, 배는 은백색임. 맛이 좋아 식용함.

방어-망 (防禦網) [명] 적의 공격을 막기 위하여 구축한 병력과 시설의 조직. ¶~을 구축하다/~을 피해 달아나다/~을 뚫고 들어오다.

방어-벽 (防禦壁) [명] 방어하기 위하여 쌓은 벽. 또는 그런 역할을 하는 것.

방어-선 (防禦線) [명] 〔군〕 적의 공격을 막기 위하여 쳐 놓은 진지를 잇는 선. ¶~을 돌파하다/최후의 ~이 무너지다.

방어-율 (防禦率) [명] 야구에서, 투수가 한 경기에 허용하는 점수의 평균치. 투수의 자책점을 투구 횟수로 나누고 9를 곱한 값.

방어-전 (防禦戰) [명] 방어하기 위한 싸움. ¶타이틀 ~. (준)방전(防戰).

방언 (方言) [명] **1** 한 지역 또는 계층에 한해서 행하여지는 언어의 체계. **2** 한 나라의 언어 중에서 지역에 따라 표준어와 서로 다른 언어 체계를 가지고 있는 말. 사투리. ↔공통어.

방역 (防役) [명][하자] 〔역〕 조선 때, 시골 백성들이 돈이나 곡식을 미리 바치고 부역(賦役)을 면제받던 일.

방역 (防疫) [명][하타] 전염병의 발생·침입·전염 등을 소독·예방 주사 등의 방법으로 미리 막음. ¶~ 대책을 세우다.

방:열 (放熱) [명][하자] 열을 발산함. 또는 그 열. ¶~ 장치. ↔흡열(吸熱).

방:열-기 (放熱器) [명] **1** 열을 발산하여 공기를 따뜻하게 하는 난방 장치. **2** 공기·물 등의 열을 발산시켜 기계를 냉각시키는 기구. 라디에이터.

방:영 (放映) [명][하자타] 텔레비전으로 방송하는 일. ¶~ 시간/뉴스 직전에 ~되는 일일 드라마.

***방울** [명] **1** 쇠붙이로 둥글고 속이 비게 만들고, 그 속에 단단한 물건을 넣어서 흔들면 소리가 나게 된 물건. ¶~ 소리/고양이 목에 ~을 달다. **2** 구슬같이 동글동글하게 맺힌 액체 덩어리. 물이 공기를 머금어서 둥글고 속이 빈 덩어리. **3** 의존 명사적으로 쓰여, 작고 둥근 액체 덩어리를 세는 단위. ¶비가 한두 ~씩 떨어진다.

방울-방울 [명] 한 방울 한 방울. ¶눈물이 ~ 흘러내리다.

방울-뱀 [명] 〔동〕 살무삿과의 독사. 길이는 2m가량. 황록색이며 등에 암갈색의 마름모형 반문이 있음. 꼬리 끝에 방울 모양의 각질이 있어, 위험을 당하면 꼬리를 흔들어 불쾌한 소리를 냄. 향미사(響尾蛇).

방울-지다 [자] 액체 따위가 방울이 생겨 맺히다. ¶눈물이 방울져 떨어지다.

방울-집게 [명] 못대가리를 잡는 부분이 둥글게 된, 못을 뽑는 연장.

방울집게

방원 (方圓) [명] 방형과 원형. 모진 것과 둥근 것을 아울러 이르는 말.

방위 (方位) [명] 어떠한 방향의 위치. ¶~를 가늠하지 못하다.

방위 (防衛) [명][하타] 쳐들어오는 적을 막아서 지킴. ¶철통 같은 ~ 태세/국토를 ~하다.

방위(方位)

방위-각 (方位角) 명 〔천〕 천구상에서의 천체의 위치를 표시하는데, 그 천체를 포함하는 수직권(垂直圈)과 관측자가 서 있는 위치를 포함하는 자오선면이 이루는 각도.

방위 산:업 (防衛産業) 무기 등 군수품을 생산하는 모든 산업. 군수 산업.

방위-선 (方位線) 명 방향과 위치를 표시하기 위하여 그어 놓은 날줄과 씨줄.

방위-선 (防衛線) 명 국가 방위를 위해 설정하여 놓은 선.

방위 조약 (防衛條約) 집단 안전 보장의 필요에 따라 방위를 목적으로 국가 간에 맺는 조약. ¶한미 ~.

방음 (防音) 명하자 소리가 나가거나 들어오지 못하게 막음. ¶~ 시설이 잘되어 있다.

방:일 (放逸) 명하자 멋대로 거리낌 없이 놂.

방:임 (放任) 명하타 되는대로 내버려둠. 간섭하지 않고 내버려둠. ¶자유~ / 제멋대로 하도록 ~하다.

방자 명하타 남이 못되기를 귀신에게 빌어 저주하는 짓.

방자 (房子) 명 〔역〕 조선 때, 지방 관아의 남자 하인.

방:자-스럽다 (放恣-) 〔-스러우니, -스러워〕 형ㅂ불 방자한 태도가 있다. **방:자-스레** 부

방:자-하다 (放恣-) 형여불 꺼리거나 삼가는 태도가 없이 무례하고 건방지다. ¶방자한 행동 / 방자하게 굴다. **방:자-히** 부

방장 (方丈) 명 **1** 가로·세로가 1장(丈)인 넓이. **2** 〔불〕 화상(和尙)·국사(國師)·주실(籌室) 등 높은 스님들의 처소. **3** 〔불〕 주지.

방-장 (房帳) [-짱] 명 방 안에 두르는 휘장 《흔히 겨울철에 외풍을 막기 위하여 침》.

방재 (防災) 명하자타 폭풍·홍수·지진·화재 등의 재해를 막음. ¶~ 훈련.

방적 (紡績) 명하자 동식물의 섬유나 화학 섬유를 가공하여 실을 만드는 일.

방:전 (放電) 명하자 〔물〕 **1** 전기를 띤 물체에서 전기가 빠져 나가는 현상. ↔충전(充電). **2** 사이를 둔 양극 간에 전압을 높이어 그 전극 사이에 전류가 흐르는 현상.

방점 (傍點) [-쩜] 명 **1** 보는 사람의 주의를 환기시키기 위하여 글자의 위나 옆에 찍는 점. **2** 옛글에서 글자의 왼편에 찍어 성조(聲調)를 표시하던 부호.

방정 명 경망스러운 말이나 행동.

방정(을) 떨다 구 찬찬하지 못하고 아주 경망스럽게 굴다. ¶방정을 떨면 될 일도 안 된다.

방정-맞다 [-맏따] 형 **1** 말이나 행동이 경망스럽고 주책없다. ¶방정맞게 입을 놀리다. **2** 요망스럽게 보여 불길한 느낌을 주다. ¶자꾸 방정맞은 생각이 들다.

방정-식 (方程式) 명 〔수〕 미지수를 품은 등식이 그 미지수에 어떠한 특정한 값을 줄 때에만 성립하는 등식.

방정-하다 (方正-) 형여불 **1** 말이나 행동이 바르고 점잖다. ¶품행이 ~. **2** 모양이 네모지고 반듯하다. **방정-히** 부

방제 (防除) 명하타 **1** 재앙을 미리 막아 없앰. **2** 농작물의 병충해를 예방하거나 없앰. ¶병충해 ~를 위해 농약을 뿌리다.

방조 (幇助·幫助) 명하타 **1** 어떤 일을 거들어 도와줌《흔히 나쁜 일에 씀》. **2** 〔법〕 형법에서, 남의 범죄 수행을 돕는 유형·무형의 모든 행위. ¶살인 ~의 혐의.

방조-림 (防潮林) 명 바닷바람·해일 등의 피해를 막기 위하여 해안 근처에 만든 숲.

방조-제 (防潮堤) 명 폭풍·해일 등의 피해를 막기 위하여 바닷가에 쌓은 둑. *방파제(防波堤).

방:종 (放縱) 명하형 아무 거리낌 없이 자기 마음대로 행동함. ¶평생을 ~하게 살다 / ~한 생활을 청산하다 / 규율이 없는 자유는 자칫 ~에 빠지기 쉽다.

방주 (方舟) 명 네모난 모양의 배. ¶노아의 ~.

방죽 (防-) 명 〔←방축(防築)〕 물이 밀려와 넘치는 것을 막기 위해 쌓은 둑. ¶홍수에 ~이 무너지다.

방증 (傍證) 명하타 〔법〕 자백 따위와 같이 범죄를 직접 증명하는 증거는 아니나, 그 주변의 상황을 밝힘으로써 간접적으로 범죄의 증명에 도움이 되는 증거. ¶~ 자료를 수집하다.

방지 (防止) 명하타 어떤 일이나 현상이 일어나지 못하게 막음. ¶노화 ~ / 사고를 미연에 ~하다.

방지-책 (防止策) 명 어떤 일을 막는 대책. ¶수해 ~을 마련하다.

방직 (紡織) 명하타 기계를 이용하여 실을 뽑아 피륙을 짜는 일.

방직-물 (紡織物) [-징-] 명 방직 기계로 짜낸 피륙의 총칭.

방진 (方陣) 명 **1** 〔군〕 사각형 모양으로 친 진. **2** 〔수〕 마방진(魔方陣).

방진 (防塵) 명 먼지가 들어오는 것을 막음. ¶~ 마스크를 착용하다.

방:짜 명 질이 좋은 놋쇠를 녹여 거푸집에 부은 다음 이것을 다시 달구어 가며 두드려 만든 그릇. ¶~ 대야.

방창-하다 (方暢-) 형여불 바야흐로 화창하다.

방책 (方策) 명 방법과 꾀. ¶해결 ~을 세우다 / 뾰족한 ~이 없다.

방책 (防柵) 명 적을 막기 위해 세운 울타리. ¶해안가 ~을 따라 군인들이 초소를 지키고 있다.

방첩 (防諜) 명 간첩 활동을 막음.

방청 (傍聽) 명하타 회의·공판·공개 방송 등에 참석하여 들음. ¶재판을 ~하다.

방청-객 (傍聽客) 명 방청하는 사람. 방청인. ¶유명 가수가 나오자 ~들이 일어나 환호했다.

방청-석 (傍聽席) 명 방청하는 사람이 앉는 자리. ¶~을 가득 메우다.

방초 (芳草) 명 꽃다운 풀. 향기로운 풀.

방-초석 (方礎石) 명 사각형으로 된 주춧돌.

방촌 (方寸) 명 **1** 한 치 사방의 넓이. 곧, 좁은 땅의 뜻. **2** 사람의 마음은 가슴속의 한 치 사방 넓이 속에 깃들어 있다는 뜻에서, 마음을 이르는 말. 흉중(胸中).

방추 (方錐) 명 **1** 날이 네모진 송곳. **2** '방추형'의 준말.

방추-형 (方錐形) 명 밑면이 정사각형인 각뿔. 정사각뿔. 준방추.

방:축 (放逐) 명하타 자리에서 쫓아냄.

방:출 (放出) 명하타 **1** 비축해 두었던 물품이

나 자금 따위를 내놓음. ¶쌀값 안정을 위해 정부 보유미를 ~하다. **2** 입자나 전자기파의 형태로 에너지를 내보냄.
방충 (防蟲) 명하타 해충을 막음.
방충-망 (防蟲網) 명 파리·모기 등의 해충이 날아들지 못하게 창문 같은 곳에 치는 망.
방충-제 (防蟲劑) 명 해충을 방지하는 약제 《나프탈렌 따위》.
방취 (防臭) 명하타 좋지 않은 냄새가 풍기지 않도록 막음.
방:치 (放置) 명하타 그 상태로 내버려둠. ¶고장 난 차를 노상에 ~하다 / 쓰레기를 길가에 ~하다.
방침 (方針) 명 **1** 앞으로 일을 할 방향과 계획. ¶기본 ~ / ~을 철회하다 / 구체적인 ~을 정하다. **2** 방위를 가리키는 자석의 바늘.
방탄 (防彈) 명하자 날아오는 탄알을 막음. ¶~조끼 / ~ 장치.
방:탕 (放蕩) 명하형히부 주색잡기에 빠져 행실이 좋지 못함. ¶~한 생활로 재산을 탕진하다.
방토 (邦土) 명 국토(國土).
방토 (防土) 명 흙이 무너져 내리는 것을 막기 위하여 만들어 놓은 시설.
방파-제 (防波堤) 명 파도를 막기 위하여 항만에 쌓은 둑. *방조제.
방패 (防牌·旁牌) 명 **1** 전쟁 때, 적의 칼·창·화살 따위를 막는 데에 쓰던 무기. 간(干). **2** 무슨 일을 할 때에 앞장을 세울 만한 것. 또는 그런 사람. ¶젊은이는 나라의 ~ / 여론을 ~로 삼다.
방패-막이 (防牌-) 명하타 닥쳐오는 일이나 말썽거리를 막아내는 일. 또는 그 수단이나 방법. ¶권력을 ~로 하여 갖은 폭거(暴擧)를 서슴지 않다.
방패-연 (防牌鳶) 명 방패 모양으로 만든 연. 네모반듯하며 가운데 구멍을 냄.
방편 (方便) 명 **1** 목적을 위해 이용되는 일시적인 수단과 방법. ¶출세의 ~으로 삼다. **2** 〖불〗 보살이 중생을 구제하기 위해 쓰는 묘한 수단과 방법.
방풍 (防風) 명하자 바람을 막음.
방풍-림 (防風林)[-님] 명 바람에 의한 피해를 막기 위해 가꾼 숲.
***방학** (放學) 명하자 학교에서 학기가 끝난 뒤에 수업을 일정 기간 쉬는 일. 또는 그 기간. ¶~ 숙제가 밀리다 / ~에 들어가다.
방한 (防寒) 명하자 추위를 막음.
방:한 (訪韓) 명하자 한국을 방문함.
방한-복 (防寒服) 명 추위를 막기 위하여 입는 옷. ¶~ 차림으로 산에 오르다.
방해 (妨害) 명하타 남의 일에 헤살을 놓아 못 하게 함. ¶영업 ~ / 휴식을 ~하다.
방해(를) 놓다 구 방해가 되는 짓을 하다.
방해-꾼 (妨害-) 명 방해하는 사람을 낮잡아 이르는 말.
방해-물 (妨害物) 명 방해가 되는 물건.
***방향** (方向) 명 **1** 향하는 쪽. 방위(方位). ¶반대 ~ / ~ 감각을 잃고 헤매다. **2** 뜻이나 일, 현상 따위가 나아가는 곳. ¶사업 ~을 전환하다 / 사태가 엉뚱한 ~으로 진전되다 / 우리가 앞으로 나아가야 할 ~을 설정하다.
방향 (芳香) 명 꽃다운 향내. 방훈(芳薰).
방향-제 (芳香劑) 명 좋은 향이 있어 기분을 상쾌하게 하는 약제.
방향-키 (方向-) 명 비행기의 방향을 조정하기 위해 꼬리 날개 위에 수직으로 세워진 장치. 방향타.
방향-타 (方向舵) 명 방향키.
방향 탐지기 (方向探知機) 〖물〗 무선 전신·무선 전화 따위에서 수신된 전파의 발신지를 알아내는 장치.
방형 (方形) 명 네모반듯한 모양.
방호 (防護) 명하타 위험 따위를 막아 지켜서 보호함. ¶~ 진지를 구축하다.
방화 (防火) 명하자 불이 나지 않도록 미리 막음. ¶~ 시설의 미비 / 겨울철 ~ 대책.
방화 (邦貨) 명 **1** 우리나라의 화폐. **2** 자기 나라의 화폐.
방화 (邦畫) 명 자기 나라에서 만든 영화. 국산 영화. ↔외화(外畫).
방:화 (放火) 명하자 일부러 불을 지름. ¶~를 저지르다 / 주택가에 세워 둔 자동차에 ~하다. ↔실화(失火).
방화-사 (防火砂) 명 화재 때 불을 끄려고 마련한 모래.
방:화-죄 (放火罪)[-쬐] 명 〖법〗 고의로 불을 놓아서 저지르는 범죄.
방황 (彷徨) 명하자 일정한 목적이나 방향이 없이 헤맴. ¶정처 없이 ~하다 / 연이은 사업 실패로 그는 오랜 좌절과 ~을 겪었다.
***밭** [받] 명 **1** 물을 대지 않고 야채나 곡식을 심는 땅. 전(田). ¶~ 한 뙈기 / ~을 갈다. **2** 식물이 저절로 들어박혀서 무성한 땅. ¶솔~ / 대나무 ~. **3** 무엇이 많이 들어찬 평지. ¶모래~. **4** 장기·고누·윷놀이 따위에서 말이 머무르는 자리. ¶세 ~을 가다.
밭- [받] 두 '바깥'을 줄여 쓰는 말. ¶~사돈 / ~다리.
밭-갈이 [받깔-] 명하자 밭을 가는 일. ↔논갈이.
밭-걷이 [받꺼지] 명하자 밭에 심었던 곡물이나 야채 따위를 거두어들이는 일.
밭-걸이 [받꺼리] 명하자 씨름할 때에 다리를 밖으로 대어 상대방의 오금을 걸거나 당기거나 미는 재주. ↔안걸이.
밭-고랑 [받꼬-] 명 밭이랑 사이에 홈이 진 곳. ¶~에 물을 대다. 준밭골.
밭-곡식 (-穀食)[받꼭-] 명 밭에서 나는 보리·밀·콩·팥 따위의 곡식. 전곡(田穀). ↔논곡식.
밭-골 [받꼴] 명 '밭고랑'의 준말.
밭-귀 [받뀌] 명 밭의 귀퉁이.
밭-농사 (-農事)[반-] 명하자 밭에서 짓는 농사. ↔논농사.
밭다[1] [받따] 자 **1** 액체가 바싹 졸아서 말라붙다. ¶밭은 목에 침을 삼키다. **2** 몸에 살이 빠져 여위다.
밭다[2] [받따] 타 건더기와 액체가 섞인 것을 체 따위에 부어 액체만을 따로 받아 내다. ¶술을 ~ / 젓국을 체로 ~.
밭다[3] [받따] 형 **1** 너무 지나치게 아껴서 보기에 인색하다. ¶사람이 ~. **2** 시간·공간이 매우 가깝다. ¶약속 날짜가 너무 ~. **3** 길이가 짧다. ¶밭은 키. **4** 숨이 가쁘고 급하다. ¶밭은 숨을 몰아쉬다. **5** 식성이 까다롭다. ¶입이 밭은 사람. **6** 즐기거나 탐하는 정도가 심하다. ¶여색에 밭은 사람.
밭-도랑 [받또-] 명 밭의 가장자리로 둘려 있는 도랑.
밭-두둑 [받뚜-] 명 밭의 두둑. 휴반(畦畔).
밭-두렁 [받뚜-] 명 밭이랑의 두둑한 부분.
밭-둑 [받뚝] 명 밭 가에 둘려 있는 둑.
밭-뒤다 [받뛰-] 자 밭을 거듭 갈다.
밭-떼기 [받-] 명 밭에 있는 작물을 밭에 나 있는 채로 몽땅 사는 일.
밭-뙈기 [받-] 명 얼마 안 되는 조그마한 밭을 얕잡아 일컫는 말. ¶~나 있다고 행세하려고 든다.
밭-매기 [반-] 명하자 밭의 김을 매는 일. ¶~ 품삯이 많이 올랐다.
밭-머리 [반-] 명 밭이랑의 양쪽 끝이 되는 부분. ¶~에 앉아 잠시 쉬다.
밭-벼 [받뼈] 명 밭에 심는 벼. 볍씨를 뿌려 가꾸는데 알이 굵고 잘 여묾. 육도(陸稻). 한도(旱稻).
밭-사돈 (-査頓)[받싸-] 명 '바깥사돈'의 준말.
밭-상제 (-喪制)[받쌍-] 명 '바깥상제'의 준말.
밭은-기침 명 병이나 버릇으로 소리도 크지 않게 자주 하는 기침.
밭이다 [바치-] 一자 《'밭다²'의 피동》 건더기가 섞여 있는 액체가 체 같은 데에 밭음을 당하다. 二타 《'밭다²'의 사동》 밭게 하다. ¶떡쌀을 체에 ~.
밭-이랑 [반니-] 명 밭의 고랑 사이에 흙을 올려 만든 두둑한 곳.
밭-일 [반닐] 명하자 밭에서 하는 일. ↔논일.
밭장-다리 [받짱-] 명 두 발끝이 바깥쪽으로 벌어진 다리. 또는 바깥쪽으로 벌어지게 걷는 사람. ↔안짱다리.
밭-주인 (-主人)[받쭈-] 명 '바깥주인'의 준말.
밭-치다 [받-] 타 '밭다²'의 힘줌말.
*__배__¹ 一명 **1** 《생》 척추동물의 가슴과 엉덩이 사이 부분. ¶~가 나오다 / ~를 깔고 엎드리다. **2** 물체의 중앙이 되는 부분. ¶~가 불룩한 나무 기둥. **3** 특히 곤충의 머리·가슴이 아닌 부분. 복부. **4** 아이를 밴 어머니의 태내. 또는 그 어머니. ¶~ 다른 형제. **5** 《물》 정상파(定常波)에서 진폭(振幅)이 극대가 되는 곳. 복(腹). 二의명 짐승이 새끼를 낳거나 알을 까는 횟수. ¶1년에 두 ~나 새끼를 치다 / 한 ~에 다섯 마리를 낳다.
[배보다 배꼽이 크다] 주장되는 것보다 딸린 것이 더 크다. [배에 발기름이 끼다] 가난하던 사람이 생활이 나아져 호기를 부린다는 말.
배가 남산만 하다 구 ㉠애를 밴 여자의 배가 몹시 부르다. ㉡되지 못하게 거만하고 떵떵거림을 이르는 말.
배(가) 맞다 구 ㉠남녀가 남모르게 서로 정을 통하다. ㉡옳지 못한 일을 하는 데 서로 뜻이 통하다.
배(가) 아프다 구 남이 잘되어 심술이 나고 마음이 편치 않다.
배(를) 내밀다 구 남의 요구에 응하지 아니하고 버티다.
배(를) 두드리다 구 생활이 풍족하여 안락하게 지내다.
배(를) 불리다〔채우다〕 구 재물이나 이득을 많이 차지하여 욕심을 채우다.
배(를) 앓다 구 남이 잘되는 것에 심술이 나서 속을 태우다.
배에 기름이 오르다 구 살림이 넉넉해지다.
배에 기름이 지다 구 잘 먹어 살이 찌다.
배의 때를 벗다 구 형편이 나아져서 주리던 배를 채울 수 있게 되다.
*__배__² 명 사람·짐을 싣고 물에 떠다니게 된 탈것《나무·쇠 따위로 만듦》. 선박. ¶선창에 ~를 대다 / 바다에 ~를 띄우다.
배 지나간 자리 구 아무 흔적도 남기지 아니한 상태의 비유.
*__배__³ 명 배나무의 열매. ¶달고 물이 많은 ~. [배 먹고 이 닦기] 한 가지 일에 두 가지 이로움이 있음. [배 썩은 것은 딸을 주고 밤 썩은 것은 며느리 준다] 며느리보다는 딸을 더 아낀다는 뜻. [배 주고 배 속 빌어 먹는다] 큰 이익은 남에게 뺏기고 자기는 거기서 조그만 이익만 얻는다.
배 (胚) 명 《생》 생물의 난세포가 수정하여 자랄 때까지의 개체《식물에서는 씨 속에 있는 어린 식물, 동물에서는 모체 속에 보호되고 있는 유생(幼生)》.
*__배:__ (倍) 명 **1** 갑절 또는 곱절. ¶값이 ~로 오르다. **2** (의존 명사적으로 쓰여) 같은 수량을 몇 번 합친 수량을 나타내는 단위. ¶힘이 두 ~는 든다.
-배 (輩) 미 '무리, 들'의 뜻. ¶모리~ / 소인~ / 정상~ / 치기~ / 폭력~.
배:가 (倍加) 명하자타 갑절로 늘거나 늘림. ¶노력을 ~하다 / 기쁨이 ~되다.
배갈 명 〔중 白干儿〕 수수를 원료로 하여 만든 중국식의 증류주. 백주. 고량주(高粱酒).
배격 (排擊) 명하타 남의 의견·사상·행위·풍조 따위를 물리침. ¶사치 풍조를 ~하다 / 부정 행위를 단호히 ~하다.
배:견 (拜見) 명하타 **1** 삼가 봄. **2** 남의 글·물건 따위를 공경하는 태도로 봄. 배관.
배:경 (背景) 명 **1** 뒤쪽의 경치. ¶멋진 ~. **2** 무대 뒷벽에 꾸민 장치. **3** 그림·사진 등에서 그 주요 제재의 뒤쪽에 펼쳐진 부분. **4** 뒤에서 돌보아 주는 힘. ¶정치적 ~이 든든하다. **5** 시간적·공간적·사회적인 여건이나 환경. ¶역사적 ~을 살펴보다.
배:경 음악 (背景音樂) 영화·연극·방송 등에서 그 장면의 분위기를 조성하기 위해 연주하는 음악.
배-고프다 〔배고프니, 배고파〕 형 **1** 배 속이 비어서 음식이 먹고 싶다. ¶점심을 걸렀더니 몹시 ~. **2** 끼니를 잇지 못할 정도로 궁핍하다. ¶배고팠던 어린 시절을 회상하다.
배-곯다 [-골타] 자 먹는 것이 적어서 배가 차지 아니하다. 제대로 먹지 못하여 고통을 받다. ¶배곯기를 부자 밥 먹듯 하다.
배:관 (配管) 명하자타 액체·기체 등을 다른 곳으로 보내기 위하여 관을 배치함. ¶~ 공사.
배:광 (背光) 명 《불》 후광(後光).
배:광-성 (背光性)[-썽] 명 《식》 식물체가 빛이 약한 쪽으로 벋는 성질.
배:교 (背教) 명하자 믿던 종교를 버리거나

개종함. ¶강요에 못 이겨 ~하다.
배:구(配球) 명하타 1 야구에서, 투수가 타자에 따라 공을 적절히 조절하여 던지는 일. 2 배구·농구·축구 등에서, 다른 선수에게 볼을 알맞게 넘겨 주는 일.
*__배구__(排球) 명 구기(球技)의 하나. 직사각형의 코트 중앙에 네트를 사이에 두고 두 팀이 상대하여, 공을 땅에 떨어뜨리지 않고 손으로 패스하여 세 번 안에 상대편 코트로 넘기는 경기.
배:금(拜金) 명 돈을 지나치게 소중히 여김. ¶~사상에 빠지다.
배:금-주의(拜金主義)[-/-이] 명 돈을 최고의 것으로 여기는 주의. ¶~에 물들다.
배:급(配給) 명하타 물자를 일정한 비례에 맞춰서 여러 몫으로 나누어 줌. ¶~소(所) / 식량 ~을 받으려고 줄을 서다.
배:급-제(配給制) 명 나라에서 식량·생활 필수품 등을 배급하는 제도.
배기(排氣) 명하자타 1 속에 든 가스 따위를 뽑아 버림. ¶~구(口). 2 열기관에서 일을 마친 뒤의 쓸데없는 증기나 가스를 밖으로 내보냄. 또는 그 증기나 가스. 폐기(廢氣).
-배기 미 1 '그 나이를 먹은 아이'의 뜻. ¶세 살~ 옷. 2 '무엇이 들어 있거나 차 있는 것'의 뜻. ¶알~ 조기 / 나이~. 3 특정한 곳이나 물건을 나타냄. ¶언덕~ / 귀퉁~ / 진짜~ / 대짜~ / 공짜~.

'-배기'와 '-빼기'

(1) [배기]로 발음되는 경우는 '-배기'로 적는다.
예 귀퉁배기, 나이배기, 대짜배기, 육자배기, 혀짤배기
(2) 한 형태소 내부에서 'ㄱ, ㅂ' 받침 뒤에서 [빼기]로 발음되는 경우는 '-배기'로 적는다.
예 뚝배기, 학배기
(3) 다른 형태소 뒤에서 [빼기]로 발음되는 것은 모두 '-빼기'로 적는다.
예 고들빼기, 그루빼기, 머리빼기, 곱빼기, 과녁빼기, 악착빼기

배기-가스(排氣gas) 명 자동차 따위에서 내부 연소를 마치고 배출하는 가스.
배기다[1] 자 몸에 단단한 것이 받치는 힘을 느끼게 되다. ¶엉덩이가 ~ / 요도 없이 자려니 등이 몹시 배긴다.
배기다[2] 자타 끝까지 참고 버티다. ¶그 등쌀에 배기어 낼 수가 없소.
배기-량(排氣量) 명 엔진·펌프·압축기에서, 실린더 안의 피스톤이 한 번의 운동으로 밀어내는 기체의 양.
배:-꼬다 타 1 끈 따위를 배배 틀어서 꼬다. 2 얄밉게 빈정거리다. 3 몸을 배배 틀다.
배-꼽 명 1 〖생〗 탯줄을 끊은 자리. 2 〖식〗 열매의 꽃받침이 붙었던 자리. 3 소의 양지머리에 붙은 고기.
배꼽도 덜 떨어지다 구 아직 어린 티를 벗어나지 못하다.
배꼽 밑에 털 나다 구 자라서 어른이 되다.
배꼽(을) 빼다 구 〈속〉 몹시 우습다.
배꼽(을) 쥐다 구 웃음을 참지 못하여 배를 움켜잡고 크게 웃다.
배꼽(이) 웃다 구 하는 짓이 하도 어이가 없거나 어린아이의 장난 같아서 가소롭기 짝이 없다.
배꼽-시계(-時計)[-/-게] 명 배가 고픈 정도로 끼니때 따위를 짐작하는 것의 비유.
배-나무 명 〖식〗 능금나뭇과 배나무속의 낙엽 활엽 교목. 과수원에 재배하며, 높이 2-3 m, 봄에 흰 다섯잎꽃이 핌. 담갈색·갈색의 열매는 '배'라고 하는데, 맛이 달고 물이 많음.
배낭(胚囊) 명 〖식〗 꽃식물의 밑씨 안에 있는 자성 배우체(雌性配偶體). 이 안에 있는 난세포가 수정하여 발육하면 배(胚)가 됨.
배:낭(背囊) 명 물건을 담아 등에 지도록 만든 주머니(《가죽이나 천 따위로 만듦》). ¶등산 ~ / ~을 걸머지다.
배내 명 남의 가축을 길러서 가축이 다 자라거나 새끼를 낸 뒤에 주인과 나누는 제도. 반양(半養).
배:내-똥 명 1 갓난아이가 태어나서 먹은 것 없이 맨 처음 싸는 똥. 2 사람이 늙어 죽을 때 싸는 똥.
배:내-옷[-옫] 명 깃저고리.
배:냇-냄새[-낸-] 명 갓난아이의 몸에서 나는, 젖내 비슷한 냄새.
배:냇-니[-낸-] 명 젖니.
배:냇-머리[-낸-] 명 태어나서 아직 한 번도 깎지 않은 갓난아이의 머리털.
배:냇-버릇[-내뻐륻/-낸뻐륻] 명 태어날 때부터 지닌 버릇 또는 고치기 어렵게 굳어진 나쁜 버릇.
배:냇-병신(-病身)[-내뼝-/-낸뼝-] 명 태어날 때부터 몸이나 정신이 성하지 않은 사람.
배:냇-저고리[-내쩌-/-낸쩌-] 명 깃저고리. ¶~를 입히다.
배:냇-짓[-내찓/-낸찓] 명하자 갓난아이가 자면서 웃거나 얼굴을 찡긋거리는 짓.
배농(排膿) 명하자 곪은 곳을 째거나 따서 고름을 빼냄. ¶종기가 깊이 나 ~이 쉽지 않다.
배뇨(排尿) 명하자 오줌을 눔. ¶~ 작용.
*__배:다__[1] 자 1 물기나 냄새 따위가 스며들다. ¶옷에 땀이 ~ / 담배 냄새가 옷에 ~ / 웃는 얼굴에 장난기가 배어 있다. 2 버릇이 되어 익숙해지다. ¶욕이 입에 밴 사람 / 일이 손에 ~ / 친절이 몸에 ~. 3 느낌이나 생각 따위가 깊이 느껴지거나 오래 남다. ¶서민 정서가 배어 있는 농악.
배:다[2] 타 1 배 속에 아이·새끼 또는 알을 가지다. ¶아이를 ~ / 새끼를 밴 것 같다. 2 식물의 줄기 속에 이삭이 생기다.
[배지 아니한 아이를 낳으라 한다] 무리한 요구를 하다.
배다[3] 형 1 사이가 매우 촘촘하다. ¶그물코가 ~ / 모종을 배게 심다. 2 빈틈없이 속이 차다. 3 생각이나 안목이 매우 좁다. ↔성기다.
배-다르다〔배다르니, 배달라〕 형르불 형제자매가 아버지는 같으나 어머니가 다르다. ¶배다른 형제.
배-다리 명 1 배를 나란히 띄워 그 위에 널빤지를 깐 다리. 주교(舟橋). ¶~를 놓다. 2 교각을 세우지 않고 널조각을 걸쳐 놓은

다리. 부교(浮橋).
배달 명 상고 때의 우리나라 이름. 배달나라. 주의 '倍達'로 씀은 취음.
배:달 (配達) 명하타 물건을 가져다가 몫몫으로 나누어 돌림. ¶새벽에 우유 ~을 하다/우편물을 ~하다.
배달-겨레 명 배달민족.
배달-민족 (-民族) 명 우리 민족을 일컫는 말. 배달겨레.
배:달-원 (配達員) 명 배달을 업으로 하는 사람. ¶신문 ~.
배:당 (配當) 명하타 **1** 일정한 기준에 따라 나누어 줌. ¶작업을 ~하다. **2** 〖경〗 주식회사가 그 이익을 주주에게 몫몫이 나누어 줌. ¶~을 받다.
배:당-금 (配當金) 명 배당하는 돈. 특히, 주식 배당금을 일컬음. ¶~이 많다.
배:당-주 (配當株) 명 〖경〗 현금을 배당하는 대신에 주주에게 무상으로 나누어 주는 주식.
배:덕 (背德) 명하자 도덕에 어그러짐. ¶~ 행위로 매도당하다.
배-돌다 〔배도니, 배도오〕 자 한데 어울리지 아니하고 따로 행동하다. 큰베돌다.
배드민턴 (badminton) 명 네트를 사이에 두고, 라켓으로 셔틀콕을 바닥에 떨어지지 않게 쳐 넘기는 경기.
배:등 (倍騰) 명하자 물건 값이 갑절 오름.
배-따라기 명 〖악〗 **1** 서경(西京) 악부(樂府) 열두 가지 춤의 하나. 사신이 배를 타고 중국으로 떠나는 광경을 보이는 춤. **2** 서도(西道) 민요의 하나. 배따라기 춤을 출 때 나중에 부름. 이선(離船)악곡.
배딱-거리다 자 물체가 배스듬히 이리저리 자꾸 기울어지다. 큰비딱거리다. 센빼딱거리다. **배딱-배딱** 부하자형
배딱-대다 자 배딱거리다.
배딱-이 부 배딱하게.
배딱-하다 [-따카-] 형여불 물체가 한쪽으로 조금 기울어져 있다. 큰비딱하다. 센빼딱하다.
배-때기 명 〈속〉 배[1].
배뚜로 부 배뚤어지게. 큰비뚜로. 센빼뚜로.
배뚜름-하다 형여불 조금 배뚤어져 있다. ¶모자를 배뚜름하게 쓰다. 큰비뚜름하다. 센빼뚜름하다. **배뚜름-히** 부. ¶글씨를 ~ 뉘어 쓰다.
배뚝-거리다 자 **1** 한쪽으로 기울어서 자꾸 흔들거리다. **2** 한쪽 다리가 짧거나, 바닥이 고르지 못하여 흔들거리며 걷다. 큰비뚝거리다. 센빼뚝거리다. **배뚝-배뚝** 부하자
배뚝-대다 자 배뚝거리다.
배뚤-거리다 자 **1** 물체가 이리저리 자꾸 기우뚱거리다. ¶자전거가 배뚤거리며 달려간다. **2** 곧지 못하고 이리저리 자꾸 구부러지다. ¶글씨가 자꾸 배뚤거린다. 큰비뚤거리다. 센빼뚤거리다. **배뚤-배뚤** 부하자형. ¶골목길을 ~ 돌아 나오다.
배뚤다 〔배뚜니, 배뚜오〕 형 반듯하지 않고 한쪽으로 기울어지거나 쏠려 있다. 큰비뚤다. 센빼뚤다.
배뚤-대다 자 배뚤거리다.
배뚤어-지다 자 **1** 반듯하지 않고 한쪽으로 기울어지거나 쏠리다. ¶입 모양이 ~. **2** 성이 나서 뒤틀어지다. ¶배뚤어져서 말도 안 한다. 큰비뚤어지다. 센빼뚤어지다.
배란 (排卵) 명하자 〖생〗 난자가 난소(卵巢)에서 배출되는 일. ¶~기(期)/~ 촉진제.
배:래기 명 **1** 물고기의 배 부분. **2** 한복의 옷소매 아래쪽에 물고기의 배처럼 불룩하게 둥글린 부분. 준배래.
배:량 (倍量) 명 어떤 양의 갑절이 되는 양.
배럴 (barrel) 의명 야드파운드법에 따른 부피의 단위. 영국·미국에서 석유·과일·야채 따위의 부피를 잴 때 씀.
배:려 (配慮) 명하타 도와주거나 보살펴 주려고 마음을 씀. ¶관심과 ~를 아끼지 않다/다른 사람을 조금도 ~하지 않는다.
배:례 (拜禮) 명하자 절하는 예(禮). 또는 절하여 예를 나타냄. ¶국기 ~/제사를 지내며 조상께 ~하다.
배:륜 (背倫) 명 윤리에 어그러짐.
배:리 (背理) 명 **1** 도리에 어긋남. 이치에 맞지 않음. **2** 〖논〗 부주의에서 생기는 추리의 착오. 반리(反理).
배리다 형 **1** 맛이나 냄새가 조금 비리다. **2** 마음에 차지 아니하게 적다. **3** 하는 짓이 다랍고 아니꼽다. 큰비리다.
배리착지근-하다 형여불 조금 배린 맛이나 냄새가 나는 듯하다. ¶날콩을 씹으니 그 맛이 약간 ~. 큰비리척지근하다. 준배리치근하다·배착지근하다·배치근하다.
배리치근-하다 형여불 '배리착지근하다'의 준말.
배립 (排立) 명하자 열을 지어 늘어섬.
배릿-배릿 [-릳빼릳] 부하형 **1** 좀스럽거나 구차스러운 것이 마음에 다랍고 아니꼬운 모양. 큰비릿비릿. **2** 냄새나 맛이 매우 배린 느낌. ¶~한 바다 냄새.
배릿-이 부 배릿하게.
배릿-하다 [-리타-] 형여불 냄새나 맛이 조금 배리다. 큰비릿하다.
배메기 명하타 지주(地主)가 소작인에게 소작료를 수확량의 절반으로 메기는 일. 반(半)타작. 병작(竝作).
배:면 (背面) 명 뒤쪽. 등 쪽. ↔복면(腹面).
배:명 (拜命) 명하타 명령이나 임명을 삼가 받음.
배:-문자 (背文字)[-짜] 명 책 표지의 등에 박은 글자.
배미 명 (의존 명사적으로 쓰여) 구획진 논을 세는 단위. 논배미. ¶두 마지기짜리 논 한 ~로 겨우 먹고살다.
배-밀이 명하자타 **1** 어린아이가 배를 바닥에 대고 기어가는 짓. **2** 씨름에서, 상대방을 배로 밀어 넘어뜨리는 기술.
배:반 (背反·背叛) 명하타 믿음과 의리를 저버리고 돌아섬. ¶조국을 ~하다/애인을 ~하다/친구에게 ~당하다.
배:배 부 여러 번 꼬이거나 뒤틀린 모양. ¶말을 ~ 꼬다/몸이 ~ 꼬이다/심사가 ~ 틀리다. 큰비비.
배뱅잇-굿 [-이꾿/-읻꾿] 명 〖민〗 황해도를 중심으로 한 서도(西道) 민속극의 하나. 처녀로 죽은 딸 배뱅이의 넋이라도 만나 보겠다고 각 도의 무당·박수를 불러 굿을 하는 내용임.
배:번 (背番) 명 운동선수 등이 유니폼의 등

에 붙이는 번호. 백넘버.
배변 (排便) 명하자 대변을 몸 밖으로 내보냄. ¶치질로 ~이 힘들다.
배:복 (拜伏) 명하자 엎드려 절함.
배:본 (配本) 명하타 책을 배달함. 배책(配册). ¶각 서점에 신간 도서를 ~하다.
배:부 (背部) 명 1 등 부분. ↔복부(腹部). 2 어떠한 면(面)의 뒤쪽.
배:부 (配付) 명하타 출판물이나 서류 따위를 나누어 줌. ¶입사 원서를 ~하다.
배-부르다 〔배부르니, 배불러〕 형르불 1 더 먹을 수 없이 양이 차다. ¶배부르게 먹다. 2 임신하여 배가 불룩하다. 3 가운데 부분이 불룩하다. ¶배부른 기둥. 4 생활이 넉넉하다. ¶배부른 소리 그만 해라.
 [배부른 흥정] 되면 좋고 안돼도 크게 아쉽다거나 안타깝지 않은 흥정.
배:분 (配分) 명하타 몫몫이 나누어 줌. ¶부의 균등한 ~/이익을 ~하다.
배불 (排佛) 명하자 불교를 배척함. 척불(斥佛). ¶~ 사상/~ 정책.
배-불뚝이 명 배가 불뚝하게 나온 사람.
배-불리 부 배부르게. ¶~ 먹다.
배:빈 (陪賓) 명 1 높은 사람을 모시고 함께 오거나 참여한 손님. 배객(陪客). ¶~으로 참석하다. 2 주빈(主賓) 이외의 손님.
배:사 (背斜) 명 〖지〗 물결 모양으로 형성된 습곡에서 봉우리가 되는 부분《중심부에는 오랜 암석이 분포함》. ↔향사(向斜).
배:상 (拜上) 명하타 절하고 올림《흔히 한문투의 편지 끝에 씀》. ¶그럼, 이만 줄이겠습니다. 박문수 ~. 준배(拜).
배상 (賠償) 명하타 남에게 입힌 손해를 물어 줌. ¶~을 요구하다/손해를 ~하다.
배상-금 (賠償金) 명 배상하는 돈. ¶손해 ~을 청구하다/~을 지급하다.
배:색 (配色) 명하자타 두 가지 이상의 색을 알맞게 섞음. 또는 그렇게 만든 색. ¶적(赤)과 흑의 절묘한 ~/이 디자인은 ~이 좋다.
배:서 (背書) 명하자 1 책장이나 서면(書面) 따위의 뒤쪽에 글씨를 씀. 또는 그 글씨. 2 〖법〗 어음·수표 따위 지시 증권의 뒷면에 필요한 사항을 적고 서명하여 상대방에게 주는 일. 뒷보증. 구칭 : 이서(裏書). ¶수표에 ~하기를 요구하다.
배:석 (陪席) 명하자 윗사람을 모시고 자리를 같이함. ¶대통령의 기자 회견에는 관계 부처 장관들이 ~했다.
배:선 (配船) 명하타 일정한 항로나 해역에 선박을 나누어 할당함.
배:선 (配線) 명하타 1 전선을 끌어 달거나 전선으로 연결함. ¶~ 공사/전선을 너무 배게 ~하면 합선되기 쉽다. 2 '배전선'의 준말.
배:선-도 (配線圖) 명 전기나 전자 장치의 각 부품의 배선과 수량 등을 기호로 나타낸 그림.
배:선-반 (配線盤) 명 1 전화 가입자로부터 오는 선을 끌어 들여서 교환기에 이끌기 전에 우선 통제하기 위하여 달아 놓은 장치. 2 라디오 수신기에서 진공관·코일 등 여러 부품을 달아 놓는 반.
배설 (排泄) 명하타 1 안에서 밖으로 새어 나가게 함. 2 〖생〗 동물체가 음식의 영양을 섭취하고 그 찌꺼기를 몸 밖으로 내보내는 일. ¶~ 기관/노폐물을 몸 밖으로 ~하다.
배설 (排設) 명하타 연회나 의식에 쓰는 물건을 차려 놓음. 진설(陳設).
배설-기 (排泄器) 명 생체의 배설 작용을 하는 기관. 배설 기관.
배설-물 (排泄物) 명 생물체의 신진대사로 배설된 물질《똥·오줌·땀 따위》.
배:소 (拜掃) 명하타 조상의 묘를 깨끗이 하고 돌봄.
배:소 (配所) 명 예전에, 죄인이 귀양살이하던 곳. 유배된 곳. 귀양지.
 배소 가다 구 귀양살이 가다.
배:속 (配屬) 명하타 1 물자나 기구 따위를 배치하여 소속시킴. ¶~을 정하다. 2 배치하여 종사·근무하게 함. ¶전방 부대에 ~되다/신입 사원을 경리부에 ~하다.
배:송 (拜送) 명하타 1 공손히 보냄. 2 〖민〗 천연두를 앓은 뒤 13일 만에 두신(痘神)을 떠나보내던 일.
 배송(을) 내다 구 ㉠두신을 떠나보내는 푸닥거리를 하다. ㉡'쫓아내다'의 곁말.
배:수 (拜手) 명하자 두 손을 맞잡고 절함.
배:수 (拜受) 명하타 공경하는 마음으로 삼가 받음. 배령(拜領).
배:수 (配水) 명하자 1 수돗물을 나누어 보냄. ¶~ 시설. 2 논에 물을 댐. ¶논에 ~를 하다.
*__배:수__ (倍數) 명 1 어떤 수의 갑절이 되는 수. 2 〖수〗 자연수 '*a*'가 다른 자연수 '*b*'로 나누어질 때 '*b*'에 대한 '*a*'의 일컬음. ¶8은 2의 ~다.
배수 (排水) 명하자 1 안에 있는 물을 밖으로 내보냄. 물 빼기. ¶~ 시설/~ 작업/이 논은 ~가 잘된다. 2 물에 잠기는 물체가 물속에 잠긴 부피만큼의 물을 밀어냄《주로 선박에 대하여 씀》.
배:수-관 (配水管) 명 물을 흘려 보내는 관. ¶낡은 ~이 터져 물바다를 이루다.
배수-관 (排水管) 명 물을 뽑아내는 관.
배수-구 (排水口) 명 물을 뽑아내는 구멍.
배수-로 (排水路) 명 물이 빠져나갈 수 있게 만든 물길. 배수구(溝). ¶집 주위의 ~를 정비하다.
배수-장 (排水場) 명 물을 빼내기 위한 설비를 갖추어 놓은 장소. 또는 그런 건물.
배수 장치 (排水裝置) 1 물을 뽑아내는 장치. 2 선박이 항해 중에 괴는 물 따위를 배 밖으로 뽑아내는 장치.
배:수-지 (配水池) 명 수돗물을 공급하기 위하여 마련한 저수지.
배:수-진 (背水陣) 명 1 물을 등지고 치는 진법(陣法)의 하나《물러설 수 없어 힘을 다하여 싸우도록 함》. ¶~을 치고 최후의 결전을 벌이다. 2 더 이상 물러설 수 없음의 비유. ¶두 팀 모두 ~을 치고 이 경기에 임했다.
배수 현:상 (排水現象) 〖식〗 식물이 몸 안의 쓸데없는 수분을 물의 형태로 배출하는 현상《대나무·벼 따위에서 볼 수 있음》.
배-숙 (-熟) 명 배를 껍질을 벗겨 잘라서 삶은 뒤에 통후추를 드문드문 박고 설탕물에 끓여 익힌 음식. 이숙(梨熟).

배스듬-하다 형 여불 수평·수직이 되지 않고 한쪽으로 조금 기운 듯하다. ¶모자를 배스듬하게 비껴 쓰다. 큰비스듬하다. 준배듬하다. **배스듬-히** 부

배스름-하다 형 여불 거의 비슷한 듯하다. 큰비스름하다. **배스름-히** 부

배슥-거리다 자 무슨 일을 탐탁스럽게 여기지 않고 자꾸 배돌다. **배슥-배슥** 부하자

배슥-대다 자 배슥거리다.

배슥-이 부 배슥하게. ¶책을 책꽂이에 ~ 꽂다. 큰비슥이.

배슥-하다 [-스카-] 형 여불 한쪽으로 좀 기울어져 있다. ¶배슥하게 걸린 그림. 큰비슥하다.

배슷-이 부 배슷하게. ¶고개를 ~ 기울이다. 큰비슷이[1].

배슷-하다 [-스타-] 형 여불 한쪽으로 조금 기울어져 있다. 큰비슷하다.

배:승 (陪乘) 명하타 높은 사람을 모시고 탐. ¶장관의 승용차에 ~하다.

배시시 부 입을 조금 벌리고 소리 없이 살짝 웃는 모양. ¶소녀는 부끄러운 듯 ~ 미소를 지었다.

배:식 (配食) 명하자타 **1** 군대나 단체 같은 데서 식사를 나누어 줌. ¶~ 당번/줄을 서서 ~을 기다리다. **2** 배향(配享)2.

배:신 (背信) 명하자타 믿음과 의리를 저버림. ¶믿었던 친구에게 ~을 당하다.

배:신-감 (背信感) 명 배신을 당하고 느끼는 불쾌감. ¶~을 맛보다〔느끼다〕/~에 사로잡히다.

배:신-자 (背信者) 명 믿음과 의리를 저버린 사람. ¶~로 낙인 찍히다.

배:심 (陪審) 명하자 **1** 재판의 심리에 배석함. **2**〘법〙 배심원이 재판의 기소나 심리에 참여하는 일.

배:심-원 (陪審員) 명〘법〙 일반 국민 가운데서 선출되어 배심 재판에 참여하는 사람. ¶~들은 모두 그에게 유죄 판결을 내렸다.

배아 (胚芽) 명〘식〙 배(胚).

배:안 (拜顔) 명하타 삼가 얼굴을 뵘. ¶~의 영광을 입다.

배알 명 〈속〉 **1** 창자. **2** 마음. 준밸.

배알이 꼴리다〔뒤틀리다〕 구 비위에 거슬려 아니꼽게 생각되다.

배알이 뒤집히다 구 언짢은 일 등으로 아니꼽거나 분한 마음이 일어나다.

배:알 (拜謁) 명하타 높은 어른을 만나 뵘. ¶천자를 ~하다.

배-앓이 [-알-] 명 배를 앓는 병.

배:압 (背壓) 명 증기 원동기 또는 내연 기관에서 뿜어져 나오는 증기나 가스의 압력.

배:액 (倍額) 명 두 배의 값. ¶~을 주고 겨우 사다.

배:양 (培養) 명하타 **1** 식물을 북돋아 기름. **2** 인격·역량 따위가 발전하도록 가르치고 키움. ¶실력 ~/국력을 ~하다/인재를 ~하다. **3**〘생〙 동식물 조직의 일부나 미생물 따위를 가꾸어 기름. ¶세균의 ~ 검사.

배:양-기 (培養基) 명 배양액.

배:양-액 (培養液) 명〘생〙 미생물이나 동식물의 조직 따위를 기르는 데 필요한 영양소가 들어 있는 액체. 배양기.

배:양-토 (培養土) 명〘식〙 식물의 재배에 쓰기 위하여 거름을 섞어 기름지게 한 흙.

배어-나다 자 **1** 액체나 냄새 따위가 스며 나오다. ¶이마에 땀이 ~. **2** 느낌이나 생각 따위가 슬며시 나타나다. ¶그의 얼굴에 웃음이 배어났다.

배어-들다 〔-드니, -드오〕 자 어떤 기운이나 냄새·물기 따위가 속에까지 스며들다. ¶옷에 땀이 ~/담배 냄새가 ~/슬픔이 뼛속까지 ~.

배:역 (配役) 명하타 연극이나 영화 등에서 배우에게 역을 맡김. 또는 그 역. ¶호화로운 ~진/~을 정하다/큰 ~을 신인에게 맡기다.

배연 (排煙) 명하자 **1** 공장의 굴뚝 따위에서 뿜어나오는 연기. ¶엄청난 ~의 양. **2** 건물 따위의 안에 찬 연기를 밖으로 뽑아냄. ¶~ 설비.

배:열 (配列·排列) 명하타 일정한 차례나 간격으로 벌여 놓음. ¶표제어의 ~/큰 것부터 차례로 ~하다/각각의 상품을 보기 좋게 ~하다.

배엽 (胚葉) 명〘생〙 동물의 수정란이 많은 세포로 분열되어 생기는 세 개의 세포층《내배엽·외배엽·중배엽으로 나뉨》.

배:영 (背泳) 명 위를 향해 반듯이 누워서 두 팔을 번갈아 회전하여 물을 밀치면서 두 발로 물장구를 치는 수영법. 송장헤엄. 백스트로크.

배:외 (拜外) 명하타 외국의 문물·사상 등을 맹목적으로 숭배함. ¶~ 풍조.

배외 (排外) 명하타 외국 사람이나 외국의 문물·사상 등을 배척함. ¶역사적으로 ~ 감정이 뿌리깊은 민족.

배:우 (配偶·配耦) 명 배필(配匹).

***배우** (俳優) 명 **1** 연극·영화 등에서 어떤 역을 맡아 연기하는 사람. ¶조연 ~들의 열연이 돋보인다. **2** 광대.

***배우다** 타 **1** 지식을 얻거나 기술을 익히다. ¶영어를 ~/수영을 배우러 가다. **2** 남의 말이나 행동 따위를 따라 하다. ¶부모의 생활 태도를 ~. **3** 교양을 닦다. ¶그의 행동은 배운 사람다웠다. **4** 경험하여 잘 알다. ¶인생을 ~/자유의 소중함을 ~. **5** 버릇이나 습성을 몸에 익히다. ¶군대에서 담배를 배웠다. 준배다.

[배운 도둑질 같다] 버릇이 되어 자꾸 하게 된다.

***배:우-자** (配偶者) 명 부부의 한 쪽《남편에 대한 아내, 아내에 대한 남편》. ¶좋은 ~를 만나다.

배움-배움 명 배워서 이룬 지식이나 교양. ¶~이 있는 사람. *뱀뱀이.

배움-터 명 배우는 곳. 학원.

배웅 명하타 떠나가는 손님을 따라 나가 작별하여 보냄. 배행(陪行). ¶공항에서 친구를 ~하다. ↔마중.

배유 (胚乳) 명〘식〙 배젖.

배:율 (倍率) 명 **1** 망원경이나 현미경 등으로 물체를 볼 때 물체와 상(像)과의 크기의 비율. ¶~이 높은 현미경. **2** 어떤 그림의 크기와 그 원도(原圖) 또는 실물 크기와의 비.

배율 (排律) 명 한시(漢詩)의 한 체(體). 오언(五言) 또는 칠언(七言)의 대구(對句)를

여섯 구 이상 배열한 시.

배:은(背恩) 명하자 은혜를 저버림. ↔보은.

배:은-망덕(背恩忘德) 명하형 남한테 입은 은덕을 저버림. ¶~도 유분수지, 어찌 내게 이럴 수가 있단 말인가.

배:음(背音) 명 연극이나 방송에서, 대사·해설 등의 효과를 높이기 위하여 뒤에서 들려주는 음악이나 음향.

배일(排日) 명하자타 **1** 일본 사람이나 일본의 문물·사상 등을 배척함. ¶~ 감정. **2** 날마다 얼마씩 나누어 벼름.

배:일-성(背日性)[-썽] 명 〖식〗 식물의 줄기·잎 등이 햇볕이 없는 쪽으로 자라는 성질. ↔향일성(向日性).

배:임(背任) 명하자 주어진 임무를 저버림. ¶~ 및 횡령죄로 구속하다.

배:임-죄(背任罪)[-쬐] 명 〖법〗 다른 사람의 사무를 처리하는 사람이 그 임무에 위배되는 행위를 하여 자기나 제삼자는 이익을 얻고 임무를 맡긴 본인에게 손해를 입힘으로써 이루어지는 죄.

배잉(胚孕) 명하타 아이나 새끼를 뱀.

배자(胚子) 명 〖생〗 배(胚).

배:자(褙子) 명 겨울에 여자들이 저고리 위에 덧입는 옷《마고자와 같으나 소매가 없음》.

배자(褙子)

배:전(倍前) 명 (주로 '배전의'의 꼴로 쓰여) 이전의 갑절. ¶~의 애호를 부탁하다.

배:전(配電) 명하자 전기를 소용되는 여러 곳으로 나누어 보냄.

배:전-선(配電線) 명 배전하는 데 쓰이는 전깃줄. 준배선(配線).

배:-젊다[-점따] 형 나이가 썩 젊다. ¶나이보다 배젊어 보이는 할머니.

배:점(配點)[-쩜] 명하자 점수를 배정함. 또는 그런 점수. ¶1문항에 2점씩 ~하다 / 과목별 ~을 정하다.

배:접(褙接) 명하타 종이·헝겊·얇은 널조각 따위를 여러 겹 포개서 붙이는 일.

배:정(配定) 명하타 나누어서 몫을 정함. ¶인원 ~ / 좌석을 ~하다.

배정(排定) 명하타 여러 군데로 갈라서 벌여 놓음.

배-젖(胚-)[-젇] 명 〖식〗 씨앗 속에 있어, 발아하여 배가 생장하는 데 필요한 양분을 공급하는 조직. 배유(胚乳).

배제(排除) 명하타 물리쳐서 제외함. ¶장애 요소의 ~ / 실패할 가능성을 ~할 수 없다.

배:좁다 형 자리가 몹시 좁다. 큰비좁다.

배:종(陪從) 명하타 임금이나 높은 사람을 모시고 따라감.

배주(胚珠) 명 〖식〗 밑씨.

배주룩-배주룩 부하형 여러 개의 끝이 조금씩 다 내밀려 있는 모양. 큰비주룩비주룩. 센빼주룩빼주룩. 준배죽배죽[2].

배주룩-이 부 배주룩하게 큰비주룩이. 센빼주룩이. 준배죽이.

배주룩-하다[-루카-] 형여불 솟아나오는 물건의 끝이 조금 내밀고 있다. 큰비주룩하다. 센빼주룩하다. 준배죽하다.

배죽-거리다 타 비웃거나 못마땅하거나 울려고 할 때 입술을 내밀고 샐룩거리다. 큰비죽거리다. **배죽-배죽**[1] 부하타

배죽-대다 타 배죽거리다.

배죽-배죽[2] 부하형 '배주룩배주룩'의 준말.

배죽-이 부 '배주룩이'의 준말.

배죽-하다[-주카-] 형여불 '배주룩하다'의 준말.

배중-률(排中律)[-뉼] 명 〖논〗 형식 논리학에서, 'A는 B이다'와 'A는 B가 아니다'와의 두 판단 사이에 중간의 것은 없다는 사유 법칙의 하나. 배중론. 배중 원리.

배:증(倍增) 명하자타 갑절로 늘거나 늘림. ¶농어민 소득 ~ 사업 / 정원이 ~되다.

배지(badge) 명 휘장(徽章). ¶국회의원 ~ / 회사 ~를 달고 다니다.

배-지기 명 씨름에서 상대자의 배를 지고 넘기는 기술《오른배지기·맞배지기·엉덩배지기·들배지기 따위》.

배-지느러미 명 〖어〗 물고기의 배에 달린 지느러미. 대개 좌우 한 쌍이 있으며 몸을 나아가게 함.

배:지-성(背地性)[-썽] 명 〖식〗 식물의 줄기가 지구의 인력과 정반대의 방향으로 자라나는 성질. ↔향지성(向地性).

배-질 명하자 **1** 노를 저어 배를 가게 함. 또는 그런 일. ¶능숙한 ~. **2** 앉아서 끄덕끄덕 조는 모습을 놀림조로 일컫는 말.

배:징(倍徵) 명하타 정한 액수의 갑절을 거두어들임. ¶목표액을 ~하다.

배-짱 명 **1** 마음속으로 굳게 먹은 생각. ¶대단한 ~ / 도둑놈의 ~. **2** 굽히지 않고 버티는 힘. ¶~이 두둑하다.

배짱(을) 내밀다 구 배짱 있는 태도를 취하다. ¶배짱 내밀어 봐야 소용없다.

배짱(을) 퉁기다 구 배짱을 부리어 남을 받아들이지 않다. ¶오름세라 팔지 않고 ~.

배짱(이) 맞다 구 뜻과 마음이 맞다.

배짱(이) 세다 구 배짱(이) 좋다.

배짱(이) 좋다 구 담력과 박력이 있어 무서운 것이 없다.

배짱-부리다 자 배짱을 드러내어 굽히지 않고 버티다. ¶마음대로 하라며 ~.

배쭉 부하타 **1** 비웃거나 못마땅하거나 울려고 할 때 입을 내미는 모양. **2** 형체를 일부만 살짝 내미는 모양. 큰비쭉. 센빼쭉.

배쭉-거리다 타 비웃거나 못마땅하거나 울려고 할 때 입을 내밀고 샐룩거리다. 큰비쭉거리다. **배쭉-배쭉** 부하타

배쭉-대다 타 배쭉거리다.

배쭉-이 부 배쭉하게. 큰비쭉이. 센빼쭉이.

배쭉-하다[-쭈카-] 형여불 물체의 끝이 조금 내밀려 있다. 큰비쭉하다. 센빼쭉하다.

배:차(配車) 명하자타 정해진 시간 또는 순서에 따라 자동차·기차 따위를 일정한 선로나 구간에 나누어 보냄. ¶~ 간격을 줄이다 / 버스를 20대 ~하다.

배차(排次) 명 차례를 정함. 또는 그 차례.

배착-거리다 자타 '배치작거리다'의 준말. ¶불편한 다리를 배착거리며 걷다. **배착-배착** 부하자타

배착-대다 자타 배착거리다.

배착지근-하다 형여불 '배리착지근하다'의 준말.

배척(排斥) 명하타 거부하여 물리침. ¶외세

를 ~하다 / 주민들에게 ~을 당하다.

***배:추** 명 〔식〕 십자화과의 두해살이풀. 잎이 여러 겹으로 포개져 자라고 긴 타원형임. 봄에 담황색 네잎꽃이 핌. 잎·줄기·뿌리를 모두 식용하며, 특히 잎은 김치를 담그는 데 씀. ¶~ 다섯 포기 / ~를 절이다.

배:추-김치 명 배추로 담근 김치.

배:추-벌레 명 〔충〕 **1** 배추에 모이는 해충의 총칭. **2** 배추흰나비의 애벌레.

배:추-속대 명 배추 속에서 자라는 잎《빛깔이 노릇노릇하고 맛이 고소함》.

배:추-흰나비 [-흰-] 명 〔충〕 흰나빗과의 나비. 몸길이는 2 cm 가량, 편 날개는 약 3-6 cm, 수컷의 날개는 유백색, 암컷은 황색이 섞였음. 암컷은 수컷보다 흑색 무늬가 훨씬 분명함. 초봄에 나오는데, 애벌레인 배추벌레는 무·배추 등의 큰 해충임.

배출 (排出) 명하타 **1** 안에서 밖으로 밀어 내보냄. ¶공해 ~ 업소 / 폐수를 하천에 ~한 업체가 적발되었다. **2** 배설(排泄)2.

배:출 (輩出) 명하타 인재를 길러 사회에 내보냄. ¶근대화의 역군이 많이 ~되다 / 지도자의 ~을 갈망하다.

배:치 (背馳) 명하자 서로 반대가 되어 어긋남. ¶이념과 실천의 ~ / 평소의 주장과 ~되는 행동 / 서로 ~되는 주장을 하다.

배:치 (配置) 명하타 사람이나 물건을 일정한 자리에 알맞게 나누어 둠. ¶가구를 적절히 ~하다 / 인재를 적재적소에 ~하다.

배치 (排置) 명하타 일정한 차례나 간격으로 벌여 놓음. 배포(排布). 포치(布置). ¶책상 ~ 간격을 조정하다.

배치근-하다 형 여불 '배리착지근하다'의 준말.

배:치-도 (配置圖) 명 **1** 인원이나 물자의 배치를 나타낸 도면의 총칭. **2** 공장 안에서 여러 기계의 위치를 나타낸 도면. **3** 건물·수목 등의 위치를 평면상에 나타낸 도면.

배치작-거리다 자타 몸을 한쪽으로 좀 비틀거리거나 가볍게 잘록거리며 계속 걷다. ¶노인이 봇짐을 들고 다리를 배치작거리며 걸어간다. 큰비치적거리다. 준배착거리다. **배치작-배치작** 부하자타

배치작-대다 자타 배치작거리다.

배치 프로세싱 (batch processing) 〔컴〕 일괄 처리.

배칠-거리다 자타 이리저리 어지럽게 자꾸 비틀거리다. ¶현기증으로 몸이 배칠거린다. 큰비칠거리다. **배칠-배칠** 부하자타

배칠-대다 자타 배칠거리다.

배코 명 상투를 앉히려고 머리털을 깎아 낸 자리.

배코(를) 치다 구 ㉠상투 밑의 머리털을 돌려 깎다. ㉡머리를 면도하듯이 빡빡 깎다.

배타 (排他) 명하타 남을 배척함. ¶~ 정책.

배타-성 (排他性) [-썽] 명 **1** 남을 배척하는 성질. ¶~이 강하다. **2** 〔법〕 한 개의 목적물에 관한 물권(物權)은, 같은 내용을 가진 다른 권리의 존재를 허락하지 않는 일.

배타-적 (排他的) 관명 남을 배척하는 경향이 있는 (것). ¶~인 관계 / ~인 태도 / 권리를 ~으로 독점하려는 기도.

배타-주의 (排他主義) [- / -이] 명 다른 사람이나 다른 생각·사상 따위를 배척하는 태도나 경향. ¶무조건적인 ~는 사회 발전의 독소이다.

배-탈 (-頉) 명 먹은 것이 체하거나 설사하는 등 배 속 병의 총칭. ¶~이 나다 / ~을 일으키다.

배태 (胚胎) 명하타 **1** 아이나 새끼를 뱀. ¶인공 수정으로 ~하다. **2** 어떤 일이 일어날 원인을 속에 지님. ¶화근을 ~하다.

배터리 (battery) 명 **1** '건전지·전지·축전지'의 일컬음. **2** 야구의 투수와 포수의 한 쌍.

***배턴** (baton) 명 릴레이 경주에서, 주자가 다음주자에게 넘겨주는 막대기.

배턴 터치 (baton+touch) 릴레이 경주 따위에서, 주자끼리 배턴을 주고받는 일.

배토 (坏土) 명 질그릇의 원료가 되는 흙.

배토 (培土) 명하타 식물에 흙을 북돋아 주는 일. 또는 그 흙. ¶~ 작업.

배-통 명 〈속〉 배[1].

배트 (bat) 명 야구·소프트볼 등에서, 공을 치는 방망이.

배트작-거리다 타 약간 배틀거리며 걷다. 큰비트적거리다. **배트작-배트작** 부하타. ¶어린애가 ~하며 걷는다.

배트작-대다 타 배트작거리다.

배틀 부 힘이 없거나 어지러워 이리저리 쓰러질 듯한 모양. ¶이리 ~ 저리 ~. 큰비틀.

배틀-거리다 타 몸을 가누지 못하고 이리저리 쓰러질 듯이 계속 걷다. ¶술에 몹시 취해 배틀거리며 걷다. 큰비틀거리다. **배틀-배틀** 부하타

배틀-걸음 명하자 배틀거리며 걷는 걸음. 큰비틀걸음.

배틀걸음(을) 치다 구 몹시 배틀거리며 걷다.

배:틀다 [비트니, 배트오] 타 힘 있게 잡아 틀다. ¶손목을 잡아 ~. 큰비틀다.

배틀-대다 타 배틀거리다.

배:틀리다 자 《'배틀다'의 피동》 배틂을 당하다. 큰비틀리다.

배:틀어-지다 자 **1** 물체가 어느 한쪽으로 배배 꼬이다. ¶말라 배틀어진 나뭇잎. **2** 일이 꼬여 순조롭지 않게 되다. ¶여행 계획이 ~. **3** 비위에 맞지 않아 마음이 틀어지다. ¶사소한 말다툼으로 ~. 큰비틀어지다.

배팅 (batting) 명 야구에서, 타격. ¶~ 연습을 공개하다.

배팅-오더 (batting order) 명 야구에서, 타석에 들어서는 순서. 준오더.

배:판 (倍版) 명 어떠한 규격의 배가 되는 책의 크기. ¶사륙 ~.

배:판 (褙板) 명 배접(褙接)할 때 밑에 깔고 쓰는 널.

배-편 (-便) 명 배를 이용하는 교통편. 선편(船便). ¶~으로 보내다 / ~이 끊기다.

배:포 (配布) 명하타 신문이나 책자 따위를 널리 나누어 줌. ¶광고 전단을 ~하다.

배포 (排布·排鋪) 명하타 **1** 일을 조리 있게 계획함. 또는 그런 속마음. ¶~가 맞다 / ~가 두둑한 녀석이다 / ~ 한번 좋구나. **2** 배치(排置).

배포(가) 유(柔)하다 구 서두르지 않고 늘 찡거리는 태도가 있다.

배포(가) 크다 구 도량과 담력이 크다.

배-표 (-票) 명 배를 타는 표. 선표(船票).

백병 (白餠) 명 흰떡.
백병 (百病) 명 온갖 병. 만병(萬病).
백병-전 (白兵戰) 명하자 총검·칼 따위를 가지고 적과 직접 몸으로 맞붙어 싸우는 전투. ¶한 무더기씩 어우러져 ~을 벌이다.
백복 (百福) 명 온갖 복. 만복(萬福).
백부 (伯父) 명 큰아버지.
백분 (白粉) 명 **1** 쌀이나 밀 따위의 흰 가루. **2** 여자의 얼굴을 화장하는 데 바르는 흰 가루. 연분. 연화. 준분.
백분 (百分) 부 '십분'을 과장하여 이르는 말. ¶능력을 ~ 발휘하다.
***백분-율** (百分率)[-뉼] 명 전체 양을 100으로 하여 나타내는 비율《그 단위를 '퍼센트, 프로'라 함》. 백분비. 퍼센티지.
백분-표 (百分標) 명 백분율을 나타내는 부호. 백분부(符). 기호는 %.
백사 (白沙) 명 흰 모래.
백사 (白蛇) 명 몸빛이 흰 뱀.
백사 (白絲) 명 흰 실.
백-사기 (白沙器) 명 흰 빛깔의 사기.
백-사장 (白沙場) 명 강가·바닷가의 흰 모래가 깔린 곳. ¶끝없이 펼쳐진 ~.
백삼 (白蔘) 명 잔뿌리를 다듬어 말린 인삼. *홍삼(紅蔘).
백색 (白色) 명 흰 빛깔. ↔흑색. 준백.
백색-광 (白色光) 명 **1** 흰 색의 광선. **2**〔물〕 각 파장(波長)의 빛이 합쳐진 빛《태양 광선 등》. 백광(白光).
백색 인종 (白色人種) 피부색으로 나눈 인종의 하나. 피부가 흰 것이 특징이며, 유럽·아메리카 민족이 거의 이에 속함. 준백인종. *유색 인종.
백색-체 (白色體) 명〔생〕 녹색 식물의 세포에 있는, 색소를 만들지 않는 색소체.
백서 (白書) 명〔영국 정부가 공식 보고서에 흰 표지를 사용한 데에서〕 정부가 정치·경제·외교 등에 관한 실정(實情)이나 시책을 발표하는 보고서. ¶교육 ~.
백서 (帛書) 명 비단에 쓴 글. 또는 글이 쓰여진 비단.
백석 (白石) 명 흰 돌.
백선 (白線) 명 흰 줄. 흰 선.
백선 (白癬) 명〔의〕 피부 사상균에 의하여 생기는 전염성 피부병의 총칭. 쇠버짐.
백선 (百選) 명 백 개를 가려 뽑음. 또는 그 백 개. ¶명시(名詩) ~.
백설 (白雪) 명 흰 눈. ¶~같이 희다 / 마을이 ~에 덮여 있다 / ~이 만건곤할제.
백-설기 (白-) 명 멥쌀가루를 고물 없이 시루에 안쳐 쪄 낸 시루떡. 준설기.
백-설탕 (白雪糖) 명 정제(精製)한 흰빛의 설탕. *황설탕·흑설탕.
***백성** (百姓) 명 **1** 일반 국민의 예스러운 말. ¶나라 잃은 ~ / ~을 다스리다 / ~은 나라의 근본이다. **2** 예전에, 양반이 아닌 일반 평민.
백세 (百世) 명 오랜 세대.
백세 (百歲) 명 **1** 백 살. **2** 긴 세월. 백년.
백송 (白松) 명〔식〕 소나뭇과의 상록 침엽 교목. 나무껍질은 회백색이고 껍질 조각은 저절로 벗겨져 떨어짐. 백골송.
백수 (白首) 명 백두(白頭)1.
백수 (白叟) 명 노인. 늙은이.
백수 (白壽) 명 '百'에서 '一'을 빼면 99가 되고 '白' 자가 되는 데서, 99세(歲).
백수 (白鬚) 명 허옇게 센 수염.
백수 (百獸) 명 온갖 짐승. 뭇짐승. ¶사자는 ~의 왕이다.
백수-건달 (白手乾達) 명 돈 한 푼 없이 빈둥거리며 놀고먹는 건달. ¶사업 실패로 하루아침에 ~이 되었다.
백숙 (白熟) 명하타 고기나 생선 따위를 양념을 하지 않고 맹물에 푹 삶아 익힘. 또는 그렇게 익힌 음식.
백숙 (伯叔) 명 네 형제 가운데에서 맏이와 셋째.
백승 (百勝) 명하자형 **1** 싸움이나 경기 따위에서 언제든지 이김. **2** 모든 면에서 모두 나음.
백신 (vaccine) 명 **1**〔의〕 각종 전염병의 병원균으로 만든 세균성 제제(製劑)로, 접종용으로 쓰이는 면역 재료. ¶~ 주사. **2**〔컴〕 바이러스를 찾아내고 손상된 디스크를 복구하는 프로그램.
백악 (白堊) 명 **1** 유공충이나 조개류 따위의 유해가 쌓여서 된 석회질의 흰 암석. **2** 백토. **3** 석회로 칠한 흰 벽. ¶~의 전당.
백악-기 (白堊紀) 명〔지〕 지질 시대의 하나로 중생대의 말기《이 시대는 파충류 등의 동물, 암모나이트와 같은 조개류와 속씨식물 등이 번성하기 시작하였음》.
백안 (白眼) 명 **1**〔생〕 눈알에 있는 흰자. 백목(白目). **2** 업신여기거나 냉대하여 흘겨보는 눈. ↔청안(靑眼).
백안-시 (白眼視) 명하타〔중국 진(晉)나라 완적(阮籍)이 반갑지 않은 사람은 백안(白眼)으로 대하고, 반가운 사람은 청안(靑眼)으로 대하였다는 고사에서〕 남을 업신여기거나 냉대하여 흘겨봄. ↔청안시.
백야 (白夜) 명〔지〕 밤에 어두워지지 않는 현상. 또는 그런 밤《고위도 지방에서, 여름에 반영하는 태양 광선 때문》. ↔극야.
백약 (百藥) 명 온갖 약. ¶그 병에는 ~이 무효다.
백양 (白羊) 명 흰 양.
백양 (白楊) 명〔식〕 **1** 사시나무. **2** 은백양.
백업 (backup) 명하타 **1** 야구에서, 수비자의 실책에 대비하여 그 뒤에 다른 수비자가 대비하는 일. **2**〔컴〕 데이터 파일 등의 손상에 대비해 파일의 원본을 디스켓 따위에 복사하여 두는 일.
백업 파일 (backup file)〔컴〕 보완 파일.
백-여우 (白-)[뱅녀-] 명 **1** 흰 여우. 백호(白狐). **2**〈속〉 요사스러운 여자를 욕하는 말. ¶~ 같은 계집.
백열 (白熱) 명 **1**〔물〕 물체가 백색광에 가까운 빛을 낼 정도로 온도가 매우 높은 상태나 열. **2** 기운이나 열정 따위가 최고 상태에 이름. 또는 그런 기운이나 열정. ¶~의 태양.
백열-등 (白熱燈)[-뜽] 명 흰빛을 내는 가스등이나 전등 따위의 총칭.
백열-전구 (白熱電球) 명 진공 또는 기체를 봉입한 유리구 안에 녹는점이 높은 금속 코일·텅스텐 선 등을 넣어 전류를 흐르게 한 전구.
백염 (白塩)[뱅념] 명 정제한 흰 소금.

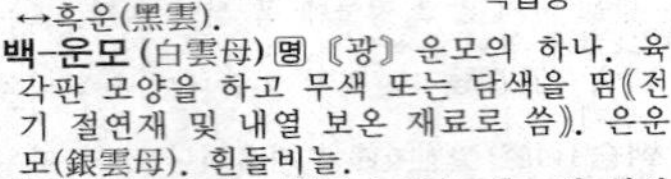
백엽상

백엽-상 (百葉箱) 명 기온·습도·기압 등을 재기 위하여 만든 조그만 집 모양의 나무 상자.
백옥 (白玉) 명 흰 빛깔의 옥. 흰 구슬. ¶ ~같이 고운 살결. ↔홍옥(紅玉)1.
백운 (白雲) 명 흰 구름. ↔흑운(黑雲).
백-운모 (白雲母) 명 〖광〗 운모의 하나. 육각판 모양을 하고 무색 또는 담색을 띰《전기 절연재 및 내열 보온 재료로 씀》. 은운모(銀雲母). 흰돌비늘.
백의 (白衣)[-/-이] 명 **1** 흰옷. ¶ ~의 천사《간호사》. **2** 포의(布衣). **3** 〖불〗 속인3.
백의-민족 (白衣民族)[-/-이-] 명 예로부터 흰옷을 숭상하여 즐겨 입은 데서, '한국 민족'의 일컬음. 백의동포.
백의-정승 (白衣政丞)[-/-이-] 명 유생(儒生)으로 있던 사람이 단번에 의정(議政) 벼슬에 오른 사람.
백의-종군 (白衣從軍)[-/-이-] 명하자 벼슬 없이 군대를 따라 싸움터로 나아감.
백인 (白人) 명 **1** 백색 인종에 속한 사람. **2** 날 때부터 살과 털빛이 매우 흰 사람.
백인 (白刃) 명 서슬이 시퍼렇게 번쩍이는 날카로운 칼날. 백병(白兵).
백인 (百人) 명 **1** 백 사람. **2** 성질이 서로 다른 많은 사람. ¶ ~백색(百色).
백-인종 (白人種) 명 '백색 인종'의 준말.
백일 (白日) 명 **1** 밝게 빛나는 해. **2** 대낮.
백일 (百日) 명 **1** 백 날 동안. **2** 아이가 태어난 지 백 번째 되는 날. 백날. ¶ ~ 떡을 돌리다.
백일-기도 (百日祈禱) 명 백 날을 기한하고 어떤 목적으로 기도를 드림. 또는 그렇게 드리는 기도. 백일치성(致誠).
백일-몽 (白日夢) 명 한낮에 꾸는 꿈이란 뜻으로, 실현될 수 없는 헛된 공상.
백일-장 (白日場)[-짱] 명 **1** 글짓기 대회. ¶ ~에서 장원을 하다. **2** 〖역〗 조선 때, 유생의 학업을 권장하려고 각 지방에서 베풀던 시문 짓기 시험.
백일-재 (百日齋)[-째] 명 〖불〗 사람이 죽은 지 백 날 되는 때 드리는 불공. 백재일. 준 백재(百齋).
백일-하 (白日下) 명 (주로 '백일하에'의 꼴로 쓰여) 세상 사람이 다 알도록 뚜렷하게. ¶ 사건의 전모가 ~에 드러났다.
백일-해 (百日咳) 명 〖의〗 경련성의 기침을 일으키는 어린아이의 급성 전염병. 겨울·봄에 걸쳐 걸리며, 오래되면 기관지염·폐렴을 일으키기 쉬움. 한번 걸리면 일생 면역이 됨. 백일기침.
백일-홍 (百日紅) 명 〖식〗 부처꽃과의 낙엽 활엽 교목. 높이 7-10 m, 늦여름에 붉은 다섯잎꽃이 피며, 둥근 삭과는 다음 해 10월에 익음. 씨는 기름을 짜고, 재목은 도구재·세공물 따위로 씀. 관상용임. 배롱나무. 자미(紫薇).
백자 (白瓷·白磁) 명 흰 빛깔의 자기. 순백색의 바탕흙 위에 투명한 유약을 씌워서 구운 자기. 청자에 비해 깨끗하고 담박하며 검소한 맛을 풍김. 백자기.
백자 (柏子) 명 잣.
백-자기 (白瓷器) 명 백자(白瓷).
백작 (伯爵) 명 오등작의 셋째《후작의 다음, 자작의 위》. 준 백(伯).
백장 명 〔←白丁(백정)〕 **1** 소·돼지·개 등을 잡는 일을 업으로 삼는 사람. **2** 고리장이.
백전 (百戰) 명 수많은 싸움. ¶ ~의 용사.
백전-노장 (百戰老將) 명 **1** 수많은 싸움을 치른 노련한 장수. **2** 세상의 온갖 어려운 일을 많이 겪은 능란한 사람.
백전-백승 (百戰百勝) 명하자 싸울 때마다 모조리 이김.
백절불굴 (百折不屈) 명하자 백 번 꺾여도 굴하지 않는다는 뜻에서, 어떠한 어려움에도 결코 굽히지 않음. ¶ ~의 기백.
백-점토 (白粘土) 명 흰 찰흙《도자기 원료》.
백정 (白丁) 명 '백장'의 본딧말.
백조 (白鳥) 명 〖조〗 고니.
백조-자리 (白鳥-) 명 〖천〗 북반구에 있는 큰 별자리《은하의 중간에 위치하는데 육안으로 볼 수 있는 별은 약 200개임》. 북십자성.
백주 (白酒) 명 **1** 빛깔이 흰 술. 막걸리. **2** 배갈.
백주 (白晝) 명 대낮. ¶ ~의 강도 / 술이 취해 ~ 대로를 활보하다.
백주-에 (白晝-) 부 아무 까닭 없이. 공연히. 드러내 놓고 터무니없이. ¶ ~ 봉변을 당했다. 준 백줴.
백중 (百中·百衆) 명 〖불〗 '백중날'의 준말.
백중 (伯仲) 명하형 **1** 맏이와 둘째. **2** 재주나 실력·기술 따위가 비슷하여 낫고 못함을 가리기 어려움. 백중지간. ¶ ~한 경기.
백중-날 (百中-) 명 〖불〗 명일(名日)의 하나로 음력 칠월 보름날《과일과 음식을 먹고 놂》. 준 백중.
백중-맞이 (百中-) 명하자 **1** 〖불〗 백중날에 불공을 드림. 또는 그 불공. 백중불공(佛供). **2** 〖민〗 무당이 백중날에 굿을 함. 또는 그 굿.
백중숙계 (伯仲叔季)[-/-께] 명 네 형제의 차례. 백은 맏이, 중은 둘째, 숙은 셋째, 계는 막내를 이름.
백중지세 (伯仲之勢) 명 서로 비슷하여 우열을 가리기 힘든 형세. 백중세.
백지 (白-) 명 〔←백자(白子)〕 바둑돌의 흰 알. ↔흑지. 준 백.
백지 (白地) 一명 농사가 안되어 거둘 것이 없는 땅. 二부 아무 턱도 없이. 백판. 생판(生板). ¶ ~ 나만 보고 야단이야.
백지 (白紙) 명 **1** 흰 빛깔의 종이. **2** 아무것도 쓰지 않은 종이. 공지(空紙). ¶ ~에 낙서를 하다. **3** '백지상태'의 준말. ¶ 음악에 대해서는 ~다.
[백지 한 장도 맞들면 낫다] 백지장도 맞들면 낫다. *백지장.
백-지도 (白地圖) 명 대륙·섬·나라 등의 윤곽만 그린, 기입 연습용 또는 분포도 작성용의 지도. 암사(暗射) 지도. ¶ ~에 지명을 써 넣다.
백지-상태 (白紙狀態) 명 **1** 종이에 아무것도 쓰지 않은 상태. ¶ 답안지를 ~로 제출하다. **2** 어떤 대상에 대하여 아무것도 모르는

뱃-속 [배쏙/밷쏙] 명 〈속〉 마음속. 속생각. ¶시커먼 ~/~이 편치가 않다. 준속.
뱃속에 능구렁이가 들어 있다 구 엉큼하고 능글맞다.
뱃속을 들여다보다 구 속마음을 환히 꿰뚫어보다.
뱃속을 채우다 구 염치없이 제 욕심만 차리다.
뱃속이 검다 구 마음보가 더럽고 음흉하다.
뱃-심 [배씸/밷씸] 명 거리낌 없이 자기 생각대로 버티는 힘.
뱃심(을) 부리다 구 거리낌 없이 자기 생각대로 어떤 태도를 취하다.
뱃심(이) 좋다 구 거리낌 없이 자기 생각대로 밀고 나가는 배짱이 두둑하다. ¶뱃심 좋게 버티다.
뱃-전 [배쩐/밷쩐] 명 배의 양쪽 가장자리 부분. 선연(船緣). 선현(船舷). 현(舷). 현측(舷側). ¶~에 기대앉다/파도가 ~을 두드리다.
뱃-줄 [배쭐/밷쭐] 명 배를 매어 두거나 끄는 데에 쓰는 밧줄. ¶~이 풀리다/폭풍이 심하니 ~을 단단히 매라.
뱃-짐 [배찜/밷찜] 명 배에 싣는 짐. 또는 배에 실어 나르는 짐. 선복(船卜). 선하. 선화. ¶~을 부리다.
뱃-집 [배찝/밷찝] 명 사람 배의 부피. ¶~이 두둑하다.
뱅 부 **1** 한 바퀴 도는 모양. ¶동네를 한 바퀴 ~ 돌다. **2** 갑자기 정신이 아찔해지는 모양. ¶어두운 데서 밝은 데로 나오니 눈앞이 ~ 돈다. 거팽. **3** 좁게 둘러싸는 모양. ¶사람들이 ~ 둘러싸다. 큰빙. 센뺑.
뱅그레 부 입만 약간 벌리고 소리 없이 부드럽게 웃는 모양. 큰빙그레.
뱅그르르 부 작은 것이 매끄럽게 한 바퀴 도는 모양. 큰빙그르르. 센뺑그르르. 거팽그르르[1].
뱅글-거리다 자 입만 약간 벌리고 소리 없이 부드럽게 자꾸 웃다. ¶뱅글거리는 아기. 큰빙글거리다. **뱅글-뱅글**[1] 부하자
뱅글-대다 자 뱅글거리다.
뱅글-뱅글[2] 부 작은 것이 매끄럽게 자꾸 도는 모양. ¶팽이가 ~ 돌고 있다. 큰빙글빙글. 거팽글팽글.
뱅긋 [-귿] 부하자 입만 살짝 벌리고 소리 없이 가볍게 웃는 모양. 큰빙긋. 센뺑긋.
뱅긋-거리다 [-귿꺼-] 자 소리 없이 입만 살짝 벌리고 가볍게 자꾸 웃다. 큰빙긋거리다. 센뺑긋거리다. **뱅긋-뱅긋** [-귿뺑귿] 부하자
뱅긋-대다 [-귿때-] 자 뱅긋거리다.
뱅긋-이 부 뱅긋. 큰빙긋이. 센뺑긋이.
뱅-뱅 부 **1** 작은 것이 자꾸 도는 모양. **2** 갑자기 정신이 자꾸 아찔해지는 모양. ¶눈앞이 ~ 돈다. **3** 요리조리 자꾸 돌아다니는 모양. ¶강아지가 제 꼬리를 물려고 ~ 돈다. 큰빙빙. 센뺑뺑. 거팽팽.
뱅시레 부 입을 벌리는 듯하면서 아름다운 태도로 소리 없이 가볍게 웃는 모양. 큰빙시레.
뱅실-거리다 자 입을 벌리는 듯하면서 아름다운 태도로 소리 없이 가볍게 자꾸 웃다. **뱅실-뱅실** 부하자
뱅실-대다 자 뱅실거리다.
뱅싯 [-싣] 부하자 입을 살며시 벌릴 듯하면서 소리 없이 부드럽고 가볍게 한 번 웃는 모양. 큰빙싯. 센뺑싯.
뱅싯-거리다 [-싣꺼-] 자 입을 살며시 벌릴 듯하면서 소리 없이 부드럽고 가볍게 자꾸 웃다. 큰빙싯거리다. **뱅싯-뱅싯** [-싣뺑싣] 부하자
뱅싯-대다 [-싣때-] 자 뱅싯거리다.
뱅:어 명 〘어〙 뱅엇과의 바닷물고기. 몸은 10cm 가량이며, 몸빛은 백색 반투명임. 봄에 하천 하류에서 산란함. 백어(白魚).
뱅:어-포 (-脯) 명 괴도라치의 잔새끼를 통으로 여러 개 붙여서 일정한 크기의 납작한 조각을 지어 만든 포.
-뱅이 미 어떤 습관·성질·모양을 가진 사람·사물을 이르는 말. ¶게으름~/주정~/앉은~/잡살~.
뱅:충-맞다 [-맏따] 형 좀 똘똘하지 못하고 어리석으며 수줍음을 타는 데가 있다. 큰빙충맞다.
뱅:충-이 명 뱅충맞은 사람. 큰빙충이.
뱉:다 [밷따] 타 **1** 입속에 든 물건을 입 밖으로 내보내다. ¶밥알을 ~/씹던 고기를 뱉어 버리다. **2** 차지한 물건을 도로 내놓다. ¶횡령한 돈을 ~. **3** 말 따위를 함부로 하다. ¶욕설을 마구 ~.
버걱 부하자타 크고 단단한 물건이나 질기고 뻣뻣한 물건이 맞닿아 문질러질 때에 나는 소리. ¶문이 ~ 소리를 내며 닫히다. 작바각. 센뻐걱.
버걱-거리다 자타 버걱 소리가 자꾸 나다. 또는 그런 소리를 자꾸 내다. ¶대문 버걱거리는 소리에 잠이 깼다. 작바각거리다.
버걱-버걱 부하자타
버걱-대다 자타 버걱거리다.
버겁다 〔버거우니, 버거워〕 형ㅂ불 다루기가 힘에 겹거나 거북하다. ¶비용 때문에 감당하기가 ~/이 짐은 어린아이가 들기에 ~.
버그 (bug) 명 〘컴〙 컴퓨터의 프로그램이나 시스템의 착오. 또는 시스템 오작동의 원인이 되는 프로그램의 잘못.
버그러-뜨리다 타 버그러지게 하다.
버그러-지다 자 **1** 짜임새가 어긋나 틈이 생기다. ¶창문틀이 ~. **2** 일이 잘못되어 틀어지다. ¶그 말을 꺼내면 일이 버그러질 것 같은 느낌이 들었다. **3** 사이가 벌어지거나 나빠지다. ¶사소한 오해로 사이가 ~. 센뻐그러지다.
버그러-트리다 타 버그러뜨리다.
버근-하다 형여불 맞붙인 것이 벌어져 틈이 있다. ¶대문이 버근하게 열려 있다. **버근-히** 부
버글-거리다 자 **1** 많은 물 따위가 넓게 퍼져 야단스럽게 자꾸 끓다. **2** 큰 거품이 넓게 퍼져 자꾸 일어나다. 센뻐글거리다. **3** 사람·짐승·벌레 등이 많이 모여 움직이다. ¶공원에 많은 사람들이 ~. **4** 마음이 쓰여 속이 타다. ¶딸 걱정에 속이 버글거린다. 작바글거리다. **버글-버글** 부하자
버글-대다 자 버글거리다.
버금 명 서열이나 차례에서 으뜸의 다음.
버금-가다 자 **1** 무엇과 거의 비교할 만하거

나 맞먹다. ¶자동차 값이 웬만한 집 한 채 값에 버금간다. 2 순서나 서열에서 다음이 되다. ¶기량이 그에 ~.
버금딸림-음(-音) 명 〖악〗 서양 음계의 제 4음. 으뜸음보다 완전 5도 아래의 음으로, 딸림음 다음가는 중요한 음.
버긋-하다[-그타-] 형여불 맞붙인 곳에 틈이 조금 벌어져 있다. ¶석류가 버긋하게 벌어져 있다.
버꾸 명 〔←법고(法鼓)〕 〖악〗 농악기의 하나 《자루가 달린 작은 북으로, 모양은 소고와 비슷한데 크기는 훨씬 큼》.
버나 명 〖민〗 남사당놀이의 하나. 한 손에 든 나무나 대나무 꼬챙이 끝에 얹은 사발·대접·접시 등을 공중에서 돌리는 묘기. 대접돌리기.
버너(burner) 명 야외에서 취사용으로 사용하는 휴대용 가열 기구.
버덩 명 높고 평평하며 나무는 없고 잡풀만 우거진 거친 들.
버둥-거리다 자타 1 자빠지거나 주저앉거나 매달리어서 팔다리를 자꾸 내저으며 움직이다. ¶아기가 울며 손발을 ~. 2 곤란한 처지에서 벗어나려고 부득부득 애를 쓰다. ¶살려고 ~/아무리 버둥거려도 소용없다. 작바동거리다. **버둥-버둥** 부하자타. ¶조난자가 밧줄을 잡고 ~ 애를 썼다.
버둥-대다 자타 버둥거리다.
버둥-질 명하자 '발버둥질'의 준말.
버드-나무 명 〖식〗 1 버드나뭇과의 낙엽 교목의 총칭. 버들. 양류. 2 버드나뭇과의 낙엽 활엽 교목. 개울가나 들에 나는데, 높이는 8-10 m, 가늘고 긴 가지가 축 늘어지며, 봄에 꽃이 핌. 삭과 '버들개지'는 바람에 날려 흩어짐. 세공재로 쓰며 가로수·풍치목으로 많이 재배함. 3 수양버들.
버드러-지다 자 1 끝이 밖으로 벌어져 나오다. ¶앞니가 ~. 2 굳어서 뻣뻣하게 되다. 센뻐드러지다.
버드렁-니 명 바깥쪽으로 버드러진 이. 뻐드렁니. ¶웃을 때 살짝 드러나는 ~가 매력적이다. ↔옥니. 준벋니.
버들 명 〖식〗 버드나무1.
버들-가지 명 버드나무의 가지.
버들-강아지 명 버들개지.
버들-개지 명 버드나무의 꽃. 솜 비슷하며 바람에 날려 흩어짐. 버들강아지.
버들-잎[-립] 명 버드나무의 잎.
버들-피리 명 1 버들가지의 껍질로 만든 피리. ¶~를 구성지게 불다. 2 버들잎을 접어 물고 피리 소리처럼 내부는 것.
버디(birdie) 명 골프에서, 기준 타수보다 하나 적은 타수로 홀에 공을 넣는 일. ¶마지막 5개 홀에서 4개의 ~를 잡아냈다.
버러지 명 벌레.
버럭 부 성이 나서 기를 갑자기 쓰거나 소리를 냅다 지르는 모양. ¶소리를 ~ 지르다/~ 화를 내다. 작바락.
버럭-버럭 부 성이 나서 자꾸 기를 쓰거나 소리를 냅다 지르는 모양. ¶~ 악을 쓰며 대들다. 작바락바락.
버려-두다 타 1 아무렇게나 그냥 놓아 두다. ¶주택가에 버려둔 차량. 2 혼자 있게 남겨 놓다. ¶그녀는 아이를 친정에 버려두고 재혼했다.
버력[1] 명 하늘이나 신령이 사람의 죄악을 징계하려고 내린다는 벌.
버력(을) 입다 구 하늘이나 신령의 벌을 받다. ¶저런 버력을 입을 놈.
버력[2] 명 1 물속 밑바닥에 기초를 만들거나 수중 구조물의 밑 부분을 보호하기 위하여 물속에 집어넣는 돌. 2 〖광〗 광물의 성분이 섞이지 않은 잡석. ↔감돌.
버르르 부하자 1 많은 물이 넓게 퍼져 갑자기 끓어오르는 모양. 또는 그 소리. ¶~ 끓는 물에 라면을 넣었다. 2 대수롭지 않은 일에 갑자기 성을 내는 모양. ¶~ 성을 내며 나가 버렸다. 3 추위나 분노로 갑자기 몸을 떠는 모양. ¶화가 나는지 몸을 ~ 떤다. 4 얇은 종이나 나뭇개비에 불이 붙어 타오르는 모양. ¶낙엽에 성냥불이 ~ 붙었다. 작바르르. 거퍼르르. *부르르.
버르장-머리 명 (주로 '없다'와 함께 쓰여) '버릇'을 속되게 이르는 말. ¶그 못된 ~ 좀 고쳐라.
버르적-거리다 타 고통이나 힘든 상태에서 벗어나려고 팔다리를 내저으며 몸을 자꾸 움직이다. ¶노루가 덫에 걸려 ~. 작바르작거리다. 준버릇거리다. **버르적-버르적** 부하타
버르적-대다 타 버르적거리다.
버:르-집다 타 1 파서 헤치거나 벌려 펴다. 2 숨겨진 일을 들추어내다. ¶지나간 일을 자꾸 버르집지 마라. 3 작은 일을 크게 떠벌리다. ¶대단치 않은 일을 크게 ~. 작바르집다.
버름-버름 부하형 물건의 여러 틈이 다 꼭 맞지 않고 조금 벌어져 있는 모양.
버름-하다 형여불 1 물건의 틈이 좀 벌어져 있다. ¶버름해진 문틀. 2 마음이 맞지 않아 사이가 서먹하다. ¶두 사람 사이가 버름해졌다. **버름-히** 부
***버릇**[-륻] 명 1 몸에 익은 행동. 습관. ¶~을 들이다/손톱을 깨무는 ~이 있다. 2 윗사람에게 지켜야 할 예의. ¶~이 없다/~을 가르치다.
버릇-없다[-르덥따] 형 어른이나 남 앞에서 마땅히 지켜야 할 예의가 없다. ¶부모님 앞에서 담배 피우는 것은 버릇없는 짓이다. **버릇-없이**[-르덥씨] 부. ¶~ 굴다.
버릇-하다[-르타-] 보동여불 동사의 어미 '-아·-어·-여' 뒤에 쓰여, 어떤 일이나 동작을 습관적으로 되풀이하다. ¶손가락을 물어 ~/먼 거리도 걸어 버릇하면 가깝게 느껴진다.
버릇-거리다[-륻꺼-] 타 '버르적거리다'의 준말. **버릇-버릇**[-륻뻐륻] 부하타
버릊다[-륻따] 타 1 파서 헤집어 놓다. 2 벌여서 어수선하게 늘어놓다.
버릊-대다[-륻때-] 타 버릇거리다.
***버리다** 一타 1 쓰지 못할 것을 내던지거나 쏟아 놓다. ¶쓰레기를 ~. 2 사이를 끊고 돌보지 아니하다. ¶가정을 ~. 3 떠나다. 등지다. ¶속세를 ~. 4 상해서 쓰지 못하게 만들다. ¶과음으로 몸을 ~. 5 체념하다. 포기하다. ¶희망을 버리지 말고 살아가자/왕위를 ~. 二보동 동사의 어미 '-아·-어·-여' 뒤에 쓰여, 그 동작을 완전히 끝

내다. ¶몽땅 먹어 ~ / 모두 녹여 ~ / 돈을 다 써 ~.
버림 [명] 〔수〕 어림수를 만드는 방법의 한 가지. 구하고자 하는 자리까지의 숫자는 그대로 두고 그 아랫자리의 숫자를 모두 0으로 하는 일. ↔올림. *반올림.
버림-받다 [자] 일방적으로 관계가 끊기어 배척을 당하다. ¶버림받은 사람 / 부모에게 버림받아 고아원으로 보내진 아이.
버:마재비 [명] 〔충〕 사마귀².
버무리 [명] 여러 가지를 한데 뒤섞어서 만든 음식. ¶콩~ / 쑥~.
버무리다 [타] 여러 가지를 한데 뒤섞다. ¶시멘트와 모래를 ~.
버물다 〔버무니, 버무오〕 [자] 못된 일이나 범죄에 관계하다. 연루하다.
버물리다 [一][자] 《'버무리다'의 피동》 한데 뒤섞여 버무려지다. [二][타] 《'버무리다'의 사동》 버무리게 하다.
버:새 [명] 〔동〕 **1** 수말과 암탕나귀 사이에 난 잡종. **2** 수말과 암노새 사이에서 난 잡종.
버석 [부][하][자][타] 가랑잎이나 검불 따위를 밟는 소리. 또는 그 모양. [작]바삭.
버석-거리다 [자][타] 버석 소리가 자꾸 나다. 또는 그런 소리를 자꾸 내다. ¶낙엽을 버석거리며 숲길을 걷는다. [작]바삭거리다. **버석-버석** [부][하][자][타]
버석-대다 [자][타] 버석거리다.
***버선** [명] 광목·무명 등으로 발 모양과 비슷하게 만들어 발에 신는 물건《솜버선·겹버선·홑버선 등이 있음》.
버선-등 [-뜽] [명] 버선의 발등에 닿는 부분.
버선-목 [명] 버선의 발목에 닿는 부분. ¶~이 좨다.
버선-발 [명] 버선만 신고, 신은 신지 않은 발. ¶~로 뛰어나오다 / ~로 도망치다.
버선-볼 [-뽈] [명] **1** 버선 바닥의 너비. ¶~이 좁다. **2** 해진 버선을 기울 때 덧대는 헝겊. ¶~을 대어 신다.
버선-코 [명] 버선의 앞쪽 끝에 뾰족하게 올라온 부분《아이 것에는 술을 달기도 함》.
***버섯** [-섣] [명] 〔식〕 담자균류(擔子菌類)에 속하는 고등균류의 총칭. 주로 그늘이나 썩은 나무에서 자라며 포자로 번식함. 대부분이 우산 모양이며, 독이 없는 것은 식용함《송이·석이·밤버섯 등》. 균심(菌蕈).
버-성기다 [형] **1** 벌어져서 틈이 있다. **2** 두 사람의 사이가 탐탁지 않다. ¶사소한 일로 두 사람 사이가 버성기게 되었다. **3** 분위기 따위가 어색하거나 거북하다.
***버스** (bus) [명] **1** 운임을 받고 일정한 노선을 운행하는 대형의 합승 자동차《시내버스·시외버스·고속버스 따위》. ¶~를 갈아타다 / ~를 놓치다 / ~ 전용 차선. **2** 〔컴〕 하드웨어에서 각 부분품들 사이에 데이터를 전송하는 통로.
버스러-지다 [자] **1** 뭉그러져 잘게 조각이 나 흩어지다. **2** 벗겨져 해어지다. **3** 어떤 범위 안에 들지 못하고 벗나가다. ¶기대가 ~ / 값이 예상 밖으로 ~.
버스럭 [부][하][자][타] 검불이나 낙엽·종이 따위를 밟거나 뒤적이는 소리. ¶마른 낙엽을 밟는 ~ 소리가 나다. [작]바스락. *부스럭.
버스럭-거리다 [자][타] 버스럭 소리가 자꾸 나다. 또는 그런 소리를 자꾸 내다. [작]바스락거리다. *부스럭거리다. **버스럭-버스럭** [부][하][자][타]
버스럭-대다 [자][타] 버스럭거리다.
버스름-하다 [형][여불] 버스러져 사이가 버름하다. **버스름-히** [부]
버스트 (bust) [명] 양재에서, 여자의 가슴둘레를 이르는 말.
버슬-버슬 [부][하][형] 덩이진 가루 등이 말라서 쉽게 부스러지는 모양. ¶흙 반죽이 말라서 ~하다. [작]바슬바슬. [거]퍼슬퍼슬.
버슷버슷-하다 [-슫뻐스타-] [형][여불] 여러 사람의 사이가 잘 어울리지 않다.
버슷-하다 [-스타-] [형][여불] 두 사람 사이가 잘 어울리지 않다.
버썩 [부] **1** 물기가 아주 없거나 타 버리는 모양. ¶계속되는 가뭄으로 논이 ~ 말랐다. **2** 아주 가까이 들러붙거나 죄거나 우기는 모양. ¶허리띠를 ~ 죄다 / ~ 껴안다. **3** 갑자기 나아가거나 늘거나 주는 모양. ¶속셔츠가 ~ 줄었다. **4** 생각이나 기운이 갑자기 일어나는 모양. ¶호기심이 ~ 일다 / ~ 겁이 나다. **5** 단단한 물건을 깨물거나 가랑잎·검불 따위를 밟는 소리. [작]바싹. **버썩-버썩** [부]
버저 (buzzer) [명] 〔물〕 전자석의 코일에 전류를 단속적(斷續的)으로 보내어 철판 조각을 진동시켜 내는 신호. 또는 그런 장치. ¶~가 울리다 / ~를 누르다.
버적-버적 [부] **1** 물기가 적은 물건을 짓이기어 씹거나 빻는 소리. **2** 물기가 거의 없는 물건이 타는 소리. ¶난로에서 나무가 ~ 타다. **3** 마음이 죄는 모양. ¶긴장으로 ~ 땀이 솟는다. **4** 진땀이 몹시 돋는 모양. **5** 애가 타서 입술이 자꾸 마르는 모양. [작]바작바작.
버전 (version) [명] 〔컴〕 **1** 소프트웨어가 몇 번 개정되었는지를 나타내는 번호. **2** 한 소프트웨어를 서로 다른 시스템 환경에서 사용할 수 있도록 각각 제작된 프로그램《도스 버전·윈도 버전 따위》.
버젓-이 [부] 버젓하게. ¶온갖 비난에도 불구하고 모습을 ~ 드러냈다.
버젓-하다 [-저타-] [형][여불] **1** 조심하거나 굽히는 데가 없다. ¶젊은이가 노약자 보호석에 버젓하게 앉아 있다. **2** 번듯하고 떳떳하여 남에게 빠지지 않다. ¶버젓한 회사 / 버젓한 남편이 있는 여자. [센]뻐젓하다.
버정이다 [자] 짧은 거리를 오락가락하다. [작]바장이다.
버짐 [명] 백선(白癬)으로 일어나는 피부병의 통칭《마른버짐·진버짐이 있고, 흔히 얼굴에 생김》. 선창(癬瘡). ¶얼굴에 ~을 먹다.
버쩍 [부] **1** 물기가 몹시 마르거나 졸아붙는 모양. ¶가뭄으로 저수지 물이 ~ 줄었다. **2** 차지게 달라붙거나 또는 세게 우기거나 죄는 모양. ¶~ 다가앉다 / ~ 우기다. **3** 사물이 급하게 나아가거나 또는 갑자기 늘거나 주는 모양. ¶소나기가 퍼붓더니 물이 ~ 늘었다. **4** 몸이 몹시 마른 모양. **5** 몹시 긴장하거나 힘 주는 모양. ¶정신이 ~ 들다 / 겁이 ~ 나다. [작]바짝. **버쩍-버쩍** [부]
버찌 [명] 벚나무의 열매. 흑앵(黑櫻). [준]벚.
버캐 [명] 액체 속의 소금기가 엉기어 뭉쳐진

찌끼. ¶ ~가 끼다.
버클 (buckle) 명 허리띠 따위를 죄어 고정시키는 장치가 되어 있는 장식물.
버터 (butter) 명 우유의 지방을 분리해 응고시킨 식품. 우락(牛酪). ¶ 빵에 ~를 발라 굽다.
버튼 (button) 명 1 단추. ¶ ~을 채우다. 2 누르면 전류가 통하거나 기계가 작동하는 장치. ¶ ~을 눌러 스탠드의 불을 켜다.
버티다 자타 1 어려운 일 따위를 참고 배기다. ¶ 끝까지 버티어 가다 / 끈질기게 ~. 2 맞서서 겨루다. ¶ 떡 버티고 서다. 3 쓰러지지 않게 가누다. ¶ 두 다리로 간신히 버티고 섰다. 4 쓰러지지 않게 괴거나 받치다. ¶ 버팀목으로 ~.
버팀-대 [-때] 명 쓰러지지 않게 받치어 대는 물건. 지주(支柱). ¶ ~를 세우다.
버팀-목 (-木) 명 물건이 쓰러지지 않게 버티어 세우는 나무. ¶ ~을 받치다.
버팅 (butting) 명 권투에서, 머리로 상대 선수를 받는 반칙 행위.
버퍼 (buffer) 명 〖컴〗 데이터의 처리 속도나 단위, 데이터 사용 시간이 다른 두 장치나 프로그램 사이에서 데이터를 주고받기 위한 목적으로 사용되는 임시 기억 장소.
벅 부 1 질긴 종이나 헝겊 따위를 찢는 소리나 모양. ¶ 담벼락에 붙은 포스터를 ~ 찢어 버렸다. 2 세게 긁거나 문지르는 소리나 모양. ¶ 등이 가려워 한 번 ~ 긁다. 작박.
벅-벅 부 1 긁거나 문지르는 소리나 모양. ¶ 누룽지를 ~ 긁다 / 수건으로 때를 ~ 밀다. 2 질긴 종이나 천 따위를 자꾸 찢는 소리나 모양. ¶ 쓰다가 망친 원고지를 ~ 찢다. 3 억지를 부리면서 우기는 모양. ¶ 끝까지 ~ 우기다. 작박박. *북북.
벅신-거리다 자 사람·짐승 등이 한곳에 많이 모여 활발하게 움직이다. ¶ 표를 구하려는 사람들로 ~. 작박신거리다. **벅신-벅신** 부하자
벅신-대다 자 벅신거리다.
벅적-거리다 자 넓은 곳에 많은 사람들이 모여 뒤끓어 움직이다. ¶ 광장은 인파로 벅적거렸다. 작박작거리다. **벅적-벅적** 부하자
벅적-대다 자 벅적거리다.
벅차다 형 1 감당하기가 힘에 겹다. ¶ 그 일이 내게는 ~. 2 생각이나 느낌 따위가 넘칠 듯이 가득하다. ¶ 벅찬 감동. 3 견디기 힘들 정도로 숨이 가쁘다. ¶ 숨이 벅차 더 이상 오르지 못하겠다.
벅차-오르다 [-오르니, -올라] 자르불 생각이나 느낌이 넘칠 듯이 가득하다. ¶ 벅차오르는 감격적인 장면.
***번** (番) 一명 1 차례로 갈마드는 일. 2 차례로 숙직이나 당직을 하는 일. ¶ ~을 서다. 二의명 차례나 횟수를 나타내는 말. ¶ 1~ 타자 / 해외에 여러 ~ 다녀오다.
번을 나다 구 번을 치르고 나오다.
번을 들다 구 번의 차례가 되어 번을 서는 곳으로 들어가다.
번-가루 [-까-] 명 곡식 가루를 반죽할 때 물손을 맞춰 가면서 덧치는 가루.
번-갈다 (番-) [번가니, 번가오] 자 (주로 '번갈아'의 꼴로 쓰여) 차례로 갈마들거나 돌려가다. ¶ 번갈아 가며 차를 운전하다 / 닮은 두 사람을 번갈아 쳐다보다.
번갈아-듣다 (番-) [-들으니, -들어] 타ㄷ불 한 번씩 차례에 따라 듣다. ¶ 나는 목격자들의 얘기를 번갈아들으면서 그가 범인임을 확인했다.
번갈아-들다 (番-) [-드니, -드오] 자 차례로 돌려가며 일을 맡다.
번갈아-들이다 (番-) 타 《'번갈아들다'의 사동》 차례로 번갈아들게 하다.
***번개** 명 1 구름과 구름, 구름과 대지 사이에서 공중 전기의 방전이 일어나 번쩍이는 불꽃. ¶ ~가 치다. 2 동작이 아주 빠르고 날랜 사람이나 사물의 비유.
[번개가 잦으면 천둥을 한다] ㉠어떤 일의 징조가 잦으면 결국 그 일이 생기기 마련이다. ㉡나쁜 일이 잦으면 결국 큰 봉변을 당한다.
번개(와) 같다 구 매우 빠르다. ¶ 번개 같은 솜씨.
번개(와) 같이 구 아주 빨리. 순간적으로. ¶ ~ 날아가는 비행기.
번개처럼 구 순간적으로. 매우 빨리. ¶ 무언가 ~ 머리를 스쳤다.
번갯-불 [-개뿔 / -갠뿔] 명 번개가 칠 때 번쩍이는 빛. 전광(電光). 전화(電火).
[번갯불에 담배 붙인다 ; 번갯불에 콩 볶아 먹겠다] 행동이 매우 재빠르다.
번거-롭다 [-로우니, -로워] 형ㅂ불 1 일의 갈피가 어수선하고 복잡하다. 번쇄하다. ¶ 번거로운 제례(祭禮) 의식. 2 조용하지 못하고 수선스럽다. ¶ 번거롭게 구는 아이들 때문에 잠을 잘 수가 없다. 3 귀찮고 짜증스럽다. ¶ 그의 물음에 일일이 대답하기가 번거로워 대충 고개를 끄덕였다. **번거-로이** 부
번거-하다 형여불 조용하지 않고 자리가 어수선하다. **번거-히** 부
번경 (反耕) 명하타 간 논을 다시 갈아 뒤집는 일.
번고 (煩苦) 명하자 번민하여 괴로워함. 또는 그런 괴로움.
번뇌 (煩惱) 명하자 1 마음이 시달려서 괴로움. ¶ ~의 포로가 되다. 2 〖불〗 마음이나 몸을 괴롭히는 모든 망념(妄念).
번다-스럽다 (煩多-) [-스러우니, -스러워] 형ㅂ불 번거롭게 다양한 데가 있다. ¶ 번다스럽게 차려입은 옷. **번다-스레** 부. ¶ ~ 늘어놓은 옷가지들.
번다-하다 (煩多-) 형여불 귀찮고 번거롭게 많다. ¶ 이목이 ~ / 오가는 행인이 번다한 네거리. **번다-히** 부
번답 (反畓) 명하타 밭을 논으로 만듦. ↔번전(反田).
***번데기** 명 〖충〗 1 완전 변태를 하는 곤충류의 애벌레가 엄지벌레로 되기 전에 한 동안 아무것도 먹지 않고 고치 속에 가만히 들어 있는 몸. 2 특히 누에의 번데기.
번둥-거리다 자 아무 일도 않고 뻔뻔스럽게 놀기만 하다. ¶ 그는 날마다 번둥거리며 놀기만 한다. 작반둥거리다. 센뻔둥거리다. 거펀둥거리다. **번둥-번둥** 부하자
번둥-대다 자 번둥거리다.
번드럽다 [번드러우니, 번드러워] 형ㅂ불 1 윤기가 나도록 미끄럽다. ¶ 번드러운 교실 바닥. 2 사람의 됨됨이가 약삭빠르다. ¶ 요

즘 젊은층의 번드러운 생활 행태. ㈜반드럽다. ㊀뻔드럽다.
번드레-하다 형여불 실속 없이 겉만 번드르르하다. ¶말만은 번드레하게 잘한다. ㈜반드레하다. ㊀뻔드레하다.
번드르르 부하형 윤기가 있고 미끄러운 모양. ¶머리에 기름을 ~ 바르다 / 얼굴이 ~ 하다. ㈜반드르르. ㊀뻔드르르.
번드치다 타 **1** 물건을 한 번에 뒤집다. **2** 마음을 바꾸다.
번득 부하자타 한 번 번득이는 모양. ㈜반득. ㊀번뜩·뻔득.
번득-거리다 자타 잇따라 번득이다. 또는 잇따라 번득이게 하다. ¶어둠 속에서 짐승의 두 눈이 번득거렸다. ㈜반득거리다. ㊀번뜩거리다. **번득-번득** 부하자타
번득-대다 자타 번득거리다.
번득-이다 자타 **1** 물체 따위에 반사된 빛이 잠깐씩 나타나다. 또는 그렇게 되게 하다. ¶햇빛에 비행기의 은빛 날개가 번득인다. **2** 눈빛이 생기 있게 빛나다. ¶눈빛에 적의가 번득인다. ㈜반득이다. ㊀번뜩이다·뻔득이다.
번들 (bundle) 명 〖컴〗 컴퓨터를 구입할 때, 하드웨어와 주변 장비뿐만 아니라 소프트웨어도 포함하여 사는 일.
번들-거리다[1] 자 **1** 거죽이 매끄럽고 윤기가 흐르다. ¶얼굴이 땀으로 ~. **2** 어수룩한 맛이 전혀 없이 약게 굴다. ¶세월이 흐르면 번들거리는 그의 성격도 변하겠지요. ㈜반들거리다. ㊀뻔들거리다[1]. **번들-번들**[1] 부하형. ¶~한 대머리.
번들-거리다[2] 자 게으름을 피우고 뻔뻔스럽게 놀기만 하다. ¶바쁜 농사철에 번들거리며 놀기만 한다. ㈜반들거리다. ㊀뻔들거리다[2]. ㉦편들거리다. **번들-번들**[2] 부하자
번들-대다 자 번들거리다[1·2].
번듯-번듯 [-듣뻔듣] 부하형 큰 물체가 여럿이 다 비뚤어지거나 기울거나 굽지 않고 바른 모양. ¶대로변에 ~한 건물들이 즐비하다.
번듯-이 부 번듯하게. ¶액자를 ~ 걸다. ㈜반듯이. ㊀번뜻이.
번듯-하다 [-드타-] 형여불 **1** 비뚤어지거나 기울거나 굽지 않고 바르다. ¶창가 쪽에 번듯한 책상을 놓다. **2** 생김새가 훤하고 멀끔하다. ¶이목구비가 번듯하게 생겼다. **3** 형편이나 위세가 버젓하고 당당하다. ¶부모님께 번듯한 집을 사드리다. ㈜반듯하다. ㊀번뜻하다.
번뜩 부하자타 한 번 번뜩이는 모양. ㈜반뜩. ㊁번득.
번뜩-거리다 자타 잇따라 번뜩이다. 또는 잇따라 번뜩이게 하다. ㈜반뜩거리다. ㊁번득거리다. **번뜩-번뜩** 부하자타
번뜩-대다 자타 번뜩거리다.
번뜩-이다 자타 매우 번득이다. ¶감시의 눈을 ~ / 기지가 ~ / 재치가 ~. ㈜반뜩이다. ㊁번득이다.
번뜻 [-뜯] 부하자 빛이 갑자기 나타났다 없어지는 모양. ㈜반뜻.
번뜻-번뜻[1] [-뜯뻔뜯] 부하자 여러 번 잇따라 번뜻하는 모양. ㈜반뜻반뜻.
번뜻-번뜻[2] [-뜯뻔뜯] 부하형 큰 물체가 여럿이 다 비뚤어지거나 기울거나 굽지 않고 바른 모양. ¶논배미의 네 귀가 ~하다.
번뜻-이 부 번뜻하게. ㈜반뜻이. ㊁번듯이.
번뜻-하다 [-뜨타-] 형여불 매우 번듯하다. ㈜반뜻하다. ㊁번듯하다.
번무 (煩務) 명 어수선하고 번거로운 일. 번용(煩冗).
번무 (繁務) 명 매우 바쁜 일.
번민 (煩悶) 명하자 마음이 번거롭고 답답하여 괴로워함. 번만(煩懣). ¶사랑에 ~하다 / ~에 시달리다.
번번-이 (番番-) 부 여러 번 다. 매번 다. 매양. ¶~ 실패하다 / 좋은 기회를 ~ 놓치다.
번번-하다 형여불 **1** 펀펀하고 번듯하다. ¶얼음판이 ~. **2** 생김새가 음전하고 미끈하다. ¶외모는 ~. **3** 지체가 제법 높다. ¶그는 번번한 집 자손일세. **4** 물건 따위가 보기에 괜찮고 제법 쓸 만하다. ㈜반반하다. **번번-히** 부
번복 (飜覆·翻覆) 명하타 이리저리 뒤집거나 뒤쳐서 고침. ¶증언을 ~하다 / 심판의 판정이 ~되자 관중이 야유를 보냈다.
번-서다 (番-) 자 번을 들어 지키다.
번설 (煩說) 명하타 **1** 너저분한 잔말. ¶괜한 ~. **2** 떠들어 소문을 냄.
번성 (蕃盛·繁盛) 명하자형 **1** 한창 잘되어 성하게 일어나 퍼짐. 번연(蕃衍). ¶사업이 ~하다 / 자손이 ~한 집안. **2** 초목들이 무성함. 번무(繁茂). ¶잡초가 ~하다.
번쇄-하다 (煩瑣-·煩碎-) 형여불 **1** 너저분하고 자질구레하다. ¶고물상 마당에 온갖 잡다한 물건들이 번쇄하게 널려 있었다. **2** 번거롭다1.
번-수 (番數)[-쑤] 명 차례의 수효.
번식 (繁殖·蕃殖·蕃息) 명하자 붇고 늘어서 많이 퍼짐. 산식(産殖). ¶~ 시기 / 세균의 ~을 억제하다.
번식-기 (繁殖期) 명 〖생〗 동물이 새끼를 치는 시기. ¶물개의 ~.
번식 기관 (繁殖器官) 〖식〗 식물의 번식을 맡은 기관(《꽃·포자·자낭·씨·열매 등》).
번안 (飜案) 명하타 **1** 원작의 내용이나 줄거리는 그대로 두고 풍속·지명·인명 등을 자기 나라의 것으로 바꾸어 고침. ¶~ 소설 / ~ 가요. **2** 안건을 뒤집음.
번역 (飜譯·翻譯) 명하타 한 나라의 말로 표현된 문장의 내용을 다른 나라 말로 옮김. ¶~이 매끄럽지 못하다 / 이 소설은 우리말로도 ~되었다. *의역·직역.
번역-극 (飜譯劇) 명 〖연〗 외국의 희곡을 번역한 극.
번역-기 (飜譯機) 명 〖컴〗 컴파일러.
번역-물 (飜譯物)[-영-] 명 번역한 작품이나 출판물 따위.
번역-자 (飜譯者) 명 작품이나 출판물 따위를 번역한 사람.
번역-판 (飜譯版) 명 번역하여 출판한 책. ¶그 소설의 우리말 ~이 출판되었다.
번연-하다 형여불 결과나 상태 따위가 훤하게 들여다보이듯이 분명하다. ¶번연한 것을 캐묻다. **번연-히** 부. ¶소용이 없다는 걸 ~ 알면서도 억지를 부린다.
번영 (繁榮) 명하자형 번성하고 영화롭게 됨. ¶물질적 ~ / 날로 ~하는 기업.

번요-하다 (煩擾—) [형][여불] 번거롭고 요란스럽다.
번우-하다 (煩憂—) [형][여불] 괴로워서 근심스럽다.
번울-하다 (煩鬱—) [형][여불] 가슴 속이 답답하고 갑갑하다.
번의 (飜意·翻意)[−/−이] [명][하타] 본디의 생각을 뒤바꿈. ¶그의 ~를 종용하다 / 이미 한 결정을 ~할 생각이 없다.
번작 (燔灼) [명][하타] 불에 구움.
번잡 (煩雜) [명][하형] 번거롭게 뒤섞여 어수선함. ¶~한 장터 / 도시의 ~을 피하여 교외로 나가다.
번잡-스럽다 (煩雜—)〔−스러우니, −스러워〕[형][ㅂ불] 한데 뒤섞여 있어 어수선한 데가 있다. ¶번잡스러운 일. **번잡-스레** [부]
번적 [부][하자타] 번적이는 모양. (작)반작. (센)번쩍·뻔적·뻔쩍.
번적-거리다 [자타] 자꾸 번적이다. ¶새로 산 구두가 ~. (작)반작거리다. **번적-번적** [부][하자타]
번적-대다 [자타] 번적거리다.
번적-이다 [자타] 빛이 잠깐 나타났다 사라지다. 또는 그렇게 되게 하다. (작)반작이다. (센)뻔적이다·뻔쩍이다.
번전 (反田) [명][하타] 논을 밭으로 만듦. ↔번답(反畓).
번조 (燔造) [명][하타] 질그릇·사기그릇 등을 구워 만들어 냄.
번족 (蕃族·繁族) [명][하형] 자손이 많아 번성한 집안.
번주그레-하다 [형][여불] 생김새가 겉보기에 번번하다. (작)반주그레하다.
번죽-거리다 [자] 얼굴이 번번하게 생긴 사람이 이죽이죽하면서 자꾸 느물거리다.
번죽-대다 [자] 번죽거리다.
번지 [명] **1** 논밭의 흙을 고르는 데 쓰는 농기구《씨를 뿌리기 전에 모판을 판판하게 고르는 데 씀》. **2** 탈곡한 곡식을 긁어모으는 데 쓰는 농기구.
***번지** (番地) [명] **1** 땅을 일정한 기준에 따라 나누어 매겨 놓은 번호. 또는 그 토지. ¶종로 1~. **2**〔컴〕주소.
번:지다 [자] **1** 액체가 묻어서 차차 넓게 젖어 퍼지다. ¶잉크가 ~. **2** 차차 넓게 옮아가다. ¶전염병이 마을 전체에 ~ / 불길이 ~ / 나쁜 소문이 ~.
번지럽다〔번지러우니, 번지러워〕[형][ㅂ불] 기름기 따위가 묻어서 윤이 나고 미끄럽다.
번지레 [부][하형] 조금 번지르르한 모양. ¶말만은 ~하다 / 얼굴이 ~하다. (작)반지레.
번지르르 [부][하형] **1** 윤이 나고 미끄러운 모양. ¶얼굴에 기름기가 ~ 흐른다. **2** 실속 없이 겉만 그럴듯한 모양. ¶~하게 온갖 거짓말을 늘어놓다. (작)반지르르. (센)뻔지르르.
번지-수 (番地數)[−쑤] [명] 번지의 호수.
번지수가 틀리다 [구] 어떤 일에 들어맞지 않거나 엉뚱한 데를 잘못 짚다.
번지수를 잘못 짚다 [구] 생각을 잘못하여 엉뚱한 방향으로 나가다.
번질-거리다 [자] **1** 몹시 윤이 나고 미끈거리다. ¶얼굴이 온통 땀으로 ~. **2** 몹시 게으름을 피우며 일을 아니하다. (작)반질거리다. (센)뻔질거리다. **번질-번질** [부][하자형]
번질-대다 [자] 번질거리다.
번-째 (番—) [의명] 차례나 횟수를 나타내는 말. ¶첫 ~ / 몇 ~.
***번쩍**[1] [부] **1** 물건을 아주 가볍게 들어 올리는 모양. ¶한 말들이 물통을 ~ 들어 나른다. **2** 물건의 끝이 갑자기 아주 높이 들리는 모양. **3** 몸의 한 부분을 갑자기 위로 높이 들어 올리는 모양. ¶아이는 쭈뼛쭈뼛하다가 손을 ~ 들고 대답했다 / ~ 고개를 쳐들었다. (작)반짝. **4** 눈을 갑자기 크게 뜨는 모양. ¶그녀는 감았던 눈을 ~ 뜨더니 노려보았다.
번쩍[2] [부][하자타] 빛이 잠깐 강하게 나타났다 사라지는 모양. ¶밤하늘에 섬광이 ~ 빛나다. (작)반짝. (여)번적. (센)뻔쩍.
번쩍[3] [부] 갑자기 정신이 들거나 감각되거나 마음이 끌리는 모양. ¶경적 소리에 정신이 ~ 들다. (작)반짝.
번쩍-거리다 [자타] 자꾸 번쩍이다. ¶거리에 네온사인이 번쩍거린다. (작)반짝거리다. **번쩍-번쩍**[1] [부][하자타]
번쩍-대다 [자타] 번쩍거리다.
번쩍-번쩍[2] [부][하형] 물건을 매우 가볍게 잇따라 들어 올리는 모양. ¶무거운 짐을 ~ 들어 나르다. (작)반짝반짝.
번쩍-이다 [자타] 빛이 잠깐 나타났다 사라지다. 또는 그렇게 되게 하다. ¶번개가 번쩍이더니 곧 천둥이 치기 시작했다. (작)반짝이다.
번-차례 (番次例) [명] 돌려 가며 갈마드는 차례. ¶~를 기다리다. (준)번차.
번창 (繁昌) [명][하자] 일이 썩 잘되어 발전함. ¶사업이 ~하다.
번철 (燔鐵) [명] 지짐질하는 데 쓰는, 솥뚜껑 모양의 무쇠 그릇. 전철(煎鐵). ¶~에 저냐를 부치다. (준)철(鐵).

번철

번트 (bunt) [명][하타] 야구에서, 타자가 투수가 던진 공에 배트를 가볍게 대어 가까운 거리에 떨어지게 하는 타법. 연타(軟打). ¶~를 대다 / 초구를 ~하다.
번:-하다 [형][여불] **1** 어두운 가운데 조금 훤하다. ¶동쪽 하늘이 ~. **2** 무슨 일이 그렇게 될 것이 분명하다. ¶실패할 것은 ~. **3** 바쁜 가운데 잠깐 틈이 있다. ¶오후는 오전과 달리 좀 ~. **4** 병세가 좀 가라앉다. (작)반하다. (센)뻔하다. **번:-히** [부]
***번호** (番號) [명] 차례를 나타내거나 식별하기 위해 붙이는 숫자. ¶비밀 ~를 외우다 / ~가 틀린다 / ~를 매기다.
번호-부 (番號簿) [명] 번호를 적어 놓은 책. ¶~를 뒤적이다.
번호-판 (番號版) [명] 번호가 적혀 있는 판. ¶자동차 ~.
번호-표 (番號票) [명] 번호를 적은 표. ¶~를 받고 차례를 기다리다.
번화-가 (繁華街) [명] 번성하여 화려한 거리.
번화-하다 (繁華—) [형][여불] 번성하고 화려하다. ¶번화한 시가지.
벋-가다 [자] 올바른 길에서 벗어나게 행동하다. ¶저만한 나이에는 벋가기 쉽다. (센)뻗가다.
벋-나가다 [번—] [자] **1** 끝이 밖으로 벌어져 나가다. 2 옳은 길에서 벗어나 잘못된 행동을 하다. ¶가정 환경이 저 지경이니 아이가 자꾸 벋나갈 수밖에 없지.
벋-나다 [번-] 자 1 끝이 바깥쪽으로 나다. ¶가지가 ~/이가 ~. 2 못된 길로 나가다. ¶원생들이 벋나지 않도록 선도하다.
벋-놓다 [번노타] 타 바른길에서 제멋대로 벗어나게 내버려두다.
벋-니 [번-] 명 '버드렁니'의 준말.
벋다[1] 자 1 가지나 덩굴 등이 길게 자라다. ¶하늘로 죽죽 벋은 대나무. 2 힘이 어디까지 미치다. ¶사람의 힘이 우주에까지 벋고 있다. 3 길 따위가 어떤 방향으로 길게 이어져 가다. ¶들판 가운데 벋어 있는 도로. 4 팔이나 다리를 펴거나 길게 내밀다. ¶두 다리를 죽 ~. 센뻗다.
벋다[2] 형 끝이 바깥쪽으로 향해 있다. ¶이가 ~. ↔옥다■.
벋-대다 자 순종하지 않고 힘껏 버티다. ¶모진 고문에도 끝까지 ~. 센뻗대다.
벋-디디다 타 1 발에 힘을 주고 버티어 디디다. 2 테두리나 금 밖으로 내어 디디다. 센뻗디디다. 준벋딛다.
벋-딛다 타 '벋디디다'의 준말.
벋버듬-하다 형여불 1 두 끝이 바깥쪽으로 벋어서 사이가 뜨다. 2 말이나 행동이 좀 거만스럽다. ¶돈 좀 있다고 벋버듬하게 굴지 마라. 3 사이가 틀어져 버성기다.
벋-서다 자 버티어 맞서서 겨루다. ¶두 진영의 장수가 위풍당당하게 벋서고 있다. 센뻗서다.
벋정-다리 명 1 구부렸다 폈다 하지 못하고 늘 벋어 있는 다리. 또는 그런 다리를 가진 사람. 2 뻣뻣해져서 마음대로 굽힐 수가 없게 된 물건. 센뻗정다리.
벋치다 자 '벋다1'의 힘줌말. 센뻗치다.
벌[1] 명 넓고 평평한 땅. 거펄. *들[1].
*__벌__[2] ㊀명 옷·그릇 등 짝을 이루거나 여러 가지가 모여 갖추어진 덩어리. ¶옷을 ~로 맞추다. ㊁의명 옷·그릇 등 짝을 이루는 물건을 세는 말. ¶양복 한 ~.
*__벌:__[3] 명 〔충〕 1 막시류 중 개미류를 제외한 곤충의 총칭. 몸길이 1-20mm까지 있는데, 대개 배는 많은 마디로 되어 있으며, 암컷은 꼬리 끝의 산란관을 독침으로도 씀. 단독 또는 집단생활을 함. 2 '꿀벌'의 준말.
벌에 쏘였나 구 몹시 나부대거나 날뛰는 사람의 비유.
*__벌__ (罰) 명하타 잘못하거나 죄를 지은 사람에게 괴로움을 주는 일. ¶엄한 ~을 받다/~이 무서워 죄를 짓지 않는다.
벌거-벗기다 [-벋끼-] 타 《'벌거벗다'의 사동》 벌거벗게 하다. ¶아이를 벌거벗기어 목욕을 시키다. 작발가벗기다. 센뻘거벗기다.
벌거-벗다 [-벋따] 자 1 알몸이 되도록 옷을 죄다 벗다. ¶아이들은 벌거벗고 냇물로 뛰어들었다. 2 나무나 풀이 없어 흙이 드러나 보이다. ¶한국에 벌거벗은 산은 없다. 작발가벗다. 센뻘거벗다.
[벌거벗고 환도(環刀) 차기] 어울리지 않아 어색하게 보임.
벌거-숭이 명 1 벌거벗은 알몸. 2 재산이나 돈을 모두 잃고 빈털터리가 된 사람. ¶화재로 하루아침에 ~가 되었다. 작발가숭이. 센뻘거숭이.
벌거숭이-산 (-山) 명 나무나 풀이 없는 산. 민둥산.
벌겅 명 벌건 빛깔이나 물감. ¶~ 진흙. 작발강. 센뻘겅.
벌:겋다 [-거타] 〔벌거니, 벌거오〕 형ㅎ불 어둡고 연하게 붉다. ¶술에 취해 얼굴이 ~. 작발갛다. 센뻘겋다.
벌:게-지다 자 벌겋게 되다. ¶무안을 당해 얼굴이 ~. 작발개지다. 센뻘게지다.
벌과-금 (罰科金) 명 벌금. ¶~을 물다.
벌그데데-하다 형여불 곱지 않고 조금 보기 싫게 벌그스름하다. 작발그대대하다.
벌그뎅뎅-하다 형여불 고르지 않게 벌그스름하다. 작발그댕댕하다.
벌그레 부하형 엷게 벌그스름한 모양. ¶술기운으로 얼굴이 ~하다. 작발그레.
벌그무레-하다 형여불 아주 엷게 벌그스름하다. ¶해가 뜨는지 동녘 하늘이 벌그무레해 온다. 작발그무레하다.
벌그스레-하다 형여불 벌그스름하다.
벌그스름-하다 형여불 조금 벌겋다. ¶날이 밝는지 동쪽 하늘이 벌그스름해 온다. 작발그스름하다. 센뻘그스름하다. **벌그스름-히** 부
벌그죽죽-하다 [-쭈카-] 형여불 칙칙하고 고르지 아니하게 벌그스름하다. ¶술기운에 목이 ~. 작발그족족하다. 센뻘그죽죽하다. **벌그죽죽-히** [-쭈키] 부
벌금 (罰金) 명 1 계약 위반에 대한 벌로 내게 하는 돈. 벌과금. ¶~을 물다. 2 〔법〕 재산형의 하나. 범죄의 처벌로서 부과하는 돈. ¶~을 부과하다.
벌금-형 (罰金刑) 명 〔법〕 범죄의 처벌 방법으로 벌금을 물리는 형. ↔체형.
벌긋-벌긋 [-귿뻘귿] 부하형 군데군데 벌그스름한 모양. 작발긋발긋. 센뻘긋뻘긋.
벌:기다 타 속에 있는 것이 드러나도록 헤쳐 벌리다. ¶밤송이를 ~. 작발기다.
벌꺽 부 1 급작스럽게 화를 내거나 기운을 쓰는 모양. ¶~ 화를 내다. 2 온통 시끄럽고 어수선한 모양. ¶아들의 가출로 집안이 ~ 뒤집혔다. 3 닫혀 있던 것을 갑자기 세게 여는 모양. ¶문을 ~ 열다. 작발깍. 센뻘꺽. 거벌컥.
벌꺽-거리다 ㊀자 1 빚어 담근 술이 부걱부걱 괴어오르는 소리가 자꾸 나다. 2 빨래를 삶을 때 몹시 끓어서 부풀어 오르는 소리가 자꾸 나다. ㊁자타 1 반죽을 세게 주무르거나 밟는 소리가 자꾸 나다. 또는 그런 소리를 자꾸 내다. 2 음료나 술 따위를 거침없이 들이켜는 소리를 자꾸 내다. 작발깍거리다. 거벌컥거리다. **벌꺽-벌꺽** 부하자타
벌꺽-대다 자타 벌꺽거리다.
벌:-꿀 명 꿀. ¶~을 채집하다.
벌끈 부하자 1 걸핏하면 성을 왈칵 내는 모양. ¶그 사람은 ~하는 성질이 있다. 2 뒤집어엎을 듯이 시끄러운 모양. ¶데모로 온 거리가 ~ 뒤집혔다. 작발끈. 센뻘끈.
벌끈-거리다 자 걸핏하면 성을 자꾸 왈칵 내다. ¶사소한 일에 ~. 작발끈거리다. 센뻘끈거리다. **벌끈-벌끈** 부하자

벌끈-대다 [자] 벌끈거리다.

벌:다[1] 〔버니, 버오〕 [자] **1** 틈이 나서 사이가 뜨다. ¶문짝이 ~/잇새가 ~. **2** 그릇 따위가 속이 얕고 위가 넓게 생기다. **3** 식물의 가지 따위가 옆으로 벋다.

***벌:다**[2] 〔버니, 버오〕 [타] **1** 일을 하여 돈이 생기게 하다. ¶노동으로 생활비를 ~/아르바이트로 학비를 ~. **2** 못된 짓을 하여 벌을 스스로 청하다. ¶괜한 투정을 부려 매를 ~. **3** 시간이나 돈을 아껴 여유가 생기다. ¶차비를 ~/시간을 ~.

벌:다[3] 〔버니, 버오〕 [형] 몸피가 한 주먹이나 한 아름에 들 정도보다 좀 더 크다. ¶아름에 ~.

***벌떡** [부] 갑자기 일어나거나 뒤로 자빠지는 모양. ¶자리에서 ~ 일어나다/주먹 한 방에 ~ 뒤로 나가떨어지다. (작)발딱. (센)뻘떡.

벌떡-거리다 [자] **1** 맥박이나 심장이 계속해서 거칠고 세게 뛰다. ¶가슴이 ~. **2** 물을 거침없이 빠르게 잇따라 들이켜다. ¶물을 벌떡거리며 마시다. **3** 힘을 쓰거나 행동을 하고 싶어 자꾸 애를 쓰다. (작)발딱거리다.

벌떡-벌떡 [부][하자]

벌떡-대다 [자] 벌떡거리다.

벌:-떼 [명] 한꺼번에 무리를 지어 나는 많은 벌. 봉군(蜂群). ¶~의 공격을 받다/성난 군중이 ~처럼 달려들었다.

벌렁 [부] 별안간 힘없이 뒤로 자빠지는 모양. ¶~ 드러눕다/~ 나자빠지다. (작)발랑.

벌렁-거리다 [자] 몸의 일부가 크게 가볍고 재빠르게 자꾸 움직이다. ¶콧구멍이 ~/벌렁거리는 가슴을 진정시키다. **벌렁-벌렁** [부][하자]

벌렁-대다 [자] 벌렁거리다.

***벌레** [명] **1** 곤충이나 기생충 따위의 하등 동물의 총칭. **2** 어떤 일에 열중하는 사람의 비유. ¶공부 ~라 그런지 1등을 놓치질 않는다.

[벌레 먹은 배추 잎 같다; 벌레 먹은 삼 잎 같다] 얼굴에 검버섯이나 기미가 많이 낀 모양의 비유.

벌레잡이 식물 (-植物)[-싱-] 〖식〗 잎으로 벌레를 잡아 소화·흡수하여 양분을 취하는 식물의 총칭《모드라기풀·파리지옥풀 따위》. 식충(食蟲) 식물.

벌룩-하다 [-루카-] [형][여불] 틈이 조금 크게 벌어져 있다.

벌룽-거리다 [一][자][타] 탄력이 있는 물체가 자꾸 벌어졌다 우므러졌다 하다. 또는 그리 되게 하다. ¶개가 냄새를 따라 코를 벌룽거리며 다가간다. [二][자] **1** 국물 따위가 끓을락 말락 천천히 뒤섞이다. **2** 하는 일 없이 게으르게 놀며 돌아다니다. **벌룽-벌룽** [부][하자타]

벌룽-대다 [자타] 벌룽거리다.

벌름-거리다 [자타] 탄력 있는 물건이 부드럽고 넓게 벌어졌다 닫혀졌다 하다. 또는 그렇게 되게 하다. ¶개가 냄새를 맡으려고 코를 벌름거린다. (작)발름거리다. **벌름-벌름** [부][하자타]

벌름-대다 [자타] 벌름거리다.

벌름-하다 [형][여불] 탄력 있는 물체가 우므러져 있지 않고 조금 벌어져 있다. (작)발름하다. **벌름-히** [부]

벌:리다[1] [자] 《'벌다[2]'의 피동》 돈벌이가 되다. ¶돈이 벌리는 장사.

***벌:리다**[2] [타] **1** 둘 사이를 넓히거나 멀게 하다. ¶틈을 ~/행간을 ~. **2** 열어서 속의 것을 드러내다. ¶귤껍질을 까서 ~. **3** 우므러진 것을 펴서 열다. ¶자루를 ~. (작)발리다. *벌기다·벌이다.

> **'벌리다'와 '벌이다'**
>
> **벌리다** '돈벌이가 되다' 또는 '사이를 넓히거나 열다'의 뜻이다.
> (예) 다리를 벌리다/돈이 잘 벌린다.
>
> **벌이다** '일이나 가게를 시작하다' 또는 '물건을 늘어놓다'의 뜻이다.
> (예) 사업을 벌이다/책들을 벌여 놓다.

벌-모 [명] **1** 모판 구역 밖에 볍씨가 떨어져 자라난 모. **2** 〈속〉 일을 말막음으로 대충 하였을 때 쓰는 말. **3** 허튼모.

벌목 (伐木) [명][하타] 나무를 벰. 간목(刊木). ¶~ 작업.

벌-물 [명] 물을 논에 대거나 그릇에 넣을 때 한데로 나가는 물.

벌-물 (罰-) [명] **1** 고문하거나, 벌을 주기 위하여 강제로 먹이는 물. 벌수(罰水). **2** 맛도 모르고 마구 들이켜는 물.

[벌물 켜듯 한다] 젖이나 술 같은 것을 세게 빨거나 들이켤 때에 쓰는 말.

벌벌 [부] **1** 춥거나 무서워 몸을 크게 자꾸 떠는 모양. ¶추위에 ~ 떨다. **2** 재물 따위를 몹시 아끼는 모양. ¶돈 몇 푼에 ~ 떨다. **3** 몸을 바닥에 붙이고 좀 큰 동작으로 기는 모양. ¶~ 기다. (작)발발.

벌-서다 (罰-) [자] 잘못한 것이 있어 일정한 곳에서 벌을 받다. ¶장난치다 들켜 두 손을 들고 ~.

벌-술 (罰-)[-쑬] [명] 벌주(罰酒).

***벌써** [부] **1** 이미 오래 전에. ¶그 소식은 ~ 들어 알고 있다. **2** 예상보다 빠르게. 어느새. ¶~ 두 시간이 지났다/~ 아이가 둘이나 된다.

벌:-쐬다 [자] **1** 벌에 쏘이다. **2** 밤이 익기 전에 송이가 병적으로 터져 벌어지다.

벌-쓰다 (罰-)〔벌쓰니, 벌써〕 [자] 잘못한 것이 있어 벌을 받다. ¶수업 중에 장난을 치고 벌썼다.

벌-씌우다 (罰-)[-씨-] [타] 《'벌쓰다'의 사동》 벌쓰게 하다.

***벌:어-들이다** [타] 돈이나 물건 따위를 벌어서 가져오다. ¶외화를 ~.

벌:어-먹다 [자] 벌이를 하여 먹고살다. ¶갈수록 벌어먹기 힘들다/막일로 근근이 벌어먹고 산다.

***벌:어-지다** [자] **1** 갈라져서 사이가 뜨다. ¶틈이 ~. **2** 두 사람 사이가 버성기게 되다. ¶다투더니 사이가 벌어졌다. **3** 활짝 펴져서 넓게 열리다. ¶밤송이가 ~. **4** 가슴이나 어깨 따위가 옆으로 퍼지다. ¶딱 벌어진 어깨. (작)바라지다. **5** 차이가 커지다. ¶성적 차가 더욱 벌어졌다/빈부의 차가 더 벌어졌다. **6** 어떤 일이 일어나다. ¶잔치가 ~/동네 어귀에서 싸움이 벌어졌다. **7** 광경이 눈앞에 펼쳐지다. ¶뜻밖에 놀라운 광

경이 벌어졌다.
벌열 (閥閱) 명하형 나라에 공로가 많고 벼슬 경력이 많음. 또는 그런 집안. 벌족(閥族). ¶~ 가문/~ 자제.
벌:음 명 〖건〗 건물의 한 면에서 보이는 몇 칸살의 벌어져 있는 길이. ¶세 칸 ~/~이 크다.
벌:이 명하자 일을 하여 돈을 버는 일. ¶~가 잘되다.
***벌:이다** 타 **1** 일을 시작하거나 펼치다. ¶사업을 ~. **2** 전쟁이나 말다툼 따위를 하다. ¶한바탕 싸움을 ~/논쟁을 ~. **3** 가게를 차리다. ¶생선 가게를 ~. **4** 물건을 늘어놓다. ¶상품을 벌여 놓다. ☞벌리다.
벌:이-줄 명 **1** 물건을 버틸 수 있게 이리저리 얽어매는 줄. **2** 과녁의 솔대를 켕겨 매는 줄. **3** 연의 네 귀퉁이로부터 비스듬히 올라와 가운뎃줄과 한데 모이게 매는 줄.
벌이줄(을) 잡다 구 연에 벌이줄을 매다.
벌:잇-줄 [-이쭐/-읻쭐] 명 돈벌이를 할 수 있는 길. 밥줄. ¶~이 나타나다.
벌점 (罰點)[-쩜] 명 잘못한 것을 벌로 따지는 점수. 다른 점수에서 벌로 빼내는 점수. ¶반칙에는 ~을 매긴다.
벌주 (罰酒)[-쭈] 명 벌로 먹이는 술. 벌술. ¶모임에 늦어 ~를 마시다. ↔상주.
벌-주다 (罰-) 타 벌을 가하다. ¶죄지은 사람에게 벌주는 것은 당연하다.
벌:-집 [-찝] 명 **1** 〖충〗 벌이 산란하고 먹이와 꿀을 저장하며 생활하는 집. 봉소(蜂巢). 봉방(蜂房). **2** 소의 양(胖)에 벌집같이 생긴 고기. **3** 여러 개의 작은 방들이 다닥다닥 붙어 이루어진 집의 비유.
[벌집을 건드렸다] 섣불리 건드리고 큰 탈을 만났을 때에 일컫는 말.
벌집(을) 쑤신 것 같다 구 소란이 커져서 수습을 할 수 없게 되다.
벌:집-위 (-胃)[-찝-] 명 〖생〗 반추 동물에 있는 벌집 모양의 둘째 위《음식물을 혼합해 다시 입으로 내보냄》. 봉소위(蜂巢胃).
벌쭉-거리다 자타 **1** 벌어졌다 여며졌다 하다. 또는 그렇게 되게 하다. **2** 입을 조금 크게 벌려 소리 없이 자꾸 웃다. **벌쭉-벌쭉** 부하자타
벌쭉-대다 자타 벌쭉거리다.
벌쭉-이 부 벌쭉하게.
벌쭉-하다 [-쭈카-] 형여불 좁고 길게 벌어져서 쳐들려 있다. 쎈빨쭉하다.
벌창 명하자 **1** 물이 넘쳐 흐름. ¶큰물이 져 시내가 ~을 한다. **2** 물건이 많이 나와 있음. ¶추석이 다가오니 가게마다 햇과일이 ~을 한다.
벌채 (伐採) 명하타 나무를 베어 내고 섶을 깎아 냄. 채벌(採伐). ¶~ 작업/무분별한 ~로 생태계가 파괴되고 있다.
벌책 (罰責) 명하타 작은 잘못을 저지른 사람을 꾸짖어 가볍게 벌함. ¶~을 내리다.
벌초 (伐草) 명하자타 무덤의 잡초를 베어서 깨끗이 함. ¶성묘를 하고 ~를 하다.
벌충 명하타 모자라는 것을 대신 채움. ¶결손을 ~하다.
벌칙 (罰則) 명 법규를 어긴 행위에 대한 처벌을 정해 놓은 규칙. ¶~을 강화하다.
벌컥 부 **1** 갑자기 화를 내거나 기운을 쓰는 모양. ¶화를 ~ 내다/~ 소리를 지르다. **2** 갑자기 온통 혼란스러운 모양. ¶테러 사건으로 전 세계가 ~ 뒤집혔다. **3** 닫혀 있던 것을 갑자기 세게 여는 모양. ¶문을 ~ 열어젖히다. 작발칵. 쎈벌꺽·뻘꺽.
벌컥-거리다 一자 **1** 빚어 담근 술이 부걱부걱 괴어오르는 소리가 자꾸 나다. **2** 빨래를 삶을 때에 몹시 끓어서 부풀어 오르는 소리가 자꾸 나다. 二타 반죽을 세게 주무르거나 밟는 소리가 자꾸 나다. 또는 그런 소리를 자꾸 내다. 작발칵거리다. 쎈뻘꺽거리다. **벌컥-벌컥** 부하자타
벌컥-대다 자타 벌컥거리다.
***벌:-통** (-桶) 명 꿀벌을 치는 통.
***벌판** 명 사방이 넓고 평평한 땅. ¶광활한 ~을 달리다.
범: 명 〖동〗 호랑이.
[범 나비 잡아먹듯] 음식 등이 양에 차지 못하다. [범도 새끼 둔 골을 두남둔다] 자기와 관계가 있는 것을 소중히 여긴다. [범도 제 소리 하면 오고, 사람도 제 말 하면 온다] 남의 말을 하자 마침 그 사람이 나타난다. [범 없는 골에는 토끼가 스승이다] 잘난 사람이 없는 곳에서 못난 사람이 잘난 체함을 비유하는 말. [범에게 물려 가도 정신만 차리면 산다] 호랑이에게 물려 가도 정신만 차리면 산다. [범에게 날개] 힘이나 능력이 있는 사람이 더욱 힘을 얻게 됨을 이르는 말. [범 탄 장수 같다] 위세가 대단한데 거기다 또 위력이 가해진 사람의 비유.
범의 아가리를〔입을〕 벗어나다 구 매우 위급한 경우를 벗어나다.
범: (梵) 명 인도 브라만교에서, 우주의 최고 원리 또는 신.
범: (犯) 의명 형벌을 받은 횟수를 세는 단위. ¶폭력 전과 3 ~.
범:- (汎) 두 '널리 그 전체에 걸치는'의 뜻. ¶~국민 운동/~세계적인 축제.
-범 (犯) 미 '범행·범인'의 뜻. ¶정치~/형사~/흉악~.
범:강-장달이 (范彊張達-) 명 〔삼국지(三國志)에 나오는 인물인 범강과 장달에서〕 키가 크고 우락부락하게 생긴 사람을 가리키는 말.
범:골 (凡骨) 명 **1** 특별한 재주나 능력이 없는 평범한 사람. **2** 도를 닦지 못한 범인(凡人). **3** 신라 때, 성골·진골이 아닌 평민.
범:국민-적 (汎國民的)[-궁-] 관명 널리 국민 전체에 관계된 (것). ¶진상 규명에 대한 서명 운동을 ~으로 벌이다.
범:-굴 (-窟) 명 범이 사는 굴. 호굴(虎窟).
[범굴에 들어가야 범을 잡는다] 큰 목적을 이루려면 그만한 위험과 수고는 이겨 내야 한다.
범:-나비 명 〖충〗 호랑나비.
범:-띠 명 '인생(寅生)'을 범의 속성을 상징하여 일컫는 말.
범:람 (氾濫·汎濫)[-남] 명하자 **1** 큰물이 넘쳐 흐름. 범일(汎溢). ¶갑작스러운 폭우로 하천이 ~하다. **2** 바람직하지 못한 것이 크게 나돎. ¶수입품의 ~.
범:람-원 (氾濫原)[-남-] 명 〖지〗 홍수 때 물에 잠기는, 하천의 양쪽 곁에 있는 낮은

땅. 홍함지(洪涵地).
범:례(凡例)[-녜] 명 일러두기.
범:례(範例)[-녜] 명 예시하여 모범으로 삼는 것. ¶~를 따르다.
범:론(汎論·氾論)[-논] 명 개괄적인 언론.
범:류(凡類)[-뉴] 명 뛰어나지 못한 평범한 사람의 부류. 또는 거기에 속한 사람.
범:물(凡物) 명 **1** 하늘과 땅 사이의 모든 물건. **2** 평범한 사람이나 물건.
범:민(凡民) 명 **1** 모든 국민. **2** 서민2.
범:백(凡百) 명 **1** 갖가지의 사물. **2** 상궤(常軌)에 벗어나지 않는 보통의 말이나 행동.
범:백-사(凡百事) 명 갖가지 일. 온갖 일.
범벅 명 **1** 곡식 가루에 호박 따위를 섞어서 풀처럼 되게 쑨 음식. ¶메밀 ~. **2** 여러 가지가 뒤섞이어 갈피를 잡을 수가 없이 된 상태. **3** 질척질척한 것이 몸에 잔뜩 묻은 상태. ¶그의 얼굴이 눈물로 ~이 되었다.
범:범-하다(泛泛-) 형 여불 꼼꼼하지 아니하고 데면데면하다. ¶범범하게 행동하다. **범:범-히** 부. ¶~ 굴다.
범:법(犯法)[-뻡] 명하자 법을 어김. 범과(犯科). ¶~을 일삼다 / ~ 사실을 눈감아 주다.
범:법-자(犯法者)[-뻡-] 명 법을 어긴 사람.
범:본(範本) 명 본보기.
범:부(凡夫) 명 **1** 평범한 사내. 범인(凡人). ¶나는 일개 ~에 지나지 않는다. **2**〖불〗번뇌에 얽매여서 생사를 초월하지 못하는 사람.
범:사(凡事) 명 **1** 모든 일. **2** 평범한 일.
범:상-하다(凡常-) 형 여불 대수롭지 않고 평범하다. 심상(尋常)하다. ¶그는 범상한 인물이 아닌 것 같다. **범:상-히** 부
범:서(梵書) 명 **1** 범자(梵字)로 기록된 글. 범문(梵文). **2**〖불〗불경(佛經).
범:선(帆船) 명 돛단배.
범:속(凡俗) 명하형 평범하고 속됨. ¶아무리 뜯어보아도 ~하지 않은 사람.
범:신-론(汎神論)[-논] 명〖철〗자연과 신의 대립을 인정하지 않고, 일체의 자연은 곧 신이며, 신은 곧 일체의 자연이라고 하는 종교관 또는 철학관. ↔이신론.
범:실(凡失) 명 야구에서, 대수롭지 않은 상황에서 저지르는 실책. ¶~이 잦다.
범:-아귀 명 엄지손가락과 집게손가락과의 사이.
범:야(汎野) 명 야권(野圈)의 모든 사람. 또는 그 세력. ↔범여(汎與).
범:어(梵語) 명 산스크리트(Sanskrit).
범:여(汎與) 명 여권(與圈)의 모든 사람. 또는 그 세력. ↔범야(汎野).
범:연-하다(泛然-) 형 여불 차근차근한 맛이 없이 데면데면하다. ¶범연하게 행동하다. **범:연-히** 부. ¶~ 굴다.
범:용(凡庸) 명하형 평범하고 변변치 못함. 또는 그런 사람. ¶~한 위인이다 / ~한 일상에 울고 웃다.
범:용(汎用) 명하타 여러 방면이나 용도로 널리 쓰는 일.
범:용 컴퓨터(汎用computer)〖컴〗여러 분야의 문제를 처리할 수 있는 컴퓨터. 디지털 컴퓨터는 대부분 여기에 속하며, 기업이나 조직체 따위에서 일반 업무 처리와 일반 과학 기술 계산 따위에 씀. *전용 컴퓨터.
***범:위**(範圍) 명 한정된 구역의 언저리. 어떤 힘이 미치는 한계. 테두리. ¶세력 ~ / 시험 ~ / 수사 ~를 점차 좁혀 가다.

> **범위를 나타내는 여러 표현**
>
> 1. 양끝의 안을 나타냄 : 교과서 40 페이지부터 60 페이지까지.
> 2. 이미 있는 사물을 들어 범위를 나타냄 : 서울의 사대문(四大門) 안 / 수도권 / 학교에서 반지름 500 m 안.
> 3. 조건을 명시하여 범위를 나타냄 : 대졸 이상의 남자로 병역을 마쳤거나 면제된 30 세 미만의 남자 / 서울에서 당일 왕복이 가능한 지역.

범:음(梵音) 명 **1** 범왕(梵王)의 음성. **2** 불경을 외는 소리. **3** 보살의 목소리.
범:의(犯意)[-/-이] 명〖법〗범죄 행위임을 알면서도 그것을 행하려는 의사. ¶~가 없는 우연한 사고. *고의(故意).
범:인(凡人) 명 평범한 사람. 범부(凡夫). 범골.
범:인(犯人) 명 죄를 범한 사람. 범죄인. 범죄자. ¶~을 체포하다.
범:자(梵字)[-짜] 명 산스크리트를 표기한 인도의 옛 글자.
범:재(凡才) 명 평범한 재주. 또는 그런 재주를 가진 사람.
범:재(凡材) 명 평범한 재주를 가진 사람.
범:절(凡節) 명 법도에 맞는 모든 절차나 질서. ¶~이 바르다 / ~에 어긋나다.
범:접(犯接) 명하자 함부로 가까이 범하여 접촉함. ¶그에게는 아무도 감히 ~하지 못한다.
범:종(梵鐘) 명 절에서 대중을 모으거나 시각을 알리기 위해 치는 큰 종.
범:죄(犯罪) 명하자 **1** 죄를 저지름. 또는 저지른 죄. **2**〖법〗법률상 일정한 형벌을 가하게 되는 위법 행위. ¶~ 사실 / ~가 날로 늘다 / ~를 단속하다.
범:죄-율(犯罪率) 명 범죄가 일어나는 정도나 비율. ¶청소년의 ~이 늘고 있다.
범:죄-인(犯罪人) 명 죄를 저지른 사람. 범인. ¶~ 취급을 받다.
범:죄-자(犯罪者) 명 범죄인.
범:죄-적(犯罪的) 관명 범죄의 행위로 되는 (것). ¶~ 사실.
범:죄 행위(犯罪行爲) 범죄가 되는 행위. 범행.
범:주(範疇) 명 **1** 같은 성질을 가진 부류나 범위. ¶같은 ~에 속하다. **2**〖철〗사물의 개념을 분류할 때 그 이상 일반화할 수 없는 가장 보편적이고 기본적인 최고의 유개념(類槪念). 카테고리.
범:칙(犯則) 명하자 규칙을 어김. ¶~에 대한 처벌이 두렵다.
범:칭(泛稱·汎稱) 명 두루 쓰이는 이름.
범:타(凡打) 명하자 야구에서, 안타가 되지 못한 평범한 타격. ¶세 타자가 모두 ~로 물러났다.
범:퇴(凡退) 명하자 야구에서, 타자가 아무

소득 없이 물러감. ¶삼자 ~로 끝나다.
범:패 (梵唄) 명 〖불〗 석가여래의 공덕을 찬미하는 노래.
범퍼 (bumper) 명 자동차의 앞뒤에 달아 충격을 완화시키는 장치. ¶추돌 사고로 ~가 찌그러졌다.
범:-하다 (犯-) 타여불 **1** 법률·규칙·도덕 따위를 어기다. ¶계율을 ~. **2** 잘못을 저지르다. ¶과오를 ~ / 실수를 ~. **3** 남의 권리·정조·재산 등을 무시하거나 짓밟거나 빼앗다. ¶유부녀를 ~. **4** 들어가서는 안 되는 경계나 지역 따위를 넘어 들어가다. ¶국경을 ~.
범:행 (犯行) 명하자 범죄 행위를 함. 또는 그 행위. ¶~의 동기 / ~을 저지르다.
범:행 (梵行) 명 〖불〗 **1** 불도의 수행. **2** 맑고 깨끗한 행실.
***법** (法) 一 명 **1** 법률·법령·조례 등 구속력을 갖는 온갖 규칙과 규범. ¶~의 존엄성 / ~대로 하다 / ~을 준수하다. **2** 〖불〗 삼보(三寶)의 하나. **3** 〖불〗 물(物)·심(心)·선·악의 모든 사상(事象). 二 의명 **1** 어미 '-는'·'-ㄴ' 뒤에 쓰여, '으레 그렇게 됨' 또는 '으레 그러함'의 뜻을 나타냄. ¶겨울이 가면 봄이 오는 ~이다 / 마음이 고운 사람은 아름다운 ~. **2** 어미 '-는·-ㄴ'의 뒤에 쓰여, 태도나 습성 따위를 나타냄 《흔히 '있다, 없다'가 따름》. ¶아무리 급해도 뛰는 ~이 없다. **3** 어미 '-는·-ㄴ' 뒤에 쓰여, 해야 할 도리나 정해진 이치. ¶이 세상에 굶어 죽으라는 ~은 없다 / 혼자 먹다니 그런 ~이 어디 있단 말이오. **4** 어미 '-는' 뒤에 쓰여, '방법·방식'을 나타냄. ¶먹는 ~ / 읽는 ~. **5** 어미 '-ㄹ·-을'의 뒤에 쓰여, 추측이나 가능성을 나타냄. ¶그게 될 ~이나 한 말이오 / 여러 번 이야기했으니 알아들을 ~도 한데.
[법은 멀고 주먹은 가깝다] 사리를 따지기 전에 완력부터 쓴다.
법 없이 살다 구 마음이 착하고 곧아, 법의 규제가 없어도 올바르게 산다.
-법 (法) 미 '방법 또는 방식'의 뜻을 나타냄. ¶교수~ / 강조~ / 요리~.
법가 (法家) 명 **1** 〖역〗 중국 전국 시대에, 도덕보다 법을 중하게 여겨 형벌을 엄하게 하는 것이 나라를 다스리는 근본이라고 주장한 관자(管子)·한비자(韓非子) 등의 학파. ☞제자백가(諸子百家). **2** 법률을 닦는 학자. **3** 예법을 숭상하는 집안.
법계 (法系)[-/-께] 명 국가 간 또는 이민족 간에 형성된 법의 계통. 법의 이론적·제도적 면에 공통성이 있음. ¶대륙 ~ / 영미 ~.
법계 (法界)[-/-께] 명 **1** 〖불〗 불법(佛法)의 범위. **2** 〖불〗 불교도의 사회. **3** '법조계'의 준말.
법고 (法鼓) 명 **1** 〖불〗 부처 앞에서 치는 쇠가죽으로 만든 작은 북. **2** 〖불〗 예불할 때나 의식 때 치는 큰 북. **3** 〖악〗 '버꾸'의 본딧말.
법과 (法科) 명 **1** 법률에 대한 과목. **2** 대학에서 주로 법률에 대한 학문을 연구하는 학과. ¶~ 출신.
법과 대:학 (法科大學) 법률에 관한 학문을 배우고 연구하는 단과 대학. 준법대.
법관 (法官) 명 〖법〗 사법권을 행사하여 재판을 맡아보는 공무원. *사법관.
법권 (法權) 명 **1** 법률의 권한. 법적 권한. **2** 국제법에서, 외국인에 대하여 한 나라가 행사하는 민사·형사의 재판권.
법규 (法規) 명 일반 국민의 권리와 의무를 규정하여 활동을 제한하는 법률이나 규정. ¶~를 지키다.
법 규범 (法規範) 〖법〗 법을 구성하는 개개의 규범. 법률 규범.
법규-집 (法規集) 명 법규를 모아 놓은 책.
법금 (法禁) 명하타 〖법〗 법으로 금지하는 일.
법당 (法堂) 명 〖불〗 불상을 모시고 설법도 하는 절의 정당(正堂). 법전(法殿).
법대 (法大) 명 '법과 대학'의 준말.
법도 (法度) 명 **1** 법률과 제도. **2** 생활상의 예법과 제도. ¶~가 있는 집안 / 집안의 ~를 따르다.
법도 (法道) 명 **1** 법률을 지켜야 할 도리. **2** 불도(佛道)1.
법등 (法燈) 명 〖불〗 **1** 부처 앞에 올리는 등불. **2** 세상의 어둠을 밝히는 등불이라는 뜻으로, 불법의 비유.
법랍 (法臘)[범납] 명 〖불〗 중이 된 뒤로부터 치는 나이. 법세(法歲).
법랑 (琺瑯)[범낭] 명 광물을 원료로 하여 만든 유약(釉藥). 에나멜(enamel). 파란.
법랑-질 (琺瑯質)[범낭-] 명 이의 겉을 싸고 있는 단단한 물질.
법력 (法力)[범녁] 명 **1** 법률의 효력. **2** 〖불〗 불법(佛法)의 위력.
법령 (法令)[범녕] 명 〖법〗 법률과 명령의 통칭. 준영(令).
법령-집 (法令集)[범녕-] 명 법령을 모아 엮은 간행물.
법례 (法例)[범녜] 명 법률을 적용할 때 준거할 일반 통칙. ¶~집.
***법률** (法律)[범뉼] 명 사회생활을 유지하기 위한 강제적인 규범.
법률-가 (法律家)[범뉼-] 명 〖법〗 법률에 정통한 사람. 율사(律士).
법률-문제 (法律問題)[범뉼-] 명 **1** 법률상 특히 연구를 요하는 문제. **2** 소송에서, 법원이 재판을 행하는 작용 중에서 법률의 적용 및 해석을 포함한 법률적 평가의 대상이 되는 문제.
법률 사:무소 (法律事務所)[범뉼-] 변호사가 법률상의 여러 사무를 다루는 사무소.
법률-안 (法律案)[범뉼-] 명 〖법〗 **1** 법률의 원안. **2** 법률로 정하고자 하는 사항을 조목별로 정리하여 국회에 제출하는 문서.
법률-적 (法律的)[범뉼쩍] 관명 법률과 관계되는 (것). ¶~ 행위.
법률-학 (法律學)[범뉼-] 명 〖법〗 법학.
법률 행위 (法律行爲)[범뉼-] 〖법〗 당사자의 의사에 의하여 일정한 사법적(私法的) 효과를 발생시키는 행위.
법률-혼 (法律婚)[범뉼-] 명 법률상의 절차에 따라 성립되는 혼인. ↔사실혼.
법리 (法理)[범니] 명 **1** 〖법〗 법률의 원리. **2** 〖불〗 불법(佛法)의 진리.
법망 (法網)[범-] 명 범죄를 막기 위한 법적 규제와 수단을 그물에 비유한 말. ¶~이 허술하다 / ~에 걸리다 / ~을 빠져나가다.

법맥 (法脈)[범-] 명 〖불〗 불법이 전해 내려 온 계맥(系脈).
법명 (法名)[범-] 명 〖불〗 1 승려가 되는 사람 또는 불교에 귀의한 재가자에게 종문(宗門)에서 지어 주는 이름. 승명(僧名). 계명. 2 죽은 사람에게 붙여 주는 이름.
법모 (法帽)[범-] 명 법관이 법정에서 법복을 입을 때 쓰는 규정된 형식의 모자.
법무 (法務)[범-] 명 1〖법〗 법률에 관한 사무. 2〖불〗 절의 법회 의식의 사무. 또는 이것을 지휘·감독하는 승직.
법무-부 (法務部)[범-] 명 중앙 행정 기관의 하나. 검찰·행형(行刑)·출입국 관리·인권 옹호 및 법무에 관한 사무를 맡아봄.
법무-사 (法務士)[범-] 명 남의 위촉에 따라 보수를 받고 법원이나 검찰청 등에 제출할 서류를 작성하는 일을 업으로 하는 사람.
법문 (法文)[범-] 명 1〖법〗 법령의 문장. 2〖불〗 불경의 글.
법문 (法門)[범-] 명 〖불〗 진리에 이르는 문의 뜻으로, 부처의 가르침. ¶속세를 버리고 ～에 귀의하다.
법복 (法服) 명 1 법정에서 판검사·변호사 등이 입는 옷. 2〖불〗 법의(法衣).
법사 (法師) 명 〖불〗 1 설법하는 중. 2 심법(心法)을 전해 준 스님. 법주(法主). 3 불법에 통달하고 청정한 수행을 닦아 남의 스승이 되어 사람을 교화하는 중.
법사 (法嗣) 명 〖불〗 법통(法統)을 이어받은 후계자.
법서 (法書) 명 1 법률에 관한 책. 2 개인이 사사로이 쓴 법률책. *법전(法典).
법석 명하자 여러 사람이 어수선하게 떠드는 모양. ¶～을 떨다 / ～을 피우다.
법석-거리다 자 자꾸 법석이다. ¶잔치 준비에 집안이 법석거렸다. **법석-법석** 부하자
법석-대다 자 법석거리다.
법석-이다 자 소란스럽게 떠들다. ¶법석이던 아이들이 수업 시간 종이 치자 조용해졌다.
법수 (法手) 명 방법과 수단.
법수 (法首) 명 〖건〗 난간의 귀퉁이에 세운 기둥머리.
법술 (法術) 명 방법과 기술.
법식 (法式) 명 1 법도와 양식. 2 방식. 3〖불〗 부처 앞에 재를 올리는 의식.
법안 (法案) 명 법률의 안건이나 초안. 법률안. ¶～을 심의하다 / ～이 논란 끝에 소관 위원회를 통과하다.
법어 (法語) 명〖불〗 1 정법을 설하는 말이나 불교에 관한 글. 2 불어(佛語)1.
법언 (法言) 명 법도가 될 만한 정당한 말.
법언 (法諺) 명 법에 관한 격언이나 속담.
법열 (法悅) 명 1〖불〗 설법을 듣고 진리를 깨달아 마음속에 일어나는 기쁨. 법희(法喜). 2 참된 이치를 깨달았을 때 느끼는 황홀한 기쁨.
법외 (法外) 명 법률이나 규칙이 적용되는 테두리 밖.
***법원** (法院) 명 국가의 사법권을 행사하는 기관《대법원·고등 법원·지방 법원·가정 법원 등이 있음》. 재판소.
법의 (法衣)[-/-이] 명〖불〗 승려가 입는 가사나 장삼 따위의 옷. 법복.
법-의학 (法醫學)[-/-이-] 명 응용 의학의 한 분야. 의학을 기초로 하여 법률적으로 중요한 사실 관계를 연구하고 해석하며 감정하는 학문《살인에 대한 사인(死因), 범행의 시각 판정, 혈액형에 의한 친자 감정 등을 행함》. 범죄 의학. 법의(法醫).
법익 (法益) 명 법률에 의하여 보호되는 생활상의 이익 또는 가치.
법인 (法人) 명 〖법〗 자연인이 아니고 법률상으로 인격을 인정받아서 권리 능력을 부여받은 주체. 공법인(公法人)과 재단 법인·사단 법인 같은 사법인(私法人)의 두 종류가 있음. 무형인(無形人). ↔자연인.
법인-세 (法人稅)[-쎄] 명 법인의 소득 등에 부과되는 국세.
법인-체 (法人體) 명 법에 따라 권리와 의무를 가지는 단체나 기관.
법적 (法的) 관명 법에 의한 (것). ¶～ 조치 / ～(인) 근거 / ～으로 보장되어 있다.
법전 (法典) 명 국가가 제정한 법규를 체계적으로 총괄하여 정리해서 엮은 성문 법규집. *법서(法書).
법정 (法廷·法庭) 명 법원이 소송 절차에 따라 송사를 심리하고 판결하는 곳. 재판정. ¶～ 진술 / ～에 출두하다 / ～에 서다.
법정 (法定) 명하타 법률로 규정함. ¶～ 관리인 / ～ 시효가 지나다.
법정 관리 (法定管理)[-괄-] 기업이 부채가 많아 운영이 어려울 때 법원에서 지정한 제3자가 기업 활동 전반을 관리하는 일《법원은 부도 위기에 몰린 기업을 파산시키는 것보다 살리는 것이 채권자 및 국민 경제에 이로울 때 허가함》.
법정 대:리인 (法定代理人) 〖법〗 본인의 위임을 받지 아니하고도 법률의 규정에 따라 당연히 대리할 권리가 있는 사람《미성년자에 대한 친권자나 후견인 등》.
법정 모:욕죄 (法廷侮辱罪) 〖법〗 법원의 규칙·명령 등에 대한 무시·불복종 또는 법원의 권위를 침해함으로써 성립되는 죄《법관이 독자적으로 직접 처벌할 수 있음》.
법정-수 (法定數) 명 〖법〗 법률 행위의 성립에 필요한 수효.
법정 전염병 (法定傳染病)[-뼝] 전염병 예방법에서, 환자가 발생한 경우 관계 기관에 신고 및 격리 치료·소독 따위가 의무적으로 되어 있는 전염병《콜레라·장티푸스·말라리아 따위》.
법정 투쟁 (法廷鬪爭) 소송 당사자의 한쪽이 재판을 통하여 자기 주장이나 행위의 정당성을 대중에게 호소하는 투쟁.
법정-형 (法定刑) 명 〖법〗 형법 등의 형벌 법규 중에서 각 개의 범죄에 대해 규정되어 있는 형.
법제 (法制) 명 1 법률과 제도. ¶～를 정비하다. 2 법률로 정해진 제도.
법제 (法製) 명하타 1 물건을 규정에 따라 만듦. 2〖한의〗 약의 성질을 좀 다르게 가공할 때에 정해진 방법을 따름.
법제-처 (法制處) 명 중앙 행정 기관의 하나. 국무총리 직속 기관으로 국무 회의에 상정될 법령안과 총리령안(總理令案) 및 부령안(部令案)의 심사와 기타 법제에 관한 사무를 맡아봄.

법제-화 (法制化) 명하타 법률로 정하여 놓음. ¶그 안건은 ~가 매우 시급하다.

법조-계 (法曹界)[-/-게] 명 법률과 관계있는 사람들의 사회. 준법계.

법-조문 (法條文) 명 법률의 규정을 조목조목 나누어서 적어 놓은 글.

법조-인 (法曹人) 명 판사·검사·변호사 등 법률과 관련한 부문에서 일하는 전문가. 법조.

법주 (法酒) 명 법식대로 만든 술.

법-질서 (法秩序)[-써] 명 법에 따라 유지되는 질서. ¶사회의 ~를 확립하다.

법-철학 (法哲學) 명 〖철〗 법의 본질·이념·가치 따위를 철학적으로 연구하는 학문. 법률 철학. 법리 철학. 법리학.

법치 (法治) 명하타 법에 따라 나라를 다스림. 또는 그런 정치.

법치 국가 (法治國家) 국민의 의사에 따라 제정된 법을 기초로 해서 권력을 행사하는 국가. ↔경찰국가.

법치-주의 (法治主義)[-/-이] 명 〖법〗 국가의 권력은 국민의 의사에 따라 제정된 법률에 바탕을 두어야 한다는 근대 입헌 국가의 정치 원리.

법칙 (法則) 명 **1** 꼭 지켜야만 하는 규범. 전칙(典則). ¶~에 따르다/~을 지키다. **2** 〖철〗 언제 어디서나 일정한 조건으로 성립하는 보편적·필연적인 불변의 관계. **3** 〖수〗 연산(演算)의 방식.

법통 (法統) 명 **1** 〖불〗 불법(佛法)의 전통. **2** 법의 계통이나 전통. ¶전통 야당의 ~을 잇다.

법-하다 [버파-] 보형 여불 과거 또는 현재의 일을 '그러한 듯싶다' 또는 '그러할 듯싶다'는 뜻으로 써서 추측이나 가능성을 나타냄. ¶그럴 법한 일이다/그 답도 맞을 ~.

법학 (法學)[버팍] 명 법질서와 법 현상 따위를 연구하는 학문. 법률학.

법학-도 (法學徒)[버팍-] 명 법학을 배우고 연구하는 학생.

법학-자 (法學者)[버팍-] 명 법학을 연구하는 학자. 법률학자.

법호 (法號)[버포] 명 〖불〗 스님이 본명 외에 갖는 호.

법회 (法會)[버푀] 명 〖불〗 **1** 설법하는 모임. **2** 죽은 사람을 위해 재를 올리는 모임.

벗[1] [벋] 명 **1** 염전에서 소금을 굽는 가마. **2** '벗집'의 준말.

***벗**:[2] [벋] 명 **1** 비슷한 나이에 서로 친하게 사귀는 사람. 붕우(朋友). 우인(友人). 친구. ¶~을 사귀다. **2** 사람이 늘 가까이하여 심심함이나 지루함을 달래는 사물의 비유. ¶자연을 ~ 삼아 지내다/책은 내 평생의 ~이다.

[벗 따라 강남 간다] ㉠벗을 따라서는 먼 길이라도 간다. ㉡하기 싫지만 남의 권유에 따라 마지못해 따라 한다.

벗:[3] [벋] 명 불을 피울 때에 불씨에서 불이 옮겨 붙는 장작이나 숯.

벗-가다 [벋까-] 자 '벗나가다'의 준말.

벗-개다 [벋깨-] 자 안개나 구름이 벗어지고 날이 맑게 개다.

***벗겨-지다** [벋껴-] 자 **1** 벗김을 당하여 벗어지다. ¶베일이 ~/신발이 잘 벗겨지지 않는다/칠이 벗겨졌다/머리가 벗겨진 사람. **2** 사실이 밝혀져 죄나 누명 따위에서 벗어나다. ¶죽고 나서야 누명이 벗겨졌다.

***벗기다**[1] [벋끼-] 타 **1** 《'벗다[2]'의 사동》 옷을 벗게 하다. ¶아이의 옷을 벗기고 씻어 주다. **2** 가죽이나 껍질 따위를 떼어 내다. ¶바나나 껍질을 벗겨 먹다. **3** 거죽을 긁어 내다. ¶칠을 ~. **4** 씌웠거나 덮었던 것을 걷어 내다. ¶뚜껑을 ~. **5** 잠기거나 걸린 것이 열리게 하다. ¶빗장을 ~. **6** 감추어진 것이 드러나게 하다. ¶우주의 신비를 ~. **7** 누명 따위에서 벗어나게 하다. ¶혐의를 ~/누명을 ~.

벗-나가다 [번-] 자 **1** 테두리 밖으로 벗어져 나가다. **2** 성격이나 언행 따위가 비뚤어지다. ¶순진하지 못하고 벗나가기만 한다. 준벗가다.

벗다[1] [벋따] 자 벗어지다. ¶촌티가 ~/기미가 ~/허물이 ~.

***벗다**[2] [벋따] 타 **1** 옷·모자·신 등을 몸에서 떼어 내다. ¶외투를 ~. **2** 의무나 누명 또는 책임 등을 면하다. ¶억울한 누명을 ~. **3** 졌던 짐을 내려놓다. ¶배낭을 ~. **4** 빚을 다 갚다. **5** 동물이 껍질·허물·털 따위를 갈다. ¶뱀이 허물을 ~. **6** 잘못된 생각이나 습관 따위를 고치어 바로잡다. ¶구습을 벗어 버리다. **7** 어리숙하거나 미숙한 태도를 떨어 내다. ¶도시 생활 1년에 어느덧 촌티를 ~.

벗:-바리 [벋빠-] 명 뒤에서 힘이 되어 주는 사람. 곁에서 도와주는 사람.

벗바리(가) 좋다 구 뒤를 보살펴 주는 사람이 많다.

***벗어-나다** 자타 **1** 어려운 일이나 처지에서 헤어나다. ¶중책에서 ~. **2** 구속이나 장애에서 자유롭게 되다. ¶시험에서 ~. **3** 남의 눈에 들지 못하다. ¶주인의 눈에서 ~. **4** 규범이나 이치·체계 등에 어그러지다. ¶네 태도는 예의에 벗어나는 행동이다. **5** 선·테 따위의 밖으로 비어져 나가다《비유적으로도 씀》. ¶인공위성이 궤도에서 ~.

벗어-던지다 타 낡은 틀이나 방법 따위를 과감히 벗어 내치다. ¶체면을 ~.

벗어-부치다 타 힘차게 대들 기세로 옷을 벗다. ¶옷을 벗어부치고 물에 뛰어들다.

벗어-젖히다 [-저치-] 타 옷 따위를 힘차게 벗다. ¶웃통을 ~.

벗어-지다 자 **1** 옷·모자·신 등이 몸에서 떨어져 나가다. ¶신이 ~. **2** 덮었거나 얽었거나 가리었던 물건이 그 자리에서 물러나다. ¶포장이 바람에 벗어졌다. **3** 머리카락이나 몸의 털 따위가 빠지다. ¶이마가 ~. **4** 무엇에 스쳐 거죽 따위가 깎이다. ¶넘어져 무릎이 ~. **5** 누명·죄 따위가 없어지다. ¶억울한 누명이 ~. **6** 칠 따위가 바래거나 날다. ¶칠이 ~.

벗-집 [벋찝] 명 염밭의 벗을 걸어 놓고 소금 굽는 시설을 하여 놓은 집. 준벗.

벗:-트다 [벋-] [벗트니, 벗터] 자 서로 쓰던 경어를 그만두고 터놓고 사귀기 시작하다.

벗:-하다 [버타-] 자 여불 **1** 벗으로 삼거나 지내다. ¶자연을 ~. **2** 서로 경어를 쓰지 않고 허물없이 사귀다. ¶나이에 상관없이 서로 벗하며 지낸다.

벙거지 명 1〔역〕 예전에, 털로 검고 두껍게 만든, 갓처럼 쓰던 물건《군인·하인들이 썼음》. 2 〈속〉 모자.
벙그레 부 입을 좀 크게 벌리고 소리 없이 부드럽게 웃는 모양. 작방그레. 센뻥그레.
벙글-거리다 자 입을 조금 크게 벌리고 소리 없이 부드럽게 자꾸 웃다. 작방글거리다. **벙글-벙글** 부하자. ¶혼자 신이 나서 ～ 웃다.
벙글-대다 자 벙글거리다.
벙긋 [-귿] 부하자 입을 조금 크게 벌리고 소리 없이 가볍게 한 번 웃는 모양. 작방긋. 센뻥긋·뻥끗.
벙긋-거리다 [-귿꺼-] 자 입을 조금 크게 벌리고 소리 없이 가볍게 자꾸 웃다. 작방긋거리다. 센뻥긋거리다. **벙긋-벙긋** [-귿뻥귿] 부하자
벙긋-대다 [-귿때-] 자 벙긋거리다.
벙긋-이 부 벙긋하게. ¶～ 웃음 짓다. 작방긋이. 센뻥긋이.
벙긋-하다 [-그타-] 형여불 입이나 문 따위가 조금 열려 있다. 작방긋하다. 센뻥긋하다·뻥끗하다.
벙끗 [-끋] 부하자 입을 크게 벌리고 소리 없이 살짝 한 번 웃는 모양. 작방끗.
벙끗-거리다 [-끋꺼-] 자 입을 크게 벌리고 소리 없이 가볍게 자꾸 웃다. 작방끗거리다. **벙끗-벙끗** [-끋뻥끋] 부하자
벙끗-대다 [-끋때-] 자 벙끗거리다.
벙끗-이 부 벙끗하게. 작방끗이. 센뻥긋이.
벙끗-하다 [-끄타-] 형여불 입이나 문 따위의 틈새가 조금 크게 벌어져 있다. ¶너는 절대로 입도 벙끗하지 마라. 작방끗하다.
벙벙-하다 형여불 1 얼빠진 사람처럼 멍하다. ¶어안이 ～. 준벙하다. 2 물이 넘칠 듯이 그득히 괴어 있다. ¶바닥에 물이 ～ / 홍수로 들판에도 벙벙하게 물이 찼다. **벙벙-히** 부. ¶～ 서 있지 말고 일 좀 해라. 준벙히.
벙시레 부하자 입을 조금 크게 벌려 소리 없이 부드럽게 웃는 모양. 작방시레.
벙실-거리다 자 입을 조금 크게 벌려 소리 없이 복스럽게 자꾸 웃다. ¶아기가 ～. 작방실거리다. **벙실-벙실** 부하자
벙실-대다 자 벙실거리다.
벙싯 [-싣] 부하자 입을 조금 크게 벌려 소리 없이 부드럽고 가볍게 한 번 웃는 모양. 작방싯. 센뻥싯.
벙싯-거리다 [-싣꺼-] 자 입을 좀 크게 벌려 소리 없이 부드럽고 가볍게 자꾸 웃다. ¶그는 어린애처럼 순진한 얼굴로 벙싯거리며 말했다. 작방싯거리다. **벙싯-벙싯** [-싣뻥싣] 부하자
벙싯-대다 [-싣때-] 자 벙싯거리다.
***벙어리** 명 선천적 또는 후천적으로 청각과 언어 능력을 잃은 사람《듣기는 하나 발음 기관에 탈이 나서 말을 못하는 수도 있음》. 아자(啞子). ¶～ 노릇.
[벙어리 냉가슴 앓듯] 답답한 사정이 있어도 혼자 괴로워하며 걱정함. [벙어리 속은 그 어미도 모른다] 설명을 듣지 않고는 그 내용을 알 수 없다.
벙어리-장갑 (-掌匣) 명 엄지손가락만 따로 가르고 나머지 네 손가락은 한데 끼게 되어 있는 장갑.
벙어리-저금통 (-貯金筒) 명 푼돈을 넣어 모으는 데 쓰는 조그마한 저금통.
벙커 (bunker) 명 1 배의 석탄 창고. 2 골프장의 코스 중 모래가 들어 있는 우묵한 곳. 3〔군〕 엄폐호(掩蔽壕).
벙커시-유 (bunker C油) 명 대형 내연 기관·보일러 따위의 연료로 쓰이는 중유《점착성이 강하고 탄소분이 많음》.
벙:-하다 형여불 '벙벙하다'의 준말. **벙:-히** 부 '벙벙히'의 준말.
벚 [벋] 명 '버찌'의 준말.
벚-꽃 [벋꼳] 명 벚나무의 꽃. 앵화(櫻花).
벚-나무 [번-] 명〔식〕 장미과의 낙엽 활엽 교목. 산지·촌락 부근에 나는데, 높이 6-9 m, 잎은 타원형, 봄에 담홍색 다섯잎꽃이 핌. 열매 '버찌'는 여름에 흑자색으로 익음. 관상용이며, 과실은 식용. 화목(樺木).
베 명 1 삼실·무명실·명주실 따위로 짠 피륙. ¶～를 짜다. 2 '삼베'의 준말. ¶～ 한 필 / ～ 한 동.
***베개** 명 누울 때 머리를 괴는 물건.
베개를 높이 베다 구 안심하고 편안하게 푹 자거나 태평스럽게 지내다.
베갯-머리 [-갠-] 명 베개를 베고 누웠을 때에 머리가 향하는 곳. 침두(枕頭). 침변(枕邊).
베갯머리-송사 (-訟事)[-갠-] 명 베갯밑공사.
베갯밑-공사 (-公事)[-갠믿꽁-] 명 잠자리에서 아내가 남편에게 바라는 바를 속삭이며 청하는 일. 베갯머리송사.
베갯-속 [-개쏙 / -갣쏙] 명 베개의 속에 넣어서 통통하게 만드는 물건《왕겨·조·메밀 껍질·새털 등》.
베갯-잇 [-갠닏] 명 베개의 겉을 덧싸서 시치는 헝겊. ¶눈물로 ～을 적시다.
베고니아 (begonia) 명〔식〕 베고니아과에 속하는 상록 여러해살이풀. 높이는 60 cm 가량, 잎은 기름한 심장형으로 어긋맞게 남. 9월경 가지 끝에 선홍색의 큰 꽃이 송이를 이루어 핌. 추해당(秋海棠).
베끼다 타 글이나 그림 따위를 원본 그대로 옮겨 쓰거나 그리다. ¶노트 내용을 그대로 다 베꼈다.
베네룩스 (Benelux) 명 벨기에·네덜란드·룩셈부르크 세 나라의 머리글자를 딴 명칭.
베니어 (veneer) 명 1 합판 제조용의 얇은 판자. 2 베니어합판.
베니어-판 (veneer板) 명 1 베니어. 2 베니어합판. ¶～으로 둘러친 허술한 천막.
베니어-합판 (veneer合板) 명 여러 겹의 얇은 판자를 수축하거나 굽지 않도록 결이 엇갈리게 붙여 만든 널빤지. 베니어판. 합판.
베다 (산 Veda) 명〔종〕 브라만교 사상의 근본 성전(聖典)《인도의 가장 오래된 종교 문헌》.
베:다[1] 타 베개 따위로 머리 아래를 받치다. ¶베개를 ～ / 엄마의 무릎을 베고 눕다.
***베:다**[2] 타 1 날이 있는 연장 따위로 물건을 끊거나 자르거나 가르다. ¶낫으로 풀을 ～. 2 날이 있는 물건으로 상처를 내다. ¶칼질을 하다 손을 벴다.
베-돌다 〔베도니, 베도오〕 자 한데 어울리

지 못하고 따로 떨어져 행동하다. ¶전학 온 그 애는 한동안 우리 주위에서만 베돌았다. ㉵배돌다.

베-돌이 명 일을 한데 어울려 하지 않고 따로 행동하는 사람.

베드 신 (bed+scene) 연극·영화·텔레비전 등에서 정사(情事) 장면.

베란다 (veranda) 명 양옥에서, 집채의 앞쪽으로 넓은 툇마루같이 튀어나오게 잇대어 만든 부분.

베레 (프 béret) 명 챙이 없고 둥글납작하게 생긴 모자. 베레모(帽).

베레-모 (béret帽) 명 베레.

베스트-셀러 (best seller) 명 어떤 기간에 가장 많이 팔린 물건. 인기 상품. ¶이 달의 ~.

베어링 (bearing) 명 회전 운동이나 직선 운동을 하는 굴대를 받치는 기구. 축받이.

베-올 명 베의 실 가닥. ¶~이 곱다.

베-옷 [-옫] 명 베로 지은 옷.

베이다 자타 《'베다[2]'의 피동》 연장으로 벰을 당하다. ¶기계톱으로 베인 나무 / 연필을 깎다가 칼날에 손이 ~.

베이스 (base) 명 야구에서, 내야의 네 귀퉁이에 있는 방석같이 생긴 물건. 또는 그것의 위. 누(壘).

베이스 (bass) 명 〖악〗 **1** 남성의 최저 음역. 또는 그 가수. **2** 기악 합주곡에서 최저음부를 맡는 악기들. **3** 대위법(對位法)의 악절에서 가장 낮은 성부. 바스(Bass).

베이스(를) 넣다 구 ㉠저음으로 반주를 넣다. ㉡옆에서 남의 말을 거들다.

베이스-캠프 (base camp) 명 등산이나 탐험에서, 근거지로 삼는 고정 천막.

베이식 (BASIC) 명 〔Beginner's All-purpose Symbolic Instruction Code〕 〖컴〗 초보자를 위한 간이(簡易) 프로그래밍 언어《문법이 간단하고, 프로그램의 편집·수정이 쉬움》.

베이지 (beige) 명 엷고 밝은 갈색. 낙타색.

베이컨 (bacon) 명 돼지고기를 소금에 절여 훈연하거나 삶아 말린 식품《주로 돼지의 등과 배의 살로 만듦》.

베이킹-파우더 (baking powder) 명 비스킷·빵·과자 따위를 구울 때 부풀게 하는 데 쓰는 가루.

베일 (veil) 명 **1** 여자들이 얼굴을 가리거나 장식에 쓰는 얇은 망사《머리에 쓰거나 모자 가장자리에 닮》. **2** 비밀스럽게 가려져 있는 상태의 비유. ¶신비의 ~을 벗기다.

베짱이 명 〖충〗 여칫과의 곤충. 인가 부근에 사는데 몸길이는 30-36 mm이며 열은 녹색이나 드물게 갈색도 있음. 산란관은 짧고 칼 모양이며, '베짱베짱' 하고 욺.

베타 (그 β) 명 그리스 어 자모의 둘째 글자.

베타-선 (β線) 명 〖물〗 방사성 원소에서 나오는 방사선의 일종《고속도의 β입자로 이루어지는데, 음전기를 가지며, 화학 작용·사진 작용·형광 작용을 함》.

베테랑 (프 vétéran) 명 어떤 방면에 오랫동안 일해서 그 분야의 기술이나 기능에 뛰어난 사람. 숙련가. 전문가. ¶디자이너로서 ~인 그를 무시할 수는 없다.

베-틀 명 명주·무명·삼베 따위의 피륙을 짜는 틀.

베풀다 〔베푸니, 베푸오〕 타 **1** 차리어 벌이다. ¶잔치를 ~. **2** 남에게 돈을 주거나 일을 도와 은혜를 받게 하다. ¶인정을 ~.

벡터 (vector) 명 **1** 〖물〗 한 점에서 다른 점을 향하는 크기와 방향을 가진 선분으로 표시되는 양《힘·속도·가속도 따위를 나타냄》. *스칼라. **2** 〖심〗 개체 내부의 긴장으로 생긴 추진력.

벤젠 (benzene) 명 〖화〗 콜타르를 증류·정제한 무색의 휘발성 액체《특이한 냄새가 나며 기름을 잘 녹임. 용해제·염료·향료·폭약의 원료로 씀》. 벤졸.

벤처 기업 (venture企業) 〖경〗 신기술이나 노하우 등을 개발하고 이를 기업화하여 소규모 사업을 하는 창조적·모험적인 중소기업《컴퓨터의 소프트웨어 부문, 생물 공학 부문에 많음》.

벤치 (bench) 명 **1** 여러 사람이 같이 앉게 길게 만든 의자. 장의자. **2** 야구장 따위의 운동 경기장에서 선수석과 감독석.

벨 (bell) 명 **1** 종. ¶비상 ~. **2** 초인종. ¶~이 울리다.

벨로드롬 (velodrome) 명 경사진 트랙이 있는 사이클 경기장.

벨벳 (velvet) 명 거죽에 곱고 짧은 털이 돋게 짠 비단. 우단. 비로드.

벨트 (belt) 명 **1** 혁대. ¶허리에 ~를 매다. **2** 두 개의 기계 바퀴에 걸어 동력을 전하는 띠 모양의 물건. 조대(調帶). 피대(皮帶).

벨트 컨베이어 (belt conveyer) 벨트를 회전시켜 물품을 연속적으로 운반하는 장치《대량 생산의 일관 작업에 씀》.

***벼** 명 〖식〗 **1** 볏과 벼속의 한해살이풀. 논·밭 등에 심는데, 높이 1-1.5 m, 줄기는 속이 비고 마디가 있음. 꽃은 첫가을에 피고, 열매는 가을에 익는데, 이것을 찧은 것이 쌀임. 아시아인의 주식 곡물임. **2** 위 식물의 열매. 정조(正租). ¶~ 한 섬.

벼-농사 (-農事) 명하자 벼를 재배하여 거두는 일. 도작(稻作).

***벼락** 명 **1** 공중의 전기와 지상의 물체 사이에 방전하는 현상. 벽력(霹靂). 낙뢰. ¶마른하늘에서 ~이 쳤다. **2** 몹시 호된 꾸지람의 비유. **3** 몹시 빠름의 비유. ¶일을 ~처럼 해치웠다. **4** 매우 갑자기 이루어짐의 비유.

[벼락 치는 하늘도 속인다] 속이려면 못 속일 것이 없다는 뜻.

벼락 맞을 소리 구 천벌을 받아야 마땅할 당찮은 말.

벼락(을) 맞다 구 〈속〉 못된 짓을 하여 벌을 받다. [벼락 맞은 소 뜯어먹듯] 여럿이 달려들어 제 실속을 채우는 모양.

벼락(이) 내리다〔떨어지다〕 구 ㉠큰 변이 있을 것이라는 뜻. ㉡몹시 무서운 꾸지람이나 나무람을 받게 되다.

벼락-감투 명 자격 없는 사람이 갑자기 얻어 걸린 벼슬을 놓으로 일컫는 말. ¶~를 쓰다.

벼락-같다 [-깓따] 형 **1** 행동이 몹시 빠르다. ¶벼락같은 동작. **2** 소리가 크고 요란하다. ¶벼락같은 소리. **벼락-같이** [-까치] 부. ¶~ 달려오다 / ~ 고함을 지르다.

벼락-공부 (-工夫) 명하자 시험에 임박하여

갑자기 서둘러 하는 공부. ¶시험 때면 으레 ~를 한다.
벼락-부자(-富者) 명 갑자기 된 부자. 졸부(猝富). ¶부동산 매매로 ~가 되었다.
벼락-불 명 **1** 벼락이 칠 때에 번뜩이는 번갯불. **2** 몹시 사납고 엄한 명령의 비유. ¶한밤중에 ~이 떨어졌다.
벼락-출세(-出世)[-쎄] 명하자 갑자기 출세함. 또는 그런 출세.
벼락-치기 명 임박해서 갑자기 서둘러 하는 일. ¶~로 시험 공부를 하다.
벼랑 명 깎아지른 듯이 험하고 가파른 언덕. ¶발을 헛디뎌 ~에서 굴러 떨어졌다.
***벼루** 명 먹을 가는 데 쓰는 돌로 만든 문방구. ¶~에 먹을 갈다.
벼룩 명〖충〗 벼룩과의 기생 곤충. 먼지 구석에 사는데 몸은 극히 작고, 적갈색을 띠며 날개는 퇴화했으나 뒷다리로 잘 뜀. 사람과 가축의 피를 빨아 먹음.
[벼룩도 낯짝이 있다] 너무도 뻔뻔스러움을 일컫는 말. [벼룩의 간을 내어 먹는다] ㉠하는 짓이 매우 잘거나 인색함의 비유. ㉡어려운 처지에 있는 사람에게서 금품을 뜯어냄의 비유. [벼룩의 등에 육간대청을 짓겠다] 일이 이치에 어긋나고 도량이 좁음의 비유.
벼룻-돌[-루똘/-룯똘] 명 **1** 벼루를 만드는 데 쓰는 돌. 연석(硯石). **2** 벼루.
벼룻-물[-룬-] 명 먹을 갈기 위해 벼룻돌에 붓는 물. 연수(硯水).
벼룻-집[-루찝/-룯찝] 명 벼루·먹·붓·연적 등을 넣어 두는 상자나 책상. 연갑(硯匣).

벼룻집

벼르다[1] 〔벼르니, 별러〕 타르불 일을 이루려고 꾸준히 꾀하거나 단단히 마음을 먹다. ¶일전을 ~/한번 혼내 주려고 단단히 ~.
벼르다[2] 〔벼르니, 별러〕 타르불 비례에 맞추어 여러 몫으로 나누다.
벼름 명하타 여러 몫으로 고르게 나누어 줌. 또는 그런 일.
벼름-벼름 부하타 마음먹은 일을 이루려고 자꾸 벼르는 모양.
벼름-질 명하타 고루 별러서 나누는 일.
벼리 명 **1** 그물의 위쪽 코를 꿰어 놓은 줄《줄을 잡아당겨 그물을 오므렸다 폈다 함》. **2** 일이나 글의 뼈대가 되는 줄거리.
벼리다 타 연장의 날을 불에 달궈 두드려 날카롭게 만들다. ¶칼을 ~.
벼릿-줄[-리쭐/-릳쭐] 명 그물의 벼리를 이룬 줄.
벼-메뚜기 명〖충〗 메뚜깃과의 곤충. 몸은 황록색이며 날개가 길. 벼의 큰 해충임. 준 메뚜기.
***벼슬** 명 관아에서 나랏일을 맡아 다스리는 자리. 또는 그런 일《'구실'보다 높음》. ¶~에 오르다/~을 지내다. ―하다 자여불 벼슬아치가 되다. 벼슬길에 오르다.
벼슬-길[-낄] 명 벼슬아치 노릇을 하는 길. 사로(仕路). 환로(宦路). ¶~에 나가다/~이 막히다.
벼슬길에 오르다 구 벼슬살이를 시작하다.
벼슬-살이 명하자 벼슬아치 노릇을 하는 일. ¶~를 그만두다.
벼슬-아치 명 관청에서 나랏일을 맡아 하는 사람. 관원(官員).
벼슬-자리[-짜-] 명 벼슬의 직위. ¶~에서 물러나다.
벼-이삭 명 벼의 낟알이 달린 이삭.
벼-쭉정이 명 알맹이가 들지 않은 벼이삭.
벼-훑이[-훌치] 명 벼의 알을 훑어 내는 농구. 두 개의 나뭇가지의 한끝을 동여매어 집게처럼 만듦. 도급기(稻扱機).

벼훑이

벽: 명하자 '비역'의 준말.
***벽**(壁) 명 **1** '바람벽'의 준말. ¶~에 기대다. **2** 극복하기 어려운 한계나 장애의 비유. 장애. ¶연구가 ~에 부딪치다/100미터 달리기에서 10초의 ~을 깨다. **3** 관계나 교류의 단절의 비유.
[벽에도 귀가 있다] 비밀은 없기 때문에 경솔히 말하지 말 것의 비유.
벽에 부딪치다 구 장애물에 가로막히다.
벽(을) 쌓다 구 서로 사귀던 관계를 끊다. ¶그들은 사소한 일로 벽을 쌓고 지냈다.
벽(癖) 명 **1** 고치기 어려운 버릇. ¶도(盜)~. **2** 무엇을 치우치게 즐기는 병《접미사적으로도 씀》. ¶방랑~.
벽간(壁間) 명 기둥과 기둥 사이의 벽의 부분. 벽면.
벽개(劈開) 명하자 **1** 쪼개져 갈라짐. **2**〖광〗 결정체가 일정한 방향으로 결을 따라 쪼개지는 일. 쪼개짐.
벽거(僻居) 명하자 외지고 궁벽한 곳에 삶.
벽-걸이(壁-) 명 벽이나 기둥에 거는 장식품의 총칭. ¶~ 시계.
벽계-수(碧溪水)[-/-께-] 명 푸르고 맑은 시냇물.
벽공(碧空) 명 푸른 하늘. 벽천(碧天).
벽-난로(壁煖爐)[병날-] 명 아궁이를 벽에 내고, 굴뚝은 벽 속으로 통하게 만든 난로. 준 벽로(壁爐).
***벽-돌**(甓-) 명 진흙과 모래를 차지게 반죽하여 틀에 박아 구워 만든 돌《건축 재료로 씀》. 연와(煉瓦). ¶~로 지은 집.
벽돌-공(甓-工) 명 **1** 벽돌을 만드는 직공. 벽돌장이. **2** 건축 공사에서 벽돌 쌓는 일을 하는 사람.
벽돌-담(甓-) 명 벽돌로 쌓은 담.
벽두(劈頭) 명 **1** 글의 첫머리. **2** 일의 첫머리. ¶신년 ~부터 부부 싸움이다.
벽력(霹靂)[병녁] 명 벼락.
벽력-같다(霹靂-)[병녁깓따] 형 목소리가 매우 크고 우렁차다. ¶벽력같은 목소리에 혼비백산하다. **벽력-같이**[병녁까치] 부
벽론(僻論)[병논] 명 한편으로 치우쳐서 도리에 맞지 않는 언론.
벽루(壁壘)[병누] 명 성벽과 성루(城壘).
벽면(壁面)[병-] 명 벽의 거죽. 벽간. ¶~에 가족사진을 걸다.
벽보(壁報) 명 종이에 써서 벽이나 게시판에 붙여 널리 알리는 글《벽신문 따위》. ¶게시판에 ~가 나붙다.
벽보-판(壁報板) 명 벽보를 붙이게 벽이나 담에 마련하여 놓은 널빤지.

벽사 (辟邪) 명하자 요사스러운 귀신을 물리침. ¶~문(文).
벽산 (碧山) 명 청산(青山).
벽상 (壁上) 명 바람벽의 위.
벽색 (碧色) 명 짙게 푸른 빛깔.
벽서 (僻書) 명 널리 알려져 있지 않고 내용이 기이한 책.
벽서 (壁書) 명하자 벽에 글을 쓰거나 써 붙임. 또는 그 글.
벽설 (僻說) 명 괴벽스럽거나 도리에 맞지 않는 주장.
벽성 (僻姓) 명 흔하지 않은 드문 성. 진성(珍姓).
벽수 (碧水) 명 짙푸른 빛이 나는 깊은 물.
벽안 (碧眼) 명 **1** 눈동자가 파란 눈. **2** 서양 사람. ¶~의 여인.
벽-오동 (碧梧桐) 명 〖식〗 벽오동과의 낙엽 활엽 교목. 인가 부근에 심는데, 높이 5m 가량, 청색을 띠며, 잎은 큰 부채만 함. 여름에 작은 황록색 다섯잎꽃이 피고 콩 비슷한 열매가 가을에 익음. 재목은 가구나 악기 등을 만들고 껍질에서는 섬유를 채취함. 청동(青桐).
벽옥 (碧玉) 명 **1** 푸른빛의 고운 옥. 또는 벽과 옥의 총칭. **2**〖광〗석영의 한 변종《조직이 치밀하고 불투명하며 빛은 홍색 또는 녹색으로 도장 재료나 가락지 따위를 만드는 데 씀》.
벽-장 (壁欌) 명 벽을 뚫어 작은 문을 내고 그 안에 물건을 넣어 두게 된 곳. ¶옷가지를 ~에 넣어 두다.
벽지 (僻地) 명 외따로 떨어진 궁벽한 곳. 도시에서 멀리 떨어져 교통이 불편하고 문화의 혜택이 적은 곳. 벽경(僻境). ¶~ 주민을 위한 진료 활동.
벽지 (壁紙) 명 벽에 바르는 종이. ¶밝은 빛깔의 ~로 도배를 하다.
벽창-호 (碧昌-) 명 [←벽창우] 고집이 세고 무뚝뚝한 사람의 비유.
벽채 명 광산에서 광석을 긁어모으거나 파내는 데 쓰는 쇠연장《큰 호미 비슷함》.

벽채

벽체 (壁體) 명 건물에 벽을 이루는 구조 부분. ¶~에 금이 가다.
벽촌 (僻村) 명 궁벽한 마을. ¶~의 어린이.
벽파 (碧波) 명 푸른 파도나 물결.
벽파 (劈破) 명하타 **1** 쪼개서 깨뜨림. **2** 잘게 찢어발김.
벽-하다 (僻-) [벼카-] 형여불 **1** 지역이 한편으로 치우쳐 궁벽하다. **2** 흔하지 않고 괴벽하다.
벽해 (碧海) [벼캐] 명 깊고 푸른 바다.
벽화 (壁畫) [벼콰] 명 **1** 건물이나 동굴·무덤 따위의 벽에 그린 그림. **2** 벽에 건 그림.
변 명 남이 모르게 저희끼리만 암호처럼 쓰는 말. ¶~을 써서 이야기하다.
변 (便) 명 대변과 소변. 특히, 대변. ¶~을 보다.
변: (辨·辯) 명 옳고 그름이나 참되고 거짓됨을 가릴 목적으로 쓴 한문체. ¶사퇴의 ~을 피력하다.
***변** (邊) 명 **1** 물체나 장소 따위의 가장자리. **2**〖수〗다각형의 각 선분. **3**〖수〗등식·부등식에서 부호의 양편에 있는 식 또는 수. **4** 바둑판의 중앙과 네 귀를 빼놓은 변두리 부분. **5** 과녁의 복판이 아닌 부분. ↔관¹. **6** 한자의 왼쪽으로 붙은 부수(部首).
변: (變) 명 **1** 갑작스러운 재앙이나 괴이한 일. ¶~이 생기다 / ~을 당하다 / 세상에 이런 ~이 있담. **2** (주로 '변으로'의 꼴로 쓰여) 별난 데가 있음. ¶올 겨울은 ~으로 기온이 높았다.
변:개 (變改) 명하타 **1** 변경. ¶~된 작품. **2** 변역(變易).
변:격 (變格) [-껵] 명 일정한 규칙에서 벗어난 격식. ↔정격(正格).
변경 (邊境) 명 나라의 경계가 되는 변두리 땅. 변강(邊疆). 변계(邊界). 변방. 변새(邊塞). 변지(邊地).
변:경 (變更) 명하타 바꾸어서 고침. 변개(變改). ¶명의 ~을 하다 / 일기 불순으로 계획이 ~되었다.
변:고 (變故) 명 갑작스러운 재앙이나 사고. ¶무슨 ~가 생긴 건 아닐까 / 그곳에서 끔찍한 ~를 당했다.
변:괴 (變怪) 명 **1** 이상야릇한 재변. **2** 도리를 벗어난 악한 짓.
변기 (便器) 명 똥이나 오줌을 받아 내거나 누도록 만든 그릇. 변기통.
변:덕 (變德) 명 이랬다저랬다 잘 변하는 성질이나 태도. ¶~이 심한 사람 / ~을 떨지 마라 / 날씨가 ~을 부려 오늘의 경기 일정은 취소되었다. 작밴덕.
변덕이 죽 끓듯 하다 구 마음이 자주 변해 이랬다저랬다 하다.
변:덕-맞다 (變德-) [-덩맏따] 형 변덕스럽다. 작밴덕맞다.
변:덕-스럽다 (變德-) [-스러우니, -스러워] 형비불 변덕을 부리는 태도나 성질이 있는 듯하다. ¶변덕스러운 봄 날씨 / 변덕스러운 사람이라 미덥지가 않다. 작밴덕스럽다.
변:덕-스레 부
변:덕-쟁이 (變德-) 명 변덕스러운 사람. ¶그 여자는 수다쟁이에다 ~로 유명하다. 작밴덕쟁이.
변-돈 (邊-) [-똔] 명 이자를 무는 돈. 변문(邊文). 변전(邊錢). ¶~을 빌려 쓰다.
변:동 (變動) 명하자 변하여 움직임. ¶물가 ~ / ~이 심하다.
변:동 환:율 (變動換率) 〖경〗 환율을 고정시키지 않고 외국환이나 외환 증서의 수급 사정에 따라 변동하게 하는 환시세.
변:동 환:율제 (變動換率制) [-쩨] 〖경〗 환율을 고정하지 않고 외환 시장의 수요와 공급에 맡겨 자유롭게 변동하게 하는 환율 제도. ↔고정 환율제.
변-두리 (邊-) 명 **1** 어떤 지역의 가장자리가 되는 곳. ¶서울 ~ 지역. **2** 어떤 물건의 가장자리.
변:란 (變亂) [별-] 명 사변이 일어나 세상이 어지러움. 또는 그런 소란. ¶~을 일으키다 / ~이 일어나다.
변:량 (變量) [별-] 명 **1**〖수〗주어진 조건에 따라 변화하는 양. **2** 통계에서, 조사 내용의 특성을 수량으로 나타낸 것.
변:려-문 (駢儷文) [별-] 명 〖문〗 한문체의

하나. 4자 또는 6자의 대구를 많이 써서 읽는 사람에게 아름다운 느낌을 줌. 사륙문(四六文).

변:론 (辯論)[별-] 명하타 1 사리를 밝혀 옳고 그름을 가림. ¶ ~의 여지없이 자명하다. 2〖법〗소송 당사자·변호인이 법정에서 하는 진술. ¶ 변호사가 피고인의 무죄를 ~하다.

변리 (邊利)[별-] 명 변돈에서 느는 이자. ¶ ~가 눈덩이처럼 붇다. 준변(邊).

변:리-사 (辨理士)[별-] 명〖법〗특허·디자인·실용신안·상표에 관하여 특허청 또는 법원에 대하여 하여야 할 사항을 대리 또는 감정하는 일을 업으로 삼는 사람《변리사법상의 자격이 있고, 변리사 등록부에 등록되어야 함》.

변-말 명 변으로 쓰는 말. *은어(隱語).

변:명 (辨明) 명하타 옳고 그름을 가려 사리를 밝힘. 변백(辨白). ¶ ~의 여지가 없다 / 뉘우치기는커녕 구구하게 ~을 늘어놓다.

변:모 (變貌) 명하자 모습이 변함. 또는 그 모습. ¶ ~된 지방 도시.

변:모-없다 (變貌-)[-업따] 형 1 남의 체면은 돌보지 않고 말이나 행동을 거리낌 없이 함부로 하는 태도가 있다. 2 융통성이 없고 고지식하다. **변:모-없이** [-업씨] 부

변:박 (辨駁·辯駁) 명하타 옳고 그름을 가려서 논박함. ¶ 그의 주장을 철저히 ~하다.

변:발 (辮髮) 명 지난날, 만주족이나 몽골인의 풍습으로, 남자 머리를 뒷부분만 남기고 나머지 부분을 깎아 뒤로 길게 늘임. 또는 그런 머리.

변방 (邊方) 명 1 가장자리가 되는 쪽. 2 변경. ¶ 국경 분쟁으로 ~이 시끄럽다.

변:법 (變法)[-뻡] 명하자 1 법률을 고침. 또는 고친 법률. 2 변칙적인 방식·방법.

변변-찮다 [-찬타] 형 '변변하지 아니하다'가 줄어서 된 말. ¶ 인물이 ~ / 대접이 ~ / 솜씨가 ~. *변변하다.

변변-하다 형여불 1 됨됨이나 생김새가 흠이 없고 어지간하다. ¶ 인물만은 변변하게 생겼군. 2 지체나 살림살이가 남보다 뒤지지 아니하다. ¶ 변변한 집안. 3 제대로 갖추어져 넉넉하다. ¶ 변변한 대접도 못하였다 / 변변한 가구 하나 없다. **변변-히** 부. ¶ 반대 세력에 ~ 저항도 못하고 항복하다.

변:별 (辨別) 명하타 1 옳고 그름이나 좋고 나쁨을 가림. ¶ 우량품으로 ~되다. 2 분별(分別) 2.

변:별-력 (辨別力) 명 사물의 옳고 그름이나 좋고 나쁨을 가리는 능력. ¶ ~을 기르다.

변:별-적 (辨別的)[-쩍] 관명 옳고 그름이나 좋고 나쁨을 가리는 (것).

변:보 (變報) 명 어떠한 변을 알리는 보고. ¶ ~를 접하다.

변:복 (變服) 명하자 남의 눈을 속이려고 옷을 달리 차려서 바꿔 입음. 또는 그런 옷. ¶ 여자옷으로 ~하다.

변:복조 장치 (變復調裝置)〖컴〗통신 시설을 통하여 데이터를 전송할 때, 전송 신호를 바꾸는 장치. 온라인 시스템에 쓰며, 또한 컴퓨터의 신호와 전화 회선의 신호를 서로 변환(變換)하는 장치. 모뎀(modem).

변비 (便祕) 명〖의〗'변비증'의 준말. ¶ ~로 고생하다.

변비-증 (便祕症)[-쯩] 명〖의〗똥이 잘 누어지지 않는 병. 준변비.

변:사 (辯士) 명 1 말솜씨가 아주 능란한 사람. 2 연사(演士). 3 무성 영화를 상영할 때 영화에 맞춰 그 줄거리를 설명하던 사람.

변:사 (變死) 명하자 1 뜻밖의 사고나 재난으로 죽음. 횡사(橫死). 2 자살.

변:사 (變事) 명 보통 일이 아닌 이상한 일. 이변(異變).

변:사 (變詐) 명하자 1 변덕스럽게 이랬다저랬다 함. 2 이리저리 속임. 3 병세가 갑작스레 달라짐.

변:사-자 (變死者) 명 1 뜻밖의 사고로 죽은 사람. 2 범죄를 당해 죽었을 것으로 의심이 가는 사망자. ¶ ~의 신원이 밝혀지다.

변:사-체 (變死體) 명 1 뜻밖의 사고로 죽은 사람의 시체. 2 범죄를 당해 죽었을 것으로 의심이 가는 시체.

변:상 (辨償) 명하타 1 빚을 갚음. 변제(辨濟). ¶ 노름빚을 ~하다. 2 손실을 물어 줌. 배상(賠償). ¶ 자동차 수리비를 ~하다. 3 재물을 내어 죄과를 갚음. 판상(辦償).

변:상 (變相) 명 바뀐 모습이나 형상.

변새 (邊塞) 명 1 변경에 있는 요새. 2 변경.

변:색 (變色) 명하자타 1 빛깔이 변하여 달라짐. 또는 빛깔을 바꿈. ¶ ~된 그림. 2 성이 나거나 놀라서 얼굴빛이 달라짐. ¶ 얼굴이 차츰 파랗게 ~되었다.

변:설 (辯舌) 명 말을 잘하는 재주. 변구(辯口). ¶ 유창한 ~ / ~에 뛰어나다.

변:설 (變說) 명하타 1 종래의 이론 따위를 변경함. 2 자기가 하던 말을 중간에서 고침.

변성 (邊城) 명 변경에 있는 성.

변:성 (變成) 명하자 변하여 다르게 됨. ¶ ~된 암석.

변:성 (變性) 명하자타 1 성질이 바뀜. 2〖화〗물리적·화학적 원인으로 단백질의 상태나 구조가 변화하는 일. 3〖의〗세포 또는 생체 조직이 이상 물질을 만나서 그 모양이나 성질이 변하는 일. 4〖화〗알코올 등의 공업 원료를 다른 목적에 쓰지 못하도록 다른 물질을 섞는 일.

변:성 (變姓) 명하자 성을 갊. 또는 그렇게 간 성.

변:성 (變聲) 명하자〖생〗성장기에 있는 사람의 목소리가 낮고 굵게 변함.

변:성-기 (變聲期) 명〖생〗사춘기에 성대가 변화하여 목소리가 굵고 낮게 달라지는 시기《대개 12-15세쯤임》.

변:성-암 (變成岩) 명〖지〗지하의 퇴적암이나 화성암이 온도나 압력의 변화 등으로, 조직이나 종류가 바뀐 암석《편마암(片麻岩) 따위》. 변질암.

변:성 작용 (變成作用) 깊은 땅속의 암석이 열·압력·마그마 따위의 작용으로 변질하는 일.

***변소** (便所) 명 대소변을 보게 된 곳. 뒷간. 측간(廁間). ¶ ~를 치다 / 배탈이 나서 ~를 들락거리다. *화장실.

변:속 (變速) 명하자 속도를 바꿈. ¶ ~ 장치.

변:수 (變數) 명 1 어떤 상황이 변화를 일으킬 수 있는 요인. ¶ 정국의 중요한 ~로 작용하다. 2〖수〗어떤 관계나 범위 안에서

여러 가지 숫값으로 변할 수 있는 수. 자변수(自變數). ↔상수(常數)·정수.
변:-시체 (變屍體) 명 뜻밖의 재난이나 사고로 죽은 사람의 시신.
변:신 (變身) 명하자 몸의 모양이나 태도 따위를 바꿈. 또는 그런 몸. ¶그는 투수로 시작해 타자로 ~했다.
변:심 (變心) 명하자 마음이 변함. ¶~한 애인에게 배신감을 느끼다.
변:압 (變壓) 명하타 압력을 바꿈.
변:압-기 (變壓器) 명 〖전〗 전자기 유도 작용을 이용하여 전류의 값이나 교류의 전압을 변화시키는 장치. 트랜스.
변:역 (變易) 명하자타 변하여 바뀌거나 바꿈. 변개(變改).
변:역 (變域) 명 〖수〗 함수에서, 변수가 취할 수 있는 값의 범위.
변:온 동:물 (變溫動物) 〖동〗 외부의 온도에 따라 체온이 변하는 동물《파충류·양서류 등》. 냉혈 동물. ↔정온(定溫) 동물.
변:용 (變容) 명하자 용모나 형태가 바뀜. 또는 그 바뀐 용모나 형태. ¶~된 형식/개념을 ~시키다.
변:위 (變位) 명하자 〖물〗 물체가 위치를 바꿈. 또는 그 크기·방향을 나타내는 양(量).
변:음 (變音) 명 **1** 원음이 변하여 된 음. **2** 〖악〗 플랫(♭) 기호가 붙어 반음 내려간 음.
변읍 (邊邑) 명 **1** 변경에 있는 고을. **2** 두메.
변:이 (變移) 명하자 변천(變遷).
변:이 (變異) 명하자 **1** 이변(異變) 1. **2** 〖생〗 같은 종류의 생물이 환경에 따라 성질이나 형태가 달라지는 현상.
변:인 (變因) 명 변화의 중요한 원인.
변:장 (變裝) 명하자 본디의 모습을 알아볼 수 없게 하기 위하여 옷차림이나 얼굴·머리 모양 따위를 다르게 꾸밈. ¶여자가 남자로 ~하다.
변:장-술 (變裝術) 명 변장하는 재주. ¶~에 능하다/노인 역을 맡은 젊은 배우의 ~은 감쪽같았다.
변:재 (辯才) 명 말재주. 구재(口才).
변:전 (變轉) 명하자 이리저리 변하여 달라짐. ¶~이 심하여 상황을 예측할 수 없다.
변:전-소 (變電所) 명 발전소에서 보내오는 높은 전류의 전압을 낮추거나 교류를 직류로 바꾸어 내보내는 곳. 변압소.
변:절 (變節) 명하자 **1** 절개가 변함. 절개를 고침. ¶~ 여인/동지를 배반하고 ~한 자가 잡혔다. **2** 계절이 바뀜.
변:절-자 (變節者)[-짜] 명 변절한 사람.
변:제 (辨濟) 명하타 빚을 갚음. 변상(辨償). 판상(辦償). ¶채무를 ~하다.
변:조 (變造) 명하타 **1** 〖법〗 기존물의 형상이나 내용에 변경을 가함. ¶수표의 액수를 ~하다. **2** 물체를 손질하여 다른 모양으로 고쳐 만듦. 변작(變作).
변:조 (變調) 명하자타 **1** 상태가 바뀜. 또는 상태를 바꿈. **2** 〖악〗 조(調)바꿈. **3** 〖물〗 무선 통신에서, 반송파를 음성 따위의 신호파(信號波)로 바꾸는 일. 진폭 변조·주파수 변조·펄스 변조 등의 방식이 있음.
변:종 (變種) 명하자 **1** 종류가 바뀜. 또는 그 바뀐 종류. **2** 〖생〗 원종에서 변한 종. ¶돌연변이로 ~이 생기다. ↔원종. **3** 성질·언행 등이 남과 다른 사람.
변:주 (變奏) 명하자타 〖악〗 주제는 그대로 두고, 리듬·선율·화성 등을 여러 가지로 바꾸고 장식하며 연주함. 또는 그 연주.
변:주-곡 (變奏曲) 명 〖악〗 하나의 주제를 토대 삼아 선율·율동·화성 등을 여러 가지로 변화시켜 나가는 기악곡.
변죽 (邊-) 명 그릇·세간 따위의 가장자리.
변죽(을) 울리다 구 바로 집어 말을 하지 않고 에둘러서 눈치를 채도록 말을 하다. 변죽을 치다.
변:증 (辨證) 명하타 변론하여 논증함. 또는 변별하여 증명하는 일.
변:증 (變症)[-쯩] 명 이랬다저랬다 자꾸 달라지는 병의 증세.
변:증-법 (辨證法)[-뻡] 명 **1** 〖철〗 문답을 통하여 진리에 도달하는 법. **2** 사유(思惟)·정신·역사 등의 발전을 반대물·모순의 투쟁·종합으로서 파악하는 사고법.
변:증법-적 (辨證法的)[-뻡-] 관명 변증법에 관련되거나 그것에 바탕을 둔 (것).
변:증법적 유물론 (辨證法的唯物論)[-뻡-] 〖철〗 유물 변증법.
변:질 (變質) 명하자 성질이나 물질이 변함. 또는 그런 성질이나 물질. ¶~된 우유/외래문화가 고유문화를 ~시키고 있다.
변:천 (變遷) 명하자 세월이 흐름에 따라 바뀌어 변함. 변이. ¶시대의 ~/주거 생활의 ~ 과정을 연구하다.
변:칙 (變則) 명 원칙에서 벗어나 달라짐. 또는 그런 법칙이나 규정. ¶그 예산은 ~으로 운영된 것으로 알려졌다.
변:칙-적 (變則的) 관명 원칙에서 벗어나 달라진 (것). ¶~ 방법을 쓰다.
변탕 (邊鐋) 명 〖건〗 재목을 깎을 때, 가장자리를 곧게 밀어 내거나 모서리를 턱지게 깎는 대패. 변탕대패.

변탕

변:태 (變態) 명 **1** 본디의 상태가 달라짐. 또는 그런 상태. 탈바꿈. **2** 〖동〗 동물이 알에서 부화해서 완전한 성체(成體)가 되기까지, 시기에 따라 여러 가지 형태로 변하여 자라는 형상. **3** 〖식〗 식물의 줄기나 잎·뿌리가 정상적인 상태에서 변하여 다른 형태가 되는 일. **4** '변태 성욕'의 준말.
변:태 성:욕 (變態性慾) 〖심〗 정상이 아닌 성행위. 넓은 의미로는 성욕 본능의 이상(異常), 좁은 의미로는 성행위의 이상을 말함. 이상 성욕. 준변태.
변:태-적 (變態的) 관명 정상이 아닌 상태로 달라진 (것). ¶~ 성욕/유흥가의 ~인 영업을 단속하다.
변통 (便通) 명 〖한의〗 병적으로 잘 나오지 않던 똥이 잘 나오게 되는 일.
변통 (便痛) 명 〖한의〗 대변을 볼 때 일어나는 아픈 증세.
변:통 (變通) 명하타 **1** 상황과 경우에 따라 일을 이리저리 잘 처리함. ¶임시~에 능하다/이제 무슨 ~을 내야겠다. **2** 돈이나 물건 따위를 이리저리 돌라맞춰 씀. ¶마침 돈이 ~되었다.
변:통-성 (變通性)[-썽] 명 일을 융통성 있게 잘 처리할 수 있는 성질이나 능력. 주변

성. ¶ ~이 없는 사람.

변:통-수 (變通數)[-쑤] 명 변통하는 방법·수단. ¶혹시 무슨 ~가 있을까요.

***변:-하다** (變-) 자여불 무엇이 다른 것이 되거나 또는 다른 성질로 달라지다. ¶마음이 ~ / 시대가 변한 탓일까 / 정세가 어떻게 변할지 전망해 보았다.

변:한-말 (變-) 명 〖언〗 음운이 변하여 된 말. '곤난(困難)'이 '곤란'으로 되는 따위.

변:함-없다 (變-)[-업따] 형 달라지지 않고 항상 같다. ¶변함없는 우정 / 어떤 어려움이 닥쳐도 내 마음은 ~. **변:함-없이** [-업씨] 부. ¶ ~ 이어져 온 전통.

변:항 (變項) 명 **1** 수학 등에서 여러 값을 가질 수 있는 기호. **2** 논리식(論理式)에서 임의의 개체를 나타내는 부분.

변:해 (辯解) 명하타 말로 풀어 자세히 밝힘.

변:혁 (變革) 명하자타 급격하게 바꾸어 매우 달라지게 함. ¶드디어 교육 제도가 ~되었다 / 사회 풍조를 새롭게 ~시키다 / 일대 ~을 일으키다.

변:혁-기 (變革期) 명 급격히 바뀌어 달라지는 시기. ¶ ~를 맞이한 경제계.

변:혁-적 (變革的) 관명 급격히 바뀌어 달라지는 (것).

변:형 (變形) 명하자타 **1** 상태나 형태가 달라지거나 달라지게 함. 또는 달라진 형태. ¶비에 젖어 ~된 상자 / 폐품을 ~시켜 활용하다. **2** 〖물〗 탄성체가 형태나 부피를 바꾸는 일.

변:형-력 (變形力)[-녁] 명 〖물〗 물체가 외부 힘의 작용에 저항하여 원형을 지키려는 힘. 스트레스.

변:호 (辯護) 명하타 **1** 남의 이익을 위하여 변명하여 도와줌. ¶친구를 ~하다. **2** 〖법〗 법정에서 검사의 공격으로부터 피고인의 이익을 옹호함. ¶선거 사범의 ~를 맡다.

***변:호-사** (辯護士) 명 변호사법에 규정된 일정한 자격을 가지고 당사자나 그 밖의 관계인의 의뢰 또는 법원의 명령에 따라 소송에 관한 행위와 그 외의 일반 법률 사무를 행하는 것을 직무로 하는 사람. ¶ ~ 수임료 / ~를 선임하다.

변:호-인 (辯護人) 명 형사 피고인의 변호를 하기 위하여 특별히 선임한 사람《원칙적으로 변호사 중에서 선임됨》. ¶국선 ~으로 선임되다.

변:호인-단 (辯護人團) 명 함께 한 소송에서 변호를 맡은 변호인들. ¶시국 사건에 대규모 ~을 구성하다.

***변:화** (變化) 명하자 사물의 모양·성질·상태 따위가 달라짐. ¶발전적으로 ~되는 과정 / 공해가 자연 환경을 ~시키고 있다 / 점차 ~의 기미가 보인다.

변:화-구 (變化球) 명 야구의 투구나 배구의 서브에서, 진행 방향이 변화하는 공.

변:화-무쌍 (變化無雙) 명하형 더없이 변화가 심함.

변:환 (變換) 명하자타 **1** 성질·상태 등을 바꿈. 성질·상태 등이 바뀜. **2** 〖수〗 어떤 수식·함수·관계식 중의 변수를 모든 위치에서 제각기 특정한 다른 변수 또는 변수를 포함한 수식·함수 등으로 바꾸는 일. **3** 〖수〗 일정한 법칙에 따라 기하학적 도형의 위치·모양·크기 등을 바꾸는 일. **4** 〖물〗 어떤 핵종(核種)이 다른 원소의 핵종으로 바뀜. 또는 그 과정.

***별:** 명 **1** 태양·달·지구를 제외한 천체. **2** 몇 개의 뾰족한 모가 나와서 방사상(放射狀)을 이룬 별 모양의 도형. ¶ ~사탕. **3** 별 모양을 한 장성급의 계급장. ¶ ~을 달다. **4** 매우 하기 힘든 일의 비유. ¶하늘의 ~ 따기. **5** 위대한 업적을 남긴 대가의 비유. ¶사학계의 큰 ~이 지다.

별[1] (別) 부 '별로'의 준말. ¶아무래도 ~ 뾰족한 수가 없다.

별[2] (別) 관 '보통과 다른, 별난' 등의 뜻. ¶ ~ 재간을 다 부려도 소용이 없다 / ~ 볼일 없다 / ~ 이상한 소리를 다 한다.

-별 (別) 미 같은 종류로 구별함을 나타내는 말. ¶직업~ / 학교~.

별가 (別家) 명 **1** 작은집3. **2** 딴 집. 별택.

별감 (別監) 명 〖역〗 **1** 고려·조선 때, 조사·감독·취렴(取斂)을 위하여 지방에 보내던 임시 벼슬. **2** 조선 때, 액정서(掖庭署)에 딸린 하인의 하나. **3** 조선 때, 유향소(留鄕所)의 좌수의 버금 자리. **4** 남자 하인끼리 서로 존대하여 부르던 말.

별개 (別個) 명 관련성이 없이 서로 다름. ¶ ~의 문제.

별거 (別居) 명하자 부부나 한집안 식구가 따로 떨어져 삶. ¶ ~ 생활에 들어가다. ↔동거(同居).

별-걱정 (別-) 명 쓸데없는 걱정. ¶고걸 가지고 ~을 다 하는군.

별건 (別件)[-껀] 명 **1** 보통 것보다 매우 다르게 된 물건. **2** '별사건'의 준말. **3** 별개의 건.

별-것 (別-)[-걷] 명 **1** 드물고 이상스러운 것. ¶ ~ 아니군. **2** 여러 가지 것.

별견 (瞥見) 명하타 흘끗 봄.

별고 (別故) 명 **1** 특별한 사고. ¶댁에는 ~ 없으신지요. **2** 별다른 까닭.

별곡 (別曲) 명 〖문〗 중국의 시가(詩歌)에 있는 운(韻)이나 조(調)가 없이 된 우리나라의 독특한 시가를 일컫는 말《관동(關東)별곡·청산별곡 따위》.

별관 (別館) 명 본관 외에 따로 지은 건물.

별-구경 (別-) 명 보기 드문 구경. ¶살다 보니 ~을 다 한다.

별군 (別軍) 명 본대 밖에 따로 독립한 군대.

별궁 (別宮) 명 〖역〗 **1** 왕·왕세자의 혼례 때에 왕비·세자빈을 맞아들이던 궁전. **2** 특별히 따로 지은 궁전.

별-궁리 (別窮理)[-니] 명 **1** 특별히 다른 궁리. **2** 온갖 궁리. ¶ ~를 다 해 보다.

별기 (別記) 명하타 본문 이외에 따로 기록하여 첨부함. 또는 그런 기록.

별-꼴 (別-) 명 별나게 이상하거나 거슬려 보이는 모습. ¶ ~ 다 본다 / 참 ~이네.

별-나다 (別-)[-라-] 형 됨됨이가 보통 것과 다르다. ¶오늘 따라 별나게 굴다.

별:-나라 [-라-] 명 〈소아〉 별의 세계《하늘》.

별납 (別納)[-랍] 명하타 **1** 당연히 바치는 것 외에 따로 또 바침. **2** 한꺼번에 바치지 않고 따로 떼어 바침. ¶우편 요금 ~.

별-놈 (別-)[-롬] 명 **1** 생김새나 성질·언행 등이 별난 사람. ¶ ~ 다 보겠군. 2 ('별놈의' 의 꼴로 쓰여) 여러 가지 이상한 것. ¶ ~의 소리를 다 듣겠네.

별-다르다 (別—) 〔별다르니, 별달라〕 형 르불 (흔히 부정어와 함께 쓰여) 특별히 다르다. ¶ 문제 해결의 별다른 방도가 없다.

별-달리 (別—) 부 특별히 다르게. ¶ 이제는 ~ 할 말이 없다 / ~ 시원한 대답을 못 들었다.

별당 (別堂) [—땅] 명 1 몸채의 곁이나 뒤에 따로 지은 집이나 방. 2 〘불〙 절의 주지나 강사(講師) 같은 사람이 따로 거처하는 곳. 퇴설당.

별대 (別隊) [—때] 명 본대(本隊) 밖에 따로 독립한 부대.

별도 (別途) [—또] 명 1 딴 방면. ¶ ~ 수입 / ~로 취급하다. 2 딴 용도. ¶ ~로 쓸 데가 있다.

별-도리 (別道理) 명 달리 어떻게 할 방법이나 수단. ¶ 지금으로서는 ~가 없다.

별동 (別棟) [—똥] 명 따로 떨어져 있는 집채. 딴채.

별동-대 (別動隊) [—똥—] 명 본대와 독립하여 특별한 임무를 지니고 행동하는 부대.

별:-똥 명 〈속〉 유성(流星).

별:똥-별 명 〈속〉 유성(流星).

별로 (別路) 명 1 이별하고 떠나는 길. 2 딴 길.

***별-로** (別—) 부 (부정하는 말과 함께 쓰여) 그다지 다르게. 이렇다 하게 따로. ¶ 오늘은 ~ 만나고 싶지 않다. ㊟별.

별리 (別離) 명하자 이별(離別).

별-말 (別—) 명하자 1 뜻밖의 말. 별소리. ¶ 참 ~을 다 하는군. 2 별다른 말. 별소리. ¶ 안부 이외에는 ~ 없었네.

별-말씀 (別—) 명하자 '별말'의 높임말. ¶ 천만에요, ~을 다 하십니다.

별-맛 (別—) [—맏] 명 1 특별한 맛. ¶ 비싸기만 하고 ~은 없다 / 먹어 봤지만 ~ 아니더라. 2 별미(別味). ¶ 그 집 냉면은 ~이다.

별명 (別名) 명 본이름 외에 외모·성격 등의 특징을 바탕으로 남들이 지어 부르는 이름. 닉네임. ¶ '악바리' 라는 ~으로 더욱 유명하다.

별-문제 (別問題) 명 1 딴 문제. ¶ 이것과 저것과는 ~다. 2 특별한 문제. 별난 문제. ¶ 먹고사는 데는 ~가 없다.

별물 (別物) 명 1 특별한 물건. 2 〈속〉 별사람.

별미 (別味) 명 특별히 좋은 맛. 또는 그 음식. 별맛. ¶ 그 집은 냉면을 ~로 친다.

별미-쩍다 (別味—) 형 말과 행동이 어울리지 않고 멋이 없다.

별:-박이 명 1 썩 높이 오르거나 멀리 날아가서 아주 조그맣게 보이는 종이 연. 2 살치 끝에 붙은 고기《쇠고기 중에서 가장 질김》.

별반 (別般) ㊀명 보통과 다름. 별다름. 별양(別樣). ¶ ~ 대책이 없다. ㊁부 별다르게. 별로. ¶ ~ 좋은 줄 모르겠다.

별별 (別別) 관 보통보다 아주 다른 이상한 가지가지. 별의별. ¶ ~ 사람들이 다 모였다 / 실직한 뒤로 ~ 고생을 다 하다.

별보 (別報) 명 다른 보도. 특별한 기별.

별본 (別本) 명 1 보통 것보다 달리 된 모양이나 본새. 2 예전에, 별도로 된 책이나 글을 일컫던 말.

별봉 (別封) 명하타 따로 싸서 봉함. 또는 그 편지. ¶ 사진은 ~하여 보냅니다.

별비 (別備) 명 1 특별한 준비. 2 굿할 때, 목돈 외에 따로 무당에게 주는 돈.

별:-빛 [—삗] 명 별의 반짝이는 빛. 성광(星光). 성영(星影).

별-사건 (別事件) [—껀] 명 1 특별한 사건. 2 관련이 없는 다른 사건. ㊟별건(別件).

별-사람 (別—) 명 1 생김새·말·행동 따위가 평범하지 않고 이상스러운 사람. 별종. 별짜. ¶ ~ 다 보겠군. 2 별의별 사람. ¶ ~이 다 모이다. 3 특별한 사람. 별인물.

별-생각 (別—) 명 1 별다른 생각. ¶ ~ 없이 한 말이다. 2 별의별 생각. ¶ ~이 다 난다.

별설 (別設) [—썰] 명하타 따로 설치함.

별성 (別星) [—썽] 명 1 봉명 사신(奉命使臣). 2 '호구(戶口)별성'의 준말.

별성-마마 (別星媽媽) [—썽—] 명 '호구별성'의 높임말. 후구대감. ㊟마마(媽媽).

별성마마 배송(拜送) 내듯 구 마음에 달갑지 않으나 후환이 두려워, 좋도록 하여 내보내는 모양.

별세 (別世) [—쎄] 명하자 윗사람이 세상을 떠남. ¶ 숙환으로 ~하다.

별-세계 (別世界) [— / —게] 명 1 지구 밖의 다른 상상의 세상. ¶ 그는 ~에서 온 사람처럼 세상일을 몰랐다. 2 속된 세상과는 아주 다른 세상. 특별히 볼 것이 있는 곳. 딴세상. 별건곤. 별유천지. 별천지. ¶ 동굴 안은 ~ 같았다.

별-소리 (別—) 명하자 별말. ¶ ~를 다 하는군 / ~ 없이 흔쾌히 허락하다.

별송 (別送) [—쏭] 명하타 따로 보냄. ¶ 소포를 ~하다.

별-수 (別—) 명 1 ('있다'·'없다'와 함께 쓰여) 달리 할 방법. ¶ 이젠 ~ 없게 되었다 / 다 끝났으니 ~ 있겠나. 2 온갖 방법. 여러 가지 방법. ¶ ~를 다 써 봐도 소용없다.

별-수 (別數) [—쑤] 명 특별히 좋은 운수. ¶ ~라도 생길 줄 알면 큰 오산이야.

별-수단 (別手段) 명 1 특별한 수단. ¶ 이 일은 해결할 ~이 없다. 2 여러 가지 수단. ¶ ~을 다 써 보다.

별-스럽다 (別—) 〔별스러우니, 별스러워〕 형 ㅂ불 별난 데가 있다. 남다르게 이상한 데가 있다. ¶ 별스럽게 생긴 물건 / 원, 세상에 별스러운 꼴을 다 보겠네. **별-스레** 부

별식 (別食) [—씩] 명 늘 먹는 음식이 아닌 특별한 음식. ¶ ~을 선보이다 / ~으로 프랑스 요리를 사 먹다.

별신-굿 (別神—) [—씬꾿] 명하자 1 남쪽 지방에서 어민들이 하는 굿. 2 서울 근방에서 무당들이 하는 굿.

별실 (別室) [—씰] 명 1 작은집3. 2 딴 방. 별간. ¶ ~에서 대기하다 / ~로 안내하다.

***별안-간** (瞥眼間) 부 눈 깜짝할 동안. 갑자기. 난데없이. ¶ ~ 웬말이냐 / ~ 일어난 일이라 손쓸 겨를이 없었다.

별옴둑가지-소리 (別—) 명 별의별 괴상한 소리. ¶ ~를 다 듣겠다.

별유-천지 (別有天地) 명 별세계2.

별의-별 (別-別)[-/-에-] 관 보통과 다른 갖가지의. 별별. ¶~ 소리를 다 듣겠다/어제 일로 ~ 생각이 다 들었다.
별-일 (別-)[-릴] 명 **1** 별다른 일. ¶그새 ~ 없이 잘 지냈다. **2** 드물고 이상한 일. ¶살다가 ~을 다 당하네.
별:-자리 [-짜-] 명 《천》 하늘에 뜬 별을 그 위치에 따라 신(神)이나 동물·기물 따위의 형상으로 보아 편의적으로 구획한 것《현재는 88개로 통일되었음》. 성좌(星座).
별장 (別莊)[-짱] 명 본집 외에 경치 좋은 곳에 따로 마련한 집. 별저(別邸). ¶산 좋고 물 좋은 시골에 ~을 마련하다.
별장-지기 (別莊-)[-짱-] 명 별장을 지키며 관리하는 사람.
별전 (別殿)[-쩐] 명 본궁(本宮) 가까운 곳에 따로 지은 궁전.
별정 (別定)[-쩡] 명하타 별도로 정함.
별정-직 (別定職)[-쩡-] 명 국가 공무원법에서, 특수 경력직의 한 갈래. 감사원 사무차장 및 서울특별시·광역시·도(道) 선거 관리 위원회의 상임 위원 등이 이에 속함.
별종 (別種)[-쫑] 명 **1** 다른 종류. **2** 특별히 선사하는 물건. **3** 〈속〉 별스러운 사람. 별사람. ¶하는 짓이 ~이다.
별주부-전 (鼈主簿傳)[-쭈-] 명 《문·악》 별주부, 곧 자라를 주인공으로 하는, 조선 후기의 판소리 계통의 소설. 토끼전(傳). 토생원전.
별지 (別紙)[-찌] 명 서류·편지 등에 따로 덧붙이는 종이쪽. ¶~를 참조할 것.
별-지장 (別支障) 명 별다른 지장. ¶넘어졌으나 걷기에는 ~이 없다.
별집 (別集)[-찝] 명 서책을 내용에 따라 분류할 때, 개인의 시문집을 일컬음.
별:-짜리 명 〈속〉 장성급 장교. ¶'국군의 날' 기념식에 ~들이 많이 나왔다.
별쭝-나다 형 말이나 행동이 별스럽다.
별쭝-맞다 [-맏따] 형 별쭝나고 방정맞다.
별쭝-스럽다 〔-스러우니, -스러워〕 형ㅂ불 별쭝난 데가 있다. **별쭝-스레** 부
별차 (別差) 명 별다른 차별이나 차이. ¶실력에는 ~가 없다.
별찬 (別饌) 명 별다르게 특별히 만든 반찬.
별-채 (別-) 명 딴채. ¶~에서 기거하다.
별책 (別冊) 명 따로 나누어 엮어 만든 책. 별권(別卷). ¶~ 부록.
별책 (別策) 명 별다른 대책. 특별한 계책.
별-천지 (別天地) 명 별세계2. ¶~와 같다/소란스러운 도심에 비하면 여기는 ~다.
별첨 (別添) 명하타 서류 따위를 따로 덧붙임. ¶~ 서류를 동봉하다.
별칭 (別稱) 명 달리 부르는 명칭.
별:-표 (-標) 명 별 모양의 표.
별표 (別表) 명 따로 붙인 표시나 도표. ¶~를 참조하시오.
별항 (別項) 명 다른 조항이나 사항. ¶~ 참조/~을 잡아 정리하다.
별행 (別行) 명 글을 써 내려가다 따로 잡는 줄. 다른 줄. ¶~을 잡다.
별호 (別號) 명 **1** 호(號)▬1. **2** 별명처럼 지은 호.
볌: 명 반지나 병마개 등이 헐거워 잘 맞지 않을 때 꼭 맞도록 끼는 헝겊이나 종이.
볍-쌀 명 입쌀이나 찹쌀을 잡곡에 대하여 일컫는 말.
볍-씨 명 못자리에 뿌리는 벼의 씨. 씨벼.
볏 [볃] 명 닭·꿩 따위의 이마 위에 세로로 붙은 살 조각《빛깔이 붉고 시울이 톱니처럼 생겼음》. 계관(鷄冠). 육관(肉冠).
볏-가리 [벼까-/볃까-] 명 볏단을 차곡차곡 쌓은 더미.
볏-단 [벼딴/볃딴] 명 벼를 베어 묶은 단.
볏-섬 [벼썸/볃썸] 명 벼를 담은 섬.
볏-짚 [벼찝/볃찝] 명 벼의 이삭을 떨어낸 줄기. 고초(藁草). 준짚.
병: (丙) 명 **1** 천간(天干)의 셋째. **2** 사물의 차례나 등급에서 셋째.
병 (兵) 명 《군》 군(軍)의 '병장·상등병·일등병·이등병'을 일컫는 말.
***병:** (病) 명 **1** 생물체의 전신 또는 일부분에 기능의 장애로 고통을 느끼는 상태. ¶불치의 ~/~으로 자리에 누운 지 오래됐다. **2** 사물에 생기는 탈. 고장. **3** 결점. 단점. 흠. **4** '병집'의 준말. ¶남을 의심하는 것도 너의 ~이다. **5** (일부 명사 뒤에 붙어) '질병'의 뜻을 나타내는 말. ¶눈~/위장~. [병에는 장사 없다] 어떤 장사라도 병에 걸리면 맥을 못 춤의 비유. [병 주고 약 준다] 해를 입힌 뒤에 어루만진다는 뜻으로, 교활하고 음흉한 자의 언행의 비유. [병 자랑은 하여라] 병에 걸렸을 때는 자기가 앓는 병을 여러 사람에게 말하고 고칠 길을 물어보아야 치료 방법을 찾을 수 있다는 말.
***병** (甁) 명 **1** 액체 등을 담는 그릇《유리·사기 등으로 만드는데, 아가리가 좁음》. ¶~은 재활용이 된다. **2** 액체 따위를 병에 담아 그 분량을 세는 단위《의존 명사적으로 씀》. ¶음료수 두 ~을 사 왔다.
-병 (兵) 미 (일부 명사 뒤에 붙어) '군인'임을 나타냄. ¶보충~/부상~.
병가 (兵家) 명 **1** 병학의 전문가. **2** 군사에 종사하는 사람. **3** 중국의 제자백가의 하나로 병술을 논하던 학자. ☞제자백가.
병:가 (病暇) 명 몸의 병으로 얻는 휴가.
병가-상사 (兵家常事) 명 **1** 전쟁에서 이기고 지는 것은 보통 있는 일임. **2** 실패는 흔히 있는 일이니 낙심할 것 없다는 말.
병:-간호 (病看護) 명하타 병자를 잘 보살핌. ¶지극 정성으로 ~를 하다. 준병간(病看).
병:거 (竝擧) 명하타 두 가지 이상의 예를 함께 듦.
병:결 (病缺) 명하자 병으로 결석하거나 결근함. ¶환절기에는 ~이 비교적 많다.
병:고 (病苦) 명 **1** 병으로 인한 고통. ¶~를 이겨 내다/~에 시달리다. **2** 《불》 팔고(八苦) 또는 사고(四苦)의 하나《병으로 겪는 괴로움을 이름》.
병:고 (病故) 명 병에 걸리는 일. 질고(疾故). ¶~로 결근하다.
병:골 (病骨) 명 병이 깊이 배어 약해진 몸. 또는 그런 사람.
병과 (兵戈) 명 **1** 군인이 쓰는 창이란 뜻으로, 무기를 일컫는 말. **2** 전쟁.
병과 (兵科)[-꽈] 명 《군》 군무의 종류를 분류한 종별《보병·공병·포병 등》.
병:구 (病軀) 명 병든 몸. ¶~를 무릅쓰고 회의에 참석하다/~를 이끌고 귀향하다.

병:-구완 (病-) [명][하타] 〔←병구원(病救援)〕 병자를 돌보아 주는 일. ¶손자가 와서 할머님의 ~을 극진히 하였다.
병권 (兵權)[-꿘] [명] '병마지권(兵馬之權)'의 준말. ¶~을 한 손에 쥐다.
병:균 (病菌) [명] 병원균. (준)균.
병:근 (病根) [명] **1** 병이 생기는 원인. 병원(病原). **2** 깊이 밴 나쁜 습관. 고치기 어려운 악습(惡習).
병기 (兵器) [명] 전쟁에 쓰는 모든 기구의 총칭. 병장기. 무기.
병:기 (竝起) [명][하자] 양쪽이 함께 일어남.
병:기 (倂記·竝記) [명][하타] 함께 합하여 기록함. 나란히 기록함. ¶이름을 적을 때는 한자와 한글을 ~하다.
병기-고 (兵器庫) [명] 〖군〗 무기고.
병기-창 (兵器廠) [명] 〖군〗 병기를 만들거나 수리하는 공장.
병:-나다 (病-) [자] **1** 병이 생기다. ¶병나지 않도록 조심하다 / 병나서 드러눕다. **2** 물건에 탈이 생기다.
병-나발 (甁-) [명] 〔←병나팔〕 〈속〉 병을 나발 불듯이 거꾸로 입에 대고, 안의 액체를 들이켜는 일.
 병나발(을) 불다 [구] 〈속〉 병을 나발 불듯이 거꾸로 입에 대고 안의 액체를 들이켜다. ¶맥주 2병을 연거푸 ~.
병난 (兵難) [명] 전쟁으로 입는 재난.
병:독 (病毒) [명] 병의 근원이 되는 독기(毒氣). ¶~이 온몸에 퍼진 것 같다.
병:동 (病棟) [명] 여러 개의 병실로 된 병원 안의 한 채의 건물. ¶외과 ~ / 격리 ~.
병:-들다 (病-) 〔병드니, 병드오〕 [자] **1** 몸에 병이 생기다. ¶병든 몸을 추스르다 / 오랫동안 병들어 고생하다. **2** 정신 상태가 건전하지 않게 되다. ¶마음이 ~.
병-따개 (甁-) [명] 병마개를 따는 기구.
병란 (兵亂)[-난] [명] 나라 안에서 쌈질하는 난리. 병변(兵變). ¶~의 거리로 화하다.
병력 (兵力)[-녁] [명] **1** 군대의 힘. 전투력. **2** 군대의 인원. 또는 그 숫자. ¶고지 탈환에 많은 ~이 동원되었다.
병:력 (病歷)[-녁] [명] 지금까지 앓은 일이 있는 병의 종류·원인·진행 결과·치료 따위. ¶신상 기록 카드에 ~이 누락되다.
병:렬 (竝列)[-녈] [명][하자타] **1** 나란히 늘어서거나 늘어놓음. ¶~된 견본들. **2** 몇 개의 도선(導線)·축전기·전지 등의 두 단자(端子)를 공통된 두 단자에 연결하는 일. 병렬연결. ↔직렬.
병:리 (病理)[-니] [명] 병의 원인·결과·변천에 관한 이론.
병:리-학 (病理學)[-니-] [명] 〖의〗 병의 원인을 탐구하기 위하여 병체(病體)의 조직·기관(器官)의 형태 및 기능의 변화를 조사 규명하는 학문.
병:립 (竝立)[-닙] [명][하자] 나란히 섬. ¶전쟁과 평화가 ~된 양상을 띠다.
병마 (兵馬) [명] **1** 병사와 군마. **2** 군대나 전쟁에 관한 모든 일.
병:마 (病魔) [명] 병을 악마에 비유한 말. ¶~에 시달리다 / ~와 싸우다.
병-마개 (甁-) [명] 병의 아가리를 막는 마개. ¶~를 뽑다〔따다〕 / ~를 닫다.
병마-절도사 (兵馬節度使)[-또-] [명] 〖역〗 조선 때, 각 지방의 병마를 지휘하던 종이품의 무관. (준)병사.
병마지권 (兵馬之權)[-꿘] [명] 군을 편제(編制)·통수할 수 있는 권능. 통수권. (준)병권.
병:명 (病名) [명] 병의 이름. ¶~을 알 수 없는 질병에 시달리다.
병-목 (甁-) [명] 병의 아가리 아래쪽의 잘록한 부분.
 병목 현:상 (甁-現象)[-모켠-] 도로 폭이 병목처럼 갑자기 좁아진 곳에서 일어나는 교통 정체 현상. ¶교통 정리로 ~을 해소하다.
병무 (兵務) [명] 병사(兵事)에 관한 사무.
병무-청 (兵務廳) [명] 국방부 장관에 속하여, 징집·소집 기타 병무 행정에 관한 사무를 맡아보는 중앙 행정 기관.
병:-문안 (病問安) [명][하타] 병이 들어 앓는 사람을 찾아가서 위로하는 일. ¶입원해 있는 친구의 ~을 다녀오다.
병:발 (竝發·倂發) [명][하자] 두 가지 이상의 일이 한꺼번에 일어남. ¶~된 사고 / 고혈압에 당뇨병이 ~하다.
병법 (兵法)[-뻡] [명] 군사를 지휘하여 전쟁하는 방법. ¶~에 밝은 지휘관.
병:벽 (病癖) [명] 고질이 되어 잘 고쳐지지 아니하는, 병적일 정도로 나쁜 버릇. ¶이리저리 옮겨 다니는 것이 그의 ~이다.
병부 (兵簿) [명] 병사의 명부.
병비 (兵備) [명] 군대·병기 따위의 군사에 관계되는 준비. 무비(武備). ¶~를 갖추다.
병사 (兵士) [명] **1** 군사(軍士). **2** 사병.
병사 (兵舍) [명] 병영.
병사 (兵事) [명] 병역·군대·전쟁 등에 관한 일. 전사(戰事).
병:사 (病死) [명][하자] 병으로 죽음. 병몰. 병폐(病斃). ¶그의 사인은 ~로 밝혀졌다 / 오랜 투병 끝에 ~했다.
병:살 (倂殺) [명][하타] 야구에서, 두 사람의 주자를 한꺼번에 아웃시키는 일. 겟투. 더블플레이. ¶타자 주자와 1루 주자가 ~을 당하다.
병:살-타 (倂殺打) [명] 야구에서, 타자가 친 타구가 수비수에게 잡혀 누상에 있던 주자와 타자가 다 아웃이 되는 타구.
병:상 (病床) [명] 병자가 눕는 침상. ¶혼자서 ~을 지키다 / ~에서 신음하다.
 병:상 일지 (病床日誌)[-찌] **1** 병상에 있는 사람이 적은 일지. **2** 병의 경과를 나날이 적은 기록.
병:색 (病色) [명] 병든 사람의 얼굴빛. ¶~이 도는 얼굴 / 얼굴에 ~이 완연하다.
병서 (兵書) [명] 병법에 관하여 쓴 책. ¶~를 읽다.
병:서 (竝書) [명][하타] 한글에서, 같은 자음 두 글자나 또는 다른 자음 둘이나 셋을 가로로 나란히 붙여 씀(《ㄲ·ㄼ·ㅄ·ㅴ 등》).
병:석 (病席) [명] 병자가 누워 있는 자리. ¶~에 눕다 / ~을 지키다.
병:설 (竝設·倂設) [명][하타] 두 가지 이상을 한 곳에 함께 설치함. ¶~ 중학교 / 회사에 ~된 탁아소.
병세 (兵勢) [명] 군사의 세력.
병:세 (病勢) [명] 병의 형세. 병의 상태. ¶~

가 호전되다.

병:-시중 (病-) 명하타 병구완. ¶80 노모의 ~을 들다.

병:신 (病身) 명 **1** 몸의 어느 부분이 온전하지 못하거나 기능을 잃은 상태. 또는 그런 사람. 불구자. **2** 병든 몸. ¶중풍으로 다리가 ~이 되다. **3** 온전한 형태를 갖추지 못하거나 제구실을 못하는 물건. ¶뚜껑이 없어져 ~이 된 주전자. **4** 지능·재능이 변변치 못한 사람. ¶~ 같은 녀석. **5** 남을 얕잡아 일컫는 말. ¶이 ~아.
[병신 달밤에 체조한다] 못난 사람이 더욱 더 미운 짓만 하는 경우의 비유. [병신 자식이 효도한다] 대수롭지 않은 것이 도리어 제구실을 할 때 하는 말.
병신(이) 육갑(六甲)하다 구 되지못한 사람이 엉뚱한 짓을 하다.

병:실 (病室) 명 병을 치료하기 위하여 환자가 지내는 방. 환자실. ¶6인용 ~/~이 문병객으로 어수선하다.

***병아리** 명 닭의 새끼.
병아리 눈물만큼 구 매우 적은 수량의 비유.
병아리 오줌 구 〈속〉 정신이 희미하고 고리타분한 사람을 이름.

병:약-하다 (病弱-)[-야카-] 형여불 **1** 병에 시달려서 쇠약하다. **2** 몸이 허약하여 병에 걸리기 쉽다. ¶그는 병약하여 힘든 일을 못한다. ↔강건(強健)하다.

병어 명 〖어〗 병엇과의 바닷물고기. 길이 60 cm 가량, 몸통은 납작하고 둥그스름한 마름모. 등은 푸른빛을 띤 은백색, 벗겨지기 쉬운 잔비늘이 있음. 등지느러미는 길며 꼬리지느러미는 두 가닥, 배지느러미는 없음. 따뜻한 물에서 살며 맛이 좋음.

병역 (兵役) 명 국민의 의무로서, 일정 기간 군에 복무하는 일. ¶~을 마치다/~은 신성한 국민의 의무이다.

병역-법 (兵役法) 명 〖법〗 국민의 병역 의무에 관하여 구체적으로 규정한 법률.

병영 (兵營) 명 군대가 들어 거처하는 집. 병사(兵舍). ¶~ 생활.

병:용 (竝用·倂用) 명하타 아울러서 함께 씀. ¶한글과 한자를 ~하다/현금과 상품권이 ~되다.

***병:원** (病院) 명 **1** 병자를 진찰·치료하기 위하여 설비해 놓은 건물. **2** 〖법〗 환자 30명 이상을 수용할 수 있는 설비를 갖춘 의료기관.

병:원 (病原·病源) 명 〖의〗 병의 근원. 병근(病根).

병:원-균 (病原菌) 명 〖의〗 병의 원인이 되는 균. 병균.

병:원-비 (病院費) 명 병원에서 치료를 받거나 입원하는 데 드는 비용.

병:원-체 (病原體) 명 〖의〗 생물체에 기생하여 병을 일으키는 미생물《세균이나 바이러스(virus)·기생충 따위》.

병:인 (病因) 명 병의 원인. ¶돌연사의 ~을 밝히다.

병:인-박해 (丙寅迫害)[-바캐] 명 〖역〗 조선 고종(高宗) 3년(1866)에 일어난, 대원군에 의한 천주교 박해 사건. 이로 인하여 병인양요(洋擾)가 일어났음. 병인교난. 병인사옥(邪獄).

병:인-양요 (丙寅洋擾)[-냥-] 명 〖역〗 대원군의 천주교 탄압으로 고종 3년(1866)에 프랑스 함대가 강화도를 침범한 사건.

병:자 (病者) 명 병을 앓고 있는 사람. 병인. 환자. ¶의료계의 전면 파업으로 ~만 고통을 받고 있다.

병:자-호란 (丙子胡亂) 명 〖역〗 조선 인조(仁祖) 14년(1636) 병자년에 청(淸)나라가 침입한 난리.

병장 (兵長) 명 사병 계급의 하나《하사의 아래, 상등병의 위》.

병장-기 (兵仗器) 명 예전에, 병사들이 쓰던 온갖 병기.

병적 (兵籍) 명 **1** 군인 신분과 관련된 기록. ¶~ 증명서. **2** '병적부'의 준말.

병:적 (病的)[-쩍] 관명 언어·동작이 정상을 벗어나 불건전한 (것). ¶나에 대한 그녀의 집착은 ~이었다.

병적-부 (兵籍簿) 명 군인의 신분에 관한 사항을 기록한 장부. 준병적.

병정 (兵丁) 명 병역에 복무하는 장정.

병정-개미 (兵丁-) 명 〖충〗 개미·흰개미 종류에서 투쟁 임무를 맡은 일개미.

병정-놀이 (兵丁-) 명하자 아이들 놀이의 하나《군사 훈련이나 전투 모습을 모방하여 놂》. 군대놀이.

병제 (兵制) 명 군제(軍制).

병:제 (竝製) 명 보통으로 만든 제품. ↔특제.

병조 (兵曹) 명 〖역〗 고려와 조선 때의 육조의 하나. 무선(武選)·군무·의위(儀衛)·우역(郵驛)·병갑(兵甲)·문호 관약(管鑰) 등의 일을 맡아봄.

병-조림 (甁-) 명하타 음식물을 가공하여 병에 넣고 일정 기간 상하지 않게 밀봉하는 일. 또는 그렇게 만든 음식물. *통조림.

병:존 (竝存) 명하자 두 가지 이상이 함께 존재함. ¶보수와 진보가 ~하다.

병졸 (兵卒) 명 **1** 사병(士兵). **2** 군사(軍士).

병:졸 (病卒) 명하자 '병사(病死)'의 높임말.

병:-줄 (病-)[-쭐] 명 오래 계속해 앓는 질병이나 큰 병.
병줄(을) 놓다 구 오래 앓던 질병이나 큰 병에서 벗어나 몸이 회복되다.

병:중 (病中) 명 병으로 앓는 동안. ¶~에 술과 담배를 끊다.

병진 (兵塵) 명 싸움터에서 일어나는 티끌이라는 뜻으로, 전쟁의 어수선하고 어지러운 분위기를 이르는 말.

병:진 (竝進) 명하자 둘 이상이 함께 나란히 나아감. ¶경제 발전과 개혁은 ~되어야 한다.

병:-집 (病-)[-찝] 명 **1** 깊이 뿌리박힌 잘못이나 결점. ¶그것이 자네 ~일세. 준병. **2** 탈을 일으키는 원인. 병통.

병참 (兵站) 명 군대의 전투력을 유지하고, 작전을 지원하기 위한 보급·정비·회수·교통·위생·건설 등의 일체의 기능의 총칭.

병:창 (竝唱) 명하타 가야금·거문고 따위를 타면서 자신이 거기에 맞추어 노래를 부름. 또는 그 노래. ¶가야금 ~. ☞민속악.

병:-추기 (病-) 명 병에 걸려 늘 성하지 못하거나 걸핏하면 잘 앓는 사람.

병:충(病蟲) 명 **1** 병해를 일으키는 벌레. **2** 어떤 단체나 사회에 해가 되는 사람의 비유.
병:충-해(病蟲害) 명 식물이 병균과 벌레로 말미암아 입는 피해. ¶~가 극심하다.
병:치(倂置·竝置) 명하타 둘 이상의 것을 같은 장소에 두거나 설치함. ¶작은방이 큰방과 ~되다.
병:-치레(病-) 명하자 병을 앓아 치러 내는 일. ¶~가 잦은 아이.
병:칭(竝稱) 명하타 둘 이상을 한데 어울러서 일컬음. ¶강국과 강대국이 ~되다.
병:탄(倂呑·竝呑) 명하타 남의 물건이나 다른 나라의 영토를 한데 아울러서 제 것으로 만듦. ¶중소기업이 대기업에 ~되다.
병:탈(病頉) 명하자 **1** 병으로 인한 탈. **2** 병을 내세워 핑계를 댐. 또는 그 핑계. ¶~을 하고 회의에 불참하다.
병:통(病-) 명 병집2.
병:폐(病弊)[-/-페] 명 오랜 시간이 흐르면서 조직이나 사물의 내부에 생긴 폐해. ¶민관이 합심하여 사회의 ~를 극복하다.
병:폐(病廢)[-/-페] 명하자 병으로 몸을 제대로 쓰지 못하게 됨.
병풍(屛風) 명 바람을 막거나 무엇을 가리기 위하여 또는 장식용으로 방 안에 치는 직사각형의 물건.
병풍-석(屛風石) 명 능(陵)의 위쪽 둘레에 병풍같이 돌려 세운 긴 네모꼴의 넓적한 돌.
병학(兵學) 명 병법에 관한 학문. 군사학.
병:합(倂合) 명하자타 합병(合倂). ¶약소국이 강국에 ~되다.
병:해(病害) 명 병으로 말미암은 농작물의 피해. ¶농작물이 ~를 입어 수확이 격감하였다.
병:행(竝行) 명하자타 **1** 둘 이상이 나란히 같이 감. ¶상하행선이 ~한다. **2** 두 가지 일을 한꺼번에 아울러서 행함. ¶이론과 실천이 ~되기는 어렵다 / 조사와 검증을 ~시키다.
병:환(病患) 명 '병'의 높임말.
병:후(病後) 명 병이 나은 뒤. ¶~ 조리 / ~의 경과가 좋다.
***볕**[볃] 명 '햇볕'의 준말. ¶~이 따갑다 / ~을 쬐다 / ~이 나다 / ~에 그을다.
볕-기(-氣)[볃끼] 명 볕의 기운.
볕-뉘[변-] 명 **1** 작은 틈을 통하여 잠시 비치는 햇볕. ¶나뭇잎 사이로 ~가 비친다. **2** 그늘진 곳의 조그마한 햇볕의 기운.
볕-살[볃쌀] 명 내쏘는 햇볕. 부채꼴로 펴지는 햇빛. ¶문틈으로 ~이 스며든다.
보[1] 명 '보시기'의 준말.
보[2] 명 〖건〗 '들보'의 준말.
보(保) 명 **1** 보증. ¶~를 서다. **2** 보증인.
보(洑) 명 **1** 논에 물을 대기 위하여 둑을 쌓고 흐르는 냇물을 막아 두는 곳. ¶~를 막다. **2** '봇물'의 준말.
보:(補) 명하타 관직에 임명함. ¶임(任) 서기관, ~ 서무과장.
보:(褓) 명 **1** 물건을 싸거나 씌워 덮기 위해 네모지게 만든 천. ¶이불~ / 식탁에 흰 ~를 씌우다. **2** 가위바위보의 하나. 다섯 손가락을 다 펴서 내미는 것. 또는 그런 손.
보(步) 의명 거리를 발걸음으로 재는 단위. ¶1~ 후퇴 2~ 전진.
-보 미 어떤 말 뒤에 붙어 그것을 즐기거나 그 정도가 심한 사람임을 나타냄. ¶떡~ / 울~ / 심술~.
-보(補) 미 어떤 관직·직책의 보좌관의 뜻. ¶국방부 차관~.
보:각(補角) 명 〖수〗 두 각의 합이 180° 일 때, 한쪽 각의 다른 쪽 각에 대한 말.
보각 부 술 따위가 괼 때에 거품이 생기면서 나는 소리. 큰부걱.
보각-거리다 자 잇따라 보각 소리가 나다. 큰부걱거리다. **보각-보각** 부하자
보각-대다 자 보각거리다.
보:감(寶鑑) 명 모범이 될 만한 일이나 사물. 또는 그런 것을 적은 책.
보:강(補強) 명하타 보태고 채워서 더 튼튼하게 함. ¶체력 ~에 힘쓰다 / 낡은 다리의 ~ 공사를 하다.
보:강(補講) 명하자타 결강(缺講)·휴강(休講)을 보충하여 강의함. 또는 그 강의. ¶물난리로 빼먹은 강의를 ~하다.
***보:건**(保健) 명 건강을 지켜 나가는 일.
보:건 복지부(保健福祉部) 중앙 행정 기관의 하나. 보건 위생·방역·의정·약정·구호·기초 생활 보장·자활 지도·사회 보장에 관한 사무와 인구·출산·보육·아동·노인 및 장애인에 관한 사무를 맡아 처리함.
보:건-소(保健所) 명 보건 행정의 합리적인 운영과 국민 보건의 향상을 위하여 각 시와 군·구 등에 설치한 보건 행정 기관.
보:검(寶劍) 명 **1** 예전에, 나라의 행사나 의식 때 의장(儀仗)에 쓰던 칼의 하나. **2** 보도(寶刀). ¶선조 전래의 ~.
보:격(補格)[-껵] 명 〖언〗 문장에서, 체언이 보어 구실을 하게 하는 조사의 성격.
보:격 조:사(補格助詞)[-껵-] 〖언〗 '되다, 아니다' 앞의 체언에 붙어서 그 체언이 보어임을 나타내는 조사(《'아들이 의사가 되다'에서 '가', '그것은 소설이 아니다'에서 '이' 따위》). 기움자리토씨.
보:결(補缺) 명하타 **1** 모자라는 자리를 채움. 또는 그 자리를 채우기 위한 사람. 보궐. **2** 결점을 고쳐 보충함.
보:결 선:거(補缺選擧) 보궐(補闕) 선거.
보:고(報告) 명하자타 **1** 일의 내용이나 결과를 글 또는 말로 알림. ¶이상 없다고 상부에 ~하다 / 연구 실적을 ~하다. **2** '보고서'의 준말.
보:고(寶庫) 명 **1** 재화를 넣어 두는 창고. ¶지식의 ~. **2** 자원이 많이 산출되는 땅. ¶석유의 ~.
보고 조 '더러'·'에게'의 뜻의 부사격 조사. ¶나~ 하라고요 / 누구~ 하는 말인가.
보:고-서(報告書) 명 보고하는 문서. ¶조사 ~ / ~를 작성하다. 준보고.
보:관(保管) 명하타 물건을 맡아서 잘 간직하여 관리함. ¶~에 편리한 상품 / 박물관에 ~된 문화재 / 습득한 물건을 ~하다.
보:교(步轎) 명 모양이 정자 지붕 모양으로 가운데가 솟고 네 귀가 내밀고 바닥과 기둥·뚜껑은 각각 뜯게

보교

된 가마의 하나.
보:국 (保國) 명하자 국가를 보위함.
보:국 (報國) 명하자 나라의 은혜를 갚음. 나라에 충성을 다함.
보:국 (輔國) 명하자 충성을 다하여 나랏일을 도움. ¶ ~ 충신.
보:국-안민 (輔國安民) 명하자 나랏일을 돕고 백성을 편안하게 함.
보:궐 (補闕) 명하타 보결(補缺)1.
보:궐 선:거 (補闕選擧) 의원의 임기 중에 사직·사망 등으로 빈 자리가 생겼을 때 그 자리를 보충하기 위하여 하는 임시 선거. ¶당의 공천을 받아 ~에 출마하다. ㊟보선(補選).
보:균 (保菌) 명하타 병균을 몸 안에 지님.
보:균-자 (保菌者) 명 발병은 하지 않았으나 병원균을 몸 안에 지니고 있는 사람.
보그르르 부하자 적은 양의 물이나 거품이 좁은 범위 안에서 야단스럽게 잇따라 끓어 오르거나 일어나는 모양. 또는 그 소리. ㊔부그르르. ㊕뽀그르르.
보글-거리다 자 적은 양의 물이나 거품이 좁은 범위 안에서 야단스럽게 자꾸 끓거나 일어나다. ㊔부글거리다. ㊕뽀글거리다.
보글-보글 부하자
보글-대다 자 보글거리다.
보금-자리 명 1 새가 알을 낳거나 깃들이는 둥우리. 둥지. ¶까치가 ~를 꾸미다. 2 지내기에 매우 포근하고 아늑한 곳을 비유한 말. ¶사랑의 ~.
보금자리(를) 치다〔틀다〕 구 보금자리를 만들다. ¶제비가 처마 밑에 ~.
보:급 (普及) 명하자타 널리 펴서 골고루 미치게 함. ¶지금은 컴퓨터가 널리 ~되어 있다 / 신기술을 ~시키다.
보:급 (補給) 명하타 물자나 자금을 계속해서 대어 줌. ¶등산 대원에게 휴대 식량이 ~되다.
보:급-로 (補給路)[-금노] 명 《군》 보급품을 수송하는 길. 보급선(線). ¶~가 끊기다 / ~를 차단하다.
보:급-률 (普及率)[-금뉼] 명 어떤 것이 보급되는 비율. ¶주택 ~이 90% 이상에 달한다.
보:급-판 (普及版) 명 널리 보급할 것을 목적으로 값을 싸게 하여 박아 내는 인쇄물.
***보-기** 명 '본보기'의 준말. ¶~를 들다.
보:기 (補氣) 명하자 약을 먹어서 원기를 도움. 보원(補元). *보혈(補血).
보기 (bogey) 명 골프에서, 기준 타수인 파(par)보다 하나 많은 타수로 공을 홀에 넣는 일. *버디(birdie).
보깨다 자 1 먹은 것이 소화가 안 되어 배 속이 답답하고 거북하다. ¶과식했더니 속이 보깨어 고생했다. 2 일이 뜻대로 되지 않아 마음이 번거롭거나 불편하다.
보꾹 명 지붕의 안쪽, 곧 더그매의 천장.
보-내기 (洑-) 명하자 논에 물을 대기 위하여 봇도랑을 내는 일. ¶단비를 맞으며 ~에 한창이다.
보내기 번트 (-bunt) 야구에서, 주자(走者)를 전진시키기 위하여 타자가 일부러 배트를 공에 가볍게 대어 굴러가게 하는 타법.
***보내다** 타 1 물건을 다른 곳으로 부치다. ¶돈을 우편으로 ~. 2 사람을 가게 하다. ¶직원을 현장으로 ~. 3 시간이나 세월을 지나가게 하다. ¶덧없이 세월만 ~. 4 떠나가는 것을 아쉬워하며 이별하다. ¶친구를 ~. 5 자기 의사를 전하기 위하여 어떤 동작이나 표정을 보이다. ¶정지 신호를 보내어 차를 세우다 / 관중들은 열렬한 응원을 보냈다. 6 결혼하게 하다. ¶서울로 시집을 ~ / 장가를 일찍 ~. 7 사람을 일정한 곳에 소속되게 하다. ¶딸을 대학에 ~ / 아들을 군대에 ~. 8 참가시키다. ¶대표팀을 국제 대회에 ~.
보너스 (bonus) 명 상여금.
보늬 [-니] 명 밤이나 도토리 따위의 속껍질.
보닛 (bonnet) 명 1 턱 밑에서 끈을 매게 되어 있는 여자·어린이용의 모자. 2 자동차의 엔진 덮개.
***보다**[1] 타 1 사물의 모양을 눈으로 알다. ¶눈을 크게 뜨고 자세히 ~. 2 알려고 두루 살피다. ¶어느 모로 보아도 그는 장군감이다. 3 눈으로 즐기거나 감상하다. ¶연극을 ~ / 텔레비전을 ~. 4 보살피어 지키다. ¶아이를 ~. 5 일을 맡아 하거나 처리하다. ¶사무를 ~. 6 누려서 가지다. ¶재미 ~ / 친구 덕을 톡톡히 ~. 7 시험을 치르다. ¶수학 시험을 잘 보았다. 8 팔거나 사려고 장으로 가다. ¶장을 보러 가다. 9 값을 부르다. ¶절반 값밖에 안 ~. 10 똥·오줌을 누다. ¶소변을 ~. 11 몸소 당하다. ¶손해를 크게 ~. 12 참고 기다리다. ¶좀더 두고 보자. 13 좋은 때를 만나다. ¶좋은 세상을 ~. 14 자손을 낳거나 며느리·사위를 맞아들이다. ¶사위를 ~ / 사내 동생을 ~. 15 남편이나 부인이 모르게 이성을 사귀다. ¶샛서방을 ~. 16 음식상이나 잠자리를 채비하다. ¶상을 ~ / 손님 주무실 자리를 봐 드리다. 17 운수 등을 점치다. ¶사주를 ~. 18 어떤 목적으로 만나다. ¶나 좀 봅시다. 19 어떤 결과에 이르다. ¶끝장을 ~.
[보고 못 먹는 것은 그림의 떡] 아무 실속이 없음의 비유. [보기 좋은 떡이 먹기도 좋다] 모양이 반반하면 내용도 좋다. [보자 보자 하니까 얻어 온 장(醬) 한 번 더 뜬다] 잘못을 따져서 꾸짖으려고 하는 차에 도리어 더 좋지 않은 일을 저지른다는 말. [본 놈이 도둑질한다] ㉠무슨 일이나 실정을 알아야 그 일을 감당할 수 있다. ㉡도둑질은 결국 내용을 잘 아는 사람의 짓임을 비유.
보란 듯이 구 남이 부러워하도록 자랑스럽게. 떳떳하게. ¶~ 살다.
볼 낯(이) 없다 구 죄스러울 정도로 미안하다. ¶잘못을 저질러 가족을 ~.
볼 장(을) 다 보다 구 일이 더 손댈 것도 없이 틀어지다. ¶도박에 손을 대어 집안은 볼 장 다 보게 되었다.
***보다**[2] 보동 1 동사 어미 '-어'·'-아'·'-여' 뒤에 쓰여 '시험 삼아 하는'의 뜻을 나타냄. ¶먹어 ~ / 가 ~ / 잡아 ~. 2 ('보았자, 보았댔자'의 꼴로 쓰여) 별수 없다는 뜻을 나타냄. ¶약을 먹어 보았자 별수 없다.
***보다**[3] 보형 형용사나 동사의 어미 -ㄴ가·'-는가'·'-ㄹ까'·'-을까' 등의 뒤에서 추측

이나 막연한 제 의향을 나타냄. ¶그쪽이 큰가 ~/비가 오는가 ~/그만둘까 ~.

보다[4] 부 한층 더. ¶~ 나은 생활/~ 정확히 말하자면.

보다[5] 조 체언 뒤에 붙어서 둘을 비교할 때 쓰는 부사격 조사. ¶작년~ 훨씬 춥다/보기~ 어렵다/생각~ 크다.

보:답 (報答) 명하자타 남의 호의나 은혜를 갚음. ¶~을 바라지 않고 남을 돕는다/노고에 ~하다.

보대끼다 자 **1** 사람이나 일에 시달려 괴로움을 당하다. **2** 배 속이 불편하여 쓰리거나 올랑올랑하다. ¶속이 보대껴 식사를 못하다. 큰부대끼다.

보:도 (步道) 명 인도(人道)[1]. ¶~와 차도의 구별이 확실치 않다.

보:도 (報道) 명하자타 대중 매체를 통하여 사람들에게 새로운 소식을 널리 알림. 또는 그 소식. ¶현지에서 직접 ~하다/신문에 ~된 뉴스.

보:도 (輔導·補導) 명하타 도와서 잘 인도함. 보익(輔翊). ¶청소년을 ~하다.

보:도 (寶刀) 명 보배로운 칼. 보검(寶劍). ¶전가(傳家)의 ~.

보:도-국 (報道局) 명 방송국 따위에서 보도에 관한 일을 맡아보는 부서.

보:도 기관 (報道機關) 사회에서 일어나는 일을 널리 알리는 조직. 또는 그 시설《신문사·방송국·통신사 등》.

보:도-블록 (步道block) 명 보도에 포석(鋪石)으로 까는 시멘트 블록. ¶~을 깔다.

보:도-성 (報道性)[-썽] 명 새로운 정보나 소식 따위를 널리 전하고 알리는 특성.

보:도-진 (報道陣) 명 사건 현장 등을 보도하기 위해 기자·카메라맨 등으로 구성된 조직. ¶월드컵 중계를 위해 대규모 ~이 파견되다.

보-두다 (保-) 一자 보증인이 되어 보증서에 이름을 쓰다. 二타 보증인을 세우다. ¶친구를 보두고 돈을 꾸었다.

보드득 부 **1** 질기거나 단단한 물건을 힘을 주어 맞비빌 때에 나는 소리. **2** 무른 똥을 조금 힘들이어 눌 때에 나는 소리. **3** 쌓인 눈 따위를 약간 세게 밟을 때 나는 소리. 큰부드득. 센뽀드득. 거포드득. **—하다**[-드카-] 자타여불 보드득 소리가 나다. 또는 보드득 소리를 내다.

보드득-거리다 자타 자꾸 보드득 소리가 나다. 또는 잇따라 보드득 소리를 내다. 큰부드득거리다. **보드득-보드득** 부하자타

보드득-대다 자타 보드득거리다.

보드랍다 〔보드라우니, 보드라워〕 형ㅂ불 **1** 닿거나 스치는 느낌이 거칠지 않고 물러서 매끄럽다. ¶보드라운 피부. **2** 성질이나 태도·동작 따위가 곱고 순하다. ¶보드라운 마음씨/동작이 ~. **3** 가루 따위가 잘고 곱다. ¶보드라운 밀가루. 큰부드럽다.

보드레-하다 형여불 퍽 보드라운 느낌이 있다.

보드-지 (board紙) 명 판지(板紙).

보드카 (러 vodka) 명 러시아 특산인 증류주의 일종. 무색투명하고, 냄새가 거의 없으며 달콤한 맛이 조금 있음. 알코올 함유량 40-60 % 임.

보들-보들 부하형 살갗에 닿는 느낌이 매우 보드라운 모양. ¶~한 옷감. 큰부들부들.

보듬다 [-따] 타 가슴에 착 대어 품듯이 안다. ¶우는 아이를 보듬어 재우다.

보디 (body) 명 권투에서, 선수의 배와 가슴 부분을 이름.

보디가드 (bodyguard) 명 신변을 호위하는 사람. 경호원.

보디-랭귀지 (body language) 명 몸짓·손짓·표정 등으로 의사 전달을 하는 행위.

보디빌딩 (bodybuilding) 명 역기·아령 운동 등으로 근육을 발달시켜 보기 좋고 튼튼한 신체를 만드는 일. ¶~으로 몸을 만들다.

보디 페인팅 (body painting) 알몸에 그림물감을 칠하여 그림이나 무늬 따위를 그리는 일. 또는 그 그림.

***보-따리** (褓-) 명 **1** 보자기로 물건을 싸서 꾸린 뭉치. ¶~를 메고 힘겹게 계단을 오르다. **2** 보자기에 꾸린 뭉치를 세는 단위《의존 명사적으로 씀》. ¶헌 옷 한 ~.

보따리(를) 싸다 구 하던 일이나 다니던 직장을 그만두다. ¶미련 없이 ~.

보따리(를) 풀다 구 ㉠숨은 사실을 폭로하다. ¶보따리를 풀고 나니 속이 시원하다. ㉡계획했던 일을 실제로 하기 시작하다.

보따리-장수 (褓-) 명 **1** 물건을 보자기에 싸 가지고 다니며 장사하는 사람. ¶~ 십 년에 겨우 가게를 마련했다. **2** 소규모로 하는 장사의 비유.

보라[1] 명 '보랏빛'의 준말.

보라[2] 명 쇠로 큰 쐐기같이 만든 연장. 땟목이나 장작을 팰 때 도끼로 찍은 자리에 박고 도끼머리로 내리쳐 나무를 쪼개는 데 씀.

보라-매 명〘조〙 난 지 1년이 채 안 되는 새끼를 잡아 길들여 사냥에 쓰는 매.

보라-색 (-色) 명 보랏빛.

***보람** 명 **1** 조금 드러나 보이는 표적. ¶비로소 ~이 나타나다. **2** 잊지 않기 위해서나 딴 물건과 구별하기 위한 표. **3** 한 일에 대하여 나타나는 좋은 결과나 만족감. ¶약 먹은 ~이 있다/모처럼 애쓴 ~이 없다/삶의 ~을 느끼다. **—하다** 자여불 잊지 않기 위해서나 딴 물건과 구별하기 위하여 표하다. ¶소설을 읽다 보람하여 두었다.

보람-되다 형 어떤 일을 한 뒤에 좋은 결과나 가치나 만족감이 있다. ¶보람된 하루를 보내다.

보람-줄 [-쭐] 명 가름끈. ¶책갈피에 ~을 끼우다.

보람-차다 형 매우 보람 있다. 일의 결과가 좋아서 만족스럽다. ¶보람찬 새해를 맞이하다/보람찬 나날을 보내다.

보랏-빛 [-라삗/-랃삗] 명 남빛과 자줏빛이 섞인 중간 빛. ¶~을 띠다. 준보라.

보:령 (寶齡) 명 '임금의 나이'를 높이어 이르는 말. 보력. 보산(寶算).

보:로-금 (報勞金) 명〘법〙 **1** 국가 보안법 위반자를 수사·정보 기관에 통보하거나 체포한 사람에게, 압수물이 있는 경우 상금과 함께 지급되는 돈. **2** 반(反)국가 단체나 그 구성원에게서 금품을 취득하여 수사·정보 기관에 제공한 사람에게 그 금품 중에서 지급하는 돈.

보:료 명 속을 두껍게 넣고 만들어서, 앉는

자리에 항상 깔아 두는 요.
보:루 (堡壘) 명 **1** 적의 접근을 막기 위하여 돌·흙·콘크리트 등으로 만들어진 튼튼한 구축물. 보채(堡砦). ¶ 이 구조물을 최후의 ~로 삼다. **2** 튼튼한 발판. ¶ 민주주의의 ~.
보루 (일 ボール) 의명 〔board〕 담배를 묶어 세는 단위. ¶ 담배 한 ~는 열 갑이다.
보:류 (保留) 명하타 일을 당장 처리하지 않고 뒤로 미룸. 유보(留保). ¶ ~된 시안/태도를 ~하다/결정을 ~하다.
보르도-액 (Bordeaux液) 명 〖화〗 살균제의 하나. 황산구리와 생석회를 섞어서 만든 액체. 채소·과실 등의 살균제임.
보름 명 **1** 열다섯 날 동안. 15일간. **2** '보름날'의 준말.
보름-날 명 음력 15일. 망일(望日). 준보름.
*__보름-달__ [-딸] 명 음력 보름날에 뜨는 둥근 달. 만월(滿月). 망월(望月). ¶ 대낮같이 밝게 비추는 ~.
보름-치 명 보름 동안 분량의 삯이나 물건. ¶ 한 달 근무하고 ~ 봉급만 받았다.
*__보리__ 명 〖식〗 볏과의 한해살이 또는 두해살이의 재배 식물. 논·밭에 심는데, 줄기는 곧고 속이 비었으며, 높이는 1m가량임. 초여름에 꽃이 피는데 긴 수염이 있음. 열매는 쌀 다음가는 주식 곡물임. 대맥(大麥).
보리(를) 타다 구 〈속〉 매를 되게 얻어맞다.
보리 (菩提) 명 〔산 Bodhi〕 〖불〗 **1** 불교 최고의 이상인 불타 정각(正覺)의 지혜. **2** 불타 정각의 지혜를 얻기 위하여 수행해야 할 길. 불과(佛果)에 도달하는 길.
보리-밟기 [-밥끼] 명하자 겨울 동안 들뜬 보리 고랑의 겉흙을 눌러 주고, 뿌리가 튼튼히 자리를 잡도록 이른 봄에 보리 싹의 그루터기를 밟는 일.
보리-밥 명 쌀에 보리를 섞거나 또는 보리로만 지은 밥. ¶ 호박잎에 ~을 싸먹다.
[보리밥에는 고추장이 제격이다] 무엇이든지 제격에 알맞도록 해야 좋다는 뜻.
보리-밭 [-받] 명 보리를 심은 밭. 맥전(麥田). ¶ ~을 매다.
[보리밭만 지나가도 주정한다] ㉠성미가 급하여 지나치게 서두르는 사람을 이르는 말. ㉡술을 전혀 마시지 못하는 사람을 놓으로 이르는 말.
보리수[1] (菩提樹) 명 보리수나무의 열매.
보리-수[2] (菩提樹) 명 **1** 석가가 그 아래 앉아서 도를 깨달아 불도(佛道)를 이루었다는 나무. **2** 〖식〗 뽕나뭇과의 상록 활엽 교목. 인도 원산으로, 높이 30m가량. 잎은 심장형이며 끝이 꼬리처럼 되고 혁질이며 매끄러움. 과실은 무화과와 비슷함. 인도보리수. **3** 〖식〗 피나뭇과의 낙엽 활엽 교목. 염주나무와 비슷하며, 높이는 15m가량. 가지가 많고 잔털이 많음. 초여름에 담황색 다섯잎꽃이 늘어져 피고, 회갈색 털이 난 둥근 열매는 '보리자'라 하여 염주를 만듦. 보리자나무.
보리수-나무 (菩提樹-) 명 〖식〗 보리수나뭇과의 낙엽 활엽 관목. 산과 들에 나는데 높이 3m가량, 초여름에 황백색 꽃이 피고, 가을에 팥알 모양의 열매가 붉게 익음. 열매는 식용함.
보리-쌀 명 겉보리를 찧어 겨를 벗긴 곡식.
보리-죽 (-粥) 명 대낀 보리를 갈거나 그대로 쑨 죽.
[보리죽에 물 탄 것 같다] ㉠사람이 싱겁다. ㉡덤덤하여 별재미가 없다.
*__보리-차__ (-茶) 명 볶은 겉보리를 넣어 끓인 차. ¶ 구수한 ~.
보리-타작 (-打作) 명하자타 **1** 보릿단을 태질치거나 탈곡기에 넣어서 떠는 일. **2** 〈속〉 매를 심하게 때림.
보릿-가루 [-리까-/-릳까-] 명 보리를 볶아서 빻은 가루. 맥분(麥粉). ¶ 미숫가루에는 찹쌀가루·멥쌀가루·~ 등 곡식 가루가 섞여 있다.
보릿-고개 [-리꼬-/-릳꼬-] 명 지난날, 묵은 곡식은 다 떨어지고 보리는 아직 여물지 않아 농가 생활에서 가장 살기 어려운 음력 4-5월을 이르던 말. 맥령(麥嶺). ¶ ~가 태산보다 높다.
보릿-자루 [-리짜-/-릳짜-] 명 보리를 넣은 자루. ¶ 꾸어다 놓은 ~ 같다.
보링 (boring) 명 **1** 시추(試錐). **2** 구멍을 뚫는 일. 천공(穿孔).
보-막이 (洑-) 명하자 보를 막느라고 둑을 쌓거나 고치는 일. ¶ 홍수가 할퀴고 간 자리에 ~가 한창이다.
보:매 부 언뜻 보기에. ¶ ~ 탐탁지 않다.
보:모 (保姆) 명 **1** 〖역〗 왕세자를 가르치고 기르던 여자. **2** 보육원 등의 아동 복지 시설에서 아이들을 보살피는 여자. **3** 유치원 교사의 구칭.
보:무 (步武) 명 위엄 있고 활기찬 걸음걸이.
보:무-당당 (步武堂堂) 명하형히부 걸음걸이가 씩씩하고 위엄이 있음. ¶ ~한 국군의 행진.
보무라지 명 종이나 헝겊 따위의 잔부스러기. 준보물.
*__보:물__ (寶物) 명 **1** 보배로운 물건. 보재(寶財). 보화. ¶ ~ 다루듯 하다. **2** 대대로 물려 오는 귀중한 가치가 있는 문화재. 국보 다음가는 중요 유형 문화재임. ¶ 흥인지문(興仁之門) 별칭 동대문은 ~ 제1호이다.
보:물-섬 (寶物-) [-썸] 명 보물이 있는 섬. 보물을 감추어 둔 섬.
보:물-찾기 (寶物-) [-찬끼] 명하자 상품(賞品)의 이름을 적은 종이쪽지를 여러 곳에 감추어 놓고 이것을 찾아 가지고 오는 사람에게 그 적힌 물건을 주는 놀이의 하나.
보바리슴 (프 bovarysme) 명 자기를 현실 속에 놓인 자기 아닌 것으로 인식하는 정신 작용《소설 '보바리 부인'의 여주인공의 성격에서 따서 지음》.
보:배 명 〔←보패(寶貝)〕 **1** 귀하고 소중한 물건. **2** 소중한 사람이나 물건의 비유. ¶ 어린이는 나라의 ~이다.
보:배-롭다 〔-로우니, -로워〕 형ㅂ불 보배로 삼을 만한 가치가 있다. 퍽 귀중하다. ¶ 보배로운 유산. **보:배-로이** 부
보:배-스럽다 〔-스러우니, -스러워〕 형ㅂ불 귀하고 소중한 데가 있다. **보:배-스레** 부
보:병 (步兵) 명 육군의 주력을 이루는 전투 병과. 소총을 주무기로 삼으며, 최후의 돌격 단계에서 적에게 돌진하여 승패를 결정하는 구실을 함.
보:복 (報復) 명하자타 앙갚음. ¶ ~ 공격/

~을 당하다 / ~을 가하다.
보:복 관세 (報復關稅) 어떤 나라가 자기 나라의 수출품에 대하여 부당하게 높은 관세를 부과할 경우, 그 나라로부터의 수입품에 대하여 높게 부과하는 관세.
보부-상 (褓負商) 명 〖역〗 봇짐장수와 등짐장수. 부보상(負褓商).
보:-비위 (補脾胃) 명하자타 **1** 〖한의〗 비장과 위의 기운을 북돋우어 줌. **2** 남의 비위를 잘 맞추어 줌. 또는 그런 비위.
보살 (菩薩) 명 〖불〗 **1** 불도를 닦아 보리를 구하고 뭇 중생을 교화하여 부처의 다음가는 지위에 있는 성인. 보리살타(菩提薩埵). **2** 여자 신도를 대접해 부르는 말. **3** '고승'의 존칭.
***보-살피다** 타 **1** 정성을 기울여 보호하며 돕다. ¶환자를 ~. **2** 이리저리 보아 살피다. ¶주위를 보살피며 조심스레 걷다. **3** 일 따위를 관심을 가지고 관리하거나 맡다. ¶살림을 ~.
보:상 (報償) 명하타 **1** 남에게 진 빚이나 받은 물건을 갚음. ¶이미 ~된 빚. **2** 어떤 것에 대한 대가로 갚음. ¶수고에 대해 ~을 받다.
보:상 (補償) 명하타 **1** 남의 손해를 메꾸어 갚아 줌. ¶보험금으로 피해가 ~되었다. **2** 〖법〗 국가 등이 적법 행위에 의하여 가해진 재산상의 손실을 보전(補塡)하고자 제공하는 대상(代償). **3** 〖심〗 신체적으로나 정신적으로 열등함을 의식할 때, 다른 측면의 일을 잘 해냄으로써 그것을 보충하려는 마음의 작용.
보:상-금 (報償金) 명 **1** 보상(報償)으로 내놓은 돈. **2** 물건을 잃은 사람이 그것을 찾아 준 사람에게 사례로 주는 돈. ¶~을 사양하다.
보:상-금 (補償金) 명 피해를 보상(補償)하여 주는 돈.
보:상-비 (補償費) 명 보상하는 데 드는 비용.
보:색 (補色) 명 색상이 다른 두 가지 빛을 합하여 흑색 또는 회색의 한 빛을 이룰 때 이 두 빛을 서로 일컫는 말《곧, 빨강과 초록, 주황과 파랑 등》. 여색(餘色).
보-서다 (保-) 자 다른 사람의 신원이나 빚에 대하여 보증을 해 두다.
보:석 (步石) 명 **1** 디디고 다니려고 깔아 놓은 돌. 디딤돌. **2** 섬돌.
보:석 (保釋) 명하타 〖법〗 일정한 보증금을 받고 형사 피고인을 구류에서 풀어 주는 일. ¶피고인이 ~으로 풀려나다.
***보:석** (寶石) 명 단단하고 빛깔·광택이 아름답고 굴절률이 크며 산출량이 적은 돌. 보옥(寶玉). ¶왕관에 ~을 박아 치장하였다.
보:석-금 (保釋金) 명 〖법〗 '보석 보증금'의 준말. ¶2천만 원의 ~을 내다.
보:석-상 (寶石商) 명 보석이나 보석으로 만든 패물을 팔고 사는 상점. 또는 그 직업이나 장수.
보:석 보증금 (保釋保證金) 〖법〗 보석을 허가하는 경우에 보증금으로 내게 하는 돈. 준보석금.
보:선 (保線) 명하자 철도 선로를 관리·보호하여 안전을 유지하고 수선함. ¶주기적으로 ~ 공사를 하다.
보:선 (補選) 명하타 **1** 보충하여 뽑음. **2** '보궐 선거'의 준말. ¶~에 당선되다.
보:세 (保稅) 명 관세의 부과를 미루는 일.
보:세-품 (保稅品) 명 보세 구역에 있는, 관세가 미루어진 물품.
보송-보송 부하형 **1** 잘 말라서 물기가 없고 보드라운 모양. ¶수건이 말라서 ~하다. **2** 피부 따위가 거칠지 아니하여 곱고 보드라운 모양. ¶아기의 살결이 ~하다. 큰부숭부숭. **3** 땀방울이 조금씩 솟은 모양. ¶땀방울이 ~ 맺히다.
보:수 (步數)[-쑤] 명 걸음의 수. ¶~를 헤아리다.
보:수 (保守) 명하타 **1** 보전하여 지킴. **2** 새로운 것을 거부하고 재래의 풍속·습관과 전통을 중요시하여 그대로 지킴. ¶~ 사상.
보:수 (補修) 명하타 낡은 것을 보충하여 수선함. ¶말끔히 ~된 집 / 다리를 ~하다.
보:수 (報酬) 명하자 **1** 고마움에 보답함. 또는 그 보답. **2** 일한 대가로 주는 금전이나 물품. ¶노동에 비해 ~가 적다 / 근로자들이 높은 ~를 요구하다.
보:수-당 (保守黨) 명 보수주의에 입각한 정당. 보수정당.
보:수-성 (保守性)[-썽] 명 옛 것을 지켜 나가고 새로운 것을 반대하는 경향. ¶지방색과 ~이 강하다.
보:수-적 (保守的) 관명 보수의 경향이 있는 (것). ¶~ 극우 세력 / 그는 ~ 성향이 짙다. ↔진보적.
보:수-주의 (保守主義)[-/-이] 명 현상 유지나 전통의 옹호 또는 점진적 개혁을 주장하는 주의. ¶~를 신봉하는 일파. ↔진보주의.
보:수-파 (保守派) 명 보수주의를 주장 또는 지지하는 일파.
보스 (boss) 명 두목. 우두머리. 영수(領袖). 거물. 실력자.
보슬-보슬[1] 부 눈이나 비가 가늘고 성기게 조용히 내리는 모양. ¶봄비가 ~ 내리다. 큰부슬부슬[1].
보슬-보슬[2] 부하형 덩이를 이룬 가루 등이 물기가 적어서 잘 엉기지 못하고 바스러지기 쉬운 모양. 큰부슬부슬[2]. 거포슬포슬.
보슬-비 명 바람 없는 날 가늘고 성기게 조용히 내리는 비. 큰부슬비.
보습 명 쟁기나 극젱이의 술바닥에 맞추는 삽 모양의 쇳조각《땅을 갈아서 흙덩이를 일으키는 데 씀》.
보:습 (補習) 명하타 일정한 교육 과정을 마치고 학습이 부족한 것을 다시 보충하여 익힘. ¶~ 학원.
보:시 (布施) 명하타 〖불〗 **1** 자비심으로 불법이나 재물을 남에게 베풂. **2** 중에게 독경 또는 불사의 보수로 주는 금전이나 물건. 포시(布施).
보:시 (普施) 명하타 은혜를 널리 베풂.
보시기 명 **1** 김치나 깍두기 따위를 담는 작은 반찬 그릇. **2** 보시기에 담긴 음식의 분량을 세는 단위《의존 명사적으로 씀》. ¶동치미 한 ~. 준보.
보:신 (保身) 명하자 **1** 자신의 몸을 안전하게 지킴. **2** 자기의 지위·명성·재물 등을 잃

지 않으려고 약게 행동하는 일. ¶ ~에 능하다.

보:신 (補身) 명하타 보약이나 영양식 따위를 먹어 몸의 영양을 보충함. ¶ ~은 약에만 의존해서는 안 된다.

보:신 (補腎) 명하자 보약 따위를 먹어 정력을 도움.

보:신-탕 (補身湯) 명 〈속〉 몸을 보한다는 뜻으로, '개장국'을 일컫는 말.

보-쌈[1] (褓-) 명 **1** 귀한 집 딸이 남편을 둘 이상 섬겨야 할 팔자라 할 때, 팔자땜을 시키려고 그 수효대로 밤에 남의 남자를 보자기에 싸서 잡아다가 딸과 재운 다음에 죽이던 일. **2** 뜻밖에 누구에게 잡혀 가는 일. **3** 가난하여 혼기를 놓친 총각이 과부를 밤에 몰래 보에 싸서 데려와 아내로 삼던 일. [보쌈에 들었다] 남의 꾐에 걸려들었다.

보-쌈[2] (褓-) 명 삶아서 뼈를 추려 낸 소나 돼지 따위의 머리 고기를 보에 싸서 무거운 것으로 눌러 단단하게 만들고 썰어서 먹는 음식.

보쌈-김치 (褓-) 명 배추나 무 등을 일정한 크기로 썰어서 갖은 양념을 한 것을 배추잎에 싸서 담근 김치. 준쌈김치.

보아 (boa) 명 〖동〗 남아메리카 열대산의 보아과의 큰 뱀. 길이가 4m가량, 적갈색 등에는 15-20개의 큰 황갈색 얼룩무늬가 있어 아름다움. 태생, 무독하며 온순함. 가죽은 가방·지갑 따위를 만듦. 왕뱀.

보아-주다 타 **1** 보살펴 주다. ¶ 이웃집 아기를 ~. **2** 남의 허물이나 잘못을 눈감아 주다. ¶ 편리를 ~ / 이번 한 번만 보아주십시오. 준봐주다.

보아-하니 부 '보아 짐작하건대, 살피어 보니'의 뜻의 접속 부사. ¶ ~ 학생인 듯하다. 준봐하니.

보아-한들 부 '살펴본다고 한들'의 뜻의 접속 부사《이치가 어그러져 뜻밖으로 여길 때 쓰는 말》. ¶ ~ 뾰족한 수가 있을 것 같지 않다.

보:안 (保安) 명하타 **1** 안전을 유지함. ¶ ~을 유지하다. **2** 사회의 안녕과 질서를 유지함. ¶ ~ 사범을 체포하다 / ~ 조치를 하다.

보:안 (保眼) 명하자 눈을 보호함.

보:안-경 (保眼鏡) 명 눈을 보호하려고 쓰는 안경. 양목경(養目鏡).

보:안-관 (保安官) 명 미국에서, 각 고을의 치안을 맡아보는 민선 관리.

보:안-등 (保安燈) 명 범죄나 사고가 발생할 염려가 있는 어두운 곳에 달아 놓은 전등《흔히 도둑을 막고 골목길을 환하게 밝히기 위해 달아 놓음》.

보:안-법 (保安法)[-뻡] 명 〖법〗 '국가 보안법'의 준말.

보암직-하다 [-지카-] 형여불 눈여겨볼 만한 값어치가 있다.

보:약 (補藥) 명 몸의 기운을 북돋우는 약. ¶ 인삼과 녹용으로 ~을 짓다.

보:양 (保養) 명하타 몸과 마음을 편안하게 하여 건강을 보전하고 활력을 기름.

보:양 (補陽) 명하자 〖한의〗 약을 써서 몸의 양기를 도움. ¶ ~을 위해 보약을 먹다.

보:얗다 [-야타] [보야니, 보야오] 형ㅎ불 **1** 선명하지 않고 연기나 안개가 낀 것같이 희끄무레하다. ¶ 보얀 안개가 끼다. **2** 살갗이나 얼굴이 하얗고 말갛다. ¶ 어린이의 보얀 살결. 큰부옇다. 센뽀얗다.

보:얘-지다 자 보얗게 되다. ¶ 얼굴이 ~. 큰부예지다. 센뽀얘지다.

보:어 (補語) 명 주어와 서술어만으로는 뜻이 완전하지 못한 문장에서, 그 불완전한 곳을 보충하는 구실을 하는 수식어. 보족어(補足語). 보충어.

보:온 (保溫) 명하타 일정한 온도를 유지함. ¶ ~ 장치.

보:온-밥통 (保溫-桶) 명 일정한 온도를 유지하도록 만든 밥통.

보:온-병 (保溫甁) 명 일정한 온도를 유지하여 보온·보냉(保冷)에 쓰도록 만들어진 병.

보:온-재 (保溫材) 명 일정한 온도를 유지하게 하는 많은 재료의 총칭《석면·보온 벽돌 따위》.

보:완 (補完) 명하타 모자라는 것을 보충하여 완전하게 함. ¶ ~ 대책을 마련하다 / 미비점을 ~하다 / 문제점은 이미 ~되었다.

보:완-적 (補完的) 관명 보완할 만한 (것).

보:완 파일 (補完 file) 〖컴〗 잘못된 조작이나 정전(停電) 등으로 프로그램이나 데이터의 파일이 파괴되는 일에 대비하여 미리 복사해 놓은 파일. 백업 파일.

보:우 (保佑) 명하타 보살피어 도와줌. ¶ 하느님이 ~하사 우리나라 만세.

보:위 (保衛) 명하타 보호하고 지킴. ¶ 국가 ~에 신명을 바치다.

보:위 (寶位) 명 왕위. ¶ ~에 오르다.

보:유 (保有) 명하타 가지고 있음. 간직하고 있음. ¶ 정부가 ~하고 있는 농산물 / 외환 ~가 자유롭다.

보:유 (補遺) 명하타 빠진 것을 보태서 채움. 또는 그런 것. ¶ 누락분이 ~된 개정판.

보:유-고 (保有高) 명 간직하고 있는 물건의 수량. ¶ 외환 ~.

보유스레-하다 형여불 보유스름하다.

보유스름-하다 형여불 선명하지 않고 조금 보얗다. 큰부유스름하다. 센뽀유스름하다.

보유스름-히 부

보:유-자 (保有者) 명 어떤 물건이나 기능을 지니고 있는 사람. ¶ 판소리 기능 ~.

보:육 (保育) 명하타 어린아이를 돌봐 기름. ¶ ~ 시설.

보:육-기 (保育器) 명 미숙아(未熟兒)나 출생 때 이상이 있는 아기를 넣어서 키우는 기기(機器)《온도·습도·산소 공급량 등을 자동적으로 조절함》. 인큐베이터.

보:육-원 (保育院) 명 부모나 보호자가 없는 아동을 돌보아 기르는 시설《고아원의 고친 이름》.

보:은 (報恩) 명하자 은혜를 갚음. ¶ 스승의 은혜에 ~하다. ↔배은(背恩).

보이 (boy) 명 식당·호텔 따위에서 손님을 접대하는 남자.

*** 보이다**[1] 一자 《'보다'의 피동》 눈에 뜨이다. ¶ 산이 ~ / 외야석에서도 잘 보인다. 준뵈다. 二타 《'보다'의 사동》 **1** 보게 하다. ¶ 텔레비전을 ~. **2** 남의 눈에 뜨이게 하다. ¶ 허점을 ~. **3** 보게 하다. ¶ 손해를 ~. 준뵈다.

보이다[2] 보동 용언 어미 '-어'·'-아' 뒤에 붙여서, 남이 알도록 보게 하는 뜻을 나타냄. ¶글씨를 써 ～ / 웃어 ～.

보이콧 (boycott) 명하타 **1** 불매(不買) 동맹. **2** 어떤 일을 공동으로 배척하는 일.

보일러 (boiler) 명 **1** 난방 시설이나 목욕탕 등에 더운물을 보내기 위해 물을 끓이는 시설. ¶가스 ～로 교체하다. **2** 기관(汽罐).

보:임 (補任) 명하타 어떤 직(職)에 보하여 임명함. ¶장관에 ～된 사람.

보잇-하다 [-이타-] 형여불 좀 보유스름한 듯하다. ¶유리창이 보잇하게 흐려지다.

보자기 명 바닷물 속에 들어가서 조개·미역 같은 해물을 채취하는 사람. 해인(海人).

***보자기** (褓-) 명 물건을 싸는 작은 보. 보자(褓子). ¶～로 도시락을 싸다. *보(褓).

보잘것-없다 [-껃업따] 형 볼만한 값어치가 없을 정도로 하찮다. ¶보잘것없는 수입 / 보잘것없는 선물. **보잘것-없이** [-껃업씨] 부. ¶이젠 그의 인기도 ～ 되었다.

보:장 (保障) 명하타 장애가 없이 이루어지도록 보증하거나 보호함. ¶노후 생활을 ～하다 / 신분이 ～된 직업.

보쟁이다 타 부부가 아닌 남녀가 은밀한 관계를 계속하여 맺다.

***보:전** (保全) 명하타 보호하여 안전하게 유지함. ¶몸을 ～하다 / 환경 ～을 위해 노력하다.

> **'보전(保全)'과 '보존(保存)'**
>
> **보전** '영토를 보전하다'처럼 현재의 상태를 지켜서 앞으로도 같은 상태로 있게 한다는 의미로 쓰인다.
>
> **보존** '문화재를 보존하다'처럼 그냥 놔 두면 훼손될 우려가 있는 대상을 지켜야 한다는 의미로 쓰인다.

보:전 (補塡) 명하타 부족이나 결손을 메워 보충함. 전보. ¶적자를 ～하다.

보:전 (補箋) 명 **1** 부전(附箋). **2** 유가 증권·증서에 배서(背書)와 보증이 많아 여백이 없는 경우에 덧붙이는 종이쪽. 부지(附紙).

보:전 (寶典) 명 **1** 귀중한 법전. **2** 귀중한 책.

보:정 (補正) 명하타 **1** 보충하고 바로 고침. **2** 〖물〗 실험·관측 또는 근삿값 계산 등에서 외부적인 원인에 의한 오차를 없애고 참값에 가까운 값을 구함.

보:조 (步調) 명 **1** 걸음걸이의 속도·모양 등의 상태. 특히, 여러 사람이 같이 걸을 때의 걸음걸이. ¶～를 맞추어 걷다. **2** 여러 사람이 함께 일을 할 때에, 행동 속도나 상태. ¶동료들과 ～를 같이하다.

보:조 (補助) 명하타 **1** 모자라는 것을 보충하여 도와줌. ¶국고의 ～를 받다. **2** 주된 것에 대하여 거듦. 또는 그런 사람. ¶～ 수단 / ～ 역할.

보조개 명 흔히 웃거나 말할 때에 볼에 오목하게 우물져 들어가는 자국. 볼우물. ¶그녀는 웃을 때면 살포시 ～가 패었다.

보:조 관념 (補助觀念) 〖문〗 비유에서, 원관념의 뜻이나 분위기가 잘 드러나도록 도와주는 관념. 또는 비교·비유하는 관념.

보:조-금 (補助金) 명 **1** 보조하여 주는 돈. **2** 특정 사업을 개발·촉진하기 위해 국가가 공공 단체·사적 단체 또는 개인에게 주는 돈. ¶정부의 ～으로 유지하다.

보:조 기억 장치 (補助記憶裝置) 〖컴〗 주(主)기억 장치의 용량 부족을 보충하는 기억 장치(플로피 디스크·하드 디스크 장치·시디롬 등이 있음).

보:조 단위 (補助單位) 〖물〗 기본 단위를 세분하거나 확대하여 나타낸 단위(킬로미터·밀리그램 등). *기본 단위·유도 단위.

보:조 동:사 (補助動詞) 〖언〗 독립하여 쓰이지 못하고 본동사(本動詞)의 뒤에 붙어 그 풀이를 보조하는 동사. '읽어 보다'에서 '보다' 따위. 도움움직씨. 조동사. ↔본동사(本動詞).

보:조-비 (補助費) 명 국가 또는 공공 단체가 어떤 특수한 목적을 위하여 무상으로 보태어 주는 경비. ¶국고 ～.

보:-조사 (補助詞) 명 〖언〗 체언뿐 아니라 부사·활용 어미 등에 붙어서 다만 그 성분에 어떤 뜻을 더하여 돕는 조사. '은·는·도·까지·부터' 따위. 보조 조사. 특수 조사.

보:조 어:간 (補助語幹) 〖언〗 용언의 어간과 어미 사이에 끼어서 그 뜻을 여러 가지로 돕는 말. '보시다'·'가겠다'·'먹히다' 등에서 '-시-'·'-겠-'·'-히-' 따위. 학교 문법에서는 선어말 어미(先語末語尾) 및 어간 형성 접미사로 다룸. 도움줄기.

보:조 용:언 (補助用言) 〖언〗 용언 뒤에 붙어서 그 용언을 돕는 구실을 하는 용언(보조 동사·보조 형용사 등).

보:조-적 (補助的) 관명 보조가 될 만한 (것). ¶～ 역할을 하다 / ～인 수단에 불과하다.

보:조 형용사 (補助形容詞) 〖언〗 본용언 뒤에서 그 의미를 보충하는 역할을 하는 형용사. '못하다'·'싶다'·'아니하다' 따위. 도움그림씨. 의존 형용사.

보:족 (補足) 명하타 모자라는 것을 보태어 넉넉하게 함.

***보:존** (保存) 명하타 잘 보호하고 간수하여 남김. ¶종족 ～ / 목숨을 ～하다 / 문화재가 박물관에 ～되어 있다. ☞보전(保全).

보:좌 (補佐·輔佐) 명하타 상관을 도와 일을 처리함. ¶사장을 ～하는 비서.

보:좌 (寶座) 명 옥좌. ¶황제가 ～에 오르다.

보:좌-관 (補佐官) 명 **1** 상관을 보좌하는 관리. ¶대통령 ～ / 국무총리 ～. **2** 〖군〗 상급자를 보좌하는 장교.

보:주 (補註) 명하타 풀이의 부족한 점을 보충함. 또는 그 덧붙인 풀이.

보:주 (寶珠) 명 **1** 보배로운 구슬. **2** 〖불〗 위가 뾰족하고 불길이 타오르고 있는 모양의 장식을 단 구슬. **3** 〖불〗 여의주. **4** 〖건〗 탑·석등롱 등의 맨 꼭대기에 있는 공 모양의 부분.

보:중 (保重) 명하타 몸을 아껴 잘 보전함. ¶부디 옥체 ～하십시오.

보증 (保證) 명하타 **1** 어떤 사물이나 사람에 대하여 책임지고 틀림없음을 증명함. ¶신원 ～을 서다 / 품질이 ～된 상품. **2** 〖법〗 채무자가 채무를 이행하지 못할 경우에, 그를 대신하여 제삼자가 채권자에게 채무를 이행할 것을 부담하는 일. 보(保).

보증(을) 서다 ㊉ 남의 채무나 신원에 대하여 보증하여 주다. 보(保)서다. ¶친구의 ~.
보증-금 (保證金) 명 〔법〕 1 사법(私法)상 채무의 담보로 미리 채권자에게 주는 금전. 2 입찰 또는 계약을 맺을 때 계약 이행의 담보로 납입하는 금전. ¶~을 걸다.
보증-서 (保證書) 명 보증의 뜻을 적은 문서. ¶신원 ~를 제출하다.
보증 수표 (保證手票) 〔경〕 1 은행의 지급 보증을 받은 수표. 지급 보증 수표. 2 자기앞 수표. ㊟보수(保手).
보증-인 (保證人) 명 〔법〕 보증하는 사람. 증인. ¶~을 두 명 세우다.
보:지 명 여자의 음부(陰部). ↔자지.
보:지 (保持) 명하타 온전하게 잘 지켜 지탱함. 보유. ¶기록을 ~하다.
보:직 (補職) 명하타 어떤 직무의 담당을 명함. 또는 그 직책. ¶~을 받다 / ~ 교사로 채용되다 / 업무 과장으로 ~되다.
보짱 명 꿋꿋하게 가지는 속마음. 속으로 품은 요량(料量). ¶보기보다 ~이 세다.
보채다 자 1 어린아이가 성가시도록 울거나 칭얼거리다. ¶아기가 젖 달라고 자꾸 보챈다. 2 무엇을 요구하며 성가시게 조르다. ¶보채는 아이를 달래다 / 동생이 극장에 가자고 자꾸 보챘다.
[보채는 아이 밥 한 술 더 준다 ; 보채는 아이 젖 준다] 조르며 서두르는 사람이나 스스로 나서서 구하는 사람에게는 더 잘해 주게 된다는 뜻.
보:철 (補綴) 명하타 1 보충하여 철(綴)함. 2 글귀를 이것저것 모아 붙여서 시나 글을 지음. 3 〔의〕 이가 상한 곳을 고치어 바로 잡거나 이를 해 박는 일. ¶~된 어금니.
보:청-기 (補聽器) 명 〔의〕 귀가 잘 들리지 않는 사람이 청력(聽力)을 보강하기 위하여 쓰는 기구.
보:초 (步哨) 명 〔군〕 위병 근무와 경계 근무 등을 맡는 병사. 초병. 보초병. ¶~ 근무 중 이상 무.
보:충 (補充) 명하타 모자람을 보태어 채움. ¶새로 ~된 내용 / 연료를 ~하다 / ~ 설명을 필요로 하다.
보:충-병 (補充兵) 명 〔군〕 군 편제에서, 모자라는 인원을 채우기 위한 병사.
보:충 수업 (補充授業) 일반 교과 과목 중에 학습 기초가 부족한 학생들에게 보충하여 실시하는 수업.
보:충-적 (補充的) 관명 보충할 만한 (것).
보:측 (步測) 명하타 보폭으로 거리를 잼. 걸음짐작. ¶~으로 10m는 됨직하다.
보:칙 (補則) 명 〔법〕 법령의 규정을 보충하기 위하여 만들어진 규칙.
보크사이트 (bauxite) 명 〔광〕 알루미늄의 수산화물을 주성분으로 하는 산화 광물. 덩이나 진흙 모양으로 알루미늄의 원광 또는 내화 재료의 원료로 씀.
보-타이 (bow tie) 명 나비의 편 날개처럼 가로로 짧게 매는 넥타이. 나비넥타이.
보:탑 (寶塔) 명 1 귀한 보배로 장식한 탑. 2 미술적 가치가 많은 탑. 3 절에 있는 탑을 높여 이르는 말. 4 〔불〕 다보여래(多寶如來)를 안치한 탑.
보:탑 (寶榻) 명 옥좌(玉座).
보태기 명 셈을 보태는 일. 더하기. ↔빼기.
보태다 타 1 모자람을 채우다. ¶적지만 여행에 보태 쓰시오. 2 있는 데다 더하여 늘리다. ¶보태지도 빼지도 말고 말해 봐라.
보탬 명 보태어 더하거나 돕는 일. 또는 그런 것. ¶생활에 큰 ~이 되다 / 학업에 ~을 주다.
*보:통 (普通) ㊀명 널리 일반에게 통함. 특별하지 않고 평범함《관형사적으로도 씀》. ¶~ 사람이 아니다 / 수완이 ~이 아니다. ↔특별. ㊁부 흔히. 일반적으로. ¶~ 11시면 잠자리에 든다.
보:통 교:육 (普通敎育) 국민으로서 일반적으로 갖추어야 할 기초적인 지식과 교양을 베푸는 교육《초등학교와 중학교·고등학교에서 베풂》. ↔전문 교육.
보:통-내기 (普通-) 명 (주로 '아니다'와 함께 쓰여) 그다지 뛰어나지 않은 예사로운 사람. 여간내기. 예사내기. ¶그는 ~가 아니다.
보:통 명사 (普通名詞) 〔언〕 같은 종류의 사물에 두루 쓰이는 명사《책·사람·나라 따위》. ↔고유 명사.
보:통 선:거 (普通選擧) 학식·재산·납세·신분·성별 등에 제한을 두지 않고, 성년이 되면 누구에게나 선거권이 주어지는 선거. ↔제한 선거. ㊟보선(普選).
보:통-세 (普通稅)[-쎄] 명 지방 자치 단체가 일반 경비에 쓰려고 부과하는 조세《주민세·재산세·자동차세·농지세·도축세·마권세 등》. ↔목적세.
보:통 예:금 (普通預金)[-녜-] 〔경〕 예금 통장이 발행되고 요구에 따라서 수시로 찾아 쓸 수 있는 은행 예금의 하나.
보퉁이 (褓-) 명 물건을 보에 싼 덩이.
보트 (boat) 명 1 서양식의 작은 배. 2 군함에 탑재(搭載)한 조그만 배. 장비 따위의 보급품을 나르는 데 씀. 단정(端艇).
보:편 (普遍) 명 1 두루 널리 미침. 2 두루 많은 것에 공통하여 들어맞음. 또는 그런 것. ↔특수(特殊). 3 〔철〕 모든 사물에 대하여 공통한 성질.
보:편-성 (普遍性)[-썽] 명 모든 것에 두루 통하거나 미치는 성질. ¶~ 있는 견해.
보:편-적 (普遍的) 관명 두루 널리 미치거나 해당되는 (것). ¶학생들의 학원 과외가 ~ 추세이다.
보:편-주의 (普遍主義)[-/-이] 명 〔철〕 개체 아닌 보편이 보다 참된 실재라고 주장하는 견해.
보:편-타당 (普遍妥當) 명하형 널리 사리에 맞아 타당함.
보:편타당-성 (普遍妥當性)[-썽] 명 널리 사리에 들어맞는 성질. ¶~을 갖는 의견.
보:편-화 (普遍化) 명하자타 1 널리 일반인에게 퍼지거나 퍼지게 함. ¶빠른 속도로 인터넷 사용이 ~되었다 / 핵가족이 ~되고 있다. 2 〔논〕 특수한 것에서 보편적인 개념이나 법칙 등을 만듦.
보:포 (保布) 명 〔역〕 조선 때, 양인으로부터 군역을 면제해 주는 대가로 거두어들이던 베나 무명. ㊟보.
보:폭 (步幅) 명 걸음의 발자국과 발자국 사이의 거리. 걸음나비. ¶~이 넓다.

보:표 (譜表) 명 〔악〕 음표·쉼표 등을 표시하기 위해 다섯 줄의 평행선을 가로 그은 표. 오선(五線).
보푸라기 명 보풀의 낱개. 큰부푸러기.
보풀 명 종이·헝겊 등의 거죽에서 일어나는 가는 털. ¶~이 일다. 큰부풀.
보풀다 〔보푸니, 보푸오〕 자 종이·피륙 등의 거죽에 잔털이 일어나다. 큰부풀다.
보풀리다 타 《'보풀다'의 사동》 보풀게 하다. ¶옷감의 거죽을 ~. 큰부풀리다.
보:필 (輔弼) 명하타 윗사람의 일을 도움. 또는 그 사람. ¶상감을 ~하다.
보:-하다[1] (補-) 타여불 자양분이나 약을 먹어 몸의 원기를 돕다. ¶몸을 ~.
보:-하다[2] (補-) 타여불 어떤 직무를 맡아보게 하다. ¶일반직 공무원을 총무과장에 ~.
보:-하다 (報-) 타여불 알리다. 알려 주다.
보:합 (保合) 명 〔경〕 시세가 변동 없이 계속되는 일. ¶~ 시세를 유지하다.
보:행 (步行) 명하자 걸어서 감. 걸어 다님. ¶~이 불편하여 차를 탔다.
보:행-객 (步行客) 명 걸어서 다니는 사람.
보:행-기 (步行器) 명 젖먹이에게 걸음을 익히게 하려고 태우는, 바퀴 달린 기구.
보:행-자 (步行者) 명 걸어서 가는 사람. 길거리를 왕래하는 사람. 보행인. ¶이 길은 ~가 우선이다.
보:험 (保險) 명 **1** 손해를 물어 주겠다는 보증. **2** 〔경〕 우연한 사고로 일시에 목돈이 들 경우에 대비하기 위해, 보험료를 적립해 두었다가 수요에 충당하게 하는 제도. ¶자동차 ~에 가입하다.
보:험-금 (保險金) 명 〔경〕 보험 계약에 따라 보험자가 피보험자에게 지급하는 돈.
보:험-료 (保險料)[-뇨] 명 〔경〕 보험에 가입한 사람이 보험자에게 정기적으로 내는 일정한 돈. ¶~를 연체하다.
보:험-자 (保險者) 명 피보험자에게 보험금을 지급할 의무를 지는 한편, 보험료를 받을 권리를 가지는 사람. 곧, 보험 회사를 말함. ↔피보험자.
보헤미안 (Bohemian) 명 〔문〕 사회 규범을 무시하고 방랑하면서 자유분방한 생활을 하는 시인·예술가 등을 이르는 말.
보:혈 (補血) 명하자 〔한의〕 약을 먹어서 조혈 작용을 도움. *보기(補氣).
보:혈-제 (補血劑)[-쩨] 명 빈혈의 치료나 예방을 위하여 쓰는 약《주로 철제(鐵劑)를 씀》. 보혈약(藥).
***보:호** (保護) 명하타 잘 보살펴 돌봄. ¶법으로 ~된 권리 / 경찰의 ~를 받다 / 문화재로 ~되다.
보:호 관세 (保護關稅) 〔경〕 국내 산업을 보호·장려할 목적으로 수입품에 과하는 관세. 보호세. 육성 관세. *재정(財政) 관세.
보:호-국 (保護國) 명 보호 조약에 따라 외교·군사상 타국으로부터 안전 보장을 받고 있는 나라. 국제법상 반(半)주권국에 속함.
보:호-림 (保護林) 명 명승고적의 풍치 보존, 학술 참고, 보호 동식물의 번식을 위해 나라에서 보호하는 산림.
보:호-막 (保護幕) 명 **1** 위험·파괴 등으로부터 피하거나 지킬 수 있게 치는 막. **2** 위험·장애를 피하거나 벗어나기 위해 마련한 대책이나 방법. ¶소외된 계층에 대한 ~을 마련하다.
보:호 무:역 (保護貿易) 〔경〕 국가가 자기 나라의 산업을 보호하기 위해 간섭 정책을 쓰는 국제 무역. ↔자유 무역.
보:호-색 (保護色) 명 〔생〕 다른 동물의 눈에 띄지 않도록 주위 환경과 비슷하게 변하는 몸의 빛깔《가랑잎나비·메뚜기·송충이 등의 몸빛》.
보:호-수 (保護樹) 명 풍치 보존과 학술의 참고 및 그 번식을 위해 보호하는 나무.
보:호-자 (保護者) 명 **1** 어떤 사람을 보호할 책임이 있는 사람. ¶입원 환자의 ~. **2** 〔법〕 미성년자에 대하여 친권을 행사하는 사람. ¶사고로 부모를 한꺼번에 잃은 남매의 ~는 이제 할머니가 되었다.
보:호-조 (保護鳥) 명 법률로 잡지 못하도록 보호하는 새. 금조(禁鳥). 보호새.
보:화 (寶貨) 명 보물(寶物) 1.
보:훈 (報勳) 명하자 공훈에 보답함.
복 명 〔어〕 참복과의 바닷물고기의 총칭. 몸이 똥똥하고 등지느러미가 작으며 이가 날카로움. 위험이 닥치면 공기를 들이마셔 배를 불룩하게 내미는 성질이 있음. 고기는 맛이 좋으나 내장에 테트로도톡신이라는 독이 있음. 하돈(河豚). 복어.
[복의 이 갈듯 한다] 원한이 있어 이를 바드득바드득 간다. [복 치듯 하다] 어부가 복을 잡아 함부로 치듯, 무엇이나 되는대로 치거나 때리는 모양의 비유.
복 (伏) 명 '복날'의 준말.
복 (服) 명 **1** '복제(服制)'의 준말. **2** 상복(喪服).
복(을) 벗다 구 복제에 따라 첫 1년 동안 상복을 입게 되어 있는 기간이 지나가다.
복(을) 입다 구 복제에 따라 첫 1년 동안 입도록 되어 있는 상복을 입다.
복 (福) 명 **1** 아주 좋은 운수. 복조(福祚). ¶~을 받은 사람. **2** 배당되는 몫이 많음의 비유. ¶먹을 ~은 타고났나 보다.
복이야 명(命)이야 하다 구 뜻밖에 좋은 수가 나서 어쩔 줄을 모르고 기뻐하다.
복- (複) 두 '단일하지 않고 중복된'의 뜻. ¶~선(線) / ~자음.
-복 (服) 미 '옷'의 뜻을 나타내는 말. ¶위생~ / 신사~.
복각 (伏角) 명 〔물〕 지구 상의 임의의 지점에 놓은 자침의 방향이 수평면과 이루는 각《자기 적도에서는 0도, 자기극에서는 90도임》. 경각(傾角).
복각 (覆刻·復刻) 명하타 〔인〕 판본을 중간(重刊)하는 경우에 원형을 모방하여 판각(板刻)하는 일. 또는 그 판. ¶~된 고전본.
복간 (復刊) 명하타 간행을 중지 또는 폐지하고 있던 출판물을 다시 간행함. ¶폐간된 신문이 ~되었다.
복강 (腹腔) 명 〔생〕 척추동물의 배의 얼안. 횡격막을 사이로 위에는 흉강이 있고, 아래로는 골반강에 통하였으며, 이 속에 위장·신장·생식 기관 등이 들어 있음.
복개 (覆蓋) 명하타 **1** 뚜껑. 덮개. **2** 하천에 덮개 구조물을 씌워 덮음. 또는 그 덮개 구조물. ¶하천 ~ 공사가 거의 끝나 간다.
복건 (幅巾·幞巾) 명 〔역〕 도복에 갖추어서

머리에 쓰던 건《현재는 어린 사내아이가 명절이나 돌날에 씀》.

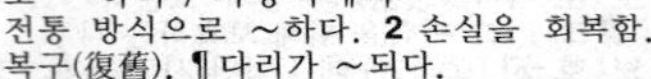
복건

복걸 (伏乞) 명하타 엎드리어 빎. ¶범인은 살려 달라고 ~하였다.
복고 (復古) 명하타 **1** 과거의 제도·사상·정치·체재 따위로 돌아감. ¶왕정으로 ~하다 / 서양식에서 전통 방식으로 ~하다. **2** 손실을 회복함. 복구(復舊). ¶다리가 ~되다.
복고-적 (復古的) 관명 과거의 사상이나 전통으로 되돌아가려는 (것). ¶~ 경향.
복고-조 (復古調)[-쪼] 명 과거의 사상이나 전통 따위로 돌아가려는 풍조나 경향.
복고-주의 (復古主義)[-/-이] 명 과거의 사상이나 전통, 체제로 되돌아가려는 경향.
복고-풍 (復古風) 명 과거의 모습으로 되돌아간 제도나 풍속. 또는 그런 유행. ¶~의 노래 / ~ 옷차림.
복-관절 (複關節) 명 〖생〗 둘 이상의 뼈로 이루어진 관절《팔꿈치 관절 따위》.
복교 (復校) 명하자 정학·휴학·퇴교하였던 학생이 다시 그 학교에 다니게 됨. 복학. ¶퇴학당한 학생이 ~되다.
복구 (復舊) 명하타 **1** 손실 이전의 상태로 회복함. ¶재해 ~에 힘을 합치다 / 교량이 ~되다 / 피해를 ~시키다. **2** 〔recovery〕〖컴〗 프로그램이나 시스템이 수행 도중 발생한 오류에서 벗어나 정상적인 수행을 유지하기 위해 취하는 행동 또는 절차. ¶하드 디스크를 ~하다.
복-굴절 (複屈折)[-쩔] 명 〖물〗 광선이 결정체에 들어갈 때 두 광선으로 나뉘어 이중으로 굴절하는 현상.
복권 (復權) 명하타 〖법〗 법률상 일정한 자격이나 권리를 상실한 사람이 이를 다시 찾음. ¶대부분의 정치범들이 ~되었다.
복권 (福券) 명 **1** 공공 기관 따위에서, 사업 자금을 마련하기 위해 파는 표. 당첨금이나 상품이 따름. ¶주택 ~에 당첨되었다. **2** 경품권.
복궤 (複軌) 명 '복선 궤도'의 준말.
복궤 철도 (複軌鐵道)[-또] 오고가는 열차가 따로 왕래할 수 있는 복선 궤도에 의하여 운행하는 철도. ↔단궤 철도.
복귀 (復歸) 명하자 본디의 자리·상태로 돌아감. ¶원대(原隊) ~하다 / 원상으로 ~되다 / 원 직책에 ~시키다.
복근 (腹筋) 명 복부에 있는 근육. 복벽근(腹壁筋).
복기 (復碁·復棋) 명하타 한 번 두고 난 바둑을 두었던 그대로 처음부터 다시 놓아 봄.
복길 (卜吉) 명하타 좋은 날을 가려서 받음.
복-날 (伏-)[봉-] 명 초복·중복·말복이 되는 날. 복일(伏日). 준복(伏).
[복날 개 패듯] 몹시 심하게 매질을 함.
복닥-거리다 자 많은 사람이 좁은 곳에 모여 수선스럽게 뒤끓다. ¶오랜만에 만난 형제들이 한방에서 복닥거린다. **복닥-복닥** 부하자
복닥-대다 자 복닥거리다.
복대 (腹帶) 명 임산부의 배에 감는 띠《태아의 위치를 고정시킴》. 배띠.
복대기 명 (주로 '치다'와 함께 쓰여) 복대기는 일. ¶그녀는 시어머니가 ~를 치자 얼른 잘못을 빌었다.
복대기다 자 **1** 많은 사람이 복잡하게 떠들어 대거나 왔다 갔다 움직이다. ¶많은 사람이 복대기는 유흥장. **2** 정신을 차릴 수 없을 만큼 서둘러 죄어치거나 몹시 몰아치다. ¶손님이 갑자기 복대기니 정신을 못 차리겠다.
복-더위 (伏-) 명 '삼복더위'의 준말.
복덕 (福德) 명 복과 덕. 타고난 복과 후한 마음.
복덕-방 (福德房) 명 가옥·토지 등의 매매·임대차를 중개하는 곳. 공식적으로는 '중개인 사무소'. ¶~에 집을 내놓았다.
복-덩이 (福-) 명 귀중한 사람이나 물건의 비유. 복덩어리. ¶~가 굴러 들어오다.
***복도** (複道) 명 건물 안에 다니게 된 긴 통로. 낭하. ¶교실 앞 ~에 꿇어앉아 벌을 섰다.
복-되다 (福-) 형 복을 받아 기쁘고 즐겁다. ¶복된 나날을 보내다 / 복된 새해를 맞이하시기 바랍니다.
복-띠 (服-) 명 상복(喪服)에 띠는 삼베로 만든 띠.
복락 (福樂)[봉낙] 명 행복과 안락.
복록 (福祿)[봉녹] 명 타고난 복과 벼슬아치의 녹봉이라는 뜻으로, 복되고 영화로운 삶. ¶~을 누리다.
복룡 (伏龍)[봉뇽] 명 숨어 누워 있는 용이란 뜻으로, 은거하며 세상에 나오지 않는 재사(才士)나 준걸(俊傑).
복류 (伏流)[봉뉴] 명하자 〖지〗 땅 위를 흐르던 물이 땅속으로 스며들어 지하수로 흐름. 또는 그 물.
복리 (福利)[봉니] 명 행복과 이익. ¶국민의 ~를 증진(增進)하다.
복리 (複利)[봉니] 명 〖경〗 이자에 대하여 또 다시 이자를 붙이는 셈. 복변리(複邊利). 중리(重利). ↔단리(單利).
복리-법 (複利法)[봉니뻡] 명 〖경〗 일정한 기간 뒤의 이자를 원금에 가산한 것을 차기의 원금으로 하고, 다음 기간에는 새 원금에 대하여 이자를 계산하는 방법.
복마 (卜馬)[봉-] 명 짐을 싣는 말.
복마-전 (伏魔殿)[봉-] 명 마귀가 숨어 있는 전당이라는 뜻에서, 나쁜 일을 꾸미는 사람들이 많이 모여 있는 곳을 일컫는 말.
복막 (腹膜)[봉-] 명 〖생〗 복벽의 내면과 복강 내장의 표면을 싸고 있는 얇은 막.
복막-염 (腹膜炎)[봉망념] 명 〖의〗 복막에 생기는 염증《급성은 심한 복통이나 구토를 일으키며 배가 부풀어 오르거나 뱃가죽이 땅기고 열이 남》.
복면 (腹面)[봉-] 명 몸 가운데에서 배가 되는 면. 배 쪽. ↔배면(背面).
복면 (覆面)[봉-] 명하자 얼굴의 전부나 일부를 헝겊 등으로 싸서 가림. 또는 가리는 데 쓰는 물건. ¶~을 쓰다 / 대낮에 ~을 한 강도가 은행을 털었다.
복명 (復命)[봉-] 명하타 명령을 받고 일을 처리한 사람이 그 결과를 보고함. ¶출장 결과를 ~하다.

복-모음 (複母音)[복—] 명 이중 모음.
복무 (服務)[복—] 명하자 직무를 맡아 일함. ¶군~를 마치다 / 현역으로 ~하다.
복문 (複文)[복—] 명 〖언〗 겹문장. *단문(單文)·중문(重文).
복-받치다 자 감정 따위가 치밀어 오르다. ¶복받치는 슬픔을 억제할 수가 없다 / 설움이 ~ / 울화가 복받쳐 올랐다. 큰북받치다.
복배 (伏拜) 명하자 1 땅에 엎드려 절함. 2 몸을 굽혀 예를 표함.
복배 (腹背) 명 1 배와 등. 2 앞면과 뒷면. 3 복부의 등 쪽.
복벽 (腹壁) 명 〖생〗 피부·근육·복막 따위로 복강을 둘러싸고 있는 앞쪽의 벽.
복병 (伏兵) 명하자 1 〖군〗 적을 불시에 공격하기 위해 요긴한 길목에 군사를 숨겨 둠. 또는 그 군사. ¶~을 만나다. 2 비유적으로, 뜻밖에 나타난 경쟁 상대나 장애.
복-복선 (複複線) 명 복선이 두 개 나란히 있는 선로.
복본 (複本) 명 1 원본을 그대로 베낀 서류. 부본(副本). 2 〖경〗 하나의 어음 관계에 대하여 작성된 여러 통의 어음.
복본위-제 (複本位制) 명 〖경〗 두 가지 이상의 화폐를 본위로 하여 둘 사이에 법정 비율을 정하고 무제한 화폐로서 유통하게 하는 화폐 제도. ↔단(單)본위제.
복부 (腹部) 명 배의 부분. ¶~의 통증이 심하다. ↔배부.
***복:-부르다** (復—)〔복부르니, 복불러〕 자르불 〖민〗 초혼(招魂)하다.
복-부인 (福婦人) 명 〈속〉 목돈을 가지고 부동산 투기를 반(半)직업적으로 하는 가정부인.
복-부호 (複符號) 명 〖수〗 두 개의 부호를 위아래로 겹쳐 적은 부호(±·≦ 따위).
복분 (福分) 명 복을 누리는 분수.
복불복 (福不福) 명 복분(福分)의 좋고 좋지 않은 정도. 곧, 사람의 운수를 이름.
[복불복이라] 사람이 잘살고 못살고 하는 것은 다 타고난 복과 불복에 인함이니 억지로는 안 된다는 말.
복비 (複比) 명 〖수〗 두 개 이상의 비(比)에서, 전항의 곱을 전항으로 하고 후항의 곱을 후항으로 한 비(a:b=c:d 의 복비는 ac:bd). 상승비. ↔단비(單比).
복비 (福費) 명 집을 사고팔 때 중개 역할을 한 복덕방에 주는 수고비.
복사 (複寫) 명하타 1 원본을 베낌. ¶여러 장으로 ~된 그림. 2 종이 사이사이에 복사지를 받쳐 한꺼번에 여러 장을 씀. 3 문서·그림·사진 등을 복제함. 4 〖컴〗 파일을 디스켓 따위의 다른 곳으로 옮김. ¶프로그램을 디스켓에 ~하다.
복사 (輻射) 명하자 〖물〗 열이나 전자기파가 물체로부터 사방에 방출됨. 또는 그 현상. 방사(放射).
복사-기 (複寫器·複寫機) 명 책·문서·계산서·자료 등을 복사하는 데 쓰는 기계.
복사-꽃 [—꼳] 명 '복숭아꽃'의 준말.
복사-물 (複寫物) 명 복사하여 만든 문서.
복사-뼈 명 〖생〗 발목 부근에 안팎으로 둥글게 나온 뼈. 복숭아뼈.
복사-선 (輻射線) 명 〖물〗 물체에서 방출되는 전자기파(가시(可視)광선·자외선·엑스선 등의 총칭). 방사선.
복사-열 (輻射熱) 명 〖물〗 열복사(熱輻射)로서 방출된 전자기파가 물체에 흡수되어 그 물체를 덥게 하는 에너지. 방사열.
복사-지 (複寫紙) 명 1 복사기로 복사하는 데 쓰는 종이. 2 먹지.
복사-판 (複寫版) 명 1 복사하는 데 쓰는 인쇄판. 2 복사해 낸 서책 따위. 3 어떤 대상을 그대로 닮은 사물이나 인물을 비유적으로 일컫는 말. ¶남편의 ~인 아들은 하는 행동도 똑같아 신기하다.
복상 (服喪) 명하자 상중에 상복을 입음.
복상 (福相) 명 복스럽게 생긴 얼굴. ↔빈상.
복상 (複相) 명 〖생〗 수정(受精)에서부터 감수 분열을 일으키기 전까지의, 정상적인 염색체 수를 가진 핵(核)의 상태('2n'으로 표시함).
복상 (複像) 명 거울의 몇 차례의 반사 때문에 여러 겹으로 보이는 상.
복상-사 (腹上死) 명하자 성교를 하다가 동맥 경화나 심장 마비 등으로 남자가 갑자기 여자의 배 위에서 죽는 일.
복색 (服色) 명 1 예전에, 신분·직업 등에 맞추어 입은 옷의 꾸밈새. 2 옷의 빛깔.
복색 (複色) 명 두 가지 이상의 색이 합쳐 이루어진 색.
복서 (伏暑) 명하자 1 복날의 더위. 2 더위 먹음. 음서(飮暑).
복선 (伏線) 명 1 뒷일의 준비로서 미리 암암리에 마련해 두는 것. ¶이 사건 뒤에는 반드시 무슨 ~이 있다. 2 소설·희곡 등에서 앞으로 일어날 일을 미리 슬며시 암시하여 두는 작법의 형식. ¶~이 많이 깔린 추리 소설.
복선 (複線) 명 1 겹으로 된 줄. 겹줄. 2 '복선 궤도'의 준말. ¶~ 공사가 한창 진행 중이다. ↔단선(單線).
복선 궤:도 (複線軌道) 왕복 선로를 따로 부설하여 각각 한쪽 방향으로만 운행하게 되어 있는 철도. 복선 철도. 준복궤.
복성 (複姓) 명 두 자로 된 성(남궁(南宮)·선우(鮮于) 등).
복성-스럽다 (福星—)〔—스러우니, —스러워〕 형ㅂ불 생김새가 두툼하여 복이 있는 듯하다. **복성-스레** 부
복-소수 (複素數)[—쑤] 명 〖수〗 실수와 허수의 합(合)의 꼴로 표시되는 수. 복허수(複虛數).
복속 (服屬) 명하자 복종하여 붙좇음. ¶이웃 나라에 ~되다 / 패전국을 승리한 나라에 ~시키다.
복수 (復讐·復讎) 명하자 원수를 갚음. ¶~의 칼을 갈다.
복수 (腹水) 명 〖의〗 간경변증·복막염 등의 질환으로 배 속에 액체가 괴는 병증. 또는 그 액체.
복수 (複數) 명 1 〖수〗 둘 이상의 수. 2 문법에서, 명사·대명사가 둘 이상의 대상을 가리키는 경우의 일컬음. ↔단수.
복수-극 (復讎劇) 명 1 복수를 주된 내용으로 하는 극. 2 복수하는 행동. ¶밀고자를 붙잡고 ~을 벌였다.
복수-심 (復讎心) 명 복수하려고 벼르는 마

음. ¶~에 불타다 / 가슴은 풀 길 없는 ~으로 들끓었다.
복수-전 (復讐戰) 명 1 경기나 오락 등에서, 앞서 진 것을 만회하기 위하여 겨루는 일. 설욕전. ¶지난번 패전을 설욕하는 ~을 벌이다. 2 적에게 복수하기 위한 싸움.
복술 (卜術) 명 점을 치는 방법이나 기술.
***복숭아** 명 복숭아나무의 열매. 품종에 따라 크기가 다르고 단맛이 있으며 담홍색으로 익음. 준복사.
복숭아-꽃 [-꼳] 명 복숭아나무의 꽃. 도화(桃花). 준복사꽃.
복숭아-나무 명 〖식〗 장미과의 작은 낙엽 활엽 교목. 촌락 부근에 심는데, 높이 3m 가량, 늦봄에 백색 또는 담홍색 꽃이 잎보다 먼저 피고, 열매인 '복숭아'가 여름에 익음. 과실은 식용하며 씨는 한약에 씀. 복사나무.
복숭아-뼈 명 복사뼈.
복숭앗-빛 [-아삗 / -앋삗] 명 무르익은 복숭아의 발그스름한 빛깔.
복-스럽다 (福-) 〔복스러우니, 복스러워〕 형 ㅂ불 복이 있어 보이다. ¶복스럽게 생긴 얼굴. **복-스레** 부
복슬-복슬 부하형 짐승이 살이 찌고 털이 많이 난 모양. ¶~한 강아지. 큰북슬북슬.
***복습** (復習) 명하타 배운 것을 다시 익히어 공부함. ¶그날 배운 것은 반드시 그날 ~한다. ↔예습.
복시 (覆試) 명 〖역〗 조선 때, 초시에 급제한 사람이 다시 보던 과거. 회시(會試).
복식 (服飾) 명 1 옷의 꾸밈새. 2 의복과 장신구. ¶조선 시대 여인의 ~을 연구한다.
복식 (複式) 명 1 이중 또는 그 이상으로 된 방식. 또는 복잡한 방식. 2 '복식 부기'의 준말. 3 '복식 경기'의 준말.
복식 경:기 (複式競技) 테니스·탁구 따위에서, 서로 두 사람씩 짝을 지어서 하는 경기. ↔단식 경기. 준복식.
복식 부기 (複式簿記) 〖경〗 복식의 방법으로 기입하는 부기《거래할 적마다 대차(貸借)를 분개하여 세밀히 치부하고 과목을 나누어 각 계좌를 설정하는 조직적 기장법》. ↔단식 부기. 준복식.
복식 호흡 (腹式呼吸) [-씨코-] 뱃가죽을 폈다 오므렸다 해서 횡격막의 신축에 의하여 하는 호흡. ↔흉식(胸式) 호흡.
복심 (腹心) 명 배와 가슴.
복심 (覆審) 명하타 한 번 심사한 것을 다시 심사함.
복싱 (boxing) 명 권투.
복안 (腹案) 명 마음속에 간직하여 아직 드러내지 않은 생각. 속배포. ¶~을 세우다.
복안 (複眼) 명 〖동〗 겹눈.
복압 (腹壓) 명 복근과 횡격막의 수축으로 생기는 복강의 압력.
복어 (-魚) 명 복.
복역 (服役) 명하자 1 공역(公役)·병역에 종사함. 2 징역을 삶. ¶3년간 ~하다.
복역-수 (服役囚) 명 복역 중인 죄수.
복엽 (複葉) 명 〖식〗 겹잎1. ↔단엽(單葉).
복엽 비행기 (複葉飛行機) 앞날개가 동체의 아래위로 둘 있는 비행기. 준복엽기. *단엽 비행기.

복용 (服用) 명하타 약을 먹음. 복약. ¶약을 장기 ~하다.
복운 (復運) 명하자 운세가 회복됨. 또는 그 운세. ¶~의 기운이 감돌다.
복운 (福運) 명 행복과 좋은 운수.
복원 (復元·復原) 명하타 원래대로 회복함. ¶~ 공사가 시작되다 / 훼손된 문화재를 ~하다 / 옛 토성을 ~시키다.
복위 (復位) 명하자 폐위되었던 제왕이나 후비(后妃)가 다시 그 자리에 오름. ¶임금이 ~되어 환궁했다.
복음 (福音) 명 1 기쁜 소식. 2 〖기〗 예수의 가르침. 또는 예수에 의한 인간 구원의 길. ¶~을 전파하다. 3 〖기〗 복음서.
복음 (複音) 명 1 〖악〗 두 개 이상의 서로 다른 높이의 음이 동시에 남으로써 이루는 중음(重音). 2 〖언〗 둘 이상으로 분리할 수 있는 모음과 자음《ㅑ(ㅣ+ㅏ)·ㅛ(ㅣ+ㅗ)·ㅠ(ㅣ+ㅜ)·ㅘ(ㅗ+ㅏ) 따위의 모음과 ㅋ(ㄱ+ㅎ)·ㅌ(ㄷ+ㅎ) 따위의 자음》. 겹소리. 거듭소리. ↔단음(單音).
복음-서 (福音書) 명 〖기〗 신약 성서 중, 예수의 생애와 교훈을 기록한 마태복음·마가복음·누가복음·요한복음의 네 책.
복음 성:가 (福音聖歌) 기독교적 신앙과 교리를 제재로 한 가요. 가스펠 송.
복일 (卜日) 명하타 좋은 날을 점을 쳐서 가림.
복임 (復任) 명하자 전의 관직으로 다시 돌아옴.
복자 (福者) 명 1 유복한 사람. 2 〖가〗 죽은 사람의 신앙과 덕행을 증거하여 공경할 만하다고 교황청에서 공식으로 지정하여 발표한 사람에 대한 존칭.
복자 (覆字·伏字) 명하자 〖인〗 1 인쇄물에서 내용을 밝히는 것을 피하고자 일부러 비우거나 또는 그 자리에 '○, ×' 등의 표를 찍음. 또는 그 표. ¶~되어 나온 교정쇄. 2 조판에서 필요한 활자가 없을 경우에 적당한 활자를 뒤집어 꽂아 검게 박은 글자《'〓' 따위》.
복-자음 (複子音) 명 둘 이상의 자음으로 되어서 그 소리 나는 동안의 앞뒤를 따라 다름이 생기는 자음《ㅊ·ㅋ·ㄻ 등》. 중자음. 겹닿소리. ↔단자음.
복작-거리다 자 1 많은 사람이 좁은 곳에 모여 수선스럽게 자꾸 들끓다. ¶시장에는 대목장을 보려는 사람들이 복작거린다. 2 술·식혜 등이 괴어 거품이 보글보글 일다. 큰북적거리다. **복작-복작** 부하자
복작-대다 자 복작거리다.
복잡다단-하다 (複雜多端-) 형 여불 일이 두루 뒤섞여 갈피를 잡기 어렵다. ¶복잡다단한 문제.
복잡-성 (複雜性) 명 서로 얽히고 뒤섞여 어수선한 성질. ¶~이 더해 가다. ↔단순성.
복잡-스럽다 (複雜-) 〔-스러우니, -스러워〕 형 ㅂ불 복잡하게 얽혀 있거나 어수선한 데가 있다. **복잡-스레** 부
***복잡-하다** (複雜-) [-짜파-] 형 여불 1 일이나 물건의 갈피가 뒤섞여 어수선하다. ¶복잡한 사정 / 절차가 까다롭고 ~. 2 무엇이 혼잡하게 들어차 있다. ¶복잡한 버스 / 세일 기간이라 백화점은 매우 ~.
복장 (腹臟) 명 1 가슴의 한복판. 흉당(胸

膛). ¶ ~을 치며 한탄하다 / ~을 짓찧는 슬픔에 몸을 가누기가 힘들었다. 2 속에 품고 있는 생각. ¶ ~이 검다.
복장(이) 터지다 ㉠ 마음에 몹시 답답함을 느끼다. 화가 치밀다.
복장 (服裝) 명 옷차림. 옷. ¶ 가벼운 ~ / ~을 단정히 하다.
복절 (腹節) 명 〖동〗 곤충의 배 부분을 이루는 고리 모양의 마디.
복점 (複占) 명하타 〖경〗 두 공급자가 경쟁적으로 동일 상품을 공급함. 또는 그런 시장 형태. *독점.
복제 (服制) 명 1 상례(喪禮)에서 정한 오복(五服)의 제도. ㊤복(服). 2 옷차림에 대한 규정.
복제 (複製) 명하타 1 본디의 것과 똑같은 것을 만듦. 또는 그 만든 것. ¶ ~된 그림. 2 〖법〗 원래의 저작물을 재생하여 표현하는 모든 행위《저작권의 침해가 됨》. ¶ 테이프가 불법으로 ~되어 유통하다.
복제-판 (複製版) 명 〖미술〗 원화(原畫)가 가지는 감각을 재현한 인쇄물.
복제-품 (複製品) 명 본디의 것과 똑같이 본떠 만든 물품. ¶ 유명 화가의 불법 ~이 시중에 유통되고 있다.
복-조리 (福笊籬) 명 〖민〗 한 해의 복을 받을 수 있다는 뜻에서, 음력 정월 초하룻날 새벽에 부엌·안방·마루 따위의 벽에 걸어 놓는 조리.
복족-류 (腹足類)[-쫑뉴] 명 〖동〗 연체동물의 한 강(綱). 육지·민물·바닷물에 사는데 몸통의 배 쪽에 편평한 육질의 발이 있어서 다른 물건에 달라붙거나 운동을 함《고둥·소라·전복·달팽이·우렁이 따위》. ↔두족류.
복종 (服從) 명하자 남의 명령·의사에 그대로 따름. ¶ 상관에게 ~하다.
복종-심 (服從心) 명 남의 명령·의사에 그대로 따라서 좇는 마음.
복중 (伏中) 명 초복에서 말복까지의 사이. 복허리.
복중 (服中) 명 기년복(朞年服) 이하의 상복을 입는 동안.
복지 (伏地) 명하자 땅에 엎드림.
복지 (服地) 명 '양복지'의 준말. ¶ 순모(純毛) ~를 수입하다.
복지 (福地) 명 1 신선이 사는 곳. 2 복을 누리며 잘 살 수 있는 땅.
*복지 (福祉) 명 행복한 삶. 행복하게 살 수 있는 사회 환경. ¶ ~를 누리다 / 국민의 ~ 향상에 힘쓰다.
복지 국가 (福祉國家) 국민의 생존권을 적극적으로 보장하고, 그 복지의 증진을 도모하는 것을 중심 목표로 삼는 국가.
복지-부 (福祉部) 명 전에 '보건 복지부'의 준말.
복지부동 (伏地不動) 명하자 땅에 엎드려 움직이지 않는다는 뜻으로, 마땅히 해야 할 일을 하지 않고 몸을 사림의 비유.
복지 사:업 (福祉事業) 복지 국가의 실현을 목표로 추진하는 모든 사업. 복리 사업.
복지 사회 (福祉社會) 모든 사회 구성원들의 복지가 증진되고 보장된 사회.
복직 (復職) 명하자 휴직·퇴직했던 사람이 본디 직으로 돌아옴. ¶ 군 복무를 마치고 회사에 ~하다 / 해직 교사를 ~시키다.
복찻-다리 [-차따- / -찯따-] 명 큰길을 가로질러 흐르는 작은 개천에 놓은 다리.
복창 (復唱) 명하타 남의 말을 받아 그대로 욈. ¶ 명령을 ~하다 / 아이들은 선생님 말씀에 일제히 ~했다.
복채 (卜債) 명 점을 쳐 준 값으로 점쟁이에게 주는 돈. ¶ ~를 두둑이 놓다.
복칭 (複稱) 명 1 복잡한 명칭. 2 〖논〗 둘 이상의 사물을 나타내는 명칭. ↔단칭(單稱).
복택 (福澤) 명 복리와 혜택.
복토 (覆土) 명하자 씨를 뿌리고 흙을 덮음. 또는 그 흙.
복통 (腹痛) 명하형 1 복부 통증의 총칭. ¶ ~을 일으키다. 2 몹시 원통하고 답답할 때 쓰는 말. ¶ 참 ~할 노릇이다.
복판 명 1 어떤 공간이나 사물의 한가운데. ¶ 과녁의 ~에 맞다 / 길 ~에 돌들이 널려 있다. 2 소의 갈비·대접 또는 도가니의 중간에 붙은 고기《주로 구이에 씀》.
복학 (復學)[보칵] 명하자 정학·휴학하고 있던 학생이 다시 학교에 복귀함. 복교(復校). ¶ 이번 학기에 ~한 학생들.
복학-생 (復學生)[보칵-] 명 복학한 학생. ¶ 군에서 제대한 ~이다.
복합 (複合)[보캅] 명하자타 두 가지 이상을 하나로 합침. 또는 그렇게 합쳐짐. ¶ 여러 약재가 혼합된 ~ 영양제이다.
복합 개:념 (複合槪念)[보캅-] 〖논〗 복합적 개념.
복합 국가 (複合國家)[보캅-] 둘 이상의 나라가 결합하여 이루어진 나라. 국가 연합·연방 따위. ↔단일 국가.
복합-어 (複合語)[보캅-] 명 〖언〗 두 개 이상의 형태소가 모여서 따로 한 단어를 이룬 말. '맨손'과 같이 실질 형태소 '손'에 형식 형태소 '맨'이 붙은 파생어와, '집안'과 같이 두 개의 실질 형태소로 이루어진 합성어가 있음. ↔단일어(單一語). *파생어·합성어. ☞단어.
복합 영농 (複合營農)[보캅-] 두 가지 이상의 유형을 복합시킨 농업 경영《논농사에 낙농을 조합시키거나, 과수를 주로 하고 야채 재배를 조합하는 따위》.
복합-적 (複合的)[보캅-] 관명 두 가지 이상이 합쳐져 있는 (것). ¶ 여러 사회 문제가 ~으로 나타나다.
복합적 개:념 (複合的槪念)[보캅-] 〖논〗 많은 속성·내용을 포함하는 개념《사람·동물·꽃 등의 개념》. *단순 개념.
복합-체 (複合體)[보캅-] 명 두 가지 이상의 물체가 모여서 하나로 된 물체.
복혼 (複婚)[보콘] 명 배우자가 동시에 둘 이상인 혼인 형태《일부(一夫)다처·일처다부(多夫) 등》.
복화-술 (腹話術)[보콰-] 명 입을 움직이지 않고 말하는 기술. 특히, 인형을 가지고 연극을 하면서 그 인형이 말하는 것처럼 느끼게 하는 기술.
*볶다 [복따] 타 1 마른 물건을 그릇에 담아 불에 익히다. ¶ 콩을 ~. 2 단 냄비에 기름을 두르고 야채나 고기 따위를 양념하여 저어 가며 익히다. ¶ 고기를 ~. 3 사람을

못살게 괴롭히다. ¶계모가 전실 자식을 ~. 4〈속〉머리를 곱슬곱슬하게 파마하다. ¶머리를 ~.
[볶은 콩 먹기] 그만 먹겠다면서 결국은 다 먹어 버림. [볶은 콩에 싹이 날까 ; 볶은 콩에 꽃이 피랴] 희망이 없음의 비유.

볶아-치다 자타 1 몹시 급하게 몰아치다. ¶급하게 볶아쳐서 정신이 없다. 2 몹시 급하게 재촉하다. ¶아이가 빨리 집에 가자고 엄마를 볶아쳤다.

볶음 명 1 어떤 재료에 양념을 하여 볶은 음식. 또는 그 조리법. 2 (일부 명사 뒤에 붙어) 볶은 음식의 뜻을 나타내는 말. ¶야채 ~이 별미이다.

볶음-밥 명 쌀밥에 당근·쇠고기·감자 등을 잘게 썰어 넣고 기름에 볶아 만든 음식.

볶이다 자 《'볶다'의 피동》 1 볶음을 당하여 익다. ¶콩이 덜 볶였다. 2 남에게 들볶음을 당해 괴로움을 겪다. ¶휴일이면 외식하자고 아내와 아이들에게 볶인다.

***본**[1] (本) 명 1 본보기가 될 만한 바른 방법. ¶형의 ~을 받다. 2 '본보기'의 준말. ¶~을 보이다. 3 버선이나 옷 따위를 만들기 위해 본보기로 오려 만든 종이. 형지(型紙). ¶버선의 ~을 뜨다. 4 관향(貫鄕). ¶그와는 ~이 다르다. 5 '본전'의 준말.

본[2] (本) 관 지금 말하고 있는 '이'의 뜻. ¶~ 사건을 결말짓다 / ~ 법정의 변호인으로 선임되다.

본- (本) 두 1 '근본이 되는'의 뜻. ¶~집 / ~계약 / ~회의. 2 '본디의'의 뜻. ¶~고장 / ~마음 / ~뜻.

본가 (本家) 명 분가하기 이전의 본디의 집. 본집. ¶~에 들어가 살다.

본-값 (本-)[-갑] 명 본래 살 때에 든 값. 본가(本價).

본거 (本據) 명 1 근거. 2 근본이 되는 증거.

본거-지 (本據地) 명 근거지. ¶그곳을 반군의 ~로 삼다.

본건 (本件)[-껀] 명 이 사건. 이 안건. ¶~을 담당하는 검사.

본격 (本格)[-격] 명 1 근본에 맞는 올바른 격식이나 규격. 2 본디의 격식이나 규격.

본격-적 (本格的)[-격-] 관명 제 궤도에 올라 매우 적극적인 (것). 또는 모습을 제대로 갖춘 (것). ¶~(인) 경쟁에 들어가다.

본격-화 (本格化)[-껴콰] 명하자타 본격적으로 함. 또는 본격적이 됨. ¶영토 분쟁이 ~되다.

본견 (本絹) 명 명주실로만 짠 비단을 인조견이나 교직(交織)에 대하여 일컫는 말. 순견(純絹). ¶~ 넥타이를 유럽에 수출하다.

본-고장 (本-) 명 1 본고향. ¶우연히 거리에서 ~ 사람을 만나다. 2 본바닥. ¶인삼의 ~으로 이름나다.

본-고향 (本故鄕) 명 태어나서 자라난 본디의 고향.

본과 (本科)[-꽈] 명 예과·별과(別科) 등에 대하여, 그 학교의 중심이나 기본이 되는 과정《특히 의과 대학 등에서》. ¶동생은 의대 ~에 재학 중이다.

본관 (本官) 一명 1〖역〗 제 고을의 수령을 일컫던 말. ¶~ 사또께서 행차하신다. 2〖역〗 감사나 병사가 있는 곳의 목사·판관·부윤을 일컫던 말. 본수(本倅). 3 겸관(兼官)에 대하여 그의 주된 본래의 관직. 二인대 관리의 자칭(自稱).

본관 (本貫) 명 관향(貫鄕).

본관 (本館) 명 별관·분관 등에 대하여 그 주가 되는 건물. ¶회의실은 ~ 7층입니다.

본교 (本校) 명 1 분교에 대하여 중심이 되는 학교. 2 타교에 대한 자기 학교. ↔타교(他校).

본국 (本國) 명 1 타국에 대하여 자기 나라. 곧, 자기의 국적이 있는 나라. 본방(本邦). ¶불법으로 체류하고 있는 외국인을 ~으로 돌려보냈다. 2 식민지나 피보호국에 대하여 그 보호국. 3 이 나라.

본국-어 (本國語) 명 자기 나라의 말. 모국어.

본권 (本權)[-꿘] 명〖법〗 사실상의 관계로서의 점유를 법률상 정당하게 하는 권리《소유권·임차권·지상권 따위》.

본-궤도 (本軌道) 명 1 중심이 되는 중요한 궤도. 2 일이 본격적으로 되어 나가는 형편이나 순서. ¶사업이 이제야 ~에 올랐다 / 공사가 ~에 진입했다.

본-그림 (本-) 명 원그림.

본-그림자 (本-) 명〖물〗 불투명체에 가로막혀 광원으로부터 전혀 빛을 받지 못해 어둡게 된 곳. 본그늘. 본영(本影). ↔반그림자.

본금 (本金) 명 1 본전(本錢)1. 2 순금(純金).

본-금새 (本-) 명 본값의 높고 낮은 정도.

본급 (本給) 명 기본급. 본봉.

본기 (本紀) 명 기전체(紀傳體)의 역사 서술에서 제왕의 사적을 기록한 부분. 기(紀). *열전(列傳).

본-남편 (本男便) 명 이혼·개가하기 전의 본디 남편. 본부(本夫). ¶그녀의 ~은 사업가였다.

본능 (本能) 명 1〖생〗 생물이 선천적으로 갖고 있는 동작이나 운동. ¶보호 ~이 발동하다. 2〖심〗 동물이 후천적 경험이나 교육에 의하지 않고 외부의 변화에 따라서 나타내는 통일적인 심신의 반응 형식. ¶~을 자극하다.

본능-적 (本能的) 관명 선천적인 감정에 충실한 (것). ¶~ 충동 / ~ 욕구에 불과하다.

본답 (本畓) 명 볏모를 옮겨 심을 논.

본당 (本堂) 명 1〖불〗 절에서 본존을 모시어 두는 전당. 2〖가〗 주임 신부가 머무르고 있는 성당.

본대 (本隊) 명 1 주축이 되는 본부의 군대. ↔지대·분대. 2 자기가 소속된 군대.

본댁 (本宅) 명 1 '본집'의 높임말. 2〈속〉 '본댁네'의 준말.

본-댁네 (本宅-)[-댕-] 명〈속〉 첩에 대하여 정실을 이르는 말. ㊌본댁.

본-데 명 보아서 배운 범절이나 솜씨 또는 지식.

본데-없다 [-업따] 형 보고 배운 것이 없다. 행동이 예의범절에 어긋나는 데가 있다.
본데-없이 [-업씨] 부. ¶~ 자란 젊은이.

본도 (本道) 명 1 올바른 길. 2 으뜸이 되는 큰 도로.

본-동사 (本動詞) 명〖언〗 보조 용언의 도움을 받는 동사. 으뜸움직씨. ↔보조 동사.

본드 (bond) 명 접착제《상표명에서 나온 말임》.
본-등기 (本登記) 명 〖법〗 가등기(假登記)에 대하여 확정된 등기.
본디 (本-) 명 사물이 전해 내려온 그 처음. 본래. 원래. ¶ ~는 착한 사람이다 / ~ 알던 사이였다.
본딧-말 [-딘-] 명 준말 또는 변한말에 대하여 그 본디의 말. 원말. *준말·변한말.
본때 명 **1** 본보기가 될 만한 사물이나 사람의 됨됨이. ¶ ~가 있다. **2** 맵시나 모양새. ¶ ~가 나는 옷.
본때를 보이다 구 본보기로 따끔한 맛을 보이다. ¶그 녀석에게 따끔하게 본때를 보여 주겠어.
본-뜨다 (本-) 〔본뜨니, 본떠〕 타 **1** 모범으로 삼아 그대로 좇아 하다. ¶그의 훌륭한 언행을 ~. **2** 이미 있는 사물을 본을 삼아서 그와 같이 만들다. ¶여러 가지 모양의 인형을 본떠서 쿠션을 만들다.
본-뜻 (本-)[-뜯] 명 **1** 본래의 뜻. ¶그는 내 ~을 알아듣지 못했다. **2** 말이나 글의 근본이 되는 뜻. 본의(本意).
본래 (本來)[볼-] 명 본디. ¶ ~의 사명을 망각하다 / ~ 말이 없는 사람이다.
본령 (本領)[볼-] 명 **1** 본래의 영지(領地). **2** 가장 본질적이고 근본적인 면. ¶ 문학의 ~. **3** 근본이 되는 강령이나 특질.
본론 (本論)[볼-] 명 말이나 글의 중심이 되는 부분. ¶ ~으로 들어가다.
본루 (本壘)[볼-] 명 **1** 근본이 되는 보루. **2** 홈 베이스.
본류 (本流)[볼-] 명 **1** 강이나 내의 원줄기. ↔지류. **2** 주된 계통. ¶문학의 ~.
본리 (本利)[볼-] 명 본전과 이자. 원리(元利). 본변(本邊).
본-마누라 (本-) 명 먼저 정식으로 장가든 마누라. ¶그 애는 ~가 낳았다.
본-마음 (本-) 명 본디부터 가지고 있는 마음. 본심. 본의(本意). ¶ ~은 착하다.
본말 (本末) 명 **1** 일의 처음과 끝. **2** 일의 근본과 대수롭지 않은 일. 중요한 부분과 그렇지 않은 부분.
본말이 전도(顚倒)되다 구 중요한 것과 중요하지 않은 것이 구별되지 않거나 일의 순서가 잘못 바뀐 상태가 되다.
본-맛 (本-)[-맏] 명 본디의 맛. ¶조미료를 너무 쳐서 음식의 ~을 잃었다.
본맥 (本脈) 명 혈맥·산맥·광맥 등의 원줄기. ↔지맥(支脈).
본-머리 (本-) 명 딴머리에 대하여, 자기의 머리에서 자라나 있는 머리털.
본명 (本名) 명 **1** 본이름. 실명. ¶ ~을 밝히다. ↔가명. **2** 〖가〗 영세 때 성인의 이름을 따서 지은 이름. 세례명. *속명(俗名).
본-모습 (本-) 명 본디의 모습. ¶서서히 ~을 드러내다.
본무 (本務) 명 **1** 근본이 되는 직무. **2** 자기가 맡아서 할 사무. **3** 〖윤〗 도덕적으로 해야 할 일과 해서는 안 될 일을 요구·구속하는 의식.
본-무대 (本舞臺) 명 **1** 옆에다 덧대거나 따로 장치한 임시 무대에 상대하여 원래 무대의 일컬음. **2** 어떤 일이 벌어지고 있는 중심이 되는 곳.
***본문** (本文) 명 **1** 문서 중의 주가 되는 글. ¶ ~을 요약하다. **2** 주석·강의 등의 원문장. 원문. **3** 본디 그대로의 문장.
본문 (本門) 명 **1** 정문(正門). **2** 〖불〗 중생이 본디 가지고 있는 묘리를 밝히는 법문.
본-문제 (本問題) 명 본래의 문제.
본-밑천 (本-)[-믿-] 명 자본으로서 실제로 들여놓은 본디의 밑천.
본-바닥 (本-) 명 **1** 본디부터 살고 있는 곳. ¶ ~ 사람. **2** 어떤 물건이 생산되고 많이 나는 본디의 곳. 또는 어떤 일의 중심이 되는 근거지. ¶인삼의 ~ / 패션의 ~.
본-바탕 (本-) 명 근본이 되는 본디의 바탕. 본체. ¶ ~이 드러나다.
***본-받다** (本-) 타 남의 것을 본보기로 하여 그대로 따라 하다. ¶부모의 생활 태도를 ~.
본보 (本報) 명 신문 보도에서, 그 신문을 스스로 일컫는 말.
본-보기 (本-) 명 **1** 본을 받을 만한 것. ¶부모는 아이들의 ~가 되어야 한다. **2** 어떤 사실을 설명 또는 증명하기 위하여 내세워 보는 것. **3** 일의 처리법을 실지로 들어 보이는 일. ¶ ~로 엄벌에 처하다. **4** 본을 보이기 위한 물건. 견본. ㊟보기·본.
본보기를 내다 구 ㉠본보기가 될 물건을 만들다. ㉡여러 사람을 경계하기 위하여 잘못한 사람을 징계하여 본보기가 되게 하다.
본-보다 (本-) 타 무엇을 모범으로 삼아 따라 하다. ¶조상의 예의범절을 ~.
본봉 (本俸) 명 기본급. 본급.
***본부** (本部) 명 각종 기관·관서·단체의 중심이 되는 조직. 또는 그 조직이 있는 곳. ¶중대 ~에서 근무하다 / 수사 ~로 발령이 나다. ↔지부(支部).
본부-석 (本部席) 명 경기 대회 등을 지휘·관전(觀戰)하기 위하여 지휘 본부에 마련한 임원(任員)과 귀빈의 자리.
본-부인 (本夫人) 명 **1** 이혼하기 전의 본디 부인. ¶ ~과 재결합하다. **2** 첩에 대하여 본디 부인을 일컫는 말.
본부-장 (本部長) 명 어떤 조직의 중심이 되는 본부의 우두머리.
본분 (本分) 명 **1** 사람이 저마다 가지는 본디의 신분. **2** 마땅히 지켜야 할 직분. ¶학생의 ~을 다하다.
본사 (本寺) 명 〖불〗 **1** 일종일파(一宗一派)의 종교상의 사무를 통괄하는 절. 각 말사(末寺)를 통할하는데, 조계종의 경우 25 개 교구 본사 제도로 운영되고 있음. **2** 처음에 출가하여 승려가 된 절.
본사 (本社) 명 **1** 지사에 대하여 주가 되는 회사. ¶지방에서 근무하던 그가 승진과 함께 ~로 발령을 받았다. **2** 자기가 일하고 있는 이 회사.
본-사내 (本-) 명 **1** 본남편을 낮추어 이르는 말. **2** 샛서방이 있는 여자의 본디 남편. 본부(本夫). 본서방.
본새 (本-) 명 **1** 어떤 물건의 본디의 생김새. ¶ ~는 곱다. **2** 어떠한 동작이나 버릇의 됨됨이. ¶저 말하는 ~ 좀 보게 / 어린 티는 나지만 ~는 의젓하다.
본색 (本色) 명 **1** 본디의 빛깔이나 생김새. ¶건물에 칠한 ~이 변하다. **2** 타고난 성질. ¶ ~을 드러내다 / ~을 감추다 / ~이 탄로 날까 겁내다.
본생-가 (本生家) 명 양자의 생가. ㊟생가. ↔양가.
본생-부모 (本生父母) 명 양자 간 사람의 생가의 부모. 본생친(本生親). ㊟생부모.
본서 (本書) 명 **1** 주가 되는 문서. **2** 정식의 문서. **3** 이 책. 이 문서.
본서 (本署) 명 지서·분서·파출소에 대하여 주가 되는 관서.
본선 (本線) 명 **1** 도로·철도·전신 등에서, 지선에 대하여 본줄기가 되는 주된 선. 간선(幹線). **2** 직행 열차가 지나는 철로.
본선 (本選) 명 여러 단계를 거쳐 우승자를 결정하는 최종 선발. ¶ 예선을 거쳐 ~에 진출하다.
본성 (本性) 명 **1** 사람이 본디부터 가진 성질. 천성(天性). ¶ ~이 드러나다. **2** 사물이나 현상에 본디부터 있는 고유한 특성. 실성(實性).
본숭-만숭 부하타 관심이 없이 건성으로 대하는 모양. ¶ 사람을 보고도 ~하다.
본시 (本是) 명 본디. 본래. ¶ 그녀는 ~ 고집쟁이다 / 사람은 ~ 자유롭게 살기를 바란다.
본-시험 (本試驗) 명 예비 시험·임시 시험·모의시험 등에 대하여 주가 되는 시험. 또는 실제의 시험. ¶ ~은 내달 중순께에 치릅니다.
본실 (本室) 명 첩실에 대하여 정실(正室).
본심 (本心) 명 **1** 본마음. ¶ ~은 그게 아니었다. **2** 꾸밈이나 거짓이 없는 참마음. 진심(眞心). 본정(本情).
본안 (本案) 명 **1** 근본이 되는 안건. **2** 〖법〗 민사 소송법상 부수적이거나 파생적인 사항에 대해 중심이 되는 사항.
본-얼굴 (本-) 명 **1** 화장을 하지 않은 본디의 얼굴. ¶ 화장기 없는 ~. **2** 감추었거나 위장하였던 것이 아닌 본디의 모습. ¶ 드디어 그의 ~이 드러났다.
본업 (本業) 명 그 사람의 주가 되는 직업. ¶ 그는 의사가 ~이다. ↔부업.
본연 (本然) 명 **1** 인공을 가하지 않은 자연 그대로의 상태. **2** 본디 생긴 그대로의 모습. ¶ 인간 ~의 모습 / 학자 ~의 자세.
본-용언 (本用言)[-농-] 명 〖언〗 보조 용언의 도움을 받아 문장의 주체를 서술하는 용언. '나는 잠을 자고 싶다', '별반 크지 아니하다'의 '자다·크다' 따위.
본원 (本院) 명 **1** 분원에 대하여 으뜸이 되는 곳. **2** 자기가 관계하고 있는 원(院).
본원 (本源) 명 **1** 강 따위가 흘러 내려오는 근원. **2** 사물의 주장이 되는 근원. 근본.
본원-적 (本源的) 관명 근본이 되는 (것). ¶ 정치의 ~인 개혁이 시급하다.
본위 (本位) 명 판단이나 행동에서 중심이 되는 기준. ¶ 능력 ~의 인사 / 흥미 ~의 잡지.
본유 (本有) 명하형 **1** (주로 '본유의' 의 꼴로 쓰여) 본래부터 있음. 선천적으로 지니고 있음. ¶ 우리 민족 ~의 특성. **2** 〖불〗 사유(四有)의 하나. 나면서부터 죽을 때까지의 몸. **3** 〖불〗 본래 지니고 있는 불성. 본래유(本來有).
본음 (本音) 명 한 음이 본래부터 가지고 있는 소리. ¶ 두음 법칙에서 단어 첫머리 이외의 경우에는 ~대로 적는다.
본의 (本意)[-/-이] 명 본래의 의도나 생각. ¶ ~ 아니게 이웃에게 폐를 끼치다 / ~는 그게 아니었다.
본의 (本義)[-/-이] 명 **1** 진정한 뜻. **2** 근본의 뜻. 본지(本旨).
본-이름 (本-)[-니-] 명 가명·별명에 대한 본디 이름. 본명(本名).
본인 (本人) 一명 어떤 일에 직접 관계가 있거나 해당되는 사람. 당사자. 장본인. ¶ ~의 의사를 듣고 싶다. 二인대 이야기하는 사람의 자칭(自稱). ¶ ~의 뜻은 다음과 같습니다.
본적 (本籍) 명 〖법〗 '본적지'의 준말.
본적-지 (本籍地) 명 〖법〗 예전에, 호적이 있던 곳. 원적지. ㊟본적.
본전 (本錢) 명 **1** 이자를 붙이지 않은 본래의 돈. 본금(本金). 원금. ¶ ~이나 받으면 다행이다. **2** 장사·사업에 밑천으로 들인 돈. ¶ 밑져야 ~이다 / ~을 뽑고도 남았다. **3** 본값. ¶ ~에 팔다.
본전도 못 찾다 구 일한 결과가 아무런 보람도 없을 뿐더러 도리어 하지 아니한 것만도 못하다는 말.
본점 (本店) 명 **1** 영업의 본거지가 되는 점포. ¶ 지점에서 ~으로 올라왔다. ↔지점. **2** 자기가 관계하고 있는 점포. 또는 이 상점. 본포(本鋪). 당점(當店). ¶ ~에서는 지금 세일 중입니다.
본-정신 (本精神) 명 본래 가지고 있는 건전한 정신. 제정신. ¶ ~으로 돌아왔다.
본제 (本題) 명 **1** 중심이 되는 제목이나 과제. **2** 본래의 제목.
본제-입납 (本第入納)[-임-] 명 자기 집에 편지할 때에 편지 겉봉에 자기 이름을 쓰고 그 밑에 쓰는 말.
본조 (本朝) 명 **1** 현존하는 왕조(王朝). **2** 예전에, 말하는 이가 자기 나라의 조정을 일컫던 말. 아조(我朝).
본존 (本尊) 명 〖불〗 **1** 주세불(主世佛). **2** 으뜸가는 부처라는 뜻으로, 석가모니불을 일컫는 말. 본존불.
본종 (本宗) 명 동성동본의 일가붙이.
본종 (本種) 명 **1** 본디부터 그 땅에 있던 종자. **2** 변종에 대한 본래의 종자.
본-줄기 (本-) 명 근본이 되는 줄기. 원줄기. ¶ 글의 ~를 따라가다.
본증 (本證) 명 〖법〗 재판에서, 입증 책임을 지는 당사자가 그의 주장 사실을 증명하기 위해 제출하는 증거.
본지 (本旨) 명 **1** 근본이 되는 취지. 본의(本義). ¶ ~를 밝히다. **2** 본래의 취지. ¶ ~에서 벗어나다.
본지 (本紙) 명 **1** 신문·문서 등의 주되는 부분의 지면. **2** 자기가 관련된 신문사의 신문. 이 신문.
본지 (本誌) 명 **1** 자기가 관련된 잡지. 이 잡지. ¶ ~와 단독 인터뷰하다. **2** 별책·부록 등에 대하여 잡지의 중심이 되는 부분.
본직 (本職) 一명 주되는 직업. 본업(本業). ¶ 그의 ~은 목수다. 二인대 관리의 자칭.
본질 (本質) 명 **1** 본바탕. **2** 본래부터 갖고

있는 사물의 성질. ¶생명의 ~. 3〖철〗 사물의 현상 뒤에 있는 실재. 본체(本體). ↔현상(現象).
본질-적 (本質的)[-쩍] 관명 본질에 관한 (것). 본질 그대로인 (것). ¶두 사람의 생각은 ~으로 다르다.
본-집 (本-) 명 1 자기 집. 2 따로 세간 나기 이전의 집. 본가(本家). 3 여자의 친정집.
본-채 (本-) 명 여러 채로 된 집에서 주가 되는 집채. ¶~에 딸려 있는 마당.
본처 (本妻) 명 첩에 대하여 정실(正室).
본척-만척 부하타 본체만체.
본청 (本廳) 명 지청(支廳)에 대하여 근본이 되는 기관.
본체 (本體) 명 1 사물의 정체. ¶~가 밝혀지다. 2 본바탕. 3 기계 따위의 중심이 되는 부분. ¶컴퓨터 ~. 4〖철〗 현상적 사물의 바탕에 있는 초감성적 실재. ¶꿈의 ~.
본체-만체 부하타 보고도 안 본 체. 본척만척. ¶사람을 보고도 ~한다.
본초 (本初) 명 시초. 근본.
본초 (本草) 명 한방에서, 약재나 약학을 이르는 말.
본초 자오선 (本初子午線)〖지〗 지구상의 경도 측정의 기준으로 삼는 자오선《영국의 그리니치 천문대를 지나는 자오선》.
본초-학 (本草學) 명 한방에서 약재로 쓰이는 식물·동물·광물에 대하여 그 형태나 효능 등을 연구하는 학문.
본칙 (本則) 명 1 원칙. 2 법령의 본체가 되는 부분. ↔부칙.
본태 (本態) 명 본래의 모습. 진실한 형태. 실태(實態).
본토 (本土) 명 1 자기가 사는 그 고장. 본향(本鄕). 2 섬이나 속국에 대해 주되는 국토. 3 (지명과 함께 쓰여) 바로 그 지방. ¶미국 ~ 발음으로 영어를 하다.
본토-박이 (本土-) 명 대대로 그 땅에서 사는 사람. ¶서울 ~. 준토박이.
본토-인 (本土人) 명 대대로 그 고장에서 사는 사람. 본토지인.
본향 (本鄕) 명 1 본디의 고향. 본토. ¶그와 나는 ~이 같다. 2 관향(貫鄕).
본회 (本會) 명 1 자기가 속하는 회. 이 회. 2 '본회의'의 준말.
본-회의 (本會議)[-/-이] 명 구성원 전원이 참가하는 정식 회의. 분과 회의나 위원회의 회의에 상대하여 일컫는 말. ¶예산안이 국회 ~에 상정되다. 준본회.
***볼**[1] 명 1 뺨의 한복판. ¶~을 붉히다 / ~을 비비다 / 두 ~에 눈물이 주르륵 흐르다. 2 볼 가운데의 살집. ¶~이 처져 있다.
볼을 적시다 구 눈물을 흘리다.
볼(이) 붓다 구 못마땅하여 뾰로통하게 성이 나다.
볼[2] 명 1 좁고 기름한 물건의 너비. ¶발의 ~이 넓다. 2 버선 밑바닥의 앞뒤에 덧대는 헝겊 조각. ¶버선에 ~을 대다. 3 신발이나 구두의 옆면과 옆면 사이의 간격. ¶구두의 ~이 좁아서 발이 아프다. 4 연장의 날을 벼릴 때에 덧대는 쇳조각.
볼 (ball) 명 1 공. 구(球). 2 야구에서, 스트라이크가 아닌 투구(投球).
볼-가심 명하자 아주 적은 음식으로 시장기를 면하는 일.
볼가-지다 자 1 물체의 거죽으로 동글게 툭 비어져 나오다. ¶툭 볼가진 이마. 2 사물·현상이 도드라지게 커지거나 갑자기 생겨나다. ¶성가신 일들이 자꾸 볼가진다. 큰불거지다.
볼-거리[1] 명〖한의〗 한방에서 '유행성 이하선염'의 일컬음.
볼-거리[2] [-꺼-] 명 구경할 만한 것.
볼그스레-하다 형여불 볼그스름하다.
볼그스름-하다 형여불 새뜻하게 좀 붉다. 큰불그스름하다. 센뽈그스름하다. **볼그스름-히** 부
볼그족족-하다 [-쪼카-] 형여불 고르지 못하고 좀 칙칙하게 볼그스름하다. 큰불그죽죽하다. **볼그족족-히** [-쪼키] 부
볼긋-볼긋 [-귿뽈귿] 부하형 군데군데 곱게 조금 붉은 모양. 큰불긋불긋. 센뽈긋뽈긋.
볼긋-하다 [-그타-] 형여불 약간 붉은 듯하다. 큰불긋하다.
볼:기 명 1 뒤쪽 허리 아래, 허벅다리 위의 양쪽으로 살이 두둑한 부분. 둔부(臀部). ¶관가에 끌려가 ~를 맞았다 / 죄인을 잡아들여 ~를 쳤다. 2 〈속〉 태형(笞刑).
볼:기-짝 명 〈속〉 볼기.
볼-꼴 명 남의 눈에 비치는 겉모양. ¶~이 사납다.
볼꼴 좋다 구 꼴이 보기에 흉한 것을 야유해서 이르는 말.
볼끈 부하자타 1 불쑥 떠오르는 모양. 2 오똑 솟아 내미는 모양. 3 작은 주먹에 힘을 주어 꼭 쥐는 모양. 4 성을 왈칵 내는 모양. 큰불끈.
볼끈-거리다 자타 자꾸 볼끈하다. 큰불끈거리다. **볼끈-볼끈** 부하자타
볼끈-대다 자타 볼끈거리다.
볼끼 명 예전의 방한구의 하나. 가죽이나 헝겊 조각에 솜을 두어 기름하게 접어 만들어 두 뺨을 얼러 싸매게 됨.

볼끼

볼-따구니 명 〈속〉 볼때기.
볼-때기 명 〈속〉 볼[1]1.
볼레로 (에 bolero) 명 1〖악〗 4분의 3 박자로 된 에스파냐의 민속 무곡. 2 여성들의 짧은 윗옷.
볼록 부하자타 탄력 있는 물건이 켕기면서 쏙 내밀린 모양. ↔오목.
볼록-거리다 자타 탄력 있는 물체의 거죽이 켕기면서 내밀었다 들어갔다 하다. 또는 그리 되게 하다. 큰불룩거리다. **볼록-볼록** 부하자타
볼록 거울〖물〗 반사면이 볼록한 구면 거울《자동차의 백미러 따위에 씀》. 철면경(凸面鏡). ↔오목 거울.
볼록-대다 자타 볼록거리다.
볼록 렌즈 (-lens)〖물〗 가운데가 볼록하게 도드라진 렌즈《현미경·카메라·망원경 등의 렌즈로 씀》. 수렴 렌즈. 철(凸)렌즈. ↔오목 렌즈.
볼록-이 부 볼록하게. 큰불룩이.
볼록-판 (-版) 명〖인〗 판면의 볼록하게 도

드라진 부분에 잉크가 묻어서 인쇄되는 인쇄판의 총칭. 목판(木版)·활판(活版) 따위. 철판(凸版). ↔오목판.

볼록-하다 [-로카-] 형여불 통통하게 겉으로 쏙 내밀어 있다. ¶아랫배가 ~. 큰불룩하다.

볼륨 (volume) 명 **1** 부피. 부피감. **2** 음량. ¶~을 높이다 / 마이크의 ~을 조절하다. **3** 성량(聲量). ¶~이 풍부한 음성. **4** 미술품의 평면적이 아닌 입체적 효과에서 오는 중량의 느낌. 양감(量感).

볼링 (bowling) 명 지름 약 20 cm의 공을 한 손으로 굴려서 약 20 m 앞에 놓인 10개의 핀을 되도록 많이 쓰러뜨려서 승부를 겨루는 실내 경기.

볼만-하다 형여불 **1** 구경거리가 될 만하다. ¶볼만한 풍경. **2** 보고 얻을 것이 많거나 볼 가치가 있다. ¶요즘에는 볼만한 책이 없다.

볼-메다 형 (주로 '볼멘'의 꼴로 쓰여) 말소리나 표정에 성난 기색이 있다. ¶볼멘 목소리 / 볼멘 표정을 짓다.

볼멘-소리 명 성이 나거나 서운해서 퉁명스럽게 하는 말투. ¶~를 내지르다.

볼모 명 **1** 약속을 이행하겠다는 담보로 상대편에게 잡혀 두는 물건이나 사람. 인질(人質). ¶~가 되다 / ~로 잡다. **2** 예전에, 나라 사이에 침략하지 않을 약속의 담보로 상대국에 억류하여 두던 왕자나 유력한 사람. 유질(留質). 인질(人質). ¶오랑캐에게 ~로 잡히다 / 왕자를 ~로 보낸 일이 있다.

볼-받이 [-바지] 명 해진 곳에 헝겊 조각을 덧대어 기운 버선.

볼-썽 명 남에게 보이는 체면이나 예의.

볼썽-사납다 [-사나우니, -사나워] 형ㅂ불 체면이나 예의가 없어서 보기에 언짢다. 볼품이 없어 흉하다. ¶볼썽사나운 몰골 / 볼썽사납게 굴다.

볼쏙 부하자타 **1** 갑자기 쏙 내미는 모양. ¶꽁꽁 얼었던 땅에서 파란 싹이 ~ 고개를 내밀다. **2** 앞뒤 생각 없이 대뜸 말을 하는 모양. ¶엉뚱한 말을 ~ 꺼냈다. 큰불쑥.

볼쏙-거리다 자타 **1** 평평한 바닥의 군데군데가 톡톡 비어져 나오다. **2** 자꾸 앞뒤 생각 없이 말을 하다. 큰불쑥거리다. **볼쏙-볼쏙** 부하자타

볼쏙-대다 자타 볼쏙거리다.

볼쏙-이 부 볼쏙하게. 큰불쑥이.

볼쏙-하다 [-쏘카-] 형여불 평평한 바닥이 톡 비어져 있다. 큰불쑥하다.

볼-우물 명 보조개. ¶~이 패다.

볼:-일 [-릴] 명 **1** 해야 할 일. 용무(用務). 용건(用件). ¶~ 보러 나가다. **2** '용변(用便)'의 완곡한 표현. ¶잠깐, ~ 좀 보고 오겠습니다.

볼 카운트 (ball count) 야구에서, 어떤 타자에게 투수가 던진 공의 스트라이크와 볼의 수. ¶~가 타자에게 불리하다.

볼통-거리다 자 자주 성을 내며 퉁명스러운 말을 하다. 큰불퉁거리다.

볼통-대다 자 볼통거리다.

볼통-볼통 ㅡ부하형 군데군데 동근 것이 톡톡 볼가져 있는 모양. 큰불퉁불퉁. ㅡ부하자 걸핏하면 보로통하여 퉁명스러운 말을 함부로 하는 모양. ¶~ 화를 내다. 큰불퉁불퉁.

볼통-스럽다 [-스러우니, -스러워] 형ㅂ불 말에 볼통볼통한 태도가 있다. 큰불퉁스럽다. **볼통-스레** 부

볼통-하다 형여불 동근 것이 톡 비어져 있다. 큰불퉁하다. **볼통-히** 부

볼-퉁이 명 볼때기. 볼따구니.

볼트 (bolt) 명 두 물체를 죄거나 접합하는 데 쓰는 것으로, 한쪽 끝에 머리가 있고 다른 끝은 수나사로 되어 있음. 보통 너트(nut)와 함께 씀.

볼트 (volt) 의명 《물》 전위차·전압 및 기전력의 실용 단위《1볼트는 1옴의 전기 저항을 갖는 도체에 1암페어의 전류를 통했을 때 그 도체의 양쪽 끝에 생기는 전위차임. 기호는 V》.

볼-펜 (ball pen) 명 펜 끝에 둥글고 작은 강철 알을 끼워 글씨를 쓸 때마다 따라 회전하면서 오일 잉크를 내어 쓰게 된 필기구.

볼-품 명 겉으로 드러나는 볼만한 모습. ¶~이라고는 찾아볼 수 없는 낡은 책상.

볼품-사납다 [-사나우니, -사나워] 형ㅂ불 겉으로 드러난 모습이 흉하다. ¶볼품사납게 휴지 조각들이 여기저기 널려 있다.

볼품-없다 [-업따] 형 겉으로 보기에 초라하다. 보아줄 만한 데가 없다. ¶볼품없는 졸작. **볼품-없이** [-업씨] 부

볼-호령 (-號令) 명하자 볼멘소리로 거만하게 하는 꾸지람. ¶~이 떨어지다.

***봄** 명 일 년 네 철의 첫째 철《입춘부터 입하 전까지의 동안》.
[봄 백양 가을 내장] 봄에는 백양산 비자나무 숲의 신록이, 가을에는 내장산의 단풍이 으뜸 경치라는 뜻. [봄 조개 가을 낙지] 제때를 만나야 제구실을 한다는 말.
봄(을) 타다 구 봄철에 입맛이 없고 몸이 약해지다.

봄-가물 [-까-] 명 봄철에 드는 가뭄. 춘한(春旱). ¶~이 들었다.

봄-가을 명 봄과 가을. ¶~로 고향을 찾다.

봄-갈이 명하타 봄철에 논밭을 가는 일. 춘경(春耕). ↔가을갈이.

봄-기운 [-끼-] 명 봄을 느끼게 하는 기운. 또는 그 느낌. 봄기. ¶~이 완연하다.

봄-날 명 봄철의 날. 봄철의 날씨.

봄-내 부 봄철 동안 내내. ¶~ 몸져눕다.

봄-눈 명 봄철에 오는 눈. 춘설(春雪).
봄눈 녹듯 한다 구 ㉠오래가지 아니하고 이내 스러져 없어진다는 말. ㉡먹은 것이 금방 소화되어 내린다는 말.

봄-맞이 명하자 봄을 맞는 일. 또는 봄을 맞아서 베푸는 놀이. 영춘(迎春). ¶~ 대청소를 하다.

봄-물 명 봄이 되어 얼음·눈 등이 녹아서 흐르는 물. 춘수(春水).

봄-바람 [-빠-] 명 봄철에 불어오는 따뜻한 바람. 춘풍(春風). ¶훈훈한 ~이 불다.

봄 방학 (-放學) [-빵-] 초·중·고 학생이 봄철에 하는 방학. 학년 말에서 다음 학년 초까지 수업을 쉬는 일.

봄-볕 [-뼡] 명 봄철에 비치는 따뜻한 햇볕. 춘양(春陽). ¶~에 얼굴이 그을리다.

봄-보리 [-뽀-] 명 《식》 이른 봄에 씨를 뿌려 첫여름에 거두는 보리. 춘맥(春麥). 춘

다리. ¶탁자의 ~를 괴다.
봉치(封-) 명 혼인 전에 신랑 집에서 신부 집으로 채단과 예장(禮狀)을 보내는 일. 또는 그 물건.
봉침(蜂針) 명 침 모양을 한 벌의 산란관.
봉:침(鳳枕) 명 베갯모에 봉황의 모양을 수놓은 베개.
봉침(縫針) 명 바늘1.
봉토(封土) 명하자 1 흙을 높이 쌓아 올림. 또는 그 흙. 2 제후를 봉하여 땅을 내줌. 또는 그 땅. ¶왕에게 ~를 받다.
***봉투**(封套) 명 편지·서류 등을 넣는 종이로 만든 주머니. ¶편지 ~를 뜯다.
봉-하다(封-) 타여불 1 문·봉투·그릇 따위를 열지 못하게 꼭 붙이거나 싸서 막다. ¶출입구를 ~. 2 입을 다물다. ¶입을 봉하고 침묵을 지키다. 3 무덤 위에 흙을 쌓다. 4 〔역〕 왕이 영지(領地)를 내리고 제후(諸侯)로 삼다. 5〔역〕 왕이 작위나 작품(爵品)을 내려 주다.
봉함(封緘) 명하타 편지를 봉투에 넣고 봉함. 또는 그 편지. ¶편지를 ~하다.
봉함-엽서(封緘葉書)[-녑-] 명 사연을 써서 겹쳐 접으면 크기가 보통 엽서와 같아지는 우편엽서의 하나.
봉합(封合) 명하타 봉하여 붙임.
봉합(縫合) 명하타 〔의〕 수술하기 위해 절개한 자리나 외상(外傷)으로 갈라진 자리를 꿰매어 붙임. ¶상처를 ~하다.
봉:행(奉行) 명하타 웃어른이 시키는 대로 좇아 행함.
봉:헌(奉獻) 명하타 물건을 바침. ¶~ 기도.
봉혈(封穴) 명 봉곳하게 쌓인 개미구멍.
봉화(烽火) 명 〔역〕 봉홧둑에서 병란이나 사변과 같은 급보를 알리기 위해 신호로 피워 올리던 불. 봉수(烽燧).
봉화(를) 들다 구 ㉠봉홧불을 켜서 높이 올리다. ㉡맨 앞에서 선구적으로 시작하다.
봉화(를) 올리다 구 봉화(를) 들다.
봉화를 일으키다 구 봉화(를) 들다.
봉화-대(烽火臺) 명 봉홧둑.
봉:환(奉還) 명하타 1 웃어른에게 도로 돌려 드림. 2 받들어 모시고 돌아옴. ¶순국 선열들의 유해를 ~하다.
봉홧-둑(烽火-)[-화뚝 / -홛뚝] 명 봉화를 올릴 수 있게 만들어 놓은 곳. 봉대. 봉소. 봉수대(烽燧臺).
봉홧-불(烽火-)[-화뿔 / -홛뿔] 명 봉화로 드는 횃불.
[봉홧불에 산적 굽기] 일을 너무 서두름.
봉:황(鳳凰) 명 상상의 상서로운 새. 닭의 머리, 뱀의 목, 제비의 턱, 거북의 등, 물고기의 꼬리 모양을 함. 몸과 날개 빛은 오색이 찬란하며, 오음의 소리를 냄. 수컷은 '봉', 암컷은 '황'이라 함. 봉황새. 봉조(鳳鳥). ㊀봉. ☞암수.
봉:황-새(鳳凰-) 명 봉황.
봐:-주다 타 '보아주다'의 준말. ¶사정을 ~ / 이번 한 번만 봐준다.
봐:-하니 부 '보아하니'의 준말. ¶사람을 ~ 술을 잘 먹게 생겼다.
뵈:다[1] 타 웃어른을 대하여 보다.
뵈:다[2] ㊀자 '보이다[1]'의 준말. ¶산봉우리가 아득히 ~. ㊁타 '보이다[1]'의 준말.
뵘: 명 틈이 난 곳을 메우거나 받치는 일.
***뵙:다** 타 '뵈다'의 공대말. ¶처음 뵙겠습니다 / 어디서 한 번 뵌 것 같습니다 / 이렇게 뵙게 되니 반갑습니다.
부(父) 명 아버지.
부(夫) 명 혼인 관계에 있는 남자. 남편.
부(缶) 명 〔악〕 진흙으로 구워 화로같이 만든 악기《채로 변죽을 쳐서 소리를 냄》. 속칭: 질장구.

부(缶)

부:(否) 명 1 '아님'을 나타내는 말. 2 의안 표결에서 불찬성의 의사 표시. ↔가(可).
부(部) ㊀명 1 우리나라의 중앙 행정 기관의 하나《접미사적으로도 씀》. ¶각 ~의 장관 / 보건 복지~. 2 관청·회사 등의 업무 조직의 한 구분《접미사적으로도 씀》. ¶총무~ / 편집~. ㊁의명 1 사물을 여러 갈래로 나누었을 때의 하나. ¶행사의 제1~ 순서. 2 책이나 신문 따위를 세는 단위. ¶5,000~ 한정판.
부:(富) 명 1 특정한 경제 주체에 속하는 재산의 전체. ¶~의 분배. 2 재산이 많음. 넉넉한 재산. ¶~를 누리다.
부:(賦) 명 1 감상을 느낀 그대로 적는 한시 체의 하나. 2 한문체의 하나. 글귀 끝에 운을 달고 대(對)를 맞추어 짓는 글. 3 과문(科文)의 하나. 여섯 글자로 한 글귀를 만들어 지음.
부 부 공장·기선 따위에서 내는 음정이 굵고 낮은 기적 소리. ¶~ 하는 뱃고동 소리.
부-(不) 두 '아님·아니함·어긋남'의 뜻《'ㄷ·ㅈ'으로 시작되는 말 앞에 붙음》. ¶~도덕 / ~자유 / ~적절.
부:-(副) 두 1 '버금'의 뜻. ¶~사장 / ~반장. 2 '부차적인'의 뜻. ¶~수입.
-부(附) 미 1 날짜 뒤에 붙어 문서·편지의 작성과 발송 날짜를 나타내는 말. ¶2월5일~ 발행 문서. 2 소속·부속을 뜻하는 말. ¶조건~ / 시한~ 인생 / 대사관~ 무관.
-부(符) 미 일부 한자말 뒤에 붙어, 그러한 뜻을 나타내는 부호임을 나타내는 말. ¶종지~ / 감탄~를 찍다.
부:가(附加) 명하타 덧붙임. 첨가. ¶대학 입시에 논술 고사가 ~되었다.
부:가(富家) 명 부잣집.
부:가 가치(附加價値) 〔경〕 생산 과정에서 새로이 증가된 가치. ¶~가 높은 상품.
부:가 가치세(附加價値稅) 〔법〕 거래 단계별로 상품이나 용역에 새로 부가되는 가치, 즉 중간 이윤에만 부과하는 세금《우리나라에서는 1977년부터 실시함》.
부각 명 다시마 조각 앞뒤에 찹쌀 풀을 발라 말렸다가 기름에 튀긴 반찬.
부각(浮刻) 명하자타 1 부조(浮彫). 2 사물의 특징을 두드러지게 나타냄. ¶현대 문명의 위기를 ~시킨 노작(勞作) / 지역의 균형 발전 문제가 쟁점으로 ~되고 있다 / 청소년 범죄가 사회 문제로 ~하였다.
부:감(俯瞰) 명하타 높은 곳에서 아래를 내려다봄. 부관(俯觀). ¶산 정상에서 시내를 ~하다.
부:강(富強) 명하형 부유하고 군사가 강함.

¶ 나라의 ~을 도모하다.
부개비-잡히다 [-자피-] 자 하도 졸라서 본의 아니게 억지로 하게 되다.
부걱 부 술 따위가 괼 때에 거품이 생기면서 나는 소리. 작보각.
부걱-거리다 자 부걱 소리가 잇따라 나다. 작보각거리다. **부걱-부걱** 부하자
부걱-대다 자 부걱거리다.
부:검 (剖檢) 명하타 **1** 해부하여 검사함. **2** 사망 원인 등을 조사하기 위하여 사후(死後) 검진을 함. 또는 그 일. ¶ 정확한 사인을 가리기 위해 ~을 실시한다.
부:결 (否決) 명하타 회의에 제출된 의안을 통과시키지 않기로 결정함. 또는 그 결정. ¶ 국회에서 정부안이 ~되었다 / 국민 투표로 개헌안을 ~시키다. ↔가결.
부계 (父系)[-/-게] 명 아버지 쪽의 혈연 관계를 기준으로 전해 내려오는 계통. ¶ ~ 사회. ↔모계(母系).
부계-친 (父系親)[-/-게-] 명 아버지 쪽의 혈족. 부계 혈족.
부:고 (訃告) 명하타 사람의 죽음을 알림. 또는 그 글. ¶ ~를 내다 / ~를 받다.
부곡 (部曲) 명 〔역〕 신라 때부터 고려 말까지 있었던 천민의 지방 행정 구획《수공업 등을 하며 차별 대우를 받았음》.
부:골 (富骨) 명 부자답게 생긴 골격.
부공 (婦功) 명 **1** 부인의 공덕이나 공적. **2** 집 안에서 부녀자가 하는 길쌈·바느질 따위의 일.
부:과 (賦課) 명하타 세금이나 책임·일 따위를 부담하게 함. ¶ 수입품에 세금이 ~되다 / 부하 직원에게 책임을 ~하다.
부:과-금 (賦課金) 명 부과된 돈. ¶ ~을 물리다.
부:관 (副官) 명 〔군〕 군대에서 지휘관의 명을 받아 행정 업무를 맡아보는 비서 구실의 참모. ¶ 대대(大隊) ~.
부:관-참시 (剖棺斬屍) 명하타 〔역〕 죽은 후에 큰 죄가 드러난 사람에 대하여 극형을 내리던 일《관을 쪼개고 시체의 목을 벰》. 준참시(斬屍).
부:광 (富鑛) 명 〔광〕 품질이 좋고 채굴하여 이익이 많은 광석. ↔빈광(貧鑛).
부교 (父敎) 명 아버지의 가르침.
부교 (浮橋) 명 **1** 배·뗏목을 잇대어 매고 그 위에 널빤지를 깔아 만든 다리. **2** 배다리2.
부:교감 신경 (副交感神經) 〔생〕 호흡·순환·소화 등을 지배하는 자율 신경의 하나《교감 신경과는 반대 작용을 함》.
부:-교수 (副敎授) 명 대학 교원 직위의 하나《교수의 아래, 조교수의 위》.
부:-교재 (副敎材) 명 교과서 외에 보조적으로 쓰는 교재.
부구 (浮具) 명 헤엄칠 때 인체의 부력(浮力)을 돕는 도구. 부대(浮袋) 같은 것.
부국 (部局) 명 관공서 등에서 사무를 분담하여 다루는 곳《국·부·과 등의 총칭》.
부:국 (富國) 명 나라를 부유하게 만듦. 또는 그 나라. ¶ 중동의 석유 ~. ↔빈국(貧國).
부:국-강병 (富國強兵) 명 나라를 부유하게 하고 군대를 강하게 함. 또는 그 나라나 군대. ¶ ~을 이루고자 시도하였다.
부군 (夫君) 명 '남의 남편'의 높임말.
부:군 (府君) 명 죽은 아버지나 남자 조상에 대한 존칭. ¶ 현고(顯考) 학생(學生) ~.
부권 (父權)[-꿘] 명 **1** 〔법〕 아버지가 가지는 친권. **2** 가장권(家長權). ¶ ~제 / ~이 땅에 떨어진 시대. ↔모권.
부권 (夫權)[-꿘] 명 남편이 아내에 대해 가지는 신분상·재산상의 권리.
부:귀 (富貴) 명하형 재산이 많고 지위가 높음. ¶ 온갖 ~를 누리다. ↔빈천(貧賤).
부:귀-영화 (富貴榮華) 명 재산이 많고 지위가 높으며 귀하게 되어 세상에 이름을 빛냄. ¶ ~를 누리다.
부그르르 부하자 **1** 많은 물이 좁은 바닥에서 끓어오르는 모양. 또는 그 소리. ¶ 죽이 ~ 끓어오르다. **2** 큰 거품이 갑자기 계속 빠르게 끓어오를 때 나는 소리. 또는 그 모양. 작보그르르.
***부:근** (附近) 명 어떤 곳을 중심으로 그 가까운 언저리. ¶ 회사 ~의 찻집에서 친구를 만났다.
부글-거리다 자 **1** 많은 물이 좁은 면적에서 야단스레 자꾸 끓어오르다. **2** 큰 거품이 자꾸 일어나다. **3** 언짢거나 화가 나 마음이 자꾸 부대끼다. 작보글거리다. 센뿌글거리다. **부글-부글** 부하자. ¶ 국이 ~ 끓다.
부글-대다 자 부글거리다.
부:금 (賦金) 명 **1** 부과금. **2** 일정한 기간마다 내거나 받는 돈. ¶ 보험의 ~을 붓다.
부:기 (附記) 명하타 원문에 덧붙여 적음. 또는 그 기록. ¶ 책 말미에 저자의 약력을 ~하다.
부기 (浮氣) 명 부증으로 인해 부은 상태. ¶ 얼굴에 ~가 있다 / ~가 가라앉다 / ~를 빼다 / ~가 내리다.
부:기 (簿記) 명 재산의 출납·변동 등을 일정한 방식으로 정리하여 장부에 적는 방법. ¶ 상업 ~ / 단식〔복식〕 ~.
부꾸미 명 찹쌀가루·밀가루·수수 가루 등을 반죽해 넓고 둥글게 번철에 지진 떡. 팥소를 넣기도 함. 전병(煎餠).
부끄러움 명 부끄러워하는 느낌이나 마음. ¶ ~을 타다 / ~을 무릅쓰다. 준부끄럼.
부끄러워-하다 자타여불 **1** 부끄러운 태도를 나타내다. **2** 무엇을 부끄럽게 여기다. ¶ 가난을 ~.
부끄러-이 부 부끄럽게. ¶ ~ 생각 말고.
부끄럼 명 '부끄러움'의 준말. ¶ ~을 타다 / 한점 ~ 없도록 최선을 다하다.
***부끄럽다** 〔부끄러우니, 부끄러워〕 형ㅂ불 **1** 양심에 거리낌이 있어 남을 대할 면목이 없다. ¶ 거짓말한 것을 부끄럽게 여기다. **2** 스스러움을 느껴 수줍다. ¶ 사람들 앞에서 칭찬을 들으니 ~.
부-나비 명 〔충〕 불나방.
부낭 (浮囊) 명 **1** 헤엄칠 때 몸이 잘 뜨게 하는 기구. **2** 선박에 비치하는 구명 기구. **3** 〔어〕 부레1.
부내 (部內) 명 관공서·회사에서 부(部)의 구역 안. ↔부외(部外).
부녀 (父女) 명 아버지와 딸. *모자(母子).
부녀 (婦女) 명 '부녀자'의 준말.
부녀-자 (婦女子) 명 결혼한 여자와 성숙한 여자의 총칭. 준부녀.

부녀-회 (婦女會) 명 부녀자들로 구성된 모임. 마을·동(洞)·아파트 따위의 지역 사회나 종교 단체에서 일상생활 문제 등을 공동으로 대처함. ¶마을 ~가 생활용품을 공동으로 구입했다.

부:농 (富農) 명 농토나 농사의 규모가 크고 수입이 많은 농가나 농민. ¶~의 아들. ↔빈농.

부:니 (腐泥) 명 조류(藻類)나 하등 수생(水生) 동식물의 유해가 물 밑바닥에 가라앉아 썩어서 생긴 진흙.

부닐다 〔부니니, 부니오〕 자 가까이 따르며 붙임성 있게 굴다.

부다듯-이 부 부다듯하게.

부다듯-하다 [-드타-] 형여불 몸에 열이 나서 불이 달듯 몹시 뜨겁다.

부닥-뜨리다 자 닥쳐오는 일에 부딪칠 정도로 맞닥뜨리다. ¶그는 한 가지 문제에 부닥뜨리면 그 문제에만 매달리는 버릇이 있다.

부닥치다 자 **1** 세게 부딪치다. ¶머리가 벽에 ~. **2** 어려운 문제나 반대에 직면하다. ¶난관에 ~.

부닥-트리다 자 부닥뜨리다.

부단-하다 (不斷-) 형여불 (주로 '부단한'의 꼴로 쓰여) 꾸준하게 잇대어 끊임이 없다. ¶부단한 노력. **부단-히** 부

부:담 (負擔) 명하타 어떤 일을 맡아 의무나 책임을 짐. ¶~이 없다 / ~을 덜다 / 비용을 ~하다 / 위험 ~이 크다.

부:담-감 (負擔感) 명 의무나 책임을 져야 한다는 느낌. ¶~을 주다.

부:담-금 (負擔金) 명 **1** 부담하는 돈. **2** 〔법〕 특정의 공익사업에 필요한 경비의 전부 또는 일부를 특별한 이해관계를 가진 사람에게 부담시키는 돈. **3** 〔법〕 국가와 지방 자치 단체가 서로 사업비의 일부를 부담하는 금액.

부:담-스럽다 (負擔-) 〔-스러우니, -스러워〕 형ㅂ불 부담이 되는 듯한 느낌이 있다. ¶지나친 그의 친절이 오히려 ~. **부:담-스레** 부

부:담-액 (負擔額) 명 책임지고 내야 할 돈의 액수. ¶나의 ~이 너무 많다.

부답 (不答) 명하자 대답하지 아니함.

부당 (不當) 명하형히부 이치에 맞지 아니함. ¶~ 이득 / 매우 ~한 처사 / ~하게 이윤을 남기다 / 누가 보아도 ~한 해고이다.

부:대 (附帶) 명하타 기본이 되는 것에 곁달아서 덧붙임. ¶~시설 / ~ 비용.

부:대 (負袋) 명 종이·피륙 등으로 만든 큰 자루. 포대(包袋). ¶밀가루 ~를 들여놓다.

***부대** (部隊) 명 **1** 일정한 규모로 편성된 군대 조직. ¶포병 ~. **2** 어떠한 공통의 목적을 가진 집단. ¶박수 ~.

부대끼다 자 **1** 무엇에 시달려서 괴로움을 겪다. ¶생활에 ~ / 아이들에게 ~. **2** 배 속이 탈이 나서 쓰리거나 울렁거리다. ¶속이 부대껴 고생했다. 작보대끼다. **3** 다른 것에 자꾸 부딪치다. **4** 여러 사람과 만나거나 겪으며 지내다.

부대-장 (部隊長) 명 〔군〕 한 부대를 지휘·통솔하는 최고 지휘관.

부:대-하다 (富大-) 형여불 살이 쪄서 몸이 뚱뚱하고 크다. ¶부대한 몸집.

부덕 (不德) 명하형 덕이 없거나 부족함. ¶이 모든 것이 다 제 ~의 소치입니다.

부덕 (婦德) 명 부녀자의 아름다운 덕행. ¶~을 쌓다.

부도 (不渡) 명 〔경〕 수표·어음을 가진 사람이 기한이 되어도 수표나 어음에 적힌 돈을 지불받지 못하는 일. ¶연쇄 ~가 나다 / ~를 막다.

부:도 (附圖) 명 어떤 책에 부속된 지도나 도표. ¶지리~ / 역사 ~.

부도 (浮屠·浮圖) 명 〔불〕 **1** 부처. **2** 이름난 중이 죽은 뒤에 그 유골을 안치하여 세운 돌탑. 승탑(僧塔). **3** 중.

부도-나다 (不渡-) 자 기한이 되어도 수표·어음의 지급을 받지 못하게 되다.

부도-내다 (不渡-) 타 기한이 되어도 수표·어음의 지급을 하지 못하게 되다.

부-도덕 (不道德) 명하형 도덕에 어긋남. 부덕의. ¶~한 사기 행위.

부-도체 (不導體) 명 〔물〕 전기·열 등을 전하지 못하거나 전도도가 낮은 물체《유리·에보나이트 등은 전기의 부도체이며 솜·석면·회(灰) 등은 열의 부도체임》. 절연체. ↔도체·양도체(良導體).

부동 (不同) 명하형 서로 같지 않음. ¶표리가 ~하면 신임을 받을 수가 없다.

부동 (不動) 명하자 **1** 움직이지 않음. ¶~의 상태. **2** 생각이나 의지가 흔들리지 않음. ¶~의 신념.

부동 (浮動) 명하자 **1** 물이나 공기 중에 떠서 움직임. **2** 고정되어 있지 않고 움직임. ¶~ 인구 / ~ 자금.

부동 (符同) 명하자 그른 일을 하기 위해 몇 사람이 어울려서 한통속이 됨.

부동-산 (不動產) 명 〔법〕 옮겨 움직일 수 없는 재산《토지·가옥 등》. ¶~ 투기 / ~에 대한 투자. ↔동산.

부동-성 (浮動性) [-썽] 명 기초가 정해지지 않아 동요되는 성질.

부-동심 (不動心) 명하자 마음이 외부의 충동을 받아도 흔들리지 않음.

부동-액 (不凍液) 명 자동차 엔진의 냉각수를 얼지 않게 하려고 첨가하는 액체.

부동-자세 (不動姿勢) 명 움직이지 않고 똑바로 서 있는 자세. ¶~를 취하다.

부동-표 (浮動票) 명 지지하는 후보나 정당이 정해진 것이 아니고 그때의 정세나 분위기에 따라 변화할 가능성이 있는 표. ↔고정표.

부동-항 (不凍港) 명 겨울에도 해면이 얼지 않는 항구.

***부두** (埠頭) 명 항구에서, 배를 대고 여객이 타고 내리거나 짐을 싣고 부리는 곳.

부둣-가 (埠頭-) [-두까 / -둗까] 명 부두가 있는 근처.

부둥켜-안다 [-따] 타 꼭 끌어안다. ¶두 사람은 서로 부둥켜안고 울었다.

부둥키다 타 〔←붙움키다〕 두 팔로 힘껏 안거나 두 손으로 힘껏 붙잡다. ¶배를 부둥키고 웃다.

부드득 부하자타 **1** 단단하고 질기거나 부드러운 물건을 되게 맞비빌 때 나는 소리. **2** 무른 똥을 힘들여 눌 때 나는 소리. 작바드

득·보드득. [센]뿌드득. [거]푸드득. [준]부득.
부드득-거리다 [자타] **1** 단단하고 질기거나 부드러운 물건을 되게 맞비벼 부드득 소리가 자꾸 나다. 또는 그런 소리를 자꾸 내다. **2** 무른 똥을 힘들여 눌 때에 부드득 소리가 자꾸 나다. 또는 그런 소리를 자꾸 내다. [작]바드득거리다·보드득거리다. **부드득-부드득** [부][하자타]
부드득-대다 [자타] 부드득거리다.
부드러-이 [부] 부드럽게.
***부드럽다** 〔부드러우니, 부드러워〕 [형][ㅂ불] **1** 거칠거나 딱딱하지 않고 물러서 매끈매끈하다. ¶부드러운 옷감. **2** 곱고도 순하다. ¶부드러운 마음/말씨가 아주 ~. **3** 가루 따위가 잘고 곱다. **4** 태도·움직임이 유연하다. ¶동작이 매우 ~. **5** 술이 독하지 않다. [작]보드랍다.
부득-부득 [부] **1** 자기 고집만 자꾸 부리는 모양. ¶~ 우기다. **2** 자꾸 졸라대는 모양. [작]바득바득. [센]뿌득뿌득.
부득-불 (不得不) [부] 하지 아니할 수 없어. 마지못하여. 어쩔 수 없이. ¶~ 사직하게 되었다. *불가불.
부득이 (不得已) [부][하형] 마지못해 하는 수 없이. 불가부득(不可不得). ¶~한 사정으로 참석을 못 했다.
부들[1] [명] 〘식〙 부들과의 여러해살이풀. 개울가·연못가에 저절로 남. 줄기는 곧고, 잎은 가늘고 길. 여름에 원기둥 모양의 누런꽃이 피며 꽃가루는 지혈제로 씀. 잎·줄기로 자리·부채를 만듦. 향포(香蒲).
부들[2] [명] 〘악〙 명주실·무명실을 꼬아 현악기의 현을 연결하는 데에 쓰는 줄.
부들-거리다 [자타] 몸을 자꾸 부르르 떨다. 또는 몸이 자꾸 부르르 떨리다. [작]바들거리다. **부들-부들**[1] [부][하자타]
부들기 [명] 잇댄 부분의 뿌리 쪽. ¶어깨 ~.
부들-대다 [자타] 부들거리다.
부들-부들[2] [부][하형] 살갗에 닿는 느낌이 매우 부드러운 모양. [작]보들보들.
부듯-이 [부] 부듯하게. [작]바듯이. [센]뿌듯이.
부듯-하다 [-드타-] [형][여불] **1** 꽉 들어차서 그득하다. ¶돈 봉투가 ~. **2** 어떤 감정이 마음에 가득 차서 벅차다. ¶가슴 부듯한 이야기. [센]뿌듯하다.
부등-식 (不等式) [명] 〘수〙 두 수나 두 식을 부등호로 연결한 관계식. ↔등식.
부등-호 (不等號) [명] 〘수〙 두 개의 수식 사이에 두어 그 수식의 대소 관계를 나타내거나 같지 않음을 나타내는 부호(《'<, >, ≠' 의 세 가지》). 부등표.
부:디 [부] '바라건대·꼭·아무쪼록'의 뜻으로 남에게 부탁하거나 청할 때에 쓰는 말. ¶~ 몸조심하십시오/모임에 ~ 참석하여 주십시오.
부:디-부디 [부] '부디'를 강조해 일컫는 말. ¶~건강하게 오래 사십시오.
부딪다 [-딛따] [자타] 물건과 물건이 서로 힘있게 마주 닿다. 또는 힘 있게 마주 대다. ¶두 대의 자동차가 정면으로 ~.
부딪-뜨리다 [-딛-] [타] 아주 힘 있게 부딪게 하다.
부딪-치다 [-딛-] [자타] '부딪다'의 힘줌말. ¶기둥에 머리를 ~.
부딪치-이다 [-딛-] [자] 《'부딪치다'의 피동》 부딪침을 당하다.
부딪-트리다 [-딛-] [타] 부딪뜨리다.
부딪-히다 [-디치-] [자] 《'부딪다'의 피동》 부딪침을 당하다. ¶승용차가 트럭에 부딪혀 전복되었다.
부뚜 [명] 타작마당에서 티끌·쭉정이·검부러기 따위를 날리기 위해 바람을 일으키는 데 쓰는 돗자리. 풍석(風席).
부뚜막 [명] 아궁이 위에 솥을 걸어 놓는 언저리.
[부뚜막의 소금도 집어넣어야 짜다] 손쉬운 일, 좋은 기회가 있어도 힘을 들여야 한다는 말.
부라리다 [타] 위협하느라고 눈을 크게 뜨고 눈망울을 사납게 굴리다. ¶눈을 부라리고 호통치다.
부라-질 [명][하자] **1** 젖먹이의 두 겨드랑이를 껴서 붙잡고 좌우로 흔들며 두 다리를 번갈아 오르내리게 하는 짓. **2** 몸을 좌우로 흔드는 짓.
부락 (部落) [명] 마을1.
부락-민 (部落民)[-랑-] [명] 부락에 사는 사람. 마을 사람.
부란 (孵卵) [명][하자타] 알이 깸. 알을 깜.
부랑 (浮浪) [명][하자] 일정한 주거나 직업이 없이 이리저리 떠돌아다님.
부랑-아 (浮浪兒) [명] 부모나 보호자의 곁을 떠나 일정한 주소나 직업 없이 떠돌아다니는 아이.
부랑-자 (浮浪者) [명] 일정한 주거나 직업 없이 떠돌아다니는 사람.
부랴-부랴 [부] 매우 급히 서두르는 모양. ¶재촉하자 ~ 떠났다.
부랴-사랴 [부] 몹시 부산하고 황급히 서두르는 모양. ¶소식을 듣자 ~ 병원으로 달려갔다.
부러 [부] 실없이 거짓으로. 일부러. ¶~ 딴청을 부리다.
부러-뜨리다 [타] 꺾어서 부러지게 하다. ¶연필을 ~.
***부러워-하다** [타][여불] 부럽게 생각하다. ¶그리 부러워할 건 없다.
***부러-지다** [자] **1** 꺾여서 둘로 잘라지다. ¶이빨이 ~. **2** (흔히, 부사 '딱·똑'과 함께 쓰여) 언행을 확실하고 단호히 하다. ¶우물거리지 말고 딱 부러지게 말해 봐.
부러-트리다 [타] 부러뜨리다.
부:럼 [명] 음력 정월 보름날 새벽에 까먹는 밤·잣·호두·땅콩 따위의 총칭. 이것을 먹으면 한 해 동안 부스럼이 생기지 않는다고 함. ¶~을 딱하고 깨물다.
***부럽다** 〔부러우니, 부러워〕 [형][ㅂ불] 남의 좋은 것을 보고 자기도 그렇게 되고 싶거나 그런 것을 가지고 싶은 마음이 있다. ¶공부를 잘하는 남의 아들이 정말 ~.
부레 [명] **1** 물고기의 배 속에 있는 얇은 혁질의 공기주머니(《이것을 벌렸다 오므렸다 하여 뜨고 가라앉는 것을 조절함》). 어표(魚鰾). **2** '부레풀'의 준말.
부레-끓다 [-끌타] [자] 〈속〉 몹시 성이 나다.
부레-끓이다 [-끄리-] [타] 〈속〉 《'부레끓다'의 사동》 부레끓게 하다.
부레-풀 [명] 민어의 부레를 끓여 만든 풀.

부착력이 강함. [준]부레.
부력 (浮力) [명]〘물〙 기체나 액체 속에 있는 물체가 그 표면에 작용하는 압력에 의해서 중력에 반대되는 위쪽으로 뜨는 힘.
부령 (部令) [명]〘법〙 행정 각부 장관이 소관 사무에 관해 그의 직권이나 특별 위임에 의해 발하는 명령. ¶교육~.
부로 (父老) [명] 동네에서 나이가 많은 어른.
부:록 (附錄) [명] **1** 본문의 끝에 덧붙이는 기록. **2** 신문·잡지 등의 본지 외로 덧붙여 따로 내는 지면이나 책자. ¶별책 ~.
부루퉁-이 [명] 불룩하게 내밀거나 솟은 물건.
부루퉁-하다 [형][여불] **1** 부어서 불룩하다. **2** 불만스러운 빛이 얼굴에 나타나 있다. ¶부루퉁한 얼굴로 말도 안 한다. [센]뿌루퉁하다. **부루퉁-히** [부]
부룩 [명] 곡식·채소를 심은 밭두둑 사이나 빈틈에 다른 농작물을 듬성듬성 심는 일.
부룩-소 [명] 작은 수소.
부룩-송아지 [명] 길들지 않은 송아지.
부릇 [-룯] [명] 무더기로 놓인 물건의 부피.
부류 (浮流) [명][하자] 떠서 흐름.
부류 (部類) [명] 종류에 따라 나누어 놓은 갈래. ¶같은 ~에 속하다.
부르-걷다 [타] **1** 옷의 소매나 바짓가랑이를 걷어 올리다. **2** 어떤 일에 적극적으로 나서다. ¶힘든 일에 선뜻 소매를 부르걷고 나서다.
***부르다**[1] 〔부르니, 불러〕 [타][르불] **1** 소리쳐 남을 오라고 하다. ¶부르면 들릴 곳. **2** 청하여 오게 하다. ¶의사를 ~. **3** 물건 값을 말하다. ¶값을 싸게 ~. **4** 일컫다. ¶갑돌이라고 ~. **5** 소리 내어 외치다. ¶만세를 ~. **6** 노래를 하다. ¶모두 응원가를 ~.
부르는 게 값이다 [구] 값이 일정하지 않고 그때그때 다르다.
***부르다**[2] 〔부르니, 불러〕 [형][르불] **1** 배 속이 차서 가득하다. ¶배가 부르도록 실컷 먹다. **2** 불룩하게 부풀어 있다. ¶임신하여 배가 ~.
부르르 [부][하자] **1** 춥거나 무서워서 갑자기 몸을 움츠리면서 떠는 모양. ¶~ 몸서리를 치다. **2** 한데 모인 나뭇개비에 불이 붙어 타오르는 모양. **3** 좁은 그릇에서 물이 끓어 오르는 모양이나 소리. [거]푸르르. *바르르·버르르.
부르릉 [부][하자타] 자동차·오토바이 따위가 발동할 때 나는 소리. ¶자동차가 ~ 시동을 걸다.
부르릉-거리다 [자타] 자꾸 부르릉 소리를 내다. 또는 자꾸 부르릉 소리가 나다. **부르릉-부르릉** [부][하자타]
부르릉-대다 [자타] 부르릉거리다.
부르주아 (프 bourgeois) [명] **1** 중세 유럽 도시에서, 중산 계급의 시민. **2** 근대 사회에서, 자본가 계급에 속하는 사람. ↔프롤레타리아. **3** 〈속〉 부자.
부르주아지 (프 bourgeoisie) [명] 자본가 계급. 시민 계급. ↔프롤레타리아트.
부르-쥐다 [타] 주먹·막대기 따위를 힘들여 쥐다. ¶두 주먹을 불끈 ~.
부르-짖다 [-짇따] [자] **1** 격한 감정을 억누르지 못하여 소리 높여 크게 떠들다. ¶구호를 ~. **2** 어떤 주장이나 의견을 열심히 말하다. ¶자연보호를 ~.
부르트다 〔부르트니, 부르터〕 [자] **1** 살가죽이 들뜨고 그 속에 물이 생기다. ¶손발이 ~. **2** 물것에 물려 살이 도톨도톨하게 부어오르다. **3** 비유적으로 성이 나다. [준]부릍다.
부름 [명] 어떤 일로 불러들이는 일. ¶조국의 ~을 받다.
부릅뜨다 〔-뜨니, -떠〕 [타] 무섭고 사납게 눈을 크게 뜨다. ¶두 눈을 부릅뜨고 호통을 치다.
***부리** [명] **1** 새나 짐승의 주둥이. ¶~로 쪼다. **2** 물건의 끝이 뾰족한 부분. ¶총의 ~. **3** 병처럼 속이 빈 물건의 한끝이 터진 부분의 일컬음. ¶주전자 ~.
부리(가) 잡히다 [구] 종기의 한가운데가 곪아 뾰족해지다.
부리나케 [부] 〔←불이 나게〕 아주 급하게. ¶지각할까 봐 ~ 뛰어갔다.
***부리다**[1] [타] **1** 마소나 다른 사람을 시켜 일하게 하다. ¶하인을 마구 ~. **2** 기계나 기구 따위를 마음대로 조종하다. ¶사공이 배를 ~. **3** 어떤 행동이나 성질을 계속 드러내다. ¶억지를 ~ / 욕심을 ~. **4** 재주나 꾀를 피우다. ¶묘기를 ~ / 멋을 ~.
부리다[2] [타] **1** 실었던 짐을 풀어 내려놓다. ¶이삿짐을 문 앞에 ~. **2** 활시위를 벗기다.
부리-부리 [부][하형] 눈망울이 크고 열기가 있는 모양. ¶~한 눈으로 노려보다.
부:마 (駙馬) [명] '부마도위'의 준말.
부:마-도위 (駙馬都尉) [명] 임금의 사위. 의빈(儀賓). [준]부마.
부면 (部面) [명] 어떤 대상을 나누거나 분류하여 이루어진 몇 개의 부분이나 측면 가운데 어느 한 면.
***부모** (父母) [명] 아버지와 어머니. 어버이. 양친. ¶~를 모시다.
부모-님 (父母-) [명] 부모의 높임말.
부모-상 (父母喪) [명] 어버이의 상사. 친상(親喪). ¶~을 당하다.
부:목 (副木) [명] 팔다리가 골절하거나 외상·염증 따위가 있을 때 안정을 유지하기 위해 일시적으로 대는 나무 따위. ¶~을 대다.
부:문 (訃聞) [명] 사람이 죽었다는 소식.
***부문** (部門) [명] 갈라놓은 부류. ¶인문 과학 ~ / 연극 ~에서 수상하다.
부문-별 (部門別) [명] 각 영역 특성에 따라 나누어진 하나하나. ¶~로 세분화되다.
부민 (浮民) [명] 이곳저곳으로 떠돌아다니는 백성.
부박-하다 (浮薄-) [-바카-] [형][여불] 천박하고 경솔하다.
부:복 (俯伏) [명][하자] 고개를 숙이고 엎드림. ¶어전에 ~하여 아뢰다.
부:본 (副本) [명] 원본과 동일한 사항을 기재한 문서. 원본의 예비나 사무 정리를 위해 만듦. 부서(副書). ↔정본.
부부 (夫婦) [명] 남편과 아내. 결혼한 한 쌍의 남녀. 내외. ¶~ 생활 / 원앙 ~ / ~ 동반.
[부부 싸움은 칼로 물 베기] 내외간의 싸움은 칼로 물을 베어도 흔적이 없듯이 쉽게 화합한다는 말.
부부-애 (夫婦愛) [명] 부부의 사랑.
부부-유별 (夫婦有別) [명][하형] 오륜의 하나 《부부 사이에는 서로 침범치 못할 인륜의 구별이 있음》.
부-부인(府夫人) 명 〖역〗 조선 때, 대군의 아내와 왕비의 어머니의 작호.
***부분**(部分) 명 전체를 몇 개로 나눈 것의 하나. 전체를 이루는 작은 범위. ¶이 ~이 가장 중요한 대목이다. ↔전체.
부분-식(部分蝕) 명 〖천〗 일식·월식 때, 해나 달의 일부분만이 가려지는 현상. ↔개기식(皆既蝕).
부분-적(部分的) 관명 전체가 아닌 일부분에만 한정되거나 관련이 있는 (것). ¶~인 현상. ↔전체적.
부분 집합(部分集合)[-지팝] 〖수〗 집합 B의 모든 원소가 집합 A에 속할 때, B를 A에 대하여 일컫는 말. ↔전체 집합.
부분-품(部分品) 명 기계 따위의 어떤 부분에 쓰이는 물품. 부품.
부빙(浮氷) 명하자 **1** 물 위에 떠 있는 얼음덩이. **2** 강에서 얼음덩이를 떠냄.
부사(府使) 명 〖역〗 조선 때, 대도호부사와 도호부사를 통틀어 이르던 말.
부:사(副詞) 명 〖언〗 품사의 하나. 용언 또는 다른 부사의 앞에 놓여서 그 뜻을 한정하며 활용하지 않음《'꼭·꽥꽥·빨리' 등》. 어찌씨.
부:사격 조:사(副詞格助詞)[-껵-] 〖언〗 체언 뒤에 붙어서 그와 함께 마치 부사 모양으로 용언을 꾸미는 조사《'철이는 집에 있다'·'공원에서 놀았다'·'이것은 형한테 줄 돈이다'·'어디로 가십니까'·'집으로 오시오' 등에서 '에'·'에서'·'한테'·'로'·'으로' 따위》.
부:사-관(副士官) 명 〖군〗 준위(准尉)와 병(兵) 사이의 계급에 있는 군인의 총칭《원사(元士)·상사(上士)·중사(中士)·하사의 일컬음》. ¶주번(週番) ~.
부:사-어(副詞語) 명 〖언〗 부사 구실을 하게 된 단어나 어절, 관용어 따위《백방으로·아름답게 따위》.
부:사-형(副詞形) 명 〖언〗 용언이 활용할 때 어미 '-어'·'-게'·'-지'·'-고' 등이 붙어 부사 구실을 하는 어형.
부산 명하형히부 급하게 서두르거나 시끄럽게 떠들어 어수선함. ¶~한 움직임/~을 떨다/~하게 드나들다.
부:-산물(副産物) 명 **1** 주산물을 만드는 데에 따라 생기는 물건. ↔주산물. **2** 어떤 일을 할 때 부수적으로 생기는 일이나 현상. ¶우주 개발 연구의 ~.
부산-스럽다 [-스러우니, -스러워] 형ㅂ불 급하게 서두르거나 시끄럽게 떠들어 어수선한 데가 있다. **부산-스레** 부
부-삽 명 아궁이나 화로의 재를 치거나 불을 담아 옮기는 데 쓰는 작은 삽.
부삽-하다(浮澁-)[-사파-] 형여불 반죽한 것이 단단하지 않고 부슬부슬하다.
부:상(負商) 명 등짐장수.
부:상(負傷) 명하자타 몸에 상처를 입음. ¶~당한 몸/~한 다리를 치료하다.
부상(浮上) 명하자 **1** 물 위로 떠오름. ¶잠수함이 수면으로 ~하다. **2** 어떤 현상이 관심의 대상이 되거나 눈에 띄게 위로 올라섬. ¶무명의 신인이 강력한 우승 후보로 ~했다.
부:상(副賞) 명 상장 외에 덧붙여 주는 상금이나 상품. ¶~으로 시계를 받다.
부:상-병(負傷兵) 명 전투나 임무 수행에서 몸에 상처를 입은 군인.
부:상-자(負傷者) 명 상처를 입은 사람. ¶~를 치료하다.
부:서(附書) 명하타 훈민정음에서 글자를 만드는 방법에 대해서 쓰인 용어《자음과 모음을 아래위나 좌우로 붙여 씀으로써 완전한 글자가 되게 하는 일》. *병서(竝書)·연서(連書).
부서(部署) 명 일정한 조직체 안에서 일의 성격에 따라 나누어진 부분. ¶사무 ~/~를 지키다/~를 옮기어 일을 하게 되었다.
부:서(副署) 명하자 〖법〗 법령이나 대통령의 국무에 관한 문서에 국무총리와 관계 국무 위원이 함께 서명하는 일. 또는 그런 서명.
부서-뜨리다 타 '부스러뜨리다'의 준말.
부서-별(部署別) 명 부서로 나누어진 하나 하나. ¶~로 모이다/~로 연구하다.
***부서-지다** 자 **1** 단단한 물건이 깨져 여러 조각이 나다. ¶장난감이 ~. 작바서지다. **2** 짜서 만든 물건이 깨어지거나 헐어지다. ¶문이 ~. **3** 희망·기대가 무너지다. ¶기대가 산산이 부서졌다. **4** 액체나 빛 따위가 부딪쳐 산산이 흩어지다.
부서-트리다 타 부서뜨리다.
부석 부하자타 물기가 없는 물건이 가볍게 바스러지는 소리. 또는 그 모양. *바삭.
부석-거리다 자타 물기 없는 마른 물건이 바스러지는 소리가 잇따라 나다. 또는 그런 소리를 잇따라 내다. ¶바위가 풍화하여 ~. **부석-부석**[1] 부하자타
부석-대다 자타 부석거리다.
부석-부석[2] 부하형 살이 좀 부어오른 모양. ¶~한 얼굴.
부석-하다 [-서카-] 형여불 살이 제법 부은 듯하다. ¶얼굴이 ~.
부:설(附設) 명하타 어떤 기관에 부속시켜 설치함. 또는 그런 시설. ¶대학 ~ 도서관/빌딩에 주차장을 ~하다/교회에 유치원이 ~되다.
부:설(敷設) 명하타 철도·다리·지뢰 따위를 설치함. ¶기뢰를 ~하다/철도가 ~되다.
부성(父性) 명 아버지로서 가지는 성질. ¶~이 강하다. ↔모성(母性).
부성-애(父性愛) 명 자식에 대한 아버지의 사랑. ↔모성애.
부세(浮世) 명 덧없는 세상.
부:속(附屬) 명하자 **1** 주되는 일·물건에 딸려서 붙음. ¶학교에 ~된 체육관. **2** '부속품'의 준말.
부속(部屬) 명하자 어떤 부류·부문에 딸림. ¶정부 ~ 기관.
부:속-물(附屬物)[-송-] 명 주가 되는 사물이나 기관에 딸려 있는 물건.
부:속 성분(附屬成分) 〖언〗 문장에서 주성분의 내용을 수식·한정하는 부분. *독립성분·주성분.
부:속-품(附屬品) 명 어떤 기구·기계 등에 딸려 붙어 있는 물건. ¶~을 갈아 끼우다. 준부속.
부손 명 화로에 꽂아 두고 쓰는 작은 부삽.

부:수 (附隨) 명하자 주된 것에 붙어서 따름. ¶ ~하여 일어난 문제 / 도로 건설에 ~되는 경비.
부수 (部首) 명 한자 자전에서 글자를 찾는 길잡이가 되는 글자의 한 부분. *변(邊).
부수 (部數)[-쑤] 명 1 부류의 수. 2 책·신문 따위의 수효. ¶ 발행 ~.
부수다 타 1 여러 조각이 나게 두드려 깨뜨리다. ¶ 흙덩이를 잘게 ~ / 유리창을 ~. 작바수다. 2 만들어진 물건을 두드리거나 깨뜨려 못 쓰게 만들다. ¶ 자물쇠를 ~ / 집을 ~. 준붓다.
부수-뜨리다 타 힘 있게 부수어 버리다.
부:-수입 (副收入) 명 1 부업 등에 의한, 가외로 생기는 수입. 2 드러내기 곤란한 비공식적인 수입. ¶ ~이 많은 자리로 옮겨 가다 / ~을 챙기다.
부:수-적 (附隨的) 관명 종속적으로 덧붙거나 한데 따르는 이차적인 (것). ¶ ~인 문제 / ~인 성과를 올리다.
부수-트리다 타 부수뜨리다.
부숭-부숭 부하형 1 잘 말라서 물기가 아주 없는 모양. 2 얼굴이나 살결이 깨끗하여 아름답고 부드러운 모양. 작보송보송.
부스-대다 자 1 가만히 있지 못하고 군짓을 하며 몸을 자꾸 움직이다. ¶ 애가 부스대는 바람에 잠이 깼다. 2 마음이 설레어 자꾸 서두르다. 작바스대다.
부스러기 명 1 잘게 부스러진 찌끼. ¶ 과자 ~. 작바스라기. 2 골라내고 남은 것. 3 하찮은 사람이나 물건.
부스러-뜨리다 타 부수어서 깨뜨리다. 작바스러뜨리다. 준부서뜨리다.
부스러-지다 자 1 덩이가 헐어져 잘게 되다. 2 깨져 여러 조각이 나다. 작바스러지다. 준부서지다.
부스러-트리다 타 부스러뜨리다.
부스럭 부하자타 마른 잎·검불·종이 따위를 밟거나 뒤적일 때 나는 소리. ¶ ~ 소리가 난다. *버스럭.
부스럭-거리다 자타 마른 잎이나 검불 같은 것을 밟거나 뒤적여 자꾸 부스럭 소리가 나다. 또는 그런 소리를 내다. ¶ 갑자기 광 속에서 부스럭거리는 소리가 났다. **부스럭-부스럭** 부하자타
부스럭-대다 자타 부스럭거리다.
부스럼 명 피부에 나는 종기의 총칭.
부스스 부하형 1 조용히 일어나는 모양. ¶ 잠자리에서 ~ 일어나다. 2 머리털 등이 어지럽게 일어서거나 흩어진 모양. ¶ ~한 머리털. 3 부스러기 따위가 어지럽게 흩어지는 소리. 또는 그 모양. ¶ 흙더미가 ~ 무너지다. 작바스스.
부슬-부슬[1] 부하자 눈·비가 가늘고 성기게 조용히 내리는 모양. ¶ 아침부터 봄비가 ~ 내린다. 작보슬보슬[1].
부슬-부슬[2] 부하형 덩이를 이룬 가루 등이 물기가 적어서 잘 엉기지 못하는 모양. ¶ 떡이 ~하다. 작보슬보슬[2]. 거푸슬푸슬.
부슬-비 명 부슬부슬 내리는 비. 작보슬비.
부시 명 부싯돌을 쳐서 불이 일어나게 하는 쇳조각. 화도(火刀).
부시(를) 치다 구 부싯돌에 부싯깃을 놓고 부시로 쳐서 불을 일으키다.
부시다[1] 타 그릇 따위를 깨끗이 씻다. ¶ 밥그릇을 ~.
부시다[2] 형 (주로 '눈'과 함께 쓰여) 강한 광선이나 색채가 마주 쏘아 눈이 어리어리하다. ¶ 햇빛에 눈이 부시어 눈을 못 뜨다.
부식 (扶植) 명하타 1 뿌리를 박아 심음. ¶ 세력을 ~하다 / 외세가 ~되다. 2 도와서 서게 함.
부:식 (副食) 명 '부식물'의 준말. ↔주식.
부:식 (腐植) 명 1 흙 속에서 식물이 썩으면서 유기물을 만드는 일. ¶ ~ 작용. 2 흙 속에서 식물이 썩으면서 만드는 유기물의 혼합물.
부:식 (腐蝕) 명하자타 1 썩어 문드러짐. ¶ 검게 ~된 낙엽. 2〘화〙 금속이 주변의 화학 작용에 따라 변질됨. 또는 그 현상. ¶ ~된 수도관.
부:-식물 (副食物)[-싱-] 명 주식에 곁들여 먹는 음식. 부식품. 준부식(副食).
부:식-비 (副食費) 명 부식에 드는 비용.
부:식-토 (腐植土) 명 20% 이상의 부식 물질이 섞인 비옥한 흙.
부신 (符信) 명〘역〙 나뭇조각이나 두꺼운 종이에 글자를 쓰고 증인(證印)을 찍은 뒤에 두 조각으로 쪼개어 한 조각은 상대자에게 주고 다른 한 조각은 보관했다가 뒷날에 서로 맞추어 증거로 삼던 물건.
부:신 (副腎) 명〘생〙 좌우의 신장(腎臟) 위에 있는 내분비 기관. 피질(皮質)과 수질(髓質)로 되어 있는데, 피질에서는 생명 유지에 없어서는 안 될 코르틴질(cortin質)을 분비하고, 수질에서는 아드레날린(adrenalin)을 분비함. 결콩팥.
부실 (不實) 명하형 1 몸이나 행동 따위가 튼튼하지 못함. ¶ 몸이 ~해서 제대로 활동을 못한다. 2 내용이 실속이 없거나 충실하지 못함. ¶ ~공사 / ~ 은행 / 대접이 ~하다. 3 믿음성이 적음. ¶ ~한 사람.
부실-기업 (不實企業) 명 경영이 부실하고 재정 상태가 불안정한 기업.
부실-화 (不實化) 명하자 내용이나 실속이 없게 됨. ¶ 경영이 ~되다.
부:심 (副審) 명 운동 경기에서, 주심(主審)을 보좌하는 심판원. ↔주심(主審).
부:심 (腐心) 명하자 근심·걱정이 있거나 무엇을 생각하느라고 마음을 쓰고 애씀. ¶ 대책 마련에 ~하다.
부싯-깃 [-시낃 / -싣낃] 명 부시를 치는 데 불똥이 박여서 불이 붙는 물건《쑥 잎·수리취 따위를 볶아서 비벼 만듦》. 준깃.
부싯-돌 [-시똘 / -싣똘] 명 부시로 쳐서 불을 일으키는 데 쓰는 석영의 하나.
부썩[1] 부하자타 마른 것이 가볍게 부스러지는 소리. 또는 그 모양.
부썩[2] 부 1 외곬으로 우기는 모양. ¶ 빨리 집에 가자고 ~ 우기다. 2 사물이 갑자기 많이 늘거나 주는 모양. ¶ 한차례 소나기가 퍼붓더니 강물이 ~ 늘었다. 작바싹.
부썩-부썩 부 1 외곬으로 세차게 자꾸 우기는 모양. 2 갑자기 외곬으로 자꾸 나아가거나 늘거나 주는 모양.
부아 명 1〘생〙 폐장. 허파. 2 분하거나 노여운 마음. ¶ 은근히 ~가 나다 / 공연히 남의 ~를 돋우다 / 참고 있자니 ~가 치밀었

다 / 못된 소리를 들어서 ~가 끓었다.
부아-통 명 〈속〉 부아. ¶ ~이 터지다 / ~이 치밀다.
부:앙 (俯仰) 명하타 굽어봄과 쳐다봄. 면앙(俛仰). 앙부(仰俯).
부양 (扶養) 명하타 혼자 살아갈 능력이 없는 사람의 생활을 돌봄. ¶가족을 ~하다.
부양 (浮揚) 명하자타 가라앉은 것이 떠오름. 또는 떠오르게 함. ¶~ 작업 / 경기 ~을 위해 소비를 유도하다.
부양-가족 (扶養家族) 명 자기가 부양하고 있는 가족.
부양식 독 (浮揚式 dock) 선체를 물 위에 띄워 놓고 수리 등의 작업을 할 수 있게 된, 부침(浮沈)을 자유롭게 조절할 수 있는 궤 모양의 독. 부선거.
부양-책 (浮揚策) 명 침체된 것을 다시 일으키는 대책. ¶경기 ~을 펴다 / 증시 ~을 강구하다.
부어 (浮魚) 명 바닷물의 수면 가까이에서 사는 물고기《정어리·고등어 등》.
부어-내리다 자타 비·햇빛 따위가 쏟아 붓듯이 한꺼번에 많이 내리거나 비치다.
부어-오르다 〔-오르니, -올라〕 자 르불 살갗 따위가 부어서 부풀어 오르다. ¶눈이 ~ / 친구들과 마신 술 때문에 얼굴이 잔뜩 부어올랐다.
부어-터지다 자 **1** 부풀어서 터지다. **2** 〈속〉 잔뜩 화가 나다. ¶그는 부어터진 얼굴로 하던 일을 그만두었다.
부:언 (附言) 명하타 덧붙여 말함. ¶한마디 ~하건대 그것은 사실과 다르다.
부얼-부얼 부하형 살이 찌거나 털이 복슬복슬하여 탐스럽고 복스러운 모양.
부업 (父業) 명 **1** 아버지의 직업. **2** 대대로 내려오며 영위하는 직업. ¶~을 이어받다.
부:업 (副業) 명 본업 외에 갖는 직업. ¶농가의 ~ / 그는 ~으로 제과점을 차렸다. ↔본업.
부업 (婦業) 명 **1** 여자가 하는 일. **2** 여자의 직업.
부엉 부 부엉이가 우는 소리.
부엉-부엉 부 부엉이가 잇따라 우는 소리.
부엉-이 명 〔조〕 올빼밋과의 새. 머리 꼭대기에 귀 모양의 깃털이 있음. 숲 속에 사는데 밤에 나와 돌아다니며 닭·토끼·곤충 따위를 잡아먹고 해가 질 무렵부터 '부엉부엉' 하고 욺. 부엉새.
***부엌** [-억] 명 일정한 시설을 갖추어 놓고 밥을 짓거나 그 밖의 음식을 만드는 곳. 취사장. 준벜.
부엌-간 (-間)[-억깐] 명 부엌으로 쓰는 칸.
부엌-데기 [-억떼-] 명 〈속〉 부엌일을 맡아 하는 여자. 식모.
부엌-문 (-門)[-엉-] 명 부엌으로 드나드는 문.
부엌-살림 [-억쌀-] 명 **1** 부엌에서 쓰이는 온갖 세간. ¶자취하는 학생치고는 ~이 꽤 많다. **2** 요리·설거지 등 부엌과 관련된 일. ¶~을 꾸려 나가다.
부엌-일 [-엉닐] 명하자 부엌에서 하는 일.
부엌-칼 [-억-] 명 식칼.
부:여 (附與) 명하타 가지거나 지니게 하여 주는 일. ¶권리를 ~하다 / 임무가 ~되다.
부:여 (賦與) 명하타 나누어 줌. 별러 줌. ¶선천적으로 ~된 재능.
부여-안다 [-따] 타 두 팔로 부둥켜안다. ¶어머니는 대학에 합격한 아들을 부여안고 기뻐하셨다.
부여-잡다 타 두 손으로 힘껏 붙들어 잡다. ¶그리워하던 동생의 손목을 덥석 ~.
부:역 (附逆) 명하자 국가에 반역하는 일에 동조하거나 가담함.
부:역 (赴役) 명하자 **1** 부역(賦役)을 치르러 나감. **2** 사사로이 서로 일을 도와줌.
부:역 (賦役) 명하자 국가나 공공 단체가 국민에게 의무적으로 책임을 지우는 노역. ¶~을 나가다.
부:역-자 (附逆者) 명 부역한 사람.
부:연 (附椽·婦椽) 명 〔건〕 처마 서까래의 끝에 덧얹는 네모지고 짧은 서까래《처마가 번쩍 들리게 하여 모양을 내느라고 씀》. 며느리서까래.
부:연 (敷衍·敷演) 명하타 **1** 덧붙여 알기 쉽게 자세히 설명을 늘어놓음. 또는 그 설명. ¶설명을 더 자세히 ~하다. **2** 늘려서 널리 퍼지게 함.
부엽 (浮葉) 명 물 위에 떠 있는 잎.
부:엽-토 (腐葉土) 명 풀이나 낙엽 등이 썩어서 된 흙《주로 원예에 사용함》.
부영 (浮榮) 명 덧없는 세상의 헛된 영화.
부:옇다 [-여타]〔부여니, 부여오〕 형 ㅎ불 선명하지 않고 조금 허옇다. ¶안개가 부옇게 끼다. 작보얗다. 센뿌옇다.
부:예-지다 자 부옇게 되다. ¶신발이 먼지가 앉아 ~. 작보얘지다. 센뿌예지다.
부왕 (父王) 명 아버지인 임금.
부외 (部外) 명 기관·조직의 부(部)에 딸리지 않는 범위 밖. ↔부내.
부:용 (附庸) 명 **1** 작은 나라가 큰 나라에 의탁해서 지내는 일. **2** 따로 독립하지 못하고 남을 의지하여 살아감.
부용 (芙蓉) 명 〔식〕 **1** 아욱과에 속하는 낙엽 관목. 높이 1-3m이고 짧은 털이 있으며, 잎은 둥글면서 3-5갈래임. 초가을에 잎겨드랑이에서 꽃자루가 나와서 흰빛 혹은 담홍색의 꽃이 핌. 중국이 원산지이며, 관상용으로 재배함. 목부용(木芙蓉). **2** 연꽃.
부원 (部員) 명 부를 구성하는 사람. 부에 속하는 사람. ¶~들끼리 회식을 하다.
부원-군 (府院君) 명 〔역〕 조선 때, 왕비의 친아버지나 정일품 공신에게 주던 작호.
부위 (部位) 명 전체에 대한 부분의 위치. ¶아픈 ~를 어루만지다.
부유 (浮遊·浮游) 명하자 **1** 공중이나 수면에 떠다님. ¶공중에 ~하는 티끌. **2** 행선지를 정하지 아니하고 이리저리 떠돌아다님.
부:유 (富裕) 명하형 재물이 넉넉함. ¶~한 가정에서 자라다.
부유스레-하다 형 여불 부유스름하다.
부유스름-하다 형 여불 빛이 진하지 않고 조금 부옇다. 작보유스름하다. 센뿌유스름하다. **부유스름-히** 부
부:유-층 (富裕層) 명 부유하게 사는 계층. 또는 그런 계층의 사람들. ↔빈민층.
부육 (扶育) 명하타 도와서 기름.
부윤 (府尹) 명 〔역〕 **1** 조선 때, 종이품의 외관직(外官職). **2** 일제 강점기 때, 부(府)의

행정 사무를 맡아보던 우두머리《지금의 '시장'에 해당함》.
부:음 (訃音) 명 사람이 죽었다는 것을 알리는 말이나 글. 부고(訃告). ¶~을 듣다/~을 전하다.
부:응 (副應) 명하자 무엇에 좇아서 응함. ¶국민의 여망에 ~하지 못하다.
부:의 (附議)[-/-이] 명하타 토의에 부침. ¶본회의에 안건을 ~하다.
부:의 (賻儀)[-/-이] 명 초상난 집에 부조로 돈이나 물품을 보내는 일. 또는 그 돈이나 물품. 전의(奠儀). 향전(香奠). ¶~를 보내다.
부:의-금 (賻儀金)[-/-이-] 명 부의로 보내는 돈. 부의전(錢). ¶직원을 통해 ~을 전하다.
부:-의장 (副議長)[-/-이-] 명 의장을 보좌하며 의장의 유고 때 그 직무를 대리하는 사람. 또는 그 직위.
부:익부 (富益富) 명하자 부자일수록 더욱 부자가 됨. ↔빈익빈(貧益貧).
부인 (夫人) 명 남의 아내를 높여 이르는 말. ¶~ 동반.
부:인 (否認) 명하타 어떤 내용이나 사실을 인정하지 않음. ¶범행 사실을 ~하다/목격자는 모든 사실을 ~하였다. ↔시인.
부인 (婦人) 명 결혼한 여자.
부인-과 (婦人科)[-꽈] 명 〖의〗 부인병을 진찰·치료하는 의학의 한 부문. *산부인과.
부인-병 (婦人病)[-뻥] 명 〖의〗 여성 생식기의 질환이나 여성 호르몬 이상으로 생긴 병의 총칭.
부인-회 (婦人會) 명 부인들이 수양·연구·오락·사회봉사 등의 목적을 가지고 조직한 단체.
부일 (夫日) 명 부모의 제삿날.
부:임 (赴任) 명하자 임명이나 발령을 받아 근무할 곳으로 감.
부자 (父子) 명 아버지와 아들. ¶~가 나란히 걷다. ↔모녀.
부자 (浮子) 명 **1** 낚시나 어구에 다는, 나무·코르크·고무 등으로 만든 찌. **2** 물이 흐르는 속도·방향을 헤아리거나 암초 등을 알리기 위하여 수면에 띄우는 기구. 수세식 변소 저수조나 액량계에 다는 공 따위도 이에 속함.
***부:자** (富者) 명 재물이 많아 살림이 넉넉한 사람. 재산가. ¶친구는 사업에 성공해 ~가 되었다/그는 ~이나 매우 인색하다. ↔빈자(貧者).
[부자 몸조심] 유리한 처지에서는 모험을 피하고 되도록 안전을 꾀한다는 뜻.
부자-간 (父子間) 명 아버지와 아들 사이. 부자지간(父子之間). ¶~에 대화가 통한다.
부자연-스럽다 (不自然-)〔-스러우니, -스러워〕 형ㅂ불 부자연한 태도가 있다. 어색한 데가 있다. ¶부자연스러운 행동/웃는 것이 ~. **부자연-스레** 부
부자연-하다 (不自然-) 형여불 자연스럽지 못하다. 억지로 꾸민 듯하여 어색하다. ¶부자연한 태도.
부-자유 (不自由) 명하형 무엇에 얽매여 몸과 마음이 자유스럽지 못함. ¶~한 생활.
부자유-스럽다 (不自由-)〔-스러우니, -스러워〕 형ㅂ불 부자유한 데가 있다. ¶교통사고로 몸이 ~. **부자유-스레** 부
부자-유친 (父子有親) 명 오륜의 하나. 아버지와 아들 사이의 도리는 친애에 있음.
부:-작용 (副作用) 명 그 본래의 작용에 부수하여 일어나는 작용. 대개 좋지 않은 경우를 이름. ¶이 약은 ~이 없다.
부-작위 (不作爲) 명 〖법〗 마땅히 해야 할 일을 의식적으로 하지 않는 일. ↔작위(作爲).
부잡-스럽다 (浮雜-)〔-스러우니, -스러워〕 형ㅂ불 보기에 부잡한 데가 있다. ¶부잡스럽게 굴다. **부잡-스레** 부
부잡-하다 (浮雜-)[-자파-] 형여불 사람이 성실하지 못하고 경솔하며 추잡스럽다.
부:잣-집 (富者-)[-자찝/-잗찝] 명 재산이 많아 살림이 넉넉한 사람의 집. 부가(富家). 부호(富戶). ¶~에 시집을 가다.
[부잣집 가운데 자식] 부잣집 둘째 아들처럼 일은 하지 않고 놀고먹는 사람을 일컫는 말. [부잣집 맏며느리] 얼굴이 복스럽고 후하게 생긴 여자를 이름.
부장 (部長) 명 기관이나 조직에서, 한 부를 맡아 다스리는 직위. 또는 그 직위에 있는 사람. ¶편집부 ~.
부:장 (副長) 명 **1** 장을 보좌하는 지위. 또는 그 사람. **2** 군함에서 함장을 보좌하는 직. 또는 그 사람.
부:장 (副將) 명 **1** 〖역〗 주장의 다음 지위로 주장을 보좌하는 장수. **2** 〖역〗 대한 제국 때 둔 장관(將官) 계급의 하나《대장의 다음, 참장(參將)의 위》. **3** 구세군의 계급《대장의 아래, 정령의 위》.
부:장 (副章) 명 정장(正章)에 덧붙여 주는 기장(記章).
부:장 (副葬) 명하타 〖역〗 임금이나 귀족이 죽었을 때 죽은 사람이 생전에 쓰던 패물·그릇 등을 무덤에 같이 묻던 일. 껴묻기.
부재 (不在) 명하자 그곳에 있지 않음. ¶치안 ~/지도력 ~/정책 ~와 경험 부족으로 애를 먹다.
부재 (部材) 명 목재·철재 등 구조물에 쓰이는 재료.
부재-자 (不在者) 명 **1** 그 자리에 없는 사람. **2** 〖법〗 주소지를 떠나 있어서 쉽게 돌아올 가망이 없는 사람.
부재자 투표 (不在者投票) 〖법〗 부재로, 선거 당일 투표소에 나갈 수 없는 사람이 미리 우편으로 하는 투표. 부재 투표.
부재-중 (不在中) 명 자기 집이나 직장 같은 일정한 장소에 있지 않는 동안. ¶지금은 ~이오니 연락처를 남겨 주세요.
부재 증명 (不在證明) 〖법〗 어떤 형사 사건이 있었던 당시 그 현장에 있지 않았다는 증명. 현장 부재 증명. 알리바이(alibi).
부:적 (符籍) 명 〖민〗 불교·도교 등을 믿는 집에서 악귀나 잡신을 쫓기 위해 붉은색으로 글씨를 쓰거나 그림을 그려 몸에 지니거나 집에 붙이는 종이. ¶~을 간직하다.
부-적격 (不適格) 명하형 자격을 갖추지 못해 적당하지 않음. ¶~ 판정을 받다.
부적격-자 (不適格者) 명 자격을 갖추지 못하여 부적당한 사람.
부적당-하다 (不適當-) 형여불 어떤 기준이나 정도에 알맞지 않다. ¶부적당한 표현.

㊣부적(不適)하다.
부-적응(不適應)명하자 일정한 조건이나 환경에 맞추지 못함. ¶현실에 ~하다.
부-적임(不適任)명하형 그 임무에 마땅하지 아니함. 적임이 아님.
부적절-하다(不適切-)형여불 어떤 일을 하기에 알맞지 아니하다. ¶부적절한 방법.
부-적합(不適合)[-저캅]명하형 알맞게 들어맞지 아니함. ¶~ 판정을 내리다.
부:전명 예전에, 여자 아이들이 차던 노리개의 하나《색 헝겊으로 예쁘게 만들어 끈을 달아 찼음》.
부전(不全)명하형 **1** 완전하지 않음. 불완전함. ¶발육 ~. **2** 전부가 아니고 일부분임. ¶~ 골절.
부전(不戰)명 **1** 다투지 아니함. **2** 전쟁을 아니함. ¶~ 선언을 하다.
부:전(附箋)명 서류에 간단한 의견을 써서 덧붙이는 쪽지. 보전(補箋). 부전지.
부:-전공(副專攻)명 전공 분야 외에 따로 덧붙여 연구하는 분야.
부전-승(不戰勝)명하자 추첨이나 상대자의 기권으로 경기를 치르지 않고 이김. ↔부전패.
부전-자전(父傳子傳)명하자 대대로 아버지가 아들에게 전함. ¶~이라고 그들은 걸음걸이까지도 똑같다.
부전-패(不戰敗)명하자 휴장이나 기권 등으로 경기를 하지 않고 지게 됨. ↔부전승.
부절(不絕)명하형히부 끊이지 않고 계속됨. ¶연락 ~. ↔두절.
부절(符節)명 예전에, 돌이나 대나무 따위로 만들어 신표로 삼던 물건.
[부절을 맞춘 듯하다] 꼭 들어맞는다.
부-절제(不節制)[-쩨]명하타형 의욕을 이기지 못하여 알맞게 조절하지 못함. ¶술·담배의 ~로 병이 들었다 / ~한 생활로 건강을 해치다.
부:접(附接)명하자 **1** 남이 쉽게 따를 수 있는 성질이나 태도. **2** 남에게 의지함.
부접(을) 못하다 구 ㉠가까이 사귀거나 접촉하지 못하다. ㉡한곳에 붙어 배기지 못하다.
부-젓가락[-저까-/-전까-]명 화로에 꽂아 두고 쓰는 쇠로 만든 젓가락. 화저(火箸). ㊣부저.
부정(不正)명하형 바르지 못함. 옳지 못함. ¶입시 ~ / ~을 저지르다 / ~이 탄로나다 / ~한 방법으로 축재하다 / 공금을 ~하게 사용하다.
부정(不定)명하형 **1** 일정하지 않음. 정해지지 않음. ¶주거가 ~한 사람. **2**〖수〗방정식이나 작도(作圖) 문제에서 그 답이 무수히 많이 존재하는 일《일차 방정식 $ax=b$에서 $a=0$, $b=0$일 때 이 방정식은 부정임》.
부정(不貞)명하형 부부가 서로의 정조를 지키지 않음. ¶~한 여자 / 외간 남자와 ~을 저지르다.
부정(不淨)명하형히부 **1** 깨끗하지 못함. ¶~한 돈. **2** 꺼리고 피하는 불길한 일. ¶~이 들다. **3** 무당이 하는 굿의 첫거리.
부정(을) 보다 구 꺼리거나 피하는 몸으로 부정한 일을 하다.
부정(을) 타다 구 부정한 일로 해를 입다.
부:정(否定)명하타 그렇지 않다고 단정함. ¶신문에 난 사실을 ~하다 / 전통성이 ~되고 있는 현대 사회. ↔긍정(肯定).
부정 관사(不定冠詞)〖언〗관사의 하나《인도·유럽 어에서 보통 명사나 집합 명사의 단수형의 앞에 붙어 '하나·어느' 등의 뜻을 표시함》. ↔정관사.
부-정기(不定期)명 시기·기한이 일정하게 정해져 있지 않음. ¶~ 간행물 / ~적인 모임. ↔정기(定期).
부정당-하다(不正當-)형여불 도리에 맞지 않다. ¶부정당한 판정. ↔정당하다.
부정-맥(不整脈)명〖생〗심장의 박동이 불규칙적인 상태. 부조맥.
부:정-문(否定文)명 부정을 나타내는 부사 '아니〔안〕·못' 또는 부정의 뜻을 나타내는 용언 '아니다·아니하다〔않다〕·못하다·말다' 따위를 쓴 문장. ↔긍정문.
부정-부패(不正腐敗)명 옳거나 바르지 못하고 썩을 대로 썩음. ¶~를 막다.
부정-사(不定詞)명〖언〗유럽 여러 언어의 문법상, 인칭·수 등의 제한을 받지 않는 동사형.
부정 선:거(不正選擧) 정당하지 못한 수단과 방법에 의한 선거.
부:정-어(否定語)명 부정하는 뜻을 가진 말. 곧, '아니·못·아니다' 따위.
부:정-적(否定的)관명 부정의 내용을 갖는 (것). ¶~ 태도 / ~인 영향을 미치다. ↔긍정적.
부정직-하다(不正直-)[-지카-]형여불 정직하지 않다. ¶부정직한 사람.
부정-하다(不精-)형여불 조촐하거나 깨끗하지 못하고 거칠고 지저분하다.
부정-행위(不正行爲)명 올바르지 못한 행위. ¶시험 도중 ~를 적발하다.
부정-형(不定形)명 **1** 일정하지 않은 양식이나 모양. **2**〖수〗분모·분자가 모두 0이거나 무한대인 분수.
부-정확(不正確)명하형 바르거나 확실하지 않음. ¶~한 보도. ↔정확.
부:제(副題)명 제목에 덧붙어 그것을 보충하는 제목. 서브타이틀(subtitle). 부제목(副題目). 부표제. *주제(主題).
부:-제학(副提學)명〖역〗조선 때, 홍문관에 둔 정삼품 당상관의 벼슬.
부조(父祖)명 아버지와 할아버지.
부조(扶助)명하타 **1** 잔칫집·상가(喪家) 등에 돈·물건을 보냄. 또는 그 돈이나 물건. ¶결혼식 ~. **2** 남을 거들어 도와줌. ¶생계를 ~하다.
부조(浮彫)명하타 모양·형상을 도드라지게 새긴 조각. 돋을새김.
부조-금(扶助金)명 부조로 주는 돈.
부-조리(不條理)명하형 도리에 어긋나거나 이치에 맞지 않음. 배리(背理). ¶사회의 ~ / ~한 현실.
부-조화(不調和)명하형 서로 잘 어울리지 않음. 조화되지 않음. ¶주위 환경과 ~를 이루다.
***부족**(不足)명하형 필요나 기준에 미치지 못함. ¶실력 ~ / 공급 ~ 현상이 계속되다 / ~한 것 없이 자라다 / 비타민은 조금만 ~해도 몸에 이상이 온다.

부족 (部族) 명 원시 사회나 미개 사회에서, 같은 조상이라는 관념에 의하여 결합되어 공통된 언어와 종교 등을 갖는 지역적인 공동체.
부:존-자원 (賦存資源) 명 경제적으로 이용할 수 있는 모든 천연자원.
부종 (浮腫) 명 〔한의〕 부증(浮症).
부주 명 '부조(扶助)'의 잘못.
부-주의 (不注意)[-/-이] 명하형 조심을 하지 아니함. ¶운전 ~로 생긴 교통사고.
부증 (浮症) 명 〔한의〕 심장병·신장병에 걸리거나, 어느 국부의 혈액 순환에 탈이 나서 몸이 퉁퉁 부어 오르는 병. 부종(浮腫).
부지 (不知) 명하타 알지 못함.
부:지 (付紙) 명하타 얇은 종이를 여러 겹으로 붙임. 또는 그렇게 붙인 종이.
부지 (扶支·扶持) 명하타 상당히 어렵게 보존하거나 버티어 나감. ¶겨우 목숨을 ~하다 / 왕실의 명맥이 ~되다.
부지 (敷地) 명 건물이나 도로에 쓰이는 땅. 대지. 터. ¶공장 ~ / 공원 ~를 마련하다.
부지기수 (不知其數) 명 너무 많아서 그 수효를 알 수가 없음. 또는 그 수효. ¶모인 사람이 ~로 많다.
부지깽이 명 아궁이에 불을 땔 때 쓰는 가느다란 막대기.
***부지런** 명하형히부 놀지 않고 하는 일에 꾸준함. ¶~을 떨다 / ~한 사람 / ~히 일하다. 작바지런.
부지런-스럽다 〔-스러우니, -스러워〕 형 ㅂ불 부지런한 태도가 있다. 작바지런스럽다. **부지런-스레** 부
부지불식 (不知不識)[-씩] 명 생각지도 알지도 못함. ¶~중에 내뱉은 말.
부지불식-간 (不知不識間)[-씩-] 명 (주로 '부지불식간에'의 꼴로 쓰여) 생각지도 알지도 못하는 사이. ¶~에 생긴 일.
부지-세월 (不知歲月) 명하자 세월이 가는 줄을 모름.
부지-중 (不知中) 명 (주로 '부지중에'의 꼴로 쓰여) 알지 못하는 동안. 모르는 사이. ¶~에 쳐다보다 / 놀란 나머지 ~에 소리를 질렀다.
부지지 부하자 **1** 뜨거운 쇠붙이 등이 물에 닿을 때 나는 소리. **2** 젖은 물건 따위가 뜨거운 열에 닿아 탈 때에 나는 소리. 작바지지. 센뿌지지.
부지직 부하자 **1** 물기 있는 물건이 뜨거운 열에 닿아서 급히 타거나 졸아붙는 소리. **2** 무른 똥을 눌 때 웅숭깊게 나는 소리. 작바지직. 센뿌지직.
부지직-거리다 자 부지직 소리가 자꾸 나다. 작바지직거리다. **부지직-부지직** 부하자
부지직-대다 자 부지직거리다.
부지하세월 (不知何歲月) 명 언제나 이루어질지 그 기한을 알지 못함. ¶~로 늑장만 부리다.
부:직 (副職) 명 주된 직업이나 책무 외의 별도 직업. ¶~을 알선하다.
부직-포 (不織布) 명 천을 베틀에 짜지 않고 화학적 또는 기계적인 처리에 의하여 접착시켜 만든 천.
부진 (不振) 명하형 떨치지 못함. 기세나 힘이 활발하지 않음. ¶식욕 ~ / 사업이 ~하다 / 판매 상황이 ~을 면치 못하다.
부진 (不盡) 명하형 다하지 않거나 없어지지 않음.
부질-없다 [-업따] 형 대수롭지 않거나 쓸모가 없다. ¶부질없는 걱정〔생각〕. **부질-없이** [-업씨] 부. ¶~ 넋두리만 늘어놓다
부집게 명 숯불 등을 집는 집게.
부쩍 부 **1** 외곬으로 빡빡하게 우기는 모양. ¶남편이 ~ 우기는 바람에 그녀도 그 후보를 찍었다. **2** 사물이 거침새 없이 자꾸 늘거나 줄거나 또는 줄기차게 자꾸 나아가는 모양. ¶쌀값이 ~ 올랐다 / 그 음식점은 사장이 바뀌더니 ~ 손님이 늘었다. **3** 매우 가까이 달라붙는 모양. ¶약속 날짜가 ~ 다가왔다. **4** 몹시 힘을 주거나 긴장하는 모양. ¶~ 긴장하는 표정이 역력했다. 작바짝. **부쩍-부쩍** 부
부:차 (副次) 명 이차(二次)1.
부:차-적 (副次的) 관명 주되거나 기본적인 것이 아니라 곁딸린 (것). ¶~인 문제.
부:착 (附着·付着) 명하자타 들러붙음. 또는 붙이거나 닮. ¶가슴에 이름표를 ~한 유치원생 / 계급장이 ~된 군복 / 상품에 가격표를 ~하다.
부창-부수 (夫唱婦隨) 명하자 남편이 주장하고 아내가 따르는 것이 부부 화합의 도리라는 뜻.
***부채** 명 손으로 흔들어 바람을 일으키는 간단한 기구. 선자(扇子). ¶~를 부치다.
부:채 (負債) 명하자 남에게 빚을 짐. 또는 그 진 빚. ¶~를 갚다 / 거듭되는 사업 실패로 ~를 지다.
부채-꼴 명 **1** 부채처럼 생긴 모양. 선상(扇狀). **2** 〔수〕 원의 두 반지름과 그 호(弧)로 둘러싼 부분의 형상. 선형(扇形).
부채-질 명하자 **1** 부채로 바람을 일으키는 짓. **2** 흥분된 감정·싸움 등을 더욱 부추기는 짓. ¶남의 싸움에 ~하다.
부채-춤 명 부채를 들고 추는 춤.
부챗-살 [-채쌀/-챗쌀] 명 부채의 뼈대를 이루는 여러 개의 대오리.
부처 명 〔불〕 **1** 불교의 교조인 석가모니. **2** 불도를 깨달은 성인. **3** 불상.
부처 (夫妻) 명 부부.
부처 (部處) 명 정부 조직체로서의 부와 처의 총칭. ¶정부의 각 ~.
부처-님 명 '부처'의 높임말. ¶~께 공양을 올리다.
[부처님 가운데 토막] 어질고 순한 사람의 비유.
부첩 (簿牒) 명 〔역〕 관아의 장부와 문서. 부적(簿籍).
부쳐-지내다 [-처-] 자 한집에서 기거하며 남에게 기대어 살아가다.
부:촌 (富村) 명 부자가 많은 마을. ↔빈촌.
부:추 명 〔식〕 백합과의 여러해살이풀. 봄에 작은 비늘줄기에서 가늘고 긴 잎이 모여남. 비늘의 약재로 쓰고 잎은 식용함. 구채(韭菜).
부:추기다 타 이리저리 들쑤셔 어떤 일을 하게 만들거나 감정·상황에 영향을 미치다. ¶싸움을 ~ / 시청률 경쟁을 ~ / 과소비를 ~.
부:축 명하타 '곁부축1'의 준말. ¶~해서

일으키다 / 아들 손에 ~을 받아 일어서다.
부츠 (boots) 명 목이 긴 구두. 장화(長靴).
부치다[1] 자 힘이 모자라다. ¶그에게는 힘에 부치는 일이라 걱정이다.
***부치다**[2] 타 **1** 편지·물건을 우편이나 사람을 통해 보내다. ¶짐을 ~. **2** 다른 곳 또는 다른 기회에 넘기어 맡기다. 회부(回附)하다. ¶안건을 회의에 ~ / 인쇄에 ~ / 표결에 ~. **3** 일을 어떤 상태로 돌리다. ¶불문(不問)에 ~ / 비밀에 ~. **4** 심정을 의탁하다. ¶시에 부쳐 읊은 노래. **5** 몸·식사를 어떤 곳에 의탁하다. ¶고모댁에 몸을 부치고 있다.
부치다[3] 타 논밭을 다루어 농사를 짓다. ¶얼마 안 되는 밭을 부쳐 먹고 산다.
부치다[4] 타 번철에 빈대떡·저냐 등을 익혀 만들다. ¶빈대떡을 부쳐 먹다.
부치다[5] 타 부채 따위를 흔들어서 바람을 일으키다. ¶부채를 ~.
부치이다 자 《'부치다[5]'의 피동》 바람에 부치어지다.
부:칙 (附則) 명 **1** 어떠한 규칙을 보충하기 위해 덧붙인 규칙. **2**〘법〙 법률·명령 등의 끝머리에 붙여서 경과 규정·시행 기일·구법의 폐지·세칙을 정하는 방법 등을 정해 놓은 것. ↔본칙.
***부친** (父親) 명 '아버지'의 높임말. ↔모친.
부친-상 (父親喪) 명 아버지의 상사(喪事). ↔모친상.
부침 명 부침개.
부침 (浮沈) 명하자 **1** 물 위에 떠올랐다 잠겼다 함. **2** 성(盛)함과 쇠(衰)함. 또는 시세의 변천을 가리키는 말. ¶~이 많은 인생.
부침-개 명 기름에 부쳐서 만드는 빈대떡·저냐·누름적 등의 총칭. 부침. 지짐이.
부케 (프 bouquet) 명 주로 결혼식에서 신부가 손에 드는 작은 꽃다발.
***부:탁** (付託) 명하타 어떤 일을 해 달라고 청하거나 맡김. 또는 그 일거리. ¶선생님에게 취직을 ~하다 / ~을 들어주다.
부탄 (butane) 명 〘화〙 탄소가 4개인 사슬 모양의 포화 탄화수소. 천연가스·석유에 들어 있는 무색의 기체이며 연료·화학 공업 원료로 씀.
부탄-가스 (butane gas) 명 〘화〙 부탄·부틸렌(butylene)의 혼합 가스. 가스라이터 등에 씀.
부터 조 어떤 일이나 상태 따위의 '시작'을 나타내는 보조사. ¶처음~ 끝까지 / 6시~ 공연이 시작된다 / 어려서~ 죽 이 집에 살고 있다.
부토 (敷土) 명하자 흙이나 모래를 펴서 까는 일. 또는 그 흙이나 모래.
부:-통령 (副統領)[-녕] 명 일부 대통령 중심제 국가에서 대통령 다음가는 직위.
부:-티 (富-) 명 부유하게 보이는 모습이나 태도. ¶~가 나다 / ~가 흐르다.
부팅 (booting) 명 〘컴〙 컴퓨터를 시동하거나 재시동하는 작업.
부:판 (剖判) 명하자타 둘로 갈라 나눔. 또는 둘로 갈려 나누어짐.
부:패 (腐敗) 명하자 **1**〘화〙 부패균에 의해 단백질 및 유기물이 유독한 물질과 악취를 발생하게 되는 변화. ¶~된 음식. **2** 정치·사상·의식 등이 타락함. ¶~한 정치가 / ~를 일소하다.
부:패-균 (腐敗菌) 명 〘식〙 단백질 기타의 질소를 함유한 유기물을 부패시키는 세균.
부:패-상 (腐敗相) 명 정치·사상·의식 따위가 타락한 양상. ¶사회의 ~을 파헤치다.
부평-초 (浮萍草) 명 **1**〘식〙 개구리밥. **2** 정처 없이 떠돌아다니는 신세의 비유.
부:표 (附票·付票) 명하자 **1** 쪽지를 붙임. **2** 찌지.
부:표 (否票) 명 회의에서 가부를 표결할 때 반대의 뜻을 나타내는 표. ¶~를 던지다. ↔가표(可票).
부:표 (附表) 명 부록으로 덧붙인 도표.
부표 (浮漂) 명하자 물 위에 떠서 이리저리 떠돌아다님.
부표 (浮標) 명 물 위에 띄워 어떤 표적을 삼는 물건. 부이(buoy).
부:-표제 (副標題) 명 부제(副題).
부푸러기 명 부풀의 낱개. 작보푸라기.
부풀 명 종이·피륙 따위의 거죽에서 일어나는 가는 털. 작보풀.
부풀다 〔부푸니, 부푸오〕 자 **1** 종이·피륙 등의 거죽에 잔털이 일어나다. 작보풀다. **2** 살가죽이 붓거나 부르터 오르다. ¶산모의 젖이 ~. **3** 희망·기대 따위로 마음이 벅차게 되다. ¶희망에 부푼 가슴. **4** 물체가 늘어나면서 부피가 커지다. ¶빵 반죽이 잘 부풀었다. **5** 어떤 일이 사실과 다르게 과장되다. ¶소문이 눈덩이처럼 부풀어 어떻게 감당할 수도 없게 되었다.
부풀리다 타 《'부풀다'의 사동》 부풀게 하다. ¶빵을 ~ / 의혹을 ~. 작보풀리다.
부품 (部品) 명 부분품. ¶자동차 ~ 공장.
부프다 〔부프니, 부퍼〕 형 **1** 물건의 부피는 크나 무게는 가볍다. **2** 성질이 부드럽지 못하고 급하다.
부픈-짐 명 무게는 나가지 않고 부피만 큰 짐. ↔몽근짐.
***부피** 명 **1** 물건이 차지하고 있는 공간 부분의 크기. ¶~를 재다 / ~가 큰 짐은 줄이도록 권유하다. **2**〘수〙 입체(立體)가 차지한 공간 부분의 크기. 입체의 크기. 용적. 체적.
부:하 (負荷) 명하자타 **1** 짐을 짐. 또는 그 짐. **2** 일을 맡김. **3**〘물〙 원동기(原動機)에서 생기는 에너지를 소비하는 것《발전기에 대한 전등 따위》. ¶~가 걸리다 / ~를 받다 / ~를 걸다.
부하 (部下) 명 남의 밑에 딸리어 그의 명령에 따라 움직이는 사람. ¶~ 직원. ↔상관(上官).
부:-하다 (富-) 형여불 **1** 살이 쪄서 몸이 뚱뚱하다. ¶몸이 ~. **2** 살림이 넉넉하다.
부:합 (附合) 명하타 서로 맞대어 붙임.
부:합 (符合) 명하자 사물이나 현상이 서로 꼭 들어맞음. 계합(契合). ¶민주주의와 ~되는 제도 / 이론이 실제와 ~되다.
부:항 (附缸) 명 **1** 고름·부스럼의 피 등을 빨아내려고 부항단지를 붙이는 일. ¶~을 뜨다 / ~을 붙이다. **2** '부항단지'의 준말.
부:항-단지 (附缸-)[-딴-] 명 부항(附缸)을 붙이는 데 쓰는 자그마한 단지. 준부항.
부허-하다 (浮虛-) 형여불 마음이 들떠서

미덥지 못하다. ¶부허한 사람.

부형 (父兄) [명] **1** 아버지와 형. ↔자모(姉母). *모자(母姉). **2** 학부형.

부:호 (符號) [명] **1** 어떤 뜻을 나타내는 기호. ¶문장 ~/~를 정하다. **2** 〖수〗 음수 또는 양수임을 나타내는 기호. 곧, '+'·'−'.

부:호 (富豪) [명] 재산이 넉넉하고 세력 있는 사람. ¶~들이 많이 사는 동네.

부화 (孵化) [명][하자타] 동물의 알이 까짐. 또는 까지게 함. ¶인공 ~/갓 ~된 병아리.

부:화-뇌동 (附和雷同) [명][하자] 일정한 주견이 없이 남의 의견에 따라 같이 행동함. 뇌동부화. ¶~하는 무리.

부:활 (復活) [명][하자] **1** 죽었다가 다시 되살아남. 소생(蘇生). ¶예수의 ~. **2** 일단 폐지했다가 다시 씀. ¶지방 자치 제도가 ~되다/사라져 가는 민속 공예를 ~시키다.

부:활-절 (復活節)[-쩔] [명] 〖기〗 예수의 부활을 기념하는 날《춘분이 지난 후 첫 만월(滿月) 다음의 일요일》.

부황 (浮黃) [명] 오래 굶어 살가죽이 들떠서 붓고 누렇게 되는 병. 부황병. ¶먹지 못해 ~이 나다/누렇게 ~이 들다.

부:회 (附會·傅會) [명][하타] 견강(牽強)부회.

부:흥 (復興) [명][하자타] 쇠퇴하던 것이 다시 일어남. 또는 일어나게 함. ¶문예 ~/경제가 ~되다/농어촌을 ~시키다.

부:흥-회 (復興會) [명] 〖기〗 교인들의 믿음을 굳게 하여 회개하게 하려고 특별히 모이는 기도회.

북[1] [명] **1** 베틀에 딸린 기구의 하나《날의 틈으로 왔다 갔다 하면서 씨실을 풀어 주며 피륙을 짬》. 방추(紡錘). **2** 재봉틀의 부속품《밑실을 감은 실톳을 넣어 두는 틀》.

북[1]1

***북**[2] [명] 〖악〗 타악기의 하나《둥근 나무 통의 양쪽 마구리에 가죽을 팽팽하게 씌우고, 채로 두드려서 소리를 냄》. 태고(太鼓). 고(鼓). ¶~을 울리다.
[북은 칠수록 소리가 난다] ㉠못된 일은 건드릴수록 악화된다. ㉡못된 상대자하고는 다툴수록 손해가 커진다.
북을 메우다 [구] 북통에 가죽을 씌워 북을 만들다.

북[3] [명] 식물의 뿌리를 싸고 있는 흙.
북(을) 주다 [구] 흙을 긁어 올려 식물의 뿌리를 덮어 주다.

***북** (北) [명] 북쪽. ↔남.

북[4] [부] **1** 부드럽고 무른 물건을 세게 갈거나 긁는 소리. **2** 두툼하고 무른 물건을 대번에 찢는 소리.

북관 (北關) [명] 함경남북도 지방의 딴 이름. 북도(北道).

북구 (北歐) [명] 〖지〗 '북구라파'의 준말.

북-구라파 (北歐羅巴) [명] 북유럽. [준]북구.

북국 (北國) [명] 북쪽의 추운 나라. ↔남국.

북군 (北軍) [명] **1** 북쪽 군대. **2** 〖역〗 미국의 남북 전쟁 때 북부의 군대. ↔남군.

북극 (北極) [명] **1** 북쪽 끝. 북쪽 끝의 지방. **2** 〖지〗 지축의 북쪽 끝의 연장선이 천구(天球)와 교차되는 점. **3** 〖물〗 자석(磁石)이 북쪽을 가리키는 끝. 엔 극(N極). 자기(磁氣) 북극. ↔남극(南極).

북극-곰 (北極-) [명] 〖동〗 흰곰.

북극-권 (北極圈) [명] 〖지〗 북위 66° 33′ 의 지점을 연결하는 선. 또는 그 선 이북의 지방. ↔남극권.

북극-성 (北極星) [명] 〖천〗 작은곰자리에서 가장 밝은 별《위치가 거의 변하지 않기 때문에 밤에 북쪽 방위나 위도의 지침이 됨. 거리는 약 400광년》. 북신(北辰).

북극-해 (北極海)[-끄캐] [명] 〖지〗 북극권 안에 들어 있는 해양(海洋). 곧, 아시아·유럽·북아메리카 대륙에 둘러싸인 바다. 구칭: 북빙양(北氷洋).

북-녘 (北-)[붕녁] [명] 북쪽 방면. ¶~ 하늘/~ 동포들. ↔남녘.

북단 (北端) [명] 북쪽 끝. ¶한강 대교 ~.

북데기 [명] 짚·풀·잡물 등이 뒤섞여서 엉클어진 뭉텅이.

북도 (北道) [명] **1** 경기도 북쪽에 있는 도《황해도·평안도·함경도》. ¶~ 사람. **2** 북관(北關). ↔남도.

북-돋다 [타] '북돋우다'의 준말. ¶흥을 ~/사기를 북돋아 주다.

***북-돋우다** [타] 기운·정신 등을 더욱 높여 주다. ¶용기를 북돋우어 주다/우리 팀의 사기를 ~.

북동 (北東) [명] 북동쪽.

북동-쪽 (北東-) [명] 북쪽과 동쪽의 사이.

북동-풍 (北東風) [명] 북동쪽에서 남서쪽으로 부는 바람. 동북풍.

북두 [명] 마소의 등에 실린 짐과 배를 얽어매는 줄.

북두 (北斗) [명] 〖천〗 '북두칠성'의 준말.

북두-성 (北斗星) [명] 〖천〗 '북두칠성'의 준말.

북두-칠성 (北斗七星)[-썽] [명] 〖천〗 큰곰자리에서 가장 뚜렷하게 보이는 국자 모양의 일곱 별. [준]북두·북두성·칠성.
[북두칠성이 앵돌아졌다] 일이 그릇되거나 틀어졌다.

북로 (北路)[붕노] [명] **1** 예전에, 서울서 함경도로 통하던 길. **2** 북쪽으로 가는 길.

북망-산 (北邙山)[붕-] [명] 무덤이 많은 곳이나 사람이 죽어서 묻히는 곳을 일컬음. 북망산천. ¶~으로 가다/~에 묻히다.

북망-산천 (北邙山川)[붕-] [명] 북망산.

북면 (北面)[붕-] [명][하자] **1** 북쪽에 있는 면. **2** 북쪽을 향함. **3** 임금은 남면해 앉으므로, 신하로서 임금을 섬김을 이름.

북문 (北門)[붕-] [명] **1** 북쪽으로 낸 큰 문. **2** 성곽의 북쪽에 있는 문.

북미 (北美)[붕-] [명] 〖지〗 북아메리카.

북-바늘 [명] 베틀의 북 속에 실꾸리를 넣은 뒤, 그것이 솟아 나오지 못하도록 끼워 누르는 대오리.

북-반구 (北半球) [명] 지구를 적도에서 남북으로 나눈 북쪽. ↔남반구.

북-받자 [명] 곡식 등을 말로 수북이 되어 받아들이는 일.

북-받치다 [자] 어떤 감정이 세차게 치밀어 오르다. ¶북받치는 눈물/북받치는 설움/울분이 북받쳐 오르다. [작]복받치다.

북방 (北方) [명] **1** 북쪽. **2** 북쪽 지방. ¶~ 민

족. ↔남방.
북벌 (北伐) 명하자 무력으로 북쪽 지방을 정벌함.
북변 (北邊) 명 북쪽 변방.
북부 (北部) 명 **1** 북쪽의 부분. ¶ ~ 지방. **2** 〖역〗 조선 때, 서울 안의 구역을 다섯으로 나눈 오부(五部)의 하나. 또는 그 구역을 관할하던 관아.
북-북 부 **1** 부드럽고 무른 물건의 면을 계속 세게 갈거나 긁는 소리. ¶등을 ~ 긁다. **2** 무르고 두툼한 물건을 자꾸 찢는 소리. ¶보고 난 신문지를 ~ 찢다.
북-북동 (北北東) 명 북쪽과 북동쪽과의 중간 방위. ¶기수(機首)를 ~으로 돌려라.
북-북서 (北北西) 명 북쪽과 북서쪽의 중간 방위. ¶여객선이 ~로 항해하고 있다.
북상 (北上) 명하자 북쪽을 향하여 올라감. ¶장마 전선이 ~하다. ↔남하.
북-상투 명 **1** 아무렇게나 막 끌어 올려 튼 상투. **2** 아무렇게나 끌어 올려 뭉쳐 놓은 여자 머리.
북새 명 여러 사람이 한곳에 모여 야단스럽게 법석이는 일. ¶한바탕 ~를 떨다 / ~를 부리다 / ~를 치르다.
북새(를) 놀다 구 북새(를) 놓다.
북새(를) 놓다 구 여러 사람이 부산하게 법석이다. ¶동네 꼬마들이 놀러 와서 ~.
북새-질 명하자 북새를 놓는 일. ¶아이들이 야단스럽게 ~을 놓다 / ~을 치다.
북새-통 명 북새를 놓는 상황. ¶애들의 ~에 잠을 잘 수가 없다 / 벌써 경기장에는 수많은 인파로 ~을 이뤘다.
북새-판 명 여러 사람이 북새를 놓는 자리. ¶ ~을 이루다 / ~을 벌이다.
북서 (北西) 명 북서쪽.
북서-쪽 (北西-) 명 북쪽을 기준으로 북쪽과 서쪽 사이의 방위. 서북.
북서-풍 (北西風) 명 북서쪽에서 남동쪽으로 부는 바람.
북-소리 명 북을 칠 때 나는 소리. 고성(鼓聲). ¶ ~가 둥둥 울리다.
북송 (北送) 명하타 사람·물건 따위를 북쪽으로 보냄.
북숭이 명 **1** 부기. **2** '털북숭이'의 준말.
북슬-북슬 부하형 살이 찌고 털이 탐스럽게 많이 난 모양. ¶흰 털이 ~한 강아지. 작 복슬복슬.
북-아메리카 (北America) 명 아메리카 대륙의 북부. 북미(北美).
북안 (北岸) 명 북쪽 해안이나 강안(江岸).
북양 (北洋) 명 북쪽 바다. 북해(北海).
북어 (北魚) 명 말린 명태. 건명태.
[북어 뜯고 손가락 빤다] 허위·과장을 나타낸다는 말.
북어 껍질 오그라들 듯 구 재산 같은 것이 점점 줄어드는 모양.
북어-쾌 (北魚-) 명 북어 스무 마리를 한 줄에 꿴 것.
북엇-국 (北魚-)[-어꾹 / -얻꾹] 명 북어를 잘게 찢어 참기름·간장으로 양념하여, 파를 썰어 넣고 달걀을 풀어 끓인 장국. 북어탕(北魚湯).
북위 (北緯) 명 적도 이북의 위도. ↔남위.
북-유럽 (北Europe) 명 〖지〗 유럽 북쪽에 있는 아이슬란드·덴마크·노르웨이·스웨덴·핀란드 등의 나라. 북구(北歐).
북인 (北人) 명 〖역〗 조선 때, 붕당의 하나. 동인에서 갈라진 남인에 상대하여, 이산해(李山海)·남이공(南以恭) 등을 중심으로 형성된 당파.
북-장지 (-障-) 명 〖건〗 앞뒤를 모두 종이로 바른 장지문.
북적 (北狄) 명 〖역〗 고대 중국에서 북쪽 지역에 사는 족속들을 멸시하여 일컫던 말. *남만(南蠻)·동이·서융.
북적-거리다 자 **1** 많은 사람이 모여 수선스럽게 자꾸 뒤끓다. ¶새벽부터 역 광장에는 여행객들로 북적거렸다. **2** 술·식혜 등이 괴어 자꾸 끓어오르다. 작복작거리다. **북적-북적** 부하자
북적-대다 자 북적거리다.
북종-화 (北宗畫) 명 〖미술〗 당(唐)나라의 이사훈(李思訓)을 시조로 송(宋)나라 때 전성기를 이룬 그림의 한 파(《물체의 표현과 색채의 선명을 주로 함》). ↔남종화.
북-주기 명하타 식물의 뿌리를 흙으로 두두룩하게 덮어 주는 일.
북진 (北進) 명하자 북쪽으로 전진하여 나아감. ↔남진.
***북-쪽** (北-) 명 네 방위의 하나로 북극을 가리키는 쪽. ↔남쪽.
북창 (北窓) 명 북쪽으로 낸 창. ↔남창.
북-채 명 북을 치는 조그만 방망이.
북천 (北天) 명 북쪽 하늘. ↔남천(南天).
북촌 (北村) 명 **1** 북쪽에 있는 마을. **2** 조선 때, 서울 안의 북쪽에 치우쳐 있는 동네들의 총칭. ↔남촌.
북-춤 명 북을 두드리며 추는 고전 무용.
북측 (北側) 명 북쪽. 북편. ¶ ~ 대표 / ~ 인사. ↔남측.
북침 (北侵) 명하자 남쪽에서 북쪽으로 쳐들어감.
북-통 (-筒) 명 북의 몸이 되는 둥근 나무통. ¶마치 ~ 같은 임산부의 배.
북-편 (-便) 명 장구에서, 손으로 쳐서 소리를 내는 편. 고면(鼓面). ↔채편.
북-편 (北便) 명 북쪽을 향한 편.
북풍 (北風) 명 북쪽에서 불어오는 바람. 뒤바람. ¶ ~이 세차게 분다. ↔남풍.
북풍-받이 (北風-)[-바지] 명 북풍을 마주 받는 곳.
북학-론 (北學論)[부캉논] 명 조선 영조·정조 때, 실학자들이 청(淸)나라의 앞선 문물 제도 및 생활양식을 본받아 나라 살림을 개량하고자 한 주장.
북한 (北韓)[부칸] 명 남북으로 분단된 대한민국의 휴전선 북쪽 지역을 일컫는 말. ↔남한.
북해 (北海)[부캐] 명 〖지〗 **1** 북쪽의 바다. 북양(北洋). ↔남해. **2** 스칸디나비아 반도 남부와 영국에 둘러싸인 바다. ¶ ~ 유전.
북행 (北行)[부캥] 명하자 북쪽으로 향해 감.
북향 (北向)[부캉] 명하자 북쪽을 향함. 또는 그 방향. ¶창을 ~으로 내다.
북-회귀선 (北回歸線)[부쾨-] 명 〖지〗 북위 23° 27′의 위도를 연결한 선(《춘분에 적도에 있던 해가 점점 북쪽으로 올라가 하지에 이 선 바로 위를 지나며, 그 후 다시 남쪽

되어 나온 물질《침·땀·젖 따위》.
분비-샘 (分泌-) 명 〖생〗 분비물을 배출하는 기관. 분비선.
분비-선 (分泌腺) 명 분비샘.
분비-액 (分泌液) 명 〖생〗 분비샘에서 분비되어 나오는 액체.
분사 (分詞) 명 〖언〗 인도유럽 어족 여러 나라 말의 동사 어형 변화의 하나《동사의 형용사적 형태》.
분사 (焚死) 명하자 타 죽음. 소사(燒死).
분:사 (憤死) 명하자 분에 못 이겨 죽음.
분:사 (噴射) 명하타 액체나 기체 따위가 세차게 내뿜음. ¶노즐에서 ~되는 연료.
분산 (分散) 명하자타 **1** 갈라져서 이리저리 흩어짐. 또는 그렇게 되게 함. ¶빛이 ~하다 / 소도시로 인구가 ~되다 / 투자를 분기별로 ~시키다. ↔집중. **2** 〖물〗 빛이 프리즘을 통과할 때 굴절률이 다르기 때문에 각각의 색의 띠로 갈라지는 현상. **3** 〖수〗 통계 값과 평균값의 차이인 편차를 제곱하여 얻은 값들의 산술 평균.
분산 (奔散) 명하자 달아나 뿔뿔이 흩어짐.
분산-적 (分散的) 관명 갈라져 흩어져있는 (것). ¶~ 자금 운영.
분살 (焚殺) 명하타 불에 태워 죽임.
분서 (焚書) 명 책을 불살라 버리는 일. 흔히 지식인이나 학문의 탄압 수단으로 행함.
분서-갱유 (焚書坑儒) 명 〖역〗 중국의 진시황이 민간의 서적을 불사르고 수많은 유생을 구덩이에 묻어 죽인 일. 갱유분서.
분석 (分析) 명하타 **1** 얽혀 있거나 복잡한 것을 풀어 그 요소나 성분·측면 등을 확실히 밝힘. ¶전쟁의 발생 과정이 단계별로 ~되었다. ↔종합. **2** 〖화〗 물질에 포함되어 있는 화합물·원자·분자 따위를 화학적 방법으로 알아내는 일. 또는 그런 조작. ¶광물 시료(試料)의 성분 ~. ↔합성. **3** 〖철〗 개념을 각개의 속성으로 나누어 그 의미와 구성을 명확하게 함. ↔종합.
분석-력 (分析力)[-성녁] 명 사물의 현상을 정확히 분석할 수 있는 능력.
분석-적 (分析的) 관명 어떤 사물을 여러 요소나 성질로 자세히 나누는 (것). ¶~으로 연구하다.
분설 (分設) 명하타 주체가 되는 설비에서 따로 나누어 설치함.
분소 (分所) 명 본부에서 갈라 따로 설치한 사무소나 영업소. ¶~ 근무.
분속 (分速) 명 1분간을 단위로 잰 속도.
분쇄 (粉碎) 명하타 **1** 가루처럼 잘게 부스러뜨림. ¶~된 광석. **2** 상대편을 철저하게 쳐부숨. ¶포위망을 ~하다 / 적군은 포격으로 여지없이 ~되었다.
분쇄-기 (粉碎機) 명 광석·암석 따위의 고체를 알맞은 크기로 부스러뜨리는 기계.
분수 (分水) 명 흐르는 물을 몇 갈래로 나눔. 줄기에서 갈라져 흐르는 물. ¶두 갈래로 ~되어 흐르는 강물.
분:수[1] (分數) 명 **1** 사물을 분별하는 슬기. **2** 자기 처지에 맞는 한도. ¶~를 알다 / ~에 넘치는 사치 / ~에 맞게 생활하다. **3** 각자가 이를 수 있는 한계. ¶농담도 ~가 있다.
***분수**[2] (分數)[-쑤] 명 〖수〗 어떤 정수를 0이 아닌 다른 정수로 나눈 결과를 가로줄을 그어 나타낸 수.
분:수 (噴水) 명 좁은 구멍을 통하여 물을 뿜어내는 설비. 또는 그 물.
분:수-계 (分水界)[-/-게] 명 〖지〗 한 근원의 물이 두 갈래 이상으로 갈라져 흐르는 경계. 분수선.
분:수-대 (噴水臺) 명 공원이나 광장 등에 경관(景觀)을 좋게 하기 위해 물을 뿜어 올리게 마련해 놓은 시설.
분수-령 (分水嶺) 명 **1** 〖지〗 분수계가 되어 있는 산 또는 산맥. 분수 산맥(山脈). **2** 어떤 일이 결정되는 중요한 고비나 발전의 전환점.
분:수-없다 (分數-)[-업따] 형 **1** 사물을 분별할 지혜가 없다. ¶그는 아무 일에나 끼어들어 ~는 말을 듣는다. **2** 자기 신분에 맞지 아니하다. **분:수-없이** [-업씨] 부. ¶~설치다.
분승 (分乘) 명하자 같은 일행이 둘 이상의 탈것에 나누어 탐. ¶세 대의 차에 ~하다 / 관광객을 두 대의 버스에 ~시키다.
분식 (分食) 명하타 **1** 나누어 먹음. **2** 나누어 가짐. ↔독식(獨食).
분식 (粉食) 명하자 (밀가루 등의) 가루음식. 또는 가루음식을 먹음. ¶~ 장려.
분식 (粉飾) 명하타 남에게 잘 보이기 위하여 겉모양을 꾸밈. ¶~된 결과 보고.
분식-점 (粉食店) 명 분식집.
분식-집 (粉食-) 명 국수류·빵·만두 등의 간단하게 먹을 수 있는 음식을 파는 식당.
분신 (分身) 명 **1** 〖불〗 부처가 중생을 제도하기 위해 여러 가지 모습으로 나타내는 몸. **2** 한 주체에서 갈라져 나온 것.
분신 (焚身) 명하자 자기 몸을 스스로 불사름.
분실 (分室) 명 한 기관의 본사무소 외에 따로 설치한 작은 기관.
분실 (紛失) 명하타 물건 따위를 잃어버림. ¶~신고 / ~된 문화재. ↔습득.
분실-물 (紛失物) 명 자기도 모르는 사이에 잃어버린 물건. ¶지하철 ~ 센터 / ~을 습득하다.
분야 (分野) 명 여러 갈래로 나눈 각각의 범위. ¶자연 과학 ~ / 경제 ~의 권위자.
분양 (分讓) 명하타 **1** 큰 덩이를 갈라서 나누어 줌. ¶그는 평소 아끼던 묘목 몇 그루를 원하는 사람들에게 ~하였다. **2** 땅이나 건물 따위를 나누어 팖. ¶주택 ~ 광고 / 위치가 좋은 아파트는 모두 ~되었다.
분양-가 (分讓價)[-까] 명 땅·건물을 나누어 받고 내는 값. ¶~가 오르다.
분업 (分業) 명하타 **1** 일을 나누어서 함. **2** 작업의 모든 과정을 한 사람이 하지 않고 부분과 단계로 나누어 여러 사람이 분담하여 일을 완성시키는 노동 형태. ¶~으로 능률을 올리다.
분업-화 (分業化)[-어퐈] 명하자타 분업 형태로 됨. 또는 그렇게 되게 함. ¶~된 자동차 산업.
분:연 (奮然) 부하형히부 떨쳐 일어서는 기운이 세찬 모양. ¶청년들이 ~히 떨쳐 일어나다.
분:연-하다 (憤然-) 형여불 벌컥 성을 내면서 분해하고 있다. **분:연-히** 부
분열 (分列) 명하자타 각각 갈라져서 늘어섬.

또는 그렇게 함. ¶~ 행진.
분열(分裂) 명하자 **1** 찢어져 갈라짐. **2** 어떤 단체·집단이 여러 파로 갈라짐. ¶당이 ~하다/여론이 두 갈래로 ~되다. **3**〔물〕원자핵이 다량의 방사능과 열을 방출하면서 쪼개짐. **4**〔생〕하나의 세포나 개체가 둘 이상으로 나뉘어 번식함《세포 분열 등》.
분열-상(分裂相)[-쌍] 명 집단·단체·사상이 갈라져 나뉘는 양상.
분열-식(分列式) 명 의례적(儀禮的) 행진의 하나. 부대나 차량 따위가 대형을 갖추어 사열단 앞을 행진하면서 경례하는 의식.
분열-증(分裂症)[-쯩] 명 정신 분열증.
분원(分院) 명 병원·학원 따위의 본원에서 따로 나누어 설치한 기관.
분:원(忿怨) 명하타 몹시 분하여 원망함. 또는 그 원망.
분위기(雰圍氣) 명 **1** 대기(大氣). **2** 어떤 장소나 회합에 감도는 기분. ¶직장의 ~가 좋다. **3** 주위의 여건이나 환경. ¶해방 후의 들뜬 ~. **4** 사람이나 사물의 독특한 느낌. ¶그의 지적인 ~.
분위기 있다 구 그윽하거나 멋있는 기운이 감돌다. ¶분위기 있는 카페.
분유(粉乳) 명 가루우유. ¶물에 ~를 타다.
분음(分陰) 명 촌음(寸陰)보다 짧은 시간.
분의(紛議)[-/-이] 명 분분한 의론. ¶~가 끊이지 않다.
분익(分益) 명하자 이익을 나눔.
분임(分任) 명하타 임무를 나누어 맡음.
분임-조(分任組) 명 임무를 분담하기 위하여 구성된 작은 조직.
*__분자__(分子) 명 **1**〔수〕분수의 가로줄 위에 기록되어 있는 수나 식. ↔분모. **2**〔화〕몇 개의 원자가 모여 된, 독립성을 가진 화학 물질의 최소 입자. **3** 한 단체를 이루는 하나하나의 구성원. ¶반동 ~/이색 ~.
분자-량(分子量) 명〔화〕탄소 분자의 질량(質量)을 12로 정했을 때의 각종 분자의 상대적인 질량.
분자-설(分子說) 명〔화〕물질은 분자가 모여 이루어졌다고 한, 물질 구성에 관한 아보가드로(Avogadro, A.)의 가설.
분자-식(分子式) 명〔화〕원소 기호를 사용하여 물질의 분자 조성(組成)을 나타내는 식《물의 분자식은 H_2O 따위》.
분작(分作) 명하타 한 뙈기의 논밭을 나누어 농사를 지음.
분잡(紛雜) 명하형히부 많은 사람이 북적거려 어수선함. ¶~한 거리/~을 피우다.
분장(分掌) 명하타 사무를 나누어 처리함. ¶업무 ~.
분장(扮裝) 명하자 배우가 출연 작품 중의 어느 인물로 꾸밈. 또는 그런 차림새. ¶햄릿으로 ~하다. ㊀분(扮).
분장-사(扮裝師) 명 영화나 연극 또는 텔레비전에서 배우들의 분장을 전문으로 맡아 하는 사람.
분장-실(扮裝室) 명 극장 등에서 배우가 분장을 할 수 있도록 여러 가지 물품을 갖추어 놓은 방.
분재(盆栽) 명하타 화초나 나무 등을 화분에 심어 가꿈. 또는 그런 화초나 나무.
분:쟁(忿爭) 명하자 성이 나서 다툼.
분쟁(紛爭) 명하자 말썽을 일으켜 시끄럽고 복잡하게 다툼. 분경(紛競). ¶국제 ~을 일으키다.
분:전(奮戰) 명하자 온 힘을 다해 싸움.
분절(分節) 명하타 사물을 마디로 가름. 또는 그렇게 나눈 마디. ¶음절은 자음과 모음으로 ~된다.
분절 운:동(分節運動)〔생〕포유류의 소장(小腸)에 나타나는 소화 운동의 하나. 일정한 간격을 두고 수축과 이완(弛緩)이 교대로 나타나 분절을 형성하는 것을 되풀이하여 음식물과 소화액의 혼합이 잘 진행됨.
분절-음(分節音) 명〔언〕음절을 자음이나 모음으로 분리할 수 있는 음《'달'은 'ㄷ, ㅏ, ㄹ'로 나눌 수 있음》.
분점(分店) 명 본점이나 지점에서 갈라 따로 세운 점포. ¶~을 내다.
분점(分點)[-쩜] 명〔천〕태양이 적도를 통과하는 점. 곧, 천구상의 황도와 적도의 교차점으로, 춘분점과 추분점이 있음.
분제(粉劑) 명 가루로 된 약제. 가루약. * 정제·액제.
분주-스럽다(奔走-)〔-스러우니, -스러워〕형ㅂ불 분주한 듯하다. **분주-스레** 부
분주-하다(奔走-) 자형여불 몹시 바쁘게 뛰어다니다. 또는 몹시 바쁘고 수선스럽다. ¶연말에는 많은 사람들이 분주한 나날을 보낸다. **분주-히** 부. ¶~ 돌아다니다.
분지(分枝) 명 원래의 줄기에서 갈라져 나간 가지.
분지(盆地) 명〔지〕산지나 대지(臺地)로 둘러 싸인 평평한 지역.
-분지(分之) 미 무엇을 몇으로 나눈 얼마라고 할 때, 몇이라는 한자어 수사 뒤에 붙는 말. ¶십~ 칠.
분지르다〔분지르니, 분질러〕타르불 부러뜨리다. ¶가지를 ~.
분진(粉塵) 명 **1** 티끌. ¶유해 물질과 ~으로 인한 대기 오염. **2** 아주 작은 것의 비유.
분책(分冊) 명하타 하나의 책을 여러 권으로 나누어서 제본함. 또는 그렇게 만든 책. ¶두툼한 책을 두 권으로 ~하다.
분:천(噴泉) 명 힘차게 솟아오르는 샘.
분철(分綴) 명하타 **1** 한 가지 문서나 신문 따위를 여러 부분으로 나누어 철함. **2**〔언〕낱말을 음절이나 성분 단위로 가르는 일. ¶~ 기호/~된 표제어.
분첩(分貼) 명하타 약재를 나누어 첩약을 만듦. 또는 그 첩약.
분첩(粉貼) 명 **1** 분을 묻혀 바를 때 쓰는 화장 도구. 퍼프(puff). **2** 두꺼운 종이를 병풍(屛風) 모양으로 접고 분을 기름에 개어 발라 결은 물건《아이들의 글씨 연습에 씀》.
분청-사기(粉靑沙器) 명 고려청자의 뒤를 이은 조선 때의 자기. 회청색 내지 회황색을 띰.
분초(分秒) 명 **1** 시간의 단위인 분과 초. **2** 매우 짧은 시간. ¶~를 아껴 공부하다.
분초를 다투다 구 ㉠매우 짧은 시간을 아껴 급하게 서두르다. ㉡매우 급하다.
분:촌(分寸) 명 일 분 일 촌이라는 뜻으로, 아주 적음의 비유. ¶~을 다투는 일이라 서둘러야 한다.
분:출(噴出) 명하자타 **1** 액체나 기체가 뿜

어 나옴. 또는 그렇게 되게 함. ¶석유가 ~되다. 2 요구나 욕구가 터져 나옴. 또는 그렇게 되게 함. ¶욕구 불만이 ~되다.
분:출-구 (噴出口) 명 분출하는 구멍.
분칠 (粉漆) 명하자타 1 종이나 널빤지에 분을 바름. 2 얼굴에 분을 바름을 낮잡아 일컫는 말.
분침 (分針) 명 시계의 분을 가리키는 바늘.
분칭 (分秤) 명 한 푼쭝에서 스무 냥쭝까지 다는 조그마한 저울.
분탄 (粉炭) 명 잘게 부스러져 가루가 된 숯이나 석탄.
분탕 (焚蕩) 명하자타 1 집안 재산을 죄다 없애 버림. 2 아주 야단스럽고 부산하게 소동을 일으킴. 3 남의 물건 따위를 약탈 또는 노략질함의 비유. ¶~과 약탈을 일삼다.
분탕-질 (焚蕩-) 명하자타 분탕하는 짓.
분토 (墳土) 명 무덤의 흙.
분토 (糞土) 명 1 썩은 흙. 2 똥을 섞은 흙.
분통 (粉桶) 명 분을 담는 통.
분:통 (憤痛) 명하형 몹시 분개하여 마음이 쓰리고 아픔. 또는 그런 마음. ¶~이 터질 노릇 / ~을 삭이다.
분통-같다 (粉桶-)[-갇따] 형 도배를 새로 하여 방이 아주 깨끗하다. **분통-같이** [-가치] 부
분:투 (奮鬪) 명하자 있는 힘을 다해 싸우거나 노력함. ¶선수들의 ~하는 모습에 응원의 열기도 더해갔다.
분파 (分派) 명하자 1 여러 갈래로 나뉘어 갈라짐. 또는 그렇게 나뉜 갈래. ¶~ 행동. 2 정당 따위의 주류에서 갈라져 나와 한 파를 이룸. 또는 그렇게 이룬 파.
분파-주의 (分派主義)[-/-이] 명 한 조직체 안의 한 파가 자파의 주장만을 고집하고, 남을 배척하는 태도. 섹트주의.
분:패 (憤敗) 명하자 경기나 싸움에서 이길 수 있는 것을 분하게 짐. ¶~한 것이 못내 아쉽다.
분포 (分布) 명하자 1 여러 곳에 널리 퍼져 있음. ¶철광 자원의 ~ 상태. 2〔생〕동식물의 지리적인 생육 범위. ¶전국에 ~된 식물군.
분포-도 (分布圖) 명 분포 상태를 나타내는 도표나 지도. ¶인구 ~를 작성하다.
분:-풀이 (憤-) 명하자 분하고 원통한 마음을 풀어 버리는 일. 설분(雪憤). ¶애꿎은 엄마에게 ~하다.
분필 (粉筆) 명 칠판에 글씨를 쓰는 필기구. 백묵.
분필 가루를 먹다 구 〈속〉 가르치는 일을 직업으로 하다.
분-하다 (扮-) 자여불 '분장(扮裝)하다'의 준말.
분:-하다 (憤-·忿-) 형여불 1 억울하고 원통하다. ¶분한 마음을 스스로 달래다. 2 섭섭하고 아깝다. **분:-히** 부
분할 (分割) 명하타 나누어 쪼갬. ¶남북으로 ~된 국토.
분할 (分轄) 명하타 나누어 관할함. 분관(分管). ¶강대국에 의해 ~된 국가.
분할 상속 (分割相續)〔법〕한 재산을 여러 상속인이 나누어 상속함.
분할 상환 (分割償還) 몇 번으로 나누어 갚는 일. ¶~을 하다.
분합 (分合) 명하자타 나뉘었다 모였다 함. 또는 나누었다 모았다 함. ¶정당들이 ~을 거듭하다.
분해 (分解) 명하자타 1 여러 부분이 결합하여 이루어진 사물을 그 낱낱으로 나눔. ¶몇몇 부품으로 ~된 기계 / 시계를 ~하다. 2〔화〕한 화합물이 두 가지 이상의 물질로 나뉨. ↔화합. 3〔물〕한 합성물이 그 구성 요소로 나뉨. 또는 그렇게 나눔. ↔합성.
분향 (焚香) 명하자 제사나 예불 의식에서, 향을 피움. 소향(燒香). ¶불전에 ~하다.
분호 (分毫) 명 썩 적은 것의 비유. 추호.
분:홍 (粉紅) 명 '분홍색'의 준말.
분:홍-빛 (粉紅-)[-삗] 명 엷게 붉은 고운 빛. 분홍색.
분:홍-색 (粉紅色) 명 엷게 붉은 고운 색. 분홍빛. 준분홍.
분화 (分化) 명하자 1 생물의 조직이나 기관의 모양이나 작용이 특수화하여 갈라지는 일. 2 단순하거나 동질적인 것이 복잡하거나 이질적인 것으로 갈라져 나감. ¶직업이 더욱 세밀하게 ~되고 있다.
분:화 (噴火) 명하자 1 불을 내뿜음. 2〔지〕화산이 터져서 불기운을 내뿜는 일.
분:화-구 (噴火口) 명〔지〕화산의 불을 내뿜는 구멍. 화구(火口).
분회 (分會) 명 어떤 회 밑에 따로 설치한 하부 조직체.
분획 (分畫·分劃) 명하타 여러 구획으로 나눔.
붇:다 〔불으니, 불어〕 자ㄷ불 1 물에 젖어서 부피가 커지다. ¶라면이 불었다. 2 분량이나 수효가 많아지다. ¶재산이 ~ / 장맛비로 강물이 ~.

> **'붇다'의 활용**
> '붇다'는 모음으로 시작되는 어미가 올 때에는 '불-'로 활용하며, 자음으로 시작되는 어미가 올 때에는 어간이 바뀌지 않는다.
> 붇다-붇고-붇지, 불으니-불으면-불어서
> 재산이 불지 않았다(×)
> 재산이 붇지 않았다(○)

***불**[1] 명 1 물질이 산소와 화합하여 열과 빛을 내며 타는 현상. ¶빨갛게 ~이 붙다. 2 화재. ¶~이 나다 / ~을 지르다. 3 어둠을 밝히는 빛. 등불. ¶~이 나가다 / ~을 밝히다 / ~을 켜다 / 가로등에 ~이 들어오다. 4 정열이나 탐욕이 열렬히 치미는 현상. ¶~ 같은 정열.
[불 없는 화로 딸 없는 사위] 쓸데없거나 긴요하지 않은 물건을 비유한 말.
불(을) 끄다 구 급한 일을 처리하다.
불(을) 놓다 구 ㉠불을 붙여 타게 하다. ㉡광산 등에서 폭약을 터뜨리려고 도화선에 불을 붙이다.
불(을) 보듯 뻔하다 구 앞일이 의심할 여지없이 명백하다.
불(을) 뿜다 구 총구에서 총알이 나가다.
불(이) 일 듯하다 구 어떤 형세가 빠르고 성하다.
불[2] 명 '불알'의 준말.

불(弗) 의명 '달러(dollar)'의 한자(漢字)식 이름. ¶십만 ~.
불-(不) 투 한자로 된 말 앞에 붙어 그 말을 부정하는 뜻을 나타냄. ¶~투명 / ~공정 / ~규칙.
불가(不可) 명하형 **1** 옳지 않음. ¶가(可)도 없고 ~도 없다. **2** 가능하지 않음. ¶연소자 입장 ~. ↔가(可). **3** 성적 평점의 하나 《최하 등급임》.
불가(佛家) 명〔불〕**1** 불교를 믿는 사람. 또는 그들의 사회. 불문(佛門). **2** 절.
불가-결(不可缺) 명하형 없어서는 안 됨. 또는 그런 것. 불가무. ¶필요 ~한 요소.
불가-근(不可近) 명하형 가까이할 것이 못 됨.
불-가능(不可能) 명하형 할 수 없거나 될 수 없음. ¶우리에게 ~은 없다 / ~한 일을 가능케 하다. ↔가능.
불가-분(不可分) 명하형 나누려 하여도 나눌 수가 없음. ¶~의 관계 / ~한 상관 관계. ↔가분(可分).
불가불(不可不) 부 하지 않을 수 없어. *부득불(不得不).
불가사리[1] 명 상상의 짐승《괴이한 모습에 쇠를 먹으며 악몽을 물리치고 사기(邪氣)를 쫓는다 함》.
불가사리[2] 명〔동〕극피(棘皮)동물의 하나. 바다 속에서 살며 몸은 중앙반(盤)과 별 모양의 5개의 복(輻)으로 되어 있고, 입은 배에 항문은 등에 있음. 온몸에 가시가 덮여 있는데 담자색이나 백색임. 말려서 비료로 씀. 오귀발. 해성(海星).
불가사의(不可思議)[-/-이] 명하형 사람의 생각으로는 미루어 헤아릴 수 없이 이상야릇함. ¶20세기의 ~.
불가-서(佛家書) 명〔불〕불교에 관한 서적. 준불서(佛書).
불-가설(不可說) 명〔불〕참된 이치는 체득할 뿐이지 말로는 설명할 수 없음.
불-가시광선(不可視光線) 명〔물〕'비가시광선'의 전 용어. ↔가시광선.
불가지-론(不可知論) 명〔철〕우주의 본질인 물(物) 자체는 인간의 경험으로는 인식할 수 없다는 이론.
불-가침(不可侵) 명 침범해서는 안 됨.
불가침 조약(不可侵條約) 서로 상대국을 침략하지 않을 것을 약속하는 조약.
불가피-하다(不可避-) 형여불 피할 수가 없다. ¶개혁 과정에서 선의의 피해자가 발생하는 것은 ~.
불가항-력(不可抗力)[-녁] 명 **1** 인간의 힘으로는 어찌할 수 없는 힘. **2**〔법〕외부에서 생긴 사고에서 사회 통념상의 주의나 예방의 방법으로는 방지할 수 없는 일.
불가-해(不可解) 명하형 이해할 수 없음.
불각(不覺) 명하타 깨닫지 못함.
불-간섭(不干涉) 명하자타 간섭하지 않음. ¶~주의. 준불간.
불감(不感) 명하타 느끼지 못함.
불감생심(不敢生心) 명하타 불감생의.
불감생의(不敢生意)[-/-이] 명하타 힘에 부쳐 감히 할 생각도 못함. 불감생심.
불감-증(不感症)[-쯩] 명 **1**〔의〕여자가 성교할 때 쾌감을 느끼지 못하는 증세. **2** 감각이 둔한 성질. ¶안전 ~이 팽배한 사회.
불감-청(不敢請) 명 마음으로는 간절하나 감히 청할 수 없음.
불감청이언정 고소원(固所願)**이라** 구 감히 청하지는 못하였으나 본디 바라던 바였다는 뜻.
불-같다[-갇따] 형 **1** 정열이나 신념·감정 따위가 뜨겁고 강렬하다. ¶불같은 투지. **2** 성격이 매우 급하고 격렬하다. ¶성격이 ~. **3** 기세가 드세거나 무섭다. ¶불같은 독촉. **불-같이**[-가치] 부
불-개 명 일식·월식 때에 달이나 해를 먹는다고 하던 상상의 짐승.
불-개미 명〔충〕개미의 하나. 낙엽송의 잎으로 높은 집을 짓고 그 밑의 땅속에 사는데, 일개미는 5-8mm, 암컷은 1cm가량, 빛은 암적황색임.
불-개입(不介入) 명하자 개입하지 않음. ¶내정 ~ 원칙.
불개-항(不開港) 명 외국과의 통상이 허용되지 않는 항구.
불-거웃[-꺼욷] 명 불두덩에 난 털. 준불것.
불거-지다 자 **1** 둥글게 솟아오르다. ¶광대뼈가 유난히 불거진 얼굴. **2** 숨겨졌던 현상이 튀어나오다. ¶비리가 ~. 작볼가지다.
불걱-거리다 자 **1** 질긴 물건을 입에 그득 물고 잇따라 씹다. **2** 빨래를 잇따라 주물러 빨다. **불걱-불걱** 부하자
불걱-대다 자 불걱거리다.
불건전-하다(不健全-) 형여불 건전하지 못하다. ¶불건전한 오락.
불겅-거리다 자 단단하고 질긴 물건을 먹을 때 잘 씹히지 않고 이리저리 불거지다. **불겅-불겅** 부하자
불겅-대다 자 불겅거리다.
불겅이 명 붉은 빛깔의 살담배. 홍초(紅草).
불결(不潔) 명하형히부 깨끗하지 못하고 더러움. ¶~한 손 / 환경이 ~하다.
불경(不敬) 명하형 존경하는 마음이나 예의가 없음. ¶태도가 ~하다.
불경(佛經) 명 불교의 경전. 불전. 내전.
불-경기(不景氣) 명 상업이나 생산 활동에 활기가 없는 상태. ¶~로 파산하다. ↔호(好)경기.
불경-스럽다(不敬-)〔-스러우니, -스러워〕형ㅂ불 불경한 데가 있다. ¶네 말투가 불경스럽구나. **불경-스레** 부
불계(不計)[-/-게] 명하타 **1** 시비나 이해를 따지지 않음. **2** 바둑에서, 승부가 확실해 집의 수를 세지 않음. ¶~로 이기다.
불계(佛戒)[-/-게] 명〔불〕부처가 지시한 계율《오계(五戒)·십계(十戒) 따위》.
불고(不告) 명하타 알리지 않음.
불고(不顧) 명하타 **1** 돌아보지 않음. ¶체면 ~ / 염치 ~하고. **2** 돌보지 않음.
불-고기 명 쇠고기 따위의 살코기를 얇게 저며서 양념을 하여 재었다가 불에 구운 음식. 또는 그 고기.
불고-불리(不告不理) 명〔법〕형사 소송법에서, 공소 제기가 없는 한 심리를 할 수 없다는 원칙.
불고지-죄(不告知罪)[-쬐] 명〔법〕죄를 범한 사람이란 걸 알면서도 이를 수사·정보

기관에 알리지 않음으로써 성립하는 죄.
불-곰 명 〔동〕 곰과에 속하는 짐승. 몸빛은 순갈색인데 주둥이 부분과 머리는 암갈색임. 몸길이는 약 2m로서 곰 중에 가장 큼. 잡식성이며 썩은 고기를 즐겨 먹음. 12-1월에 2-3마리의 새끼를 낳음. 갈색곰.
불공 (佛供) 명하자 〔불〕 부처 앞에 공양을 드림. 또는 그런 일.
불공대천 (不共戴天) 명하자 이 세상에서 더불어 살 수 없을 정도로 큰 원한을 가짐. 또는 그런 원수. ¶ ~의 원수.
불공-드리다 (佛供-) 자 부처 앞에 음식물을 올리다. 공양드리다.
불공-스럽다 (不恭-) [-스러우니, -스러워] 형ㅂ불 불공한 태도가 있다. **불공-스레** 부
불-공정 (不公正) 명하형 공평하고 올바르지 않음. ¶ ~한 거래 / ~하게 판정을 내렸다.
불-공평 (不公平) 명하형 한쪽으로 치우쳐 고르지 않음. ¶ ~한 조치 / 이익이 ~하게 분배되었다.
불공-하다 (不恭-) 형여불 공손하지 아니하다. ¶ 불공한 말버릇.
불과 (不過) 부하형 어떤 수량·정도·수준에 지나지 않음. ¶ ~ 한 시간 전에 한 약속을 까맣게 잊어버리다 / 그 분교의 학생 수는 10명에 ~하다 / 도산한 회사의 주권(株券)은 휴지 조각에 ~하다.
불교 (佛敎) 명 〔종〕 기원전 5세기 초에 인도의 석가모니가 베푼 종교. 고통과 번뇌에서 벗어나 부처가 되는 것을 궁극적 이상으로 삼음.
불교-도 (佛敎徒) 명 불교를 믿는 사람. 또는 그 무리. 준 불도(佛徒).
불구 (不久) 명하형 앞으로 오래지 않음.
불구 (不具) 명 **1** 몸의 어느 부분이 정상이 아님. ¶ 뜻하지 않은 사고로 ~가 되다. **2** 편지 끝에 '불비(不備)'의 뜻보다 낮게 쓰는 말.
불구대천 (不俱戴天) 명 불공(不共)대천.
불-구속 (不拘束) 명하타 구속하지 않음. ¶ ~ 송치 / 용의자를 ~으로 수사하다.
불구-자 (不具者) 명 몸의 어느 부분이 온전하지 못한 사람. 병신. 지체 부자유자. 장애인.
불구-하다 (不拘-) 자여불 ('-에도, -ㄴ데도, -는데도, -은데도' 뒤에서 '불구하고'의 꼴로 쓰여) 거리끼거나 얽매이지 않다. ¶ 우천에도 불구하고 외출하다 / 그렇게 말렸는데도 불구하고 결국 일을 저질렀다.
불굴 (不屈) 명하자 어려움이 닥쳐도 굽히지 않음. ¶ ~의 투혼 / ~의 신념.
불귀 (不歸) 명하자 가서는 다시 돌아오지 않음(죽음). ¶ ~의 객이 되다.
불-규칙 (不規則) 명하형 규칙에서 벗어나거나 규칙이 없음. ¶ ~한 생활.
불규칙 동:사 (不規則動詞) 〔언〕 어미가 불규칙적으로 활용하는 동사. 벗어난움직씨. ↔규칙 동사.
불규칙 용:언 (不規則用言) [-칭농-] 〔언〕 어미가 불규칙적으로 활용하는 용언. 벗어난풀이씨. ↔규칙 용언.
불규칙-적 (不規則的) 관명 불규칙한 (것). ¶ ~인 생활. ↔규칙적.
불규칙 형용사 (不規則形容詞) [-치켱-] 〔언〕 어미가 불규칙적으로 활용하는 형용사. 벗어난그림씨. ↔규칙 형용사.
불규칙 활용 (不規則活用) [-치콸-] 〔언〕 용언이 불규칙적으로 활용되는 일. ↔규칙 활용.
불-균등 (不均等) 명하형 고르지 않고 차별이 있음. ↔균등.
불-균형 (不均衡) 명하형 균형이 잡히지 못함. ¶ 몸의 ~ / 소득의 ~을 바로잡다. ↔균형.
불그데데-하다 형여불 좀 야하게 불그스름하다.
불그뎅뎅-하다 형여불 격에 어울리지 않게 불그스름하다.
불그레-하다 형여불 엷게 불그스름하다.
불그름-하다 형여불 '불그스름하다'의 준말. **불그름-히** 부
불그무레-하다 형여불 아주 엷게 불그스름하다.
불그숙숙-하다 [-쑤카-] 형여불 수수하게 불그스름하다.
불그스레-하다 형여불 불그스름하다.
불그스름-하다 형여불 조금 붉다. 작 볼그스름하다. 센 뿔그스름하다. 준 불그름하다. **불그스름-히** 부
불그죽죽-하다 [-쭈카-] 형여불 칙칙하고 고르지 못하게 불그스름하다. 작 볼그족족하다. 센 뿔그죽죽하다.
불근-거리다 자타 질기고 단단한 물건이 입에서 자꾸 씹히다. 또는 그것을 자꾸 씹다. **불근-불근** 부하자타
불근-대다 자타 불근거리다.
불-근신 (不謹愼) 명하자 삼가서 조심하지 않음.
불금 (不禁) 명하타 **1** 금하거나 말리지 않음. **2** 어찌할 수 없음.
불급 (不及) 명하자 일정한 수준에 미치지 못함.
불급 (不急) 명하형 **1** 속도가 빠르지 않음. **2** 상황이 긴급하지 않음.
불긋-불긋 [-귿뿔귿] 부하형 군데군데 불그스름한 모양. 작 볼긋볼긋. 센 뿔긋뿔긋.
불긋-하다 [-그타-] 형여불 조금 붉은 듯하다. 작 볼긋하다.
불기 (不羈) 명하자 구속을 받지 않음.
불-기 (-氣) [-끼] 명 불기운. ¶ ~ 없는 썰렁한 방 / 모닥불에는 ~가 아직 남아 있다.
불-기둥 [-끼-] 명 기둥 모양으로 치솟는 불길. ¶ ~이 솟다.
불-기소 (不起訴) 명 〔법〕 죄가 되지 않을 때, 범죄의 증명이 없을 때, 또는 공소의 요건을 갖추지 못했을 때 검사가 공소를 제기하지 않는 일.
불-기운 [-끼-] 명 불의 뜨거운 기운. ¶ ~이 사그라지다.
불-길 [-낄] 명 **1** 세차게 타오르는 불꽃. ¶ ~에 휩싸이다. **2** 세차게 일어나는 감정이나 정열의 비유. ¶ 사랑의 ~. **3** 세찬 기세로 퍼져 나가는 현상. ¶ 민주화 운동의 ~이 거세게 일다.
불길-하다 (不吉-) 형여불 나쁜 일이 생길 것 같은 느낌이 있다. ¶ 불길한 생각 / 며칠째 불길한 꿈에 시달리다.
불-김 [-낌] 명 불의 뜨거운 기운. ¶ ~에 손

을 데다.
불-깃 [-낃] 명 산불의 번짐을 막기 위해 타고 있는 산림에서 조금 떨어진 주위를 미리 불을 놓아 사르는 일. ¶~을 달다.
불-까다 타 동물의 불알을 발라내다. 거세하다.
***불-꽃** [-꼳] 명 1 타는 불에서 일어나는 붉은빛을 띤 기운. ¶~이 타오르다. 2 금속·돌 등이 서로 부딪칠 때 일어나는 불빛. 3 방전(放電)할 때 일어나는 불빛. 스파크.
불꽃(이) 튀다 구 다투거나 경쟁하는 모양이 치열하다. ¶불꽃 튀는 판매전.
불꽃-같다 [-꼳깓따] 형 사물의 일어나는 형세가 대단하다. **불꽃-같이** [-꼳까치] 부
불꽃-놀이 [-꼰-] 명 경축이나 기념 행사 때에, 화포를 쏘아 공중에서 불꽃이 일어나게 하는 일.
불끈 부하자타 1 두드러지게 치밀거나 솟아오르는 모양. ¶아침 해가 바다 위로 ~ 솟아오르다. 2 주먹을 단단히 쥐는 모양. ¶팔뚝에 힘줄이 ~ 솟다. 3 성을 왈칵 내는 모양. ¶사소한 일에도 ~하는 성미 / 울화가 ~ 치밀다. 작볼끈.
불끈-거리다 자타 자꾸 불끈하다. 작볼끈거리다. **불끈-불끈** 부하자타
불끈-대다 자타 불끈거리다.
불-나다 [-라-] 자 화재가 일어나다. ¶불난 곳으로 소방차가 출동하다.
[불난 집에 부채질한다] 남의 불행을 돕지 않고 더 불행하게 만든다. 또는 노한 사람을 더 노하게 만든다.
불-나방 [-라-] 명 〖충〗 불나방과의 곤충. 몸길이는 약 3cm, 편 날개 길이는 4cm가량이며, 온몸에 암갈색 털이 빽빽이 덮여 있음. 배는 적색, 앞날개는 흑갈색에 누런 백색의 불규칙한 무늬가 있고 뒷날개는 적색에 네 개의 검은 무늬가 있음. 콩·머위·뽕나무 등의 해충임.
불-난리 (-亂離)[-랄-] 명 불이 나서 수라장을 이룬 상태. ¶~를 겪다.
불납 (不納)[-랍] 명하타 세금이나 공납금 따위를 내지 않음.
불-놀이 [-로리] 명하자 등불·쥐불·불꽃놀이 등으로 흥취 있게 노는 놀이. 화희(火戲). ¶경축 ~가 밤하늘을 수놓다.
불능 (不能)[-릉] 명하형 1 능력이 없음. 2 할 수 없음. 불가능. ¶재기 ~ / 그 자는 아무래도 구제 ~이다.
***불:다**[1] 〔부니, 부오〕 자 1 바람이 일어나다. ¶바람 부는 날 / 바람이 세차게 분다. 2 유행·풍조 따위가 거세게 일다. ¶배낭여행 바람이 ~.
***불:다**[2] 〔부니, 부오〕 타 1 입술을 오므리고 입김을 내어 보내다. ¶뜨거운 국물을 후후 불며 마시다. 2 관악기를 연주하다. ¶피리를 ~. 3 입술을 좁게 오므리고 그 사이로 소리를 내다. ¶휘파람을 ~. 4 죄상이나 비밀을 털어놓다. ¶자기 죄를 모두 ~.
[불고 쓴 듯하다] 깨끗하게 아무것도 남은 것이 없게 된 경우를 비유한 말. **[불면 꺼질까 쥐면 터질까]** 어린 자녀를 곱게 기름.
불단 (佛壇)[-딴] 명 〖불〗 부처를 모셔 놓은 단. 수미단(須彌壇).
불당 (佛堂)[-땅] 명 〖불〗 부처를 모신 집. 법전. 불전(佛殿).
불-더위 명 몹시 심한 더위. 불볕더위.
불-덩어리 [-떵-] 명 1 타고 있는 숯이나 석탄 등의 덩어리. 2 몹시 높은 열이 나는 몸이나 물건. ¶열병으로 몸이 ~가 되다. 3 타는 듯이 격렬한 감정의 응어리. ¶속에서 ~ 같은 것이 치밀다.
불-덩이 [-떵-] 명 불덩어리.
불도 (佛徒)[-또] 명 '불교도'의 준말.
불도 (佛道)[-또] 명 1 부처의 가르침. 법도(法道). ¶~에 귀의하다. 2 불과(佛果)에 이르는 길.
불도그 (bulldog) 명 〖동〗 영국 원산의 개《머리가 크고 네모졌으며, 입은 폭이 넓고, 코는 짧고 넓적하며 키는 작으나 근골이 늠름함. 성질이 사나움》.
불도저 (bulldozer) 명 흙을 밀어내어 땅을 고르는 데 쓰는 트랙터.
불-돌 [-똘] 명 화로의 불이 쉬 사위지 않게 눌러놓는 돌이나 기왓장 조각.
불-두덩 [-뚜-] 명 남녀 생식기 위의 두두룩한 곳. 두덩.
불-등걸 [-뜽-] 명 불이 이글이글하게 핀 숯 등걸.
불-땀 명 화력의 세고 약한 정도. ¶참나무 장작은 ~이 세다.
불-똥 명 1 심지의 끝이 다 타서 엉겨 붙은 찌끼. 2 불타는 물건에서 튀어나오는 아주 작은 불덩이.
불똥(이) 튀다 구 재앙이나 화가 미치다. ¶엉뚱한 사람에게 불똥이 튈까 걱정이다.
불뚝 부하자 1 무뚝뚝한 성미로 갑자기 성을 내는 모양. ¶~ 성을 내다. 2 갑자기 불룩하게 솟은 모양. ¶팔의 근육이 ~ 나오다.
불뚝-거리다 자 무뚝뚝한 성미로 갑자기 자꾸 성을 내다. **불뚝-불뚝** 부하자
불뚝-대다 자 불뚝거리다.
불뚱-거리다 자 성을 내어 얼굴을 불룩하게 하고 말을 함부로 하다. **불뚱-불뚱** 부하자
불뚱-대다 자 불뚱거리다.
불뚱-이 명 걸핏하면 불끈 성을 내는 성질. 또는 그런 사람. ¶놀려 대는 바람에 ~가 치솟다 / 사소한 일에도 ~를 내다.
불란-하다 (不亂-) 형여불 어지럽지 않다. 혼란스럽지 않다. ¶일사(一絲)~.
불량 (不良) 명하형 1 행실이나 성품이 나쁨. ¶행실이 ~한 소년. ↔선량. 2 성적이 좋지 못함. 3 품질이나 상태가 나쁨. ¶~ 주택. ↔우량.
불량-기 (不良氣)[-끼] 명 행실이나 성품이 나쁜 기색이나 태도. ¶언행에 ~가 있어 보인다.
불량-배 (不良輩) 명 행실이나 성품이 나쁜 무리. ¶~와 어울리다 / ~ 단속에 나서다.
불량-스럽다 (不良-) 〔-스러우니, -스러워〕 형ㅂ불 보기에 불량한 데가 있다. **불량-스레** 부
불량-품 (不良品) 명 품질이 나쁜 물건.
불러-내다 타 불러서 나오게 하다.
불러-들이다 타 1 불러서 안으로 들어오게 하다. ¶친구를 집에 ~. 2 관청에서 소환하다. 3 빌미를 제공하다. ¶재앙을 ~.
불러-오다 타너라불 1 불러서 오게 하다. ¶의사를 ~. 2 행동·상태·감정을 일어나게

하다. ¶ 태풍이 엄청난 피해를 ~.
불러-일으키다 타 어떤 마음·행동·상태를 일어나게 하다. ¶ 용기를 ~ / 불우 이웃에 대한 관심을 ~.
불력 (佛力) 명 〖불〗 부처의 위력 또는 공력.
불령 (不逞) 명하자 원한·불만·불평 따위를 품고 어떤 구속도 받지 않고 제 마음대로 행동함. 또는 그런 사람.
불로불사 (不老不死)[-싸] 명하자 늙지도 않고 죽지도 않음. ¶ ~의 영약.
불로 소:득 (不勞所得) 직접 일하지 않고 얻는 소득《배당금·이자 등》. ↔근로 소득.
불로장생 (不老長生) 명하자 늙지 않고 오래 삶. ¶ ~의 비법 / ~의 선약(仙藥).
불로-초 (不老草) 명 먹으면 늙지 않는다는 풀《선경(仙境)에 있다고 함》.
불룩-거리다 자타 물체의 거죽이 잇따라 쑥 내밀렸다 들어갔다 하다. 또는 그렇게 되게 하다. 작볼록거리다. **불룩-불룩** 부하자타
불룩-대다 자타 불룩거리다.
불룩-이 부 불룩하게. 작볼록이.
불룩-하다 [-루카-] 형여불 물체의 거죽이 두드러지거나 쑥 내밀려 있다. ¶ 배가 불룩하게 나온 사나이 / 무엇을 넣었는지 주머니가 ~. 작볼록하다.
불륜 (不倫) 명하형 인륜에 어긋남. 도덕에 벗어남. ¶ ~의 사랑.
불리 (不利) 명하형 이롭지 못함. ¶ ~한 조건 / 그의 증언이 나에게 ~하게 작용하다. ↔유리(有利).
불리다[1] 자 《'불다[1]'의 피동》 바람을 받아서 날리어지다. ¶ 낙엽이 바람에 ~ / 모자가 바람에 불려 날아가다.
불리다[2] 자 《'부르다[1]'의 피동》 남에게 부름을 받다. ¶ 교무실에 불려 가다.
불리다[3] 타 《'불다[2]'의 사동》 1 악기를 불게 하다. 2 사실대로 말하게 하다.
불리다[4] 타 《'부르다[2]'의 사동》 배를 부르게 하다. ¶ 제 배만 불리는 관원 / 굶주린 배를 ~.
불리다[5] 타 1 쇠를 불 속에 넣어 단련하다. 2 곡식을 부쳐서 잡것을 날려 버리다.
불리다[6] 타 《'붇다'의 사동》 1 물건을 액체 속에 축여서 붇게 하다. ¶ 콩을 ~. 2 재물을 붇게 하다. ¶ 재산을 배로 ~.
불립 문자 (不立文字)[-립-짜] 〖불〗 불도의 깨달음은 문자나 말에 의한 것이 아니고 마음에서 마음으로 전한다는 뜻. *이심전심.
불만 (不滿) 명하형히부 '불만족'의 준말. ¶ ~을 터뜨리다.
불만-스럽다 (不滿-)〔-스러우니, -스러워〕 형ㅂ불 '불만족스럽다'의 준말. ¶ 불만스러운 조건들. **불만-스레** 부
불-만족 (不滿足) 명하형 마음에 흡족하게 차지 않음. ¶ ~을 표시하다. 준불만.
불만족-스럽다 (不滿足-)〔-스러우니, -스러워〕 형ㅂ불 보기에 불만족한 데가 있다. 준불만스럽다. **불만족-스레** 부
불망 (不忘) 명하타 잊지 아니함.
불매 (不買) 명하타 사지 않음. ¶ ~ 운동.
불매 (不賣) 명하타 팔지 않음.
불매 동맹 (不買同盟) 어떤 압박 세력이나 생산자에 대한 대항 수단으로 집단적으로 상품을 사지 않고 거래를 단절하는 일. 비매 동맹. 보이콧.
불면 (不眠) 명하자 1 잠을 못 잠. ¶ ~으로 밤을 지새다. 2 잠을 자지 않음.
불면-증 (不眠症)[-쯩] 명 〖의〗 밤에 잠을 자지 못하는 증상.
불멸 (不滅) 명하자 없어지거나 사라지지 않음. ¶ 천고~의 업적 / 영혼의 ~을 믿다.
불명 (不明) 명하형 1 분명하지 않음. 명확하지 않음. ¶ 원인 ~의 질환을 앓다. 2 사리에 어두움.
불명료-하다 (不明瞭-)[-뇨-] 형여불 불분명하다. ¶ 산출 근거가 ~.
불-명예 (不名譽) 명하형 명예스럽지 못함. ¶ ~를 벗다.
불명예-스럽다 (不名譽-)〔-스러우니, -스러워〕 형ㅂ불 명예스럽지 못한 데가 있다. ¶ 불명예스러운 퇴직. **불명예-스레** 부
불-명확 (不明確) 명하형 명확하지 않음. ¶ ~한 대답.
불모 (不毛) 명 1 땅이 메말라 식물이 나거나 자라지 않음. ¶ ~의 땅. 2 발전이나 결실이 없는 상태. ¶ ~의 시기.
불모-지 (不毛地) 명 1 식물이 자라지 못하는 거친 땅. 불모지지. 2 사물이나 현상이 발달되지 않은 곳. 또는 그런 상태. ¶ 과학의 ~.
불-목 명 온돌방 아랫목의 가장 따뜻한 자리. ¶ ~을 차지하다.
불목 (不睦) 명하형 일가 또는 형제 사이가 좋지 않음. ¶ 형제끼리 ~하게 지내다.
불목-하니 [-모카-] 명 절에서 밥 짓고 물 긷는 일을 맡아 하는 사람.
불무-하다 (不無-) 명 없지 아니하다.
불문 (不文) 명하형 1 글을 잘하지 못함. 2 '불성문'의 준말.
불문 (不問) 명하타 1 캐묻지 않음. 2 가리지 않음. ¶ 노소 ~하고 응원에 참가하였다.
 불문에 부치다 구 묻지 않고 내버려두다. ¶ 과거를 ~.
불문 (佛門) 명 불가(佛家)1. ¶ 한평생을 ~에 의탁하다.
불문가지 (不問可知) 명 묻지 않아도 알 수 있음. ¶ 어떤 일이 있었는지 ~이다.
불문곡절 (不問曲折) 명하타 일의 앞뒤 사정을 묻지 아니함. ¶ 내용은 ~하고 시키는 대로만 해라.
불문곡직 (不問曲直) 명하타 옳고 그른 것을 따지지 않음. ¶ ~하고 나만 야단친다.
불문-법 (不文法)[-뻡] 명 1 문서의 형식을 갖추지 않았으나 관례상으로 인정된 법. ↔성문법. 2 암묵 중에 지키고 있는 약속. ¶ 시간 엄수는 ~이다.
불미-스럽다 (不美-)〔-스러우니, -스러워〕 형ㅂ불 불미한 데가 있다. ¶ 불미스러운 소문. **불미-스레** 부
불미-하다 (不美-) 형여불 부도덕하거나 떳떳하지 못하다.
불민-하다 (不敏-) 형여불 어리석고 둔해 민첩하지 못하다. ¶ 제가 불민하여 그리 되었습니다 / 자신의 불민함을 탓하다.
불-바다 명 1 넓은 지역에 걸쳐서 타오르는 큰불. ¶ 사방이 삽시간에 ~가 되었다. 2 수많은 불이 밝게 켜져 있는 넓은 곳. ¶ ~를 이룬 도심의 밤거리.

불발 (不發) 명하자 **1** 탄환·폭탄 등이 발사되지 않음. 터지지 않음. **2** 계획했던 일을 못하게 됨. ¶사업 계획이 ~로 끝나다.
불법 (不法) 명하형 법에 어그러짐. 비법(非法). ¶무기 ~ 소지 / ~ 체포.
불법 (佛法) 명 **1** 불교. **2** 부처의 교법.
불법 행위 (不法行爲)[-버팽-] 〖법〗 고의 또는 과실로 남에게 손해를 끼치는 행위.
불법-화 (不法化)[-버퐈] 명하자타 국책에 어긋나는 단체나 개인의 활동 등을 불법적인 것으로 규정함. ¶과외를 ~하다.
불-벼락 명 호된 꾸중이나 책망의 비유. ¶아버지의 ~이 내리다.
불변 (不變) 명하자타 **1** 물건의 모양이나 성질이 변하지 않음. ¶~의 법칙. **2** 고치지 않음. ↔가변(可變).
불변 비:용 (不變費用) 〖경〗 항상 일정하게 지출되는 비용. 고정비. ↔가변 비용.
불변-성 (不變性)[-썽] 명 변하지 않는 성질. ¶~의 진리. ↔가변성.
불변 자본 (不變資本) 〖경〗 생산 과정에서 그 가치가 변하지 않은 채로 생산물에 이전되는 형태의 자본. ↔가변 자본.
불-볕 [-볃] 명 몹시 뜨겁게 내리쬐는 볕. ¶오뉴월 ~ 속에 밭에서 김을 매는 농민.
불볕-나다 [-변-] 자 불볕이 내리쬐다.
불볕-더위 [-볃떠-] 명 뜨겁게 불볕이 내리쬐는 심한 더위. 불더위.
불복 (不服) 명하자타 **1** 복종하거나 동의하지 않음. 불복종. ¶결정에 ~하다. **2** 복죄(服罪)하지 않음.
불-복종 (不服從) 명하자 복종하거나 동의하지 않음. 불복. ¶명령에 ~하다.
불-부채 명 불을 부치는 데 쓰는 부채.
불분명-하다 (不分明-) 형여불 분명하지 않거나 분명하지 못하다. ¶불분명한 언행 / 범인의 주거지가 불분명하여 추적하는 데 애를 먹었다.
불-붙다 [-붇따] 자 **1** 물체에 불이 붙어 타기 시작하다. ¶짚단에 ~. **2** 어떤 일이 치열하게 벌어지다. ¶논쟁이 다시 ~. [불붙는 데 키질하기] 나쁜 방향으로 흐르는 일을 더 악화시킨다는 말.
불-붙이다 [-부치-] 자타 《'불붙다'의 사동》 **1** 불을 대어서 붙게 하다. ¶장작에 ~. **2** 일이 치열하게 벌어지게 하다. ¶승부욕에 ~.
불비 (不備) 명하형 **1** 제대로 갖추어져 있지 않음. ¶~한 여건. **2** 예를 다 갖추지 못함 《흔히 편지 끝에 씀》. ¶~ 상서 / 여(餘)~.
***불-빛** [-삗] 명 **1** 타거나 켜 놓은 불의 빛. ¶창문으로 ~이 새다. **2** 화광(火光)의 빛처럼 붉고도 밝은 빛깔. ¶~ 스웨터.
불사 (不死)[-싸] 명하자 죽지 않음. ¶~의 생명을 얻다.
불사 (不辭)[-싸] 명하타 사양하지 않음. 마다하지 않음. ¶일전(一戰)을 ~하다 / 탈퇴도 ~하다 / 법적 대응도 ~하겠다.
불사 (佛寺)[-싸] 명 절.
불사 (佛事)[-싸] 명 불가에서 행하는 모든 일. 법사(法事). 법업(法業).
불-사르다 〔불사르니, 불살라〕 타르불 **1** 불에 태워 없애다. 사르다. ¶옛 편지를 ~. **2** 죄다 없애거나 희생하다. ¶청춘을 ~.
불-사리 (佛舍利) 명 〖불〗 석가의 유골. 불골(佛骨).
불사-신 (不死身)[-싸-] 명 **1** 맞아도 아프지 않고 상처를 입어도 피가 나지 않는 특이하게 강한 몸의 비유. **2** 어떤 곤란에도 기력을 잃거나 낙심하지 않는 사람의 비유. ¶그는 ~이다.
불사-조 (不死鳥)[-싸-] 명 **1** 어떠한 고난에도 굴하지 않고 이겨 내는 사람의 비유. **2** 피닉스(phoenix).
불삽 (黻翣)[-쌉] 명 발인 때 상여 앞뒤에 세우고 가는 제구(《'亞' 자 형상을 그린 널조각에 자루를 댐》).
불상 (佛相)[-쌍] 명 부처의 얼굴 모습.
불상 (佛像)[-쌍] 명 부처의 상. 부처.
불-상놈 (-常-) 명 아주 천한 상놈.
불상-사 (不祥事)[-쌍-] 명 상서롭지 못한 일. ¶~가 일어나다.
불생불멸 (不生不滅)[-쌩-] 명 **1** 〖불〗 생겨나지도 않고 없어지지도 않고 언제나 변함이 없음. 곧, 진여실상(眞如實相)의 존재. 열반의 경계. **2** 불생불사.
불생불사 (不生不死)[-쌩-싸] 명 죽지도 않고 살지도 않고 목숨만 겨우 붙어 있음.
불서 (佛書)[-써] 명 〖불〗 '불가서(佛家書)'의 준말.
불성 (佛性)[-썽] 명 〖불〗 **1** 중생이 본디 가지고 있는 부처가 될 성질. **2** 진리를 깨달은 부처의 본성. 자비스러운 본성.
불-성문 (不成文)[-썽-] 명 글자로 써서 나타내지 않음. ↔성문(成文). 준불문.
불-성실 (不誠實)[-썽-] 명하형 성실하지 못함. ¶~한 근무 태도. 준불성.
불-세출 (不世出)[-쎄-] 명하형 (주로 '불세출의'의 꼴로 쓰여) 좀처럼 세상에 나타나지 않을 만큼 뛰어남. ¶~의 영웅.
불소 (弗素)[-쏘] 명 〖화〗 플루오르.
불-소급 (不遡及)[-쏘-] 명하타 **1** 과거로 거슬러 올라 미치지 않음. **2** 〖법〗 시행 이후의 사항에 적용하며, 시행 이전의 사항에 거슬러 적용하지 않음. ¶~의 원칙.
불-속 [-쏙] 명 **1** 매우 고통스러운 지경. 화중(火中). **2** 총포탄이 터지고 날아드는 속.
불손 (不遜)[-쏜] 명하형히부 겸손하지 못함. ¶그의 ~한 태도 / 어른에게 ~하게 대하다.
불수의-근 (不隨意筋)[-쑤- / -쑤이-] 명 〖생〗 의지와 관계없이 자율적으로 운동하는 근육. 민무늬근과 심장근이 이에 속함. ↔수의근. 준불수근(不隨筋).
불순 (不純)[-쑨] 명하형히부 순수하지 못함. 순진하지 않음. ¶~ 세력 / ~한 동기.
불순 (不順)[-쑨] 명하형히부 **1** 공손하지 못함. ¶~한 태도. **2** 순조롭지 못함. 기후가 고르지 못함. ¶월경 ~ / 일기가 ~하다.
불순-물 (不純物)[-쑨-] 명 순수하지 않은 물질. ¶~이 섞인 지하수 / ~을 걸러내다.
불순-분자 (不純分子)[-쑨-] 명 사상·이념이 그 조직의 것과 달라서 비판적으로 지적되는 사람. ¶~를 가려내다.
불시 (不時)[-씨] 명 **1** 제철이 아닌 때. **2** (주로 '불시로, 불시에, 불시의'의 꼴로 쓰여) 뜻하지 아니한 때. ¶~의 방문객 / ~에 당한 재난.
불시-착 (不時着)[-씨-] 명하자 '불시 착륙'

의 준말.
불시 착륙(不時着陸)[-씨창뉵] 비행기가 고장이나 기상 관계, 연료 부족 등으로 목적지에 닿기 전에 예상치 않은 지점에 착륙하는 일. ㊇불시착.
불식(拂拭)[-씩] 명하타 털고 훔친 것처럼 말끔히 치워 없앰. ¶오해를 ~하다 / 의혹이 ~되다 / 갈등을 ~하다.
불신(不信)[-씬] 명하타 믿지 않음. 믿을 수 없음. ¶~ 시대 / ~ 행위를 저지르다 / 오래된 친구를 ~하다니.
불신-감(不信感)[-씬-] 명 미덥잖은 마음. 믿어지지 않은 느낌. ¶상호 간의 ~을 해소하다.
불-신임(不信任)[-씬-] 명하타 신임하지 않음. ¶~을 제기하다.
불심(佛心)[-씸] 명 〖불〗 **1** 자비스러운 부처의 마음. **2** 깊이 깨달아 속세의 번뇌에 흐려지지 않는 마음.
불심 검:문(不審檢問)[-씸-] 〖법〗 경찰관이 수상하다고 인정되는 사람을 거리에서 갑자기 조사하는 일. ¶~에 걸려들다.
***불쌍-하다** 형여불 가엾고 애처롭다. ¶그녀의 처지가 ~. **불쌍-히** 부. ¶가난한 사람을 ~ 여기다.
불-쏘시개 명 장작·숯 등에 불을 때거나 피울 때 옮겨 붙게 하려고 쓰는 종이·잎나무·관솔 따위. ㊇쏘시개.
불쑥 부 **1** 갑자기 쑥 내밀거나 툭 비어져 나오는 모양. ¶손을 ~ 내밀어 악수를 청하다. **2** 갑자기 쑥 나타나거나 생기는 모양. ¶~ 나타난 방문객. **3** 앞뒤 생각 없이 함부로 말을 하는 모양. ¶그런 말을 ~ 꺼내면 곤란하다. ㉶볼쑥.
불쑥-거리다 자 **1** 자꾸 쑥쑥 나오거나 내밀거나 나타나다. **2** 자꾸 불쑥 함부로 말하다. ㉶볼쑥거리다. **불쑥-불쑥** 부하자
불쑥-대다 자 불쑥거리다.
불쑥-이 부 불쑥하게. ㉶볼쏙이.
불쑥-하다[-쑤카-] 형여불 툭 비어져 나와 있다. ¶호주머니가 ~. ㉶볼쏙하다.
불-씨 명 **1** 늘 불을 옮겨 붙일 수 있게 묻어 두는 불덩이. ¶~를 잘 간수하다. **2** 사건이 일어날 실마리의 비유. ¶싸움의 ~.
불안(不安) 명하형히부 **1** 마음이 편하지 않음. ¶~을 떨쳐 버리다 / 우리 팀의 출발은 ~했다. **2** 분위기 따위가 술렁거리어 뒤숭숭함. ¶~한 국제 정세 / 시국이 ~하다. **3** 마음에 미안함.
불안-감(不安感) 명 불안한 느낌. ¶~에 휩싸이다.
불안-스럽다(不安-)[-스러우니, -스러워] 형ㅂ불 어쩐지 좀 불안한 느낌이 있다. **불안-스레** 부
불-안전(不安全) 명하형 안전하지 않음. ¶~ 지대.
불-안정(不安定) 명하형 안정되지 못함.
불안정-성(不安定性)[-썽] 명 안정되지 못한 성질. ¶경제적 ~을 띠다.
불-알 명 포유동물의 수컷 생식기의 한 부분. 음낭 속에 싸여 있는 좌우 두 개의 타원형의 알. 고환(睾丸). ㊇불.
[불알 두 쪽밖에는 없다] 가진 것이 아무것도 없는 빈털터리이다. [불알 밑이 근질근질하다] 가만히 앉아 있지 못하다. [불알을 긁어 주다] 남의 비위를 살살 맞추며 아첨하다.
불야-성(不夜城) 명 등불이 휘황하게 켜 있어 밤에도 대낮처럼 밝은 곳. ¶~을 이룬 거리.
불어(佛語) 명 **1** 부처의 말. 경전에 있는 말. 법어. 불언(佛言). **2** 불교의 용어.
***불어-나다** 자 **1** 수량 따위가 커지거나 많아지다. ¶강물이 ~. **2** 몸집 따위가 커지다. ¶노니까 몸이 불어나는 것 같다.
불어-넣다[-너타] 타 어떤 생각이나 느낌을 갖게끔 자극이나 영향을 주다. ¶용기와 희망을 ~ / 생활에 활력을 ~.
불어-닥치다 자 몹시 세게 불어오다. ¶선거 열기가 ~.
불어-오다 자 **1** 바람이 이쪽으로 불다. ¶산들바람이 ~ / 태풍이 불어온다고 한다. **2** 어떤 경향이나 사조 따위가 영향을 미치다. ¶민주화의 열풍이 ~.
불어-제치다 자 바람이 세차게 불다. ¶눈바람이 거세게 ~.
불-여우[-려-] 명 **1** 〖동〗 한국 북부와 만주 동부에 사는 여우의 하나. **2** 〈속〉 변덕스럽고 요사스러운 여자. ¶~같이 굴다.
불여-의(不如意)[-/-이] 명하형 일이 뜻과 같이 되지 않음. ¶만사가 ~하다.
불여-튼튼(不如-) 명 튼튼히 하는 것보다 나은 것이 없음. ¶만사 ~.
불역(不易) 명하자타 바꾸어 고칠 수 없거나 고치지 않음. ¶만고에 ~한 진리.
불연(不燃) 명 타지 않음. ¶~재(材)를 벽에 대다. ↔가연(可燃).
불연-성(不燃性)[-썽] 명 불에 타지 않는 성질. ¶~ 건축 재료.
불-연속(不連續) 명 연속되어 있지 않고 중간이 끊어져 있음. ¶~ 현상.
불연속-면(不連續面)[-송-] 명 〖기상〗 기온·습도·풍향 등의 기상 요소가 다른 두 기층의 경계면《전선면(前線面) 따위》.
불연-하다(不然-) 형여불 그렇지 않다. ¶자유를 달라, 불연하면 죽음을 달라.
불온(不穩) 명하형 **1** 온당하지 않음. ¶매우 ~한 태도를 보이다. **2** 나라의 질서와 평안을 문란하게 할 우려가 있음. ¶~ 문서 / ~한 사상.
불-완전(不完全) 명하형 완전하지 못하거나 완전하지 않음. ¶~ 고용 / 일의 마무리가 ~하다. ↔완전.
불완전 동:사(不完全動詞) 〖언〗 **1** 어미 활용이 완전하지 못하여 몇 가지 형태로만 활용하는 동사《'가로되, 다오, 더불어' 따위로 활용하는 '가로다, 달다, 더불다' 따위》. 불구 동사. **2** 다른 낱말로 보충하여야 뜻이 완전해지는 동사. 모자란움직씨. ↔완전 동사.
불완전 변:태(不完全變態) 〖충〗 곤충의 변태의 한 형. 알에서 깬 애벌레가 곧 엄지벌레로 되는 변태. 안갖춘탈바꿈.
불완전 연소(不完全燃燒) 〖물〗 산소의 공급이 불완전한 상태에서의 연소. ↔완전 연소.
불완전 자동사(不完全自動詞) 〖언〗 **1** 활용이 완전하지 않은 자동사《'가로되' 등》. **2**

다른 낱말로 보충하여야 뜻이 완전해지는 자동사. 안갖은제움직씨. ↔완전 자동사.
불완전 타동사 (不完全他動詞) 〔언〕 **1** 활용이 완전하지 않은 타동사(('더불어' 따위)). **2** 다른 낱말로 보충해야 뜻이 완전해지는 타동사. 안갖은남움직씨. ↔완전 타동사.
불완전 형용사 (不完全形容詞) 〔언〕 다른 낱말로 보충하여야 뜻이 완전해지는 형용사(('같다, 비슷하다, 아니다' 따위)). 안갖은그림씨. ↔완전 형용사.
불요불굴 (不撓不屈) 명하형 휘어지지 않고 굽히지도 않음. ¶ ~의 의지.
불요불급 (不要不急) 명하형 필요하지도 급하지도 아니함. ¶ ~한 사옥 신축.
불용 (不用) 명하타형 **1** 쓰지 않음. **2** 소용이 없음. ¶ ~물(物).
불용 (不容) 명하타 용납하거나 용서할 수 없음.
불용-성 (不溶性)[-썽] 명 액체에 잘 녹지 않는 성질. ¶ ~ 효소. ↔가용성(可溶性).
불우 (不遇) 명하형 **1** 재능이나 포부가 있음에도 때를 만나지 못하여 불운함. ¶ 자신의 ~를 한탄하다. **2** 살림이나 처지가 딱하고 어려움. ¶ ~한 가정환경 / ~한 이웃을 돕는 데 앞장서다.
불운 (不運) 명하형 운수가 좋지 않음. 또는 그런 운수. ¶ ~을 한탄하다 / ~이 겹치다. ↔행운.
불원 (不遠) 一명하형 **1** 멀지 않음. ¶ ~한 거리에 처가가 있다. **2** 오래지 않음. ¶ ~한 장래에 성공할 것이다. 二부 머지않아. ¶ ~ 떠나겠소.
불원-간 (不遠間) 명 (주로 '불원간, 불원간에'의 꼴로 쓰여) 앞으로 오래지 않은 동안. ¶ ~ 귀국할 예정이다 / ~에 범인은 잡힐 것이다 / ~ 돌아오겠지.
불원-천리 (不遠千里)[-철-] 명하자 천리를 멀다고 여기지 않음. ¶ ~하고 달려오다.
불유쾌-하다 (不愉快-) 형여불 유쾌하지 아니하다. ¶ 불유쾌한 심사.
불응 (不應) 명하자타 응하지 않음. ¶ 지시에 ~할 경우 / 검문에 ~하고 도망치다.
불의 (不意)[- / -이] 명 생각지 아니하던 판. ¶ ~의 화재.
불의 (不義)[- / -이] 명하형 의리·도의·정의에 어긋남. ¶ ~의 방법 / ~에 항거하다.
불-이익 (不利益)[-리-] 명하형 이익이 되지 않음. ¶ ~을 초래하다 / ~을 당하다.
불-이행 (不履行)[-리-] 명하타 이행하지 않음. ¶ 계약 ~.
불일 (不一) 명하형 **1** '불일치'의 준말. **2** 한결같이 고르지 않음.
불-일치 (不一致) 명하형 일치하지 않음. ¶ 의견의 ~. 준불일(不一).
불임 (不姙·不妊) 명하자 임신하지 못함. ¶ ~ 시술.
불임-증 (不姙症)[-쯩] 명 〔의〕 임신하지 못하는 병증.
불입 (拂入) 명하타 납부. 납입(納入).
불-잉걸 [-링-] 명 불이 이글이글하게 핀 숯덩이. 준잉걸.
불자 (佛子)[-짜] 명 〔불〕 **1** 부처의 제자. **2** 보살의 이칭. **3** 계(戒)를 받아 출가한 사람. **4** 모든 중생. **5** 불교 신자.
불자 (佛者)[-짜] 명 불교에 귀의한 사람. 불제자. ¶ 그는 ~가 되기를 원했다.
불-자동차 (-自動車) 명 〈속〉 소방차.
불-장난 명하자 **1** 불을 가지고 노는 장난. ¶ 아이들의 ~은 언제나 위험하다. **2** 위험한 행위의 비유. ¶ 그런 ~은 그만두게. **3** 〈속〉 남녀 간의 무분별한 성적인 사귐. ¶ 한때의 ~.
불전 (佛典)[-쩐] 명 〔불〕 불경(佛經).
불전 (佛前)[-쩐] 명 **1** 부처의 앞. **2** 부처가 세상에 나기 전.
불전 (佛殿)[-쩐] 명 〔불〕 불당(佛堂).
불전 (佛錢)[-쩐] 명 부처 앞에 바치는 돈.
불제 (祓除)[-쩨] 명하타 재앙을 물리쳐 버림. ¶ 굿으로 재앙이 ~되기를 빌다.
불-제자 (佛弟子) 명 불교에 귀의한 사람. 불자(佛者). ¶ 머리를 깎고 ~가 되다.
불조 (佛祖)[-쪼] 명 〔불〕 **1** 불교의 개조. 곧, 석가모니. **2** 부처와 조사(祖師).
불-조심 (-操心) 명하자 불이 나지 않도록 마음을 씀. ¶ 자나 깨나 ~.
불좌 (佛座)[-쫘] 명 부처를 모신 자리.
불-지르다 〔불지르니, 불질러〕 자르불 불을 대어 타게 하다. 방화(放火)하다.
불-질 명하자타 **1** 아궁이 따위에 불을 때는 일. **2** 총·포 등을 쏘는 일.
불-집 [-찝] 명 **1** 석등 따위의 불을 켜 넣는 곳. **2** 위험이나 말썽이 될 사물이나 요소.
불집을 건드리다〔내다〕 구 말썽이나 위험을 스스로 불러들이다.
불집을 일으키다 구 말썽을 일으키다.
불쩍-거리다 자 빨래를 두 손으로 시원스럽게 비벼 빨다. **불쩍-불쩍** 부하자
불쩍-대다 자 불쩍거리다.
불-찬성 (不贊成) 명하자타 찬성하지 않음. ↔찬성. 준불찬.
불찰 (不察) 명 눈여겨 살피지 않아 생긴 잘못. ¶ 결과가 그리 된 것은 제 ~입니다.
불찰 (佛刹) 명 〔불〕 절.
불참 (不參) 명하자 어떤 자리에 참석하지 않음. ↔참석.
불-철저 (不徹底)[-쩌] 명하형 철저하지 아니함. ¶ ~한 수사.
불철-주야 (不撤晝夜) 명하자 어떤 일을 하는 데 밤낮을 가리지 않음. ¶ ~ 작업에 열중하다 / ~ 연구에 정진하다.
불청 (不聽) 명하타 **1** 듣지 않음. **2** 청한 것을 들어주지 않음.
불청-객 (不請客) 명 청하지 않았는데 온 손님. 반갑지 않은 손님. ¶ ~이 들이닥치다.
불청-불탁 (不淸不濁) 명 〔언〕 고대 음운론에서 음의 청탁을 가릴 때 'ㆁ, ㄴ, ㅁ, ㅇ, ㄹ, △' 등으로 표기되는 음.
불체포 특권 (不逮捕特權) 〔법〕 국회의원의 2대 특권의 하나. 국회의원은 현행범이 아니면 회기 중 국회의 동의 없이 체포·구금되지 않는 특권. ¶ ~을 남용하다.
불초 (不肖) 一명 어버이의 덕망이나 유업을 이어받지 못함. 또는 그렇게 못나고 어리석은 사람. 二인대 **1** 불초자. **2** 자신의 겸칭. ¶ ~ 자식 / ~ 소생 부모님께 문안 인사 올립니다. —**-하다** 형여불 못나고 어리석다.
불초-남 (不肖男) 인대 불초자. 아들이 부모

에 대하여 자기를 낮추어 일컫는 말.
불초-자 (不肖子) [인대] 불초남.
불출 (不出) [명][하자형] **1** 밖에 나가지 아니함. ¶두문(杜門)~하다. **2** 어리석고 못난 사람을 조롱하는 말.
불-출마 (不出馬) [명][하자] 출마하지 않음. ¶~를 선언하다.
불충 (不忠) [명][하자형] **1** 충성을 다하지 않음. ¶~을 저지르다. **2** 충성스럽지 않음. ¶나라에 ~한 신하.
불-충분 (不充分) [명][하형] 충분하지 않음. ¶~한 자료 검증 / 증거 ~으로 석방되다.
불-충실 (不充實) [명][하형] 충실하지 않음. ¶~한 강의 / 내용의 ~을 탓하다.
불-충실 (不忠實) [명][하형] 마음이 곧지 않고 성실하지 않음. ¶가정에 ~한 가장.
불측 (不測) [명][하형] **1** 미루어 생각하기 어려움. **2** 언행이 고약하고 엉큼함. ¶그게 무슨 ~한 짓인가.
불-치 [명] 총으로 잡은 짐승이나 새. ↔매치.
불치 (不治) [명][하자] **1** 병이 낫지 않음. ¶~의 병. **2** 나라가 바르게 다스려지지 않음.
불치-병 (不治病)[-뼝] [명] 고치지 못하는 병. 고칠 수 없게 된 병. 고질(痼疾). ¶~으로 고생하다 / ~을 앓다.
불치하문 (不恥下問) [명][하자] 자기보다 못한 사람에게 묻는 것을 부끄러워하지 않음.
불-친절 (不親切) [명][하형] 친절하지 않음. ¶외국인에게 ~한 운전기사 / 손님에 대한 ~은 용서할 수 없다.
불-침 (-鍼) [명] 장난으로 성냥개비 태운 숯 같은 것을 자는 사람의 살에 꽂고 불을 붙여 뜨거워 놀라서 깨게 하는 물건. ¶~을 놓다.
불침 (不侵) [명][하타] 침략하지 않음. ¶~ 조약.
불침-번 (不寢番) [명] 밤에 자지 않고 경비를 서는 일. 또는 그런 사람. ¶~을 서다.
불컥-거리다 [자타] 지직한 반죽이나 진흙 따위를 자꾸 주무르거나 밟는 소리가 나다. 또는 그런 소리를 자꾸 내다. **불컥-불컥** [부][하자타]
불컥-대다 [자타] 불컥거리다.
불쾌-감 (不快感) [명] 언짢은 기분이나 느낌. ¶~을 느끼다.
불쾌-지수 (不快指數) [명] 온도·습도 등의 변화에 따라 몸에 느껴지는 쾌(快)·불쾌의 정도를 숫자로 나타낸 것(지수 70 이하는 쾌적, 75는 대략 반수의 사람, 80 이상이면 거의 모든 사람이 불쾌감을 느낌). 온습(溫濕)지수.
불쾌-하다 (不快-) [형][여불] **1** 못마땅하여 기분이 좋지 않다. ¶불쾌한 시선. ↔유쾌하다. **2** 몸이 찌뿌드드해 기분이 좋지 않다. **불쾌-히** [부]. ¶너무 ~ 여기지 마십시오.
불타 (佛陀) [명] 〖불〗 부처. [준]불(佛).
불-타다 [자] **1** 불이 붙어 타다. ¶화재로 집이 ~. **2** 몹시 붉은빛을 띠다. ¶불타는 단풍. **3** 감정이나 열정이 크게 일다. ¶애국심에 ~ / 불타는 사랑. **4** 눈 따위가 빛나다. ¶불타는 시선.
불타-오르다 [-오르니, -올라] [자] **1** 불이 붙어 타오르다. ¶시커먼 연기를 내뿜으며 ~. **2** 붉은빛으로 빛나다. ¶불타오르는 노을. **3** 감정이나 기세가 끓어오르다. ¶증오심이 ~.
불-탄일 (佛誕日) [명] 석가모니의 탄생일(음력 4월 8일. 이날 관불(灌佛)을 행함).
불탑 (佛塔) [명] 〖불〗 절에 세운 탑.
불토 (佛土) [명] 부처가 사는 극락정토. 또는 부처가 교화(敎化)한 국토.
불통 (不通) [명][하자타] **1** 교통·통신 따위가 통하지 않음. ¶며칠째 소식이 ~이다 / 전화가 ~이다 / 산사태로 철도가 ~ 중이다. **2** 의사가 통하지 않음. ¶고집~. **3** 세상일에 어둡거나 눈치채지 못함. ¶소식이 ~이다.
불퇴 (不退) [명][하자] **1** 물러나지 않음. ¶~의 각오. **2** 물리지 않음. ¶일수(一手)~.
불-퇴전 (不退轉) [명][하자] **1** 〖불〗 보살이 수행하여 도달한 일정한 경지에서 물러서지 않는 일. 불퇴. **2** 굳게 믿어 움직이지 않음. ¶~의 결의.
불-투명 (不透明) [명][하형] **1** 투명하지 않음. ¶~한 유리 / ~ 렌즈. **2** 말·태도 따위가 분명하지 않음. ¶~한 태도. **3** 〖경〗 미래의 전망 따위가 확실하지 않음. ¶수출 전망이 ~하다.
불퉁-거리다 [자] 걸핏하면 얼굴이 불룩해지고 성을 내며 함부로 말하다. [작]볼통거리다.
불퉁그러-지다 [자] 물건의 마디가 불퉁하게 내밀어 있다.
불퉁-대다 [자] 불퉁거리다.
불퉁-불퉁 [부][하자형] **1** 군데군데 툭툭 불거져 있는 모양. ¶바위가 ~하다. **2** 툭하면 성을 내고 얼굴이 불룩해지면서 함부로 말하는 모양. ¶걸핏하면 ~ 성을 낸다. [작]볼통볼통.
불퉁-스럽다 [-스러우니, -스러워] [형][ㅂ불] 말이 순하지 않고 불퉁불퉁한 데가 있다. [작]볼통스럽다. **불퉁-스레** [부]
불퉁-하다 [형][여불] **1** 툭 불거져 있다. **2** 퉁명스럽고 무뚝뚝하다. [작]볼통하다. **불퉁-히** [부]
불-특정 (不特定) [명] 특별히 정하지 않음. ¶~ 다수를 겨냥한 선전.
불특정-물 (不特定物) [명] 〖법〗 구체적으로 특별히 정하지 않고, 종류·품종·수량만으로 지시된 물건. ↔특정물.
불-티 [명] 타는 불에서 튀어나오는 작은 불똥. ¶~가 날리다.
불티-같다 [-갇따] [형] 팔거나 나누어 주는 물건이 내놓기가 무섭게 없어지는 상태에 있다. **불티-같이** [-가치] [부]. ¶~ 다 팔리다.
불티-나다 [자] (주로 '불티나게'의 꼴로 쓰여) 물건이 금방 팔리거나 없어지다. ¶유행하는 티셔츠가 불티나게 팔려 나가다.
불패 (不敗) [명][하자] 지지 않거나 실패하지 않음. ¶~의 아성이 무너지다.
불펜 (bullpen) [명] 야구에서, 구원 투수가 경기 중에 투구 연습하는 장소.
***불편** (不便) [명][하형] **1** 어떤 것을 사용 또는 이용하기에 편리하지 못하고 거북스러움. ¶아무 ~도 없다 / 교통이 ~하다. ↔편리. **2** 병으로 몸이 편하지 못함. ¶몸의 ~을 무릅쓰고 일하다. **3** 다른 사람과의 관계 따위가 불편하다. ¶그는 상대방을 ~하게 하는 사람이다.
불편부당 (不偏不黨) [명][하형] 아주 공평하여 어느 편으로도 치우치지 아니함. 무편무당(無偏無黨).

불편-스럽다 (不便-)〔-스러우니, -스러워〕 형ㅂ불 불편한 데가 있다. ¶계단이 많아 오르내리기에 ~. **불편-스레** 부
불평 (不平) 명하타형 마음에 들지 아니하여 못마땅하게 여김. ¶늘 ~만 늘어놓다 / 월급이 적다고 ~하다.
불-평등 (不平等) 명하형 평등하지 않음. ¶여자라는 이유로 ~한 대우를 받다.
불평등 조약 (不平等條約) 조약을 맺은 두 나라의 국력이 대등하지 않기 때문에, 약소국이 불리한 조건을 지게 되는 조약.
불-포화 (不飽和) 명하자 최대한도까지 한껏 이르지 않음. ↔포화.
불포화 지방산 (不飽和脂肪酸) 〘화〙 사슬 모양으로 결합된 탄소의 일부가 이중으로 결합되어 있는 지방산. ↔포화 지방산.
불-필요 (不必要) 명하형 필요하지 않음. ¶~한 지출을 줄이다.
불하 (拂下) 명하타 국가나 공공 단체의 재산을 민간에 팔아넘기는 일. ¶국유지를 ~하다. ↔매상.
불학 (不學) 명하타 배우지 못함.
불한-당 (不汗黨) 명 **1** 떼를 지어 돌아다니는 강도. 화적. 명화적(明火賊). **2** 떼 지어 다니며 행패를 부리는 무리. ¶이 ~ 같은 놈들.
불-합격 (不合格) 명하자 시험이나 검사 따위에서 기준에 들지 못함. ¶입사 시험에 ~된 사람 / ~의 고배를 마시다. ↔합격.
불합당-하다 (不合當-) 형여불 조건이나 규정 따위에 꼭 알맞지 않다. ¶불합당한 결정.
불-합리 (不合理)[-함니] 명하형 이론이나 이치에 맞지 않음. ¶~한 제도를 개선하다. ↔합리.
불합리-성 (不合理性)[-함니썽] 명 이론이나 이치에 맞지 않는 성질 또는 요소. ¶논거의 ~을 지적하다. ↔합리성.
불-합의 (不合意)[-/-이] 명하자 의사가 일치하지 않음.
불합-하다 (不合-)[-하파-] 형여불 **1** 뜻이 맞지 아니하다. **2** 마음이 서로 맞지 아니하다. ¶형제 사이가 ~.
***불행** (不幸) 명하형히부 **1** 행복하지 못함. 불운. ¶~한 사람. **2** 운수가 나빠 순조롭지 못하다. ¶~하게도 시험에 또 낙방하다. ↔행복.
불행 중 다행 구 불행한 가운데에도 그나마 다행. ¶목숨은 건졌으니 ~이다.
불허 (不許) 명하타 허락 또는 허용하지 않음. ¶낙관을 ~하다 / 타의 추종을 ~하다.
불현-듯 [-듣] 부 불현듯이.
불현-듯이 부 갑자기 생각이 치밀어서 걷잡을 수 없게. ¶~ 옛 친구 생각이 나다.
불-협화음 (不協和音)[-혀퐈-] 명 **1** 〘악〙 '안어울림음'의 한자 이름. ↔협화음. **2** 서로 뜻이 맞지 않아서 일어나는 충돌. ¶회원들 사이에 ~이 생기다.
불호-간 (不好間) 명 서로 뜻이 틀려 좋아하지 않는 사이.
불-호령 (-號令) 명하자 갑작스럽게 내리는 무섭고 급한 호령. 볼호령. ¶아버지의 ~이 떨어지다.
불혹 (不惑) 명하자 **1** 미혹되지 않음. **2** 나이 마흔 살의 일컬음. ☞나이.
불화 (不和) 명하형 사이가 서로 화합하지 못함. ¶이웃 간의 ~ / 대화로 ~를 해소하다.
불화 (弗貨) 명 달러를 단위로 하는 화폐. 곧, 미국의 화폐.
불화 (佛畫) 명 부처·보살의 그림. 또는 불교에 관계되는 회화.
불-확실 (不確實) 명하형 확실하지 않음. ¶~한 미래 / 생사 여부는 ~하다.
불-확정 (不確定) 명하형 확실히 결정하지 못함. ¶~ 요소 / ~한 장래.
불환 지폐 (不換紙幣)[-/-페] 〘경〙 정화(正貨)와 바꿀 수 없는 지폐. ↔태환(兌換) 지폐.
불황 (不況) 명 〘경〙 경기가 좋지 못함. 불경기. ¶경기 ~ / ~에 빠지다. ↔호황.
불효 (不孝) 명하자형 **1** 어버이를 제대로 섬기거나 받들지 않음. ¶~를 저지르다. **2** 효성스럽지 않음. ¶~한 짓을 하다. ↔효(孝).
불효-자 (不孝子) 명 **1** 불효한 자식. 불효자식. **2** 주로 편지 글에서, 부모에게 자기를 낮추어 쓰는 말.
불후 (不朽) 명하자 (주로 '불후의'의 꼴로 쓰여) 영원히 변하거나 없어지지 않음. ¶~의 명작 / ~의 업적.
***붉다** [북따] ㊀형 빛이 핏빛과 같다. ¶붉은 꽃 / 단풍으로 붉게 물든 풍악. ㊁자 핏빛과 같이 되다. ¶낯이 붉는 듯하다.
붉덩-물 [북떵-] 명 붉은 황토가 섞여 탁하게 흐르는 큰물. ¶장마로 ~ 진 강.
붉디-붉다 [북띠북따] 형 아주 진하게 붉다.
붉어-지다 [불거-] 자 빛이 점점 붉게 되어 가다. ¶얼굴이 ~.
붉으락-푸르락 [불그-] 부하형 성이 나거나 흥분하여 얼굴빛이 붉었다 푸르렀다 하는 모양. ¶노여움에 얼굴이 ~하다.
붉은머리-오목눈이 [불근-몽-] 명 〘조〙 휘파람샛과의 새. 굴뚝새와 비슷한데 꽁지가 길며 민첩함. 여름·가을에 떼를 지어 대밭 등에서 벌레를 잡아먹는 익조임. 교부조(巧婦鳥). 뱁새.
붉은-발 [불근-] 명 부스럼의 독기로 그 언저리에 나타나는 충혈된 핏줄.
붉은발(이) 서다 구 붉은발이 나타나다.
붉은-빛 [불근빋] 명 핏빛과 같은 색. 적색(赤色). ¶~으로 물들다.
붉은-팥 [불근팓] 명 껍질색이 검붉은 팥.
붉은-피톨 [불근-] 명 〘생〙 적혈구(赤血球). *흰피톨.
붉히다 [불키-] 타 성이 나거나 부끄러워 얼굴을 붉게 하다. ¶낯을 ~.
붐 (boom) 명 **1** 갑자기 수요가 증가하여 가격이 급등하는 일. ¶증권 ~ / 부동산 ~. **2** 어떤 사물이 갑자기 유행하거나 번성하는 일. ¶~이 일다.
붐비다 형 **1** 많은 사람이나 자동차 따위가 들끓다. ¶시장이 ~ / 버스 안이 ~ / 차가 몹시 붐볐다. **2** 사물이 한데 엉클어져 복잡하다. ¶일이 ~.
***붓** [붇] 명 **1** 가는 대 끝에 털을 꽂아서 글씨·그림을 그리는 물건. 털붓. **2** 연필·철필·만년필 등 글씨를 쓰는 도구의 총칭.
붓을 꺾다 구 문필 활동을 그만두다. 붓을 던지다. 붓을 놓다.
붓을 놓다 구 ㉠글을 매듭짓고 쓰기를 그

만두다. ⓛ붓을 꺾다. ¶붓을 놓고 시골로 내려가다.
붓을 대다 구 글이나 글씨를 쓰다.
붓을 들다 구 ㉠글을 쓰기 시작하다. ⓛ문필 활동을 시작하다.
붓이 나가다 구 짓는 글이 순조롭게 되어 나가다.

> **'붓'의 어원**
> '붓'이라는 단어는 어원적으로는 중국어 '筆'에서 온 차용어이다. '筆'은 현재 우리 한자음으로는 '필'이지만 고대 중국에서는 '붇'과 발음이 비슷하였다. 중국에서 물건이 전래될 때 말도 그대로 들어온 것이다.

붓-꽃 [붇꼳] 명 〘식〙 붓꽃과의 여러해살이풀. 산·들에 나는데, 줄기는 곧고, 높이 60 cm 가량, 잎은 긴 칼 모양임. 초여름에 청자색 꽃이 안쪽에서부터 백색·황색·갈색·자색의 차례로 무늬가 되어 핌. 수창포(水菖蒲).
붓-끝 [붇끋] 명 **1** 붓의 뾰족한 끝. 필단(筆端). **2** 붓의 놀림새. 글의 기세. 필봉(筆鋒). ¶~이 날카롭다.
*__붓:다__[1] [붇따] (부으니, 부어) 자 ㅅ불 **1** 살가죽이나 어떤 기관이 부풀다. ¶울어서 눈이 퉁퉁 ~/편도선이 ~. **2** 〈속〉 성이 나다. ¶왜 그리 잔뜩 부어 있니/아이는 잔뜩 부은 얼굴로 대답 대신 고개만 끄덕였다.
*__붓:다__[2] [붇따] (부으니, 부어) 타 ㅅ불 **1** 액체나 가루 따위를 쏟다. ¶욕조에 물을 ~. **2** 씨앗을 배게 뿌리다. ¶배추 씨를 ~. **3** 곗돈·납입금 등을 기한마다 치르다. ¶곗돈을 매달 ~/은행에 적금을 ~. **4** 시선을 한곳에 모으면서 바라보다.
붓다[3] [붇따] 타 '부수다'의 준말.
붓-대 [붇때] 명 붓으로 글씨를 쓸 때 손에 쥐는 자루. 필관(筆管). ¶~를 잡다.
붓-두껍 [붇뚜-] 명 붓촉에 씌워 두는 물건. 준두껍.
붓-방아 [붇빵-] 명 글을 쓸 때 생각이 미처 나지 않아 붓대만 놀리고 망설이는 짓.
붓방아(를) 찧다 구 쓰려는 글의 내용이 생각이 나지 않아서 망설이며 고심하다.
붓-질 [붇찔] 명하자 붓을 놀려서 그림을 그리는 짓. ¶섬세한 ~.
붕[1] 부 **1** 방귀를 뀌는 소리. 센뿡. 거풍. **2** 비행기·벌 등이 날 때 나는 소리. 작봉. **3** 자동차 등이 한 번 울리는 경적 소리.
붕[2] 부 공중에 떠오르거나 가슴이 뿌듯하게 느껴지는 모양. ¶합격 소식을 듣는 순간 공중에 ~ 뜨는 기분이었다.
붕괴 (崩壞) 명하자 **1** 무너지고 깨어짐. 붕궤(崩潰). 붕퇴. ¶건물이 ~하다/냉전 체제가 ~되다. **2** 〘물〙 불안정한 소립자가 스스로 분열해서 다른 종류의 소립자로 변화하는 일.
붕긋 [-귿] 부하형 **1** 꽤 두두룩하거나 조금 높직한 모양. ¶~한 석탄 더미. **2** 맞붙여 놓은 물건이 조금 들떠 있는 모양. 작봉긋.
붕긋-붕긋 [-귿뿡귿] 부하형 여러 곳이 모두 붕긋한 모양. ¶산들이 ~ 솟아 있다. 작봉긋봉긋.
붕긋-이 부 붕긋하게. 작봉곳이.
붕당 (朋黨) 명 뜻을 같이한 사람끼리 모인 단체. ¶~ 정치의 폐해.
붕대 (繃帶) 명 헌데나 상처에 감는 소독된 면포. ¶다리에 ~를 감다.
붕붕-거리다 자타 **1** 갇혀 있던 공기나 가스가 조금 큰 구멍으로 빠져나가는 소리가 잇따라 나다. 또는 그런 소리를 자꾸 내다. ¶버스가 붕붕거리며 산길을 오른다. **2** 자동차·배 따위에서 경적이 잇따라 울리다. 또는 그런 소리를 자꾸 내다. ¶배가 고동을 붕붕거리며 출발했다. **3** 벌 같은 곤충 따위가 나는 소리가 잇따라 나다. ¶풍뎅이 한 마리가 전등 주위에서 붕붕거렸다.
붕붕-대다 자타 붕붕거리다.
붕사 (硼砂) 명 〘화〙 붕산나트륨의 백색 결정체. 강한 열에 녹이면 유리와 비슷하게 변함. 방부제 및 에나멜·유리의 원료로 씀.
붕산 (硼酸) 명 무색무취의 광택이 있는 비늘 모양의 결정. 붕사에 황산을 작용시켜 만든 것으로 더운물에 잘 녹음. 방부제·소독제 따위를 만드는 데 씀.
붕-새 (鵬-) 명 대붕(大鵬).
붕소 (硼素) 명 비금속 원소의 하나. 흑갈색의 금속광택이 나는 고체. 천연으로는 붕사(硼砂)와 같은 화합물로서 생산됨. 강하게 가열하면 산화하여 붕산 무수물로 되고 황산과 함께 가열하면 산화하여 붕산이 됨. [5번 : B : 10.81]
*__붕:어__ 명 〘어〙 잉엇과의 민물고기. 개울·못에 사는데, 길이 10-15 cm, 폭이 넓고 머리는 뾰족하며, 주둥이는 둥글고 수염이 없음. 등은 푸른 갈색, 배는 누르스름한 은백색이나 서식하는 수계(水系)에 따라 몸빛이 다소 다름.
붕어 (崩御) 명하자 임금이 세상을 떠남. 선어(仙馭). 안가(晏駕). 준붕.
붕우 (朋友) 명 벗.
붕우-유신 (朋友有信) 명 오륜의 하나. 벗 사이의 도리는 믿음에 있음.
*__붙다__ [붇따] 一 자 **1** 맞닿아 떨어지지 않다. ¶머리에 검불이 ~. **2** 서로 가까이 마주 닿다. ¶벽에 붙어 있는 침대. **3** 생활을 남에게 기대다. ¶매형한테 붙어 산다. **4** 좇아서 따르다. ¶반대파에 ~. **5** 아주 밀접하게 사귀다. ¶늘 붙어 다니는 두 사람. **6** 불이 옮아서 타다. ¶옆집에 불이 붙었다. **7** 시험 따위에 뽑히다. ¶입사 시험에 ~. **8** 더 늘다. 또는 덧붙다. ¶영어 실력이 ~/경품이 ~/조건이 ~/이자가 ~. **9** 새로운 상태나 현상 또는 감정이 생기다. ¶살이 ~/정이 ~. **10** 설비가 되어 있다. ¶침대차가 붙어 있는 열차. **11** 어떤 장소에 오래 머물다. ¶집에 붙어 있을 새가 없다. 二 자타 암수가 서로 교미하다.
붙-당기다 [붇땅-] 타 붙잡아서 당기다.
붙-동이다 [붇똥-] 타 붙들어 감거나 둘러 묶다.
*__붙-들다__ [붇뜰-] (붙드니, 붙드오) 타 **1** 꽉 쥐고 놓지 않다. ¶손목을 ~. **2** 달아나는 것을 잡다. ¶도둑을 ~. **3** 가지 못하게 말리다. ¶헤어지기 아쉬워 가겠다는 사람을 자꾸 ~. **4** 잡아 주어 돕다. ¶술에 취해 비틀거리는 사람을 붙들어 주다.

붙들-리다 [붙뜰-] 자 《'붙들다'의 피동》 붙듦을 당하다. ¶경찰에 ~/장모한테 붙들려서 하루 더 묵다.
붙-따르다 [붇-] (붙따르니, 붙따라) 타 **1** 아주 바짝 가까이 따르다. **2** 붙좇다.
붙-매이다 [붇-] 자 사람이나 일에 매이다. ¶회사 일에 붙매이어 틈이 없다.
붙-박다 [붇빡-] 타 (주로 '붙박아'의 꼴로 쓰여) 한곳에 고정시켜 움직이지 않게 하다. ¶화장실에 거울을 붙박아 놓다.
붙-박이 [붇빡-] 명 **1** 한곳에 고정되어 움직일 수 없게 된 상태. ¶~ 책상. **2** 정해져 있어 바꾸지 아니함. ¶~로 거래하는 가게.
붙-박이다 [붇빡-] 자 《'붙박다'의 피동》 한곳에 박혀 있어 움직이지 않다.
붙박이-별 [붇빡-] 명 〖천〗 항성(恒星).
붙박이-장 (-欌)[붇빡-] 명 이동시킬 수 없게 벽에 붙여 만든 장.
붙박이-창 (-窓)[붇빡-] 명 〖건〗 광선만을 받아들이고 여닫지 못하게 된 창. ↔열창.
붙-안다 [붇-따] 타 두 팔로 부둥켜 안다.
붙어-먹다 타 **1** 남에게 빌붙어 물질적 이득이나 도움을 얻다. ¶일제에 ~. **2** 〈비〉 간통하다. ¶붙어먹었다는 소문이 퍼지다.
붙어-살다 자 **1** 남에게 얹혀살다. ¶아우에 붙어사는 처지. **2** 다른 생물에 붙어 영양을 빨아 먹고 살다.
붙은-돈 명 어떤 액수가 한 장 또는 한 푼으로 되어 있어 그 액수에서 얼마를 뗄 수 없게 된 돈. ¶~ 밖에 없으니 잔돈 생기면 갚겠소.
-붙이 [부치] 미 **1** 가까운 사람의 겨레. ¶일가~. **2** 어떤 것에 속한 같은 종류. ¶쇠~.
***붙이다** [부치-] 타 **1** 맞닿아 떨어지지 않게 하다. ¶봉투에 우표를 ~. **2** 서로 맞닿게 하다. ¶책상을 ~. **3** 연애 관계 등 교제를 맺게 하다. ¶두 남녀를 붙여 주다. **4** 암컷과 수컷을 교합시키다. ¶암수의 교미를 ~. **5** 불을 딴 곳으로 옮겨 붙게 하다. ¶연탄불을 ~. **6** 딸리게 하다. ¶감시원을 ~. **7** 노름·싸움·흥정 등을 어울리게 하다. ¶흥정을 ~/싸움을 ~. **8** 어떤 일에 자기의 의견을 더 넣다. ¶조건을 ~. **9** 마음에 당기게 하다. ¶취미를 ~. **10** 이름을 지어 달다. ¶인숙이라고 이름을 ~. **11** 내기에 돈을 태워 놓다. ¶내기에 5000원을 ~. **12** 손바닥으로 뺨을 때리다. ¶따귀를 한 대 ~. **13** 말을 걸다. ¶어려워서 말을 붙일 수가 없다. **14** (주로 '번호·순서'와 함께 쓰여) 큰 소리로 구령을 외치다. ¶번호를 붙여 일렬로 서다. **15** 윷놀이에서, 말을 밭에 달다. 주의 1-10은 '붙다'의 사동사임.
붙임-붙임 [부침부침] 一명 붙임성. 二부 남과 붙임성 있게 잘 사귀는 모양.
붙임-성 (-性)[부침썽] 명 남과 잘 사귀는 성질이나 수단. 붙임붙임. ¶~이 없어서 친구가 많지 않다/~이 있어서 좋다.
붙임-줄 [부침쭐] 명 〖악〗 악보에서 두 개의 같은 높이의 음을 잇는 표시. 호선 '⌒'의 이름《두 음표를 끊지 않고 이어서 연주할 것을 가리킴》. 타이.
붙임-표 (-標)[부침-] 명 〖언〗 이음표의 하나. 사전 등에서 합성어 또는 접사나 어미임을 나타낼 때 쓰는 '-'의 이름《영어의 '하이픈'과 같음》. 접합부(接合符).
***붙-잡다** [붇짭-] 타 **1** 붙들어서 쥐다. ¶소매를 ~. **2** 달아나지 못하게 잡다. ¶범인을 ~. **3** 가지 못하게 말리다. 붙들다. ¶자네를 오래 붙잡지는 않겠네. **4** 직업을 얻다. ¶직장을 ~.
붙-잡히다 [붇짜피-] 자 《'붙잡다'의 피동》 붙들려서 잡히다. 붙잡음을 당하다. ¶용의자가 형사에게 ~/도둑질을 하다가 ~.
붙-좇다 [붇쫃따] 타 존경하거나 섬겨 따르다. 붙따르다. ¶스승을 ~.
뷔페 (프 buffet) 명 여러 가지 음식을 큰 식탁에 차려 놓고 손님이 원하는 대로 덜어 먹는 식사 형식. 또는 그런 식당.
뷰렛 (burette) 명 〖화〗 액체의 부피를 측정하는 한편 배출·적하(滴下)할 수 있는, 유리관으로 된 실험 장치.
브라만 (Brahman) 명 인도 카스트 제도에서 가장 높은 지위인 승려 계급. 바라문(婆羅門).
브라만-교 (Brahman教) 명 〖종〗 불교 이전에 인도에서 베다(Veda) 신앙을 중심으로 발달한 종교. 우주의 본체, 곧 범천(梵天)을 중심으로 하여 희생을 중히 여기며 고행·결백을 으뜸으로 삼았음. 바라문교(婆羅門教).
브라보 (이 bravo) 감 '잘한다, 좋다, 신난다' 등의 뜻으로 외치는 소리.
브라스 밴드 (brass band) 금관 악기를 주체로 편성된 악대. 취주 악대.
브라우저 (browser) 명 〖컴〗 인터넷을 검색할 때, 문서·영상·음성 따위 정보를 얻기 위해 사용하는 프로그램.
브라운-관 (Braun管) 명 **1** 〖물〗 진공관의 하나. 전류의 강약을 빛의 강약으로 바꾸는 작용을 함《텔레비전·레이더 등에 이용됨》. **2** '텔레비전'의 비유. ¶~에 복귀한 가수.
브래지어 (brassiere) 명 여자들이 가슴을 가리거나 받쳐 주고 보호하며 모양을 예쁘게 하기 위해 입는 속옷의 하나.
브랜드 (brand) 명 상표. ¶유명 ~.
브랜디 (brandy) 명 포도주를 증류해서 만든 술《코냑 따위》.
브러시 (brush) 명 **1** 솔[2]. **2** 솔 모양의 빗.
브레이크 (brake) 명 **1** 차량 및 여러 기계 장치의 운전을 조절·제어하기 위한 장치. 제동기. ¶~를 걸다. **2** 어떤 일을 멈추게 하거나 방해하는 일. ¶하는 일마다 ~를 걸고 방해한다.
브레이크 (break) 명 권투에서, 클린치한 두 선수에게 주심이 떨어질 것을 명령하는 말.
브레인 (brain) 명 브레인트러스트.
브레인스토밍 (brainstorming) 명 자유로운 토론으로 창조적인 아이디어를 끌어내는 일《기획 회의 따위에서 이용됨》.
브레인-트러스트 (brain trust) 명 국가나 기업 따위에 속하여 자문에 응하는, 학식과 경험이 풍부한 전문가 집단. 브레인.
브로마이드 (←bromide paper) 명 **1** 감광제로서 브롬화은(Brom化銀)을 사용해 만든 인화지. 또는 그 인화지에 현상한 색이 변하지 않는 사진. **2** 배우·가수·운동 선수 등의 초상 사진.
브로치 (brooch) 명 옷의 깃이나 앞가슴에 다는 장신구의 한 가지.
브로커 (broker) 명 1 상행위의 매개를 업으로 하는 사람. 거간. 중개인. 2 〈속〉 사기적인 거간꾼.
브롬 (독 Brom) 명 〔화〕 할로겐족 원소의 하나. 불쾌한 자극성 냄새가 있는 적갈색의 휘발성 액체《유독성을 이용한 살균제 기타 각종 브롬화물의 원료가 됨》. 취소(臭素). [35번 : Br : 79.904]
브리지 (bridge) 명 1 다리. 교량. 2 육교. 3 선장·함장이 지휘하는 곳. 선교. 함교. 4 열차의 차체와 차체를 연결하는 다리. 5 선로 위로 건너지른 다리. 6 코 위에 걸리는 안경테의 부분. 7 현악기의 기러기발. 8 〔물〕 전기의 저항·빈도 등을 재는 장치. 9 방송에서 두 장면의 교량 구실을 하는 음악이나 음향.
브리핑 (briefing) 명하타 1 요점을 간추린 간단한 보고서. 또는 그런 보고나 문서. ¶ 경과를 ~하다. 2 공군에서, 비행 직전에 비행사에게 내리는 간단한 명령.
브이시아르 (VCR) 명 〔video casette recorder〕 비디오 카세트 녹화 재생 장치.
브이아이피 (VIP) 명 〔very important person〕 중요한 인물. 귀빈. 요인.
브이에이치에프 (VHF) 명 〔very high frequency〕 '초단파'의 정식 주파수 구분상의 호칭. 30-300메가헤르츠 주파수의 전파. 텔레비전·에프엠 방송에 이용됨.
브이오디 (VOD) 명 〔video on demand〕 〔컴〕 초고속 통신망에서 제공되는 서비스의 하나. 시청자가 원하는 시간에 원하는 프로그램을 언제든지 받아 볼 수 있게 전송·재생해 주는 시스템. 주문형 비디오.
브이티아르 (VTR) 명 비디오테이프리코더.
블라우스 (blouse) 명 여자나 아이가 입는 셔츠 모양의 낙낙한 윗옷.
블라인드 (blind) 명 창에 달아 볕을 가리는 물건. ¶ ~를 치다.
블랙 (black) 명 블랙커피. ¶ 나는 ~으로 한 잔 주시오.
블랙-리스트 (blacklist) 명 주의나 감시가 필요한 위험 인물의 명단. ¶ 요주의 인물로 ~에 오르다.
블랙-박스 (black box) 명 〔항공〕 비행 자료 자동 기록 장치《사고의 원인을 밝히는 데 중요한 구실을 함》. ¶ ~를 해독하다.
블랙-커피 (black coffee) 명 설탕·크림을 넣지 않은 커피. 블랙. ¶ 따끈한 ~ 한 잔으로 추위를 녹인다.
블랙 코미디 (black comedy) 통렬한 풍자와 음침하고 섬뜩한 내용을 담은 희극.
블랙-홀 (black hole) 명 〔천〕 항성(恒星)이 진화의 최종 단계에서 폭발한 후, 수축되어 초고밀도·초강중력(超強重力)을 갖게 된 가설적인 천체《외부의 빛과 물질은 흡수하고 자체의 빛은 내보내지 않음》.
블로킹 (blocking) 명하타 1 농구에서, 공을 갖지 않은 상대를 방해하는 일. ¶ 철저한 ~에 막혀 완패했다. 2 권투에서, 상대의 공격을 방어하는 일. 3 배구에서, 전위(前衛) 선수가 상대편의 스파이크를 막는 일. ¶ 한 세트에 ~만으로 7점을 얻었다.
블록 (bloc) 명 정치상·경제상의 이익을 꾀하여 제휴한 국민·단체 등의 집단.
블록 (block) 명 1 길에 깔거나 건축에 쓰는 나무·돌·콘크리트 등의 덩어리. 2 시가의 한 구획. ¶ 두 ~을 지나면 소방서가 나옵니다. 3 나무나 플라스틱 토막으로 만든 어린이 장난감《조립하여 각종 모양을 만듦》. 4 〔컴〕 하나의 단위로 다룰 수 있는 문자·워드·레코드의 집합.
블론드 (blond) 명 금발. 또는 그런 머리털을 가진 사람.
블루스 (blues) 명 2박자 또는 4박자의 애조를 띤 곡. 또는 그에 맞춰 추는 춤.
블루-진 (blue jeans) 명 푸른 빛깔의 질기고 두터운 무명으로 만든 옷. 청바지.
블루-칼라 (blue collar) 명 육체 노동자. 현장에서 일하는 노동자. ↔화이트칼라.
***비**[1] 명 대기 중의 수증기가 높은 곳에서 찬 공기를 만나 엉겨 맺혀서 땅 위로 떨어지는 물방울. ¶ ~가 내리다 / ~가 개다 / ~에 젖다 / 땀을 ~ 오듯 흘리다 / 흐린 가운데 한두 차례 ~가 내리겠다.
[비 맞은 중놈 중얼거리듯] 알아듣지 못할 정도의 낮은 소리로 불평 섞인 말을 중얼거림의 비유. [비 온 뒤에 땅이 굳어진다] 시련을 겪은 뒤에 더 강해짐을 이르는 말.
비 오나 눈이 오나 구 어떤 어려움 속에도 언제나 한결같이.
비 오듯 하다 구 ㉠화살·총알 따위가 무수히 날아오다. ㉡눈물이나 땀 따위가 줄줄 쏟아지다.

'비'의 종류

1. 계절과 관련된 비
가을비, 가을장마, 건들장마, 늦장마, 복물, 봄비, 봄장마, 장마
2. 세기나 양에 관련된 비
가는비, 가랑비, 개부심, 굵은비, 는개, 먼지잼, 보슬비, 부슬비, 소나기, 실비, 안개비, 억수, 억수장마, 이슬비, 작달비, 장대비, 큰비
3. 농사와 관련된 비
꿀비, 단비, 모종비, 목비, 못비, 복비, 약비
4. 기타
그믐치, 누리, 밤비, 보름치, 산돌림, 산성비, 여우비, 웃비, 찬비

***비**[2] 명 먼지나 쓰레기 따위를 쓸어 내는 청소 도구. ¶ ~로 마당을 쓸다.
[비를 드니까 마당을 쓸라 한다] 스스로 일을 하려는데 쓸데없는 간섭을 해서 의욕을 꺾는 경우의 비유.
비: (比) 명 1 두 개의 수나 양을 비교해 몇 배인가를 보이는 관계. 2 '비례'의 준말.
비 (妃) 명 1 왕의 아내. 2 황태자의 아내.
비 (妣) 명 돌아가신 어머니. ¶ 선(先)~. ↔ 고(考).
비: (非) 명 잘못되거나 그른 것. ¶ 시(是)와 ~를 가리다. ↔시(是).
비 (碑) 명 사적을 기념하기 위해 돌·쇠붙이·나무 따위에 글을 새기어 세운 물건. 비석. ¶ ~를 세워 공덕을 기리다.

비:-(非) 투 (어떤 명사 앞에 붙어) '부정(否定)'의 뜻을 나타냄. ¶ ~공식 / ~과학적 / ~논리적 / ~능률적.
-비(費) 미 (어떤 명사 뒤에 붙어) '비용'의 뜻을 나타냄. ¶하숙~ / 생활~ / 교통~.
비:가(悲歌) 명 슬프고 애절한 노래. 애가(哀歌). 엘레지.
비:-가시광선(非可視光線) 명 〔물〕 사람의 눈에 보이지 않는 복사선의 하나《자외선·적외선 따위》. ↔가시광선.
비각 명 서로 상극이 되어 용납되지 않는 일《물과 불 따위》.
비각(碑閣) 명 안에 비를 세워 놓은 집.
비:감(悲感) 명하형히부 슬픈 느낌. 또는 슬프게 느낌. ¶ ~에 잠기다〔젖다〕.
비:강(鼻腔) 명 〔생〕 코의 안쪽에 있는 빈 곳. 콧속.
비-개석(碑蓋石) 명 〔건〕 비신(碑身) 위에 얹는 지붕 모양의 돌. 가첨석(加檐石).
비-거스렁이 명하자 비가 갠 뒤에 바람이 불고 기온이 낮아지는 현상.
비:-거주자(非居住者) 명 〔법〕 1 국내에 주소나 거소를 두지 아니하는 사람. 2 거주자가 아닌 사람으로 국내 원천 소득이 있는 개인.
비걱 부하자타 단단한 물건끼리 서로 닿아서 갈리어 나는 소리. ¶ ~하고 대문이 닫히다. 센삐걱·삐꺽.
비걱-거리다 자타 자꾸 비걱 소리가 나다. 또는 그런 소리를 자꾸 내다. ¶바람에 대문이 ~. 작배각거리다. **비걱-비걱** 부하자타
비걱-대다 자타 비걱거리다.
비:겁-하다(卑怯-)[-거파-] 형여불 언행이 떳떳하지 못하고 야비하다. ¶비겁한 행동.
비게-질 명하자 말이나 소가 나무·돌 등에 몸을 비비는 짓.
비:견(比肩) 명하자 어깨를 나란히 한다는 뜻으로, 낫고 못함이 없이 서로 비슷함. ¶ ~할 만하다 / 명인에 ~될 수 있는 솜씨.
비:결(祕訣) 명 세상에 알려지지 않은 자신만의 뛰어난 방법. 비약(祕鑰). 비요(祕要). ¶건강 ~ / 성공의 ~.
비:경(祕境) 명 1 신비스러운 경지. 2 세상에 잘 알려지지 않은 곳. ¶ ~을 탐색하다. 3 경치가 빼어나게 아름다운 곳. ¶바다 속 ~ / ~을 이루다.
비경이 명 베틀에서 잉아의 뒤와 사침대 앞 사이에 날실을 걸치도록, 가는 나무 세 개를 얼레 비슷이 벌려 만든 것.
비-경제적(非經濟的) 관명 산출량이나 효과에 비하여 비용이나 품이 많이 드는 (것). ¶ ~ 요소 / ~인 방법.
비계 [-/-게] 명 돼지 따위의 가죽 안쪽에 붙은 두꺼운 기름 조각.
비:계(祕計)[-/-게] 명 남모르게 꾸민 꾀. 또는 그런 계획. 비모(祕謀). ¶ ~를 꾸미다.
비:고(備考) 명 1 참고하기 위해 준비해 둠. 또는 그런 것. 2 어떤 내용에 참고가 될 만한 사항을 덧붙여 보충함. 또는 그 사항.
비:고-란(備考欄) 명 비고로 마련하여 둔 난(欄). ¶ ~에 자기 의견을 적다.
비:곡(悲曲) 명 슬픈 곡조. 비조(悲調).
비:골(鼻骨) 명 〔생〕 코를 이룬 뼈.
비:공(鼻孔) 명 콧구멍1.
비:-공개(非公開) 명하타 공개하지 않음. ¶ ~ 회의 / ~로 진행되다 / ~ 사실. ↔공개.
비:-공식(非公式) 명 공식이 아니고 사사로움. ¶ ~ 회의에서 논의하다 / ~ 경기 / ~으로 만나다.
비공식-적(非公式的) 관명 공적인 형식이나 내용을 갖추지 않고 사사로운 (것). ¶금융 지원을 ~으로 요청하다.
비:-과세(非課稅) 명 세금을 매기지 않음. ¶ ~ 금융 상품.
비:관(悲觀) 명하타 1 인생을 어둡게만 생각하고 절망함. ¶세상을 ~하다. 2 앞으로의 일이 잘 안될 것이라고 봄. ↔낙관.
비:관-론(悲觀論)[-논] 명 인생을 어둡게만 보아 희망을 갖지 않는 염세적인 이론. ¶ ~이 우세하다 / ~을 일축하다 / ~에 빠지다. ↔낙관론.
비:관론-자(悲觀論者)[-논-] 명 모든 일에 대하여 비관론을 내세우는 사람.
비:관세 장벽(非關稅障壁) 관세 이외의 방법으로 정부가 외국 상품을 차별하는 규제《수입 수량 제한, 수출 보조금 지급 따위》.
비:관-적(悲觀的) 관명 비관하는 (것). ¶ ~ 전망 / 결과는 ~이다. ↔낙관적.
*비:교(比較) 명하타 두 개 이상의 사물을 견주어 봄. 비량(比量). ¶ ~의 대상 / 성능을 ~하다 / 책임이 전보다 ~되지 않을 만큼 무거워졌다.
비:교격 조:사(比較格助詞)[-껵-] 〔언〕 체언이나 용언의 명사형 뒤에 붙어서 그것과 다른 것이 서로 견줌을 나타내는 격조사《'과, 와, 하고, 처럼, 같이, 만큼, 보다' 따위》. 견줌자리토씨.
비:교 문학(比較文學) 〔문〕 두 나라 이상의 문학을 비교해 서로의 연관성과 영향 관계 또는 문학적 특성 따위를 연구하는 학문.
*비:교-적(比較的) 一관명 이것과 저것을 견주어 판단하는 (것). ¶지역 문화의 ~ 고찰. 二부 보통 정도보다는 꽤. ¶ ~ 춥다 / ~ 잘되었다 / 오늘 시험은 ~ 쉬웠다.
비:구(比丘) 명 〔불〕 출가하여 구족계(具足戒)를 받은 남자 승려. ↔비구니.
비:구(髀臼) 명 〔생〕 치골(恥骨)의 바깥쪽으로 우묵하게 들어간 곳. 관골구(髖骨臼).
비:구-니(比丘尼) 명 〔불〕 출가하여 머리를 깎고 구족계를 받은 여자 승려. ↔비구.
비-구름 명 비를 몰아오는 구름. 난층운(亂層雲). ¶ ~이 몰려온다.
비:-구상(非具象) 명 자유로운 형태와 색채로 표현한 추상 회화의 한 경향. 농피귀라티프(non-figuratif). *추상.
비:구-승(比丘僧) 명 〔불〕 출가해 구족계를 받고 독신으로 불도를 닦는 승려.
비:굴(卑屈) 명하형히부 용기가 없고 비겁함. ¶ ~한 태도〔생각〕.
비:굴-스럽다(卑屈-)〔-스러우니, -스러워〕 형ㅂ불 용기나 줏대가 없이 남 앞에서 떳떳하지 못한 데가 있다. ¶비굴스럽지 않도록 당당히 처신하다. **비:굴-스레** 부. ¶ 손을 비비며 ~ 웃다.
비:극(悲劇) 명 1 인생의 불행과 비참한 일을 제재로 하여 파멸·고뇌·죽음 따위를 내용으로 하는 극의 형식. ¶ ~ 영화. 2 매우

비참한 사건. ¶ 분단의 ~ / 인생의 일대 ~. ↔희극.
비:극-적 (悲劇的) 관명 비극의 양상을 나타내는 (것). ¶ ~(인) 종말〔최후〕/ 결과는 다분히 ~이다.
비:근-하다 (卑近-) 형여불 (주로 '비근한'의 꼴로 쓰여) 주위에 흔하여 알기 쉽고 실생활에 가깝다. ¶ 비근한 예를 들다.
비금 (飛禽) 명 날짐승.
비금-비금 부하형 견주어 보아 서로 비슷한 모양. ¶ ~한 것으로 고르다.
비:-금속 (非金屬) 명 〖화〗 금속의 성질을 가지지 않은 물질의 총칭. 흔히 전기나 열의 전도성이 나쁘고 금속광택이 없음.
비:-금속 (卑金屬) 명 〖화〗 공기 중에서 쉽게 산화되는 금속. ↔귀금속(貴金屬).
비:기 (祕記) 명 **1** 비밀히 기록함. 또는 그런 기록. **2** 〖민〗 길흉·화복을 예언한 기록.
비기다¹ 자 **1** 서로 견주어 보다. 비교하다. ¶ 어버이 사랑은 무엇과도 비길 수 없다. **2** 빗대어 말하다. 비유하다. ¶ 인생을 나그넷길에 ~. **3** 비스듬하게 기대다. ¶ 난간에 비겨 서다.
비기다² 一 자 승부를 가리지 못하다. ¶ 일대 일로 ~. 준 빅다. 二 타 서로 셈할 것을 마주 에끼다. 준 빅다.
비김-수 (-手)[-쑤] 명 장기나 바둑에서, 서로 비기게 되는 수. 준 빅수.
비껴-가다 자타 **1** 비스듬히 스쳐 지나다. ¶ 공이 골대를 살짝 비껴갔다. **2** 어떤 감정·표정·모습 따위가 잠깐 스쳐가다. ¶ 냉소가 언뜻 그의 입 언저리를 비껴갔다.
비:-꼬다 타 **1** 노끈 등을 비틀어 꼬다. **2** 몸을 바로 가지지 못하고 비틀다. ¶ 자리가 거북한지 몸을 비꼬고 앉아 있다. **3** 남의 마음에 거슬릴 정도로 빈정거리다. 꼬다. ¶ 비꼬는 말투.
비:-꼬이다 자 《'비꼬다'의 피동》 **1** 비꼼을 당하다. **2** 마음이 곧지 못하고 뒤틀려 그릇된 방향으로 되다. ¶ 비꼬인 성격. **3** 일이 순조롭게 되어 가지 않다. ¶ 하는 일마다 비꼬이기만 한다. 준 비꾀다.
비:-꾀다 자 '비꼬이다'의 준말.
비끄러-매다 타 줄이나 끈 따위로 서로 떨어지지 않도록 붙잡아 매다. ¶ 말고삐를 나뭇가지에 ~.
비끗 [-끋] 부하자 **1** 맞추어 끼울 물건이 어긋나 꼭 들어맞지 않는 모양. **2** 잘못해서 일이 어긋나는 모양. ¶ ~ 잘못하면 큰일 난다. 센 삐끗.
비끗-거리다 [-끋꺼-] 자 **1** 맞추어 끼울 물건이 자꾸 어긋나서 맞지 아니하다. **2** 일이 될 듯 될 듯하면서도 자꾸 어긋나다. 센 삐끗거리다. **비끗-비끗** [-끋삐끋] 부하자
비끗-대다 [-끋때-] 자 비끗거리다.
비끼다 자 **1** 비스듬히 비치다. ¶ 놀이 짙게 비낀 유리창. **2** 비스듬히 놓이거나 늘어지다. **3** 얼굴에 어떤 표정이 잠깐 드러나다. ¶ 얼굴에 홍조가 ~.
비나리 명 아첨을 해 가며 환심을 삼. ¶ ~를 치다.
비:난 (非難) 명하타 남의 잘못이나 흠을 나쁘게 말함. ¶ ~ 일색의 선거 운동 / ~을 받다 / 원색적인 ~을 퍼부었다.
비녀 명 여자의 쪽 찐 머리가 풀어지지 않도록 꽂는 장신구. 잠(簪). ¶ ~를 꽂다.
비녀-장 명 **1** 바퀴가 벗어나지 않도록 굴대 머리 구멍에 끼는 큰 못. **2** 〖건〗 인방(引枋) 등이 물러나지 않도록 기둥과 인방 대가리를 얼려서 구멍을 내어 꽂는 굵은 나무못. ¶ ~을 박아 죄다.
비:노이만형 컴퓨터 (非Neumann型computer) 〖컴〗 노이만형이 아닌 컴퓨터의 총칭. 데이터 처리의 고속화·고도화를 위하여 프로그램의 일부를 하드웨어화하거나 병렬 처리 기능, 추론(推論) 기구를 채택함. ↔노이만형 컴퓨터.
비:-논리적 (非論理的)[-놀-] 관명 논리적이 아닌 (것). 조리가 닿지 않는 (것). ¶ ~(인) 사고방식 / 그의 글은 ~이다.
비:-농가 (非農家) 명 농촌에 살되 농사를 짓지 않는 집.
비:뇨-기 (泌尿器) 명 〖생〗 오줌의 분비와 배설을 맡은 기관.
비:뇨기-과 (泌尿器科)[-꽈] 명 〖의〗 비뇨기에 관한 질병을 연구·치료하는 의학의 한 부문.
***비누** 명 때를 씻어 내는 데 쓰는 물건. 물에 녹으면 거품이 일며 미끈미끈해짐《고급 지방산의 알칼리 금속염(金屬塩)을 주성분으로 하여 만듦》.
비누-질 명하자타 때를 씻기 위해 비누로 문지르는 짓. ¶ 골고루 ~을 하다.
비눗-기 [-누끼 / -눋끼] 명 비눗물의 기운. ¶ ~가 있으니 더 헹궈라.
비눗-물 [-눈-] 명 비누를 푼 물. ¶ ~이 눈에 들어가 따끔거리다.
비늘 명 **1** 물고기나 뱀 따위의 표피를 덮고 있는 얇고 단단한 작은 조각. ¶ 생선의 ~을 벗기다. **2** 물고기의 비늘과 비슷하게 생긴 물건의 총칭.
비늘-구름 명 〖기상〗 권적운(卷積雲).
비늘-눈 [-룬] 명 〖식〗 여름·가을에 생겨서 겨울을 넘기고 이듬해 봄에 자라는 겨울눈 중 비늘잎에 싸인 싹. 인아(鱗芽).
비늘-잎 [-립] 명 〖식〗 **1** 비늘 모양의 잎사귀. **2** 겨울눈을 싸서 보호하는, 비늘 모양으로 변태된 잎《양파·나리 등의 땅속줄기 등》. 인엽(鱗葉).
비:-능률 (非能率)[-뉼] 명 능률이 떨어지거나 없음. ¶ ~이 부실을 초래한다.
비:-능률적 (非能率的)[-뉼쩍] 관명 능률적이 아닌 (것). ¶ ~(인) 작업 방식 / ~인 면을 개선하다.
***비닐** (vinyl) 명 비닐 수지·비닐 섬유로 만든 제품의 총칭《가죽·옷감·유리 따위의 대용품으로 씀》.
비닐-봉지 (vinyl封紙) 명 비닐로 만든 주머니. ¶ 쓰레기를 ~에 담아 버리다.
비닐-장갑 (vinyl掌匣) 명 비닐로 만든 일회용 장갑《음식을 만들거나, 염색을 할 때 또는 손으로 직접 만질 수 없는 물건을 다룰 때 씀》.
비닐-하우스 (vinyl+house) 명 합성수지로 된 재료나 금속 파이프 등으로 골조(骨組)를 만들고 그 위를 비닐로 덮은 온실《채소·꽃 등의 촉성 재배를 하는 데 씀》. ¶ ~에서 재배한 딸기.

***비:다** 자 1 일정한 공간에 사람·사물 따위가 없게 되다. ¶빈 병 / 주머니가 텅 ~ / 빈 차 / 텅 빈 교실. 2 자리를 차지하고 있던 것이 없어지다. ¶과장 자리가 ~. 3 진실이나 알찬 내용이 없는 상태가 되다. ¶빈 이론에 불과한 주장. 4 아는 것이 없는 상태가 되다. ¶머리가 텅 비어 있다. 5 가진 것이 없는 상태가 되다. ¶빈 몸으로 오다. 6 할 일이 없거나 일이 끝나 시간이 남다. ¶오후에는 손이 빈다. 7 어떤 수량에 얼마가 모자라게 되다. ¶10만 원에서 천 원이 빈다.
[빈 수레가 요란하다] 실속 없는 사람이 더 떠들어 댄다.

비:-다듬다 [-따] 타 자꾸 매만져서 곱게 다듬다. ¶머리를 ~.

***비:단** (緋緞) 명 명주실로 짠 광택이 나는 피륙의 총칭. 견포(絹布). ¶~ 금침. 준단(緞).

비단 (非但) 부 '다만'의 뜻. 부정의 경우에 씀. ¶~ 개인의 문제일 뿐 아니라.

비:단-결 (緋緞-)[-껼] 명 1 비단의 거죽에 나타난 올의 짜임새. ¶~이 곱다. 2 매우 곱고 부드러운 상태의 비유. ¶살결이 ~이다 / 마음씨가 ~ 같다.

비:단-길 (緋緞-)[-낄] 명 실크 로드(Silk Road).

비:단-보 (緋緞褓)[-뽀] 명 비단으로 만든 보자기.
[비단보에 개똥] 겉모양은 번드르르하나 내용은 흉하거나 추잡함.

비:단-실 (緋緞-) 명 견사(絹絲).

비:단-옷 (緋緞-)[-옫] 명 비단으로 지은 옷. 금의(錦衣).

비:대 (肥大) 명하형 1 살이 쪄서 몸집이 크고 뚱뚱함. ¶~한 몸집이 꼭 장사감이다. 2 권력이나 권한·조직 따위가 강대해짐. ¶권력의 ~를 막다 / ~한 조직을 축소하다.

비대 (碑臺) 명 비대석(碑臺石).

비:대발괄 명하타 하소연하며 간절히 청해 빎. ¶거절하는 것을 ~하여 겨우 얻다.

비-대석 (碑臺石) 명 〔건〕 비신(碑身) 밑에 받친 받침돌. 비대(碑臺).

비:대-증 (肥大症)[-쯩] 명 〔의〕 몸이나 몸의 일부가 비대해지는 병적 증세.

비:도 (悲悼) 명하자 사람의 죽음을 몹시 슬퍼하고 애석하게 여김.

비:-도덕적 (非道德的) 관명 도덕적인 규범에 어긋나는 (것). ¶~(인) 처사 / ~이라고 비난을 받다.

비:-동맹국 (非同盟國) 명 제이 차 세계 대전 이후 동서로 양극화된 냉전 체제 속에서 어느 한 진영에도 종속되지 않고 자주 독립의 중립적 노선을 표방한 나라.

비:둔-하다 (肥鈍-) 형여불 1 몸이 뚱뚱하여 동작이 둔하다. 2 옷을 두껍게 입어서 몸놀림이 자유롭지 못하다.

***비둘기** 명 〔조〕 비둘기목의 새의 총칭. 야생종과 집비둘기로 나누는데, 날기를 잘하며 다리는 가늘고 짧음. 성질이 순해 길들이기 쉽고 귀소성을 이용해 통신용으로 사용함. 평화를 상징하는 새임.

비둘기-파 (-派) 명 상대편과 타협하고, 온건하게 사태에 대처하려는 입장에 선 사람들. ↔매파.

비듬 명 〔생〕 머리의 살가죽에서 생기는 흰 잔비늘. ¶~이 앉다.

비듬-하다 형여불 '비스듬하다'의 준말. 작배듬하다. **비듬-히** 부

비:등 (沸騰) 명하자 1 액체가 끓어오름. 2 물이 끓듯 떠들썩하여짐. ¶여론이 ~하다.

비등 (飛騰) 명하자 공중으로 높이 날아오름. 비양(飛揚).

비:등-비등 (比等比等) 부하형 여럿이 모두 비슷하게. ¶기량이 모두 ~하다.

비:등-점 (沸騰點)[-쩜] 명 끓는점. ↔빙점.

비:등-하다 (比等-) 형여불 비교해 보건대 서로 비슷하다. ¶두 사람의 성적은 ~.

비디오 (video) 명 1 시각에 관계가 있는 것. 특히, 텔레비전에서 음성에 대하여 화면 부분을 말함. ↔오디오(audio). 2 '비디오테이프, 비디오테이프리코더'의 준말.

비디오 게임 (video game) 마이크로칩과 컴퓨터 기술을 응용하여 텔레비전이나 모니터의 화면을 써서 하는 게임. 전자 오락.

비디오 아트 (video art) 비디오를 이용한 영상(映像) 예술 표현의 한 양식.

비디오-테이프 (video tape) 명 1 텔레비전 방송용의 녹화 테이프. 2 '비디오테이프리코더'의 준말. 준비디오.

비디오테이프-리코더 (video tape recorder) 명 텔레비전의 영상 신호를 소리의 신호와 함께 테이프에 기록 재생하는 장치. 준브이티아르(VTR)·비디오테이프·비디오.

비딱-거리다 자 이쪽저쪽으로 자꾸 기울어지다. 작배딱거리다. 센삐딱거리다. **비딱-비딱** 부하자형

비딱-대다 자 비딱거리다.

비딱-하다 [-따카-] 형여불 한쪽으로 기울어져 있다. ¶비딱한 자세 / 모자를 비딱하게 쓰다. 작배딱하다. 센삐딱하다.

비뚜로 부 비뚤어지게. ¶줄을 ~ 서다. 작배뚜로. 센삐뚜로.

비뚜름-하다 형여불 조금 비뚤다. ¶모자를 비뚜름하게 쓰다. 작배뚜름하다. 센삐뚜름하다. **비뚜름-히** 부

비뚝-거리다 자타 1 한쪽으로 기울어 흔들거리다. 또는 그렇게 하다. 2 한쪽 다리가 짧거나 바닥이 고르지 못하여 흔들거리며 걷다. ¶목발을 짚고 비뚝거리며 걷다. 작배뚝거리다. 센삐뚝거리다. **비뚝-비뚝** 부하자타

비뚝-대다 자타 비뚝거리다.

비뚤-거리다 자타 1 이리저리 자꾸 기울며 흔들거리다. 또는 그렇게 하다. 2 곧지 못하고 이리저리 자꾸 구부러지다. 작배뚤거리다. 센삐뚤거리다. **비뚤-비뚤** 부하형자타

비뚤다 〔비뚜니, 비뚜오〕 형 1 바르지 않고 한쪽으로 기울어져 있다. ¶줄이 ~. 2 마음이 바르지 못하고 꼬여 있다. ¶마음이 ~. 작배뚤다. 센삐뚤다.

비뚤-대다 자타 비뚤거리다.

비뚤어-지다 자 1 반듯하지 않고 한쪽으로 기울어지다. ¶문패가 ~. 2 마음·성격 등이 바르지 않다. ¶비뚤어진 성격. 3 성이 나서 뒤틀어지다. ¶심술이 나서 비뚤어진 소리를 한다. 작배뚤어지다. 센삐뚤어지다.

비뚤-이 명 1 마음 또는 몸의 한 부분이 비뚤어진 사람. 2 경사진 길. 센삐뚤이.

비:라리 명하타 **1** 남에게 구구하게 무엇을 청하는 일. 비라리청(請). ¶곧 죽어도 ~ 치지는 않는다. **2** 곡식이나 천 따위를 사람들에게서 조금씩 얻어 모아 그것으로 제물을 만들어서 귀신에게 비는 일.
비럭-질 명하타 남에게 구걸하는 짓.
비렁-뱅이 명 〈속〉 거지. ¶~ 신세가 되다.
비:련 (悲戀) 명 이루어지지 못하고 비극으로 끝나는 사랑. ¶~의 주인공 / ~에 울다.
비:례 (比例) 명하자 **1** 예를 들어 비교함. **2** 〖수〗 두 수나 양의 비가 같은 일. 또는 그 관계의 수나 양을 다루는 산법. **3** 표현된 물상(物象)의 각 부분 상호 간 또는 전체와 부분 간의 양적(量的) 관계. 준비.
비:례 (非禮) 명 예의가 아님. 예의에 어긋남. ¶지나친 공손은 오히려 ~다.
비:례 (備禮) 명하자 예의를 갖춤.
비:례 상수 (比例常數) 〖수〗 변화하는 두 수 또는 양이 비례할 때의 그 비의 값. 또는 반비례할 때의 그 곱의 값. 비례 계수.
비:례-세 (比例稅) 명 과세 표준에 대해 동일한 세율로 부과하는 과세. ↔누진세.
비:례-식 (比例式) 명 〖수〗 두 개의 비가 같음을 나타내는 식((a:b=c:d 따위)).
비로드 (←포 veludo) 명 우단(羽緞).
***비로소** 부 (어떤 일이 있고 난 다음에야) 처음으로. ¶그의 뜻을 ~ 알다.
비로자나-불 (毘盧遮那佛) 명 〖불〗 연화장(蓮華藏) 세계에 살며, 그 몸은 법계에 두루 차서 큰 광명을 내비치어 중생을 제도하는 부처. 준비로자나.
비:록 (祕錄) 명 세상에 알려지지 않은 사실들의 기록. ¶6·25전쟁 ~ / 수사 ~이 공개되다.
***비록** 부 아무리 그렇다 할지라도. ¶~ 나이는 어리지만 속은 어른 못지않다.
비:론 (比論) 명하타 서로 비교해 논함.
비롯-되다 [-롣뙤-] 자 처음으로 시작되다. ¶전설에서 비롯된 풍속 / 갈등은 작은 오해에서 비롯되었다.
***비롯-하다** [-로타-] 자타여불 **1** 처음으로 시작되다. 또는 시작하다. ¶이 풍속은 신라 초에 비롯하였다고 한다. **2** 여럿 가운데에서 첫머리로 들다. ¶시장을 비롯한 여러 참석자들 / 할아버지를 비롯하여 온 가족이 모이다.
***비:료** (肥料) 명 토지의 생산력을 높이고 식물의 생장을 돕우는 물질. 거름. ¶식물성 ~ / ~를 주다.
비루 명 개·나귀·말 따위의 피부에 생기는 병((살갗이 헐고 털이 빠짐)). ¶~ 오르다.
비루-먹다 자 개·나귀·말 따위가 비루에 걸리다.
비:루-하다 (鄙陋-) 형여불 언행이 너절하고 더럽다. ¶비루한 성격.
비:류 (非類) 명 **1** 같지 않은 종류. **2** 사람답지 않은 사람.
비름 명 〖식〗 비름과의 한해살이풀. 밭·길가에 나는데, 줄기는 곧고, 높이는 1.2m 가량임. 여름·가을에 백록색의 잔꽃이 핌. 어린잎은 식용함.
비릇다 [-른따] 타 임부가 진통을 일으키며 아이를 낳으려는 낌새를 보이다.
비:리 (非理) 명 올바른 이치나 도리에 어그러지는 일. ¶~ 공무원 / 재단의 ~가 문제되다.
비리다 형 **1** 물고기·날콩이나 동물의 피에서 나는 냄새나 맛과 같다. ¶이 생선은 너무 비려서 못 먹겠다. **2** 너무 적어 마음에 차지 않다. **3** 하는 짓이 더럽고 아니꼽다. 작배리다.
비리-비리 부하형 비틀어지게 여윈 모양. ¶콩나물처럼 ~하게 생겼다.
비리척지근-하다 형여불 냄새나 맛이 좀 비리다. ¶젓갈 냄새가 ~. 작배리착지근하다. 준비리치근하다·비척지근하다·비치근하다.
비리치근-하다 형여불 '비리척지근하다'의 준말.
비:리-하다 (鄙俚-) 형여불 풍속·언어 등이 촌스럽고 속되다.
비린-내 명 비린 냄새. ¶도마에서 ~가 지워지지 않는다.
비린내(가) 나다 구 ㉠비린 냄새가 나다. ㉡'젖비린내가 나다'의 준말.
비릿-비릿 [-릳삐릳] 부하형 **1** 냄새나 맛이 매우 비릿한 느낌. ¶생선 냄새가 ~하게 풍긴다. **2** 마음에 더럽고 아니꼬운 모양. 작배릿배릿.
비릿-이 부 비릿하게.
비릿-하다 [-리타-] 형여불 조금 비린 듯하다. ¶콩나물이 익느라 비릿한 냄새가 난다. 작배릿하다.
비:마 (肥馬) 명 살찐 말.
비마 (飛馬) 명 **1** 나는 듯이 빨리 달리는 말. 준마(駿馬). **2** 바둑에서, 제2선에서 상대편의 집 안쪽으로 세 칸 건너 제1선에 놓는 점.
비:만 (肥滿) 명하형 살이 쪄서 몸이 뚱뚱함. ¶~한 체구 / ~을 치료하다.
비말 (飛沫) 명 날아 흩어지거나 튀어 오르는 물방울. ¶파도의 ~이 날리다.
비:망-록 (備忘錄) [-녹] 명 잊지 않으려고 적어 두는 책자. 메모.
비:매-품 (非賣品) 명 일반인에게 팔지 않는 물품. ↔매품.
비면 (碑面) 명 비석의 표면. 빗돌의 거죽. ¶~에 새겨진 금석문을 해석하다.
비:명 (非命) 명 뜻밖의 재난으로 죽음. ¶~에 가다.
비:명 (悲鳴) 명 위험·공포 등을 느낄 때 갑자기 외마디 소리를 지름. 또는 그 소리. ¶~에 놀라다 / 즐거운 ~을 지르다.
비명(을) 올리다 구 어려운 지경에 빠져 견디다 못해 외마디 소리를 지르거나 힘없는 소리를 내다.
비명 (碑銘) 명 비석에 새긴 글.
비:명-횡사 (非命橫死) 명하자 뜻밖의 사고를 당하여 제 목숨대로 살지 못하고 죽음. ¶젊은 나이에 교통사고로 ~하다.
비:목 (費目) 명 지출하는 비용의 용도를 목적에 따라 나눈 항목. ¶경비를 ~에 따라 적다.
비목 (碑木) 명 나무를 깎아 세운 비. 목비(木碑). ¶산골짝의 ~.
비:몽사몽 (非夢似夢) 명 잠이 들지도 깨어나지도 않은 어렴풋한 상태. 사몽비몽.
비:-무장 (非武裝) 명 무장하지 않음. ¶~

민간인을 공격하다.
비:무장 지대 (非武裝地帶) **1** 무장을 하지 아니한 지대. **2** 조약 따위로 무장이 금지된 지역. 완충 지대. 디엠제트(DMZ).
비문 (碑文) [명] 비석에 새긴 글. 비지(碑誌). ¶ ~을 새기다.
비:-민주적 (非民主的) [관][명] 민주적이 아닌 (것). ¶ ~ 제도〔절차〕.
***비:밀** (秘密) [명][하형][히부] **1** 숨기어 남에게 공개하지 않는 일. ¶ ~ 교섭 / ~이 새다 / ~히 왕래하다 / ~을 밝히다. **2** 밝혀지거나 알려지지 않은 속내. ¶ 우주의 ~.
비:밀-경찰 (秘密警察) [명] 비밀로 조직하여 비밀리에 활동하는 정치 경찰.
비:밀-리 (秘密裡) [명] (주로 '비밀리에' 의 꼴로 쓰여) 남에게 비밀로 하는 가운데. ¶ ~에 진행된 협상 / ~에 거래가 이루어지다 / ~에 만나다.
비:밀-문서 (秘密文書) [명] 남에게 알려서는 안 될 문서. ¶ ~로 분류되다.
비:밀-스럽다 (秘密─)〔-스러우니, -스러워〕 [형][ㅂ불] 무엇인가 감추려는 기색이 있다. ¶ 비밀스러운 내용. **비:밀-스레** [부]
비:밀 투표 (秘密投票) 유권자가 어떤 후보자에게 투표하였는지를 비밀로 하는 투표 방법. 무기명 투표. ↔공개 투표.
비-바람 [명] **1** 비와 바람. **2** 비가 내리면서 부는 바람. ¶ ~이 몰아치다.
비바리 [명] 바다에서 해산물을 채취하는 일을 하는 처녀. [준]비발.
[비바리는 말똥만 보아도 웃는다] 처녀는 우습지 아니한 일에도 곧잘 웃음을 이름.
비바체 (이 vivace) [명] 〖악〗 악보에서 '생기 있고 빨리' 의 뜻.
비박-하다 (菲薄─)[-바카-] [형][여불] 얼마 안 되어 변변치 못하다.
비:방 (秘方) [명] **1** 비밀한 방법. 비법. ¶ ~을 쓰다. **2** 자기만 아는 특효의 약방문.
비방 (誹謗) [명][하타] 남을 헐뜯어 말함. 비산 (誹訕). ¶ ~과 욕설이 난무하다 / 상사를 ~하다.
비버 (beaver) [명] 〖동〗 비버과의 물가에 사는 동물. 몸은 80 cm, 꼬리는 37 cm 정도로, 쥐목 중 가장 큼. 꼬리는 넓고 납작하며 귀는 작음. 헤엄을 치며 나무껍질을 주로 먹음. 모피는 귀중하게 쓰이며 수컷의 항문선(腺)은 '해리향(海狸香)' 이라 하여 약이나 향료로 씀. 해리(海狸).
비:번 (非番) [명] 당번이 아님. ¶ 오늘은 ~이라 시간이 있다. ↔당번.
비:범-하다 (非凡─) [형][여불] 매우 뛰어나다. 불범(不凡)하다. ¶ 비범한 솜씨 / 재능이 ~. ↔평범하다. **비:범-히** [부]
비:법 (秘法)[-뻡] [명] 비방(秘方)1. ¶ ~을 전수하다.
비:벽-하다 (鄙僻─)[-벼카-] [형][여불] 성질이 더럽고 편벽되다.
비:변-사 (備邊司) [명] 〖역〗 조선 중종 때 설치한, 군국(軍國)의 사무를 맡아서 처리하던 관아. 비국(備局).
비:보 (飛報) [명][하타] 급히 알림. 또는 그 소식. 급보(急報). ¶ 한밤중에 날아온 ~.
비:보 (悲報) [명] 슬픈 소식. 흉보. ¶ ~에 접하다. ↔희보(喜報).
비복 (婢僕) [명] 계집종과 사내종. 복비. 노비.
비:본 (秘本) [명] 소중히 간직해 둔 책.
비:봉 (秘封) [명][하타] 남에게 보이지 않으려고 단단히 봉함. 또는 그렇게 봉한 것.
비부 (婢夫) [명] 계집종의 남편.
비:부 (鄙夫) [명] 성질이 더러운 사내.
비:분 (非分) [명] 분수나 도리에 맞지 않음.
비:분 (悲憤) [명][하자] 슬프고 분함. ¶ ~에 찬 목소리 / ~한 마음을 억누르다.
비:분-강개 (悲憤慷慨) [명][하자] 슬프고 분해 마음이 북받침. ¶ 불의를 보고 ~하다.
비브라폰 (vibraphone) [명] 타악기의 하나. 음률을 가진 쇳조각 밑에 전기 장치가 있는 공명체를 붙인 철금. 주로 경음악에 씀.
비브리오 (독 Vibrio) [명] 곧은 또는 구부러진 그람 음성 간균(Gram陰性桿菌). 콜레라균·장염(腸炎) 비브리오 따위.
비비 [부] 여러 번 꼬이거나 뒤틀린 모양. ¶ 몸을 ~ 꼬다〔틀다〕 / 일이 자꾸 ~ 꼬인다. [작]배배.
***비비다** [타] **1** 두 물체를 맞대어 문지르다. ¶ 두 손을 ~ / 비벼 빨다. **2** 송곳 등으로 구멍을 뚫으려고 이리저리 돌리다. **3** 뭉쳐지도록 두 손바닥 사이에 넣고 문질러 돌리다. ¶ 새끼를 비벼 꼬다. **4** 어떤 재료에 다른 재료를 넣고 한데 버무리다. ¶ 밥에 달걀과 간장을 넣고 ~.
비비대기-치다 [자] **1** 좁은 곳에서 많은 사람이 몸을 맞대고 비비적거리다. ¶ 만원 전동차 속에서 ~. **2** 매우 부산하게 움직이다.
비비-대다 [타] 자꾸 대고 비비다. ¶ 얼굴을 서로 비비대며 울다.
비비-송곳 [-곧] [명] 자루를 두 손바닥으로 비벼서 구멍을 뚫는 송곳.
비비적-거리다 [타] 맞대어 비비는 동작을 자꾸 하다. ¶ 손바닥을 비비적거리며 변명을 늘어놓는다. [준]비빗거리다. **비비적-비비적** [부][하타]
비비적-대다 [타] 비비적거리다.
비빔 [명] 밥이나 국수 등에 고기·나물 등을 섞고 양념과 고명을 넣어 비빈 음식.
비빔-밥 [-빱] [명] 고기·나물 따위를 넣고 양념을 넣어 비빈 밥. 골동반(骨董飯).
비빗-거리다 [-빋꺼-] [타] '비비적거리다' 의 준말. **비빗-비빗** [-빋삐빋] [부][하타]
비빗-대다 [-빋때-] [타] 비빗거리다.
비:사 (秘史) [명] 세상에 드러나지 않은 역사적 사실. ¶ 궁정(宮廷) ~ / 외교 ~.
비:사 (秘事) [명] 비밀리에 숨겨진 일.
비사리 [명] 싸리의 껍질《노를 꼬는 데 씀》.
비사-치기 [명] 〖민〗 아이들 놀이의 하나. 손바닥만 한 납작한 돌을 세워 놓고, 얼마쯤 떨어진 곳에서 돌을 던져서 맞히거나 발로 돌을 차서 맞혀 넘어뜨림.
비산 (飛散) [명][하자] 날아 흩어짐.
비:산 (砒酸) [명] 〖화〗 삼산화이비소를 짙은 질산과 함께 가열해 얻는 무색의 결정체 《독성이 있으며 물에 잘 녹음. 삼염기산·비소제 등의 원료로 씀》.
비:상 (非常) [명][하형][히부] **1** 예사롭지 않음. ¶ ~한 관심을 보이다. **2** 천재지변·정변 등 뜻밖의 긴급 사태. 또는 이에 대응하기 위하여 긴급 명령이 선포되거나 군경이 급히 소집되는 일. ¶ ~ 대책 / ~이 걸리다. **3** 평

범하지 않고 뛰어남. ¶ ~한 두뇌.
비상 (飛上) 명하자 날아오름.
비상 (飛翔) 명하자타 공중을 날아다님. ¶ 하늘로 ~하는 비행기 / 창공을 ~하는 독수리.
비:상 (砒霜) 명 〔약〕 비석(砒石)을 태워 승화(昇華)시켜서 만든 결정체의 독약.
비:상-구 (非常口) 명 위급한 일이 생겼을 때 급히 피하기 위해 마련한 출입구. ¶ ~에 비상등을 켜 두다 / ~로 빠져나오다.
비:-상근 (非常勤) 명 정해진 시간이나 날에만 근무하는 일. ↔상근.
비:상-금 (非常金) 명 비상용으로 쓰기 위해 마련하여 둔 돈. ¶ 만일에 대비해 ~을 챙겨 두다.
비:상-사태 (非常事態) 명 **1** 대규모 재해나 소요 따위 긴급을 요하는 사태. **2** 〔법〕 국가 비상사태.
비:상-소집 (非常召集) 명 **1** 긴급한 사태가 일어났을 때에, 필요한 사람을 급히 불러 모으는 일. **2** 사변 및 전쟁이 일어났을 때 부대 밖에 있는 부대원을 소집하는 일. 긴급 소집.
비:상-수단 (非常手段) 명 비상한 때에 임시변통으로 급히 처리하는 방법. ¶ ~을 강구하다.
비:상-시 (非常時) 명 뜻밖의 긴급한 사태가 일어난 때. ¶ ~에 대비해 안전 훈련을 실시하다. ↔평상시.
비:상-식 (非常食) 명 '비상식량'의 준말.
비:상-식량 (非常食糧)[-싱냥] 명 재해 따위의 비상시를 위해 준비해 두는 식량. 준비상식.
비:상-용 (非常用)[-농] 명 비상시에 씀. 또는 그런 물건. ¶ ~ 구급약.
비:상 착륙 (非常着陸)[-창뉵] 비행 중인 항공기가 기체(機體) 내의 이상이나 돌발적인 사태가 일어났을 경우에 행하는 불시의 착륙. ¶ ~을 시도하다.
비:색 (比色) 명하타 〔화〕 색의 농도나 색조(色調)를 비교하는 일.
비:색 (翡色) 명 고려청자의 빛깔과 같은 푸른 빛깔.
비:-생산적 (非生產的) 관명 생산과 직접 관계가 없거나 생산성이 낮은 (것). ¶ ~(인) 지출 / ~인 산업 구조. ↔생산적.
비:서 (秘書) 명 **1** 중요한 직위에 있는 사람에게 직속되어 기밀문서나 사무 따위를 맡아보는 직무. 또는 그런 사람. **2** 비본(祕本).
비:서-관 (祕書官) 명 〔법〕 관청의 장(長)에 직속되어, 기밀 사무 따위를 맡아보는 공무원.
비:서-실 (祕書室) 명 비서관이나 비서가 사무를 보는 기관. 또는 그런 방. ¶ 대통령 ~.
***비석** (碑石) 명 **1** 빗돌. **2** 돌로 만든 비. 석비(石碑).

비석(碑石)2

비:석 (砒石) 명 〔광〕 비소·황·철 등의 강한 독성이 있는 광물.
비선 (飛仙) 명 날아다니는 신선.
비설 (飛雪) 명 바람에 흩날리며 내리는 눈. 또는 쌓여 있다가 거센 바람에 흩날리는 눈.
비:설 (祕說) 명 비밀로 하여 남에게 알리지 않는 설(說).
비-설거지 명하자 비를 맞혀서는 안 될 물건을 치우거나 덮는 일. 준설거지.
비:소 (砒素) 명 〔화〕 질소족 원소의 하나. 금속광택이 있는 무른 결정성(結晶性)의 독성이 강한 고체《반도체의 성분, 납·구리의 합금 성분 등으로 씀》. [33번 : As : 74.92]
비:소 (鼻笑) 명하타 코웃음.
비:-소설 (非小說) 명 소설 이외의 서적. 논픽션(nonfiction).
비:소-하다 (卑小-) 형여불 보잘것없이 작다. ¶ 자연 안에서 인간은 참으로 ~.
비:속 (卑俗) 명하형 격이 낮고 속됨. 또는 그런 풍속. ¶ ~한 말투.
비:속 (卑屬) 명 혈연관계에서, 자기보다 항렬이 아래인 친족. ↔존속(尊屬).
비:손 명하자 신에게 손을 비비면서 소원을 비는 일.
비:수 (匕首) 명 날이 날카롭고 짧은 칼. ¶ ~를 꽂다 / 가슴에 ~를 품다.
비:수-기 (非需期) 명 수요가 많지 않은 때. ¶ ~인데도 성수기에 대비한 주문이 늘고 있다. ↔성수기. *비철.
비:술 (祕術) 명 비밀히 전해 오는 술법.
비스듬-하다 형여불 한쪽으로 조금 기운 듯하다. ¶ 비스듬한 자세로 서 있다. 작배스듬하다. 준비듬하다. **비스듬-히** 부. ¶ ~ 누워 신문을 보고 있다.
비스러-지다 자 둥글거나 네모반듯하지 못하고 좀 비뚤어지다.
비스름-하다 형여불 거의 비슷한 듯하다. ¶ 겉모양이 ~. 작배스름하다. **비스름-히** 부. ¶ 농담 ~ 운을 떼다.
비스코스 (viscose) 명 〔화〕 펄프 따위 셀룰로오스를 가공하여 만든 점성(粘性)이 높은 수용액《갈색의 점액체인데, 인조 견사·접합제로 씀》.
비스킷 (biscuit) 명 밀가루에 설탕·버터·우유 따위를 섞어 구운 과자.
비슥-거리다 자 어떤 일을 탐탁히 여기지 않고 자꾸 떨어져 행동하다. **비슥-비슥** 부하자
비슥-대다 자 비슥거리다.
비슥-이 부 비슥하게. 작배슥이.
비슥-하다 [-스카-] 형여불 한쪽으로 조금 비스듬하다. 작배슥하다.
비슬-거리다 자 힘없이 자꾸 비틀거리다. ¶ 몸을 가누지 못하고 비슬거린다. **비슬-비슬** 부하자. ¶ ~ 일어서다.
비슬-대다 자 비슬거리다.
비:습-하다 (肥濕-)[-스파-] 형여불 몸에 살이 찌고 습기가 많다.
비:습-하다 (卑濕-)[-스파-] 형여불 바닥이 낮고 습기가 많다.
비슷비슷-하다 [-슫삐스타-] 형여불 여럿이 거의 비슷하다. ¶ 비슷비슷한 물건 / 반 아이들의 키가 ~.
비슷-이 부 조금 비스듬하게. ¶ ~ 누워서 책을 보다. 작배슷이.
비슷-하다[1] [-스타-] 형여불 한쪽으로 조금 비스듬하다. ¶ 비슷하게 세워둔 사닥다리. 작배슷하다.

*비슷-하다²[-스타-] 형여불 거의 같다. ¶ 비슷하게 생겼다 / 나도 그와 비슷한 이야기를 들었다.
비:승-비:속(非僧非俗) 명 중도 아니고 속인도 아니라는 뜻으로, 이것도 저것도 아닌 어중간함을 이르는 말. 반승반속.
비:시(非時) 명 제때가 아님.
비시(BC) 명 〔Before Christ〕 서력 기원전. ↔에이디(AD).
비시지(BCG) 명 〔Bacillus Calmette Guérin〕 〖의〗 결핵 예방 백신. 소의 결핵균을 독성이 없게 한 것으로, 미(未)감염자의 몸에 접종하면 면역을 얻음.
비신(碑身) 명 비문을 새긴 빗돌.
비:-신사적(非紳士的) 관명 신사답지 않은 (것). 언행에 교양이 없는 (것). ¶ ~ 언행 / 하는 짓이 ~이다.
비실-비실 부하자 힘이 없어 흐느적흐느적 비틀거리는 모양. ¶ ~ 도망가다.
비:-실용적(非實用的) 관명 실용적이 아닌 (것). ¶ ~(인) 학술 연구.
*비싸다 형 1 상품의 값이나 비용이 매우 높다. ¶인건비가 지나치게 ~. ↔싸다. 2 〈속〉 (주로 '비싸게'의 꼴로 쓰여) 다른 사람의 요구에 쉽게 응하지 않고 도도하다. ¶ 너무 비싸게 굴지 말게.
[비싼 밥 먹고 헐한 걱정 한다] 쓸데없는 걱정을 한다는 말.
비싼-흥정 명하자 1 비싼 값으로 사고파는 일. ↔싼흥정. 2 조건이 과중한 흥정. ¶ 상대방의 약점을 잡아 ~을 하다.
비:쌔다 자 1 마음이 끌리면서 안 그런 체하다. ¶ 입으로는 비쌔면서도 싫지 않은 눈치다. 2 무슨 일에나 어울리기를 싫어하다.
비쓱-거리다 자 쓰러질 듯이 이리저리 자꾸 비틀거리다. ¶ 비쓱거리며 밤길을 걸어가고 있다. 비쓱-비쓱 부하자
비쓱-대다 자 비쓱거리다.
비:아(非我) 명 〖철〗 나 밖의 모든 것. 자아의 대상으로 존립하는 모든 세계와 자연. ↔자아(自我).
비아냥-거리다 자타 얄밉게 빈정거리며 자꾸 놀리다. ¶그의 처세술을 ~.
비아냥-대다 자타 비아냥거리다.
비아냥-스럽다 〔-스러우니, -스러워〕 형 ㅂ불 얄밉게 빈정거리며 놀리는 태도가 있다. ¶ 녀석의 비아냥스러운 태도에 화가 치밀었다. 비아냥-스레 부
비악 부 병아리가 한 번 우는 소리. 센삐악. 준뱍.
비악-비악 부하자 병아리가 계속해 우는 소리. 센삐악삐악. 준뱍뱍.
비-안개 명 비가 쏟아질 때 안개가 낀 것처럼 흐려 보이는 현상.
비:애(悲哀) 명 슬픔과 설움. ¶~에 잠기다 / 인생의 ~를 느끼다.
비약(飛躍) 명하자 1 높이 뛰어오름. 2 급격히 발전하거나 향상됨. ¶ 선진국으로 ~하다. 3 순서나 단계를 건너뜀. ¶ 논리의 ~.
비:약(秘藥) 명 1 비방으로 지은 약. 2 효력이 매우 좋은 약. 묘약(妙藥).
비약-법(飛躍法) 명 〖문〗 수사법에서 변화법의 일종. 평탄하게 서술해 오던 글의 흐름이 갑자기 변하여 시간이나 공간을 무시하고 뛰어넘는 수법.
비약-적(飛躍的) 관명 사물의 상태가 갑자기 향상·발전하는 (것). ¶ ~(인) 발전 / ~ 추리 / 그의 입신출세는 ~이다.
비:-양심적(非良心的) 관명 양심적이 아닌 (것). ¶ ~(인) 처사 / ~인 인물.
비:어(卑語·鄙語) 명 1 점잖지 못하고 천한 말. 2 사물을 낮추어 부르는 말《'입'을 '주둥아리', '뱃사람'을 '뱃놈'이라고 하는 따위》.
비:어(秘語) 명 비밀스러운 말. 남몰래 자신들만 알 수 있도록 주고받는 말.
비:어(備禦) 명하타 미리 준비해 막음.
비어(蜚語·飛語) 명 이리저리 퍼뜨려 세상을 현혹하게 하거나 근거 없이 떠도는 말. 비언(飛言).
비어-지다 [-/-여-] 자 1 속에 있던 것이 밖으로 내밀어지다. ¶ 폭우로 나무뿌리가 ~. 2 숨기거나 참던 일이 드러나다. ¶ 과거 경력이 하나씩 비어져 나왔다 / 입술 사이로 웃음이 비어져 나왔다.
비:언(鄙諺) 명 품위가 낮은 말이나 속담.
비:업(丕業) 명 큰 사업. 홍업(洪業).
비엔날레(이 biennale) 명 〖미술〗 2년마다 열리는 국제적 미술 전람회. 격년 잔치. ¶ 광주 ~.
비역 명하자 사내끼리 성교하듯이 하는 짓. 계간(鷄姦). 남색(男色). ↔밴대질. 준벽.
비연(飛鳶) 명 연을 날리는 일. 연날리기. ¶ ~ 대회.
비:열(比熱) 명 〖물〗 물질 1g의 온도를 1℃ 올리는 데 드는 열량과 물 1g의 온도를 1℃ 올리는 데 드는 열량과의 비.
비:열-하다(卑劣-·鄙劣-) 형여불 성품과 행실이 천하고 어리석다. ¶ 비열한 행위 / 인품이 매우 ~.
비:염(鼻炎) 명 콧속 점막에 생기는 염증. 비카타르.
비:예(睥睨) 명하타 눈을 흘겨봄.
비오 부 솔개가 우는 소리.
비오디(BOD) 명 〔Biochemical Oxygen Demand〕 생물학적 산소 요구량.
비:옥(肥沃) 명하형 땅이 걸고 기름짐. 비요(肥饒). ¶ ~한 농토.
비올라(이 viola) 명 바이올린 비슷한 네 줄의 현악기《바이올린과 첼로의 중간 악기로 소리가 어둡고 둔함》.
비-옷 [-옫] 명 비에 젖지 않도록 덧입는 옷. 레인코트(raincoat). 우의(雨衣).
비:용(比容) 명 물체의 부피를 그 질량으로 나눈 값《밀도의 역수(逆數)와 같음》.
*비:용(費用) 명 물건을 사거나 어떤 일을 하는 데 드는 돈. 비발. ¶ 입원 ~ / ~을 마련하다.
비:용-설(費用說) 명 재화의 가치는 그것을 생산하는 데에 쓰인 노동이나 비용에 따라서 결정된다는 학설.
비우다 타 《'비다'의 사동》 1 안의 것을 치우거나 쏟거나 먹다. ¶ 병을 ~ / 밥그릇을 ~. 2 밖으로 나가서 아무도 없게 하다. ¶ 집을 ~.
비:운(悲運) 명 슬픈 운명. 불행하고 비참한 운명. ¶ 겨레의 ~ / ~을 당하다.
비:웃다 [-욷따] 타 업신여기는 태도로 웃

것이 아님.
비:철 금속 (非鐵金屬) 철 이외의 금속으로, 공업상 이용 가치가 큰 금속《구리·납·아연·백금 따위》.
비:첩 (婢妾) [명] 종이었다가 첩이 된 여자.
비첩 (碑帖) [명] 비석에 새긴 글자나 그림 따위를 그대로 종이에 박아 낸 것. 또는 그것을 첩(帖)으로 만든 것. 탑본(搨本).
***비추다** [타] **1** 빛을 보내어 밝게 하다. ¶손전등으로 얼굴을 ~. **2** 어떤 물체에 다른 물체의 모습이 나타나게 하다. ¶거울에 몸을 ~. **3** (주로 '…에 비추어'의 꼴로 쓰여) 견주어 보다. ¶양심에 비추어 나는 잘못이 없다. **4** '비치다[2]'의 본딧말.
비추이다 [자] 《'비추다'의 피동》 비춤을 받다. ¶버스 차창에는 피곤해 보이는 사람들의 얼굴이 선명하게 비추이고 있다. [준]비취다.
비:축 (備蓄) [명][하타] 만약의 경우를 위하여 미리 모아 두거나 저축함. ¶석유를 ~하다 / ~된 식량도 동났다.
비:취 (翡翠) [명] 〖광〗 치밀하고 짙은 푸른색의 윤이 나는 경옥(硬玉)《장신구·장식품 등으로 씀》. 비취옥. ¶~ 반지를 낀 손이 유난히 돋보인다.
비취다 [자] '비추이다'의 준말.
비:취-색 (翡翠色) [명] 비취의 빛깔과 같이 곱고 짙은 초록색.
비:치 (備置) [명][하타] 미리 갖추어 둠. ¶구급약을 ~하다 / 많은 운동구가 ~되어 있다.
***비치다[1]** [자] **1** 빛이 나서 환하게 되다. ¶달빛이 환하게 ~. **2** 모양이 나타나 보이다. ¶강물에 산이 거꾸로 비친다. **3** 빛을 받아 다른 물건에 그림자가 나타나다. ¶창호지를 바른 방문에 사람의 그림자가 비쳤다. **4** 투명하거나 얇은 것을 통하여 드러나다. ¶속살이 비치는 잠옷을 입다. **5** 뜻이나 마음이 드러나 보이다. ¶그의 눈에는 난감해하는 기색이 비쳤다.
비치다[2] [타] 넌지시 깨우쳐 주다. ¶사의(辭意)를 ~ / 입후보할 의향을 ~.
비치적-거리다 [자타] 자꾸 한쪽으로 조금 비트적거리다. ¶술에 취해 ~. [작]배치작거리다. [준]비척거리다. **비치적-비치적** [부][하자타]
비치적-대다 [자타] 비치적거리다.
비치-파라솔 (beach+parasol) [명] 주로 해수욕장 같은 데서 햇볕을 가리는 큰 양산.
비칠-거리다 [자타] 조금 비치적거리다. [작]배칠거리다. **비칠-비칠** [부][하자타]
비칠-대다 [자타] 비칠거리다.
비:칭 (卑稱) [명] 낮추어 일컫는 말. ↔존칭.
비커 (beaker) [명] 〖화〗 화학 실험용의 귀때가 달린 원통 모양의 유리그릇.

비커

비:켜-나다 [자] 몸을 옮겨 물러서다. ¶옆으로 조금 비켜나세요.
비:켜-서다 [자] 몸을 비켜 물러서다. ¶자동차가 지나가도록 ~.
비키니 (bikini) [명] 상하가 분리되어 브래지어와 팬티로 된 여자용 수영복. ¶요즘은 ~ 스타일이 유행이다.
***비:키다** [一][자] 있던 곳에서 한쪽으로 조금 물러나다. ¶한옆으로 ~. [二][타] 놓았던 곳에서 한쪽으로 조금 옮기다. ¶장애물을 비켜 놓다.
***비타민** (vitamin) [명] 〖화〗 동물체의 주 영양소 외에 동물의 정상적인 발육과 영양을 유지하는 데 필요한 유기물의 총칭.
비타민 디 (vitamin D) 〖화〗 비타민의 하나. 부족하면 구루병에 걸림《간유·버터·난황(卵黃) 등에 들어 있음》.
비타민 시 (vitamin C) 〖화〗 비타민의 하나. 부족하면 괴혈병이 생김《과실·귤·야채 등에 들어 있음》.
비:-타협적 (非妥協的) [관][명] 타협적이 아닌 (것). ¶~인 태도 / 협상에 ~이다.
비:탄 (悲歎·悲嘆) [명][하타] 몹시 슬퍼하면서 탄식함. ¶~에 빠지다.
***비탈** [명] 산이나 언덕의 비스듬하게 기울어진 곳. ¶~이 가파르다.
비탈-길 [-낄] [명] 비탈진 언덕의 길. ¶~을 뛰어내려 오다.
비탈-지다 [형] 매우 가파르게 기울어져 있다. ¶비탈진 언덕길.
비:토 (肥土) [명] 기름진 흙. 비옥한 땅. 거름흙. 옥토(沃土).
비토 (veto) [명][하타] 거부. 거부권.
비:통 (悲痛) [명][하형][히부] 몹시 슬퍼서 마음이 아픔. ¶~한 심정 / ~에 잠기다.
비트 (bit) [의명] 〔binary digit(=이진수(二進數))〕 **1** 〖컴〗 정보 처리 장치가 저장할 수 있는 정보량의 최소 기본 단위. 8비트는 1바이트임. **2** 이진법에서 쓰는 숫자로, 0과 1.
비트맵 (bitmap) [명] 〖컴〗 컴퓨터 그래픽에서, 화면에 나타나는 영상 데이터를 저장하는 방식.
비트적-거리다 [타] 몸을 제대로 가누지 못하고 조금 비틀거리며 걷다. [작]배트작거리다. [센]삐트적거리다. **비트적-비트적** [부][하타]
비트적-대다 [타] 비트적거리다.
비틀 [부][하자타] 힘이 없거나 어지러워 몸을 가누지 못하고 이리저리 쓰러질 듯한 모양. ¶술에 몹시 취해 이리 ~ 저리 ~ 걷지를 못한다. [작]배틀.
비틀-거리다 [자타] 이리저리 쓰러질 듯이 계속 걷다. ¶발걸음이 ~. [작]배틀거리다. [센]삐틀거리다. **비틀-비틀** [부][하자타]. ¶~ 걷다.
비틀-걸음 [명] 비틀거리면서 걷는 걸음. [작]배틀걸음.
비:틀다 〔비트니, 비트오〕 [타] **1** 힘 있게 바싹 꼬면서 틀다. ¶철사를 비틀어 끊다 / 팔을 ~. **2** 일을 어그러지게 하다. ¶다 된 일을 비틀어 버리다. [작]배틀다.
비틀-대다 [자타] 비틀거리다.
비:틀리다 [자] 《'비틀다'의 피동》 비틂을 당하다. ¶손목이 비틀려 부었다 / 일이 다 비틀려 버렸다. [작]배틀리다.
비:틀어-지다 [자] **1** 물체가 한쪽으로 쏠리거나 돌려지다. ¶열을 받아 ~. **2** 일이 꼬여 순조롭지 아니하게 되다. **3** 친하던 사이가 나빠지다. ¶하찮은 일로 둘 사이가 비틀어졌다. [작]배틀어지다. [센]삐틀어지다.
비파 (琵琶) [명] 〖악〗 둥글고 긴 타원형의 몸체에 자루는 곧고 짧으며, 4현 또는 5현을

맨 동양 현악기.
비:판(批判) 명하타 **1** 사물의 옳고 그름을 판단하거나 밝힘. ¶날카로운 ~/~이 제기되다. **2**〖철〗사물의 의미를 밝혀 그 존재의 까닭을 이론적 기초로 판단함.
비:판-력(批判力)[-녁] 명 비판하는 능력. ¶책을 많이 읽어 ~을 기르다.
비:판-적(批判的) 관명 비판하는 태도·입장에서 하는 (것). ¶~(인) 입장을 취하다.
비:판 철학(批判哲學)〖철〗인간의 인식 비판을 중심 과제로 하는 철학. 비평 철학. 선험 철학.
비:평(批評) 명하타 **1** 사물의 옳고 그름, 좋고 나쁨, 아름다움과 추함 따위를 분석하여 논하는 일. ¶날카로운 ~/작품을 ~하다. **2**〈속〉남의 결점을 드러내어 퍼뜨림.
비:평-가(批評家) 명 평론가.
비:-포장도로(非鋪裝道路) 명 포장되지 않은 맨땅에 낸 도로. ¶그 절은 ~로 가야 한다.
비:폭력-주의(非暴力主義)[-녁-/-녁-이] 명 옳고 그름에 관계없이 일체의 폭력을 반대하는 주의.
비:표(秘標) 명 자기들만 알 수 있도록 표시한 표지(標識). ¶~를 달고 회장에 입장하다.
비:-표준어(非標準語) 명 표준어가 아닌 말.
비:품(備品) 명 늘 일정하게 갖추어 두는 물품. ¶~ 대장을 작성하다. *소모품.
비프-스테이크(beefsteak) 명 서양 요리의 하나. 알맞은 두께로 썰어 저민 쇠고기에 소금과 후춧가루를 뿌리고 뭉근히 구운 음식.
비피에스(BPS) 의명〔bits per second〕〖컴〗데이터 전송 속도의 단위《1초에 몇 비트를 전송할 수 있는지를 나타냄》.
비:하(卑下) 명하자형 **1** 자신을 겸손하게 낮추거나 상대방을 업신여겨 낮춤. ¶필요 이상으로 자기를 ~하다. **2** 지대가 낮음. ¶~한 지대. **3** 지위가 낮음.
***비:-하다**(比-) 타여불 **1** 비교하거나 견주다. ¶비할 데 없는 재능/투자에 비하면 성과가 크다. **2**('-에 비하여, -에 비해(서), -에 비하면'의 꼴로 쓰여) '비교하면 그보다'의 뜻. ¶그에게 비하면 나는 나은 편이다.
비할 바〔데〕 없다 구 차이가 너무 커서 비길 데가 없다.
비:-합리(非合理)[-함니] 명하형〖철〗지성이나 오성(悟性)으로는 파악할 수 없음. 논리의 법칙에 맞지 않음. 불합리.
비:-합리성(非合理性)[-함니썽] 명 비합리적인 성질. 또는 그런 요소.
비:-합리적(非合理的)[-함니-] 관명 합리적이 아닌 (것). ¶~(인) 생각/그의 주장은 ~이다. ↔합리적.
비:합리-주의(非合理主義)[-함니-/-함니-이] 명〖철〗이성 또는 오성으로 파악할 수 없고 논리적으로도 규정할 수 없는 것을 궁극의 것으로 보는 입장. ↔합리주의.
비:-합법(非合法) 명 법률이 정한 바에 위반되는 일. ¶~ 활동을 억압하다. ↔합법.
비:-합법적(非合法的) 관명 법률이 정한 바에 위반되는 (것). ¶~ 정치 투쟁/~으로 입국하다. ↔합법적(合法的).
비:행(非行) 명 잘못되거나 그릇된 행위. ¶~을 저지르다/~이 드러나다.
비행(飛行) 명하자타 공중으로 날아가거나 날아다님. ¶야간 ~.
***비행-기**(飛行機) 명 항공기의 하나. 동력으로 프로펠러를 돌리거나 연소 가스를 내뿜는 힘을 이용하여 하늘을 날게 하는 기계.
비행기(를) 태우다 구 남을 높이 추어올려 주다.
비행-단(飛行團) 명 공군 부대 편성의 한 단위《비행 사단의 아래로 두셋의 전대(戰隊)로 구성됨》.
비행-사(飛行士) 명 일정한 자격을 지니고 면허를 받아 항공기를 조종하는 사람.
비행-선(飛行船) 명 유선형의 큰 기구 속에 공기보다 가벼운 수소나 헬륨 따위의 기체를 채워 그 뜨는 힘을 이용하여 조종하는 항공기.
비행-술(飛行術) 명 비행기를 조종하는 기술.
비행-장(飛行場) 명 비행기가 뜨고 내리고 머물 수 있도록 설비를 갖춘 곳. ¶군용 ~. *공항.
비행-접시(飛行-) 명 1947년 이래 세계 각지에서 보였다고 하는 정체불명의 비행 물체. 유에프오(UFO).
비행-정(飛行艇) 명 수상 비행기의 하나《동체(胴體) 밑부분이 배와 같이 되어 있어, 물 위에서 뜨고 내림》.
비:-현실적(非現實的)[-쩍] 관명 현실적이 아닌 (것). ¶~(인) 제의/~이라던 일이 실현되었다.
비-형(B型) 명〖의〗ABO식 혈액형의 하나. B형과 AB형인 사람에게 수혈할 수 있고, B형과 O형인 사람에게서 수혈받을 수 있음.
비:호(庇護) 명하타 죄가 있는 사람을 두둔하며 감싸 보호함. ¶~ 세력/특정인을 ~하다/권력의 ~를 받다.
비호(飛虎) 명 **1** 나는 듯이 달리는 범. **2** '동작이 몹시 날래고 용맹스러움'의 비유.
비호-같다(飛虎-)[-갇따] 형 매우 용맹스럽고 날래다. **비호-같이**[-가치] 부. ¶~ 덤벼들다.
비화(飛火) 명하자 **1** 튀어 박히는 불똥. **2** 영향이 직접 관계가 없는 장소나 사람에게까지 미침. ¶사건은 의외의 방향으로 ~했다/사소한 일이 크게 ~되다.
비:화(祕話) 명 세상에 드러나지 않은 숨은 이야기. ¶정계 ~.
비:화(悲話) 명 슬픈 이야기. 애화(哀話). ¶한이 서린 ~.
비:-효율(非效率) 명 노력에 비해 결과가 보잘것없음. ¶~의 악순환이 거듭되다.
비:효율-적(非效率的)[-쩍] 관명 노력에 비해 결과가 보잘것없는 (것). ¶그 회사는 ~으로 운영되고 있다.
비:후-하다(肥厚-) 형여불 살이 쪄서 몸집이 크고 두툼하다.
빅 명〔↗비김〕무승부. ¶바둑은 ~으로 끝났다.
빅-뉴스(big news) 명 놀라운 소식. 중대한 소식. ¶~라며 호들갑을 떨었다.

빅-딜 (big deal) 명 〖경〗 대기업 간의 주요 사업 부분의 맞교환을 일컬음. 경쟁력이 없는 사업 부문을 상대방에게 넘겨주고 다른 사업 부문을 넘겨받아 자신의 경쟁력을 강화하는 일.
빅 뱅 (big bang) **1** 우주 생성의 초기에 일어난 대폭발《우주의 생성과 전화에 관한 이론에서 우주는 이때부터 팽창을 시작하였다고 함》. **2** 대변혁.
빅-수 (-手) 명 '비김수'의 준말.
빅토리 (victory) 명 '승리'라는 뜻으로, 흔히 운동 경기에서 응원할 때 이기라고 외치는 소리.
빈 (嬪) 명 〖역〗 **1** 조선 때, 정일품 내명부(內命婦)의 품계. **2** 왕세자의 정부인.
빈객 (賓客) 명 귀한 손님. ¶ ~을 정중하게 맞이하다.
빈고 (貧苦) 명하형 가난하고 고생스러움.
빈곤 (貧困) 명하형히부 **1** 가난해서 살림이 어려움. 가난. ¶ ~한 가정 / ~에서 벗어나다. **2** 내용 따위가 충실하지 못함. ¶ 화제의 ~.
빈광 (貧鑛) 명 〖광〗 품위가 낮은 광석. 또는 채산상(採算上) 이익률이 적은 광석. 빈광석. ↔부광.
빈국 (貧國) 명 가난한 나라. ¶ 자원 ~. ↔부국(富國).
빈궁 (貧窮) 명하형히부 가난하고 궁색함. ¶ ~에서 벗어나다.
빈궁 (嬪宮) 명 〖역〗 왕세자의 아내.
빈농 (貧農) 명 가난한 농민이나 농가. ↔부농(富農).
빈뇨-증 (頻尿症)[-쯩] 명 〖의〗 오줌을 조금씩 자주 누게 되는 병증.
빈대 명 〖충〗 빈댓과의 곤충. 길이 5 mm 정도, 몸시 납작한 원반형이며, 빛은 갈색임. 뒷날개는 퇴화하고 몹시 악취를 풍김. 밤에 사람의 피를 빨아 먹음.
[빈대도 낯짝이 있다] 너무도 염치가 없는 사람을 핀잔주는 말. [빈대 잡으려고 초가삼간 태운다] 큰 손해를 볼 것을 생각지 않고 당장의 마땅치 않은 것을 없애려고 덤빈다.
빈대 붙다 구 〈속〉 남에게 빌붙어 득을 보다.
빈대-떡 명 녹두를 갈아서 온갖 나물과 고기 따위를 섞어 전병처럼 부쳐 만든 음식. 녹두전병. ¶ ~을 부쳐 먹다.
빈도 (頻度) 명 같은 현상이나 일이 되풀이되는 도수. 잦은 도수. ¶ 발생 ~를 억제하다 / 높은 ~를 나타내다.
빈둥-거리다 자 아무 하는 일 없이 게으름을 피우며 놀기만 하다. ¶ 종일 빈둥거리며 시간을 보내다 / 일꾼이 빈둥거리며 게으름을 피운다. 작 밴둥거리다. 센 삔둥거리다. 거 핀둥거리다. **빈둥-빈둥** 부하자. ¶ ~ 놀고만 있다 / ~ 날을 보내다.
빈둥-대다 자 빈둥거리다.
빈들-거리다 자 부끄러운 줄 모르고 게으름을 피우며 놀기만 하다. ¶ 빈들거리며 싸다닌다. 작 밴들거리다. 센 삔들거리다. 거 핀들거리다. **빈들-빈들** 부하자. ¶ ~ 놀지만 말고 일 좀 거들어라.
빈들-대다 자 빈들거리다.
빈례 (賓禮)[빌-] 명하타 예의를 갖추어 손님을 대접함.
빈:-말 명하자 실속이 없는 헛된 말. ¶ ~로 여기다 / ~이라도 고맙다.
빈모 (牝牡) 명 짐승의 암컷과 수컷. 암수.
빈민 (貧民) 명 가난한 사람들. 세민(細民).
빈민-가 (貧民街) 명 가난한 사람들이 모여 사는 거리. 세민가(細民街). ¶ ~에서 자라 주먹으로 세계를 제패하다.
빈민-굴 (貧民窟) 명 빈민들이 모여 사는 곳.
빈민-촌 (貧民村) 명 주로 도시에서 가난한 사람들이 모여 사는 곳.
빈민-층 (貧民層) 명 가난한 사람들이 속하는 계층. ¶ 소외된 도시 ~. ↔부유층.
빈발 (頻發) 명하자 어떤 일이나 현상 따위가 자주 일어남. ¶ 교통사고가 ~하는 지점 / 부주의로 인한 안전사고가 ~하고 있다.
빈:-방 (-房) 명 아무도 거처하지 않고 비어 있는 방.
빈번-하다 (頻繁-·頻煩-) 형여불 번거로울 정도로 자주 있다. ¶ 출입이 ~. **빈번-히** 부. ¶ 화물차가 ~ 왕래한다.
빈부 (貧富) 명 가난함과 부유함. ¶ ~의 격차가 날로 심해지다.
빈부귀천 (貧富貴賤) 명 가난함과 부유함이나 귀함과 천함. ¶ ~을 가리지 아니하다.
빈사 (賓辭) 명 〖논〗 명제(命題)에서, 주사에 결합되어 그것을 규정하는 개념《'소는 동물이다'에서 '동물' 같은 것》. 빈개념. ↔주사(主辭).
빈사 (瀕死) 명 거의 죽게 된 지경에 이름. 반죽음. ¶ ~ 상태에 빠지다.
빈상 (貧相) 명 **1** 궁색해 보이는 인상. ¶ 얼굴이 ~일 뿐 허우대는 멀쩡하다. ↔복상(福相). **2** 궁상맞고 가난한 모습. 빈국.
빈소 (殯所) 명 발인 때까지 관을 놓아두는 방. ¶ 밤새워 ~를 지키다.
빈:-속 명 먹은 지가 오래되어 시장한 배속. 공복(空腹). ¶ ~에 술을 마시다.
빈:-손 명 **1** 아무것도 가지고 있지 아니한 손. **2** 돈이나 물건 따위가 없는 상태. ¶ ~으로 돌아오다. *맨손.
빈손 털다 구 ㉠헛일이 되어 아무 소득이 없다. ㉡가지고 있던 것을 몽땅 날려 버리다.
빈약 (貧弱) 명하형 **1** 가난하고 약함. ¶ 나라가 ~하니까 국민의 사기도 떨어진다. **2** 내용이 충실하지 못해 보잘것없음. ¶ ~한 지식. **3** 신체의 어느 부분이 제대로 발달되어 있지 못함. ¶ 다리가 ~한 그녀는 늘 걷기 운동을 한다.
빈익빈 (貧益貧) 명하자 가난할수록 더욱 가난하게 됨. ↔부익부.
빈자 (貧者) 명 가난한 사람. ¶ ~의 서러움. ↔부자(富者).
빈:-자리 명 **1** 비어 있는 자리. ¶ 점심시간이라 식당에 ~가 없다. **2** 결원으로 비어 있는 직위. 공석. ¶ 부장 자리가 ~로 남아 있다.
빈정-거리다 자타 비웃는 태도로 자꾸 아니꼽게 굴다. 또는 은근히 비웃으며 자꾸 놀리다. ¶ 빈정거리며 말하다. **빈정-빈정** 부하자타
빈정-대다 자타 빈정거리다.

빈주 (賓主) 명 손님과 주인.
빈:-주먹 명 마땅히 가져야 할 것이 없는 주먹. ¶~으로 시작하다. *맨주먹.
빈:-집 명 **1** 아무도 살지 않는 집. 공가(空家). ¶요즈음 농촌에는 ~이 늘고 있다. **2** 식구들이 모두 밖에 나가고 없는 집. ¶~을 혼자 지키다.
빈처 (貧妻) 명 가난에 시달리며 고생하는 아내.
빈천 (貧賤) 명하형히부 가난하고 천함. ↔부귀.
빈천지교 (貧賤之交) 명 빈천할 때 사귄 벗.
빈청 (賓廳) 명 〖역〗 조선 때, 궁중에 있는 대신이나 당상들이 정기적으로 모여서 회의하던 곳.
빈촌 (貧村) 명 가난한 사람들이 모여 사는 마을. 궁촌(窮村). ↔부촌(富村).
빈:-총 (-銃) 명 실탄을 재지 않은 총.
빈축 (嚬蹙·顰蹙) 명하자 **1** 눈살을 찌푸리고 얼굴을 찡그림. **2** 남을 비난하거나 미워함. ¶남의 ~을 사는 일을 하지 마라.
빈출 (頻出) 명하자 **1** 자주 나오거나 나타남. ¶~ 단어. **2** 자주 외출함.
빈:-칸 명 〔←빈간〕 비어 있는 칸. ¶~에 이름을 써넣다.
빈:-탈타리 명 빈털터리. 준탈타리.
빈:-터 명 비어 있는 터. 공터. 빈 땅.
빈:-털터리 명 있던 재산을 다 없애고 가난뱅이가 된 사람. 빈탈타리. ¶부도로 ~가 되다. 준털터리.
빈:-틈 명 **1** 비어 있는 사이. ¶~이 생기다 / 감시의 ~을 타서 탈주하다. **2** 허술하거나 부족한 점. ¶~이 많은 사람 / 상대 수비의 ~을 노려라.
빈:틈-없다 [-업따] 형 **1** 비어 있는 사이가 없다. ¶일정이 빈틈없게 빡빡하다. **2** 허술한 데가 없이 야무지고 철저하다. ¶빈틈없는 성격. **빈:틈-없이** [-업씨] 부. ¶~ 준비하다.
빈핍 (貧乏) 명하형 가난해서 아무것도 없음. 가난함. ¶~한 생활.
빈한-하다 (貧寒-) 형여불 아주 가난해서 집안이 쓸쓸하다. ¶빈한한 살림살이. **빈한-히** 부
빈혈 (貧血) 명 〖의〗 혈액 중의 적혈구나 혈색소가 감소하는 현상《두통·현기증·권태·이명(耳鳴) 따위의 증상이 나타남》.
***빌:다** 〔비니, 비오〕 타 **1** 남의 물건을 거저 달라고 하다. ¶양식을 빌러 다니다. **2** 자기 소원대로 되기를 바라며 기도하다. ¶자식들의 복을 ~ / 성공을 비네. **3** 잘못을 용서해 달라고 호소하다. ¶고개를 숙이고 용서를 ~.
빌딩 (building) 명 철근 콘크리트 따위로 지어, 내부에 많은 사무실이 있는 서양식의 고층 건축물.
빌라 (villa) 명 **1** 별장. **2** 별장식 주택. **3** 다세대 주택이나 연립 주택.
***빌리다** 타 **1** 어느 기한에 도로 찾기로 하고 물건을 남에게 내주다. ¶빌린 돈을 거두다 / 연장을 빌려 주다. **2** 어느 일정한 기간 동안 삯을 받고 내주다. **3** 남의 물건을 돌려주기로 하고 갖다가 쓰다. ¶책을 ~. **4** 남의 도움을 받다. ¶남의 손을 ~. **5** 일정한 형식·글 따위를 취하여 따르다. ¶성현의 글귀를 빌려 표현하다.
빌미 명 재앙이나 탈 따위의 원인. ¶늦게 온 것을 ~로 삼아 꾸짖다.
빌미-잡다 타 재앙·탈 따위가 생기는 원인으로 삼다.
빌:-붙다 [-붇따] 자 남의 환심을 사려고 들러붙어서 아첨하고 알랑거리다. ¶힘 있는 자에 빌붙어 지내다.
빌빌 부하자 **1** 느릿느릿하게 움직이는 모양. **2** 기운 없이 행동하는 모양. ¶하룻밤 야근하더니 ~한다.
빌빌-거리다 자 자꾸 빌빌하다. ¶집에서 빌빌거리는 것을 보니 실직한 모양이다.
빌빌-대다 자 빌빌거리다.
빌어-먹다 자타 구걸하여 거저 얻어먹다. ¶끼니를 ~.
빌어-먹을 감관 일이 뜻대로 되지 않아 속이 상하여 욕으로 하는 말. ¶~ 놈 / ~ 비는 오고 사람은 오지 않는다.
빔:[1] 명하타 촉(鏃)·장부 따위의 구멍이 헐거울 때 종이·헝겊 등을 감아 끼우는 일.
빔:[2] 명 (일부 명사 뒤에 붙어) 명절·잔치 때에 새 옷을 차려입는 일. 또는 그 옷. ¶설~ / 명절~.
빔 (beam) 명 **1** 〖물〗 입자·전자(電子)·중성자 따위의 흐름. **2** 〖건〗 건물·구조물의 들보나 도리.
***빗** [빋] 명 머리털을 빗는 데 쓰는 제구.
빗- [빋] 두 '곧지 않게·비스듬히·잘못'의 뜻. ¶~나가다 / ~맞다 / ~변.
빗-가다 [빋까-] 자타 '빗나가다 ■2·■'의 준말.
빗-각 (-角) [빋깍] 명 〖수〗 예각이나 둔각처럼 직각이나 평각(平角)이 아닌 각. 사각(斜角).
빗-금 [빋끔] 명 **1** 사선(斜線). ¶~을 치다. **2** 〖언〗 대응·대립 또는 대등한 것을 함께 보이거나 분수를 나타낼 때 쓰는 문장 부호의 하나《 / 》.
빗기다 [빋끼-] 타 남의 머리털을 빗어 주다. ¶딸의 머리를 ~.
빗-길 [비낄 / 빋낄] 명 비가 내리거나 빗물이 깔린 길. ¶~에 미끄러지다.
빗-나가다 [빈-] ㊀자 **1** 행동·태도가 그릇된 방향으로 나가다. ¶그것은 빗나간 판단이다. **2** 기대나 예상과 다르다. ¶예측이 ~. ㊁자타 움직임이 비뚜로 나가다. ¶화살이 과녁에서 ~ / 탄환이 목표물을 ~.
빗다 [빋따] 타 빗으로 머리털을 가지런히 고르다. ¶머리를 감고 단정하게 ~.
빗-대다 [빋때-] 타 **1** 바로 대지 않고 둘러서 말하다. ¶날랜 사람을 비호에 빗대어 말하다. **2** 사실과 틀리게 비뚜름하게 말하다. ¶그렇게 자꾸 빗대지 마라.
빗-돌 (碑-) [비똘 / 빋똘] 명 글자를 새겨서 세운 돌. 비석(碑石). ¶고인의 업적을 ~에 새기다.
빗-듣다 [빋뜯-] 〔빗들으니, 빗들어〕 타ㄷ불 무슨 말을 잘못 듣다. 횡듣다.
빗-디디다 [빋띠-] 타 잘못하여 디딜 자리가 아닌 다른 곳을 디디다. ¶빗디뎌서 넘어지다.
빗-뜨다 [빋-] 〔빗뜨니, 빗떠〕 타 눈을 옆으

로 흘겨 뜨다. ¶빗뜨면 어쩔 테냐.
빗-맞다 [빈맏따] [자] **1** 어긋나서 다른 곳에 맞다. ¶화살이 ~. **2** 뜻한 일이 잘못되어 달리 이루어지다. ¶예상이 ~.
빗-먹다 [빈-] [자] 톱이 먹줄대로 나가지 않고 비뚜로 들어가다.
빗-면 (-面)[빈-] [명] 〔물·수〕 수평면과 90° 이내의 각을 이룬 평면. 사면(斜面).
빗-모서리 [빈-] [명] 〔수〕 각뿔이나 각뿔대의 이웃한 두 빗면이 만나는 모서리.
***빗-물** [빈-] [명] 비가 와서 고이거나 모인 물. 우수(雨水). ¶~이 스미다 / ~에 씻기다 / ~을 받다.
빗-발 [비빨 / 빋빨] [명] 비가 내리칠 때 줄이 진 것처럼 보이는 빗줄기. ¶~이 세차다 / 밤부터 점점 ~이 굵어졌다.
빗발-치다 [비빨- / 빋빨-] [자] **1** 빗줄기가 세게 쏟아지다. **2** 탄환 따위가 빗발처럼 줄기차게 떨어지다. ¶총알이 ~. **3** 말이나 글 따위가 세차게 닥치다. ¶여론의 질책이 ~ / 독촉 전화가 ~.
***빗-방울** [비빵- / 빋빵-] [명] 비가 되어 떨어지는 물방울. ¶~이 굵어지다.
빗-변 (-邊)[빋뼌] [명] 〔수〕 직각 삼각형의 직각에 대한 가장 긴 변. 사변(斜邊).
빗-보다 [빋뽀-] [타] 똑바로 보지 못하고 어긋나게 잘못 보다.
빗-살 [빋쌀] [명] 빗의 잘게 갈라진 낱낱의 살. 살. ¶~이 촘촘하다.
빗살무늬 토기 (-土器)[빋쌀-니-] 〔역〕 달걀을 가로로 이분(二分)한 것같이 생긴 토기 《밑이 둥근 것 또는 뾰족한 것이 있고, 여기에 빗살 모양의 무늬가 있음》. 즐문(櫛文) 토기.
빗살-문 (-門)[빋쌀-] [명] 가는 살을 엇비슷하게 어긋매껴 촘촘하게 짜서 만든 문.

빗살문

빗살-창 (-窓)[빋쌀-] [명] 살을 엇비슷하게 어긋매껴 촘촘히 짜서 만든 창문.
빗-소리 [비쏘- / 빋쏘-] [명] **1** 빗방울이 무엇에 부딪치는 소리. ¶양철 지붕을 두드리는 요란한 ~. **2** 빗발이 세차게 바람에 휘몰리는 소리.
빗-속 [비쏙 / 빋쏙] [명] 비가 내리는 가운데. 우중(雨中). ¶~을 뚫고 뛰어가다.
빗장 [빋짱] [명] '문빗장'의 준말. ¶대문에 ~을 지르다.
빗장-걸이 [빋짱-] [명] 씨름에서, 안다리걸기를 걸어 왔을 때 발목으로 상대의 왼 다리 오금을 걸어 왼쪽으로 젖히는 혼합 기술의 하나.
빗장-뼈 [빋짱-] [명] 〔생〕 쇄골(鎖骨).
빗-줄기 [비쭐- / 빋쭐-] [명] **1** 줄이 진 것처럼 세차게 내리는 비. **2** 한바탕 내리는 소나기. ¶후덥지근한 게 ~가 한바탕 지나갈 것 같은데.
빗-질 [빋찔] [명][하타] 빗으로 머리나 털 따위를 빗는 일. ¶부스스한 머리를 ~하다.
빗-치개 [빋-] [명] 빗살 틈의 때를 빼거나 가르마를 타는 도구.
빙 [부] **1** 한 바퀴 도는 모양. ¶한 바퀴 ~ 돌다. **2** 둘레를 둘러싼 모양. ¶~ 둘러앉아 이야기꽃을 피웠다. **3** 정신이 어찔해지는 모양. ¶한 대 맞았더니 정신이 ~ 돌더군. **4** 갑자기 눈물이 글썽해지는 모양. ¶눈물이 ~ 돌다. (작)뱅. (센)삥. (거)핑.
빙결 (氷結) [명][하자] 얼음이 얼어붙음. 동결. ¶~된 저수지.
빙고 (氷庫) [명] 얼음을 넣어 두는 창고. 빙실(氷室). 능음(凌陰).
빙고 (bingo) [명] 숫자가 적혀 있는 카드의 빈 칸을 가로 세로 또는 사선이 되게 메우는 복권식 놀이. ¶~ 게임.
빙과 (氷菓) [명] 얼음과자《아이스케이크·아이스크림 등》.
빙괴 (氷塊) [명] 얼음의 덩이.
***빙그레** [부][하자] 입을 약간 벌려 소리 없이 부드럽게 웃는 모양. ¶~ 미소를 짓다. (작)뱅그레. (센)삥그레.
빙그르르 [부] 가볍게 원을 그리며 미끄럽게 도는 모양. ¶그 자리에서 가볍게 ~ 돌다. (작)뱅그르르. (센)삥그르르. (거)핑그르르.
빙글-거리다 [자] 입을 약간 벌리고 소리 없이 부드럽게 자꾸 웃다. (작)뱅글거리다. (센)삥글거리다. **빙글-빙글**[1] [부][하자]
빙글-대다 [자] 빙글거리다.
***빙글-빙글**[2] [부] 자꾸 미끄럽게 도는 모양. ¶회전목마가 ~ 돌다. (작)뱅글뱅글. (센)삥글삥글[2]. (거)핑글핑글.
빙긋 [-귿] [부][하자] 입을 슬쩍 벌리고 소리 없이 한 번 웃는 모양. ¶혼자서 ~ 웃다. (작)뱅긋. (센)삥긋.
빙긋-거리다 [-귿꺼-] [자] 자꾸 빙긋이 웃다. (작)뱅긋거리다. **빙긋-빙긋** [-귿빙귿] [부][하자]
빙긋-대다 [-귿때-] [자] 빙긋거리다.
빙긋-이 [부] 빙긋. (작)뱅긋이. (센)삥긋이.
빙기 (氷期) [명] 〔지〕 빙하 시대 특히, 온대 지방에까지 빙하가 덮였던 시기. 빙하기(期). *빙하 시대·간빙기(間氷期).
빙모 (聘母) [명] 장모(丈母).
빙문 (聘問) [명][하타] 예를 갖추어 방문함.
빙벽 (氷壁) [명] 얼음이나 눈에 덮인 낭떠러지. 얼음벽. ¶~ 등반 / ~을 타고 겨울 산을 오르다.
빙부 (聘父) [명] 장인(丈人).
빙-빙 [부] **1** 자꾸 돌거나 돌리는 모양. ¶자전거로 광장을 ~ 돌다. (작)뱅뱅. (센)삥삥. (거)핑핑. **2** 이리저리 자꾸 돌아다니는 모양. **3** 갑자기 정신이 자꾸 어찔하여지는 모양. ¶눈앞이 ~ 돌다.
빙산 (氷山) [명] 〔지〕 남극이나 북극의 바다에 산처럼 떠 있는 얼음덩이.
빙상 (氷上) [명] **1** 얼음판의 위. **2** '빙상 경기'의 준말.
빙상 경:기 (氷上競技) 얼음판 위에서 하는 경기의 총칭《스케이팅·아이스하키 따위》. ¶동계 ~ 대회. (준)빙상.
빙설 (氷雪) [명] **1** 얼음과 눈. ¶~로 덮이다. **2** 타고난 마음씨가 결백함의 비유.
빙수 (氷水) [명] **1** 얼음을 띄워 차게 한 물. 얼음냉수. **2** 얼음을 눈처럼 간 다음 그 속에 삶은 팥·설탕 따위를 넣어 만든 음식.
빙시레 [부] 입을 조금 벌리며 소리 없이 부드럽게 웃는 모양. (작)뱅시레. (센)삥시레.
빙식 (氷蝕) [명] 〔지〕 빙하의 이동으로 인해 생긴 침식.
빙식-곡 (氷蝕谷) 명 〖지〗 곡빙하의 침식으로 그 단면이 'U' 자형으로 된 골짜기.
빙식-호 (氷蝕湖)[-시코] 명 빙하의 침식과 퇴적 작용으로 이루어진 호수. 빙하호(氷河湖).
빙싯 [-싣] 부하자 입을 살며시 벌릴 듯하면서 소리 없이 가볍게 한 번 웃는 모양. 작 뱅싯. 센 삥싯.
빙싯-거리다 [-싣꺼-] 자 소리 없이 입을 벌릴 듯하면서 가볍고 온화하게 자꾸 웃다. 작 뱅싯거리다. 센 삥싯거리다. **빙싯-빙싯** [-싣삥싣] 부하자
빙싯-대다 [-싣때-] 자 빙싯거리다.
빙어 명 〖어〗 바다빙엇과의 물고기. 하류와 하구 부근의 바다에 삶. 몸은 15cm 정도로 가늘고 길며 조금 납작스름함. 빛은 회황색을 띰. 맛이 좋음.
빙옥 (氷玉) 명 **1** 얼음과 옥. **2** 맑고 깨끗하여 티가 없음의 비유.
빙원 (氷原) 명 〖지〗 땅 거죽의 면에 얼음이 덮여 있는 벌판. 빙야(氷野). ¶ 남극의 ~.
빙자 (憑藉) 명하타 **1** 남의 힘을 빌려서 의지함. ¶ 공권력을 ~한 보복은 막아야 한다. **2** 말막음을 위하여 핑계로 내세움. ¶ 신병을 ~하여 결석하다.
빙장 (聘丈) 명 '장인'의 높임말. 악장(岳丈). ¶ ~ 어른께 인사 여쭙다.
빙점 (氷點)[-쩜] 명 〖물〗 어는점. ↔비등점.
빙점-하 (氷點下)[-쩜-] 명 물이 얼기 시작하거나 얼음이 녹기 시작할 때의 온도 이하《섭씨 0° 이하》. 영하.
빙질 (氷質) 명 물건을 냉각시키거나, 스케이트를 타기 위한 얼음의 질.
빙-초산 (氷醋酸) 명 〖화〗 수분이 5% 이하이며, 16℃ 이하의 온도에서 어는 순수한 아세트산.
빙:충-맞다 [-맏따] 형 똘똘하지 못하고 어리석으며 수줍다. ¶ 빙충맞은 태도를 보이다. 작 뱅충맞다.
빙:충-이 명 빙충맞은 사람. 작 뱅충이.
빙탄 (氷炭) 명 얼음과 숯이라는 뜻으로, 서로 정반대가 됨의 비유.
빙탄불상용 (氷炭不相容)[-쌍-] 명 얼음과 숯처럼 사물이 서로 화합하기 어려움을 일컫는 말.
빙퇴-석 (氷堆石) 명 빙하에 의해 운반되어 하류에 쌓인 암석 부스러기. 퇴석(堆石).
빙퉁그러-지다 자 **1** 하는 짓이 꼭 비뚜로만 나가다. **2** 성질이 싹싹하지 못하고 뒤틀어지다. ¶ 빙퉁그러진 녀석.
빙판 (氷板) 명 얼음이 깔린 길바닥. ¶ ~에 자빠지다.
빙하 (氷河) 명 〖지〗 높은 산의 저온 지대에서 응고한 만년설이 그 무게의 압력으로 얼음덩이가 되어 천천히 낮은 곳으로 흘러내리는 것《곡(谷)빙하와 대륙 빙하로 나뉨》.
빙하-곡 (氷河谷) 명 빙하 때문에 생긴 골짜기.
빙하-기 (氷河期) 명 빙기(氷期).
빙하 시대 (氷河時代) 〖지〗 지구 상의 기후가 몹시 한랭하여 북반구 대부분이 대규모의 빙하로 덮였던, 70-80만 년 전으로 추정되는 시대. *빙기(氷期)·간(間)빙기.
빙하-호 (氷河湖) 명 〖지〗 빙식호(氷蝕湖).
빙해 (氷海) 명 얼어붙거나 얼음으로 뒤덮인 바다.
***빚** [빋] 명 **1** 갚아야 할 돈. 부채. 차금(借金). ¶ ~을 얻다 / ~에 쪼들리다 / ~이 눈덩이처럼 불어나다. **2** 갚아야 할 은혜나 마음의 부담. ¶ 그에게 ~을 지고 있어 부담스럽다.
[빚 보증하는 자식은 낳지도 마라] 남의 빚에 보증을 서는 것은 매우 위험한 일이라는 말. [빚 주고 뺨 맞기] 남에게 후하게 하고도 도리어 해나 봉변을 당함.
빚(을) 놓다 구 남에게 빚을 주다.
빚(을) 물다 구 남의 빚을 대신 갚다.
빚(을) 주다 구 이자를 받기로 하고 돈을 꾸어 주다.
빚-내다 [빋-] 자 돈을 꾸어 오다. ¶ 빚내어 사업을 시작하다.
***빚다** [빋따] 타 **1** 지에밥과 누룩을 버무려 술을 담그다. ¶ 향토주를 ~. **2** 가루를 반죽해 경단·만두·송편 등을 만들다. ¶ 만두를 ~. **3** 어떤 결과나 현상 따위를 만들다. ¶ 인정이 빚은 애화 / 물의를 ~ / 혼잡을 ~. **4** 흙 따위의 재료를 이겨 어떤 형태를 만들다. ¶ 흙으로 빚은 토기.
빚-더미 [빋떠-] 명 많은 빚을 진 상태. ¶ ~에 올라앉다.
빚-돈 [빋똔] 명 빚으로 쓰거나 주는 돈. ¶ ~을 떼어먹다.
빚-받이 [빋빠지] 명하자 남에게 준 빚돈을 거두어 받아들이는 일. 빚추심.
빚어-내다 타 **1** 흙 따위의 재료를 이겨 어떤 형태를 만들다. ¶ 도자기를 ~. **2** 가루를 반죽하여 경단·만두·송편 등을 만들다. **3** 지에밥과 누룩을 버무려 술을 담가 내다. **4** 어떤 결과나 현상을 만들다. ¶ 엄청난 참화를 빚어낸 사고.
빚-잔치 [빋짠-] 명하자 빚쟁이들이 몰려와서 빚진 사람의 물건을 빚돈 대신 가져가는 일.
빚-쟁이 [빋쨍-] 명 〈속〉 남에게 돈을 빌려준 사람. 채권자. ¶ ~에게 시달리다.
빚-지다 [빋찌-] 자 **1** 빚돈을 꾸어 쓰다. ¶ 빚지고는 못 산다. **2** 남한테 신세를 지다. ¶ 고생하는 아내에게 늘 빚진 기분이다.
[빚진 죄인] 빚진 사람은 빚쟁이한테 기를 펴지 못하고 굽실거리게 됨.
***빛** [빋] 명 **1** 사물을 볼 수 있도록 밝게 해 주는 물리적 현상. 광(光). ¶ 지하실에 ~이 환하게 들어온다. **2** 빛깔. ¶ ~이 곱다. **3** 기색이나 태도. ¶ 피로한 ~을 드러내다 / 실망의 ~이 나타나다. **4** 눈에 나타나는 기운. ¶ 눈~. **5** 희망. 광명. ¶ ~은 동방에서. **6** 번쩍이는 광택. ¶ 구두가 반짝반짝 ~이 난다. **7** 〖기〗 죄악의 암흑에 대한 진리의 힘. ¶ 어두운 이 세상에 ~을 던지시다.
[빛 좋은 개살구] 겉만 그럴듯하고 실속이 없음을 일컫는 말.
빛을 보다 구 업적·보람 등이 드러나다.
빛을 잃다 구 제구실을 하지 못하게 되거나 보잘것없게 되다.
빛이 나다 구 보람이 드러나다.
***빛-깔** [빋-] 명 빛을 받아 물체의 거죽에 나

타나는 빛. 색. 색깔. 색채. ¶일곱 가지 무지개 ~/~이 유난스레 알록달록한 옷들.

***빛-나다** [빈-] 㐅 1 빛이 환하게 비치다. ¶석양에 빛나는 산/노을이 아름답게 ~. 2 반짝거리거나 윤이 나다. ¶눈부시게 빛나는 샹들리에. 3 영광스럽고 훌륭하다. ¶영원히 빛날 작품/빛나는 성공/청사(靑史)에 ~.

빛-내다 [빈-] 타 《'빛나다'의 사동》 빛나게 하다. ¶국위를 ~.

빛-바래다 [빋빠-] 형 (주로 '빛바랜'의 꼴로 쓰여) 낡거나 오래되다. ¶빛바랜 그림/빛바랜 추억 속에 묻히다.

빛-발 [빋빨] 명 내어 뻗치는 빛의 줄기. ¶강렬한 ~.

빛-살 [빋쌀] 명 광선. ¶창문을 여니 ~이 쫙 퍼진다.

빛-없다 [빋업따] 형 1 생색이나 면목이 없다. 2 보람이 없다. **빛-없이** [빋업씨] 부

ㅃ (쌍비읍) ㅂ의 된소리. 목젖으로 콧길을 막으면서 목청을 닫고, 입술을 다물었다가 뗄 때에 나는 맑은소리.

빠각 부하자타 단단하거나 빳빳한 물건 같은 것이 맞닿는 소리. 큰빠걱. 여바각.

빠각-거리다 자타 빠각 소리가 자꾸 나다. 또는 자꾸 빠각 소리를 나게 하다. 여바각거리다. **빠각-빠각** 부하자타

빠각-대다 자타 빠각거리다.

빠개다 타 1 단단한 물건을 두 쪽으로 가르다. ¶장작을 ~. 2 작고 단단한 물건의 틈을 넓게 벌리다. 3 다 되어 가는 일을 어긋나게 하다. ¶혼사를 ~. 큰뻐개다.

빠그라-지다 자 빠개져서 못 쓰게 되다. 큰뻐그러지다.

빠그르르 부하자 적은 양의 액체나 잔거품 따위가 넓게 퍼져 세차게 끓어오르는 소리나 모양. ¶냄비의 밥이 ~ 거품이 일며 끓어오른다. 여바그르르.

빠근-하다 형여불 지친 몸이 움직이기가 거북스럽고 살이 빠개지는 듯하다. ¶어깨가 ~. 큰뻐근하다. **빠근-히** 부

빠글-거리다 자 적은 양의 액체나 잔거품 따위가 넓게 퍼져 세차게 끓어오르다. ¶찌개가 빠글거리며 끓는다. 큰뻐글거리다. 여바글거리다. **빠글-빠글** 부하자

빠글-대다 자 빠글거리다.

빠기다 자 얄미울 정도로 우쭐대며 자랑하다. 큰뻐기다.

빠끔[1] 부하형히부 작은 틈이나 구멍이 깊고 또렷하게 나 있는 모양. ¶문을 ~ 열고 내다보다. 큰뻐끔[1].

빠끔[2] 부하타 1 담배를 세게 빨면서 피우는 모양. ¶학생이 드러내놓고 담배를 ~ 피워 댄다. 2 물고기 따위가 입을 벌렸다 오므렸다 하며 물이나 공기를 들이마시는 모양. 큰뻐끔[2].

빠끔-거리다 타 1 담배를 잇따라 세게 빨아 피우다. 2 물고기 따위가 입을 벌렸다 오므렸다 하며 자꾸 물이나 공기를 들이마시다. 큰뻐끔거리다. **빠끔-빠끔**[1] 부하타

빠끔-대다 타 빠끔거리다.

빠끔-빠끔[2] 부하형 여러 군데가 빠끔한 모양. 큰뻐끔뻐끔[2].

빠닥-빠닥 부하형 물기가 없어 매끄럽지 못하고 빡빡한 모양. 큰뻐덕뻐덕.

빠닥빠닥-하다 [-다카-] 형여불 종이나 지폐 따위가 구김살이 없이 빳빳하다. ¶빠닥빠닥한 새 지폐로 바꾸다.

빠드득 부하자타 1 단단한 물건을 되게 맞비빌 때에 나는 소리. ¶분해서 이를 ~ 갈았다. 2 무른 똥을 힘들여 눌 때에 되바라지게 나는 소리. 큰뿌드득. 여바드득. 거파드득. *뽀드득.

빠드득-거리다 자타 1 빠드득 소리가 자꾸 나다. 또는 그런 소리를 자꾸 내다. 2 무른 똥을 힘들여 눌 때에 빠드득 소리가 자꾸 나다. 또는 그런 소리를 자꾸 내다. 큰뿌드득거리다. **빠드득-빠드득** 부하자타

빠드득-대다 자타 빠드득거리다.

빠득-빠득 부 1 무리하게 자꾸 고집을 부리는 모양. ¶~ 우기다. 2 악착스럽게 애쓰는 모양. 큰뿌득뿌득. 여바득바득.

빠듯-이 부 1 빠듯하게. ¶~ 시간에 대다. 큰뿌듯이. 2 힘이 몹시 들어 겨우. ¶적은 월급으로 ~ 산다. 여바듯이.

빠듯-하다 [-드타-] 형여불 1 어떤 한도에 겨우 미치다. ¶예산이 ~/아이들이 많아 살기가 ~. 2 한도에 차거나 꼭 맞아서 빈틈이 없다. ¶일정이 빠듯하여 시간을 낼 수가 없다. 큰뿌듯하다. 여바듯하다.

빠:-뜨리다 타 1 물·허방 또는 나쁜 데에 빠지게 하다. ¶우물에 ~/계략에 ~. 2 빼어 놓아 버리다. ¶합격자 명단에서 ~. 3 부주의로 물건을 흘려 잃어버리다. ¶지갑을 ~.

빠르기-표 (-標) 명 〔악〕 악곡의 빠르기를 나타내는 기호. 속도 기호.

***빠르다** 〔빠르니, 빨라〕 형르불 1 더디지 않고 속도가 크다. ¶발놀림이 ~. 2 하는 동안이 짧다. ¶회복이 생각보다 ~. 3 때가 아직 오지 않다. ¶외투를 입기에는 아직 ~. 4 시간적으로 보통보다 앞서 있다. ¶그는 나보다 1년 빠르게 졸업했다. 5 어떤 기준보다 이르다. ¶시계가 5분 ~. 6 날쌔다. ¶눈치가 ~/이해가 ~.

빠른-우편 (-郵便) 명 접수한 날의 다음 날까지 배달되는 우편《전의 속달 우편 제도가 바뀐 것임》.

빠삭-하다 [-사카-] 형여불 어떤 일을 자세히 알고 있어서 그 일에 대하여 환하다. ¶그 신입 사원은 컴퓨터에 ~. **빠삭-히** [-사키] 부

빠이빠이 (←bye-bye) 감 〈소아〉 '잘 가라·잘 있어·안녕'의 뜻의 작별 인사말.

빠작-빠작 부하자 1 마른 물건을 씹거나 빻는 소리. ¶비스킷이 ~ 잘 씹힌다. 2 마른 물건이 타는 소리. ¶마른 콩대가 ~ 잘 탄다. 3 마음이 몹시 죄이는 모양. ¶입술이 ~ 탄다. 4 진땀이 나는 모양. ¶진땀이 ~ 나다. 큰뻐적뻐적. 여바작바작.

빠:져-나가다 [-저-] 자타 제한된 환경이나 경계 밖으로 나가다. ¶대열에서 ~/감시의 눈을 피해 빠져나갔다.

빠:져-나오다 [-저-] 자타 제한된 환경이나 경계 밖으로 나오다. ¶굴에서 ~/마을을 빠져나오면 큰길이 있다.

***빠:-지다**[1] 자 1 물·구덩이 따위로 떨어져 들어가다. ¶웅덩이에

~. **2** 못된 곳으로 마음을 빼앗기다. ¶주색에 ~. **3** 곤란한 처지에 놓이다. ¶3연패의 깊은 늪에 ~/협상이 교착 상태에 ~. **4** 밑바닥이 떨어져 나가다. ¶밑이 ~. **5** 탈락하여 없다. ¶서류가 ~. **6** 액체나 기체 또는 냄새 따위가 새어 나가거나 흘러 나가다. ¶물이 잘 ~/공에 바람이~. **7** 참여하지 않다. ¶동창회에 ~. **8** 기운이 없어지다. ¶맥이 ~. **9** 살이 여위다. ¶감기 몸살로 살이 쭉 ~. **10** 빛깔·때·김 등이 없어지다. ¶김빠진 맥주/얼룩이 ~. **11** 여럿 중에 다른 것만 못하다. ¶인물이 그 중 빠진다. **12** 그럴듯한 말이나 짓에 속다. ¶계략에 ~. **13** 제비에 뽑히다. ¶계알이 ~. **14** 어느 정도 이익이 남다. ¶본전을 건지고도 운임이 빠졌다. **15** 방이나 집이 전세로 나가거나 팔리다. ¶방이 쉽게 빠지지 않는다. **16** 다른 데로 벗어나다. ¶옆길로 ~. **17** 생김새가 미끈하게 균형이 잡히다. ¶몸매가 아름답게 잘 빠졌다.

빠:지다[2] [보형] 일부 형용사 뒤에서 '-어 빠지다'·'-아 빠지다'의 구성으로 쓰여 아주 심하게 됨을 나타냄. ¶썩어 ~/약아 빠진 아이/흔해 빠진 물건. *터지다[三].

빠지지 [부][하][자] 뜨거운 쇠붙이 따위에 물기가 조금 닿을 때 나는 소리. (큰)뿌지지. (여)바지지.

빠지직 [부][하][자] **1** '빠지지' 소리가 급하게 그치는 소리. **2** 묽은 똥을 급하게 눌 때 되바라지게 나는 소리. (큰)뿌지직. (여)바지직.

빠지직-거리다 [자] 잇따라 빠지직 소리가 나다. (여)바지직거리다. **빠지직-빠지직** [부][하][자]. ¶생나무가 ~ 타다.

빠지직-대다 [자] 빠지직거리다.

빠:짐-없다 [-업따] [형] 하나도 빠뜨리지 않고 모두 있다. **빠:짐-없이** [-업씨] [부]. ¶자료를 ~ 갖추다/~ 투표에 참가하도록 권유하고 다니다.

빠:짐-표 (-標) [명] 〖언〗 글자의 빠진 자리를 보일 때 쓰는 문장 부호(빠진 글자 대신에 하나씩 'ㅁ'를 씀).

빠:-트리다 [타] 빠뜨리다.

빡빡[1] [부] 얼굴이 몹시 얽은 모양. (여)박박[2].

빡빡[2] [부] **1** 담배를 세게 빠는 소리나 모양. ¶담배만 ~ 피우다. (큰)뻑뻑. **2** 몹시 세게 긁거나 문지르는 모양이나 소리. ¶등을 ~ 긁다. **3** 얇고 질긴 물건을 잇따라 찢는 소리나 모양. ¶신문지를 ~ 찢다. **4** 머리털이나 수염 따위를 아주 짧게 깎은 모양. ¶머리를 ~ 깎다. (여)박박[1].

빡빡-이 [부] 빡빡하게. (큰)뻑뻑이.

빡빡-하다 [-빠카-] [형][여불] **1** 물기가 적어서 부드러운 맛이 없다. ¶찌개가 너무 ~. **2** 꼭 끼어서 헐렁하지 아니하다. ¶미닫이 문이 ~. **3** 여유가 없어서 조금 빠듯하다. ¶일정이 ~. **4** 융통성이 없고 고지식하다. ¶빡빡하지 않은 사람/너무 빡빡하게 군다. (큰)뻑뻑하다.

빡작지근-하다 [형][여불] 몸의 한 부분이 뻐근하게 아픈 느낌이 있다. ¶가슴이 ~. (큰)뻑적지근하다. **빡작지근-히** [부]

빤드럽다 〔빤드러우니, 빤드러워〕 [형][ㅂ불] **1** 깔깔하지 않고 윤기가 나도록 매끄럽다. ¶마룻바닥이 ~. **2** 사람됨이 약아서 어수룩한 맛이 없다. (큰)뻔드럽다. (여)반드럽다.

빤드레-하다 [형][여불] 실속 없이 외모만 빤드르르하다. (큰)뻔드레하다. (여)반드레하다.

빤드르르 [부][하][형] **1** 윤기가 있고 매끄러운 모양. ¶비닐 장판이 ~하다. **2** 반지르르하게 깨끗이 잘 차린 모양. ¶겉모습은 제법 ~하다. (큰)뻔드르르. (여)반드르르.

빤득 [부][하][자][타] 작은 빛이 잠깐 나타나는 모양. (큰)뻔득. (여)반득.

빤득-이다 [자][타] 작은 빛이 잠깐씩 나타나다. 또는 그렇게 되게 하다. (큰)뻔득이다. (여)반득이다.

빤들-거리다[1] [자] **1** 매끄럽고 윤이 나다. **2** 어수룩한 데가 없이 약게 굴다. (큰)뻔들거리다[1]. (여)반들거리다[1]. **빤들-빤들**[1] [부][하][형]

빤들-거리다[2] [자] 하는 일 없이 게으름을 부리며 뻔뻔스럽게 놀기만 하다. ¶빤들거리기만 할 뿐 일은하지 않는다. (큰)뻔들거리다[2]. (여)반들거리다[2]. (거)판들거리다. **빤들-빤들**[2] [부][하][자]

빤들-대다[1] [자] 빤들거리다[1].

빤들-대다[2] [자] 빤들거리다[2].

빤빤-스럽다 〔-스러우니, -스러워〕 [형][ㅂ불] 빤빤한 태도가 있다. ¶하는짓이 너무나 ~. (큰)뻔뻔스럽다. **빤빤-스레** [부]

빤빤-하다 [형][여불] 부끄러울 만한 일에도 얌치없이 태연하다. ¶파렴치한의 빤빤한 얼굴. (큰)뻔뻔하다. **빤빤-히** [부]

빤작 [부][하][자][타] 작은 빛이 잠깐 나타났다가 사라지는 모양. (큰)뻔적. (여)반작. (센)빤짝.

빤작-이다 [자][타] 빛이 잠깐 나타났다가 사라지다. 또는 그렇게 되게 하다. (큰)뻔적이다. (여)반작이다. (센)빤짝이다.

빤지르르 [부][하][형] **1** 기름이나 물기 같은 것이 묻어 몹시 매끄럽고 윤이 나는 모양. ¶차 엔진 덮개에 ~ 윤기가 흐른다. **2** 언행 따위가 실속 없이 겉만 그럴듯한 모양. ¶그는 말만 ~할 뿐이다. (큰)뻔지르르. (여)반지르르.

빤질-거리다 [자] **1** 윤이 나며 매끈거리다. **2** 몹시 게으름을 피우며 맡은 일을 잘 하지 아니하다. ¶빤질거리며 놀기만 한다. (큰)뻔질거리다. (여)반질거리다. **빤질-빤질** [부][하][자][형]

빤질-대다 [자] 빤질거리다.

빤짝 [부][하][자][타] 빤짝이는 모양. ¶형광등이 ~ 빛나다. (큰)뻔쩍. (여)반작·반짝.

빤짝-거리다 [자][타] 자꾸 빤짝이다. (큰)뻔쩍거리다. (여)반작거리다. **빤짝-빤짝** [부][하][자][타]

빤짝-대다 [자][타] 빤짝거리다.

빤짝-이다 [자][타] 빛이 잠깐 나타났다가 사라지다. 또는 그렇게 되게 하다. (큰)뻔쩍이다. (여)반작이다·반짝이다.

빤:-하다 [형][여불] **1** 어두운 가운데 밝은 빛이 비치어 환하다. **2** 일의 상태 따위가 환하게 들여다보이듯이 분명하다. ¶빤한 거짓말/눈치가 빤한 아이. **3** 바쁜 중에 잠깐 틈이 있다. **4** 병세가 조금 회복되어 그만하다. (큰)뻔하다. (여)반하다. **빤:-히** [부]

빨 [의명] 일이 되어 가는 형편과 모양. ¶그 ~로는 아무 소용없다.

빨가-벗기다 [-벋끼-] [타] 《'빨가벗다'의 사동》 **1** 알몸뚱이가 되도록 옷을 죄다 벗기다. (큰)뻘거벗기다. **2** 재산 따위를 몽땅 써서 없애게 하거나 빼앗아 빈털터리가 되게 하다. (여)발가벗기다.
빨가-벗다 [-벋따] 자 **1** 옷을 죄다 벗다. ¶ 꼬마들이 빨가벗고 물장구를 친다. **2** 산에 나무나 풀이 없어 흙이 드러나다. (큰)뻘거벗다. (여)발가벗다.
빨가-숭이 명 빨가벗은 알몸뚱이. (큰)뻘거숭이. (여)발가숭이.
빨강 명 빨간 빛깔이나 물감. (큰)뻘겅. (여)발강. ¶ ~ 고추.
빨강이 명 빨간 빛깔을 띤 물건.
***빨:갛다** [-가타] 〔빨가니, 빨가오〕 형 ㅎ불 밝고 짙게 붉다. ¶ 빨갛게 익은 딸기.
빨:개-지다 자 빨갛게 되다. ¶ 밤새 울어서 눈이 빨개졌다. (큰)뻘게지다. (여)발개지다.
빨갱이 명 공산주의자를 속되게 이르는 말.
빨그대대-하다 형 여불 좀 천하게 빨그스름하다. ¶ 그 점퍼는 색깔이 좀 빨그대대해서 싸구려 같다. (큰)뻘그데데하다. (여)발그대대하다.
빨그댕댕-하다 형 여불 고르지 아니하게 빨그스름하다. (여)발그댕댕하다.
빨그스레-하다 형 여불 빨그스름하다.
빨그스름-하다 형 여불 조금 빨갛다. (큰)뻘그스름하다. (여)발그스름하다.
빨그족족-하다 [-쪼카-] 형 여불 칙칙하고 고르지 않게 빨그스름하다. (큰)뻘그죽죽하다. (여)발그족족하다. **빨그족족-히** [-쪼키] 부
빨긋-빨긋 [-귿-귿] 부 하형 군데군데 빨그스름한 모양. (큰)뻘긋뻘긋. (여)발긋발긋.
빨깍 부 **1** 갑자기 화를 내거나 기운이 솟아오르는 모양. **2** 갑자기 뒤집히는 모양. ¶ 쇠똥구리가 ~ 뒤집혀서 발을 휘젓는다. (큰)뻘꺽. (여)발깍.
빨끈 부 하자 **1** 걸핏하면 발칵 성을 내는 모양. ¶ 화를 ~ 내며 대들다. **2** 뒤집어엎을 듯이 시끄러운 모양. ¶ 산불로 온 마을이 ~ 뒤집혔다. (큰)뻘끈. (여)발끈.
빨끈-거리다 자 걸핏하면 성을 발칵 자꾸 내다. (큰)뻘끈거리다. **빨끈-빨끈** 부 하자
빨끈-대다 자 빨끈거리다.
빨다[1] 〔빠니, 빠오〕 타 **1** 입술과 혀에 힘을 주어 입속으로 당겨 들어오게 하다. ¶ 갓난아기가 젖을 ~. **2** 입 안에 넣고 녹이거나 혀로 핥다. ¶ 아이가 손가락을 ~ / 사탕을 입에 넣고 ~. **3** 남의 것을 가혹하게 빼앗다. ¶ 고혈(膏血)을 ~.
***빨다**[2] 〔빠니, 빠오〕 타 옷 따위의 물건을 물에 넣고 주물러서 때를 빼다. ¶ 수건을 ~.
빨다[3] 〔빠니, 빠오〕 형 끝이 차차 가늘어져 뾰족하다. ¶ 턱이 ~.
빨-대 [-때] 명 물 등을 빨아올리는 가는 대. 스트로(straw). ¶ ~로 주스를 빨다.
빨딱 부 **1** 갑자기 일어나는 모양. ¶ 자리에서 ~ 일어서다. **2** 갑자기 뒤로 자빠지는 모양. ¶ 고개를 ~ 잦히다. (큰)뻘떡. (여)발딱.
빨딱-거리다 자 **1** 맥이 힘 있게 자꾸 뛰다. **2** 가슴이 세차게 두근거리다. **3** 물 따위를 급하게 잇따라 들이켜다. **4** 힘을 쓰거나 어떤 행동을 하려고 안타깝게 자꾸 애를 쓰다. (큰)뻘떡거리다. (여)발딱거리다. **빨딱-빨딱** 부 하자
빨딱-대다 자 빨딱거리다.
빨랑-거리다 자 가뿐하고 재빠르게 행동하다. ¶ 빨랑거리며 돌아다니다. **빨랑-빨랑** 부 하자. ¶ 꾸물거리지 말고 ~ 움직여라.
빨랑-대다 자 빨랑거리다.
***빨래** 명 하자 **1** 더러운 옷·피륙 등을 물에 빠는 일. 세탁. ¶ 세탁기로 ~를 하다. **2** 빨랫감. ¶ ~가 밀리다.
빨래-집게 명 빨랫줄에 빨래를 널어 말릴 때, 세탁물을 집어서 고정시켜 두는 기구.
빨래-터 명 시내나 샘터에서 빨래할 수 있게 마련된 장소.
빨래-판 (-板) 명 빨래할 때 쓰는 판. ¶ ~에 빨래를 치대다.
빨랫-감 [-래깜 / -랟깜] 명 빨래할 옷이나 피륙 따위. 빨래. 세탁물. ¶ ~을 골라 손빨래를 하다.
빨랫-돌 [-래똘 / -랟똘] 명 빨래할 때 빨랫감을 올려놓고 문지르고 두드릴 때 쓰는 넓적한 돌.
빨랫-말미 [-랜-] 명 장마에 날이 잠깐 들어서 옷을 빨아 말릴 만한 겨를.
빨랫-방망이 [-래빵- / -랟빵-] 명 빨래를 두드려서 빠는 방망이.
빨랫-비누 [-래삐- / -랟삐-] 명 빨래할 때 쓰는 비누. 세탁비누. ¶ 폐식용유를 이용하여 ~를 만들어 쓴다.
빨랫-줄 [-래쭐 / -랟쭐] 명 빨래를 널어 말리는 줄.
***빨리** 부 하타 걸리는 시간이 짧게. 빠르게. ¶ ~ 부탁하네 / 남보다 ~ 끝냈다 / ~ 걸어가다 / 손놀림을 ~하다.
빨리다[1] 一 자 《'빨다[1]'의 피동》 빨아 먹음을 당하다. ¶ 잘 맞은 타구가 3루수 글러브에 빨려 들어가다. 二 타 《'빨다[1]'의 사동》 빨게 하다. ¶ 울며 보채는 아기에게 젖을 ~.
빨리다[2] 一 자 《'빨다[2]'의 피동》 빨래가 빪을 당하다. ¶ 센물에는 빨래가 잘 안 빨린다. 二 타 《'빨다[2]'의 사동》 빨래를 빨게 하다.
빨리-빨리 부 아주 빠르게. ¶ 일을 ~ 해라.
빨-부리 [-뿌-] 명 물부리.
빨빨 부 **1** 여기저기 바쁘게 쏘다니는 모양. **2** 땀을 많이 흘리는 모양. ¶ 땀을 ~ 흘리며 헐떡이다.
빨빨-거리다 자 여기저기 마구 돌아다니다. ¶ 빨빨거리고 쏘다니다.
빨빨-대다 자 빨빨거리다.
빨아-내다 타 속에 있는 것을 빨아서 밖으로 나오게 하다. ¶ 뱀에 물린 자리에서 독을 입으로 빨아냈다.
빨아-들이다 타 **1** 빨아서 속으로 들어오게 하다. ¶ 해면이 물을 ~. **2** 마음을 강하게 끌어들이다. ¶ 그녀의 큰 눈은 사람을 빨아들이는 듯한 힘이 있다.
빨아-먹다 타 남의 것을 우려내어 제 것으로 만들다.
빨아-올리다 타 밑에 있는 액체를 빨아서 위로 올라오게 하다. ¶ 양수기로 지하수를 ~.
빨쭉 부 하자타 **1** 속의 것이 약간 드러나 보이게 바라진 모양. ¶ ~ 바라진 석류. **2** 입을 귀엽게 벌리며 소리 없이 웃는 모양. **3** 끝이 뾰족하게 약간 내민 모양. (큰)뻘쭉.
빨쭉-하다 [-쭈카-] 형 여불 좁고 길게 바라져서 쳐들려 있다. (큰)뻘쭉하다.
빨치산 명 〔러 partizan〕 유격대. 파르티잔.
빨-판 명 《동》 낙지·오징어·거머리 등이 다

른 물체에 달라붙는 기관. 흡반.
빳빳-이 [빧-] 부 빳빳하게. ¶고개를 ~ 세우다. 큰뻣뻣이.
빳빳-하다 [빧빠타-] 형여불 1 단단하고 꼿꼿하다. ¶빳빳한 만 원권/빳빳한 종이. 2 풀기가 세다. ¶빳빳하게 풀을 먹이다. 3 태도나 성격이 억세다. ¶빳빳하게 굴다. 큰뻣뻣하다.
***빵** (←포 pão) 명 1 밀가루에 설탕·효모 등을 섞어 반죽해서 불에 굽거나 찐 음식. ¶~을 굽다〔찌다〕. 2 생활에 필요한 양식. ¶~ 때문에 일하다/~ 문제를 해결하다.
빵 부 1 갑자기 터지는 소리. ¶타이어가 ~ 터지다. 2 공 따위를 세차게 차는 모양. 또는 그 소리. 3 작은 구멍이 뚫리는 모양. 또는 그 소리. 큰뻥. 거팡.
빵그레 부 입만 약간 벌리고 보드랍게 웃는 모양. 큰뻥그레. 여방그레.
빵글-거리다 자 자꾸 빵그레 웃다. 여방글거리다. **빵글-빵글** 부하자
빵글-대다 자 빵글거리다.
빵긋 [-귿] 부하자 입을 소리 없이 벌리고 가볍게 한 번 웃는 모양. 큰뻥긋. 여방긋. 센빵끗.
빵긋-거리다 [-귿꺼-] 자 자꾸 빵긋 웃다. 큰뻥긋거리다. **빵긋-빵긋** [-귿-귿] 부하자
빵긋-대다 [-귿때-] 자 빵긋거리다.
빵긋-이 부 빵긋하게. 큰뻥긋이.
빵긋-하다 [-그타-] 형여불 조금 열려 있다. 살짝 벌려 있다. 큰뻥긋하다. 여방긋하다. 센빵끗하다.
빵꾸 (일 パンク) 명 〔puncture〕 〈속〉 펑크.
빵끗 [-끋] 부하자 입을 소리 없이 벌리고 가볍게 한 번 웃는 모양. 큰뻥끗. 여방긋·방끗·빵긋.
빵끗-거리다 [-끋꺼-] 자 자꾸 빵끗 웃다. 큰뻥끗거리다. 여방끗거리다. **빵끗-빵끗** [-끋-끋] 부하자
빵끗-대다 [-끋때-] 자 빵끗거리다.
빵끗-이 부 빵끗하게. 여방끗이.
빵끗-하다 [-끄타-] 형여불 조금 열려 있다. 살짝 벌려 있다. 큰뻥끗하다. 여방긋하다·방끗하다·빵긋하다.
빵-때림 명 바둑에서 네 개의 돌로 상대방의 돌 한 점을 잡음. 또는 그런 형세.
빵빵 부 자동차 따위가 자꾸 경적을 울리는 소리. ¶자동차가 ~ 경적을 마구 울린다. 큰뻥뻥.
빵시레 부 입을 소리 없이 약간 벌려 밝고 보드랍게 웃는 모양. ¶~ 미소를 짓다. 여방시레.
빵실 부 입을 소리 없이 벌려 밝고 보드랍게 한 번 웃는 모양.
빵싯 [-싣] 부하자 입을 소리 없이 살며시 벌려 밝고 보드랍게 한 번 웃는 모양. 큰뻥싯. 여방싯.
빵-점 (-點)[-쩜] 명 〈속〉 영점(零點). ¶수학 시험에 ~을 맞았다.
빵-집 [-찝] 명 빵을 만들어 파는 집.
빻:다 [빠타] 타 짓찧어서 가루로 만들다. ¶볶은 참깨를 ~.
빠각 부하자타 딴딴한 물건끼리 서로 되게 마찰되어 나는 소리. 큰삐걱.
빼곡 부하형히부 사람이나 물건이 어떤 공간에 빈틈없이 꽉 찬 모양. ¶광장에 군중이 ~히 들어서 있다.
빼:기 명하타 〔수〕 빼는 일. ↔더하기·보태기.
-빼기 미 일부 명사 뒤에 붙는 접미사. 1 앞말의 특성이 있는 사람이나 물건의 뜻을 나타냄. ¶곱~/얽죽~/밥~. 2 앞말을 속되게 이름. ¶코~/이마~.
빼꿋 [-끋] 부하자 1 맞추어 낄 물건이 맞지 않아 조금 어긋나는 모양. 2 잘못하여 일이 조금 어긋나는 모양. 큰삐끗.
빼-나다 형 '빼어나다'의 준말.
빼:-내다 타 〔←빼어 내다〕 1 박히거나 꽂힌 것을 뽑다. ¶손가락에서 가시를 ~. 2 여럿 중에서 필요한 것만 골라내다. ¶중요한 서류만 ~. 3 남의 것을 돌려내다. ¶비밀 장부를 ~. 4 남을 꾀어 나오게 하다. ¶유능한 기술자를 ~. 5 얽매인 몸을 자유롭게 해 주다. ¶유치장에서 ~. 6 상대의 공격을 피하려고 안전한 곳으로 끌어내다. ¶상대 선수에게서 공을 잽싸게 ~.
빼:-놓다 [-노타] 타 〔←빼어 놓다〕 1 한 무리에 들어야 할 것을 못 들게 하다. ¶숙제를 빼놓고 학교에 가다. 2 꽂히거나 박힌 것을 뽑아 놓다. ¶빈방의 전구를 ~. 3 여럿 중에서 어떤 것을 골라 놓다. ¶무리 중에서 실한 놈을 ~.
***빼:다** 一타 1 속에 든 것을 밖으로 나오게 하다. ¶바람을 ~. 2 덜어 내다. ¶9에서 3을 ~. ↔더하다. 3 어떤 데서 필요 없는 것을 없애다. ¶명단에서 불참한 사람의 이름을 ~. 4 행동이나 태도를 짐짓 꾸미다. ¶너무 점잔 빼지 마라. 5 책임 등을 회피해 물러나다. ¶꽁무니를 ~. 6 힘·기운 따위를 몸에서 없애다. ¶어깨에 힘을 빼야 동작이 부드러워진다. 7 목·목소리 따위를 길게 뽑다. ¶닭이 목을 빼고 운다/목청을 길게 빼며 노래하다. 8 예금·전세금·보증금 따위를 찾다. ¶통장에서 돈을 빼 쓰다. 9 살 따위를 줄이다. ¶군살을 ~. 10 꼭 그대로 물려받다. ¶어머니를 쏙 빼 딸. 11 차림을 말끔히 하다. ¶신사복으로 쫙 빼고 나서다. 二자 1 '내빼다'의 준말. ¶시간 중에 빼는 학생을 적발하다. 2 두렵거나 싫어서 하지 않으려고 하다. ¶자꾸 빼지 말고 한 곡 불러 봐라.
빼도 박도 못하다 구 이럴 수도 저럴 수도 없는 난처한 처지에 빠져 있다.
빼:-닮다 [-담따] 타 생김새나 성품 따위를 그대로 닮다. ¶딸아이는 아버지를 그대로 빼닮았다.
빼:-돌리다 타 사람 또는 물건을 슬쩍 빼내어 다른 곳으로 보내다. ¶유능한 사원을 ~/거액의 공금을 ~.
빼딱-거리다 자 물체가 배스듬하게 이리저리 자꾸 기울어지다. 큰삐딱거리다. 여배딱거리다. **빼딱-빼딱** 부하자형
빼딱-대다 자 빼딱거리다.
빼딱-이 부 빼딱하게. 큰삐딱이.
빼딱-하다 [-따카-] 형여불 한쪽으로 조금 비뚤어져 있다. 큰삐딱하다. 여배딱하다.
빼뚜로 부 빼뚤어지게. 큰삐뚜로. 여배뚜로.
빼뚜름-하다 형여불 한쪽으로 빼뚤어져 있다. ¶모자를 빼뚜름하게 쓰다. 큰삐뚜름하

다. ⓔ배뚜름하다. **빼뚜름-히** 부

빼뚝-거리다 자타 **1** 한쪽이 낮아 자꾸 흔들리다. 또는 그렇게 하다. **2** 한쪽 다리가 짧거나 바닥이 고르지 못하여 조금 기우뚱거리며 걷다. ⓚ삐뚝거리다. ⓔ배뚝거리다. **빼뚝-빼뚝** 부하자타

빼뚝-대다 자타 빼뚝거리다.

빼뚤-거리다 자타 **1** 기울어서 이리저리 자꾸 흔들거리다. 또는 그렇게 하다. **2** 곧지 못하고 이리저리 자꾸 꼬부라지다. 또는 그렇게 하다. ⓚ삐뚤거리다. ⓔ배뚤거리다. **빼뚤-빼뚤** 부하형자타

빼뚤다 〔빼뚜니, 빼뚜오〕 형 바르지 못하고 한쪽으로 약간 기울어지거나 쏠려 있다. ⓚ삐뚤다. ⓔ배뚤다.

빼뚤-대다 자타 빼뚤거리다.

빼뚤어-지다 자 **1** 중심을 잃고 한쪽으로 조금 기울어지다. **2** 마음이 바르지 못하고 비꼬이다. ¶빼뚤어진 마음을 고쳐라. **3** 성이 나서 뒤틀어지다. ⓚ삐뚤어지다. ⓔ배뚤어지다.

빼:-먹다 타 〔←빼어 먹다〕 **1** 꼬치에 꿴 것을 뽑아 먹다. ¶곶감을 하나씩 ~. **2** 말이나 글의 구절 따위를 빠뜨리다. ¶깜빡하다가 받침을 빼먹고 썼다. **3** 규칙적으로 하던 일을 하지 않다. ¶수업을 ~. **4** 남의 물건을 돌라내어 가지다. ¶정부 양곡을 ~.

빼:-물다 〔빼무니, 빼무오〕 자타 〔←빼어 물다〕 **1** 거만하거나 성난 태도로 입을 뿌루퉁하게 내밀다. **2** 혀를 입 밖으로 늘어뜨리다. ¶날씨가 더워 강아지가 혀를 빼물고 있다.

빼빼 ㊀부하형 살가죽이 쪼그라 붙을 만큼 여윈 모양. ¶그는 ~ 말랐다. ㊁명 〈속〉 말라깽이.

빼-쏘다 타 얼굴이나 성격이 꼭 닮다. ¶어머니를 ~.

***빼-앗기다** [-앋끼-] 타 《'빼앗다'의 피동》 빼앗음을 당하다. ¶돈을 ~. ㊕뺏기다.

***빼-앗다** [-앋따] 타 **1** 남의 것을 억지로 제 것으로 만들다. ¶지갑을 빼앗아 달아나다. **2** 남의 일·지위·시간 등을 억지로 차지하다. ¶일자리를 빼앗고 직장에서 몰아내다. **3** 남의 마음이나 생각을 사로잡다. ¶여자의 마음을 ~. **4** 정조 등을 짓밟다. ¶순결을 ~. ㊕뺏다.

빼어-나다 형 여럿 가운데서 두드러지게 뛰어나다. ¶경치가 ~. ㊕빼나다.

빼:-입다 타 옷을 잘 차려입다. ¶실크로 한 벌 빼입었다.

빼주룩-빼주룩 부하형 여러 개가 모두 빼주룩한 모양. ⓚ삐주룩삐주룩. ⓔ배주룩배주룩. ㊕빼죽빼죽.

빼주룩-이 부 빼주룩하게. ⓚ삐주룩이. ⓔ배주룩이.

빼주룩-하다 [-루카-] 형여불 솟아나오는 물체의 끝이 조금 내밀려 있다. ⓚ삐주룩하다. ⓔ배주룩하다. ㊕빼죽하다.

빼죽-빼죽 부하형 여러 개가 모두 빼죽한 모양. ⓚ삐죽삐죽[2].

빼죽-이 부 빼죽하게. ⓚ삐죽이.

빼죽-하다 [-주카-] 형여불 '빼주룩하다'의 준말.

빼쭉 부하자타 **1** 비웃거나 언짢거나 울려고 할 때 소리 없이 입을 내미는 모양. **2** 경솔하게 성내는 모양. ¶대수롭지 않은 일에 ~ 토라지다. **3** 형체를 한 번 살짝 내미는 모양. ⓚ삐쭉. ⓔ배쭉.

빼쭉-거리다 자 어떤 일이 비위에 거슬리거나 울음이 솟구칠 때 입을 내밀고 실룩거리다. ⓚ삐쭉거리다. **빼쭉-빼쭉**[1] 부하자

빼쭉-대다 자 빼쭉거리다.

빼쭉-빼쭉[2] 자타 여러 개가 모두 빼쭉한 모양. ⓚ삐쭉삐쭉[2].

빼쭉-이 자 빼쭉하게. ⓚ삐쭉이. ⓔ배쭉이.

빼쭉-하다 [-쭈카-] 형여불 내민 물체의 끝이 날카롭다. ⓚ삐쭉하다. ⓔ배쭉하다.

빼치다 타 **1** 억지로 빠져 나오게 하다. ¶팔을 빼치고 나갔다. **2** 끝이 점점 가늘어져 뾰족하게 하다. ¶글씨의 끝 부분을 ~.

빽 부 날카롭게 한 번 지르는 소리. ⓚ삑.

빽-빽 부 **1** 잇따라 갑자기 날카롭게 지르는 목소리. ¶~ 고함을 지르고 야단이다. **2** 기적이나 짐승 같은 것이 잇따라 날카롭게 지르는 소리.

빽빽-이 부 빽빽하게. ¶집이 ~ 들어차다.

빽빽-하다 [-빼카-] 형여불 **1** 사이가 너무 촘촘하다. ¶발 디딜 틈 없이 ~. **2** 구멍이 막힐 정도로 좁아서 갑갑하다. ⓚ삑삑하다.

뺀둥-거리다 자 하는 일 없이 게으름만 부리고 놀다. ⓚ삔둥거리다. ⓔ밴둥거리다. ㉮팬둥거리다. **뺀둥-뺀둥** 부하자

뺀둥-대다 자 뺀둥거리다.

뺀들-거리다 자 하는 일 없이 뺀뺀스럽게 놀기만 하다. ⓚ삔들거리다. ⓔ밴들거리다. ㉮팬들거리다. **뺀들-뺀들** 부하자

뺀들-대다 자 뺀들거리다.

***뺄:-셈** [-쎔] 명하타 어떤 수에서 어떤 수를 덜어 내는 셈. 감법. 감산. ↔덧셈.

뺄:셈-표 (-標)[-쎔-] 명 뺄셈의 부호인 '-'의 이름. ↔덧셈표.

뺏:기다 [뺃끼-] 타 '빼앗기다'의 준말. ¶대수롭지 않은 일에 시간을 ~/폭행을 당하고 지갑까지 뺏겼다.

뺏:다 [뺃따] 타 '빼앗다'의 준말. ¶남의 물건을 ~/행인을 때리고 돈을 뺏어 갔다.

뺑 부 **1** 한 바퀴 도는 모양. ㉮팽. **2** 둘레를 둘러싼 모양. ⓚ삥. ⓔ뱅.

뺑그르르 부 좀 매끄럽게 도는 모양. ⓚ삥그르르. ⓔ뱅그르르. ㉮팽그르르.

뺑긋 [-귿] 부하자 입을 소리 없이 살짝 벌려 가볍게 한 번 웃는 모양. ⓚ삥긋. ⓔ뱅긋.

뺑긋-거리다 [-귿꺼-] 자 입을 소리 없이 살짝 벌리고 가볍게 자꾸 웃다. ⓚ삥긋거리다. ⓔ뱅긋거리다. **뺑긋-뺑긋** [-귿-귿] 부하자

뺑긋-대다 [-귿때-] 자 뺑긋거리다.

뺑긋-이 부 입을 소리 없이 살짝 벌려 가볍게 한 번 웃는 모양. ⓚ삥긋이. ⓔ뱅긋이.

뺑-뺑 부 빠르게 자꾸 도는 모양. ¶주위를 ~ 돌다. ⓚ삥삥. ⓔ뱅뱅. ㉮팽팽.

뺑뺑-이 명 **1** 숫자가 적힌 원판이 도는 동안 화살 따위로 맞혀 그 등급을 정하는 기구. 또는 그런 노름. ¶~로 복권 추첨을 하다. **2** 제자리에서 빙글빙글 도는 일. ¶벌칙으로 ~를 돌다.

뺑소니 명 몸을 빼쳐 급히 달아나는 짓.

뺑소니-차 (-車) 명 교통사고를 내고 그대

로 도망치는 자동차. ¶~를 찾아내다.
빵소니-치다 자 몸을 빼쳐 급히 달아나다. ¶사람을 치고 ~.
빵싯[-싣] 부하자 소리 없이 입을 가볍게 벌릴 듯하면서 슬며시 만족스럽게 한 번 웃는 모양. 큰벵싯. 여뱅싯.
빵-코 명 〈속〉 코가 큰 서양 사람. 또는 미국 사람.
***뺨** 명 1 얼굴의 양쪽 관자놀이 아래의 살이 많이 붙은 부분. ¶~을 붉히다. 2 물건의 두 쪽 볼의 넓이.
뺨-따귀 명 〈속〉 뺨. 준따귀.
뺨-치다 자타 1 남의 뺨을 때리다. 2 〈속〉 비교 대상을 능가하다. ¶그녀의 춤 실력은 전문가 뺨칠 정도로 뛰어나다.
뻐개다 타 1 단단한 것을 두 쪽으로 가르다. ¶장작을 ~. 2 일을 그르치다. ¶다 된 흥정을 ~. 작빠개다.
뻐걱 부하자타 크고 단단한 물건이나 질기고 뻣뻣한 물건이 맞닿을 때 나는 소리. 작빠각. 여버걱.
뻐그러-지다 자 뻐개져서 못 쓰게 되다. 작빠그라지다. 여버그러지다.
뻐근-하다 형여불 매우 힘이 들어 몸이 거북스럽고 살이 뻐개지는 듯하다. ¶오래간만에 축구를 했더니 온몸이 ~. 작빠근하다. **뻐근-히** 부
뻐글-거리다 자 1 많은 양의 액체가 넓게 퍼져 물이 자꾸 끓어오르다. 2 굵은 거품이 넓게 퍼져 자꾸 일어나다. 작빠글거리다. 여버글거리다. **뻐글-뻐글** 부하자
뻐글-대다 자 뻐글거리다.
뻐기다 자 잘난 체하고 으쓱대다. 뽐내다. ¶수능 시험을 잘 쳤다고 뻐긴다. 작빠기다.
뻐꾸기 명〔조〕두견과의 새. 얕은 산, 삼림 속에 사는데, 두견이와 비슷하되 훨씬 큼. 다른 새의 둥지에 알을 낳아 까게 함. 초여름에 남쪽에서 날아와 '뻐꾹뻐꾹' 하고 구슬피 욺. 뻐꾹새.
뻐꾹 부 뻐꾸기가 우는 소리.
뻐끔[1] 부하형허부 틈이나 구멍이 크고 뚜렷하게 나 있는 모양. 작빠끔[1].
뻐끔[2] 부하타 1 담배를 힘 있게 빨면서 피우는 모양. 2 물고기 따위가 입을 벌렸다 우므렸다 하는 모양. 작빠끔[2].
뻐끔-거리다 타 1 담배를 자꾸 힘 있게 빨아 피우다. 2 물고기 따위가 입을 벌렸다 우므리며 자꾸 물이나 공기를 들이마시다. ¶어항 속의 붕어가 입을 ~. 작빠끔거리다. **뻐끔-뻐끔**[1] 부하타
뻐끔-대다 타 뻐끔거리다.
뻐끔-뻐끔[2] 부하형 큰 구멍이나 틈 따위가 여기저기 깊고 뚜렷하게 나 있는 모양. 작빠끔빠끔[2].
뻐덕-뻐덕 부하형 물기가 적어 미끄럽지 못하거나 부드럽지 못한 모양. ¶가죽이 ~하다. 작빠닥빠닥.
뻐드러-지다 자 1 끝이 밖으로 벌어지다. ¶뻐드러진 앞니. 2 부드럽던 것이 굳어서 뻣뻣하게 되다. 여버드러지다.
뻐드렁-니 명 밖으로 뻗은 앞니.
뻐젓-이 부 뻐젓하게. ¶금연 구역에서 ~ 담배를 피우고 있다.
뻐젓-하다[-저타-] 형여불 굽힐 것이 없이 번듯하고 떳떳하다. ¶그는 늘 당당하고 ~. 여버젓하다.
뻐뻐 부 담배를 자꾸 세게 빠는 모양. 또는 그 소리. ¶홧김에 담배만 ~ 빨다. 작빠빠.
뻐뻐-이 부 뻐뻐하게. 작빠빠이.
뻐뻐-하다[-뻐카-] 형여불 1 물기가 적어서 부드러운 맛이 없다. ¶죽이 너무 ~. 2 여유가 없어 빠듯하다. ¶새 구두가 ~. 3 국물보다 건더기가 많다. ¶찌개를 뻐뻐하게 끓이다. 4 융통성이 없고 고지식하다. ¶이 가게 주인은 ~. 5 꽉 끼거나 맞아서 헐겁지 않다. ¶점퍼의 지퍼가 ~. 작빠빠하다.
뻐적지근-하다 형여불 몸의 한 부분이 뻐근하게 아프다. ¶가슴이 뻐적지근하고 답답하다. 작빠작지근하다. **뻐적지근-히** 부
뻔둥-거리다 자 아무 일도 않고 뻔뻔스럽게 게으름만 부리다. 여번둥거리다. 거펀둥거리다. **뻔둥-뻔둥** 부하자
뻔둥-대다 자 뻔둥거리다.
뻔드럽다〔뻔드러우니, 뻔드러워〕형ㅂ불 1 윤기가 나고 미끄럽다. 2 됨됨이가 어수룩한 맛이 없고 약삭빠르다. 작빤드럽다. 여번드럽다.
뻔드레-하다 형여불 실속 없이 외모만 뻔드르르하다. 작빤드레하다. 여번드레하다.
뻔드르르 부하형 윤기 있고 미끄러운 모양. 작빤드르르. 여번드르르.
뻔득 부하자타 빛이 한 번 뻔득이는 모양. ¶시퍼런 칼날이 ~ 빛나다. 작빤득. 여번득.
뻔득-이다 자타 물체 따위에 반사된 큰 빛이 잠깐씩 나타나다. 또는 그렇게 되게 하다. 작빤득이다. 여번득이다.
뻔들-거리다[1] 자 1 미끄럽고 윤이 나다. 2 어수룩한 맛이 없이 약게 굴다. 작빤들거리다[1]. 여번들거리다[1]. **뻔들-뻔들**[1] 부하형
뻔들-거리다[2] 자 하는 일 없이 빈둥거리며 밉살맞게 놀기만 하다. 작빤들거리다[2]. 여번들거리다[2]. 거펀들거리다. **뻔들-뻔들**[2] 부하자
뻔들-대다[1] 자 뻔들거리다[1].
뻔들-대다[2] 자 뻔들거리다[2].
뻔뻔-스럽다〔-스러우니, -스러워〕형ㅂ불 아주 뻔뻔한 태도가 있다. ¶뻔뻔스러운 사나이 / 뻔뻔스럽고 건방진 태도. 작빤빤스럽다. **뻔뻔-스레** 부
뻔뻔-하다 형여불 잘못이 있어도 부끄러운 줄을 모르다. 작빤빤하다. **뻔뻔-히** 부
뻔적 부하자타 뻔적이는 모양. 작빤작. 여번적. 센뻔쩍.
뻔적-이다 자타 빛이 잠깐 나타났다 없어지다. 또는 그렇게 되게 하다. 작빤작이다. 여번적이다. 센뻔쩍이다.
뻔지르르 부하형 1 미끄럽고 윤이 나는 모양. 2 말과 행동 따위가 실속 없이 겉만 그럴듯한 모양. 작빤지르르. 여번지르르.
뻔질-거리다 자 1 윤이 나며 매끈거리다. ¶마룻바닥이 ~. 2 게으름을 피우며 일을 제대로 하지 않다. 작빤질거리다. 여번질거리다. **뻔질-뻔질** 부하자형
뻔질-나다[-라-] 형 (주로 '뻔질나게'의 꼴로 쓰여) 드나드는 것이 매우 잦다. ¶뻔질나게 오락실에 드나들다.
뻔질-대다 자 뻔질거리다.

뻔쩍 부하자타 뻔쩍이는 모양. ¶번개가 ~ 하더니 이어 천둥이 쳤다. 작빤짝. 여번적·뻔적·번쩍².
뻔쩍-거리다 자타 자꾸 뻔쩍이다. ¶뻔쩍거리는 네온사인. 작빤짝거리다. **뻔쩍-뻔쩍** 부하자타
뻔쩍-대다 자타 뻔쩍거리다.
뻔쩍-이다 자타 빛이 잠깐 나타났다가 없어지다. 또는 그렇게 되게 하다. 작빤짝이다. 여번적이다·번쩍이다·뻔적이다.
뻔:-하다¹ 형여불 1 어두운 가운데 빛이 비쳐 조금 훤하다. 2 그렇게 될 것이 분명하다. ¶어차피 우리가 이길 것은 ~. 3 바쁜 가운데 잠깐 틈이 생기다. 4 병세가 조금 가라앉다. 작빤하다. 여번하다. **뻔:-히¹** 부. ¶나쁜 일인 줄 ~ 알면서 되풀이하다.
뻔-하다² 보형여불 '-ㄹ·-을'과 어울려 '그렇게 될 형편이었으나 결국 그렇게 되지 않았다'는 뜻을 나타냄. ¶물에 빠져 죽을 ~ / 하마터면 차에 치일 뻔했다.
뻔:-히² 부 사물이 끊이지 않고 잇대어 있는 모양.
뻗-가다 자 올바른 길에서 벗어나게 행동하다. ¶사춘기에는 뻗가기가 쉽다. 여벋가다.
***뻗다** ㊀자 1 나뭇가지·덩굴 따위가 바깥쪽으로 길게 자라나다. ¶뿌리가 ~. 2 힘이 어디까지 미치다. ¶외국에까지 세력이 ~. 여벋다. 3 〈속〉 죽거나 길게 눕다. ¶아주 뻗었군. ㊁타 1 꼬부렸던 것을 길게 펴다. ¶다리를 ~ / 팔을 쭉 뻗고 기지개를 켜다. 2 어떤 것에 미치게 길게 내밀다. ¶팔을 내게 뻗어라 / 구원의 손길을 ~.
뻗-대다 ㊀자 1 순종하지 아니하고 고집스럽게 버티다. ¶아무리 뻗대도 소용이 없다. 여벋대다. 2 뻗서다. ㊁타 넘어지거나 미끄러지지 않으려고 손이나 발을 받치고 버티다.
뻗-디디다 타 1 발에 힘을 주고 버티어 디디다. 2 테두리나 금 밖으로 발을 내어 디디다. 여벋디디다. 준뻗딛다.
뻗-딛다 타 '뻗디디다'의 준말.
뻗-서다 자 버티어 맞서 겨루다. 뻗대다. 여벋서다.
뻗정-다리 명 1 꾸부렸다 폈다 하지 못하고 늘 뻗치기만 하는 다리. 또는 그런 다리를 가진 사람. 2 뻣뻣하여져서 마음대로 굽힐 수가 없게 된 물건. 여벋정다리.
뻗-지르다 〔뻗지르니, 뻗질러〕 타르불 길게 뻗쳐서 내지르다.
뻗-질리다 자 《'뻗지르다'의 피동》 뻗지름을 당하다.
뻗쳐-오르다 [-처-]〔-오르니, -올라〕 자르불 물줄기나 불길 따위가 뻗쳐서 위로 오르다. ¶불길이 바람을 타고 맹렬한 기세로 뻗쳐오른다.
뻗치다 ㊀자 길게 닿다. ㊁자타 '뻗다'의 힘줌말. ¶힘이 온몸에 ~. 여벋치다.
뻗-히다 [뻐치-] 자 《'뻗다'의 피동》 쭉 펴지다. ¶발이 아파서 잘 뻗히지 않는다.
-뻘 미 1 친족 간의 촌수나 항렬을 나타냄. ¶아저씨~ / 할아버지~. 2 친족 간이 아닌 사람들 사이에 나이를 따져 본 관계. ¶그는 형님~이 되는 분이다.
뻘거-벗기다 [-벋끼-] 타 《'뻘거벗다'의 사동》 옷을 죄다 벗기다. 작빨가벗기다. 여벌거벗기다.
뻘거-벗다 [-벋따] 자 1 옷을 죄다 벗다. 2 산에 나무나 풀이 없어 흙이 드러나다. 작빨가벗다. 여벌거벗다.
뻘거-숭이 명 뻘거벗은 알몸뚱이. 작빨가숭이. 여벌거숭이.
뻘겅 명 뻘건 빛깔이나 물감. 작빨강. 여벌겅.
뻘:겋다 [-거타]〔뻘거니, 뻘거오〕 형ㅎ불 진하게 붉다. ¶얼굴이 뻘겋게 상기되다. 작빨갛다. 여벌겋다.
뻘:게-지다 자 뻘겋게 되다. 작빨개지다. 여벌게지다.
뻘그스레-하다 형여불 뻘그스름하다. ¶술 기운으로 얼굴이 ~.
뻘그스름-하다 형여불 조금 뻘겋다. 작빨그스름하다. 여벌그스름하다.
뻘그죽죽-하다 [-쭈카-] 형여불 칙칙하고 고르지 않게 뻘그스름하다. 작빨그족족하다. 여벌그죽죽하다.
뻘긋-뻘긋 [-귿-귿] 부하형 군데군데 뻘그스름한 모양. 작빨긋빨긋. 여벌긋벌긋.
뻘꺽 부 1 기운이 갑자기 솟아나는 모양. 2 무엇이 갑자기 뒤집히는 모양. 작빨깍. 여벌꺽. 거벌컥.
뻘끈 부하자 1 걸핏하면 성을 월컥 내는 모양. 2 뒤집어엎을 듯이 매우 시끄러운 모양. ¶집안을 ~ 뒤집다 / 온 장안이 ~ 뒤집히다. 작빨끈. 여벌끈.
뻘끈-거리다 자 걸핏하면 월컥 성을 내다. 작빨끈거리다. 여벌끈거리다. **뻘끈-뻘끈** 부하자
뻘끈-대다 자 뻘끈거리다.
뻘떡 부 1 갑자기 일어나는 모양. ¶선생님의 호명에 ~ 일어나다. 2 별안간 뒤로 자빠지는 모양. 작빨딱. 여벌떡.
뻘떡-거리다 자 1 맥이 힘 있게 자꾸 뛰다. 2 가슴이 세차게 두근거리다. 3 물 따위를 힘차게 들이마시다. 4 힘을 쓰거나 어떤 행동을 하고 싶어 자꾸 애를 쓰다. 작빨딱거리다. **뻘떡-뻘떡** 부하자
뻘떡-대다 자 뻘떡거리다.
뻘뻘 부 땀을 몹시 흘리는 모양. ¶땀을 ~ 흘리다. 작빨빨.
뻘쭉 부하자타 1 속의 것이 약간 드러나 보이게 벌어진 모양. 2 입을 조금 크게 벌리며 소리 없이 웃는 모양. 3 끝이 뾰족하게 크게 내민 모양. 작빨쪽.
뻘쭉-하다 [-쭈카-] 형여불 좁고 길게 벌어져 처들려 있다. 작빨쪽하다. 여벌쭉하다.
뻣뻣-이 [뻗-] 부 뻣뻣하게. ¶~ 행동하다 / ~ 서 있다. 작빳빳이.
뻣뻣-하다 [뻗뻐타-] 형여불 1 물체가 굳어 있거나 꼿꼿하다. ¶뻣뻣한 종이 / 밤늦게까지 일을 했더니 목이 ~. 2 풀기가 매우 세다. ¶여름옷은 뻣뻣한 것이 좋다. 3 성격이나 태도가 매우 억세다. ¶언행이 너무 ~. 작빳빳하다.
뻣-세다 [뻗쎄-] 형 뻣뻣하고 억세다. ¶손목 힘이 ~.
뻥¹ 명 〈속〉 거짓. 허풍. ¶~을 치다.
뻥² 부 1 구멍이 뚫어진 모양. ¶~ 뚫린 구멍. 2 무엇이 갑자기 터지는 소리. ¶풍선

을 불다가 ~ 터뜨렸다. **3** 공을 세차게 차는 모양. ㉶빵. ㉷펑.
뻥그레 부하자 입을 소리 없이 약간 크게 벌리고 부드럽게 웃는 모양. ㉶빵그레. ㉺벙그레.
뻥긋 [-귿] 부하자 입을 조금 벌리고 소리 없이 한번 웃는 모양. ㉶빵긋. ㉺벙긋.
뻥긋-거리다 [-귿꺼-] 자 자꾸 뻥긋 웃다. ㉶빵긋거리다. ㉺벙긋거리다. **뻥긋-뻥긋** [-귿-귿] 부하자
뻥긋-대다 [-귿때-] 자 뻥긋거리다.
뻥긋-이 부 뻥긋하게. ㉶빵긋이. ㉺벙긋이. ㉻뻥끗이.
뻥긋-하다 [-그타-] 형여불 문이나 입이 조금 열려 있거나 약간 벌어져 있다. ¶그 일에 대해서는 입도 뻥긋하지 않았다. ㉶빵긋하다. ㉺벙긋하다. ㉻뻥끗하다.
뻥끗 [-끋] 부하자 입을 조금 벌리고 소리 없이 한 번 웃는 모양. ㉶빵끗. ㉺벙긋.
뻥끗-거리다 [-끋꺼-] 자 자꾸 뻥끗 웃다. ㉶빵끗거리다. **뻥끗-뻥끗** [-끋-끋] 부하자
뻥끗-대다 [-끋때-] 자 뻥끗거리다.
뻥끗-이 부 뻥끗하게.
뻥끗-하다 [-끄타-] 형여불 문이나 입이 조금 열려 있거나 약간 벌어져 있다. ¶뻥끗하면 남의 흉을 본다. ㉶빵끗하다. ㉺벙긋하다·뻥긋하다.
뻥-나다 자 비밀이 드러나다.
뻥-놓다 [-노타] 자 〈속〉 **1** 남의 비밀을 들추어내다. **2** 허풍을 치다.
뻥뻥 부 **1** 구멍이 여러 개 뚫어진 모양. **2** 공 따위를 세차게 계속해서 차는 소리. **3** 무엇이 갑자기 잇따라 터지는 소리. ㉷펑펑. **4** 잇따라 큰소리치는 모양. ¶알지도 못하면서 ~ 큰소리친다.
뻥뻥-하다 형여불 **1** 어찌할 줄을 몰라 가슴이 답답하다. **2** 어떻다고 잘라 말하기가 어렵다. **뻥뻥-히** 부
뻥싯 [-싣] 부하자 입을 조금 벌리고 소리 없이 부드럽게 한 번 웃는 모양. ㉶빵싯. ㉺벙싯.
뻥-치다 자 〈속〉 허풍을 치다.
뻥-튀기 명하타 **1** 쌀이나 옥수수 따위를 밀폐된 용기에 넣고 열을 가하여 튀김. 또는 그 튀긴 과자. **2** 작은 일을 큰 일처럼 부풀림. ¶사소한 일을 ~해서 말하면 못쓴다.
뻰찌 (←일 ペンチ) 명 〔pinchers〕 '펜치'의 잘못.
뻰끼 (←일 ペンキ) 명 〔네 pek〕 '페인트'의 잘못.
*__뼈__ 명 **1** 〘생〙 척추동물의 근육을 붙이어 몸집을 구성하고 지탱하는 물질. 골(骨). ¶뼈에 붙은 살만 발라내다 / ~를 고향에 묻다. **2** 중심. 핵심. ¶~만 추려서 설명하시오. **3** 속뜻. ¶~ 있는 말. **4** 기개. ¶~가 없는 사람.
뼈(가) 빠지게 구 오래도록 고통을 참아 가면서 힘겨운 일을 치러 나가는 것의 비유.
뼈도 못 추리다 구 죽은 뒤에 추릴 뼈조차 없을 만큼 상대와 싸움의 적수가 안 되어 손실만 보고 전혀 남는 것이 없다.
뼈(를) 깎다 구 견디기 어려운 갖은 고생을 다 겪다.
뼈에 사무치다 구 원한·고통·기쁨 따위가 뼛속까지 맺히도록 깊고 강렬하다.
뼈-끝 [-끋] 명 **1** 뼈마디의 끝. ¶~이 시리다. **2** 뼈에 붙은 고기.
뼈-다귀 명 뼈의 낱개.
뼈-대 명 **1** 몸을 이룬 뼈의 생김새. 골격. ¶~가 굵다. **2** 사물의 얼개. 또는 핵심이나 중심. ¶문장의 ~ / 건물의 ~가 튼튼해 보인다.
뼈대(가) 있다 구 문벌이 좋다. ¶뼈대 있는 집안.
뼈-도가니 명 소 무릎의 종지뼈에 붙은 질긴 고기《흔히 곰이나 회를 만드는 데 씀》.
뼈-마디 명 **1** 뼈와 뼈가 이어진 부분. ¶~가 시큰거리다. **2** 뼈의 낱낱의 토막.
뼈물다 〔뼈무니, 뼈무오〕 자 **1** 성을 자꾸 내다. ¶뼈물기만 하지 말고 말 좀 해봐라. **2** 무슨 일을 하려고 자꾸 벼르다.
뼈-아프다 〔뼈아프니, 뼈아파〕 형 감정이 뼛속 깊이 사무치다. 뼈저리다. ¶뼈아픈 생이별을 하다.
뼈-저리다 형 뼈아프다. ¶자신의 잘못을 뼈저리게 느끼다.
뼈-지다 형 **1** 속이 옹골차고 단단하다. ¶몸은 작아도 뼈지게 생겼다. **2** 하는 말이 매우 야무지다. ¶말 한 마디 한 마디가 ~. **3** 온갖 고통을 견디어 가며 하는 일이 힘에 겹다. ¶그간의 노력이 뼈지게 느껴졌다.
*__뼘:__ ㊀명 **1** 엄지손가락과 다른 손가락과의 잔뜩 벌린 거리. ¶~을 재다. **2** '장뼘'의 준말. ㊁의명 엄지손가락과 다른 손가락을 최대한 벌려 잰 길이를 세는 단위. ¶한 ~의 길이.
뼛-골 [뼈꼴 / 뼏꼴] 명 〘생〙 뼈의 골수. 골. 뼛속. ¶~이 쑤시다.
뼛골에 사무치다 구 고통·원한 따위가 마음속 깊이 강렬하게 느껴지다.
뼛골(을) 빼다 구 원기를 탈진하게 만들다.
뼛골(이) 빠지다 구 몹시 힘든 일을 치르다.
뼛골(이) 아프다 구 너무나 고통스러워서 뼛속까지 아프다.
뼛-성 [뼈썽 / 뼏썽] 명 갑자기 발칵 일어나는 짜증. ¶~을 내다.
뼛-속 [뼈쏙 / 뼏쏙] 명 골수. ¶~에 스미는 찬바람 / ~ 깊이 뉘우치다.
뽀그르르 부하자 적은 물이나 잔거품이 좁은 범위로 세차게 끓어오르거나 일어나는 모양. 또는 그 소리. ¶물이 ~ 거품을 일으키며 끓다. ㉺보그르르.
뽀글-거리다 자 적은 물이나 잔거품이 좁은범위 안에서 세차게 자꾸 끓거나 일어나다. ㉸뿌글거리다. ㉺보글거리다. **뽀글-뽀글** 부하자
뽀글-대다 자 뽀글거리다.
뽀드득 부하자타 **1** 단단하거나 반드러운 물건을 되게 맞비빌 때에 나는 소리. **2** 무른 똥을 힘들이어 눌 때에 나는 소리. ㉸뿌드득. ㉺보드득. ㉷포드득.
뽀드득-거리다 자타 **1** 단단하거나 질긴 물건을 되게 맞비빌 때 뽀드득 소리가 자꾸 나다. 또는 그런 소리를 자꾸 내다. **2** 무른 똥을 힘들여 눌 때 뽀드득 소리가 자꾸 나다. 또는 그런 소리를 자꾸 내다. ㉸뿌드득거리다. **뽀드득-뽀드득** 부하자타
뽀드득-대다 자타 뽀드득거리다.

뽀로통-하다 형여불 **1** 부어올라서 볼록하다. **2** 불만스럽거나 시무룩하여 성난 빛이 있다. 큰뿌루퉁하다. **뽀로통-히** 부
뽀뽀 명하자 〈소아〉 '입맞춤'을 귀엽게 일컫는 말.
뽀:얗다 [-야타] [뽀야니, 뽀야오] 형ㅎ불 **1** 선명하지 않고 좀 하얗다. ¶길에 먼지가 뽀얗게 일고 있다. **2** 보기 좋게 하얗고 말갛다. ¶기름이 잘잘 흐르는 뽀얀 이밥. 큰뿌옇다. 여보얗다.
뽀:얘-지다 자 뽀얗게 되다. ¶유리창이 김에 서려 ~. 큰뿌예지다. 여보얘지다.
뽀유스레-하다 형여불 뽀유스름하다.
뽀유스름-하다 형여불 약간 뽀얀 듯하다. 곱게 조금 뽀얗다. 큰뿌유스름하다. 여보유스름하다. **뽀유스름-히** 부
뽈그스레-하다 형여불 뽈그스름하다.
뽈그스름-하다 형여불 산뜻하게 조금 붉다. 큰뿔그스름하다. 여볼그스름하다. **뽈그스름-히** 부
뽈그족족-하다 [-쪼카-] 형여불 칙칙하고 고르지 않게 뽈그스름하다. 큰뿔그죽죽하다. **뽈그족족-히** [-쪼키] 부
뽈긋-뽈긋 [-근-귿] 부하형 여기저기 점점이 붉은 모양. 큰뿔긋뿔긋. 여볼긋볼긋.
뽐-내다 자 **1** 기를 펴고 우쭐거리다. ¶그만하면 뽐낼 만도 하다. **2** 능력을 자랑하다. ¶기량을 ~.
***뽑다** 타 **1** 박힌 것을 잡아당겨서 빼내다. ¶잡초를 ~. **2** 길게 늘이다. ¶목청을 길게 ~. **3** 여럿 중에서 가려내다. ¶우수 선수를 ~. **4** 도로 거두어들이다. ¶밑천을 ~. **5** 속에 있는 기체나 액체를 밖으로 나오게 하다. ¶주사기로 피를 ~. **6** 길게 생긴 것을 나오게 하다. ¶떡가래를 ~. **7** 나쁜 생각이나 버릇을 없애다. ¶악습은 뿌리째 뽑아야 한다. **8** 〈속〉 모집하다. ¶신입 사원을 ~. **9** 〈속〉 동전을 넣고 자판기에서 커피·콜라 따위의 음료수를 빼내다. ¶커피 한 잔 뽑아 드릴까요.
뽑히다 [뽀피-] 一자 《'뽑다'의 피동》 **1** 뽑아지다. 빠지다. ¶벽에서 못이 ~. **2** 뽑음을 당하다. ¶반장으로 ~. 二타 《'뽑다'의 사동》 뽑게 하다. ¶동생에게 잡초를 ~.
뽕[1] 명 '뽕잎'의 준말.
[뽕도 따고 임도 보고] 두 가지 일을 동시에 이룸을 이르는 말.
뽕[2] 부 방귀를 되게 뀌는 소리. 큰뿡.
뽕-나무 명 〖식〗 뽕나뭇과의 낙엽 활엽 교목 또는 관목. 밭에서 재배하는 것은 높이 2-3m임. 늦봄에 작은 꽃이 이삭 모양으로 피는데 꽃잎이 없음. 흑자색의 핵과인 '오디'는 먹으며, 잎은 누에의 먹이, 나무는 가구재, 껍질은 제지 원료임. 상목(桑木). 오디나무.
뽕-밭 [-받] 명 뽕나무 밭. 상원(桑園).
뽕-빠지다 자 〈속〉 **1** 밑천이 다 없어지다. **2** 손해를 크게 입어 아주 결딴나다. ¶증권에 손댔다가 뽕빠졌다.
뽕-뽕 부 방귀를 되게 자꾸 뀌는 소리. 큰뿡뿡.
뽕-잎 [-닙] 명 뽕나무의 잎. ¶~을 누에에게 먹이다. 준뽕.
뽕짝 명 〈속〉 트로트풍(風)의 우리 대중가요. 또는 그 가락의 흉내말.
뾰두라지 명 뾰루지.
뾰로통-하다 형여불 성이 나서 못마땅한 빛이 나타나 있다. ¶심술이 나서 뾰로통해 하고 있다.
뾰루지 명 뾰족하게 부어오른 작은 부스럼. 뾰두라지.
뾰족 부하형 끝이 점차 가늘어져서 날카로운 모양. ¶~한 송곳. 큰쀼죽. 센뾰쪽.
뾰족-구두 명 여자 구두의 하나. 뒷굽이 높고 뾰족함. 하이힐.
뾰족-뾰족 부하형 모두가 두루 뾰족한 모양. ¶~ 나온 보리 이삭. 센뾰쪽뾰쪽.
뾰족-이 부 뾰족하게. ¶건물 꼭대기에 피뢰침이 ~ 솟아 있다. 큰쀼죽이.
뾰족-하다 [-조카-] 형여불 (주로 '뾰족한'의 꼴로 쓰여) 계책이나 성능 따위가 신통하다. ¶별로 뾰족한 수가 없다.
뾰쪽 부하형 끝이 차차 가늘어져서 날카로운 모양. 큰쀼쭉. 여뾰족.
뾰쪽-뾰쪽 부하형 모두가 두루 뾰쪽한 모양. 여뾰족뾰족.
뾰쪽-이 부 뾰쪽하게. 큰쀼쭉이.
뿌글-거리다 자 **1** 많은 물이 야단스럽게 자꾸 끓다. **2** 굵은 거품이 자꾸 일어나다. 작뽀글거리다. 여부글거리다. **뿌글-뿌글** 부하자
뿌글-대다 자 뿌글거리다.
뿌다구니 명 물건의 삐쭉 내민 부분. 또는 쑥 내민 모퉁이. ¶~에 옷이 걸리다.
뿌다귀 명 '뿌다구니'의 준말.
뿌드드-하다 형여불 '찌뿌드드하다'의 준말.
뿌드득 부하자타 **1** 단단하고 질긴 물건을 되게 맞비빌 때에 나는 소리. **2** 무른 똥을 힘들여 눌 때에 나는 소리. 작빠드득·뽀드득. 여부드득. 거푸드득.
뿌드득-거리다 자타 **1** 단단하거나 질긴 물건을 되게 맞비빌 때에 뿌드득 소리가 자꾸 나다. 또는 그런 소리를 자꾸 내다. **2** 무른 똥을 힘들여 눌 때에 뿌드득 소리가 자꾸 나다. 또는 그런 소리를 자꾸 내다. 작빠드득거리다·뽀드득거리다. **뿌드득-뿌드득** 부하자타
뿌드득-대다 자타 뿌드득거리다.
뿌득-뿌득 부 억지를 부려 자꾸 우기거나 조르는 모양. ¶막무가내로 ~ 우기다. 작빠득빠득. 여부득부득.
뿌듯-이 부 뿌듯하게. 작빠듯이. 여부듯이.
뿌듯-하다 [-드타-] 형여불 **1** 가득히 차서 그득하다. ¶배가 ~. **2** 기쁨·감격이 마음에 가득 차서 벅차다. ¶마음에 뿌듯한 보람을 느끼다. 작빠듯하다. 여부듯하다.
뿌루퉁-하다 형여불 **1** 부어서 불룩하다. **2** 불만스러운 빛이 얼굴에 나타나 있다. 작뽀로통하다. 여부루퉁하다. **뿌루퉁-히** 부
***뿌리** 명 **1** 〖식〗 땅속에 묻히거나 다른 물체에 박혀 식물체를 떠받치고 수분·양분을 빨아올리는 식물의 한 기관. ¶~가 드러나다 / 약초 ~를 뽑다. **2** 깊숙이 박힌 물체의 밑동. ¶이가 썩어 ~만 남았다. **3** 깊숙이 자리잡아 굳어진 일의 근본. ¶병의 ~를 뽑다 / 사건의 ~를 캐다.
[뿌리 없는 나무가 없다] 무엇이나 그 근

본이 있다는 말.
뿌리(가) 깊다 구 ㉠뿌리가 깊이 박혀 있다. ㉡사물이 연유하는 바가 오래다. ¶뿌리 깊은 원한.
뿌리(를) 뽑다 구 근원을 깨끗이 없애 버리다. ¶사회악을 ~.
뿌리-내리다 자 1 옮겨 심은 식물이 뿌리를 뻗다. ¶꺾꽂이한 개나리가 ~. 2 옮긴 곳에 자리를 잡다. ¶이민 가서 뿌리내린 지 30년이 지났다.
***뿌리다** 一 자타 1 싸락눈이나 빗방울 등이 날려 떨어지다. 또는 그리 되게 하다. ¶때때로 가랑비가 ~. 2 사상이나 영향이 퍼지게 하다. 二 타 1 곳곳에 흩어지도록 끼얹거나 떨어뜨리다. ¶씨를 ~ / 소독약을 ~. 2 돈을 여기저기 마구 쓰다. ¶팁을 뿌리고 다니다. 3 슬퍼서 눈물을 많이 흘리다. ¶눈물을 뿌리며 떠나가다. 4 좋지 않은 소문을 퍼뜨리다. ¶염문을 ~.
뿌리-박다 자타 어떤 것을 토대로 하여 자리를 잡다. ¶고향에 뿌리박고 살다.
뿌리-줄기 명 〔식〕 줄기가 변태된 땅속줄기의 하나. 뿌리처럼 땅속으로 뻗어 나가며, 마디가 생기고, 그 마디에 뿌리가 남《대나무·연꽃·고사리 따위에서 볼 수 있음》. 근경(根莖).
뿌리-채소 (-菜蔬) 명 뿌리를 먹는 채소《무·당근·우엉·토란·생강 등》. 근채(根菜). 근채류. *열매채소.
뿌리-치다 타 1 붙잡은 것을 홱 채어 놓치게 하거나 붙잡지 못하게 하다. ¶손목을 ~. 2 권유나 청을 물리치다. ¶만류를 뿌리치고 떠나다. 3 따라붙는 것을 막아 내다. ¶뒤따라오는 선수를 ~.
뿌리-털 명 〔식〕 뿌리의 끝에 실같이 가늘고 부드럽게 나온 털. 근모(根毛).
뿌리-혹 명 〔식〕 세균이나 균사가 고등 식물의 뿌리에 침입하여 그 자극으로 이상(異常) 발육하여 생긴 혹 모양의 조직. 근류.
뿌:옇다 [-여타] (뿌여니, 뿌여오) 형ㅎ불 선명하지 않고 희끄무레하다. 연기나 안개가 짙게 낀 것 같다. ¶비포장 도로에 먼지가 뿌옇게 인다. 작뽀얗다. 여부옇다.
뿌:예-지다 자 조금 뿌옇게 되다. ¶거울에 입김을 쐬자 뿌예졌다. 작뽀얘지다. 여부예지다.
뿌유스레-하다 형여불 뿌유스름하다.
뿌유스름-하다 형여불 선명하지 않고 조금 뿌옇다. 작뽀유스름하다. 여부유스름하다.
뿌유스름-히 부
뿌지지 부하자 뜨거운 쇠붙이 등이 물에 닿을 때 나는 소리. 작빠지지. 여부지지.
뿌지직 부하자 1 물기 있는 물체가 열에 닿아 나는 소리. 2 무른 똥을 급히 눌 때 나는 소리. 작빠지직. 여부지직.
***뿐**[1] 의명 용언 뒤에 쓰여 '다만 어떠하거나, 어찌할 따름'의 뜻을 나타냄. ¶들었을 ~만 아니라 직접 보았다 / 말해 봤을 ~이다.
뿐[2] 조 체언이나 부사어 뒤에 붙어 그것만이고 더는 없다는 뜻을 나타내는 보조사. ¶둘~이다 / 가진 것이 이것~이냐 / 친구에게~만 아니라 후배에게도 인기가 있다.
뿔 명 1 〔동〕 소·염소·사슴 등 동물의 머리에 뾰족하고 딱딱하게 솟은 물질. 2 물건의 머리 부분이나 표면에서 불쑥 나온 부분. [뿔 뺀 쇠 상(相)이라] 지위는 있어도 세력은 없음의 비유.
뿔그스레-하다 형여불 뿔그스름하다.
뿔그스름-하다 형여불 조금 붉다. 작뽈그스름하다. 여불그스름하다. **뿔그스름-히** 부
뿔그죽죽-하다 [-쭈카-] 형여불 칙칙하고 고르지 않게 뿔그스름하다. 작뽈그족족하다. 여 불그죽죽하다. **뿔그죽죽-이** [-쭈키] 부
뿔긋-뿔긋 [-귿-귿] 부하형 군데군데가 붉은 모양. ¶단풍이 ~ 물들었다. 작뽈긋뽈긋. 여불긋불긋.
뿔-나다 [-라-] 자 〈속〉 화가 나다.
뿔-다귀 [-따-] 명 〈속〉 성. ¶~가 나다.
뿔-면 (-面) 명 〔수〕 언제나 한 정점(定點)을 통하되, 그 점을 포함하지 않는 평면상의 일정 곡선의 각 점을 통과하는 직선군(直線群)으로 생기는 면. 추면(錐面).
뿔뿔이 부 제각기 따로따로 흩어지는 모양. ¶길이 어긋나 ~ 흩어지다.
뿔-체 (-體) 명 〔수〕 하나의 뿔면과 하나의 평면으로 둘러싸인 입체.
뿜:다 [-따] 타 1 속에 있는 기체나 액체 따위를 밖으로 세차게 불어 내다. ¶물을 뿜는 분수 / 빨래에 물을 ~. 2 빛이나 냄새 따위를 세차게 내어 보내다. ¶찬란한 빛을 뿜고 있는 별들.
뿜어-내다 타 속의 것을 뿜어 밖으로 나오게 하다. 분출하다. ¶담배 연기를 ~.
뿜이-개 명 분무기(噴霧器).
뿡 부 방귀를 세차게 뀌는 소리. 작뽕. 여붕. 거풍.
뿡-뿡 부하자타 1 방귀를 자꾸 되게 뀌는 소리. 작뽕뽕. 2 자동차·배 따위가 잇따라 울리는 경적 소리. 작빵빵.
뿌죽 부하형 끝이 차차 가늘어져서 날카로운 모양. 작뾰족. 센쀼쭉.
뿌죽-이 부 뿌죽하게. 작뾰족이.
뿌쭉 부하형 끝이 차차 가늘어져서 날카로운 모양. 작뾰쪽. 여뿌죽.
뿌쭉-이 부 뿌쭉하게. 작뾰쪽이.
삐 부 1 어린아이가 듣기 싫게 우는 소리. 2 피리나 호드기 따위를 부는 소리.
삐걱 부하자타 딴딴한 물건끼리 서로 닿아서 마찰되어 나는 소리. 작빼각. 여비걱.
삐꺽 부하자타 딴딴한 물건끼리 서로 매우 되게 마찰하여 나는 소리. 여비걱·삐걱.
삐끗 [-끋] 부하자타 1 맞추어 끼일 물건이 어긋나서 맞지 아니하는 모양. 2 잘못하여 일이 어긋나는 모양. ¶조금만 ~해도 전체가 틀어진다. 3 팔이나 다리 따위가 접질리는 모양. ¶굽 높은 구두를 신고 걷다가 ~하다. 작빼끗. 여비끗.
삐끗-거리다 [-끋꺼-] 부 1 맞추어 끼일 물건이 자꾸 어긋나서 맞지 아니하다. 2 일이 될 것 같으면서도 자꾸 어긋나기만 하고 되지 아니하다. 여비끗거리다. **삐끗-삐끗** [-끋-끋] 부하자
삐끗-대다 [-끋때-] 자 삐끗거리다.
삐:다[1] 자 괸 물이 빠져서 줄다.
삐:다[2] 一 타 몸의 어느 부분이 접질리거나 비틀려서 뼈마디가 어긋나다. ¶손목을 ~. 二 자 뼈가 퉁겨지다.

삐드득 [부][하][자][타] 1 단단한 물건이 빠듯한 틈에 끼어 문질릴 때 나는 소리. 2 아이들이 장난감 피리를 부는 소리. [작]빠드득.
삐드득-거리다 [자][타] 삐드득 소리가 자꾸 나다. 또는 그런 소리를 자꾸 나게 하다. **삐드득-삐드득** [부][하][자][타]
삐드득-대다 [자][타] 삐드득거리다.
삐딱-거리다 [자] 비스듬하게 이쪽저쪽으로 자꾸 기울어지다. [작]빼딱거리다. [여]비딱거리다. **삐딱-삐딱** [부][하][자][형]
삐딱-대다 [자] 삐딱거리다.
삐딱-이 [부] 삐딱하게. ¶모자를 ~ 쓰다. [작]빼딱이.
삐딱-하다 [-따카-] [형][여불] 한쪽으로 기울어져 있다. ¶벽에 삐딱하게 기대서다. [작]빼딱하다. [여]비딱하다.
삐뚜로 [부] 삐뚤어지게. [작]빼뚜로. [여]비뚜로.
삐뚜름-하다 [형][여불] 조금 비뚤어져 있다. [작]빼뚜름하다. [여]비뚜름하다. **삐뚜름-히** [부]
삐뚝-거리다 [자][타] 1 한쪽이 기울어서 자꾸 흔들거리다. 또는 그렇게 하다. 2 끼우뚱끼우뚱하며 걷다. ¶다리를 다쳐 삐뚝거리며 걷다. [작]빼뚝거리다. [여]비뚝거리다. **삐뚝-삐뚝** [부][하][자][타]
삐뚝-대다 [자][타] 삐뚝거리다.
삐뚤-거리다 [자][타] 1 이리저리 기울어서 자꾸 흔들거리다. 또는 그렇게 하다. 2 곧지 못하고 이리저리 자꾸 구부러지다. 또는 그렇게 하다. [작]빼뚤거리다. [여]비뚤거리다. **삐뚤-삐뚤** [부][하][형][자][타]
삐뚤다 〔삐뚜니, 삐뚜오〕 [형] 한쪽으로 치우쳐 있다. [작]빼뚤다. [여]비뚤다.
삐뚤-대다 [자][타] 삐뚤거리다.
삐뚤-빼뚤 [부][하][형][자][타] 1 물체가 이쪽저쪽으로 기울어지며 자꾸 흔들리는 모양. 또는 그렇게 하는 모양. 2 물체가 곧지 못하고 이쪽저쪽으로 자꾸 구부러지는 모양. 또는 구부러지게 하는 모양. ¶서투른 솜씨로 글씨를 ~ 쓰다.
삐뚤어-지다 [자] 1 한쪽으로 또는 이리저리 기울어지거나 구부러지다. 2 성격이나 마음이 비꼬이다. 3 성이 나서 뒤틀어지다. [작]빼뚤어지다. [여]비뚤어지다.
삐뚤-이 [명] 1 몸의 한 부분 또는 마음이 삐뚤어진 사람. 2 경사진 땅. [여]비뚤이.
삐라 (일 ビラ) [명] 〔bill〕 '전단(傳單)'의 잘못.
삐삐[1] [명] 호출 전용의 소형 휴대용 수신기인 '무선 호출기(呼出機)'의 속칭《호출 신호의 소리를 딴 이름》.
삐-삐[2] [부] 1 어린아이가 듣기 싫게 자꾸 우는 소리. 2 피리나 호드기 따위를 불 때 나는 소리. 「[준]삑.
삐악 [부] 병아리가 한 번 우는 소리. [여]비악.
삐악-삐악 [부][하][자] 병아리가 자꾸 우는 소리. [여]비악비악. [준]삑삑.
삐주룩-삐주룩 [부][하][형] 여러 개가 모두 삐주룩한 모양. [작]빼주룩빼주룩. [여]비주룩비주룩. [준]삐죽삐죽[3].
삐주룩-이 [부] 삐주룩하게. ¶입을 ~ 내밀다. [작]빼주룩이. [여]비주룩이.
삐주룩-하다 [-루카-] [형][여불] 밖으로 솟아난 물건의 끝이 조금 내밀려 있다. [작]빼주룩하다. [여]비주룩하다. [준]삐죽하다[1].
삐죽-거리다 [타] 비웃거나 언짢거나 울려고 할 때 소리 없이 입을 씰룩거리다. [여]비죽거리다. **삐죽-삐죽**[1] [부][하][타]
삐죽-대다 [타] 삐죽거리다.
삐죽-삐죽[2] [부][하][형] 여러 개가 모두 삐죽한 모양. [작]빼죽빼죽. [센]삐쭉삐쭉.
삐죽-삐죽[3] [부][하][형] '삐주룩삐주룩'의 준말.
삐죽-이 [一][명] 삐죽거리기 잘하는 사람. [二][부] 삐죽하게. [작]빼죽이.
삐죽-하다[1] [-주카-] [형][여불] '삐주룩하다'의 준말.
삐죽-하다[2] [-주카-] [형][여불] 내민 물건의 끝이 날카롭다. [센]삐쭉하다.
삐지다 [자] 삐치다[2].
삐쩍 [부] 볼품없이 매우 야윈 모양. ¶키만 크고 ~ 마른 사람.
삐쭉 [부][하][타] 1 비웃거나 언짢거나 울음이 나올 때 소리 없이 입을 내미는 모양. ¶입을 ~ 내밀다. 2 잠깐 나타났다 없어지는 모양. ¶얼굴만 ~ 내밀고 사라지다. [작]빼쭉. [여]비쭉.
삐쭉-거리다 [타] 비웃거나 언짢거나 울음이 나올 때 소리 없이 입을 내밀고 실룩거리다. [작]빼쭉거리다. **삐쭉-삐쭉**[1] [부][하][타]
삐쭉-대다 [타] 삐쭉거리다.
삐쭉-삐쭉[2] [부][하][형] 모두가 삐쭉한 모양. [작]빼쭉빼쭉[2]. [여]삐죽삐죽.
삐쭉-이 [부] 삐쭉하게. [작]빼쭉이.
삐쭉-하다 [-쭈카-] [형][여불] 내민 끝이 썩 날카롭다. ¶송곳 끝이 ~. [작]빼쭉하다. [여]비쭉하다·삐죽하다[2].
삐:치다[1] [자] 성이 나서 토라지다. ¶그녀는 조그마한 일에도 잘 삐친다.
삐:치다[2] [타] 글자의 획을 비스듬히 내려쓰다. ¶획을 길게 ~.
삐:침 [명] 글씨를 쓸 때 글자의 획을 비스듬히 내려씀. 또는 그 획.
삐트적-거리다 [타] 몸을 가누지 못하고 조금 삐틀거리다. [여]비트적거리다. **삐트적-삐트적** [부][하][타]
삐트적-대다 [타] 삐트적거리다.
삐틀-거리다 [타] 몸을 가누지 못하고 이리저리 쓰러질 듯이 계속 걷다. ¶술에 취해 ~. [여]비틀거리다. **삐틀-삐틀** [부][하][타]
삐틀-대다 [타] 삐틀거리다.
삐틀어-지다 [자] 1 물체가 한쪽으로 쏠리거나 꼬이거나 돌려지다. ¶오랜 가뭄으로 말라 삐틀어진 벼. 2 친하던 사이가 나빠지다. [여]비틀어지다.
삑 [부] 1 새·사람 또는 기적 등이 날카롭게 지르거나 내는 소리. ¶기차가 ~ 기적 소리를 내며 역으로 들어왔다. 2 크고 날카롭게 지르는 소리. [작]빽.
삑삑-이 [부] 삑삑하게.
삑삑-하다 [-삐카-] [형][여불] 1 사이가 촘촘하다. ¶삑삑하게 들어찬 나무. 2 구멍 따위가 거의 막히어 답답하다. [작]빽빽하다. 3 속이 좁고 너그럽지 못하다. 4 국물이 적고 건더기가 많아 되직하다.
뻔둥-거리다 [자] 하는 일이 없이 게으름 피우며 놀다. ¶일정한 직업 없이 뻔둥거리며 놀기만 하다. [작]뺀둥거리다. [여]번둥거리다. [거]핀둥거리다. **뻔둥-뻔둥** [부][하][자]
뻔둥-대다 [자] 뻔둥거리다.

쭉날쭉하게 만들어 끼워 맞추게 된 부분. 또는 그 짜임새. ¶~가 벌어지다 / ~를 맞추다. **2**〖건〗기둥 머리를 도리나 장여를 박기 위하여 네 갈래로 오려 낸 부분.

사개(가) 맞다 구 말이나 사리의 앞뒤 관계가 딱 들어맞다.

사개1

사:개-맞춤[-맏-] 명〖건〗기둥머리를 도리나 장여를 박기 위하여 네 갈래로 오려 내고 맞추는 일. 또는 그 부분.

사:거(死去) 명하자 죽어서 세상을 떠남. 사망.

사:-거리(四-) 명 네거리. ¶읍내 ~에서 큰 교통사고가 났다.

사개맞춤

사-거리(射距離) 명〖군〗총구·포구에서 탄착점까지의 거리. 사정(射程). 사정거리. ¶~가 짧다 / ~를 벗어나다.

***사:건**(事件)[-껀] 명 문제가 되거나 주목을 받을 만한 뜻밖의 일. ¶살인 ~이 일어나다 / 희대의 사기 ~.

사격(射擊) 명하자타 대포나 총·활 등을 쏨. ¶~에 능하다 / ~을 가하다.

사격-수(射擊手) 명 사격하는 사람. 사수.

사격-장(射擊場) 명 사격 연습이나 경기를 하기 위하여 표적 등을 마련하여 놓은 곳.

사견(私見) 명 자기 개인의 의견. ¶~이라고 전제하고, 의견을 말하다.

사견(邪見) 명 요사스럽고 올바르지 못한 생각이나 의견.

사:경(四更) 명 하룻밤을 다섯 등분한 넷째 시각《새벽 1시부터 3시까지》. 정야(丁夜).

사:경(四經) 명 **1** 시경(詩經)·서경(書經)·역경(易經)·춘추(春秋)의 네 경서(經書). **2** 좌씨춘추(左氏春秋)·곡량(穀梁)춘추·고문상서(古文尙書)·모시(毛詩)의 네 경서.

사:경(四境) 명 **1** 사방의 경계 또는 지경. **2** 천하·세계를 이르는 말.

사:경(死境) 명 죽을 지경. 죽음에 임박한 경지. 생사경. 생사지경. ¶~을 헤매다.

사경(私耕) 명 **1** 사래[1]. **2** 농가에서 머슴에게 주는 연봉(年俸).

사경(寫經) 명하타〖불〗후세에 전하거나 공양(供養)을 위하여 경문(經文)을 베끼는 일. 또는 그런 경전.

사-경제(私經濟) 명〖경〗개인이나 사법인(私法人)이 경영하는 경제《가정 경제·회사 경제·조합 경제 따위》. ↔공경제.

사:계(四季)[-/-게] 명 **1** 봄·여름·가을·겨울의 네 계절. 사철. **2** 계춘(季春)·계하(季夏)·계추(季秋)·계동(季冬)의 총칭《음력으로 사시(四時)의 마지막 달인 3월·6월·9월·12월》. *사시(四時).

사:계(四界)[-/-게] 명 **1** 천계(天界)·지계(地界)·수계(水界)·양계(陽界)의 총칭. **2**〖불〗세상의 모든 것을 구성하는 지(地)·수(水)·화(火)·풍(風)의 총칭. 사대(四大).

사계(邪計)[-/-게] 명 바르지 못한 계책. 간사한 꾀.

사계(詐計)[-/-게] 명 간사한 꾀. 남을 속이는 꾀.

사계(斯界)[-/-게] 명 해당되는 분야. 또는 그런 사회. ¶~의 권위자.

사:-계절(四季節)[-/-게-] 명 사철. ¶우리나라는 ~이 뚜렷하다.

사:고(四苦) 명〖불〗인생의 네 고통. 곧, 나고 늙고 병들고 죽는 것을 이름.

사:고(史庫) 명〖역〗고려 말기부터 조선 후기까지 실록 등 역사에 관한 기록이나 중요한 서적을 보관하던 정부의 서고.

사:고(死苦) 명 **1**〖불〗사고(四苦)의 하나. 사람이 반드시 죽는 괴로움. **2** 죽을 때의 고통.

사고(社告) 명 회사 등에서 내는 광고. ¶~에 인사 발령이 실리다.

***사:고**(事故) 명 **1** 뜻밖에 일어난 좋지 않은 일. ¶대형 ~ / 자동차 ~가 발생하다. **2** 해를 입히거나 말썽을 일으키는 나쁜 짓. ¶결국 ~를 치고 말았다.

사고(思考) 명하타 **1** 생각하고 궁리함. ¶~능력 / ~의 영역을 넓히다. **2**〖철〗사유(思惟)2. **3**〖심〗어떤 문제에서 결론에 이르기까지 작용하는 개념·판단·추리 따위의 관념 과정.

사고-력(思考力) 명 생각하고 궁리하는 힘. ¶논리적 ~을 기르다.

사:고-무친(四顧無親) 명하형 의지할 데가 도무지 없음. ¶~의 고아.

사:고-뭉치(事故-) 명 〈속〉 늘 사고나 말썽만 일으키는 사람. ¶그는 반에서 이름난 ~이다.

사고-방식(思考方式) 명 어떠한 문제를 생각하고 판단하는 방식이나 태도. ¶건전한 ~ / ~이 고루하다.

사고-팔다〔-파니, -파오〕 타 물건 따위를 사기도 하고 팔기도 하다. ¶벼룩시장에서는 온갖 물건을 사고판다.

사:골(四骨) 명 짐승, 특히 소의 네 다리뼈《주로 몸을 보신하는 데 씀》. ¶~을 푹 고아 먹다.

사:골(死骨) 명 죽은 사람의 뼈.

사공(沙工·砂工) 명 '뱃사공'의 준말.

[사공이 많으면 배가 산으로 간다] 주관하는 사람이 없이 각자가 자기주장만 내세우면 일이 제대로 되기 어렵다.

***사과**(沙果·砂果) 명 사과나무의 열매. 평과(苹果). ¶탐스럽게 열린 ~.

사:과(謝過) 명하자타 잘못에 대해 용서를 빎. ¶~ 한마디 없이 그냥 갔다 / 잘못을 ~하고 용서를 구했다.

사과-나무(沙果-) 명〖식〗장미과의 낙엽 교목. 봄에 흰 꽃이 핌. 열매인 사과는 식용함. 품종이 많은데, 홍옥·국광 따위가 많이 알려짐.

사:과-문(謝過文) 명 잘못에 대하여 사과하는 뜻을 적은 글. ¶신문 광고로 ~을 발표하다.

사:관(士官) 명 장교의 총칭. ¶당직 ~의 순찰.

사관(仕官) 명하자 벼슬살이를 함.

사:관(史官) 명 예전에, 역사를 기록하던 관리.

사:관(史觀) 명 역사적 현상을 파악하여 이것을 해석하는 입장. 역사관. ¶유물 ~.

ㅅ

사:관 (四關) 명 〖한의〗 1 급히 체했을 때에 통기(通氣)시키기 위하여 사지의 관절에 침을 놓는 곳. 2 양쪽의 팔꿈치와 슬관절의 총칭.
사관(을) 트다 구 곽란이 일어나 사관에 침을 놓다.
사관 (舍館) 명하자 객지에서 남의 집에 일시 숙식을 부치는 일. 또는 그 집. 하숙.
사:관-학교 (士官學校) 명 육·해·공군의 정규 장교를 양성하는 학교《졸업 후 육·해·공군의 소위로 임관됨》.
사교 (私交) 명 사사로운 교제.
사교 (邪教) 명 그릇된 교리로 사회에 해를 끼치는 종교.
사교 (社交) 명하자 사회적 생활을 통해 서로 어울려 사귐. ¶ ~ 범위가 넓다.
사교-가 (社交家) 명 사람 사귀기를 즐기는 사람. 또는 사교술이 능란한 사람.
사교-계 (社交界)[-/-게] 명 주로 상류 계급 사람들의 교제를 위한 사회. ¶ ~를 주름잡다.
사교-성 (社交性)[-썽] 명 1 사회를 이루려는 인간의 특성. 2 남과 잘 사귀고 또 사귀기를 좋아하는 성질. ¶ ~이 좋다.
사교-술 (社交術) 명 사교하는 솜씨. ¶ ~을 발휘하다 / ~에 능하다.
사-교육 (私教育) 명 개인이나 사법인의 재원으로 운영하는 교육. *공교육.
사교육-비 (私教育費) 명 공교육비 이외로 학부모가 자녀의 교육을 위해 추가로 지출하는 비용《과외비·교재비·부교재비·학용품비 따위》.
사교-장 (社交場) 명 사람들이 모여 사교를 하는 곳.
사교-적 (社交的) 관명 여러 사람과 잘 어울리고 잘 사귀는 성격을 가진 (것). ¶ ~ 수완 / 인간은 ~ 동물이다 / 그는 아주 ~이다.
사:구 (四球) 명 야구에서, 포볼.
사:구 (死句) 명 1 〖불〗 평범하고 속되어 선(禪)의 수행에 별 도움이 되지 않는 말을 적은 구(句). 2 시에서 깊고 은은한 정취가 없는 평범한 구. ↔활구(活句).
사:구 (死球) 명 야구에서, 데드 볼.
사구 (沙丘·砂丘) 명 〖지〗 바람이 휘몰아쳐 이루어 진 모래 언덕《해안·강변·사막 등에 생김》.
사구-체 (絲球體·絲毬體) 명 〖생〗 신장의 말피기 소체(Malpighi小體) 안에 모세 혈관이 모여서 된 공 모양의 작은 조직체《혈구(血球)나 단백질 이외의 성분을 걸러서 오줌을 만듦》.
사:군 (事君) 명하자 임금을 섬김.
사군 (師君) 명 '스승'의 높임말.
사:군이충 (事君以忠) 명 임금을 충성으로써 섬김《세속 오계(世俗五戒)의 하나》.
사:-군자 (四君子) 명 동양화에서, 그 고결함이 군자와 같다는 뜻으로, 매화·국화·난초·대나무를 일컫는 말. ¶ ~는 문인화의 대표적 소재가 된다.
사굴 (私掘) 명하타 1 남의 무덤을 사사로이 파냄. 2 광물을 사사로이 캐는 일.
사굴 (蛇窟) 명 뱀의 굴.
사권 (私權)[-꿘] 명 〖법〗 사법상(私法上) 인정되는 재산·신분에 관한 개인의 권리. ↔공권(公權).
사귀 (邪鬼) 명 요사스러운 귀신.
*__사귀다__ 자타 서로 가까이하여 얼굴을 익히고 사이좋게 지내다. ¶ 이웃과 잘 ~ / 여자를 ~ / 8년을 사귄 끝에 결혼하다.
사귐-성 (-性)[-썽] 명 사람들과 어울려 잘 사귀는 성품. ¶ ~이 좋은 아이.
사규 (社規) 명 회사의 규칙. ¶ ~에 따라 사원을 모집하다.
사그라-뜨리다 타 사그라지게 하다. ¶ 분노를 ~ / 불안감을 ~.
사그라-지다 자 삭아서 없어지다. ¶ 불길이 ~ / 울분이 차츰 ~.
사그라-트리다 타 사그라뜨리다.
사:극 (四極) 명 사방의 맨 끝. 사방의 끝이 닿은 먼 곳.
사:극 (史劇) 명 〖연〗 '역사극'의 준말. ¶ ~ 영화가 상영되다.
사근사근-하다 형여불 1 성품이 부드럽고 친절하여 붙임성이 있다. ¶ 사근사근하여 호감이 가는 청년. 2 배나 사과를 씹는 것과 같이 연하다. 큰서근서근하다. **사근사근-히** 부
사글사글-하다 형여불 생김새나 성품이 상냥하고 너그럽다. ¶ 눈매가 ~. 큰서글서글하다.
사글-세 (-貰)[-쎄] 명 [←삭월세(朔月貰)] 남의 집이나 방을 빌려 살면서 다달이 내는 세. 또는 집이나 방을 빌려 주고 받는 세. 월세(月貰). ¶ ~로 방을 얻어 살다.
사글셋-방 (-貰房)[-쎄빵 / -쎋빵] 명 사글세로 얻은 방. ¶ ~에 살다 어렵게 자그마한 집을 마련하다.
사금 (沙金·砂金) 명 〖광〗 강변이나 해변의 모래·자갈 속에 섞인 알맹이 또는 비늘 모양의 금. 금모래. ¶ ~을 캐다.
사금-광 (沙金鑛) 명 사금을 캐는 금광.
사금-파리 명 사기그릇의 깨진 작은 조각.
사:급 (賜給) 명하타 사여(賜與).
사:기 (士氣) 명 1 의욕이나 자신감 등으로 가득 차서 굽힐 줄 모르는 기세. ¶ ~가 높다 / ~를 꺾다 / ~를 북돋우다. 2 선비의 꿋꿋한 기개.
사:기 (四氣) 명 네 철의 기운《봄의 따뜻함, 여름의 더위, 가을의 서늘함, 겨울의 추위》.
사:기 (史記) 명 역사적 사실을 적은 책. 사서(史書). 사승(史乘).
사:기 (死期) 명 1 목숨이 다한 때. 임종. 2 목숨을 버릴 시기.
사기 (私記) 명 〖불〗 교리의 깊은 뜻을 사사로이 기록한 책.
사기 (沙器·砂器) 명 사기그릇.
사기 (邪氣) 명 1 요망스럽고 나쁜 기운. ¶ ~가 감돌다. 2 〖한의〗 몸에 병이 나게 하는 나쁜 기(氣). 사(邪).
사:기 (事記) 명 사건을 중심으로 쓴 기록.
사:기 (事機) 명 일이 되어 가는 가장 중요한 기틀.
사기 (詐欺) 명하타 이익을 취하기 위하여 못된 꾀로 남을 속임. ¶ ~를 당하다 / ~ 솜씨가 교묘하다 / ~를 치다가 걸려들다.
사기-그릇 (沙器-)[-륻] 명 백토를 원료로 하여 구워 만든 그릇《흡수성이 없으므로 식기로 많이 씀》. 사기. 자기(瓷器). 준사

이름에서 나온 말] 변태 성욕의 한 가지. 이성을 학대함으로써 성적 쾌락을 느낌. 가학증. 학대 음란증. ↔마조히즘.
사:또 명 [←사도(使道)] 〖역〗 **1** 부하인 장졸이 그들의 주장(主將)을 높이어 일컫던 말. **2** 백성이나 하관이 고을의 원(員)을 존대하여 일컫던 말.
[사또 덕분에 나팔 분다] 남의 덕에 행세하고 우쭐댄다는 말. [사또 떠난 뒤에 나팔 분다] 제때에 하지 않고 그 시기가 지난 뒤에 함을 조롱하는 말.
사-뜨다 [사뜨니, 사떠] 타 단춧구멍이나 수눅 등의 가장자리를 실로 휘갑치다.
사뜻-이 부 사뜻하게.
사뜻-하다 [-뜨타-] 형여불 깨끗하고 말쑥하다. ¶ 옷맵시가 ~.
사라센 (Saracen) 명 〖역〗 고대 유럽에서, 시리아 부근의 아랍 인을 부르던 이름. 중세 이후에는 이슬람교도의 총칭.
***사라지다** 자 **1** 모양이나 자취가 차차 없어지다. ¶ 청초했던 모습이 ~. **2** 어떠한 생각이나 감정 따위가 없어지다. ¶ 슬픔이 ~. 큰스러지다. **3** 비유적으로, 죽다. ¶ 형장의 이슬로 ~.
***사:람** 명 **1** 지구상에서 가장 지능이 발달한 고등 동물. 생각을 하고 언어를 사용하며, 도구를 만들어 쓰고, 사회생활을 영위함. 인류. 인간. ¶ ~은 만물의 영장이다. **2**〖법〗 권리·의무의 주체인 인격자. **3**〖법〗 출생에서 사망에 이르기까지의 자연인. ¶ ~으로 태어나다. **4** 타인. 남. ¶ 왜 ~을 치느냐. **5** 자기. 나. ¶ ~을 깔보지 마라. **6** 윤리·도덕을 지키는 선량한 사람. ¶ ~다운 사람. **7** 사람의 됨됨이 또는 성질. ¶ ~이 좋다. **8** 자기 아내를 남에게 일컫는 말. ¶ 우리 집 ~. **9** 적절한 인재. ¶ 막상 일이 닥치니 ~ 구하기가 힘들다. **10** 일꾼이나 인원. ¶ ~을 늘려 일을 끝마치다. **11** 친근한 상대편을 부르거나 가리키는 말. ¶ 이 ~아, 말 좀 들어. **12** 사람을 세는 단위《의존 명사적 용법》. ¶ 두 ~이 함께 가다.
[사람 나고 돈 났지 돈 나고 사람 났나] 돈이 아무리 귀중하여도 사람보다는 못하다는 뜻으로, 돈밖에 모르는 사람을 비난하는 말. [사람 속은 천 길 물속이라] 사람의 속마음은 헤아리기 어렵다는 말. [사람 위에 사람 없고 사람 밑에 사람 없다] 본시 사람은 태어날 때부터 평등하여 그 권리나 의무가 동일하다. [사람은 죽으면 이름을 남기고 범은 죽으면 가죽을 남긴다] 인생의 목적은 좋은 일을 하여 이름을 후세에 남기는 데 있다. [사람은 키 큰 덕을 입어도 나무는 키 큰 덕을 못 입는다] 나무가 크면 작은 나무가 자라지 않으나, 사람은 큰 사람이 나면 그 덕을 입는다. [사람의 마음은 하루에도 열두 번] 감정에 치우쳐 사람의 마음은 자주 변한다는 말. [사람의 새끼는 서울로 보내고 마소 새끼는 시골로 보내라] 사람은 서울에 있어야 출세할 기회가 있다는 말.
사람 같지 않다 구 사람으로서 마땅히 지녀야 할 품행이나 덕성이 없다.
사람(을) 잡다 구 ㉠사람을 죽이다. ㉡남을 극심한 곤경으로 몰아넣다. ¶ 사람 잡을 소리 말게. ㉢사람을 황홀하게 하거나 녹여 주다.
사람(이) 되다 구 인격적으로 사람으로서의 자질을 갖춘 인간이 되다. ¶ 고생을 해 봐야 사람이 되는 것이다.
사람(이) 좋다 구 사람의 됨됨이나 성질이 유순하다. 또는 너그러워서 사귀기 좋다. ¶ ~ 보니 아주 바보 취급한다.
사람 죽이다 구 ㉠매우 힘들고 고달프게 되다. ㉡사람을 어이없게 만들다. ¶ 세상에 그런 오해를 하다니, 사람 죽이네. ㉢황홀하게 하거나 녹여 주다. ¶ 그 맛 참 사람 죽이는군.
사:람-값 [-깝] 명 사람으로서 지닌 가치나 구실. ¶ 인제 ~ 좀 해라.
사:람-됨 명 사람의 됨됨이나 인품. 위인(爲人). ¶ ~이 영특하다.
사:람-멀미 명 사람이 많은 데서 느끼는 머리 아프고 어지러운 증세. ¶ 만원 극장에서 ~에 시달리다.
사:람사람-이 부 사람마다 모두. ¶ ~ 손에 태극기를 들었다.
***사랑** 명하타 **1** 아끼고 위하는 따뜻한 마음. ¶ 어머님의 ~. **2** 남녀가 서로 애틋이 그리는 일. 또는 그 마음. ¶ ~은 맹목적이다 / ~에 빠지다 / ~을 나누다 / ~을 속삭이다. **3** 남을 돕고 이해하는 마음. ¶ ~의 손길을 뻗치다. **4** 신의 은총으로 구원 또는 행복의 실현을 지향하는 생각. *박애·자비. **5** 열렬히 좋아하는 이성(異性). ¶ 그대는 영원한 나의 ~.
[사랑은 내리사랑] 윗사람이 아랫사람 사랑하기는 예사이나, 아랫사람이 윗사람을 사랑하기란 어렵다는 말.
사랑 (舍廊) 명 바깥주인이 거처하며 손님을 대접하는 곳《안채와 떨어져 있음》. 외당(外堂). 외실. ¶ ~에서 손님을 맞다.
사랑-니 명 [←사랑이] 입속의 맨 구석에 다른 어금니가 다 난 뒤, 성년기에 새로 나는 작은 어금니. 지치(智齒).
사랑-방 (舍廊房) 명 사랑에 있는 방. 또는 사랑으로 쓰는 방.
사랑-스럽다 [-스러우니, -스러워] 형ㅂ불 생김새나 행동이 사랑을 느낄 만큼 귀엽다. ¶ 하는 짓이 깜찍하고 ~. **사랑-스레** 부. ¶ 강아지를 ~ 쓰다듬다.
사랑-싸움 명하자 부부나 애인 사이에 일어나는 악의 없는 다툼. 준사랑쌈.
사랑-채 (舍廊-) 명 사랑으로 쓰는 집채.
사래[1] 명 묘지기나 마름이 수고의 대가로 얻어서 부쳐 먹는 논밭.
사래[2] 명 〖건〗 추녀 끝에 잇대어 댄 네모지고 짧은 서까래.
사래-논 명 묘지기나 마름이 수고의 대가로 얻어서 부쳐 먹는 논. 사경답(私耕畓).
사래-밭 [-받] 명 묘지기나 마름이 수고의 대가로 부쳐 먹는 밭. 사경전(私耕田).
사래-질 명하타 키 따위에 곡식을 담고 흔들어서 뉘·싸라기 또는 굵고 무거운 것과 잘고 가벼운 것을 따로 고르는 일.
사:략 (史略) 명 간략하게 쓴 역사.
사략-하다 (些略-) [-랴카-] 형여불 사소하고 간략하다.

사량 (思量) 명하타 생각하여 헤아림. 사료(思料).
사량 (飼糧) 명 소·말·돼지 따위와 같은 가축의 먹이.
사:레 명 음식을 잘못 삼키어 숨구멍으로 들어갈 때 갑자기 재채기처럼 뿜어 나오는 기운.
사:레-들다 〔-드니, -드오〕 자 사레들리다.
사:레-들리다 자 사레에 걸리다. 사레들다. ¶물을 급히 마시다가 사레들렸다.
사려 (思慮) 명하타 여러 가지 일에 대하여 깊게 생각함. 또는 그런 생각. 사념(思念). ¶~ 깊은 사람.
사:력 (死力) 명 목숨을 아끼지 아니하고 쓰는 힘. 죽을힘. ¶~을 다하여 싸우다.
사력 (沙礫·砂礫) 명 자갈.
사력 댐 (沙礫dam) 중앙에는 진흙을 넣고, 주변에는 자갈과 모래로 다지고 돌을 쌓아 만든 댐《소양강 댐 따위》.
사련 (邪戀) 명 떳떳하지 못한 연애. 도리에 벗어난 남녀 간의 사랑. ¶~에 빠지다.
사령 (司令) 명하타 **1** 군대 또는 함대를 통솔·지휘함. 또는 그 직책. **2** 연대급 이상의 단위 부대에서 일직 등 당직 근무를 맡은 책임 장교. ¶일직 ~.
사:령 (四靈) 명 전설상의 신령한 네 가지 동물《기린·봉황·거북·용》.
사:령 (死靈) 명 죽은 사람의 영혼. ↔생령(生靈).
사령 (私領) 명 **1** 개인 소유의 영지. 사유의 영지. **2** 제후의 영지.
사:령 (使令) 명하자 **1**〖역〗각 관아에서 심부름하던 사람. **2** 명령하여 일을 하게 함.
사령 (辭令) 명 **1** 응대하는 말. ¶외교 ~. **2** 관직의 임명·해임에 대한 공식적인 발령. **3** '사령장'의 준말.
사령-관 (司令官) 명〖군〗사령부의 장.
사령-부 (司令部) 명〖군〗사단급 이상의 부대에서, 사령관이 소속 부대를 통솔하고 지휘하는 본부.
사령-장 (辭令狀)[-짱] 명 관직을 임명·해임하는 뜻을 적어 본인에게 주는 문서. 사령서. 준사령.
사령-탑 (司令塔) 명 **1** 군함이나 항공 기지 따위에서 함장이나 사령관이 지휘를 하기 위하여 설비하여 놓은 탑 모양의 장소. **2** 작전을 짜고 지시를 내리는 중추부. ¶구조 조정의 ~.
사:례 (四禮) 명 관례·혼례·상례·제례의 네 가지 의례. 관혼상제.
사례 (私禮) 명 비공식적으로 사사로이 차리는 인사.
사:례 (事例) 명 실제로 일어난 일들의 낱낱의 예. ¶성공 ~/~를 들어 설명하다.
사:례 (謝禮) 명하자타 언행이나 물품으로 상대자에게 고마운 뜻을 나타냄. ¶~의 편지/후히 ~하다.
사:례-금 (謝禮金) 명 사례하는 뜻으로 주는 돈. ¶잃어버린 돈을 찾아 주고 후한 ~을 받다.
사로 (仕路) 명 벼슬길. 환로(宦路).
사:로 (死路) 명 막다른 길. 또는 죽음의 길.
사로 (邪路) 명 그릇된 길. 옳지 못한 길. 사도(邪道).
사로 (沙路·砂路) 명 모래가 깔린 길. 또는 모래를 깐 길.
사로 (思路) 명 글을 지을 때 생각을 더듬어 가는 과정.
사로 (斜路) 명 **1** 큰길에서 갈라져 빗나간 길. **2** 비탈길.
사로-잠그다 〔-잠그니, -잠가〕 타 자물쇠나 빗장 따위를 반쯤 걸어 놓다.
사로-잡다 타 **1** 산 채로 붙잡다. ¶범을 ~. **2** 매혹하여 홀리게 만들다. ¶마음을 ~/뛰어난 말솜씨로 청중을 ~.
사로-잡히다 [-자피-] 자 《'사로잡다'의 피동》**1** 산 채로 붙잡히다. ¶적에게 ~. **2** 마음이나 생각 따위가 한곳에 쏠리어 얽매이다. ¶미모에 ~/공포에 사로잡혀 외출을 못하다.
사록 (寫錄) 명하타 베낌. 옮겨 씀.
사:론 (士論) 명 선비들의 공론(公論).
사:론 (史論) 명 역사에 관한 이론 또는 주장.
사론 (私論) 명 개인의 사사로운 주장이나 이론. ↔공론(公論).
사뢰다 타 웃어른에게 삼가 말씀을 드리다. 아뢰다. ¶선생님께 삼가 사뢰겠습니다.
사:료 (史料) 명 역사를 연구·편찬하는 데에 재료가 되는 문헌이나 유물. 사재(史材).
사료 (思料) 명하타 깊이 생각하여 헤아림. 사량(思量). ¶하자(瑕疵) 없다고 ~됩니다.
사료 (飼料) 명 가축에 주는 먹이.
사:류 (士類) 명 선비의 무리.
사:륙-판 (四六版) 명〖인〗**1** 인쇄용지 규격의 하나. 가로 78.8 cm, 세로 109.1 cm의 양지(洋紙)의 판. **2** 서적 규격의 하나. 가로 13 cm, 세로 19 cm. 준사륙(四六). *국판.
사:륜 (四輪) 명 네 개의 바퀴. ¶~마차.
사르다[1] 〔사르니, 살라〕 타르불 **1** 불에 태워 없애다. ¶향을 ~/묵은 서류를 불에 ~. **2** 아궁이·화덕 등에 불을 붙이다. 불사르다. ¶아궁이에 불을 ~.
사르다[2] 〔사르니, 살라〕 타르불 키 등으로 사래질하여 못 쓸 것을 떨어 버리다.
사르르 부 **1** 맨 것이나 매어 달린 것이 저절로 힘없이 풀어지거나 떨어지는 모양. ¶옷고름이 ~ 풀리다. **2** 얼음이나 눈이 저절로 녹는 모양. ¶지붕 위의 눈이 ~ 녹았다. **3** 졸음이 살며시 오거나 또는 힘없이 눈을 감거나 뜨는 모양. ¶~ 졸음이 오다/졸음을 못 이겨 눈을 ~ 감다. **4** 살며시 순하게 움직이는 모양. ¶~ 방문을 열고 들어왔다. 큰스르르.
사름 명 모낸 지 4-5일 후에 뿌리가 땅에 잘 내려 모가 생생한 푸른빛을 띠게 되는 상태.
사릅 명 말·소·개 따위의 나이가 세 살임.
사리[1] ㊀명 **1** 국수·새끼·실 등을 동그랗게 포개어 감은 뭉치. ¶냉면 ~. **2** 윷놀이에서, 모나 윷. ㊁의명 **1** 국수·새끼·실 등의 뭉치를 세는 단위. ¶국수 한 ~. **2** 윷놀이에서, 모나 윷을 던진 횟수를 세는 단위. ¶윷 두 ~를 치다.
사리[2] 명 '한사리'의 준말.
사리 (私利) 명 개인의 사사로운 이익. ¶~를 탐하다. ↔공리(公利).
사:리 (事理) 명 일의 이치. ¶~에 밝다.

ㅅ

사리 (舍利·奢利) 명 〔산 śarīra〕〖불〗 **1** 부처나 성자의 유골《후세에는 화장한 후에 나오는 구슬 모양의 것을 일컬음》. 사리골(舍利骨). 불(佛)사리. **2** 부처의 법신(法身)의 유적인 경전.
사리 (saree, sari) 명 인도 힌두교의 여성들이 일상복으로 입는 민족 고유 복장. 재단한 의복이 아니고, 허리를 감고 머리를 덮어씌우거나 어깨너머로 늘어뜨리는 기다란 면포(綿布) 또는 견포(絹布)임.
사리다 타 **1** 국수·새끼·실 따위를 헝클어지지 않도록 동그랗게 여러 겹으로 포개어 감다. ¶국수를 뭉뭉으로 ~. **2** 뱀 따위가 몸을 똬리처럼 감다. ¶독사가 둥글게 몸을 ~. 큰서리다. **3** 박아서 나온 못 끝을 꼬부려 붙이다. **4** 어떤 일에 적극적으로 나서지 않고 몸을 아끼다. ¶몸을 사리지 않고 덤비다. **5** 겁먹은 짐승 등이 꼬리를 뒷다리 사이로 끼다. ¶개가 꼬리를 사리고 주인 뒤로 숨었다. **6** 정신을 차리거나 가다듬다. ¶마음을 굳게 사려 먹다.
사리-물다 〔-무니, -무오〕 자 이를 악물다.
사리-사리[1] 부 연기 따위가 가늘게 올라가는 모양.
사리-사리[2] 부 **1** 국수·새끼·실 따위를 사리어 놓은 모양. **2** 감정 따위가 복잡하게 얽힌 모양. ¶온갖 생각이 ~ 얽히다. 큰서리서리.
사리-사욕 (私利私慾) 명 개인의 이익과 욕심. 사리사복. ¶~을 꾀하다.
사리-탑 (舍利塔) 명 〖불〗 부처의 사리를 모셔 둔 탑.
사:린 (四隣) 명 **1** 사방의 이웃. **2** 사방에 이웃하여 있는 나라들.
사:림 (士林) 명 유림(儒林).
사:림 (史林) 명 역사에 관한 책.
사림 (詞林) 명 시문을 모아서 엮은 책.
사림 (辭林) 명 사전(辭典).
사립 명 '사립문'의 준말.
사립 (私立) 명 개인이 공익의 사업을 설립하여 유지하는 일. ¶~학교. ↔공립·국립.
사립 (絲笠) 명 명주실로 싸개를 하여서 만든 갓.
사립 (簑笠) 명 도롱이와 삿갓.
사립-대학 (私立大學) 명 개인 또는 사법인(私法人)이 설립·경영하는 대학. ¶~은 비교적 교육비가 많이 든다.
사립-문 (-門)[-림-] 명 사립짝을 달아서 만든 문. 시문(柴門). 준사립.
사립-짝 명 잡목의 가지로 엮어 만든 문짝. 경비(扃扉). 준삽짝.
사:마 (死魔) 명 죽음의 신. 죽음이란 마물.
사:마귀[1] 명 살갗에 낟알만 하게 돋는 군살. 흑자(黑子).
사:마귀[2] 명 〖충〗 사마귓과의 곤충. 몸이 가늘고 길며, 길이는 7-8cm, 머리는 삼각형임. 몸빛은 녹색 또는 황갈색, 앞다리 끝의 돌기가 낫처럼 되어 딴 곤충을 잡아먹는 데 편리함. 엄지벌레는 여름에 풀밭에서 삶. 버마재비. 당랑(螳螂).
***사막** (沙漠·砂漠) 명 〖지〗 메마르고 건조하여 식물이 거의 자라지 않으며, 모래와 자갈로 뒤덮인 불모의 매우 넓은 지역.
사막 기후 (沙漠氣候) 아열대에서 온대에 걸친 극단적으로 건조한 대륙성 기후《강수량이 극히 적어 식물이 거의 자라지 못하며 낮과 밤의 기온 차가 극심함》.
사망 명 장사에서 이익을 많이 보는 운수.
사:망 (死亡) 명하자 사람이 죽음. ¶~ 소식이 알려지다 / 예전과는 달리 질병으로 인한 ~이 많이 줄었다. ↔출생.
사:망-률 (死亡率)[-뉼] 명 **1** 사망자 수와 생존자 수의 비율. **2** 일 년 동안의 사망자 수의 총인구에 대한 비율.
사:망-자 (死亡者) 명 죽은 사람. 사망인. ¶~의 유해를 화장하다.
사-매 (私-) 명 예전에, 권세 있는 사람이 백성을 사사로이 때리던 매. *린치.
사:면 (四面) 명 **1** 사방. 모든 주위. ¶~이 바다로 둘러싸이다. **2** 사방의 면. 네 면.
사:면 (赦免) 명하타 〖법〗 죄를 용서하여 형벌을 면제함《일반 사면과 특별 사면이 있음》. ¶~ 복권이 단행되다 / 광복절 특사로 ~을 받았다 / 모범수가 ~되다. 준사(赦).
사면 (斜面) 명 **1** 비스듬한 면. 경사진 면. 비탈. 비탈면. ¶언덕 ~에 밭을 만들다. **2** 〖수〗 '빗면'의 구용어.
사:면-발니 [-리] 명 **1** 〖충〗 사면발닛과의 이. 길이 1-2mm, 폭 1mm 정도로 납작함. 사람 음부의 거웃 속에 붙어살며 물리면 몹시 가려움. 모슬(毛蝨). 음슬. 모두충(毛蠹蟲). **2** 여러 곳으로 다니며 아첨 잘하는 사람을 조롱하는 말.
사:면-장 (赦免狀)[-짱] 명 죄를 사면한다는 뜻을 적은 서장(書狀). 준면장.
사:면-체 (四面體) 명 〖수〗 네 개의 삼각형으로 둘러싸인 입체. 세모뿔.
사:면-초가 (四面楚歌) 명 〔중국 초(楚)나라 항우(項羽)가 그를 포위한 한(漢)나라 군사 쪽에서 초나라 노래가 들려와 초나라 군사가 한나라에 이미 항복한 줄 알고 놀랐다는 고사에서 유래 : 사기(史記)〕 아무에게서도 도움을 받지 못하는, 외롭고 곤란한 지경에 빠진 형편을 이르는 말.
사:면-팔방 (四面八方) 명 여기저기 모든 방향이나 방면. 사방팔방. ¶~이 어둠에 싸였다.
사:멸 (死滅) 명하자 죽어 없어짐. ¶모든 육신은 언젠가는 ~할 운명에 놓여 있다.
사:명 (死命) 명 **1** 생사의 기로에 선 목숨. 죽을 목숨. **2** 죽음과 생명. 사생(死生).
사명 (社名) 명 회사의 이름.
***사:명** (使命) 명 **1** 사자(使者)로서 받은 명령. **2** 맡겨진 임무. ¶맡은 바 ~을 다하다.
사:명 (賜名) 명하자 공이 있는 신하에게 임금이 이름을 내려 줌. 또는 그 이름.
사:명-감 (使命感) 명 주어진 임무를 제대로 수행하려는 기개(氣槪)나 책임감. ¶~이 투철한 사람.
사:-명일 (四名日) 명 우리나라의 사대 명일. 곧, 설·단오·추석·동지. 사명절.
사모 (思慕) 명하타 **1** 정을 들이어 애틋하게 생각하며 그리워함. ¶임을 ~하다. **2** 우러러 받들고 마음으로 따름. ¶스승을 깊이 ~하다.
사모 (師母) 명 **1** 스승의 부인. **2** 〖기〗 목사의 부인.
사:모 (紗帽) 명 〖역〗 고려 말에서 조선 때

에 걸쳐, 벼슬아치들이 관복을 입고 쓰던 검은 사붙이로 만든 예모《지금은 흔히 전통 혼례식 때 신랑이 씀》. 오사모(烏紗帽).
[사모 쓴 도둑놈] 재물을 탐하는 벼슬아치들을 욕하는 말. [사모에 갓끈] 차림새가 제격에 어울리지 않음.

사모(紗帽)

사모(詐冒) 명하타 거짓으로 속임.
사모(詐謀) 명 남을 속이려는 꾀.
사:모-관대(紗帽冠帶) 명 사모와 관대《지금은 전통 혼례나 폐백 때 씀》.
사모-님(師母-) 명 **1** 스승의 부인을 높여 일컫는 말. **2** 윗사람의 부인. **3** 남의 부인을 높여 일컫는 말.
사목(司牧) 명하자 〔가〕 사제가 신자를 통솔·지도하여 구원의 길로 이끄는 일. ¶~ 교서 / ~ 위원회가 구성되다.
사:묘(四廟) 명 고조·증조·조부·부(父)의 네 위패를 모신 사당.
사무(私務) 명 사사로운 개인의 일. ↔공무(公務).
사무(社務) 명 회사의 업무. 회사의 일.
사:무(事務) 명 관공서나 기업체 등에서 문서나 장부 등을 다루는 일. ¶~를 보다 / 경리 ~에 능하다. *업무.
사:무-국(事務局) 명 조직·단체 등에서, 주로 일반 행정 사무를 맡아보는 큰 단위의 부서.
사무사-하다(思無邪-) 형여불 마음에 조금도 나쁜 일을 생각함이 없다.
사:무-소(事務所) 명 어떤 단체·회사 등의 사무를 보는 곳.
사:무-실(事務室) 명 사무를 보는 방. ¶임대 ~을 얻다.
사:무-원(事務員) 명 사무를 보는 사람. 사무직원.
사:무 자동화(事務自動化) 사무의 효율성을 높이기 위하여 사무실에 각종 정보 처리 기기(機器)를 도입하여, 종합적으로 정보화된 사무 시스템을 구성·운용하는 일. 오에이(OA). 오피스 오토메이션.
사:무-장(事務長) 명 **1** 사무원을 지휘하고 그 사무를 관리하는 우두머리. **2** 상선(商船)·여객기 따위에서 사무를 처리하는 사람. 또는 그런 직위.
사:무-적(事務的) 관명 **1** 실제 사무에 관한 (것). ¶~인 두뇌. **2** 말이나 행동이 진심이나 성의가 없고 기계적이거나 형식적인 (것). ¶~인 대답.
사:무-총장(事務總長) 명 사무국의 일을 총괄·지휘하는 우두머리. 또는 그 직위.
사무치다 자 속 깊이 스며들다. 멀리까지 미치다. ¶원한이 뼈에 ~ / 그리움이 사무쳐 가슴이 터질 것만 같다.
사:문(死文) 명 조문만 있을 뿐 효력이 없는 법령·규칙. 공문(空文).
사문(寺門) 명 **1** 절의 문. **2** 절[1].
사문(私門) 명 조정(朝廷)에 대하여 자기 가문의 낮춤말.
사문(沙門) 명 〔불〕 머리를 깎고 불문에 들어 도를 닦는 사람. 곧, 출가한 승려.
사문(査問) 명하타 조사하여 따져 물음.
사문(師門) 명 **1** 스승의 집. **2** 스승의 문하.
사문(蛇紋) 명 뱀 껍질 모양의 무늬.
사문-난적(斯文亂賊) 명 성리학에서, 교리에 어긋나는 언동으로 유교(儒教)를 어지럽히는 사람.
사-문서(私文書) 명 사인(私人)이 권리·의무 또는 사실 증명에 관하여 작성한 문서. ¶~ 위조 혐의로 고소하다. ↔공문서.
사:문-화(死文化) 명하자타 법령이나 조문 따위가 그 효력을 잃어버림. 또는 그렇게 되게 함. ¶~된 지 오랜 법조문.
사:물(四勿) 명 논어에서 금하는 네 가지. 예(禮)가 아니면 보지 말며, 듣지 말며, 말하지 말며, 움직이지 말 것. 사잠(四箴).
사:물(四物) 명 〔민〕 풍물에 쓰는 네 가지 악기《꽹과리·징·북·장구》.
사:물(死物) 명 **1** 죽은 생물. **2** 쓰지 못할 물건. ↔활물(活物).
사물(私物) 명 개인이 사사로이 소유하는 물건. 사유물. ¶~함(函)을 정리하다 / ~의 반입을 엄금함.
사:물(事物) 명 **1** 일과 물건. **2** 물질 세계에 있는 모든 구체적이며 개별적인 존재의 총칭. **3** 〔법〕 사건과 목적물.
사:물(賜物) 명 **1** 임금이 하사하는 물건. **2** 윗사람이 아랫사람에게 내려 주는 물건.
사:물-놀이(四物-)[-롤-] 명 네 사람이 각기 꽹과리·징·장구·북 등 4가지 타악기로, 농악·무악 등에서 연주되는 리듬 음악을 합주하는 민속 음악.

사뭇[-묻] 부 **1** 거리낌 없이 마구. 마음대로 마냥. ¶홍에 겨워 ~ 떠들어 댄다. **2** 아주 딴판으로. ¶예상과는 ~ 다르다. **3** 내내 끝까지. 줄곧. ¶~ 바쁘기만 했다 / 올 여름은 ~ 더웠다.
사미(沙彌) 명 〔불〕 십계를 받고 불도를 닦는 어린 남자 승려. 사미승.
사미-니(沙彌尼) 명 〔불〕 불문에 든 지 얼마 안 되는 수행이 미숙한 여승.
사미-승(沙彌僧) 명 〔불〕 사미.
사:민(士民) 명 **1** 양반과 평민. **2** 양반 계급에 속한 사람.
사:민(四民) 명 **1** 사농공상(士農工商)의 네 가지 신분의 백성. **2** 온 백성.
사민(私民) 명 예전에, 귀족에게 예속되어 그 통제를 받던 백성. ↔자유민(自由民).
사바(娑婆) 명 〔산 sabhā〕 〔불〕 중생이 갖가지 고통을 참고 견뎌야 하는 이 세상. 인간 세계. 속세계. 사바세계.
사바나(savanna) 명 〔지〕 열대와 아열대의 비가 적은 지대의 초원《우기에만 키가 큰 풀이 자람》.
사바나 기후(savanna氣候) 〔기상〕 열대 기후의 하나. 열대보다 약간 위도가 높은 아열대에 가까운 지방에서 볼 수 있는, 우계(雨季)와 건계(乾季)의 구별이 뚜렷한 기후《기호는 Aw》. 열대 사바나 기후.
사바-세계(娑婆世界)[-/-게] 명 〔불〕 사바.
사박-거리다 자타 **1** 배·사과 등을 씹는 것 같은 소리가 자꾸 나다. 또는 그런 소리를 자꾸 내다. **2** 모래나 눈을 밟는 것 같은 소리가 자꾸 나다. 또는 그런 소리를 자꾸 내다. ㉢서벅거리다. **사박-사박** 부하자타. ¶모래 위를 ~ 걷다.
사박-대다 자타 사박거리다.
사:반-기 (四半期) 명 사분기(四分期).
사발 (沙鉢) 명 사기로 만든 국그릇이나 밥그릇. 아래는 좁고 위는 넓은 모양임. ¶~에 밥을 푸다.
사발-시계 (沙鉢時計)[-/-게] 명 사발 모양으로 둥글게 된 탁상시계.
사발-통문 (沙鉢通文) 명 호소문이나 격문 따위를 쓸 때에 주모자를 숨기기 위하여 관계자의 성명을 둥글게 삥 돌려 적은 통문. ¶~을 돌리다.
***사:방** (四方) 명 **1** 동·서·남·북의 네 방위. ¶~이 산으로 둘러싸인 산골 마을. **2** 둘레의 모든 방면. 여러 곳. 주위 일대. ¶지원자가 ~에서 몰려왔다.
사방 (沙防·砂防) 명 산·바닷가·강가 등에서 모래나 흙이 비바람에 씻기어 무너져 떠내려감을 막기 위해 나무를 심거나 돌을 쌓거나 하는 일.
사방-림 (沙防林)[-님] 명 산이나 바닷가의 흙·모래가 비에 떠내려감을 막기 위하여 이루어 놓은 숲. ¶~을 조성하다.
사:-방위 (四方位) 명 동·서·남·북 네 방위의 총칭.
사:방-치기 (四方-) 명 어린아이들의 놀이의 한 가지. 땅바닥에 네모나 동그라미 따위의 여러 공간을 구분해 놓고, 그 안에서 납작한 돌을 한 발로 차서 차례로 다음 공간으로 옮기어 가 정해진 공간에 가서는 그 돌을 공중으로 띄워 받아 돌아오는 놀이.

사방침

사:방-침 (四方枕) 명 팔꿈치를 괴고 비스듬히 기대어 앉게 된 네모진 베개.
사:방-탁자 (四方卓子) 명 다과·책·꽃병 따위를 올려놓는 네모반듯한 탁자(선반이 너덧 층 있음).
사:방-팔방 (四方八方) 명 모든 방향이나 방면. 사각팔방. ¶~으로 흩어지다.

사방탁자

사백 (舍伯) 명 남에게 자기의 맏형을 겸손하게 일컫는 말. 가형(家兄). 사형(舍兄).
사백 (詞伯) 명 시문(詩文)에 조예가 깊은 사람을 높이어 이르는 말. 사종(詞宗).
사:번-스럽다 (事煩-)〔-스러우니, -스러워〕형ㅂ불 일이 많고 번거로운 데가 있다. **사:번-스레** 부
사:번-하다 (事煩-) 형여불 일이 많고 번거롭다. **사:번-히** 부
사:범 (事犯) 명〔법〕형벌·징벌에 처할 만한 행위. ¶경제 ~을 검거하다.
사범 (師範) 명 **1** 모범. 본보기. **2** 유도·권투·바둑 등의 기예를 가르치는 사람. ¶유도 ~으로 일하다.
사범 대:학 (師範大學) 중·고등학교 교사 양성을 목적으로 하는 단과 대학. ㉫사대.
사법 (司法) 명〔법〕삼권의 하나. 사법 기관인 법원의 권한에 속하는 국가 작용. *입법·행정.
사법 (私法)[-뻡] 명〔법〕개인 사이의 권리·의무 관계를 규정한 법률(민법·상법 등). ↔공법(公法).
사법-관 (司法官) 명 사법권 행사를 맡은 공무원. 법관을 가리키며, 때로는 검찰관까지 포함됨.
사법-권 (司法權) 명 사법을 행하는 국가 통치권의 작용. 곧, 민사·형사·행정의 재판을 포함하는 법원의 권능.
사법-부 (司法府) 명 대법원 및 그 관할에 속한 모든 기관의 총칭. ¶~의 수장(首長)은 대법원장이다. *입법부·행정부.
사법 시험 (司法試驗) 국가 고시의 하나. 판사·검사·변호사 또는 군 법무관이 되려는 사람의 학식과 능력을 검정하기 위한 시험. ¶~의 수험 횟수가 제한되었다. ㉫사시(司試).
사-법인 (私法人) 명〔법〕사법에 의해 설립되고, 사법의 적용을 받는 법인(사단 법인·재단 법인으로 나누고, 그 목적에 따라 영리 법인·공익 법인으로 나눔). ↔공법인.
사법 재판 (司法裁判)〔법〕민사 및 형사 재판의 총칭.
사법 재판소 (司法裁判所) 민사·형사의 재판권을 행사하는 국가 기관. 곧, 사법 재판을 행하는 재판소로, 법원의 딴 이름.
사:벽 (四壁) 명 사방의 벽. 방의 네 벽.
사:변 (四邊) 명 **1** 사방의 변두리. **2** 주위. 근처. **3**〔수〕네 개의 변. ¶~의 길이가 같은 도형은 정사각형 또는 마름모이다.
사:변 (事變) 명 **1** 천재나 그 밖의 큰 사건. **2** 나라의 중대한 변사. 경찰력으로 막을 수 없어 병력을 사용하게 되는 난리. **3** 한 나라가 상대국에 선전 포고도 없이 무력을 쓰는 일. ¶~ 때는 민간인의 피해가 크다.
사변 (思辨) 명하자 **1** 생각으로 사물의 옳고 그름을 가려냄. **2**〔철〕경험에 의하지 않고 순수한 사유만을 통하여 현실 또는 사물을 인식에 도달하려는 일.
사변 (斜邊) 명〔수〕'빗변'의 구용어.
사변-적 (思辨的) 관명 경험에 의하지 않고 순수하게 이론적인 (것). ¶~ 방법으로 해결을 시도하다.
사:변-형 (四邊形) 명〔수〕사각형.
사:별 (死別) 명하자타 죽어서 이별함. ¶어려서 양친과 ~하다. ↔생별(生別).
사:병 (士兵) 명 장교가 아닌 부사관과 병사의 총칭. ↔장교.
사병 (私兵) 명 개인이 사사로이 길러 부리는 병사. 가병(家兵). ¶부하 직원을 ~처럼 다룬다. ↔관병(官兵).
사:보 (四寶) 명 네 가지 보배라는 뜻으로, 붓·먹·종이·벼루의 일컬음.
사보 (私報) 명하자 **1** 개인적으로 사사로이 알림. **2** 국보나 관용 전보 이외의 사사로운 전보. ↔공보(公報).
사보 (私寶) 명 개인이 가지고 있는 보물.
사보 (社報) 명 회사에서 사원이나 일반인을 대상으로 펴내는 정기 간행물. 사내보(社內報)와 사외보. ¶~에 기고하다.
사보타주 (≖ sabotage) 명하자 태업(怠業)1.
사복 (私服) 명 **1** 관복이나 제복이 아닌 보

통 옷. **2** '사복형사'의 준말. **—-하다**[-보카-] 자여불 사복을 입다. ¶거리에는 사복한 경찰들이 검문하고 있었다.

사복(私腹) 명 개인의 이익이나 욕심. ¶~을 채우다.

사복-형사(私服刑事)[-보켱-] 명 범죄의 수사나 그 밖의 필요로 신분을 숨기기 위해 사복을 입고 근무하는 경찰관. 준사복.

사본(寫本) 명하타 원본을 복사하거나 옮기어 베낌. 또는 그렇게 베낀 책이나 서류.

사:부(四部) 명 **1** 넷으로 나눈 부류. **2**〔악〕'사중창·사중주'의 준말.

사부(師父) 명 **1** 스승과 아버지. **2** 아버지처럼 우러러 존경하는 스승. '스승'의 존칭.

사부(師傅) 명 스승.

사부(詞賦) 명 **1** 운자(韻字)를 달아 지은 한문시의 총칭. **2** 사(詞)와 부(賦).

사부랑-거리다 자타 실없는 말을 주책없이 자꾸 지껄이다. 큰시부렁거리다. **사부랑-사부랑**[1] 부하자타

사부랑-대다 자타 사부랑거리다.

사부랑-사부랑[2] 부하형 여럿이 다 사부랑한 모양.

사부랑-삽작 부 힘들이지 않고 살짝 건너뛰거나 올라서는 모양.

사부랑-하다 형여불 묶거나 쌓은 물건이 꼭 다붙지 않고 느슨하다. 큰서부렁하다.

사-부인(査夫人) 명 '안사돈'의 존칭.

사부자기 부 힘들이지 않고 가만히. ¶일을 ~ 해치우다. 큰시부저기.

사부작-사부작 부하자 계속 사부자기 행동하는 모양. 큰시부적시부적.

사:-부주 명 격식을 갖추는 데 필요한 여러 조건. ¶~가 잘 맞는다.

사북 명 **1** 접부채의 아랫머리나 가위다리의 교차된 곳에 못과 같이 박아서 돌쩌귀처럼 쓰이는 물건. ¶부채 ~. **2** 가장 중요한 곳.

사:분(四分) 명하타 네 부분으로 나눔. ¶개발 지구를 동서남북으로 ~하다 / 유산을 ~하여 고루 나누어 주다 / 천하가 ~되다.

사분-거리다 자 **1** 슬쩍슬쩍 우스운 소리를 해 가면서 자꾸 성가시게 조르다. **2** 가만가만 지껄이다. **사분-사분** 부하자

사:분-기(四分期) 명 한 기간, 특히 1회계 연도를 4등분한 기간《차례에 따라 일사분기·이사분기·삼사분기·사사분기로 부름》.

사분-대다 자 사분거리다.

사:분-면(四分面) 명〔수〕**1** 원의 4분의 1. **2** 평면상에서 두 직선이 서로 직각으로 만날 때, 직선이 나누는 평면의 네 부분 중의 한 평면.

사분사분-하다 형여불 마음씨나 성질이 보드랍고 상냥하다. 큰서분서분하다.

사:분-쉼표(四分-標) 명〔악〕쉼표의 하나. 온쉼표의 1/4의 길이를 나타내는 쉼표. 기호는 𝄽.

사:분-오열(四分五裂) 명하자 **1** 여러 갈래로 갈기갈기 찢어짐. **2** 질서 없이 여러 갈래로 분열함. ¶당은 ~하여 공중분해했다.

사:분-원(四分圓) 명〔수〕한 개의 원을 서로 직교하는 두 지름으로 나눈 네 부분 중의 하나.

사:분-음표(四分音標) 명〔악〕온음표의 1/4의 길이를 나타내는 음표. 기호는 ♩.

사분-하다 형여불 좀 사부랑하다. 큰서분하다. **사분-히** 부

사붓[-붇] 부 소리가 나지 않을 정도로 발을 가볍게 얼른 내디디는 모양이나 소리. 큰서붓. 센사뿟.

사붓-사붓[-붇싸붇] 부하자형 소리가 나지 않을 정도로 발걸음을 가볍게 자꾸 옮기는 소리나 모양. ¶~ 걸음을 옮기다. 큰서붓서붓. 센사뿟사뿟.

사붓-이 부 발걸음을 소리 없이 가볍게. ¶~ 걷다.

사-붙이(紗-)[-부치] 명 발이 얇고 성긴 깁의 종류《갑사·은조사 등》. 사속(紗屬).

사브르(ㅍ sabre) 명 펜싱 경기에 쓰는 길이 105 cm, 무게 500 g 이하의 칼. 또는 그것으로 벌이는 경기의 한 종목. 사벨. *에페·플뢰레.

사브르

사비(私費) 명 개인이 부담하거나 들이는 비용. 자비(自費). ¶부족분을 ~로 보전하다. ↔관비·공비.

사비(社費) 명 회사에서 내는 비용. ¶사장의 개인 용도에 ~를 지출하다.

사비-생(私費生) 명 자기 개인의 돈으로 공부하는 학생. ↔관비생.

사뿐 부 소리가 나지 않게 발을 살짝 내디디는 모양. 큰서뿐. 거사푼. **—-히**[1] 부. ¶담에서 ~ 뛰어내리다.

사뿐-사뿐 부하자형 소리가 나지 않게 가볍게 발걸음을 계속적으로 옮기는 모양. ¶발걸음도 가볍게 ~ 걸어간다. 큰서뿐서뿐. 거사푼사푼.

사뿐-하다 형여불 몸과 마음이 가뿐하고 시원하다. **사뿐-히**[2] 부

사뿟[-뿓] 부 발을 소리가 나지 않을 정도로 가볍게 빨리 내디디는 모양이나 그 소리. 큰서뿟. 여사붓. 거사풋.

사뿟-사뿟[-뿓싸뿓] 부하자형 소리가 나지 않을 정도로 발걸음을 계속적으로 가볍게 옮기는 소리나 모양. 큰서뿟서뿟. 여사붓사붓. 거사풋사풋.

사사(些事) 명 사소한 일. 하찮은 일. 쇄사(瑣事). 소사(小事).

사사(私事) 명 사삿일. ↔공사(公事).

사사(邪思) 명 못된 생각. 사념(邪念).

사:사(事事) 명 이 일 저 일. 모든 일.

사사(師事) 명하자타 스승으로 섬김. 또는 스승으로 삼고 가르침을 받음. ¶김 선생님께 ~하여 그림을 배우다.

사:사(賜死) 명하자타〔역〕죽일 죄인을 대우하여 사약을 내려 스스로 죽게 하던 일. ¶~를 내리다 / ~를 당하다 / 유배지에서 ~되다.

사:사(謝辭) 명하자 **1** 고마움을 나타내는 말. **2** 사죄의 말. **3** 예로써 사양함. 또는 사양하는 말.

사:사건건(事事件件)[-껀껀] 一명 모든 일. 온갖 사건. ¶~에 말썽을 부리다. 二부 모든 일마다. 매사에. 건건사사. ¶~ 간섭하다 / 그는 ~ 나를 걸고넘어졌다.

사사-롭다(私私-)〔-로우니, -로워〕형ㅂ불 공적이 아니고 개인적인 관계의 성질을 띠고 있다. ¶사사로운 일에 참견 마라. **사**

사-로이 뿌. ¶그것은 ~ 한 일로 공무와는 무관하다.
사:-사분기 (四四分期) 명 1 1년을 4등분한 넷째 기간. 곧, 10-12월의 3개월. 사사반기(四四半期). ¶~ 중 수출이 수입을 웃돌았다.
사사-스럽다 (邪邪-) (-스러우니, -스러워) 형ㅂ불 말이나 행동이 간사하고 바르지 못한 데가 있다. 사사-스레 뿌
사:사-오입 (四捨五入) 명하타 〖수〗 '반올림'의 구용어.
사:산 (四散) 명하자 사방으로 흩어짐.
사:산 (死産) 명하타 〖의〗 임신 4개월이 지난 후 이미 죽은 태아를 낳는 일. ¶교통사고로 태아를 ~하였다/애석하게도 첫 해산에서 ~되었다.
사산 (私產) 명 사유의 재산. 사재(私財).
사산 (嗣產) 명 남의 집의 대를 이어 주어서 물려받는 재산. 곧, 양자가 양가(養家)에서 받은 재산.
사:살 명하자 '사설(辭說)2'의 변한말.
사살 (射殺) 명하타 활이나 총 따위로 쏘아서 죽임. ¶살인범을 ~하다/무참히 ~당한 양민들.
사삿-사람 (私私-) [-사싸-/-삳싸-] 명 사인(私人).
사삿-일 (私私-) [-삳닐] 명 사사로운 일. 사사(私事). ¶근무 시간 중에 ~을 보다.
사삿-집 (私私-) [-사찝/-삳찝] 명 일반 개인의 살림집. 사가(私家).

ㅅ

사:상 (史上) 명 역사에 나타나 있는 바. 역사상. ¶대회 ~ 최대의 참가 인원.
사:상 (四象) 명 1 '일월성신'의 총칭. 2 음양의 네 가지 상징《태양(太陽)·소양(少陽)·태음(太陰)·소음(少陰)》. 3 땅속의 물·불·흙·돌.
사:상 (死相) 명 1 죽을 상. 거의 다 죽게 된 얼굴. ¶그는 놀란 나머지 ~을 하고 있다. 2 죽은 사람의 얼굴.
사:상 (死傷) 명하자 죽거나 다침.
사:상 (事狀·事相) 명 사태(事態). ¶~을 명백히 설명하다.
사:상 (事象) 명 어떤 사정 밑에서 일어나는 일. 사실이나 사물의 현상.
*사:상 (思想) 명 1 어떤 사물에 대한 구체적인 사고나 생각. ¶건전한 ~. 2 사고 작용의 결과로 얻은 체계적 의식 내용. ¶원효의 불교 ~. 3 사회·인생 등에 관한 일정한 견해. ¶개혁적 ~/보수적 ~.
사:상 (捨象) 명하자 〖심〗 유의할 필요가 있는 현상의 특징 이외의 다른 성질을 버리는 일. *추상(抽象).
사상 (絲狀) 명 실처럼 가늘고 긴 모양.
사상 (寫像) 명 1 광학계(系)에서, 물체와 상과의 대응. 2〖수〗 공간의 일점에 대하여 다른 공간 또는 동일한 공간의 일점을 일정한 법칙에 따라 대응시키는 일.
사:상-가 (思想家) 명 어떠한 풍부하고 심원(深遠)한 사상을 가지고 이를 적극 주장하는 사람. ¶많은 ~를 배출하다.
사:상-계 (思想界) [-/-게] 명 1 사상 활동이 이루어지는 세계. 곧, 학술·종교 등의 세계. 2 학자·종교가 등과 같은 사상가들의 사회.
사상균-류 (絲狀菌類) [-뉴] 명 〖식〗 실 같은 균사(菌絲)를 가진 균류《곰팡이류(類)가 이에 속함》.
사상-누각 (沙上樓閣) 명 모래 위에 세운 누각이라는 뜻으로, 기초가 약하여 자빠질 염려가 있거나 오래 견디지 못할 일이나 물건.
사:상-범 (思想犯) 명 현존 사회 체제에 반대하는 사상을 가지고 개혁을 꾀하는 행위로 말미암은 범죄. 또는 그런 범인. ¶~으로 옥고를 치르다.
사:상-병 (死傷兵) 명 전투나 사고로 죽거나 다친 병사. ¶전투가 치열하여 많은 ~이 생겼다.
사:상-자 (死傷者) 명 죽은 사람과 다친 사람. ¶교통사고로 많은 ~가 발생하였다.
사:상-적 (思想的) 관명 어떤 사상에 관계되는 (것). ¶~인 동요가 일어나다.
사:색 (四色) 명 1 네 가지 빛깔. 2 〖역〗 조선 때, 붕당의 네 당파《노론·소론·남인·북인》. 사색당파.
사:색 (四塞) 명 1 사방이 산이나 내로 둘러싸여서 외적이 침입하기 힘든 요새. 2 사방이 막힘. 또는 사방을 막음.
사:색 (死色) 명 죽은 사람처럼 창백한 얼굴빛. ¶안색이 ~으로 변하다/~을 하고 항변하다.
사색 (思索) 명하타 사물의 이치를 따져 깊이 생각함. ¶~의 계절/~에 잠기다/인생을 깊이 ~하다.
사:색-판 (四色版) 명 〖인〗 황·청·적·흑의 네 가지 빛으로 박는 원색판.
사:생 (死生) 명 죽음과 삶. 사명(死命). ¶그것은 우리의 ~이 걸린 사건이다.
사생 (私生) 명하자 법률상 부부가 아닌 남녀 사이에서 아이가 태어남.
사생 (寫生) 명하타 자연의 경치나 사물 따위를 보고 그대로 그림. ¶산수(山水)를 ~하다.
사:생-결단 (死生決斷) [-딴] 명하자 죽고 삶을 돌보지 않고 끝장을 내려고 대듦. ¶~을 내다/~하고 덤비다.
사생-아 (私生兒) 명 〖법〗 법률상 부부가 아닌 남녀 사이에서 태어난 자식. 사생자(子). ¶~로 태어나다.
사생-자 (私生子) 명 사생아.
사생-화 (寫生畫) 명 실물을 보고 그대로 그린 그림. ↔상상화(想像畫).
사-생활 (私生活) 명 개인의 사사로운 일상생활. ¶~을 보호받다/~이 드러나다.
사:서 (士庶) 명 1 '사서인'의 준말. 2 일반 백성.
사:서 (史書) 명 1 역사에 관한 책. 2 사관(史官)의 글씨체.
사서 (司書) 명 도서관에서 도서의 정리·보존 및 열람에 관한 사무에 종사하는 사람.
사:서 (四書) 명 유교의 경전인 논어·맹자·중용·대학. ☞사서오경(四書五經).
사서 (私書) 명 1 사신(私信). 2 비밀히 하는 편지.
사서 (私署) 명 한 개인으로서 서명함. 또는 그 서명.
사서 (寫書) 명하자 책이나 서류를 베낌. 또는 그 책이나 서류.

사서 (辭書) 명 사전(辭典).
사:서-삼경 (四書三經) 명 사서와 삼경.
사:서-오경 (四書五經) 명 사서와 오경.

> **사서오경**
> **사서**…원래 '대학'과 '중용'은 '예기(禮記)'의 두 편(篇)이었는데 송(宋)나라 때 주자(朱子)가 이를 '논어'·'맹자'와 합쳐 '사서'로 정한 것임.
> **오경**…원래 시·서·예·악·역·춘추의 육경(六經)이었는데 한(漢)나라 무제(武帝) 때 '악경(樂經)'이 망실됨을 확인하고 '오경'이라 일컫게 된 것임.

사:-서인 (士庶人) 명 사대부(士大夫)와 서인(庶人). ㊣사서.
사서-함 (私書函) 명 '우편 사서함'의 준말.
사:석 (死石) 명 바둑에서, 상대편에게 죽은 바둑돌. 죽은 돌.
사석 (沙石·砂石) 명 모래와 돌.
사석 (私席) 명 사사로이 만난 자리. 사좌(私座). ¶~에서는 흉허물 없이 지낸다. ↔공석(公席).
사:석 (捨石) 명 바둑에서, 버릴 셈치고 작전상 놓은 돌. ¶~을 이용하다.
사:선 (死線) 명 **1** 죽을 고비. ¶~을 넘다. **2** 감옥·포로수용소 등의 둘레에 일정한 선을 정하여 이를 넘어서면 총살하도록 규정된 한계선.
사선 (私船) 명 **1** 개인 소유의 선박. **2** 국제법상, 사인(私人)의 용도에 쓰는 선박.
사선 (私線) 명 민간에서 가설한 전신선이나 철도선.
사선 (私選) 명하타 개인이 선택하거나 선임함. *국선(國選).
사선 (紗扇) 명 **1** 사(紗)를 발라 만든 부채. **2** 예전에, 벼슬아치가 외출할 때 바람과 먼지를 막기 위해 얼굴을 가리던 제구.
사선 (射線) 명 **1** 쏜 탄알·화살이 지나가는 선. **2** 〖군〗 사격장에서, 앉거나 서서 소총 등을 쏘도록 표적과 일정한 간격을 두고 시설한 곳. ¶~에 엎드려 사격을 하다.
사선 (斜線) 명 **1** 비끼어 그은 줄. **2** 〖수〗 한 평면 또는 직선에 비스듬한 선. 빗금.
사선 (蛇線) 명 뱀이 기어가는 모양으로 구불구불한 줄.
사설 (私設) 명하타 개인이 사사로이 설립함. 또는 그 시설. ¶~ 경호 단체/~ 유치원. ↔공설·관설.
사설 (私說) 명 한 개인의 의견.
사설 (邪說) 명 그릇된 설. 또는 올바르지 아니한 논설.
사설 (社說) 명 신문·잡지 따위에서 그 사(社)의 주장이나 의견을 써 놓은 논설. ¶신문의 ~.
사설 (辭說) 명하자 **1** 가사의 내용을 이루는 말. **2** 잔소리나 푸념을 길게 늘어놓음. 또는 그 잔소리나 푸념. ¶~이 길다/웬 ~이 그리 많으냐. **3** 판소리 따위에서 연기자가 사이사이에 엮어 넣는 이야기.
사설-시조 (辭說時調) 명 〖문〗 초장·중장·종장이 무제한으로 긴 시조. 특히 중장이 길며, 대화체로 된 것과 하나의 이야기와 같이 된 것도 있음. 장시조.
사:성 (四星) 명 사주단자의 봉투에 쓰는 말. 사주(四柱).
 사성(을) 받다 구 혼담이 결정되어 사주단자를 받다.
 사성(을) 보내다 구 혼담이 결정되어 사주단자를 적어 보내다.
 사성(이) 가다 구 혼담이 결정되어 사주단자를 가지고 가다.
 사성(이) 오다 구 혼담이 결정되어 사주단자를 가지고 오다.
사:성 (四聖) 명 **1** 사대 성인. **2** 중국에서, 복희씨(伏羲氏)·문왕(文王)·주공(周公)·공자의 네 성인. **3** 〖불〗 아미타불·관세음보살·대세지보살·대해중보살의 네 성인.
사:성 (四聲) 명 〖언〗 **1** 한자의 음을 소리의 높낮이와 길이로써 분류한 네 가지의 음운 《평성(平聲)·상성(上聲)·거성(去聲)·입성(入聲)》. **2** 현대 중국어에서, 성조(聲調)를 나타내는 제일성(第一聲)·제이성·제삼성·제사성을 일컫는 말.
사:성 (賜姓) 명하자 〖역〗 나라에서 공신에게 성을 내려 주던 일. 또는 그 성.
사:-성부 (四聲部) 명 〖음〗 소프라노·알토·테너·베이스의 네 성부.
사:성-점 (四聲點) [-쩜] 명 한자의 사성을 나타내는 표점. 방점(傍點). 성점(聲點).
사세 (司稅) 명하자 조세에 관한 사무를 주관하여 맡아봄.
사세 (社勢) 명 회사의 사업이 뻗어 나가는 기세. ¶~를 확장하다.
사:세 (事勢) 명 일이 되어 가는 형세. ¶~가 급박해지다/~를 냉정히 관망하다/~가 여의치 않다.
사세 (辭世) 명하자 이 세상을 하직함. 죽음.
사:세부득이 (事勢不得已) 부하형 일의 형세가 그렇게 하지 않을 수 없어. ¶~하여 그만두다. ㊣세부득이.
사-셈 (私-) 명하타 공동의 재산에 대해 혼자서 셈하고 다른 사람에게 보이지 않음.
사-소설 (私小說) 명 〖문〗 주로 작자 자신의 경험이나 심경을 소재로 쓴 사회성이 적은 소설《형식적으로 일인칭 소설》.
사:소취대 (捨小取大) 명하자 작은 것을 버리고 큰 것을 취함.
사소-하다 (些少-) 형여불 보잘것없이 작거나 적다. 사세(些細)하다. ¶사소한 일로 친구와 대판 싸우다. **사소-히** 부
사속 (紗屬) 명 사(紗)붙이.
사속 (嗣續) 명하타 대(代)를 이음.
사손 (嗣孫) 명 대(代)를 이을 손자.
사송 (詞訟) 명 〖역〗 조선 때, 민사에 관한 소송.
사:송 (賜送) 명하타 임금이 신하에게 물건을 내려 보내던 일.
사:수 (死水) 명 흐르지 않고 괴어 있는 물. 죽은 물. ↔활수(活水).
사:수 (死守) 명하타 죽음을 무릅쓰고 지킴. ¶온 힘을 다하여 진지를 ~하다.
사수 (射手) 명 총포·활 따위를 쏘는 사람. ¶기관총 ~/~ 교대.
사수 (師受) 명하타 스승에게 학문·기예의 가르침을 받음.
사숙 (私淑) 명하타 직접 가르침은 받지 않

앉으나 그 사람의 덕을 사모하고 본받아서 도나 학문을 닦음. ¶ ~하는 작가 / 톨스토이를 ~하다.
사숙 (私塾) [명] 사설의 서당. 글방.
사숙 (舍叔) [명] 자기의 삼촌을 남에게 이르는 말.
사숙 (師叔) [명] 〔불〕 스님의 형제 되는 승려.
사:순 (四旬) [명] 마흔 살. 또는 사십 대의 나이.
사:순-절 (四旬節) [명] 〔기·가〕 광야에서 그리스도가 40일간 금식하고 시험받은 것을 되살리기 위하여 단식·속죄를 행하도록 규정한 기간《부활절 전 40일간》.
사:술 (四術) [명] 시(詩)·서(書)·예(禮)·악(樂)의 네 가지 도(道).
사술 (邪術) [명] 요사스러운 술법.
사술 (射術) [명] 대포·총·활 등을 쏘는 기술.
사술 (詐術) [명] 못된 꾀로 남을 속이는 재주.
사슬 [명] **1** '쇠사슬'의 준말. ¶ ~을 끊다 / ~에 매이다. **2** 〔화〕 화학 구조식에서, 여러 개의 원자가 고리를 이루지 않고 한 줄로 곧게 이어진 짜임새. 직쇄(直鎖).
사슬-산적 (-散炙) [명] 꼬챙이에 꿰지 아니한 산적. 생선적에 양념한 쇠고기를 한 편에 붙이고 달걀을 씌워 번철에 지진 음식. [준]산적.
***사슴** [명] 〔동〕 사슴과의 짐승. 어깨 높이 80-90 cm, 몸빛은 갈색이며 성질이 온순함. 풀·이끼·나무 싹 등을 먹고 반추하며, 6-7개월 만에 새끼를 낳음. 뿔은 '녹용'이라 하여 강장제로 쓰고 피혁은 공예 재료로 씀.
ㅅ
사습 (私習) [명][하타] **1** 혼자 스스로 배워 익힘. **2** 활쏘기에서, 정식으로 쏘기 전에 연습으로 쏘는 일.
사:승 (史乘) [명] 사기(史記).
사승 (私乘) [명] 개인이 쓴 역사.
사승 (師承) [명][하타] 스승에게서 학문이나 기술 따위의 가르침을 받음.
사승 (師僧) [명] 〔불〕 스님.
사시 (司試) [명] '사법 시험'의 준말.
사:시 (四時) [명] 한 해의 네 철. 곧, 춘·하·추·동. 사계(四季). 사서(四序).
사:시 (死時) [명] **1** 목숨이 다하여 죽을 때. **2** 죽어야 할 시기.
사시 (社是) [명] 회사 따위의 경영상 방침 또는 주장. ¶ ~로 정직·근면을 내걸다.
사시 (斜視) [명][하타] **1** 〔의〕 안근(眼筋)의 이상으로 양쪽 눈의 시선이 평행하지 아니하는 상태. **2** 눈을 모로 뜨거나 곁눈질로 봄.
사:시-가절 (四時佳節) [명] 네 계절의 명절.
사시-나무 [명] 〔식〕 버드나뭇과의 낙엽 활엽 교목. 산 중턱 밑의 화전 터에 많이 나는데, 봄철에 잎에 앞서 꽃이 핌. 상자·성냥개비·제지 등으로 씀. 백양(白楊).
사시나무 떨듯 [구] 몸을 몹시 떠는 모양을 빗대어 이르는 말.
사시랑이 [명] **1** 가늘고 약한 사람이나 물건. **2** 간사한 사람이나 물건.
사:시-사:철 (四時四-) [명] 사계절 내내의 동안. ¶ 요즘은 ~ 과일이 출하된다.
사:시-장철 (四時長-) [부] 사철 중 어느 때나 늘. ¶ ~ 늘 푸른 나무.
사:시-장춘 (四時長春) [명] **1** 사철 어느 때나 늘 봄과 같음. **2** 늘 잘 지냄.
사:-시절 (四時節) [명] 봄·여름·가을·겨울의 사계절. 사철.
사식 (私食) [명] 유치장이나 교도소 등에 갇힌 사람에게 밖에서 마련하여 들여보내는 음식. ¶ ~을 넣다. ↔관식(官食).
사식 (寫植) [명] '사진 식자'의 준말.
사:신 (史臣) [명] 〔역〕 사초(史草)를 쓰던 신하. 곧, 예문관(藝文館)의 검열.
사:신 (四神) [명] 〔민〕 네 방위를 맡은 신《동의 청룡(靑龍), 남의 주작(朱雀), 서의 백호(白虎), 북의 현무(玄武)》.
사신 (邪臣) [명] 사악한 마음을 품은 신하.
사신 (邪神) [명] 재앙을 내린다고 하는 악한 귀신.
사신 (私信) [명] 개인의 사사로운 편지. 사서. 사한(私翰).
사:신 (使臣) [명] 임금이나 국가의 명령으로 외국에 사절로 가던 신하. ¶ 외국의 ~을 맞다.
사:실 (史實) [명] 역사에 실제로 있었던 사실(事實). ¶ ~에 바탕을 둔 사극(史劇).
사실 (私室) [명] 개인의 방.
***사:실** (事實) [一][명] **1** 실제로 있었던 일이나 현재에 있는 일. ¶ ~을 밝히다 / ~과 다르다 / 그것은 숨길 수 없는 ~이다. **2** 〔철〕 자연계에서 실제로 일어난 사건이나 현상. **3** 〔법〕 법률상으로 효과를 내는 현상. ¶ 혐의 ~을 부인하다. [二][부] 진실로. 정말로. 사실상. ¶ ~ 그 얘기가 맞는 말이다.
사실 (寫實) [명][하타] 사물을 실제 있는 그대로 그려 냄.
사:실-무근 (事實無根) [명][하형] 근거가 없음. 사실과 전혀 다름. 터무니없음. ¶ ~의 흑색 선전이 선거판을 흐린다.
사:실-상 (事實上) [-쌍] [一][명] 실제로 있었거나 현재도 있는 상태. ¶ ~의 부부. [二][부] 실지에 있어서. ¶ 그 계획은 ~ 수포로 돌아간 것이다.
사실-적 (寫實的) [-쩍] [관][명] 사물을 있는 그대로 그려 내는 (것). ¶ ~인 묘사 / 북한산을 ~으로 그리다.
사실-주의 (寫實主義) [-/-이] [명] 공상이나 이상을 배격하고 현실을 있는 그대로 그려 내는 문학상·미술상의 주의.
사:실-혼 (事實婚) [명] 〔법〕 사실상 부부 관계이나, 혼인 신고를 하지 않았기 때문에 법률상의 부부로 인정할 수 없는 상태. ↔법률혼.
사심 (邪心) [명] 정도(正道)에 어그러진 간사한 마음. ¶ ~을 품다.
사심 (私心) [명] **1** 사사로운 마음. 또는 자기 욕심을 채우려는 마음. 사의(私意). ¶ ~을 버리다. **2** 남에게 자기의 마음을 낮추어 일컫는 말.
사:십 (四十) [수][관] 마흔.
사:십구일-재 (四十九日齋) [명] 〔불〕 사람이 죽은 지 사십구일 되는 날에 지내는 재. 칠칠재(七七齋). 사십구재. ¶ ~를 엄수하다.
사악 (邪惡) [명][하형] 간사하고 악독함. ¶ ~한 생각을 품다.
사안 (私案) [명] 개인적인 생각. 또는 개인이 사사로이 만든 안.
사:안 (事案) [명] 법률적으로 문제되어 있는

일의 안건. ¶시급한 ~을 다루다.
사암(沙岩·砂岩) 명 〔광〕 돌의 부스러진 모래가 뭉쳐서 단단하게 굳어진 암석. 건축 재료나 숫돌로 씀.
사:액(賜額) 명하자 〔역〕 임금이 사당(祠堂)·서원(書院) 등에 이름을 지어 편액(扁額)을 내리던 일. ¶~ 서원.
사:약(死藥) 명 먹으면 죽는 약.
사약(私約) 명 개인 사이의 약속. 내밀한 약속. ↔공약(公約).
사:약(賜藥) 명하자 〔역〕 처형해야 할 중신 등에게 임금이 독약을 내림. 또는 그 독약. ¶죄인에게 ~을 내리다.
사양(斜陽) 명 **1** 저녁때 서쪽으로 기울어진 해. 또는 그 햇빛. 석양. **2** 시세의 변화에 따라 점점 쇠퇴하여 가는 일의 비유. ¶그것은 이미 ~ 기술이 되었다.
사양(飼養) 명하타 사육(飼育).
사양(辭讓) 명하타 겸손하여 받지 않거나 남에게 양보함. ¶극구 ~하다 / 선물은 ~하겠습니다.
사양-길(斜陽-)[-낄] 명 새로운 것에 밀려 사라지거나 몰락해 가는 중. ¶~로 접어들다 / ~을 걷다.
사양지심(辭讓之心) 명 사단(四端)의 하나. 겸손히 사양할 줄 아는 마음.
사-양토(沙壤土·砂壤土) 명 진흙이 비교적 적게 섞인 보드라운 흙.
사:어(死語) 명 옛날에는 썼으나 현재는 쓰이지 않는 말. 죽은말. ↔활어.
사어(私語) 명하자 **1** 드러나지 않게 가만히 속삭임. 또는 그런 말. **2** 사사로이 부탁하는 말.
사어(射御) 명 활쏘기와 말타기.
사:언-시(四言詩) 명 한 구가 넉 자로 이루어진 한시(漢詩).
***사:업**(事業) 명하자 일정한 목적과 계획을 가지고 어떤 일을 경영함. 또는 그 일. ¶~ 능력을 인정받다 / ~을 시작하다 / 자선 ~을 펼치다 / 공공 취로 ~에 종사하는 사람.
***사:업-가**(事業家) 명 사업을 계획하고 경영하는 사람. 또는 그 일에 능한 사람. ¶~의 기질이 다분하다.
사:업-장(事業場) 명 직접 사업 활동을 하는 일정한 장소. 사업소.
사:업-주(事業主) 명 〔경〕 경영하는 사업의 임자가 되는 사람《흔히, 자본주를 말함》. ¶~로서 많은 자본을 댔다.
사:업-체(事業體) 명 〔경〕 사업을 경영하는 한 기관으로서의 구성. ¶다른 나라로 ~를 옮기다. 준업체.
사:에이치 클럽(四Hclub) 1914년 미국에서 시작된 농촌 청소년 조직. 4H(=head·heart·hand·health) 곧, 지(智)·덕(德)·기(技)·체(體)를 연마하여 보다 나은 지역 사회 개발을 목적으로 함.
사:여(賜與) 명하타 나라나 관부에서 금품을 내려 줌. 사급(賜給). 시여(施與).
사:역(使役) 명하타 **1** 사람을 부리어 일을 시킴. 또는 시킴을 받아 어떤 작업을 함. ¶~에 동원하다. **2** 〔언〕 남에게 그 동작을 시키는 것을 나타내는 어법. ¶주동사를 ~형으로 표현하다. **3** 〔군〕 본디 임무 이외에 임시로 하는 잡무. ¶~에 차출되다.
사:역 동:사(使役動詞) 〔언〕 사(使)동사.
사역-원(司譯院) 명 〔역〕 고려·조선 때, 번역 및 통역 사무를 맡아보던 관청.
사:연(事緣) 명 일의 앞뒤의 사정과 까닭. ¶~이 복잡하다 / ~을 말하다.
사연(辭緣·詞緣) 명 편지나 말의 내용. ¶~을 띄우다 / 선물과 함께 ~을 적어 보내다.
사열(査閱) 명하타 **1** 조사하기 위하여 죽 살펴봄. **2** 〔군〕 지휘관이 정렬한 병사들 앞을 지나가면서 군사 교육 상태나 장비 유지 상태를 살펴보는 일. ¶~을 받다 / 부대를 ~하다.
사열-대(査閱臺)[-때] 명 〔군〕 사열하는 사람이 올라서는 높은 단. ¶보무당당히 ~ 앞을 행진하다.
사영(私營) 명하타 개인이 사사로이 사업을 경영함. ¶소규모의 ~ 보험. ↔관영(官營)·공영(公營)·국영(國營).
사영(射影) 명하타 **1** 물체의 그림자가 비치는 일. 또는 그 그림자. **2** 〔수〕 점·직선·평면 위에 있는 도형의 모든 점 및 직선과, 도형 밖의 한 점을 잇는 직선 및 평면의 집합으로 된 도형. 투영(投影).
사영(斜映) 명 빛이 비스듬히 비침.
사영(斜影) 명 비스듬히 비친 그림자.
사영(寫影) 명하타 물건의 형상을 비추어 나타냄. 또는 비친 그림자.
사:예(四藝) 명 거문고·바둑·글씨·그림의 네 가지 기예.
사예(射藝) 명 활 쏘는 기예. 사기(射技).
-사오- 선어미 '-사옵-'의 'ㅂ'이 'ㄴ·ㄹ·ㅁ'이나 모음으로 시작된 어미를 만나서 줄어진 선어말 어미. ¶믿~니 / 먹~니. *-으오-·-사옵-.
-사오이다 어미 '-으오이다'의 정중한 말. ¶그 일은 제가 하겠~. 준-사외다·-소이다. *-오이다·-으오이다.
사:옥(史獄) 명 역사에 관련된 옥사(獄事). *사화(史禍).
사옥(社屋) 명 회사가 들어 있는 집. 회사의 건물. ¶~을 새로 지어 이사하다.
-사옵- 선어미 '-으옵-'의 뜻으로 더 공손하게 하는 선어말 어미. ¶재물이 많~더니 결국 화를 입으셨더이다. 준-삽-. *-으옵-·-사오-.
-사옵니까[-옴-] 어미 '-사오-'에 '-ㅂ니까'가 결합한 의문을 나타내는 종결 어미. ¶언제쯤 가시겠~.
-사옵니다[-옴-] 어미 '-사오-'에 '-ㅂ니다'가 결합한 종결 어미. ¶내일 보내겠~.
사외(社外) 명 회사의 외부. 또는 회사의 직원이나 관계자가 아닌 사람. ¶~ 이사(理事) / 회사 기밀을 ~로 유출하다.
-사외다 어미 '-사오이다'의 준말. *-소이다·-외다·-으외다.
사욕(私慾) 명 자기 한 몸의 이익만 탐하는 욕심. ¶~을 채우다 / ~이 없다 / ~에 눈이 어두워지다.
사욕(邪慾) 명 **1** 바르지 못한 잘못된 욕심. 부정한 욕망. ¶~에 빠지다. **2** 육욕.
사용(私用) 명하타 **1** 공용물을 개인의 일에 사용함. **2** 개인의 사사로운 소용이나 용무. ↔공용.
***사:용**(使用) 명하타 물건을 쓰거나 사람을

ㅅ

부림. ¶존댓말을 ~하다 / 폐품을 ~하여 장난감을 만들다.

사:용 가치(使用價値)〖경〗사람의 욕망을 충족시키는 재화의 유용성. *교환 가치.

사:용-권(使用權)[-꿘] 명 〖법〗남의 땅이나 물건 등을 사용할 수 있는 권리.

사:용-량(使用量)[-냥] 명 사용하는 양. ¶전기 ~이 늘다.

사:용-료(使用料)[-뇨] 명 사용하는 대가로 내는 요금. ¶~가 비싸다.

사:용-법(使用法)[-뻡] 명 사용하는 방법. ¶기계의 ~ / 원고지 ~.

사:용-세(使用稅)[-쎄] 명 소비세의 한 가지. 유흥 음식세·입장세·통행세·전기세 따위가 있음.

사:용-인(使用人) 명 **1** 사용자. **2** 남의 부림을 받는 사람. 고용인.

사:용-자(使用者) 명 **1** 물건이나 시설 등을 사용하는 사람. 사용인. ¶휴대 전화 ~가 급격히 늘었다. **2** 사람을 부리는 당사자. 고용주. ¶노동자와 ~가 화합하다.

사:우(四友) 명 **1** 문방(文房)사우. **2** 눈 속에서 피는 네 가지의 꽃. 곧, 동백꽃·납매(臘梅)·수선화·옥매.

사:우(四隅) 명 **1** 네 구석. 네 모퉁이. **2** 방따위의 네 모퉁이의 방위《곧, 동남·동북·서남·서북》.

사:우(死友) 명 **1** 죽음을 함께 할 만한 아주 가까운 벗. **2** 죽은 친구.

사우(社友) 명 **1** 한 회사 또는 같은 결사에서 함께 일하는 동료. ¶~ 일동의 이름으로 축하하다. **2** 사원 외에 그 회사에 친분이 있어, 사원과 같은 대접을 받는 사람. ¶전·현직 ~들이 친목 단체를 조직하다.

사우(師友) 명 **1** 스승과 벗. **2** 스승으로 삼을 만한 벗.

사우(祠宇) 명 따로 세운 사당집.

사우(飼牛) 명하자 소를 먹여 기름. 또는 그런 소.

사우나(sauna) 명 핀란드식 증기 목욕. 가마에 돌을 넣고 가열한 열과 그 돌에 물을 뿌려 생기는 증기열로 방을 덥혀 거기서 땀을 냄. 사우나탕.

사:운(四韻) 명 **1** 네 개의 운각(韻脚)으로 된 율시(律詩). **2**〖언〗사성(四聲)1.

사운(社運) 명 회사의 운명이나 운수. ¶~이 날로 기울다 / 출판 사업에 ~을 걸다.

사운드 카드(sound card)〖컴〗소리를 저장하고 재생하는 기능을 수행하는 기본적인 장치의 하나. PC의 본체에 내장할 수 있도록 카드 형태로 만들어졌으며, 카드 내부에 디지털 신호 처리용 반도체 칩이 있어 생생한 효과음(效果音)과 소리를 저장하고 재생할 수 있음.

사운드 트랙(sound track) 영화 필름에서, 녹음을 넣은 가장자리 부분. 음구(音溝).

사원(寺院) 명 절이나 종교의 교당.

사원(私怨) 명 사사로운 원한. ¶~을 품다.

사원(社員) 명 **1** 회사에 근무하는 사람. 회사원. ¶~ 총회를 열다 / ~을 모집하다 / 신입 ~에게 자리를 배정하다. **2** 사단 법인의 구성원.

사:월(四月) 명 한 해 가운데 넷째 달.

사위[1] 명하자 미신으로 재앙이 올까 두려워 어떤 사물이나 언행을 꺼림.

사위[2] 명 **1** 윷놀이나 주사위를 놀 때에 목적한 끗수. **2** 어떤 일의 기본이 되는 긴요한 마디. ¶춤~ / 고빗~를 넘기다.

***사위**[3] 명 딸의 남편. 여서(女壻). ¶~ 노릇을 잘하다 / ~를 맞다〔보다〕.
[사위도 반자식(이라)] ㉠장인·장모에게는 사위에 대한 정이 자식에 대한 정 못지않다는 말. ㉡사위도 자식 노릇을 해야 할 때는 한다는 말. [사위 사랑은 장모] 사위를 아끼고 사랑하는 마음은 장인보다 장모가 더 극진하다는 말.

사:위(四圍) 명 사방의 둘레. 사주(四周). ¶~가 조용해지다 / ~가 산으로 둘러싸인 두메산골.

사위(嗣位) 명하자 왕위를 이어받음.

사위다 자 불이 다 타서 재가 되다. ¶숯불이 ~.

사위-스럽다〔-스러우니, -스러워〕 형ㅂ불 마음에 불길한 느낌이 들고 꺼림칙한 데가 있다. ¶사위스러운 예감이 들다. **사위-스레** 부

사윗-감[-위깜/-윋깜] 명 사위로 삼을 만한 사람. ¶~을 고르다 / 일찌감치 ~으로 점찍어 두다.

사유(私有) 명하타 개인이 사사로이 소유함. 또는 그런 소유물. ¶~의 토지. ↔공유(公有)·국유.

사:유(事由) 명 일의 까닭. 연고. 연유. ¶결근 ~를 밝히다 / ~가 분명하지 않다.

사유(思惟) 명하타 **1** 생각함. ¶논리적 ~. **2**〖철〗개념·판단·추리 따위의 정신 작용. 사고(思考).

사유-권(私有權)[-꿘] 명 재물을 개인 소유로 할 수 있는 권리. ¶~의 침해라고 항변하다.

사유-림(私有林) 명 개인 또는 사법인(私法人)이 소유하는 산림. ↔공유림.

사유-물(私有物) 명 개인 또는 사법인이 소유하는 물건. 사물. ↔공유물.

사유 재산(私有財産) 개인 또는 사법인(私法人)이 소유하는 재산.

사유 재산 제:도(私有財産制度)〖법〗국가 주권의 보호 아래 각 개인에게 재산 소유권을 인정하는 제도.

사유-지(私有地) 명 개인 또는 사법인(私法人)이 소유하는 토지. ↔공유지·국유지.

사유-화(私有化) 명 개인의 소유가 됨. 또는 개인의 소유로 만듦.

사육(飼育) 명하타 짐승을 먹여 기름. ¶가축의 ~ / 타조를 ~하다.

사:-육신(死六臣) 명〖역〗조선 세조 때 단종의 복위를 꾀하다 잡혀 죽은 이개·하위지·유성원·유응부·성삼문·박팽년의 여섯 충신. 육신. *생(生)육신.

사육-제(謝肉祭) 명〖가〗사순절(四旬節)이 시작되기 직전의 3-7일 동안 열리는 축제. 사순 시기의 금식·금육을 감안해 열리는 것으로, 가면을 쓰고 행렬하거나 연극과 놀이로 즐김. 카니발.

사은(私恩) 명 사사로이 입은 은혜. 또는 사사로이 베푸는 은혜.

사은(師恩) 명 스승의 은혜. ¶~에 보답〔감사〕하다.

사:은(謝恩) 명하자 받은 은혜를 감사히 여겨 사례함. ¶고객 ~ 대잔치.
사:은-회(謝恩會) 명 졸업생이나 동창생들이 스승의 은혜를 감사하는 뜻으로 베푸는 연회나 다과회.
사음(邪淫) 명하형 마음이 사악하고 음탕함.
사음(舍音) 명 마름[3].
사음(寫音) 명하타 부호 따위로 소리 나는 대로 적음. 또는 그 소리.
사의(私意)[-/-이] 명 1 개인의 의사. 사견(私見). 2 사욕을 차리는 마음. 또는 사사로운 정(情)이 섞인 공평하지 못한 마음. 사심(私心).
사의(私誼)[-/-이] 명 개인 사이에 사귀어 온 정분.
사의(私議)[-/-이] 명하타 1 사사로이 의논함. 또는 그 의논. 2 은밀히 또는 뒤에서 비평함. 3 사사로운 개인의 의견.
사의(邪意)[-/-이] 명 간악한 마음. 못된 마음. 사심(邪心).
사:의(事宜)[-/-이] 명 일이 이치에 맞아 마땅함. 알맞은 일.
사:의(事意)[-/-이] 명 일의 내용.
사의(寫意)[-/-이] 명 회화에서, 사물의 형식보다도 그 내용·정신에 치중하여 그림.
사:의(謝意)[-/-이] 명 1 감사하는 뜻. ¶후원자들에게 ~를 표하다. 2 사과하는 뜻.
사의(辭意)[-/-이] 명 1 글이나 말의 주장되는 뜻. 2 하던 일을 그만두고 물러날 뜻. ¶~를 표명하다 / ~를 번복하다.
사-의무(私義務)[-/-이-] 명 〖법〗 민법·상법 따위의 사법(私法) 관계에서 성립하는 의무. ↔공(公)의무.
***사이** 명 1 한 곳에서 다른 한 곳까지의 거리. 또는 그 거리 안의 어떤 곳. ¶서울과 부산 ~에 대전이 있다. 2 어떤 때로부터 다른 때까지의 동안. ¶눈 깜짝할 ~. 3 (주로 '없다'와 함께 쓰여) 어떤 일에 들일 시간적 공백 또는 여유. ¶바빠서 편지 쓸 ~도 없다. 4 서로 맺은 관계. ¶부부 ~. 5 서로 사귀는 정분. ¶~가 나쁘다 / 그와 나는 친한 ~다. 준새. ——하다 타 여불 사이에 두다. ¶이웃과 담 하나 ~하여 살고 있다.
사이(가) 뜨다 구 ㉠사이가 멀다. ㉡사이가 오래다. ㉢사이가 친하지 않다. 친하던 사이가 틀어지다. 준새뜨다.
사:이(四夷) 명 옛날, 중국에서 주변의 다른 민족을 오랑캐라고 낮추어 부르던 말. 곧, 동이(東夷)·서융(西戎)·남만(南蠻)·북적(北狄).
사이-갈이 명하타 농작물이 자라는 도중에 겉흙을 얕게 가는 일. 중경(中耕).
사이다(cider) 명 1 탄산이 섞인 청량음료. 2 사과즙을 발효시켜서 만드는 독한 술.
-사이다 어미 합쇼할 자리에서, 받침 없는 동사 어간에 붙어, 청유의 뜻을 나타내는 종결 어미. ¶저것을 보~. *-으사이다.
사이드라인(sideline) 명 구기(球技)에서, 경기장이나 코트의 좌우쪽에 그어진 줄. 터치라인. ¶공이 ~을 넘어 아웃되다.
사이드 스로(←side-arm throw) 야구에서, 투수가 팔을 지면과 거의 평행되게 휘두르면서 공을 던지는 투구법.
사이드 스텝(side step) 1 댄스에서, 한 발을 옆으로 내딛고 다른 발을 끌어다 붙이는 스텝. 2 권투 경기에서, 상대방을 피하기 위해서 옆으로 발을 내딛거나 뛰는 일.
사이드 아웃(side out) 1 테니스에서, 공이 사이드라인 밖으로 나가는 일. 2 배구에서, 서브를 한 쪽이 득점하지 못하고 서브권을 상대편에 넘기는 일.
사이드-카(sidecar) 명 사람·짐을 싣도록 오토바이 따위의 옆에 달린 차량. 또는 그런 오토바이.
사이렌(siren) 명 시간이나 경고를 알리기 위한 음향 장치. 많은 공기 구멍이 뚫린 원판(圓板)을 빠른 속도로 돌려, 공기의 진동으로 소리 나게 함. ¶공습경보 ~이 울리다.
사이버(cyber) 명 〖컴〗 컴퓨터 통신망. 전자두뇌의 뜻. ¶~ 주식 거래가 날로 늘어나다.
사이버 공간(cyber空間) 〖컴〗 컴퓨터에서, 실제 세계와 비슷하게 만들어 내는 가상 공간.
사이버네틱스(cybernetics) 명 사람 및 기계에 나타난 제어와 통신의 이론·기술을 종합적으로 연구하는 학문. 인공 지능·제어 공학·통신 공학 따위에 응용함. 인간 두뇌학.
사이보그(cyborg) 명 〔cybernetic organism〕 특수한 환경에 적응할 수 있도록, 기계나 인공 장기 등으로 개조된 인간.
사:이비(似而非) 명하형 겉은 비슷하나 속은 완전히 다름. 또는 그런 것. ¶~ 기자 / ~ 종교.
사이-사이 명 사이와 사이. ¶돌무덤 ~로 새싹이 돋아나다. 준새새.
사이-시옷[-옫] 명 〖언〗 순 우리말, 또는 순 우리말과 한자어로 된 합성어로서 앞말이 모음으로 끝날 때 뒷마디의 첫소리를 된소리로 나게 하거나 'ㄴ' 소리를 첨가하기 위하여 앞말에 받치어 적는 'ㅅ' 받침(('깃발'·'나뭇잎' 등의 'ㅅ')).
사이-좋다[-조타] 형 서로 다정하거나 친하다. ¶친구와 사이좋게 지내다.
사이즈(size) 명 신발이나 옷 따위의 치수. 크기. 치수. ¶~가 크다 / ~를 재다.
사이-짓기[-짇끼] 명하타 〖농〗 주되는 농작물 사이에 다른 농작물을 심어 가꿈. 간작(間作).
사이-참(-站) 명하자 일을 하다가 잠시 쉬는 동안. 또는 그때에 먹는 음식. 준새참.
사이클(cycle) ⊟명 1 자전거. 2 〖물〗 주기(週期). 3 사물이 일정한 주기로 되풀이하여 순환하는 일. ¶물가 동향에는 계절적인 ~이 있다. ⊟의명 〖물〗 진동, 주파수의 단위((현재는 '헤르츠(Hertz)'를 씀)).
사이클론(cyclone) 명 1 〖기상〗 주로 인도양에서 발생하는 열대성 저기압 중 폭풍을 동반하는 것. 2 기체 또는 액체 속에 섞인 고체 입자를 분리하거나 액체 방울을 기체와 분리하는 화학 기계.
사이클 히트(cycle hits) 야구에서, 한 타자가 한 게임에서 1루타·2루타·3루타·홈런을 모두 치는 일.
사이펀(siphon) 명 1 〖물〗 한쪽은 길고 다른 한쪽은 짧은 'U' 자 모양의 굽은 관. 압력의 차를 이용, 그릇을 기울이지 않고, 그 속의 물을 다른 곳에 옮기는 데 씀. **2** 커피를 끓이는 기구의 하나. 플라스크 위에 깔때기 모양의 유리관을 붙인 것.

사익 (私益) 명 개인의 이익. 사리(私利). ↔공익(公益).

사:인 (士人) 명 벼슬을 하지 않은 선비. 사자(士子).

사:인 (死人) 명 사자(死者).

사:인 (死因) 명 죽게 된 원인. 사망의 원인. ¶～ 불명 / ～을 밝히다.

사인 (私人) 명 사적인 자격으로서의 개인. 사삿사람. ¶～ 자격으로 참여하다. ↔공인(公人).

사인 (私印) 명 개인이 쓰는 도장. 개인 도장. ¶～을 도용하다. ↔관인.

사인 (社印) 명 회사의 공식적인 도장.

사인 (sign) 명하자 **1** 서류 따위에 서명함. 또는 그 서명. ¶～을 받다 / 서류에 ～을 하다. **2** 몸짓·눈짓 등으로 의사를 전달함. 또는 그 동작. ¶～을 보내다.

사인 (sine) 명 〔수〕 삼각 함수의 하나. 직각 삼각형의 한 예각의 대변과 빗변의 비를 그 각에 대하여 일컫는 말《기호는 sin》. 정현(正弦). ↔코시컨트.

사:인-교 (四人轎) 명 앞뒤에 각각 두 사람씩 모두 네 사람이 메는 가마.

사인교

사인-펜 (sign+pen) 명 나일론이나 폴리에스테르 섬유를 굳혀 만든 심에 수성 잉크를 넣은 필기도구.

사일 (斜日) 명 저녁때가 되어 서쪽으로 기울어진 해. 사양(斜陽).

사일로 (silo) 명 돌·벽돌 따위로 지은 원형 탑모양의 창고《겨울철에 가축의 먹이인 풀·곡물 따위를 마르지 않게 저장함》. 저장탑.

사일로

사임 (辭任) 명하자타 맡아보던 직책을 스스로 그만두고 물러남. ¶장관직을 ～하다 / 총리가 ～하다.

사잇-소리 [-이쏘- / -읻쏘-] 명 〔언〕 **1** 한 소리와 한 소리 사이에서 나는 소리. **2** 단어 사이에 들어가는 'ㅅ'과 'ㆆ'. 훈민정음 제정 당시에는 ㄱ·ㄷ·ㅂ·ㅸ·ㆆ·ㅅ·ㅿ들이 쓰였음.

사잇소리 현:상 (-現象) [-이쏘- / -읻쏘-] 〔언〕 합성 명사에서, 앞의 말의 끝소리가 울림소리이고, 뒷말의 첫소리가 안울림 예사소리일 때, 뒤의 예사소리가 된소리로 변하는 일《'배사공'→'뱃사공', '종소리'→'종쏘리' 따위》.

사:자 (死者) 명 죽은 사람. 사인(死人).

사:자 (使者) 명 **1** 명령을 받고 심부름하는 사람. **2** 〔불〕 사람이 죽으면 그 혼을 저승으로 잡아간다는 저승 귀신.

사자 (師子) 명 〔불〕 스승과 제자 승려.

사자 (師資) 명 **1** 스승과 제자의 관계. **2** 스승으로 삼고 의지하는 일. 또는 그런 사람.

사자 (嗣子) 명 대(代)를 이을 아들.

***사자** (獅子) 명 〔동〕 고양잇과의 맹수. 범과 비슷한데, 몸길이 2 m, 꼬리 90 cm, 어깨 높이 1 m 가량으로 수컷은 머리에서 목까지 긴 갈기가 있음. 주로 인도 서부·아프리카의 초원에 무리 지어 사는데, 밤에 활동하며 사냥은 주로 암컷이 함. 머리에 비해 몸통이 작고 기운이 세어 짐승의 왕으로 불림. 라이온(lion).
[사자 없는 산에 토끼가 왕 노릇 한다] 주장되는 사람이 없는 데서 하찮은 사람이 우쭐거림을 놀림조로 이르는 말.

사자 (寫字) 명하타 글씨를 베끼어 씀.

사자-춤 (獅子-) 명 〔민〕 사자의 탈을 쓰고 추는 춤. 사자무(獅子舞).

사자-코 (獅子-) 명 사자의 코처럼 생긴 들창코. 또는 그런 코를 가진 사람.

사자-탈 (獅子-) 명 사자의 형상처럼 만들어 연희에서 쓰는 탈.

사자-후 (獅子吼) 명하자 **1** 〔불〕 부처의 위엄 있는 설법을 사자의 울부짖음에 비유한 말. **2** 크게 부르짖어 열변을 토함.

사:잣-밥 (使者-) [-자빱 / -잗빱] 명 〔민〕 초상난 집에서 죽은 사람의 넋을 부를 때에 저승사자에게 대접하는 밥《세 그릇을 담 밑이나 지붕 모퉁이에 놓았다가 발인할 때 치움》.

사:장 (死藏) 명하타 활용하지 않고 쓸모없이 썩힘. ¶값진 책들이 장식물로 ～되고 있다.

사장 (私藏) 명하타 개인이 사사로이 감추어 두거나 간직하여 둠. ¶그는 국보급 도자기를 ～하고 있다.

사장 (沙場·砂場) 명 모래톱. 모래사장.

사장 (社長) 명 회사의 우두머리. ¶출판사〔계열사〕 ～.

사장 (査丈) 명 사돈집의 웃어른의 높임말. ¶～ 어른.

사장 (師丈) 명 '스승'의 존칭.

사장 (師匠) 명 학문·기예가 뛰어나 남의 스승이 될 만하거나 남을 가르치는 사람.

사장 (師長) 명 스승과 나이 많은 어른.

사장 (射場) 명 활터.

사장 (詞章·辭章) 명 시가(詩歌)와 문장.

사장 (寫場) 명 **1** 사진 찍는 시설을 갖춘 곳. **2** 사진관.

사:장 (謝狀) 명 **1** 사례(謝禮)하는 편지. 사함(謝函). **2** 사과하는 편지.

사장 (辭狀) 명 사표(辭表).

사:재 (史才) 명 사관(史官)이 될 만한 재능.

사:재 (史材) 명 사료(史料).

사재 (私財) 명 개인이 소유하고 있는 재산. 사자(私資). ¶～를 들여 야학교를 세우다.

사-재기 명하타 품귀(品貴)나 값이 크게 오를 것을 예상하고 필요한 양 이상으로 사 두는 일. 매점(買占). ¶가격 인상에 대비해 생필품을 ～하다.

사-재다 타 값이 크게 오를 것을 예상하고 필요 이상으로 사 두다.

사저 (私邸) 명 **1** 개인의 저택. **2** 고관이 사사로이 거주하는 주택을 관저에 상대하여 이르는 말. ¶관저를 마다하고 ～에서 생활하다. ↔관저(官邸).

사:적 (史的) [-쩍] 관명 역사적인 (것). ¶～ 고찰 / ～인 관점에서 재조명하다.

*사:적 (史跡·史蹟) 명 역사에 남은 자취. 역사상의 유적. ¶~을 보존〔답사〕하다. ☞기념물(紀念物).
사:적 (史籍) 명 사기(史記).
사적 (私的)[-쩍] 관명 개인에 관계가 있는 (것). ¶~ 감정(感情) / ~ 제재를 가하다 / ~인 친분이 없다. ↔공적.
사:적 (事績) 명 일의 실적. 일의 공적.
사:적 (事跡·事迹) 명 사건의 자취. 일의 형적. ¶역사상의 ~.
사적 (射的) 명 활이나 총을 쏘는 과녁.
사:적 유물론 (史的唯物論)[-쩍-] 〔철〕 유물 사관(史觀).
사:적-지 (史跡地) 명 역사적으로 중요한 사건이나 사실의 자취가 남아 있는 곳.
사전 (私田) 명 개인이 소유하는 논밭. ↔공전(公田).
사전 (私錢) 명 1 '사천'의 본딧말. 2 개인이 위조한 가짜 돈. ↔관전(官錢).
사전 (祀典) 명 제사를 지내는 예전(禮典).
사:전 (事典) 명 여러 가지 사항을 모아서 일정한 순서로 배열하고 그 하나하나에 해설을 붙인 책. ¶백과~ / 세계사 ~. *사전(辭典).
사:전 (事前) 명 일이 있기 전. 일을 시작하기 전. ¶~ 통고 / ~ 준비 / 그 일은 ~에 알고 있었다. ↔사후.
*사전 (辭典) 명 낱말을 모아서 일정한 순서에 따라 늘어놓고, 낱낱이 그 발음·뜻·용법·어원 등에 관하여 해설한 책. 사서(辭書). 사림(辭林). ¶국어~ / ~을 찾다 / ~을 편찬하다. *사전(事典).
사:절 (死絶) 명하자 1 숨이 끊어져 죽음. 2 자손이 다 죽어 대(代)가 끊어짐.
사:절 (死節) 명하자 죽음으로써 절개를 지킴. 또는 그 절개.
사:절 (使節) 명 나라의 대표로 사명을 띠고 남의 나라에 가는 사람. ¶외교 ~ / 아프리카에 친선 ~을 보내다.
사:절 (謝絶) 명하타 요구나 제의를 받아들이지 않고 사양하여 물리침. ¶면회 ~ / 외상은 ~합니다.
사절 (辭絶) 명하타 사양하여 받지 않음.
사:-절기 (四節氣) 명 춘분·하지·추분·동지의 네 절기.
사:절-단 (使節團)[-딴] 명 사절로서 외국으로 가는 사람들의 무리. ¶통상 ~이 내한했다.
사:절-지 (四折紙)[-찌] 명 전지(全紙)를 넷으로 접어 자른 크기의 종이. ¶~ 크기로 주간 신문을 간행하다.
사정 (司正) 명하타 그릇된 일을 다시 바로잡음. ¶~ 위원회의 구성 / 표적 ~이라고 항변하다.
사정 (邪正) 명 그릇됨과 올바름. ¶~을 가리다.
사정 (私情) 명 개인의 사사로운 정. ¶~에 끌리다 / ~을 두고 말하다.
*사:정 (事情) 명하자타 1 일의 곡절이나 형편. ¶이러한 ~으로 / 전후 ~을 설명하다. 2 처하고 있는 처지. 정상. ¶가정 ~. 3 딱한 처지를 하소연하여 용서나 도움을 비는 일. ¶아무리 ~해도 소용없었다.
사정 (査正) 명하타 조사하여 그릇된 것을 바로잡음.
사정 (査定) 명하타 조사·심사하여 결정함. ¶세액을 ~하다.
사정 (射程) 명 총구에서 탄환이 도달할 수 있는 수평 최대 거리. ¶~에서 벗어나다 / 적이 ~거리 안에 들어오다.
사정 (射精) 명하자 〔생〕 성교할 때 남자가 정액을 반사적으로 내쏘는 일. 파정(破精).
사정 (寫情) 명하자 보거나 느낀 실정을 그대로 그려 냄.
사:정-사정 (事情事情) 명하자타 남에게 자신의 딱한 사정을 간곡하게 하소연하거나 비는 모양. ¶~하여 빌린 돈.
사:정-없다 (事情-)[-업따] 형 남의 사정을 헤아려 돌봄이 없이 매몰차다. ¶사정없는 처사. 사:정-없이 [-업씨] 부. ¶~ 때려 내쫓다.
사제 (司祭) 명 〔가〕 1 주교와 신부의 총칭. 2 주교의 아래인 성직자《의식과 전례를 맡아봄》.
사:제 (四諦) 명 〔불〕 영원히 변하지 않는 네 가지의 성스러운 진리. 곧, 고제(苦諦)·집제(集諦)·멸제(滅諦)·도제(道諦)의 총칭. 사성제(四聖諦).
사제 (私第) 명 개인 소유의 집. 사택(私宅). 자택.
사제 (私製) 명하타 개인이 만듦. 또는 그 물건. ¶~ 엽총 / ~ 폭탄. ↔관제(官製).
사제 (舍弟) 一명 남에게 자기 아우를 겸손하게 이르는 말. 가제(家弟). 二인대 편지 따위에서, 아우가 형에게 자기를 일컫는 말. ↔사형(舍兄).
사제 (師弟) 명 1 스승과 제자. ¶~ 간. 2 〔불〕 스님의 상좌에 대하여 그보다 나이가 적은 승려.
사제-단 (司祭團) 명 〔가〕 사제들로 이루어진 단체《사제직에 있는 주교·사제·부제로 구성됨》.
사제지간 (師弟之間) 명 스승과 제자의 관계. ¶그분과는 ~이다.
사제-품 (私製品) 명 사사로이 만든 물품.
사:조 (四祖) 명 아버지·할아버지·증조할아버지·외할아버지의 총칭.
사조 (査照) 명하타 조사하여 대조함.
사조 (思潮) 명 사상의 흐름. 한 시대의 사상의 일반적인 경향. ¶근세의 문예 ~.
사조 (詞藻·辭藻) 명 〔문〕 1 시가(詩歌)나 문장. 2 시문의 재주. 3 시문의 문채(文彩) 또는 말의 수식.
사조 (飼鳥) 명 집에서 기르는 새. 농조(籠鳥). ↔야조(野鳥).
사-조직 (私組織) 명 개인적으로 만든 조직. ¶선거에 ~을 동원하다.
사:족 (士族) 명 1 문벌이 높은 집안. 또는 그 자손. 2 선비 등의 집안. 또는 그 자손.
사:족 (四足) 명 1 짐승의 네 발. 또는 네 발 가진 짐승. 2 〈속〉 사지(四肢).
[사족 성한 병신] 아무 일도 않고 빈둥거리며 놀고먹는 사람.
사족(을) 못 쓰다 구 무엇에 반하거나 혹하여 꼼짝 못하다. ¶술과 젊은 여자라면 사족을 못 쓴다.
사족 (蛇足) 명 '화사첨족(畫蛇添足)'의 준말로 군더더기로 덧붙이는 말. ¶~을 달다.

사:졸 (士卒) 명 1 군사(軍士). 2 장기에서, 사(士)와 졸(卒).
사:종 (四從) 명 십촌뻘 되는 형제자매.
사종 (師宗) 명 스승으로 받들어 모시는 사람.
사종 (詞宗) 명 사백(詞伯).
사:종 (肆縱) 명하자 자기 마음대로 방종(放縱)한 행동을 함.
사종 (辭宗) 명 시문(詩文)의 대가.
사:죄 (赦罪) 명하타 1 죄를 용서하여 죄인을 석방함. 2〔가〕 고해 성사(告解聖事)를 통해서 하느님께서 죄를 용서함.
사:죄 (謝罪) 명하자타 지은 죄나 잘못에 대해 용서를 빎. ¶~하고 피해 보상을 약속하다.
사:주 (四周) 명 사위(四圍).
사:주 (四柱) 명 1 사람이 태어난 해·달·날·시의 네 육십갑자《혼인이나 운수를 점치는 자료가 됨》. ¶~가 좋다. *팔자. 2 사주단자. ¶~를 보내다.
사주(가) 세다 구 ㉠사주가 나쁘다. ㉡일생에 풍파가 많다.
사주(를) 보다 구 사주에 의하여 신수를 점치다.
사주 (社主) 명 회사 따위의 주인.
사:주 (使酒) 명하자 술김에 기세를 부림.
사:주 (使嗾) 명하타 남을 부추겨 좋지 않은 일을 시킴. 사촉(唆囑). ¶~를 받다 / 폭력을 ~한 혐의로 구속되었다.
사주 (沙洲·砂洲) 명〔지〕 바람·파도·조류에 밀린 잔돌이나 모래가 해안이나 하구(河口)에 쌓이어 둑 모양을 이룬 모래톱.
사:주-단자 (四柱單子)[-딴-] 명 혼인을 정하고 신랑 집에서 신부 집으로 신랑의 사주를 적어 보내는 간지(簡紙). ㊟주단(柱單).
사:주-쟁이 (四柱-) 명 남의 사주를 보아 주는 일을 업으로 하는 사람.
사:주-팔자 (四柱八字)[-짜] 명 1 사주의 간지(干支)가 되는 여덟 글자. 2 타고난 운수. ¶~가 사납다.
사죽 (斜竹) 명 1 제기 따위에 과일을 괼 때 무너지지 않도록 꽂는 대꼬챙이. 2 힘이 없는 물건을 빳빳하게 하기 위하여 틈이나 격지에 끼는 가는 대오리.
사:중 (四重) 명 네 겹. 네 번 겹침.
사:중-주 (四重奏) 명〔악〕 네 개의 악기로 연주하는 실내악의 한 가지. 현악 사중주와 피아노 사중주 등이 있음. ㊟사부(四部).
사:-중창 (四重唱) 명〔악〕 성부(聲部)가 다른 네 사람에 의한 합창《남성·여성·혼성 사중창 따위로 나뉨》. ㊟사부(四部).
사증 (査證)[-쯩] 명 1 조사하여 증명함. 2 여권 소유자가 정당한 이유와 자격으로 여행한다는 증명《여행하고자 하는 나라의 주재 영사(領事)가 함》. 비자(visa). ¶입국 ~을 발급하다. *여권.
사:지 (四肢) 명〔생〕 두 팔과 두 다리. 사체(四體). ¶~가 멀쩡한 사람.
사:지 (死地) 명 1 죽을 곳. 죽어야 할 곳. 2 도저히 살아 나올 수 없는 위험한 곳. ¶~로 몰아넣다 / ~에서 가까스로 벗어나다.
사지 (寺址) 명 절터.
사지 (沙地·砂地) 명 모래땅.
사지 (邪智) 명 간사한 지혜. ¶~에 능(能)하다.
사직 (司直) 명 법에 따라 일의 옳고 그름을 가리는 사람. 곧, 법관《검찰관을 포함하기도 함》. ¶~ 당국에 고발하다.
사직 (社稷) 명 1 국가. 조정. ¶천년 ~이 무너지다. 2〔역〕 한 왕조의 기초. 옛날 천자가 건국하였을 때 제사 지내는 토신(土神)과 곡신(穀神).
사직 (辭職) 명하자타 맡은 직무를 내어놓고 물러남. ¶회사를 ~하다.
사직-단 (社稷壇) 명 예전에, 임금이 백성을 위하여 토신과 곡신에게 제사 지내던 제단. ㊟사단(社壇).
사직-서 (辭職書) 명 사직원.
사직-원 (辭職願) 명 사직을 바라는 뜻을 적은 문서. ¶~을 제출하다.
사진 (仕進) 명하자 벼슬아치가 규정된 시간에 출근함.
사진 (沙塵·砂塵) 명 자욱하게 일어나는 모래 섞인 흙먼지. ¶사방에 자욱한 ~.
***사진** (寫眞) 명 카메라로 물체의 형상(形像)을 찍는 일. 또는 그렇게 찍은 형상. 곧, 인화지 따위에 나타난 양화. ¶컬러 ~ / ~ 현상소 / ~을 찍다 / ~을 확대하다.
사진-관 (寫眞館) 명 일정한 시설을 갖추고 사진 찍는 일을 영업으로 하는 집.
***사진-기** (寫眞機) 명 카메라.
사진-사 (寫眞師) 명 사진 찍는 일을 업으로 하는 사람. 사진 기사.
사진 식자 (寫眞植字)〔인〕 활자 대신 사진으로 인화지나 필름에 직접 글자를 하나씩 찍는 일. ㊟사식(寫植).
사진-전 (寫眞展) 명 사진을 전시하는 모임.
사진 전:송 (寫眞電送) 사진이나 서화를 전기적 신호로 바꾸어 유선 또는 무선으로 먼 곳에 보내 재현시키는 일. *전송 사진.
사진-첩 (寫眞帖) 명 사진을 붙이거나 끼워 정리·보존할 수 있게 만든 책. 앨범. ¶~을 정리하다.
사진-틀 (寫眞-) 명 사진을 끼워 넣어 벽에 걸거나 책상머리에 놓고 보는 틀.
사질 (舍姪) 명 1 남에게 자기의 조카를 가리키는 말. 2 조카가 삼촌에게 자기를 가리키는 말.
사:-차원 (四次元) 명〔수〕 차원이 넷 있는 것. 공간의 3차원과 시간의 1차원을 합하여 일컬음.
사:차원 세:계 (四次元世界)[-/-게]〔물〕 시공간(時空間).
사찬 (私撰) 명하자 개인이 편찬함. 또는 그 편찬물.
사찰 (寺刹) 명〔불〕 절[1].
사찰 (私札) 명 사신(私信).
사찰 (伺察) 명하타 남의 행동을 몰래 엿보아 살핌.
사찰 (査察) 명하타 1 조사하여 살핌. ¶공중 ~을 실시하다 / 핵 ~을 허용하다. 2 전에, 주로 사상적인 동태를 조사·처리하던 경찰의 한 직분.
사창 (私娼) 명 관청의 허가 없이 매음하는 창녀. 밀매음녀. ↔공창.
사창 (社倉) 명〔역〕 조선 때, 각 고을에 두어, 백성에게 봄에 꾸어 주고 가을에 받아들이는 곡식을 쌓아 두던 곳집.

사창 (紗窓) 명 사(紗)붙이로 바른 창.
사창-가 (私娼街) 명 사창들이 많이 모여 있는 곳. 사창굴. 매음굴.
사채 (私債) 명 개인이 사사로이 진 빚. ¶높은 이자를 물며 ~를 쓰다. ↔공채.
사채 (社債) 명 〖법〗 주식회사가 그 사업상 필요한 자금을 조달하기 위하여 일반 사람들로부터 모집하는 채권《무담보 사채와 담보부 사채, 무기명 사채와 기명 사채로 나눔》. 회사채. ¶~를 발행하다.
사:책 (史冊·史策) 명 사기(史記).
사처 명하자 〔←하처(下處)〕 손님이 길을 가다가 묵음. 또는 묵고 있는 그 집.
사:처 (四處) 명 여러 곳. 사방.
사처 (私處) 명 개인이 거처하는 곳.
사천 명 〔←사전(私錢)〕 **1** 여자가 절약하여 사사로이 모아 둔 돈. **2** 개인이 사사로이 가진 돈.
사천 (沙川·砂川) 명 바닥이 모래로 이루어진 내. *사탄(沙灘).
사천 (私賤) 명 옛날에, 개인이 부리거나 매매하던 종.
사:천 (祀天) 명하자 하늘에 제사를 지냄.
사:-천왕 (四天王) 명 〖불〗 사방을 지키며 국가를 수호하는 네 신. 수미산 중턱에 있는 사왕천의 주신으로 동방의 지국천(持國天)왕, 남의 증장천(增長天)왕, 서의 광목천(廣目天)왕, 북의 다문천(多聞天)왕을 말함. 사대 천왕. 사왕.
사:-철 (四-) 명 봄·여름·가을·겨울의 네 철. 사절(四節). 사시(四時). 사시절. ¶~ 푸른 나무.
사철 (沙鐵·砂鐵) 명 〖광〗 모래 모양으로 되어 돌·모래·자갈 속에 섞이어 있는 광물. 철사(鐵砂).
사:철-나무 (四-)[-라-] 명 〖식〗 노박덩굴과의 상록 관목. 해안에 나는데 높이 2-3m, 여름에 녹백색 네잎꽃이 피고 가을에 둥근 삭과가 익음. 동청(冬靑).
사:체 (四體) 명 **1** 사지(四肢). **2** 팔다리와 머리와 몸뚱이. 곧, 온몸. **3** 서예(書藝)의 네 체. 초(草)·장초(章草)·예(隷)·산례(散隷) 또는 고문(古文)·전(篆)·예(隷)·초(草).
사:체 (史體) 명 전통적 역사 서술의 체제. 곧, 편년체(編年體)와 기전체(紀傳體).
사:체 (死體) 명 사람이나 동물 따위의 죽은 몸뚱이. ¶~를 부검하다. ↔생체(生體).
사:체 (事體) 명 **1** 사리(事理)와 체면. **2** 사태(事態).
사체 (斜體) 명 오른쪽 또는 왼쪽으로 비스듬히 기운 자체(字體). 이탤릭.
사:초 (史草) 명 조선 때, 사관(史官)이 기록하여 둔 사기(史記)의 초고《실록의 원고가 되었음》.
사초[1] (莎草) 명 〖식〗 **1** 사초과의 골사초·두메사초·산사초·낚시사초·바랭이사초 등의 총칭. **2** 잔디.
사초[2] (莎草) 명하자타 무덤에 잔디 뗏장을 입힘. ¶선산에 ~를 하다.
사초 (飼草) 명 가축의 사료로 쓰는 풀.
사-초롱 (紗-籠) 명 사등롱.
사촉 (唆囑) 명하타 사주(使嗾).
***사:촌** (四寸) 명 **1** 네 치. **2** 아버지의 친형제의 아들딸. 또는 그 촌수.
[사촌이 땅을 사면 배가 아프다] 질투심과 시기심이 많음의 비유.
사축 명 품삯으로 농군에게 떼어 주는 논이나 밭.
사축 (飼畜) 명하자 가축을 기름.
사춘-기 (思春期) 명 몸의 생식 기능이 거의 완성되며, 이성에 관심을 갖게 되고 감수성이 예민해지는 나이. ¶~에 들어선 소녀 / ~에는 자칫 감정적으로 예민할 수 있다.
사출 (射出) 명하자타 **1** 화살이나 탄알 따위를 쏘아서 내보냄. **2** 액체 상태의 물질을 내쏨.
사출-나다 (査出-)[-라-] 자 조사를 받고 진상이 드러나다. ¶모든 일이 ~.
사춤 명 **1** 갈라진 틈. **2** 담이나 벽 따위의 갈라진 틈을 진흙으로 메우는 일.
사춤(을) 치다 구 담이나 벽 따위의 벌어진 틈을 흙으로 메우다.
사취 (沙嘴·砂嘴) 명 〖지〗 바다 가운데로 길게 뻗어 나간 모래톱《토사가 조류에 밀려 퇴적하여 형성됨》.
사취 (詐取) 명하타 남의 것을 거짓으로 속여 빼앗음. ¶금품을 ~하다.
사취 (辭趣) 명 문장이나 말의 뜻.
사치 (奢侈) 명하자형 **1** 필요 이상의 돈이나 물건을 쓰는 생활을 함. ¶~ 풍조 / ~에 흐르다. **2** 분수에 넘치게 호사스러움. ¶~한 생활.
사치-성 (奢侈性)[-썽] 명 사치스러운 성질이나 성향. ¶~ 소비 풍조.
사치-스럽다 (奢侈-)〔-스러우니, -스러워〕 형ㅂ불 사치한 데가 있다. ¶사치스러운 옷차림 / 수입에 비해 생활이 ~. **사치-스레** 부
사치-품 (奢侈品) 명 분수에 지나친 사치스러운 물품. ¶~의 수입이 늘고 있다.
사:칙 (四則) 명 덧셈·뺄셈·곱셈·나눗셈의 네 가지 계산 방법.
사칙 (社則) 명 회사나 결사 단체 등의 규칙. ¶~으로 휴일을 정하다.
사친 (私親) 명 **1** 종실로서 대통을 이은 임금의 친부모. 또는 빈(嬪)으로서 임금의 생어머니. **2** 자신의 친족. 서자의 생모.
사:친 (事親) 명하자 어버이를 섬김.
사친 (思親) 명하자 어버이를 생각함.
사:친이효 (事親以孝) 명 세속 오계의 한 가지. 어버이를 섬기기를 효도로써 함.
사칭 (詐稱) 명하자타 성명·직업 등을 속여서 일컬음. ¶사장이라고 ~하고 다니다 / 고위층의 친척을 ~하다.
사카린 (saccharin) 명 〖화〗 인공 감미료의 하나. 무색 반투명 결정으로 단맛이 설탕의 수백 배나 강함《톨루엔이 원료임》.
사타구니 명 〈속〉 샅. 준사타귀.
사탁 (私槖) 명 개인이 사사로이 모아 둔 돈. 또는 그 돈주머니.
사탁 (思度) 명하타 생각하고 헤아림.
사탄 (沙灘·砂灘) 명 모래가 깔린 여울. 또는 모래톱가의 여울. *사천(沙川).
사탄 (Satan) 명 〖기〗 하느님에 대립하는 악(惡)을 인격화한 것. 마귀.
사탄-하다 (詐誕-) 형여불 말과 행동이 간사하고 허황하다.
사탑 (寺塔) 명 절에 있는 탑.
사탑 (斜塔) 명 한쪽으로 비스듬히 기울어진

탑. ¶피사의 ~.
사탕 (沙糖·砂糖) 명 1 설탕. 2 눈깔사탕·드롭스 따위처럼 설탕을 끓여 여러 가지 모양으로 만든 과자. ¶~을 많이 먹어 이가 썩었다.
사탕-무 (沙糖-) 명 〔식〕 명아줏과의 두해살이풀. 열대·아열대에서 많이 재배함. 줄기는 곧고 높이 약 1m, 잎은 좀 두껍고 달걀 모양으로 자색을 띰. 원뿔 모양의 뿌리는 맛이 달아 사탕의 원료로 씀. 감채(甘菜). 첨채(甛菜).
사탕-발림 (沙糖-) 명하자 달콤한 말로 비위를 맞추어 살살 달램. 또는 그 말이나 짓. 겉발림. 입발림. ¶~에 넘어가다 / 그 따위 ~으로는 어림없지 / ~으로 하는 소리가 아니다.
사탕-수수 (沙糖-) 명 〔식〕 볏과의 여러해살이풀. 열대·아열대에서 많이 재배함. 높이 2-4m, 대체로 수수와 같은데 마디와 마디 사이가 짧음. 줄기에서 짠 즙으로 설탕을 만듦. 감자(甘蔗).
사태 명 소의 다리 아랫마디 뒤쪽에 붙은 고깃덩이《곰국거리로 씀》.
사:태 (死胎) 명 배 속에서 이미 죽어서 나온 태아.
사태 (沙汰·砂汰) 명 1 비가 많이 내리거나 충격 따위로 언덕이나 산비탈 또는 쌓인 눈 따위가 한꺼번에 무너져 내리는 일. ¶~가 지다 / ~가 나다. 2 사람·물건이 한꺼번에 많이 쏟아져 나오는 일의 비유. ¶영화가 끝나자 출구에는 사람 ~가 났다.
사:태 (事態) 명 일의 상태나 되어 가는 형편. ¶긴급한 ~ / 끝내 폭력 ~에 이르다.
사택 (舍宅) 명 1 기업체 등에서 직원을 위해 지은 살림집. ¶~에서 산다. 2 거주하는 '집'의 존칭. 택사(宅舍).
사택 (社宅) 명 회사 소유의 집《주로 사원들을 위하여 마련한 주택》.
사토 (沙土·砂土) 명 모래흙.
사토-장이 (莎土-) 명 구덩이를 파고 무덤 만드는 일을 업으로 하는 사람.
사토-질 (沙土質) 명 모래 성분으로 된 토질.
사:통 (四通) 명하자 도로·교통·통신 등이 사방으로 통함.
사통 (私通) 명하자타 1 공사(公事)에 관하여 편지 등으로 사사로이 연락함. 또는 그 편지. 2 부부가 아닌 남녀가 몰래 정을 통함.
사:통-오달 (四通五達) 명하자 길이나 교통망, 통신망 따위가 이리저리 사방으로 통함. 사통팔달.
사:통-팔달 (四通八達)[-딸] 명하자 사통오달.
사퇴 (仕退) 명하자 〔역〕 벼슬아치가 일과를 마치고 물러 나옴. 파사(罷仕).
사퇴 (辭退) 명하자타 1 어떤 일을 그만두고 물러남. ¶의원직 ~ / 관련자의 ~를 요구하다. 2 사절하여 물리침. ¶국회의원으로 입후보하라는 권고를 ~하다.
사:투 (死鬪) 명하자 죽을 힘을 다하여 싸움. 또는 그런 싸움. ¶~를 거듭하다 / 세 시간의 ~ 끝에 구조되었다.
***사:투리** 명 어느 지방에서만 쓰는, 표준어가 아닌 말. 방언. ¶경상도 ~. ↔표준말.
사특 (私慝) 명 숨겨진 비행(非行).
사특-하다 (邪慝-)[-트카-] 형여불 요사스럽고 간특하다. ¶사특한 생각.
사파리 (safari) 명 자연 공원에서 자동차를 타고 다니며 야생 동물을 구경하는 일《원래는 수렵 여행의 뜻》.
사파이어 (sapphire) 명 〔광〕 청옥(靑玉). ☞탄생석.
사:판 (事判) 명하타 〔불〕 절의 모든 재물과 사무를 처리함.
사:팔-눈 [-룬] 명 사시(斜視).
사:팔-뜨기 명 사팔눈을 한 사람의 낮춤말. 사시안인.
사포 (沙布·砂布) 명 금강사(沙)·유리 가루·규석 가루 따위를 발라 붙인 헝겊이나 종이. 녹을 닦거나 가구 따위의 거죽을 반드럽게 하는 데 씀. 사지(沙紙). 샌드페이퍼. 연마지. ¶~로 문지르다.
사폭 (邪幅) 명 남자의 한복 바지나 고의에서, 허리와 마루폭 사이에 잇대어 붙이는 크고 작은 네 쪽의 폭.

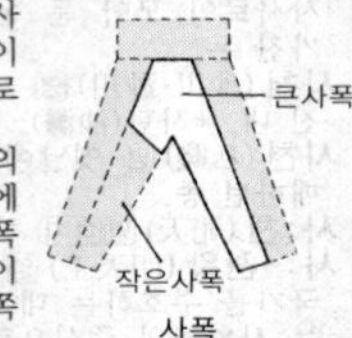

사폭

사:표 (四表) 명 나라의 사방의 바깥이라는 뜻으로, 온 세상을 이르는 말.
사:표 (四標) 명 사방의 경계표.
사:표 (死票) 명 선거 때, 낙선한 후보자에게 던져진 표. ¶후보자의 난립으로 ~가 늘었다.
사표 (師表) 명 학식·덕행이 높아 남의 모범이 될 만한 사람. ¶~로 우러르다.
사표 (辭表) 명 직책을 내놓고 물러날 때 그 뜻을 적어 내는 문서. ¶~를 내다 / ~를 수리하다.
사푼 부 1 발소리가 크게 나지 않도록 발을 가볍게 내딛는 모양이나 소리. ¶~ 첫발을 내딛다. 2 몸을 가볍게 움직이는 모양. 큰서푼. 센사뿐.
사푼-사푼 부하자형 1 발소리가 크게 나지 않도록 잇따라 발을 가볍게 내딛는 모양이나 소리. ¶양탄자 위로 ~ 걸어 나가다. 2 잇따라 몸을 가볍게 움직이는 모양. 큰서푼서푼. 센사뿐사뿐.
사품 명 (주로 '사품에'의 꼴로 쓰여서) 어떤 동작이나 일이 벌어지는 겨를이나 기회. ¶이 ~에 잠이나 실컷 자자.
사풋 [-푿] 부 발을 살짝 들어 가볍고도 급하게 내딛는 모양이나 소리. 큰서풋. 센사뿟.
사풋-사풋 [-푿싸푿] 부하자형 발을 살짝 들어 가볍고도 급하게 계속적으로 내딛는 모양이나 소리. 큰서풋서풋. 센사뿟사뿟.
사풍 (邪風) 명 1 정중하지 못한 태도. 2 못된 풍습.
사풍-맞다 (邪風-)[-맏따] 형 말과 행동을 함부로 하여 경솔하다.
사풍-스럽다 (邪風-) [-스러우니, -스러워] 형ㅂ불 보기에 말과 행동이 경솔한 듯하다. **사풍-스레** 부
사:필 (史筆) 명 사관(史官)이 곧은 말로 적은 필법.
사:필귀정 (事必歸正) 명하자 모든 일은 반

드시 잘잘못이 가려져 올바른 데로 돌아감.

사:-하다 (謝-) ㊀자타여불 감사의 뜻으로 인사를 하다. 감사하다. 사례하다. ¶그의 노고를 사하고 치하하다. ㊁타여불 **1** 사과하다. ¶내 불찰을 사하는 바입니다. **2** 사절하다. ¶모처럼의 호의를 사하고 돌아왔다.

사:-하다 (赦-) 타여불 지은 죄를 용서하다.

사:학 (史學) 명 '역사학'의 준말.

사:학 (四學) 명 〔역〕 조선 때, 서울의 중앙 및 동·서·남의 네 곳에 세운 교육 기관《곧, 중학·동학·남학 및 서학》.

사학 (私學) 명 사설의 교육 기관. ¶~의 명문. ↔관학(官學).

사학 (邪學) 명 조선 때, 주자학에 반대되는 학문을 이르던 말《조선 중기에는 양명학, 후기에는 가톨릭교나 동학을 가리켰음》.

사:학-자 (史學者) 명 역사학을 전문적으로 연구하거나 사학에 밝은 사람.

사:항 (事項) 명 일의 조항. ¶준수 ~/관련 ~을 설명하다.

사:해 (四海) 명 **1** 사방의 바다. **2** 온 천하. 세계. 사대해(四大海).

사:해 (死骸) 명 죽은 사람의 몸. 사체.

사:행 (四行) 명 **1** 네 가지 도덕 행위《효(孝)·제(悌)·충(忠)·신(信)》. **2** 사덕(四德)2.

사행 (私行) 명하자 **1** 남몰래 가만히 함. 또는 그런 행위. **2** 관리가 개인적인 일로 여행함.

사행 (邪行) 명 옳지 못한 행위.

사:행 (使行) 명 〔역〕 사신의 행차.

사행 (射倖) 명하자 요행을 노림. ¶~ 행위.

사행 (蛇行) 명하자 **1** 뱀이 기어가는 것처럼 구불구불 휘어서 감. **2** 강물 따위가 뱀처럼 구불구불 흐름.

사행-심 (射倖心) 명 요행을 바라는 마음. ¶~을 조장하다.

사:향 (四向) 명 동서남북의 네 방향.

사향 (思鄕) 명하자 고향을 생각함.

사:향 (麝香) 명 사향노루·사향고양이 등의 수컷의 향낭(香囊)에서 채취되는 흑갈색 가루로 향기가 매우 강함《여러 가지 약·향료로 씀》.

사:향-낭 (麝香囊) 명 사향노루·사향고양이 따위에 있는 분비샘《번식기에 발달하며, 이것을 말려서 사향 또는 영묘향(靈猫香)을 만듦》.

사:향-내 (麝香-) 명 사향의 냄새.

사:향-노루 (麝香-) 명 〔동〕 사향노룻과의 짐승. 산림에 사는데, 몸길이 1m, 어깨 높이는 50cm 가량이며, 뿔이 없음. 배꼽 근처의 향낭에 사향이 들어 있음. 궁노루.

사헌-부 (司憲府) 명 〔역〕 고려·조선 때 정사를 논의하고 풍속을 바로잡으며 관리들의 비행을 조사하고 그 책임을 규탄하던 관아로 삼사(三司)의 하나.

사:혈 (死血) 명 〔한의〕 상처에 꺼멓게 모인 피. 죽은피.

사혈 (瀉血) 명하자 〔의〕 치료의 목적으로 환자의 혈액을 얼마간 몸 밖으로 뽑아냄.

사혐 (私嫌) 명 개인적인 혐의나 혐오.

사:형 (死刑) 명하타 〔법〕 범죄인의 목숨을 끊음. 또는 그 형벌. 생명형. ¶~에 처하다/~을 집행하다/~ 폐지를 공론화하다.

사형 (私刑) 명 국가 또는 공공의 권력이나 법률에 의하지 아니하고 사인(私人)이나 사적 단체가 사사로이 행하는 제재. 사형벌. 린치.

사형 (舍兄) ㊀명 자기 형을 남에게 겸손히 일컫는 말. 가형(家兄). 사백(舍伯). ㊁인대 형이 아우에 대하여 자기를 일컫는 말. ↔사제(舍弟). *가백(家伯).

사형 (師兄) 명 나이나 학덕이 자기보다 높은 사람을 존경하여 일컫는 말.

사형 (詞兄) 명 친구로 사귀는 문인이나 학자가 서로 존경하여 부르는 말.

사:형-수 (死刑囚) 명 〔법〕 사형 선고를 받은 죄수. 사수(死囚).

사:형-장 (死刑場) 명 〔법〕 사형을 집행하는 장소. 형장.

사호 (社號) 명 회사의 이름. 사명(社名).

사:화 (士禍) 명 〔역〕 조선 때, 사림의 참화. 정론(正論)을 주장하는 선비가 정치적 반대파의 모함으로 입은 큰 화《갑자사화·기묘사화 등》.

> **사화(士禍)와 사화(史禍)**
>
> 조선 때의 '사화(士禍)'는 모두 훈신(勳臣)·척신(戚臣)·권신(權臣) 등이 그들의 권력 신장(權力伸長)을 위해 사림(士林)을 탄압한 점에서 같음. 다만 연산군 4년(1498)에 있었던 무오사화(戊午士禍)는 김종직(金宗直)의 '조의제문(弔義帝文)'을 사초(史草)에 올린 것이 사단이 되었다하여 '무오사화(戊午史禍)'라고도 함.

사:화 (史話) 명 역사 이야기.

사:화 (史禍) 명 **1** 사서(史書)에 관련된 필화(筆禍). **2** 사필(史筆)로 말미암은 옥사(獄事). ☞사화(士禍).

사화 (私和) 명하자 **1** 송사(訟事)를 서로 좋게 풀어 버림. **2** 원한을 풀고 서로 화평함. ¶과거사를 잊고 ~하다.

사:-화산 (死火山) 명 〔지〕 옛날에 화산 활동을 하였으나 그 뒤에 화산 활동이 완전히 끝난 산《백두산·한라산 등》. 휴화산. ↔활화산.

사:환 (仕宦) 명하자 벼슬살이를 함.

사:환 (使喚) 명 잔심부름을 시키기 위하여 관청이나 회사, 가게 따위에서 고용한 사람. *사동(使童).

사:활 (死活) 명 죽느냐 사느냐의 갈림《매우 중요한 문제의 비유》. ¶~을 걸다/~이 걸린 문제.

사횻-술 (私和-)[-화쑬/-횐쑬] 명 화해하는 뜻에서 함께 나누는 술.

사회 (司會) 명하자 **1** 회의나 예식 등의 진행을 맡아봄. ¶결혼식의 ~를 보다. **2** '사회자'의 준말.

***사회** (社會) 명 **1** 신분·수준 따위가 같은 무리끼리 모여 이루는 집단. ¶상류 ~의 사람. **2** 세상1. ¶요지경 속의 ~. **3** 서로 협력하여 공동생활을 하는 인류의 집단. 온갖 형태의 인간의 집단적 생활《가족·회사·정당·계급·국가 등》. **4** 어느 특정한 발전 단계를 이룬 집단. ¶근대 ~의 전환점.

사회 간:접 자본 (社會間接資本) 〔경〕 산

업 발전의 기반으로서 중시하는 도로·항만·철도·통신·전력·수도 등 공공시설에 쓰이는 자본. 에스오시(SOC). [준]사회 자본.
사회 경제(社會經濟) 생산 경제와 소비 경제가 분리되어 있으면서 각 경제 단위의 활동이 서로 밀접하게 연결된 경제 상태.
사회 계:약설(社會契約說)[-/-게-] 사회 및 국가는 본래 개인이 주체적 의지로써 서로 계약을 맺어 형성하였다고 하는 학설. 국가 계약설. 민약설(民約說). 계약설.
사회 계층(社會階層)[-/-게-] 한 사회 안에서, 사회적 평가나 특권의 유무, 혹은 직업·교육·재산 등의 기준에 따라 구별되는 인간 집단《빈민층, 부유층 등》.
사회-과(社會科)[-꽈] [명] 초등학교·중등학교에서 윤리·역사·정치·경제·문화·지리 등을 가르치는 교과.
사회 과학(社會科學) 사회 현상을 연구의 대상으로 하는 학문《정치학·경제학·철학·종교학·역사학 등》.
사회 교:육(社會教育) 사회인으로서 필요한 사항에 대해, 일반인에게 베푸는 교육.
사회 규범(社會規範) 사회의 질서를 유지하기 위하여 인간에게 일정한 행위를 마땅히 그렇게 해야 한다고 요구하는 관념《법률·도덕·관습·종교 따위》.
사회-면(社會面) [명] 신문에서 사회의 일반적 사건 기사를 싣는 지면.
사회 문:제(社會問題) 사회 제도의 모순·결함에서 오는 여러 가지 문제《실업자·노동·주택·교통·공해·범죄 문제 등》. ¶주택 문제가 ~로 부각되다.
사회 변:동(社會變動) 한 사회의 현존하는 질서 및 정신적·물질적 문명의 형태가 일부 또는 전체적으로 변화하는 과정.
사회 변:혁(社會變革) 사회 현존하는 질서를 혁신적·의도적으로 바꾸는 일. ¶시민운동을 통해 점진적인 ~을 꾀하다.
사회 보:장(社會保障) 국민이 직면하고 있는 질병·폐질·실업 등을 해결하고 최저 문화생활을 보장하기 위한 제도《사회 보험이 한 걸음 더 나아간 사회 개량 정책임》. ¶~이 잘된 복지 국가를 지향하다.
사회 복지(社會福祉) 국민의 최저 한도의 생활을 보장하기 위해 빈곤자의 생활 보호·교육·문화·의료·노동 등의 사업을 조직적으로 행하는 일.
사회-봉사(社會奉仕) [명] 사회 복지의 증진을 위해 금품·노동력을 제공하는 행위.
사회-사업(社會事業) [명] 사회 복지에 관한 사업《빈곤자·이재민의 구제나 의료 보험 등》. ¶~에 많은 재산을 쾌척하다.
사회-상(社會相) [명] 사회의 양상. 사회의 현상. 사회의 실태. ¶작품 속에 그 시대의 ~이 잘 반영되어 있다.
사회-생활(社會生活) [명] **1** 여러 사람이 집단적으로 모여서 질서를 유지하며 살아 가는 공동생활. ¶~에 적응하다. **2** 〖생〗 많은 수의 생물이 모여서 일을 맡아 공동으로 영위하는 생활.
사회-성(社會性)[-썽] [명] **1** 사회생활을 하려고 하는 인간의 근본 성질. 사교성. **2** 흔히 예술 작품에서, 사회 문제에 대해 관심을 기울이는 경향. ¶관심을 모았던, ~ 짙은 작품.
사회-악(社會惡) [명] 사회에 내재하는 모순에서 생기는 해악《마약·범죄·도박·매음 등》. ¶~에 물들지 않다 / 각종 ~으로부터 청소년을 보호하다.
사회 운:동(社會運動) 노동 운동·농촌 운동·여성 운동·학생 운동·사회 혁명 운동 등과 같이 사회 문제를 해결하거나 현존 제도를 변혁하려는 운동.
사회-인(社會人) [명] **1** 사회의 일원으로서 활동하는 개인. **2** 군대 등 단체에서 제한된 생활을 하는 사람들이 일반 사회의 사람들을 일컫는 말.
사회-자(司會者) [명] 모임이나 예식 따위에서 진행을 맡아보는 사람. ¶널리 알려진 방송 프로그램 ~. [준]사회.
사회 자본(社會資本) 〖경〗 '사회 간접 자본'의 준말.
사회-장(社會葬) [명] 사회에 큰 공로가 있는 사람의 죽음에 모든 사회 단체가 연합하여 장례를 치름. 또는 그 장례. ¶고인의 장례는 ~으로 엄수되었다.
사회-적(社會的) [관][명] 사회에 관계되거나 사회성을 지닌 (것). ¶~으로 물의를 빚은 인물 / 인간은 ~ 동물이다.
사회-주의(社會主義)[-/-이] [명] 생산 수단을 공유하는 사회 제도를 실현하려는 사회 사상 및 사회 운동.
사회 참여(社會參與) 학자나 예술가 등이 정치·사회 문제에 관심을 가지고 그 계획에 참가하여 간섭하는 일. ¶대학교수의 ~에는 찬반 양론이 있다.
사회 체제(社會體制) **1** 어떤 국민·정당의 어느 특정 목표나 사태에 대응하는 본연의 자세. 전시 체제·거당(擧黨) 체제 등. **2** 어느 국가의 지배적인 정치 질서. 자유주의 체제·파시즘 체제 등. **3** 역사적 사회의 구조적인 상태《자본주의 체제·사회주의 체제 따위》.
사회-학(社會學) [명] 사회 관계의 여러 현상 및 사회 조직의 원리·법칙·역사 따위를 대상으로 하는 학문.
사회 현:상(社會現象) 인간의 사회생활에 의하여 나타나는 모든 현상. 곧, 경제·도덕·법률·예술·종교 따위.
사회 형태(社會形態) 사회의 구조적인 형태《원시 공산체·노예 사회·봉건 사회·자본주의 사회·사회주의 사회·공동 사회·이익 사회 따위》.
사회-화(社會化) [명][하][자][타] **1** 개인의 상호 작용으로 집단이나 사회가 형성되어 가는 과정. **2** 개인이 집단의 성원으로서 생활하도록 기성세대에 동화함. 또는 그 과정. ¶교육을 통하여 개인이 ~된다. **3** 생산 수단 등을 개인의 소유·관리에서 사회의 소유·관리로 바꾸어 감. 또는 그런 일.
사:후(死後) [명] 죽은 후. 신후(身後). ¶~세계. ↔생전(生前).
[사후 약방문] 때가 지난 뒤에 어리석게 소용없는 애를 씀의 비유.
사:후(事後) [명] 일이 끝난 뒤. ¶~ 대책 / ~ 처리를 완벽하게 하다. ↔사전(事前).
사훈(社訓) [명] 사원이 지켜야 할 회사의 방침. ¶정직을 ~으로 삼고 있다.

사흗-날 [-흗-] 명 '초사흗날'의 준말.
***사흘** 명 **1** 세 날. **2** '초사흘'의 준말.
[사흘 굶어 도둑질 아니 할 놈 없다] 아무리 착한 사람이라도 빈곤이 극도에 이르면 옳지 못한 짓을 하게 된다.
사흘-돌이 명 (주로 '사흘돌이로'의 꼴로 쓰여) 사흘마다. 매(每)삼일. ¶병을 ~로 앓다.
삭 (朔) ㊀명 **1** '합삭(合朔)'의 준말. **2** '삭일(朔日)'의 준말. ㊁의명 달 수를 나타내는 말. ¶사오 ~가량.
삭 부 **1** 종이나 헝겊 등을 가위로 단번에 베는 소리. 또는 그 모양. **2** 단번에 밀거나 쓸어 나가는 소리. 또는 그 모양. **3** 조금도 남김없이 죄다. ¶~ 치우다. ㉷석. ㉺싹.
삭-갈다 [삭가니, 삭가오] 타 논을 미리 갈아 두지 못하고 모낼 때에 한 번만 갈다.
삭-갈이 명하타 논을 삭가는 일.
삭감 (削減) 명하타 비용 따위를 깎아서 줄임. 감삭. ¶예산을 ~하다 / 군사 원조가 대폭 ~되다.
삭과 (蒴果) 명 〖식〗 열과(裂果)의 하나. 속이 여러 칸으로 나뉘고 각 칸에 많은 씨가 든 열매. 심피(心皮)의 등이나 심피 사이가 터져 씨가 나옴.
삭구 (索具) 명 배에서 쓰는 밧줄·쇠사슬 따위의 총칭.
삭다 자 **1** 오래되어서 본바탕이 변해 썩은 것처럼 되다. ¶노끈이 삭아 툭툭 끊어진다. **2** 걸죽하던 것이 묽어지다. ¶식혜가 ~. **3** 먹은 음식이 소화되다. ¶급하게 먹은 탓에 먹은 것이 삭지 않고 체하다. **4** 긴장이나 화가 풀려 가라앉다. ¶분노가 삭기까지 며칠이 걸렸다. **5** 젓갈·김치 따위가 익어 맛이 들다. ¶김장 김치가 알맞게 삭아 먹기 좋다. **6** 기침·가래 등이 잠잠해지거나 가라앉다. **7** 얼굴이나 몸이 생기를 잃어 늙어보이다. ¶못 본 새 얼굴이 많이 삭았다.
삭둑 부 작고 연한 물건을 단번에 가볍게 베거나 자르는 모양. 또는 그 소리. ¶긴 머리를 ~ 자르다. ㉷석둑. ㉺싹둑.
삭둑-거리다 자타 작고 연한 물건을 자꾸 가볍게 베거나 자르다. ㉷석둑거리다. ㉺싹둑거리다. **삭둑-삭둑** 부하자타
삭둑-대다 자타 삭둑거리다.
삭마 (削磨)[상-] 명하자타 **1** 깎아서 문지름. ¶~ 작용. **2** 〖지〗 침식·풍화(風化)로 암석이 닳음. 또는 그런 현상.
삭막-하다 (索莫-·索漠-·索寞-)[상마카-] 형여불 **1** 잊어버려 생각이 아득하다. **2** 황폐하여 쓸쓸하다. ¶삭막한 풍경.
삭망 (朔望)[상-] 명 **1** 음력 초하룻날과 보름날. **2** '삭망전(朔望奠)'의 준말.
삭망-월 (朔望月)[상-] 명 달이 초하루에서 다음 초하루까지, 보름날에서 다음 보름날까지 요하는 시간. 태음월(太陰月).
삭망-전 (朔望奠)[상-] 명 상중(喪中)에 있는 집에서, 매달 초하룻날과 보름날에 지내는 제사. ㉹삭망(朔望).
삭모 (削毛)[상-] 명하자 털을 깎음.
삭모 (槊毛)[상-] 명 기나 창 등의 머리에 이삭 모양으로 만들어 다는 붉은 빛깔의 가는 털.
삭박 (削剝) 명하자타 **1** 닳아서 벗어짐. **2** 깎아서 벗김. **3** 〖지〗 하수(河水)·빙하(氷河)·바람 따위로 지표(地表)가 깎여서 평평해지는 일. 또는 그 작용.
삭발 (削髮) 명하자타 **1** 머리털을 깎음. 또는 그런 머리. 낙발(落髮). ¶~하고 단식하다. **2** 출가하여 승려가 됨.
삭-삭 부 **1** 종이나 헝겊 등을 칼이나 가위로 계속 베는 소리. 또는 그 모양. ¶가위로 ~ 오려내다. **2** 잇따라 거침없이 밀거나 쓸어 나가는 모양. 또는 그 소리. ¶마당을 ~ 쓸다. **3** 조금도 남김없이 죄다. ¶~ 긁어 모으다. ㉷석석. ㉺싹싹.
삭삭 (數數) 부 자주자주.
삭삭-거리다 자타 삭삭 소리가 자꾸 나다. 또는 그런 소리를 자꾸 내다. ㉷석석거리다. ㉺싹싹거리다.
삭삭-대다 자타 삭삭거리다.
삭신 명 몸의 근육과 뼈마디. ¶~이 쑤신다 / ~이 나른하다.
삭여 (朔餘) 명 한 달이 넘음. 한 달 남짓함. 달포.
삭월 (朔月) 명 음력 초하룻날의 달.
삭월-세 (朔月貰) 명 '사글세'의 잘못.
삭은-니 명 벌레 먹은 이. 충치. ¶~가 흔들린다.
삭이다[1] 타 《'삭다'의 사동》 **1** 먹은 음식을 소화시키다. ¶그 나이에 돌인들 못 삭이겠나. **2** 분한 마음을 가라앉히다. ¶담배를 피워 물고 분을 ~.
삭이다[2] 타 돈·시간·힘 따위를 써 버리다. ¶노름판에 드나들면서 가진 돈을 모두 삭여 버렸다.
삭일 (朔日) 명 매달 음력 초하룻날. ㉹삭.
삭정-이 명 살아 있는 나무에 붙은 채 말라 죽은 가지.
삭제 (削除) 명하타 **1** 깎아서 없앰. **2** 지워 버림. ¶명부에서 ~하다 / 기사의 일부가 검열에서 ~되었다. ↔첨가. **3** 〖컴〗 화면에 나타난 문서를 지우는 일. 또는 파일에 저장된 정보를 제거하거나 기억 장치에서 프로그램을 지우는 일.
삭직 (削職) 명하타 '삭탈관직'의 준말.
삭-치다 (削-) 타 **1** 뭉개어 없애다. **2** 셈을 맞비기다.
삭탈 (削奪) 명하타 '삭탈관직'의 준말.
삭탈-관직 (削奪官職) 명하타 〖역〗 죄 지은 사람의 벼슬과 품계를 빼앗고 벼슬아치 명부에서 이름을 지워 버림. ㉹삭직·삭탈.
삭풍 (朔風) 명 겨울철에 북쪽에서 불어오는 찬 바람. ¶~이 살을 에듯 차갑다.
삭회 (朔晦)[사쾨] 명 음력 초하루와 그믐.
삭히다 [사키-] 타 《'삭다'의 사동》 삭게 하다. ¶김치를 ~ / 멸치젓을 ~ / 홍어를 부뚜막에 두어 ~.
***삯** [삭] 명 **1** 일한 데 대한 대가로 주는 돈이나 물건. ¶~으로 쌀을 받다. **2** 어떤 물건·시설을 이용하는 대가로 주는 돈. ¶자동차 ~ / 배를 빌린 ~을 치르다.
삯-꾼 [삭-] 명 삯을 받고 임시로 일하는 사람. 고군(雇軍). ¶~ 구하기가 여간 어렵지 않다.
삯-돈 [삭똔] 명 삯으로 받는 돈. 삯전. ¶인력난으로 ~도 많이 올랐다.

삯-말 [상-] [명] 세를 주고 빌려 쓰는 말〔馬〕.
삯-메기 [상-] [명][하자] 농촌에서, 끼니는 안 먹고 품삯만 받고 해 주는 일.
삯-바느질 [삭빠-] [명][하자] 삯을 받고 해 주는 바느질. ¶~로 남매를 공부시키다.
삯-일 [상닐] [명][하자] 품삯을 받고 하는 일. ¶~로 근근이 살아가다. ↔공일.
삯-짐 [삭찜] [명] 삯을 받고 나르는 짐.
삯-팔이 [삭-] [명][하자] 삯을 받고 막일을 하여 주는 일. 삯벌이.
삯팔이-꾼 [삭-] [명] 삯팔이하여 먹고사는 사람.
***산** (山) [명] **1** 평지보다 썩 높이 솟아 있는 땅덩이. ¶~이 좋아 ~에 오르다 / 앞으로 넘어야 할 ~이 많다《비유적으로》. **2** '산소(山所)'의 준말. ¶~에 벌초를 가다. [산 밖에 난 범이요 물 밖에 난 고기라] ㉠의지할 데나 기반을 잃어 맥을 못 쓰게 된 경우의 비유. ㉡제 능력을 발휘할 수 없는 처지에 몰린 경우의 비유. [산에 가야 범을 잡는다] ㉠모든 일은 그 요소를 찔러야 한다. ㉡위험을 겪은 뒤에야 일이 성취된다. [산이 높아야 골이 깊다] 품은 뜻이 높고 커야 품은 포부도 크다.
산 넘어 산 [구] 점점 더 고생이 심해짐을 비유적으로 이르는 말.
산 설고 물 설다 [구] 낯선 타향이라, 모든 것이 생소하고 익숙하지 아니하다는 말.
산 (酸) [명] 〔화〕 물에 용해되면 수소 이온을 내어 산성 반응을 일으키는 물질. 신맛이 있고 푸른 리트머스를 붉은빛으로 바꿈. *염기.
-산 (産) [미] 어디서 생산·산출된 것을 나타내는 말. ¶외국~ / 중국~.
산:-가지 (算-)[-까-] [명] 옛날에, 수효를 셈하는 데 쓰던 물건《대나 뼈 따위로 젓가락처럼 만듦》. 산목(算木).
***산간** (山間) [명] 산과 산 사이. 골짜기가 많은 산으로 된 땅. ¶~ 부락 / ~에는 아직 눈이 남아 있다.
산간-벽지 (山間僻地) [명] 산간의 후미지고 구석진 산골. ¶전화(電化) 사업에서 소외된 ~.
산간-벽촌 (山間僻村) [명] 구석지고 후미진 산골의 마을.
산간 오:지 (山間奧地) 산간의 아주 외진 곳. ¶~라 인적이 드물다.
산:개 (刪改) [명][하타] 잘못된 글의 구절을 지우고 고치어 바로잡음.
산:개 (散開) [명][하자타] **1** 흩어져 벌림. **2** 〔군〕 밀집 군대가 각개로 적당한 간격을 취하여 벌림. ¶집중 포화를 맞고 황급히 ~하다 / 적기의 내습으로 행군 대열이 ~되다.
산:개 성단 (散開星團) 〔천〕 항성이 불규칙하게 밀집해 있는 성단. 구상(球狀) 성단에 비해 거리가 가깝고 은하면 안에 집중되어 있음《플레이아데스 성단 따위가 있음》. ↔구상 성단.
산객 (山客) [명] **1** 산에 살며 세상에 나타나지 않는 사람. **2** 등산하는 사람. 등산객. **3** 〔식〕 철쭉.
산거 (山居) [명][하자] 산속에서 삶.
산:견 (散見) [명][하자] 여기저기에 보임. ¶여기저기에서 윷놀이하는 모습이 ~되는 정초의 풍경.
산경 (山景) [명] 산의 경치.
산계 (山系)[-/-게] [명] 〔지〕 같은 줄기로 이루어진 산맥들. ¶히말라야 ~.
산:계 (散階)[-/-게] [명] 〔역〕 이름만 있고 직무는 없는 벼슬의 품계《숭록(崇祿)대부·절충(折衝)장군·종사랑(從仕郎) 등》. 산관(散官).
산:고 (産苦) [명] 아이를 낳을 때의 고통. 산로(産勞). ¶~ 끝에 건강한 여자 아이를 낳았다.
산:고 (産故) [명] 아이를 낳는 일. ¶~가 들다.
산곡 (山谷) [명] 산골짜기.
산:곡 (産穀) [명][하자] 곡식이 생산됨. 또는 생산된 곡식.
***산-골** (山-)[-꼴] [명] **1** 깊은 산속. 산간(山間). ¶~ 사람 / 깊은 ~ 외딴집. **2** 산골짜기.
산-골짜기 (山-)[-꼴-] [명] 산과 산 사이로 깊이 패어 들어간 곳. 산골. [준]산골짝.
산-골짝 (山-)[-꼴-] [명] '산골짜기'의 준말. ¶봄으로 접어든 ~에는 아직도 스산한 기운이 맴돌았다.
산과 (山果) [명] 산에서 나는 과실. 산과실.
산:과 (産科)[-꽈] [명] 〔의〕 임신·분만 등에 관한 전문 의술의 하나. ¶~ 수술.
산:관 (散官) [명] 〔역〕 맡겨진 사무가 없는 벼슬. 산반(散班). 산직(散職).
산:광 (散光) [명] 불규칙하게 반사하는 광선. 빛의 방향이 일정하지 않고 그늘이 생기지 않는 빛.
산괴 (山塊) [명] 산줄기에서 따로 떨어져 있는 산의 덩어리.
산-굴 (山窟)[-꿀] [명] 산속에 있는 굴.
산-굽이 (山-)[-꿉-] [명] 산기슭의 휘어든 굽이. ¶소나무가 무성한 ~.
산-그늘 (山-)[-끄-] [명] 산에 가리어서 생긴 그늘. ¶~이 내리다 / 깊은 산속에서는 일찌감치 ~이 진다.
산기 (山氣) [명] 산속 특유의 찬 공기. 산에서 느끼는 서늘한 기운.
산:기 (産氣)[-끼] [명] 아이를 낳을 기미. ¶~가 보이다.
산:기 (産期) [명] 아이를 낳을 시기. ¶~가 다가오다.
산기 (酸基) [명] 〔화〕 산(酸)의 분자 중 금속 원소와 바꿀 수 있는 수소 원자를 제외한 나머지의 기(基)《황산기(SO_4)·질산기(NO_3) 따위》. 산근(酸根).
산-기슭 (山-)[-끼슥] [명] 산의 아랫부분. 산각(山脚). 산록(山麓).
***산-길** (山-)[-낄] [명] 산에 나 있는 길. 산경(山徑). 산로(山路). ¶인적이 드문 ~.
산-꼬대 (山-) [명][하자] 밤중에 산 위에 바람이 불어 몹시 추워짐. 또는 그런 현상.
산-꼭대기 (山-) [명] 산의 맨 위. 산머리. 산정(山頂). 산두(山頭).
산-나물 (山-) [명] 산에서 나는 나물. 멧나물. 산채(山菜). ¶~ 비빔밥 / ~을 캐다.
산-내림 (山-) [명][하타] 산에서 벤 나무를 산기슭이나 평지까지 굴려서 내리는 일. 산떨음.
산다 (山茶) [명] 〔식〕 동백나무.

산:달(産―)[―딸] 명 해산달.
산대[―때] 명 고기 잡는 그물의 하나(《대나쇠로 만든 틀에 삼각형 또는 둥근 그물을 주머니처럼 붙임》).
산대-극(山臺劇) 명하자 산대놀음.
산대-놀음(山臺―) 명하자 〖민〗 고려·조선 시대에 성행하던 우리나라 가면극(《탈을 쓰고 소매가 긴 옷을 입은 광대들이 큰길가나 빈터에서 음악에 맞춰 춤을 추며 장면이 바뀔 때마다 재담, 곧 우스운 말·시늉·몸짓 따위로 관중을 웃김》). 산대극. 산대도감극.
산대-놀이(山臺―) 명하자 산대놀음.
산-더미(山―)[―떠―] 명 물건이나 일이 썩 많이 있음의 비유. ¶ ~ 같은 쌀가마 / 일감이 ~같이 밀려 있다.
산:도(產道) 명 분만할 때, 태아가 나오는 모체 안의 통로.
산도(酸度) 명 〖화〗 1 산성도. 2 염기의 한 분자 속에 있는 수산기의 수(《그 수에 따라 일산염기·이산염기라고 함》).
산-동네(山洞―)[―똥―] 명 달동네.
산-돼지(山―)[―뙈―] 명 〖동〗 멧돼지.
산드러-지다 형 태도가 맵시 있고 경쾌하다. 큰선드러지다.
산득 부하형 갑자기 놀라거나 사늘한 느낌을 받는 모양. 큰선득.
산득-거리다 자 자꾸 산득한 느낌이 들다. 큰선득거리다. **산득-산득** 부하자형
산득-대다 자 산득거리다.
산들-거리다 자 1 시원한 기운을 띤 바람이 잇따라 가볍게 불다. 2 바람에 물건이 가볍고 보드랍게 자꾸 흔들리다. ¶ 깃발이 산들거린다. 3 사람의 성질이 시원스러우면서도 흐늘거리는 맛이 있다. 큰선들거리다. **산들-산들** 부하자형. ¶ 강바람이 ~ 불어온다 / 바람에 나뭇가지가 ~ 흔들린다.
산들다〔산드니, 산드오〕 자 바라던 일이나 소망이 틀어지다.
산들-대다 자 산들거리다.
산들-바람 명 1 시원하고 가볍게 부는 바람. 산들산들 부는 바람. 큰선들바람. 2 〖기상〗 풍력 계급 3의 바람. 초속 3.4-5.4 미터로 부는 바람. 미풍. 연풍(軟風). ☞ 풍력 계급.
산-등(山―)[―뜽] 명 '산등성이'의 준말.
산-등성마루(山―)[―뜽―] 명 산등성이의 가장 높은 곳. 산척(山脊). 준산마루.
산-등성이(山―)[―뜽―] 명 산의 등줄기. 산등성. 준산등.
산-딸기(山―) 명 1 산딸기나무의 열매. 2 '산딸기나무'의 준말.
산-딸기나무(山―) 명 〖식〗 장미과의 낙엽 활엽 관목. 산이나 들에 나는데, 높이 1-2m, 온몸에 가시가 남. 초여름에 흰 꽃이 피며, 열매는 한여름에 홍흑색으로 익으며 약용·식용함. 준산딸기.
산뜻[―뜯] 부 행동이 가볍고 빠르고 시원스러운 모양. 큰선뜻.
산뜻-이 부 산뜻하게. 큰선뜻이.
산뜻-하다[―뜨타―] 형여불 1 기분이나 느낌이 깨끗하고 시원하다. ¶ 산뜻한 산속 공기 / 기분이 ~. 2 보기에 시원스럽고 말쑥하다. ¶ 산뜻한 복장 / 이발을 하니 산뜻해 보인다. 큰선뜻하다.
산:란(產卵)[살―] 명하자 알을 낳음. ¶ 연어는 ~하기 위해 바다에서 강으로 거슬러 올라간다.
산:란(散亂)[살―] 명 〖물〗 파동(波動)이나 입자선(粒子線) 등이 물체와 충돌하여 불규칙하게 흩어지는 현상.
산:란-관(產卵管)[살―] 명 〖충〗 곤충의 알을 낳는 기관(《배 끝에 바늘 모양으로 되어 있음》).
산:란-기(產卵期)[살―] 명 알을 낳는 시기.
산:란-하다(散亂―)[살―] 형여불 1 물건들이 흩어져 어지럽다. 2 어수선하고 뒤숭숭하다. ¶ 마음이 산란하여 일이 손에 잡히지 않는다. **산:란-히**[살―] 부
산령(產嶺)[살―] 명 산봉우리.
산록(山麓)[살―] 명 산기슭.
산류(山流)[살―] 명 1 경사가 급한 비탈을 흐르는 내. ¶ ~에 밀려 떠내려가다. 2 내나 강의 상류·중류의 병칭(竝稱).
산:륜(散輪)[살―] 명 무거운 물건을 옮길 때, 그 밑에 깔고 굴리는 둥근 나무토막.
산릉(山陵)[살―] 명 1 산과 언덕의 총칭. 2 〖역〗 인산(因山) 전에 아직 이름을 짓지 않은 새 능.
산릉(山稜)[살―] 명 산꼭대기와 다음 산꼭대기로 이어진 줄기. 능선.
*__산림__(山林)[살―] 명 1 산과 숲. 또는 산에 있는 숲. ¶ ~ 보호. 2 학식과 덕이 높으나 벼슬을 하지 아니하고 시골에서 지내는 선비. 산장(山長).
산림-녹화(山林綠化)[살―노콰] 명 벌거숭이산에 나무를 심고 이를 보호하여 초목을 무성하게 하는 일.
산림-대(山林帶)[살―] 명 산림 지대.
산림-욕(山林浴)[살―뇩] 명 삼림욕.
산림 지대(山林地帶)[살―] 산림이 있는 지대. 산림대(帶).
산림-청(山林廳)[살―] 명 농림수산 식품부 소속의 중앙 행정 기관의 하나(《산림 경영의 연구와 개선 따위에 관한 사무를 맡아봄》).
*__산-마루__(山―) 명 '산등성마루'의 준말. ¶ 노루 떼가 ~를 넘나들다.
산-마루터기(山―) 명 산마루의 두드러진 턱. 준산마루턱.
산막(山幕) 명 1 사냥을 하거나 약초를 캐는 동안 임시로 쓰려고 산속에 지은 집. ¶ ~으로 긴급 피난하다. 2 산지(山地)에 있는 숙박 및 휴게 시설.
산:만-하다(散漫―) 형여불 어수선하게 흩어져 퍼져 있다. 또는 일을 하는 데 정신이 집중되지 않고 흩어져 있어 야무지지 못하다. ¶ 문장이 ~ / 주의가 ~.
산:망(散亡) 명하자 흩어져 없어짐.
산매(山魅) 명 요사스러운 산 귀신.
산매(가) 들리다 구 요사스러운 산 귀신이 몸에 붙다.
산:매(散賣) 명하타 소매.
*__산맥__(山脈) 명 〖지〗 여러 산악이 계속 길게 뻗치어 줄기를 이룬 지대. *산줄기.
산-머리(山―) 명 산꼭대기.
산:-멱 명 산멱통.
산:-멱통 명 살아 있는 동물의 목구멍. 산멱. 멱통.

산명(山名) 명 산의 이름.
산명(山鳴) 명하자 땅속의 변화로 산이 울리는 소리. 산울림.
산:모(産母) 명 해산한 지 며칠 안 되는 여자. 산부. ¶ ~와 아이가 모두 건강하다.
산-모롱이(山-) 명 산모퉁이의 휘어져 돌아간 곳. 산의 모롱이.
산-모퉁이(山-) 명 산기슭의 쑥 내민 귀퉁이. 산갑(山岬). ¶ 저 ~를 돌면 마을이 보인다.
산:-목숨 명 살아 있는 목숨. ¶ ~에 거미줄 치랴.
산:-몸 명 살아 있는 몸. 생체(生體).
산문(山門) 명 **1** 산의 어귀. **2** 절[1]. **3** 절의 바깥문. ¶ ~을 지나가다.
산:문(産門) 명 해산하는 여자의 음부. 포문(胞門). 해탈문(解脫門). *산도(産道).
산:문(散文) 명 〖문〗 글자의 수나 운율 등에 제한 없이 자유롭게 쓰는 보통의 문장《소설·수필 따위》. 줄글. *운문(韻文).
산:문-시(散文詩) 명 〖문〗 일정한 운율 없이 자유로운 형식으로 쓰는 시.
산:문-체(散文體) 명 〖문〗 자유로운 형식으로 사실을 글로 쓰는 보통의 문장체. *운문체(韻文體).
산:물(産物) 명 **1** 어떤 지방에서 생산되는 물건. ¶ 이 고장의 대표적 ~은 사과다. **2** 어떤 일의 결과로 생겨나거나 얻어지는 것. ¶ 예술품은 감수성과 상상력의 ~이다.
산미(山味) 명 **1** 산에서 나는 나물·과실 등의 맛. **2** 산에서 나는 맛깔스러운 것이라는 뜻으로, 산나물·산과실을 이르는 말.
산:미(産米) 명 농사를 지어 생산한 쌀.
산미(酸味) 명 신맛.
산-바람(山-)[-빠-] 명 산의 위쪽에서 아래쪽으로 부는 바람.
산:발(散發) 명하자 때때로 일어남.
산:발(散髮) 명하자 머리를 풀어 헤침. 또는 그 머리. ¶ 당황한 나머지 ~한 채로 도망치다.
산:발-성(散發性)[-썽] 명 한꺼번에 널리 퍼지는 것이 아니고, 여기저기서 불쑥불쑥 발생하는 성질.
산:발-적(散發的)[-쩍] 관명 때때로 여기저기 흩어져 발생하는 (것). ¶ ~(인) 데모.
산-발치(山-) 명 산의 아랫부분.
산방(山房) 명 **1** 산속에 있는 집. 또는 그 방. **2** (일부 명사 앞에 쓰여) '서재(書齋)'를 일컫는 말.
산:법(算法)[-뻡] 명 셈하는 법.
산:-벼락 명 죽지 않을 정도로 맞은 벼락이라는 뜻으로, 감당하기 힘든 재난을 이르는 말. ¶ ~을 맞다.
산:보(散步)[-뽀] 명하자타 산책. ¶ 아침 일찍 공원에서 ~하다.
산-봉우리(山-)[-뽕-] 명 산꼭대기의 뾰족한 부분. 산봉. ¶ ~까지 올라가다. 준봉(峰)·봉우리. *멧부리.
산:부(産婦) 명 산모.
산-부리(山-)[-뿌-] 명 산의 어느 부분이 부리같이 쑥 내민 곳.
산:-부인과(産婦人科)[-꽈] 명 〖의〗 임신·해산·신생아 및 부인병 따위를 다루는 의술의 한 분과. 또는 그러한 것을 진료하는 병원 부서.
산:-부처 명 **1** 도를 통하여 부처처럼 된 승려. 산여래. **2** 아주 착하고 어진 사람.
산-불(山-)[-뿔] 명 산에 난 불. 산화(山火). ¶ 바람을 타고 ~이 확산되다.
산-비탈(山-)[-삐-] 명 산기슭의 몹시 경사진 곳. ¶ 가파른 ~을 미끄러져 내려오다.
산사(山寺) 명 산속에 있는 절. ¶ 고요한 ~ / ~에 머물다.
산-사람(山-)[-싸-] 명 **1** 산에 사는 사람. ¶ 겨울은 ~에게도 견디기 어려운 계절이다. **2** 등산하는 사람.
산-사태(山沙汰) 명 〖지〗 큰비나 지진 등으로, 산 중턱의 암석이나 흙이 갑자기 무너져 내리는 현상. 산붕. 산붕괴. ¶ ~가 일어나다.
산:삭(刪削) 명하타 필요하지 않은 글자나 글귀를 지워 버림. 산제.
산:삭(産朔) 명 해산달.
산:산-이(散散-) 부 여지없이 깨어지거나 흩어지는 모양. ¶ ~ 부서지다〔흩어지다·깨지다〕.
산:산-조각(散散-) 명 아주 잘게 깨어진 여러 조각. ¶ 거울이 떨어져 ~이 나다 / 사업 실패로 꿈은 ~이 되어 날아갔다.
산산-하다 형여불 시원한 느낌이 들 정도로 사늘하다. ¶ 날씨가 ~ / 가을바람이 조금 ~. 큰선선하다.
산삼(山蔘) 명 깊은 산중에 야생하는 삼《약효가 재배종보다 월등함》. ↔가삼.
산상(山上) 명 **1** 산 위. **2** 뫼 쓰는 일을 하는 곳.
산-새(山-)[-쌔] 명 산에서 사는 새. 멧새. 산조(山鳥). 산금(山禽). ¶ ~들이 지저귀다 / 산림 남벌로 ~마저 보기 어렵게 되었다.
산색(山色) 명 산의 빛깔이나 경치. ¶ ~이 수려하다.
산석(山石) 명 **1** 산에 있는 돌. **2** 능에서 산신제를 지낼 때 쓰는 돌.
산성(山城) 명 산 위에 쌓은 성.
산성(酸性) 명 〖화〗 산이 나타내는 성질. 물에 녹으면 신맛을 내고 청색 리트머스(litmus) 시험지를 붉은색으로 변하게 하며, 염기를 중화시켜 염을 만듦. ↔염기성.
산성-도(酸性度) 명 〖화〗 용액의 산성의 강도를 나타내는 정도. 수소 이온 농도 지수(pH)로 표시함. 산도.
산성-비(酸性-) 명 대기 오염 물질인 황산화물·질소 산화물이 섞여 내리는 산성의 비《건물·다리 및 구조물을 부식시키고, 토양·삼림·하천 따위에 심각한 피해를 줌》. ¶ ~의 피해가 막심하다.
산성-화(酸性化) 명하자타 산성으로 변함. 또는 산성으로 변화시킴. ¶ 화학 비료를 써서 농토가 ~되어 간다.
산세(山勢) 명 산의 모양. ¶ ~가 수려하다 / ~가 험하다.
산소(山所) 명 **1** '뫼'의 경칭. ¶ 조상의 ~를 찾아 성묘하다. **2** 뫼가 있는 곳. 묘소(墓所). 영역(塋域). 준산.
***산소**(酸素) 명 〖화〗 원소의 하나. 모든 원소 중에서 가장 많이 존재함. 무색·무미·무취의 기체. 모든 물질의 분자량을 측정하는 기준이 되며, 동식물의 생활에 불가결한

물질임. [8번 : O : 16] ¶ ~는 수소와 화합하여 물을 만든다.
산소-마스크 (酸素mask) 명 고공·갱 속 등의 산소가 희박한 곳에 들어갈 적에 휴대하거나 호흡이 곤란한 환자에게 쓰는 마스크《산소 탱크에 연결하여 호흡을 도움》.
산소 호흡 (酸素呼吸) 〖생〗 산소를 호흡하는 일《생물체 안에 흡입한 산소에 의해, 양분을 산화하여 에너지를 얻음》.
산-속 (山-)[-쏙] 명 산의 속. 산중. ¶ 길을 잃고 ~을 헤매다.
산:-송장 명 살아 있는 송장이라는 뜻으로, 살아 있으되 죽은 것이나 다름없는 사람을 이르는 말. ¶ 산소마스크에 의지하여 ~이나 다름없다.
산수 (山水) 명 **1** 경치. ¶ ~가 아름답다. **2** 산에서 흐르는 물. **3** '산수화'의 준말.
산:수 (刪修) 명하타 글의 자구를 깎고 다듬고 하여 잘 정리함. 산정(刪定).
***산:수** (算數) 명 **1** 산술. **2** 기초적인 셈법.
산수유-나무 (山茱萸-) 명 〖식〗 층층나뭇과의 낙엽 활엽 교목. 산과 들에 나는데, 높이는 3m가량, 봄에 노란 네잎꽃이 잎보다 먼저 피며, 핵과는 길이 1.5cm 정도의 긴 타원형을 이룸. 과실·씨는 말려 한방에서 약재로 씀.
산수-화 (山水畫) 명 동양화에서, 자연의 풍경을 제재(題材)로 하여 그린 그림. 산수도. 준산수.
산:술 (算術) 명 일상생활에 실지로 응용할 수 있는 수와 양의 간단한 성질 및 셈을 다루는 수학의 초보적 부문. 정수·분수·소수의 사칙 및 제곱근풀이·세제곱근풀이의 셈법 등을 다룸. 산수(算數).
산:술-적 (算術的)[-쩍] 관명 산술의 방법으로 이루어지는 (것). ¶ ~ 통계.
산:술 평균 (算術平均) 〖수〗 여러 수의 합을 그 개수로 나눈 평균값.
산스크리트 (산 Sanskrit) 명 〖언〗 인도·유럽 어족 중 인도·이란 어파에 속하는 옛 인도·아리안 말《고대 인도의 고급 문장어로 오늘날까지 지속되는데, 불경이나 고대 인도 문학은 이 문자로 기록됨》. 산스크리트 어. 범어(梵語).
산승 (山僧) ㊀명 산속의 절에 있는 승려. ㊁인대 승려가 자기를 낮추어 일컫는 말.
산신 (山神) 명 산신령.
산신-각 (山神閣) 명 〖불〗 절에서 산신을 모신 전각. 산왕단(山王壇).
산신-당 (山神堂) 명 산신을 모신 집. 산제당(山祭堂). 준산당(山堂).
산-신령 (山神靈)[-실-] 명 산을 지키고 다스리는 신. 산신.
산신-제 (山神祭) 명 산신에게 지내는 제사. ¶ 해마다 이맘때면 산사람들이 모여 ~를 지낸다. 준산제(山祭).
산:실 (産室) 명 **1** 아이를 낳는 방. 산방(産房). **2** 어떤 일을 꾸미거나 이루어 내는 곳의 비유. ¶ 혁명의 ~.
산:실 (散失) 명하타 흩어져 잃어버림. ¶ 전쟁으로 ~된 고서화.
산:아 (産兒) 명하자 아이를 낳음. 또는 그 태어난 아이.
산:아 제:한 (産兒制限) 인공적 피임 방법으로 수태와 출산을 제한하는 일. ¶ ~으로 출생률이 낮아진다.
산악 (山岳·山嶽) 명 높고 험한 산들. ¶ ~ 지대.
산악 기후 (山岳氣候) 산악 지대에 특유한 기후형《기온·기압 따위가 몹시 낮으며, 일기의 변화가 심하고 바람이 세게 붊》. *고산 기후.
산악-인 (山岳人) 명 등산을 즐기거나 잘하는 사람. ¶ ~들이 원정 등반에 나서다.
산악-회 (山岳會)[-아쾨] 명 등산하는 사람들로 구성된 단체. ¶ ~를 결성하다.
산야 (山野) 명 산과 들. ¶ 푸른 ~.
산:약 (散藥) 명 가루약. *환약(丸藥)·탕약.
산양 (山羊) 명 〖동〗 **1** 염소. **2** 영양(羚羊).
산-언덕 (山-) 명 산으로 된 언덕. 또는 평지보다 좀 높은 지대.
***산:업** (産業) 명 생산을 하는 사업《농업·목축업·임업·수산업·광업·공업·상업·무역·금융업 따위》. ¶ ~ 기반이 취약하다 / ~을 육성하다.
산:업-계 (産業界)[-/-께] 명 산업에 종사하는 사람들의 사회.
산:업-공해 (産業公害) 명 산업으로 인하여 일어나는 공해. ¶ 각종 ~의 폐해가 늘고 있다.
산:업 구조 (産業構造) 한 나라의 국민 경제에 존재하는 각 산업의 짜임새와 그 상호 관계.
산:업 디자인 (産業design) 대량 생산되는 공업 제품에 대한 디자인.
산:업 사회 (産業社會) 산업화와 경제 성장을 축(軸)으로 하는 현대 사회의 일컬음.
산:업 스파이 (産業spy) 경쟁 상대 회사의 기술·생산 따위의 정보를 탐지하는 사람. ¶ ~로 처벌을 받다.
산:업-용 (産業用)[-엄뇽] 명 산업 활동에 씀. ¶ ~ 자재를 구입하다.
산:업 자본 (産業資本) 산업에 투자되어 직접 생산 과정에 기능하고 있는 자본. ¶ ~이 영세하다.
산:업 재해 (産業災害) 생산적 노동 장소에서 발생하는 사고 또는 직업병으로 말미암아 노동자가 받는 신체의 장애. 노동 재해. 준산재(産災).
산:업-체 (産業體) 명 생산하는 업체.
산:업 통상 자원부 (産業通商資源部) 〖법〗 중앙 행정 기관의 하나. 상업·무역·공업·에너지·통상 교섭 등에 관한 사무를 맡아봄.
산:업 폐:기물 (産業廢棄物)[-/-페-] 공장 등의 산업 활동에 따라 생긴 폐기물《폐유·폐수·폐액·폐플라스틱·슬래그 따위》. ¶ ~의 불법 투기.
산:업 혁명 (産業革命)[-어평-] 〖역〗 18세기 후반부터 약 백 년간 유럽에서 발명된 기계 및 증기 기관 등으로 인한 생산 기술의 변혁과 그에 따른 사회 조직의 큰 변화.
산:업-화 (産業化)[-어퐈] 명하자타 산업의 형태가 됨. 또는 그렇게 되게 함. ¶ ~를 이루다 / ~된 사회.
산역 (山役) 명하자 무덤을 만듦. 또는 그 일.
산역-꾼 (山役-) 명 산역을 하는 일꾼.
산:열 (散熱) 명하자 열이 사방으로 흩어짐. ¶ ~ 반응 / ~ 분해.

산-열매 (山-)[-녈-] 명 산과 들에 절로 나서 자라는 나무에 열리는 열매. ¶~를 따 먹다.
산염 (山塩) 명 암염. ↔해염(海塩).
산영 (山影) 명 산의 그림자. ¶~이 호수에 비치다.
산:욕 (産褥) 명 1 아이를 낳을 때 산모가 까는 요. 2 산욕기.
산:욕-기 (産褥期) 명 〖의〗 분만 후 생식기가 원상회복될 때까지의 기간《보통 6-8주간》. 산욕(産褥).
산:욕-열 (産褥熱)[-용녈] 명 〖의〗 분만할 때 생긴 생식기의 상처로 침입한 연쇄상 구균 등에 의해 일어나는 병. 산후열.
산용 (山容) 명 산의 모양. 산형(山形). ¶~이 수려(秀麗)하다.
산:-울 명 '산울타리'의 준말.
산-울림 (山-) 명 1 땅속의 변화로 산이 울리는 일. 또는 그런 소리. 2 메아리. ¶'야호' 하고 외치는 소리가 ~이 되어 되돌아왔다.
산:-울타리 명 살아 있는 나무를 심어서 이룬 울타리. 준산울.
산:원 (産院) 명 산모의 해산을 돕고 그 산모와 신생아를 돌보아 주는 곳.
산:월 (産月) 명 해산달. ¶~이 꽉 차다.
산:유 (産油) 명 원유를 생산함.
산:유-국 (産油國) 명 원유(原油)를 생산하는 나라. ¶~의 산유 제한으로 유가 파동이 일어나다.
산인 (山人) 명 1 깊은 산중에서 세상을 떠나 사는 사람. 2 산속에 사는 승려나 도사.
산:일 (散佚·散逸·散軼) 명하자 흩어져서 일부가 빠져 없어짐. ¶문집이 ~되다.
산:입 (算入) 명하타 셈에 넣음. ¶미수금은 월수에 ~하지 않았다 / 급료에는 특근 수당이 ~되었다.
산:자 (橵子) 명 〖건〗 지붕 서까래 위나 고미 위에 흙을 받치기 위해 엮어 까는 나뭇개비 또는 수수깡. 산자발. ¶싸리나무로 ~를 받다.
산:자 (糤子·饊子) 명 유밀과의 하나. 찹쌀가루를 반죽하여 얇고 반듯하게 조각을 만들어 말린 뒤에 기름에 튀겨 내서 꿀을 바르고 튀긴 밥풀을 앞뒤에 붙임.
산-자락 (山-) 명 밋밋하게 경사진 산의 밑부분. ¶안개가 ~을 휘감다 / ~에 아담한 건물이 자리잡고 있었다.
산자-수명 (山紫水明) 명하형 산수의 경치가 썩 좋음.
산:잡-하다 (散雜-)[-자파-] 형여불 산만하고 어수선하다.
산장 (山莊) 명 1 산에 있는 별장. 산서(山墅). 2 등산자의 휴식·숙박을 위해 산에 세운 집. ¶해가 저물어 ~에서 묵다.
산:재 (産災) 명 '산업 재해'의 준말.
산:재 (散在) 명하자 여기저기 흩어져 있음. ¶문화재가 여기저기 ~해 있다 / 장애물이 도처에 ~해 있다.
산적 (山賊) 명 산속에 근거지를 두고 활동하는 도둑. ¶~을 만나다. *해적(海賊).
산적 (山積) 명하자 물건이나 일이 산더미같이 쌓임. ¶할 일이 ~해 있다.
산:적 (散炙) 명 1 쇠고기 따위를 길쭉길쭉하게 썰어 양념을 하여 꼬챙이에 꿰어서 구운 적. ¶~을 부치다. 2 '사슬산적'의 준말.
산적-하다 (山積-)[-저카-] 형여불 일이나 물건이 쌓인 것이 산더미 같다. ¶산적한 업무 / 산적한 쌀가마니.
산:전 (産前) 명 아이를 낳기 바로 전. ¶~휴가. ↔산후.
산전-수전 (山戰水戰) 명 세상살이를 하면서 온갖 고생과 어려움을 다 겪었음을 비유한 말. ¶~ 다 겪은 사람.
산정 (山頂) 명 산꼭대기.
산:정 (算定) 명하타 셈하여 정함. ¶높은 ~가격 / ~하는 방식에 따라 금액에 차이가 생긴다 / 피해액이 ~되다.
산:조 (散調) 명 〖악〗 민속 음악의 하나. 느린 속도의 진양조로 시작, 차츰 급하게 중모리·자진모리·휘모리로 끝남. *병창(竝唱). ☞민속악.
산주 (山主) 명 1 산의 임자. 2 산대탈을 보존하는 사람. 3 무당들이 조직한, 도를 닦는 곳의 직책의 하나.
산죽 (山竹) 명 산에서 나는 대.
산-줄기 (山-)[-쭐-] 명 큰 산에서 뻗어 나간 산의 줄기. *산맥.
산중 (山中) 명 산속. ¶첩첩 ~ / 깊은 ~에서 길을 잃다.
산중-호걸 (山中豪傑) 명 〔산속에 있는 호걸이라는 뜻으로〕 범을 가리키는 말.
***산지** (山地) 명 1 들이 적고 산이 많은 지대. 산달. ¶~는 평지보다 기온이 낮다. 2 묏자리로 쓰기에 적당한 땅.
산:지 (産地) 명 1 농산물 따위가 생산되어 나오는 곳. 산출지. ¶이 쌀의 ~는 이천이다 / 배의 ~로는 나주가 널리 알려져 있다. 2 사람이 출생한 땅.
산-지기 (山-) 명 개인의 산이나 뫼를 맡아서 지키는 사람. 산직(山直). ¶~가 부치는 논밭.
산-지니 (山-) 명 산에서 자라 여러 해를 묵은 매나 새매. 산진(山陳). 산진매. ↔수(手)지니.
산:지사방 (散之四方) 명하자 사방으로 흩어짐. 또는 흩어져 있는 각 방향. ¶낙엽이 ~으로 흩어지다.
산:-지식 (-知識) 명 살아 있는 지식. 현실 생활에 직접 활용할 수 있는 지식. ¶~을 활용할 기회가 없다.
산-짐승 (山-)[-찜-] 명 산속에 사는 짐승. 산수(山獸). *들짐승.
산채 (山菜) 명 산나물. ¶~ 비빔밥.
산채 (山寨·山砦) 명 1 산에 돌·목책을 둘러쳐 만든 진터. 2 산적들의 소굴.
산:책 (散策) 명하자타 바람을 쐬기 위해 구경도 하며 천천히 이리저리 거닒. 산보(散步). ¶공원을 ~하다.
산:책-길 (散策-) 명 산책로.
산:책-로 (散策路)[-노] 명 산책할 수 있게 만든 길. ¶~를 거닐다.
산천 (山川) 명 1 산과 내. ¶주로 ~을 경계로 행정구역이 나뉜다. 2 자연. ¶아름다운 ~ / 고향 ~이 그립다.
산천초목 (山川草木) 명 산천과 초목. 곧, 자연. ¶~도 나를 반기는 듯하다.

산초 (山草) 명 **1** 산에 나는 풀. **2** 산지의 밭에 심은 담배.
산초 (山椒) 명 〖식〗 산초나무의 열매. 분디.
산초-나무 (山椒-) 명 〖식〗 운향과의 낙엽 활엽 관목. 산과 들에 나는데, 높이는 약 3m, 작은 가지에 가시가 나 있음. 9월에 연한 녹색 꽃이 산방(繖房)꽃차례로 피고, 열매는 녹갈색으로 검은 종자가 들어 있는데 식용하며, 종자는 기름을 짜 식용하기도 함.
산촌 (山村) 명 산속에 있는 마을. 두메. 산곽(山郭). ¶ ~의 하루는 일찍 저문다.
산:촌 (散村) 명 인가가 밀집하지 않고, 넓은 지역에 흩어져 있는 마을. ↔집촌.
산:출 (産出) 명하타 물건이 천연적·인공적으로 생산되어 나옴. ¶평야에서는 쌀이 ~된다 / 광물을 ~하다.
산:출 (算出) 명하타 계산을 해 냄. ¶원가를 ~하다 / 미터를 보고 주행 거리를 ~한다 / 이윤이 ~되다.
산:출-량 (産出量) 명 생산되어 나오는 양.
산:출-물 (産出物) 명 산출한 물건. 준산물.
산:출-지 (産出地)[-찌] 명 산출한 곳. ¶귤의 ~로는 당연히 이 지방이 꼽힌다. 준산지.
산-치성 (山致誠) 명 〖민〗 산신령에게 정성을 드리는 일. ¶~을 드리다.
산타 (Santa) 명 '산타클로스'의 준말. ¶~할아버지가 오시는 날.
산타클로스 (Santa Claus) 명 크리스마스 전날 밤에 굴뚝으로 몰래 들어와 착한 어린이의 양말이나 신발 속에 선물을 넣고 간다는, 붉은 외투를 입고 흰 수염이 난 노인. 준산타.
산:탄 (散彈) 명 **1** 산탄(霰彈). **2** 총포의 사격에서 탄착점이 널리 흩어진 것.
산:탄 (霰彈) 명 〖군〗 폭발할 때 작은 탄알이 한꺼번에 많이 터져 나오게 된 탄환(《가까운 거리에 있는 적·짐승에 대해 효력이 있음》). 산탄(散彈).
산-턱 (山-) 명 산이 비탈져서 내려오다가 조금 두두룩한 곳. ¶~을 깎아 길을 내다.
산-토끼 (山-) 명 〖동〗 토낏과의 짐승. 야산에 사는데, 등은 갈색, 배 쪽은 흰색이나, 겨울에는 온몸이 하얗게 변함. 모피는 방한용으로 씀. 야토(野兎).
산통 (疝痛) 명 복부 내장의 여러 질환에 따라 간격을 두고 되풀이하여 일어나는 격심한 발작성의 복통.
산:통 (産痛) 명 〖의〗 진통(陣痛) 1.
산:통 (算筒) 명 맹인이 점을 칠 때 쓰는, 산가지를 넣는 통. ¶ ~을 흔들어 산가지를 뽑다.
산통(을) 깨다 구 다 되어 가는 일을 이루지 못하게 뒤틀다.
산통이 깨지다 구 다 되어 가는 일이 뒤틀리다.
산:파 (産婆) 명 **1** '조산사'의 구용어. **2** 산파역.
산:파-역 (産婆役) 명 어떤 일을 잘 주선하여 이루어지게 하는 역할. 또는 그 사람. ¶건군(建軍)의 ~ / 조직의 ~을 자임하고 나서다.
산판 (山坂) 명 나무를 찍어 내는 일판.
산패 (酸敗) 명하자 〖화〗 술이나 지방류 등 유기물이 산화하여, 맛이 변하고 냄새가 나는 현상. ¶술이 ~되다.
산:편 (散片) 명 산산이 흩어진 조각.
산:포 (散布) 명하자타 흩어져 퍼짐. 흩어 퍼뜨림. ¶격문(檄文)을 ~하다.
산-포도 (山葡萄) 명 〖식〗 **1** 머루. **2** 담쟁이덩굴.
산:표 (散票) 명하자 투표에서, 표가 한 사람에게 집중되지 않고 여러 사람에게 흩어짐. 또는 그 표. ¶~가 많이 나오다 / ~로 과반수 득표자가 나오지 않았다.
산하 (山河) 명 산과 큰 내. 또는 자연. 산천(山川). ¶두고 온 ~를 그리다 / 전쟁으로 ~가 온통 피로 물들었다.
산하 (傘下) 명 어떤 세력·조직체의 관할 아래. ¶경찰청 ~의 각급 기관.
산:학 (産學) 명 산업계와 학계. ¶ ~이 공동으로 추진하는 프로젝트.
산:학 (算學) 명 셈에 관한 학문.
산:학 협동 (産學協同)[-하켭-] 기술 교육에서, 산업계와 교육 기관이 협동하는 일(《기술자 양성·관련 기술 개발·산업계가 요구하는 연구 따위를 주로 함》).
산해 (山海) 명 산과 바다.
산해진미 (山海珍味) 명 산과 바다의 갖가지 진귀한 산물로 잘 차린 맛 좋은 음식. 산진해미. 수륙진미. ¶귀빈을 ~로 대접하다.
산행 (山行) 명하자 산길을 걸어감. 등산하러 산에 감. ¶~에 동행하다.
산-허리 (山-) 명 **1** 산 둘레의 중턱. 산요(山腰). ¶~에 터널을 내다. **2** 산등성이의 잘록하게 들어간 곳. ¶~에 길이 나 있다.
산:혈 (産血) 명 〖생〗 해산할 때 산모의 몸에서 나오는 피.
산협 (山峽) 명 **1** 깊은 산속의 골짜기. **2** 두메. ¶~의 경치.
산형 (山形) 명 산의 형상·모습.
산호 (珊瑚) 명 **1** 산호과에 속하는 자포동물로서, 흔히 그 골격을 말함. 산호충이 모여서 나뭇가지 모양을 형성한 것인데, 바깥쪽은 무르고 속은 단단한 석회질로 됨. 가공하여 장식품으로 씀. **2** 〖동〗 산호충.
[산호 기둥에 호박 주추다] 매우 호화스럽게 삶을 비유한 말.
산호-초 (珊瑚礁) 명 〖지〗 산호충 군체의 골격이 퇴적하여 생긴 암초 또는 섬.
산호-충 (珊瑚蟲) 명 〖동〗 산호충과의 자포(刺胞)동물. 난해(暖海)에 사는데, 언제나 군체를 이룸. 윗면 중앙에 입을 벌리고 그 주위에 8개의 깃꼴 촉수가 있어 국화와 같은데, 무엇에 닿으면 곧 그것을 닫음. 이것이 죽어 골격화한 것이 산호임.
산화 (山火) 명 산불.
산화 (山花) 명 산에 피는 꽃. 산꽃.
산:화 (散花·散華) 명하자 **1** 〖식〗 꽃은 피어도 열매를 맺지 못하는 꽃. **2** 꽃다운 목숨이 전장(戰場) 등에서 죽음. ¶~한 무명용사의 명복을 빌다. **3** 〖불〗 부처를 공양하기 위하여 꽃을 뿌리는 일.
산화 (酸化) 명하자 〖화〗 순물질(純物質)이 산소와 화합하거나 수소를 잃는 반응. 넓은 뜻으로는 순물질에서 전자를 잃는 변화 또는 그에 따르는 화학 반응. ¶쇠가 ~해서 녹이 슬다. ↔환원.

산화-물 (酸化物) 명 〖화〗 산소와 다른 원소의 화합물. 분자 중에 포함된 산소 수에 따라 일산화물(一酸化物)·이(二)산화물·삼(三)산화물 등으로 나뉘며, 성질에 따라 산성·중성·염기성으로 나뉨. 산소 화합물.

산화-제 (酸化劑) 명 〖화〗 물질을 산화시키는 데 쓰는 물질《산소·오존·질산·이산화망간 따위》.

산화-칼슘 (酸化calcium) 명 〖화〗 탄산칼슘·질산칼슘 따위를 가열하여 만드는 백색 무정형의 물질《물을 타면 고열을 내며 수산화칼슘이 됨. 대표적인 염기로 소석회·카바이드 등의 원료, 건조제·토양 개량제 등으로 널리 씀》. 백회. 생석회. 속칭 : 회(灰).

산:회 (散會) 명하자 회의나 모임을 마치고 사람들이 흩어짐. ¶ 예정 시각보다 일찍 ~했다.

산:후 (産後) 명 아이를 낳은 뒤. ¶ ~ 조리가 중요하다. ↔산전(産前).

*__살__[1] 명 **1** 사람이나 동물의 뼈를 싸고 있는 부드러운 물질. ¶ ~이 찌다 / 볼에 ~이 오르다. **2** 조개나 게 등의 껍데기나 다리 속에 든 연한 물질. **3** 과실 등의 껍질 속에 든 부드러운 부분. 과육(果肉). **4** 살가죽의 겉면. ¶ ~이 타다 / ~이 곱다.
[살이 살을 먹고 쇠가 쇠를 먹는다] 동포끼리 서로 해치려 함을 이르는 말.
살로 가다 구 먹은 것이 살이 되다.
살을 깎고 뼈를 갈다 구 몸이 야윌 정도로 노력하며 애쓰다. 매우 고생하다.
살(을) 붙이다 구 이미 되어 있는 뼈대에다 여러 가지를 덧붙여 보태다.
살(을) 섞다 구 남녀가 성교하다.
살을 에다 구 추위나 슬픔으로 살을 베어 내듯 고통스럽다. ¶ 추위가 살을 에는 듯하다 / 살을 에는 듯한 슬픔을 이겨 내다.
살이라도 베어 먹이다 구 제 몸의 살까지도 베어서 먹일 만큼 알뜰히 보살펴 주다.

살[2] 명 **1** 창문·얼레·부채·연 또는 바퀴의 뼈대가 되는 부분. ¶ ~이 촘촘한 부채 / 자전거 바퀴의 ~이 휘다. **2** 빗의 낱낱으로 갈리어진 이. **3** '어살'의 준말. **4** '화살'의 준말. **5** 벌의 꽁무니에 있는 침. **6** 해·별·불 또는 흐르는 물 따위의 내뻗치는 기운. ¶ 햇~ / 물~. **7** 떡살로 찍은 무늬. **8** 주름이나 구김으로 생기는 금. ¶ 주름~ / 눈~.
[살은 쏘고 주워도 말은 하고 못 줍는다] 화살은 쏘아도 찾을 수 있으나 말은 다시 수습할 수 없다《말을 삼가라는 뜻》.
살을 먹이다 구 화살을 활시위에 대고 활을 당기다.
살(을) 박다 구 흰떡 같은 데에 떡살로 무늬를 박다.
살(을) 잡다 구 기울어진 집 따위를 바로잡아 세우다.
살(이) 잡히다 구 ㉠구김살이 지다. ㉡살얼음이 얼다.

살[3] 명 노름판에서, 걸어 놓은 몫에 덧붙여 더 태워 놓는 돈. ¶ ~이 들어가다 / ~을 지르다.

살 (煞) 명 **1** 사람을 해치고 물건을 깨뜨리는 독하고 모진 기운. 곧, 악귀의 짓. ¶ ~을 풀다. **2** 친족 간에 좋지 않은 띠앗. ¶ 그의 형제는 ~이 세다.
살(을) 맞다 구 초상집에나 혼인집에 갔다가 갑자기 탈이 나다.
살을 박다 구 남을 공박하여 독살스럽게 말하다.
살(이) 가다 구 대수롭지 않은 것을 건드려서 공교롭게 상하거나 깨졌을 때 이르는 말. ¶ 한 번 친 것이 살이 가서 죽었다.
살이 끼다 구 ㉠사람이나 물건 등을 해치는 불길한 기운이 들러붙다. ㉡띠앗머리 없게 하는 기운이 들러붙다. 살(이) 오르다. 살(이) 붙다.
살(이) 나가다 구 살(이) 내리다㉡.
살(이) 내리다 구 ㉠사람을 해치거나 물건을 깨치는 독살궂은 기운이나 악한 귀신의 짓이 떨어져 나가다. ㉡일가친척 사이에 사나운 띠앗머리가 떨어져 나가다. ↔살(이) 오르다.
살(이) 붙다 구 살(이) 끼다.
살(이) 세다 구 ㉠일가친척 사이에 띠앗이 없다. ㉡운수가 나쁘다.
살(이) 오르다 구 살이 끼다. ↔살(이) 내리다.

*__살__[4] 의명 나이를 세는 말. ¶ 한 ~ / 서른 ~.

살-가죽 [-까-] 명 동물의 몸 거죽을 싸고 있는 껍질. 피부. ¶ ~이 얇다.

살갑다 〔살가우니, 살가워〕 형ㅂ불 **1** 집이나 세간 따위가 겉보기와는 다르게 속이 너르다. **2** 마음씨가 너그럽고 다정스럽다. ¶ 살가운 사람 / 살갑게 맞아 주다. **3** 닿는 느낌이 가볍고 부드럽다. **4** 물건 따위에 정이 들다. ㉢슬겁다.

살강 명 그릇을 얹어 놓기 위해 시골집 부엌의 벽 중턱에 드린 선반.

살강-거리다 자 설삶은 콩·밤 등이 씹히는 소리가 자꾸 나다. 또는 그것을 씹을 때 입 안에서 무르지 아니한 느낌이 자꾸 들다. ㉢설겅거리다. ㉥쌀강거리다. ㉦살캉거리다·쌀캉거리다. **살강-살강** 부하자형

살강-대다 자 살강거리다.

*__살-갗__ [-갇] 명 살가죽의 겉면. 피부. ¶ ~이 볕에 그을다 / ~이 희다.

살-같이 [-가치] 부 쏜살같이. ¶ 세월이 ~ 지나간다.

살-거리 [-꺼-] 명 몸에 붙은 살의 정도와 모양. ¶ ~가 좋다.

살-결 [-껼] 명 살갗의 결. ¶ ~이 곱다.

살구 명 개살구나무·살구나무 따위의 열매. 살은 식용하고 씨의 알맹이는 한약과 화장품의 재료로 씀. 육행(肉杏).

살구-나무 명 〖식〗 장미과의 낙엽 활엽 교목. 높이 5-7m, 초봄에 연분홍 다섯잎꽃이 피고, 둥근 핵과가 여름에 익음.

살균 (殺菌) 명하자 약품이나 높은 열로 세균 등 미생물을 죽여 무균 상태로 하는 일. 멸균. ¶ ~된 우유 / 행주를 삶아 ~하다.

살균-제 (殺菌劑) 명 살균하는 데 쓰는 약제《페놀·크레졸·알코올 따위》.

살그머니 부 남이 모르게 넌지시. ¶ ~ 다가서는 그림자 / ~ 손을 잡다. ㉢슬그머니.

살금-살금 부 남이 모르게 눈치를 보아 가며 가만가만 하는 모양. ¶ ~ 뒤를 밟아 정체를 밝히다. ㉢슬금슬금. ㉣살살.

살-기 [-끼] 명 몸에 살이 붙은 정도.

살기 (殺氣) 명 남을 죽이거나 해치려는 무

서운 낯빛이나 분위기. ¶눈에 ~가 어리다 / ~가 떠돌다.
살기등등-하다(殺氣騰騰-) 형 여불 살기가 얼굴에 잔뜩 올라 있다. ¶표정이 ~ / 살기등등하게 노려보다.
살:-길[-낄] 명 살아가기 위한 방도. ¶~이 막연하다 / ~을 찾다.
살:-날[-랄] 명 1 앞으로 세상에 살아 있을 날. ¶~이 얼마 남지 않았다. 2 잘살게 될 날. ¶우리에게도 ~이 올 것이다.
살-내[-래] 명 몸에서 나는 냄새.
살년(殺年)[-련] 명 모질게 흉년이 든 해.
***살:다**[1] 〔사니, 사오〕 一 자 1 목숨을 이어 나가다. ¶죽느냐 사느냐의 문제 / 90살까지 살았다. 2 사람이 생활을 하다. ¶장사를 하고 ~ / 물가고로 살기 힘들다. 3 살림을 하고 지내다. ¶가정을 이루고 ~. 4 어느 곳에 거주하거나 거처하다. ¶물에 사는 짐승 / 서울에 ~. 5 그림이나 글이 생생한 효과를 내다. ¶산 글 / 이 그림은 살아 있다. 6 장기·바둑에서 말이나 돌이 죽음을 면하다. ¶대마가 살아 있으니 해볼 만하다. 7 소용·효용·쓸모 따위가 있다. ¶산 교훈 / 그 정신은 오늘날까지 살아 있다. 8 성질·기세가 뚜렷이 나타나다. ¶기가 살아서 사람을 몰아대다. 9 의식이나 기억 속에 사라지지 않고 남다. ¶어린 시절의 기억이 아직도 머릿속에 살아 있다. 10 불 따위가 타거나 비치다. ¶잿더미에 불씨가 살아 있다. 二 타 1 어떤 직책이나 신분으로 지내다. ¶머슴을 ~ / 벼슬을 ~. 2 징역이나 귀양살이를 치르다. ¶교도소에서 3년을 ~. 3 ('삶'을 목적어로 취하여) 어떤 생활을 영위하다. ¶남을 도우며 풍요로운 삶을 ~.
[산 사람 입에 거미줄 치랴] 살기가 어렵다고 쉽사리 죽기야 하겠느냐는 말. [산 호랑이 눈썹] 도저히 얻을 수 없는 것을 얻으려 할 때 이르는 말.
살:다[2] 〔사니, 사오〕 형 기준이나 표준보다 조금 크거나 많다.
살-담배 명 칼로 썬 담배. 각(刻)연초. 절초(切草). ↔잎담배.
살-닿다[-다타] 자 본밑천에 손해가 나다. 밑지다.
살-덩어리[-떵-] 명 살로 이루어진 덩어리. 준살덩이.
살-덩이[-떵-] 명 '살덩어리'의 준말.
살-돈 명 1 노름 밑천이 되는 돈. 2 무슨 일을 하여 밑졌을 때, 본디 밑천이 되었던 돈을 일컫는 말. 육전(肉錢).
살:똥-스럽다〔-스러우니, -스러워〕 형 ㅂ불 말이나 행동이 독살스럽고 당돌하다. ¶살똥스럽게 굴다 / 그녀의 살똥스러운 태도에 모두 어리둥절했다. **살:똥-스레** 부
살뜰-하다 형 여불 1 일이나 살림을 정성스럽고 규모 있게 하여 빈틈이 없다. 매우 알뜰하다. ¶살뜰하게 살림을 꾸려 가다. 2 사랑하는 사람을 위하는 마음이 자상하고 지극하다. ¶아내를 살뜰하게 아껴 주다.
살뜰-히 부
살-뜸 명 하자 〖한의〗 맨살 위에다 바로 뜸을 뜸. 또는 그런 일.
살랑 부 바람이 가벼이 부는 모양. ¶~ 불어오는 봄바람.
살랑-거리다 자 1 몸에 조금 추운 느낌이 생길 만큼 바람이 가볍게 자꾸 불다. 2 자꾸 가볍게 팔을 저어 바람을 내면서 걷다. 큰설렁거리다. **살랑-살랑** 부 하자
살랑-대다 자 살랑거리다.
살랑살랑-하다 형 여불 사늘한 기운이 있어 매우 추운 느낌이 있다. 큰설렁설렁하다.
살랑-하다 형 여불 1 날씨가 조금 추운 듯하다. ¶봄바람에 제법 날씨가 ~. 2 갑자기 놀라 가슴속에 찬바람이 도는 것 같다. 큰설렁하다. 센쌀랑하다.
살래-살래 부 하타 몸의 한 부분을 가볍게 흔드는 모양. ¶고개를 ~ 흔들다. 큰설레설레. 준살살.
살롱(프 salon) 명 1 객실. 응접실. 2 프랑스 상류 가정의 객실에서 열리는 사교적인 모임. 3 미술 전람회. 미술품 전람실. 4 〈속〉 양장점·미장원 또는 양주 파는 술집 등의 이름.
살리다[1] 타 1 어떤 부분을 덜어 내지 않고 본바탕대로 두든지, 좀 보태든지 하다. ¶본맛을 살린 요리. 2 제구실을 하게 하다. 활용하다. ¶개성을 ~ / 특성을 ~ / 경험을 살려 기량을 발휘하다.
***살리다**[2] 타 《"살다"의 사동》 1 죽게 된 목숨을 살게 하다. ¶살리고 죽이는 권력. 2 생활 방도를 찾아 목숨을 유지하게 하다. ¶식구들을 먹여 ~.
***살림** 명 하자 1 한집안을 이루어 살아가는 일. ¶오랜 처가살이 끝에 ~을 나다. 2 살아가는 형편이나 정도. ¶~이 넉넉하다 / ~에 쪼들리다 / ~이 궁하다. 3 집 안에서 쓰는 세간. ¶신혼 ~을 장만하다.
[살림에는 눈이 보배라] 가정생활에는 일일이 잘 보살핌이 제일이라는 뜻.
살림(을) 맡다 구 어떤 일이나 집안의 살림을 맡아서 처리하다.
살림-꾼 명 1 살림을 맡아보는 사람. 2 살림을 알뜰히 하는 사람. ¶아내는 ~으로 우리 집의 기둥이나 다름없다.
***살림-살이** 명 하자 1 살림을 차려서 사는 일. ¶알뜰한 ~ / ~하는 솜씨가 제법이다. 2 살림에 쓰는 온갖 물건. ¶부엌 ~ / ~가 많이 늘었다.
살림-집[-찝] 명 살림하는 집. *가겟집.
살:-맛[-맏] 명 세상을 살아가는 재미나 보람. ¶~ 나는 세상.
살망-살망 부 살망한 다리로 걷는 모양. 큰설멍설멍.
살망-하다 형 여불 1 아랫도리가 가늘고 어울리지 않게 조금 길다. 2 옷의 길이가 몸에 맞지 않고 좀 짧다. 큰설멍하다.
살며시 부 드러나지 않게 넌지시. ¶~ 눈을 감다 / ~ 일러 주다 / ~ 만 원권 한 장을 쥐어 주다. 큰슬머시.
살멸(殺滅) 명 하타 죽여 없앰.
살몃-살몃[-멷쌀멷] 부 잇따라 살며시. 큰슬몃슬몃.
살무사 명 〖동〗 살무삿과의 뱀. 길이 70cm 가량, 머리는 삼각형, 목이 가늘며, 암회색 바탕에 흑갈색 돈 모양의 무늬가 있음. 위턱 끝에 독니가 있음《예로부터 강장제로 씀》. 복사(蝮蛇). 살모사(殺母蛇).

살미 명 궁궐이나 성문 등의 기둥 위 도리 사이에 장식하는 촛가지를 짜서 만든 물건.

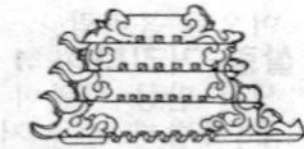
살미

살-바람 명 **1** 좁은 틈에서 새어 들어오는 찬 바람. ¶~에 감기 들겠다. **2** 봄철에 부는 찬 바람.
살벌 (殺伐) 명하형 분위기나 행동 따위가 거칠고 무시무시함. ¶~한 분위기.
살-붙이 [-부치] 명 **1** 혈육적으로 가까운 사람. 보통 부모 자식 관계에서 일컬음. 피붙이. ¶제 ~도 돌보지 않는 비정한 세상. **2** 짐승의 여러 가지 살코기.
살-빛 [-삗] 명 살갗의 빛깔. 살색.
살살[1] 부 **1** 넓은 그릇의 물이 천천히 고루 끓는 모양. ¶물이 ~ 끓어오른다. **2** 온돌방이 고루 뭉근하게 더운 모양. ¶방바닥이 ~ 더워지다. **3** 짧은 다리로 가볍게 기어가는 모양. ¶송충이가 꿈틀거리며 ~ 기어간다. **4** '살래살래'의 준말. ¶싫다고 고개를 ~ 흔든다. 센쌀쌀[1]. **5** 두려워서 기를 펴지 못하는 모양. 큰설설.
  살살 기다 구 두려워서 행동을 자유로이 하지 못하다. ¶고양이 앞의 쥐처럼 ~.
살살[2] 부 **1** 소리나지 않게 가만히 걷거나 피해 다니는 모양. ¶~ 뒤쫓아 가다 / ~ 피해 다니다. **2** 눈이나 설탕 따위가 모르는 사이에 녹는 모양. ¶사탕이 입 안에서 ~ 녹는다. **3** 남을 살그머니 달래거나 꾀는 모양. ¶친구를 ~ 꾀어 보증인으로 세우다. **4** 가볍게 문지르는 모양. ¶아픈 배를 ~ 문질러 주다. **5** 바람이 보드랍게 부는 모양. ¶봄바람이 ~ 불어온다. **6** 가만히 눈웃음을 치는 모양. ¶눈웃음을 ~ 치다. **7** '살금살금'의 준말. 큰슬슬.
살살[3] 부 배가 조금씩 아픈 모양. ¶배가 ~ 아프다. 센쌀쌀[2].
살살-거리다 자 **1** 계속해서 가볍게 기어 다니다. **2** 머리를 계속해서 재게 흔들다. **3** 상대편을 계속해서 꾀거나 눈웃음을 치며 알랑거리다. 큰설설거리다. 센쌀쌀거리다.
살살-대다 자 살살거리다.
살살-이 명 살살 대면서 간사를 부리는 사람.
살살-하다 형여불 **1** 교활하고 간사하다. **2** 가냘프고 곱다. **3** 매우 아슬아슬하다.
살상 (殺傷) [-쌍] 명하타 죽이거나 상처를 입힘. ¶인명이 ~되다.
살-색 (-色) [-쌕] 명 살빛. ¶~이 까맣다.
살생 (殺生) [-쌩] 명하자 짐승이나 사람을 죽임.
살생-유택 (殺生有擇) [-쌩뉴-] 명 세속 오계의 하나. 살생을 하는 데는 가림이 있다는 뜻으로, 함부로 살생하지 말아야 함을 이르는 말.
살-소매 명 옷소매와 팔 사이의 빈 곳.
살-손 명 **1** 무슨 일을 할 때 연장 따위를 쓰지 않고 바로 대서 만지는 손. **2** 무슨 일을 정성껏 하는 손.
  살손(을) 붙이다 구 일을 할 때 정성을 다하여 힘껏 하다.
살수 (撒水) [-쑤] 명하자 물을 흩어서 뿌림.
살수-차 (撒水車) [-쑤-] 명 살수 장치가 있어 도로나 운동장 따위에 물을 뿌리는 차. 물자동차.
살신성인 (殺身成仁) [-씬-] 명하자 몸을 죽여 인(仁)을 이룸. 즉, 옳은 일을 위해 목숨을 버림.
***살아-가다** 자타 **1** 목숨을 이어 가다. ¶대대로 한 고장에서 ~. **2** 생활을 해 나가다. ¶살아가는 재미 / 온 가족이 행복하게 ~ / 고단하게 인생을 ~.
살아-나다 자 **1** 죽게 된 생명이 다시 살게 되다. ¶죽다 ~ / 구사일생으로 ~. **2** 꺼져 가던 불이 다시 일어나다. ¶다 꺼져 가던 화재가 바람을 받아 살아났다. **3** 심한 곤경을 벗어나다. ¶도산 직전 살아난 회사. **4** 약해졌던 세력이 다시 성해지다. ¶투지가 다시 살아나고 있다. **5** 패었던 자리가 도로 돋아나다. ¶새살이 ~. **6** 잊었던 기억·감정·정서 등이 다시 떠오르다. ¶학창 시절의 기억들이 살아나기 시작했다.
살아-남다 [-따] 자 **1** 여럿 가운데 일부가 죽음을 모면하고 살아서 남아 있게 되다. ¶가족 중에 혼자만 살아남았다. **2** 어떤 일이나 효력 따위가 계속되다. ¶감동이 오래오래 가슴속에 ~. **3** 어떤 분야에서 밀려나지 않고 존속하다. ¶치열한 생존 경쟁에서 살아남았다.
살아-생전 (-生前) 명부 이 세상에 살아 있는 동안. ¶그분이 ~에 하시던 말씀.
살아-오다 자타 **1** 목숨을 이어 오거나 생활해 오다. ¶정직을 신조로 믿고 살아왔다. **2** 죽지 않고 돌아오다. ¶전장에서 구사일생으로 살아왔다. **3** 일정한 신분으로 근무하거나 어떤 일을 계속하여 겪어 오다. ¶교사로 긴 세월을 ~. **4** 어려움을 견디며 지내 오다. ¶암울한 시대를 ~.
살-얼음 명 얇게 살짝 언 얼음. 박빙(薄氷). ¶~이 끼다.
  살얼음을 밟듯이 구 극히 위험한 지경에 임하여 매우 조심함의 비유.
살얼음-판 명 **1** 얇게 언 얼음판. **2** 큰 변이 날 듯이 아슬아슬하게 위태로운 고비의 비유. ¶~을 걷는 심정이다.
살-여울 [-려-] 명 물살이 급하고 빠른 여울.
살육 (殺戮) 명하타 〔←살륙(殺戮)〕 많은 사람을 마구 죽임. ¶무참히 ~되다.
살의 (殺意) [-/-이] 명 사람을 죽이려는 생각. ¶~를 느끼다 / ~를 품다.
-살이 미 무엇에 종사하거나 어디에 기거하여 살아감을 나타내는 말. ¶머슴~ / 셋방~ / 타향~.
살인 (殺人) 명하자 사람을 죽임. ¶~ 용의자 / ~ 사건 / ~을 저지르다.
살인-강도 (殺人強盜) 명 재물을 빼앗기 위하여 사람을 죽이는 도둑.
살인-귀 (殺人鬼) 명 함부로 사람을 죽이는 사람을 악귀에 비유하여 일컫는 말. 살인마. ¶희대의 ~.
살인-극 (殺人劇) 명 사람을 죽이는 소동. 살인 사건. ¶백주에 ~이 벌어지다.
살인-나다 (殺人-) 자 살인 사건이 생기다.
살인-내다 (殺人-) 자 사람을 죽이다.
살인-마 (殺人魔) 명 살인귀.
살인 미:수 (殺人未遂) 〖법〗 사람을 죽이려다가 이루지 못함. ¶~로 기소되다.
살인-범 (殺人犯) 명 〖법〗 살인죄를 저지른

사람. 살해범. ¶ ~이 붙잡히다.
살인-자(殺人者) 명 살인한 사람.
살인-적(殺人的) 관명 사람의 목숨을 빼앗을 정도로 몹시 심한 (것). 굉장한 (것). ¶ ~(인) 더위.
살인-죄(殺人罪)[-쬐] 명 〖법〗 사람을 고의로 죽인 죄(고의가 아닌 경우에는 상해 치사죄 또는 과실 치사죄가 됨).
살-점(-點)[-쩜] 명 큰 덩이에서 떼어 낸 살의 조각. ¶ ~을 베어 내다.
살-지다 형 1 몸에 살이 많다. 2 땅이 기름지다.
살-지르다〔살지르니, 살질러〕 자 르불 1 노름판에서 걸어 놓은 돈에다 덧붙여 돈을 더 대어 놓다. 2 어살을 지르다. 3 간살을 지르다.
살-집[-찝] 명 살이 붙어 있는 정도나 부피. ¶ ~이 좋다 / ~이 적당하다.
살짝 부 1 남모르는 사이에 재빠르게. ¶ ~ 알려 주다 / ~ 빠져나가다. 2 힘들이지 않고 능숙하게. ¶ ~ 뛰어내리다. 3 심하지 않게 약간. ¶ ~ 다치다. 큰 슬쩍.
살짝-곰보 명 약간 얽은 얼굴. 또는 그런 얼굴을 가진 사람.
살짝-살짝 부 1 남에게 들키지 않게 잇따라 재빠르게 하는 모양. ¶ ~ 호주머니에 감추다. 2 힘들이지 않고 잇따라 능숙하게 하는 모양. ¶ 발걸음을 ~ 옮겨 놓다. 3 심하지 않게 약간씩. ¶ ~ 못질을 하다. 큰 슬쩍슬쩍.
살쩍 명 관자놀이와 귀 사이에 난 머리털. 귀밑털. 빈모(鬢毛). ¶ ~을 길게 기르다.
살찌 명 쏜 화살이 날아가는 모양새. ¶ ~가 몹시 곱다.
살-찌다 자 1 몸에 살이 많아지다. 살이 오르다. ¶ 살쪄서 고민이다. 2 힘이 강해지거나 생활이 풍요로워지다.
살-찌우다 타 《'살찌다'의 사동》 살찌게 하다. ¶ 가축을 ~.
살-차다 형 1 혜성의 꼬리 빛이 세차다. 2 성질이 붙임성이 없이 차고 매섭다.
살-창(-窓) 명 가는 나무나 쇠 오리로 살을 대어 만든 창. 살창문.

살창

살-촉(-鏃) 명 화살촉.
살충(殺蟲) 명하자 벌레나 해충을 죽임.
살충-제(殺蟲劑) 명 농작물·가축·인체에 해가 되는 벌레를 죽이거나 없애는 약품의 총칭. 구충제. 살충약.
살-치다 자 못 쓰게 되거나 잘못된 글이나 문서 따위에 X 모양의 줄을 그어 못 쓴다는 뜻을 나타내다.
살캉-거리다 자 설익은 밤·콩·감자 등이 씹힐 때에 부서지는 소리가 자꾸 나다. 또는 그것을 씹을 때 입 안에서 무르지 아니한 느낌이 자꾸 들다. 큰 설컹거리다. 여 살강거리다. 센 쌀강거리다. **살캉-살캉** 부하자형
살캉-대다 자 살캉거리다.
살-코기 명 기름기·힘줄·뼈가 없는 살로만 된 고기.
살-쾡이 명 〖동〗 고양잇과의 산짐승. 고양이보다 좀 크며, 빛은 갈색, 등에 흑갈색 반문이 얼룩짐. 성질이 사납고 꿩·다람쥐·닭 등을 포식함. 삵. 들고양이.
살팍-지다 형 근육이 살지고 단단하다. ¶ 살팍진 암소 / 알통이 ~.
살:판-나다 자 1 돈이나 좋은 직업이 생겨 생활이 윤택하게 되다. ¶ 살판났는지 흥청망청 쓴다. 2 기를 펴고 살 수 있게 되다. ¶ 동네 사람들은 살판난 듯이 생기가 나서 몰려다녔다.
***살펴-보다** 타 1 하나하나 자세히 보다. ¶ 사방을〔주위를〕 ~. 2 무엇을 찾거나 알아보다. ¶ 열차 시간을 ~. 3 자세히 따져서 생각하다. ¶ 문제를 잘 살펴본 후 답을 써라.
살-평상(-平床) 명 바닥에 좁은 나무오리로 일정하게 사이를 띄어서 죽 박아 만든 평상.

살평상

살포 명 논에 물꼬를 트거나 막을 때 쓰는 농기구(두툼한 쇳조각의 머리쪽 가운데에 괴통이 비죽이 내밀어 붙은, 모가 난 삽).

살포

살포(撒布) 명하타 1 액체·가루 등을 흩뿌림. ¶ 분무기로 농약을 ~하다. 2 돈·전단 등을 여러 사람에게 나누어 줌. ¶ 선거 유세장에 전단을 ~하다.
살포시 부 매우 보드랍고 가볍게. 살며시. ¶ ~ 안기다 / ~ 눈을 감다.
살포-제(撒布劑) 명 1 소독·살충을 위하여 뿌리는 약제의 총칭. 2 겨드랑이·가랑이같이 습하기 쉬운 곳에 흩어 뿌려 습진의 예방 및 피부의 상처 따위의 치료에 쓰는 외용약(아연화 녹말·요오드포름 따위).
살-풀이(煞-) 명하자 1 타고난 흉살을 풀기 위해 하는 굿. ¶ ~로 굿을 하다. 2 남도(南道) 무악 장단의 하나로, 8분의 12 박자로 됨. 살풀이장단.
살-품 명 옷과 가슴 사이에 생기는 빈틈.
살-풍경(殺風景) 명하형 1 자연 풍경 따위가 운치가 없고 메마름. ¶ 가지만 앙상한 나무들로 산이 ~하였다. 2 단조롭고 흥취가 없음. ¶ 거리가 통행인도 적고 ~하다. 3 살기를 띤 광경. ¶ 전투는 아비규환, 그야말로 ~이었다.
살피 명 1 두 땅의 경계선을 표시한 표. 2 물건과 물건과의 사이를 구별 지은 표. ¶ 책들 사이에 ~를 끼우다.
***살피다**[1] 타 1 주의하여 두루두루 자세하게 보다. ¶ 눈치를 ~ / 안색을 ~ / 주위를 ~. 2 잘 미루어서 헤아리거나 생각하다. ¶ 형세를 ~.
살피다[2] 형 짜거나 엮은 것이 거칠고 성기다. 큰 설피다.
살-피듬 명 몸에 살이 피둥피둥한 정도. ¶ ~이 좋다.
살핏-살핏[-핀쌀핀] 부하형 짜거나 엮은 것이 여럿이 다 거칠고 성긴 모양. ¶ 그물을 ~ 엮다. 큰 설핏설핏.
살핏-하다[-피타-] 형 여불 짜거나 엮은 것이 거칠고 성긴 듯하다. ¶ 싸리 울타리가 ~. 큰 설핏하다.

살해 (殺害) 명하타 사람을 죽임. 남의 생명을 해침. ¶～ 현장 / ～한 동기가 애매하다 / 괴한에게 ～되다.
살해-범 (殺害犯) 명 살인죄를 저지른 사람. 살인범. ¶～에게 사형이 구형되다.
삵 [삭] 명 〔동〕 '삵괭이'의 준말. 살쾡이.
***삶:** [삼] 명 **1** 사는 일. 살아 있는 현상. ¶새로운 ～을 찾다 / 인간다운 ～을 누리다. ↔ 죽음. **2** 목숨. 생명. 생(生). ¶～을 소중히 여기다.
삶기다 [삼-] 자 ('삶다'의 피동) 삶아지다.
***삶:다** [삼따] 타 **1** 물에 넣고 끓이다. ¶빨래를 ～ / 달걀을 ～. **2** 달래거나 으르거나 꾀거나 하여 아주 고분고분하게 만들다. 구워삶다. ¶아버지를 삶아서 용돈을 타 내다. **3** 논밭의 흙을 써레로 썰고 나래로 골라서 노글노글하게 만들다. ¶논을 삶고 못자리를 만들었다.
삶은 무에 이 안 들 소리 구 삶은 무에 이가 안 들어갈 리가 없다는 뜻으로, 전혀 사리에 맞지 않는 말을 함을 이르는 말.
삼[1] 명 태아를 싸고 있는 막과 태반(胎盤).
삼(을) 가르다 구 아이를 낳은 뒤에 탯줄을 끊다. 태를 가르다. ¶삼을 가르고 아이를 씻다.
삼[2] 명 〔의〕 눈동자에 좁쌀만 하게 생기는 희거나 붉은 점. ¶며칠 동안 잠을 설쳤더니 ～이 섰다.
삼[3] 명 〔식〕 뽕나뭇과의 한해살이풀. 유라시아 온대·열대에서 재배함. 줄기 높이 1-3m, 줄기 껍질은 섬유의 원료로 삼베·어망·포대·밧줄 등에 씀. 대마(大麻). 마(麻). 화마(火麻).
삼 (蔘) 명 〔식〕 **1** 인삼과 산삼의 총칭. ¶～을 캐다. **2** '인삼'의 준말.
***삼** (三) 수관 셋. 세 번째. ¶～에 ～을 더하다 / ～ 개월 / ～ 학년.
[삼 년 가뭄에는 살아도 석 달 장마에는 못 산다] 가뭄 피해보다 장마 피해가 더 무섭다는 말.
삼가 부 조심하는 마음으로 정중히. ¶～ 글월을 올립니다 / ～ 고인의 명복을 빕니다.
삼가다 타 몸가짐을 조심하고 지나치지 않도록 하다. ¶외출을 ～ / 어른 앞에서 말을 ～ / 모름지기 술과 담배를 삼가야 한다.
삼각 (三角) 명 **1** 세모. **2** 〔수〕 '삼각형'의 준말.
삼각 (三刻) 명 세 시각. 셋째 시각.
삼각-가 (三脚架) 명 삼발이2.
삼각-건 (三角巾) 명 부상자의 응급 치료에 쓰는 삼각형의 헝겊《정사각형을 대각선으로 이등분하여 만듦》.
삼각-관계 (三角關係)[-/-게] 명 **1** 세 남녀 사이의 연애 관계. ¶애인의 친구와 가까워져 ～에 빠졌다. **2** 세 사람 또는 세 단체 사이의 관계. ¶독자·저자·출판사의 ～.
삼각-대 (三脚臺) 명 사진기나 무기 등을 얹어 놓는, 세 발 달린 받침대.
삼각 무:역 (三角貿易)[-강-] 두 나라 사이의 무역 균형을 위하여 특례 조약에 따라 제삼국을 개입시키는 무역.
삼각-자 (三角-) 명 삼각형으로 된 자《보통, 밑각이 60°와 30°로 된 직각 삼각자와 45°로 된 직각 이등변 삼각자의 두 가지가 있음》. 세모본. 세모자.
삼각-주 (三角洲) 명 〔지〕 강물이 운반해 온 흙·모래 따위가 쌓여 강 어귀에 이룬 모래톱《대개 삼각형임》. 델타(delta).
삼각-지 (三角紙) 명 곤충을 채집할 때 쓰는 삼각형의 종이봉투.
삼각 함:수 (三角函數)[-가캄쑤] 〔수〕 직각 삼각형의 한 예각 A의 크기 x에 의해 결정되는 삼각비를 x의 함수로 보고 정의한 함수 및 이것과 대수(代數) 함수 등과의 합성에 의해 얻어지는 여러 함수.
***삼각-형** (三角形)[-가켱] 명 세 개의 선분으로 둘러싸인 평면 도형《다각형(多角形) 중 가장 간단하고 기초적인 것으로 기하학적인 성질이 매우 풍부한 도형임》. 세모꼴. 준삼각.
삼간-두옥 (三間斗屋) 명 몇 칸 안 되는 작은 오막살이집.
삼간-초가 (三間草家) 명 썩 작은 초가. 삼간초옥. 초가삼간.
삼-간택 (三揀擇) 명하타 〔역〕 임금·왕자·왕녀의 배우자가 될 사람을 세 번에 걸쳐 고른 후에 정하던 일.
삼강 (三綱) 명 유교 도덕에서 기본이 되는 세 가지 강령《군위신강(君爲臣綱)·부위자강(父爲子綱)·부위부강(夫爲婦綱)》.
삼강-오륜 (三綱五倫) 명 유교의 도덕에서 기본이 되는 세 가지 강령과 다섯 가지 도리. 삼강과 오륜.
삼-거리 (三-) 명 세 갈래로 갈라진 길. 세거리. ¶이 길로 곧장 가면 ～가 나온다 / ～에서 우회전하시오.
삼겹-살 (三-) 명 비계와 살이 세 겹으로 되어 있는 것처럼 보이는 돼지고기. ¶술안주로 ～을 구워 먹다.
삼겹-실 (三-) 명 세 가닥의 올로 꼰 실. 삼합사(三合絲).
삼경 (三更) 명 한 밤을 다섯 등분한 셋째《밤 11시부터 오전 1시까지》.
[삼경에 만난 액이라] 뜻밖에 닥치는 불행이라는 뜻.
삼경 (三經) 명 시경(詩經)·서경(書經)·주역(周易)의 세 경서.
삼계 (三界)[-/-게] 명 〔불〕 **1** 천계(天界)·지계(地界)·인계(人界)의 셋. **2** 중생이 사는 세 세계. 즉, 욕계(欲界)·색계(色界)·무색계(無色界). **3** 과거·현재·미래의 세 세계. 삼세(三世).
삼계 (三計)[-/-게] 명 곡식을 가꾸는 1년 계획, 나무를 가꾸는 10년 계획, 인재를 가꾸는 종신(終身) 계획을 일컬음.
삼계-탕 (蔘鷄湯)[-/-게-] 명 어린 닭의 내장을 빼내고 인삼, 찹쌀, 대추 따위를 넣고 푹 곤 음식. 계삼탕.
삼고 (三考) 명하타 세 번 생각함. 또는 잘 생각함. ¶～ 끝에 실행하다.
삼고 (三顧) 명하타 삼고초려의 고사에서, 윗사람이나 임금에게 특별한 신임이나 우대를 받는 일.
삼고-초려 (三顧草廬) 명 중국 삼국 시대에, 유비가 제갈량의 초옥을 세 번이나 방문하여 마침내 그를 군사(軍師)로 삼았다는 데서, 인재를 맞아들이기 위해 참을성 있게 노력한다는 말. 초려삼고.

삼공-육경 (三公六卿) 명 〔역〕 조선 때의 삼정승과 육판서.
삼관-왕 (三冠王) 명 1 세 종류의 칭호나 영예를 동시에 지닌 사람. 2 야구에서, 한 시즌에 수위 타자·홈런왕·타점왕을 혼자서 차지한 선수. 3 운동 경기에서, 세 종목이나 세 부문에 걸쳐 우승을 하거나 수위를 차지한 사람. ¶사상 최초의 최연소 양궁 경기에서 ~을 차지하다.
삼광 (三光) 명 1 해와 달과 별. 삼정(三精). 2 화투에서, 솔·공산·벚꽃의 세 광.
삼교 (三校) 명 〔인〕 인쇄물의 교정에서, 재교(再校) 다음에 세 번째로 보는 교정. 또는 그 교정지.
삼교 (三敎) 명 유교·불교·도교. 또는 유교·불교·선교(仙敎).
삼국 (三國) 명 〔역〕 1 신라·백제·고구려의 세 나라. 2 중국 후한(後漢) 말의 위(魏)·오(吳)·촉(蜀)의 세 나라.
삼국 시대 (三國時代) 〔역〕 1 신라·백제·고구려의 세 나라가 맞서 있던 시대. 2 중국 후한 말에 위·오·촉의 세 나라가 서로 항쟁하던 시대.
삼군 (三軍) 명 1 〔군〕 전체의 군대. 전군(全軍). 2 〔군〕 육군·해군·공군의 총칭. ¶~의 총수가 되다. 3 〔역〕 군대의 좌익(左翼)·중군(中軍)·우익(右翼)의 총칭.
삼권 (三權)[-꿘] 명 〔법〕 입법권·사법권·행정권의 세 가지 국가적 권력.
삼권 분립 (三權分立)[-꿘불-] 권력의 남용을 막기 위하여 권력을 입법·사법·행정의 상호 독립된 세 기관에 분산하는 국가 조직의 원리. ¶~은 명목뿐, 총통이 전권을 행사한다.
삼-귀의 (三歸依)[-/-이] 명 〔불〕 불(佛)·법(法)·승(僧)의 삼보(三寶)에 돌아가 의지함. ㊀삼귀(三歸).
삼-나무 (杉-) 명 〔식〕 낙우송과의 상록 교목. 일본 특산인데, 줄기는 곧고 높이는 약 50-70 m, 몸피는 5-10 m, 껍질은 갈색 섬유질로서 질김. 잎은 짧은 바늘 모양으로 뭉쳐남. 나무 질이 좋아 건축·가구재 따위로 씀. 삼목.
삼남 (三男) 명 1 셋째 아들. ¶~으로 태어나다. 2 세 아들.
삼남 (三南) 명 〔지〕 충청도·전라도·경상도의 총칭.
삼녀 (三女) 명 1 셋째 딸. 2 세 딸. 딸 삼 자매. ¶아들 하나에 ~를 두고 있다.
삼년-상 (三年喪) 명 부모의 상을 당해 세 해 동안 거상(居喪)하는 일. 삼년초토(三年草土). ¶~을 치르다. ㊀삼상(三喪).
삼농 (蔘農) 명 인삼을 재배하는 농사.
삼-눈 명 〔의〕 눈망울에 삼이 생겨 몹시 쑤시고 눈알이 붉어지는 병.
삼다 (三多) 명 1 글을 짓는 세 가지 법. 곧, 많이 읽고, 많이 짓고, 많이 생각함. 2 제주도에 바람·여자·돌이 많음을 이르는 말.
***삼:다**[1] [-따] 타 1 인연을 맺어 무엇으로 정하거나 자기의 관계자가 되게 하다. ¶며느리로 ~. 2 무엇으로 무엇이 되게 하다. 또는 되다시피 여기다. ¶이번 일을 구실로 ~ / 문제 ~. 3 (주로 '삼아'의 꼴로 쓰여) 무엇을 무엇으로 가정하다. ¶장난삼아 건드려 보다.
삼:다[2] [-따] 타 1 짚신·미투리 따위를 결어서 만들다. ¶짚신을 ~. 2 삼이나 모시풀 같은 섬유를 비벼 꼬아 잇다. ¶삼을 ~.
삼다-도 (三多島) 명 여자·돌·바람의 세 가지가 많은 섬이라는 뜻으로, '제주도'를 달리 일컫는 말.
삼-단 [-딴] 명 삼의 묶음. 삼을 묶은 단. [삼단 같은 머리] 숱이 많고 긴 머리.
삼단 논법 (三段論法)[-뻡] 〔논〕 대전제·소전제·결론의 세 판단으로 이루어지는 추리 방식《곧, 모든 사람은 죽는다(대전제), 그는 사람이다(소전제), 따라서 그는 죽는다(결론)》.
삼단-뛰기 (三段-) 명 세단뛰기.
삼-당숙 (三堂叔) 명 아버지의 팔촌 형제. 삼종숙. *당숙.
삼-대 [-때] 명 삼의 줄기.
삼대 (三代) 명 1 아버지·아들·손자의 세 대. 삼세(三世). ¶~가 한집에서 산다. 2 〔역〕 고대 중국의 하(夏)·은(殷)·주(周) 세 왕조.
삼덕 (三德) 명 1 정직·강(剛)·유(柔). 2 지(智)·인(仁)·용(勇). 3 〔기·가〕 믿음과 소망과 사랑. 4 〔불〕 법신덕·반야덕·해탈덕 또는 은덕·단덕(斷德)·지덕(智德)의 통칭.
삼도 (三道) 명 부모에 대한 세 가지 효도. 곧, 부모를 봉양하고, 상사(喪事)에 근신하고, 제사를 받드는 일.
삼-독 (蔘毒) 명 인삼이 체질에 맞지 않거나 지나치게 먹어서 생기는 신열. 삼열(蔘熱).
삼-돌이 (三-) 명 감돌이·베돌이·악돌이를 통틀어 이르는 말.
삼동 (三冬) 명 1 겨울의 석 달. 동삼(冬三). 2 세 해의 겨울. 3 년.
삼-동네 (三洞-) 명 가까운 이웃 동네.
삼두 정치 (三頭政治) 〔역〕 고대 로마에서 세 지도자가 동맹하여 행한 전제 정치.
삼라-만상 (森羅萬象)[-나-] 명 우주에 벌여 있는 온갖 사물과 현상. 만휘군상.
삼라-하다 (森羅-)[-나-] 형여불 숲의 나무처럼 많이 벌여 서 있다.
삼락 (三樂)[-낙] 명 〔맹자(孟子)에 나오는 말〕 군자가 즐기는 것 세 가지를 일컫는 말. 곧, 부모가 살아 계시고 형제가 무고한 것, 하늘과 사람에게 부끄러울 것이 없는 것, 천하의 영재를 얻어서 가르치는 것. 군자(君子)삼락.
삼렬-하다 (森列-)[-녈-] 형여불 촘촘하게 늘어서 있다.
삼령 (三靈)[-녕] 명 1 천(天)·지(地)·인(人). 삼재(三才). 2 천지인의 신(神). 3 일(日)·월(月)·성신(星辰).
삼례 (三禮)[-녜] 명하자 1 세 번 절함. 2 예기(禮記)·주례(周禮)·의례(儀禮)의 세 책.
삼루 (三壘)[-누] 명 야구에서, 이루와 본루 사이에 있는 셋째 베이스. ¶원 히트, 원 에러로 ~까지 뛰다.
삼루 (滲漏)[-누] 명하자 액체가 스며 나옴.
삼루-수 (三壘手)[-누-] 명 야구에서, 삼루를 지키는 선수.
삼루-타 (三壘打)[-누-] 명 야구에서, 타자가 한 번에 삼루까지 나갈 수 있을 만큼 친 안타. ¶~를 치다.

삼류 (三流)[-뉴] 명 어떤 사물을 세 부류로 나누었을 때 정도나 수준이 가장 낮은 층. ¶ ~ 소설가 / ~ 극장.
삼륜-차 (三輪車)[-눈-] 명 바퀴가 셋 달린 화물 운반용 소형 자동차.
삼림 (森林)[-님] 명 나무가 많이 우거진 수풀. ¶ ~ 자원을 보전하다.
삼림-대 (森林帶)[-님-] 명 〖지〗 활엽수·침엽수 같은 교목이 무성해서 큰 삼림을 이룬 지대. 수림대(樹林帶).
삼림-욕 (森林浴)[-님녹] 명하자 치료나 건강을 위하여 숲 속에 들어가 숲의 공기와 기운을 쐬는 일. 산림욕.
삼림 한:계선 (森林限界線)[-님- / -님-게-] 삼림대와 고산대(高山帶)의 경계선. 산의 높이가 높아질수록 기후가 차서 삼림대가 없어지고 고산대가 나타남.
삼립 (森立)[-닙] 명하자 나무숲처럼 빽빽이 들어섬.
삼망 (三忘) 명 병사가 전장에서 잊어야 할 세 가지 일. 명(命)을 받고서는 가정을 잊고, 싸움에 임해서는 부모를 잊고, 공격의 북소리를 듣고서는 자신을 잊음《사기(史記)에 나오는 말》.
삼망 (三望) 명 〖역〗 **1** 벼슬아치를 발탁할 때 후보자 셋을 임금에게 추천하던 일. **2** 시호를 정할 때 세 가지를 들어 그 중 하나를 고르던 일.
삼매 (三昧) 명 〔산 samādhi〕〖불〗 잡념을 버리고 한 가지에만 마음을 집중시키는 경지. 삼매경(三昧境). ¶ 독서~에 들어가다.
삼매-경 (三昧境) 명 〖불〗 삼매.
삼면 (三面) 명 세 방면. ¶ ~이 바다로 둘러싸인 한반도.
삼모-작 (三毛作) 명하타 한 해 동안에 세 가지 농작물을 같은 논밭에서 차례로 심어 거두는 일.
삼무 (三務) 명 봄·여름·가을 세 철에 걸치는 농사일.
삼무-도 (三無島) 명 도둑·거지·대문이 없는 섬이라는 뜻에서, 제주도(濟州島)를 달리 이르는 말. *삼다도(三多島).
삼문 (三門) 명 **1** 대궐·관청 등의 앞에 있는 문《정문·동협문(東夾門)·서협문의 셋》. **2** 〖불〗 교종·율종·선종을 아울러 이르는 말.

삼문 1

삼민-주의 (三民主義)[- / -이] 명 중국의 쑨원(孫文)이 제창한 중국 근대 혁명의 기본 이념《민족·민권·민생의 세 주의》.
삼바 (samba) 명 〖악〗 브라질의 대표적인 춤곡(曲). 또는 그 춤《4분의 2박자로 매우 빠르며 정열적임》.
삼박 부 작고 연한 물건이 잘 드는 칼에 쉽게 베어지는 모양. 또는 그 소리. ¶ 두부가 ~ 잘리다. 큰섬벅. 센삼빡·쌈박·쌈빡.
삼박-거리다 자타 눈까풀이 움직이며 자꾸 눈이 감겼다 떠졌다 하다. 또는 그렇게 되게 하다. ¶ 아픈 눈을 ~. 큰슴벅거리다. 센쌈박거리다. **삼박-삼박**[1] 부하자타
삼박-대다 자타 삼박거리다.
삼박-삼박[2] 부하자형 작고 연한 물건이 칼에 쉽게 자꾸 베어지는 모양. 또는 그 소리. 큰섬벅섬벅. 센쌈박쌈박[2]·쌈빡쌈빡.
삼-박자 (三拍子) 명 **1** 〖악〗 악곡에서 한 마디가 3박이 되는 박자. 제1박이 강박으로 시작하는 강·약·약의 형을 가짐이 보통임. **2** 일을 이루기 위한 세 가지 요소. ¶ ~를 고루 갖추다.
삼발-이 (三-) 명 **1** 발이 셋 달린, 쇠로 만든 기구《화로의 재 속에 박아 놓고 그릇을 얹어 음식을 끓이는 데 씀》. 동그랑쇠. **2** 세 발이 달린 받침대《나침반·망원경·카메라 등을 올려놓는 데 씀》. 삼각가(三脚架).

삼발이 1

삼-밭 [-받] 명 삼을 재배하는 밭.
[삼밭에 쑥대] 좋은 환경에서 자란 사람은 그 영향을 받아 자기도 모르는 사이에 바르게 된다는 말.
삼-밭 (蔘-)[-받] 명 인삼을 재배하는 밭. 삼포(蔘圃). 인삼포.
삼배 (三拜) 명하자 세 번 거듭 절함.
삼-베 명 삼실로 짠 천. 마포(麻布). 준베.
삼베-옷 [-옫] 명 삼베로 만든 옷《더울 때나 초상 때 입음》. 마의(麻衣).
삼-별초 (三別抄) 명 〖역〗 고려 고종 때 최우(崔瑀)가 설치한 야별초(夜別抄)의 좌우 부대 및 신의군(神義軍)의 총칭.
삼보 (三寶) 명 **1** 도가(道家)에서, 귀·입·눈을 이르는 말. **2** 맹자(孟子)에서, 토지와 국민과 정치를 이르는 말. **3** 〖불〗 불(佛)·법(法)·승(僧). ¶ ~에 귀의하다.
삼복 (三伏) 명 **1** 초복·중복·말복의 총칭. 삼경(三庚). **2** 여름철의 가장 더운 기간.
삼복 (三復) 명하타 세 번 되풀이함.
삼복-더위 (三伏-) 명 삼복이 든 철의 몹시 심한 더위. 삼복증염(蒸炎). 삼복염천(炎天). ¶ ~가 기승을 부리다 / ~도 한풀 꺾였다. 준복더위.
삼부 (三府) 명 행정부·사법부·입법부의 총칭. ¶ ~ 요인.
삼부 (三部) 명 세 부분. 세 부문.
삼부 (三賦) 명 〖역〗 백성에게 부과하던 세 가지 세《조(租)·용(庸)·조(調)를 이름》.
삼-부자 (三父子) 명 아버지와 두 아들.
삼부-작 (三部作) 명 소설·음악·희곡 따위에서 세 개의 부분으로 나누어져 있으나, 주제가 서로 관련되어 하나를 이룬 작품.
삼부 합창 (三部合唱) 〖악〗 세 성부(聲部)로 이루어진 합창. 소프라노·메조소프라노·알토의 삼부 합창이 대표적임.
삼분 (三分) 명하타 셋으로 나눔.
삼분-법 (三分法)[-뻡] 명 〖논〗 구분되는 대상을 세 가지로 나누어 생각하는 방법《대·중·소 또는 천·지·인, 상·중·하 따위》.
삼분-오열 (三分五裂) 명하자 여러 갈래로 갈려 흩어짐. ¶ 선거 후 당(黨)이 ~되다.
삼-불 [-뿔] 명 해산 후 태(胎)를 태우는 불.
삼-불거 (三不去) 명 유교에서, 아내가 칠거지악(七去之惡)을 범했어도 버리지 못할 세 경우. 곧, 갈 데가 없거나, 부모상을 같이 치렀거나, 가난하다가 부귀하게 된 때.
삼-불혹 (三不惑) 명 혹하여 빠지지 말아야

할 세 가지. 곧, 술·여자·재물.
삼-불효 (三不孝) 명 세 가지 불효. 곧, 부모를 불의에 빠지게 하는 일, 부모가 늙고 가난해도 벼슬하지 않는 일, 자식이 없어 조상의 제사를 끊어지게 하는 일.
삼빡 부 작고 연한 물건이 잘 드는 칼에 쉽게 베어지는 모양. 또는 그 소리. 큰섬뻑. 여삼박. 센쌈빡.
삼빡-삼빡 부하자형 작고 연한 물건이 칼에 쉽게 자꾸 베어지는 모양. 또는 그 소리. 큰섬뻑섬뻑. 센쌈빡쌈빡.
삼사 (三司) 명 〖역〗 **1** 고려 때, 전곡(錢穀)의 출납과 회계 업무를 맡아보던 관아. **2** 조선 때, 임금에게 직언하던 세 관아. 사헌부·사간원의 양사(兩司)와 홍문관을 이름.
삼사 (三思) 명하타 어떤 일에 대해 여러 번 생각함.
삼사 (三赦) 명 〖역〗 죄를 용서받을 수 있는 세 가지 사람. 곧, 일곱 살 이하의 어린이와 여든 살 이상의 노인과 정신병자.
삼사 (三四) 一수 서넛. 二관 서너.
삼-사분기 (三四分期) 명 1년을 4등분한 셋째 기간《7·8·9월의 3개월》. ¶ ~의 수출입 통계.
삼사-월 (三四月) 명 삼월과 사월. 또는 삼월이나 사월《곧, 봄의 뜻》.
[삼사월 긴긴 해] 음력 삼사월의 낮이 매우 긴 것을 이르는 말.
삼사-조 (三四調)[-쪼] 명 〖문〗 시나 산문에서, 3 또는 4음구(音句)의 순서로 되풀이되는 율조(律調).
삼사-하다 형여불 서로의 사이가 어울리지 아니하고 서먹하다.
삼삼오오 (三三五五) 명 서넛이나 대여섯 사람씩 떼를 지어 다니거나 무슨 일을 하는 모양. ¶ ~ 떼를 지어 등교하다.
삼삼-하다 형여불 **1** 음식 맛이 조금 싱거운 듯하면서 맛이 있다. ¶ 대구탕 맛이 ~. 큰심심하다[1]. **2** 잊히지 않고 눈앞에 보이는 듯 또렷하다. ¶ 그때 그 일이 눈에 ~. **3** 사물의 생김새나 사람의 됨됨이가 마음에 끌리게 그럴듯하다. ¶ 삼삼하게 생긴 얼굴. **삼삼-히** 부
삼삼-하다 (森森-) 형여불 나무 따위가 많이 우거져서 빽빽하다. **삼삼-히** 부
삼상 (三相) 명 〖역〗 삼정승.
삼상 (三喪) 명 **1** '삼년상'의 준말. **2** 초상·소상·대상의 총칭.
삼상 (蔘商) 명 인삼을 파는 장사. 또는 그 장수.
삼색 (三色) 명 **1** 세 가지 색. ¶ ~ 신호등. **2** '삼색과실'의 준말.
삼색-과실 (三色果實) 명 제사에 쓰는 세 가지 과실《밤·대추·잣 또는 잣 대신 감을 씀》. 삼색실과. 준삼색.
삼색-기 (三色旗) 명 **1** 세 가지 빛깔로 된 기. **2** 프랑스의 국기.
삼색-판 (三色版) 명 〖인〗 적·황·청의 삼원색으로 분해한 석 장의 판을 세 번 찍어, 원그림의 빛깔대로 복제하는 제판 인쇄법. 또는 세 원색으로 박은 사진.
삼생 (三生) 명 〖불〗 전생(前生)·현생(現生)·내생(來生)을 이르는 말.
삼선 (三選) 명하자 선거 따위에서 세 번 당선됨. ¶ ~ 의원.
삼성 (三省) 명하타 매일 세 번씩 자신을 반성함. ¶ 일일(一日) ~의 좌우명.
삼성 (三聖) 명 〖역〗 **1** 우리나라 상고 시대의 세 성인. 곧, 환인(桓因)·환웅(桓雄)·환검(桓儉). **2** 세계의 세 성인. 곧, 석가·공자·예수.
삼성-들리다 자 **1** 음식을 욕심껏 먹다. **2** 무당이 굿할 때 음식을 욕심껏 입에 넣다.
삼세 (三世) 명 **1** 삼대(三代)1. **2** 〖불〗 과거·현재·미래. 삼계(三界).
삼-세번 (三-番) 명 더도 덜도 아니고 꼭 세 번. ¶ ~은 해야지.
삼-세판 (三-) 명 더도 덜도 말고 꼭 세 판. ¶ 이제 ~으로 결판내자.
삼-소월 (三小月) 명 음력으로 세 번 연거푸 드는 작은달.
삼속 (三屬) 명 친가·외가·처가의 삼족(三族).
삼-손우 (三損友) 명 사귀어 손해가 될 세 가지 벗《곧, 편벽한 벗, 말만 잘하고 성실하지 못한 벗, 착하기만 하고 줏대가 없는 벗》. 손자삼우(損者三友). ↔삼익우.
삼수 (三修) 명하자 상급 학교의 입학시험에 두 번 실패하고 또다시 이듬해의 시험을 준비하는 일. ¶ ~해서 대학에 들어가다. * 재수.
삼수-갑산 (三水甲山) 명 함경남도의 삼수와 갑산이 교통이 불편하여 가기 어려운 곳이라는 뜻으로, '몹시 어려운 지경'을 이르는 말.
삼수갑산에 가는 한이 있어도 구 자기에게 닥칠 어떤 위험을 무릅쓰고라도 어떤 일을 단행할 때 쓰는 말.
삼순 (三旬) 명 **1** 상순·중순·하순. 삼한(三澣). **2** 서른 날. **3** 삼십 세.
삼시 (三時) 명 **1** 아침·점심·저녁의 세 끼니. 또는 그 끼니때. **2** 과거·현재·미래. **3** 밭갈고 씨 뿌리는 봄, 풀 베는 여름 및 추수하는 가을.
삼식 (三食) 명 아침·점심·저녁 세 끼의 식사.
삼-신 명 생삼으로 거칠게 삼은 신.
삼신 (三辰) 명 해·달·별《별은 특히 북두칠성을 이름》.
삼신 (三神) 명 **1** 우리나라의 땅을 마련했다는 세 신. 곧, 환인(桓因)·환웅(桓雄)·환검(桓儉). **2** 아기를 점지한다는 세 신령. 삼신령.
삼신-할머니 (三神-) 명 〖민〗 <속> 삼신(三神)2.
삼-실 명 삼 껍질에서 뽑아낸 실. 베실.
삼심 제ː도 (三審制度) 〖법〗 한 사건에 대하여 세 번의 재판을 받을 수 있는 제도.
삼십 (三十) 一수 십의 세 배가 되는 수. 二관 수량이 서른임을 나타내는 말. 서른. ¶ ~ 명 / 나이 ~에.
삼십육-계 (三十六計)[-심뉵- / -심뉵께] 명 **1** 물주가 맞히는 사람에게 살돈의 서른여섯 배를 주는 노름. **2** 서른여섯 가지의 계략. 많은 계교. **3** <속> 뺑소니.
[삼십육계 줄행랑이 제일] 어려운 때에는 맞서지 말고 우선 피하는 것이 상책이라는 말.

삼십육계(를) 놓다 [구] 급하게 도망을 치다.
삼십육계(를) 부르다〔치다〕 [구] 삼십육계(를) 놓다.
삼십팔도-선 (三十八度線)[-또-] [명] **1** 위도가 38도 되는 선. **2** 특히 한반도의 북위 38도선. [준]삼팔선.
삼악 (三樂) [명] 〖악〗 국악에서, 아악·향악·당악(唐樂)의 총칭.
삼-악도 (三惡道) [명] 〖불〗 악인이 죽어서 간다는 세 가지의 괴로운 세계《지옥도(地獄道)·축생도(畜生道)·아귀도(餓鬼道)》.
삼엄-하다 (森嚴-) [형][여불] 질서가 바로 서고 무서우리만큼 매우 엄숙하다. ¶경계가 ~ / 분위기가 살벌하고 ~. **삼엄-히** [부]
삼엽-충 (三葉蟲) [명] 〖동〗 삼엽충류 화석 동물의 총칭. 고생대(古生代)에 얕은 바다에 살던 것으로, 몸은 여러 개의 타원형으로 납작하고 머리·가슴·꼬리 부분으로 나뉘며, 몸길이는 큰 것이 45cm 가량임. 종류가 많음. 세쪽이.
삼오-야 (三五夜) [명] 음력 보름날 밤. 특히 음력 8월 보름날 밤을 가리킴. 십오야(十五夜).
삼요 (三樂) [명] 논어에 있는 말로, 사람이 좋아하는 세 가지. 예악(禮樂)과 사람의 착함, 착한 벗이 많음을 좋아하는 익자(益者)삼요, 분에 넘치는 사물과 노는 것, 주색을 좋아하는 손자(損者)삼요가 있음.
삼욕 (三慾) [명] 〖불〗 사람의 세 가지 욕심. 곧, 식욕·수면욕·음욕(淫慾).
삼우 (三友) [명] **1** 흔히 함께 따르는 세 가지 운치. 곧, 시와 술과 거문고. **2** 소나무·대·매화. **3** 산수(山水)·송죽(松竹)·금주(琴酒).
삼우 (三虞) [명] 장사를 지낸 뒤에 세 번째 지내는 제사《흔히 성묘를 함》. 삼우제(祭). *재우(再虞)·초우(初虞).
삼우-제 (三虞祭) [명] 삼우(三虞).
삼-원색 (三原色) [명] 그림물감에서, 모든 빛깔의 바탕이 되는 빨강·노랑·파랑, 빛에서는 빨강·녹색·파랑의 세 가지 색.
삼월 (三月) [명] 한 해 가운데 셋째 달. ¶~은 봄의 시작이다.
삼월 삼짇날 (三月三-) 삼짇날.
삼위 (三位) [명] 〖기·가〗 성부(聖父)와 성자(聖子)와 성령(聖靈)을 이르는 말.
삼위-일체 (三位一體) [명] **1** 세 가지가 같은 목적을 가지고 하나로 통합되는 일. ¶민(民)·관(官)·군(軍)이 ~가 되어 수해에 대비하다. **2** 〖성〗 성부인 하느님과 성자인 예수와, 그리고 성령(聖靈)을 동일한 신격으로 여기는 교의(敎義).
삼은 (三隱) [명] 〖역〗 고려 말엽의 세 성리학자. 곧, 포은 정몽주·목은 이색·야은 길재. 고려삼은.
삼이 (三易) [명] 문장을 쉽게 짓는 세 가지 조건. 곧, 보기 쉽게, 쉬운 글자로, 읽기 쉽게 씀.
삼-이웃 (三-)[-니욷] [명] 이쪽저쪽의 가까운 이웃. ¶~이 의좋게 산다.
삼-익우 (三益友) [명] 사귀어 이로운 세 가지 벗《곧은 사람·믿음직한 사람·견문이 많은 사람》. 익자삼우(益者三友). ↔삼손우.
삼인-조 (三人組) [명] 세 사람으로 구성된 무리. ¶빈집에 ~ 강도가 침입했다.
삼인-칭 (三人稱) [명] 〖언〗 제삼 인칭.
삼일 (三日) [명] **1** 사흘. **2** 〖기〗 수요일을 예배하는 날로 일컫는 말. **3** 해산하거나 혼인한 지 사흘째 되는 날.
삼일-우 (三日雨) [명] 삼일이나 계속해 오는 비. 곧, 많이 오는 비.
삼일 운:동 (三一運動) 〖역〗 제1차 세계대전 후, 손병희(孫秉熙) 등 33인이 주동이 되어, 1919년 3월 1일 독립 선언문을 낭독하고, 이후 전국적으로 일제에서의 해방과 민족의 독립을 선언한 일. 기미운동.
삼일-장 (三日葬) [명] 죽은 지 사흘 만에 지내는 장사. ¶장례는 ~으로 엄수되었다.
삼일-절 (三一節)[-쩔] [명] 3·1 운동을 기념하는 국경일《매년 3월 1일》.
삼일-정신 (三一精神) [명] 3·1 운동에서 나타난 우리 민족의 정신. 전 민족이 단결하여 조국의 독립·자유 및 평화를 쟁취하려는 정신.
삼일-천하 (三日天下) [명] **1** 짧은 동안 정권을 잡았다가 곧 밀려나게 됨을 이르는 말. ¶내각은 ~로 끝났다. **2** 〖역〗 개화당이 갑신정변으로 3일 동안 정권을 잡은 일을 이르는 말.
삼자 (三者) [명] **1** 당사자 이외의 사람. 제삼자. ¶~ 개입 금지 조항. **2** 세 사람. ¶~ 회담.
삼작-노리개 (三作-)[-장-] [명] 여자의 옷에 다는 장신구의 하나. 밀화(蜜花)·산호·옥·금·은 등으로 만든 세 개의 노리개를, 황색·적색·남색의 세 가닥 진사(眞絲) 끈에 색을 맞추어 단 것《옷고름·안고름·허리띠 등에 매닮》. 세줄노리개. [준]삼작.
삼장 (三長) [명] 역사가가 되는 데 필요한 세 가지의 장점《재지(才智)·학문·식견》.
삼장 (三藏) [명] 〖불〗 **1** 경장(經藏)·율장(律藏) 및 논장(論藏). **2** 불·보살·성문(聲聞). **3** 삼장에 통달한 고승.
삼장 법사 (三藏法師) 〖불〗 경·율·논 삼장에 정통한 승려.
삼재 (三才) [명] **1** 하늘과 땅과 사람. 삼극(三極). 삼령(三靈). 삼원(三元). 삼의(三儀). **2** 관상에서, 이마·코·턱.
삼재 (三災) [명] 〖불〗 **1** 수재(水災)·화재(火災)·풍재(風災)의 세 가지 재앙. **2** 전란(戰亂)·질병·기근의 세 가지 재해.
삼절 (三絶) [명] **1** 세 가지 뛰어난 일. 또는 그런 재주. ¶조선 때의 안견(安堅)은 시·서·화의 ~이었다. **2** 〖문〗 세 수(首)의 절구(絶句).
삼정 (三政) [명] 〖역〗 나라의 정사 중 가장 중요한 전부(田賦)·군정(軍政)·환곡(還穀).
삼-정승 (三政丞) [명] 의정부의 세 벼슬인 영의정·좌의정·우의정을 이르는 말. 삼공(三公). 태정(台鼎).
삼제 (芟除) [명][하타] 풀을 깎듯이 베어 없애버림.
삼조 (三曹) [명] 〖역〗 호조(戶曹)·형조(刑曹)·공조(工曹) 셋을 합쳐서 일컫는 말.
삼조 (三朝) [명] **1** 그달의 세 번째 날. **2** 삼대의 조정(朝廷).
삼족 (三族) [명] **1** 부모와 형제와 처자. **2** 부(父)·자(子)·손(孫)의 총칭. **3** 부계(父系)·모계(母系)·처계(妻系)의 총칭. ¶~을

멸하던 가혹한 형벌.

삼존 (三尊) 명 **1** 〖불〗 석가(釋迦) 삼존·약사(藥師) 삼존'의 준말. **2** 받들어 모셔야 할 세 사람. 곧, 임금·스승·아버지.

삼종[1] (三從) 명 '삼종형제'의 준말.

삼종[2] (三從) 명 삼종지의.

삼종지의 (三從之義)[-/-이] 명 예전에, 여자가 지켜야 했던 도리《어려서는 아버지를, 시집가서는 남편을, 남편이 죽은 후에는 아들을 좇음을 이름》. 삼종의탁(依托). 삼종지도. 삼종지탁. 삼종.

삼종-형제 (三從兄弟) 명 고조가 같고 증조가 다른 형제. 팔촌. 준삼종(三從).

삼중 (三重) 명 세 겹. 또는 세 번 거듭되는 일. ¶~ 추돌 사고.

삼중 결합 (三重結合) 〖화〗 분자 안에 있는 두 개의 원자가 세 개의 원자가(原子價) 단위로 화합된 결합($CH \equiv CH$ 따위).

삼중-고 (三重苦) 명 고통이 세 가지로 겹치는 일. 특히 못 보고, 못 듣고, 말 못하는 고통을 다 가지고 있는 것을 이름.

삼중-주 (三重奏) 명 〖악〗 서로 다른 세 개의 악기에 의한 합주《피아노·바이올린·첼로에 의한 피아노 삼중주 따위》. 트리오(trio).

삼중-창 (三重唱) 명 〖악〗 성부(聲部)가 다른 세 사람이 하는 중창. 트리오.

삼지 (三知) 명 도(道)를 깨닫는 힘의 세 단계. 곧, 나면서 아는 생지(生知), 배워서 아는 학지(學知), 애써서 아는 곤지(困知).

삼진 (三振) 명 야구에서, 타자가 스트라이크를 세 번 당하여 아웃이 되는 일. 스트라이크 아웃(strike out).

삼짇-날 (三-) [-진-] 명 음력 삼월 초사흗날. 중삼(重三). 준삼질.

삼질 (三-) 명 '삼짇날'의 준말.

삼차 (三叉) 명 세 갈래로 갈림. 또는 그 세 갈래. 세 가닥.

삼차 (三次) 명 **1** 세 차례. **2** 〖수〗 멱수(冪數)가 3인 차(次).

삼차 산:업 (三次産業) '제삼차 산업'의 준말.

삼-차원 (三次元) 명 가로·세로·높이로 표현되는 차원이 셋 있는 일.

삼차원 세:계 (三次元世界)[-/-게] 〖물〗 차원이 셋인 공간의 현실적 세계.

삼창 (三唱) 명하타 세 번 부름. ¶일제히 큰 소리로 만세를 ~하다.

삼채 (三彩) 명 녹·황·백의 세 가지 빛깔을 띠는 도자기.

삼척-동자 (三尺童子) 명 키가 석 자 정도밖에 되지 않는 아이. 곧, 철없는 어린아이. ¶그 정도는 ~라도 알 수 있다.

삼천 (三遷) 명하자 **1** 세 번 옮기거나 이사함. **2** '삼천지교'의 준말.

삼천-갑자 (三千甲子) 명 **1** 육십갑자의 삼천 배. 곧, 십팔만 년. **2** 꼭두각시놀음에서 검은 머리를 하고 나오는 늙은이.

삼천갑자 동방삭 구 중국 전한(前漢)의 동방삭을 십팔만 살이나 살았다 하여 부르는 속칭. 장수하는 사람의 비유로 씀.

삼천-리 (三千里)[-철-] 명 한국의 남북 길이가 삼천 리라 하여 우리나라 전체를 일컫는 말. ¶~ 금수강산에 태어나다 / ~ 전역을 유람해 보고 싶다.

삼천-만 (三千萬) 명 예전에, 한국 인구가 약 3천만이었을 때 국민 전체를 비유적으로 일컫던 말. ¶~ 동포가 하나로 뭉치다.

삼천지교 (三遷之敎) 명 〔맹자의 어머니가 맹자를 가르치기 위해 집을 세 번 옮긴 고사에서: 열녀전(列女傳)〕 생활환경이 아이들에게 큰 영향을 줌을 이르는 말. 맹모(孟母)삼천지교. 준삼천.

삼-첨판 (三尖瓣) 명 〖생〗 포유류 심장(心臟)의 우심실(右心室)과 우심방(右心房) 사이에 있는 판막《심실이 수축할 때 혈액이 심방으로 역류(逆流)함을 막음》.

삼첩-기 (三疊紀) 명 〖지〗 트라이아스기.

삼체 (三體) 명 **1** 세 개의 형체나 물체. **2** 〖물〗 물질의 세 가지 상태. 곧, 고체·액체·기체. **3** 해서(楷書)·초서(草書)·행서(行書)의 세 서체.

***삼촌** (三寸) 명 **1** 세 치. **2** 아버지의 형제. 특히 결혼하지 않은 남자 형제를 이름.

삼촌-댁 (三寸宅)[-땍] 명 〈속〉 숙모.

삼-총사 (三銃士) 명 친하게 지내는 세 사람의 비유.

삼추 (三秋) 명 **1** 가을의 석 달. 구추(九秋). **2** 세 해의 가을이라는 뜻으로, 3년의 세월을 이르는 말. **3** 긴 세월을 비유하여 이르는 말. ¶하루가 ~ 같다.

삼춘 (三春) 명 **1** 봄의 석 달. 곧, 맹춘(孟春)·중춘(仲春)·계춘(季春). **2** 세 해의 봄.

삼출 (滲出) 명하자 **1** 액체가 안에서 밖으로 스며나옴. ¶노후한 하수관에서 물이 ~되다. **2** 〖의〗 혈관·림프관 등의 맥관(脈管)의 내용물이 맥관 밖으로 스며나오는 일.

삼출-액 (滲出液) 명 **1** 내부에서 표면으로 스며나오는 액체. **2** 〖의〗 염증이 있을 때 혈관 밖으로 액체가 나와 병소(病巢)에 모인 물질.

삼층-밥 (三層-)[-빱] 명 삼 층이 되게 지은 밥. 즉, 맨 위는 설거나 질고, 중간은 제대로 되고, 맨 밑은 타게 된 밥을 농으로 이르는 말. ¶신혼 때는 ~도 달게 먹었다.

삼치 명 〖어〗 고등엇과의 바닷물고기. 길이 1m 정도, 몸의 등쪽은 청색에 청갈색 얼룩무늬가 있으며, 배는 흼. 봄철에 산란함.

삼친 (三親) 명 세 가지의 가장 친한 관계. 곧, 부자(父子)·부부·형제.

삼칠-일 (三七日) 명 〖민〗 세이레.

삼칠일 금기(禁忌) 구 아이를 낳은 지 세이레 동안 지키는, 여러 가지 꺼리는 일들.

삼칠-제 (三七制)[-쩨] 명 **1** 지난날, 수확한 곡식의 3할은 지주에게 주고, 나머지 7할은 소작인이 가지던 제도. **2** 이익금을 분배할 때 한쪽이 3할을, 다른 한쪽이 7할을 가지는 방법. 준삼칠.

***삼키다** 타 **1** 입에 넣어 목구멍으로 넘기다《비유적으로도 씀》. ¶침을 ~ / 음식을 ~ / 물결이 사람을 ~. **2** 남의 것을 불법으로 차지하다. ¶남의 땅을 ~. **3** 나오는 눈물이나 웃음, 소리 따위를 억지로 참다. ¶울분을 ~ / 그녀는 눈물을 삼키려 먼 하늘을 바라보았다.

삼태 (三胎) 명 세 아이를 잉태하는 일. 또는 그 아이들. 세쌍둥이.

삼태기 명 대오리·짚·싸리 등으로 엮어 흙·

거름 따위를 담아 나르는 데 쓰는 기구. [삼태기로 앞 가리기] 속이 빤히 들여다보이는 일을 속이려 드는 어리석음을 비유한 말.

삼태기

삼태-불 명 채소, 특히 숙주나 콩나물 따위에 많이 나 있는 잔뿌리.

삼투 (滲透) 명하자 1 스미어 들어감. 2 〔물〕 농도가 다른 두 액체를 반투막(半透膜)으로 막아 놓았을 때, 농도가 낮은 쪽의 용매가 막을 통하여 농도가 높은 쪽으로 이동 확산하는 현상.

삼투-압 (滲透壓) 명 〔물〕 삼투 현상이 일어날 때 반투막이 받는 압력.

삼파-전 (三巴戰) 명 셋이 어우러져 싸움. 또는 그런 싸움. ¶결승전은 결국 명문팀 간의 ~으로 압축되었다.

삼판-양승 (三-兩勝)[-냥-] 명하타 세 판 중에서 두 판을 이김. 또는 그렇게 겨루는 일. ¶~으로 결판을 내자.

삼팔-선 (三八線)[-썬] 명 '삼십팔도선'의 준말.

삼포 (三浦) 명 〔역〕 조선 세종 때, 왜인과 통신·교역을 하기 위해 개항한 세 항구. 곧, 동래의 부산포, 웅천의 제포, 울산의 염포.

삼포 (蔘圃) 명 인삼을 재배하는 밭. 삼밭. 삼장(蔘場).

삼품 (三品) 명 〔역〕 1 벼슬의 셋째 품계《정(正)·종(從)이 있음》. 2 중국 서화에서, 세 가지 품. 곧, 신품(神品)·묘품(妙品)·능품(能品). 3 선비의 세 가지 품위. 곧, 도덕·공명·부귀에 뜻을 두었음.

삼하 (三夏) 명 1 여름의 석 달 동안. 2 세 해의 여름.

삼:-하다 형여불 어린아이의 성질이 순하지 않고 사납다.

삼한 (三韓) 명 〔역〕 상고 시대에 우리나라 남쪽에 있던 마한·진한·변한의 세 나라.

삼한 사:온 (三寒四溫) 겨울철에 한국·만주·중국 등지에서 추운 날씨가 약 3일 계속되다가 다음에 따뜻한 날씨가 4일가량 계속되는 주기적 기후 현상.

삼-할미 명 해산 일을 도와 주는 노파의 낮춤말.

삼함 (三緘) 명 〔불〕 몸과 입과 뜻을 삼가라는 뜻으로, 절의 큰방 뒷벽에 써서 붙이는 글.

삼헌 (三獻) 명하자 제사 때, 술잔에 술을 부어 세 번 올리는 일. 곧, 초헌(初獻)·아헌(亞獻)·종헌(終獻)을 이름.

삼현 (三絃) 명 〔악〕 세 가지 현악기. 곧, 거문고·가야금·향비파.

삼현-금 (三絃琴) 명 〔악〕 줄이 셋인 거문고.

삼현 육각 (三絃六角)[-뉵-] 〔악〕 1 삼현과 육각의 여러 악기. 2 피리 둘·대금·해금·장구·북이 각각 하나로 편성되는 풍류.

삼-화음 (三和音) 명 〔악〕 어느 음(音) 위에 3도와 5도의 음정을 가진 음을 겹쳐서 만든 화음. 트라이어드.

삼-회장 (三回裝·三回粧) 명 여자 한복 저고리의 깃·소맷부리·겨드랑이에 갖추어 대는 세 가지 회장.

삼회장-저고리 (三回裝-) 명 삼회장으로 된 저고리. 주로 젊은 유부녀나 처녀들이 입음.

삼효 (三孝) 명 유교에서 말하는 세 가지 효도. 어버이를 우러러 받들고, 욕보이지 않으며, 정성껏 봉양하는 일《예기(禮記)에 나오는 말》.

***삽** 명 땅을 파고 흙을 뜨는 데 쓰는 연장.

-삽- 선어미 '-사옵-'의 준말. ¶먹~고.

삽-가래 명 삽자루 목의 양쪽에 두 개의 줄을 맨 삽.

삽-괭이 명 볼이 좁고 자루가 긴 괭이《논에 물꼬를 보는 데 흔히 씀》.

삽구 (揷句) 명하타 글 가운데에 덧붙이는 구를 넣음. 또는 그 구.

삽-날 [삼-] 명 삽의 넓적하고 얇은 가장자리 부분.

삽미 (澁味)[삼-] 명 떫은맛.

삽사리 명 〔동〕 털이 복슬복슬하게 많이 난 개 품종의 하나. 천연기념물 제368호. 삽살개.

삽살-개 명 삽사리.

삽상-하다 (颯爽-) 형여불 1 바람이 시원하여 마음이 상쾌하다. ¶삽상한 가을 아침. 2 씩씩하고 시원스럽다.

삽시 (揷匙) 명하자 제사 때, 숟가락을 메에 꽂음. 또는 그런 의식.

삽시-간 (霎時間) 명 (주로 '삽시간에'의 꼴로 쓰여) 극히 짧은 시간. 일순간. 순식간. ¶산불은 ~에 번져 불바다를 이루었다. 준 삽시(霎時).

삽입 (揷入) 명하타 끼워 넣음. ¶효과음으로 대포 소리를 ~하다 / 수정된 조항이 ~되다 / 추가 설명문을 ~시키다.

삽입-구 (揷入句) 명 1 〔문〕 어떤 문장 속에, 그 문장의 다른 말이나 성분에 직접 관계됨이 없이 삽입된 구. 2 〔악〕 악곡 가운데 주제의 사이에 삽입된 부분.

삽-자루 명 삽날에 끼우는 자루.

삽-질 명하자 삽으로 땅을 파거나 흙을 떠냄. 또는 그런 일. ¶~이 제법 능란하다.

삽-짝 명 '사립짝'의 준말.

삽탄 (揷彈) 명하자 총기에 탄알을 삽입함.

삽혈 (歃血)[사펼] 명하자 예전에, 서로 맹세할 때 짐승의 피를 서로 나누어 마시거나 입가에 바르던 일.

삽화 (揷話)[사퐈] 명 이야기·문장 가운데서 본 줄거리와 관계없는 이야기. 에피소드(episode).

삽화 (揷畫)[사퐈] 명 〔인〕 서적·신문·잡지 따위에서, 내용을 보완하거나 이해를 돕기 위하여 넣는 그림. 삽도(揷圖).

삽화-가 (揷畫家)[사퐈-] 명 삽화를 그리는 것을 업으로 하는 사람.

삿 [삳] 명 '삿자리'의 준말.

삿-갓 [삳깓] 명 1 비나 햇볕을 가리기 위해 대오리나 갈대로 거칠게 엮어서 만든 갓. 2 〔식〕 버섯의 균산(菌傘).

삿갓(을) 씌우다 구 손해를 보게 하거나 책임을 지우다.

삿갓 1

삿:대 [삳때] 명 '상앗대'의 준말. ¶강가의

배를 ~로 밀어 강 가운데로 나가다.
삿:대-질 [삳때-] 명하자 **1** 상앗대를 써서 배를 밀어 가는 일. **2** 말다툼할 때, 주먹이나 손가락 따위로 상대의 얼굴을 향해 푹푹 내지르는 짓. ¶ ~하며 덤비다 / 어디 대고 ~이야.
삿-자리 [삳짜-] 명 갈대를 엮어서 만든 자리. ¶ 평상에 ~를 깔다. 준삿.
상: (上) 명 **1** '상감'의 준말. **2** 품질이나 등급 따위가 가장 빼어남. ¶ 이 제품의 품질 등급은 ~이다. **3** 물체의 위나 위쪽을 이르는 말. ¶ 지구 ~ / 도로 ~. ↔하.
***상** (床) 명 음식을 차려 내거나 책 따위를 올려놓고 볼 수 있게 만든 가구의 총칭《소반·책상·평상 따위》. ¶ ~이 푸짐하다 / ~을 물리고 신문을 보다 / ~을 보아 놓다 / 떡 벌어지게 한 ~ 차리다.
상 (相) 명 **1** 관상에서, 얼굴의 생김새. ¶ 얼굴이 부자될 ~이다. **2** 그때그때 나타나는 얼굴의 표정. ¶ ~을 찡그리다.
상(을) 보다 구 사람의 얼굴·체격 따위나 지세(地勢)를 살펴보고 앞날의 운명·길흉을 점치다.
상(을) 보이다 구 상을 관상쟁이 같은 사람에게 보게 하다.
상 (祥) 명 소상(小祥)과 대상(大祥)의 총칭.
상 (商) 명 **1**〖수〗'몫'의 구용어. **2**〖악〗동양 음악의 오음(五音)의 하나. 곧, 궁(宮)을 주음(主音)으로 하여 둘째 음. **3** '상업'의 준말.
상 (喪) 명 **1** '거상(居喪)'의 준말. ¶ ~을 당하다. **2** 부모, 승중(承重)의 조부모·증조부모와 맏아들의 상사에 대한 의례.
상 (想) 명 **1** 예술 작품을 창작하는 작자의 생각. ¶ 좋은 ~이 떠오르다. **2**〖불〗대상(對象)을 속으로 가만히 생각하는 일.
상 (像) 명 **1** 사람이나 물건 따위의 모양을 본떠서 그리거나 만든 형상. **2** 눈에 보이거나 마음에 그려지는 사물의 형체. **3** 가장 바람직하거나 대표적인 모습을 나타내는 말. ¶ 지도자~ / 교사~. **4**〖물〗광원에서 비치는 광선이 거울이나 렌즈에 의하여 굴절 또는 반사한 뒤에 다시 모여서 생긴 원래의 발광 물체의 형상. ¶ ~을 맺다.
***상** (賞) 명 잘한 일이나 우수한 성과를 칭찬하기 위하여 주는 돈이나 물건. ¶ ~을 타다 / ~으로 손목시계를 받았다.
-상 (上) 미 (일부 명사 뒤에 붙어) '…에 관하여'·'…에 따라서'·'…의 관계로'의 뜻을 나타내는 말. ¶ 관습~ / 체면~ / 절차~ / 사실~.
-상 (狀) 미 (일부 명사 뒤에 붙어) '모양'·'상태'의 뜻을 나타내는 말. ¶ 연쇄~ / 나선~ / 포도~.
-상 (商) 미 (일부 명사 뒤에 붙어) '장사'·'장수'의 뜻을 나타내는 말. ¶ 잡화~ / 고물~.
상가 (商家) 명 장사하는 집. ¶ 아파트 단지 내의 ~를 분양하다.
상가 (商街) 명 가게가 죽 늘어서 있는 거리.
상가 (喪家) 명 **1** 사람이 죽어 장례를 치르는 집. 상갓집. 초상집. **2** 상제의 집.
상각 (償却) 명하타 **1** 보상하여 갚아 줌. **2**〖경〗'감가상각'의 준말.
상간 (相姦) 명하자 남녀가 도리에서 벗어나게 몰래 정을 통함.
상:감 (上監) 명 '임금'의 높임말. 준상(上).
상감 (象嵌) 명하타 금속·도자기 등의 표면에 각종 무늬를 파서 그 속에 금은(金銀) 등을 넣어 채우는 기술. 또는 그 작품.
상:감-마마 (上監媽媽) 명 〈궁〉 상감(上監).
상:-갑판 (上甲板) 명 배의 이물에서 고물까지 통하는 갑판 중 제일 위층에 있는 갑판.
상갓-집 (喪家-) [-가찝 / -갇찝] 명 상가(喪家)1. ¶ ~에서 밤샘하다.
상강 (霜降) 명 이십사절기의 18째. 서리가 내리기 시작할 무렵으로 양력 10월 24일경.
상:객 (上客) 명 **1** 자기보다 지위가 높은 손님. 중요한 손님. 상빈(上賓). **2** 위요(圍繞)[2]. ¶ 조카 혼인에 ~으로 가다.
상객 (商客) 명 타향으로 다니며 장사하는 사람. 상려(商旅).
상객 (常客) 명 늘 찾아오는 손님. 단골손님. 고객(顧客).
상거 (相距) 명하자 서로 떨어져 있음. 또는 떨어져 있는 두 곳의 거리.
상-거래 (商去來) 명 상업상의 거래.
상:-거지 (上-) 명 아주 말할 수 없을 정도로 불쌍한 거지. ¶ 그는 집을 떠난 지 몇 년 만에 거지 중에서도 ~의 몰골로 불쑥 나타났다.
상-것 (常-) [-껃] 명 **1** 예전에, 양반이 평민을 낮추어 이르던 말. **2** 남을 심하게 욕하는 말.
상:게 (上揭) 명하타 위에 게재하거나 게시함. ¶ ~의 도표.
상격 (相格) 명 관상에서, 얼굴의 생김새. ¶ ~이 귀상(貴相)이다.
상견 (相見) 명하자 서로 만나 봄.
상견-례 (相見禮) [-녜] 명 **1** 공식적으로 서로 만나 보는 예. ¶ 양당 원내 총무의 ~. **2** 결혼식에서 신랑 신부가 마주 서서 절하는 일. **3**〖역〗고려·조선 때, 새로 임명된 사부(師傅)·빈객이 처음으로 동궁을 뵙던 예.
상:경 (上京) 명하자 지방에서 서울로 올라옴. 상락(上洛). ¶ 집안이 가난해서 무작정 가출하여 ~했다.
상:경 (上卿) 명〖역〗조선 때, 정일품과 종일품의 판서.
상:계 (上啓) [- / -게] 명하타 조정이나 윗사람에게 사정이나 의견을 아룀.
상계 (相計) [- / -게] 명하타〖법〗채권자와 채무자가 서로 같은 종류의 채무를 가지는 경우에, 당사자 한쪽의 의사 표시에 따라 양쪽의 채무를 같은 액수만큼 소멸시키는 일. ¶ 두 나라의 수입과 수출을 ~하다.
상:고 (上古) 명 **1** 아주 오랜 옛날. 상세(上世). **2**〖역〗역사상 시대 구분의 하나. 문헌에 나타난 가장 오래된 옛날.
상:고 (上告) 명하타 **1** 윗사람에게 아룀. **2**〖법〗제2심 판결의 파기 또는 변경을 상급 법원에 신청하는 일. ¶ ~가 기각되다.
상:고 (尙古) 명하자 옛날의 문물이나 제도 따위를 귀하게 여김.
상고 (相考) 명하타 서로 비교하여 고찰함.
상고 (商高) 명 '상업 고등학교'의 준말.
상고 (喪故) 명 상사(喪事).
상고 (詳考) 명하타 꼼꼼하게 따져서 참고하

거나 검토함.
상고대 명 나무나 풀에 내려 눈같이 된 서리. 무송(霧淞). 수빙(樹氷). ¶ ~가 끼다.
상고-머리 명 뒷머리와 옆머리를 치올려 깎고 앞머리는 조금 길게 두고 정수리를 편평하게 깎은 머리. 스포츠머리.
상:고-사(上古史) 명 〖역〗 상고 시대의 역사《우리나라는 고조선 때부터 삼한(三韓) 시대까지》.
상:고-심(上告審) 명 〖법〗 상고한 소송 사건에 대한 심판.
상:공(上空) 명 **1** 높은 하늘. ¶ 헬기가 수백 미터 ~을 날고 있다. **2** 어떤 지역 위에 있는 공중. ¶ 비행기로 대구 ~을 지나다.
상공(相公) 명 '재상'의 높임말.
상공-업(商工業) 명 상업과 공업.
상공 회:의소(商工會議所)[-/-이-] 상공업자들이 그 지방 상공업의 개선·발전을 도모하기 위해 조직한 특수 법인.
상과(商科)[-꽈] 명 상업에 관한 교과목.
상:관(上官) 명하자 자기보다 직위나 계급이 윗자리인 사람. ¶ ~의 명령에 따르다. ↔부하·하관(下官).
상관(相關) 명하자타 **1** 서로 관련을 가짐. 또는 그 관계. ¶ 이 일과 그 일은 ~이 없다 / 이 사건은 그의 과거와 밀접하게 ~되어 있다. **2** 남의 일에 간섭함. ¶ 남의 일에 ~하지 마시오. **3** 남녀가 육체관계를 맺음. ¶ 유부녀와 ~하다. **4** 〖물〗 두 개의 양이나 현상이 어느 정도 규칙성 있게 동시에 변화되어 가는 성질.
상관 개:념(相關概念) 〖논〗 상대 개념 중 특히 관계가 깊어 한쪽이 없으면 다른 한쪽이 존재할 수 없는 개념《위와 아래, 아버지와 아들 등》.
상관 계:수(相關係數)[-/-게-] 〖수〗 두 변량(變量) 사이의 상관관계를 나타낸 계수.
상관-관계(相關關係)[-/-게] 명 **1** 한쪽이 변하면 다른 한쪽도 따라서 변하는 관계. ¶ 두 사물은 ~에 있다. **2** 〖수〗 한쪽이 증가하면 다른 한쪽도 증가하거나 감소하는 두 변량(變量) 사이의 통계적 관계.
상관-성(相關性)[-썽] 명 두 가지 사건이나 사물 사이에 서로 관계되는 성질. ¶ 두 사건의 ~을 밝히다.
상-관습(商慣習) 명 상거래에 관한 관행(慣行)《에누리·리베이트(rebate) 등》.
상관-없다(相關-)[-업따] 형 **1** 서로 관계가 없다. ¶ 그것과는 상관없는 일이다. **2** (주로 '-어도'와 함께 쓰여) 염려할 것 없다. 괜찮다. ¶ 좀 늦어도 ~. **상관-없이** [-업씨] 부. ¶ 오늘 경기는 날씨와 ~ 진행된다.
상관-있다(相關-)[-읻따] 형 관계있다.
상:교(上敎) 명 **1** 임금의 지시. **2** 윗사람의 가르침.
상:구-보리(上求菩提) 명 〖불〗 깨달음을 얻기 위해 노력하는 일. 상구(上求). ↔하화중생(下化衆生).
상:국(上國) 명 예전에, 작은 나라의 조공을 받던 큰 나라.
상국(相國) 명 〖역〗 조선 때, 영의정·좌의정·우의정의 총칭. 상신(相臣).
상궁(尙宮) 명 〖역〗 조선 때, 내명부의 하나인 여관(女官)의 정오품 벼슬.
상:권(上卷) 명 두 권 또는 세 권으로 된 책의 첫째 권. *하권·중권.
상권(商圈)[-꿘] 명 〖경〗 상업상의 세력이 미치는 지리적 범위. ¶ ~을 형성하다. *역세권.
상권(商權)[-꿘] 명 상업상의 권리. ¶ 지역 ~을 장악하다.
상궤(常軌) 명 **1** 항상 따라야 하는 떳떳하고 바른 길. ¶ ~를 벗어나다. **2** 일정한 격식이나 틀.
상규(常規) 명 일반적인 규정이나 규칙.
상그레 부하자 소리 없이 귀엽고 부드럽게 눈웃음을 짓는 모양. ¶ ~ 웃으며 고개를 끄덕하다. 큰성그레. 센쌍그레.
상극(相剋) 명하자 **1** 둘 사이에 마음이 서로 화합하지 못하고 항상 충돌함. ¶ 둘은 ~이라 만나면 싸운다. **2** 두 사물이 서로 맞서거나 해를 끼쳐 어울리지 아니함. **3** 〖민〗 오행설에서 금은 목을, 목은 토를, 토는 수를, 수는 화를, 화는 금을 각각 이김을 이르는 말. ↔상생(相生). ☞오행(五行).
상근(常勤) 명하자 날마다 출근하여 일정한 시간 근무함. ¶ ~ 강사. ↔비(非)상근.
상글-거리다 자 소리 없이 귀엽고 부드럽게 자꾸 눈웃음치다. 큰성글거리다. 센쌍글거리다. **상글-상글** 부하자
상글-대다 자 상글거리다.
상글-방글 부하자 상글거리면서 방글방글 하는 모양.
상금(賞金) 명 상으로 주는 돈. ¶ 상패와 부상으로 거액의 ~을 받았다.
상금(償金) 명 **1** 갚는 돈. **2** 물어 주는 돈. 배상하는 돈.
상금(尙今) 부 지금까지. 이제까지. 또는 아직. ¶ 아침에 나간 후 ~ 돌아오지 않았다.
상:급(上級) 명 보다 높은 등급이나 계급. ¶ ~ 관청에 품의하다. ↔하급.
상:급-반(上級班) 명 윗반.
상:급-생(上級生) 명 보다 높은 학년에 있는 학생. ↔하급생.
상긋[-귿] 부하자 소리 없이 다정스럽게 얼핏 가벼운 눈웃음을 짓는 모양. ¶ ~ 웃고 지나가다. 큰성긋. 센상끗·쌍긋·쌍끗.
상긋-거리다 [-귿꺼-] 자 자꾸 상긋하다. 센쌍끗거리다. **상긋-상긋** [-귿쌍귿] 부하자
상긋-대다 [-귿때-] 자 상긋거리다.
상긋-방긋 [-귿빵귿] 부하자 상긋거리며 방긋방긋하는 모양. 큰성긋벙긋. 센상끗방끗·쌍긋빵긋·쌍끗빵끗.
상긋-이 부 다정하게 지그시 눈웃음치는 모양. 큰성긋이. 센쌍끗이.
상:기(上記) 명하자 글에서 위나 앞쪽에 어떤 내용을 적음. 또는 그 내용. ¶ ~와 같이. ↔하기(下記).
상:기(上氣) 명하자 **1** 흥분이나 수치감으로 얼굴이 붉어짐. ¶ 붉게 ~된 얼굴 / 얼굴을 ~시켜 가며 떠들다. **2** 〖한의〗 피가 머리로 몰리어 얼굴이 붉어지고, 두통·이명(耳鳴) 등을 일으키는 현상.
상기(喪期) 명 상복을 입는 동안.
상기(詳記) 명하타 상세히 기록함. 또는 그 기록. 상록(詳錄).
상:기(想起) 명하타 지난 일을 다시 생각하여 냄. ¶ ~하자 6·25 / 지난 일이 ~되다 /

그전의 처지를 ~시키다.
상기 (霜氣) 명 서리가 조금 내린 기운. 서리의 찬 기운. 서릿김.
상:-길 (上-)[-낄] 명 여럿 중에서 제일 나은 품질. 상질(上秩). ¶~의 것만 골라내다. ↔핫길.
상끗 [-끋] 부하자 다정하게 얼핏 가벼운 눈웃음을 짓는 모양. ¶~ 웃으며 인사를 한다. 큰성끗. 여상긋. 센쌍끗.
상끗-거리다 [-끋꺼-] 자 자꾸 다정하게 가벼운 눈웃음을 짓다. 여상긋거리다. **상끗-상끗** [-끋쌍끋] 부하자
상끗-대다 [-끋때-] 자 상끗거리다.
상끗-방끗 [-끋빵끋] 부하자 상끗거리면서 방끗방끗하는 모양. 큰성끗벙끗. 여상긋방긋. 센쌍끗빵끗.
상끗-이 부 다정하게 지그시 눈웃음치는 모양. 큰성끗이. 여상긋이. 센쌍끗이.
상:납 (上納) 명하타 1 나라에 조세를 바침. 또는 그 세금. 2 윗사람에게 돈이나 물건을 바침. 또는 그 돈이나 물건. ¶거금을 ~하고 좋은 자리를 지키다.
상냥-스럽다 〔-스러우니, -스러워〕 형ㅂ불 상냥한 데가 있다. ¶그녀는 누구에게나 상냥스럽고 친절하다. **상냥-스레** 부
상냥-하다 형여불 성질이 싹싹하고 부드럽다. ¶상냥하고 재치가 있다. **상냥-히** 부
상-년 (常-) 명 1 예전에, 신분이 낮은 여자를 낮추어 이르던 말. 2 본데없이 막된 여자를 욕하는 말. 센쌍년.
상:념 (想念) 명 마음속에 품은 여러 가지 생각. ¶~에 잠기다.
상노 (床奴) 명 예전에, 밥상 나르는 일과 잔심부름하던 아이.
상-놈 (常-) 명 1 예전에, 신분이 낮은 남자를 낮추어 이르던 말. 2 본데없고 버릇없는 남자를 욕하는 말. 센쌍놈.
상:농 (上農) 명 농사를 대규모로 짓는 농부. 또는 그러한 농가.
상-다리 (床-)[-따-] 명 상에 붙어서 그 상을 받치는 다리.
상다리가 부러지다〔휘어지다〕 구 상에 차린 음식이 매우 많다. ¶허기에 지친 그들은 상다리가 휘어지게 차려 놓은 잔칫상을 보더니 허겁지겁 달려들었다.
상:단 (上段) 명 1 글의 위쪽 부분. 2 위에 있는 단(段). ¶책장 ~에 꽂다. ↔하단(下段).
상:단 (上端) 명 위의 끝. ¶불탑의 ~에는 수연(水煙)이 있다. ↔하단(下端).
상:달 (上-)[-딸] 명 '시월상달'의 준말.
상:달 (上達) 명하타 웃어른에게 말이나 글로 여쭈어 알려 드림. ¶하의(下意)가 ~되다. ↔하달(下達).
상담 (相談) 명하타 개인의 어려운 문제나 궁금증을 풀기 위하여 서로 의논함. 상의(相議). ¶인생 ~/~에 응하다.
상담 (商談) 명하자 상업상의 거래를 위해 나누는 대화나 협의. ¶~을 벌이다.
상담-소 (相談所) 명 어떤 일에 관해 묻고 의논할 수 있도록 설치된 사회 시설. ¶법률 ~/결혼 ~를 열다.
상담-역 (相談役)[-녁] 명 상담의 상대가 되는 사람. 특히, 회사 등에서 중대한 일 또는 분쟁 따위가 있을 때, 적당한 조언이나 조정을 하는 사람.
상담-원 (相談員) 명 카운슬러.
상답 명 자녀의 혼인에 쓰거나 뒷날에 쓰기 위해 마련해 두는 옷감.
상:답 (上畓) 명 '상등답(上等畓)'의 준말.
상:답 (上答) 명하자 웃어른에게 대답함.
상당 (相當) 명 일정한 액수나 수치에 해당함. ¶5만 원 ~의 상품.
상당-수 (相當數) 명 어지간히 많은 수. ¶~의 학생들이 담배를 피운 경험이 있다고 한다.
상당-액 (相當額) 명 1 어지간히 많은 금액. ¶~을 기부하다. 2 어떠한 기준량에 해당하는 금액. ¶피해 ~을 보상하다.
상당-하다 (相當-) 형여불 1 알맞다. ¶그의 죄는 죽음에 ~. 2 어느 정도에 가깝다. ¶능력에 상당한 급료. 3 어지간하게 많다. ¶성적을 보니 상당한 노력이 필요하겠다/상당한 비용이 들었다. 4 꽤 대단하다. ¶상당한 실력을 갖추고 있다. **상당-히** 부
상대 (相對) 명하자타 1 서로 마주 대함. 또는 그 대상. ¶신랑과 신부가 ~하여 서다. 2 마주 겨룸. ¶~ 팀/우리의 힘은 그들에게 ~되지 않는다. 3 '상대자'의 준말. ¶결혼 ~. 4 〖철〗 다른 사물에 의존하거나 제약을 받거나 하여 그것과 떨어져 존재할 수 없는 것.
상대 가격 (相對價格)[-까-] 〖경〗 어떤 상품의 일정한 가격과 비교한 다른 상품의 가격. ↔절대 가격.
상대 개:념 (相對槪念) 〖논〗 다른 개념과 비교하여 그 뜻이 보다 명료해지는 개념 《밤과 낮, 하늘과 땅 따위》. ↔절대 개념.
상대-국 (相對國) 명 외교 교섭의 상대가 되는 나라. ¶~과 통상 협정을 맺다.
상대 높임법 (相對-法)[-뻡] 〖언〗 높임법의 하나. 일정한 종결 어미를 선택하여 상대방을 높이는 것으로, 해라체·하게체·하오체·합쇼체 등이 있음. ☞높임법.
*__상대-방__ (相對方) 명 상대편. ¶~을 존중하다/~의 입장에서 생각하다.
상대-성 (相對性)[-썽] 명 〖철〗 모든 사물이 각각 따로 떨어져 있는 것이 아니고, 부분과 전체, 부분과 부분이 서로 의존적 관계를 가지고 있는 성질.
상대성 원리 (相對性原理)[-썽월-] 〖물〗 서로 등속도 운동을 하는 좌표계(座標系)에서 물리의 기본 법칙의 형은 변하지 않는다는 원리.
상대성 이:론 (相對性理論)[-썽-] 〖물〗 아인슈타인이 확립한 물리학상의 기본 이론. 상대성 원리에 바탕을 둔 것으로, 서로 등속(等速) 운동을 하고 있는 좌표계(座標系)의 상대성을 수립한 특수 상대성 이론과 임의의 좌표계에 대하여 상대성을 충족시키도록 이론화한 일반 상대성 이론이 있음.
상대 속도 (相對速度) 운동하는 하나의 물체에서 본, 운동하는 다른 물체의 속도.
상대-어 (相對語) 명 〖언〗 뜻이 상대되는 말. 반대어. 반의어. ↔동의어.
상대-역 (相對役) 명 연극이나 영화에서, 주연의 상대가 되는 역. ¶그는 ~을 잘 해냈다는 호평을 받았다.
상대-자 (相對者) 명 말이나 일을 할 때 상

대가 되는 사람. ¶~의 의견을 존중하다. ㊟상대.

상대-적 (相對的) 관명 서로 맞서거나 비교되는 관계에 있는 (것). ¶~ 우월감〔열등감〕에 사로잡히다 / 크니 작으니 하는 것은 ~ 개념이다. ↔절대적.

상대-주의 (相對主義)[-/-이] 명 〖철〗 모든 가치의 절대적 타당성을 부인하고, 모든 것이 상대적이라는 입장. 상대설(說). ↔절대주의.

***상대-편** (相對便) 명 상대가 되는 편. ¶~의 결정에 따르겠다.

상대 평:가 (相對評價)[-까] 한집단 내에서 다른 구성원들과 비교한 상대적 위치로써 개인 학력을 평가하는 방식. ↔절대 평가.

상도 (常度) 명 정상적인 법도.

상도 (常道) 명 **1** 항상 변하지 않는 떳떳한 도리. ¶민주 정치의 ~. **2** 항상 지켜야 할 도리. ¶~를 벗어난 행위 / ~에 어긋나다.

상도 (商道) 명 상도덕.

상-도덕 (商道德) 명 상업 활동에서 지켜야 할 도덕. 상업자들 사이에서 지켜야 할 도의. 상도. 상도의.

상-돌 (床-)[-똘] 명 무덤 앞에 제물을 차려 놓는, 돌로 만든 상. 상석(床石).

상:동 (上同) 명 위와 같음. 동상(同上).

상동 (相同) 명 **1** 서로 같음. **2** 〖생〗 생물의 기관이 외관상으로는 다르나 본래의 기관 원형은 동일한 것《새의 날개와 짐승의 앞다리 따위》. *상동 기관.

상동 기관 (相同器官) 〖생〗 형태나 기능은 다르나 발생 또는 구조상으로 본래 기관의 원형은 같은 것이었다고 생각되는 기관《식물의 잎과 꽃 또는 물고기의 부레와 사람의 폐 따위》.

상-되다 (常-)[-뙤-] 형 말이나 행동이 예의에서 벗어나고 불순하여 보기에 천하다. ¶본데없이 자라서 ~. ㊝쌍되다.

상두 (喪-) 명 〈속〉 상여(喪輿).

상:등 (上等) 명 높은 등급이나 수준. 또는 좋은 품질. ↔하등(下等).

상:등 (上騰) 명하자 주식이나 물가 등이 오름. ↔하락(下落).

상:등-답 (上等畓) 명 토질이 아주 좋은 논. ㊟상답(上畓).

상:등-병 (上等兵) 명 〖군〗 육·해·공군 사병의 한 계급. 병장의 아래, 일등병의 위. ㊟상병(上兵).

상:등-석 (上等席) 명 높은 등급의 좋은 자리. ¶~에 앉아서 관람하다.

상:등-품 (上等品) 명 품질이 썩 좋은 물건.

상등-하다 (相等-) 형여불 등급이나 정도가 서로 비슷하거나 같다.

상:란 (上欄)[-난] 명 위쪽에 있는 난. ↔하란(下欄).

상람 (詳覽)[-남] 명하타 자세히 봄.

상:략 (上略)[-낙] 명하타 글이나 말의 앞부분을 줄임. *중략·하략.

상략 (詳略)[-낙] 명 상세함과 간략함.

상:량 (上樑·上梁)[-냥] 명하자 〖건〗 **1** 기둥에 보를 얹고 그 위에 마룻대를 올림. 또는 그 일. **2** 마룻대.

상량 (商量)[-냥] 명하타 헤아려 생각함.

상:량-식 (上樑式)[-냥-] 명 상량할 때에 베푸는 의식. ¶신축 교사(校舍)의 ~을 거행하다.

상:량-하다 (爽涼-)[-냥-] 형여불 날씨가 기분이 좋을 만큼 서늘하다. ¶상량한 가을 바람.

상련 (相連)[-년] 명하자타 **1** 서로 이어 붙음. **2** 서로 잇댐.

상련 (相憐)[-년] 명하자 서로 가엾게 여겨 동정함.

상:례 (上例)[-녜] 명 위에 든 보기. ¶~와 같다.

상례 (常例)[-녜] 명 보통 있는 일. 늘 있는 일. 항례(恒例). ¶우리 멤버는 모이면 술 한잔하는 것이 ~가 되었다.

상례 (常禮)[-녜] 명 보통의 예법.

상례 (喪禮)[-녜] 명 상중에 지키는 모든 예절. 흉례(凶禮).

상로 (商路)[-노] 명 장삿길.

상로 (霜露)[-노] 명 서리와 이슬.

상록 (常綠)[-녹] 명 나뭇잎이 일 년 내내 늘 푸름.

상록-수 (常綠樹)[-녹-] 명 〖식〗 사철 푸른 나무《소나무·대나무 따위》. 늘푸른나무. 정목(貞木). ↔낙엽수.

상론 (相論·商論)[-논] 명하타 서로 의논함. 상의. ¶충분히 ~된 내용.

상론 (常論)[-논] 명 보통의 의론.

상론 (詳論)[-논] 명하타 자세히 논함. 또는 그런 논의.

***상:류** (上流)[-뉴] 명 **1** 강 따위 흐르는 물의 근원에 가까운 곳. 물위. ¶~로 거슬러 올라가다. **2** 수준이나 정도가 높은 지위나 생활. ¶~ 계층에 속하는 사람. *중류·하류.

상:류-층 (上流層)[-뉴-] 명 상류 생활을 하고 있는 사회 계층.

상:륙 (上陸)[-뉵] 명하자 배에서 육지로 오름. ¶~ 부대가 집결하다 / 중국 관광단이 제주에 ~했다.

상륜 (相輪)[-뉸] 명 〖불〗 불탑 꼭대기의 수연(水煙) 바로 밑에 있는, 청동으로 만든 아홉 층의 원륜(圓輪). 구륜(九輪). 공륜(空輪).

보주
용거
수연
구륜
앙화
복발
노반
상륜

상률 (常律)[-뉼] 명 보통의 규율. 상규(常規).

상:리 (上里)[-니] 명 윗마을. ↔하리(下里).

상리 (商利)[-니] 명 장사하여 얻는 이익.

상:마 (上馬) 명하자 **1** 좋은 말. 또는 잘 달리는 말. **2** 말에 올라탐. ↔하마(下馬).

상마 (桑麻) 명 뽕나무와 삼.

상막-하다 [-마카-] 형여불 기억이 분명치 않고 아리송하다.

상-말 (常-) 명하자 **1** 품격이 낮은 상스러운 말. 점잖지 못한 말. ¶아무에게나 마구 ~을 쓰는 교양이 없는 사람. ㊝쌍말. **2** 이언(俚言).

상-머리 (床-) 명 음식을 차려 놓은 상의 옆이나 앞. ¶~에 앉아서 잡담을 하다.

상:-머슴 (上-) 명 힘든 일 따위를 잘하는 장정 머슴.

상:면 (上面) 명 위쪽의 겉면. 윗면. ↔하면

(下面).
상면(相面) 명하자타 1 서로 만나서 얼굴을 마주 봄. ¶~하고 이야기를 나누다. 2 서로 처음 만나 인사하고 알게 됨. ¶전에 ~한 적이 있다.
상:명(上命) 명 1 상부의 명령. ¶~에 따라 행동하다. 2 임금의 명령. 어명(御命).
상명(喪明) 명하자 1 아들의 죽음을 당함. 2 실명(失明).
상명(償命) 명하타 살인한 사람을 죽임.
상:명-하다(爽明-) 형여불 날씨가 시원하고 밝다. ¶상명한 가을 날씨 / 상명한 아침. **상:명-히** 부
상명-하다(詳明-) 형여불 상세하고 분명하다. **상명-히** 부
상모(相貌·狀貌) 명 얼굴의 생김새. 용모.
상모(象毛) 명 1 삭모(槊毛). 2 농악에서, 모자 꼭대기에 흰 새털이나 긴 종잇조각을 달아 빙글빙글 돌리게 된 것.
상:-목(上-) 명 내나 강의 상류 쪽.
상:목(上木) 명하타 1 품질이 썩 좋은 무명. 2 목질이 썩 좋은 나무.
상목(常木) 명 품질이 변변치 못한 무명.
상몽(祥夢) 명 상서로운 꿈. 길몽(吉夢). ¶산불이나 홍수는 ~으로 친다.
상:무(尙武) 명하자 무예를 중히 여겨 받듦. ¶~의 기풍. ↔상문(尙文).
상무(常務) 명 1 일상의 업무. 2 '상무이사'의 준말.
상무(商務) 명 상업상의 업무나 볼일.
상무-이사(常務理事) 명 재단·회사 등의 이사 중 특히 일상의 업무를 집행하는 기관. 또는 그 사람. 준상무.
상:문(上文) 명 위의 글. 또는 처음 부분의 글.
상:문(上聞) 명하타 임금에게 들려 드림.
상:문(尙文) 명하자 문예를 귀히 여겨 높이 받듦. ↔상무(尙武).
상문(詳問) 명하타 상세히 질문함. 또는 그런 질문.
상:미(上米) 명 품질이 가장 좋은 쌀. *중미·하미.
상:미(上味) 명 음식의 좋은 맛.
상미(嘗味) 명하타 맛을 봄.
상미(賞味) 명하타 맛을 칭찬하며 먹음.
상미(賞美) 명하타 칭찬함.
상민(常民) 명 상사람. *양반.
상:박(上膊) 명 〖생〗 팔꿈치에서 어깨까지의 사이. 상완(上腕). 위팔.
상박(相撲) 명하자 1 서로 마주 때림. 2 씨름1.
상:반(上半) 명 아래위로 절반 나눈 것의 위쪽. ↔하반(下半).
상반(相反) 명하자 서로 어긋나거나 반대됨. ¶~된 주장 / 그에 대한 평가는 아주 ~된다.
상반(相半) 명하형 서로 반반임. 서로 절반씩 어슷비슷함. ¶공과(功過)가 ~하다.
상반(相伴) 명하자 서로 짝이 됨. 또는 서로 함께함.
상반(常班) 명 상인(常人)과 양반. 반상.
상:-반기(上半期) 명 한 해나 어느 일정한 기간을 둘로 나눈 그 앞의 반 동안. ¶~ 영업 실적. ↔하반기.
상:-반부(上半部) 명 아래위로 절반 나눌 때 위쪽에 있는 부분. 상부(上部). ¶탑의 ~는 전망대와 식당으로 되어 있다. ↔하반부.
상:-반신(上半身) 명 사람 몸의 허리 위의 부분. ¶~ 여권용 사진. ↔하반신.
상:방(上方) 명 위쪽. 위쪽 방향. ↔하방.
상:방(上房) 명 1 〖역〗 관아의 우두머리가 거처하던 방. 2 바깥주인이 거처하는 방.
상배(床排) 명하자 음식상을 차림. 또는 그 상. ¶~를 보다.
상배(喪配) 명하자 '상처(喪妻)'의 높임말.
상배(賞盃·賞杯) 명 상으로 주는 잔이나 컵. ¶우승 ~를 받다.
상:백시(上白是) 명 사뢰어 올린다는 뜻《웃어른에게 올리는 편지의 첫머리나 끝에 씀》. 상사리. ¶어머님 전 ~.
상:번(上番) 명하자 1 당직자 중에 든번에 당한 사람. 2 〖역〗 군인이 돌림 차례로 번을 들러 군영으로 들어가던 일. 3 〖역〗 지방의 군인이 서울로 번을 들러 올라가던 일. ↔하번(下番).
상벌(賞罰) 명하타 1 상과 벌. 2 잘한 것에 상을 주고 잘못한 것에는 벌을 줌. ¶장군은 ~을 엄격히 하였다.
상법(商法)[-뻡] 명 1 장사의 이치. 장사하는 방법. 2 〖법〗 넓은 뜻으로는 영리 기업에 관한 법규의 총칭. 좁은 뜻으로는 상사(商事)에 관한 사권(私權)의 관계를 규정한 법률. 3 〖법〗 상법전(商法典).
상법-전(商法典)[-뻡-] 명 상업에 관한 일반 기본 법규를 통일적·체계적으로 엮어 놓은 책. 상법.
상:병(上兵) 명 〖군〗 '상등병'의 준말.
상병(傷病) 명 다치거나 병듦.
상-보(床褓)[-뽀] 명 상을 덮는 보자기. 상건(床巾).
상보(相補) 명하자 서로 모자라거나 부족한 부분을 보완함. ¶~ 관계.
상보(詳報) 명하타 자세하게 보도하거나 보고함. 또는 그러한 보도나 보고. ¶차후에 ~될 예정이다. ↔약보(略報).
상보-성(相補性)[-썽] 명 서로 보충하는 관계에 있는 성질.
상보-적(相補的) 관명 서로 보완하는 관계에 있는 (것). ¶~(인) 역할.
상복(常服) 명하타 약이나 음식 등을 오랜 기간 계속해서 먹음.
상복(祥福) 명 상서로운 일과 복된 일.
상복(喪服) 명 상중에 입는 예복《성긴 삼베로 만듦》. 소복(素服). 흉복(凶服).

굴건 두건 수질 요질 상장 행전
상복(喪服)

상복(賞福)[-뽁] 명 상을 탈 만한 행운. ¶~이 없어 만년 2등만 한다.
상:봉(上峰) 명 가장 높은 산봉우리.
상봉(相逢) 명하자타 서로 만남. ¶50년 만에 형제가 극적 ~을 하다.
상:부(上部) 명 1 위쪽 부분. 2 보다 위의 직위나 관청. ¶~의 지시. ↔하부(下部).
상부(相扶) 명하자 서로 도움.

상부 (相符) 명하자 서로 들어맞음. 서로 부합함.
상부 (喪夫) 명하자 남편의 죽음을 당함. ↔ 상처(喪妻).
상:부 구조 (上部構造) **1** 윗부분의 구조. 또는 선로에서 노반 위에 설치된 부분. **2** 〔철〕 사회 형성의 토대가 되는 경제적 구조를 하부 구조라 하는 데 대해 이를 기초로 하는 정치·법률·도덕·예술 등의 관념 및 이에 대응하는 제도·체계의 일컬음《마르크스주의자들의 용어》. 상층 구조. ↔하부 구조.
상부-상조 (相扶相助) 명하자 서로서로 도움. ¶ 협동과 ~의 미풍.
상비 (常備) 명하타 늘 준비하여 둠. ¶ 구급약을 ~하다.
상비-군 (常備軍) 명 유사시에 출동하기 위하여 늘 갖추어 두는 군대. 또는 그 군인.
상비-약 (常備藥) 명 병원이나 가정 등에 항상 갖추어 두는 약품. ¶ 소화제를 가정 ~으로 챙겨 두다.
상:빈 (上賓) 명 상객(上客)1.
상빈 (霜鬢) 명 허옇게 센 살쩍. 백빈(白鬢).
상:사 (上士) 명 **1** 〔군〕 부사관 계급의 하나《중사의 위, 원사(元士)의 아래》. **2** 〔불〕 보살1.
상:사 (上司) 명 **1** 위 등급의 관청. **2** 벼슬이나 지위가 자기보다 위인 사람. 상부(上府). ¶ ~의 명령. ↔하사(下司).
상사 (相似) 명하형 **1** 모양이 서로 비슷함. **2** 〔생〕 종류가 다른 생물의 기관에서 구조는 서로 다르나 그 형상과 작용이 서로 일치하는 현상《새의 날개와 벌레의 날개 따위》. **3** 〔수〕 '닮음'의 구용어.
상사 (相思) 명하자 서로 생각하고 그리워함. ¶ ~로 병을 얻어 자리에 눕다.
상사 (商社) 명 수출입 무역을 주로 하는 상업적인 회사.
상사 (商事) ㊀명 상업에 관한 일. ㊁의명 회사 따위의 상호 아래에 붙이는 말.
상사 (喪事) 명 초상이 난 일. 상고(喪故). 상변(喪變). ¶ ~가 나다.
상사 (殤死) 명하자 스무 살이 되기 전에 죽음. *요사(夭死).
상사 (賞賜) 명하타 임금이 상으로 물품을 내려 줌.
상사-곡 (相思曲) 명 남녀 사이의 연정을 주제로 한 노래.
상사디야 감 민요, 특히 농부가의 후렴구의 일부. 상사뒤요. ¶ 얼럴러 ~.
상-사람 (常-)[-싸-] 명 조선 중엽 이후에 양반 계급이 평민을 이르던 말. 상인(常人). 상민(常民).
상사-병 (相思病)[-뼝] 명 이성을 몹시 그리워하는 마음에 사로잡혀 생기는 병. 화풍병(花風病). ¶ ~으로 여위다 / ~을 앓다.
상:상 (上上) 명 더없이 좋음. 최상.
상:상 (想像) 명하타 **1** 마음속으로 그리며 미루어 생각함. ¶ ~을 초월한 일 / ~에 맡기다 / ~하고 남음이 있다 / 이야기만 들어도 그때의 참상이 ~된다 / 그것은 ~을 뛰어넘는 일이다. **2** 〔심〕 현실적으로 볼 수 없는 사물의 심상(心象)을 마음에 생각하여 그림.
상:상-력 (想像力)[-녁] 명 상상하는 능력. ¶ ~이 풍부하다.
상:상-봉 (上上峰) 명 여러 봉우리 중에서 가장 높은 봉우리. ¶ 백두산 ~에 오르다.
상:상-외 (想像外) 명 예상 밖. ¶ ~의 일 / ~로 관람객이 많았다.
상:상-화 (想像畫) 명 〔미술〕 상상하고 창작하여 그리는 그림. ↔사생화(寫生畫).
상생 (相生) 명하자 〔민〕 음양오행설에서, 금에서는 물이, 물에서는 나무가, 나무에서는 불이, 불에서는 흙이, 흙에서는 금이 남을 이름. ↔상극(相剋). ☞오행(五行).
상:서 (上書) 명하자 웃어른에게 글을 올림. 또는 그 글. ¶ 아버님 전 ~. ↔하서(下書).
상서 (祥瑞) 명 복되고 길한 일이 일어날 징조.
상서-롭다 (祥瑞-) [-로우니, -로워] 형ㅂ불 복되고 좋은 일이 있을 듯하다. ¶ 상서로운 조짐. **상서-로이** 부
상:석 (上席) 명 일터나 계급, 또는 모임 따위에서의 윗자리. ¶ ~에 앉다 / ~에 모시다. ↔말석(末席).
상석 (床石) 명 상돌.
상석 (象石) 명 능(陵)·원(園)에 사람이나 짐승의 모양을 돌로 만들어 세운 물건.
상:선 (上船) 명하자 배에 오름. 등선(登船). 승선. ↔하선.
상선 (商船) 명 상업상 목적에 쓰는 선박《여객선·화물선 등》. 상박(商舶).
상설 (常設) 명하타 언제나 이용할 수 있도록 설비와 시설을 갖추어 둠. ¶ ~ 할인 매장 / 농산물 매장이 ~되다.
상설 (詳說) 명하타 자세하게 속속들이 설명함. 또는 그런 설명. ↔약설(略說).
상설 (霜雪) 명 서리와 눈. 눈서리.
상:성 (上聲) 명 〔언〕 **1** 중세 국어 사성(四聲)의 하나로 처음이 낮고 끝이 높은 소리《글자에 표할 때에는 왼편에 점 두 개를 찍음》. **2** 한자의 사성의 하나. 높고 맹렬한 소리《이에 딸린 글자들은 거성(去聲)·입성(入聲)의 글자들과 아울러 측자(仄字)라 함》.
상성 (喪性) 명하자 **1** 본디의 성질을 잃어버리고 전혀 다른 사람처럼 변함. ¶ ~이 나다. **2** 몹시 보챔.
상세-하다 (詳細-) 형여불 속속들이 자세하다. ¶ 상세한 설명 / 약도를 상세하게 그려 찾기 쉽도록 하다. **상세-히** 부. ¶ 내용은 이미 차트에 ~ 기록되어 있었다.
상:소 (上疏) 명하자 〔역〕 임금에게 글을 올리던 일. 또는 그 글. 주소(奏疏).
상:소 (上訴) 명하자 〔법〕 하급 법원 판결에 따르지 않고 상급 법원의 심리를 청구하는 일. ¶ 판결에 불복하여 ~하다.
상-소리 (常-)[-쏘-] 명 상스러운 말이나 소리. ㊗쌍소리.
상:소 법원 (上訴法院) 상소 사건을 심리하는 상급 법원.
상:소-심 (上訴審) 명 상소 법원의 심리.
상속 (相續) 명하타 **1** 다음 차례에 이어 주거나 이어받음. **2** 〔법〕 일정한 친족적 신분 관계가 있는 사람 사이에서, 한 사람의 사망으로 다른 사람이 재산에 관한 권리·의무를 이어받는 일. ¶ 재산이 아들에게 ~되

다 / ~을 받다.
상속-권 (相續權) 명 〖법〗 상속인이 상속의 효력으로 가지는 기득권(既得權).
상속-법 (相續法) 명 〖법〗 상속에 관한 법률 관계를 통틀어 이르는 말.
상속-세 (相續稅) 명 상속이나 유증(遺贈)으로 재산을 얻은 사람에게 부과하는 세금.
상속-인 (相續人) 명 상속을 받는 사람. 상속자. ↔피상속인.
상속-자 (相續者) 명 상속인.
상쇄 (相殺) 명하타 **1** 셈을 서로 비김. ¶차입금과 대출금이 ~되다 / 복구 작업으로 피해를 ~시키다. **2** 상반되는 것이 서로 영향을 주어 효과가 없어지는 일. **3** 〖법〗 '상계(相計)'의 구민법상의 용어.
상-쇠 (上-) 명 〖민〗 두레패·굿중패·걸립패·농악대 따위에서, 꽹과리를 치면서 그 패의 앞잡이가 되어 전체를 지도하는 사람. 뜬쇠. 상쇠재비.
상:수 (上手) 명 남보다 뛰어난 솜씨나 수. 또는 그런 사람. ↔하수(下手).
상:수 (上水) 명 **1** 음료수나 사용수로 쓰기 위해 수도관을 통해 보내는 맑은 물. ↔하수(下水). **2** '상수도(上水道)'의 준말.
상:수 (上壽) 명 **1** 보통 사람보다 나이가 아주 많음. 또는 그 나이. ¶~를 누리다. **2** 백 살 이상 된 나이. 또는 그 노인.
상:수 (上數) 명 가장 좋은 꾀. 상책(上策). ¶무슨 일이 일어날 때는 튀는 게 ~다.
상수 (常數) 명 **1** 정해진 수량. 일정한 수. **2** 정하여진 운명. 정수(定數). **3** 〖수〗 어느 관계를 통해서 변하지 않는 값을 가진 수 또는 양《원주율·탄성률 같은 것》. 정수. 항수(恒數). ↔변수(變數). **4** 〖물〗 물질의 물리적 또는 화학적 성질을 표시하는 수치, 즉 일정한 상태에 있는 물질의 성질에 관한 일정량을 보이는 수《비열(比熱)·비중·굴절률 따위》.
상:수-도 (上水道) 명 음료수나 공업·방화용 물을 수도관을 통해 보내 주는 설비. ↔하수도. 준수도·상수.
상:수리 명 상수리나무의 열매. 상실(橡實).
상:수리-나무 명 〖식〗 참나뭇과의 낙엽 교목. 높이 15m가량, 잎은 어긋나고 긴 타원형으로 가장자리가 톱니처럼 생겼고 열매는 식용함. 재목은 차륜(車輪)·가구 등의 재료로 씀. 참나무.
상:순 (上旬) 명 초하루에서 초열흘까지의 사이. 상완(上浣). 상한(上澣). 초순(初旬).
상:순 (上脣) 명 윗입술. ↔하순(下脣).
상-술 (床-)[-쑬] 명 안주를 상에 차리고 이에 곁들여서 파는 술.
상:술 (上述) 명하타 위 또는 앞부분에 말하거나 적음. ¶~한 바와 같다.
상술 (商術) 명 장사하는 솜씨나 꾀. ¶유대인은 ~이 능하다고 알려져 있다.
상술 (詳述) 명하타 자세히 설명함. ¶사고 경위를 ~하다.
상-스럽다 (常-)[-쓰-] 〔상스러우니, 상스러워〕 형ㅂ불 말이나 행동이 교양 없이 낮고 천한 데가 있다. ¶말씨가 ~ / 상스럽게 굴다. 센쌍스럽다. **상-스레** [-쓰-] 부
상습 (常習) 명 늘 하는 버릇. ¶그는 ~으로 약속을 어긴다.
상습-범 (常習犯) 명 〖법〗 어떤 범죄를 상습적으로 함으로써 성립하는 범죄. 또는 그 범인. 관행범.
상습-적 (常習的) 관명 좋지 않은 일을 버릇처럼 하는 (것). ¶알고 보니 그는 ~으로 음주 운전을 했다.
상습-화 (常習化)[-스퐈] 명하타 늘 하는 버릇처럼 반복함. ¶식전 산책이 ~되다.
상:승 (上昇·上升) 명하자 낮은 데서 위로 올라감. ¶인기가 나날이 ~하다 / 물가가 ~되다 / 기구를 ~시키다 / 국제 반도체 값의 ~이 예상된다. ↔하강·하락.
상승 (常勝) 명하자 항상 이김. 싸울 때마다 이김. 번번이 이김.
상승 가도(街道)를 달리다 구 상승하는 기세를 몰아 냅다 몰아쳐 나아가다.
상:승 기류 (上昇氣流) 대기 중에서 위로 오르는 공기의 흐름. 구름이 생기고 비가 내리는 원인이 됨.
상:승-선 (上昇線) 명 위로 향하여 올라가는 선. ¶주가 오름세가 ~을 긋고 있다.
상:승-세 (上昇勢) 명 위로 올라가는 기세. ¶물가의 ~가 좀처럼 꺾이지 않는다. ↔하락세.
상승 작용 (相乘作用) 몇 가지 원인이 동시에 겹쳐 작용하면 하나씩 따로따로 작용할 때의 합(合)보다 많은 효력을 나타내는 일.
상시 (常時) 명부 **1** 임시가 아니고 관례대로의 보통 때. 늘. 항시. ¶주민 등록증은 ~ 휴대해야 한다. **2** '평상시'의 준말.
[상시에 먹은 마음 취중에 난다] 술 취하면 평소 마음먹었던 것이 말이나 행동으로 나타난다.
상:식 (上食) 명 상가(喪家)에서 아침저녁으로 영좌에 올리는 음식.
상식 (常食) 명하타 늘 먹음. 또는 그 음식. ¶점심에는 분식을 ~한다.
상식 (常識) 명 사람들이 보통 가지고 있거나 가져야 할 일반적인 지식. 이해력·판단력 따위. ¶~ 밖의 행동은 눈살을 찌푸리게 한다.
상식-적 (常識的) 관명 상식에 관한 (것). ¶~인 과학 지식 / 아주 ~인 이야기.
상식-화 (常識化)[-시콰] 명하자타 널리 알려져 상식으로 됨. 또는 상식이 되게 함. ¶상대성 원리도 이제는 ~되었다.
상:신 (上申) 명하타 웃어른이나 관청 등에 일에 대한 의견 또는 사정 등을 말이나 글로 보고함. ¶의견을 ~하고 재가를 얻다.
상신 (相信) 명하타 서로 믿음.
상실 (桑實) 명 뽕나무의 열매. 오디.
상실 (喪失) 명하타 잃어버림. 없어지거나 사라짐. ¶자격이 ~되다 / 기억을 ~하다.
상실-감 (喪失感) 명 무엇인가를 잃어버린 후의 느낌. ¶~을 맛보다 / ~에 빠지다.
상심 (傷心) 명하자타 슬픔이나 걱정 따위로 속을 썩임. ¶그는 너무 ~하여 급기야 병이 나고 말았다.
상아 (象牙) 명 코끼리의 위턱에 나서 입 밖으로 길게 뛰어나온 엄니《악기·도장 등 여러 가지 기구를 만드는 데 씀》.
상아-색 (象牙色) 명 상아의 빛깔《연한 황백색》. 아이보리.
상아-탑 (象牙塔) 명 **1** 속세를 떠나 오로지

학문이나 예술만을 즐기는 경지(境地). **2** 대학이나 대학의 연구실의 비유.
상:악 (上顎) 명 위턱. ↔하악(下顎).
상앗-대 [-아때 / -앋때] 명 배를 댈 때나 띄울 때 또는 물이 얕은 데서 배질을 할 때 쓰는 긴 막대. 준삿대.
상앗-빛 (象牙-)[-아삗 / -앋삗] 명 상아와 같은 빛깔《연한 황백색》. 상아색.
상애 (相愛) 명하자 서로 사랑함.
상약 (相約) 명하타 서로 약속함. 또는 그 약속. ¶~을 맺다.
상약 (常藥) 명 가정이나 개인이 경험에 의하여 만들어 쓰는 약.
상약 (嘗藥) 명하자 **1** 남에게 약을 권하기 전에 먼저 맛을 봄. **2** 약을 먹거나 마심.
***상어** 명 〖어〗 연골어강 악상어목에 속하는 고래상어·괭이상어·곱상어 등의 총칭. 몸은 원뿔꼴, 골격은 연골임. 꼬리지느러미는 칼 모양, 거친 피부는 이빨 모양의 비늘로 덮임. 대개 태생(胎生)인데 성질이 사납고 민첩함. 교어(鮫魚). 사어(沙魚).
상:언 (上言) 명하자 〖역〗 백성이 임금에게 글월을 올리던 일. 또는 그 글월.
***상업** (商業) 명하자 상품을 사고팔아 이익을 얻는 영업. ¶~ 분야 / ~에 종사하다 / ~이 번창하다.
상업 고등학교 (商業高等學校) 상업에 관한 보통 지식과 기술을 전문적으로 가르치는 실업 고등학교《일부 학교는 '정보 산업 고등학교'로 개칭됨》. 준상업학교·상고.
상업 방:송 (商業放送) 광고 방송 수입 등으로 경영되는 방송. *공영 방송.
상업 부기 (商業簿記) 〖경〗 상업의 회계에 응용되는 부기《단식·복식이 있으며, 상품 매매에서 생기는 손익의 계산을 목적으로 함》.
상업-성 (商業性) 명 상업으로 이윤을 얻는 것을 중요시하는 특성. ¶~을 배제하다.
상업 은행 (商業銀行) 상업 및 그 밖의 일반 산업 금융을 맡아보는 은행《주된 업무는 대부와 할인임》. 준상은(商銀).
상업-적 (商業的) 관명 상업과 관계되는 (것). ¶~인 목적에 이용하다.
상업-주의 (商業主義)[- / -이] 명 상업적인 이익을 가장 중요한 목적으로 하는 사고방식. ¶~가 팽배하다.
상업 지역 (商業地域) 〖법〗 도시 계획에서 지정하는 용도 지역의 하나. 주로 상업과 기타 업무의 편익을 증진하기 위하여 건물을 세움.
상-없다 (常-)[-업따] 형 당연한 이치에서 벗어나 막되고 상스럽다. ¶상없는 말버릇 / 상없게 굴다. **상-없이** [-업씨] 부
상여 (喪輿) 명 사람의 시체를 묘지까지 실어 나르는 도구. 영여(靈輿). 행상(行喪).
상여 (賞與) 명하타 **1** 상으로 금품을 줌. **2** 회사 등에서, 사원의 업적·공헌도에 따라 추석·연말 등에 정기 급여와는 별도로 돈을 줌. 또는 그 돈.
상여-금 (賞與金) 명 상여로 주는 돈. 보너스. ¶1년에 800%의 ~을 받는다 / 휴가 ~을 받다.
상여-꾼 (喪輿-) 명 상여를 메는 사람. 상두꾼. 향도(香徒).
상:연 (上演) 명하타 연극 따위를 무대 위에서 펼쳐 보임. ¶절찬리에 ~된 연극 / 오페라 '카르멘'을 ~하다 / 아동극을 ~하다.
상:연-하다 (爽然-) 형여불 매우 시원하고 상쾌하다. **상:연-히** 부
상엽 (桑葉) 명 뽕나무의 잎사귀. 뽕잎.
상엿-소리 (喪輿-)[-여쏘- / -엳쏘-] 명 상여를 메고 갈 때 상여꾼들이 부르는 구슬픈 소리. 만가(輓歌).
상엿-집 (喪輿-)[-여찝 / -엳찝] 명 상여 및 그에 딸린 여러 도구를 넣어 두는 초막《보통, 산 밑의 외딴 곳이나 마을 옆에 지음》. 곳집.
상:영 (上映) 명하타 영화관 같은 데서 영화를 영사하여 관람객에게 보임. ¶이 영화는 일부 편집되어 ~시간이 줄었다.
상:오 (上午) 명 밤 0시부터 낮 12시까지의 동안. 오전. ↔하오.
상온 (常溫) 명 **1** 늘 일정한 온도. 항온(恒溫). **2** 1년 동안의 평균 온도. **3** 평상시의 온도《보통 15℃》. ¶~에 보관한다.
상완 (賞玩) 명하타 즐겨 구경함. 좋아하여 보고 즐김. ¶청자(青瓷)를 ~하다.
상용 (常用) 명하타 늘 씀. 일상적으로 사용함. ¶영어를 ~하다 / 학생들 사이에 ~되는 말이 다양하다.
상용 (商用) 명하타 **1** 상업상의 용무. ¶~으로 외국에 출장 가다. **2** 장사하는 데에 씀.
상용 (常傭) 명하타 늘 고용하고 있음. ¶~되어 있는 노동자가 2천 명을 넘는 큰 회사에 다니다.
상용 (賞用) 명하타 즐겨 씀.
상용-로그 (常用log) 명 〖수〗 10을 밑으로 하는 로그.
상용-문 (商用文) 명 상업상으로 쓰는 글.
상용-어 (常用語) 명 일상생활에서 늘 쓰는 말. ¶영어를 ~로 쓰는 나라.
상용-어 (商用語) 명 상업상의 거래에서 쓰는 전문적인 말.
상용-한자 (常用漢字)[-짜] 명 복잡한 한자 사용의 불편을 덜기 위해 글자 수를 제한하여 지정한 한자. *교육한자.
상우 (賞遇) 명하타 죄를 뉘우치고 마음을 바로잡은 죄수에게 상으로 주는 특별 대우《면회 횟수를 늘리거나 작업의 변경을 허용하는 따위》.
상운 (祥雲) 명 상서로운 구름. 서운(瑞雲).
상운 (祥運) 명 상서로운 운수. 서운(瑞運).
상운 (商運) 명 상업에 관계되는 운명이나 운수. ¶~이 활짝 트이다.
상:원 (上院) 명 양원제 국회에서 하원(下院)과 함께 의회를 구성하는 입법 기관. ↔하원.
상원 (桑園) 명 뽕나무 밭. 뽕밭. 상전(桑田).
상:원 의원 (上院議員) 미국 등 상원에 속하는 국회의원.
상월 (祥月) 명 대상(大祥)을 치르는 달.
상:위 (上位) 명 높은 위치. 높은 지위. ¶~5% 이내는 특차 전형한다. ↔하위.
상위 (相違) 명하자 서로 틀림. 서로 어긋남. ¶원본과 대조하여 ~가 없음.
상:위 개:념 (上位概念) 〖논〗 한 개념이 다른 개념보다 그 외연(外延)이 넓어 그것을 그 개념 안에 포함하는 개념《생물은 식물

에 대하여 상위 개념임》. 고급 개념. ↔하위 개념.
상:위-권 (上位圈)[-꿘] 명 상위에 속하는 테두리 안. ¶나의 성적은 늘 ~이다.
상응 (相應) 명하자 1 서로 응함. 서로 기맥을 통함. ¶성(城)의 안팎에서 ~하다. 2 서로 맞음. 알맞음. ¶분수에 ~하는 생활/죄과에 ~하는 형벌을 받다.
상:의 (上衣)[-/-이] 명 윗옷. ¶~를 벗다. ↔하의.
상:의 (上意)[-/-이] 명 1 임금의 마음. 상지(上旨). 2 웃어른·지배자의 마음. ↔하의.
상의 (相議·商議)[-/-이] 명하타 어떤 일이나 문제 따위를 의논함. 상담. 상론. ¶가부는 ~하여 정하자/결혼 문제를 ~하다.
상의 (常衣)[-/-이] 명 늘 입고 있는 옷. 보통 입는 옷. 평상복.
상의 (詳議)[-/-이] 명하타 상세히 의논함. 또는 그 의논.
상:의-하달 (上意下達)[-/-이-] 명 윗사람의 뜻이나 명령을 아랫사람에게 전함. ¶~의 임무를 띠다. ↔하의상달.
상이 (傷痍) 명 부상을 당함.
상이-하다 (相異-) 형여불 서로 다르다. ¶그 형제는 생김새나 성격이 매우 ~.
상인 (常人) 명 상사람.
***상인** (商人) 명 장사하는 사람. 장수.
상-일 (常-)[-닐] 명하자 별로 기술을 요하지 않는 노동. ¶배운 재주는 없고 ~로 생계를 유지한다. *막일.
상일-꾼 (常-)[-닐-] 명 상일하는 것을 업(業)으로 삼는 사람.
상임 (常任) 명하타 일정한 업무를 늘 계속해 맡음. ¶~ 고문을 맡다/~ 이사에 취임하다.
상임 위원회 (常任委員會) 1 항상 일정한 임무를 담당하는 위원회. 2〖법〗국회에서 의원을 각 전문 분야별로 나누어 배정하는 상설 위원회.
***상자** (箱子) 一명 나무·대·종이 같은 것으로 만든 네모난 그릇. ¶케이크 ~/철이 지난 옷을 ~에 담아 보관하다. 二의명 물건이 든 상자를 세는 말. ¶과자 한 ~/라면 두 ~.
상잔 (相殘) 명하자 서로 싸우고 해침. ¶동족(同族)~의 참극.
상:장 (上狀) 명 공경이나 조의(弔意)의 뜻을 나타내는 편지.
상:장 (上場) 명하타〖경〗주식이나 어떤 물건을 시장의 매매 대상으로 하기 위해 거래소에 등록하는 일. ¶증권 거래소에 ~된 주식/주식 ~에는 일정한 기준이 있다.
상장 (喪杖) 명 상제가 짚는 지팡이《부상(父喪)에는 대막대기, 모상(母喪)에는 오동나무 막대기를 씀》.
상장 (喪章) 명 거상(居喪)이나 조상(弔喪)의 뜻을 나타내기 위해 옷가슴·소매 따위에 다는 표.
상장 (喪葬) 명 장사 지내기와 상중(喪中)에 치르는 모든 예식.
상장 (賞狀)[-짱] 명 상을 주는 뜻을 적어서 주는 증서. ¶~과 상패를 받다.
상:장-주 (上場株) 명〖경〗증권 거래소에 상장되어 매매되는 주식.
상:재 (上才) 명 뛰어난 재주. 또는 그런 재주를 가진 사람.
상:재 (上梓) 명하타 〔←상자(上梓)〕 출판하기 위하여 인쇄에 붙임.
상재 (商才) 명 장사하는 재능.
상쟁 (相爭) 명하자 서로 다툼. 상투(相鬪). ¶~을 벌이다.
상적-하다 (相敵-)[-저카-] 형여불 양편의 실력이나 처지가 비슷하다.
상:전 (上田) 명 수확이 많은 좋은 밭. ↔하전(下田).
상:전 (上典) 명 예전에, 종에 대해 그 주인을 일컫던 말.
[상전 배부르면 종 배고픈 줄 모른다] 잘사는 사람이 제 배가 부르니 제게 매여 사는 사람의 배고픔은 모른다.
상전 (相傳) 명하타 대대로 이어 전함. 서로 전함. ¶부자 대대로 ~된 비법.
상전 (相戰) 명하자 서로 싸우거나 다툼.
상전 (桑田) 명 뽕나무를 심어 가꾸는 밭. 뽕밭. 상원(桑園).
상전-벽해 (桑田碧海)[-벼캐] 명 뽕나무 밭이 변하여 푸른 바다가 된다는 뜻으로, 세상일의 심한 변화를 비유하는 말. 창상(滄桑). 상전창해. 벽해상전. 준상해.
***상점** (商店) 명 갖가지 물건을 진열해 놓고 파는 가게. 상전(商廛). 상포(商鋪). ¶~이 손님들로 북적거리다.
상접 (相接) 명하자 서로 한데 닿거나 붙음. ¶피골이 ~한 몰골.
상:정 (上程) 명하타 의안을 회의에 내놓음. ¶의안을 ~하고 제안 설명을 하다/의제가 본회의에 ~되다.
상정 (常情) 명 사람이 보통 가질 수 있는 인정. ¶부귀를 좇는 것은 인간의 ~이다.
상:정 (想定) 명하타 어떤 여건을 가정하여 판정함. ¶화재를 ~하여 소방 훈련을 하다/이 도자기는 고려 때의 것으로 ~된다.
상:제 (上帝) 명 하느님1.
상제 (相制) 명하타 서로 견제함.
상제 (常制) 명 항상 정해져 있는 제도.
상제 (喪制) 명 1 부모 또는 조부모의 거상 중인 사람. 극인(棘人). 상인(喪人). 2 상중(喪中)의 복제.
[상제보다 복재기가 더 설워한다] 무슨 일에 당사자보다 제삼자가 더 염려한다.
상제 (喪祭) 명 상례(喪禮)와 제례(祭禮).
상조 (相助) 명하자 서로 도움. ¶이웃과 ~하며 지내다.
상조 (相照) 명하타 서로 대조함.
상:존 (尙存) 명하자 아직 그대로 있음. ¶아직도 일제의 잔재가 ~하고 있다.
상존 (常存) 명하자 언제나 존재함. ¶도로에는 교통사고의 위험이 ~한다.
상종 (相從) 명하자 서로 따르며 친하게 지냄. ¶다시는 ~하지 못할 인간.
상:-종가 (上終價)[-까] 명〖경〗상한가(上限價). ¶연일 ~를 기록하다. ↔하종가.
상:좌 (上佐) 명〖불〗1 행자(行者)2. 2 스승의 대를 이을 여러 제자 가운데 가장 높은 사람. 상족(上足).
[상좌가 많으면 가마솥을 깨뜨린다] 간섭하는 사람이 많으면 일이 제대로 안 된다.
상좌 중의 법고(法鼓) 치듯 구 무엇을 자주 빨리 쾅쾅 치는 모양.

상:좌 (上座) 명 **1** 정면에 설치한, 가장 높은 사람이 앉는 자리. 고좌. 윗자리. **2**〖불〗 절의 주지·강사·선사·원로들이 앉는 자리.
상:주 (上奏) 명하자타 〖역〗 임금에게 말씀을 아뢰던 일.
상주 (常住) 명하자 항상 살고 있음. 늘 있음. ¶~ 인구.
상주 (常駐) 명하자 언제나 주재 또는 주둔하고 있음. ¶~ 대사관을 설치하다.
상주 (喪主) 명 주장되는 상제. 맏상제.
[상주 보고 제삿날 다툰다] 어떤 방면에 잘 아는 사람을 상대로 자신의 의견을 고집한다.
상주 (詳註) 명 상세한 주해(註解). ¶책장마다 ~를 달다.
상주 (賞酒) 명 상으로 주는 술. ↔벌주.
상중 (喪中) 명 상제(喪制)로 있는 동안. ¶~이라 행동거지를 삼가다.
상:중하 (上中下) 명 위와 가운데와 아래. 상등과 중등과 하등. ¶품질을 ~ 세 등급으로 나누다.
상:지 (上旨) 명 임금의 뜻이나 명령. 상의(上意).
상:지 (上肢) 명 〖생〗 어깨 부위에 달린 운동 기관《사람의 팔, 동물의 앞다리》. ↔하지(下肢).
상:지 (上智) 명 **1** 가장 뛰어난 지혜. 또는 그런 지혜를 가진 사람. **2** 하느님의 지혜.
상지 (相持) 명하자 양보하지 않고 서로 자기 의견을 고집함.
상지 (常紙) 명 품질이 그리 좋지 않은 보통의 종이.
상:지-대 (上肢帶) 명 〖생〗 상지를 버티는 골격《견갑골·쇄골(鎖骨) 등으로 이루어짐》. 견대(肩帶).
상:직 (上直) 명하자 **1** 당직. **2** 숙직.
상:직 (上職) 명 윗자리에 있는 직원. 또는 그런 직위.
상직 (常職) 명 늘 종사하는 직무나 직업.
상:질 (上秩)[-찔] 명 상(上)길.
상:질 (上質) 명 품질이 썩 좋음. ¶~의 원석. *중질(中質)·하질(下質).
상징 (象徵) 명하타 (사회 집단의 약속으로서) 말로는 설명하기 힘든 추상적인 사물·개념 따위를 구체적인 사물로 나타냄. 또는 그 대상물. 표상. 심벌. ¶비둘기는 평화의 ~이다 / 국기는 국가를 ~한다.
상징-어 (象徵語) 명 〖언〗 의성어·의태어처럼 자연·사람·동물 따위의 움직임·상태 등을 상징적으로 나타내는 말《쏴쏴·싱글벙글·따옥따옥·멍멍·엉금엉금 따위》.
상징-적 (象徵的) 관명 상징을 나타내는 (것). 무엇을 상징하는 (것). ¶~ 표현 / 비둘기의 ~인 의미는 평화다.
상징-주의 (象徵主義)[-/-이] 명 〖문〗 어떤 사상이나 정서를 구상적(具象的)인 상징에 의하여 나타내려는 예술상의 입장·주의《19 세기 말 프랑스에서 일어남》. 표상주의. 심벌리즘.
상징-화 (象徵化) 명하타 상징으로 되거나 상징이 되게 함. ¶이것은 평화를 ~한 작품이다 / 신화에서 ~된 조상(彫像).
상-차례 (床-) 명 상을 차리는 순서.
상-차림 (床-) 명 음식상을 차리는 일. 또는 그 상. ¶~이 푸짐하다.
상:찬 (上饌) 명 매우 좋은 반찬.
상찬 (常餐) 명 일상 먹는 식사.
상찬 (常饌) 명 일상 먹는 반찬.
상:책 (上策) 명 가장 좋은 대책이나 방책. 상계(上計). 상수(上數). ¶위험은 피하는 것이 ~이다.
상:처 (喪妻) 명하자 아내의 죽음을 당함. 상배(喪配). ¶그는 ~하고 홀아비로 지낸다. ↔상부(喪夫).
*__상처__ (傷處) 명 **1** 부상한 자리. ¶~에 새살이 돋다. **2** 피해를 입은 흔적. ¶전쟁의 ~를 딛고 일어서다.
상:천 (上天) 명 **1** 하늘1. **2** 하느님1.
상청-하다 (常靑-) 형여불 늘 푸르다.
상:체 (上體) 명 몸의 윗부분《사람은 보통 배꼽 위를 이름》. ¶~를 뒤로 젖히다 / ~를 굽히다 / ~를 일으키다. ↔하체.
상추 명 〖식〗 국화과의 한해살이 또는 두해살이풀. 잎은 크고 타원형, 초여름에 담황색 꽃이 핌. 잎은 먹음.
상:추 (上秋) 명 초가을. 음력 칠월. 초추. 신추.
상:추 (爽秋) 명 상쾌한 가을.
상추-쌈 명 고추장이나 된장 등과 함께 밥을 싸는 상추 잎. 또는 그 음식.
상:춘 (上春) 명 음력 정월의 별칭.
상춘 (常春) 명 항상 봄이 계속됨.
상춘 (賞春) 명하자 봄을 맞아 경치를 구경하며 즐김.
상춘-객 (賞春客) 명 봄 경치를 구경하며 즐기는 사람. ¶공원이 ~으로 가득 차다.
상충 (相衝) 명하자 맞지 않고 서로 어긋남. ¶노사(勞使)의 이해가 ~된다.
상:측 (上側) 명 위쪽. ↔하측.
상:층 (上層) 명 **1** 위층. ↔하층. **2** 위의 계급. 또는 상류층.
상:층-운 (上層雲) 명 높이에 따른 구름 분류의 하나. 지상에서 5-13 km 의 높이에 얼음의 결정으로 이루어지는 구름《권운(卷雲)·권적운(卷積雲)·권층운(卷層雲) 등으로 구분함》. *하층운·중층운. ☞구름.
상:-치 (上-) 명 같은 종류 중에서 가장 좋은 것. 상품. ↔하치.
상치 (相馳) 명하자 일이나 뜻이 서로 어긋남. ¶상대방과 의견이 ~되다 / 노사의 입장이 ~하다.
상치 (常置) 명하타 늘 설치해 두거나 비치하여 둠. ¶공중전화 박스에 전화번호부를 ~하다.
상칙 (常則) 명 정해진 규칙. 상규(常規).
상친 (相親) 명하자 서로 친밀히 지냄.
상:침 (上針) 명 **1** 품질이 좋은 바늘. **2** 박이옷이나 보료·방석 따위의 가장자리를 실밥이 겉으로 드러나게 꿰매는 일.
상침(을) 놓다 구 박이옷이나 보료·방석 등의 가장자리를 실밥이 겉으로 드러나게 꿰매다.
*__상:쾌-하다__ (爽快-) 형여불 기분이 시원하고 산뜻하다. ¶상쾌한 아침 / 기분이 ~ / 바람이 상쾌하게 불다. **상:쾌-히** 부
상큼 부 발을 가볍게 높이 들어 걷는 모양. ¶언덕을 ~ 뛰어오르다. 큰성큼.
상큼-상큼 부 발을 가볍게 높이 들어 잇따

라 걷는 모양. ¶～ 걸어가다. ㉠성큼성큼.

상큼-하다[1] 형 여불 **1** 아랫도리가 윗도리보다 어울리지 않게 길쭉하다. **2** 여름옷이 풀이 서고 발이 가늘어 시원해 보이다. ¶모시옷이 상큼해 보인다. ㉠성큼하다.

상큼-하다[2] 형 여불 **1** 냄새나 맛 따위가 향기롭고 시원하다. ¶사과 맛이 ～. **2** 보기에 시원스럽고 좋다.

상탄(傷嘆·傷歎) 명 하타 마음 아프게 여겨 슬퍼함.

상탄(賞嘆·賞歎) 명 하타 탄복하여 크게 칭찬함. 칭탄(稱歎). ¶～을 금치 못하다.

상탑(牀榻) 명 깔고 앉거나 눕기도 하는 여러 가지 제구《평상·침상 따위》.

***상태**(狀態) 명 사물이나 현상이 놓여 있는 형편이나 모양. ¶무방비 ～/실신 ～.

상태(常態) 명 보통 때의 모양이나 형편. 정상적인 상태.

상통(相-) 명 〈속〉 얼굴. ¶성질은 ～과는 다르군.

상통(相通) 명 하자 **1** 막힘 없이 길이 트임. **2** 마음과 뜻이 통함. ¶그녀와는 눈빛만으로도 ～했다/그와는 ～되는 점이 많다. **3** 공통되는 바가 있음. ¶영화를 좋아하는 점에서 서로 ～한다.

상통-하다(傷痛-) 형 여불 마음이 몹시 상하고 아프다.

상:퇴(上腿) 명 〖생〗 하지(下肢)의 윗부분《골반에서 무릎까지》. 넓적다리.

상투 명 〔←상두〕 **1** 예전에, 장가든 남자가 머리털을 끌어 올려서 정수리 위에 틀어 감아 매던 것《대개 망건(網巾)을 쓰고 동곳을 꽂아 맴》. **2** 〈속〉 증권 거래에서, 최고로 오른 시세. ¶～를 잡다. ↔바닥.

상투1

상투(를) 틀다 구 총각이 장가를 들어 어른이 되다.

상투 위에 올라앉다 구 상대를 만만히 보고 기어오르는 행동을 하다.

상투(常套) 명 보통으로 하는 투.

상투-어(常套語) 명 늘 써서 버릇이 되다시피 한 말. 투어(套語). ¶진부한 ～를 사용하다.

상투-적(常套的) 관명 늘 써서 버릇이 되다시피 한 (것). ¶～(인) 수법.

상파(床播) 명 하자 못자리나 묘상(苗床)에 씨를 뿌림.

상:-판(上-) 명 첫판. ↔하(下)판.

상-판(相-) 명 '상판대기'의 준말. ¶그 녀석 ～도 대하기 싫다.

상-판대기(相-)[-때-] 명 〈속〉 얼굴. ¶나도 ～는 아직 못 봤다. ㉨상판.

[상판대기가 꽹과리 같다] 파렴치한 사람의 비유.

상:-팔자(上八字)[-짜] 명 썩 좋은 팔자. ¶세 끼 걱정 없으면 ～지…….

상패(賞牌) 명 상으로 주는 패. ¶우승 ～.

상:편(上篇) 명 두 편 또는 세 편으로 된 책의 첫째 편. *중편·하편.

상평-통보(常平通寶) 명 〖역〗 조선 인조 때부터 쓰던 엽전 이름.

상표(商標) 명 〖경〗 상공업자가 자기의 상품임을 일반 구매자에게 보이기 위해 상품에 붙이는 표지. 트레이드마크. ¶～명/외래 ～/유명 ～의 제품.

상:품(上品) 명 질이 좋은 물품.

***상품**(商品) 명 **1** 사고파는 물품. ¶～을 판매하다/～을 진열하다. **2** 팔 목적으로 생산된 유형 또는 무형의 재화(財貨). **3** 〖법〗 동산(動産)과 같이 상거래를 목적으로 하는 물건.

상품(賞品) 명 상으로 주는 물품. ¶～으로 컴퓨터를 탔다.

상품-권(商品券)[-꿘] 명 액면에 상당하는 상품과 교환할 수 있는 무기명식 유가 증권《도서 상품권·문화 상품권·백화점 상품권 따위》. ¶～으로 구두를 사다.

상품-화(商品化) 명 하자타 상품이 되거나 상품으로 만듦. ¶～된 토속 공예품/연구 성과를 ～하다.

상:피(上皮) 명 〖생〗 거죽을 둘러싼 가죽.

상피(相避) 명 하자 **1** 지난날, 친족 또는 기타의 관계로 같은 곳에서 벼슬하는 일이나 청송(聽訟)·시관(試官) 따위를 피하던 일. **2** 가까운 친척 사이의 남녀가 성적(性的) 관계를 맺는 일. 근친상간. ¶～가 나다/～ 붙다.

상:피 조직(上皮組織) 〖생〗 신체의 표면과 기관의 내면 및 체강(體腔)의 표면을 덮은 세포층《보호·분비·배설·흡수·자극의 감응을 맡음》.

상:하(上下) 명 하타 **1** 위와 아래. 위아래. ¶～로 요동치다. **2** 높고 낮음. **3** 귀함과 천함. **4** 윗사람과 아랫사람. ¶～ 관계가 뚜렷하다/난국 타개에 ～가 따로 없다. **5** 좋고 나쁨. **6** 오르고 내림. ¶판매 부수가 백만 부를 ～하다. **7** 책의 상권과 하권.

상하(常夏) 명 늘 계속되는 여름. ¶～의 나라 태국.

***상-하다**(傷-) 一 자 여불 **1** 깨어지거나 헐다. ¶상하기 쉬운 그릇부터 차근차근 정리하다. **2** 음식이 썩거나 맛이 가다. ¶날씨가 더워 음식이 ～. **3** 상처가 생기다. ¶넘어져 무릎이 ～. **4** 여위다. ¶위장병을 앓더니 얼굴이 많이 상했다. 二 자타 여불 마음이 언짢게 되다. 또는 언짢게 하다. ¶그의 농담에 자존심이 상했다/불친절이 기분을 상하게 하다.

상:-하수도(上下水道) 명 상수도와 하수도.

상학(相學) 명 인상(人相)을 연구하는 학문《관상학·골상학·수상학 등이 있음》.

상:한(上限) 명 위아래의 범위에서 가장 위쪽의 한계. ¶～을 설정하다/～ 한도를 초과하다. ↔하한.

상:한-가(上限價)[-까] 명 〖경〗 증권 거래소에서, 개별 주식이 하루에 최고 한도로 오를 수 있는 가격. 상종가(上終價). ¶여러 종목이 ～까지 뛰었다/～를 기록하다. ↔하한가.

상:한-선(上限線) 명 더 이상 올라갈 수 없는 한계선. ¶～을 돌파하다/～을 밑돌다. ↔하한선.

상합(相合) 명 하자 서로 잘 맞음.

상항(商港) 명 상선이 드나들고 여객이 오르내리며 화물을 싣고 풀 수 있는 항구. 무역항.
상해(傷害) 명하타 남의 몸에 상처를 내어 해를 입힘. ¶교통사고로 전치 6주의 ~를 입히다 / ~ 혐의로 구속되다.
상해(詳解) 명하타 자세히 풀이함. 또는 그런 풀이. ¶고려사 ~.
상해(霜害) 명 서리로 입는 농작물 등의 피해. ¶~로 수확이 줄었다.
상해 치:사(傷害致死) 고의로 상해하여 생명을 잃게 함. ¶~ 혐의로 구속되다.
상:행(上行) 명하자 1 위쪽으로 올라감. ¶~ 결장(結腸). 2 지방에서 서울로 올라감. 또는 그런 교통수단. ¶~ 도로 / ~ 열차. ↔하행.
상:행-선(上行線) 명 1 지방에서 서울로 올라가는 도로나 선로. ¶탈선 사고로 ~ 운행이 한동안 중단되었다. 2 지방에서 서울로 올라가는 교통수단. ¶~ 좌석이 매진되었다. ↔하행선.
상-행위(商行爲) 명 영리를 목적으로 하는 매매·교환·운수·임대 따위의 행위. ¶불공정한 ~를 규제하다.
상:향(上向) 명하자 1 위를 향함. 2 수치·기준 따위를 지금보다 높게 잡음. ¶금리를 ~ 조정하다. 3 시세가 오르는 기세를 보임. ¶~주(株). ↔하향.
상:향(尙饗) 명 '신명께서 제물을 받으소서'라는 뜻으로, 제례 축문의 맨 끝에 쓰는 말.
상:현(上弦) 명 〔천〕 매달 음력 7~8일경에 나타나는 달의 모습《둥근 쪽이 아래로 향함》. ↔하현.
상:혈(上血) 명하자 1 피가 위로 솟구쳐 오름. ¶홍분이 지나쳐 ~이 되다. 2 〔의〕 토혈(吐血). ↔하혈.
상형(常形) 명 일정한 모양.
상형(象形) 명 1 어떤 물건의 형상을 본뜸. 2 육서(六書)의 하나. 물체의 형상을 본떠서 글자를 만드는 법. ☞육서. 3 '상형 문자'의 준말.
상형 문자(象形文字)[-짜] 〔언〕 물체의 형상을 본떠서 만든 글자《한자의 일부와 고대 이집트 문자 따위》. 형상(形象) 문자.
상호(相互) 명부 피차가 서로. 호상(互相). ¶~ 이해 / ~ 빈번한 교류가 필요하다.
상호(商號) 명 상인이 영업상으로 자기를 나타내는 데 쓰는 칭호. ¶~를 바꾸다 / ~가 눈에 잘 띈다.
상호 동화(相互同化) 〔언〕 가까이 있는 두 음이 영향을 주고받아 서로 동화하는 현상《'독립'이 '동닙'으로, '사이'가 '새'로, '아이'가 '애'로 되는 따위》. 호상(互相) 동화. *순행 동화·역행 동화.
상호 작용(相互作用) 1 서로 작용하고 영향을 주는 일. 2 〔물〕 두 물체의 변화와 운동이 작용을 서로 미치는 일.
상호-주의(相互主義)[-/-이] 명 〔법〕 자국인이 외국에서 누리고 있는 범위 안에서, 외국인에게도 같은 정도의 권리를 인정한다고 하는 주의.
상혼(商魂) 명 이익을 더 많이 얻으려는 상인의 심리. ¶얄팍한 ~.
상혼(喪魂) 명하자 매우 놀라거나 혼이 나서 얼이 빠짐.
상혼(傷魂) 명하자타 슬픔이나 걱정 따위로 마음을 상함. 상심(傷心).
상화(相和) 명하자 서로 잘 어울림.
상환(相換) 명하타 서로 맞바꿈. ¶이 증(證)과 ~하여 물품을 받았다.
상환(償還) 명하타 1 대상(代償)으로 반환함. 2 빚을 갚음. ¶대출금 ~ 요구가 거세지다 / 주식을 처분해 부채를 ~하다.
상황(狀況) 명 일이 되어 가는 과정이나 형편. ¶현재 ~으로는 우리 팀이 유리하다 / 책임자로서 진행 ~을 파악하다 / 결정은 ~에 따라 달라질 수 있다.
상황(商況) 명 장사가 되어 가는 형편. ¶금주의 ~ / ~이 점차 활기를 띠어 간다.
상황-실(狀況室) 명 작전상 또는 행정상의 계획·통계·상황판 등을 갖추어 전반적 상황을 파악할 수 있게 한 방.
상황-판(狀況板) 명 진행되는 상황을 쉽게 판단할 수 있도록 작성한 도판(圖板).
상:회(上廻) 명하타 어떤 기준보다 웃돎. ¶목표량을 ~하다 / 섭씨 39도를 ~하는 폭염. ↔하회(下廻).
상회(商會) 명 1 상점에 쓰는 칭호. 2 몇 사람이 모여 장사하는 회사. ¶컴퓨터 ~를 경영하다.
상:후-하박(上厚下薄) 명 윗사람에게는 후하고 아랫사람에게는 박함. ¶~의 봉급 인상률. ↔하후상박.
상훈(賞勳) 명 1 상과 훈장. ¶~을 수여하다. 2 훈공을 칭찬하고 상을 줌.
상흔(傷痕) 명 다친 자리에 남은 흔적《비유적으로도 씀》. ¶손에 꿰맨 ~이 있다 / 아직도 전쟁의 ~이 남아 있다.
샅[삳] 명 1 두 다리의 사이. 고간(股間). 2 두 물건의 틈.
샅-바[삳빠] 명 씨름에서 허리와 다리에 둘러 묶어서 손잡이로 쓰는 천. ¶~를 매다 / ~를 잡다 / ~ 싸움.
샅바-지르다 [삳빠-] 〔-지르니, -질러〕 자르불 씨름에서 허리와 다리에 샅바를 둘러 묶다.
샅바-채우다 [삳빠-] 자 샅바지르다.
샅샅-이 [삳싸치] 부 틈이 있는 곳마다. 빈틈없이 모조리. 속속들이. ¶집 안을 ~ 뒤지다 / 사건의 진상을 ~ 알아내다.
새[1] 명 〔광〕 광석 속에 금가루를 함유한 작은 알갱이.
새[2] 명 〔식〕 띠나 억새 따위의 총칭.
*__새:__[3] 명 '사이'의 준말. ¶~가 뜨다 / 하루하루가 쉴 ~도 없이 바쁘다 / ~가 벌어지다.
*__새:__[4] 명 날짐승의 총칭. ¶~가 날다 / ~가 지저귀다. *조류(鳥類).
[새 까먹은 소리] 근거 없는 말을 듣고 퍼뜨린 헛소문. [새도 가지를 가려서 앉는다] 친구를 사귀거나 직업을 택하는 데 신중하게 잘 가려야 한다. [새도 앉는 곳마다 깃이 떨어진다] 이사를 자주 하면 세간이 줄어든다. [새 발의 피] 아주 하찮은 일이나 극히 적은 분량임의 비유. 조족지혈.
새[5] 의명 피륙의 날을 세는 단위. ¶석 ~ 삼베 / 넉 ~ 모시.
*__새__[6] 관 새로운. ¶~ 며느리 / ~ 학기 / ~ 옷.

새- 투 어두음이 된소리·거센소리 또는 'ㅎ'이고 첫 음절의 모음이 양성인 말 앞에 붙어, 빛깔이 매우 짙고 산뜻함을 나타내는 말. ¶ ~빨갛다 / ~카맣다 / ~하얗다. 큰 시-. *샛-.

-새 미 명사꼴의 말에 붙어, '됨됨이, 모양, 상태' 등의 뜻을 나타냄. ¶ 모양~ / 짜임~ / 쓰임~ / 생김~.

새:-가슴 명 1 새의 가슴처럼 가슴뼈가 불거진 사람의 가슴. 2 겁이 많고 도량이 좁은 사람의 마음을 비유하는 말.

새-것 [-걷] 명 1 새로 나온 것. ¶ ~과 낡은 것. 2 아직 써 보지 않은 물건. ¶ 아직 한 번도 입지 않은 ~. 3 아직 성한 물건. ¶ 오래 썼는데 아직도 ~이다. ↔헌것.

새겨-듣다 〔-들으니, -들어〕 타 ㄷ불 '새기어 듣다'의 준말. 1 말의 본뜻을 헤아려서 듣다. ¶ 말하는 의도를 깊이 ~. 2 잊지 않도록 주의하여 듣다.

새경 명 '사경(私耕)2'의 변한말. ¶ ~으로 쌀 한 가마니를 받다.

새곰-새곰 부하형 1 여럿이 다 새곰한 모양. 2 매우 새곰한 모양. ¶ ~한 풋사과. 센 새콤새콤.

새곰-하다 형 여불 조금 신맛이 있다. ¶ 김치 맛이 ~. 센 새콤하다.

새:-그물 명 새를 잡는 그물. 조망(鳥網).

새근-거리다[1] 자타 1 숨 쉬는 소리가 고르지 않게 자꾸 나다. 또는 그런 소리를 자꾸 내다. ¶ 화를 달래느라고 ~. 2 어린아이가 곤히 잠들어 조용히 숨을 쉬는 소리가 자꾸 나다. 큰 시근거리다[1]. 센 쌔근거리다. **새근-새근[1]** 부하타. ¶ 아이가 엄마 품에 안겨 ~ 잠이 들다.

새근-거리다[2] 자 뼈마디가 자꾸 새근하다. ¶ 손목이 ~. 큰 시근거리다[2]. 거 새큰거리다. **새근-새근[2]** 부하자

새근-대다[1] 자타 새근거리다[1].

새근-대다[2] 자 새근거리다[2].

새근덕-거리다 자타 숨소리가 새근거리고 할딱거리다. 매우 거칠게 새근거리다. 큰 시근덕거리다. 센 쌔근덕거리다. **새근덕-새근덕** 부하자타

새근덕-대다 자타 새근덕거리다.

새근-발딱 부하타 숨이 차서 새근거리며 할딱이는 모양. 큰 시근벌떡. 센 쌔근발딱. 거 쌔근팔딱.

새근발딱-거리다 자타 자꾸 새근발딱하다. 큰 시근벌떡거리다. 센 쌔근발딱거리다. **새근발딱-새근발딱** 부하자타

새근발딱-대다 자타 새근발딱거리다.

새근-하다 형 여불 뼈마디가 좀 시다. ¶ 발목이 ~. 큰 시근하다. 거 새큰하다.

새금-새금 부하형 1 여럿이 다 새금한 모양. 2 매우 새금한 모양. ¶ 귤이 ~ 시다. 큰 시금시금. 거 새큼새큼.

새금-하다 형 여불 맛이나 냄새 따위가 조금 시다. ¶ 김치 맛이 ~. 큰 시금하다. 거 새큼하다.

***새기다[1]** 타 1 글씨나 형상 따위를 파다. ¶ 문패에 이름을 ~ / 도장을 ~ / 비석에 비문을 ~ / 목판에 그림을 ~. 2 마음속에 깊이 기억하다. ¶ 성현의 말씀을 마음에 ~.

새기다[2] 타 1 말이나 글의 뜻을 알기 쉽게 풀이하다. ¶ 이 말뜻을 새겨 보아라. 2 번역하다. ¶ 한문을 새기어 일러 주다.

새기다[3] 타 소·양 따위의 반추 동물이 먹은 것을 되내어 다시 씹다. 반추하다. ¶ 소가 여물을 ~.

새김[1] 명 1 글의 뜻을 알기 쉽게 풀이함. 2 한자를 읽을 때의 뜻. 하늘 천(天)의 '하늘' 같은 것. 훈(訓). 3 글씨나 형상 따위를 새기는 일. 새김질. 4 윷놀이에서 사위 뒤에 윷을 한 번 더 던지는 일.

새김[2] 명 소나 양 따위 반추 동물이 먹은 것을 되내어서 씹는 일. 반추(反芻).

새김-질 명하타 반추(反芻).

새김-칼 명 새김질에 쓰는 칼. 각도(刻刀).

새-까맣다 [-마타] 〔새까마니, 새까마오〕 형 ㅎ불 1 아주 까맣다. ¶ 새까만 눈동자 / 여름 햇살에 새까맣게 타다. 큰 시꺼멓다. 거 새카맣다. 2 거리나 시간 따위가 아득히 멀다. ¶ 새까만 후배 / 새까맣게 먼 옛날의 기억. 3 아는 바나 기억이 전혀 없다. ¶ 약속을 새까맣게 잊다. 4 대단히 많다. ¶ 새까맣게 몰려든 구경꾼.

새까매-지다 자 새까맣게 되다. ¶ 햇볕에 타서 ~. 큰 시꺼메지다. 거 새카매지다.

새-꽤기 명 띠·갈대·억새 등의 껍질을 벗긴 가는 줄기. 준 꽤기.

[새꽤기에 손 베었다] 대단치 않게 생각한 사람이나 일에 뜻밖의 해를 입었다.

새끼[1] 명 짚으로 꼰 줄. ¶ ~ 한 타래 / ~ 열 발 / ~를 꼬다.

[새끼에 맨 돌] ㉠떨어질 수 없는 밀접한 관계를 비유한 말. ㉡남이 하자는 대로 끌려 다니는 사람을 비꼬는 말.

***새끼[2]** 명 1 난 지 얼마 안 되는 어린 동물. ¶ 개가 ~를 낳다. 2 〈속〉 자식. ¶ 제 ~ 귀한 줄은 아는군. 3 〈비〉 '자식'의 뜻으로 욕하는 말. ¶ 개~ / 이 ~야. 4 〈속〉 본전에 대한 변리.

[새끼 많이 둔 소 길마 벗을 날 없다] 자식 많은 부모가 분주하다.

새끼(를) 치다 구 ㉠동물이 새끼를 낳거나 알을 까서 번식하다. ㉡무엇을 바탕으로 그 수를 늘리다. ¶ 돈이 ~.

새끼-발가락 [-까-] 명 맨 가에 있는 가장 작은 발가락. 계지(季指). 새끼발.

새끼-손가락 [-까-] 명 맨 가에 있는 가장 작은 손가락. 계지(季指). 새끼손.

새끼-줄 명 새끼로 되어 있는 줄. ¶ ~을 꼬다 / 밭뙈기에 ~을 치다 / ~에 굴비를 주렁주렁 엮다.

새끼-틀 명 볏짚으로 새끼를 꼬는 기계.

새:-나다 자 비밀 따위가 드러나다. 새다. ¶ 회의 내용이 ~.

새-날 명 1 새로 동터 오는 날. ¶ ~이 밝다. 2 새로운 시대. 또는 닥쳐올 앞날. ¶ ~을 열어 가다 / 역사의 ~이 오다.

***새:다[1]** 자 1 날이 밝아 오다. ¶ 날이 ~ / 밤이 새도록 기다리다. 2 구멍·틈으로 조금씩 흘러나오다. ¶ 물이 ~ / 비가 새는 지붕 / 이 공은 바람이 샌다 / 희미한 불빛이 새어 나오다 / 가스가 새지 않도록 조심하다. 3 감쪽같이 조금씩 사라지다. ¶ 지갑에서 돈이 자꾸 새는 느낌이 든다. 4 새나다. ¶ 영업상의 비밀이 ~. 5 모임이나 대열 따위에

서 슬쩍 빠지다. ¶회의 도중에 ~. 6 본디 가야 할 곳에서 딴 데로 가다. ¶심부름은 팽개치고 어디로 샜을까.
새다[2] 타 '새우다[1]'의 잘못.
새-달 명 새로 오는 달. 다음 달. 내달. 내월(來月). ¶~ 초순께.
새-댁(-宅) 명 1 '새집[1]'의 경칭. 2 혼인 때, 혼가(婚家)끼리 서로 부르는 말. 3 '새색시'의 경칭.
새-되다 형 목소리가 높고 날카롭다. ¶새된 목소리 / 새되게 악을 쓰다.
새:-들다〔새드니, 새드오〕 타 1 물건을 사고파는 데 끼어들어 홍정을 붙이다. 2 혼인을 중매하다.
새:-때 명 끼니와 끼니의 중간 되는 때.
새뜻-이 부 새뜻하게.
새뜻-하다[-뜨타-] 형 여불 새롭고 산뜻하다. ¶새뜻한 녹색 / 차림새가 ~.
***새-로** 부 1 전에 없이 처음으로. ¶~ 들여온 컴퓨터. 2 전과 달리 새롭게. ¶기술을 ~ 개발하다.
새로에 조 조사 '는, 은'의 뒤에 붙어 '고사하고, 커녕'의 뜻을 나타내는 보조사. ¶늘기는~ 줄어 간다.
새록-새록 부 1 새로운 일이나 물건 따위가 자꾸 생기는 모양. ¶빈 뜰에 공장이 ~ 들어선다. 2 생각이나 느낌이 새롭게 거듭 생기는 모양. ¶옛 추억이 ~ 떠오른다.
***새-롭다**〔새로우니, 새로워〕 형 ㅂ불 1 지난 일이 새삼스럽게 다시 생각되다. ¶추억이 ~. 2 전에 본 것을 다시 보니 새삼스럽다. ¶볼수록 새로운 풍경. 3 본디의 새것인 상태로 있다. ¶이 책은 언제 보아도 ~. 4 아직까지 있은 적이 없다. ¶새로운 기술. 5 매우 절실하게 필요하거나 아쉽다. ¶단돈 백 원이 ~.
새롱-거리다 자 1 경솔하고 방정맞게 까불거리며 계속 지껄이다. 2 남녀가 점잖지 못한 언행으로 서로 희롱하다. 큰시룽거리다. **새롱-새롱** 부하자
새롱-대다 자 새롱거리다.
새마을 운:동(-運動) 근면·자조·협동 정신을 바탕으로 한 범국민적인 지역 사회 개발 운동《1970 년부터 시작함》.
새:-막(-幕) 명 곡식이 익을 무렵에 모여드는 새를 쫓기 위한 논밭 가의 막.
새-말 명 새로 생긴 말. 신어(新語).
새:-머리 명 소의 갈비뼈의 마디 사이의 고기《찜의 재료로 씀》.
새무룩-이 부 새무룩하게.
새무룩-하다[-루카-] 형 여불 1 못마땅하여 말이 없고 보로통해 있다. ¶새무룩한 얼굴. 2 날이 흐리어 그늘지다. ¶새무룩한 하늘. 큰시무룩하다. 센쌔무룩하다.
새:-무리 명 조류(鳥類).
새-물 명 1 갓 나온 과실·생선 같은 것. ¶~ 딸기. 2 빨래하여 갓 입은 옷.
새물-거리다 자 1 입술을 약간 샐그러뜨리며 소리 없이 자꾸 웃다. 2 살살 배돌며 자꾸 능청스럽게 굴다. 큰시물거리다. **새물-새물** 부하자
새물-내[-래] 명 빨래하여 갓 입은 옷에서 나는 냄새.
새물-대다 자 새물거리다.
새:발-장식(-裝飾) 명 새의 발처럼 만들어 문짝에 박는 쇠 장식.
새-밭[-받] 명 억새 따위가 우거진 곳.
***새벽**[1] 명 날이 밝을 녘. 먼동이 트기 전. ¶~부터 밤중까지 쉴 틈이 없다.
새벽[2] 명하자 1 누런 빛깔의 차지고 고운 흙. 2 누런 빛깔의 차진 흙에 고운 모래나 말똥 따위를 섞어 초벽에 덧바르는 흙. ¶~을 바르다.
새벽-같이[-까치] 부 아침에 아주 일찍이. ¶길이 멀어 ~ 서두르다.
새벽-길 명 날이 샐 무렵에 가는 길. ¶~을 떠나다.
새벽-녘[-병녁] 명 새벽이 될 무렵. 신명(晨明). ¶~까지 술을 마시다.
새벽-달 명 음력 하순의 새벽에 보이는 달. ¶~이 지다.
새벽-닭[-딱] 명 날이 샐 무렵에 우는 닭. ¶~이 우는 소리를 듣고 일어나다.
새벽-동자 명하자 새벽에 밥을 지음.
새벽-밥 명 새벽에 밥을 지음. 또는 그 밥. ¶~을 먹고 길을 나서다.
새벽-잠 명 새벽녘에 깊이 드는 잠. ¶~이 많은 편이다.
새벽-종(-鐘) 명 새벽에 치거나 들리는 종소리. ¶~이 울리다.
새:-보다 자 논밭의 곡식 따위에 날아드는 새를 쫓기 위해 지키다.
새-봄 명 1 겨울을 보내고 맞는 첫봄. 신춘. ¶따뜻한 ~이 돌아오고 있다. 2 '희망찬 시절'의 비유. ¶인생의 ~을 맞이하다.
새-빨갛다[-가타]〔새빨가니, 새빨가오〕 형 ㅎ불 아주 빨갛다. ¶새빨갛게 익은 사과. 큰시뻘겋다.
새빨간 거짓말 구 매우 터무니없는 거짓말. ¶~에 속아 넘어가다.
새빨개-지다 자 새빨갛게 되다. ¶바람이 차서 볼이 ~. 큰시뻘게지다.
새-뽀얗다[-야타]〔새뽀야니, 새뽀야오〕 형 ㅎ불 매우 산뜻하고 뽀얗다. 큰시뿌옇다.
새뽀얘-지다 자 새뽀얗게 되다. 큰시뿌예지다.
새-사람 명 1 새로 나선 사람. 신인(新人). 2 새로 시집온 사람을 손윗사람이 일컫는 말. ¶~을 맞다. 3 전의 생활 태도를 버리고 새 삶을 시작한 사람. ¶잘못을 뉘우치고 ~이 되다.
새-살 명 상처나 헌데가 아물고 새로 돋아나는 살. 생살. ¶~이 돋다.
새살-거리다 자 상글상글 웃으면서 재미있게 자꾸 지껄이다. 큰새실거리다·시설거리다. **새살-새살** 부하자
새살-대다 자 새살거리다.
새-살림 명하자 처음으로 시작하는 살림. ¶결혼하고 ~을 차리다.
새삼-스럽다〔-스러우니, -스러워〕 형 ㅂ불 1 느낌이 다시금 새롭다. ¶그날의 감격이 ~. 2 지난 일을 공연히 다시 들추어내는 느낌이 있다. ¶그 나이에 새삼스럽게 무슨 공부인가. **새삼-스레** 부. ¶~ 무슨 소리냐고 반문하다.
새:-새[1] 명부 '사이사이'의 준말. ¶공부하는 ~ 운동도 한다 / 상추밭 ~에 쑥갓을 심다 / 일하는 ~ 책을 읽다.

새-새[2] 부 실없이 까불며 소리 없이 자꾸 웃는 모양. ¶뾰로통하던 녀석이 금세 ~ 웃기 시작했다.
새새-거리다 자 실없이 까불며 자꾸 웃다.
새새-대다 자 새새거리다.
새:새-틈틈 부 사이마다 틈마다.
새-색시 명 갓 결혼한 여자. 신부. 새댁. 준 색시.
새-서방 (-書房) 명 〈속〉 **1** 신랑. **2** 새로 맞이한 서방.
새:-소리 명 새가 우는 소리. ¶청아한 ~.
새-순 (-筍) 명 새로 돋은 순. ¶파릇파릇 ~이 돋기 사작하다.
새시 (sash) 명 철·스테인리스강·알루미늄 따위로 된 창틀이나 문틀. ¶알루미늄 ~.
새-신랑 (-新郞)[-실-] 명 갓 결혼한 남자.
새실-거리다 자 생글거리며 재미있게 자꾸 지껄이다. ¶눈앞에서 새실거리며 아양을 떠는 딸. 큰 시설거리다. 작 새살거리다. **새실-새실** 부 하자. ¶~ 웃다.
새실-대다 자 새실거리다.
***새-싹** 명 **1** 새로 돋은 싹. 신아(新芽). ¶~이 움트는 계절. **2** 사물의 근원이 되는 새로운 시초. ¶나라의 ~들.
새-아가 명 시부모가 새 며느리를 사랑스럽게 이르는 말.
새-아기 명 시부모가 새 며느리를 친근하게 이르는 말.
새-아기씨 명 '새색시'의 높임말. 준 새아씨.
새-아씨 명 '새아기씨'의 준말.
새:-알 명 **1** 새의 알. **2** 참새의 알.
새:알-사탕 (-砂糖) 명 새알만 하게 만든 사탕.
새:알-심 (-心) 명 찹쌀·수숫가루로 새알만 하게 덩어리를 지어 팥죽에 넣은 것. ¶동지에는 ~을 넣은 팥죽을 먹는다. 준 샐심.
새앙 명 〔식〕 생강(生薑). 준 생.
새앙-머리 명 예전에, 여자 아이가 예장(禮裝)할 때 머리털을 두 갈래로 갈라 땋던 머리.

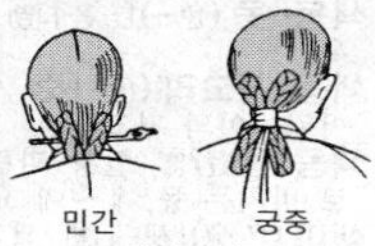

새앙머리

새앙-쥐 명 〔동〕 '생쥐'의 잘못.
새-어머니 명 새로 시집온 아버지의 후취(後娶). 계모(繼母).
새-엄마 명 새어머니를 친근하게 일컫는 말. ¶엄마가 돌아가시자 ~가 들어왔다.
새옹지마 (塞翁之馬) 명 〔어떤 늙은이가 기르던 말이 도망쳤다가 준마(駿馬)를 이끌고 돌아왔는데, 아들이 그 말을 타다가 떨어져 절름발이가 되었으나 그로 말미암아 전쟁에 나가지 않게 되어 죽지 않았다는 고사(故事)에서 유래〕 인생의 길흉화복은 변화가 심해서 예측할 수 없다는 뜻. ¶인간 만사 ~.
새우 명 〔동〕 절지동물 십각류(十脚類) 장미아목(長尾亞目)의 총칭. 몸은 머리와 가슴·배로 나뉘며 머리와 가슴은 딱지로 덮여 있음. 다섯 쌍의 다리를 가지며, 배는 일곱 마디로 되어 자유로이 구부리고 끝에 꼬리 채가 있음. 종류가 많음.
[새우 싸움에 고래 등 터진다] 아랫사람이 저지른 일로 윗사람이 해를 입는 경우의 비유.
새우다[1] 타 한숨도 자지 않고 밤을 밝히다. ¶밤을 새워 책을 읽다 / 뜬눈으로 밤을 ~.
새우다[2] 타 샘을 내다. 시새우다.
새우-등 명 **1** 새우의 등. **2** 새우의 등처럼 구부러진 사람의 등의 비유. ¶아이가 ~을 하고 잠이 들었다.
새우등-지다 자 등이 새우처럼 구부러지다.
새우-잠 명 새우같이 몸을 꼬부리고 모로 자는 잠. ¶추운 방에서 ~을 잤더니 몸이 뻐근하다.
새우-젓 [-젇] 명 빛이 흰 작은 새우로 담근 젓. 준 새젓.
새-잎 [-입] 명 새로 돋아난 초목의 잎.
***새:-장** (-欌) 명 새를 넣어 기르는 장. 조롱(鳥籠). ¶~에 갇힌 새.
새전 (賽錢) 명 하자 신불 앞에 참배할 때 돈을 바침. 또는 그 돈.
새:-점 (-占) 명 괘사(卦辭)를 적은 여러 개의 쪽지를 넣어, 새장 속의 새가 물어 내는 괘로 길흉화복을 판단하는 점.
새:-중간 (-中間) 명 '중간'의 강조어. ¶~에서 애쓰다 / ~에서 입장이 곤란하다.
새-집[1] 명 **1** 새로 지은 집. 새로 든 집. ¶이번에 이사한 ~ / ~을 짓다. **2** 새로 맺은 사돈집. **3** '새색시'를 허물없이 이르는 말.
새:-집[2] 명 **1** 새가 깃들이는 집. ¶~을 만들어 가지에 걸어 놓다. **2** 참새의 집.
새:-참 명 '사이참'의 준말. ¶~을 먹다.
새-청 명 날카롭고 새된 목소리.
새:-총 (-銃) 명 **1** 새를 잡는 데 쓰는 공기총. **2** 'Y' 자 모양의 쇠붙이나 나뭇가지에 고무줄을 매고 돌을 끼워 튕기는 장난감.
새:치 명 젊은 사람 머리에 난 흰 머리카락. ¶~를 뽑다 / ~가 희끗희끗하다.
새:-치기 명 하자 **1** 순서를 어기고 남의 자리에 끼어드는 짓. ¶버스 탈 때 ~하지 마시오. **2** 맡은 일 사이에 틈틈이 다른 일을 하는 짓.
새치름-하다 一 자 여불 짐짓 좀 쌀쌀한 기색을 꾸미다. 二 형 여불 조금 쌀쌀맞게 시치미를 떼는 태도가 있다. ¶그녀는 새치름한 표정으로 대꾸했다. 큰 시치름하다. **새치름-히** 부
새치미 명 쌀쌀맞게 시치미를 떼는 태도. ¶~를 떼다. 준 새침.
새치-부리다 자 몹시 사양하는 체하다.
새침 명 '새치미'의 준말. ¶~을 떨다.
새침-데기 [-떼-] 명 새침한 태도가 있는 사람. ¶~ 아가씨.
[새침데기 골로 빠진다] 얌전한 체하는 사람일수록 한번 길을 잘못 들면 걷잡지 못하게 된다.
새침-하다 一 형 여불 쌀쌀맞게 시치미를 떼는 태도가 있다. ¶새침한 표정을 짓다. 二 자 여불 짐짓 쌀쌀한 기색을 꾸미다. 큰 시침하다.
새-카맣다 [-마타] 〔새카마니, 새카마오〕 형 ㅎ불 아주 까맣다. ¶일광욕으로 피부를 새카맣게 태우다. 큰 시커멓다. 센 새까맣다.
새카매-지다 자 새카맣게 되다. 큰 시커메지다. 센 새까매지다.

새콤달콤-하다 형 여불 약간 시면서 맛깔스럽게 달다. ¶새콤달콤한 알사탕. *새큼달큼하다.

새콤-새콤 부 하형 **1** 여럿이 다 새콤한 모양. **2** 매우 새콤한 모양. ¶~한 밀감. 큰시쿰시쿰. 여새곰새곰.

새콤-하다 형 여불 조금 신맛이 있다. ¶석류알의 새콤한 맛. 큰시쿰하다. 여새곰하다.

새크무레-하다 형 여불 조금 새큼하다. ¶김밥이 더운 날씨에 상했는지 ~. 큰시크무레하다.

새큰-거리다 자 뼈마디가 잇따라 새큰하다. ¶날씨가 흐리면 뼈마디가 새큰거린다. 큰시큰거리다. 여새근거리다[2]. **새큰-새큰** 부 하자

새큰-대다 자 새큰거리다.

새큰-하다 형 여불 뼈마디가 저리면서 조금 시다. ¶높은 곳에서 뛰어내렸더니 발목이 ~. 큰시큰하다. 여새근하다.

새큼달큼-하다 형 여불 좀 신맛이 나면서도 달착지근하다.

새큼-새큼 부 하형 **1** 모두가 다 새큼한 모양. **2** 매우 새큼한 모양. 큰시큼시큼. 여새금새금.

새큼-하다 형 여불 맛이나 냄새가 맛깔스럽게 조금 시다. ¶새큼한 라일락의 향기. 큰시큼하다. 여새금하다.

새:-털 명 새의 털. ¶~이 날리다.

새퉁-빠지다 형 매우 새퉁스럽다.

새퉁-스럽다 〔-스러우니, -스러워〕 형 ㅂ불 어처구니없이 새삼스러운 데가 있다. ¶새퉁스러운 소리를 하다. **새퉁-스레** 부

새퉁-이 명 밉살스럽고 경망한 짓. 또는 그런 짓을 하는 사람. ¶~ 부리다.

새-파랗다 [-라타] 〔새파라니, 새파라오〕 형 ㅎ불 **1** 매우 파랗다. ¶새파란 하늘. **2** 춥거나 겁에 질려 얼굴이나 입술이 아주 푸르께하다. ¶입술이 새파랗게 질리다. **3** 썩 젊다. ¶새파랗게 젊은 사람이 노인에게 마구 행동하다. **4** 날 따위가 매우 날카롭다. ¶칼날을 새파랗게 갈다. 큰시퍼렇다.

새파래-지다 자 새파랗게 되다. ¶너무 놀라 얼굴이 ~. 큰시퍼레지다.

새-판 명 새로 벌어진 판. 새 판국. ¶~을 벌이다 / ~으로 놀아 보세 / 이제 와서 무엇이 부족해 ~으로 수작이냐.

새-하얗다 [-야타] 〔새하야니, 새하야오〕 형 ㅎ불 매우 하얗다. ¶새하얀 버선 / 웃을 때면 새하얀 이가 드러난다. 큰시허옇다.

새하애-지다 자 새하얗게 되다. ¶빨래를 삶았더니 새하얘졌다. 큰시허예지다.

***새-해** 명 새로 시작되는 해. 신년. ¶새해 첫날 아침부터 반가운 손님이 찾아왔다 / ~ 복 많이 받으십시오.

새해 차례 (-茶禮) 〘민〙 정월 초하룻날 지내는 차례.

***색** (色) 명 **1** 빛. ¶밝은 ~ / 짙은 ~ / ~이 바래다. **2** 같은 부류를 가리키는 말. ¶그 친구는 너희들과는 ~이 다르다. **3** 색정·여색 또는 색사(色事) 따위를 뜻하는 말. ¶~에 빠지다 / ~을 밝히다. **4** 〘불〙 오온(五蘊)의 하나. 눈에 보이는 현상(現象) 세계, 곧 물질 세계.

색을 쓰다 구 ㉠성교를 하다. ㉡〈속〉 성적 교태를 부리다.

-색 (色) 미 일부 명사에 붙어, 그러한 특색 또는 경향임을 나타냄. ¶지방~ / 향토~.

색각 (色覺) 명 빛의 파장을 느껴 색채를 식별하는 감각. 색신(色神).

색-갈이 (色-) 명 하타 봄에 묵은 곡식을 꾸어 주었다가 가을에 햇곡식으로 받는 일. ¶~를 내다 / ~를 갚다 / ~를 얻어 오다.

색감 (色感) 명 **1** 색채에 대한 감각. ¶그녀는 옷에 대한 ~이 뛰어나다. **2** 색에서 받는 느낌. ¶그 원피스는 언뜻 보기에도 ~이 좋았다.

색골 (色骨) 명 **1** 〈속〉 색을 즐겨 탐하는 사람. 호색꾼. ¶~로 생겼다. **2** 색을 지나치게 좋아할 것 같은 생김새.

색광 (色狂) 명 색에 미쳐 행동이 비정상적인 사람. 색정광(色情狂).

색깔 (色-) 명 **1** 빛깔. ¶알록달록한 ~. **2** 정치나 이념상의 경향. ¶정치적인 ~ / 노선과 ~을 분명히 하다.

색-다르다 (色-) 〔색다르니, 색달라〕 형 르불 **1** 종류가 다르다. ¶색다른 취미〔음악〕 / 색다른 짐승. **2** 보통의 것과 두드러지게 다르다. ¶색다른 맛.

색-대 (色-) 명 가마니나 섬 속에 넣은 곡식 따위를 찔러 빼내어 보는 연장《대통이나 쇠통의 끝을 엇비슷하게 베어서 만듦》. 간색대. 태관(兌管).

색대

색도 (色度) 명 〘물〙 명도(明度)를 제외한 광선 빛깔의 종별을 수량적으로 지정한 수치.

색동 (色-) 명 여러 빛깔로 잇대거나 염색하여 만든, 어린아이들 저고리의 소맷감.

색동-옷 (色-) [-옫] 명 색동을 대서 만든 옷.

색동-저고리 (色-) 명 색동으로 소매를 댄 어린아이의 저고리.

색등 (色燈) 명 빨강·파랑·노랑 따위의 빛깔로 비치는 등. ¶~이 요란한 유흥가.

색마 (色魔) [생-] 명 색을 좋아하는 사람을 마귀에 비유한 말. 색광(色狂).

색맹 (色盲) [생-] 명 〘생〙 색채를 분간할 감각이 아주 없거나 불완전한 상태. 또는 그런 사람.

색-바꿈 (色-) 명 하타 같은 용도의 물건 가운데서 마음에 드는 것으로 바꿈.

색사 (色事) 명 하자 남녀의 육체적 교접에 관한 일. 준색(色).

색상 (色相) 명 **1** 색조. ¶밝은 ~의 옷. **2** 빛깔의 세 속성(屬性)의 하나《명도(明度)·선명도(鮮明度) 이외의 빛깔의 구별에 상당함》. **3** 〘불〙 육안으로 볼 수 있는 모든 물질의 형상.

색상-환 (色相環) 명 색상에 따라 계통적으로 색을 둥그렇게 배열한 것. 색환(色環).

색색 (色色) 명 **1** 여러 가지의 빛깔. ¶~의 종이로 비행기를 접다. **2** 여러 가지. ¶혼수를 ~으로 갖추다.

색색 부 하타 숨을 고르고 가늘게 쉬는 소리. ¶아기가 ~ 잘도 잔다. 큰식식. 센쌕쌕.

색색-거리다 짜 잇따라 색색 소리를 내다. 큰식식거리다.
색색-대다 짜 색색거리다.
색색-이 (色色-) 부 여러 가지 빛깔로. ¶머리카락을 ~ 물들이다.
색소 (色素) 명 물체에 빛깔이 나타나게 하는 염료 등의 성분. ¶인공 ~/유해 ~/노란 ~로 물들인 단무지.
색소폰 (saxophone) 명 〔악〕 놋쇠로 만든 관악기의 한 가지《18개 또는 20개의 음전(音栓)과 단엽 리드를 가짐. 부드럽고 감미로운 음을 냄. 취주악 또는 재즈에 씀》.
색스혼 (saxhorn) 명 〔악〕 취주악의 중심이 되는 금관(金管) 악기의 하나《관은 몇 겹으로 구부러졌음》.
색:시 명 **1** 시집 가지 않은 처녀. ¶참하고 얌전한 ~. **2** 술집 등의 접대부. ¶문 앞에서 ~들이 손님을 끈다. **3** '새색시'의 준말. [색시 그루는 다홍치마 적에 앉혀야 한다] 아내나 새 며느리를 길들이고 법도를 세우려면 처음부터 엄하게 다잡아야 한다는 말. [색시 짚신에 구슬 감기가 웬일인고] 격에 어울리지 않게 많은 치장을 하면 보기에 어색해짐의 비유.
색-실 (色-) 명 물을 들인 실. 색사(色絲). ¶~로 수를 놓다.
색:싯-감 [-씨깜/-씯깜] 명 신부가 될 만한 처녀. 신붓감. ¶그에게는 마침 마땅한 ~이 나타났다.
색:싯-집 [-씨찝/-씯찝] 명 **1** 〈속〉 처가. **2** 접대부를 두고 술을 파는 집.
색-안경 (色眼鏡) 명 **1** 눈을 보호하기 위하여 색유리를 낀 안경. 선글라스. **2** 감정이나 선입견에 얽매인 관찰의 비유. ¶~을 벗고 호의적으로 대해라.
색안경을 쓰고 보다 구 편견이나 선입견을 가지고 보다.
색약 (色弱) 명 〔생〕 색맹만큼 심하지는 않으나 빛의 판별력이 약한 현상《유전적임》. *색맹.
색-연필 (色鉛筆) [생년-] 명 심에 물감을 섞어 빛깔이 나게 만든 연필.
색욕 (色慾) 명 이성에 대한 성적 욕망. 성욕. 색정.
색원 (塞源) 명하타 근원을 아주 없애 버림. ¶발본(拔本)~.
색-유리 (色琉璃) [생뉴-] 명 빛깔이 들어 있는 유리《철·망간·코발트·탄소 따위의 착색제를 씀》.
색인 (索引) 명하타 책 속의 낱말이나 사항 등을 찾아보기 쉽게 꾸며 놓은 목록. 찾아보기. 인덱스.
색정 (色情) 명 남녀 간의 성적 욕망. 색욕.
색정-광 (色情狂) 명 색광(色狂).
색정-적 (色情的) 관명 색정에 쏠리는 (것). ¶~인 표현/~인 자태.
색조 (色調) 명 **1** 빛깔의 조화. **2** 빛깔의 강약이나 농담(濃淡)·명암 등의 정도. 톤(tone).
***색-종이** (色-) 명 여러 가지 빛깔로 물들인 종이. 색지(色紙). ¶~를 접어 만든 꽃.
색주-가 (色酒家) 명 술과 함께 몸을 파는 여자. 또는 그런 술집.
색즉시공 (色卽是空) 명 〔불〕 현실의 물질적 존재는 모두 인연에 따라 만들어진 것으로서 불변하는 고유의 존재성이 없음을 이르는 말《반야심경에 나오는 말임》.
색지 (色紙) 명 색종이.
색채 (色彩) 명 **1** 빛깔. ¶강렬한 ~/~가 곱다. **2** 사물을 대하는 태도에서 드러나는 경향이나 성질. ¶서민적 ~가 짙다.
색채-감 (色彩感) 명 색채가 잘 조화되고 못된 것에 대한 느낌.
색출 (索出) 명하타 샅샅이 뒤져서 찾아냄. ¶범인을 ~하다/사건의 주동자를 ~하다.
***색칠** (色漆) 명하자 색을 칠함. 또는 그 칠. ¶그림물감으로 ~하다.
색탐 (色貪) 명하자 여색을 몹시 탐함.
색태 (色態) 명 **1** 여자의 곱고 아리따운 자태. ¶서시(西施)의 ~를 겸하다. **2** 빛깔의 맵시.
색한 (色漢) [새칸] 명 **1** 특히 여색을 좋아하는 사내. 호색한. **2** 치한(癡漢).
색향 (色香) [새걍] 명 **1** 꽃 따위의 색과 향기. **2** 용모의 아름다움.
색향 (色鄕) [새걍] 명 **1** 미인이 많이 나는 고을. **2** 기생이 많이 나는 고을.
색환 (色環) [새콴] 명 색상환(色相環).
샌:-님 명 **1** '생원님'의 준말. **2** 얌전하고 고루한 사람을 얕잡아 이르는 말. ¶남 앞에선 아무 말 못하는 ~이다.
샌드백 (sandbag) 명 권투에서, 치는 힘을 기르고 치는 기술을 익히기 위하여 천장에 매단 연습용 모래주머니.
샌드위치 (sandwich) 명 **1** 얇게 썬 빵 두 조각의 사이에 고기·야채·치즈 등을 넣은 음식. **2** 무엇인가의 사이에 끼어 있는 상태의 비유. ¶어머니와 애인 사이에서 이러지도 저러지도 못할 ~가 되어 버렸다.
샌들 (sandal) 명 가죽·비닐·나무 등으로 바닥을 대고 이를 가느다란 끈으로 발등에 매어 신는 신발. ¶여자들은 여름에 흔히 ~을 즐겨 신는다.
샐그러-뜨리다 타 샐그러지게 하다. ¶못마땅해서 입술을 ~. 큰실그러뜨리다. 센쌜그러뜨리다.
샐그러-지다 짜 물체가 한쪽으로 배뚤어지거나 기울어지다. ¶샐그러진 눈으로 노려보다. 큰실그러지다. 센쌜그러지다.
샐그러-트리다 타 샐그러뜨리다.
샐긋-거리다 [-귿꺼-] 짜타 물체가 자꾸 한쪽으로 배뚤어지거나 기울어지다. 또는 그렇게 하다. ¶쌓아 놓은 책들이 ~. 큰실긋거리다. **샐긋-샐긋** [-귿쌜귿] 부하자타
샐긋-대다 [-귿때-] 짜타 샐긋거리다.
샐긋-하다 [-그타-] 형여불 물건이 한쪽으로 배뚤어지거나 기울어져 있다. 큰실긋하다. 센쌜긋하다.
샐기죽-거리다 짜타 샐그러지게 천천히 계속해서 움직이다. 천천히 샐긋거리다. 큰실기죽거리다. 센쌜기죽거리다. **샐기죽-샐기죽** 부하자타
샐기죽-대다 짜타 샐기죽거리다.
샐:-녘 [-력] 명 날이 샐 무렵. ¶밤중인지 ~인지 모르고 날 새기만 기다린다.
샐:-닢 [-립] 명 쇠천 반 푼의 뜻으로, 매우 적은 돈. ¶쇠천 ~도 없다.
샐러드 (salad) 명 생야채나 과일을 주재료로 하여 기름·마요네즈·식초 등의 소스로

버무린 서양 음식.
샐러리-맨 (salary man) 명 봉급생활자.
샐룩 부하자타 근육의 일부분이 또는 일부분을 갑자기 움직이는 모양. ¶ 어깨 힘살이 ~ 움직이다 / 예쁜 눈을 ~ 치뜨다. 큰실룩. 센쌜룩.
샐룩-거리다 자타 계속 샐룩하다. 또는 계속 샐룩샐룩 움직이게 하다. ¶ 볼을 ~. 큰실룩거리다. 센쌜룩거리다. **샐룩-샐룩** 부하자타
샐룩-대다 자타 샐룩거리다.
샐비어 (salvia) 명 〖식〗 **1** 꿀풀과의 여러해살이풀. 높이 50–80 cm, 잎은 마주나고, 긴 타원형. 여름에 보라색 꽃이 줄기 끝에 돌려남. 잎은 약용. **2** 꿀풀과에 속하는 한해살이풀. 높이 80 cm 가량이고 잎은 달걀꼴이며 가을에 크고 진한 홍색의 입술꽃이 핌. 깨꽃.
샐쭉 부하자타 **1** 어떤 감정의 표현으로 입이나 눈이 한쪽으로 샐긋하게 움직이는 모양. ¶ ~ 웃다. **2** 마음에 차지 않아 약간 고까워하는 감정을 드러내는 모양. ¶ 왜 또 ~ 돌아서니. 큰실쭉.
샐쭉-거리다 자타 계속 샐쭉하다. 또는 계속 샐쭉샐쭉 움직이게 하다. 큰실쭉거리다. **샐쭉-샐쭉** 부하자타
샐쭉-대다 자타 샐쭉거리다.
샐쭉-하다 [-쭈카-] 형여불 **1** 마음에 차지 않아 약간 고까워하는 태도가 있다. ¶ 샐쭉한 얼굴로 사람을 대하다. **2** 한쪽으로 갸쭉이 샐그러져 있다. ¶ 무슨 할 말이 있는지 입이 샐쭉해졌다. 큰실쭉하다.
샘 :[1] 명 **1** 물이 땅에서 솟는 곳. 또는 그 물. ¶ ~이 솟다 / ~을 파다. **2** '샘터'의 준말. **3** 〖생〗 생물체 속에서, 액체 물질을 분비하거나 배설하는 상피(上皮) 조직성의 기관 《동물에서는 내분시샘·외분비샘으로 구별됨》. 선(腺). ¶ 땀~.
샘 :[2] 명하타 남의 일이나 물건을 탐내거나 자기보다 나은 처지에 있는 사람을 미워함. 또는 그런 마음. 시기. 질투. ¶ ~이 많은 여동생 / ~을 부리다 / ~이 나서 토라지다 / 그는 내 행운을 ~하였다.
샘:-내다 자타 샘하는 마음을 품다. 또는 샘을 부리다. ¶ 동생은 늘 언니를 샘냈다.
샘:-물 명 샘에서 나오는 물. 천수(泉水). ¶ ~이 솟다 / ~을 긷다.
샘:-바르다 〔샘바르니, 샘발라〕 형르불 샘이 매우 심하다.
샘:-바리 명 샘이 많아 안달하는 사람.
샘:-받이 [-바지] 명 **1** 샘물을 끌어 대는 논. **2** 샘물이 나는 논.
샘:-솟다 [-솓따] 자 **1** 샘물이 솟아나다. **2** 힘이나 용기 등이 줄기차게 솟아나다. ¶ 샘솟는 그리움 / 강렬한 모정이 ~.
샘:-터 명 샘물이 솟는 곳. 또는 그 부근. ¶ ~에서 두 손으로 물을 떠 마시다 / ~에서 빨래하는 아낙네. 준샘.
샘플 (sample) 명 본보기. 견본. 표본. ¶ ~ 진열대 / ~을 써 보다.
샛- [샏] 두 (어두음이 유성음이고 첫 음절의 모음이 'ㅏ, ㅗ'인 말 앞에서) 빛깔이 짙고 선명함을 나타냄. ¶ ~노랗다. 큰싯-.
샛:-강 (-江) [새깡 / 샏깡] 명 큰 강에서 줄기가 갈려 중간에서 섬을 이루고, 하류에서 다시 본류와 합류하는 지류.
샛:-길 [새낄 / 샏낄] 명 큰길로 통하는 작은 길. 간로(間路). ¶ ~로 질러가다.
샛-노랗다 [샌-라타] 〔샛노라니, 샛노라오〕 형ㅎ불 매우 노랗다. ¶ 샛노란 개나리. 큰싯누렇다.
샛-노래지다 [샌-] 자 샛노랗게 되다. 큰싯누레지다.
샛:-눈 [샌-] 명 감은 듯하면서 살짝 뜨고 보는 눈. ¶ ~을 뜨다 / ~으로도 볼 건 다 본다.
샛-말갛다 [샌-가타] 〔샛말가니, 샛말가오〕 형ㅎ불 매우 말갛다. 큰싯멀겋다.
샛말개-지다 [샌-] 자 샛말갛게 되다. 큰싯멀게지다.
샛:-문 (-門) [샌-] 명 **1** 정문 외에 따로 만든 작은 문. **2** 방과 방 사이를 드나드는 작은 문. ¶ 옆방으로 통하는 ~으로 드나들다.
샛-바람 [새빠- / 샏빠-] 명 '동풍'의 뱃사람 말. ¶ 거세게 불어 대는 ~. 준새.
샛:-별 [새뻘 / 샏뻘] 명 **1** 〖천〗 새벽 동쪽 하늘에 반짝이는 금성(金星). 계명성(啓明星). 명성(明星). **2** 어떤 분야에서 특별한 능력을 나타내는 사람. ¶ 그녀는 가요계의 ~로 떠올라 세계 무대를 놀라게 했다.
샛:-서방 (-書房) [새써- / 샏써-] 명 남편 있는 여자가 남편 몰래 관계하는 남자. 간부(間夫). ¶ ~을 두다 / ~이 생기다.
생: 명 〖식〗 '새앙'의 준말.
생 (生) 명 **1** 생명. ¶ ~을 받다 / ~을 누리다. **2** 삶. ¶ ~과 사(死) / ~에 대한 회의 / ~을 마감하다. ↔사(死).
생- (生) 두 **1** 과일 따위가 익지 않았음을 나타냄. ¶ ~쌀 / ~감. **2** 본디 그대로의 상태를 나타냄. ¶ ~가죽 / ~굴 / ~맥주 / ~모시. **3** '억지스러운' 또는 '공연한' 따위의 뜻을 나타냄. ¶ ~트집 / ~걱정 / ~떼 / ~야단. **4** 지독하거나 혹독함을 나타냄. ¶ ~지옥. **5** 살아서 당하는 불행을 나타냄. ¶ ~과부 / ~이별. **6** 초목 따위가 마르지 않음을 나타냄. ¶ ~가지 / ~나무 / ~장작. **7** '직접 낳은'의 뜻을 나타냄. ¶ ~부모 / ~아버지 / ~어머니.
-생 (生) 미 **1** 성 뒤에 붙어 젊은 사람이라는 뜻. ¶ 이(李)~. **2** 간지(干支)나 연수 아래에 붙어 그 해에 태어남을 나타냄. ¶ 임진(壬辰)~ / 1963 년~. **3** 햇수를 뜻하는 말에 붙어, '그 햇수 동안 자람'의 뜻. ¶ 1 년~ 식물 / 6 년~ 인삼.
생가 (生家) 명 **1** '본생가(本生家)'의 준말. ¶ 양자로 갔어도 부득이 ~ 제사를 모시기로 했다. **2** 어떤 사람이 태어난 집. ¶ ~ 복원.
생-가슴 (生-) 명 공연한 걱정으로 상하는 마음속. ¶ ~을 태우다.
생가슴(을) 뜯다〔앓다〕 구 공연한 일로 속을 태우다.
생-가죽 (生-) 명 다루어서 만들지 않은, 벗긴 그대로의 가죽. 날가죽.
생가죽(을) 벗기다 구 갖은 수단을 다 부려 모두 빼앗다.
생-가지 (生-) 명 살아 있는 나무의 가지. ¶ ~를 꺾지 맙시다.

*생각 명하자타 1 마음에 느끼는 의견. ¶ 올바른 ~/내 ~은 이렇다. 2 바라는 마음. ¶술 ~이 간절하다/아무 ~ 없이 집을 떠나다. 3 관념. ¶케케묵은 ~. 4 연구하는 마음. ¶~을 짜내다. 5 깨달음. ¶겨우 ~이 나다. 6 추억. 기억. ¶옛 ~/고향 ~이 나다. 7 고려. ¶잘 ~해 주기 바랍니다. 8 의도. 목적. ¶숨길 ~은 없다. 9 늘 마음속에 그리워함. ¶임 ~/부모님 ~. 10 간주. ¶오지 않으면 단념한 것으로 ~하겠다/나는 그렇게 ~지 않는다. 11 각오. ¶이번에도 안되면 그만둘 ~이다.
  생각다 못해 구 아무리 생각하여도 별로 신통한 수가 없어서. ¶~ 이곳을 떠나기로 했다.
  생각이 꿀떡 같다 구 하고 싶은 생각이 매우 간절하다.
  생각하는 갈대 구 사람은 자연 중에서 가장 약하여 마치 갈대와도 같으나, 사고(思考)하는 점이 존귀하고 위대하다는 뜻.
생각 (生角) 명 1 저절로 빠지기 전에 잘라낸 사슴의 뿔. 2 삶지 아니한 짐승의 뿔《뿔 세공에 많이 씀》.
생각-나다 [-강-] 자 1 의견이나 느낌이 떠오르다. ¶좋은 방안이 ~. 2 어떤 일이나 사람에 관한 기억이 떠오르다. ¶가끔 어릴 때 친구가 생각난다. 3 어떤 일이 하고 싶어지다. ¶술이 ~.
생강 (生薑) 명 〖식〗 1 생강과의 여러해살이 풀. 높이 30-60 cm, 잎은 어긋나며 피침형, 보통 꽃이 안 피나 따뜻한 곳에서는 황록색의 잔 꽃이 핌. 뿌리줄기는 향신료·건위제로 씀. 새앙. 2 생강의 뿌리. ¶~가루.
생강-차 (生薑茶) 명 생강을 넣어 달인 차.
생-걱정 (生-) 명하자 별일 아닌 것에 공연히 마음을 썩이는 일. 또는 그런 걱정. ¶공연한 일로 ~했다.
생겁 (生怯) 명 대수롭지 않은 것에 내는 겁.
생-것 (生-)[-걷] 명 익히지 않고 생으로 된 물건. 날것. ¶~으로 먹다/봄나물을 ~으로 무치다.
생게-망게 부하형 말과 행동이 갑작스럽고 터무니없는 모양. ¶~한 말〔짓〕/뜻밖의 이야기를 ~ 끄집어내다.
생겨-나다 자 1 없던 것이 있게 되다. 생기다. ¶여기저기 공장이 ~. 2 출생하다. 발생하다.
생견 (生繭) 명 말리지 아니한 고치. 생고치.
생경-하다 (生硬-) 형여불 1 물정에 어둡고 융통성이 없다. ¶생경한 태도. 2 시문 등의 표현이 세련되지 못하고 어설프다. ¶생경한 문장〔대목〕. 3 익숙지 않아 어색하다. ¶낯선 풍경이 생경한 인상을 주다.
생계 (生計)[-/-게] 명 살아 나갈 방도. 또는 현재 살아가는 형편. 구복지계. 생로. ¶~가 막연하다/~를 꾸려 나가다/~에 큰 타격을 입다.
생계-비 (生計費)[-/-게-] 명 생활하는 데 드는 비용. 생활비.
생-고기 (生-) 명 1 날고기. 2 음식점에서, 얼리거나 양념하지 않은 날고기. ¶~ 3인분과 소주 두 병.
생-고무 (生-) 명 파라고무나무의 껍질에서 빼낸 유액(乳液)을 아세트산(酸)으로 응결시켜 만든 것《탄성 고무의 원료임》. 천연고무.
생-고생 (生苦生) 명하자 하지 않아도 되는 고생. ¶~을 사서 하다/~을 시키다.
생-고집 (生固執) 명 억지로 부리는 공연한 고집. ¶~을 부리다.
생-고치 (生-) 명 생견(生繭).
생곡 (生穀) 명하자 1 익히지 않은 곡식. 날곡식. 2 곡식을 산출함.
생과 (生果) 명 '생과실'의 준말.
생-과부 (生寡婦) 명 1 남편이 있으면서 떨어져 지내거나 소박을 맞아 과부나 다름없는 여자. 2 약혼자나 갓 결혼한 남편이 죽어 혼자 사는 여자. ¶젊은 여자가 평생을 ~로 수절하게 됐다.
생-과실 (生果實) 명 아직 덜 익은 과실. 생실과(生實果). 준생과.
생-과일 (生-) 명 가공하지 아니한 싱싱한 과일. ¶~로 주스를 만들다.
생-과자 (生菓子) 명 물기가 약간 있을 정도로 무르게 만든 과자. 진과자.
생광 (生光) 명하자 1 빛이 남. 2 영광스러워 낯이 남. 생색. ¶~을 내다/참석해 주시면 ~이겠습니다. 3 아쉬울 때 쓰게 되어 보람이 있음.
생광-스럽다 (生光-)〔-스러우니, -스러워〕 형ㅂ불 1 영광스러워 낯이 난 듯하다. ¶보내 주신 돈은 생광스럽게 잘 썼습니다. 2 아쉬운 때에 요긴하게 쓰게 되어 보람이 있다. ¶그 돈 십만 원은 당장 생광스러웠다. 생광-스레 부
생-굴 (生-) 명 익히지 않은 굴. 날굴. ¶싱싱한 ~을 초고추장에 찍어 먹다.
생그레 부하자 눈웃음만 소리 없이 살며시 치는 모양. ¶말없이 ~ 웃다. 큰싱그레. 센쌩그레.
생글-거리다 자 소리 없이 정답게 계속 눈으로 웃다. ¶좋은 일이 있는지 계속 ~. 큰싱글거리다. 센쌩글거리다. 생글-생글 부하자
생글-대다 자 생글거리다.
생급-스럽다 〔-스러우니, -스러워〕 형ㅂ불 1 말과 행동이 뜻밖이고 갑작스럽다. ¶생급스럽게 뛰쳐나가다. 2 말이 터무니없고 엉뚱하다. ¶생급스러운 소문을 들으니 어처구니없다. 생급-스레 부
생긋 [-귿] 부하자 소리 없이 가볍게 눈웃음만 치는 모양. ¶눈이 마주치자 ~ 웃는다. 큰싱긋. 센생끗·쌩긋·쌩끗.
생긋-거리다 [-귿꺼-] 자 소리 없이 가볍게 자꾸 눈웃음치다. 큰싱긋거리다. 센생끗거리다. 생긋-생긋 [-귿쌩귿] 부하자
생긋-대다 [-귿때-] 자 생긋거리다.
생긋-이 부 소리 없이 가볍게 눈웃음치는 모양. ¶그녀는 까닭 없이 ~ 웃어 보였다. 큰싱긋이. 센생끗이·쌩긋이·쌩끗이.
생기 (生起) 명하자 어떤 일이나 사건이 일어남.
생기 (生氣) 명 활발하고 생생한 기운. 활기. ¶~가 넘치다/~가 돌다/~를 잃다/날씨 탓인지 ~가 없다.
*생기다 ㅡ자 1 없던 것이 있게 되다. ¶얼굴에 흉터가 ~/얼룩이 ~/구멍이 ~. 2 시설이나 제도 따위가 새로 만들어지다. ¶철

도가 ~ / 마을에 유치원이 ~. **3** (결과 등이) 나타나다. ¶능력의 차 때문에 생긴 결과다. **4** 어떤 일이 발생하다. ¶문제가 ~ / 지장이 ~ / 말썽이 ~ / 뭔 일이 생길 것 같은 예감. **5** 자기의 소유가 되다. ¶내 방이 생겼다 / 돈이 좀 ~ / 일자리가 ~. **6** 새로 있게 되다. ¶꾀가 ~ / 버릇이 ~. **7** 어떤 마음이 들다. ¶자신감이 ~ / 생에 대해 회의가 ~. **8** 발병하다. ¶술병이 ~ / 홧병이 ~. **9** 태어나다. ¶아이가 더 생기면 고생이지. **10** 친구나 애인이 새로 있게 되다. ¶애인이 생기더니 친구는 안중에도 없다. 二보형 **1** ('-으로' 나 어미 '-게' 또는 부사 '처럼', 또 '-이, -히' 따위 부사에 붙어) 됨됨이가 '어떠하게 되어 있다, 보이다' 의 뜻을 나타냄. ¶이목구비가 동양적으로 ~ / 볼품없이 ~ / 도둑놈처럼 ~ / 듬직하게 ~ / 매섭게 생긴 눈 / 사탕같이 생긴 약. **2** (동사 뒤에서 '-게 생기다' 의 꼴로 쓰여) 부정적인 상태에 이르다의 뜻을 나타냄. ¶들통이 나게 ~ / 학교가 문을 닫게 생겼다 / 두고두고 시끄럽게 생겼다.

생기발랄-하다 (生氣潑剌-) 형여불 기운이 넘치고 활발하다. ¶생기발랄한 처녀들.

***생김-새** 명 생긴 모양새. ¶얼굴 ~ / ~가 특이하다 / ~가 우락부락하다.

생김-생김 명 살펴본 생김새. ¶씩씩한 ~ / ~이 참하다 / ~을 뜯어보다.

생-김치 (生-) 명 날김치. 풋김치.

생끗 [-끋] 부하자 소리 없이 가볍게 눈웃음을 짓는 모양. 큰싱끗. 여생긋. 센쌩끗.

생끗-거리다 [-끋꺼-] 자 소리 없이 가볍게 계속 눈웃음치다. 큰싱끗거리다. 여생긋거리다. **생끗-생끗** [-끋쌩끋] 부하자

생끗-대다 [-끋때-] 자 생끗거리다.

생끗-뱅끗 [-끋빵끋] 부하자 소리 없이 가볍고 귀엽게 웃는 모양. 센쌩끗뺑끗.

생끗-이 부 소리 없이 가볍게 눈웃음치는 모양. 큰싱끗이. 여생긋이. 센쌩끗이.

생-나무 (生-) 명 **1** 살아 있는 나무. ¶딱따구리가 ~에 구멍을 뚫고 있다. **2** 베어 낸 지 얼마 안 되어 마르지 않은 나무. 생목(生木). ¶~를 패서 말리다.

생-나물 (生-) 명 생것 그대로 무친 나물.

생-난리 (生亂離) [-날-] 명 까닭 없이 몹시 시끄럽게 들볶아 대는 판국. ¶~를 겪다 / ~를 치다 / ~가 나다.

생남 (生男) 명하자 아들을 낳음. 득남. ¶어제 아내가 ~하였다. ↔생녀.

생남-례 (生男禮) [-녜] 명하자 아들을 낳고 주위 사람들에게 한턱내는 일. 득남례(得男禮). 생남턱. ↔팬잔례.

생녀 (生女) 명하자 딸을 낳음. 득녀. ↔생남.

생년 (生年) 명 태어난 해.

생년월일 (生年月日) 명 태어난 해와 달과 날. ¶~을 적다.

생-논 (生-) 명 갈이가 잘되지 아니한 논.

생-니 (生-) 명 아무런 탈이 없는 멀쩡한 이. ¶~를 뽑다.

생-담배 (生-) 명 피우지 않는데도 저절로 타는 담배. ¶재떨이에서 ~가 타고 있다.

생도 (生徒) 명 **1** 중등학교 이하의 학생을 일컫던 말. **2** 군의 교육 기관, 특히 사관학교의 학생. ¶육사 ~들의 행진.

생-돈 (生-) 명 공연한 일에 들이는 돈. ¶~을 쓰다 / ~을 들이다 / 공연히 ~ 버리지 마라.

생동 (生動) 一명하자 생기 있게 살아 움직임. ¶~하는 기상(氣象). 二명하형 그림이나 글씨가 살아 움직이는 듯이 힘이 있어 보임. ¶~하는 색감(色感).

생동-감 (生動感) 명 살아 움직이는 듯한 느낌. ¶~이 넘치다 / ~이 있다 / ~을 느끼다.

생-되다 (生-) [-뙤-] 형 일에 익숙하지 않고 서투르다. ¶생된 손놀림.

생득 (生得) 명 태어날 때부터 지니고 있음. 타고남. ¶~의 성질.

생-딱지 (生-) 명 아직 아물지 않은 상처의 딱지. ¶~가 앉다 / ~를 떼면 흉터가 남는다.

생-딴전 (生-) 명 해야 할 일과 상관없이 딴짓을 하는 일. ¶~을 부리다〔피우다〕.

생-땅 (生-) 명 갈거나 판 적이 없는 본디의 굳은 땅. ¶~을 일구다.

생때-같다 (生-) [-갇따] 형 몸이 튼튼하고 병이 없다. ¶생때같은 사람이 죽다니 / 생때같은 자식들을 굶길 수야 없지.

생-떼 (生-) 명 억지로 쓰는 떼. 생청. ¶~를 쓰다 / ~를 부리다.

생-떼거리 (生-) 명 〈속〉 생떼.

생뚱-맞다 [-맏따] 형 말이나 행동이 상황에 맞지 아니하고 엉뚱하다. ¶생뚱맞은 이야기로 골탕을 먹이다.

생래 (生來) [-내] 一명 성정을 타고남. ¶~의 바보 / ~의 뛰어난 재능. 二부 세상에 태어난 이래. ¶~ 처음 맛보았다.

생략 (省略) [-냑] 명하타 덜어서 줄임. 뺌. ¶이하 ~ / 서두를 ~하고 본론부터 얘기하다. 준약(略).

생략-법 (省略法) [-냑-] 명 〖문〗 문장을 간결하게 하여 여운이나 암시를 남기는 수사법의 하나.

생략-표 (省略標) [-냑-] 명 줄임표.

생량 (生涼) [-냥] 명하자 가을이 되어 서늘한 기운이 생김. 또는 그런 기운. ¶아침저녁으로 ~한 바람이 분다 / 음력 7월로 접어든 기후는 ~이 완연해졌다.

생력 (省力) [-녁] 명 **1** 힘을 덞. **2** 기계화 따위로 작업 시간과 노력을 덞. ¶~ 작업.

생령 (生靈) [-녕] 명 **1** 생명. ¶~을 구하옵소서. **2** 생민(生民). **3** 살아 있는 사람의 영혼. ↔사령.

생로 (生路) [-노] 명 살아 나갈 방도. 생계(生計). ¶집도 잃고 고향도 잃고 ~마저 잃었다.

생로병사 (生老病死) [-노-] 명 〖불〗 사람이 겪는 네 가지 고통《태어나고 늙고 병들고 죽는 일》. 사고(四苦).

생률 (生栗) [-뉼] 명 **1** 날밤[2]. **2** 나부죽하게 쳐서 깎은 날밤《흔히, 잔치나 제사 때 씀》. ¶~을 괴다.

생률(을) 치다 구 날밤의 껍질을 벗기고 나부죽하게 쳐서 깎다.

생리 (生理) [-니] 명 **1** 생물이 살아 나가는 원리. 생활하는 길. **2** 생물이 생명을 유지하는 현상이나 기능. 또는 그 원리. ¶~ 현상 / ~에 맞다. **3** 〖생〗 '생리학' 의 준말.

4 월경(月經). ¶ ~ 휴가. ―-하다 자여불 월경하다.
생리-대 (生理帶)[-니-] 명 여자가 월경할 때 나오는 피가 밖으로 흘러나오지 않도록 막고 흡수하는 천이나 종이 제품. 월경대(月經帶). 패드.
생리 작용 (生理作用)[-니-] 〖생〗 생물의 생활하는 작용《혈액 순환·호흡·소화·배설·생식 등에 관한 작용의 총칭》.
생리-적 (生理的)[-니-] 관명 신체의 조직·기능에 관한 (것). ¶ ~ 발작 / ~ 변화.
생리-통 (生理痛)[-니-] 명 〖생〗 월경통.
생리-학 (生理學)[-니-] 명 〖생〗 생물의 생리 작용 전반에 관하여 연구하는 학문. ㊅ 생리.
생마 (生馬) 명 길들지 않은 거친 말.
[생마 잡아 길들이기] 버릇없고 배운 것 없이 제멋대로 자란 사람을 가르쳐 바로잡기란 힘들다.
생-매장 (生埋葬) 명하타 1 사람을 산 채로 땅에 묻음. 2 아무런 잘못이 없는 사람에게 허물을 씌워 사회적 집단에서 몰아냄의 비유. ¶사회에서 ~당하다.
생-맥주 (生麥酒) 명 살균을 위한 열처리를 하지 않은, 양조한 그대로의 맥주.
생-머리 (生-) 명 1 파마를하지 않은 자연 그대로의 머리. ¶긴 ~가 어깨에서 찰랑거린다. 2 특별한 이유 없이 갑자기 아픈 머리. ¶~를 앓다.
생-먹다 (生-) ㊀타 1 남이 하는 말을 듣지 않다. ¶남의 말이라고 생먹지 마라. 2 일부러 모르는 체하다. ¶전에 한 약속이니 생먹지는 않겠지. ㊁자 사냥에 쓰려고 가르쳐도 길들지 아니하다. ¶생먹던 매를 길들이다.
생면 (生面) 명하자 1 '생면목(生面目)'의 준말. 2 낯을 냄. 생색을 냄.
생-면목 (生面目) 명 처음으로 대함. 또는 그 사람. ㊅생면(生面).
생면부지 (生面不知) 명 만나 본 일이 없어 모르는 사람. 또는 그런 관계. ¶~의 사람한테서 도움을 받다.
생멸 (生滅) 명하자 우주 만물의 생겨남과 없어짐. ¶만물은 ~ 유전(流轉)한다.
***생명** (生命) 명 1 목숨. ¶~의 은인 / 아까운 ~을 잃다 / ~이 위태롭다 / ~을 건지다 / ~에는 지장이 없다. 2 사물을 유지하는 기한. ¶정치적 ~을 잃다 / 이 기계는 ~이 길다. 3 사물의 중요한 점. ¶책의 ~은 내용이다. 4 여자의 자궁 속의 생명체. ¶~을 잉태하다 / 배 속에서 ~이 자라다.
생명 공학 (生命工學) 생명 현상·생물 기능 따위를 인위적으로 조작하는 기술. 유전자 재조합·세포 융합 등의 기술을 이용하여 품종 개량, 의약품·식량 등의 생산 환경 정화(淨化) 등에 응용하는 새로운 산업 기술. 바이오테크놀로지.
생명 과학 (生命科學) 생명이나 생체의 유지·보호에 관한 것을 밝혀내기 위하여, 생리학·생물학·의학·인류학·사회학 등 과학 분야를 종합 연구하는 학문.
생명-권 (生命權)[-꿘] 명 생명이 불법으로 침해당하지 않는 인격권의 하나.
생명-력 (生命力)[-녁] 명 생명을 유지하여 나가는 힘. ¶끈질긴 ~을 지니다.
생명 보:험 (生命保險) 〖경〗 피보험자가 사망하거나 일정한 연령까지 생존할 것을 조건으로 일정 금액의 지급을 약정한 보험. ¶~에 가입하다. ㊅생보(生保).
생명-선 (生命線) 명 1 살아가기 위한 방도. 2 삶과 죽음의 경계선. 3 국가의 독립을 유지하기 위한 최후의 방위선. 4 수상(手相)에서, 수명과 관계된다는 손금.
생명-수 (生命水) 명 1 생명을 유지하는 데 필요한 물. 2 〖기〗 '복음'의 비유.
생명-점 (生命點)[-쩜] 명 〖생〗 호흡 중추·심장 중추가 존재하는 연수(延髓)의 한 점《이곳을 바늘로 찌르면 죽음》.
생명-체 (生命體) 명 생명이 있는 물체.
생모 (生母) 명 자기를 낳은 어머니. 생어머니. 친어머니. ¶~와 생이별하다. ↔양모.
생-모시 (生-) 명 누이지 않은 원래 그대로의 모시. 생저(生苧).
생목 (生-) 명 삭지 않아 입으로 되치밀어 오르는 음식물이나 위액. ¶~이 오르다.
생목 (生木) 명 1 누이지 않은 본디 그대로의 무명. 2 생(生)나무2.
생-목숨 (生-) 명 1 살아 있는 목숨. ¶~을 끊다 / ~을 잃다. 2 죄가 없는 사람의 목숨. ¶누명을 씌워 ~을 앗아 가다.
생몰 (生沒) 명 태어남과 죽음. ¶~ 연대.
생몰-년 (生沒年)[-련] 명 태어난 해와 죽은 해. 생졸년(生卒年). ¶~ 미상.
생-무지 (生-) 명 어떤 일에 익숙지 못하고 서투른 사람. 생수(生手). 생꾼.
생-문자 (生文字)[-짜] 명 아직 들어 보지 못한 낯선 문자나 용어.
***생물** (生物) 명 1 생명을 가지고 생활 현상을 영위하는 물체《영양·생장·증식을 하며, 동물과 식물로 크게 분류함》. ↔무생물. 2 생물학. ¶~ 선생님 / ~ 시간.
생물 공학 (生物工學) 〖생〗 생체 공학.
생물-권 (生物圈)[-꿘] 명 생물이 서식하는 범위《물속·땅속·공중 따위에 걸쳐 있음》. 생활권(生活圈).
생물-체 (生物體) 명 살아 있는 물체. 생물의 몸. 생체(生體).
생물-학 (生物學) 명 생물과 그 생명 현상을 연구하는 자연 과학의 한 분과《동물학·식물학·미생물학으로 크게 나눔》.
생물학-전 (生物學戰) 명 세균전(細菌戰).
생민 (生民) 명 살아 있는 백성이라는 뜻으로, 일반 국민. 민생. 생령.
생밀 (生蜜) 명 정제하지 않은 꿀.
생-밤 (生-) 명 날밤[2].
생방 (生放) 명 '생방송'의 준말. ¶~ 프로그램.
생-방송 (生放送) 명 미리 녹음·녹화한 것의 재생이 아니라 스튜디오 또는 현장에서 직접 방송하는 일. 또는 그 방송. ¶~으로 중계하다. ↔녹화 방송.
생배-앓다 (生-)[-알타] 자 1 이유 없이 배가 아프다. 2 남이 잘되는 것을 시기하다. ¶그가 성공했다고 괜히 생배앓는 거냐.
생-베 (生-) 명 누이지 않은 베. 생포(生布). ¶~ 두건을 눌러쓴 상여꾼.
생-벼락 (生-) 명 1 맑은 날씨에 치는 벼락. 2 아무 잘못 없이 뜻밖에 당하는 재앙. 날

벼락. ¶ ~을 맞다.
생별 (生別) 명하자타 '생이별'의 준말. ¶ 부부가 ~하다. ↔사별(死別).
생병 (生病) 명 **1** 무리를 하여 생긴 병. ¶ ~이 나다. **2** 스스로 공연히 앓는 병. ¶ 뜻밖의 무안을 삭이느라 ~을 앓기 시작했다. **3** 꾀병. ¶ 학교 가기 싫어 ~을 앓는구나.
생부 (生父) 명 자기를 낳은 아버지. 친아버지. 생아버지. ¶ ~를 찾다. ↔양부(養父).
생-부모 (生父母) 명 '본생(本生)부모'의 준말.
생불 (生佛) 명 〔불〕 살아 있는 부처라는 뜻으로, 덕행이 높은 승려. 활불(活佛).
생불여사 (生不如死)[-려-] 명 사는 것이 죽느니만 못하다는 뜻으로 형편이 몹시 어려움을 말함.
생사 (生死) 명 **1** 삶과 죽음. ¶ 그 일은 ~가 걸린 문제다 / ~를 확인하다 / ~를 함께하다. **2** 〔불〕 생로병사(生老病死)의 사고(四苦)의 시작과 끝.
생사 (生絲) 명 삶아서 익히지 않은 명주실.
생-사람 (生-) 명 **1** 아무 잘못이 없는 사람. ¶ 도둑은 못 잡고 ~을 끌고 간다. **2** 관련이 없는 사람. ¶ 괜히 ~ 끌어들이지 마라. **3** 생때같은 사람. ¶ 멀쩡하던 ~이 죽다니.
생사람(을) 잡다 구 아무 잘못이나 상관이 없는 사람을 헐뜯거나 죄인으로 몰다.
생사-탕 (生蛇湯) 명 〔한의〕 산 뱀을 달여 만드는 탕약.
***생산** (生産) 명하타 **1** 아이를 낳음. 출산. ¶ 아들 하나만을 ~하고 단산하다. **2** 〔경〕 자연물에 인력을 가하여 재화를 만들어 내거나 증가시키는 일. 또는 그런 활동. ¶ ~ 기술. ↔소비.
생산-가 (生産價)[-까] 명 생산 가격.
생산 가격 (生産價格)[-까-] 〔경〕 생산비에 평균 이윤을 더한 금액. 생산가.
생산-고 (生産高) 명 〔경〕 **1** 생산액. **2** 생산량.
생산 관리 (生産管理)[-괄-] **1** 최고도의 생산력과 능률의 발휘를 위해 과학적으로 관리하는 일. **2** 노동 쟁의의 한 수단으로 노동조합 등이 생산 과정의 모든 부문을 직접 관리하는 일.
생산-량 (生産量)[-냥] 명 일정한 기간에 생산되는 재화의 양. 생산고(高). ¶ 제품의 ~을 크게 늘리다. ↔소비량.
생산-력 (生産力)[-녁] 명 〔경〕 재화를 생산하는 능력《노동력과 생산 수단으로 성립됨》. ¶ ~이 증대되다.
생산-물 (生産物) 명 〔경〕 생산된 물품. 생산품.
생산-비 (生産費) 명 물질적 재화를 생산하는 데 드는 비용《원료비·노임·동력비 등의 가변(可變) 비용과 사무비·판매비·감가상각비·이자 등 불변 비용으로 나뉨》.
생산-성 (生産性)[-썽] 명 **1** 〔경〕 노동·설비·원재료 등의 투입량과 그것으로 만들어 내는 생산물 산출량의 비율. ¶ ~을 높이다. **2** 〔농〕 단위 면적의 땅에서 생산되는 특정 농작물의 수확량.
생산 수단 (生産手段) 〔경〕 생산 과정에서 물질적 조건으로 사용되는 것《토지·삼림·원료 등의 노동 대상과 기계·공장·교통 등의 노동 수단으로 나뉨》.
생산-액 (生産額) 명 〔경〕 일정한 기간에 생산된 재화의 액수. 생산고(高).
생산-업 (生産業) 명 재화를 생산하는 사업 또는 생산 사업에 종사하는 직업. 산업.
생산 연령 (生産年齡)[-년-] 생산 활동, 특히 노동에 종사할 수 있는 연령《보통 만 15세 이상 65세 미만을 이름》.
생산 요소 (生産要素)[-뇨-] 〔경〕 생산에 반드시 필요한 요소《토지·노동·자본 또는 지대·임금·이윤 따위》.
생산-자 (生産者) 명 **1** 〔경〕 재화의 생산에 종사하는 사람. **2** 〔생〕 생태계에서 다른 생물의 영양원이 되는, 무기물에서 유기물을 합성할 수 있는 생물. 광합성을 하는 독립 영양 생물《녹색 식물이 이에 해당함》. ↔소비자.
생산-재 (生産財) 명 생산 수단으로 사용되는 재화《넓은 뜻으로는 자본재(資本財)와 같으며, 좁은 뜻으로는 한 번의 생산으로 소비되는 것을 말함》. ↔소비재.
생산-적 (生産的) 관명 **1** 생산에 관계가 있는 (것). **2** 그것이 바탕이 되어 새로운 것이 생겨나는 (것). 건설적. ¶ ~ 사고(思考). ↔비생산적.
생산-지 (生産地) 명 어떤 물품이 생산되는 곳. ¶ ~ 표시의 의무화. ↔소비지.
생산-품 (生産品) 명 생산물.
생-살 (生-) 명 **1** 새살. ¶ ~이 돋아나다. **2** 아프지 않은 성한 살. ¶ ~을 째다.
생살 (生殺) 명하타 살리고 죽이는 일.
생살-여탈 (生殺與奪)[-려-] 명하타 살리기도 하고 죽이기도 하고, 주기도 하고 빼앗기도 한다는 뜻으로, 무엇이나 마음대로 함. ¶ ~의 권한을 장악하다.
생삼 (生蔘) 명 수삼(水蔘).
생색 (生色) 명 다른 사람 앞에 당당히 나설 수 있거나 자랑할 수 있는 체면.
생색(을) 쓰다 구 생색내는 행동을 하다.
생색-나다 (生色-)[-생-] 자 체면이 서다. 낯나다.
생색-내다 (生色-)[-생-] 자 자기가 한 일을 지나치게 내세우다.
생생-하다 (生生-) 형여불 **1** 생기가 왕성하다. ¶ 생생하게 자라나는 풀 / 생생한 젊은 기운. 센쌩쌩하다. **2** 빛깔 따위가 맑고 산뜻하다. ¶ 개나리 가지에 초록빛이 ~. 큰싱싱하다. **3** 눈앞에 보이듯이 또렷하다. ¶ 생생한 증언 / 기억이 아직도 ~. **생생-히** 부
생-석회 (生石灰)[-서쾨] 명 〔화〕 산화칼슘. 준생회.
***생선** (生鮮) 명 말리거나 절이지 아니한 본디 그대로의 물고기. 생어(生魚). 선어(鮮魚). ¶ ~ 비린내가 심하다.
생선-묵 (生鮮-) 명 생선 살을 뼈째 갈아, 소금·조미료 등을 섞고 나무 판에 올려 쪄서 익힌 음식. 어묵.
생선-저냐 (生鮮-) 명 생선의 살을 얇게 저며서 소금을 뿌리고 밀가루를 묻혀 달걀을 씌워 지진 저냐.
생선-전 (生鮮煎) 명 생선을 재료로 하여 부친 전.
생선-젓 (生鮮-)[-젇] 명 생선을 소금에 절여 삭힌 젓갈. 어해(魚醢).

생선-회 (生鮮膾) 명 싱싱한 생선을 얇게 썰어 날로 간장이나 초고추장에 찍어 먹는 음식. 어회(魚膾).
생성[1] (生成) 명하자타 사물이 생겨나거나 생겨 이루어지게 함. ¶지구의 ~ 과정 / 핵반응으로 에너지를 ~하다.
생성[2] (生成) 명 〔철〕 어떤 사물이나 성질의 새로운 출현.
생-소나무 (生-) 명 **1** 살아 있는 소나무. **2** 벤 지 얼마 되지 않아 아직 마르지 않은 소나무. 생솔.
생-소리 (生-) 명하자 **1** 이치에 맞지 않는 엉뚱한 말. ¶그런 ~로 사람 잡지 마시오. **2** 새삼스러운 말.
생소-하다 (生疎-) 형여불 **1** 친숙하지 못하거나 낯이 설다. ¶생소한 사이 / 퍽 생소한 습관. **2** 익숙하지 못하고 서투르다. ¶도시에서 자라 농사일은 ~.
생-손 명 '생인손'의 준말. ¶~을 앓다.
생수 (生水) 명 **1** 샘에서 나오는 맑은 물. ¶~를 사 먹다. **2**〔기〕생명수.
생수-받이 (生水-)[-바지] 명 샘물을 이용하여 농사를 짓는 논.
생시 (生時) 명 **1** 태어난 시간. ¶생일 ~. **2** 자지 아니하고 깨어 있을 때. ¶꿈이냐 ~냐. **3** 살아 있는 동안. ¶부모님이 돌아가신 후에 후회 말고 ~에 잘 모셔라.
생식 (生食) 명하타 익히지 않고 날로 먹음. 또는 그런 음식. ↔화식(火食).
생식 (生殖) 명하타 **1** 낳아서 불림. **2**〔생〕생물이 같은 종류의 생물을 새로 낳는 현상(《유성(有性) 생식·무성(無性) 생식으로 나뉨》). ¶~ 능력.
생식-기 (生殖期) 명 생식이 행하여지는 시기. 생식에 적합한 시기(《종류에 따라 계절을 달리함》). *번식기.
생식-기 (生殖器) 명〔생〕생물의 유성 생식을 하는 기관(《동물에서는 생식샘·교접기, 식물에서는 포자낭·배우자낭 따위. 사람은 남자의 고환(睾丸)·음경 등과 여성의 난소·자궁·질(膣) 등》). 생식 기관.
생식-샘 (生殖-) 명〔생〕**1** 생식 세포, 곧 정자나 난자를 만드는 기관. **2** 생식기에 부속하는 분비선의 총칭. 생식선.
생식 세:포 (生殖細胞)〔생〕생식에 관계되는 세포(《수컷의 정(精)세포와 암컷의 난(卵)세포》). 성세포.
생식-소 (生殖巢) 명〔생〕**1** 생식 세포, 곧 정자나 난자를 만드는 기관(《정소(精巢), 난소(卵巢) 따위》). 성소(性巢). **2** 생식 기관에 딸리는 분비선의 총칭.
생신 (生辰) 명 '생일'의 높임말. ¶어머님의 ~을 축하드립니다.
생신-하다 (生新-) 형여불 산뜻하고 새롭다. ¶생신한 기운 / 분위기를 생신하게 바꾸다.
생심 (生心) 명하자 어떤 일을 하려는 마음을 품음. 또는 그 마음. 생의(生意). ¶~을 내다 / 평시에는 ~하지 못할 일을 해내다.
생-쌀 (生-) 명 익히지 않은 쌀. 날쌀. ¶~을 먹다 / 밥이 아니라 ~이구나.
생-아버지 (生-) 명 양자로 간 사람이 친아버지를 부르는 말. 생부. ↔양아버지.
생애 (生涯) 명 **1** 살아 있는 동안. 일생. ¶작가로서의 ~ / ~ 최고의 날. **2** 생계(生計).
생-야단 (生惹端)[-냐-] 명하자 **1** 공연히 야단스럽게 굴거나 꾸짖음. ¶왜 옘한 우리에게 ~이야 / 갑자기 불이 나가 집집마다 ~이다. **2** 일이 매우 곤란하게 됨. ¶폭우로 길이 막혔으니 ~이다.
생약 (生藥) 명 **1** 한방(韓方)에서, 식물성 초재(草材). **2**〔약〕동물·식물 또는 광물 중에서 약 성분을 추출하여, 그대로 쓰거나 말리거나 썰거나 정제하여 쓰는 약재.
생-어머니 (生-) 명 양자로 간 사람이 자기를 낳은 어머니를 부르는 말. 생모. 친어머니. ↔양어머니.
생-억지 (生-) 명 특별한 까닭 없이 무리하게 쓰는 억지. ¶~를 부리다 / ~를 쓰다 / 세상에 이런 ~가 어디 있니.
생업 (生業) 명 살아가기 위해 하는 일. 직업. ¶~에 종사하다 / 고기잡이를 ~으로 삼다 / 취미로 시작한 일이 ~이 되다.
생영 (生榮) 명하자 삶을 누림.
생욕 (生辱) 명 까닭 없이 당하는 욕. ¶공연히 ~만 당했다.
생-우유 (生牛乳) 명 소에서 짜낸 그대로의, 살균이나 가공하지 않은 우유. 준생유.
생원 (生員) 명〔역〕**1** 조선 때, 소과(小科)인 생원과에 합격한 사람. **2** 나이 많은 선비를 대접하여 부르던 말. ¶허 ~.
생원-님 (生員-) 명 예전에, 평민이 선비를 부르던 말. 준샌님.
[생원님이 종만 업신여긴다] 무능한 사람이 손아랫사람에게 큰소리치고 멸시한다.
생월 (生月) 명 태어난 달.
생월-생시 (生月生時) 명 태어난 달과 태어난 시. ¶~를 묻다 / 점을 보려고 ~를 적은 종이를 점쟁이에게 주다.
생유 (生乳) 명 **1** '생우유'의 준말. **2** 가공하지 않은 우유·양젖·사람의 젖 따위. 생젖.
생육 (生育) 명하자타 **1** 낳아서 기름. ¶자식을 ~하다. **2** 생물이 나서 자람. ¶작물의 ~ 기간 / 날씨 관계로 ~이 늦다.
생-육신 (生六臣) 명〔역〕조선 때, 단종을 몰아낸 세조의 처사에 분격하여, 벼슬을 하지 않던 여섯 사람(《이맹전(李孟專)·조려(趙旅)·원호(元昊)·김시습(金時習)·성담수(成聃壽)·남효온(南孝溫)》). *사육신.
생-으로 (生-) 부 **1** 익거나 마르거나 삶지 아니한 날것 그대로. ¶낙지를 ~ 먹다. **2** 저절로 되지 아니하고 무리하게. 억지로. ¶~ 사람을 잡다 / ~ 억지를 쓰다.
생-이별 (生離別)[-니-] 명하자타 어려운 일을 당하여 어쩔 수 없이 부부, 부모와 자식, 형제끼리 서로 헤어짐. 준생별.
생인-발 명 발가락 끝에 나는 종기.
생인-손 명 손가락 끝에 나는 종기. ¶~을 앓다. 준생손.
***생일** (生日) 명 태어난 날. 또는 해마다 그 달의 그날. ¶~을 맞다.
생일-날 (生日-)[-랄] 명 생일이 되는 날.
[생일날 잘 먹으려고 이레를 굶는다] 어떻게 될지 모를 일을 미리 지나치게 기대함.
생-입 (生-)[-닙] 명 쓸데없이 놀리는 입. ¶공연히 ~을 놀리지 마라.
생자 (生者) 명 **1** 살아 있는 사람. 생존자. **2**〔불〕생명이 있는 모든 것.
생자-필멸 (生者必滅) 명〔불〕생명이 있는

것은 반드시 죽음.
생장 (生長) 명하자 나서 자람. ¶~ 과정 / ~ 기간 / 항구 도시에서 ~했다.
생장 (生葬) 명하타 산 채로 땅에 묻음. 산장. 생매(生埋).
생장-점 (生長點)[-쩜] 명 〖식〗 식물의 줄기·뿌리 등의 끝에 있어 세포 분열을 일으켜 생장을 하는 부분. 성장점.
생장 호르몬 (生長hormone) 〖생〗 성장 호르몬.
생전 (生前) 명 살아 있는 동안. ¶고인의 ~ 모습을 떠올리다. ↔사후.
생-젖 (生-)[-젇] 명 **1** 생유(生乳)2. **2** 억지로 일찍 떼는 젖. ¶직장 때문에 ~을 떼다.
생존 (生存) 명하자 살아 있음. 끝까지 살아남음. ¶~을 위한 투쟁 / ~ 가능성은 희박하다 / 실종자의 ~ 여부를 확인하다.
생존 경:쟁 (生存競爭) **1** 모든 생물이 생존을 유지하기 위해 벌이는 경쟁《그 결과 적자(適者)는 끝까지 살아남고 그렇지 못한 것은 도태됨》. **2** 살려고 다투는 일. ¶~이 치열한 업계.
생존-권 (生存權)[-꿘] 명 사람의 기본적인 자연권의 하나. 각 개인이 완전한 사람으로서 생존을 누릴 권리.
생존-자 (生存者) 명 살아 있는 사람. 또는 살아남은 사람. ¶수색 결과 ~는 없었다.
생-죽음 (生-) 명하자 제명대로 살지 못하고 죽음《횡사·자살·타살 등》. ¶뜻밖의 사고로 ~을 당했다.
생:-쥐 명 〖동〗 쥐의 일종. 인가(人家)·농경지에 사는데 몸길이 6-10 cm, 꼬리 5-10 cm임. 쥐 종류 중 가장 작으며 귀가 큼. 곡물·야채 등을 해침.
[생쥐 볼가심할 것도 없다] 먹을 것이라고는 아무것도 없는 몹시 가난함의 비유.
생즙 (生汁) 명 익히지 않은 채소나 과실 따위를 짓찧어 짜낸 액즙.
생지 (生地) 명 **1** 생땅. **2** 생소한 땅. ¶오랜만에 온 고향이 ~인 느낌이다. **3** 출생한 곳. **4** 살아 돌아올 수 있는 곳을 '사지(死地)'에 상대하여 이르는 말.
생지 (生紙) 명 가공하지 아니한 뜬 채로의 종이. 생종이.
생-지옥 (生地獄) 명 괴롭고 힘든 곳. 또는 그런 상태의 비유. ¶출근 때의 지하철은 ~이다.
생질 (甥姪) 명 누이의 아들.
생질-녀 (甥姪女)[-려] 명 누이의 딸.
생-짜 (生-) 명 **1** 익거나 마르거나 삶지 않은 날것 그대로의 것. ¶수박을 짜개 보니 ~였다. **2** 어떤 일에 익숙하거나 숙련되지 못한 것. 또는 그런 사람.
생채 (生彩) 명 생생한 빛이나 기운. 생기. ¶~를 잃다.
생채 (生菜) 명 날로 무친 나물의 총칭. ¶신선하게 ~를 해서 먹다.
생-채기 명 손톱 따위로 할퀴어 생긴 작은 상처. ¶뺨에 ~가 나다.
생:철 (-鐵) 명 〔←서양철(西洋鐵)〕 안팎에 주석을 입힌 얇은 쇠《석유통 등을 만들며, 다시 아연을 입혀 함석을 만듦》. 양철.
생철 (生鐵) 명 〖광〗 무쇠1.
생청 명 생떼. ¶~으로 잡아떼다.
생청 (生淸) 명 벌통에서 떠낸 그대로의 꿀.
생청-붙이다 [-부치-] 자 억지스럽게 모순되는 말을 하다.
생청-스럽다 〔-스러우니, -스러워〕 형ㅂ불 생청붙이는 태도가 있다. ¶술만 마시면 생청스럽게 군다. **생청-스레** 부
생체 (生體) 명 생물의 몸. 또는 살아 있는 몸. 산몸. ¶~ 해부 / ~ 실험에 쥐를 이용하다. ↔사체(死體).
생체 공학 (生體工學) 〖생〗 생물의 기능을 공학적으로 연구하여 활용하는 것을 목적으로 하는 학문. 바이오닉스. 생물 공학.
생초 (生草) 명 생풀[2].
생-초상 (生初喪) 명 병이나 사고 따위로 제명대로 살지 못하고 죽은 사람의 초상. ¶~이 나다 / ~을 치르다.
생칠 (生漆) 명 **1** 불에 달이지 않은 옻칠. **2** 정제하지 않은 옻나무의 진.
생-크림 (生cream) 명 우유에서 뽑아낸 담황백색의 지방분《버터의 원료가 되고, 양과자 등에도 씀》.
생탈 (生頉) 명 일부러 탈을 만듦. 또는 그 탈. ¶~을 부리다.
생태 (生太) 명 말리거나 얼리지 아니한, 잡은 그대로의 명태. ¶~ 매운탕.
생태 (生態) 명 생물이 살아가는 모양이나 상태. ¶수중 생물의 ~ / 원숭이의 ~를 관찰하다.
생태-계 (生態系)[-/-게] 명 〖생〗 특정 지역의 생물과 그것을 둘러싼 환경을 종합하여 통일체로 파악한 개념.
생-트집 (生-) 명하자타 까닭 없이 트집을 잡음. 또는 그 트집. ¶~을 부리다 / ~이 나다 / ~을 걸다.
생판 (生-) 一명 어떤 일에 대하여 전혀 모르거나 손을 대지 아니함. 또는 그런 사람. ¶문학에는 ~이다 / ~들을 가르치기가 매우 힘이 든다. 二부 **1** 매우 생소하게. ¶~ 처음 듣는 이야기 / ~ 모르는 사람 / ~ 남이다. **2** 전혀 터무니없이. 무리하게. ¶~ 떼를 쓰다 / 모르는 일이라고 ~ 잡아뗀다.
생포 (生捕) 명하타 산 채로 잡음. 생금. ¶멧돼지를 ~하다 / 적에게 ~당하다.
생-풀[1] (生-) 명 밀가루나 쌀가루를 맹물에 타서 그대로 쓰는 풀. ¶삼베에 ~을 먹이다. **--하다** 자여불 옷감이나 옷 따위에 풀을 먹이다.
생-풀[2] (生-) 명 마르지 아니한 싱싱한 풀. 생초(生草).
생-피 (生-) 명 살아 있는 동물의 몸에서 갓 빼낸 피. 생혈. ¶노루의 ~를 마시다.
생-핀잔 (生-) 명 까닭 없는 핀잔. ¶~을 듣다 / ~을 주다.
생필-품 (生必品) 명 '생활필수품'의 준말. ¶안정적인 ~ 공급.
생-하수 (生下水) 명 하수 처리를 하지 아니한 하수.
생-호령 (生號令) 명하자 까닭 없이 하는 호령. 강호령. ¶~이 내리다 / ~을 내리다 / ~이 떨어지다.
생화 (生花) 명 살아 있는 화초에서 꺾은 꽃. ¶~로 꽃다발을 만들다. ↔조화(造花).
생-화학 (生化學) 명 〖화〗 생물체의 생리적인 현상을 화학적으로 연구하는 학문. 생

물 화학.
생환 (生還) 명 하자 1 살아 돌아옴. ¶ 갱에 갇힌 광부의 ~ 가능성을 알아보다 / 격전지에서 무사히 ~하다. 2 야구에서, 주자가 본루에 돌아와 득점함. 홈인.
***생활** (生活) 명 하자 1 활동하며 살아감. ¶ 동물의 ~ 양태 / ~ 터전을 잡다 / 노후 ~을 보장하다. 2 생계나 살림을 꾸려 나감. ¶ ~ 수단 / ~에 여유가 있다 / ~이 몹시 어렵다. 3 조직체의 구성원으로 활동함. ¶ 교원 ~ / 단체 ~. 4 어떤 행위를 하며 살아감. 또는 그런 상태. ¶ 연구 ~ / 취미 ~.
생활-고 (生活苦) 명 살림을 꾸리는 데 돈이 부족해 겪는 생활의 괴로움. 생활난. ¶ ~를 겪다 / ~에 시달리다.
***생활-권** (生活圈)[-꿘] 명 1 지역 주민이 통학·통근·쇼핑·오락 등 일상생활을 하는 데에 행정 구역에 관계없이 밀접하게 연결되어 있는 범위. 2 생물권.
생활 기록부 (生活記錄簿) 교육 목적을 달성하기 위하여, 학생의 인적 사항, 신체 발달 사항, 행동 발달 사항, 지능·성격 등을 기록하는 장부. 학적부.
생활-난 (生活難)[-란] 명 수입의 감소나 실직, 물가의 오름 등으로 말미암아 살아가기가 어려운 일. 생활고. ¶ 물가 상승으로 ~에 시달리다.
생활-력 (生活力) 명 사회생활을 해 나가는 데 필요한 능력《특히, 경제적인 능력을 일컬음》. ¶ ~이 강하다 / ~을 기르다.
생활-비 (生活費) 명 생활해 나가는 데 드는 모든 비용. 생계비. ¶ ~가 많이 든다.
생활-상 (生活相)[-쌍] 명 생활해 나가는 모습. 생활 상태. ¶ 선조들의 지혜로운 ~을 엿보다.
생활 수준 (生活水準) 〖경〗 소득이나 소비 따위의 많고 적음에 따라 측정하는 일상생활의 내용이나 정도. ¶ ~이 향상되었다.
생활-인 (生活人) 명 1 활동을 하며 살아가는 사람. ¶ ~의 지혜. 2 현실 생활 자체에 가치를 부여하고, 실생활의 체험을 존중하는사람.
생활 통지표 (生活通知表) 학교에서 각 학생의 출석 사항·품행·학업 성적·건강 상태 등을 기록하여 학부모에게 알리는 표. 준 통지표.
생활-필수품 (生活必需品)[-쑤-] 명 일상생활에 꼭 필요한 물품. 준 생필품.
생활-화 (生活化) 명 하자타 생활 습관이 되거나 실생활에 옮겨짐. ¶ 저축을 ~하다 / 경로사상이 ~되다 / 자연보호를 ~하다.
생활 환경 (生活環境) 생활하고 있는 주위의 사정. ¶ 급격한 ~의 변화 / 농촌 ~의 개선.
생황 (笙簧·笙篁) 명 〖악〗 아악에 쓰는 관악기《17 개의 가는 대를 바가지로 만든 바탕에 묶어 세우고, 주전자 귀때 비슷한 부리로 붊》.

생황

생회 (生灰) 명 '생석회'의 준말.
생후 (生後) 명 태어난 뒤. ¶ ~ 10 개월 된 아기.
생-흙 (生-)[-흑] 명 1 생땅의 흙. ¶ ~ 냄새가 코를 찌르다. 2 잘 이겨지지 않거나 물에 잘 풀리지 않는 흙.
샤머니즘 (shamanism) 명 원시적 종교의 한 형태. 신령·악령(惡靈) 등의 세계와 교류는 오로지 무당에 의한 주술·기도로만 가능하다고 하는 신앙이나 행사. 무술(巫術).
샤워 (shower) 명 하자 소나기처럼 뿜어 내리는 물로 몸을 씻는 일.
샤프 (sharp) 명 1 〖악〗 올림표. ↔플랫. 2 '샤프펜슬'의 준말.
샤프-펜슬 (sharp+pencil) 명 〔←에버 샤프펜슬〕 휴대용 필기도구의 하나. 가는 연필심을 조금씩 밀어내어 쓰게 만든 만년필 모양의 연필. 준 샤프.
샬레 (독 Schale) 명 의학·약학 검사 등에 쓰는, 운두가 낮은 둥근 유리그릇.
샴페인 (champagne) 명 이산화탄소를 함유한 발포성 포도주로 프랑스의 샹파뉴 지방에서 처음 만든 술로, 거품이 많고 상쾌한 향미가 있음. 삼편주(三鞭酒).
샴푸 (shampoo) 명 1 머리를 감는 데 쓰는 액체 비누. 2 머리를 감는 일.
샹들리에 (프 chandelier) 명 천장에 매다는, 여러 개의 가지가 달린 장식등《가지 끝마다 불을 켬》. ¶ 휘황찬란한 ~.
샹송 (프 chanson) 명 〖악〗 서민적인 가벼운 내용을 지닌 프랑스의 대중가요. ¶ ~ 가수 / ~을 부르다.
***서** (西) 명 서쪽. ↔동(東).
서: (序) 명 1 문장의 한 체《사적(事蹟)의 요지를 적은 글》. 2 '서문'의 준말.
서: (署) 명 1 관서(官署). 2 '경찰서'의 준말. ¶ ~에 연행되다. 3 '세무서, 소방서'의 준말.
서[1] 관 'ㄷ·ㅁ·ㅂ·ㅍ' 따위를 첫소리로 한 일부 낱말 앞에 쓰이는 '세'의 특별 용법. ¶ ~돈 / ~ 말 / ~ 발 / ~ 푼.
[서 발 막대 거칠 것 없다] 집이 가난하여 아무 세간도 없다.
서[2] 조 1 '에서'의 준말. ¶ 서울~ 부산까지 / 길거리~ 놀지 마라. *부터. 2 '-고, -아, -어' 따위 어미에 붙어 말뜻을 밝히고 여유를 주는 보조사. ¶ 아침을 먹고~ 출근하다 / 속아~ 살다. 3 사람의 수를 나타내는 말 또는 그 말에 조사 '이'가 붙은 말에 붙이어 그 뜻을 강조하는 주격 조사. ¶ 혼자~ 무얼 하니 / 셋이~ 일을 해냈다.
서:- (庶) 두 본처가 아닌 몸에서 태어난 사람임을 나타냄. ¶ ~동생 / ~누이.
서가 (書架) 명 책을 얹어 두거나 꽂아 두는, 여러 층으로 된 선반. 서각. ¶ ~에 책이 많이 꽂혀 있다.
서:가 (庶家) 명 서자(庶子) 자손의 집. ↔적가(嫡家).
서각 (書閣) 명 1 서가(書架). 2 서재.
서간 (書簡·書柬) 명 편지.
서간-문 (書簡文) 명 서한문.
서:거 (逝去) 명 하자 '사거(死去)'의 높임말. ¶ 백범 김구 선생 ~ 50 주년 기념식이 열렸다.
서걱 부 1 눈 따위를 밟을 때 나는 소리. 2 연한 과자나 배·사과 따위를 씹을 때 나는 소리. 3 갈대나 풀 먹인 천 따위가 스칠 때

나는 소리. [작]사각. [센]써걱.
서걱-거리다 [자타] **1** 눈이 내리거나 눈 따위를 밟는 소리가 자꾸 나다. **2** 연한 과자나 배·사과 따위가 씹히는 소리가 자꾸 나다. 또는 그런 소리를 자꾸 내다. **3** 갈대나 풀 먹인 천 따위가 스치는 소리가 자꾸 나다. 또는 그런 소리를 자꾸 내다. [작]사각거리다. **서걱-서걱** [부][하][자타]. ¶ 사과를 ~ 씹어 먹다.
서걱-대다 [자타] 서걱거리다.
서경 (西京) [명] 〔역〕 고려 때 사경(四京)의 하나《지금의 평양》.
서경 (西經) [명] 〔지〕 본초 자오선을 0°로 하여 서쪽으로 180°까지의 사이를 이름. ↔동경(東經).
서:경 (敍景) [명][하][자] 자연의 경치를 글로 나타냄.
서:경-시 (敍景詩) [명] 〔문〕 자연의 경치를 읊은 시.
서고 (書庫) [명] 책을 보관하여 두는 건물이나 방. 문고. ¶ 도서관의 ~.
서:곡 (序曲) [명] **1** 〔악〕 가극·성극(聖劇) 따위에서 개막 전에 연주하는 기악곡. ¶ 카르멘 ~. **2** 〔악〕 소나타 형식을 써서 단악장으로 맺게 된 악곡 형식. 오버추어. 서악(序樂). ¶ 에그몬트 ~. *전주곡. **3** 어떤 일의 시작. ¶ 봄의 ~.
서관 (西關) [명] 〔지〕 서도(西道).
서관 (書館) [명] 서점.
서:광 (瑞光) [명] **1** 상서로운 빛. 상광(祥光). **2** 좋은 일이 생길 조짐.
서:광 (曙光) [명] **1** 새벽에 동이 틀 무렵의 빛. ¶ ~이 보이다 / ~이 비치다. **2** 바라는 일이 잘될 징조. ¶ 통일의 ~.
서구 (西歐) [명] 〔지〕 서유럽. ¶ ~ 문물 / 식생활의 ~화. ↔동구(東歐).
서구-적 (西歐的) [관][명] 서유럽 지역의 모습을 닮거나 그런 특징을 지닌 (것). ¶ ~ 사고방식 / ~ 용모.
서궤 (書几) [명] 책상.
서궤 (書櫃) [명] **1** 책을 넣어 두는 궤짝. **2** 여러 분야에 걸쳐 아는 것이 많은 사람.
서그러-지다 [자] 마음이 너그럽고 서글서글하게 되다.
서그럽다 〔서그러우니, 서그러워〕 [형][ㅂ불] 마음이 너그럽고 서글서글하다.
서근서근-하다 [형][여불] **1** 성품 따위가 상냥하고 부드럽다. ¶ 서근서근한 성미. **2** 사과나 배 따위를 씹는 것처럼 부드럽고 연하다. [작]사근사근하다. **서근서근-히** [부]
서글서글-하다 [형][여불] **1** 성질이나 생김새가 너그럽고 부드럽다. ¶ 서글서글한 성격(눈매). [작]사글사글하다. **2** 얼굴의 각 구멍새가 널찍널찍하여 시원스럽다.
서글프다 〔서글프니, 서글퍼〕 [형] **1** 슬프고 허전하다. ¶ 서글픈 노래(신세). **2** 섭섭하고 언짢다. ¶ 서글픈 마음을 담배로 달래다.
서글피 [부] 서글프게. ¶ 깊은 밤중에 소쩍새가 ~ 울고 있다.
서기 (西紀) [명] '서력기원'의 준말. ¶ ~ 2002 년이다.
서기 (書記) [명] **1** 문서나 기록 따위를 맡아보는 사람. ¶ 회의에서 ~를 맡다. **2** 사회주의 국가에서, 정당 서기국의 구성원. **3** 일반직 국가 공무원의 직급 명칭. 주사보(主事補)의 아래, 서기보의 위로 8급임.
서:기 (暑氣) [명] 더운 기운.
서:기 (瑞氣) [명] 상서로운 기운. ¶ 주변에 ~가 감돌다.
서기-관 (書記官) [명] 일반직 국가 공무원의 직급 명칭. 부(副)이사관의 아래, 사무관의 위로 4급임.
서까래 [명] 〔건〕 도리에서 처마 끝까지 건너지른 나무《그 위에 산자(橵子)를 얹음》. 연목(椽木). [준]서.
서껀 [조] 여럿 중에 섞여 있음을 나타내는 보조사. ¶ 아우~ 같이 왔다.
서남 (西南) [명] **1** 서쪽과 남쪽. **2** 남서. ↔동북.
서-남서 (西南西) [명] 서쪽과 남서쪽의 중간이 되는 방위.
서낭 [명] 〔←성황(城隍)〕 〔민〕 **1** 서낭신이 붙어 있다는 나무. **2** '서낭신'의 준말.
서낭-단 (-壇) [명] 〔민〕 서낭신에게 제사를 지내는 단.
서낭-당 (-堂) [명] 〔민〕 서낭신을 모신 집.
서낭-신 (-神) [명] 〔민〕 토지와 마을을 지켜 준다는 신. ¶ 고갯마루에 있는 느티나무를 ~으로 모신다. [준]서낭.
서너 [관] '셋이나 넷쯤'의 뜻. 삼사(三四). ¶ ~ 명 / ~ 되 / ~ 개 / ~ 집.
서너-너덧 [-덛] [一][수] 서넛이나 너덧. 셋이나 넷 또는 넷이나 다섯. ¶ ~은 없어진 것 같다. [二][관] '서넛이나 너덧'의 뜻. ¶ 감을 ~ 개 먹었다.
서넛 [-넏] [수] 셋이나 넷. 삼사(三四). ¶ ~씩 무리를 지어 걷고 있다.
서:녀 (庶女) [명] 첩의 몸에서 난 딸. ↔적녀.
서-녘 (西-) [-녁] [명] 서쪽. ¶ ~ 하늘에 반짝이는 별 / 해가 ~으로 지고 있다. ↔동녘.
서느렇다 [-러타] 〔서느러니, 서느러오〕 [형][ㅎ불] **1** 온도나 기온이 떨어져 좀 찬 듯하다. ¶ 서느렇게 식은 국. **2** 갑자기 놀라서 찬 기운이 느껴지는 듯하다. ¶ 서느런 가슴을 가라앉히다. [작]사느랗다. [센]써느렇다.
서늘-바람 [명] 첫가을에 부는 서늘한 바람.
***서늘-하다** [형][여불] **1** 온도나 기온이 꽤 찬 느낌이 있다. ¶ 서늘한 초가을 날씨. **2** 갑자기 놀라서 찬 기운이 느껴지다. ¶ 간담이 ~. **3** 눈 따위가 시원스러운 느낌이 있다. ¶ 눈매가 맑고 ~. [작]사늘하다. [센]써늘하다. **서늘-히** [부]
***서다** [一][자] **1** 발로 땅을 딛고 몸을 곧게 하다. ¶ 차려 자세로 ~. **2** 높은 것이 솟아 있다. ¶ 우뚝 서 있는 백두산 / 우뚝 선 코. **3** 움직임이 멈추다. ¶ 시계가 ~ / 기차가 ~. **4** 꼿꼿이 위쪽으로 뻗어 있다. ¶ 개의 귀가 ~. **5** 건조물이 만들어지다. ¶ 건물이 ~ / 동상이 ~. **6** 무딘 것이 날카롭게 되다. ¶ 날이 시퍼렇게 선 칼. **7** 핏발 따위가 생기다. ¶ 핏발이 ~. **8** 장이나 씨름판 따위가 열리다. ¶ 오일장이 ~ / 씨름판이 ~. **9** 임신하다. ¶ 아이가 ~. **10** 기관 따위가 이루어지다. ¶ 신도시에 학교가 ~. **11** 명령이나 규칙이 잘 지켜지다. ¶ 규율이 ~ / 질서가 ~. **12** 체면 따위가 떳떳하게 되다. ¶ 위신이 ~ / 면목이 ~. **13** 이치에 맞게 되다. ¶ 말발이 ~ / 조리가 ~. **14** 확

실한 것이 되다. ¶계획이 ~/결심이 ~/대책이 ~/줏대가 ~. **15** 두드러지게 되거나 빳빳하게 되다. ¶와이셔츠의 깃이 ~/바지의 주름이 ~. **16** 어떤 위치나 입장에 있거나 놓이다. ¶선두에 ~/ 피해자의 입장에 ~/기로에 ~/강단에 ~. ㊁타 **1** 어떤 구실을 맡다. ¶보증을 ~/들러리를 ~/중매를 ~/보초를 ~/앞장을 ~. **2** 줄을 짓다. ¶줄을 서서 기다리다. **3** 벌 따위를 받다. ¶벌을 ~.

서단(西端) 명 서쪽 끝.

서당(書堂) 명 글방.

[서당 개 삼 년에 풍월한다] 무식한 사람이라도 어떤 부문에 오래 있으면 얼마간의 지식·경험을 갖게 된다. 당구 삼 년에 폐풍월(堂狗三年吠風月).

서덜 명 **1** 냇가나 강가의 돌이 많은 곳. 돌서덜. **2** 생선의 살을 발라낸 나머지《뼈·대가리·껍질 따위》.

서도(西道) 명 황해도와 평안도. 서관(西關). ¶~ 사람/~ 민요/~ 소리/~ 잡가.

서도(書道) 명 글씨를 쓰는 방법. 또는 그 방법을 배우고 익히는 일《주로 붓으로 쓰는 것을 이름》.

서도(書圖) 명 글씨와 그림. ¶그는 ~에 두루 능통하다.

서동(書童) 명 글방에서 글을 배우는 아이. 학동(學童).

서동-요(薯童謠) 명 〖문〗 향가의 하나. 백제 무왕이 신라 진평왕의 딸 선화 공주를 사모하여, 신라의 수도인 경주에 가 이 노래를 지어 아이들에게 부르게 하였다 함. 사구체(四句體)의 노래로, '삼국유사'에 전함.

서:두(序頭) 명 **1** 일이나 말의 첫머리. ¶~를 장식하다/~를 꺼내다. **2** 어떤 차례의 맨 앞. ¶내가 ~로 나서겠다.

서두를 놓다 구 본론으로 들어가기 전에 어떤 말이나 글을 시작하다.

서두(書頭) 명 **1** 글의 첫머리. **2** 책의 윗난의 빈자리. **3** 제본할 때, 초벌 매어 놓은 책 등의 가장자리. —**-하다** 타 여불 초벌 맨 책의 가장자리를 가지런히 베다.

***서두르다**〔서두르니, 서둘러〕 ㊀자 르불 일을 빨리 하려고 바삐 움직이다. ¶서둘러 출발하다/서둘러 자리를 일어섰다. ㊁타 르불 일 따위를 빨리 끝내려고 급히 처리하거나 죄어치다. ¶채비를 ~/일을 너무 서둘러 실패하다. 준서둘다.

서둘다〔서두니, 서두오〕 자타 '서두르다'의 준말. ¶너무 서둘지 마라.

서라벌(徐羅伐) 명 **1** '신라'의 옛 이름. **2** '경주'의 옛 이름.

서랍 명 〔←설합(舌盒)〕 책상·문갑·장롱·경대 따위에 붙어, 빼었다 끼웠다 하게 만든 뚜껑 없는 상자. ¶~을 열다/반지를 ~에 넣다/~을 빼다.

서:러워-하다 타 여불 서럽게 여기다. ¶자신의 처지를 ~/이별을 ~. 준설워하다.

서:러-이 부 서럽게. ¶~ 생각하다/처지를 생각하며 ~ 울다.

서:럽다〔서러우니, 서러워〕 형 ㅂ불 원통하고 슬프다. 섧다. ¶외롭고 서러운 신세/서럽게 울다.

> **'서럽다'와 '섧다'**
>
> 두 단어 모두 표준어이다. 따라서 그 활용형 '서럽다, 서럽게, 서러운, 서러워'와 '섧다, 섧게, 설운, 설워'는 모두 맞춤법에 맞는 표기이다.

서력(西曆) 명 예수가 태어난 해를 기원(紀元)으로 한 서양의 책력. ¶~ 연대.

서력-기원(西曆紀元) 명 서력으로 연대를 헤아리는 데 쓰는 기원. 에이디(AD). 기원후. 준서기(西紀).

서로(西路) 명 **1** 서쪽으로 가는 길. **2** 〖지〗 서도(西道).

***서로** ㊀부 함께. 다 같이. ¶~ 도우며 살자/~ 제가 잘났다 한다. ㊁명 쌍방. ¶~의 이익/~가 힘을 합하여.

서로-서로 ㊀부 많은 사람들의 하나하나가 함께. ¶~ 돕자. ㊁명 '서로㊁'를 강조하여 이르는 말. ¶~가 한가족처럼 지내다/~를 이해하고 ~가 돕는 사회.

서:론(序論·緖論) 명 말이나 글 따위에서, 본론에 들어가기 전의 실마리가 되는 부분. 머리말. 서설. *본론·결론.

서론(書論) 명 **1** 책에 쓰인 논의. **2** 서법(書法)에 대한 논의.

서류(書類) 명 어떤 내용을 적은 문서. 특히, 사무에 관한 문서. ¶~ 뭉치/기밀 ~/소송 ~/~를 정리하다/~를 꾸미다/~를 작성하다.

서:류(庶流) 명 서자(庶子)의 계통. 서가(庶家)의 출신. ↔적류(嫡流).

서:류(庶類) 명 여러 가지 흔한 종류.

서류-철(書類綴) 명 여러 가지 서류를 한데 모아 매어 두게 만든 도구. 또는 그렇게 매어 둔 묶음. 파일(file).

***서른** 수관 열의 세 배가 되는 수. 또는 그런 수의. 삼십(三十). ¶참석자는 ~이 넘었다/~을 넘기니 피부가 까칠해졌다/논 ~ 마지기/~ 명이 왔다.

[서른 과부는 넘겨도 마흔 과부는 못 넘긴다] 삼십 대의 과부는 혼자 살아도 사십 대의 과부는 혼자 못 산다는 말.

서름-하다 형 여불 **1** 남과 사이가 좀 서먹하다. ¶서름한 사이. **2** 사물에 익숙하지 못하고 서툴다. ¶아직도 컴퓨터에 ~.

서릊다[-른따] 타 좋지 않은 것을 쓸어 치우다.

***서리**1 명 **1** 밤에 기온이 영하로 내려갈 때, 공기 중의 수증기가 지표에 접촉해서 얼어붙은 흰 가루 모양의 얼음. ¶~가 내리다〔앉다〕. **2** 타격 또는 피해의 비유. **3** '흰머리'의 비유.

서리(를) 맞다1 구 ㉠물건 위에 서리가 내리다. ㉡시들시들 힘이 풀리다. ㉢권력 또는 난폭한 힘에 의하여 타격이나 피해를 당하다. ¶서리 맞은 상가/시세 폭락으로 서리를 맞다.

서리(를) 이다 구 머리카락이 하얗게 세다. ¶머리에 서리를 이다.

서리2 명하타 떼 지어 남의 과일·곡식·가축 따위를 훔쳐 먹는 장난. ¶닭 ~/참외 ~.

서리(를) 맞다2 구 서리꾼에게 도난을 당하여 해를 입다.

서리[3] 명 많이 모여 있는 무더기의 가운데. ¶나무 ~/ 사람들 ~.

서:리 (胥吏) 명 〘역〙 조선 때, 관아에 딸려 말단의 행정 실무에 종사하던 이속(吏屬).

서:리 (署理) 명하타 조직에서 결원이 생겼을 때 그 직무를 대리함. 또는 그런 사람. ¶학장 ~/ 국무총리 ~.

서리-꽃 [-꼳] 명 유리창 따위에 수증기가 서려서 꽃처럼 엉긴 무늬. ¶~이 앉다 / ~이 피다.

서리다[1] 자 **1** 수증기가 찬 기운을 받아 물방울을 지어 엉기다. ¶창에 김이 ~/ 안개가 ~. **2** 어떤 기운이 어려 나타나다. ¶마음에 근심이 서려 있다. **3** 어떤 생각이 마음속 깊이 자리 잡다. ¶가슴속에 서린 추억. **4** 냄새 따위가 몹시 풍기다. ¶구수한 흙 냄새와 향기로운 풀 냄새가 ~.

서리다[2] 타 **1** 국수·새끼·실 따위를 헝클어지지 않도록 둥그렇게 여러 겹으로 포개어 감다. ¶새끼줄을 ~. **2** 뱀 따위가 몸을 똬리처럼 감다. ¶뱀이 몸을 ~. ㉧사리다.

서리-서리 부 **1** 국수·새끼·실 따위를 헝클어지지 않게 둥그렇게 포개어 감은 모양. **2** 뱀 따위가 몸을 똬리처럼 감고 있는 모양. ¶구렁이가 긴 몸을 ~ 똬리를 틀었다. **3** 감정 따위가 복잡하게 얽혀 있는 모양. ¶가슴속에 ~ 얽힌 슬픔/ 분노가 ~ 맺히다. ㉧사리사리.

서릿-바람 [-리빠-/-릳빠-] 명 서리가 내린 아침의 찬 바람.

서릿-발 [-리빨/-릳빨] 명 서리가 땅바닥·풀포기 등에 엉기어 성에처럼 된 모양. ¶~이 서다.

서릿발 같다 구 권위나 형벌 따위가 매우 매섭고 준엄함의 비유. ¶서릿발 같은 명령 〔위엄〕.

서릿발(을) 이다 구 서리(를) 이다. ¶어느새 머리에 서릿발을 이게 되었구나.

서릿발(이) 치다 구 ㉠서릿발이 생기다. ㉡기세가 매우 매섭고 준엄하다. ¶서릿발 치는 눈빛으로 적진을 보다.

서:막 (序幕) 명 **1** 연극 등에서 처음 여는 막. ¶오페라의 ~. **2** 어떤 일의 시작이나 발단. ¶통일 운동의 ~.

서머 타임 (summer time) 여름에 긴 낮 시간을 유효하게 이용하기 위하여 표준 시각보다 시각을 앞당기는 시각. 일광 절약 시간. 하기 시간.

서먹서먹-하다 [-머카-] 형여불 매우 서먹하다. ¶남의 방에 들어가기가 ~.

서먹-하다 [-머카-] 형여불 낯익지 아니하여 어색하다. ¶인사하기가 어쩐지 ~.

서면 (西面) 명하자 **1** 앞을 서쪽으로 향함. ¶~한 창. **2** 서쪽에 있는 면.

서면 (書面) 명 **1** 글씨를 쓴 지면. **2** 서류. ¶~으로 제출하다/ ~으로 통고하다.

서명 (書名) 명 책의 이름. ¶~ 목록.

서:명 (署名) 명하자 **1** 자기의 성명을 써넣음. 또는 써넣은 것. 서기(署記). 사인(sign). ¶서류에 ~하다/ 대(對)국민 ~ 운동을 벌이다. **2**〘법〙 문서에서, 성명 및 상호의 표시.

서:모 (庶母) 명 아버지의 첩.

서목 (書目) 명 **1** 책의 목록. **2** 중요한 부분만 대강 뽑아 보고서에 덧붙인 지면.

서:몽 (瑞夢) 명 **1** 상서로운 꿈. **2** 어떤 일을 미리 알리는 꿈.

서:무 (庶務) 명 특별한 명목이 없는 일반적인 사무. 또는 그런 일을 맡은 사람. ¶총무부에서 ~를 본다.

서문 (西門) 명 서쪽으로 낸 문.

서:문 (序文) 명 **1** 머리말. 권두언. 서사(序詞). 서제(序題). **2** 한문체의 한 가지인 서(序)의 체로 쓴 글. ㊣서(序).

서:민 (庶民) 명 **1** 벼슬이 없는 평민. 일반 백성. 서인(庶人). ¶평범한 ~. **2** 경제적으로 중류 이하의 넉넉지 못한 생활을 하는 사람. 범민.

서:민-적 (庶民的) 관명 서민과 같은 태도·경향이 있는 (것). ¶~인 모습.

서:민-층 (庶民層) 명 서민에 속하는 계층.

서반 (西班) 명 〘역〙 무관(武官)의 반열. 무반(武班). 호반(虎班). ↔동반(東班).

서-반구 (西半球) 명 〘지〙 지구를 경도 0° 및 180° 선에서 동서 두 쪽의 반구로 나눈 것의 서쪽 부분. ↔동반구.

서:발 (序跋) 명 서문과 발문.

서방 (西方) 명 **1** 서쪽. 서쪽 방향. **2** 서쪽 지방. **3** 서유럽의 자유주의 국가. **4**〘불〙 '서방 극락'의 준말.

서방 (書房) ㊀명 〈속〉 남편. ¶~을 얻다. ㊁의명 **1** 지난날, 벼슬이 없는 사람의 성 뒤에 붙여 부르던 말. **2** 성 뒤에 붙여, 사위나 손아래 친척 여자의 남편, 아래 동서(同壻) 등을 호칭할 때 쓰는 말. ¶박 ~.

서방(을) 맞다 구 남편을 얻다.

서방 극락 (西方極樂)[-긍낙] 〘불〙 서쪽으로 십만억토(十萬億土)를 지나서 있다는 아미타불의 세계. 서방 세계. 서방 정토(淨土). ㊣서방.

서방-님 (書房-) 명 **1** 남편의 높임말. **2** 결혼한 시동생에 대한 호칭. **3** 지난날, 벼슬 없는 젊은 선비를 평민이 부르던 말.

서방 정:토 (西方淨土) 〘불〙 서방 극락.

서방-질 (書房-) 명하자 남편이 있는 여자가 샛서방을 보는 짓.

서버 (server) 명 **1** 테니스·탁구·배구 등에서, 서브하는 쪽. 또는 그 사람. ↔리시버. **2**〘컴〙 주된 정보의 제공이나 작업을 수행하는 컴퓨터 시스템《클라이언트 시스템이 요청한 작업이나 정보의 수행 결과를 돌려줌》. *클라이언트.

서벅-거리다 자타 **1** 배·사과 등을 씹는 것 같은 소리가 자꾸 나다. 또는 그런 소리를 자꾸 내다. **2** 모래밭을 걷는 것 같은 소리가 자꾸 나다. 또는 그런 소리를 자꾸 내다. ㉧사박거리다. **서벅-서벅** 부하자타

서벅-대다 자타 서벅거리다.

서벅-돌 명 단단하지 못하여 쉽게 부스러지는 돌.

서법 (書法)[-뻡] 명 글씨를 쓰는 법. ¶~을 익히다.

서:법 (敍法)[-뻡] 명 〘언〙 문장의 내용에 대한 화자의 심적 태도를 나타내는 동사의 어형 변화《평서법·의문법·감탄법 따위》.

서벽 (書癖) 명 **1** 글 읽기를 즐기는 버릇. **2** 글씨를 쓰는 버릇.

***서부** (西部) 명 **1** 어떤 지역의 서쪽의 부분.

¶~ 영화/~ 개척 시대. ↔동부. **2**〖역〗 조선 때, 서울의 오부(五部)의 하나. 또는 그 구역을 관할하던 관아.

서부-극(西部劇) 명 〖연〗 서부 활극.

서부렁-하다 형 여불 묶거나 쌓은 물건이 꼭 다붙지 아니하고 조금 느슨하거나 틈이 벌어져 있다. 작 사부랑하다.

서-부터 조 '에서부터'의 준말. ¶여섯 시~ 공연은 시작된다.

서부 활극(西部活劇) 〖연〗 미국의 서부 개척 시대를 배경으로 개척자와 악당의 대결을 그린 영화나 연극. 서부극.

서북(西北) 명 **1** 서쪽과 북쪽. **2** 북서쪽. **3** 서도(西道)와 북관(北關).

서-북서(西北西) 명 서쪽과 북서쪽의 중간 방위.

서분서분-하다 형 여불 성질이나 마음씨 따위가 부드럽고 너그럽다. ¶서분서분한 주인 아저씨. 작 사분사분하다.

서분-하다 형 여불 좀 서부렁하다. 작 사분하다. **서분-히** 부

서붓[-붇] 부 소리가 거의 나지 않게 발을 가볍게 얼른 내디디는 모양이나 소리. 작 사붓. 센 서뿟. 거 서풋.

서붓-서붓[-붇써붇] 부 하자 형 소리가 거의 나지 않을 정도로 발걸음을 거볍게 자꾸 옮기는 모양이나 소리. ¶~ 걷다. 작 사붓사붓. 거 서풋서풋.

서브(serve) 명 하자 테니스·배구·탁구 등에서, 공격 측이 먼저 공을 상대편 코트에 쳐 넣는 일. 또는 그 공. 서비스.

서비스(service) 명 하자 **1** 손님을 접대함. 또는 장사로 손님에게 편의를 줌. ¶~ 좋은 가게. **2** 개인적으로 남을 위해 여러 가지로 봉사함. ¶~ 정신을 발휘하다. **3** 장사에서 값을 에누리하거나 덤을 줌. ¶필름 한 통을 ~하다. **4** 구기(球技)에서, 서브.

서비스-업(service業) 명 산업을 분류할 때의 한 분야. 여관·하숙 같은 숙박 설비 대여업, 광고업, 자동차 등의 수리업, 영화·연극 따위 흥행업 등이 이에 포함됨.

서비스 프로그램(service program) 〖컴〗 시스템의 운영·관리·변경이나 사용자의 프로그램 작성·실행을 돕기 위하여 컴퓨터 제조 회사가 제공하는 프로그램.

서뿐 부 발소리가 나지 않게 살짝 내디디는 모양. 작 사뿐. 거 서푼.

서뿐-서뿐 부 하자 형 계속 서뿐 걷는 모양. ¶발소리를 죽이고 ~ 걷다. 작 사뿐사뿐. 거 서푼서푼.

서뿟[-뿓] 부 소리가 거의 나지 아니하도록 발을 가볍게 얼른 내디디는 소리. 또는 그 모양. 작 사뿟. 여 서붓. 거 서풋.

서뿟-서뿟[-뿓써뿓] 부 하자 형 계속 서뿟 걷는 소리. 또는 그 모양. ¶기분 좋게 ~ 걸어가다. 작 사뿟사뿟. 거 서풋서풋.

서:사(序詞) 명 머리말. 서문(序文).

서:사(敍事) 명 하타 사실을 있는 그대로 적는 일.

서사(書士) 명 대서나 필사(筆寫)를 업으로 하는 사람. ¶행정 ~.

서사(書辭) 명 편지에 쓰는 말. 편지 글.

서:사(誓詞) 명 맹세하는 말. 서언.

서:사-문(敍事文) 명 〖문〗 서사체로 쓴 글《소설 등》. *서정문(抒情文).

서:사-시(敍事詩) 명 〖문〗 시의 3대 부문의 하나. 역사적 사실·신화·전설 따위를 객관적·비개성적으로 읊은 시. *극시·서정시.

서산(西山) 명 서쪽에 있는 산. 해가 지는 쪽의 산. ¶해가 ~으로 지고 있다.

서산-낙일(西山落日) 명 **1** 서산에 지는 해. **2** 형세나 힘 따위가 기울어져 멸망하게 된 판국. ¶~의 운명.

서:상(瑞相) 명 상서로운 징조. 서조(瑞兆).

서생(書生) 명 **1** 유학을 공부하는 사람. **2** 남의 집에서 일해 주며 공부하는 사람. **3** 세상 물정 어두운 선비의 비유.

서:생(庶生) 명 서출.

서:-생원(鼠生員) 명 〈속〉 '쥐'를 의인화(擬人化)하여 부르는 말.

서:서-히(徐徐-) 부 천천히. ¶경기(景氣)가 ~ 호전되고 있다.

서:설(序說) 명 서론.

서:설(敍說) 명 하타 차례대로 설명함.

서:설(瑞雪) 명 상서로운 눈.

서성-거리다 자타 어떤 일을 결정하지 못하거나 마음이 가라앉지 않아 한곳에 서 있지 못하고 왔다 갔다 하다. ¶문밖에서 ~/골목길에서 서성거리며 남편을 기다리다. **서성-서성** 부 하자타

서성-대다 자타 서성거리다.

서:속(黍粟) 명 기장과 조.

서:손(庶孫) 명 서자의 아들. 또는 아들의 서자. ↔적손(嫡孫).

서:수(序數) 명 〖수〗 순서를 나타내는 수《첫째·둘째 따위》. 순서수. *기수(基數).

서:수-사(序數詞) 명 〖언〗 차례를 나타내는 수사《첫째·둘째 따위의 고유어 계통과 제일, 제이 따위의 한자어 계통이 있음》.

서:술(敍述) 명 하타 사건이나 생각을 순서에 따라 말하거나 적음. ¶사건을 있는 그대로 ~하다.

서:술-격(敍述格)[-껵] 명 〖언〗 문장의 서술어가 되는 격(格). *주격.

서:술격 조:사(敍述格助詞)[-껵-] 〖언〗 문장 속에서, 체언에 붙어 그 체언을 문장의 서술어가 되게 하는 격조사《'이다'를 기본형으로 하고, '이냐, 이로구나, 이거든, 인데' 등으로 활용하며, 받침 없는 말 뒤에서는 '이'가 빠짐》.

서:술-부(敍述部) 명 문장의 본체부를 이루는 중요 구성 요소의 하나. 서술어와 서술어에 딸린 부속 성분《곧, 보어·목적어 등을 합하여 일컫는 말》. ↔주어부.

서:술-어(敍述語) 명 한 문장에서, 주어의 움직임·상태·성질 등을 서술하는 말《동사·형용사 따위》. 술어. ↔주어.

서:술-절(敍述節)[-쩔] 명 하나의 문장에서 서술부의 구실을 하는 절《'창수는 배가 고프다'에서 '배가 고프다' 따위》.

서:술-형(敍述形) 명 어미 변화에서 어미를 서술로 마치는 어형.

서스펜스(suspense) 명 영화나 소설 따위에서, 줄거리의 전개가 관객이나 독자에게 주는 불안감과 박진감. ¶스릴과 ~.

서슬 명 **1** 칼이나 유리 조각 따위의 날카로운 부분. **2** 언행의 강하고 날카로운 기세. ¶하늘을 찌를 듯한 ~.

서슬이 시퍼렇다 [구] ㉠칼날 등이 날카롭게 빛나다. ¶서슬이 시퍼런 칼. ㉡권세나 기세 따위가 아주 대단하다. ¶서슬이 시퍼렇게 날뛴다.

서슴-거리다 [자] 언행을 자꾸 서슴다. ¶서슴거리지 말고 빨리 결정해라. **서슴-서슴** [부][하자]

서슴다 [-따] [자][타] 언행을 선뜻 정하지 못하고 머뭇거리며 망설이다. ¶서슴지 말고 대답해라 / 극단적인 발언도 서슴지 않았다.

서슴-대다 [자] 서슴거리다.

서슴-없다 [-업따] [형] 언행에 망설임이나 거침이 없다. ¶서슴없는 말투. **서슴-없이** [-업씨] [부]. ¶~ 말하다.

서:시 (序詩) [명] **1** 책의 첫머리에 서문 대신으로 쓴 시. **2** 긴 시에서 머리말 구실을 하는 부분.

서식 (書式) [명] 증서·원서·신고서 따위와 같은 서류를 꾸미는 일정한 방식. 서례(書例). ¶공문 ~ / ~에 맞추어 쓰다.

서:식 (棲息) [명][하자] 동물이 깃들여 삶. 서숙. ¶백로가 ~하는 곳.

서신 (書信) [명] 편지. ¶~ 왕래 / ~을 받다.

서안 (西岸) [명] 서쪽에 있는 강가 또는 바닷가·물가. 서쪽 연안. ¶그 도시는 라인 강 ~에 있다. ↔동안(東岸).

서안 (書案) [명] **1** 예전에, 책을 얹던 책상. **2** 문서의 초안.

서:약 (誓約) [명][하자타] 맹세하고 약속함. ¶~을 깨다 / 국민 앞에 엄숙히 ~합니다.

서:약-서 (誓約書) [명] 서약하는 글. 또는 그런 문서. 서약문. 서장(誓狀). ¶~를 작성하다.

***서양** (西洋) [명] 동양에서 유럽과 아메리카의 여러 나라를 이르는 말. 구미(歐美). 태서(泰西). ¶~ 문명. ↔동양.

서양-사 (西洋史) [명] 유럽·아메리카 등 여러 나라의 역사. ↔동양사.

서양-사 (西洋紗) [명] 가는 무명 올로 폭이 넓고 설피게 짠 피륙. ㊟생사·양사.

서양-식 (西洋式) [명] 서양풍의 양식이나 격식. ㊟양식(洋式).

서양-인 (西洋人) [명] 서양의 여러 나라 사람. ㊟서인(西人)·양인(洋人).

서양-풍 (西洋風) [명] 서양의 양식을 본뜬 모양. 서양류. ¶~의 건물. ㊟양풍.

서양-화 (西洋化) [명][하자타] 서양의 문화나 생활 양식의 영향을 받아 닮아 감. 또는 그것을 닮음. ¶우리는 의식까지도 ~하고 있는 것은 아닌지 모르겠다.

서양-화 (西洋畫) [명] 서양에서 발달된 기법으로 그린 그림《유화·파스텔화·연필화·수채화 따위》. ↔동양화. ㊟양화(洋畫).

서:언 (序言·緖言) [명] 머리말. ¶책의 ~ / ~을 붙이다.

서:언 (誓言) [명] 맹세의 말. 서사(誓詞).

서:얼 (庶孼) [명] 서자(庶子)와 그 자손. 일명(逸名).

서역 (西域) [명] **1** 서쪽 지역. **2** 〖역〗 중국 역사상, 좁게는 지금의 신장 성(新疆省) 일대를, 넓게는 중앙아시아·서부 아시아·인도를 이름.

서:열 (序列) [명] 가치나 지위·성적 등에 따라 늘어섬. 또는 그 순서. ¶~이 높다 / ~을 따지다.

***서예** (書藝) [명] 붓으로 글씨를 쓰는 예술. ¶~ 부문의 입상자 / ~의 대가.

서옥 (書屋) [명] 글방.

서:우 (瑞雨) [명] 곡물의 생장을 돕는 고마운 비. 자우(慈雨). ¶~가 내리다.

서:운 (瑞運) [명] 상서로운 운수. 상운(祥運).

서:운 (瑞雲) [명] 상서로운 구름.

***서운-하다** [형][여불] 마음에 부족하여 아쉽거나 섭섭한 느낌이 있다. ¶여비도 넉넉히 주지 못하고 보내서 ~. **서운-히** [부]

***서울** [명] **1** 한 나라의 중앙 정부가 있는 곳. 경도(京都). 경락(京洛). 경사(京師). 도읍. 수도. 수부. **2** 우리나라의 수도 이름.
[서울 소식은 시골 가서 들어라] 자기 주위의 일은 먼 데 사람이 더 잘 아는 경우가 많음의 비유. [서울이 무섭다니까 남태령부터 긴다] 미리부터 겁내어 서두름의 비유.

서울-내기 [-래-] [명] 서울에서 태어나고 자란 사람. 경종(京種). *시골내기.

서원 (書院) [명] 〖역〗 선비들이 모여 학문을 강론(講論)하기도 하고, 석학(碩學) 또는 충절로 죽은 사람의 제사를 지내던 곳.

서:원 (誓願) [명][하타] **1** 〖불〗 하고자 하는 일을 부처에게 맹세하고 그것이 이루어지기를 빎. 또는 그 기세. **2** 〖가〗 특히 수련기를 마친 수도 지원자가 보다 선하고 훌륭하게 살겠다고 하느님에게 약속하는 일. 허원(許願).

서-유럽 (西Europe) [명] 〖지〗 유럽 서부에 있는 여러 나라《영국·프랑스·독일 등》.

서융 (西戎) [명] 〖역〗 중국에서 서쪽 변방의 이민족을 이르던 말. 서이(西夷).

서이 [수] '셋'의 방언.

서인 (西人) [명] **1** 〖역〗 조선 선조 때 동인 김효원(金孝元)에 대립하여 심의겸(沈義謙)을 중심으로 한 파. ↔동인(東人). **2** '서양인(西洋人)'의 준말.

서:인 (庶人) [명] 서민.

서:임 (敍任) [명][하타] 벼슬자리를 내림.

서:자 (庶子) [명] **1** 첩에게서 난 아들. 얼자(孽子). ¶~로 태어난 홍길동. ↔적자(嫡子). **2** 중자(衆子).

서:-자녀 (庶子女) [명] 첩이 낳은 아들과 딸.

서장 (書狀) [명] **1** 편지. **2** 〖역〗 '서장관(書狀官)'의 준말.

서:장 (署長) [명] '서(署)' 자가 붙은 관서의 우두머리《경찰서나 세무서·소방서 등》. ¶세무서 ~.

서장-관 (書狀官) [명] 〖역〗 삼사(三使)의 하나. 외국에 보내는 사신을 수행하여 기록을 맡던 임시 벼슬. ㊟서장.

서재 (書齋) [명] **1** 책을 갖추어 두고 글을 읽고 쓰고 하는 방. 문방. 서각(書閣). ¶~에 틀어박혀 책만 읽고 있다. **2** 글방.

서적 (書籍) [명] 책. ¶~상(商).

서:전 (緖戰) [명] 전쟁이나 시합의 첫 번째 싸움. ¶~을 승리로 장식하다.

서점 (西漸) [명][하자] 어떤 세력이나 영향 따위가 점차 서쪽으로 옮겨 감.

***서점** (書店) [명] 책을 파는 가게. 서관(書館). 서림(書林). 책방. 책사.

서정 (西征) [명][하자] 서쪽을 정벌함.

서:정 (抒情·敍情) [명] 감정이나 정서를 시나

글 따위로 나타내는 일.

서:정 (庶政) 명 여러 방면의 정사(政事). ¶～ 개혁.

서:정-문 (抒情文) 명 〔문〕 자기의 감정을 주관적으로 표현한 글. *서사문.

서:정-쇄신 (庶政刷新) 명 정사를 처리함에 나쁜 폐단을 없애고, 그 면목을 새롭게 함.

서:정-시 (抒情詩) 명 〔문〕 자기의 감정이나 정서를 주관적으로 나타낸 시. *서사시(敍事詩)·극시(劇詩).

서:정-적 (抒情的) 관명 보드랍고, 마음을 흐뭇하게 하는 (것). ¶～(인) 문장 / 이 노래는참 ～이다.

서:제 (庶弟) 명 아버지의 첩에게서 태어난 아우.

서:조 (瑞鳥) 명 상서로운 새《봉황 따위》.

서:족 (庶族) 명 서자(庶子)의 자손으로 이루어진 혈족. 좌족(左族).

서:죄 (恕罪) 명하타 정상을 살펴서 죄를 용서함.

서:주 (序奏) 명 〔악〕 뒤에 나올 악곡을 도입하는 준비로서 연주하는 전주(前奏).

서증 (書證) 명 〔법〕 재판에서 문서를 증거로 삼는 방법. *인증(人證).

서지 (書誌) 명 **1** 책. **2** 어떤 인물이나 제목 따위에 관한 문헌의 목록.

서지-학 (書誌學) 명 도서의 고증·해제·역사를 연구 대상으로 삼는 학문.

서진 (西進) 명하자 서쪽으로 나아감.

서진 (書鎭) 명 책장이나 종이쪽이 바람에 날리지 않도록 누르는 물건《쇠나 돌로 만듦》. 문진(文鎭).

서질 (書帙) 명 **1** 책. **2** 책을 한 권씩 또는 여러 권씩 싸서 넣어 두기 위해 헝겊으로 만든 책 덮개.

서질2

***서-쪽** (西-) 명 해가 지는 쪽. 서녘. 서방(西方). ¶해가 ～ 산마루에 걸릴 무렵에야 일이 끝났다. ↔동쪽.

서쪽에서 해가 뜨다 구 절대로 있을 수 없는 일이나 매우 희한한 일의 비유.

서:차 (序次) 명 차례.

서찰 (書札) 명 편지.

서창 (西窓) 명 서쪽을 향해서 난 창. ↔동창(東窓).

서책 (書冊) 명 책. ¶～을 펼치다.

서천 명 목수의 품삯.

서천 (西天) 명 서쪽 하늘. ¶달이 ～에 걸려 있다.

서첨 (書籤) 명 책의 제목으로 쓴 글씨. 또는 그 글씨를 쓴 종이《책 겉장에 붙임》.

서첩 (書帖) 명 이름난 사람의 글씨나 매우 잘 쓴 글씨를 모아 꾸민 책《흔히, 여러 겹으로 접게 되어 있음》. 묵첩(墨帖).

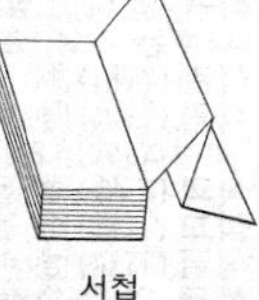

서첩

서체 (書體) 명 글씨체《주로 붓글씨에 대하여 이름》. ¶～가 독특하다.

서:출 (庶出) 명 첩이 낳은 자식. ¶그는 그 지방 어느 양반의 ～이다. ↔적출(嫡出).

서치라이트 (searchlight) 명 탐조등. ¶～를 비추다.

서캐 명 이의 알.

[서캐 훑듯 한다] 하나도 빠뜨리지 않고 샅샅이 조사함의 비유.

서캐-조롱 명 〔민〕 여자 아이들이 액막이로 차고 다니는 조롱의 일종. ↔말조롱.

서커스 (circus) 명 여러 가지 곡예와 마술, 동물의 묘기 따위를 보여 주는 흥행물. 또는 그것을 공연하는 흥행 단체. 곡마(曲馬). 곡예. 곡마단. ¶～단(團).

서클 (circle) 명 같은 이해관계나 직업·취미 등에 따라 모인 사람들의 단체. 동아리. ¶문학 ～ / ～에 가입하다.

서:투르다 〔서투르니, 서툴러〕 형르불 **1** 무엇에 익숙하지 못하여 다루기에 설다. ¶서투른 독일어로 말하다 / 애정 표현이 ～. **2** 만난 적이 없어 어색하다. **3** (주로 '서투르게'의 꼴로 쓰여) 앞뒤를 가늠함이 부족하다. ¶서투르게 변명할 생각은 마라. 준서툴다.

[서투른 무당이 장구만 나무란다] 기술이나 능력이 부족한 사람이 도구나 조건만 나쁘다고 탓함.

서:툴다 〔서투니, 서투오〕 형 '서투르다'의 준말. ¶운전에 ～.

서판 (書板) 명 글씨를 쓸 때 종이 밑에 받치는 널조각.

서편 (西便) 명 서쪽 편. ¶노을이 ～ 하늘에 번지다. ↔동편.

서편-제 (西便制) 명 〔악〕 판소리에서, 조선 말 명창 박유전(朴裕全)의 창법을 좇는 유파《음색이 곱고 애절함. 보성·광주·나주 등 섬진강 서쪽에 전승됨》. ☞판소리.

서평 (書評) 명 책의 내용에 대한 평. ¶～란(欄) / ～을 쓰다.

서폭 (書幅) 명 글씨를 써서 걸 수 있게 꾸민 천이나 종이의 조각. ¶～이 걸려 있다. *화폭.

서표 (書標) 명 읽던 곳이나 필요한 곳을 찾기 쉽도록 책갈피에 끼워 두는 종이쪽이나 끈. 표지(表紙).

서:-푼 명 한 푼짜리 엽전 세 개라는 뜻으로, 아주 보잘것없는 것을 이르는 말. ¶그 물건은 ～도 안 된다.

서푼 부 **1** 발소리가 거의 나지 아니하도록 가볍게 내디디는 모양. **2** 매우 가볍게 움직이는 모양. 작사푼. 센서뿐.

서푼-서푼 부하자형 **1** 발소리가 나지 않도록 자꾸 가볍게 내걷는 모양. **2** 매우 가볍게 잇따라 움직이는 모양. 작사푼사푼. 센서뿐서뿐.

서풋 [-푿] 부 소리가 거의 나지 않도록 발을 가볍게 얼른 내디디는 소리. 또는 그 모양. 작사풋. 여서붓. 센서뿟.

서풋-서풋 [-푿써푿] 부하자형 소리가 거의 나지 않도록 가볍게 계속해서 걷는 모양이나 소리. ¶～한 걸음걸이. 작사풋사풋. 여서붓서붓. 센서뿟서뿟.

서풍 (西風) 명 서쪽에서 불어오는 바람.

서풍 (書風) 명 글씨체. ¶자유분방한 ～.

서핑 (surfing) 명 **1** 파도타기. **2** 〈속〉 텔레

비전 채널을 마구 돌리며 여기저기 조금씩 시청한다는 뜻. 3 〈속〉 인터넷에서 이곳저곳 사이트를 접속해 들여다보는 행위. 웹 서핑.

서학 (西學) 명 1 서양의 학문. 신학(新學). 2 〖역〗 조선 때, 천주교를 이르던 말.

서한 (書翰) 명 편지.

서한-문 (書翰文) 명 편지에 쓰는 특수한 형식의 문체. 또는 그런 문체로 쓴 글. 서간문(書簡文).

서함 (書函) 명 1 편지. 2 책을 넣는 상자. 3 편지를 넣는 통.

서해 (西海) 명 1 서쪽에 있는 바다. 2 우리나라에서 '황해'의 일컬음. ↔동해.

서해-안 (西海岸) 명 1 서쪽에 있는 바닷가. 2 우리나라의 황해와 접한 곳의 해안. ↔동해안.

서행 (西行) 명하자 1 서쪽으로 감. 2 〖불〗 서방 극락에 왕생(往生)하는 일.

서:행 (徐行) 명하자 사람이나 자동차·기차 따위가 천천히 감. ¶ ~ 운전 / 폭우로 자동차들이 ~하고 있다.

서향 (西向) 명하자 서쪽으로 향함. 또는 그 방향. ¶ 건물이 ~으로 향하고 있다 / ~으로 눕다.

서향-집 (西向-)[-찝] 명 대청이 서쪽을 향하고 있는 집.

서:형 (庶兄) 명 아버지의 첩에게서 태어난 형을 이르는 말.

서:혜 (鼠蹊)[-/-헤] 명 〖생〗 샅1.

서화 (書畫) 명 글씨와 그림. ¶ ~전(展)을 열다 / ~와 골동품 수집을 취미로 삼다.

서:화 (瑞花) 명 풍년이 들게 하는 꽃이란 뜻으로, '눈'의 이칭. *설화(雪花).

서:회 (敍懷·舒懷) 명하자 회포를 풀어 말함. ¶ 오랜만에 ~하며 하룻밤을 보내다.

서:훈 (敍勳) 명하자 공로의 등급에 따라 훈장을 줌. ¶ 국가 유공자에게 ~하다.

석 (釋) 명하자 〖불〗 1 아침저녁으로 부처 앞에 예불하는 일. 2 출가하여 불법에 귀의한 사람이 석가의 제자임을 나타내기 위하여 성(姓)으로 쓰는 말. 3 새벽에 목탁이나 종을 쳐서 사람을 깨우는 일.

석 (石) 의명 섬[1]. ¶ 공양미 300~.

석:[1] 관 수관형사 '세'의 특별 용법. 'ㄴ·ㄷ·ㅅ·ㅈ' 등을 첫소리로 하는 말의 앞에 씀. ¶ ~ 냥 / ~ 달 / ~ 섬.

[석 달 장마에도 개부심이 제일] ㉠끝판에 가서야 평가가 가능한 경우의 비유. ㉡끝마무리가 중요함의 비유.

석[2] 부 1 종이나 천 따위를 칼이나 가위로 단번에 베는 소리. 또는 그 모양. 2 거침없이 밀거나 쓸어 나가는 소리. 또는 그 모양. ¶ 문을 ~ 열다. 3 조금도 남김없이 모두. ¶ ~ 밀어붙여라. 작삭. 센썩[2].

-석 (席) 미 어떤 말에 붙어 '자리'의 뜻을 나타냄. ¶ 경로~ / 내빈~ / 관람~.

석가-모니 (釋迦牟尼) 명 〖불〗 불교의 개조(開祖). 세계 4대 성인의 한 사람으로 성은 고타마, 이름은 싯다르타. 준석가.

석가모니-불 (釋迦牟尼佛) 명 〖불〗 부처로서 모시는 석가모니. 준모니불.

석가모니-여래 (釋迦牟尼如來) 명 〖불〗 석가모니를 신성하게 이르는 말. 준석가여래·여래.

석-가산 (石假山) 명 정원 등에 돌을 쌓아 조그맣게 만든 산. 준가산(假山).

석가 삼존 (釋迦三尊) 〖불〗 가운데의 석가모니불과 그 왼쪽의 문수(文殊)보살, 오른쪽의 보현(普賢)보살의 세 부처. 준삼존(三尊).

석가-여래 (釋迦如來) 명 〖불〗 '석가모니여래'의 준말.

석가-탑 (釋迦塔) 명 〖불〗 석가모니의 치아·머리털·사리(舍利) 등을 모신 탑.

석각 (石角) 명 돌의 뾰족한 모서리.

석각 (石刻) 명하타 돌에 글씨나 그림을 새김. 또는 그런 조각품.

석간 (夕刊) 명 '석간신문'의 준말. ¶ ~에서 조간으로 바꾸어 발행한다. ↔조간(朝刊).

석간 (石澗) 명 돌이 많은 산골짜기에 흐르는 시내.

석간-수 (石間水) 명 바위틈에서 나오는 샘물. 석천(石泉). 돌샘.

석간-신문 (夕刊新聞) 명 매일 저녁때 발행하는 신문. 석간지. 준석간. ↔조간신문.

석간-주 (石間硃) 명 〖광〗 붉은 산화철이 많이 포함된, 빛이 붉은 흙《산수화나 도자기를 만들 때에 많이 씀》. 대자(代赭). 적토(赤土). 자토(赭土). 주토(朱土).

석간-지 (夕刊紙) 명 석간신문. ¶ 관련 기사가 ~에 실렸다. ↔조간지.

석검 (石劍) 명 석기 시대의, 돌로 만들어진 긴 칼.

석경 (夕景) 명 1 저녁때의 경치. 2 저녁 햇빛의 그늘.

석경 (石徑·石逕) 명 돌이 많고 좁은 길. ¶ 몇 고비의 ~을 오르내리다.

석경 (石磬) 명 〖악〗 아악기의 하나. 돌로 만든 경쇠. 돌경.

석경 (石鏡) 명 1 유리로 만든 거울. *동경(銅鏡). 2 면경(面鏡).

석계 (石階)[-/-께] 명 섬돌. ¶ 스님들이 ~를 분주히 오르내린다.

석고 (石膏) 명 〖광〗 황산칼슘을 주성분으로 한 석회질 광물. 보통, 무색 또는 회백색으로 수성암 중에 남. 소(燒)석고로서 미술 공예용 또는 광학용·안료·시멘트 따위의 재료로 씀.

석고-대죄 (席藁待罪) 명 〖역〗 거적을 깔고 엎드려서 임금의 처분이나 명령을 기다리던 일.

석고 붕대 (石膏繃帶) 깁스붕대.

석고-상 (石膏像) 명 석고로 만든 조각이나 인물상.

석공 (石工) 명 1 석수(石手). 돌장이. 2 '석공업'의 준말.

석공-업 (石工業) 명 돌·콘크리트·벽돌 등을 다루는 직업. 준석공.

석관 (石棺) 명 돌널.

석광 (石鑛) 명 1 광물이 바위 속에 든 광산. 석혈(石穴). 2 돌을 캐내는 광산.

석괴 (石塊) 명 돌덩이.

석교 (石橋) 명 돌다리[2].

석굴 (石窟) 명 바위에 뚫린 굴. 암굴(岩窟).

석굴-암 (石窟庵) 명 〖불〗 경주 불국사에 있는 우리나라의 대표적인 석굴 사원(寺院)《신라 경덕왕 때에 김대성(金大成)이 축조한 것으로, 간단하고도 기묘한 모양과 조각의 영묘함이 불교 예술의 극치임. 1996년에 유네스코 세계 문화유산으로 지정됨. 국보 제24 호》.
석권 (席卷·席捲) 명하타 돗자리를 말듯이 무서운 기세로 영토를 휩쓸거나 세력 범위를 넓힘. ¶국내 시장을 ~하다 / 전 종목 ~을 기대하다.
석기 (石器) 명 돌로 만든 여러 가지 기구. 특히, 석기 시대의 유물을 이름. 돌연모.
석기 시대 (石器時代) 〖역〗 인류가 석기를 쓰던 시대《구(舊)석기·중(中)석기·신(新)석기 시대로 나눔》.
석녀 (石女)[성-] 명 **1** 아이를 낳지 못하는 여자. **2** 성욕이나 성적 흥분을 느끼지 못하는 여자. 돌계집.
석다 자 **1** 쌓인 눈이 속으로 녹다. **2** 담근 술이나 식혜 따위가 익을 때 괴는 물방울이 속으로 사라지다.
석대 (石臺) 명 돌을 쌓아 만든 밑받침. ¶~ 위에 세워진 동상.
석대-하다 (碩大-) 형여불 몸집이 굵고 크다. ¶몸집이 ~.
석덕 (碩德) 명 **1** 높은 덕. 또는 덕이 높은 사람. **2** 〖불〗 덕이 높은 승려.
석도 (石刀) 명 돌로 만든 칼. 돌칼.
석-돌 명 '푸석돌'의 준말.
석두 (石頭) 명 돌대가리.
석둑 부 연한 물건을 단번에 자르거나 베는 소리나 모양. ¶수박의 곯은 부분을 ~ 잘라 내다. 작삭둑. 센썩둑.
석둑-거리다 타 석둑 소리를 자꾸 내다. 작삭둑거리다. 센썩둑거리다. **석둑-석둑** 부하타
석둑-대다 타 석둑거리다.
석등 (石燈) 명 돌로 네모지게 만든 등. 석등롱(石燈籠). 장명등. ¶극락전 앞의 ~.
석란 (石欄)[성난] 명 돌로 만든 난간. ¶석교 양쪽에 ~을 설치하다.
석로 (釋老)[성노] 명 석가모니와 노자(老子).
석류 (石榴)[성뉴] 명 **1** 석류나무의 열매. **2** 〖한의〗 석류나무 열매의 껍질《한방에서 설사·복통 등을 다스리는 데와 촌충 구제약으로 씀》. **3** 웃기떡의 하나《찹쌀가루를 반죽하여 붉게 물들여 석류처럼 만들어 기름에 지진 것》.
석류-나무 (石榴-)[성뉴-] 명 〖식〗 석류나뭇과의 낙엽 활엽 교목. 높이 3m가량, 초여름에 짙은 주홍색 여섯잎꽃이 피고 가을에 꽃받침이 발달한 과실인 석류가 둥글게 익음. 나무껍질과 뿌리·열매의 껍질은 말려 약으로 씀.
석류-석 (石榴石)[성뉴-] 명 〖광〗 마그네슘·철·망간·칼슘·알루미늄 등을 함유한 규산염 광물의 한 가지. 빛깔은 노랑·갈색·검정 등임. 가닛(garnet). ☞탄생석.
석리 (石理)[성니] 명 육안으로 볼 수 있는 암석의 겉모습.
석면 (石綿)[성-] 명 〖광〗 사문석(蛇紋石) 또는 각섬석(角閃石)이 섬유질로 변한 광물《내화재·단열재·보온재·절연재 등으로 씀》. 돌솜. 석융(石絨). 아스베스토스(asbestos).
석명 (釋明)[성-] 명하자타 **1** 똑똑히 풀어 밝힘. **2** 사정을 설명하여 책임 소재를 밝힘. 석변(釋辯). ¶책임 여부를 ~하다.
석문 (石文)[성-] 명 비석이나 벽돌·기와 따위에 새긴 글.
석문 (石門)[성-] 명 돌로 만든 문. 돌문.
석문 (石紋)[성-] 명 돌에 난 무늬. 돌무늬.
석물 (石物)[성-] 명 무덤 앞에 돌로 만들어 놓은 갖가지 물건《석인(石人)·석수(石獸)·석주(石柱)·석등(石燈)·상석(床石) 등》.
석밀 (石蜜)[성-] 명 석청(石淸).
석반 (夕飯) 명 저녁밥.
석반 (石盤) 명 석판(石板).
석방 (釋放) 명하타 〖법〗 법에 따라 구속하였던 사람을 풀어 자유롭게 하는 일. 방면(放免). ¶양심수의 ~ / ~ 운동을 벌이다 / 무혐의로 ~되다.
석-벌 (石-) 명 〖충〗 바위틈에 집을 짓고 사는 벌《이 벌의 꿀이 석청(石淸)임》.
석벽 (石壁) 명 **1** 돌로 쌓은 벽이나 담. **2** 바람벽처럼 깎아지른 듯한 언덕의 바위. ¶가파른 ~을 기어오르다.
석별 (惜別) 명하자타 이별하기를 애틋하게 여김. 또는 그런 이별. ¶~의 정을 나누다.
석부 (石斧) 명 돌도끼.
석부 (石趺) 명 돌로 만든 부좌(趺坐)·비석(碑石) 따위의 받침대.
석부 (石部) 명 국악기의 전통적 분류 방법의 하나. 편경(編磬)·특경(特磬) 따위의 돌을 깎아 만든 악기의 총칭.
석불 (石佛) 명 〖불〗 돌부처.
석비 (石碑) 명 돌비.
석사 (碩士) 명 **1** 대학원 과정을 마치고 전공과목에 대한 석사 학위 논문 심사에 통과된 사람에게 주는 학위. 또는 그 학위를 받은 사람. ¶~ 과정을 마치다 / ~ 논문이 통과되다. *박사·학사. **2** 예전에, 벼슬이 없는 선비를 높여 이르던 말.
석산 (石山) 명 돌로 이루어진 산. 돌산.
석:-삼년 (-三年) 명 세 번 거듭되는 삼 년 곧 아홉 해라는 뜻으로, 여러 해나 오랜 세월. ¶~이 흐르다 / 죽은 지 ~이 되다.
석상 (石像) 명 돌로 만든 사람이나 동물의 형상. ¶~을 세우다 / 그 소식을 듣고는 ~처럼 굳어졌다.
석상 (席上) 명 여러 사람이 모인 자리. 좌상(座上). ¶회의 ~ / 공식 ~에서 발표하다.
석:-새 명 '석새삼베'의 준말. *새.
석:새-삼베 명 성글고 굵은 베. 삼승포(三升布). 준석새·석새베.
석:새-짚신 [-집씬] 명 총이 성글고 굵은 짚신.
[석새짚신에 구슬 감기] 분에 넘치는 사치스런 차림새의 비유.
석석 부 **1** 거침없이 자꾸 비비거나 쓸거나 하는 소리. 또는 그 모양. ¶두 손을 ~ 비비다 / 마당을 싸리비로 ~ 쓸다. **2** 종이나 헝겊 따위를 칼이나 가위로 거침없이 베는 소리. 또는 그 모양. ¶베를 가위로 ~ 베다. 작삭삭. 센썩썩.
석석-거리다 자타 석석 소리가 자꾸 나다. 또는 그런 소리를 자꾸 내다. 작삭삭거리다. 센썩썩거리다.
석석-대다 자타 석석거리다.
석송 (石松) 명 〖식〗 석송과의 상록 여러해살이 덩굴풀. 산기슭 양지에 나는데, 줄기

는 길이 약 2m, 많은 가지에 흰 수염뿌리가 달림. 잎은 가늘고 긴 줄기에 빽빽이 남. 관상용임.

석쇠

석쇠 명 고기나 생선 따위를 굽는 기구《쇠테에 철사나 구리 선 따위로 그물 뜨듯이 만듦》.
석수 (石手) 명 돌을 다루어 물건을 만드는 사람. 석공(石工). 돌장이.
석수 (石數) 명 곡식을 섬으로 센 수효.
석수 (石獸) 명 돌짐승. *석물(石物).
석수 (汐水) 명 저녁때 밀려왔다가 나가는 바닷물. 석조. ↔조수(潮水).
석수-어 (石首魚) 명 〖어〗 조기.
석수-장이 (石手-) 명 '석수'를 낮추어 이르는 말.
[석수장이 눈깜작이부터 배운다] ㉠처음에는 쉽고 낮은 기술부터 배우게 된다는 말. ㉡일의 내용보다도 형식부터 배우려는 사람을 비웃는 말.
석순 (石筍) 명 〖광〗 석회 동굴 안의 천장에 있는 종유석에서 떨어진 탄산칼슘의 용액이 물과 이산화탄소의 증발로 굳어 죽순 모양으로 이루어진 돌 기물. 돌순.
석실 (石室) 명 돌방.
석양 (夕陽) 명 1 저녁때의 햇빛. 석일(夕日). 낙양. 낙조. ¶~이 뉘엿뉘엿 넘어가고 있다 / ~에 타는 저녁놀 / ~이 깔리다. 2 저녁나절. ¶~ 무렵에 도착하다. 3 '노년(老年)'을 비유하여 이르는 말. 황혼.
석양-빛 (夕陽-)[-삗] 명 저녁 무렵의 햇빛. ¶~이 붉다 / ~을 받다.
석-얼음 (石-) 명 1 물 위에 떠 있는 얼음. 2 유리창에 붙은 얼음. 3 수정 속에 보이는 가느다란 줄.
석연-하다 (釋然-) 형 여불 (뒤에 '않다, 못하다' 따위의 부정어를 수반하여) 의심스러운 일이 시원하게 풀려 환하다. ¶석연치 않은 대답 / 분위기가 석연치 않다 / 그의 태도는 석연치 않은 점이 많다. 석연-히 부
석영 (石英) 명 〖광〗 이산화규소로 된 광물. 유리 광택이 있으며 순수한 것은 수정(水晶)이라 함. 대개 변성암·수성암 따위에 들어 있으며, 유리·도자기·장식·통신 기기의 재료 등으로 씀.
석영-사 (石英沙·石英砂) 명 규사(硅砂).
*석유 (石油) 명 〖광〗 지하에서 천연으로 산출되며, 탄화수소를 주성분으로 하는 가연성 기름. 좁은 뜻으로는 원유 또는 등유(燈油)를 가리키기도 함.
석유 산:업 (石油產業) 원유의 탐사·채굴·수송·정제·판매 따위를 하는 산업.
석유 수출국 기구 (石油輸出國機構) 산유국 간의 석유 정책 조정과 이를 위한 정보의 수집·교환, 석유 가격의 안정 등을 도모하기 위한 석유 생산·수출국의 국제 기구. 약칭 : 오펙(OPEC).
석유 화:학 공업 (石油化學工業) 석유 또는 천연가스를 원료로 하여 연료 및 윤활유 이외의 화학 제품을 제조하는 공업.
석음 (夕陰) 명 1 해가 진 뒤의 어스름한 때. 땅거미. 2 흐린 저녁때.
석의 (釋義)[-/-이] 명 하타 글의 뜻을 풀어 적음.
석이 (石耳·石栮) 명 〖식〗 석이과의 버섯. 깊은 산의 바위 위에 남. 편평한 원반형으로 지름 3-10cm, 부드러우며 위쪽은 회갈색, 안쪽은 흑색이고, 가시털이 빽빽이 남. 맛과 향기가 좋아 식용함. 석이버섯.
석이다 타 《'석다'의 사동》 1 쌓인 눈을 속으로 녹게 하다. 2 술·식혜 등의 괴는 물방울이 속으로 사라지게 하다.
석이-버섯 (石耳-)[-섣] 명 〖식〗 '석이(石耳)'를 분명히 일컫는 말.
석인 (石人) 명 무덤 앞에 세우는, 돌로 만든 사람의 형상《문인석(文人石)·무인석 등이 있음》. *석수(石獸).
석인 (石印) 명 1 돌에 새긴 도장. 2 '석판 인쇄'의 준말.
석인 (昔人) 명 옛사람. 고인(古人).
석인-석수 (石人石獸) 명 무덤 앞에 세우는, 돌로 만든 사람이나 짐승의 형상. *석물(石物).
석일 (夕日) 명 석양(夕陽)1.
석일 (昔日) 명 옛날.
석임 명 하자 담근 술이나 식혜 따위가 익을 때 부글부글 괴면서 물방울이 속으로 삭음. 또는 그 일.
석자 명 철사를 그물처럼 엮어 바가지 모양으로 만든, 긴 손잡이가 달린 조리 기구《주로 튀김 따위를 건져 내는 데 씀》.
석장 (錫杖) 명 〖불〗 승려가 짚고 다니는 지팡이《위는 탑(塔) 모양인데, 고리를 여러 개 달아 소리가 나게 함》.
석재 (石材) 명 토목이나 건축 및 그 밖의 여러 가지 물건을 만드는 데 쓰는 돌. ¶~를 캐다. *목재.
석재 (碩材) 명 학문에 대한 뛰어난 재능. 또는 그런 재능을 지닌 사람.
석전 (夕奠) 명 염습 때부터 장사 때까지 매일 저녁 신위 앞에 제물을 올리는 의식.
석전 (石田) 명 1 돌이 많은 밭. 돌밭. 자갈밭. 2 쓸모없는 것의 비유.
석전 (石戰) 명 돌팔매질로 승부를 겨루는 편싸움《민속놀이로 전해짐》.
석조 (石造) 명 돌로 물건을 만드는 일. 또는 그 물건. ¶~ 건물.
석조 (石彫) 명 돌에 조각함. 또는 그런 물건.
석조 (石槽) 명 큰 돌을 움푹하게 파서 물을 부어 쓰게 만든 돌그릇. 주로 큰 절에서 잔치를 끝내고 그릇 같은 것을 닦을 때 씀.
석조-전 (石造殿) 명 돌로 지은 궁전.
석좌 교:수 (碩座敎授) 기업이나 개인이 기부한 기금으로 연구 활동을 하도록 대학에서 지정한 교수.
석주 (石柱) 명 돌로 만든 기둥. 돌기둥.
석죽 (石竹) 명 〖식〗 패랭이꽃.
석지 (石地) 명 돌이 많은 땅.
석질 (石質) 명 돌의 바탕이나 성질. ¶비는 ~에 따라 값이 달라진다.
석차 (席次) 명 1 자리의 차례. ¶~를 정하다. 2 성적의 차례. 석순. ¶~를 매기다 / ~가 많이 떨어졌다.
석청 (石淸) 명 산속의 나무나 돌 사이에 벌이 모아 둔 꿀《품질이 매우 좋음》. 석밀(石蜜). ¶~을 채취하다.

석촉(石鏃) 명 돌로 만든 화살촉《석기 시대에 무기로 가장 많이 쓰였음》. 돌살촉.
석총(石塚) 명 〔역〕 돌무덤.
석축(石築) 명 **1** 돌로 쌓아 만드는 일. **2** 돌로 쌓아 만든 옹벽의 하나. ¶ ~을 쌓다.
석출(析出) 명하타 〔화〕 **1** 분석하여 냄. ¶ 독물을 ~하다. **2** 액체 속에서 고체가 분리되어 생기는 현상《용액을 냉각하였을 때 용질(溶質)이 결정되는 것 따위》.
***석탄**(石炭) 명 〔광〕 태고 때의 식물질이 땅속 깊이 묻히어 오랫동안 지압이나 지열로 분해되어 생긴 함수 탄소 물질의 화석 연료. ㊟탄.
석탄-광(石炭鑛) 명 〔광〕 탄광.
석탄-기(石炭紀) 명 〔지〕 고생대 중반 데본기(紀)와 페름기(紀)의 중간 시대《육지가 넓어지고 양치(羊齒)식물이 번성하고, 곤충류·거미류·양서류 등이 나타남》.
석-탄일(釋誕日) 명 불탄일(佛誕日).
석탑(石塔) 명 돌로 쌓은 탑. 돌탑.
석태(石苔) 명 〔식〕 돌김.
석판(石板) 명 석필로 글씨를 쓰고 그림을 그릴 수 있게 석판석을 얇게 깎은 판.
석판(石版) 명 석판석에 비누와 기름을 섞은 재료로 글씨를 쓰거나 그림을 그려서 제판하는데 물과 기름의 반발성을 이용하여 인쇄함.
석판-석(石板石) 명 〔광〕 석판의 재료가 되는 점판암(粘板岩).
석판 인쇄(石版印刷) 석판으로 인쇄하는 평판 인쇄의 하나. ㊟석인(石印).
석판-화(石版畫) 명 석판(石版)에 그림을 그려서 찍어 내는 평판화.
석패(惜敗) 명하자 운동 경기 등에서, 약간의 점수 차이로 아깝게 지는 일. 분패(憤敗). ¶ 순간의 방심으로 ~하다.
석편(石片) 명 돌의 깨어진 조각. 돌조각.
석필(石筆) 명 **1** 검은색이나 붉은색 점토를 붓처럼 만들어 서화를 그리는 기구. **2** 납석(蠟石) 따위를 붓처럼 만들어 석판에 글씨를 쓰거나 그림을 그리는 도구.
석학(碩學)[서칵] 명 학식이 많거나 학문이 깊음. 또는 그런 사람.
석해(石蟹)[서캐] 명 〔동〕 가재.
석혈(石穴)[서켤] 명 석광. ¶ 돌에 뚫린 ~ 구멍이.
석호(石虎)[서코] 명 왕릉이나 무덤 주위에 세운, 돌로 만든 범.
석호(潟湖)[서코] 명 〔지〕 사취(砂嘴)·사주(砂洲) 따위가 바다의 일부분을 막아서 분리되어 생긴 호수.
석혼-식(錫婚式)[서콘-] 명 결혼기념식의 하나《결혼 10주년이 되는 날을 기념하여, 부부가 주석 제품을 선물로 주고받음》.
석화(石火)[서콰] 명 **1** 돌이 서로 맞부딪치거나 돌과 쇠가 맞부딪칠 때 순간적으로 일어나는 불. **2** 몹시 빠른 것의 비유. ¶ 전광(電光)~ 같다.
석화(石化)[서콰] 명하자 생물의 유해에 탄산칼슘·규산 따위가 스며들어 본디 조직을 단단하게 굳히는 일.
석화(石花)[서콰] 명 **1** 〔조개〕 굴1. **2** 〔식〕 지의(地衣)[2].
석회(石灰)[서쾨] 명 〔화〕 석회암을 태워 이산화탄소를 제거해서 얻는 생석회(=산화칼슘)와, 생석회에 물을 부어 얻는 소석회(=수산화칼슘)의 총칭. 회. 칼크.
석회-분(石灰分)[서쾨-] 명 석회의 성분.
석회 비:료(石灰肥料)[서쾨-] 간접 비료로 사용하는 석회. 칼슘을 주성분으로 하여 토양의 성질을 개선하고 작물에 대한 양분 공급력을 높임.
석회-석(石灰石)[서쾨-] 명 〔광〕 석회암.
석회-수(石灰水)[서쾨-] 명 〔화〕 소석회(=수산화칼슘)를 녹인 무색투명의 액체《알칼리성 반응을 보이며 이산화탄소를 흡수하여 부옇게 됨. 소독·살균제 따위로 씀》.
석회-암(石灰岩)[서쾨-] 명 〔광〕 탄산칼슘을 주성분으로 한 수성암《건축 용재·석회 또는 시멘트 제조 따위의 원료로 씀》.
석회-질(石灰質)[서쾨-] 명 〔광〕 석회 성분을 주로 가진 물질.
석후(夕後)[서쿠] 명 저녁밥을 먹고 난 뒤. ¶ ~의 산책.
섞-갈리다[석깔-] 자 갈피를 잡지 못하게 여러 가지가 뒤섞이다. ¶ 이야기가 ~/정신이 섞갈려 어디가 어딘지 모르겠다.
***섞다**[석따] 타 **1** 두 가지 이상의 것을 한데 합치다. ¶ 쌀에 보리를 ~. **2** 어떤 말이나 행동에 다른 말이나 행동을 함께 나타내다. ¶ 영어를 섞어 가며 지껄이다.
섞-바꾸다[석빠-] 타 서로 번갈아 차례를 바꾸다. ¶ 남학생과 여학생을 섞바꾸어 앉히다.
섞-바뀌다[석빠-] 자 《'섞바꾸다'의 피동》 서로 번갈아 차례가 바뀌다. ¶ 애증이 섞바뀌어 나타나다.
섞어-찌개 명 고기와 여러 가지 채소를 섞어서 끓인 찌개.
***섞이다** 자 《'섞다'의 피동》 서로 섞어지다. ¶ 쌀에 돌이 섞여 있다/내 물음에 아내는 애교 섞인 목소리로 대답했다.
섟[1][석] 명 물가에 배를 매어 두기 좋은 곳.
섟[2][석] 명 불끈 일어나는 감정. ¶ ~ 김에 때리다/아이의 ~을 죽이지 마오.
섟(이) 삭다 구 서슬에 불쑥 일어난 감정이 풀어지다.
섟[3][석] 의명 '-ㄹ'이나 '-을' 뒤에 쓰이는 경우, 조사 '에'를 붙여 '마땅히 하여야 할 경우에 그렇게 하지는 못하나마 도리어'의 뜻을 나타냄. ¶ 도와줄 ~에 방해를 해서 일이 늦어지다.
선:[1] 명 **1** 사람의 좋고 나쁨과 마땅하고 마땅하지 않음을 가리는 일. ¶ 색시의 ~을 보다. **2** 물건의 좋고 나쁨을 가려보는 일.
선:[2] 명 채소·두부·쇠고기 따위를 잘게 썰거나 다져서 만든 음식의 총칭《가지선·겨자선·고추선·두부선 따위》.
선(先) 명하자 **1** 첫째 차례. 선번(先番). **2** 바둑이나 장기 따위에서 맨 처음에 상대방보다 먼저 두는 일. 또는 그런 사람. ¶ ~을 정하다/~을 잡다. **3** 화투에서 패를 돌리고 먼저 패를 떼는 사람《보통 앞 판에서 이긴 사람이 선이 됨》. **4** 윷놀이에서 맨 처음에 상대보다 먼저 하는 일. 또는 그런 사람.
***선:**(善) 명하형 **1** 착하고 올바름. 또는 그런 것. ¶ ~을 행하다/~을 쌓다/악을 ~으로 갚다. **2** 도덕적 생활의 최고 이상. ↔악.

선(腺) 명 〖생〗 샘[1]3.

*선 (線) 명 **1** 그어 놓은 금이나 줄. ¶굵은 ~을 긋다 / ~을 치다 / 공책의 ~이 비뚤어지다. **2** 철사나 전선 따위의 총칭. ¶~이 짧아서 컴퓨터 연결이 안 된다. **3** 정해진 노선을 다니는 교통 기관이나 전화 따위의 경로. ¶고향으로 가는 기차 ~. **4** 접하는 두 개 면의 경계. ¶~을 넘다. **5** 행동을 결정하는 대강의 방침·방향이나 줄기. ¶그 ~에서 타협하자. **6** 어떤 인물이나 단체와 맺고 있는 관계. ¶거래처와 ~이 끊겼다. **7** 〖수〗 길이와 위치는 있으나 넓이와 두께는 없는 것의 일컬음. 곧, 직선·곡선의 총칭. ¶점과 ~ / 평행한 ~. **8** 〖미술〗 물체의 윤곽을 이루는 부분. ¶신체의 ~ / ~이 뚜렷하다.

선을 긋다 구 한계를 정하다. ¶저들과는 분명히 선을 긋고 지낸다.

선을 넘다 구 한도나 경계를 넘다. ¶그와는 아직 선을 넘지 않았다.

선을 대다 구 잇속이나 배경이 될 기관이나 사람과 관계를 맺다. ¶감독과 선을 대고 부정을 저지르다.

선이 가늘다 구 ㉠생김새가 섬세하고 약하다. ㉡성격이 잘고 꼼꼼하다.

선이 굵다 구 ㉠생김새가 크고 튼튼하다. ㉡성격이나 행동 따위가 대범하거나 통이 크다.

선이 닿다 구 잇속이나 배경이 될 기관이나 사람과 관계를 맺을 수 있게 되다. ¶고위층과 선이 닿는다며 허풍을 친다.

선(縇) 명 옷이나 방석 등의 가장자리에 덧대는 좁은 헝겊. ¶~을 두르다.

선:(選) ㊀명 시험이나 심사에 든 사람을 뽑는 일. ¶~에 들다. ㊁의명 여럿 가운데에서 뽑힌 횟수나 차례를 세는 말. ¶삼 ~ 의원.

선(禪) 명 〖불〗 **1** 삼문(三門)의 하나. 마음을 가다듬고 정신을 통일하며 번뇌를 끊고 진리를 깊이 생각하여 무아(無我)의 경지에 드는 일. **2** '선종(禪宗)'의 준말. **3** '좌선'의 준말.

선:- 투 '익숙하지 못한, 덜된, 격에 맞지 않아 서투른'의 뜻을 나타냄. ¶~잠 / ~무당 / ~웃음 / ~하품. *설-.

선-(先) 투 **1** '돌아간, 죽은'의 뜻. ¶~대왕(大王) / ~대인(大人). **2** '앞선, 먼저'의 뜻을 나타냄. ¶~이자 / ~보름.

-선(線) 미 **1** 길게 뻗쳐 있는 전선이나 선로 따위의 뜻을 나타냄. ¶경부~ / 국내~ / 전화~. **2** '경계'의 뜻을 나타냄. ¶국경~ / 비상~ / 휴전~. **3** 어떤 '한계'를 나타냄. ¶합격~ / 최저~. **4** '광선'의 뜻을 나타냄. ¶엑스~ / 알파~.

-선(腺) 미 동물의 몸 안에 있는 분비선(分泌腺)의 뜻을 나타냄. ¶갑상~ / 림프~ / 편도~.

-선(船) 미 '배'의 뜻을 나타냄. ¶유조~ / 화물~ / 유람~.

-선(選) 미 가려 뽑아 모은 것의 뜻을 나타냄. ¶고문(古文)~ / 당시(唐詩)~.

선가(仙家) 명 **1** 신선이 사는 집. 선관(仙館). 선장(仙莊). **2** 선도(仙道)를 닦는 사람. **3** 선인이 되는 길을 가르치는 사람. 도가(道家).

선가(船價)[-까] 명 배를 타거나 배로 짐을 실어 옮길 때 내는 돈. 뱃삯.

[선가 없는 놈이 배에 먼저 오른다] 실력 없는 사람이 실력 있는 사람보다 먼저 나서서 서두르거나 덤벙댐을 이르는 말.

선:가(善價)[-까] 명 후하고 좋은 값.

선가(禪家) 명 〖불〗 **1** 참선하는 승려. **2** 참선하는 집. **3** 선종(禪宗).

선각(先覺) 명하타 **1** 남보다 먼저 도(道)나 사물을 깨달음. **2** '선각자'의 준말.

선각-자(先覺者) 명 남보다 먼저 도나 사물을 깨달은 사람. 준선각(先覺).

선간(線間) 명 **1** 줄과 줄의 사이. **2** 〖악〗 보표의 오선에서 각 줄의 사이.

선개-교(旋開橋) 명 교각(橋脚) 위에서 다리가 수평으로 회전하여 열리는 가동교.

선객(先客) 명 먼저 온 손님. ¶~이 있다.

선객(船客) 명 배를 탄 손님.

선거(船渠) 명 배의 건조·수리·하역(荷役)을 하기 위한 설비. 독(dock).

***선:거**(選擧) 명하타 **1** 여러 사람 가운데서 대표자 등을 뽑는 일. ¶반장 ~ / ~를 치르다. **2** 〖정〗 선거권을 가진 사람이 공직에 임할 사람을 투표 따위로 뽑는 일. ¶대통령 ~.

선:거 공약(選擧公約) 선거 운동 때에, 정당이나 입후보자가 선거권자에게 제시하는 공적(公的)인 약속.

선:거 관리 위원회 (選擧管理委員會) [-괄-] 선거와 국민 투표의 공정한 관리 및 정당에 관한 사무를 맡아 처리하는 기관 《중앙 선거 관리 위원회와 각 시·도·구·군 및 투표구의 선거 관리 위원회가 있음》. 준선관위.

선:거-구(選擧區) 명 의원을 선출하는 단위로 전국을 지역적으로 구분한 구역. ¶선거인 수에 따라 ~가 조정되었다.

선:거-권(選擧權)[-꿘] 명 〖법〗 선거에 참가하여 투표할 수 있는 권리.

선:거-법(選擧法)[-뻡] 명 각종 선거에 관한 법률.

선:거 운:동(選擧運動) 특정 후보자를 당선시킬 목적으로 주선·권유 등을 하는 일.

선:거-인(選擧人) 명 선거권을 가진 사람. 유권자.

선:거-일(選擧日) 명 선거를 하는 날.

선:거-전(選擧戰) 명 선거 때 입후보자들이 당선을 위하여 벌이는 경쟁. ¶~이 치열하다.

선-걸음 명 지금 걷는 그대로의 걸음. ¶~에 내처 가 보자.

선견(先見) 명하타 일이 일어나기 전에 미리 앎. ¶놀라운 ~.

선견(先遣) 명하타 먼저 파견함. ¶~ 부대.

선견지명(先見之明) 명 일이 일어나기 전에 미리 아는 슬기. ¶~이 있다 / ~을 가지다.

선결(先決) 명하타 다른 문제보다 앞서 해결하거나 결정함. ¶~ 조건 / 그 일이 ~되어야 다른 일을 할 수 있다.

선경(仙境) 명 **1** 신선이 산다는 곳. 선계. 선향(仙鄕). **2** 경치가 신비스럽고 그윽한 곳. ↔속계(俗界).

선계(仙界)[- / -게] 명 선경(仙境)1.

선계 (船契)[-/-게] 명 배를 사거나 수리하기 위하여 모은 계.
선고 (先考) 명 세상을 떠난 아버지. 선군. 선친(先親). ↔선비(先妣).
선고 (先姑) 명 세상을 떠난 시어머니. 황고(皇姑).
선고 (宣告) 명하타 1 선언하여 널리 알림. ¶퇴장 ~. 2〖법〗 재판장이 판결의 관결을 알리는 일. ¶사형 ~/무죄를 ~하다.
선고 (船庫) 명 작은 배를 넣어 두는 곳집.
선고 유예 (宣告猶豫)〖법〗 죄가 가벼운 범죄인의 정상을 참작하여 판결의 선고를 일정 기간 미루는 일. *집행 유예.
선고-장 (先考丈) 명 선대인(先大人).
선:곡 (選曲) 명하자타 많은 곡 가운데서 몇 곡을 고름. ¶빠른 곡을 ~하다.
선골 (仙骨) 명 신선의 골격이라는 뜻으로, 비범한 골상(骨相)을 이르는 말.
선공 (先攻) 명하자 야구 따위에서, 먼저 공격하는 일. ¶경기는 A팀의 ~으로 시작되었다.
선공 (船工) 명 배 만드는 목공. 선장(船匠).
선공-후사 (先公後私) 명하자 공적인 일을 먼저 하고 사사로운 일은 뒤로 미룸.
선:과 (善果) 명〖불〗 좋은 과보(果報). 선행에 대한 보답. 선보(善報). ↔악과(惡果).
선:과 (選果) 명하타 과실을 가려냄. 또는 그 과실.
선:광 (選鑛) 명하타〖광〗 1 광석의 등분을 가려냄. 2 캐낸 광석에서 쓸모없는 것을 가려냄.
선교 (仙敎) 명 선도(仙道)를 닦는 종교.
선교 (宣敎) 명하자 종교를 전하여 널리 펼침. 포교. ¶~ 활동을 벌이다.
선교 (船橋) 명 1 배다리1. 2 배의 상갑판 중앙의 앞쪽에 있어, 항해 중 선장이 지휘하는 곳. 브리지(bridge).
선:교 (善交) 명하자 잘 사귐.
선:교 (善敎) 명 좋은 교훈.
선교 (禪敎) 명〖불〗 1 선종과 교종(敎宗). 2 선학과 교법.
선교-사 (宣敎師) 명 종교를 널리 전도하는 사람. 특히 외국에 파견되어 기독교의 전도에 종사하는 사람. ¶~를 파견하다.
선구 (先驅) 명하자 1 '선구자'의 준말. 2 말을 탄 행렬에서 앞장을 섬. 또는 그런 사람.
선구 (船具) 명 배에서 쓰는 기구《노·닻·키·돛 따위》.
선:구 (選球) 명하자 야구에서, 타자가 투수가 던지는 공의 볼과 스트라이크를 가려내는 일.
선구-자 (先驅者) 명 사상이나 하는 일 따위가 그 시대의 다른 사람보다 앞선 사람. 준 선구.
선:국 (選局) 명하자 수신기를 조절하여 방송국을 고름. ¶~ 다이얼.
선군 (先君) 명 1 선왕(先王). 2 선친.
선-굿 [-굳] 명〖민〗 무당이 서서 뛰놀면서 하는 굿.
선글라스 (sunglass) 명 햇빛 또는 햇빛의 반사에서 눈을 보호하려고 쓰는 색안경.
선금 (先金) 명 값이나 삯 따위를 먼저 치르는 돈. ¶~을 받고 물건을 보내다/~을 내고 계약하다.
선급 (先給) 명하타 값이나 삯을 미리 치러 줌. 선하. ¶임금을 ~하다.
선급 (船級) 명 선박의 규모·설비 등에 따라 선급 협회가 매긴 국제적인 등급《매매·보험 따위의 기준이 됨》. 선박 급수.
선급-금 (先給金) 명 미리 치러 주는 돈. ↔선수금(先受金).
선-기 (-氣) 명 선선한 기운. ¶아침저녁으로 ~가 느껴지다.
선기 (先期) 명하자 약속한 기한보다 앞섬.
선기 (船旗) 명 배에 다는 기.
선난 (船難) 명 배가 항해 중에 당하는 재난.
선:남 (善男) 명 1 착한 남자. 2〖불〗 불법에 귀의한 남자.
선:남-선:녀 (善男善女) 명 1 착한 남자와 여자란 뜻으로, 착하고 어진 사람들. 2〖불〗 불법에 귀의한 남녀.
선납 (先納) 명하타 기한 전에 돈을 미리 바침. 예납(豫納). 전납.
선내 (船內) 명 배의 안. ¶풍랑이 심해지자 모두들 ~로 들어갔다.
***선녀** (仙女) 명 선경에 산다는 여자 신선. 선아(仙娥). 옥녀. ¶그녀의 웃는 모습은 마치 ~ 같았다.
선:녀 (善女) 명 1 착한 여자. ↔악녀. 2〖불〗 불교에 귀의한 여자.
선니 (禪尼) 명〖불〗 불문에 들어간 여자. ↔선문(禪門).
선다-님 명 '선달(先達)'의 높임말.
선:다-형 (選多型) 명 필기시험의 출제 방식의 하나. 한 문제에 대하여 세 개 이상의 항목을 제시해, 정답 또는 가장 적당한 항을 고르게 하는 방법. ¶사지(四肢) ~ 문제.
선-단 명 1 홀두루마기의 앞섶이나 치마폭에 세로로 댄 단. 2〖건〗 문설주.
선단 (仙丹) 명 신선이 만든다는 장생불사의 영약. 선약(仙藥). 단약(丹藥). 금단(金丹).
선단 (先端) 명 앞쪽의 끝.
선단 (船團) 명 어떤 일을 공동으로 하는 배의 무리. ¶수송 ~/포경 ~/~을 이루어 입어(入漁)한다.
선달 명〖건〗 살판이나 살목의 위에 세우는 나무.
선달 (先達) 명〖역〗 문무과에 급제하고 아직 벼슬하지 않은 사람.
선대 (先代) 명 조상의 세대. 선세(先世). ¶~의 업적/~부터 살아온 고향/~가 물려준 농토. ↔후대(後代).
선대 (先貸) 명하타 지급할 금전을 그 기일 이전에 빌려 줌.
선:대 (善待) 명하타 친절하게 대접함. 선우(善遇).
선대 (禪代) 명하자 시대가 바뀜.
선-대부인 (先大夫人) 명 남의 돌아가신 어머니의 높임말.
선-대왕 (先大王) 명 죽은 전왕(前王)의 높임말.
선-대인 (先大人) 명 남의 돌아가신 아버지의 높임말. 선고장.
***선-대칭** (線對稱) 명 도형 중 서로 대응하는 어느 두 점을 연결하는 직선이 모두 주어진 직선에 의해서 수직으로 이등분되는 위치 관계. 선맞섬.
선:덕 (善德) 명 바르고 착한 덕행. ¶~을

쌓다. ↔악덕(惡德).
선도(仙桃) 명 선경에 있다는 복숭아.
선도(仙道) 명 신선이 되고자 닦는 도.
선도(先渡) 명 거래 매매에서, 화물의 인도가 계약 후 일정 기일 뒤에야 행해지는 일.
선도(先導) 명하타 앞에 서서 인도함. ¶지역 경제를 ~하다 / ~ 차량을 따라가다.
선:도(善道) 명 바르고 착한 도리.
선:도(善導) 명하타 올바른 길로 인도함. ¶청소년을 ~하다.
선도(鮮度) 명 채소·어육 등의 신선한 정도. ¶~ 높은 생선 / ~가 좋다.
선도(禪道) 명 〖불〗 **1** 참선하는 도. **2** 선종.
선도-자(先導者) 명 앞장서서 인도하는 사람. ¶개혁의 ~.
선도-적(先導的) 관명 앞에 서서 인도하는 (것). ¶~ 구실.
선-도지(先賭地) 명 〖농〗 가을에 받을 것을 앞당겨서 봄에 받는 도지.
선도-창(先導唱) 명 〖악〗 여러 사람이 패를 갈라 소리를 부를 때 먼저 메기는 일. 또는 그런 구실을 맡은 사람.
선-도표(線圖表) 명 통계 숫자를 곡선 또는 꺾은선으로 나타낸 도표.
선-돌 명 〖역〗 선사 시대에 족장의 위력이나 원시적 신앙 따위를 나타내기 위하여 세워 놓은 커다란 돌. 입석(立石). 멘히르.

선돌

선동(仙童) 명 선경에 산다는 아이 신선.
선동(煽動) 명하타 남을 부추겨 어떤 일이나 행동을 일으키게 함. ¶~ 정치가 / 대중을 ~하다.
선동-적(煽動的) 관명 선동을 하는 (것). ¶~(인) 구호 / 연설이 ~이다.
선두(先頭) 명 행렬이나 활동 따위에서 맨 앞. 또는 거기에 위치한 사람. 첫머리. ¶~에 서다 / 초반부터 줄곧 ~를 지키다.
선두(船頭) 명 이물. ↔선미(船尾).
선-두르다 〔선두르니, 선둘러〕 타르불 가장자리에 무엇을 그리거나 꾸미다.
선-둥이(先-) 명 쌍둥이 중에서 먼저 나온 아이. ↔후(後)둥이.
선드러-지다 형 태도가 맵시 있고 경쾌하다. ¶선드러지게 걷다. 작산드러지다.
선득 부하형 갑자기 서늘한 느낌이 드는 모양. ¶그 이야기를 들으니 가슴이 ~해 오는 듯하다. 작산득. 센선뜩.
선득-거리다 자 선득한 느낌이 자꾸 들다. 작산득거리다. **선득-선득** 부하자형
선득-대다 자 선득거리다.
선들-거리다 자 **1** 서늘한 바람이 가볍고 부드럽게 잇따라 불다. **2** 경쾌하고 시원스럽게 행동하다. 작산들거리다. **선들-선들** 부하자형. ¶~ 불어오는 강바람.
선들-대다 자 선들거리다.
선들-바람 명 가볍고 시원하게 부는 바람. ¶~이 부는 들판. 작산들바람.
선등(先登) 명하자 맨 먼저 오름.
선:-떡 명 잘 쪄지지 않은 떡.
선:-똥 명 과식으로 완전히 삭지 않고 밀려 나오는 똥.
선뜩 부하형 갑자기 서늘한 느낌이 드는 모양. 여선득.
선뜩-거리다 자 선뜩한 느낌이 자꾸 들다. **선뜩-선뜩** 부하자형
선뜩-대다 자 선뜩거리다.
선뜻 [-뜯] 부 동작이 빠르고 시원스러운 모양. ¶~ 응낙하다 / ~ 나서다 / ~ 내키지 않다. 작산뜻.
선뜻-선뜻 [-뜯썬뜯] 부하형 매우 선뜻한 모양. 또는 여럿이 모두 선뜻한 모양. ¶주저하지 않고 ~ 나서다.
선뜻-이 부 선뜻하게. 작산뜻이.
선뜻-하다 [-뜨타-] 형여불 **1** 기분이나 느낌이 깨끗하고 시원하다. **2** 보기에 시원스럽고 멀쑥하다. ¶선뜻한 옷차림. 작산뜻하다.
선:량(善良)[설-] 명하형 착하고 어짊. ¶~한 성품 / ~한 시민이 도리어 손해를 보는 사회가 돼서는 안 된다. ↔불량.
선량(線量)[설-] 명 〖물〗 물질이나 생물이 받은 방사선의 양《보통, 뢴트겐을 단위로 씀》. ¶~계(計).
선:량(選良)[설-] 명 **1** 뛰어난 인물을 뽑음. 또는 그렇게 뽑힌 인물. **2** '국회의원'의 별칭.
선려(鮮麗)[설-] 명하형 산뜻하고 아름다움. ¶동쪽 하늘에서 ~한 햇빛이 쏟아지다.
선령(先靈)[설-] 명 **1** 선조의 영혼. **2** 선열(先烈)의 영혼.
선례(先例)[설-] 명 전례. ¶~를 깨뜨리다 / ~에 따르다 / ~가 없다.
선로(船路)[설-] 명 뱃길.
선로(線路)[설-] 명 **1** 열차나 전차의 바퀴가 굴러 가도록 레일을 깐 길. 궤도. ¶~ 보수반. **2** 전선이나 전화선 등 전기 회로의 총칭.
선:록(選錄)[설-] 명하타 가려서 기록함.
선루(船樓)[설-] 명 **1** 배 위의 다락집. **2** 배의 이물·중앙 또는 고물의 상갑판 위의 구조물《여객실·선원실 따위》.
선류(蘚類)[설-] 명 〖식〗 선태(蘚苔)식물에 속하는 한 강(綱). 잎과 줄기의 구분이 분명하고 복잡한 헛뿌리를 가짐《물이끼·솔이끼 따위》. ↔태류(苔類).
선리(先利)[설-] 명 선이자.
선:리(善吏)[설-] 명 선량한 관리.
선:린(善隣)[설-] 명 이웃하고 있는 지역이나 나라와 사이좋게 지냄. 또는 그런 이웃. ¶~ 우호.
선망(先望) 명 선보름. ↔후망(後望).
선망(旋網) 명 두릿그물. ¶~ 어업.
선:망(羨望) 명하타 부러워하여 바람. ¶~의 대상 / 연예인을 ~하다.
선매(先買) 명하타 남보다 먼저 물건을 삼.
선매(先賣) 명하타 때가 되기 전에 미리 팖. 예매(豫賣). ¶벼가 익기 전에 ~하다.
선-머리(先-) 명 **1** 일정한 순서가 있는 일의 맨 처음. **2** 행렬 따위의 앞부분.
선:-머슴 명 차분하지 못하고 몹시 덜렁거리는 사내아이.
선명(宣明) 명하타 분명히 밝혀 선언함.
선명(鮮明) 명하형히부 산뜻하고 뚜렷하여 다른 것과 혼동되지 않음. ¶~한 인쇄물 / 태도가 ~하지 않다 / 기억이 ~하다.

선모 (腺毛) [명] 〖생〗 식물과 곤충 따위의 몸 겉에 있는 털. 식물은 줄기·잎·꽃·포(苞) 따위에 있고 곤충은 온몸에 있는데, 털뿌리에 독샘이 있어 독액이 흘러나옴《토마토 줄기의 털, 독나방·송충이의 털 따위》.

선:모 (羨慕) [명][하타] 부러워하고 흠모함.

선모-충 (旋毛蟲) [명] 〖동〗 선모충과의 선형(線形)동물. 돼지·개·쥐 따위에 기생하는데, 길이 1-4 mm 로 실 모양임.

선묘 (線描) [명][하타] 선(線)만으로 그림. 또는 그런 그림.

선묘 (鮮妙) [명][하형][히부] 곱고 묘함. ¶～한 절경.

선무 (先務) [명] 먼저 다루어야 할 요긴한 일.

선무 (宣撫) [명][하타] 지방이나 점령지의 주민에게 정부 또는 본국의 본뜻을 이해시켜 민심을 안정시킴. ¶～ 공작.

선:-무당 [명] 서투르고 미숙한 무당.
[선무당이 사람 잡는다] 능력이 없어 제구실을 하지 못하면서 함부로 하다가 큰일을 저지른다는 말.

선문 (先文) [명] 〖역〗 벼슬아치가 지방에 출장할 때 그 도착 날짜를 미리 알리던 공문.
선문(을) 놓다 [구] 미리 알리다.

선문 (先聞) [명] 일이 일어나기 전에 미리 알려지는 소문.

선문 (禪門) [명] 〖불〗 **1** 선종(禪宗)의 문파. **2** 불가(佛家)1. **3** 불문(佛門)에 들어간 남자. ↔선니(禪尼).

선-문답 (禪問答) [명][하자] **1** 〖불〗 참선하는 사람끼리 주고받는 대화. **2** 하는 일과 상관없이 한가롭게 주고받는 이야기를 놀림조로 이르는 말. ¶～으로 시간을 보내다.

선물 (先物) [명] **1** 맏물. **2** 〖경〗 장래의 일정한 시기에 현품을 넘겨줄 조건으로 매매 계약을 하는 거래 종목.

***선:물** (膳物) [명][하자타] 남에게 축하나 고마움의 뜻을 담아 어떤 물건 따위를 선사함. 또는 그 물건. ¶～ 공세 / 생일 ～ / ～을 주고받다.

선물-환 (先物換) [명] 〖경〗 장래의 일정한 시기에 인수·인도를 하기 위해 매매되고 그와 동시에 대금이 결제되는 것을 조건으로 하는 외국환(外國換).

선미 (船尾) [명] 고물[2]. ↔선두(船頭).

선:미 (善美) [명][하형] **1** 선과 미. **2** 착하고 아름다움.

선미 (鮮美) [명][하형] 산뜻하고 아름다움.

선:민 (善民) [명] 선량한 백성. 양민.

선:민 (選民) [명] **1** 〖기〗 하나님이 '거룩한 백성'으로 선택한 민족이라는 뜻으로, 이스라엘 백성이 스스로를 이르는 말. **2** 한 사회에서 남달리 특별한 혜택을 받고 잘사는 소수의 사람.

선-바람 [명] (주로 '선바람에'·'선바람으로'의 꼴로 쓰여) 입고 나선 그대로의 차림새. ¶그가 왔다는 말에 ～으로 뛰어갔다.

선:바람-쐬다 [자] 낯선 지방의 바람을 쏘이다. 곧, 낯선 지방으로 돌아다니다.

선박 (船舶) [명] 배. ¶～ 검사 / ～ 회사.

선반 [명] 〔←현반(懸盤)〕 물건을 얹어 두기 위해 까치발을 받치어 벽에 달아 놓은 긴 널빤지. ¶～을 매달다 / 상자를 ～ 위에 올려놓다.

선반 (旋盤) [명] 〖공〗 각종 금속 소재를 회전시켜서 갈거나 파내거나 도려내는 데 쓰는 공작 기계. ¶～공.

선-발 [명] 집 안에서 종일 일하느라고 서서 돌아다니는 발.

선발 (先發) [명][하자] **1** 남보다 먼저 시작하거나 출발함. ↔후발. **2** 야구에서, 경기가 시작되는 1회부터 출전함. ¶～ 투수 / 오늘 경기에서 ～ 등판할 예정이다.

선:발 (選拔) [명][하타] 많은 속에서 고름. ¶～ 기준 / 대표를 ～하다 / 이번 ～에는 나도 합류하게 되었다.

선발-대 (先發隊)[-때] [명] 일행보다 먼저 출발하는 부대나 무리. ¶～를 파견하다 / ～로 출발하다. ↔후발대.

선발 투수 (先發投手) 야구에서, 1회부터 출전하여 공을 던지는 투수.

선:발-팀 (選拔team) [명] **1** 여러 팀 중에서 선발된 팀. **2** 여러 팀에서 우수 선수만을 뽑아 이룬 팀.

선:방 (善防) [명][하타] 잘 막아 냄. ¶골키퍼의 ～으로 간신히 비기다.

선방 (禪房) [명] 〖불〗 참선하는 방. 선실(禪室). ¶～에서 좌선하다.

***선배** (先輩) [명] **1** 학문·덕행·경험·연령 등이 자기보다 많거나 앞선 사람. 선진(先進). ¶직장 ～ / ～로 모시다. **2** 같은 학교를 먼저 졸업한 사람. ¶대학 ～를 만나다. ↔후배.

선번 (先番) [명] **1** 먼저 해야 할 차례가 됨. 또는 그 차례. **2** 바둑에서, 흑으로 먼저 둘 차례. 또는 그런 차례의 사람.

선번 (線番) [명] 선번호.

선-번호 (線番號) [명] 철사·전선 등의 굵기를 나타내는 번호. 선번.

선:벌 (選伐) [명][하타] 나무를 골라서 베어 냄. ＊남벌.

선법 (旋法)[-뻡] [명] 〖악〗 어떤 음계에 따르는 선율에 관하여, 그 움직임의 성격을 규율하고 있는 법칙. 모드(mode).

선-변 (-邊) [명] 빌려 쓴 돈에 대해 다달이 갚는 이자. ↔누운변.

선변 (先邊) [명] 선이자.

선:별 (選別) [명][하타] 기준을 정해 가려서 따로 나눔. 선분(選分). ¶～ 작업 / 기준에 따라 ～된 선수들.

선:보 (善報) [명] 〖불〗 선과(善果).

선:-보다 [타] **1** 인물의 좋고 나쁨, 마땅하고 마땅하지 않음을 알아보기 위하여 만나 살펴보다《주로 결혼 상대를 고를 때 쓰나, 며느리·사위 따위를 가려 뽑을 때에도 씀》. ¶색싯감을 ～. **2** 사람이나 물건이 좋은 지 나쁜 지를 가려보다.

선-보름 (先-) [명] 한 달 중에서 보름 이전《초하루부터 보름까지》. 선망. ↔후보름.

선:-보이다 [타] 《'선보다'의 사동》 **1** 선을 보게 하다. **2** 사물을 처음으로 공개하여 여러 사람에게 보이다. ¶신형 트럭을 ～ / 고난도 묘기를 ～. [준]선뵈다.

선봉 (先鋒) [명] 무리의 맨 앞장. ¶반대 운동의 ～ / ～에 서서 / ～을 맡다.

선봉-대 (先鋒隊) [명] 선봉에 서는 대열이나 부대. ¶평화 유지군의 ～로 파견되다.

선봉-대장 (先鋒大將) [명] 선봉군을 지휘하는 장수. 선봉장.

선봉-장 (先鋒將) 명 선봉대장.
선:-뵈다 타 '선보이다'의 준말.
선부 (先夫) 명 죽은 남편. 망부(亡夫).
선부 (先父) 명 돌아가신 아버지. 선친.
선부 (船夫) 명 뱃사공.
선:부 (善否) 명 좋음과 좋지 않음. 양부(良否). ¶~를 가리다.
*선분 (線分) 명 〖수〗 직선 위에 있는 두 점 사이의 한정된 부분. 유한 직선.
선:-불 명 설맞은 총알. ↔된불.
[선불 맞은 노루 모양] 성이 나서 매우 사납게 날뜀의 비유.
선불(을) 걸다 구 ㉠선불리 건드리다. ㉡상관없는 일에 참견하여 해를 입다.
선불(을) 놓다 구 어설픈 타격을 주다.
선불 (仙佛) 명 1 신선과 부처. 2 선도(仙道)와 불도.
선불 (先拂) 명하타 일이 끝나기 전이나 물건을 받기 전에 미리 돈을 치름. 선지급. ¶운임 ~ / 월급을 ~하다 / ~로 주다. ↔후불(後拂).
선:불선 (善不善)[-썬] 명 1 착함과 착하지 아니함. 2 잘됨과 못됨.
선불-카드 (先拂card) 명 일정액의 현금을 미리 내고 구입한 뒤, 그 액면 내에서 결재하는 카드《공중전화 카드·버스 카드 따위》.
선비[1] 명 1 예전에, 학식은 있되 벼슬하지 않은 사람. 2 '학문을 닦는 사람'의 예스러운 말. 3 고결한 인품을 지닌 사람. 4 현실에 어두운 사람의 비유.
선-비[2] 명 서서 쓸 수 있게 자루가 긴 비.
선비 (先妣) 명 남에게 세상을 떠난 자기 어머니를 이르는 말. ↔선고(先考).
선비 (船費) 명 1 배를 타거나 배로 물건을 운반할 때 드는 비용. 선가. 2 선박을 운항하는 데 소요되는 경비.
선사 (先史) 명 역사 시대 이전의 역사. 유사 이전. ¶~ 시대.
선사 (先師) 명 1 세상을 떠나신 스승. 2 선철(先哲).
선:사 (膳賜) 명하타 남에게 선물을 줌. ¶~품 / 즐거운 노래와 춤을 ~합니다.
선사 (禪寺) 명 〖불〗 선찰. ¶풍경 소리가 고즈넉한 ~에 울려 퍼지다.
선사 (禪師) 명 〖불〗 1 선종(禪宗)의 법리에 통달한 법사. 2 '승려'의 높임말.
선사 시대 (先史時代) 고고학상 시대 구분의 하나. 문헌적 사료가 전혀 없는 시대《석기 시대·청동기 시대》.
선산 (先山) 명 조상의 무덤이 있는 산. 선롱(先壟). 선영(先塋). 선묘(先墓). ¶~으로 성묘를 가다 / ~에 할아버지 산소를 쓰다.
선상 (扇狀) 명 부채를 편 것과 같은 모양. 선형(扇形). 부채꼴.
선상 (船上) 명 1 배의 위. 2 '항해 중인 배를 타고 있음'의 뜻. ¶~ 생활 3년째.
선상 (線上) 명 1 선의 위. ¶선분 AB ~에 있는 점 O. 2 어떤 상태에 있음. ¶기아 ~에서 허덕이는 사람들 / 수사 ~에 오르다 / 방학은 수업의 연장 ~에 있다.
선상 (線狀) 명 선의 모양. 또는 실같이 줄을 이룬 모양. 선형.
선상-지 (扇狀地) 명 〖지〗 물이 산지에서 평지로 흐를 때, 흐름이 갑자기 느려지면서 물과 함께 쓸려 온 토사가 부채 모양으로 쌓여 생긴 지형.
*선생 (先生) 명 1 '교사'의 존칭. ¶국어 ~ / 고등학교 ~. 2 '학예가 뛰어난 사람'의 존칭. ¶퇴계 ~. 3 어떤 부문에서 경험이 많거나 잘 아는 사람. ¶바둑은 김씨가 ~이지요. 4 남에 대한 경칭《성·직함 등 뒤에 씀》. ¶김 ~ / 의사 ~. 5 자기보다 나이가 적은 남자 어른을 높여 부르는 말. ¶이 ~, 오래간만이오.
*선생-님 (先生-) 명 '선생'의 존칭.
선생-질 (先生-) 명하자 〈속〉 학생을 가르치는 일을 낮잡아 이르는 말.
선서 (宣誓) 명하자타 1 많은 사람 앞에서 성실할 것을 맹세함. ¶증인의 ~ / 백년해로할 것을 ~하다. 2 〖법〗 증인이나 감정인 등이 증언하기 전에 진실을 말할 것을 맹세함. 3 대통령이 취임식에서 헌법을 지켜 국정에 성실할 것을 맹세함.
선선-하다 형여불 1 시원한 느낌이 들 만큼 서늘하다. ¶새벽엔 제법 ~. 작산산하다. 2 성질이나 태도가 시원스럽고 쾌활하다. ¶선선한 대답. 선선-히 부. ¶~ 응하다.
선성 (先聲) 명 전부터 알려진 명성. ¶~은 익히 듣잡고 있었습니다.
선:성 (善性) 명 착한 본성.
선세 (先貰) 명 〖법〗 임차인(賃借人)이 임대료의 지급 및 임대차 계약에 따른 채무를 담보하기 위하여 임대인에게 주는 금전.
선-셈 (先-) 명하타 미리 돈을 치름. ¶새로 먹을 술값까지 ~하다.
선-소리[1] 명하자 대여섯 사람이 둘러서서 주고받으며 속요(俗謠)를 부름. 또 그 속요. 입창(立唱).
선:-소리[2] 명하자 이치에 맞지 않는 서툰 말. ¶익은 밥 먹고 ~하지 마라.
선:-소리 (先-) 명 〖악〗 민요를 부를 때 한 사람이 메기는 소리. 메기는 소리. ↔앉은 소리.
선소리-치다 (先-) 자 뒤를 이어서 여러 사람이 따라하도록 맨 앞에 서서 소리를 지르다.
선-손 (先-) 명 1 남이 하기 전에 먼저 하는 행동. 2 선수(先手)1.
선손(을) 걸다 구 선수(를) 걸다.
선손(을) 쓰다 구 선수(를) 쓰다.
선손-질 (先-) 명하자 먼저 손찌검함. 또는 그런 짓.
[선손질 후 방망이] 남을 해롭게 하면 뒤에 자신은 더 큰 해를 입게 됨.
선수 (先手) 명 1 먼저 손찌검을 함. 선손. 2 기선을 제하여 공격의 입장에 섬. ¶~를 빼앗기다. 3 바둑·장기에서, 상대편이 어떤 수를 쓰기 전에 먼저 중요한 자리에 놓는 일. ↔후수(後手).
선수(를) 걸다 구 먼저 손찌검을 하다. 선손(을) 걸다.
선수(를) 치다 구 ㉠선수를 쓰다. ㉡남이 예상하기 전에 앞질러서 대책을 쓰다. ¶내 그럴 줄 알고 선수를 쳤지.
선수 (船首) 명 이물. ¶~를 남으로 돌리다.
*선:수 (選手) 명 1 운동 경기·기술 등에서 기량이 뛰어나 많은 사람 속에서 대표로 뽑힌 사람. 또는 그런 자격을 갖춘 사람.

¶국가 대표 ～/ 야구 ～. 2 어떤 일을 능숙하게 하거나, 버릇으로 자주 하는 사람의 비유. ¶라면 끓이는 데는 ～다/다림질에 ～가 되었다.

선:수-권 (選手權)[-꿘] 명 경기 대회에서, 우승한 개인 또는 단체에게 주는 지위나 자격. ¶～ 보유자/～ 쟁탈전.

선수-금 (先受金) 명 미리 받은 돈. 또는 그 돈의 계정. ↔선급금.

선:수-단 (選手團) 명 어떤 경기에 출전하는 선수들로 조직된 단체.

선:수-촌 (選手村) 명 선수들이 집단으로 숙식할 수 있는 시설을 갖추어 놓은 시설.

선-순위 (先順位) 명 다른 것들보다 앞서는 차례.

선술 (仙術) 명 신선이 쓰는 술법.

선술-집 [-찝] 명 술청 앞에 선 채로 술을 먹게 된 술집. ¶퇴근길에 ～에 들러 한잔 했다.

선-스펙트럼 (線spectrum) 명 〖물〗 원자에 의한 다수의 순수에 가까운 단광색(單光色) 무리로 이루어지는 스펙트럼《원자가 어떤 에너지 상태에서 다른 상태로 옮길 때 생기며, 이로부터 원소의 종류·에너지 준위(準位)의 위치 및 성질을 알 수 있음》. 휘선(輝線) 스펙트럼.

선승 (先勝) 명하자 여러 번 하는 경기에서 먼저 이김. ¶～을 거두다.

선승 (禪僧) 명 1 선종의 중. 2 참선하는 중.

선시-에 (先是-) 부 이보다 앞서. ¶～ 과거에 급제하여 사또 집 사위가 되다.

선실 (船室) 명 배 안에 마련한 승객의 방. 캐빈. ¶3등 ～.

선실 (禪室) 명 〖불〗 1 선방(禪房). ¶～ 안팎에 '묵언(默言)'이라는 표지가 붙어 있다. 2 '승려'의 존칭.

선:심 (善心) 명 1 선량한 마음. 2 남에게 베푸는 후한 마음. ¶～ 공세. ↔악심.

선심(을) 쓰다 구 남을 도와주는 착한 마음을 베풀어 돕다. ¶술 한 잔 밥 한 술 선심을 쓰는 일이 없다.

선심 (線審) 명 '선심판'의 준말.

선:심-성 (善心性)[-썽] 명 남의 마음을 사려는 목적에서 베푸는 마음의 성질. ¶～ 관광.

선-심판 (線審判) 명 테니스·야구·축구·배구 따위에서, 공이 선 밖으로 나갔는지 여부 따위를 판정하는 심판원. 라인즈맨. 준 선심(線審).

선:악 (善惡) 명 착함과 악함. ¶～을 가리다.

선:악-과 (善惡果) 명 1 〖성〗 먹게 되면 선악을 알게 된다는 나무의 열매《에덴동산에서 아담과 이브가 뱀의 유혹에 빠져 계명을 어기고 따 먹었다는 열매》. 2 〖불〗 선과(善果)와 악과(惡果).

선약 (仙藥) 명 효험이 매우 뛰어난 약. 성약(聖藥).

선약 (先約) 명하자타 먼저 약속함. 또는 그 약속. 전약. ¶～이 있어 먼저 실례합니다. ↔후약(後約).

선양 (宣揚) 명하타 명성 따위를 드러내어 널리 떨치게 함. ¶국위 ～.

선어말 어:미 (先語末語尾) 〖언〗 어말 어미에 선행되어 나타나는 활용 어미. '-시-'·'-옵-'·'-오-' 따위 경어(敬語)에 관한 것과, '-았-'·'-었-'·'-더-'·'-겠-'·'-리-' 따위 시상(時相)에 관한 것 등으로 나뉨《종래에 '보조 어간'이라 불린 형태들이 이에 속함. 비어말(非語末) 어미》.

선언 (宣言) 명하자타 1 널리 펴서 말함. 또는 그런 내용. 2 단체나 국가가 자기의 방침과 주장 따위를 정식으로 표명함. ¶중립 ～/독립 ～/비핵화 ～. 3 모임이나 재판 등에서 사실이나 의견 따위를 공식으로 표명하는 일. ¶의장의 개회 ～/휴정(休廷)이 ～되다.

선언-문 (宣言文) 명 선언하는 취지를 적은 글. ¶～을 낭독하다.

선언-서 (宣言書) 명 선언하는 내용을 적은 글이나 문서. ¶독립 ～.

선:언-적 (選言的) 관명 〖논〗 몇 개의 배타적 개념이나 빈사 중에서 선택될 것임을 나타낸 (것). ↔정언적.

선업 (先業) 명 〖불〗 전생에 지은 선악의 업인(業因). 숙업(宿業).

선:업 (善業) 명 〖불〗 좋은 과보를 받을 수 있는 착한 일. ↔악업(惡業).

선:연 (善緣) 명 좋은 인연. ¶악연(惡緣)을 ～으로 바꾸다.

선연-하다 (鮮姸-) 형 여불 산뜻하고 아름답다. ¶선연한 가을빛/푸른 강물이 ～. 선연-히 부

선열 (先烈) 명 나라를 위해 싸우다 죽은 열사. ¶순국 ～을 위해 묵념하다.

선영 (先塋) 명 선산(先山).

선왕 (先王) 명 선대의 임금. 선군(先君).

선:외 (選外) 명 입선에 들지 못함. ¶아깝게 ～에 머문 작품.

선:용 (善用) 명하타 알맞게 쓰거나 좋은 일에 씀. ¶과학적 지식을 ～하다. ↔악용.

선:우 (善友) 명 착하고 어진 벗.

선운 (船運) 명하타 사람이나 물건 따위를 배로 실어 나름.

선:-웃음 명 우습지 않은 일에 엉너리 치는 웃음. ¶～을 치다.

선원 (船員) 명 선박의 승무원. 뱃사람.

선원 (禪院) 명 〖불〗 1 선종(禪宗)의 사원. 2 좌선을 주로 하는 도량.

선원-주의 (先願主義)[-/-이] 명 〖법〗 둘 이상의 출원이 있을 때, 먼저 출원한 사람에게 우선권을 주어야 한다는 견해.

선위 (禪位) 명하자 왕위를 다음 임금에게 물려줌. 선양(禪讓).

선유 (先儒) 명 옛 선비. 선대의 유학자.

선유 (宣諭) 명하타 임금의 훈유(訓諭)를 백성에게 널리 알림.

선유 (船遊) 명하자 뱃놀이.

선율 (旋律) 명 '가락[2] 1'의 한자 이름. ¶바이올린의 ～/실내에는 감미로운 ～이 흐르고 있었다.

선율 (禪律) 명 〖불〗 1 선종(禪宗)과 율종(律宗). 2 선종의 계율.

선의 (船醫)[-/-이] 명 배 안에서 승무원·선객의 건강을 보살피는 일을 맡은 의사.

선:의 (善意)[-/-이] 명 1 착한 마음. 2 좋은 의도. ¶～를 오해하다/자네 말을 ～로 받아들이겠다. 3 〖법〗 법률 관계의 발생·소

멸 및 그 효력에 영향을 미치는 사실을 모르는 일. ¶～의 제삼자. ↔악의.
선-이자 (先利子)[-니-] 명 빚을 쓸 때 본전에서 먼저 떼는 이자. 선변(先邊). ¶～를 떼다.
선인 (仙人) 명 1 신선(神仙). 2 도를 닦은 사람. 도사(道士).
선인 (先人) 명 1 선친(先親). 2 전대(前代)의 사람.
선인 (船人) 명 1 뱃사공. 2 뱃사람.
선:인 (善人) 명 선량한 사람. ↔악인.
선:인-선:과 (善因善果) 명 착한 일을 많이 하면 좋은 결과가 따름. ↔악인악과.
선인-장 (仙人掌) 명 〔식〕 선인장과의 여러해살이풀. 열대·아열대의 사막 지대에 많이 분포함. 줄기는 녹색이고, 장경(漿莖)은 육질(肉質)에 즙이 많으며, 원주형·편평상의 마디로 다수 연결되거나 덩어리짐. 잎은 가시로 변함. 백·적·황·자색 등 다채로운 꽃이 피며 품종이 많음. 사보텐.
선-일 [-닐] 명하자 서서 하는 일. ↔앉은일.
선일 (先日) 명 지난날.
선임 (先任) 명 임무나 직무 따위를 먼저 맡음. 또는 그런 사람. ¶～ 소대장 / 그가 ～ 연구원이다. ↔후임. *전임.
선임 (船賃) 명 배를 타거나 빌려 쓰고 삯으로 갚는 돈. 뱃삯.
선:임 (選任) 명하타 사람을 뽑아 임무나 직무 따위를 맡김. ¶이사로 ～하다.
선임 부:사 (先任副士) '선임 부사관'의 준말.
선임 부:사관 (先任副士官) 〔군〕 특정한 부대의 부사관 중에서 가장 윗계급의 부사관. 준선임 부사.
선임-자 (先任者) 명 1 어떤 직무나 임무를 먼저 맡던 사람. ¶～에게 업무를 인계받다. 2 모임이나 단체에서 계급이 더 높은 사람.
선입-감 (先入感) 명 선입관.
선입-견 (先入見) 명 선입관.
선입-관 (先入觀) 명 이미 마음속에 품고 있는 고정적인 관념이나 견해. 선입감. 선입견. 선입주. ¶～이 좋지 않다 / 평소의 ～을 버리다 / 그릇된 ～에 사로잡히다.
선:자 (選者) 명 작품 따위를 가려 뽑는 사람.
선:-잠 명 깊이 들지 못한 잠. ¶～이 들다 / ～을 자다 / ～에서 깨다.
***선장** (船長) 명 배의 항행과 배 안의 사무를 관장하는 선원의 우두머리.
선장 (船檣) 명 1 배의 돛대. 2 배의 무전 안테나의 지주(支柱), 선기(船旗)의 게양, 기중기의 받침대 등에 쓰는 기둥. 마스트.
선재 (船材) 명 배를 만드는 데 쓰는 자재.
선저 (船底) 명 배의 밑바닥.
선적 (船積) 명하타 배에 짐을 실음. ¶～ 기일을 지키다 / 화물을 ～하다 / 수출품은 보통 컨테이너로 ～된다.
선적 (船籍) 명 〔법〕 배가 관해(管海) 관청 선박 원부에 등록된 적. 곧, 배의 국적. ¶파나마 ～ 화물선.
***선전** (宣傳) 명하타 존재나 효능 또는 주의나 주장 등을 설명하고 이해를 구하는 일. 또는 그 운동과 활동. ¶새 상품을 ～하다.
선전 (宣戰) 명하자 다른 나라에 대하여 전쟁을 시작하겠다고 선포함.
선:전 (善戰) 명하자 있는 힘을 다하여 힘써 싸움. ¶～ 분투하다 / ～을 펼치다.
선전-문 (宣傳文) 명 선전의 내용이나 취지를 적은 글.
선전 포:고 (宣戰布告) 다른 나라에 대하여 전쟁을 시작한다는 것을 선포함. ¶～도 없이 침공하다.
선점 (先占) 명하타 남보다 앞서서 차지함. ¶시장을 ～하기 위한 경쟁.
선:정 (善政) 명하자 바르고 어진 정치. ¶백성의 편에 서서 ～을 베풀다〔펴다〕. ↔악정.
선정 (煽情) 명하타 정욕을 북돋워 일으킴. ¶～성(性)이 짙은 영화.
선:정 (選定) 명하타 여럿 가운데서 가려 뽑음. ¶작품을 ～하다 / 대표 선수로 ～되다.
선정-적 (煽情的) 관명 어떤 감정이나 욕정을 북돋우어 일으키는 (것). ¶～인 장면 / 무희들의 ～인 몸동작.
선제 (先制) 명하타 선수를 쳐서 상대방을 제압함. 기선을 제함.
선제-공격 (先制攻擊) 명하타 상대편을 제압하기 위하여 상대보다 먼저 공격하는 일. ¶～을 가하다.
선조 (先祖) 명 먼 윗대의 조상. ¶～의 뜻을 받들다 / 우리 ～ 가운데 영의정을 지낸 분이 여럿 있었다.
선종 (禪宗) 명 〔불〕 참선으로 자신의 본성을 보아 성불함을 목표로 하는 종파. 중국 양나라 때 달마 대사가 중국에 전하였고, 우리나라에는 신라 중엽에 전해져 구산선문(九山禪門)이 성립됨. ¶～ 사원(寺院). 준선. *교종(教宗).
선주 (先主) 명 1 선대의 군주. ↔후주. 2 전번의 주인.
선주 (船主) 명 배의 주인.
선-주민 (先住民) 명 먼저 살았던 사람. *원주민.
선지 명 짐승, 특히 소를 잡아서 받은 피. 선지피. ¶～를 넣고 국을 끓이다.
선지 (先志) 명 선조의 유지(遺志).
선지 (先知) 명 1 앞일을 미리 앎. 2 남보다 일찍 깨달음. 3 〔성〕 '선지자'의 준말.
선지-자 (先知者) 명 〔성〕 예수 이전에 미리 예수의 강림과 하느님의 뜻을 예언한 사람. 예언자. 선견자. 준선지(先知).
선지-피 명 1 선지. 2 다쳐서 선지처럼 쏟아져 나오는 피.
선진 (先陣) 명 본진 앞에 자리 잡거나 앞서서 나아가는 진. ¶～의 뒤를 따르다.
선진 (先進) 명 1 어느 한 분야에서, 연령·지위·기량 등이 앞섬. 또는 그런 사람. 2 발전의 단계나 진보의 정도가 다른 것보다 앞섬. ¶～ 사상 / ～ 문물을 받아들이다 / ～ 농업 기술을 개발하다 / 과학 기술을 ～화하다. ↔후진(後進).
선진-국 (先進國) 명 다른 나라보다 정치·경제·문화 따위가 앞선 나라. ¶～ 대열에 들어서다. ↔후진국.
선:집 (選集) 명 한 사람 또는 여러 사람의 작품 중 몇 편을 추려 엮은 책.
선짓-국 [-지꾹 / -짇꾹] 명 선지를 넣고 끓인 국. ¶～ 백반.

선착 (先着) 명하자타 **1** 남보다 먼저 도착함. ¶결승 ~ / 결승점에 ~하다. **2** '선착수'의 준말. ¶짐꾸리기를 ~하다. **3** '선착편(鞭)'의 준말.
선-착수 (先着手) 명하타 남보다 먼저 시작함. 준선착(先着).
선착-순 (先着順) 명 먼저 와 닿는 차례. 도착순. ¶~으로 집합하다 / 입장권은 ~으로 나누어 준다.
선착-장 (船着場) 명 배가 와서 닿는 곳. 나루. 나루터. ¶배가 ~에 도착하다.
선착-편 (先着鞭) 명하타 **1** 남보다 앞서 착수하거나 자리를 잡음. 선참(先站). **2** 남보다 앞서 공을 이룸. 기선을 제함. 선착·편착(先鞭).
선찰 (禪刹) 명 〖불〗 선종의 절. 선사(禪寺).
선창 (先唱) 명하타 **1** 맨 먼저 주장함. **2** 노래나 구호 따위를 맨 먼저 부름. ¶누군가의 ~으로 합창이 시작되었다.
선창 (船倉) 명 배 안의 상갑판(上甲板) 아래의 짐칸.
선창 (船艙) 명 **1** 물가에 다리처럼 만들어 배가 닿아 짐을 풀고 싣게 된 곳. ¶배가 좌현을 ~에 대다. **2** 배다리1.
선:책 (善策) 명 뛰어난 방책이나 계획.
선:처 (善處) 명하자 형편에 따라 적절하게 처리함. ¶~를 부탁하다 / ~를 바랍니다.
선천 (先天) 명 태어날 때부터 몸에 갖추어져 있음. ↔후천.
선천-성 (先天性)[-썽] 명 타고난 성질. ¶그는 ~ 색맹이다.
선천-적 (先天的) 관명 태어날 때부터 지니고 있는 (것). ¶~ 재능 / ~으로 약골이다. ↔후천적.
선철 (先哲) 명 옛날의 어질고 사리에 밝은 사람. 현철(賢哲). 선현(先賢).
선철 (銑鐵) 명 무쇠.
선체 (船體) 명 배의 몸체. ¶~를 인양하다.
선:출 (選出) 명하타 여럿 가운데서 가려냄. ¶대표의 ~ 과정 / 마을 대표를 ~하다.
선충-류 (線蟲類)[-뉴] 명 〖동〗 선형(線形) 동물의 한 강(綱). 몸은 실 모양 또는 원통상. 자웅 이체(異體)로, 기생하는 것, 흙 속에서 작은 뿌리를 해치는 것 등이 있음《회충·십이지장충·요충 따위》. 원충류(圓蟲類).
선취 (先取) 명하타 남보다 먼저 얻음. ¶~득점하다 / 한 점을 ~하다.
선취-점 (先取點)[-쩜] 명 운동 경기 등에서, 먼저 딴 점수. ¶~을 올리다 / ~을 내주다.
선:치 (善治) 명하타 백성을 잘 다스림. ¶~수령(守令)으로 백성들의 인심을 얻다.
선친 (先親) 명 돌아가신 자기 아버지를 남에게 이르는 말. ¶오늘은 ~의 제사가 있습니다.
선캄브리아-대 (先cambria代) 명 〖지〗 캄브리아기(紀) 이전의 지질 시대. 약 6억 년 전 이전을 이름. 선(先)캄브리아기. 선캄브리아 시대. 전(前)캄브리아기. 전캄브리아 시대. 태고대(太古代).
선-키 명 섰을 때의 키. ↔앉은키.
선:탄 (選炭) 명 원탄(原炭)에서 좋은 것을 골라 상품탄(商品炭)으로 만드는 작업.
선태 (鮮太) 명 갓 잡은 싱싱한 명태.
선태 (蘚苔) 명 〖식〗 이끼.
선태-식물 (蘚苔植物)[-싱-] 명 은화 식물의 한 문. 음습한 곳에 남. 몸은 작고, 줄기·가지·잎의 구별이 없는 엽상체이며, 헛뿌리로 양분을 섭취함. 세대 교번이 현저함《선류(蘚類)·태류(苔類)로 나눔》. 이끼식물.
*__선:택__ (選擇) 명하타 **1** 여럿 가운데서 필요한 것을 골라 뽑음. ¶~ 기준 / ~의 폭이 좁다 / 단어의 적절한 ~. **2** 〖생〗 적자생존 원리에 따라 환경이나 조건 따위에 맞는 것만이 살아남는 현상. 도태.
선:택 과목 (選擇科目) 선택하여 학습할 수 있는 과목. ↔필수 과목.
선:택-권 (選擇權) 명 **1** 선택할 권리. **2** 〖법〗 선택 채권에서, 여러 개의 변제물 중 하나를 채무자가 고를 수 있는 권리.
선탠 (suntan) 명 피부가 태양빛을 쐬어 엷은 황갈색으로 타는 일. 또는 그렇게 태우는 일. ¶~으로 구릿빛 피부를 만들다.
선편 (船便) 명 배편. ¶~을 기다리다 / ~에 짐을 부치다.
선:평 (選評) 명하타 여럿 가운데 골라 비평함. 또는 그런 비평.
선포 (宣布) 명하타 세상에 널리 알림. ¶경제 수역 ~ / 계엄령이 ~되다 / 정부는 '마약과의 전쟁'을 ~하였다.
선폭 (船幅) 명 배의 가장 넓은 부분을 잰 폭.
선표 (船票) 명 배표.
선풍 (仙風) 명 신선과 같은 기질이나 풍채(風采).
선풍 (旋風) 명 **1** 회오리바람. **2** 돌발적으로 일어나 세상을 뒤흔드는 사건. ¶검거 ~이 불다 / 그의 소설이 일대 ~을 일으켰다.
선풍 (颱風) 명 온대·한대 지방에 발생하는 이동성 저기압계의 회오리바람《태풍보다 큼》. *사이클론1.
*__선풍-기__ (扇風機) 명 회전축에 달린 날개를 전동기로 돌려 바람을 일으키는 송풍기.
선풍-적 (旋風的) 관명 돌발적으로 발생하여, 사회에 큰 영향을 끼치거나 관심의 대상이 될 만한 (것). ¶~인 인기를 끌다.
선:-하다 형여불 마음에 사무치어 눈앞에 암암히 보이는 듯하다. ¶그때의 모습이 눈에 ~. **선:-히** 부. ¶환하게 웃던 모습이 ~ 떠오른다.
선:-하다 (善-) 형여불 착하다. 어질다. ¶선한 마음씨 / 선하게 살다.
선:-하품 명 **1** 먹은 음식이 체하려 할 때나 몹시 지쳐 있을 때 나오는 하품. **2** 억지로 하는 하품.
선학 (仙鶴) 명 〖조〗 두루미.
선학 (先學) 명 학문에서의 선배. ¶~의 가르침을 받다 / ~의 연구 성과를 정리하다. ↔후학(後學).
선학 (禪學) 명 〖불〗 선종(禪宗)의 교리를 연구하는 학문.
선행 (先行) 명하자타 **1** 앞서 가거나 앞에 있음. ¶~ 부대. **2** 딴 일에 앞서 행함. ¶~ 작업 / ~ 지표(指標)를 살펴보다 / 그보다 제도 개선이 ~되어야 한다.
선:행 (善行) 명 착하고 어진 행실. ¶~을 베풀다 / ~ 학생을 표창하다. ↔악행.
선행 조건 (先行條件)[-껀] **1** 선행해야 할

조건. **2**〔법〕 권리를 이전하기 전에 생기는 조건.

선험-적 (先驗的) 관명 〔철〕 경험에서 독립하여 경험을 가능케 하도록 조건 짓는 (것). 모든 경험에 앞서 인식의 가능성을 다룰 수 있는 모든 원리의 본연의 자세에 관한 (것).

선험 철학 (先驗哲學) 〔철〕 비판 철학.

선현 (先賢) 명 선철(先哲). ¶ ~들의 가르침 / ~들의 지혜.

선혈 (鮮血) 명 혈관에서 갓 흘러나온 붉은 피. ¶ ~이 흐르다 / 사고 현장에 ~이 낭자하다.

선형 (扇形) 명 '부채꼴'의 한자 이름.

선형 (船型·船形) 명 **1** 배의 형상. **2** 배의 겉모양을 나타내기 위한 모형.

선형 (線形) 명 **1** 선처럼 가늘고 긴 형상. **2** 〔식〕 잎의 형상의 하나. 폭이 좁고 길며 가장자리가 고른 것.

선형-동물 (線形動物) 명 〔동〕 동물의 한 문(門). 대체로 실 모양이고, 횡단면은 원형임. 자웅 이체로, 혈관·호흡기가 없음. 기생도 함《선충류·갈고리촌충 등》.

선:호 (選好) 명하타 여럿 중에서 특별히 더 좋아함. ¶ 남아 ~ 사상 / 기술직보다 사무직을 더 ~하다 / 무공해 식품에 대한 ~ 경향이 날로 더해 간다.

선:호-도 (選好度) 명 여럿 가운데서 특별히 더 좋아하는 정도. ¶ 직업에 대한 ~ 여론 조사 / 자사 제품에 대한 소비자의 ~를 조사하다.

선-홍색 (鮮紅色) 명 밝고 산뜻한 붉은색. ¶ ~ 장미 / 아가미가 ~을 띠어야 신선한 생선이다.

선화 (船貨) 명 배에 실은 화물. 뱃짐.

선화 (線畫) 명 색칠을 하지 않고 선으로만 그린 그림.

선-황제 (先皇帝) 명 선대의 황제. 준 선제(先帝)·선황(先皇).

선회 (旋回) 명하자 **1** 주변을 빙빙 돎. ¶ 하늘을 ~하는 철새의 무리. **2** 항공기가 곡선을 그리듯 진로를 바꿈. **3** 추구하는 방향이 바뀜. ¶ 온건 노선으로 ~하다.

선후 (先後) 명하타 **1** 먼저와 나중. ¶ 일의 ~를 가리다. **2** 앞서거니 뒤서거니 함.

선:후 (善後) 명 뒷갈망을 잘함.

선-후배 (先後輩) 명 선배와 후배. ¶ 대학 ~ 사이 / ~ 관계가 인간 관계에 적지 않은 영향을 끼친다.

선후-책 (先後策) 명 먼저 할 것과 나중 할 것을 연관하여 꾸미는 계책. ¶ ~을 강구하다.

선:후-책 (善後策) 명 뒷갈망을 잘하기 위한 계책.

섣:달 명 음력으로 한 해의 마지막 달.
[섣달이 둘이라도 시원치 않다] 시일을 아무리 늦추어도 일의 성공을 기약하기 어려운 경우의 비유.

섣:달-그믐 명 음력으로 한 해의 마지막 날을 이름.

섣:-부르다 〔섣부르니, 섣불러〕 형르불 솜씨가 설고 어설프다. ¶ 섣부른 도움은 금물이다 / 섣부르게 발설하지는 않겠지.

섣:불리 부 섣부르게. 어설프게. ¶ ~ 건드렸다간 큰코다친다 / 결과를 ~ 예측할 수 없다.

***설:** 명 **1** 명절로 쇠는 새해의 첫날. 세수(歲首). **2** 정월 초승. 연시. 정초. **3** '설날'의 준말. ☞ 명절.

설 (說) 명하타 **1** 의견. 주의. 학설. ¶ ~이 분분하다 / 학자마다 ~을 달리하고 있다. **2** 풍설. ¶ 시중에 이상한 ~이 나돈다.

설- 두 동사나 동사로 된 명사 앞에 붙어 '불충분'의 뜻을 나타냄. ¶ ~익다 / ~마르다 / ~깨다 / ~취하다.

-설 (說) 미 '견해, 학설, 풍설' 따위의 뜻을 나타냄. ¶ 풍수~ / 윤회~ / 우주 팽창~.

설거지 명하자타 **1** 음식을 먹고 난 뒤에 음식을 담았던 그릇을 씻어 치우는 일. 뒷설거지. ¶ 막내인 내가 ~를 맡아 하다. **2** '비설거지'의 준말.

설겅-거리다 자 설삶은 콩·밤 등이 씹히는 소리가 자꾸 나다. 또는 그런 느낌이 자꾸 들다. ¶ 덜 익은 무를 설겅거리며 씹다. 작 살강거리다. 센 설컹거리다·썰겅거리다. 거 썰컹거리다. **설겅-설겅** 부하자. ¶ 콩알이 ~ 씹히다.

설겅-대다 자 설겅거리다.

설경 (雪景) 명 눈 내리거나 쌓인 경치. 설광. 설색. ¶ ~을 감상하다 / ~ 산수도를 그리다 / 산야를 뒤덮은 새하얀 ~.

설계 (設計)[-/-게] 명하타 **1** 계획을 세움. 또는 그 계획. ¶ 생활 ~를 세우다. **2** 공사·구조·재료 따위에 대한 실제적인 계획을 세워 도면 등으로 명시하는 일. ¶ 건물의 ~ / ~를 맡다 / ~대로 짓다. **3** '설계도'의 준말.

설계-도 (設計圖)[-/-게-] 명 **1** 설계한 구조·형상·치수 등을 일정한 규약에 따라서 그린 도면. **2** 미래에 대한 설계를 담은 전체적인 생각. ¶ 그들이 기대했던 멋진 미래의 ~.

설계-사 (設計士)[-/-게-] 명 설계를 전문으로 하는 기사(技士).

설계-서 (設計書)[-/-게-] 명 설계한 내용을 써 놓은 문서.

설계-자 (設計者)[-/-게-] 명 설계한 사람. 또는 계획을 세워 만든 사람. 디자이너.

설교 (說敎) 명하자 **1** 종교의 교리를 설명함. 또는 그런 설명. ¶ 목사의 ~. **2** 단단히 타일러 가르침. 또는 그런 가르침. ¶ 나만 보면 ~를 늘어놓는다.

설-구이 명하타 **1** 유약을 바르지 않고 낮은 온도의 열로 구운 질그릇. **2** 사기그릇을 만들 때, 마침구이하기 전에 슬쩍 구워 굳히는 공정. 애벌구이. ↔마침구이.

설국 (雪國) 명 눈이 많이 오는 나라나 지방.

설-굽다 〔설구우니, 설구워〕 타ㅂ불 덜 굽다. ¶ 쇠고기를 설구운 채로 먹는 사람도 있다.

설근 (舌根) 명 혀뿌리.

설근 (舌筋) 명 〔생〕 혀를 이루는 힘살.

설기[1] 명 '백설기'의 준말.

설기[2] 명 싸리 채나 버들 채 따위로 결어서 만든 직사각형 모양의 상자《아래위 두 짝으로 되어, 위짝으로 아래짝을 덮게 되어 있음》.

설-깨다 자 잠이 완전히 깨지 못하다. ¶ 아

기가 잠이 설깨어 자꾸 보챈다.
설-낏 [-낃] 명 소의 볼기에 붙은 고기《구이나 회 따위에 씀》.
***설:-날** [-랄] 명 명절의 하나. 정월 초하룻날. 원일(元日). ¶ ~에 입을 설빔을 짓다. 준설.
설농-탕 (雪濃湯)[-롱-] 명 '설렁탕'의 취음.
설:다 〔서니, 서오〕 一자 **1** 덜 익다. ¶ 선 밥/선 사과/밤이 ~. **2** 잠이 모자라거나 깊이 들지 아니하다. ¶ 잠이 ~. 二형 익숙하지 못하다. ¶ 귀에 선 목소리/산도 설고 물도 ~.
설-다루다 타 서투르게 처리하거나 섣불리 다루다.
설단 (舌端)[-딴] 명 혀끝.
설단-음 (舌端音)[-딴-] 명 〖언〗 '혀끝소리'의 한자말.
설-데치다 타 덜 데치다.
설-되다 자 충분하지 아니하게 되다. ¶ 밥이 ~.
설두 (舌頭)[-뚜] 명 혀끝.
설득 (說得)[-뜩] 명하타 어떤 생각이나 의견 따위를 따르게 알아듣도록 깨우쳐 말함. ¶ 끈질긴 ~과 호소/가출 소녀를 ~하여 집으로 돌려보냈다.
설득-력 (說得力)[-뜽녁] 명 설득하는 능력. ¶ ~을 얻다/~을 가지고 있다/자기 주장을 ~이 있게 펴다.
설-듣다 〔설들으니, 설들어〕 타ㄷ불 남이 하는 말을 귀담아 듣지 않고 흘려 듣다.
설랑 조 격조사 '서'와 보조사 'ㄹ랑'이 결합한 말. ¶ 여기~ 떠들지 마라/모두 앉아 ~ 기다렸다.
설랑-은 조 '설랑'의 강조어. ¶ 밥을 먹고 ~ 곧장 나가 버렸다.
설렁 명 〔←현령(懸鈴)〕 처마 끝 같은 곳에 달아 놓고, 사람을 부를 때 줄을 잡아당기면 소리를 내는 방울. *설렁줄.
설렁-거리다 자 **1** 좀 서늘한 바람이 가볍게 자꾸 불다. ¶ 어느새 가을바람이 설렁거린다. **2** 팔을 가볍게 저어 바람을 내면서 걷다. ¶ 기뻐서 설렁거리며 걷는다. **3** 많은 물이 끓어오르며 자꾸 이리저리 움직이다. ¶ 주전자 물이 설렁거리며 끓는다. 작살랑거리다. 센썰렁거리다. **설렁-설렁** 부하자
설렁-대다 자 설렁거리다.
설렁설렁-하다 형여불 서늘한 기운으로 매우 추운 느낌이 들다. 작살랑살랑하다. 센썰렁썰렁하다. 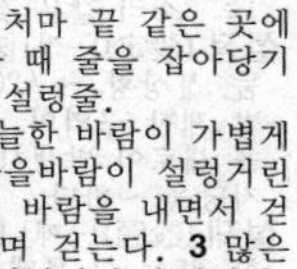
설렁-줄 [-쭐] 명 설렁을 울릴 때 잡아당기는 줄. ¶ ~을 흔들다.

설렁줄 설렁

설렁줄

설렁-탕 (-湯) 명 소의 머리·내장·족·무릎도가니 등을 푹 끓여서 만든 국. 또는 그 국에 밥을 만 음식. 주의 '설농탕(雪濃湯)'으로 씀은 취음.
설렁-하다 형여불 **1** 서늘한 기운이 있어 조금 추운 듯하다. **2** 갑자기 놀라 가슴속에 찬바람이 도는 것 같다. 작살랑하다. 센썰렁하다.
설레다 자 **1** 마음이 가라앉지 아니하고 들떠서 두근거리다. ¶ 결혼하자는 말에 가슴이 ~. **2** 가만히 있지 아니하고 자꾸만 움직이다. ¶ 설레지 말고 침착해라. **3** 물 따위가 설설 끓거나 일렁거리다.
설레-설레 부하타 머리 따위를 좌우로 가볍게 흔드는 모양. ¶ 마땅찮다는 듯 고개를 ~ 가로저었다. 작살래살래. 센썰레썰레. 준설설.
설레이다 자 '설레다'의 잘못.
설령 (雪嶺) 명 눈으로 덮인 산봉우리.
설령 (設令) 부 '그렇다 치고, 가령, 설사, 설약, 설혹'이라는 뜻의 접속 부사. ¶ ~ 내가 실수했더라도 이해해라.
설론 (舌論) 명하자 말다툼.
설립 (設立) 명하타 기관이나 조직체 따위를 만들어 일으킴. ¶ 연구소의 ~/노조를 ~하다.
설마 부 아무리 그러하기로《부정적인 추측의 강조》. ¶ ~ 그가 잊었을라고.
[설마가 사람 죽인다] 설마 그럴 리야 없겠지 하고 믿었다가 탈이 난다.
설-마르다 〔설마르니, 설말라〕 자르불 덜 마르다. ¶ 옷이 설말라 조금 눅눅하다.
설마-하니 부 설마. ¶ ~ 굶기야 하겠나.
설마-한들 부 설마. ¶ ~ 그 짧은 시간에 백 리 길을 갈까.
설-맞다 [-맏따] 타 **1** 총알 따위가 바로 맞지 아니하다. ¶ 총을 설맞은 멧돼지. **2** 매 따위를 덜 맞다. ¶ 매를 설맞아서 여전히 까분다.
설맹 (雪盲) 명 〖의〗 눈이 쌓인 곳에서, 눈에 반사된 햇빛의 자외선이 눈을 자극하여 일어나는 염증. 설안염.
설멍-설멍 부 설멍한 다리를 가볍게 옮기며 걷는 모양. 작살망살망.
설멍-하다 형여불 **1** 아랫도리가 가늘고 어울리지 않게 길다. ¶ 키가 설멍하게 크다. **2** 옷이 몸에 맞지 않고 짧다. ¶ 설멍한 바지저고리를 입은 모습이 우스꽝스러웠다. 작살망하다.
설면-하다 형여불 **1** 자주 만나지 못하여 낯이 좀 설다. ¶ 오랫동안 떨어졌더니 좀 ~. **2** 사이가 정답지 아니하다. ¶ 그들이 왜 내게 설면하게 굴까.
***설명** (說明) 명하타 어떤 일이나 문제에 대해 상대가 알기 쉽게 풀어 밝힘. 또는 그런 말. ¶ 사건 경위를 ~하다/컴퓨터에 관한 ~을 듣다/그의 ~만으로는 이해가 되지 않았다.
설명-문 (說明文) 명 〖문〗 읽는 이들이 어떤 사안에 대해 이해할 수 있도록 객관적이고 논리적으로 서술한 글《문학 작품 이외의 실용적인 글》. *서정문·서사문.
설명-서 (說明書) 명 내용이나 이유, 사용법 따위를 설명한 글. ¶ 제품의 사용법을 적은 ~를 읽어 보다.
설문 (設問) 명하타 조사를 하거나 통계 자료 따위를 얻기 위하여 어떤 주제에 대하여 문제를 내어 물음. 또는 그 문제. ¶ 신제품에 대한 ~ 조사/~에 응하다.
설문-지 (設問紙) 명 특정 사항에 대한 통계 조사나 여론 조사를 위해 그에 관련된 갖가지 조사 사항을 적은 종이《대개 무기명으로 답하며, 응답자에게 책임이 없음》.
설미지근-하다 형여불 **1** 음식 따위가 설익

고 미지근하다. ¶설미지근한 밥. **2** 어떤 일에 임하는 태도가 분명하지 않고 흐리멍덩하다. ¶그의 설미지근한 태도가 심히 답답하다. **설미지근-히** 부

설:-밀 [-민] 명 세밑. ¶~ 대목을 맞은 백화점과 시장.

설법 (說法)[-뻡] 명하자 불교의 교의를 풀어 밝힘. ¶주지의 ~을 듣다.

설-보다 타 선불리 또는 대강 보다.

설복 (說伏·說服) 명하타 알아듣도록 설명하여 수긍하게 함. ¶논리적인 말로 상대를 ~시키다 / 유창한 언변에 ~되다.

설봉 (雪峰) 명 눈에 덮인 산봉우리.

설부 (雪膚) 명 눈처럼 흰 살갗이라는 뜻으로, 미인의 살결의 비유. 설기(雪肌).

설분 (雪憤) 명하자 분풀이.

설비 (設備) 명하타 필요한 것을 베풀어 갖춤. 또는 그런 설비. ¶소방 ~를 점검하다 / 경보 장치를 ~하다.

설:-빔 명하자 설에 새로 차려입거나 신는 옷이나 신발 따위. ¶~으로 단장하고 웃어른에게 세배를 드리다.

설사 (泄瀉)[-싸] 명하자 배탈이 났을 때에 누는 묽은 똥. ¶~가 나다 / ~가 멈추지 않다.

설사 (設使)[-싸] 부 설령(設令). ¶~ 그렇다 해도 실망하지 마라.

설사-약 (泄瀉藥)[-싸-] 명 설사를 멈추게 하는 약의 총칭. 설사제. 지사제(止瀉劑).

설산 (雪山)[-싼] 명 **1** 눈이 쌓인 산. **2** '히말라야 산'의 한자 이름.

설-삶기다 [-삼-] 자 《'설삶다'의 피동》 덜 삶아지다.

설-삶다 [-삼따] 타 덜 삶다.

[설삶은 말 대가리] ㉠고집이 세고 말을 알아듣지 못하는 사람. ㉡멋대가리 없는 사람.

설상 (舌狀)[-쌍] 명 혀의 모양. 또는 혀처럼 생긴 모양.

설상 (楔狀)[-쌍] 명 쐐기와 같은 모양.

설상-가상 (雪上加霜)[-쌍-] 명 난처한 일이나 불행이 잇따라 일어남. 엎친 데 덮치기. 설상가설(加雪). ¶가뜩이나 늦었는데 ~으로 길까지 막혔다.

설설 부 **1** 물 따위가 고루 천천히 끓는 모양. ¶물이 ~ 끓다. **2** 온돌방이 뭉근하게 고루 더운 모양. ¶~ 끓는 아랫목으로 내려앉다. **3** 벌레 따위가 가볍게 기는 모양. ¶송충이들이 ~ 기어간다. **4** '설레설레'의 준말. ¶지겹다는 듯 고개를 ~ 흔들다. **5** 기를 펴지 못하는 모양. ㉺살살.

설설 기다 구 다른 사람 앞에서 눈치를 살피며 복종하다. ¶형 앞에서는 설설 기면서 누나한테는 곧잘 대든다.

설설-거리다 자 **1** 잇따라 가볍게 기어다니다. **2** 마음이 들떠서 계속 돌아다니다. **3** 머리를 잇따라 가볍게 젓다. ㉺살살거리다. ㉥썰썰거리다.

설설-대다 자 설설거리다.

설연 (設宴) 명하자 잔치를 베풂.

설영 (設營) 명하자 행사를 하기 위한 회장이나 시설을 준비함. ¶관측 기지의 ~.

설왕설래 (說往說來) 명하자 시비를 가리거나 주장하여 말로 옥신각신함. ¶재건축 문제로 ~했지만 결론이 나지 않았다.

설욕 (雪辱) 명하타 부끄러움을 씻음. 설치(雪恥). ¶~을 벼르다 / 전날의 패배를 깨끗이 ~하다.

설욕-전 (雪辱戰) 명 설욕하기 위한 싸움. 복수전. ¶일방적인 ~.

설:움 명 서럽게 느껴지는 마음. ¶배고픈 ~을 겪다 / ~이 북받쳐 오르다 / ~을 못 이기다 / ~을 달래다.

설:워-하다 자여불 '서러워하다'의 준말. ¶늙어 가는 것을 ~.

설원 (雪原) 명 **1** 고산 지방 및 극지방에서, 눈이 늘 덮여 있는 넓은 지역. ¶히말라야의 ~. **2** 눈이 덮인 벌판.

설원 (雪冤) 명하타 원통함을 풂.

설유 (說諭) 명하타 말로 타이름.

설음 (舌音) 명 〔언〕 혓소리.

설:-음식 (-飮食) 명 설에 먹는 색다른 음식 《떡국·수정과·식혜·약식·유밀과 따위》.

설-익다 [-릭-] 자 **1** 덜 익다. ¶설익은 과일 / 설익은 밥을 먹고 배탈이 나다. **2** 충분히 무르익거나 완성되지 못하다. ¶설익은 청춘을 주체하지 못하다.

설-자리 [-짜-] 명 **1** 서 있을 자리. ¶~를 잃다. **2** 활을 쏠 때에 서는 자리.

설-잡다 타 어설프게 붙잡다.

설-장구 [-짱-] 명 〔악〕 **1** 농악에서, 장구잡이가 발림을 곁들여 갖가지 장구 가락으로 묘기를 보이는 놀이. **2** 두레패·걸립패·농악대 따위에서, 장구를 치는 우두머리. 또는 그 장구.

설전 (舌戰)[-쩐] 명하자 말다툼. ¶~이 오가다 / 한바탕 ~을 벌이다.

설전-음 (舌顫音)[-쩐-] 명 〔언〕 혀끝을 윗잇몸에 굴리어 내는 소리《'사람, 구름'의 'ㄹ' 소리 같은 것》.

설정 (設定)[-쩡] 명하타 **1** 새로 만들어 정해 둠. ¶상황 ~ / 200 해리 경제 수역 ~ / 개발 제한 구역이 ~되다. **2** 〔법〕 제한 물권을 새로이 발생시키는 행위. ¶담보 ~ / 근저당을 ~하다.

설제 (設題)[-쩨] 명하타 문제나 제목을 정함. 또는 그 문제나 제목.

설주 (-柱)[-쭈] 명 〔건〕 '문설주'의 준말.

설-죽다 자 완전히 죽지 아니하다.

설중 (雪中)[-쭝] 명 **1** 눈이 내리는 가운데. ¶이 ~에 어디를 가려느냐. **2** 눈이 쌓인 가운데. ¶~에 핀 매화.

설중-매 (雪中梅)[-쭝-] 명 눈 속에 핀 매화.

설첨 (舌尖) 명 혀끝.

설측-음 (舌側音) 명 〔언〕 혀옆소리.

설치 (雪恥) 명하타 설욕(雪辱).

설치 (設置) 명하타 기관·설비 따위를 어떤 목적에 알맞게 만들어 두는 일. ¶안테나의 ~ / 도서관의 ~ / 신호등이 횡단보도에 ~되다.

설-치다[1] 자 **1** 마구 날뛰다. ¶불량배가 ~. **2** 침착하지 못하고 조급하게 행동하다. ¶시집 안 간다고 앙탈하던 처자도 날 받아 놓으니 더욱 몸달아 설친다.

설-치다[2] 타 필요한 정도에 미치지 못한 채로 그만두다. ¶밤마다 잠을 ~ / 숙취가 심해 아침밥을 ~.

설치-류 (齧齒類) 명 〔동〕 쥐목(目).

설컹-거리다 [자] 설익은 곡식이나 열매 따위가 씹히는 소리가 자꾸 나다. (작)살캉거리다. (여)설겅거리다. (센)썰겅거리다. **설컹-설컹** [부하형]. ¶감자가 덜 물러서 ~ 씹힌다.

설컹-대다 [자] 설컹거리다.

***설탕**(雪糖) [명] 맛이 달고 물에 잘 녹는 무색 결정((사탕수수·사탕무 등을 원료로 하여 만듦)). 사탕. 사탕가루. 가루사탕.

설탕-물(雪糖-) [명] 설탕을 탄 물. ¶피로를 풀려고 ~을 마시다.

설태(舌苔) [명] 〖의〗 혓바닥에 끼는 이끼 모양의 물질((백색·황색 또는 갈색을 띠며, 열병·위장병이 원인임)). ¶~가 끼다.

설토(說吐) [명하타] 사실대로 모두 이야기함. 실토(實吐). 토설(吐說). ¶바른대로 ~하지 않으면 가만두지 않겠다.

설파(說破) [명하타] **1** 어떤 내용을 듣는 사람이 이해하도록 분명하게 밝혀서 말함. ¶중생에게 진리를 ~하다. **2** 상대의 이론을 깨뜨려 뒤엎음.

설풍(雪風) [명] **1** 눈과 함께 부는 바람. 눈바람. **2** 눈과 바람.

설피(雪皮) [명] 산간 지대에서, 눈에 빠지지 않도록 신 바닥에 대는 넓적한 덧신.

설피다 [형] **1** 짜거나 엮은 것이 거칠고 성기다. ¶베가 설핀지라 여름에도 시원하다. (작)살피다. **2** 솜씨가 거칠고 서투르다. ¶장작 패는 솜씨가 설피어서 힘만 든다. *어설프다. **3** 말이나 행동이 덜렁덜렁하고 거칠다. ¶태도가 매우 ~.

설핏-설핏 [-핃썰핃] [부하형] **1** 짜거나 엮은 것이 모두 거칠고 성긴 모양. (작)살핏살핏. **2** 잠깐잠깐 나타나거나 떠오르는 모양. ¶머릿속을 ~ 스쳐가는 생각이 있었다. **3** 잠깐잠깐 풋잠이나 얕은 잠에 빠져 드는 모양. ¶잠을 자도 ~ 노루잠을 잔다.

설핏-하다 [-피타-] [형](여불) **1** 짜거나 엮은 것이 거칠고 성기다. (작)살핏하다. **2** 해가 져서 빛이 약하다. ¶늦가을 해가 설핏해진 저녁 무렵.

설-하다(說-) [타](여불) **1** 설명해서 말하다. **2** 도리나 이치·학설 등을 이해하기 쉽게 말하다. ¶스님이 법당에서 불법을 ~.

설한(雪恨) [명하자] 원한을 씻음.

설한(雪寒) [명] 눈이 내리는 중이나 내린 뒤에 닥치는 추위.

설한-풍(雪寒風) [명] **1** 눈바람1. **2** 눈과 함께 휘몰아치는 매서운 바람. 설풍. ¶~에 휘둘리듯 와들와들 떨다 / 한겨울 ~ 속에서도 잎이 청청한 대나무 / ~을 헤치고 차를 달리다.

설해(雪害) [명] 눈으로 인한 피해.

설형 문자(楔形文字) [-짜] 〖언〗 쐐기 문자.

설혹(設或) [부] 설령. ¶~ 돈이 있어도 그런 일에는 쓸 수 없지.

설화(舌禍) [명] **1** 연설이나 강연 따위가 법률에 저촉되거나 남을 노하게 하여 당하는 재난. **2** 남에 대한 중상이나 비방 따위로 당하는 재난. *필화.

설화(雪花·雪華) [명] **1** 눈송이. **2** 나뭇가지에 꽃처럼 붙은 눈발.

설화(說話) [명] **1** 이야기5. **2** 신화·전설 등을 줄거리로 사실처럼 꾸민 옛이야기. ¶구전(口傳) ~ / 민간 ~를 채집하다.

설화 문학(說話文學) 〖문〗 전설·신화·동화 등을 소재로 문학적 형태를 갖춘 문학.

섧:다 [설따] (설우니, 설워) [형](ㅂ불) 원통하고 슬프다. '서럽다'의 본딧말. ¶섧게 울다. ☞서럽다.

섬[1] [一][명] 곡식 등을 담기 위하여 짚으로 엮어 만든 멱서리. ¶밤을 따서 ~에 담다. [二][의명] 용량의 단위((한 말의 열 곱절)). 석(石). ¶벼 한 ~을 지다 / 보리 두 ~을 찧다.
[섬 진 놈 멱 진 놈] 어중이떠중이.

섬1[一]

섬[2] [명] **1** 돌층계의 계단. 층층대. **2** '섬돌'의 준말.

***섬:**[3] [명] 사면이 물로 둘러싸인 육지. ¶~과 뭍이 다리로 연결되다 / 다도해의 크고 작은 많은 ~들.

섬-곡식(-穀-) [-꼭-] [명] 한 섬쯤 되는 곡식.

섬광(閃光) [명] 순간적으로 강렬히 번쩍이는 빛. ¶조명탄의 눈부신 ~.

섬광 신:호(閃光信號) 주로 배에서 밤에 일정한 간격으로 섬광을 나타내는 신호.

섬기다 [타] 신이나 윗사람을 모시어 받들다. ¶스승으로 ~ / 충신은 두 임금을 섬기지 않는다.

섬:-나라 [명] 사방이 바다로 둘러싸인 나라. 해국(海國). 도국(島國).

섬-돌 [-똘] [명] 오르내릴 수 있게 놓은 돌층계. ¶~을 딛고 올라서다. (준)섬.

섬뜩-하다 [-뜨카-] [형](여불) 소름이 끼치도록 무섭고 끔찍하다. ¶가슴이 섬뜩해서 고개를 돌리다.

섬멸(殲滅) [명하타] 모조리 무찔러 멸망시킴. ¶반란군을 ~하다 / 적은 완전히 ~되었다.

섬멸-전(殲滅戰) [-쩐] [명] 적을 모조리 무찌르는 싸움. ¶~을 전개하다.

섬모(纖毛) [명] **1** 가는 털. **2** 〖생〗 섬모충류의 체표나 많은 후생(後生)동물의 섬모 상피 세포 등에 난 가늘고 짧은, 털과 같은 물질((대장균 등 장내 세균에 붙어 있고, 인체 기관의 거죽에 가장 발달되어 있음)). 물결털. *편모(鞭毛). **3** 섬유.

섬모충-류(纖毛蟲類) [-뉴] [명] 〖동〗 진핵(眞核) 단계에 있는 원생생물의 한 무리. 단세포로 달걀꼴 또는 타원형임. 몸길이는 0.01-3mm이고 섬모 운동으로 이동함. 이분법 또는 접합으로 번식함. 섬모류. *편모충류(鞭毛蟲類).

섬벅 [부하자] 연한 물건이 칼에 쉽게 베어지는 모양. 또는 그 소리. ¶수박을 ~ 자르다. (작)삼박. (센)섬뻑·썸벅·썸뻑.

섬벅-섬벅 [부하자형] 연한 물건이 칼에 쉽게 잇따라 베어지는 소리. 또는 그 모양. ¶무를 ~ 썰다. (작)삼박삼박. (센)섬뻑섬뻑·썸벅썸벅·썸뻑썸뻑.

섬뻑 [부하자] 연한 물건이 칼에 쉽게 베어지는 소리. 또는 그 모양. (작)삼빡. (여)섬벅. (센)썸뻑.

섬뻑-섬뻑 [부하자형] 연한 물건이 쉽게 잇따라 베어지는 소리. 또는 그 모양. ¶무를

~ 잘라 놓다. ㊆삼빡삼빡. ㊇섬벅섬벅. ㊉썸빽썸빽.
섬:-사람 [-싸-] 명 섬에 사는 사람. 도민. ↔뭍사람.
섬섬-옥수 (纖纖玉手) 명 가냘프고 고운 여자의 손. ¶낙랑 공주의 ~를 뿌리치고 돌아서다.
섬섬-하다 (纖纖-) 형 여불 가냘프고 연약하다. ¶섬섬한 가는 손. **섬섬-히** 부
섬세-하다 (纖細-) 형 여불 **1** 곱고 가늘다. ¶섬세한 공예품 / 섬세한 필치 / 희고 섬세한 손. **2** 아주 찬찬하고 미묘하다. ¶섬세한 심리 묘사 / 주위 사람들에게 섬세하게 마음을 쓴다. **섬세-히** 부
섬약-하다 (纖弱-) [-야카-] 형 여불 가냘프고 약하다. ¶섬약한 음성 / 섬약한 손.
***섬유** (纖維) 명 **1** 〔생〕 생물체의 몸을 이루는 가늘고 긴 실 같은 물질. **2** 실 모양의 고(高)분자 물질《천연·인조·합성의 세 섬유로 구별》.
섬유-소 (纖維素) 명 **1** 〔화〕 셀룰로오스. **2** 〔생〕 피브린.
섬유 작물 (纖維作物) [-장-] 섬유를 채취하기 위하여 재배하는 작물《방적 원료의 목화·아마, 제지 원료의 삼지닥나무·닥나무, 조편(組編) 원료의 골풀·파나마풀, 가구 원료의 대·으름덩굴 따위》.
섬유-질 (纖維質) 명 섬유로 된 물질. ¶채소에는 ~이 많다.
섬-지기 의명 볍씨 한 섬의 모를 심을 만한 논의 넓이. ¶한 ~ / 두 ~의 논.
섭동 (攝動) 명 **1** 행동을 다스림. **2** 〔천〕 어떤 천체 평형 상태가 다른 천체의 인력으로 교란을 일으키는 현상. **3** 〔물〕 역학계(系)에서, 주요한 힘의 작용에 의한 운동이 부차적 힘의 영향으로 교란되는 운동.
섭력 (涉歷) [섬녁] 명하타 물을 건너고 산을 넘는다는 뜻으로, 여러 경험을 많이 겪음을 일컫는 말.
섭렵 (涉獵) [섬녑] 명하타 물을 건너 찾아다닌다는 뜻으로, 책을 많이 읽거나 여기저기 찾아다니며 경험함을 이르는 말. ¶산야를 널리 ~하다 / 문헌을 두루 ~하다.
섭리 (攝理) [섬니] 명 **1** 병에 걸린 몸을 잘 조리함. **2** 대신하여 처리하고 다스림. **3** 자연계를 지배하는 원리와 법칙. ¶자연의 ~ / 높은 데서 낮은 데로 흐르는 것이 물의 ~이다. **4** 세상의 모든 것을 다스리는 하느님의 뜻.
섭-산적 (-散炙) 명 쇠고기를 잘게 다져 갖은 양념을 하고 반대기를 지어 구운 적.
섭산적이 되도록 맞다 구 상처가 많이 나도록 매우 심하게 두들겨 맞다.
섭-새기다 타 조각에서, 글자나 그림이 두드러지게 가장자리를 파내거나 뚫어지게 새기다.
섭생 (攝生) 명하자 양생(養生)1. ¶의사가 처방대로 ~을 하다.
섭섭-하다 [-써파-] 형 여불 **1** 정을 나눈 사람과 헤어질 때 마음이 서운하고 아쉽다. ¶이렇게 헤어지다니 정말 섭섭하군. **2** 없어지는 것이 애틋하고 아깝다. ¶그의 패배는 참으로 섭섭한 일이다. **섭섭-히** [-써피] 부. ¶헤어짐을 ~ 여기다 / 본의가 아니니 너무 ~ 생각 말게.
섭-수 (-數) 명 **1** 볏짚의 수량. ¶~가 적다. **2** 잎나무의 수량. ¶~가 많다.
섭씨 (攝氏) 명 〔물〕 섭씨온도계의 눈금의 명칭. 'C'로 표시함. *열씨(列氏)·화씨(華氏). ¶~ 35도를 넘는 무더위.
섭씨-온도계 (攝氏溫度計) [-/-게] 명 〔물〕 물이 어는점을 0도, 끓는점을 100도로 하고, 그 사이를 백 등분한 온도계.
섭외 (涉外) 명하타 **1** 외부와 연락·교섭하는 일. ¶출연자 ~ / 광고주를 ~하다. **2** 어떤 법률 사항이 내외국에 관계·연락되는 일.
섭정 (攝政) 명하자타 임금을 대신하여 정치함. 또는 그런 사람. ¶왕이 어려 대비가 ~하다.
섭취 (攝取) 명하타 좋은 요소나 양분 따위를 몸속에 빨아들임. ¶영양 ~ / 동물성 단백질의 ~가 증가하다 / 갖가지 지식을 ~하다.
섭-하다 형 여불 '섭섭하다'의 잘못.
섰다 [섣따] 명 화투 두 장씩으로 하는 노름의 한 가지《끗수가 가장 높은 사람이 판돈을 가져감. 돈을 더 태우며 버틸 때 '섰다'라고 외침》.
성:[1] 명 불쾌한 충동으로 왈칵 치미는 노여운 감정. ¶~이 나서 길길이 뛰다.
성이 머리끝까지 나다 구 화가 몹시 나다.
***성:** (姓) 명 혈족을 나타내는 칭호《김(金)·이(李) 등》. ¶도움 주신 분의 이름도 ~도 모르다니.
성을 갈겠다 구 단언할 때나, 다시는 하지 않겠다고 다짐할 때에 이르는 말. ¶담배를 계속 피우면 ~.
성: (性) 명 **1** 사람·사물 따위의 본바탕이나 본성. **2** 〔철〕 사람이 나면서부터 지닌 성품. **3** 〔생〕 남녀·자웅·암수의 구별. ¶~의 구별 / 남녀의 ~의 특성. **4** 남녀의 육체적 관계. 또는 그에 관련된 일. ¶~의 문란 / ~을 금기시하다 / ~에 눈뜨다. **5** 〔언〕 문법상의 남성·여성·중성.
성에〔**성이**〕 **차다** 구 흡족하게 여기다. ¶아이는 우유 한 병을 다 먹고도 성이〔성에〕 차지 않는지 계속 울어 댄다.
성 (省) 명 **1** 옛날 중국에서, '궁중(宮中)'의 뜻. **2** 〔역〕 옛 중국의 중앙 정부. 곧, 중서성(中書省). **3** 〔지〕 중국의 지방 행정 구획. ¶산둥(山東) ~. **4** 외국의 중앙 행정 기관《미국·일본 따위》. ¶국무~ / 외무~ / 재무~.
***성** (城) 명 적을 막기 위해 높이 쌓은 큰 담. 또는 그런 담으로 둘러싼 지역. ¶~을 지키다 / ~을 쌓다 / ~을 함락시키다.
성[2] 의명 용언의 관형형 어미 '-ㄴ'·'-은'·'-는'·'-ㄹ'·'-을'의 뒤에 붙어 '싶다, 하다, 부르다' 따위와 함께 쓰이어, '것 같다'의 뜻으로 막연한 추측이나 가능성을 나타냄. ¶한 번 본 ~싶다 / 좋을 ~싶다 / 좋은 분일 ~싶소. *듯.
성:- (聖) 두 **1** 〔가〕 '거룩하신'의 뜻을 나타냄. ¶~바울. **2** 기독교에 관한 몇몇 명사 앞에 붙여 '거룩한' 뜻이나 그 관계를 나타냄. ¶~만찬 / ~금요일.
-성 (性) 미 명사 뒤에 붙어, 그러한 성질·경향을 나타냄. ¶인간~ / 적극~ / 양면~.

성가 (成家) 명하자 1 결혼하여 따로 한 가정을 이룸. ¶아우들은 모두 ~했다. 2 재산을 모아 집안을 일으켜 세움. 3 학문이나 기술 따위가 탁월하여 한 체계를 이룸. 4 성취(成娶).

성:가 (聖歌) 명 1 신성한 노래. 2 천주·천신·성인을 칭송하는 노래. 찬송가. ¶~집(集).

성가 (聲價)[-까] 명 세상에 드러난 좋은 평판이나 가치. ¶~가 높다 / ~를 높이다.

성:가-대 (聖歌隊) 명 〖기·가〗 예배나 미사 의식 때 성가를 부르는 합창단.

성가시다 형 자꾸 들볶거나 번거롭게 굴어 괴롭고 귀찮다. ¶성가신 일 / 오라 가라 성가시게 굴다 / 만사가 귀찮고 ~.

성-가퀴 (城-) 명 성 위에 낮게 쌓은 담《적을 감시하거나 공격하는 곳》. 여장(女墻). 성첩(城堞).

성:감 (性感) 명 성교할 때, 성기 또는 성감대(性感帶)를 자극할 때의 생리적 쾌감.

성:감-대 (性感帶) 명 외부의 자극으로 성적 쾌감을 느끼는 신체의 부위《유방·귀·목 따위》. ¶~를 자극하다.

성:게 명 〖동〗 극피동물의 하나. 간조선 부근 암석에 사는데, 몸은 공 모양, 굳은 껍질 표면에 다수의 가시가 있어 밤송이 같음. 입은 아래에, 항문은 위에 있음. 알·정소(精巢)는 식용. 섬게.

***성:격** (性格)[-껵] 명 1 성결. 2 개인의 고유한 성질이나 품성. ¶적극적인 ~ / 밝고 명랑한 ~ / ~이 맞지 않다 / ~이 부드럽다. 3 사물이나 현상의 본질이나 본성. ¶강제적인 ~을 띤 처사.

성:격 묘:사 (性格描寫)[-껵-] 〖문〗 소설이나 영화·희곡 등에서 등장 인물의 성격을 그려 내는 일.

성:격 배우 (性格俳優)[-껵-] 〖연〗 어떤 등장 인물의 개성적인 특징을 능숙하게 표현하는 배우.

성:격 이:상 (性格異常)[-껵-] 〖의〗 주로 감정이나 의지의 통제력에 결함이 있는 정신적 불완전 상태《의지 박약증》.

성:-결 (性-)[-껼] 명 성품의 바탕. ¶~이 고약하다.

성:결 (聖潔) 명하형 거룩하고 깨끗함.

성:경 (聖經) 명 종교상 신앙의 최고 법전이 되는 책《기독교의 신구약 성서, 불교의 팔만대장경, 유교의 사서오경, 이슬람교의 코란 따위》. 성서(聖書).

성:골 (聖骨) 명 〖역〗 신라 때 골품(骨品)의 하나. 부모가 다 왕계인 사람. *진골.

***성공** (成功) 명하자 1 목적하는 바를 이룸. ¶수술 ~률 / ~ 사례 / ~의 비결 / ~을 빌다 / ~을 거두다. 2 낮은 데서 몸을 일으켜 크게 됨. 부(富)나 명예, 사회적인 지위를 얻음. ¶주식 투자로 크게 ~하다. ↔실패.

성공-적 (成功的) 관명 성공했다고 할 만한 (것). ¶행사의 ~ 개최.

성과 (成果)[-꽈] 명 이루어낸 결실. ¶다대한 ~를 올리다 / 눈에 띄는 ~를 거두다.

성과-급 (成果給)[-꽈-] 명 작업의 성과를 기준으로 지급되는 임금. ↔시간급.

성곽 (城郭·城廓) 명 1 내성과 외성. ¶~을 쌓다. 2 성과 성의 둘레.

성관 (成冠) 명하자 관례(冠禮)를 행함. ¶~을 시켜 놓으니 제법 어른스러워졌다.

성:-관계 (性關係)[-/-게] 명 남녀가 성기를 통하여 육체적으로 관계를 맺음. ¶~를 맺다 / ~를 가지다.

성:교 (性交) 명하자 남녀가 성기를 통하여 육체적으로 관계를 맺음. 방사(房事). 교구(交媾). 교접. ¶혼전 ~를 금한다.

성:-교육 (性敎育) 명 청소년 남녀에게 성에 관한 올바른 지식을 가지도록 하는 교육.

성구 (成句)[-꾸] 명하자 1 글귀를 이룸. 2 〖언〗 하나의 뭉뚱그려진 뜻을 나타내는 글귀. 또는 예로부터 내려오는 관용구《가을을 형용하는 '천고마비(天高馬肥)' 따위》.

성군 (星群) 명 같은 방향으로 공통의 공간 운동을 하는 항성의 한 무리.

성:군 (聖君) 명 덕이 뛰어난 어진 임금. 성주(聖主).

성균-관 (成均館) 명 〖역〗 조선 때, 유교의 교육을 맡던 관부. 학궁(學宮). 태학(太學).

성그레 부하자 천연스럽게 소리 없이 부드럽게 웃는 모양. ¶만족한 표정으로 ~ 웃다. 큰상그레.

성글-거리다 자 천연스러운 태도로 소리 없이 정답게 자꾸 웃다. 작상글거리다. **성글-성글** 부하자

성글다 [성그니, 성그오] 형 성기다. ¶성글게 엮은 발 / 돗자리 올이 굵고 ~.

성글-대다 자 성글거리다.

성금 명 1 말이나 일의 보람이나 효력. ¶네 말이 ~이 섰다. 2 꼭 지켜야 할 명령.

성금이 서다 구 명령 따위의 효력이 나타나다.

성금 (誠金) 명 정성으로 내는 돈. ¶수재민 구호 ~ / ~을 거두다 / ~을 내다.

성:급-하다 (性急-)[-그파-] 형여불 성미가 팔팔하고 급하다. ¶성급한 결정을 내리다 / 성급하게 재촉하지 말게. **성:급-히** [-그피] 부. ¶너무 ~ 서두르다.

[성급한 놈 술값 먼저 낸다] 성미가 급한 사람은 손해를 보기 쉽다는 말.

성긋 [-귿] 부하자 눈과 입을 천연스럽게 소리 없이 가볍게 웃는 모양. 작상긋. 센성끗·썽긋·썽끗.

성긋-벙긋 [-귿뻥귿] 부하자 성긋거리며 벙긋벙긋하는 모양. 작상긋방긋. 센성끗벙끗·썽긋뻥긋·썽끗뻥끗.

성긋-이 부 성긋. 작상긋이. 센성끗이·썽긋이·썽끗이.

성:기 (性器) 명 〖생〗 생식기.

성:기 (盛氣) 명하자 성한 기운이 버쩍 오름. 또는 그 기운.

성:기 (盛期) 명 한창때.

성:-기능 (性機能) 명 성생활에 관계되는 신체의 각 기관의 기능. ¶~에 장애가 오다.

성기다 형 물건의 사이가 배지 않고 뜨다. 성글다. ¶성긴 눈발이 희끗희끗 날리다 / 스웨터를 성기게 짜다. ↔배다.

성깃-성깃 [-긷썽긷] 부하형 여러 군데가 성깃한 모양. ¶흰 터럭이 서리처럼 ~ 수염에 섞여 있다.

성깃-하다 [-기타-] 형여불 물건의 사이나 간격이 꽤 뜬 듯하다. ¶성깃한 머리털.

성:-깔 (性-) 명 성질을 거칠게 부리는 버릇이나 태도. ¶~이 있다 / ~을 부리다 / ~

이 고약하다.
성:깔-머리 (性—) 명 〈속〉 성깔. ¶그 사람, ~가 보통이 아니더군.
성꿋 [-끋] 부 눈과 입을 천연스럽게 움직이며 소리 없이 가볍게 웃는 모양. ㉧상꿋. ㉨성긋. ㉥썽꿋.
성꿋-벙꿋 [-끋뺑끋] 부하자 성꿋거리면서 벙꿋벙꿋하는 모양. ㉧상꿋방꿋. ㉨성긋벙긋. ㉥썽꿋뻥꿋.
성꿋-이 부 성꿋. ㉧상꿋이. ㉨성긋이. ㉥썽꿋이.
성:-나다 자 **1** 노엽거나 언짢은 기분이 일다. ¶성난 얼굴. **2** 흥분으로 격한 감정이 솟다. ¶성난 파도. **3** 잘못 건드려 종기가 덧나다. ¶상처가 벌겋게 성나 있다.
[성나 바위 차기] 분별없이 화풀이하다 자기에게 손해 보는 짓을 함.
성내 (城內) 명 성의 안. ↔성외(城外).
성:-내다 자 **1** 노여움을 나타내다. ¶친구에게 ~. **2** 거친 기운을 내다. ¶성낸 물결이 바위에 철썩철썩 부딪친다.
[성내어 바위를 차니 발부리만 아프다] ㉠ 성나 바위 차기. ㉡안될 일을 억지로 하면 스스로 해를 당한다는 말.
***성냥** 명 〔←석유황(石硫黃)〕 마찰하여 불을 켜는 물건. ¶~ 한 갑 / ~을 켜다 / ~ 한 개비를 꺼내어 득 그었다.
성냥-갑 (—匣)[-깝] 명 성냥개비를 담은 갑.
성냥-개비 [-깨-] 명 성냥의 낱개비.
성년 (成年) 명 〘법〙 신체나 지능이 완전히 발달하여 법적 권리를 행사할 수 있다고 간주되는 나이. 만 20세 이상. ↔미성년.
성:년 (盛年) 명 한창때의 젊은 나이. 또는 그런 나이의 사람. 장년(壯年).
성년-식 (成年式) 명 **1** 성년이 되면 치르는 의식. **2** 미개인 사회에서 일정한 나이에 이른 남녀에게 씨족이나 종교 단체 등의 성원(成員)으로서의 자격을 주는 의식.
성:능 (性能) 명 기계 따위의 성질과 기능. ¶~이 좋은 카메라 / ~이 뛰어나다 / ~을 조사하다.
성단 (星團) 명 천구(天球) 위에 군데군데 밀집해 있는 항성의 집단《구상(球狀) 성단과 산개(散開) 성단으로 나눔》.
***성:당** (聖堂) 명 **1** 천주교의 종교의식이 행해지는 건물. ¶~에 다니다. **2** 공자를 모신 사당. 문묘(文廟).
성대 (聲帶) 명 〘생〙 후두(喉頭) 중앙에 있는 발성 기관《탄력 있는 두 줄의 인대(靭帶)로, 수축·신장이 자유로워 폐에서 나오는 공기에 의해 진동되어 소리가 남》.
성대-모사 (聲帶模寫) 명 자신의 목소리로 다른 사람의 목소리나 새, 짐승 따위의 소리를 흉내 내는 일.
성:대-하다 (盛大—) 형여불 풍성하고 크다. ¶진수식을 성대하게 거행하다. **성:대-히** 부. ¶장례식을 ~ 치르다 / ~ 환영하다.
성덕 (成德) 명하자 덕을 닦음. 또는 그 덕성.
성:덕 (盛德) 명 크고 훌륭한 덕.
성:덕 (聖德) 명 **1** 성인의 덕. **2** 임금의 덕. ¶~을 기리다.
성도 (成道) 명하자 **1** 도를 닦아 이룸. **2** 학문의 참뜻을 체득함. **3** 〘불〙 음력 섣달 초여드렛날 석가여래가 보리수 아래서 큰 도(道)를 이룬 일.
성:-도덕 (性道德) 명 남녀 간의 성에 대한 사회적 윤리 규범. ¶문란한 ~.
성량 (聲量)[-냥] 명 목소리가 크거나 작게 울리는 정도. ¶~이 풍부한 가수.
성력 (誠力)[-녁] 명 정성과 힘. 성실한 힘. ¶~을 다하다 / 각기 최대의 ~을 보여라.
성:령 (聖靈)[-녕] 명 〘기·가〙 삼위일체 중의 하나인 하느님의 영혼을 이르는 말.
성례 (成禮)[-녜] 명하자 혼인의 예식을 지냄. ¶~를 올리다 / 이웃집 처녀와 ~하다 / 날을 받아 ~하다.
성루 (城樓)[-누] 명 성문 위에 세운 누각.
성루 (城壘)[-누] 명 **1** 성 둘레의 토담. **2** 적을 막기 위하여 임시로 쌓은 작은 요새. 성보(城堡).
성:리-학 (性理學)[-니-] 명 〘철〙 중국 송(宋)·명(明)나라 때에 집대성된 형이상학적 유학의 한 계통《훈고학에 만족하지 않고, 우주의 본체와 인성(人性)을 논함》. ㊅이학(理學).
성립 (成立)[-닙] 명하자 일이나 관계 따위가 제대로 이루어짐. ¶봉건 사회의 ~ / 알리바이가 ~하다 / 계약이 ~되다.
성:-마르다 (性—)〔성마르니, 성말라〕 형르불 참을성이 없고 성질이 급하다.
성망 (聲望) 명 명성과 덕망. 좋은 평판. 명망. ¶~이 높다 / 높으신 ~을 들었습니다.
성:명 (姓名) 명 성과 이름. ¶~을 대다 / ~을 부르다 / ~을 밝히다.
성:명 (性命) 명 **1** 사람의 성품과 타고난 수명. ¶~을 보전하기가 어렵다. **2** 생명1. ¶모든 생물의 ~.
성:명 (盛名) 명 떨치는 이름. 명성(名聲). ¶~이 자못 높다 / 근자에 ~이 자자하다.
성명 (聲名) 명 명성(名聲).
성명 (聲明) 명하타 어떤 사항에 대한 견해나 의견을 공개적으로 발표함. 또는 그 의견. ¶하야 ~ / ~을 발표하다 / 반대 ~을 내다.
성:명부지 (姓名不知) 명 성명을 알지 못함. 성(姓)부지명(名)부지.
성명-서 (聲明書) 명 정치적·사회적 문제 또는 외교상의 문제에 대한 방침이나 견해를 공표하는 글이나 문서.
성:모 (聖母) 명 **1** 성인의 어머니. **2** '국모'를 높여 이르는 말. **3** 〘가〙 성모 마리아.
성:모 마리아 (聖母Maria) 〘성〙 예수의 어머니 마리아. 성모(聖母). 동정녀(童貞女).
***성묘** (省墓) 명하자 조상의 산소를 찾아 돌봄. 간산(看山). ¶한식을 맞아 ~를 가다 / 선영에 ~하다.
성문 (成文) 명하자타 문장이나 문서로 나타냄. 또는 그 문장이나 문서. ↔불성문.
성문 (城門) 명 성의 출입구에 만든 문. ¶~을 열다 / ~을 지키다.
성문 (聲門) 명 〘생〙 양쪽 성대(聲帶) 사이에 있는 좁은 틈. 숨이 통하는 구멍.
성문-법 (成文法)[-뻡] 명 〘법〙 문서로 작성된 법률. 성문율. ↔불문법.
성문-화 (成文化) 명하타 문장으로 옮겨 작성함.
성:물 (聖物) 명 〘가〙 종교 의식에 사용하는 거룩한 물건《십자가·묵주·성모상 따위》.

성:미 (性味) 명 성질·마음씨·비위·버릇 따위의 총칭. ¶까다로운 ~/~가 괴팍하다/꾹 참고 ~를 죽이려니 견디기 어렵다.
성-밖 (城-)[-박] 명 성문의 바깥. ↔성안.
성:-범죄 (性犯罪) 명 성(性)에 관련된 범죄《강간·강제 추행 따위》.
성:벽 (性癖) 명 굳어진 성질이나 버릇. 몸에 밴 습관. ¶좀처럼 남을 믿지 않는 ~. *성미(性味).
성벽 (城壁) 명 성곽의 담벼락. ¶절벽 같은 ~/ ~을 쌓다/~을 무너뜨리다/높은 ~에 기어오르다.
성:별 (性別) 명 남녀나 암수의 구별. ¶병아리의 ~은 감별하기가 어렵다.
성:병 (性病)[-뼝] 명 〖의〗 불결한 성행위로 전염되는 병《매독·임질·연성 하감(下疳)·제4 성병 등》. 화류병.
성복 (成服) 명 초상이 나서 처음으로 상복을 입는 일《보통 초상난 지 나흘 되는 날에 입음》.
성:복 (盛服) 명 특별한 의식을 치르려고 잘 차려입은 옷. ¶결혼에 대비하여 ~을 마련하다.
성:부 (聖父) 명 〖가〗 삼위일체 중의 하나인 하느님을 이르는 말.
성부 (聲部) 명 〖악〗 소리의 높낮이에 따라 차지하는 위치《소프라노·테너 따위》.
성분 (成分) 명 **1** 물체의 바탕이 되는 요소. ¶~을 화학적으로 분석하다/농약 ~이 검출되다. **2** 한 문장을 이루는 요소. ¶문장의 주체가 되는 ~을 주어라 한다. **3** 사람의 사상적인 성행(性行). 또는 사회적인 계층. ¶출신 ~/과거의 ~을 조사하다.
성분-력 (成分力)[-녁] 명 〖물〗 하나의 힘이 둘 이상의 힘을 합한 결과라고 할 때, 합쳐지기 전 각각의 힘을 이름. 분력(分力).
성불 (成佛) 명하자 〖불〗 **1** 모든 번뇌를 해탈하여 불과(佛果)를 얻음. 성불도. **2** 죽어서 부처가 됨. ¶~한 스님. **3** 사람의 죽음의 비유.
성:비 (性比) 명 출생 때의 암수 또는 남녀 개체 수의 비율. ¶남아 선호 사상 때문에 ~의 불균형이 심화되다.
성사 (成事) 명하자 일을 이룸. 또는 일이 이루어짐. ¶일이 의외로 쉽게 ~되었다/일의 ~ 여부가 불투명하다.
성:사 (盛事) 명 성대한 일.
성산 (成算) 명 일이 이루어질 가능성. ¶~이 보이다/~이 서다.
성:상 (性狀) 명 **1** 사람의 성질과 행실. ¶사람마다 ~은 서로 다르다. **2** 사물의 성질과 상태.
성상 (星狀) 명 별 모양. 흔히, 다섯 개의 방사상 돌기가 있는 형상.
성상 (星霜) 명 **1** 한 해 동안의 세월. ¶~이 바뀌다. **2** 햇수를 나타내는 말. ¶열 개 ~이 덧없이 흘렀다.
성:상 관형사 (性狀冠形詞) 〖언〗 사람이나 사물의 모양·상태·성질 등을 나타내는 관형사《'새, 헌' 따위》.
성:상 부:사 (性狀副詞) 〖언〗 사람이나 사물의 모양·상태·성질을 한정하여 꾸미는 부사《'잘, 몹시' 따위》.
성:상 형용사 (性狀形容詞) 〖언〗 사물의 성질이나 상태를 나타내는 형용사《'뜨겁다, 크다, 기쁘다' 따위》. *지시 형용사.
성색 (聲色) 명 **1** 노래와 여색. ¶~에 깊이 빠지다. **2** 말소리와 얼굴빛. ¶~을 가다듬다.
성:-생활 (性生活) 명 남녀의 성적 관계에 대한 생활 상태. ¶문란한 ~.
성:서 (聖書) 명 **1** 성인이 쓴 책. 또는 성인의 행적을 적은 책. **2** 〖종〗 교리를 기록한 경전. **3** 〖기〗 기독교의 성경《구약·신약으로 나뉨》. 바이블.
성:선 (性腺) 명 〖생〗 생식샘1.
성:선-설 (性善說) 명 〖윤〗 인간의 본성은 선천적으로 착하다는 맹자의 설. ↔성악설.
성성-이 (猩猩-) 명 〖동〗 오랑우탄.
성성-하다 (星星-) 형여불 머리털이 세어 희끗희끗하다. ¶백발이 ~/수염이 ~.
성세 (成勢) 명하자 세력을 이룸.
성:세 (盛世) 명 한창 융성한 세대. ¶태평 ~를 누리다.
성세 (聲勢) 명 명성과 위세.
성:-세포 (性細胞) 명 〖생〗 생식 세포.
성:쇠 (盛衰) 명 성함과 쇠퇴함. ¶문화의 ~/노사 화합 여하에 따라 기업의 ~가 달려 있다.
성수 (成遂) 명하타 일을 이루어 냄.
성:수 (聖水) 명 〖가〗 종교적인 의식 때 쓰기 위해 축성(祝聖)한 물.
성:수-기 (盛需期) 명 상품이나 서비스의 수요가 많은 때. ¶~가 지난 상품을 싸게 구입하다/선풍기와 에어컨의 ~는 여름이다. ↔비수기.
성숙 (成熟) 명하자 **1** 초목의 열매가 무르녹게 익음. ¶오곡이 ~하는 계절. **2** 생물이 충분히 발육됨. ¶~한 처녀. **3** 경험이나 훈련을 쌓아 익숙해짐. **4** 사물이 적당한 시기에 이름. ¶시기가 ~하다.
성숙-기 (成熟期) 명 **1** 성숙하여 가는 기간. ¶근대화의 ~. **2** 성숙이 이루어진 시기. ¶신품종 벼의 ~가 단축되었다. **3** 신체와 정신의 발육이 한창인 시기. ¶~의 청소년.
성숙-아 (成熟兒) 명 임신 10 개월이 경과된 뒤에 태어난 아이. ↔조산아·미숙아.
성:-스럽다 (聖-)〔성스러우니, 성스러워〕 형 ㅂ불 거룩하고 고결하여 엄숙하다. ¶성스러운 말/성스러운 감동/분위기가 성스럽고 엄숙하다. **성:-스레** 부
성시 (成市) 명하자 **1** 장이 섬. 또는 시장을 이룸. **2** 사람이 붐빔의 비유. ¶문전~를 이루다.
성:시 (盛時) 명 혈기나 국운이 왕성한 때. ¶신라 통일기의 ~.
성:신 (聖神) 명 〖기·가〗 성령(聖靈). ¶성부와 성자와 ~.
***성실** (誠實) 명하형히부 정성스럽고 참됨. ¶~한 학생/일을 ~히 하다/~함이 돋보이다.
성실-성 (誠實性)[-썽] 명 정성스럽고 진실된 품성. ¶남다른 그의 ~.
성심 (誠心) 명 정성스러운 마음. ¶~을 다하여 돌보다.
성심-껏 (誠心-)[-껃] 부 정성스러운 마음을 다해. ¶~ 돕다/시부모를 ~ 모시다.
성-싶다 [-십따] 보형 앞말을 받아 주관적·

추리적인 추측을 나타내는 말《어미 '-ㄴ'·'-은'·'-는'·'-ㄹ'·'-을' 뒤에 쓰여서》. ¶한 번쯤은 본 ~ / 좋을 성싶어서 가져왔다 / 잠이 올 성싶지 않다.

성:씨 (姓氏) 명 '성'의 높임말. ¶그 분은 저와 ~가 같은 어른이십니다.

성악 (聲樂) 명 〔악〕 사람의 목소리로 하는 음악. ↔기악.

성악-가 (聲樂家) 명 〔악〕 성악을 전문적으로 하는 음악가.

성:악-설 (性惡說) 명 〔윤〕 인간의 본성은 악하다고 하는 순자(荀子)의 설. ↔성선설.

성안 (成案) 명하타 안을 작성함. 또는 그 안. ¶새해 예산안을 ~하다 / 5개년 계획이 ~되다.

성-안 (城-) 명 성문의 안. 성내. 성중. ¶~에 살다 / ~ 모습이 한눈에 들어오다. *성중(城中). ↔성밖.

성애 명 **1** 흥정이 이루어진 증거로 옆의 사람들에게 술·담배 따위를 대접하는 일. **2** 물건을 살 때에 값어치 이외의 다른 물건을 더 얹어 받는 일.

성:애 (性愛) 명 남녀 간의 성적 본능에 의한 애욕. ¶~의 즐거움을 묘사하다.

성어 (成魚) 명 다 자란 물고기. ↔치어(稚魚).

성어 (成語) 명하자 **1** 말을 이룸. **2** 옛사람들이 만든 말. ¶고사 ~. **3** 〔언〕 숙어.

성:어-기 (盛漁期) 명 물고기가 많이 잡히는 계절이나 시기. ↔어한기.

성업 (成業) 명하타 학업이나 사업 따위를 이룩함.

성:업 (盛業) 명 사업이 번창함. ¶~을 이루다 / 현재 ~ 중인 점포를 인수하다.

성:업 (聖業) 명 **1** 거룩한 사업. ¶통일의 ~을 이룩하다. **2** 임금의 업적.

성에[1] 명 쟁깃술의 윗머리에 뒤 끝을 맞추고 앞으로 길게 뻗어 나간 나무《허리에 한마루 구멍이 있고, 앞 끝에는 물추리막대가 가로 꽂혀 있음》. *쟁기.

성에[2] 명 **1** 추운 겨울, 유리창이나 벽 따위의 찬 곳에 수증기가 허옇게 얼어붙어 생긴 서릿발. ¶냉장고에 낀 ~를 녹여 없애다 / 차창에 ~가 끼어 밖이 뿌옇게 흐려 보였다. **2** '성엣장'의 준말.

성엣-장 [-에짱 / -엗짱] 명 물 위에 떠서 흘러가는 얼음덩이. 유빙(流氷). ¶~이 떠내려가는 강을 나룻배로 건너다. 준성에.

성역 (城役) 명 성을 쌓거나 고치는 일.

성:역 (聖域) 명 **1** 신성한 지역. **2** 손을 대거나 문제 삼지 않기로 한 사항이나 분야의 비유. ¶~ 없는 수사 / ~이라는 불가침의 영역 / 부정부패 척결에 ~이 있을 수 없다. **3** 성인(聖人)의 경지.

성역 (聲域) 명 〔악〕 사람이 노래 부를 수 있는 음넓이《높은 것에서부터 차례로, 여성(女聲)은 소프라노·메조소프라노·알토, 남성(男聲)은 테너·바리톤·베이스로 나눔》. 소리넓이. ¶~이 넓은 성악가.

성:-염색체 (性染色體)[-념-] 명 암수의 성을 결정하는 데 관계가 되는 염색체.

성:왕 (聖王) 명 성군(聖君).

성외 (城外) 명 성문 밖. 성밖. ↔성내.

성:욕 (性慾) 명 남녀 간 또는 암수 간의 성적 행위에 대한 욕망. 육욕. ¶~을 느끼다.

***성우** (聲優) 명 라디오 드라마나 영화의 음성 녹음 등에서 목소리로만 연기하는 배우.

성운 (星雲) 명 〔천〕 엷은 구름같이 보이는 천체《기체와 작은 고체의 입자로 구성됨》.

성:웅 (聖雄) 명 많은 사람들이 드높이 받들어 존경하는 사람. ¶~ 이순신.

성원 (成員) 명 **1** 단체 따위를 구성하는 인원. 구성원. ¶사회의 ~. **2** 회의 성립에 필요한 인원. ¶~ 미달로 개회가 연기되다 / ~이 되었으니 회의를 시작합시다.

성원 (聲援) 명하타 **1** 소리쳐서 북돋우어 줌. ¶지지와 ~의 고함 소리. **2** 하는 일이 잘 되도록 격려하거나 도와줌. ¶~에 보답하다 / ~에 힘입어 크게 고무되다 / 뜨거운 ~을 부탁드립니다.

성:유 (聖油) 명 〔가〕 의식이나 전례 때 축성(祝聖)한 올리브유.

성:은 (聖恩) 명 **1** 임금의 큰 은혜. ¶~을 입다 / ~이 망극하옵니다. **2** 〔가〕 하느님의 거룩한 은혜.

성의 (誠意)[- / -이] 명 정성스러운 뜻. ¶~를 다하다 / ~가 없다 / 최소한의 ~를 보이다 / ~가 지극하다.

성의-껏 (誠意-)[-껃 / -이껃] 부 성의를 다하여. 정성껏. ¶~ 돌보다 / 음식을 ~ 장만하다.

성인 (成人) 명하자 자라서 어른이 됨. 성년이 됨. 또는 그 사람《보통, 만 20세 이상의 남녀를 이름》. ↔미성인.

성:인 (聖人) 명 **1** 지혜와 덕이 뛰어나 길이 우러러 본받을 만한 사람. 성자(聖者). ¶옛 ~의 가르침 / ~군자 같은 사람. **2** 〔가〕 신앙과 덕이 뛰어난 사람에게 교회에서 선포한 칭호. ¶~ 반열에 오르다. 준성(聖).
[성인도 시속을 따른다] 시대적 풍속을 따라 임기응변을 해 가며 산다는 뜻.

성인-병 (成人病)[-뼝] 명 〔의〕 주로 중년 이후에 발병하는 병의 총칭《동맥 경화·고혈압·암종·심근 경색증·폐기종·당뇨병·백내장 따위》.

성:자 (聖子) 명 〔기·가〕 삼위일체 중의 하나인 예수 그리스도를 이르는 말.

성:자 (聖者) 명 **1** 성인(聖人)1. **2** 〔불〕 온갖 번뇌를 끊고 바른 이치를 깨달은 사람. **3** 〔기〕 거룩한 신도나 순교자를 일컫는 말. 세인트(saint).

성장 (成長) 명하자 **1** 사람이나 동식물이 자라서 점점 커짐. ¶~이 빠르다〔멎다〕 / 자신의 ~ 과정을 뒤돌아보다. **2** 사물의 규모나 세력 따위가 점점 커짐. ¶중산층의 ~ / 경제의 고도 ~.

성:장 (盛裝) 명하자 잘 차려입음. 또는 그런 차림. ¶~한 귀부인 / 모처럼 ~하고 외출하다.

성장-기 (成長期) 명 **1** 성장하는 시기. 발육기. ¶~의 어린이. **2** 성장하는 동안. ¶~가 짧은 벼의 신품종.

성장-률 (成長率)[-뉼] 명 **1** 자라는 정도. **2** '경제 성장률'의 준말. ¶올해의 ~은 8.6%로 예상하고 있다.

성장-소 (成長素) 명 **1** 〔식〕 식물의 성장을 촉진하고 굴성(屈性)의 원인이 되는 물질. **2** 〔동〕 성장 호르몬.

성장-점 (成長點)[-쩜] 명 〖식〗 생장점.
성장-주 (成長株) 명 〖경〗 사업이 크게 발전될 것이 기대되는 기업의 주식. *자산주.
성장 호르몬 (成長hormone) 〖동〗 포유류의 성장을 촉진하는 단백질 호르몬. 뇌하수체 전엽에서 분비되며, 과잉일 때는 거인증·말단 비대증이 됨. 생장 호르몬. 성장소.
***성적** (成績) 명 **1** 어떤 일을 한 뒤의 결과. ¶근무 ~이 좋다 / 기대 이상의 ~을 올리다. **2** 학습한 지식·기능·태도 등의 평가된 결과. ¶시험 ~ / ~이 오르다 / ~이 떨어지다 / 발군의 ~을 거두다.
성:적 (性的)[-쩍] 관명 **1** 성 구별에 관계되는 (것). ¶~(인) 차별. **2** 성욕에 관계되는 (것). ¶~ 충동을 받다.
성적-표 (成績表) 명 성적을 기록한 표. ¶기말 고사 ~를 받다.
성:전 (聖殿) 명 **1** 신성한 전당. **2** 〖기·가〗 교회. 성당. ¶~을 짓다.
성:-전환 (性轉換) 명 암수의 성이 반대의 성으로 바뀌는 현상. ¶~ 수술을 받다.
성:정 (性情) 명 **1** 성질과 심정. **2** 타고난 본성. ¶~이 어질고 착한 사람.
성조 (聲調) 명 **1** 목소리의 가락. **2** 〖언〗 음절 안에서의 소리의 높낮이《한자의 사성(四聲) 따위》.
성조-기 (星條旗) 명 미국의 국기《독립 당시의 13주를 상징하는 13개의 적백색 가로줄과 푸른 바탕에 현재의 주의 수를 상징하는 50개의 흰 별을 그림》.
성좌 (星座) 명 〖천〗 별자리.
성:좌 (聖座) 명 **1** 신성한 자리. 성인(聖人)·임금이 앉는 자리. **2** 〖가〗 로마의 주교좌, 곧 교황의 자리. '교황청'의 별칭.
성주 명 〖민〗 **1** 집을 지키는 신령. **2** 배 고사에서, 배의 주된 신.
성주(를) 받다 구 성주받이를 하다.
성주 (城主) 명 **1** 성의 우두머리. 성을 지키는 으뜸 장수. **2** 조상의 무덤이 있는 지방의 수령. **3** 〖역〗 봉건 시절의 한 지방의 영주(領主).
성주-받이 [-바지] 명하자 집을 새로 짓거나 이사를 한 뒤에 성주를 받아들이는 굿. 성줏굿.
성주-풀이 명하자 무당이 성주받이를 할 때 복을 빌기 위하여 부르는 노래. 또는 그런 굿.
성중 (城中) 명 성내. 성(城)안. ¶~의 백성들은 성을 사수하겠다고 결의를 다졌다.
성지 (城址) 명 성터. ¶후백제의 ~.
성:지 (聖地) 명 〖종〗 **1** 종교적 유적이 있는 곳. **2** 종교의 발상지《기독교의 예루살렘, 이슬람의 메카 따위》. ¶~를 순례하다.
성:지 (聖旨) 명 임금의 뜻. 성의(聖意). 성충(聖衷). ¶~를 받들다.
성:직 (聖職) 명 **1** 거룩한 직분. **2** 〖기〗 교회의 선교사·목사·장로 등의 교직.
***성:직-자** (聖職者) 명 종교적 직분을 맡은 교역자(教役者)《신부·목사·선교사·승려 등》.
***성:질** (性質) 명 **1** 사람이 지닌 마음의 본바탕. ¶~이 고약한 사람 / ~이 못되다 / ~이 괄괄하다. **2** 사물이나 현상이 본디 지닌 고유한 특성. ¶물리적 ~을 측정하다 / 사건의 ~로 보아 전문가가 필요하다.
성:질-나다 (性質-)[-라-] 자 언짢거나 못마땅한 것이 있어 화가 나다. ¶참으려 해도 성질나서 어쩔 수 없었다.
성:질-내다 (性質-)[-래-] 자 분노 또는 불만 따위가 솟구쳐서 화를 내다. 성질부리다. ¶그는 웬만해서는 성질내지 않는 사람이다.
성:질-부리다 (性質-) 자 성질내다.
성:징 (性徵) 명 남녀나 암수의 형태적 특징《남녀의 생식기의 차이를 제1차 성징, 성년이 되어 남자는 수염이 나고 목소리가 변하며, 여자는 유방이 커지는 등의 차이를 제2차 성징이라고 함》.
성:차 (性差) 명 남성과 여성의 성에 따른 차이. ¶생물학적 ~와 문화적 ~.
성:-차별 (性差別) 명 성이 다른 데에서 발생하는 사회적인 불평등.
성:찬 (盛饌) 명 풍성하게 차린 음식. ¶~을 베풀다.
성찰 (省察) 명하자 자기의 마음을 반성하고 살핌. ¶자기 자신을 ~하다.
성책 (城柵) 명 군사용으로 돌로 쌓은 성과 나무로 만든 울타리. ¶~을 구축하다.
성:철 (聖哲) 명 **1** 성인과 철인. **2** 매우 현명하고 만사에 통달한 사람.
성체 (成體) 명 〖생〗 다 자라서 생식 능력이 있는 동물. 또는 그런 몸《곤충은 엄지벌레》. ↔유생(幼生).
성:총 (聖聰) 명 임금의 총명. ¶~을 흐리게 하는 간신들.
성:총 (聖寵) 명 임금의 은총.
성:추 (盛秋) 명 가을이 한창인 때. 한가을.
성:-추행 (性醜行) 명하자 성폭행이나 성희롱 따위를 하는 짓. ¶~ 사건 / ~을 당하다 / ~ 혐의로 구속하다.
성충 (成蟲) 명 〖충〗 다 자라서 생식 능력을 지니게 된 곤충. 엄지벌레. ↔유충. *성체(成體).
성취 (成娶) 명하자 장가들어 아내를 얻음. 성가(成家). ¶임씨 집안으로 ~를 시키다.
성취 (成就) 명하타 목적한 바를 이룸. ¶~ 의욕 / 소원을 ~하다 / 민족의 숙원인 통일을 ~하다.
성취-도 (成就度) 명 목표한 바를 달성한 정도. ¶작품의 ~를 가늠하다.
성취-동기 (成就動機) 명 목적한 바를 이루겠다는 의지가 생기게 된 원인.
성층 (成層) 명하자 겹쳐서 층을 이룸. 또는 그 층.
성층-권 (成層圈)[-꿘] 명 대류권과 중간권 사이의 거의 안정된 대기층《높이 약 10-50 km》.
성크름-하다 형여불 **1** 바람기가 많아 서늘하다. ¶성크름한 날씨. **2** 옷감의 발 따위가 가늘고 성글다. ¶성크름한 삼베옷.
성큼 부 **1** 발을 높이 들어 크게 떼어 놓는 모양. ¶마루로 ~ 오르다. 작상큼. **2** 동작이 망설임 없이 매우 시원스럽고 빠른 모양. ¶~ 대답하다 / 손을 ~ 물에 집어넣다. **3** 어떤 때가 갑자기 가까워진 모양. ¶봄이 ~ 다가왔다.
성큼-성큼 부 발을 잇따라 높이 들어서 크게 떼어 놓는 모양. ¶~ 걸어가다. 작상큼상큼.

성큼-하다 [형][여불] 아랫도리가 윗도리보다 어울리지 않게 길쭉하다. ¶나이에 비해 키가 ~. [작]상큼하다.
성:탄 (聖誕) [명] **1** 임금이나 성인의 탄생. **2** 〖기·가〗'성탄절'의 준말.
성:탄-절 (聖誕節) [명] 〖기·가〗 **1** 크리스마스. **2** 예수의 탄생을 축하하는 명절《12월 24일-1월 1일 또는 6일》. [준]성탄.
성-터 (城-) [명] 성이 있던 자리. 성지. ¶황폐한 백제의 옛 ~.
성토 (聲討) [명][하타] 여럿이 모여 어떤 잘못을 소리 높여 비판하고 규탄함. ¶~대회가 열리다 / 매국노에 대한 ~를 벌이다.
성패 (成敗) [명] 성공과 실패. ¶~ 여부 / ~를 가름하다 / 일의 ~를 좌우하다 / 사업의 ~가 달려 있다.
성:-폭력 (性暴力)[-퐁녁] [명] 성적인 행위로 남에게 신체적 손상, 정신적 압박을 주는 물리적 강제력. ¶~을 당하다 / ~에 노출되다.
성-폭행 (性暴行)[-포캥] [명][하타] '강간'을 완곡하게 이르는 말. ¶어린이 ~ 사건.
성:-풀이 [명][하자] 성난 마음을 푸는 일. ¶동생에게 ~하다.
성:품 (性品) [명] 사람의 성질이나 품격. ¶강직한 ~ / 너그럽고 차분한 ~ / 타고난 ~이라 어쩔 수 없다.
성:품 (性稟) [명] 성정. ¶~이 부드럽다.
성하 (星河) [명] 〖천〗 은하.
성:하 (盛夏) [명] 한여름. ¶뜨거운 ~의 땡볕.
성:하 (聖下) [명] 〖가〗 '교황'의 높임말. ¶교황~.
성-하다 [형][여불] **1** 물건이 본디대로 온전하다. ¶성한 그릇 / 성한 옷. **2** 몸에 병이나 상처가 없다. ¶성한 다리 / 사지가 성한 사람이 동냥질을 하다니 / 하도 맞아 성한 데가 없다. **성-히** [부]. ¶몸 ~ 잘 있다.
성:-하다 (盛-) [一][형][여불] **1** 기운이나 세력이 한창 왕성하다. ¶전자 공업이 ~ / 김 양식이 ~. **2** 나무나 풀이 무성하다. ¶빈 터에 잡풀이 ~. [二][자] [여불] **1** 세력이 한창 일어나다. ¶범죄가 성하는 것은 뿌리부터 뽑아야 한다. **2** 벌레·물고기 따위의 수가 부쩍 늘어나다. ¶밭에 벌레가 성하여 약을 뿌리다. **3** 집안이나 자손이 퍼져서 흥하다. ¶자손이 ~ / 쇠락한 집안이 다시 성하게 되다. **성:-히** [부]
성:함 (姓銜) [명] '성명'의 높임말. ¶선생은 ~이 어떻게 되시는지요.
성:행 (性行) [명] 성질과 행실. ¶~이 부드러운 사람을 추천하시오.
성:행 (盛行) [명][하자] 매우 성하게 행하여짐. ¶과소비의 ~ / 사실주의는 19세기에 ~하던 예술 양식이다.
성:-행위 (性行爲) [명] 성교.
성:향 (性向) [명] 성질에 따른 경향. 기질. 성미(性味). ¶정치적 ~ / 보수적인 ~.
성:현 (聖賢) [명] 성인과 현인. ¶~의 가르침 / ~의 말씀을 따라 행동하다.
성형 (成形) [명][하타] **1** 일정한 형체를 만듦. **2** 〖공〗 그릇의 형체를 이룸. **3** 〖의〗 외과적인 수단으로 신체의 어떤 부분을 고치거나 만듦.
성형 수술 (成形手術) 〖의〗 떨어져 나갔거나 상처를 입었거나 미관상 보기에 흉한 신체의 부분을 외과적으로 교정·회복시키는 수술. 성형술. ¶~로 쌍꺼풀을 만들다.
성형-외과 (成形外科)[-꽈] [명] 성형 수술을 전문으로 하는 외과.
성:호 (聖號) [명] 〖가〗 거룩한 표라는 뜻으로, 신자가 가슴에 손으로 긋는 '+'의 표. ¶~를 긋다.
성:-호르몬 (性hormone) [명] 〖생〗 생식샘에서 분비되어, 성적 특징 및 기능을 발달시키고 유지하는 호르몬《남성 및 여성 호르몬이 있음》.
성혼 (成婚) [명][하자] 혼인이 이루어짐. 성쌍(成雙). ¶~한 자식을 분가시키다 / 주례가 ~을 선언하다.
성화 (成火) [명][하자] **1** 일 따위가 뜻대로 되지 않아 답답하고 애가 탐. 또는 그런 증세. ¶여행을 못 가서 ~를 내다. **2** 조르거나 귀찮게 구는 일. ¶~에 시달리다 / 공부하라고 ~하다 / 오토바이를 사 달라고 ~를 부리다.
성화(를) 대다 [구] 자꾸 귀찮게 굴다.
성화를 먹이다 [구] 자꾸 귀찮게 굴어 속 타게 하다.
성:화 (聖火) [명] **1** 신에게 바치는 성스러운 불. **2** 〖기〗 하나님이 재림함으로써 나타나는 신성한 불. **3** 올림픽이 열리는 경기장에 켜 놓는 횃불. ¶~ 릴레이 / 강화도 마니산에서 채화된 ~ / ~를 봉송(奉送)하다.
성화 (聲華) [명] 세상에 알려진 명성. ¶선생님의 ~는 일찍부터 들어 왔습니다.
성화-같다 (星火-)[-갇따] [형] 남에게 해 대는 독촉 따위가 몹시 다급하다. ¶성화같은 재촉. **성화-같이** [-가치] [부] 성화와 같게. 성화처럼. ¶~ 조르다.
성황 (城隍) [명] 〖민〗 '서낭'의 본딧말.
성:황 (盛況) [명] 모임 등에 많은 사람이 모여 활기에 찬 분위기. ¶연극 공연이 ~을 이루다 / 단풍놀이가 ~이었다고 전한다.
성황-당 (城隍堂) [명] 〖민〗 '서낭당'의 본딧말.
성:황-리 (盛況裡)[-니] [명] (주로 '성황리에'의 꼴로 쓰여서) 성황을 이룬 가운데. ¶민속제는 ~에 끝났다.
성회 (成會) [명][하자] 회칙의 요건에 따라 회의가 성립됨. ¶성원이 되었으므로 ~를 선포합니다. ↔유회.
성:회 (盛會) [명] 규모가 크고 분위기가 활기에 찬 모임.
성:-희롱 (性戲弄)[-히-] [명][하자타] 이성에게 상대편의 의사에 관계없이 성적으로 수치심을 주는 말이나 행동을 하는 일. 또는 그런 언행. ¶~을 추방하자.
섶[1] [섭] [명] 덩굴지거나 줄기가 가냘픈 식물을 받치기 위하여 옆에 꽂는 막대기.
섶[2] [섭] [명] '옷섶'의 준말. ¶저고리에 ~을 달다 / ~을 여미다.
섶[3] [섭] [명] '섶나무'의 준말.
[섶을 지고 불로 들어가려 한다] 앞뒤 가리지 못하고 미련하게 행동하다.
섶[4] [섭] [명] **1** 누에섶. **2** 물고기가 모이도록, 또는 김이 잘 자라도록 하기 위하여 물속에 쌓아 놓은 나무.
섶-나무 [섬-] [명] 잎나무·풋나무·물거리 등의 땔나무의 통칭. ¶～ 무더기에 불을 붙이다. ㊂섶³.

세: (貰) 명 남의 건물이나 물건 따위를 빌려 쓰기로 하고 내는 돈. 또는 빌리거나 빌려 쓰는 일. ¶～를 받다 / ～로 살다 / ～를 주다 / ～를 내다 / 남의 집에 ～를 들다.

세: (稅) 명 **1**〖역〗 사전(私田)의 수확물을 일정한 비율로 나라에 바치게 한 구실. **2** '조세(租稅)'의 준말.

세: (勢) 명 **1** '세력'의 준말. ¶～를 떨치다 / ～를 펴다 / ～가 대단하다 / ～가 꺾이다. **2** 인원수. 병력. ¶～가 불리하다. **3** 형세. 기운. ¶그런 경향은 자연의 ～이다.

세 (歲) 의명 (한자어로 된 숫자 뒤에 쓰여) 나이를 나타내는 단위. ¶방년 십팔 ～ / 만 이십 ～.

***세:** 관 '셋'의 뜻. ¶～ 사람 / 양복 ～ 벌 / ～ 가지 나쁜 버릇. *석.
[세 사람만 우겨 대면 없는 호랑이도 만들어 낼 수 있다] ㉠셋이 모여 우겨 대면 누구나 곧이듣게 된다. ㉡여럿이 떠들어 소문내면 사실이 아닌 것도 사실처럼 됨의 비유. [세 살 적 버릇이 여든까지 간다] 어릴 때의 버릇은 늙도록 버리기 어렵다.

-세 (世) 미 **1** '세상'의 뜻. ¶인간～. **2**〖지〗 '기(紀)'를 세분하는 지질 시대의 단위. ¶홍적(洪積)～. **3** 서양에서, 부자(父子)가 같은 이름을 계속 쓰거나 한 왕조에서 같은 왕호를 대를 이어 사용할 때 그 차례를 나타냄. ¶나폴레옹 3～ / 헨리 8～ / 록펠러 2～.

-세 어미 동사 및 일부 형용사의 어간에 붙어 자기와 동등 또는 손아랫사람에게 함께 하자는 뜻의 종결 어미. ¶집으로 가～ / 밥을 먹～ / 좀 더 부지런하～.

세:가 (世家) 명 대대로 나라의 중요한 지위나 특권을 누리는 집안.

세:가 (貰家) 명 셋집.

세:가 (勢家) 명 **1** 권세가 있는 집안. 세문(勢門). ¶명문 ～를 이루다. **2** '세력가'의 준말.

세:간 명 집안 살림에 쓰는 갖가지 도구. 살림살이. 세간살이. 세간붙이. ¶～을 갖추어 놓다 / ～을 장만하다 / ～이 불어나다.

세간(을) 나다 구 함께 살던 사람이 따로 살림을 차리다. 분가하다.

세간(을) 내다 구 함께 살던 사람을 따로 내보내어 살게 하다.

세:간 (世間) 명 **1** 세상 ━1. ¶～의 소문 / ～의 비난을 받다 / ～의 이목을 끌다. **2**〖불〗 중생이 서로 의지하며 살아가는 세상. 속세. ¶그는 ～을 등지고 글만 읽었다.

세:간-살이 명 세간. ¶아기자기하게 갖춘 ～.

세:객 (勢客) 명 권세 있는 사람. 세력가.

세:객 (歲客) 명 세배하러 다니는 사람. 세배꾼. ¶～들이 들이닥치다.

세:객 (說客) 명 능란한 말솜씨로 유세(遊說)하며 다니는 사람.

세:거 (世居) 명하자 한 고장에 대대로 삶.

세:-거리 명 세 갈래로 난 길. 삼거리.

세:경 (細莖) 명 식물 따위의 가는 줄기.

세:계 (世系)[-/-게] 명 대대로 내려오는 계통.

***세:계** (世界)[-/-게] 명 **1** 지구상의 모든 나라. 온 세상. ¶～ 평화 / ～ 일주 / 이름을 ～에 떨치다. **2**〖불〗 널리 중생의 삶을 영위하는 범위. **3** 우주. 곧, 모든 존재와 현상의 총체. ¶달의 ～ / 별의 ～. **4**〖철〗 객관적 현상의 모든 범위. ¶정신 ～ / 물질 ～. **5** 같은 종류의 한 집단. 어떤 분야나 영역. ¶문학의 ～ / 젊은이의 ～ / 동물의 ～.

세:계 (歲計)[-/-게] 명 한 회계 연도나 한 해의 세입과 세출을 계산함. 또는 그 총계.

세:계-관 (世界觀)[-/-게-] 명 〖철〗 세계 및 세계를 이루는 인생의 의의나 가치 등에 대한 통일적 견해. *인생관.

세:계 대:전 (世界大戰)[-/-게-] 20세기 전반기에 있었던 두 차례의 세계적인 규모의 큰 전쟁《1차는 1914-18년, 2차는 1939-45년》.

세:계-만방 (世界萬邦)[-/-게-] 명 세계의 모든 나라나 모든 곳. ¶국위를 ～에 떨치다〔과시하다〕.

세:계 무:대 (世界舞臺)[-/-게-] 세계적인 범위에서의 활동 분야. ¶～에 진출하다 / ～로 도약하다.

세:계 무:역 기구 (世界貿易機構)[-/-게-] 가트(GATT), 곧 관세 무역 일반 협정의 발전형으로 1995년에 발족한 국제 무역에 관한 사항을 통괄하는 기관. 약칭: 더블유티오(WTO).

세:계 보:건 기구 (世界保健機構)[-/-게-] 국제 연합 전문 기구의 하나. 보건 위생 향상을 위한 국제 협력 기관. 약칭: 더블유에이치오(WHO).

세:계-사 (世界史)[-/-게-] 명 **1** 동서양사를 합친 역사. **2** 통일적 연관성을 지닌 전체로서의 세계 역사. ¶～적(的)으로 중대한 의의를 갖는다.

세:계-상 (世界像)[-/-게-] 명 일정한 세계관에 따라 묘사되는 세계의 모습.

세:계-시 (世界時)[-/-게-] 명 그리니치 자오선상의 평균 태양시로, 세계 공통의 시각《1935년에 제정됨》.

세:계 시:장 (世界市場)[-/-게-] 〖경〗 **1** 국제 시장. **2** 세계적 무역에 의하여 형성되는 추상적 시장. ¶～으로 진출하다.

세:계-어 (世界語)[-/-게-] 명 세계 각국에서 공통적으로 사용하려고 만든 언어《에스페란토 따위》. 국제어.

세:계-적 (世界的)[-/-게-] 관명 온 세계에 관계되는 (것). 세계성을 띤 (것). ¶～ 발명 / ～으로 유명하다.

세:계-주의 (世界主義)[-/-게-이] 명 국경과 민족을 초월하여 전 세계를 한 국가, 온 인류를 한 동포로 보고 인류 사회의 통일을 꾀하고자 하는 주의. 코즈머폴리터니즘.

세:계 지도 (世界地圖)[-/-게-] 세계를 그린 지도. 만국 지도.

세:곡 (稅穀) 명 조세로 바치는 곡식.

세:공 (細工) 명하타 잔손을 많이 들여 정밀하게 만듦. 또는 그런 수공. ¶유리 ～ / 귀금속 ～ / 정교하게 ～된 다이아 반지 / 보석을 ～하는 솜씨가 뛰어나다.

세:공 (細孔) 명 가는 구멍.

세:공 (歲功) 명 **1** 해마다 철 따라 짓는 농

사. 또는 그것으로 얻는 수확. **2** 해마다 철 따라 해야 할 일.
세:공(歲貢) 명 〖역〗 해마다 지방에서 나라에 바치던 공물(貢物).
세:공-품(細工品) 명 세공물. ¶금은 ~.
세:관(細管) 명 가느다란 관.
세:관(稅關) 명 관세청에 딸리어, 비행장·항만·국경 지대에서 수출입 화물의 허가·검열, 관세의 부과·징수, 선박·항공기의 단속 및 검역 사무를 맡아보는 행정 관청. ¶~ 검사 / ~을 통과하다.
세:관-원(稅關員) 명 항구·비행장 또는 국경 지대에서, 여행자의 소지품·수출입 화물에 대하여 검사·허가·관세 사무를 맡아보는 공무원.
세:교(世交) 명 대대로 이어온 교분. ¶~가 두텁다 / 집안끼리 ~가 깊다.
세:권(稅權)[-꿘] 명 **1** 과세권. **2** 국제 무역에서 관세를 평등하게 내는 권리.
세:균(細菌) 명 생물계 중 가장 미세하고 하등인 단세포 동물. 박테리아. ¶~ 검출 / ~ 감염 / ~이 번식하다 / ~을 배양하다. ㊗균.
세:균성 이:질(細菌性痢疾)[-썽-] 〖의〗 이질균이 입을 통하여 전염하는 급성의 대장(大腸) 질환《봄에서 여름 사이에 많고 잠복기는 2-4일. 피와 곱이 섞인 똥이 나옴. 법정 제1종 전염병임》. *이질.
세:균-전(細菌戰) 명 병원체를 적지에 살포하여 사람과 동식물을 죽게 하거나 썩게 하는 전투 수단. 생물학전.
***세:금**(稅金) 명 국가의 필요한 경비를 위하여 국민이 소득의 일부를 의무적으로 내는 돈. 조세. ¶~ 징수 / ~ 계산서를 떼다 / ~을 납부하다 / ~을 부과하다 / ~이 붙지 않는다.
세:기 명 강도(強度)2. ¶빛의 ~.
세:기(世紀) 명 **1** 시대 또는 연대. ¶중(中) ~ / 암 치료의 새로운 ~를 열다. **2** 100년 동안을 세는 단위《21 세기는 2001년부터 2100년까지》. ¶기원전 6~. **3** 단순히, 100년 동안의 일컬음. ¶반~에 걸친 노력. **4** ('세기의'의 꼴로 쓰여) 매우 드문 것. 한 세기에 한 번 정도 있을 듯한 것. ¶~의 영웅 / ~의 걸작. **5** 오랜 세월. ¶~를 두고 염원해 온 조국 통일.
세:기(細技) 명 운동 경기 따위에서 세밀하고 섬세한 재간〔기술〕. 잔기술. ¶~에 능한 선수.
세:기-말(世紀末) 명 **1** 한 세기의 끝. **2** 유럽, 특히 프랑스를 풍미한 회의적·퇴폐적인 경향이 짙던 19세기 말. **3** 사회의 몰락기에 나타나는 퇴폐적·향락적인 분위기의 시기. 말세. ¶~ 현상.
세:기말-적(世紀末的)[-쩍] 관명 세기말의 경향이 있는 (것). 말세기적. ¶~ 풍조 / ~ 현상이 나타나다.
세:기-적(世紀的) 관명 **1** 세기를 대표할 만한 (것). ¶~ 예술품 / ~인 과학자 / ~인 비극. **2** 여러 세기에 걸칠 만큼 오랫동안 내려오는 (것). ¶~인 문맹에서 벗어나야 한다.
세-나다[1] 자 상처나 부스럼 따위가 덧나다. ¶세난 상처가 저리고 아프다.
세:-나다[2] 자 물건이 잘 팔리다.
세:-나절 명 잠깐이면 마칠 수 있는 것을 늑장을 부려 늦어지는 동안을 조롱하는 말. ¶~이나 걸린 일이 겨우 요거냐.
세:납-자(稅納者) 명 세금을 바치는 사람. 납세자.
세:-내다(貰-) ㊀타 삯을 내고 남의 것을 빌려 쓰다. ¶버스를 세내어 야유회를 가다. ↔세놓다. ㊁자 셋돈을 주다.
세:념(世念) 명 세상살이에 대한 갖가지 생각. ¶~을 떨쳐 버리다 / ~을 물리치다.
세:-놓다(貰-)[-노타] 타 삯을 받기로 하고 자기 물건을 남에게 빌려 주다. ¶방을 ~. ↔세내다.
세:뇌(洗腦) 명하타 어떤 일정한 내용을 주입시켜 본디 품었던 생각을 잊게 하고, 그 내용을 따르게 하는 것. ¶~ 공작 / ~를 당하다 / 의식을 ~하다.
세:뇨-관(細尿管) 명 〖생〗 혈액 중의 노폐물을 오줌으로 걸러 내는 신장 속의 무수한 가는 관.
세:다[1] 자 **1** 머리카락이나 수염 따위의 털이 희어지다. ¶머리가 허옇게 ~. **2** 얼굴의 혈색이 없어지다.
***세:다**[2] 타 **1** 사물의 수효를 헤아리거나 꼽다. ¶돈을 ~. **2** '세우다'의 준말.
***세:다**[3] 형 **1** 힘이 많다. ¶힘이 ~ / 주먹이 ~ / 공을 세게 던지다. **2** 주량이 크다. ¶술이 ~. **3** 물·불·바람 따위의 기운이 강하거나 빠르다. ¶화력이 ~ / 불길이 ~ / 바람이 ~ / 물살이 ~. **4** 기질이 강하다. ¶고집이 ~ / 대가 ~ / 콧대가 ~. **5** 감촉이 딱딱하고 뻣뻣하다. ¶가시가 ~ / 살결이 ~ / 풀기가 ~. **6** 운수나 터 따위가 나쁘다. ¶집터가 ~ / 팔자가 ~. **7** 감당하기가 힘들다. ¶일이 센 집. **8** 바둑·장기 등의 수가 높다. ¶바둑은 약하지만 장기는 세다.
세:단(歲旦) 명 정월 초하룻날의 아침. 원단(元旦).
세단(미 sedan) 명 상자 모양의 좀 납작한, 운전석을 칸막이하지 않은 4-5 인승의 승용차.
세:단-뛰기(-段-) 명 육상 경기에서, 도약 운동의 하나. 구름판을 디디어 차례로 한 발씩 앙감질하고 마지막에 두 발을 모아 땅에 떨어지는 멀리뛰기. 홉 스텝 앤드 점프. 삼단(三段)뛰기.
세:답(貰畓) 명 남에게 삯을 내고 얻어 짓는 논.
세:대(世代) 명 **1** 부모·자식·손자로 이어지는 대. **2** 한 대《약 30년》. ¶한 ~ 뒤진 사람. **3** 세상. ¶~가 달라지다. **4** 한 시대 사람들. 제너레이션. ¶젊은 ~ / ~ 간의 갈등이 심하다.
세:대(世帶) 명의명 가구.
세:대 교번(世代交番) 〖생〗 생물의 번식 형태의 하나. 무성(無性) 생식을 하는 무성세대와 유성(有性) 생식을 하는 유성세대가 번갈아 나타나는 현상. 세대교체. 세대윤회.
세:대-교체(世代交替) 명 **1** 〖생〗 세대 교번. **2** 신세대가 구세대와 교대하여 어떤 일의 주역이 됨. ¶~를 이루다.

세:대-박이 명 돛대 셋을 세운 큰 배. 삼대선(三-船).
세:대-주(世帶主) 명 한 세대의 주장이 되는 사람. 가구주.
세:대-차(世代差) 명 세대들 사이의 정서와 가치관의 차이.
세:덕(世德) 명 대대로 쌓아 내려오는 미덕. ¶~을 칭송하다.
세:도(世道) 명 1 세상을 올바르게 다스리는 도리. 2 세상을 살면서 지켜야 할 도의.
세:도(勢道) 명하자 정치상의 권세. 또는 권세를 휘두르는 일. ¶~ 가문/~를 잡다/~를 누리다/십년 ~ 없다.
세도(를) 부리다 구 지위나 권세를 미끼로 부당하게 권세를 부리다.
세:도-가(勢道家) 명 권세를 휘두르는 사람. 또는 그런 집안.
세:도막 형식(-形式)[-마경-]〖악〗한 곡이 세 부분으로 나뉘어 전부(前部)와 중부는 다른 형식으로 되고, 후부는 전부의 되풀이나 변형으로 된 작곡 형식.
세:도 정치(勢道政治)〖역〗조선 정조 이후, 세도가에 의해 온갖 정사(政事)가 좌우된 정치.
세라믹(ceramics) 명 고온에서 구워 만든 비금속 무기질 고체 재료(《유리·도자기·시멘트·내화물 따위》).
세레나데(serenade) 명〖악〗1 저녁 무렵에, 애인의 집 창가에서 부르거나 연주하던 사랑의 노래. 2 서정적인 현악 합주 또는 소관현악을 위한 조곡(組曲). 세레나드. 소야곡.
*__세:력__(勢力) 명 남을 복종시키는 기세와 힘. ¶정치 ~/~ 다툼을 벌이다/주도 ~을 형성하다/~을 떨치다/~을 잡다/~이 강하다. ㊇세(勢).
세:력-가(勢力家) 명 세력을 가진 사람. 세객(勢客). ¶~와 결탁하다. ㊇세가(勢家).
세:력-권(勢力圈) 명 세력이 미치는 범위. ¶~을 넓히다/~에서 벗어나다/자신의 ~아래 두다/~을 형성하다.
세:련(洗練·洗鍊) 명하타 1 어색한 데가 없이 능숙하고 미끈함. ¶~된 솜씨. 2 몸매가 환하고 말쑥함. ¶~된 몸매. 3 말이나 글 따위가 미끈하게 다듬어짐. ¶문장이 ~되다.
세:련-미(洗練味) 명 사물이 세련된 데서 느껴지는 맛. ¶~가 넘치다/~를 갖추다/~가 돋보이다.
세:렴(細簾) 명 가는 대로 촘촘히 엮은 발. ¶옥교에 ~이 드리워져 있다.
세:례(洗禮) 명 1〖기〗입교(入敎)하려는 사람에게 죄를 씻는 표시로 행하는 의식(《물세례와 성령 세례로 나눔》). ¶~를 받다/~를 베풀다. 2 공격·비난·제재 따위가 한꺼번에 쏟아짐. ¶주먹 ~를 당하다/질문 ~가 쏟아지다.
세:례-명(洗禮名) 명 가톨릭 신자가 세례 때 받는 이름(《성인(聖人)의 이름에서 땀》).
*__세:로__ 명부 양 끝이 위아래로 되는 방향. 또는 그 길이. ¶~로 쓴 글씨/~의 길이를 재다/나무를 ~로 켜다. ↔가로.
세:로(世路) 명 세상에서 살아가는 길. 행로(行路). ¶~가 험난하다.
세:로(細路) 명 작은 길. 좁은 길.
세:로-결 명 판자나 종이 따위의 세로로 난 결. ↔가로결.
세:로-글씨 명 글줄을 세로로 쓰는 글씨. 내리글씨. 종서. ↔가로글씨·횡서.
세:로-금 명 세로줄1. ↔가로금.
세:로-대 명〖수〗와이축. ↔가로대.
세:로-띠 명 세로로 길게 띤 띠. 종대(縱帶). ↔가로띠.
세:로-무늬[-니] 명 세로로 길게 나타난 무늬. 종문(縱紋). ↔가로무늬.
세:로-쓰기 명하타 글씨를 세로로 쓰는 일. 종서(縱書). 내리쓰기. ↔가로쓰기.
세로 좌:표(-座標)〖수〗와이 좌표(Y座標). ↔가로 좌표.
세:로-줄 명 1 세로로 그은 줄. 종렬. 종선(縱線). 세로금. ↔가로줄. 2〖악〗악보에서, 마디를 구분하기 위하여 그은 수직선. 3〖악〗세로줄 가운데, 특히 한 줄로 그은 가느다란 수직선. 단종선(單縱線).
세:로-축(-軸) 명〖수〗와이축(Y軸).
세:로-획(-畫) 명 글자에서, 위에서 아래로 내리긋는 획. ↔가로획.
세:론(世論) 명 여론. ¶~이 크게 들끓다/~에 따르다.
세:류(洗流) 명〖물〗비행기가 날 때, 날개 뒤에서 일어나는 기류.
세:류(細柳) 명〖식〗가지가 가늘고 긴 버들. 세버들. ¶~같이 가는 허리.
세:류(細流) 명 가늘게 흐르는 시냇물.
세:립(細粒) 명 매우 잔 알갱이.
세:-마치 명하자 대장간에서 쇠를 불릴 때에 세 사람이 돌려 가며 치는 큰 마치. 또는 그렇게 치는 일.
세:마치-장단 명〖악〗우리 민속 장단에서, 보통 빠른 3박자의 8분의 9박자(《아리랑·양산도 따위》).
세:말(歲末) 명 세밑. ¶분주한 ~ 풍경.
세:면(洗面) 명하자 얼굴을 씻음. 세수. 세안(洗顔). ¶~을 하고 면도도 하다.
세:면-기(洗面器) 명 세면하기 위한 물을 담는 그릇. 대야.
세:면-대(洗面臺) 명 세면 시설을 갖추어 놓은 대.
세:면-도구(洗面道具) 명 세면에 쓰는 갖가지 도구(《비누·수건·칫솔·치약 따위》). ㊇세면구.
세:면-장(洗面場) 명 세면 시설을 갖추어 놓은 곳. 세수간.
세:-모 명 삼각형의 세 개의 모. 삼각.
세:모(細毛) 명 매우 가는 털.
세:모(歲暮) 명 세밑.
세:모-꼴 명〖수〗'삼각형'을 풀어쓴 말.
세:모-끌 명〖공〗날은 반듯하나 등이 세모를 이룬 끌(《나무를 따 내는 데 씀》).
세:-모시(細-) 명 올이 가늘고 고운 모시. 세저(細苧). ¶~ 옥색 치마. ↔장작모시.
세:모-지다 형 세모가 나 있다. ¶대가리가 세모진 살무사.
세:목(細木) 명 올이 매우 가는 고운 무명.
세:목(細目) 명 '세절목(細節目)'의 준말.
세:목(稅目) 명 조세의 종목. ¶각종 ~의 조세를 부과하다.
세:무(稅務) 명 조세의 부과·징수에 관한

사무. ¶~ 사찰/~ 비리를 폭로하다.
세:무-사 (稅務士) 명 세무사법에 따라, 납세 의무자의 부탁을 받아 세금 업무에 관한 일을 대신 하여 주거나 상담하는 일을 업으로 하는 사람.
세:무 사찰 (稅務査察) 조세법을 어긴 행위에 대한 강제 조처.
세:무-서 (稅務署) 명 내국세의 사무를 맡아보는 지방 행정 관청.
세:무 조사 (稅務調査) 세법에 따라 행하는 세무 당국의 조사.
세:-문안 (歲問安) 명하자 새해에 문안을 드림. 또는 그 안부 인사. ¶~을 올리다.
세:물 (貰物) 명 세를 받고 빌려 주는 물건.
세:물-전 (貰物廛) 명 지난날, 혼인이나 장사(葬事) 때에 쓰는 물건을 세를 받고 빌려주던 가게. 도가(都家).
세물전 영감이다 구 아는 것이 매우 많은 사람의 비유.
세:미 (稅米) 명 〔역〕 조세로 바치던 쌀.
세미나 (seminar) 명 **1** 대학에서 교수의 지도로, 특정한 주제에 대해 학생들이 모여서 연구 발표나 토론 등을 통해서 하는 공동 연구. **2** 전문인 등이 특정한 과제로 행하는 연수회나 강습회. ¶경영 ~를 열다.
세미콜론 (semicolon) 명 가로쓰기에 쓰는 구두점의 하나. 쌍반점. 부호 ';'.
세:밀-하다 (細密-) 형여불 자세하고 꼼꼼하다. ¶세밀한 지도/세밀하게 묘사〔분석〕하다/세밀한 검토가 필요하다. **세:밀-히** 부. ¶~ 파악〔분류〕하다.
세:밀-화 (細密畫) 명 세밀한 묘사로 대상을 치밀하게 나타낸 그림. 미니아튀르.
세:밑 (歲-)[-민] 명 한 해의 마지막 때. 섣달그믐께. 세만(歲晩). 세말. 세모. 연말. 세저(歲底). ¶~이 다가오다.
세:발 (洗髮) 명하자 머리를 감음.
세:발-자전거 (-自轉車) 명 어린애들이 타는, 바퀴가 셋 달린 자전거.
***세:배** (歲拜) 명하자 섣달그믐이나 정초에 하는 인사. ¶~를 드리다/~를 받다/~를 다니다.
세:뱃-값 (歲拜-)[-배깝/-밷깝] 명 세뱃돈.
세:뱃-돈 (歲拜-)[-배똔/-밷똔] 명 세배하러 오는 아이들에게 주는 돈. ¶~을 받다/~을 주다.
세:법 (稅法)[-뻡] 명 조세의 부과·징수에 관한 법규. 조세법.
세:부 (細部) 명 자세한 부분. ¶~ 내용/~ 계획을 보고하다.
세:-부득이 (勢不得已) 부하형 '사세(事勢) 부득이'의 준말. ¶~하여 퇴각하다.
세:부-적 (細部的) 관명 세세한 부분에까지 미친 (것). ¶계획을 ~으로 검토하다.
세:분 (細分) 명하타 사물을 여러 갈래로 나누거나 잘게 나눔. ¶업무 내용이 ~되다/교과 과정을 ~하다.
세:분-화 (細分化) 명하자타 사물이 여러 갈래로 갈라짐. 또는 그렇게 가름. ¶~된 교과 과정/업무의 ~가 이루어지다.
세:비 (歲費) 명 **1** 국가 기관의 일 년간의 경비. **2** 국회의원의 보수로 매달 지급되는 수당 및 활동비.
세:사 (世事) 명 세상에서 일어나는 온갖 일. ¶~에 밝다/~에 시달리다/~에 어둡다.
세:사 (世祀) 명 대대로 지내는 제사. ¶~를 지내다.
세:사 (細沙) 명 가늘고 고운 모래. 모새. 잔모래. 시새.
세:사 (細事) 명 자질구레한 일.
세:살-문 (細-門) 명 살을 성기게 대어 거칠게 만든 문짝.
세:살-부채 (細-) 명 **1** 살이 아주 가늘거나 살의 수가 적은 부채. **2** 많이 손상되어 살이 몇 개 남지 않은 부채.
***세:상** (世上) 一명 **1** 사람이 살고 있는 사회의 통칭. 천하. 사회. 세간. ¶~ 물정을 모르다/넓은 ~을 구경하다. **2** 태어나서 죽을 때까지의 기간. 한평생. ¶한 ~을 보람되게 살다. **3** 어떤 특정한 사람 또는 계통에 의해 지배·통치가 행해진 동안. ¶요순 임금의 ~/~을 만나다/제 ~인 것처럼 날뛰다. **4** 천상에 대한 지상. **5** 절이나 수도원 또는 교도소 등에서 일컫는 바깥 사회. ¶~에 나가다/~ 소식이 궁금하다. **6** '세상인심'의 준말. ¶각박한 ~/따뜻한 ~을 바라다. 二부 **1** 비할 바 없이. 아주. ¶~ 좋은 물건이라도 내겐 무용지물이다. **2** 도무지. 조금도. ¶암만 불러도 ~ 대답을 해야지/~ 시끄러워 살 수가 있나.
세상이 바뀌다 구 사회의 제도·관계 따위가 크게 달라지다.
세상(을) 떠나다〔뜨다〕 구 사람의 죽음을 일컫는 말.
세상(을) 버리다 구 죽다. 세상을 떠나다.
세상을 하직하다 구 세상(을) 떠나다.
세:상-만사 (世上萬事) 명 세상에서 일어나는 온갖 일. ¶~ 새옹지마(塞翁之馬)/~가 귀찮게 여겨졌다.
세:상-모르다 (世上-)〔-모르니, -몰라〕 자르불 **1** 세상 형편에 어두워 자기 생활의 주변에서 일어나는 일을 모르다. ¶세상모르고 설치다. **2** 잠에 깊이 빠져 아무것도 의식하지 못하다. ¶세상모르고 곤히 자다.
세:상-사 (世上事) 명 세상에서 일어나는 일. 세상일. ¶~에 무관심하다.
세:상-살이 (世上-) 명하자 사람이 세상을 살아가는 일. ¶~가 고달프다.
세:상-없어도 (世上-)[-업써-] 부 무슨 일이 있더라도 꼭. 기어이. 천하없어도. ¶~ 이 일은 하고야 말겠다/~ 요번에는 찾아내야지.
세:상-없이 (世上-)[-업씨] 부 더할 나위 없이. 아무리. 천하없이. ¶~ 좋은 사람/~ 힘든 일이라도 끝낼거야/~ 독촉해도 소용없다.
세:상-에 (世上-) 감 뜻밖의 일로 놀랐음을 나타냄. 세상천지에. ¶~ 별놈 다 보겠군.
세:상-인심 (世上人心) 명 세상 사람들의 마음. ¶~, 참으로 고약하구나. 준세상.
세:상-일 (世上-)[-닐] 명 세상사(事). ¶~, 뜻대로 되는 게 있나.
세:상-천지 (世上天地) 명 (주로 '세상천지에'의 꼴로 쓰여) '세상에'를 강조하여 이르는 말. ¶아니, ~에 이런 일도 있나.
세:석 (細石) 명 잔돌.

세:석 (細席) 명 올이 가는 돗자리.
세:선 (細線) 명 가는 줄. 잔금.
세:설 (細雪) 명 가랑눈. 분설(粉雪). ¶ ~이 바람에 흩날리다.
세:설 (細說) 명하자타 **1** 잔말. 잔소리. ¶ ~은 그만하고 요점을 말하시오. **2** 자세하게 말함. 또는 그런 설명. **3** 너절한 말을 함. 또는 그 말.
세:세 (世世) 명 대대(代代).
세:세 (歲歲) 명부 연년(年年).
세:세손손 (世世孫孫) 명 대대손손.
세:세-연년 (歲歲年年) 명부 '매년'을 강조한 말. 연년세세. ¶ ~ 풍작을 누리다 / ~ 평안하게 살다.
세:세-하다 (細細―) 형여불 **1** 매우 자세하다. ¶ 세세한 사연 / 세세한 조감도 / 세세하게 설명하다. **2** 일 따위가 너무 잘아 보잘것없다. ¶ 세세한 것은 무시해 버리자 / 세세한 사정으로 큰일을 그르칠 수 없다. **3** 사물의 굵기가 매우 가늘다. **세:세-히** 부. ¶ ~ 살피다 / ~ 기록하다.
세:속 (世俗) 명 **1** 이 세상. 속세. ¶ ~을 등지고 살다. **2** 풍속. ¶ ~을 따르다 / ~에 물들다 / ~에 얽매이다.
세:속 오:계 (世俗五戒)[-/-게] 〖역〗 신라 진평왕 때 원광 법사가 지은 화랑의 다섯 가지 계율. 곧, 사군이충(事君以忠)·사친이효(事親以孝)·교우이신(交友以信)·임전무퇴(臨戰無退)·살생유택(殺生有擇).
세:속-적 (世俗的) 관명 세상의 흐름에 따르는 (것). ¶ ~ 기준 / ~(인) 사고방식을 버리다 / ~인 가치를 추구하다 / ~인 욕심을 버리다.
세:손 (世孫) 명 '왕세손'의 준말.
*__세:수__ (洗手) 명하자 물로 얼굴을 씻음.
세:수 (稅收) 명 '세수입(稅收入)'의 준말. ¶ ~가 줄다 / ~가 대폭 늘었다.
세:-수입 (稅收入) 명 조세의 수입. ¶ ~을 늘리다. 준세수(稅收).
세:숫-대야 (洗手―)[-수때-/-숟때-] 명 손이나 얼굴을 씻는 물을 담는 그릇. ¶ ~에 물을 떠 오다.
세:숫-물 (洗手―)[-순-] 명 세수하는 물. ¶ ~을 떠 오다 / ~을 데우다.
세:숫-비누 (洗手―)[-수삐-/-숟삐-] 명 손이나 얼굴을 씻을 때 쓰는 비누. 화장비누.
세:습 (世習) 명 세상의 풍습. ¶ ~을 따르다 / ~에 맞지 않다.
세:습 (世襲) 명하타 한 집안의 재산·신분·직업 등을 그 자손들이 대대로 물려받는 일. ¶ ~ 왕조 / 자손에게 권력을 ~하다 / 왕위가 ~되다 / 자식들에게 재산을 ~하다.
세:습-적 (世襲的) 관명 세습하는 (것). ¶ ~ 신분 / ~ 관료 집단 / ~인 신분 사회를 형성하다.
세:시 (歲時) 명 **1** 한 해의 절기나 달, 계절에 따른 때. ¶ ~ 풍속집(集). **2** 해와 시(時). **3** 새해. 설.
세:심-하다 (細心―) 형여불 작은 일에도 꼼꼼하게 주의하여 빈틈이 없다. ¶ 세심한 배려 / 세심한 주의를 기울이다 / 성격이 ~ / 세심하게 살피다. **세:심-히** 부. ¶ ~ 돌보다.
세:안 (洗顔) 명하자 세면(洗面).
세:안 (細案) 명 세밀한 안건.
세:-안 (歲―) 명 해가 바뀌기 이전. ¶ 일을 ~에 끝내다.
세:액 (稅額) 명 '과세액'의 준말. 조세의 액수. ¶ ~ 감면 / ~을 산출하다.
세:업 (世業) 명 대대로 물려 내려오는 직업. 가업(家業). ¶ ~을 잇다.
세:요 (細腰) 명 **1** 가는허리. **2** 허리가 가늘고 날씬한 여자.
-세요 어미 받침 없는 용언의 어간 뒤에 붙어, 서술·청원·의문·명령의 뜻을 나타내는 해요체의 종결 어미. -셔요. ¶ 많이 잡수~ / 어서 오~ / 언제 가~. *-으세요.
세:우 (細雨) 명 가랑비. ¶ ~가 내리다 / ~를 촉촉이 맞다 / ~가 뿌리다.
*__세우다__ 타 **1** 바로 서게 하다. ¶ 환자를 부축해 ~ / 무릎을 세우고 앉다 / 허리를 꼿꼿하게 ~. **2** 길쭉한 물건을 세로로 서게 하다. ¶ 기둥을 ~ / 팻말을 ~ / 동상을 ~. **3** 건물이나 시설을 짓거나 만들다. 건립하다. ¶ 양로원을 ~ / 회사를 ~ / 교회를 ~ / 학교를 ~. **4** 계획·예측 등을 정하다. ¶ 휴가 계획을 ~ / 작전을 ~ / 목표를 ~ / 큰 뜻을 ~. **5** 새 주장·의견을 표명하다. ¶ 새 가설을 ~. **6** 공로나 업적 따위를 성취하다. ¶ 공을 ~ / 신기록을 ~. **7** 제도·조직·전통 따위를 이룩하다. ¶ 전통을 ~ / 나라를 ~. **8** 명령·규칙·위엄 등이 잘 지켜지게 하다. ¶ 규율을 ~ / 사회 기강을 ~. **9** 특별한 역할을 하는 사람을 어떤 자리에 나아가게 또는 차지하게 하다. ¶ 초대 왕으로 ~ / 후보자로 ~ / 선봉에 ~ / 보초를 ~ / 증인을 ~ / 보증인을 ~. **10** 줄을 짓게 하다. 줄이 서게 하다. ¶ 차례로 줄을 세워서 안으로 들여보내다 / 바지에 줄을 세워 다리다. **11** 벌을 서게 하다. ¶ 무릎을 꿇리고 벌을 ~. **12** 움직이거나 가는 것을 멈추게 하다. ¶ 차를 ~ / 기계를 세우고 고장난 데를 고치다 / 나가려는 아들을 불러 ~. **13** 위를 향하게 하다. ¶ 귀를 쫑긋 ~ / 역정을 내고 눈꼬리를 ~ / 외투의 깃을 ~. **14** 날을 날카롭게 하다. ¶ 톱날을 ~ / 날을 날카롭게 ~ / 손톱을 세우고 할퀴다. **15** 생활을 유지하다. ¶ 생계를 ~. **16** 잃지 않고 보전하다. ¶ 면목을 ~ / 가장의 체면을 ~. **17** 고집을 꺾지 않고 부리다. ¶ 고집을 ~. **18** 핏발이나 심줄 등이 나타나게 하다. ¶ 미간에 심줄을 ~ / 목의 핏줄을 세우고 소리치다. **19** 신경을 날카롭게 하다. ¶ 신경을 ~ / 촉각을 세우고 긴장하다. 준세다.
세:운 (世運) 명 세상의 운수. ¶ ~이 계속 뻗다.
세워-총 (-銃) ㊀명하자 〖군〗 병사가 차려 자세를 취하고, 소총은 개머리판이 지면에 닿게 하여 우측에 잡는 집총 자세. ㊁감 '세워총'의 구령.
세:원 (稅源) 명 〖경〗 세금 부과의 원천이 되는 소득이나 재산. ¶ ~을 발굴하다.
*__세:월__ (歲月) 명 **1** 흘러가는 시간. 광음(光陰). ¶ 기나긴 ~ / 오랜 ~이 지나다 / ~은 유수와 같다. **2** 지내는 형편이나 사정 또는 재미. ¶ ~이 많이 좋아졌다 / 그전만큼 ~이 없다. **3** 기간이나 때. ¶ 어느 ~에 그 일을 다 마치겠니.
세월을 만나다 구 좋은 시기와 환경에 놓

이다.

세월이 좀먹다 [구] 세월이 가지 아니한다는 뜻.

세:월-없다 (歲月-)[-업따] [형] **1** 돈벌이가 잘 안 되다. ¶날이 시원해서 얼음 장사가 ~. **2** 일이 더디어서 언제 끝날지 알 수 없다. **세:월-없이** [-업씨] [부]

세:월여류 (歲月如流)[-려-] [명] 세월이 흐르는 물과 같다는 뜻으로, 세월이 빨리 흘러감을 이르는 말.

세:율 (稅率) [명] 〔경〕 과세물에 세금을 매기는 비율. ¶~이 높다.

세:-이레 [명] 〔민〕 아이를 낳은 지 스무하루가 되는 날《대개는 이 날 금줄을 거둠》. 삼칠일.

세이브 (save) [명][하타] **1** 프로 야구에서, 구원 투수가 팀의 리드를 끝까지 지켜 내는 일. **2** 〔컴〕 컴퓨터로 작업한 데이터나 프로그램을 기억 장치에 저장하는 일.

세이프 (safe) [명] **1** 야구에서, 주자가 베이스까지 안전하게 나가는 일. ¶심판이 ~를 선언하다. **2** 테니스 따위 구기에서, 공이 경기장 규정선 안에 들어가는 일. ↔아웃.

세:인 (世人) [명] 세상 사람. ¶~의 이목을 꺼리다 / ~을 놀라게 하다.

세일 (sale) [명][하타] 판매. 주로, 염가 판매·할인 판매를 이르는 말. ¶~ 기간 / 백화점에서 옷을 ~한다.

세일러-복 (sailor服) [명] **1** 수병들이 입는 군복. 윗옷이 짧고 목 뒤로 네모꼴의 헝겊이 달렸으며, 바지가 밑으로 퍼져 있음. 해군복. **2** 해군복을 본뜬 어린이·여학생용 상의(上衣). ¶~을 입은 소녀는 귀엽고 상큼했다.

세일러복

세일즈-맨 (salesman) [명] 주로 고객을 방문하여 상품을 판매하는 사람. 외판원. ¶자동차 ~으로 일하고 있다.

세:입 (稅入) [명] 조세의 수입.

세:입 (歲入) [명] 〔경〕 국가나 지방 자치 단체의 1년 또는 한 회계 연도 안의 총수입. ¶~의 증가. ↔세출.

세:입-자 (貰入者) [명] 세를 내고 남의 집이나 방을 빌려 쓰는 사람. ¶~를 들이다.

세:자 (世子) [명] '왕세자'의 준말. ¶~를 책봉하다.

세:자-궁 (世子宮) [명] 〔역〕 **1** '왕세자'의 높임말. **2** 왕세자가 거처하던 궁전. 동궁(東宮).

세:자-빈 (世子嬪) [명] 〔역〕 왕세자의 아내.

세장 [명] 지게나 걸채 따위의 두 짝이 함께 짜여 있도록 가로질러 박은 나무.

세:장 (世丈) [명] 대대로 사귀어 친분이 두터운 집안의 어른.

세:장 (洗腸) [명][하자] 〔의〕 병 치료를 위해 장 속의 유독 물질을 제거하여 깨끗이 함.

세:전 (世傳) [명][하자타] 한 집안에서 대대로 전함. 대대로 전해 내려옴. ¶~의 비방을 가르쳐 주다 / 가업이 ~하다.

세:전 (歲前) [명] 새해가 되기 전. 세안. ↔세후.

세:-절목 (細節目) [명] 자질구레한 조목(條目). 세목(細目).

세:정 (世情) [명] **1** 세태와 인정. **2** 세상의 물정. ¶~에 어둡다 / ~을 듣다.

세:정 (洗淨) [명][하타] 깨끗하게 씻음. 세척.

세:정 (稅政) [명] 세무에 관한 행정.

세:정-제 (洗淨劑) [명] 세제(洗劑)1.

세:제 (洗劑) [명] **1** 세수·빨래·청소 따위에서 때나 표면에 붙은 이물질을 씻어 내는 데 쓰는 약제《비누 따위》. 세정제. ¶중성 ~. **2** 세척제(洗滌劑).

세:제 (稅制) [명] 〔법〕 조세에 관한 제도. ¶~ 개혁.

세:-제곱 [명][하타] 〔수〕 **1** 같은 수를 세 번 곱함. 또는 그 결과인 값. 삼승(三乘). **2** 길이의 단위명 앞에 붙어, 그 길이를 한 변으로 하는 육면체에 해당하는 부피를 나타내는 말. 입방(立方).

세:제곱-근 (-根) [명] 〔수〕 A를 세제곱한 것이 B일 때, B에 대한 A《3은 27의 세제곱근임》. 입방근(立方根).

세:족 (勢族) [명] 세력이 있는 족속.

세:존-단지 (世尊-)[-딴-] [명] 〔민〕 영남·호남 지방에서 농신(農神)에게 바치는 뜻으로, 햇곡식을 넣어 모시는 단지.

세:주 (細註) [명] **1** 자세히 설명한 주석. **2** 잔글씨로 단 주석. 잔주(註).

세:주 (歲酒) [명] 설에 쓰는 술. 설술. ¶~를 마시다 / ~를 한 잔씩 권하다.

세:-주다 (貰-) [타] 남에게 일정한 세를 받기로 하고 집이나 물건 따위를 빌려 주다. ¶젊은 부부에게 문간방을 ~.

세:차 (洗車) [명][하타] 차체·바퀴·기관 따위에 묻은 먼지나 흙 따위를 씻음.

세:차 (貰車) [명] 세를 받고 빌려 주는 차. 렌터카.

세:차 (歲次) [명] 간지(干支)를 좇아 정한 해의 차례.

세:차 (歲差) [명] 춘분점이 황도상을 동에서 서쪽으로 해마다 50초가량씩 이동하는 현상. 또는 그 차.

세:-차다 [형] 기세나 형세 따위가 힘차고 억세다. ¶세찬 바람 / 세찬 파도 / 비가 세차게 쏟아지다.

세:차-장 (洗車場) [명] 세차 시설을 갖추고 돈을 받고 세차해 주는 곳.

세:찬 (歲饌) [명][하자] **1** 설에 세배 온 사람에게 대접하는 음식. ¶~이 나오다. **2** 세의(歲儀).

세찬 가다 [구] 세찬을 보내다.

세:척 (洗滌) [명][하타] 깨끗이 씻음. ¶위를 ~하다 / ~ 효과가 뛰어나다.

세:척-기 (洗滌器) [명] 〔의〕 상처·위·질(膣) 등을 세척하는 데 쓰는 기구.

세:척-제 (洗滌劑) [명] 상처·눈·귀·질 따위의 신체 부위를 세척하는 약품《과산화수소수·합성 세제 따위》.

세:첨-하다 (細尖-) [형][여불] 끝이 가늘고 뾰족하다. ¶세첨한 주삿바늘.

세:-청 (細聽) [명] 〔악〕 주로 서울·경기 지방 정가(正歌)의 여창(女唱)에 쓰이는 창법(唱法)의 하나. 비단실을 뽑아내는 듯한 가느다란 목소리. 속청. 가성(假聲).

세:초 (洗草) [명][하자] 〔역〕 조선 때, 실록의 편찬이 완료된 뒤에, 훗날의 시시비비를

막기 위하여 그 초고를 없애 버리던 일.

세:초 (歲初) 명 새해의 첫머리. 설.

세:출 (歲出) 명 〖경〗 국가나 지방 자치 단체의 일 년 동안 또는 한 회계 연도 동안의 총지출. ¶~ 초과액이 나왔다. ↔세입.

세:-출입 (歲出入) 명 〖경〗 세출과 세입.

세:칙 (細則) 명 기본이 되는 규칙을 다시 나누어 자세하게 만든 규칙. ¶시행 ~.

세:칙 (稅則) 명 세금의 부과·징수에 관한 규칙.

세:칭 (世稱) 명 세상에서 흔히 말함. ¶~ 일류 학교라는 곳에 다닌다.

세컨드 (second) 명 **1** 권투에서, 경기 중 선수의 보호와 작전 지시를 하는 사람. **2** 〈속〉 첩(妾). ¶~를 두다.

세:코-짚신 [-집씬] 명 앞쪽 양편의 총을 터서 코를 낸 짚신.

세:탁 (洗濯) 명하타 빨래1. ¶밀린 빨랫감을 ~하다.

***세:탁-기** (洗濯機) 명 전력을 이용하여 빨래하는 기계.

세:탁-물 (洗濯物)[-탕-] 명 빨랫감. ¶~을 세탁소에 맡기다.

세:탁-소 (洗濯所) 명 돈을 받고 남의 빨래나 다림질 따위를 해 주는 곳.

세:태 (世態) 명 세상의 상태나 형편. 세상(世相). ¶~가 어지럽다 / 요즘의 ~를 풍자하다.

세터 (setter) 명 배구에서, 공격을 할 수 있도록 공격수에게 토스를 해 주는 선수.

세:톨-박이 명 세 톨의 알이 든 밤송이.

세:-톱 (細-) 명 이가 잘고 날이 얇은 작은 톱.

세트 (set) 명 **1** 도구·가구 등의 한 벌. ¶커피 ~ / 선물 ~를 샀다. **2** 영화·텔레비전 드라마 등의 촬영용으로 꾸며진 여러 장치. ¶야외 ~를 장치하다. **3** 테니스·배구 등에서, 한 시합 중의 한 판. ¶마지막 ~에서 분전하여 우승하다. **4** 파마한 머리를 손질하는 일. 또는 그 도구.

세트 스코어 (set score) 테니스·탁구·배구 등에서, 쌍방의 이긴 세트의 수를 이름.

세트 포인트 (set point) 테니스·탁구·배구 등에서, 세트의 승부를 결정짓는 마지막 한 점.

세팅 (setting) 명하자타 **1** 주변의 물건과의 미적 관계나 일의 목적 따위를 고려하면서 사물을 배치하는 일. ¶~이 단조로운 반지. **2** 녹음·영화 촬영 등의 장치를 배치하는 일. **3** 열을 가하여 머리카락을 둥글게 말아 올려 전체적인 머리 모양을 보기 좋게 다듬는 일.

세:파 (世波) 명 모질고 거센 세상살이의 어려움. ¶~에 시달리다 / 온갖 ~를 다 겪다.

세:평 (世評) 명 세상 사람들의 평판. ¶~이 좋다.

세:평 (細評) 명하타 자세하게 비평함. 또는 그런 비평.

세:포 (細布) 명 곱게 짠 삼베. 세마포.

세:포 (細胞) 명 **1** 〖생〗 생물체를 구성하는 기본 단위. 세포질 및 세포핵으로 구성됨. **2** 어떠한 단체 특히 공산당 조직의 최소 구성 단위. ¶~ 조직의 위원장.

세:포-막 (細胞膜) 명 〖생〗 세포질의 바깥쪽에 있어 원형질을 싸고 있는 막. 물질의 선택적 투과나 대사 및 물질의 운반에 관계함. 동물 세포의 경우에는 그 바깥에 외표면이 있고, 식물 세포의 경우에는 세포벽이 있음. 원형질막.

세:포-벽 (細胞壁) 명 〖식〗 식물 세포의 원형질막을 둘러싼 두꺼운 막. 셀룰로오스와 펙틴이 주성분임《세포를 보호하고 그 형상을 유지함》.

세:포 분열 (細胞分裂) 〖생〗 하나의 세포가 둘 이상의 세포로 분열·증식하는 현상.

세:포 조직 (細胞組織) **1** 〖생〗 생물체의 기본 단위인 각 세포가 연결되어 이루어진 생물체의 조직. **2** 정당·단체의 기본 말단 조직. ¶공산당의 ~.

세:포-질 (細胞質) 명 〖생〗 세포를 구성하는 원형질 중 핵을 제외한 부분. 주성분은 단백질임.

세:-피리 (細-) 명 〖악〗 피리의 하나. 향피리와 같은데 조금 가늘고 작음. ☞피리.

세:필 (細筆) 명하타 잔글씨를 씀. 또는 잔글씨를 쓰는 가느다란 붓.

세:한 (歲寒) 명 설 전후의 추위라는 뜻으로, 매우 심한 한겨울의 추위.

세:한-삼우 (歲寒三友) 명 추운 겨울철의 세 벗이라는 뜻으로, 추위에 잘 견디는 소나무·대나무·매화나무를 이르는 말《동양화의 화제(畫題)》.

세:환 (世患) 명 세상살이에서 오는 근심과 걱정. ¶~에 시달리다.

세:후 (歲後) 명 설을 쉰 뒤. ↔세전.

섹스 (sex) 명 **1** 성(性)4. **2** 성욕. **3** 성교. ¶이성 간의 ~ / ~로 인해 감염되는 질병.

섹스-어필 (sex appeal) 명하자 성적인 매력을 보이는 일. 성적 매력. ¶~한 옷차림.

섹시-하다 (sexy-) 형여불 성적 매력이 있다. ¶섹시한 여자 / 그녀의 섹시한 몸매.

섹터 (sector) 명 컴퓨터의 자기 디스크나 자기 드럼 따위에 구분하여 놓은 정보 기록 영역의 단위. 디스크의 중심에서 방사상(放射狀)으로 된 부채꼴 모양의 구획임.

센:-개 명 털빛이 흰 개.

센:-둥이 명 **1** 털빛이 흰 동물《특히, 흰 털빛의 강아지를 이름》. **2** 백색 인종이나 살갗이 흰 사람을 조롱하여 하는 말.

센:-말 명 〖언〗 뜻은 같되, 어감이 강한 말. 예사소리 대신 된소리를 씀《'굼틀'에 대한 '꿈틀' 따위》.

센:-머리 명 털이 희게 된 머리. 백발. ¶~에 허연 수염을 휼날리다.

센:-물 명 칼슘 이온이나 마그네슘 이온이 많이 들어 있어 비누 거품이 잘 일지 않는 물. 경수(硬水). ↔단물.

센:-바람 명 〖기상〗 풍력 계급 7의 바람. 초속 13.9-17.1 m 로 부는 바람. 강풍(強風). ☞풍력 계급.

센:-박 (-拍) 명 〖악〗 한 마디 안에서 세게 연주하는 박자. ↔여린박.

센서 (sensor) 명 소리·빛·온도·압력 따위의 변화나 정도를 감지하는 기계 장치.

센서스 (census) 명 국세 조사. 인구 조사. 통계 조사. ¶인구 ~ / 공업 ~를 실시하다.

센세이션 (sensation) 명 **1** 흥분. 선정. 물의. **2** 일시적인 큰 평판. 선풍적인 인기. ¶

~을 불러일으키다.
센스 (sense) 명 사물의 미묘한 느낌이나 의미를 깨닫는 감각이나 판단력. 눈치. 분별. 감각. ¶~가 없는 사람 / ~가 있다.
***센터** (center) 명 **1** 중앙. 중심. **2** 축구·배구·농구·야구 등의 구기에서, 중앙의 위치. 또는 그 위치에 선 선수. **3** 전문적·종합적 설비나 기능이 집중되어 있는 곳. ¶문화 ~를 개설하다 / 암 ~의 연구원.
센터링 (centering) 명 축구·하키 등에서, 터치라인 근처의 선수가 중앙에 있는 자기편 선수에게 볼을 패스하는 일.
센터 서클 (center circle) 농구·축구 따위에서, 경기장 중앙에 그어 놓은 원.
센터 포워드 (center forward) 축구에서, 맨 앞쪽의 중앙에서 공격하는 선수. 준센터.
센:-털[1] 명 빛이 희어진 털.
센:-털[2] 명 억센 털. 빳빳한 털.
센트 (cent) 의명 미국의 화폐 단위《1/100 달러》. 기호는 ₵.
센티 (←centimeter) 의명 '센티미터'의 준말.
센티멘털리즘 (sentimentalism) 명 감상주의.
센티멘털-하다 (sentimental-) 형여불 감정적·감상적인 특성이 있다. 준센티하다.
센티-미터 (centimeter) 의명 길이의 단위. 1미터의 1/100《기호 : cm》. 준센티.
센티-하다 형여불 '센티멘털하다'의 준말. ¶센티한 기분.
셀러리 (celery) 명 〖식〗 미나릿과의 한해살이풀 또는 두해살이풀. 스웨덴 원산으로, 높이는 60 cm 전후이며 잎은 깃 모양의 겹잎임. 6-9월에 백색의 작은 꽃이 피며 전체에 향기와 단맛이 있어서 식용으로 씀.
셀로판 (cellophane) 명 비스코스로 만든 무색 투명하고 얇은 막질의 물질《포장용으로 씀》. 셀로판지(紙).
셀로판-지 (cellophane紙) 명 셀로판.
셀룰로오스 (cellulose) 명 〖화〗 식물의 세포막 및 섬유의 주요 성분. 보통, 솜을 처리하여 얻는 백색·무미·무취의 가루. 많은 포도당 분자가 결합하여 된 다당류(多糖類)로 열과 전기의 부도체(不導體)이며 극히 안전함. 니트로셀룰로오스·아세트산셀룰로오스·종이·의류의 원료로 널리 씀. 섬유소. 세포막질.
셀룰로이드 (celluloid) 명 〖화〗 질산셀룰로오스에 장뇌와 알코올을 섞어서 압착하여 만든 일종의 플라스틱. 장난감·필름·문방구·장신구 등으로 썼으나 최근에는 아세틸셀룰로오스계(系)의 플라스틱을 많이 씀.
셀프-서비스 (self-service) 명 음식점·슈퍼마켓 등에서 고객이 필요한 물품을 손수 챙기도록 하는 판매 방법.
***셈**: 명하타 **1** 수효를 세는 일. ¶~이 빠르다 /~을 배우다 / ~해 보니 100명이 넘더라. **2** 주고받을 액수를 서로 따지어 밝히는 일. ¶~이 흐리다 / ~을 가리다 / ~을 치르다. **3** '셈판'의 준말. ¶어찌된 ~인지 모르겠다. **4** '속셈'의 준말. ¶떼어먹을 ~으로 돈을 꾸다 / 어찌할 ~인가. **5** 어떤 정도나 결과. ¶괜찮은 ~이다 / 내 스스로 포기한 ~이다. **6** ('-은·-는·-을' 다음에 '셈 치다'의 꼴로 쓰여) 미루어 가정함을 나타냄. ¶속은 ~ 치다 / 없는 ~ 치다 / 죽을 ~ 치고 배 위로 뛰어오르다. **7** 사물을 분별하는 슬기. ¶그 사람은 ~이 빨라 일을 맡길 만하다.
셈(에) 들다 구 어떤 차례나 범위 안에 있다.
셈을 끌다 구 품삯 따위의 셈을 하지 않고 미루다.
셈(을) 치다〔**잡다**〕 구 셈을 하다. ¶얼추 셈 잡아 따져보다.
셈이 질기다 구 셈을 하지 않고 미룬 지가 오래되다. ¶당신은 셈이 질겨 외상은 안 된다.
셈:-나다 자 사물을 분별하는 슬기나 판단력이 생기다. 셈들다.
셈:-들다 〔셈드니, 셈드오〕 자 사물을 분별하는 판단력이 생기다. 셈나다.
셈:-속 [-쏙] 명 **1** 일의 속 내용. ¶~을 알 수 없다. **2** 속셈의 실속. 이해타산.
셈:여림-표 (-標)[-녀-] 명 〖악〗 악보에서, 그 곡을 세게 또는 여리게 연주하라는 것을 나타내는 부호. 강약 기호. 강약 부호.
셈:-판 (-板) 명 사실의 형편 또는 그 까닭. ¶어찌된 ~인지 모르겠다. 준셈.
셈:-평 명 **1** 미리 그 일의 이익과 손해를 따져 보는 내용. 셈수. ¶~이 있는 사람 같아 보인다. **2** 생활의 형편.
셈평 펴이다 구 생활이 아쉬움이 없을 정도로 넉넉하여 태평하다. ¶셈평 펴일 날이 없다.
***셋**: [섿] 수 하나에 둘을 더한 수효. 삼(三).
셋:-돈 (貰-)[세똔 / 섿똔] 명 남의 물건이나 집 따위를 빌려 쓰고 내는 돈. 세전. ¶~을 올리다 / ~을 받다.
셋:-방 (貰房)[세빵 / 섿빵] 명 세를 내고 빌려 쓰는 방. ¶~을 구하다 / ~을 살다 / ~을 놓다 / 단칸 ~을 얻어 따로 나가 살다.
셋:방-살이 (貰房-)[세빵- / 섿빵-] 명하자 셋방에서 사는 살림살이. ¶~를 면하고 새 집으로 이사했다.
셋:-잇단음표 (-音標)[섿닏딴-] 명 〖악〗 본래 이등분할 음표를 삼등분한 음표.
셋:-줄 (勢-)[세쭐 / 섿쭐] 명 권세의 힘을 빌려 쓸 수 있는 길. 뒷줄. ¶~이 든든하다 / ~ 없는 사람이야 바랄 수가 있나.
셋:-집 (貰-)[세찝 / 섿찝] 명 세를 내고 빌려 사는 집. 세가(貰家). ¶~을 알아보다 / ~에 들다 / ~을 얻어 이사하다.
***셋:-째** [섿-] 一명 세 개째. 二수관 세 번째.
-셔요 어미 '-시어요'의 준말. -세요. ¶가~ / 하~. *-으셔요.
셔츠 (shirts) 명 대개 칼라가 있고 앞쪽에 작은 단추가 달린, 긴팔이나 반팔로 된 가벼운 서양식 윗옷. ¶속~ / ~ 바람으로 어딜 가니.
셔터 (shutter) 명 **1** 좁은 철판을 가로로 연결하여 만들어 위로 감아 올리거나 내릴 수 있게 된 덧문. ¶~를 내리다. **2** 카메라에서, 필름에 적당한 광선을 비추기 위하여 렌즈의 뚜껑을 재빨리 여닫는 장치. ¶~를 누르다.
셔틀-버스 (shuttle bus) 명 일정한 구간을 정기적으로 반복하여 다니는 버스. 순환 버스. ¶전철역까지 다니는 ~가 있다.

셔틀콕 (shuttlecock) 명 배드민턴 경기에서 사용하는 깃털 공.

션:찮다 [-찬타] 형 '시원찮다'의 준말. ¶ 션찮은 발음으로 말했다 / 저녁을 션찮게 먹었더니 속이 출출하다.

셰르파 (Sherpa) 명 히말라야 산중의 티베트계(系)의 한 종족. 산을 잘 타서 히말라야 등산에서 짐 운반과 길 안내로 유명함.

셰일 (shale) 명 〚광〛 수성암의 하나로 진흙이 굳어서 이루어진 암석《대개 얇은 층으로 되어 있으며, 빛은 회색이나 검은 갈색을 띠고, 석회암·사암 등과 겹쳐서 지층을 이룸》. 혈암(頁岩). 이판암(泥板岩).

셰퍼드 (shepherd) 명 개의 한 품종. 늑대와 흡사한데 영리하고 충실·용감하며, 후각이 예민함《경찰견 따위로 씀》.

*** 소**[1] 명 〚동〛 솟과(科)에 속하는 동물. 몸집이 크고 다리가 짧으며 전신에 짧은 털이 빽빽이 남. 발굽은 둘로 갈라져 있고 초식성이며 되새김질함. 육용·유용(乳用)·사역용으로 나뉨.
[소같이 벌어서 쥐같이 먹어라] 애써 벌어 절약하여 써라. [소더러 한 말은 안 나도 처(妻)더러 한 말은 난다] 제아무리 다정한 사이라도 말은 삼가라. [소도 언덕이 있어야 비빈다] 의지할 곳이 있어야 무슨 일을 할 수 있다. [소 잃고 외양간 고친다] 이미 실패한 뒤에 뉘우쳐도 소용이 없다.
소(가) 뜨물 켜듯이 구 물 같은 것을 한꺼번에 많이 들이켜는 모양.
소(가) 푸주에 들어가듯 구 어떤 곳에 무척 가기 싫어하는 모양.
소같이 먹다 구 엄청나게 많이 먹다.
소 닭 보듯 닭 소 보듯 구 아무 관심이 없이 본 둥 만 둥 함을 이르는 말.
소 잡아먹다 구 아주 음흉한 일을 하다.

소[2] 명 **1** 송편이나 만두 따위의 음식을 만들 때, 익히기 전에 속에 넣는 여러 가지 재료《송편에는 팥이나 콩·밤 따위를, 만두에는 고기·두부·김치 따위를 섞어서 넣음》. ¶송편에 넣을 ~를 넉넉히 준비하다. **2** 통김치·오이소박이 등의 속에 넣는 각종 고명.

소: (小) 명 크기에 따라 세 가지 또는 두 가지로 나눌 때의 가장 작은 것. ¶대, 중, ~.

소 (沼) 명 **1** 땅바닥이 둘러빠지고 물이 깊게 된 곳. **2** 늪1.

소: (素) 명하자 **1** 흰 빛의 비단. **2** 흰 빛. **3** 꾸미지 않고 수수한 것. **4** 음식에 고기·생선 따위를 쓰지 않는 일. ¶~로 끓인 콩나물국. **5** 상중(喪中)에 고기나 생선 따위를 먹지 않는 일.

소 (疏) 명 임금에게 올리던 글. ¶유생들이 탄핵하는 ~를 올리다.

소 (訴) 명 〚법〛 법원에 대해 사법상(私法上)의 권리 또는 법률 관계의 존부에 관한 심판을 청구하는 행위. ¶~를 제기하다.

소 (簫) 명 〚악〛 아악기에 속하는 피리의 하나《대로 만든 열여섯 개의 피리를 틀에 한 줄로 꽂고 두 손으로 들고 붊》.

소(簫)

소- 투 쇠-[2]. ¶~고기 / ~뿔.

소:- (小) 투 작다는 뜻. ¶~규모 / ~사전.

-소 (所) 미 어떤 일을 하는 장소 또는 기관의 뜻. ¶연구~ / 사무~ / 교습~.

-소 어미 하오할 자리에 용언 어간이나 어미 '-었-·-겠-' 뒤에 붙어서, 평서·의문·명령 등을 나타내는 종결 어미. ¶수고가 많았~ / 날 좀 보~ / 내가 가겠~.

소:-가족 (小家族) 명 **1** 식구 수가 적은 가족. **2** 부부와 미혼 자녀로 구성된 가족. 핵가족.

소-가죽 명 쇠가죽.

소:가지 명 〈속〉 심지(心志). ¶못된 ~ / ~가 고약하다 / ~가 불퉁스러워 말을 참지 못하는 것이 탈이다.
소가지(를) 내다 구 〈속〉 성내다.

소각 (消却·銷却) 명하타 **1** 지워 버림. **2** 써서 덜어 버림. **3** 빚을 갚아 버림.

소각 (燒却) 명하타 불에 태워 버림. ¶매일 나오는 쓰레기를 ~하다.

소각-장 (燒却場) 명 쓰레기나 폐기물 따위를 불에 태워 버리는 장소. ¶쓰레기 ~.

소:간 (所幹) 명 볼일1.

소:갈-딱지 명 소갈머리.

소:갈-머리 명 〈속〉 마음이나 속생각. 또는 마음보. 심지(心志). ¶녀석은 ~가 좁다 / ~ 없는 소리만 한다.

소-갈이 명하타 소로 논밭을 가는 일.

소갈-증 (消渴症)[-쯩] 명 〚한의〛 목이 말라 물이 자꾸 먹히는 증세《당뇨병 등》.

소:감 (所感) 명 마음에 느낀 바. 느낀 바의 생각. ¶우승 ~을 묻다.

소:강 (小康) 명하형 **1** 병이 조금 나은 기색이 있음. **2** 소란하거나 혼란하던 상태가 조금 잠잠함.

소:강-상태 (小康狀態) 명 소란이나 혼란 따위가 그치고 조금 잠잠한 상태. ¶장마가 이틀 정도 ~에 들어갈 전망이다.

***소개** (紹介) 명하타 **1** 두 사람 사이에 들어서 어떤 일을 어울리게 함. ¶직업 ~. **2** 모르는 두 사람을 알고 지내도록 관계를 맺어 줌. ¶친구의 ~로 만나다. **3** 잘 알려지지 않았거나, 모르는 내용이나 사실을 사람들에게 알리는 일. ¶해외 문학 ~ / 소녀 가장의 딱한 이야기가 신문에 ~되었다.

소개 (疏開) 명하타 **1** 산개(散開). **2** 공습·화재 등의 피해를 덜기 위해 한곳에 집중된 주민·시설 등을 분산시킴.

소:-개념 (小概念) 명 삼단 논법에서 결론 명제의 중심이 되는 개념. ↔대개념.

소개-말 (紹介-) 명 어떤 사실이나 내용을 소개하여 알리는 말.

소개-업 (紹介業) 명 직업의 알선과 집·토지 등의 매매나 임대(賃貸) 등의 소개를 하여 주는 업. ¶부동산 ~.

소개-장 (紹介狀)[-짱] 명 사람을 소개하는 내용의 편지나 문서. ¶~을 써 주다 / 그는 ~을 내놓으며 인사를 했다.

소거 (消去) 명하타 **1** 사라져 없어짐. 또는 지워 없앰. ¶통증을 ~하다. **2** 〚수〛 연립방정식으로부터 특정의 미지수가 포함되지 않은 방정식으로 유도하는 일. **3** 〚전〛 자기 테이프를 강력한 자기장이나 고주파 교류 자기장 속을 지나게 함으로써 기록을 없애는 일.
소-걸이 명 상으로 소를 걸고 겨루는 씨름. 상(上)씨름.
소격 (疏隔) 명하자 서로 사귀는 사이가 멀어져서 왕래가 막힘. 소원. ¶ 서로의 일이 바빠 본의 아니게 ~했었다.
소견 (召見) 명하타 윗사람이 아랫사람을 불러서 만나 봄. ¶ 대비가 대신들을 ~했다.
소:견 (所見) 명 어떤 일이나 사물을 살펴보고 가지게 된 생각이나 의견. ¶ 짧은 ~/~을 밝히다/~이 좁다/제 ~으로는 이렇습니다.
소:견-머리 (所見-) 명 〈속〉 소견. ¶ ~가 없다/~가 트이다.
소:경 명 **1** 눈이 멀어 앞을 못 보는 사람. 맹인. ¶ 그는 어렸을 때 사고로 시력을 잃어 ~이 되었다. **2** 세상 물정에 어둡거나 글을 모르는 사람. ¶ 그는 낫 놓고 ㄱ 자도 모르는 눈뜬 ~이나 다름없다/글만 알았지 세상 일에는 ~이다.
[소경 개천 나무란다] 자기 잘못은 모르고 남만 탓한다. [소경 단청 구경] 내용의 분별도 못하며 사물을 봄. [소경더러 눈 멀었다 하면 노여워한다] 결점을 지적하면 싫어한다. [소경 문고리 잡듯] 우연히 어떤 일을 이루거나 맞힘. [소경이 코끼리 만지고 말하듯] 객관적 사실을 잘 모르면서 일부분만 보고 해석하는 일. [소경 잠자나 마나] 전연 성과가 없음. [소경 제 닭 잡아먹기] 횡재가 결국은 제 손해.
소:계 (小計)[-/-게] 명 한 부분만의 합계. ¶ ~를 내다. ↔총계.
소:고 (小考) 명 **1** 체계를 세우지 않은 부분적이거나 단편적인 고찰. ¶ 향가에 대한 ~. **2** 자기의 생각을 낮추어 이르는 말.
소:고 (小鼓) 명 〖악〗 농악기의 하나. 운두가 낮고 양면을 얇은 가죽으로 메운 작은 북. 자루가 달림. 수고(手鼓).

소고(小鼓)

소고 (溯考) 명하타 옛일을 거슬러 올라가서 자세히 고찰함. ¶ 지난 일을 ~하다.
소-고기 명 쇠고기.
소:곡 (小曲) 명 〖악〗 '소품곡'의 준말.
소곤-거리다 자타 남이 알아듣지 못하도록 낮은 목소리로 자꾸 말하다. ¶ 귀에다 입을 대고 무언가를 ~. 큰수군거리다. 센쏘곤거리다. **소곤-소곤** 부하자타. ¶ ~ 귓속말을 나누다.
소곤-대다 자타 소곤거리다.
소곳-소곳 [-곧쏘곧] 부하타형 여럿이 모두 고개를 귀엽게 조금 숙인 듯한 모양. ¶ 이삭들이 ~ 고개를 숙이기 시작하다. 큰수굿수굿.
소곳-이 부 소곳하게. ¶ 그녀는 ~ 고개를 수그리며 미소를 지었다. 큰수굿이.
소곳-하다 [-고타-] 형여불 **1** 고개를 약간 숙인 듯하다. **2** 흥분이 좀 가라앉은 듯하다. ¶ 간곡히 말하니까 소곳해지더군. **3** 조금 다소곳하다. 큰수굿하다.
소:공-친 (小功親) 명 상복(喪服)을 입은 가까운 친척. 종조부모·재종형제·종질(從姪)·종손(從孫) 등.
소:과 (小科) 명 〖역〗 생원과 진사를 뽑던 과거. ¶ ~ 급제. ↔대과(大科).
소:관 (小官) 一명 지위가 낮은 관리. 二인대 관리가 상관에 대하여 스스로 자기를 낮추어 일컫는 말. 소직(小職).
소:관 (所管) 명 어떤 사무를 맡아 관리함. 또는 그 사무. ¶ 내무부 ~/~ 업무.
소:관 (所關) 명 관계되는 바. ¶ 팔자 ~이다/무슨 ~이 있어서 왔소.
소:관-사 (所關事) 명 관계가 있는 일. ¶ 그 일은 내 ~가 아닙니다.
소:-괄호 (小括弧) 명 〖수〗 묶음표의 하나. 작은 괄호. 곧, '( )'의 일컬음.
소:-구치 (小臼齒) 명 〖생〗 송곳니 뒤에 있는 두 개씩의 작은 어금니《상하 좌우 도합 8개》.
소굴 (巢窟) 명 범죄자나 악한들의 무리가 모이는 본거지. 소혈(巢穴). ¶ 도둑의 ~/적의 ~로 들어가다/부랑자 ~에서 빠져나오다. 준굴(窟).
소권 (訴權)[-꿘] 명 〖법〗 법원에 소송을 제기하여 판결을 요구할 수 있는 권리.
소:-규모 (小規模) 명 일의 범위가 좁고 작은 규모. ¶ ~ 거래/~의 자본으로 시작하다/집에서 ~로 시작한 공장이 지금은 큰 회사가 되었다. ↔대규모.
소극 (消極) 명 마지못해 일을 하거나 자발적이 아닌 비활동적 태도. ↔적극.
소:극 (笑劇) 명 익살과 웃음거리를 주로 하여 관중을 웃기는 연극. 웃음극. 파스(farce).
소:-극장 (小劇場) 명 규모가 작은 극장. 연극의 상업주의에서 벗어나 예술성을 추구하는 목적에서 만들어짐.
소극-적 (消極的) 관명 자진해서 일을 하지 않으려는 (것). 적극적이 아닌 (것). ¶ ~ 대응/~ 태도/매사에 ~이다/만기 연장에 ~인 자세를 보였다. ↔적극적.
*__소금__ 명 음식의 간을 맞추는 데 쓰는, 짠맛이 나는 결정체《주성분은 염화(鹽化)나트륨》. ¶ ~을 치다/어머니는 배추를 ~으로 절여 놓고는 파를 써는 등 손길이 바빠지셨다.
[소금 먹은 놈이 물을 켠다] 무슨 일이든 그렇게 된 까닭이 있다는 말. [소금 섬을 물로 끓이라면 끓이어라] 어떤 명령에도 순종하라는 말. [소금으로 장을 담근다 해도 곧이듣지 않는다] ㉠평소에 거짓말을 잘하는 사람의 말은 도무지 믿을 수 없다는 말. ㉡남의 말을 믿지 않는다는 뜻.
소금도 없이 간 내먹다 구 ㉠준비나 밑천도 없이 큰 이득을 차지하려 하다. ㉡몹시 인색하다.
소금 먹은 푸성귀 구 기가 죽어 후줄그레한 사람을 두고 이르는 말.
소금이 쉰다 구 그럴 리가 없다.
소금이 쉴 때까지 해보자 구 시간이 오래 걸리더라도 끝까지 해보자.
소:금 (小金) 명 〖악〗 **1** 대금보다 작은 타악기의 하나. **2** 꽹과리.
소금-구이 명하자 **1** 바닷물을 달여 소금을 만드는 일. 또는 그 일을 하는 사람. **2** 생선이나 고기 따위에 소금을 쳐서 굽는 일. 또는 그렇게 구운 고기.

소금-기 (-氣)[-끼] 명 염분이 섞인 약간 축축한 기운. 염분. ¶ ~가 섞인 바닷바람.
소금-물 명 소금을 녹인 물. 또는 짜디짠 물. 염수(塩水). ¶ ~로 양치질하다.
소금-버캐 명 소금이 엉기어서 굳어진 덩이.
소금엣-밥 [-에빱 / -엗빱] 명 반찬이 변변하지 못한 밥. 염반.
소금쟁이 명 〖충〗 소금쟁잇과의 곤충. 못·개천 또는 염분이 많은 물에 떼 지어 삶. 길이 1.5 cm 정도, 빛은 흑색, 긴 발끝에 털이 있어 물 위를 달림.
소금-절이 명하타 고기·채소 등을 소금에 절임. 또는 그 고기나 채소.
소금-쩍 명 물건 거죽에 소금기가 배거나 내솟아 허옇게 엉긴 조각.
소급 (遡及) 명하자타 지나간 일에까지 거슬러 올라가서 미치게 함. ¶ ~ 적용 / 월급을 ~해서 인상하다.
소:기 (所期) 명 기대한 바. ¶ ~의 성과 / ~의 목적을 달성하다.
소:-기업 (小企業) 명 규모가 작은 기업.
소:-깍두기 (素-) 명 젓국과 양념을 하지 않고 소금에만 절여 담근 깍두기.
소꿉 명 아이들이 소꿉질에 쓰는 장난감의 통칭.
소꿉-놀이 [-꿈-] 명하자 소꿉질하며 노는 아이들의 놀이.
소꿉-동무 명 어린 시절 함께 소꿉질하며 놀던 동무. ¶ 아내는 어렸을 때부터 붙어 다니던 나의 ~이다.
소꿉-장난 명하자 소꿉질하며 노는 장난. ¶ 어릴 때 ~하고 놀던 시절이 그립다.
소꿉-질 명하자 아이들이 자질구레한 그릇 따위의 장난감을 가지고 살림살이 흉내를 내는 짓. ¶ ~을 하고 놀다.
소나 (SONAR) 명 〔sound navigation and ranging〕 음파를 사용, 수중의 물체 따위를 탐지하는 기기《음향 측심기·수중 청음기·어군 탐지기 따위》. 음파 탐지기.
***소나기** 명 **1** 갑자기 세차게 쏟아지다 곧 그치는 비. 취우(驟雨). ¶ 갑자기 ~가 쏟아지다 / ~를 만나다 / ~를 피하다 / 곳에 따라 ~가 내리겠습니다. **2** 갑자기 들이퍼붓는 것을 비유하여 이르는 말. ¶ ~ 펀치를 퍼붓다.
[소나기 삼 형제] 소나기가 내렸다 멎었다 하며 세 줄기로 쏟아진다는 말.
소나기-밥 명 보통 때는 조금 먹다가 갑자기 많이 먹는 밥. ¶ ~에 체하다.
***소-나무** 명 〔←솔나무〕〖식〗 소나뭇과의 상록 침엽 교목. 높이는 30 m, 둘레는 6 m 정도, 껍질은 검붉고 비늘 모양이며 잎은 바늘 모양으로 두 개씩 모여 남. 꽃은 늦봄에 피고 다음 해 가을에 구과(毬果)를 맺음. 중요한 삼림 식물로, 건축, 침목, 도구재 등 용도가 다양함.
소나타 (이 sonata) 명 〖악〗 악곡의 한 형식. 기악을 위한 독주곡 또는 실내 악곡으로, 2 악장 이상으로 이루어짐. 주명곡(奏鳴曲).
소나티나 (이 sonatina) 명 〖악〗 악장의 규모가 짧거나 간략화된 소나타. 소주명곡(小奏鳴曲).
소낙-비 명 소나기1. ¶ 멈추었던 ~가 천둥이 치더니 다시 퍼붓기 시작했다.
소:납 (笑納) 명하타 보잘것없는 것이나 웃고 받아 달라는 겸사의 말《편지에 씀》. ¶ 약소한 금액이나마 ~하여 주십시오.
소:낭 (嗉囊) 명 〖조〗 모이주머니.
소네트 (sonnet) 명 〖문〗 13 세기경 이탈리아에서 발생한 10 음절 14 행으로 이루어진 짧은 시. 특수한 운을 띰. 십사행시.
***소:녀** (小女) 一 명 키나 몸집이 작은 여자아이. 二 인대 여자가 웃어른에게 자기를 겸손히 이르는 말. ¶ ~ 문안드리옵니다.
소:녀 (少女) 명 **1** 아직 완전히 성숙하지 않은 여자 아이. ¶ ~ 시절 / ~ 가장. **2** 처녀. ↔소년.
***소:년** (少年) 명 **1** 아주 어리지도 않고 완전히 성숙하지도 않은 사내아이. ¶ ~ 가장(家長) / ~ 시절. **2** 젊은 나이. 또는 그런 나이의 사람. ¶ ~ 재상. ↔소녀.
소:년-기 (少年期) 명 소년·소녀로 있는 미성년의 시기. 일반적으로 아동기의 후반을 가리킴. ¶ ~에 읽은 시 / ~를 외딴섬에서 보냈다.
소:년-배 (少年輩) 명 소년의 무리. ¶ 불량 ~.
소:년-원 (少年院) 명 〖법〗 가정 법원 소년부나 지방 법원 소년부의 보호 처분에 의해 송치된 소년을 수용, 교정 교육을 실시하는 법무부 장관 소속하의 기관.
소:농 (小農) 명 소규모의 논밭을 소유, 가족끼리 경작하는 농사. 또는 그런 농사를 짓는 농민층.
소:뇌 (小腦) 명 〖생〗 대뇌의 아래, 연수(延髓) 뒤에 있는 타원형 뇌수의 한 부분. 몸의 평형감각과 근육 운동을 조절함.
소다 (soda) 명 〖화〗 '가성 소다'의 준말.
소다-수 (soda水) 명 소량의 무기 염류를 용해한 물에 탄산가스를 포화시켜 만든 청량음료. 탄산수(炭酸水).
소:-단원 (小單元) 명 단원 학습에서, 장시간을 요하는 대단원을 다시 몇 개로 구분한 단원. ¶ ~으로 나누다.
소-달구지 명 소가 끄는 수레. 우차(牛車). ¶ ~ 위에 걸터앉다.
소:담 (笑談) 명하자 우스운 이야기. ¶ ~에 반응이 없어 쑥스럽다.
소담-스럽다 〔-스러우니, -스러워〕 형ㅂ불 소담한 맛이 있다. ¶ 소담스럽게 쌓인 눈 / 함박꽃이 소담스럽게 피다 / 과일이 소쿠리에 소담스럽게 담겨 있다. **소담-스레** 부
소담-하다 형여불 **1** 음식이 넉넉하여 보기에도 먹음직하다. ¶ 도시락을 열어 보니 어머니의 정성이 담긴 음식들이 소담하게 담겨 있었다. **2** 생김새가 탐스럽다. ¶ 소담한 꽃송이. **소담-히** 부.
소:대 (小隊) 명 〖군〗 군대를 편성하는 단위의 하나. 보통, 분대(分隊)의 위, 중대(中隊)의 아래인 육군의 정규 부대.
소:대-장 (小隊長) 명 소대를 지휘·통솔하는 장교. 보통 소위·중위가 맡음.
소댕 명 솥을 덮는 쇠뚜껑. 솥뚜껑. ¶ 낯이 ~처럼 두껍다.
소댕-꼭지 명 소댕 한가운데에 뾰족하게 달린 손잡이.
소:도 (小島) 명 작은 섬.

소:도(小道) 명 **1** 작은 길. **2** 작은 도의. **3** 행정 구획에서 작은 도(道). ↔대도.
소도(蘇塗) 명 〖역〗 삼한 때에, 천신(天神)을 제사 지내던 성역(聖域). 각 고을에 있는 이 지역에 신단(神壇)을 베풀고, 그 앞에 방울과 북을 단 큰 나무를 세워 제사를 올렸음.
소:-도구(小道具) 명 〖연〗 연극이나 영화 촬영에서, 무대 장치나 분장에 쓰는 작은 도구류.
소-도둑 명 **1** 소를 훔치는 짓. 또는 그 도둑. **2** 음충맞고 욕심 많은 사람을 비유적으로 이르는 말. ¶귀한 내 딸을 꾀어내다니 ~ 같으니라구.
소도록-이 부 소도록하게. ¶~ 담다.
소도록-하다 [-로카-] 형 여불 수량이 제법 많아서 소복하다. ¶학교 운동장에는 어느새 흰 눈이 소도록하게 쌓여 있었다. 큰수두룩하다.
소도리 명 작은 장도리《흔히 톱니를 때려 고르거나 금은 세공을 하는 데 씀》.
소:-도시(小都市) 명 규모가 작은 도시.
소독(消毒) 명하타 병의 감염이나 전염을 예방하기 위하여 병원균을 죽이는 일《일광·열·약품 소독 등이 있음》. ¶수술 기구를 ~하다 / ~된 솜으로 상처 부위를 닦다.
소독-약(消毒藥)[-동냑] 명 소독에 쓰는 약제《알코올·요오드·석탄산·산화칼슘·크레졸 따위》. 소독제. 살균제.
소독-저(消毒-) 명 소독을 한 나무로 만든 젓가락. 나무젓가락. 위생저.
소:동(小童) 명 **1** 열 살 안짝의 아이. **2** 남의 집에서 심부름하는 작은 아이.
소동(騷動) 명하자 사람들이 놀라거나 흥분하여 시끄럽게 떠들고 마구 행동하여 소란스럽게 하는 일. ¶~을 일으키다 / ~을 피우다 / 갑작스런 폭설로 교통이 마비되는 ~이 벌어졌다.
소:-동맥(小動脈) 명 〖생〗 대동맥에서 각 기관으로 갈라져 나간 가느다란 동맥. 작은동맥.
소두 명 혼인한 지 얼마 안 되는 안팎 사돈 집끼리 생일 같은 때 서로 보내는 물건.
소:두(小斗) 명 닷 되들이 말. *대두(大斗).
소:두(小豆) 명 〖식〗 팥.
소드락-질 명하타 남의 재물 따위를 마구 빼앗는 짓.
***소:득**(所得) 명 **1** 어떤 일의 결과로 얻은 이익. ¶~이 많은 이야기. **2** 자기 것이 된 물품·금전이나 이익·수입. ¶이달에는 ~이 많았다. **3** 〖법〗 세법에서, 일정 기간의 근로·사업·자산 등에서 얻는 수입. 또는 거기서 필요 경비를 뺀 잔액. ¶근로 ~ / 불로 ~에 세금을 무겁게 부과하다 / ~ 수준이 높다.
소:득-세(所得稅) 명 〖법〗 개인의 소득에 대하여 부과하는 국세(國稅).
소:득-액(所得額) 명 소득으로 들어온 돈의 액수. ¶~을 누락 신고하다.
소:득-원(所得源) 명 소득이 생기게 하는 원천. ¶~을 추적하다.
소등(消燈) 명하자 등불을 끔. ¶빨리 ~하고 취침해라. ↔점등(點燈).
소-띠 명 소해에 태어난 사람의 띠. 축생(丑生).
소:라 명 〖조개〗 소랏과의 연체동물. 살은 먹고, 단단한 껍데기는 지름 8 cm, 높이 10 cm 가량으로 세공하여 자개·단추 따위를 만드는 데 씀.
소:라(小鑼) 명 〖악〗 꽹과리보다 약간 작은 징의 한 가지.
소:라-딱지 명 소라의 껍데기.
소란(騷亂) 명하형히부 어수선하고 시끄러움. 쟁란(爭亂). ¶~한 분위기 / 빗쟁이들이 ~을 피우다 / ~을 떨다 / 아이들 떠드는 소리가 ~하다.
소란-스럽다(騷亂-)〔-스러우니, -스러워〕 형 ㅂ불 소란한 듯하다. ¶장내가 ~. **소란-스레** 부. ¶개가 ~ 짖어 댄다.
소래기 명 굽 없는 접시 모양의 넓은 질그릇.
소랭-하다(蕭冷-) 형 여불 쓸쓸하고 싸늘하다.
소략-하다(疏略-)[-랴카-] 형 여불 꼼꼼하지 못하고 엉성하다. ¶사건을 소략하게 설명하다. **소략-히** [-랴키] 부
소:량(少量) 명 적은 분량. ¶~ 생산 / ~의 독극물이 검출되다. ↔다량.
소:렴(小殮) 명하타 시체에 새로 지은 옷을 입히고 이불로 쌈.
소렴(疏簾) 명 성기게 엮은 발.
소:령(少領) 명 영관(領官) 계급의 하나. 중령의 아래, 대위의 위.
소:로(小路) 명 작은 길. ↔대로(大路).
소록-소록 부하자 **1** 아기가 곱게 자는 모양. ¶아기가 ~ 잠이 들다. **2** 비나 눈이 부드럽고 조용히 내리는 모양. ¶비가 ~ 내리다.
소:론(小論) 명 규모가 작은 논설·논문. ¶저서 몇 권과 ~ 몇 편.
소:론(少論) 명 〖역〗 조선 숙종(肅宗) 때, 서인(西人) 중, 그 영수 송시열(宋時烈)과 반목하여 윤증(尹拯) 등 소장파가 갈리어 나와 세운 당파. ↔노론(老論).
소:론(所論) 명 논하는 바.
소루-하다(疏漏-) 형 여불 꼼꼼하지 못하고 소홀하다. ¶손님 대접에 소루함이 없도록 신경 쓰다. **소루-히** 부. ¶임무를 ~ 하다.
소:류(小流) 명 실개천.
소르르 부 **1** 얽힌 물건이 잘 풀어지는 모양. ¶옷고름이 ~ 풀어지다. **2** 부드러운 바람이 천천히 부는 모양. ¶바람이 ~ 불다. **3** 물이나 가루 같은 것이 부드럽게 가만히 흐르거나 무너지는 모양. ¶밀가루 더미가 ~ 무너지다. **4** 졸음이 오거나 잠이 드는 모양. ¶수업 시간에 졸음이 ~ 왔다 / 눈이 ~ 감기다. 큰수르르.
***소:름** 명 춥거나 무섭거나 징그러울 때 피부에 좁쌀 같은 것이 돋아나는 현상. ¶무시무시한 장면을 보니 ~이 돋는다.
소름(이) 끼치다 구 피부에 소름이 돋다. ¶소름 끼치는 사고 현장을 목격하다.
***소리** 명 **1** 물체가 진동했을 때, 청각으로 느끼게 되는 것. ¶비바람 ~ / 피리 ~가 들려오는 달밤 / ~를 줄이다. **2** 사람의 목소리. ¶~를 지르다 / ~를 치다. **3** 〖언〗 말. ¶무슨 ~를 하는 거지 / 새삼스레 무슨 ~냐고 반문하다. **4** 〖악〗 판소리·잡

가·민요 등의 총칭. ¶그는 ~를 잘한다. **5** 항간의 여론이나 호소. ¶국민의 ~/침묵하는 다수의 ~가 더 무섭다/이상한 ~가 돌고 있다. **6** 소식. ¶~ 없이 찾아가다. **—-하다** 자여불 판소리나 잡가를 부르다. ¶소리하고 춤추며 놀다.

[소리 없는 고양이 쥐 잡듯] 말이 없이 실천에 옮기는 모양.

소리를 죽이다 구 소리를 몹시 낮추어 말하거나 소리를 내지 않다.

소리 소문도 없이 구 동작이 드러남이 없이 슬그머니.

소:리 (小利) 명 작은 이익. ¶~에 눈이 어두워 도리에 어긋난 짓을 했다/눈앞의 ~만 탐내지 마라.

소리-굽쇠 명 〖물〗 발음체의 진동수를 계산하는 기구《강철 막대를 구부려 유자형(U字型)으로 만듦》.

소리-글자 (-字)[-짜] 명 〖언〗 표음 문자. ㈜소리글. ↔뜻글자.

소리-꾼 명 **1** 온갖 노래를 아주 잘 부르는 사람. **2** 판소리나 잡가 등 소리하는 것을 직업적으로 삼는 사람.

소리-소리 부 감정이 몹시 격하여 잇따라 큰 소리로 외치거나 큰 소리를 지르는 모양. ¶아이는 ~ 지르더니 결국 울음을 터트렸다.

소리-쟁이 명 노래 부르는 일을 직업으로 하는 사람.

소리-치다 자 소리를 크게 지르다. ¶산 정상에 올라 목청껏 ~/큰 소리로 다그치듯 여러 사람 앞에서 ~.

소:립 (小粒) 명 작은 알갱이.

소:-립자 (素粒子) 명 〖물〗 물질 또는 장(場)을 구성하는 기본적인 단위가 된다고 생각되는 물질. 강한 상호 작용을 하는 중(重)입자, 약한 상호 작용을 하는 경(輕)입자, 상호 작용을 매개하는 게이지 입자로 대별함.

소릿-값 [-리깝/-릳깝] 명 〖언〗 '음가(音價)'의 풀어쓴 말.

소:마 명 '오줌'을 점잖게 이르는 말.

소:만 (小滿) 명 이십사절기의 하나. 양력 5월 21일경임.

소:-만두 (素饅頭) 명 고기 없이 채소 따위로만 소를 넣은 만두.

소:망 (所望) 명하타 어떤 일을 바람. 또는 그 바라는 것. 의망(意望). ¶~을 이루다/~을 품다/~을 들어주다/~이 이루어지다/아들 갖기를 간절하게 ~하다.

소망(을) 보다 구 심마니들의 은어로, 산삼 캐는 일을 실지로 이루다.

소망 (消亡) 명하자 꺼져 없어짐. 소멸.

소:망 (素望) 명 본디부터의 희망. 평소에 늘 바라는 일.

소망 (燒亡) 명하자타 불에 타서 없어짐. 소실(燒失). ¶어젯밤 화재로 창고의 물품이 모두 ~하였다.

소:망-스럽다 (所望-) [-스러우니, -스러워] 형ㅂ불 소망할 만한 데가 있다. 바람직하다. ¶소망스러운 미래를 설계하다. **소:망-스레** 부

소:-망일 (小望日) 명 음력 정월 열나흗날을 이르는 말. 이날은 여러 가지 나물을 먹음.

소매 명 윗옷 좌우에 있는, 두 팔을 꿰는 부분. 옷소매. ¶짧은 ~/~로 눈물을 닦다.

소매를 걷다 구 모든 일을 제쳐 놓고 일을 시작하다.

소매 속에서 놀다 구 손으로 하는 동작이 남의 눈에 띄지 않게 몰래 이루어지다.

소:매 (小梅) 명 초라니2.

소:매 (小賣) 명하타 물건을 생산자나 도매상에서 사들여 직접 소비자에게 팖. 산매. ¶~로 팔면 도매보다 이익이 더 많이 남는다. *도매.

소:매-상 (小賣商) 명 소매하는 장사. 또는 그 장수. *도매상.

소:매-업 (小賣業) 명 소매하는 영업.

소:매-점 (小賣店) 명 소매하는 상점. ¶영세 ~.

소매-치기 명하타 길거리나 차 안 등 혼잡한 곳에서 남의 몸이나 가방에 지닌 금품을 슬쩍 훔치는 짓. 또는 그런 사람. ¶지갑을 ~당하다. *날치기·들치기.

소매-통 명 소매의 넓이. ¶~이 너무 넓다.

소:맥 (小麥) 명 〖식〗 밀[1].

소:맥-분 (小麥粉) 명 밀가루.

소맷-귀 [-매뀌/-맫뀌] 명 소맷부리의 구석 부분.

소맷-길 [-매낄/-맫낄] 명 옷의 소매가 되는 조각.

소맷-동 [-매똥/-맫똥] 명 옷소매의 끝을 이은 동아리. ¶소매 끝에 ~을 달다.

소맷-부리 [-매뿌-/-맫뿌-] 명 옷소매의 아가리. 몌구(袂口). ¶~가 닳아서 풀어진 올이 늘어져 있다.

소맷-자락 [-매짜-/-맫짜-] 명 옷소매의 자락. ¶~을 끌다/~으로 눈물을 닦다.

소:면 (素麪) 명 고기붙이를 넣지 않은 국수.

소멸 (消滅) 명하자 사라져 없어짐. ¶보험의 효력이 ~되다/태풍이 완전히 ~됐다.

소멸 시효 (消滅時效) 〖법〗 권리자가 권리를 행사할 수 있을 때부터 기산(起算)하여 법정 기간 안에 권리를 행사하지 않으면 그 권리가 소멸되는 시효.

소명 (召命) 명 **1** 신하를 부르는 왕의 명령. ¶~을 받들다/~을 받다. **2** 〖기〗 사람이 어떤 특수한 신분으로 신에 봉사하도록 신의 부름을 받음. ¶그는 ~을 받고 목사가 되었다.

소명 (疏明) 명하자타 **1** 까닭이나 이유를 밝혀 설명함. **2** 〖법〗 재판에서, 당사자가 그 주장한 사실에 대하여, 법관으로 하여금 일단 확실해 보인다고 믿는 마음을 갖게 하는 일. 또는 이를 위해 당사자가 증거를 제출하려고 노력함. ¶~ 자료를 제출하다.

소명-하다 (昭明-) 형여불 분별이 밝고 똑똑하다. ¶그처럼 소명하고 싹싹한 사람은 본 일이 없다.

소모 (消耗) 명하타 써서 없앰. ¶에너지 ~가 많다/쓸데없이 정력을 ~하다/여름철에는 전력 ~가 많다.

소모 (梳毛) 명하타 짐승의 털을 다듬어 짧은 섬유는 없애고, 길이가 고른 긴 섬유만을 골라 끝이 가지런하게 하는 일. 또는 그 긴 섬유.

소모-량 (消耗量) 명 소모하는 양. 또는 소

모되는 분량. ¶ 연료의 ~에 비해 화력이 신통치 않다.
소모-사 (梳毛絲) 명 소모로 만들어진 실. 또는 소모에 다른 섬유를 섞어서 만든 털실. ¶ ~로 뜬 스웨터.
소모-전 (消耗戰) 명 **1** 인원·병기·물자 따위를 자꾸 투입하여도 쉽게 승부가 나지 않는 전쟁. ¶ ~을 벌이다 / ~을 치르다. **2** 인력이나 자금이 계속 소모되는 힘든 일.
소모-품 (消耗品) 명 쓰는 대로 닳아서 점점 줄어들어 못 쓰게 되거나 또는 아주 없어지는 물품. ¶ 일회용 ~ / 한 달 동안에 쓸 ~을 청구하다. *비품(備品).
소:목-장이 (小木—) 명 나무로 가구나 문방구 등을 짜는 일을 업으로 하는 사람.
소-몰이 명하자 소를 몰고 다니는 일. 또는 그 사람.
소:묘 (素描) 명하타 〖미술〗 형태와 명암을 위주로 하여 단색으로 그림을 그림. 또는 그 그림. 데생(dessin).
***소:문** (所聞) 명 여러 사람의 입에 오르내리면서 전하여 들리는 말. ¶ 이상한 ~이 돌다 / ~이 자자하다 / ~이 퍼지다.
소:문-나다 (所聞—) 자 소문이 퍼지다. ¶ 병을 잘 고친다고 소문난 의원 / 용하기로 소문난 점쟁이 / 바람둥이로 ~.
[소문난 잔치에 먹을 것 없다] 평판과 실제와는 일치하지 않는다는 뜻.
소:문-내다 (所聞—) 타 소문을 퍼뜨리다. ¶ 용한 점쟁이라고 소문내고 다니다.
소:-문자 (小文字)[—짜] 명 서양 문자의 작은 체의 문자. ↔대문자.
소밀 (疏密·疎密) 명 성김과 빽빽함.
소-바리 명 소의 등에 짐을 실어 나르는 일. 또는 그 짐. ¶ ~로 짐을 나르다.
소박 (疏薄) 명하타 처나 첩을 박대함. ¶ ~을 당하다 / 조강지처를 ~하다.
소박-데기 (疏薄—) 명 남편에게 소박을 맞은 여자를 얕잡아 이르는 말.
소박-맞다 (疏薄—)[—방만따] 자 남편에게 소박을 당하다. ¶ 소박맞고 친정으로 쫓겨 오다.
소-박이 명 **1** '오이소박이김치'의 준말. **2** 소를 넣어서 만든 음식의 총칭.
소박-하다 (素朴—)[—바카—] 형여불 꾸밈이나 거짓이 없고 수수하다. ¶ 소박한 인심 / 소박한 인품 / 지극히 소박한 옷차림 / 소박하게 살다.
소:반 (小盤) 명 밥·반찬 그 밖의 음식들을 벌여 놓고 먹는 작은 밥상. ¶ 둥근 ~ / 마누라가 ~에 술상을 차려 왔다.
소발 (燒髮) 명하자 〖민〗 한 해 동안 머리를 빗을 때 빠진 머리카락을 모아 두었다가 이듬해 음력 설날 저녁에 대문 밖에서 살라 버리는 일《이렇게 하면 병마가 물러간다고 함》.
소:-밥 (素—) 명 고기반찬이 없는 밥. 소반(素飯). 소식(素食).
소방 (消防) 명하타 화재를 예방하고 불난 것을 끄는 일. ¶ ~ 시설 / ~ 훈련에 열중하다.
소방 공무원 (消防公務員) 〖법〗 화재를 예방·경계 또는 진압함을 직무로 하는 공무원. 국가 소방 공무원과 지방 소방 공무원이 있음.
소방-관 (消防官) 명 '소방 공무원'의 통칭.
***소방-서** (消防署) 명 소방관을 두어 소방 사무를 맡아보는 기관.
소방-수 (消防手) 명 소방에 종사하는 사람.
소방-원 (消防員) 명 소방대의 구성원으로서 소방 활동에 종사하는 사람. 소방대원.
소방-차 (消防車) 명 불을 끄고 인명을 구조하는 데 필요한 각종 장비를 갖춘 자동차. 속칭으로 불자동차.
소:변 (小便) 명 오줌. ¶ ~ 검사를 하다 / ~을 누다 / ~이 마렵다〔급하다〕. ↔대변.
소:변-보다 (小便—) 자 오줌을 누다.
소보록-하다 [—로카—] 형여불 **1** 좀 소복하다. ¶ 밥을 소보록하게 푸다. **2** 식물이나 털 따위가 좀 빽빽하고 길다. ¶ 잔디가 ~. **3** 살이 붓거나 찐 데가 좀 도드라져 있다. ¶ 발목이 소보록하게 붓다.
소:복 (素服) 명 **1** 하얗게 차려입은 옷. 흰옷. ¶ ~한 차림. **2** 상복(喪服). **—-하다** [—보카—] 자여불 소복을 입다. ¶ 소복한 젊은 과부가 청승맞게 울다.
소복 (蘇復) 명하자타 병이 나은 뒤에 원기가 회복됨. 또는 원기를 회복함. ¶ 원기가 ~되다.
소:복-단장 (素服丹粧) 명하자 흰옷을 아래위로 차려입고 맵시 있게 몸을 꾸밈. 또는 그러한 차림. ¶ ~한 젊은 여자가 나타나다.
소복-소복 부하형 쌓이거나 담긴 물건이 여럿이 모두 볼록하게 많은 모양. ¶ ~ 눈이 쌓이다 / 밥을 공기마다 ~하게 담다. 큰수북수북.
소복-이 부 소복하게. ¶ 광주리에 밤을 ~ 담다 / 마당에 잡초가 ~ 자랐다 / 아랫배가 ~ 나왔다. 큰수북이.
소복-하다 [—보카—] 형여불 **1** 물건이 도드라지게 많이 담겨 있거나 쌓여 있다. ¶ 밥을 소복하게 담다 / 밤새 눈이 내리는가 싶더니 마당에 소복하게 쌓였다. **2** 살이 부어서 도드라져 있다. ¶ 눈두덩이 소복하도록 울다. 큰수북하다.
소:분 (小分) 명하타 작게 나눔. 또는 그 부분. 소별(小別).
소:분 (小紛) 명 작은 분란(紛亂).
소:비 (所費) 명 드는 비용. 일에 든 비용.
소비 (消費) 명하타 **1** 돈·물건·시간·노력 등을 써서 없앰. 비소(費消). ¶ ~가 늘다 / 개인 ~를 자극하다 / 1년이라는 세월을 ~하다. **2** 〖경〗 욕망을 충족시키기 위해 재화를 소모하는 일. ¶ ~ 경제 / ~ 금융. ↔생산.
소비-량 (消費量) 명 소비하는 분량. ¶ 쌀의 연간 ~을 줄이다. ↔생산량.
소비 성:향 (消費性向) 〖경〗 소득 변화에 따라 변화하는 소비의 경향. ↔저축 성향.
소비-세 (消費稅)[—쎄] 명 〖법〗 소비재에 부과되어 소비자가 납부하게 되는 세금《직접 소비세와 간접 소비세로 구분됨》.
소비-자 (消費者) 명 **1** 재화를 소비하는 사람. **2** 생태계에서, 생산자가 만든 유기물을 섭취하는 생물. 특히, 초식 동물을 1차 소비자, 1차 소비자를 먹는 동물을 2차 소비자, 다른 동물에게 잡아먹히지 않는 호랑이·사람 등을 최종 소비자라 함. ↔생산자.
소비자 가격 (消費者價格) 〖경〗 **1** 어떤 재

화의 생산자 가격에 이윤·운임 등을 가산한 가격. ¶유통 경로가 줄면서 ~이 내렸다. **2** 정부가 소비자에게 파는 가격.
소비-재 (消費財) 명 개인의 욕망을 충족시키기 위해 직접 소비되는 모든 재화《식료품·소모품 따위. 자동차·가정용 전기 기구·가구 등은 '내구(耐久) 소비재'라 함》. ¶내수용 ~ 수입이 급증하다. ↔생산재.
소비-조합 (消費組合) 명 소비자의 공동 출자로 일용품을 직접 도매상·생산자로부터 구입, 조합원에게 염가로 제공하고, 그 이익을 적립 분배하는 조합.
소비-지 (消費地) 명 어떤 상품이 소비되는 곳. ¶생산된 상품은 유통 경로를 거쳐 ~로 운송된다. ↔생산지.
소비-품 (消費品) 명 소비하는 물품. 소비물. ¶사치성 ~의 수입이 늘었다.
소:사 (小史) 명 줄여서 간략하게 기록한 역사. ¶독립 운동 ~.
소:사 (小事) 명 작은 일. 대수롭지 아니한 일. ↔대사(大事).
소사 (掃射) 명하타 〔군〕 기관총 따위를 상하 좌우로 휘두르며 연달아 쏘는 일. ¶기총 ~.
소사 (燒死) 명하자 불에 타서 죽음. ¶~를 겨우 면하다.
소:산 (所産) 명 '소산물'의 준말. ¶연구의 ~ / 허영의 ~으로 그 꼴이 되었다.
소:산-물 (所産物) 명 **1** 어떤 지역에서 생산되는 모든 물건. **2** 어떤 행위나 상황 따위에 의한 결과로 나타나는 현상. ¶환경오염은 산업 발달의 ~이다. 준소산(所産).
소삼-하다 (蕭森-) 형여불 **1** 가을바람이 불어서 마음이 쓸쓸하다. ¶소삼한 느낌이 든다 / 마음이 ~. **2** 나무가 빽빽이 들어서 있다. ¶나무가 소삼하여 하늘이 안 보인다.
소삽-하다 (蕭颯-)[-사파-] 형여불 바람이 차고 쓸쓸하다. ¶소삽한 산길을 홀로 헤매었다.
소:상 (小祥) 명 사람이 죽은 지 1년 만에 지내는 제사. 일주기(一週忌). ¶~을 치르다 / 부친의 ~을 지내다. *대상.
소:상 (塑像) 명 찰흙으로 만든 인물의 형상《주로 조각·주물의 원형으로 쓰는 것》.
소:-상인 (小商人) 명 **1** 작은 규모로 장사하는 사람. **2** 〔법〕 자본금이 1천만 원에 미달하는 상인으로서, 회사를 이루고 있지 않은 사람.
소상-하다 (昭詳-) 형여불 분명하고 자세하다. ¶진실을 소상하게 밝히다 / 지방 사정에 ~. **소상-히** 부. ¶~ 기록하다 / ~ 알고 있다.
소:생 (所生) 명 자기가 낳은 아들이나 딸. ¶본처 ~ / ~이 없어 양자를 들이다.
소생 (蘇生·甦生) 명하자 거의 죽어 가다가 다시 살아남. 회생(回生). ¶생명의 ~ / 만물이 ~하는 봄 / 워낙 중태라 ~할 가망이 없다.
소:생 (小生) 인대 예전에, 말하는 이가 자기를 낮추어 이르던 말.
소:서 (小暑) 명 이십사절기의 열한째《양력 7월 7일경》. ¶하지를 지나 ~로 접어들었다.
소서 (消暑·銷暑) 명하자 더위를 가시게 함.
-소서 어미 합쇼할 자리에서, 받침 없는 동사의 어간 및 일부 형용사 어간에 붙어, 바라거나 시킴을 나타내는 뜻으로 쓰는 종결어미. ¶고이 잠드~ / 용서하~ / 건강하~ / 만수무강을 누리~. *-으소서.
소-석고 (燒石膏) 명 〔화〕 석고를 약 160-170℃로 구워서 만들어 내는 분말. 물을 더 하면 석고의 작은 결정으로 되돌아가 굳음. 구운석고.
소-석회 (消石灰)[-서쾨] 명 〔화〕 수산화칼슘.
소:-선거구 (小選擧區) 명 한 선거구에서 의원 한 사람을 뽑는 제도의 선거구.
소:설 (小雪) 명 이십사절기의 스무째《양력 11월 22·23 일경》. *대설(大雪).
*__소:설__ (小說) 명 **1** 상상력과 사실(寫實)의 통일적 표현으로써 인생과 미(美)를 산문체로 나타낸 예술《분량에 따라 단편·중편·장편의 구별이 있음》. ¶탐정 ~. **2** '소설책'의 준말.
소:설-가 (小說家) 명 소설을 짓는 사람.
소:설-책 (小說冊) 명 소설을 쓴 책. ¶~을 읽다. 준소설.
소:설-화 (小說化) 명하자타 어떤 사실을 소설로 꾸밈. 또는 그렇게 꾸며짐. ¶판소리의 ~를 계획하다.
소:성 (塑性) 명 〔물〕 고체에 외력을 가하여 탄성 한계 이상으로 변형시켰을 때, 외력을 빼어도 원래의 상태로 돌아가지 않는 성질. 가소성(可塑性).
소세 (梳洗) 명하자 머리를 빗고 낯을 씻는 일. ¶그는 ~를 마친 후 아침상을 받았다.
소:소 (塑塐) 명 〔미술〕 흙으로 만든 사람이나 사물의 형상. 소형(塑型)·소상(塑像)·조소(彫塑) 따위.
소소리-바람 명 이른 봄에 살 속으로 스며드는 듯한 차고 음산한 바람.
소소리-패 (-牌) 명 나이가 어리고 경망한 무리. ¶~들과 휩쓸려 지내다.
소소-배 (宵小輩) 명 간사하고 소견이 좁은 사람의 무리.
소:소-하다 (小小-) 형여불 대수롭지 않고 자질구레하다. ¶소소한 일로 시간을 낭비하다. **소:소-히** 부
소:소-하다 (小少-) 형여불 **1** 키가 작고 나이가 젊다. ¶깡마르고 ~. **2** 얼마 되지 아니하다. ¶소소한 푼돈. **소:소-히** 부
소소-하다 (昭昭-) 형여불 사리가 밝고 뚜렷하다. 소연(昭然)하다. ¶소소하게 밝히다. **소소-히** 부
소소-하다 (蕭蕭-) 형여불 바람이나 빗소리 따위가 쓸쓸하다. ¶바람이 소소하게 불다 / 창밖에서는 빗소리가 소소하게 들려왔다. **소소-히** 부
소:속 (所屬) 명하자 어떤 기관·단체에 딸림. 또는 그 사람이나 물건. ¶문화부 ~ 기자 / ~ 부대가 어디냐 / ~을 밝히다.
소:속-감 (所屬感) 명 자신이 어떤 집단에 소속되어 있다는 느낌. ¶~을 느끼다 / 직원들에게 ~을 갖도록 분위기를 만들다.
소손 (燒損) 명하자타 불에 타서 부서짐. 또는 불에 태워서 부숨.
소송 (訴訟) 명하타 〔법〕 법률상의 판결을 법원에 요구하는 일. 또는 그 절차《민사·형

사·행정·선거 소송 등으로 나뉨》. ¶ ~을 걸다 / ~에서 패소하다 / 변호사에게 ~을 의뢰하다.

소송-법 (訴訟法)[-뻡] 명 〖법〗 소송 절차를 규정한 법규《민사·형사·행정·선거 소송법 등이 있음》.

소쇄-하다 (瀟灑-) 형 여불 기운이 맑고 깨끗하다. ¶소쇄한 풍채를 가진 신사.

***소:수** (小數) 명 **1** 작은 수. **2** 〖수〗 1보다 작은 실수《무한 소수·유한 소수가 있음》.

소:수 (少數) 명 적은 수효. ¶ ~의 의견을 존중하다 / 그의 의견에 찬성한 사람은 ~에 불과하다 / 그를 알아본 사람은 ~였다. ↔다수.

소수 (素數)[-쑤] 명 〖수〗 1과 그 자신 이외의 자연수로는 똑 떨어지게 나눌 수 없는 자연수《2·3·5·7·11 따위》.

소수-나다 자 그 땅의 농산물 소출이 증가하다. 준솟나다.

소:수-당 (少數黨) 명 소수의 사람으로 조직된 정당. 또는 국회에서 의석이 적은 정당. ↔다수당.

소:수 민족 (少數民族) 여러 민족이 한 국가를 구성할 때 인구가 적고 언어·풍습 따위를 달리하는 민족.

소수-성 (疏水性)[-썽] 명 〖화〗 물에 대하여 친화력을 갖지 않는 성질. 곧, 용해되지 않고 물에 쉽게 가라앉는 일. ¶ ~ 광물. ↔친수성(親水性).

소:수-점 (小數點)[-쩜] 명 〖수〗 소수의 부분과 정수(整數)의 부분을 구획하기 위해 첫자리와 10분의 1 되는 자리 사이에 찍는 점《3.14 의 '.'》. 포인트.

소:수-파 (少數派) 명 속해 있는 사람의 수가 적은 쪽의 파.

소:-순환 (小循環) 명 **1** 〖생〗 폐순환. **2** 〖경〗 짧은 기간을 주기로 되풀이되는 경기 순환.

소스 (sauce) 명 서양 요리에서, 맛과 빛깔을 돋우기 위해 음식에 치는 액체 조미료. ¶토마토 ~ / ~를 치다 / ~를 뿌리다.

소스 (source) 명 (정보 따위의) 출처. 근거. ¶ ~를 밝히지 않은 기사(記事).

소스라-뜨리다 타 깜짝 놀라 몸을 갑자기 솟구치듯 움직이다.

소스라-치다 타 깜짝 놀라 몸을 떠는 듯이 움직이다. ¶소스라치게 놀라다.

소스라-트리다 타 소스라뜨리다.

소스-치다 타 몸을 위로 높게 올리다. ¶몸을 소스치어 담장을 뛰어넘다.

소슬-바람 (蕭瑟-)[-빠-] 명 가을에, 으스스하고 쓸쓸하게 부는 바람. ¶아침저녁으로 서늘한 ~이 불어온다.

소슬-하다 (蕭瑟-) 형 여불 으스스하고 쓸쓸하다. ¶소슬한 가을바람. **소슬-히** 부

소:승 (小乘) 명 〖불〗 후기 불교의 2대 유파의 하나. 수행을 통한 개인의 해탈을 가르치는 교법. ↔대승(大乘).

소:승 (小僧) 인대 승려가 자기를 낮추는 말.

소:승 불교 (小乘佛敎) 〖불〗 소승의 교법을 기본 이념으로 하는 불교. ↔대승 불교.

소:승-적 (小乘的) 관명 조그만 일에 얽매여, 대국적인 면을 보지 못하는 (것). 시야가 좁아 옹졸한 (것). ¶ ~ 편견 / ~인 정치 의식. ↔대승적.

소:시 (小柹) 명 고욤.

소:시 (少時) 명 젊었을 때. ¶아버지는 ~부터 근력이 좋으셨다.

소:-시민 (小市民) 명 자본가와 노동자의 중간 계급에 딸린 사람. ¶묵묵히 일하고 가정을 지키는 평범한 ~으로 만족하다.

소:시민-적 (小市民的) 관명 소시민의 특징을 나타내는 (것). ¶ ~ 발상 / ~인 생활.

소시지 (sausage) 명 돼지·소 등 동물의 창자에 곱게 다져 양념한 고기를 채우고 삶거나 훈제(燻製)한 보존 식품. 양순대.

소:식 (小食) 명하자 음식을 적게 먹음. ¶장수의 비결은 ~과 적당한 운동이다.

***소식** (消息) 명 **1** 안부를 전하는 말이나 글. ¶ ~이 끊어지다 / ~이 오다 / 그의 ~을 듣다 / ~을 전하다. **2** 상황이나 동정을 알리는 보도 같은 것. ¶고향 ~ / 해외 ~이 끊기다. **3** 천지 시운(時運)이 자꾸 변화하는 일.

소식이 깡통 구 〈속〉 소식을 전혀 모름을 이르는 말. ¶아직도 모르고 있었다니, ~이군.

소식-불통 (消息不通) 명 **1** 소식이 서로 끊김. **2** 어떤 일이나 사정에 대하여 통 알지 못함. ¶다들 알고 있는데 너만 ~이구나.

소식-통 (消息通) 명 **1** 어떤 일의 내막·사정을 잘 아는 사람. ¶정계의 ~. **2** 새로운 소식이 전해지는 일정한 경로.

소:신 (所信) 명 굳게 믿는 바. 또는 자기가 확실하다고 굳게 생각하는 바. ¶ ~을 가지다 / ~을 굽히다 / ~대로 살아오다 / ~을 피력하다.

소신 (燒燼) 명하자타 모두 다 타 버림. 또는 다 태워 버림.

소:신 (小臣) 인대 신하가 임금에게 대하여 자기를 낮추어 이르는 말. ¶ ~의 잘못을 용서해 주옵소서.

소:신-껏 (所信-)[-껃] 부 자기가 믿고 주장하는 바에 따라. ¶ ~ 밀고 나가다.

소:실 (小室) 명 첩. ¶ ~을 두다. ↔정실.

소실 (消失) 명하자타 사라져 없어짐. 또는 그렇게 잃어버림. ¶문헌이 ~되다 / 홍수로 많은 농지를 ~하였다.

소실 (燒失) 명하자타 불에 타서 없어짐. 또는 그렇게 잃음. ¶불이 나 집 한 채가 깡그리 ~되었다.

소:심-하다 (小心-) 형 여불 **1** 조심성이 지나치게 많다. 주의 깊다. **2** 담력이 없고 겁이 많다. ¶소심한 성격 / 소심하게 굴다.

소:심-히 부

소:싯-적 (少時-)[-시쩍 / -싣쩍] 명 젊었을 때. ¶ ~에는 노름에 미쳐 등록금을 다 날린 일도 있었다.

소-싸움 명 〖민〗 단옷날에 남부 각 지방에서 유행하던 행사로, 사나운 소 두 마리를 골라 넓은 들에서 싸움을 시키는 행사. 투우(鬪牛). 준소쌈.

소:아 (小我) 명 **1** 〖철〗 우주의 절대인 나와 구별한 자아(自我). **2** 〖불〗 감정이나 욕망 따위에 사로잡힌 자기 자신.

소:아 (小兒) 명 어린아이. ¶ ~들을 위한 놀이 시설 등이 턱없이 부족하다.

소:아-과 (小兒科)[-꽈] 명 〖의〗 어린아이의

병을 전문으로 진찰·치료하는 의학의 분과. 또는 병원의 그 부서.

소:아-마비 (小兒痲痺) 명 어린아이에게 발생하는 운동 기능의 마비성 질환《선천성인 척수성 소아마비와 후천성인 뇌성 소아마비로 나눔》.

소:아-병 (小兒病)[-뼝] 명 **1** 어린아이에게서 흔히 볼 수 있는 내과적인 병《백일해·디프테리아·홍역·수두·성홍열 따위》. 소아질환. **2** 유치하고 극단적인 사상이나 행동.

소:아병-적 (小兒病的)[-뼝쩍] 관명 생각이나 행동이 유치하고 극단으로 치닫는 성향인 (것). ¶～인 사고에서 벗어나다.

소:-악절 (小樂節) 명 〖악〗 작은악절.

소:액 (少額) 명 적은 액수. ¶～ 거래 / ～ 투자자 / ～ 대출을 받다.

소:액-권 (少額券) 명 액면 금액이 적은 지폐. ↔고액권.

소:액-환 (小額換)[-애콴] 명 우편환의 하나. 환(換)증서를 가진 사람에게 어느 우체국에서나 그 증서와 바꾸어 현금을 지급함.

소:야-곡 (小夜曲) 명 〖악〗 세레나데.

소양 (素養) 명 평소에 닦아 놓은 교양. ¶문학적 ～ / 깊은 ～을 가지다 / 음악에 ～이 있다.

소양 (搔癢) 명하타 가려운 데를 긁음.

소:어 (笑語) 명 **1** 우스운 이야기. **2** 웃으면서 하는 말.

소:언 (笑言) 명하자 웃으면서 말을 함.

소:업 (所業) 명 업으로 삼는 일. 직업. ¶토지 가옥 중개업을 ～으로 하다.

소:여 (所與) 명 **1** 주어진 것. 부여된 바. ¶～의 문제를 해결하다. **2** 일반적으로 연구 등의 출발점으로서 이의 없이 받아들이게 되는 사실·원리. 여건(與件). ¶～의 명제. **3** 〖철〗 사고의 대상으로 의식에 직접 주어지는 내용.

소:연 (小宴) 명 작은 규모로 벌인 잔치.

소연-하다 (昭然-) 형여불 일이나 이치 따위가 밝고 뚜렷하다. 분명하다. **소연-히** 부. ¶사실을 ～ 알다.

소연-하다 (蕭然-) 형여불 호젓하고 쓸쓸하다. ¶소연한 황야. **소연-히** 부

소연-하다 (騷然-) 형여불 시끄럽고 떠들썩하다. ¶장내가 소연해지다. **소연-히** 부

소염-제 (消炎劑) 명 〖약〗 염증을 치료하는 약제의 총칭.

소:옥 (小屋) 명 조그마한 집.

소왕 (素王) 명 왕자는 아니나 왕자의 덕을 갖춘 사람.

소외 (疏外) 명하타 **1** 주위에서 꺼리며 따돌리거나 멀리함. 소원. 소척(疏斥). ¶인간 ～ / 사회에서 ～된 계층 / 다른 학생들에게 ～를 당하다 / 학교와 사회로부터 ～되다. **2** 〖철〗 자기 소외.

소외-감 (疏外感) 명 남에게 따돌림을 당한 것 같은 느낌. ¶～을 느끼다.

소:요 (所要) 명하타 요구되는 바. 또는 필요한 바. ¶～ 시간 / ～ 인원 / ～ 경비를 마련하다 / 많은 시간이 ～되는 일이다.

소요 (逍遙) 명하자타 슬슬 거닐며 돌아다님. 산책(散策). ¶정처 없이 거리를 ～하다.

소요 (騷擾) 명하자 **1** 여러 사람이 떠들썩하게 들고일어남. ¶～ 떨지 말라고 소리 지르다. **2** 〖법〗 여러 사람이 들고일어나서 폭행·협박을 함으로써 공공질서를 문란하게 함. 또는 그런 행위. ¶～ 사건이 벌어지다.

소용 명 기다랗고 자그마하게 생긴 병(甁).

소:용 (小勇) 명 **1** 한 사람을 대적할 만한 조그마한 용기. **2** 젊은 혈기로 소소한 일에 내는 용기.

***소:용** (所用) 명 쓸 곳. 쓰이는 바. ¶～ 있는 물건.

소용(에) 닿다 구 쓸데가 있다.

소용-돌이 명 **1** 바닥이 깊이 패어 물이 세차게 빙빙 돌며 흐르는 현상. 또는 그런 곳. 선와(旋渦). **2** 서로 뒤엉켜 움직여 어지럽고 혼란스러운 상태의 비유. ¶분쟁의 ～ 속에 말려들다 / 회사가 구조 조정의 ～에 휘말려 있다.

소용돌이-치다 자 **1** 물이 빙빙 돌면서 세차게 흐르다. ¶소용돌이치는 검푸른 물살. **2** 서로 뒤엉켜 세차고 어지럽게 움직이다. ¶소용돌이치는 정기 국회. **3** 어떤 감정이 세차게 일어나다.

소:용-되다 (所用-) 자 일정한 용도로 쓰이다. ¶지금 소용되는 것은 돈이다.

소:용-없다 (所用-)[-업따] 형 아무런 도움이나 득이 될 것이 없다. 쓸데없다. ¶이제 와서 그런 말 했자 소용없는 일이야 / 그런 것 내게는 소용없어. **소:용-없이** [-업씨] 부 쓸데없이.

소:-우주 (小宇宙) 명 **1** 〖철〗 우주의 한 부분이면서 마치 그것이 한 덩어리의 우주와도 같은 상(相)을 나타내는 것. 특히 인간 또는 인간의 혼(魂)을 말함. **2** 은하(銀河).

소:원 (小圓) 명 **1** 작은 원. **2** 〖수〗 구면(球面)을 자를 때 구(球)의 중심을 통과하지 않는 평면에 나타나는 원. 소권(小圈). ↔대원.

***소:원** (所願) 명하타 바라고 원함. 또는 그 바라고 원하는 일. 원(願). ¶～ 성취 / ～을 풀다 / 우리의 ～은 통일 / 오랜 ～이 이루어지다.

소원 (訴願) 명하타 **1** 호소하여 청원함. **2** 〖법〗 어떤 행정 행위가 위법 또는 부당할 때, 그 상급 관청에 행위의 취소·변경을 청구하는 일.

소원 (溯源) 명하타 **1** 물의 근원을 찾아 거슬러 올라감. **2** 사물의 근원을 따져 밝힘.

소원-하다 (疏遠-) 형여불 지내는 사이가 두텁지 않고 거리가 있어서 서먹서먹하다. ¶자주 만나지 않았더니 사이가 소원해진 것 같다. **소원-히** 부

소:월 (小月) 명 작은달.

소:위 (小委) 명 '소위원회'의 준말.

소:위 (少尉) 명 〖군〗 위관의 최하급. 중위의 아래, 준위의 위.

소:위 (所爲) 명 **1** 하는 일. 하는 짓. ¶생각할수록 그의 ～가 괘씸하구나. **2** 소행. ¶인간의 ～라고는 생각되지 않는다.

***소:위** (所謂) 부 이른바. ¶～ 학자란 사람이 저러하니.

소:-위원회 (小委員會) 명 위원회의 위원 중 몇 사람을 뽑아 어떤 일을 맡아보게 한 위원회. 준소위(小委).

소:유 (所有) 명하타 갖고 있음. 또는 그 물건. ¶많은 토지를 ～하고 있다 / 누구 ～입

니까.
소:유-권 (所有權)[-권] 명 법률상 어떤 물건을 지배할 수 있는 권리. 소유물을 자유로이 사용·수익·처분할 수가 있음.
소:유-물 (所有物) 명 **1** 자기 것으로 가지고 있는 물건. **2**〔법〕 소유권의 목적물.
소:유-욕 (所有慾) 명 소유하고자 하는 욕망. ¶그는 재산에 대한 ~이 강하다.
소:유-자 (所有者) 명 **1** 그 물건의 임자. **2**〔법〕 소유주(主).
소:유-주 (所有主) 명 소유권을 가진 사람. 소유자. ¶이 땅의 ~를 찾습니다.
소:유-지 (所有地) 명 가지고 있는 땅.
소:음 (少陰) 명 사상(四象) 의학에서, 네 가지로 분류한 체질의 하나《콩팥이 크고 지라가 작음》.
소음 (消音) 명하자 소리를 없앰. ¶~ 장치.
소음 (騷音) 명 시끄러운 소리. ¶~ 공해 / 거리의 ~에 짜증이 난다.
소:읍 (小邑) 명 작은 읍. 작은 고을.
소:의 (少義)[-/-이] 명하형 의리가 부족함. 또는 그 의리.
소의 (素意)[-/-이] 명 본디의 뜻. 평소부터의 생각. 소지(素志).
소:이 (所以) 명 까닭. ¶제군에게 기대하는 ~는 바로 여기에 있다.
-소이까 어미 '이다'의 어간, 용언의 어간이나 '-었-'·'-겠-' 뒤에 붙어, 예스럽게 정중히 묻는 뜻을 나타내는 종결 어미. ¶어떻~ / 저 사람들 말을 믿~.
-소이다 어미 '-사오이다'의 준말. ¶좋~. *-사외다.
소:인 (小人) 一명 **1** 나이가 어린 사람. ¶입장료는 대인 500원, ~ 300원. ↔대인(大人). **2** 키나 몸집이 작은 사람. **3** 도량이 좁고 간사한 사람. ¶~을 상대로 말을 마라. 二인대 윗사람에 대한 자기의 겸칭. *소생(小生).
소인 (素人) 명 어떤 일을 전문적으로나 직업적으로 하지 않는 사람. 또는 익숙하지 않은 사람. 아마추어.
소인 (素因) 명 **1** 근본이 되는 원인. **2** 병에 걸리기 쉬운 신체적인 소질.
소인 (消印) 명하타 **1** 지우는 표시로 찍는 인장. 또는 그 인장을 찍음. ¶~을 찍다. **2** 우체국에서 우표 따위에 찍는 접수 날짜·국명(國名) 따위가 새겨진 도장. ¶우체국에서 ~한 소포.
소인 (訴因) 명〔법〕 형사 소송에서, 검사가 공소 사실을 범죄의 구성 요건에 맞추어 공소장에 기재한 주장.
소인 (燒印) 명 불에 달구어 물건에 찍는 쇠붙이로 만든 도장. 낙인(烙印).
소:인-배 (小人輩) 명 간사하고 도량이 좁은 사람이나 그 무리.
소-인수 (素因數)[-쑤] 명〔수〕 어떤 정수(整數)를 소수의 곱의 형식으로 표시한 때의 각 인수(因數)《30의 소인수는 30=2×3×5에서 2·3·5임》. 소인자.
소일 (消日) 명하자 **1** 하는 일 없이 세월을 보냄. ¶할아버지는 매일 노인정에서 ~하신다. **2** 어떤 일에 마음을 붙여 세월을 보냄. ¶정원 손질로 ~하다.
소일-거리 (消日-)[-꺼-] 명 그럭저럭 시간을 보내기 위해 심심풀이로 하는 일. ¶~로 그림을 그리다.
소:임 (所任) 명 맡은 바 직책이나 임무. ¶~을 완수하다 / 막중한 ~을 맡다.
소:자 (小子) 인대 부모나 스승에게 자기를 낮추어 일컫는 말. ¶~ 문안드립니다.
소자 (素子) 명〔물〕 전기·전자 기기나 회로에서, 중요한 기능을 갖는 개개의 구성 요소《진공관·트랜지스터·코일·콘덴서 등》.
소:-자본 (小資本) 명 얼마 안 되는 약간의 자본. 또는 적은 밑천. ¶~으로 장사를 시작하다.
소:작 (小作) 명하타 남의 땅을 빌려 농사를 지음. 반작(半作). ¶논 다섯 마지기를 ~으로 부치고 있다. ↔자작.
소:작 (所作) 명 **1** 어떠한 사람의 제작. 또는 그 작품. **2** 해 놓은 짓. ¶그 사람의 ~임이 분명하다.
소:작-농 (小作農)[-장-] 명 소작료를 물고 남의 땅을 빌려 짓는 농사. 또는 그런 농민. ↔자작농.
소:작-료 (小作料)[-장뇨] 명 소작인이 농지를 빌려 농사를 지은 대가로 지주에게 무는 사용료. ¶해마다 ~를 내다.
소:작-인 (小作人) 명 남의 땅을 빌려 농사를 짓고 그 대가로 사용료를 내는 사람. 준 작인(作人).
소:작-지 (小作地) 명 소작인이 빌려서 농사를 짓는 땅.
소:장 (小腸) 명〔생〕 위와 대장 중간에 있는 소화기. 길이 6-7m, 위로부터 십이지장·공장(空腸)·회장(回腸)으로 구분하는데, 연동·분절 운동을 행하여 양분을 흡수함. 작은창자.
소:장 (少壯) 명하형 젊고 기운이 왕성함. ¶~ 학자.
소:장 (少將) 명〔군〕 장관(將官)의 하나. 중장의 아래, 준장의 위임.
소:장 (所長) 명 연구소·출장소 등 '소(所)'자가 붙은 기관의 우두머리.
소:장 (所藏) 명하타 간직하여 둠. 또는 그 물건. ¶박물관에 ~된 문화재.
소:장 (素帳) 명 장사 지내기 전에 궤연(几筵) 앞에 드리우는 흰 포장.
소장 (疏章) 명〔역〕 상소하는 글.
소장 (訴狀)[-짱] 명〔법〕 소송을 제기하기 위하여 제일심 법원에 제출하는 문서.
소:장-파 (少壯派) 명 젊고 의기가 왕성한 사람들로 이루어진 파. ¶~ 의원.
소:장-품 (所藏品) 명 자기의 것으로 소유하고 있는 물품. ¶개인 ~.
소:재 (所在) 명하자 **1** 어떤 곳에 있음. 또는 있는 곳. ¶~ 불명이다 / 책임의 ~를 밝히다. **2** '소재지'의 준말. ¶경기도에 ~한 중학교.
소:재 (所載) 명 신문이나 잡지 따위에 기사가 실려 있음.
***소재** (素材) 명 **1** 예술 작품의 바탕이 되는 재료. ¶소설의 ~ / 그림의 ~. **2** 가공을 하지 않은 본디 그대로의 재료.
소:재-지 (所在地) 명 주요 건물이나 기관 따위가 자리 잡고 있는 곳. ¶군청 ~. 준소재.
소:저 (小姐) 명 '아가씨'를 한문 투로 이르는 말. ¶이(李) ~.

소:저(小著) 명 **1** 분량이 적은 저서. **2** '자기 저서'의 겸칭.
소:전(小傳) 명 **1** 줄여서 간략하게 적은 전기(傳記). 약전(略傳). **2** 책에서 저자의 이름 아래나 책 끝에 저자의 경력·학력 등을 간단히 적은글.
소:전(小篆) 명 한자 서체(書體)의 하나《중국 진시황 때 이사(李斯)가 대전(大篆)을 간략히 변형하여 만든 글씨체》.

소전(小篆)

소:-전제(小前提) 명 〖논〗 삼단 논법에서 소개념을 가진 전제. ↔대전제.
소:절(小節) 명 **1** 대수롭지 않은 작은 예절. **2** 대의에 뜻을 두지 않은 절조·의리. **3** 〖악〗 악보 중의 세로줄과 세로줄 사이의 부분. 마디. ¶첫째 ~.
소:정(所定) 명 정한 바. 정해진 바. ¶~의 양식 / ~의 절차를 밟다.
소:-정맥(小靜脈) 명 〖생〗 대정맥으로 모여 붙은 정맥. 작은정맥.
소:-정월(小正月) 명 음력 정월 14일부터 16일까지를 이르는 말.
소:제(小弟) 一명 나이가 가장 어린 아우. 二인대 자기보다 나이가 조금 위인 사람에 대한 자기의 겸칭.
소:제(掃除) 명하타 청소.
소:-제목(小題目) 명 **1** 긴 글에서 문장의 내용에 따라 군데군데 붙이는 작은 제목. **2** 신문이나 잡지의 기사에서 표제에 곁들이는 작은 제목.
소:-제상(素祭床)[-쌍] 명 장사를 지내기 전에 제물을 차려 놓는 흰 제상.
소:조(小潮) 명 〖지〗 간만(干滿)의 차가 제일 적을 때의 조수. 조금. ↔대조(大潮).
소조-하다(蕭條-) 형여불 분위기가 고요하고 쓸쓸하다. 소삭(蕭索)하다. **소조-히** 부
소졸-하다(疏拙-) 형여불 꼼꼼하지 못하고 서투르다.
소:종(小宗) 명 대종가(大宗家)에서 갈려 나간 방계(傍系).
소:주(小註) 명 옛 문헌에서, 본주 아래 더 자세히 풀어 단 주석. 잔주.
소주(疏註) 명 본문 또는 이전 사람의 주해(註解)에 대한 주해《소(疏)는 주(註)를 해석·부연한 것, 주(註)는 경(經)을 해석한 것임》.
소주(燒酒) 명 곡식을 쪄서 누룩과 물을 섞어 발효시켜 증류하거나 알코올에 물을 섞어 만든 무색투명의 술. 알코올 성분이 20~35% 임.
소주(를) 내리다 구 익은 술을 고아 소줏고리에서 소주를 받다.
소주-병(燒酒甁)[-뼝] 명소주를 넣는 병.
소주-잔(燒酒盞)[-짠] 명 소주나 독한 술을 따라 먹도록 작게 만든 술잔. ¶~을 돌리다 / ~을 채우다.
소줏-고리(燒酒-)[-주꼬-/-준꼬-] 명 소주를 내리는 데 쓰는 그릇《구리나 오지 따위로 위아래 두 짝을 겹쳐 만듦》. 준고리.

소줏고리

***소:중-하다**(所重-) 형여불 매우 귀중하다. ¶소중한 물건. **소:중-히** 부. ¶~ 간직해 온 어머니 이야기.
소:증(素症)[-쯩] 명 푸성귀 종류만 먹어서 고기가 먹고 싶은 증세.
[소증 나면 병아리만 쫓아도 낫다] ㉠생각이 간절하면 비슷한 것만 보아도 마음이 좀 풀린다는 말. ㉡평소에 소식(素食)하던 사람이 어쩌다 육식을 하게 되면 더 고기를 먹고 싶어 한다는 말.
소:증-사납다 [-사나우니, -사나워] 형ㅂ불 하는 짓의 동기가 곱지 못하다.
소:지(小指) 명 **1** 새끼손가락. **2** 새끼발가락.
소지(沼池) 명 늪과 못. 소택(沼澤).
소:지(所持) 명하타 가지고 있음. 지니고 있음. ¶무기 불법 ~ / ~한 돈 / 총기 ~에 대한 규제를 강화하다.
소지(素地) 명 본래의 바탕. 밑바탕. ¶능히 그럴 ~가 있다 / 말썽의 ~가 있다 / 특혜의 ~를 없애다.
소지(素志) 명 평소의 뜻. 본디의 뜻. 소심(素心). 소의(素意).
소:지(燒紙) 명하자 〖민〗 신령 앞에서, 부정(不淨)을 없애고 소원을 비는 뜻으로 얇은 종이를 불살라서 공중으로 올리는 일. 또는 그 종이. ¶~를 올리다.
소:지-자(所持者) 명 가지고 있는 사람. 소지인. ¶운전면허 ~.
소:-지주(小地主) 명 지주 가운데 토지를 조금 가지고 있는 사람.
소:지-품(所持品) 명 가지고 있는 물건. 지니고 있는 물품. ¶~ 검사 / 남의 ~에 손을 대면 안 된다.
소진(消盡) 명하자타 점점 줄어들어 다 없어짐. 또는 다 써서 없앰. ¶정력이 ~하다 / 시간을 헛되이 ~하다.
소진(燒盡) 명하자 다 타서 없어짐. ¶6·25 전쟁 때 ~된 절.
***소질**(素質) 명 본디부터 가지고 있는 성질. 또는 타고난 능력이나 기질. ¶음악의 ~ / 운동에 남달리 뛰어난 ~이 있다.
소집(召集) 명하타 **1** 불러서 모음. ¶~ 날짜 / 주주 총회를 ~하다 / 임시 국회가 ~되었다. **2** 예비역·보충역 군인 등을 필요할 때에 불러 모음.
소쩍-새 명 〖조〗 올빼밋과의 새. 깊은 숲 속에 살며, 온몸에 회색 바탕에 갈색 줄무늬가 있음. 머리 위에 귀깃이 있고 짧은 부리는 끝이 안으로 구부러짐. 주로 곤충과 작은 새 종류를 잡아먹음. 해질 무렵에 '소쩍당소쩍당' 또는 '소쩍소쩍' 하고 욺. 천연기념물 제324호임.
소:찬(素饌) 명 **1** 고기나 생선이 들지 아니한 반찬. **2** 남에게 식사를 대접할 때의 겸양어. ¶~이나마 많이 드십시오.
소창 명 이불 따위의 안감.
소:-창옷(小氅-)[-옫] 명 예전에, 중치막 밑에 입던 웃옷의 하나《두루마기와 같되 소매가 좁고 무가 없음》. 준창옷.
소채(蔬菜) 명 밭에 가꾸는 푸성귀와 나물. 채소. ¶~ 재배 / 청정 ~.
소:책(小策) 명 조금 아는 것만으로 재주를 피우는 쓸모없는 계책.

소:-책자 (小冊子) 명 얇고 자그마하게 만든 책. ¶ ~를 간행하다.

소척 (疏斥) 명하타 관계를 버성기게 하여 물리침.

소철 (蘇鐵) 명 〔식〕 소철과의 열대산 상록 교목. 높이는 3 m 정도, 잎은 대형의 깃꼴 겹잎인데 줄기 끝에 돌려나고, 수꽃은 긴 원통형의 솔방울 모양임. 열매는 식용하거나 약용하며 관상용으로 심음.

소:첩 (少妾) 명 젊은 첩. ¶ ~을 얻다.

소:첩 (小妾) 인대 결혼한 여자가 남편에 대하여 자기를 낮춰 이르던 말.

소:청 (所請) 명 남에게 청하거나 바라는 일. ¶ ~이 무어냐.

소청 (訴請) 명하타 **1** 하소연하여 청함. ¶ ~을 들어주마. **2** 〔법〕 징계 처분 등으로 불리한 처분을 받은 공무원이 그 처분에 불복하여 처분의 취소 또는 변경을 청구하는 일. 소송 청구.

소청 (疏請) 명하타 임금에게 상소하여 청함.

소체 (消滯) 명하타 체한 음식을 삭여 내려가게 함.

소:초 (小哨) 명 〔군〕 군대에서, 중요한 곳의 경계 임무를 맡은, 적은 인원의 부대.

소:총 (小塚) 명 작은 무덤.

소:총 (小銃) 명 개인 휴대용 전투 화기의 하나《단발·연발·자동·반자동 등 여러 종류가 있음》. ¶ ~ 사격.

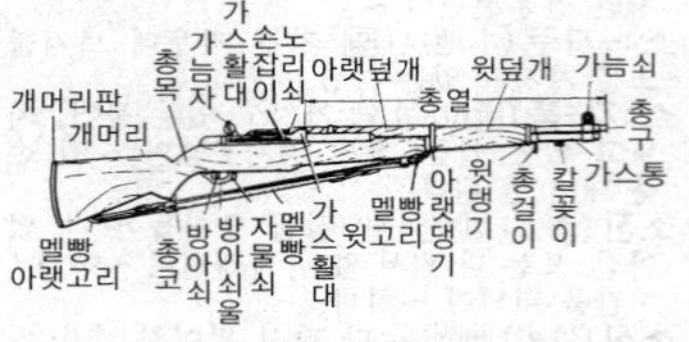

소총(小銃)

소:총-수 (小銃手) 명 소총을 주무기로 삼아 싸우는 병사.

소추 (訴追) 명하타 〔법〕 **1** 검사가 특정한 사건에 관하여 공소를 제기하고 유지하는 일. **2** 탄핵 발의를 하여 파면을 요구함.

소:출 (所出) 명 논밭에서 나는 곡식. 또는 그 곡식의 양. ¶ ~이 많은 땅 / 높은 ~을 내기 위해 힘을 썼다.

소:치 (所致) 명 어떤 까닭에서 빚어진 일. 탓. ¶ 모두가 내 무능의 ~이다.

소:친 (所親) 명 비슷한 나이로 가까이 지내는 사이.

소침 (消沈·銷沈) 명하자 의기나 기세 따위가 사그라지고 까라짐. ¶ 사업이 부진하여 ~해 있다.

소:칭 (所稱) 명 일컫는 바. 이른바.

소켓 (socket) 명 전구 따위를 끼우는 전기 기구의 하나.

소쿠리 명 대나 싸리로 앞이 트이고 테를 둥글게 결어 만든 그릇.

소탈-하다 (疏脫–) 형여불 예절·형식에 얽매이지 않고 수수하고 털털하다. ¶ 소탈한 성격 / 소탈하게 웃다.

소:탐대실 (小貪大失) 명하자 작은 것을 탐내다가 큰 것을 잃음.

소:탕 (素湯) 명 **1** 고기나 생선을 전혀 넣지 아니한 국. **2** 제사에 쓰는 국. 고기 없이 두부와 다시마를 넣고 맑은 장에 끓임.

소탕 (掃蕩) 명하타 휩쓸어 죄다 없애 버림. ¶ 도적의 무리를 ~하다.

소탕-전 (掃蕩戰) 명 〔군〕 적의 패잔병을 샅샅이 뒤져 죽이든가 사로잡는 전투.

소태 명 〔식〕 '소태나무'의 준말.

소:태 (素胎) 명 〔공〕 잿물을 들이기 전의 도자기의 흰 몸.

소태-껍질 명 소태나무의 껍질《한약재로 쓰이는데 맛이 몹시 씀》. 준소태.

소태-나무 명 〔식〕 소태나뭇과의 작은 낙엽 활엽 교목. 산중턱·골짜기에 남. 높이는 4 m 정도이며, 초여름에 황록색 꽃이 피고 초가을에 핵과를 맺음. 과실은 맛이 쓰며 위약·살충제 등으로 씀. 고목(苦木). 준소태.

소택-지 (沼澤地) 명 늪과 연못으로 둘러싸인 습한 땅.

소토 (燒土) 명하자 논밭의 겉흙을 긁어모아 그 위에 마른풀이나 나뭇조각을 놓고 태우거나, 흙을 펴 놓은 철판 밑에 불을 때어 살균하는 토양 소독법.

소통 (疏通) 명하자타 **1** 막히지 않고 잘 통함. ¶ 차량의 ~이 원활하다. **2** 생각하는 바가 서로 통함. ¶ 동물들은 특유한 몸짓이나 소리로 의사를 ~한다.

소트 (sort) 명 〔컴〕 일정한 조건에 따라 자료 등을 분류·구분하는 일. 정렬(整列).

소파 (sofa) 명 두 사람 이상이 앉게 된 긴 안락의자. ¶ 폭신한 ~에 몸을 파묻다.

소파 수술 (搔爬手術) 〔의〕 자궁 내막 질환의 치료나 인공 유산을 시킬 때처럼 그 조직을 긁어내는 수술.

***소:포** (小包) 명 **1** 조그맣게 포장한 물건. **2** '소포 우편·소포 우편물'의 준말.

소:포 우편 (小包郵便) **1** 물건을 소포로 해서 보내는 우편. **2** '소포 우편물'의 준말.

소:포 우편물 (小包郵便物) 소포 우편으로 보내는 물품. 준소포·소포 우편.

소:폭 (小幅) 명 ㊀명 좁은 범위. 적은 정도. ¶ ~의 임금 인상에 그치다. ㊁부 적은 정도로. ¶ 주가가 ~ 상승하다. ↔대폭(大幅).

소:품 (小品) 명 **1** '소품물'의 준말. **2** 변변하지 못한 물품. **3** 무대에서 사용되는 도구 중 비교적 작은 것들.

소:품-곡 (小品曲) 명 〔악〕 작은 규모의 곡. 준소곡(小曲).

소:품-문 (小品文) 명 〔문〕 어떤 형식을 갖추지 아니하고 일상생활에서 보고 느낀 것을 자유로운 필치로 간단히 적은 글.

소:품-물 (小品物) 명 자그마한 그림이나 조각품 따위. 준소품.

***소풍** (逍風·消風) 명하자 **1** 〔교〕 학교에서, 자연 관찰이나 역사 유적 따위의 견학을 겸해 야외로 갔다 오는 일. ¶ ~ 가는 날을 기다리다. **2** 산책.

소프라노 (이 soprano) 명 〔악〕 여성·어린이의 가장 높은 음역(音域). 또는 그 음역의 가수.

소프트볼 (softball) 명 가죽으로 만든 부드럽고 큰 공. 또는 그 공으로 하는 야구와 같은 경기《주로 어린이·여자들이 함》.

소프트웨어 (software) 명 〔컴〕 컴퓨터 시스템의 작동과 관련된 모든 프로그램과 데이터의 복합체. 또는 프로그램과 그 작동 방법, 절차, 관련된 지식의 총체를 가리키는 용어. 운영 프로그램과 응용 프로그램 등으로 나눔. ↔하드웨어.
소:피 (所避) 명하자 오줌. 또는 오줌을 누는 일. ¶~가 마렵다.
소:피-보다 (所避-) 자 소변을 보다. 오줌을 누다. ¶전봇대에 소피보는 주정뱅이.
소피스트 (sophist) 명 **1** 기원전 5세기경의 아테네의 궤변학파《교양이나 학예, 특히 변론술을 가르쳤는데, 뒤에 자기 이익을 위해 변론술을 악용하는 경향이 있었음》. **2** 궤변가.
소:학 (小學) 명 '소학교'의 준말. ¶~생.
소:-학교 (小學校) 명 '초등학교'를 예전에 일컫던 말. 준소학.
소:한 (小寒) 명 이십사절기의 스물셋째. 양력 1월 6일경.
소:할 (所轄) 명 관할하는 바. 관할(管轄).
소항 (溯航) 명하자 강을 거슬러 항해함.
소해 (掃海) 명하타 〖군〗 바다 속에 부설한 수뢰 따위를 제거, 항해의 안전을 꾀하는 작업. ¶~ 작업.
소:행 (所行) 명 이미 행한 일이나 짓. 소위(所爲). ¶괘씸한 ~/면식범의 ~이 분명하다.
소행 (素行) 명 평소의 행실. ¶~이 나쁘다.
소행 (溯行) 명하자 물의 흐름을 거슬러 올라감.
소:-행성 (小行星) 명 〖천〗 화성과 목성 사이의 궤도에서 태양을 도는 작은 천체《궤도가 확정된 소행성의 수는 7천여 개임》. ↔대(大)행성.
소:형 (小形) 명 물건의 작은 형체. ↔대형.
소:형 (小型) 명 같은 종류의 물건 중에서 모양이 작은 것. ¶~ 아파트. ↔대형.
소:형 자동차 (小型自動車) 크기가 작은 자동차. 승용차는 배기량 1500cc 미만, 화물차는 적재량 1톤 이하, 승합차는 15인승 이하의 것을 이름. 준소형차.
소:형-차 (小型車) 명 '소형 자동차'의 준말.
소:호 (小毫) 명 작은 터럭이라는 뜻으로, 아주 적은 분량이나 정도.
소호 (沼湖) 명 늪과 호수. 호소(湖沼).
소홀 (疏忽) 명하형히부 예사롭게 여겨서 정성이나 조심이 부족함. ¶준비가 ~하다/대접을 ~히 하다/~히 생각하다/감독 ~로 사고가 일어났다.
소화 (消火) 명하자 불을 끔. ¶~ 설비/~ 작업을 펼치다.
***소화** (消化) 명하자타 **1** 〖생〗 먹은 음식물을 삭임. 곧, 섭취한 음식물을 분해하여 영양분을 흡수하기 쉬운 상태로 변화시키는 일. 또는 그런 작용. ¶요즘 ~가 잘 안되어 걱정이다. **2** 배운 지식이나 기술을 익혀 자기의 것으로 만듦. ¶제대로 ~하지 못한 지식. **3** 채권 또는 상품 등을 팔아 없앰. ¶상품을 ~시키다. **4** 처리할 일 따위의 결말을 지음. ¶매일 많은 작업량을 ~하다.
소:화 (笑話) 명 우스운 이야기.
소화 (燒火) 명하타 불사름. 불에 태움.
소화-관 (消化管) 명 〖생〗 동물이 섭취한 음식물을 소화·흡수하는 기관《식도·위·소장·대장 따위》. 장관(腸管).
소화-기 (消火器) 명 화재 때 불을 끄는 데 쓰는 기구. ¶집집마다 ~를 비치하다.
소화-기 (消化器) 명 〖생〗 섭취한 음식물을 소화·흡수하는 기관의 총칭《소화관과 소화샘으로 이루어짐》.
소:-화물 (小貨物) 명 철도에서, 여객 열차로 신속하게 운송되는, 수화물(手貨物) 이외의 가볍고 작은 화물.
소화 불량 (消化不良) 〖의〗 먹은 음식이 잘 소화되지 않는 병. ¶~에 걸리다.
소화-샘 (消化-) 명 〖생〗 소화액을 분비하는 샘의 총칭《침샘·위샘·장샘·간·이자 따위》. 소화선.
소화-액 (消化液) 명 음식물을 소화시키기 위해 소화샘에서 분비되는 액체《침·위액·이자액·담즙·장액 따위》.
소화-전 (消火栓) 명 불을 끄는 데 쓰는 수도의 급수전(給水栓).
소화-제 (消化劑) 명 소화를 촉진하는 약제《디아스타아제·펩신·트립신 따위》.
소환 (召喚) 명하타 〖법〗 법원이 피고인·증인 등에 대해 일정한 일시에 지정한 장소에 나올 것을 명령하는 일. ¶검찰에 ~되다.
소환 (召還) 명하타 **1** 일을 마치기 전에 불러 돌아오게 함. **2** 〖법〗 국제법에서, 외교사절·영사 등을 본국으로 불러들임. ¶대사를 ~하다.
소환-장 (召喚狀)[-짱] 명 **1** 민사 소송법에서, 당사자나 그 밖의 소송 관계인에게 기일을 적어 출석을 명하는 뜻을 기재한 서면. 호출장. **2** 형사 소송법에서, 소환의 재판을 기재한 서면《영장의 한 가지임》. ¶~을 발부하다.
소활-하다 (疏闊-) 형여불 **1** 서먹서먹하여 가깝지 아니하다. 소원(疏遠)하다. **2** 꼼꼼하지 못하고 어설프다.
소:회 (所懷) 명 마음에 품고 있는 회포. ¶~의 일단을 말하다.
소흔 (燒痕) 명 불에 탄 흔적이나 자리.
소:희 (笑戲)[-히] 명하자 웃으며 장난하는 일.
***속:** 명 **1** 물체의 안쪽 부분. ¶굴 ~/바다 ~/신발 ~에 모래가 있는가 보다. ↔겉. **2** 일정하게 둘러싸이거나 휩싸인 것의 안. ¶주머니 ~/안개 ~/어둠 ~/구름 ~/건물 ~. ↔밖. **3** 사람 몸의 배 안 또는 위장. ¶~이 편치 않다. **4** 품고 있는 마음이나 생각. 마음가짐. 심성(心性). ¶~이 검은 사람/~을 털어놓다/ ~을 끙끙 앓다/~ 다르고 겉 다르다. **5** 사리를 분별할 수 있는 힘이나 정신. ¶~ 좀 차려라. **6** 어떤 현상이나 상황, 일의 안이나 가운데. ¶드라마 ~의 이야기/가난 ~에서도 웃음을 잃지 않다. **7** 소². ¶만두 ~. **8** 여럿의 가운데. ¶군중 ~에 파묻히다.
[속 각각 말 각각] 하는 말과 생각이 다르다는 뜻. [속 빈 강정] 겉만 그럴듯하고 속은 아무것도 없음을 이르는 말. [속으로 호박씨만 깐다] 어리석은 듯하지만 제 실속은 다 차림을 이르는 말.
속(을) 긁다 구 비위를 건드리어 속이 뒤집히게 만들다.

속(을) 끓이다 구 귀찮은 일로 자꾸 마음을 태우다. ¶시집 일로 ~.
속(을) 달래다 구 비위를 달래다.
속(을) 떠보다 구 남의 속마음을 슬며시 알아보다. ¶넌지시 ~.
속(을) 빼다 구 논을 두 번째 갈다.
속(을) 뽑다 구 남의 마음속을 살피어 알아내다.
속(을) 썩이다 구 ㉠뜻대로 되지 아니하거나 좋지 아니한 일로 몹시 괴로워하다. ¶자식의 일로 ~/혼자 끙끙 ~. ㉡남의 마음을 몹시 상하게 하다.
속(을) 주다〔터놓다〕 구 마음속을 숨김없이 드러내어 보이다.
속(을) 차리다 구 ㉠철이 난 것처럼 처신하려 하다. ㉡자기 실속을 차리다.
속(을) 태우다 구 ㉠걱정이 되어 마음을 졸이다. ㉡남의 마음을 달게 하다. ¶속 태우지 말고 말 좀 들어라.
속(이) 깊다 구 생각하는 폭이 넓고 이해심이 많다. ¶선생님은 역시 속이 깊으신 분입니다.
속이 곯다 구 ㉠소화가 잘 안되어 배 속이 편안하지 않다. ㉡몹시 화가 나다. 걱정이 되어 애가 타다.
속(이) 달다 구 애를 써서 속이 타는 듯 안타까워지다. ¶구경을 못 가서 속이 달아 있다.
속(이) 뒤집히다 구 ㉠비위가 상해 욕지기가 날 듯하다. ¶뱃멀미로 속이 뒤집힐 것 같다. ㉡몹시 아니꼽게 느껴지다. ¶아니꼽게 굴어 속이 뒤집힐 지경이다.
속(이) 보이다〔들여다보이다〕 구 엉큼한 마음이 들여다보이다. ¶그들의 속이 들여다보여 말하기도 싫었다.
속(이) 살다 구 겉으로는 죽은 듯 가만히 있으나 속으로는 반항하는 뜻이 있다.
속(이) 시원하다 구 바라던 대로 되어서 마음이 상쾌하다. 기분이 후련하다. ¶이제야 속이 시원하니.
속(이) 썩다 구 마음이 몹시 상하다.
속(이) 타다 구 마음이 몹시 상해 속이 달다. ¶남의 속 타는 줄도 모르고.
속(이) 트이다 구 심지가 활달하고 언행이 대범하다. 도량이 넓고 관대하다.
속(이) 풀리다 구 ㉠불편한 가슴 속·배 속이 시원하고 편해지다. ㉡화가 나거나 토라진 감정이 누그러지다.
속(屬) 명 〖생〗 생물의 분류 단위. 과(科)와 종(種)의 중간.
속(贖) 명 예전에, 죄에 대한 벌 대신 대갚음으로 재물이나 노력을 바치던 일.
속(을) 바치다 구 속전(贖錢)을 내다.
속(束) 의명 뭇. 묶음. ¶꽃 열 ~/김 열 ~.
속-(續) 두 '그 전 것에 잇대어 된'의 뜻. ¶~미인곡(續美人曲).
속가(俗家) 명 〖불〗 1 불교를 믿지 않는 사람의 집. 2 중이 되기 전 태어난 집.
속가(俗歌) 명 1 속된 노래. ↔악가(樂歌). 2〖악〗 '잡가(雜歌)'의 딴 이름.
속:-가량(-假量) 명하타 마음속으로 대강 쳐 보는 셈. ¶모두 만 원은 될 것이라고 ~해 보다. *겉가량.
속:-가죽 명 겉가죽 속에 있는 가죽. 내피(內皮).
속간(續刊) 명하타 간행을 중단하였던 신문·잡지 등을 다시 간행함.
속개(續開) 명하타 일단 멈추었던 회의 따위를 다시 계속하여 엶. ¶심판이 경기의 ~를 선언했다/잠시 후 재판이 ~되었다.
속객(俗客) 명 1 풍류를 모르는 사람을 좀 홀하게 이르는 말. 2〖불〗 속가(俗家)에서 온 손님.
속:-겨 명 곡식의 겉겨가 벗겨진 뒤에 나온 고운 겨. ↔겉겨.
속견(俗見) 명 속된 생각. 세속적인 견해.
속결(速決) 명하타 빨리 결정하거나 처리함. ¶이 안건은 ~을 요한다.
속계(俗戒)[-/-께] 명 〖불〗 오계·팔계 등 속세의 신도들이 지켜야 할 계율.
속계(俗界)[-/-께] 명 속인들이 살고 있는 현실 세계. ↔선경.
속골(俗骨) 명 평범하게 생긴 생김새. 또는 그런 사람.
속:곳[-꼳] 명 속속곳과 단속곳의 총칭.
속공(速攻) 명하타 재빠른 동작으로 공격함. 또는 그런 공격. ¶~ 작전이 성공하여 승리했다. ↔지공(遲攻).
속구(速球) 명 야구에서, 투수가 던지는 빠른 공. ¶시속 150 km 의 ~로 승부하다.
속국(屬國) 명 다른 나라의 지배를 받고 있는 나라. 예속국. 종속국. 속방(屬邦).
속:-궁합(-宮合) 명 한 남자와 여자의 성적 어울림. ¶저 두 사람은 ~이 잘 맞는 모양이다.
속:-귀 명 〖생〗 내이(內耳).
속:-긋[-끋] 명 글씨·그림을 처음 배우는 사람에게, 그 위에 덮어 쓰거나 그리며 익히도록, 가늘고 흐리게 그어 주는 획.
속긋(을) 넣다 구 속긋을 그어 주다.
속기(俗氣) 명 속계의 공통된 기풍.
속기(速記) 명하타 1 빨리 적음. 2 남의 말을 기호를 이용하여 빠르게 받아 적는 일. 또는 그 기술.
속기-사(速記士) 명 속기를 직업으로 하는 사람.
속:-꺼풀 명 겉꺼풀 밑에 겹으로 되어 있는 꺼풀. ↔겉꺼풀.
속:-껍데기 명 겉껍데기 안에 겹으로 있는 껍데기. ↔겉껍데기.
속:-껍질 명 겉껍질 안에 겹으로 있는 껍질. ↔겉껍질.
속:-내[송-] 명 겉으로 드러나지 않는 속마음이나 일의 내막. 속내평. ¶~를 떠보다/~를 내비치지 않다/젊은이들의 ~를 가감 없이 그려 냈다.
속-내다[송-] 타 대패나 끌 등을 갈아서 새로 날카로운 날이 서게 하다.
속:-내의(-內衣)[송-/송-이] 명 1 내의 속에 껴입는 내의. 속내복. 2 속옷.
속:-내평[송-] 명 속내.
속념(俗念)[송-] 명 세상에 얽매인 생각.
속:-눈[송-] 명 눈을 감은 체하면서 속으로 조금 뜬 눈. ¶~을 뜨다/~을 흘기다.
속:-눈썹[송-] 명 눈시울에 난 털. ¶가짜 ~을 붙이다. ↔겉눈썹.
*속다 자 1 남의 거짓이나 꾀에 넘어가다. ¶사기꾼에게 ~/감언이설에 속아 넘어가다.

2 어떤 것을 다른 것으로 잘못 알다. ¶마네킹을 산 사람으로 속을 정도로 잘 만들었다.

속:-다짐 명하타 마음속으로 하는 다짐. ¶반드시 다시 만날 것을 ~했다.

속닥-거리다 자타 남이 알아듣지 못하도록 작은 목소리로 계속 가만가만 이야기하다. ¶아까부터 뭘 그리 속닥거리고 있느냐. 큰숙덕거리다. 센쏙닥거리다. **속닥-속닥** 부하자타

속닥-대다 자타 속닥거리다.

속닥-이다 자타 남이 알아듣지 못하도록 작은 목소리로 은밀히 이야기하다. 큰숙덕이다. 센쏙닥이다.

속단 (速斷) 명하타 신중을 기하지 않고 빨리 판단함. 신속하게 결단함. ¶~은 금물이다.

속달 (速達) 명하자타 1 속히 배달함. 2 '속달 우편'의 준말.

속달-거리다 자타 작은 목소리로 약간 수선스럽게 자꾸 이야기하다. 큰숙덜거리다. 센쏙달거리다. **속달-속달** 부하자타

속달-대다 자타 속달거리다.

속달 우편 (速達郵便) 전에, 보통 우편보다 빨리 배달하던 우편(《지금은 '빠른우편'으로 바뀜》). 준속달.

*__속담__ (俗談) 명 1 옛날부터 민간에 전하여 오는 쉬운 격언이나 잠언. ¶우리 ~에 '오는 말이 고와야 가는 말이 곱다'는 말이 있다. 2 속된 이야기. 속설(俗說).

속답 (速答) 명하자 빨리 대답하거나 해답함. 또는 그 대답이나 해답. ¶~을 주다.

속:-대[1] 명 푸성귀의 겉대 속에 있는 줄기나 잎. ↔겉대[1].

속:-대[2] 명 댓개비의 속살 부분.

속대 (束帶) 명하자 관을 쓰고 띠를 맴. 곧, 예복을 입음.

속:-대중 명 마음속으로만 치는 대강의 짐작. ↔겉대중.

속:-더께 명 물건의 속에 찌들어 낀 때. ↔겉더께.

*__속도__ (速度) 명 1 빠른 정도. 빠르기. 스피드. ¶자동차의 경제 ~ / 교정 ~를 빨리하다. 2〔물〕운동 물체가 단위 시간에 이동하는 거리. 3〔악〕악곡을 연주하는 빠르기.

속도-감 (速度感) 명 빠르게 움직이거나 변한다는 느낌. ¶속도를 낸다고 하지만 ~은 느껴지지 않는다.

속독 (速讀) 명하타 책 따위를 빨리 읽음.

속:-돌 명〔광〕화산 용암의 하나(《분출된 용암이 갑자기 식어서 된 다공질(多孔質)의 가벼운 돌》). 경석(輕石). 부석(浮石).

속-되다 (俗-) 형 1 고상하지 못하고 천하다. ¶속된 말씨 / 속된 유행가. 2 세속적이다. ¶속된 인간.

속등 (續騰) 명하자 물가·시세 등이 계속 오름. ¶생필품 값이 ~하고 있다. ↔속락.

속:-뜨물 명 곡식을 여러 번 씻은 다음에 나오는 깨끗한 뜨물. ↔겉뜨물.

속:-뜻 [-뜯] 명 1 마음속에 품고 있는 깊은 뜻. ¶내 ~은 그게 아니다. 2 글의 표면에 직접 드러나지 않고 속을 흐르고 있는 기본 뜻. ¶글의 ~을 파악하다.

속락 (續落)[송낙] 명하자 시세 등이 자꾸 떨어짐. ¶주가가 ~하다. ↔속등.

속량 (贖良)[송냥] 명하타 1〔역〕몸값을 받고 종을 풀어 주어 양민(良民)이 되게 하던 일. 2〔기·가〕속죄(贖罪).

*__속력__ (速力)[송녁] 명 속도의 크기. 빠르기. ¶~을 늦추다 / 최대 ~을 내다.

속령 (屬領)[송녕] 명 어떤 나라에 딸린 영토.

속례 (俗禮)[송녜] 명 풍속에서 생긴 예절.

속론 (俗論)[송논] 명 1 세속의 논의. 2 하찮은 의견. 3 통속적인 이론.

속루-하다 (俗陋-)[송누-] 형여불 속되고 천하다. *속악(俗惡)하다.

속류 (俗流)[송뉴] 명 세속의 속된 무리.

속리 (俗吏)[송니] 명〔역〕견식이 없고 속된 관리.

속리 (屬吏)[송니] 명〔역〕하급 관리. 이속(吏屬).

속:-마음 [송-] 명 겉으로 드러나지 않은 참마음. 속심. ¶~을 털어놓다 / ~을 알아차리다.

속:-말 [송-] 명하자 속마음에서 우러나오는 참된 말. ¶그 말을 듣고 나도 내 ~을 털어놓았다.

속명 (俗名)[송-] 명 1 본명·학명 외에 통속적으로 부르는 이름. 2 중이 되기 전의 이름. ↔계명·법명1. 3 속된 명성.

속명 (屬名)[송-] 명〔생〕생물을 분류할 때에 과(科)와 종(種) 사이의 속(屬)에 주어진 이름.

속물 (俗物)[송-] 명 1 속된 물건. 2 교양이 부족하거나 식견이 좁고 세속적인 일에만 급급한 사람. ¶보기와는 달리 ~이다.

속물-근성 (俗物根性)[송-] 명 금전이나 영예를 제일로 치고 눈앞의 이익에만 관심을 가지는 생각이나 성질. 스노비즘.

속물-적 (俗物的)[송-쩍] 관명 속물과 같은 (것). ¶~ 인간 / ~인 사고방식을 버려라.

속미 (粟米)[송-] 명 좁쌀.

속:-바람 명 몹시 지친 때 숨이 고르지 않고 몸이 떨리는 현상.

속:-바지 명 바지나 치마 속에 입는 아래옷. 속고의.

속박 (束縛) 명하타 어떤 행위나 권리 행사를 하지 못하도록 얽어매어서 자유를 구속함. ¶~당한 생활 / ~에서 벗어나다.

속반 (粟飯) 명 조밥.

속발 (束髮) 명하자 1 머리털을 잡아 묶음. 2 상투를 짬.

속발 (速發) 명하자 1 속히 떠남. 2 효과가 빨리 나타남.

속발 (續發) 명하자 사건이나 사고 따위가 계속하여 일어남. ¶도난 사건이 ~하다.

속:-발톱 명 발톱 안쪽의 반달 모양의 흰 부분.

속:-배포 (-排布) 명 마음속에 품은 계획.

속백 (束帛) 명〔역〕1 지난날, 나라 사이에 서로 방문할 때에 예로서 주던 물건(《비단 다섯 필을 각각 양 끝을 마주 말아 한데 묶은 것》). 2 가례 때, 납폐로 쓰던 검은 비단 여섯 필과 붉은 비단 네 필.

속백1

속:-병 (-病) 명 〈속〉 **1** 오래된 가슴앓이·체증 따위. ¶ ~으로 고생하다. **2** 위장병.
속보 (速步) 명 빨리 걸음. 또는 빠른 걸음.
속보 (速報) 명하타 빨리 알림. 또는 그런 보도. ¶ 뉴스 ~에 귀를 기울이다.
속보 (續報) 명하타 앞의 보도에 잇대어 알림. 또는 그 보도. ¶ 열차 사고 ~.
속:-불꽃 [-꼳] 명 불꽃의 안쪽에 있는 녹청색의 부분. 공기와 혼합된 가스가 불타서 수성(水性) 가스가 생김. 내염(內焰). 환원성(還元性) 불꽃. ↔겉불꽃.
속사 (俗事) 명 일상의 잡다한 일. 세속의 자질구레한 일.
속사 (速射) 명하타 총이나 포 따위를 계속하여 빨리 발사함.
속사 (速寫) 명하타 **1** 글씨를 빨리 베껴 씀. 또는 그 글. **2** 사진을 빨리 찍음.
속:-사랑 명 겉으로 나타나지 않게 속으로 하는 사랑.
속:-사정 (-事情) 명 겉으로 드러나지 않거나 감추어진 일의 형편이나 까닭. ¶ ~을 털어놓다.
속사-포 (速射砲) 명 **1** 탄알을 쉽게 장전하여 빨리 발사할 수 있는 포. **2** 예전에, 기관총이나 기관포의 속칭.
속삭-거리다 자타 나지막한 소리로 정답게 자꾸 이야기하다. **속삭-속삭** 부하자타
속삭-대다 자타 속삭거리다.
*__속삭-이다__ 자타 나지막한 목소리로 정답게 이야기하다. ¶ 아우의 귓전에 입을 대고 속삭였다.
속삭임 명 낮은 목소리로 가만가만히 하는 말. ¶ 달콤한 사랑의 ~.
속산 (速算) 명하타 빨리 셈함. 또는 그런 셈.
속:-살 명 **1** 옷에 가려진 부분의 피부. ¶ 옷이 비쳐 ~이 보이다. ↔겉살. **2** 속으로 실속 있게 찬 살. ¶ ~이 보기 좋게 찌다. **3** 소의 입 안에 붙은 고기. **4** 식물의 겉껍질 안에 있는 부분. ¶ 사과의 ~을 숟가락으로 긁어 아이에게 먹이다.
  속살(이) 찌다 구 겉으로는 나타나지 아니하나 속으로 실속이 있다.
속살-거리다 자타 남이 알아듣지 못하도록 작은 목소리로 자질구레하게 자꾸 말하다. ¶ 귓속말로 사랑을 ~. 큰숙설거리다. 센쏙살거리다. **속살-속살** 부하자타
속살-대다 자타 속살거리다.
속:-상하다 (-傷-) 형여불 화가 나거나 걱정으로 마음이 불편하고 괴롭다. ¶ 일이 제대로 되지 않아 ~.
속:-생각 명하자타 마음속으로 가만히 헤아려 보는 생각.
속서 (俗書) 명 〔종〕 불경·성경이 아닌 책.
속설 (俗說) 명 **1** 세간에 전해 내려오는 설이나 견해. **2** 속담.
속성 (俗姓) 명 〔불〕 승려가 되기 전의 성.
속성 (速成) 명하자타 빨리 이룸. 속히 이루어짐. ¶ 작업을 ~으로 진행시키다. ↔만성.
속성 (屬性) 명 **1** 사물의 특징·성질. **2** 〔철〕 사물의 본질을 이루는 성질. 부성(附性).
속세 (俗世) 명 **1** 〔불〕 속인의 세상. 곧, 일반 사회. ¶ ~와 인연을 끊다. **2** 속세간.
속-세간 (俗世間) 명 속된 세상. 곧, 현실 사회. 속세.
속:-셈 명하타 **1** 마음속으로 하는 궁리. 심산(心算). 흉산(胸算). 속다짐. ¶ 그의 ~을 알 수 없다. 준셈. **2** 연필이나 계산기를 쓰지 않고 마음속으로 하는 계산. 암산(暗算). 주먹셈.
속속 (續續) 부 자꾸 계속하여. ¶ ~ 모여들다 / ~ 입하하다.
속:-속곳 [-꼳] 명 예전에, 여자들이 맨 속에 입던 아랫도리 속옷.
속:속-들이 부 깊은 속까지 샅샅이. ¶ 내막을 ~ 파헤치다.
속속-히 (速速-) [-쏘키] 부 썩 빨리.
속:-손톱 명 손톱의 뿌리 쪽에 있는 반달 모양의 하얀 부분.
속수 (束修) 명하자 마음을 닦고 몸을 단속하여 행실을 삼감.
속수 (束數) 명 다발의 수효.
속수-무책 (束手無策) 명 어쩔 도리가 없어 꼼짝 못함. ¶ 태풍으로 논밭이 유실되는 것을 ~으로 바라볼 뿐이다. 준속수.
속습 (俗習) 명 **1** 세속의 풍습. **2** 저속한 풍습.
속승 (俗僧) 명 세속의 티를 못 벗은 승려.
속신 (俗信) 명 민간에서 행해지는 미신적인 신앙 관습.
속심 (俗心) 명 속된 마음.
속:씨-식물 (-植物) [-씽-] 명 〔식〕 종자식물 가운데 밑씨가 씨방 안에 싸여 있는 식물. 감나무·벚나무·벼 따위. 피자(被子)식물. ↔겉씨식물.
속악 (俗樂) 명 〔악〕 **1** 민간에 전해 내려오는 음악《정악(正樂)에 상대하여 판소리·잡가·민요 따위를 말함》. **2** 저속한 음악.
속악-스럽다 (俗惡-) 〔-스러우니, -스러워〕 형ㅂ불 보기에 속되고 고약한 데가 있다. **속악-스레** 부
속악-하다 (俗惡-) [-아카-] 형여불 속되고 고약하다.
속안 (俗眼) 명 속인이 보는 안목. 얕은 식견.
속어 (俗語) 명 **1** 통속적인 저속한 말. ↔아어(雅語). **2** 상말. **3** 속담.
속:-어림 명하타 마음속으로 짐작하여 보는 어림. 속짐작. ↔겉어림.
속언 (俗言) 명 속된 말.
속언 (俗諺) 명 **1** 세간에 떠도는 상스러운 말. **2** 속어1.
속:-없다 [-업따] 형 **1** 생각에 줏대가 없다. ¶ 속없는 말. **2** 악의가 없다. **속:-없이** [-업씨] 부. ¶ ~ 떠들지 마라.
속연 (俗緣) 명 속세와의 인연.
속연 (續演) 명하타 **1** 연극 따위 공연이 호평을 얻어 예정한 흥행 기간을 연장하여 상연함. **2** 1회의 상연이 끝난 뒤에 간격을 두지 아니하고 계속하여 상연함.
*__속:-옷__ [-옫] 명 맨 속에 입는 옷. 내복. 내의. ¶ ~가지 / ~ 바람 / ~ 차림. ↔겉옷.
속요 (俗謠) 명 **1** 민간에 널리 떠도는 속된 노래. 속창. 속가. **2** 〔악〕 잡가의 딴 이름.
속:-요량 (-料量) [송뇨-] 명하타 하는 일에 대한 마음속으로의 헤아림. *속짐작.
속음 (俗音) 명 한자음을 읽을 때, 본음과는 달리 일반 사회에서 쓰는 음《'육월(六月)'을 '유월'로, '곤난(困難)'을 '곤란'으로

읽는 따위》. 관용음. 익은소리. 통용음.
***속이다** 타 《'속다'의 사동》 거짓을 참으로 곧이듣게 하다. ¶좋은 물건처럼 ~/피는 못 속인다/감쪽같이 속여 넘기다.
속인 (俗人) 명 **1** 일반의 평범한 사람. **2** 학문이 없거나 풍류를 모르는 속된 사람. **3** 〖불〗 승려가 아닌 일반 사람을 일컫는 말. 백의(白衣).
속인-주의 (屬人主義)[-/-이] 명 〖법〗 사람이 어디에 있든 본국법을 적용하여야 한다는 국제 사법의 원칙. ↔속지(屬地)주의.
속임-수 (-數)[-쑤] 명 남을 속이는 짓. 또는 그런 술수. ¶간교한 ~를 쓰다/~에 넘어가다.
속:-잎 [송닙] 명 **1** 배추·양배추 따위의 안쪽 잎. 속대. **2** 풀이나 나무의 우듬지 속에서 새로 돋아나는 잎.
속자 (俗字) 명 세간에서 널리 쓰는, 정자가 아닌 한자(《'竝'에 대한 '並', '晉'에 대한 '晋', '巖'에 대한 '岩' 따위》). ↔정자.
속:-잠 명 깊이 든 잠. ¶피곤해서 그런지 드러눕자마자 ~이 든다.
속:-장 (-張) 명 신문·책 등의 겉장 안에 접어 넣은 각 지면의 종이. 간지. ↔겉장.
속:-적삼 명 저고리나 적삼 안에 껴입는 적삼. 한삼(汗衫).
속전 (俗傳) 명하타 세상에 널리 전함. 또는 그렇게 전해 오는 것.
속전 (速戰) 명하타 전쟁이나 운동 경기를 일찍 끝내기 위해 신속하게 싸우는 일. 또는 그런 싸움.
속전 (贖錢) 명 죄를 면하고자 바치는 돈. 속금(贖金).
속전-속결 (速戰速決) 명하자 **1** 싸움을 오래 끌지 않고 빨리 끝장을 냄. **2** 일을 빨리 진행하여 빨리 끝냄. ¶~로 일을 처리하다.
속절 (俗節) 명 제삿날 외에 철을 따라 사당이나 선영(先塋)에 차례를 지내는 날. 곧, 음력 설날이나 한식·단오·추석 따위.
속절-없다 [-업따] 형 아무리 하여도 단념할 수밖에 별도리가 없다. ¶속절없는 세월은 유수같이 흘러간다. **속절-없이** [-업씨] 부. ¶할 일은 많은데 ~ 세월만 흘러갔구나.
속:-정 (-情) 명 은근하고 진실한 정. ¶~을 주다/~이 깊다.
속정 (俗情) 명 **1** 세속의 인정. **2** 명예와 이익을 바라는 마음.
속죄 (贖罪) 명하자타 **1** 물건을 주거나 공을 세우는 따위로 지은 죄를 비겨 없앰. ¶죽음으로써 ~하다. **2** 기독교에서, 예수가 인류의 죄를 대신하여 십자가에 못박힌 일.
속죄-양 (贖罪羊) 명 남의 죄 등을 뒤집어쓰고 대신 희생이 되는 사람의 비유.
속중 (俗衆) 명 **1** 승려에 대하여 일반 사람을 일컫는 말. **2** 속된 사람들의 무리.
속지 (屬地) 명 어느 나라에 속한 땅.
속지-주의 (屬地主義)[-/-이] 명 〖법〗 한 영토 안에 있는 사람은 누구나 국적에 관계없이 그 나라의 법률을 따라야 한다는 주의. 출생지주의. ↔속인(屬人)주의.
속진 (俗塵) 명 속세의 티끌이라는 뜻으로, 세상의 여러 가지 번잡한 일. ¶~을 피하여 산속에 들어가다.
속:-짐작 명하타 마음속으로 하는 짐작. 속어림. ¶~만으로 애매한 소리 마라. ↔겉짐작.
속:-창 명 구두 속에 덧까는 창. ↔밑창.
속:-청 명 대나무나 갈대 따위의 속에 있는 얇다란 꺼풀.
속출 (續出) 명하자 잇따라 나옴. 속생(續生). ¶사고가 ~하다.
속취 (俗臭) 명 **1** 비속한 냄새. ¶~가 아직 가시지 않은 승려. **2** 돈이나 헛된 명예에 집착하는 속된 기풍.
속:-치레 명하자 속을 잘 꾸며 모양을 냄. 또는 그 모양. ↔겉치레.
속:-치마 명 속에 입는 치마.
속:-치장 (-治粧) 명하자 속 부분을 꾸밈. 또는 그런 꾸밈새. ↔겉치장.
속칭 (俗稱) 명하타 세상에서 보통 이르는 말. 통속적으로 이르는 이름.
속:-탈 (-頉) 명 먹은 것이 잘 삭지 아니하여 생기는 병.
속태 (俗態) 명 고상하지 못한 모습.
속편 (續篇) 명 이미 만들어진 책이나 영화 따위의 뒷이야기로 만들어진 것.
속편 (續編) 명 이미 편찬한 책에 잇대어 편찬한 책.
속:-표지 (-表紙) 명 책의 겉표지 다음에 붙이는 얇은 종이로 된 표지(《책의 제목·저자명·발행소명 등을 적음》). 안표지.
속필 (速筆) 명 빨리 쓰는 글씨. 또는 그렇게 쓰는 사람.
속-하다 (屬-)[소카-] 자여불 무엇에 관계되어 딸리다. ¶우리 반에 속한 사람.
속-하다 (速-)[소카-] 형여불 꽤 빠르다. ¶효험이 ~. **속-히** [소키] 부. ¶마치는 대로 ~ 돌아오너라.
[속히 더운 방이 쉬 식는다] 쉽게 되는 것은 또한 쉽게 없어진다.
속행 (速行)[소캥] 명하자타 **1** 빨리 감. **2** 빨리 행함.
속행 (續行)[소캥] 명하타 계속하여 행함. ¶지난번 비 때문에 연기된 경기가 오늘 ~된다.
속화 (俗化)[소콰] 명하자타 속되게 변함. 또는 그렇게 되게 함.
속회 (續會)[소쾨] 명하자타 회의가 다시 계속됨. 또는 회의를 다시 계속함. ¶점심 후에 ~하기로 합시다/내일 본회의를 ~합니다.
속효 (速效)[소쿄] 명 빨리 나타나는 효과. ¶~를 보다. ↔지효(遲效).
솎다 [속따] 타 촘촘히 나 있는 것을 군데군데 골라 뽑아 성기게 하다. ¶무를 ~.
솎아-베기 명하타 간벌(間伐).
솎음-질 명하타 배게 난 채소 따위를 솎아 내는 일.
***손**1 명 **1** 사람의 팔목에 달린, 손가락과 손바닥이 있는 부분. ¶~을 비비다/~을 뻗다/~을 잡다/~에 땀이 나다/~을 씻다. **2** 손가락. ¶~에 낀 반지. **3** 일손. 품. ¶~이 모자라다/~이 많이 가는 일/~이 달리어 일이 잘 진척되지 않는다. **4** 기술. ¶그 사람 ~이 가야 한다. **5** 수완. 잔꾀. ¶그의 ~에 놀아나다. **6** 주선. 돌봐 주는 일. ¶그 사람의 ~을 빌렸다/나는 어려서 할머니 ~에서 자랐다. **7** 소유나 권

력의 범위. ¶어렵사리 ~에 넣은 물건/남의 ~에 넘어가다. **8** 힘. 역량. 능력. ¶국토 통일은 우리 ~으로.

[손 안 대고 코 풀기] 일을 힘 안 들이고 아주 쉽게 해치운다는 말. [손이 발이 되도록 빌다] 허물이나 잘못을 용서하여 달라고 간절히 빌다. [손 잰 중의 비질하듯] 동작이 재빠르고 무슨 일이나 제꺽제꺽 빨리 해내는 모양.

손에 걸리다 구 ㉠어떤 사람의 손아귀에 잡혀 들다. ㉡너무 흔하여 어디나 다 있다.

손에 땀을 쥐다 구 아슬아슬하여 마음이 조마조마하고 몹시 애가 달다.

손에 붙다 구 하는 일에 능숙해져서 의욕과 능률이 오르다.

손에 손(을) 잡다 구 다정하게 서로 힘을 합쳐 행동을 같이하다.

손(에) 익다 구 일이 손에 익숙해지다. ¶처음에는 일이 손에 익지 않아서 어려움이 많았다.

손에 잡히다 구 차분하게 마음을 집중하여 일에 임할 수 있게 되다. ¶취직 문제 때문에 공부가 손에 잡히지 않는다.

손에 잡힐 듯하다 구 매우 가깝게 또는 또렷하게 보이거나 들리다.

손에 쥐다 구 수중(手中)에 넣다. 자기 소유로 만들다.

손(을) 끊다 구 교제나 거래 따위를 끊다. 관계를 끊다. 인연을 끊다. ¶오랜 친구와 아주 손을 끊을 수야 있나.

손(을) 나누다 구 한 가지 일을 여럿이 나누어 하다.

손(을) 내밀다 구 ㉠무엇을 달라고 요구하다. 또는 무엇을 얻어 내려고 하다. 손(을) 벌리다. ㉡친하려고 나서다.

손을 놓다 구 하던 일을 그만두거나 잠시 멈추다.

손을 늦추다 구 긴장을 풀고 일을 더디게 하다. ¶원고 마감이 내일이라 손을 늦출 수 없다.

손(을) 떼다 구 ㉠남과 함께 하던 일을 그만두다. ¶사업에서 손을 뗀 지 오래되었다. ㉡하던 일을 마치어 끝을 내다.

손을 맞잡다 구 서로 긴밀하게 협조하다.

손(을) 멈추다 구하던 동작을 잠깐 중지하다. ¶잠시 손을 멈추고 내 말 좀 들어 보십시오.

손(을) 벌리다 구 손(을) 내밀다㉠.

손(을) 빼다 구 ㉠관계를 끊고 물러나다. ㉡바둑에서, 상대방의 착수에 대하여 직접 응수하지 않고 다른 국면으로 옮기다.

손(을) 뻗치다 구 ㉠이제까지 하지 않던 일까지 활동 범위를 넓히다. ㉡적극적인 도움·요구·간섭·침략 따위의 행위를 멀리까지 미치게 하다.

손(을) 씻다 구 관계를 끊고 나쁜 일을 그만하다.

손(을) 젓다 구 손을 휘저어서, 제지나 거절 또는 부인을 나타내는 신호를 보내다.

손(을) 주다 구 호박 덩굴 따위가 올라가게 섶이나 막대기 등을 대어 주다.

손(을) 털다 구 밑천이나 사재를 모조리 잃다. ¶손을 털고 일어서다.

손(이) 거칠다 구 ㉠도둑질 같은 나쁜 손버릇이 있다. ㉡일을 하는 솜씨가 꼼꼼하지 못하다.

손이 나다 구 어떤 일에서 조금 쉬거나 다른 일을 할 틈이 생기다.

손이 놀다 구 일거리가 없어 쉬는 상태에 있다.

손(이) 뜨다 구 일하는 동작이 매우 느리다. ↔손(이) 빠르다.

손(이) 맞다 구 함께 일하는 데 서로 보조가 맞다. 손발이 맞다.

손(이) 맵다 구 손끝(이) 맵다. *손끝.

손(이) 비다 구 ㉠할 일이 없어 아무 일도 하지 아니하고 있다. ㉡수중에 돈이 하나도 없다.

손(이) 빠르다 구 ㉠일 처리가 빠르다. 손(이) 싸다. 손(이) 재다. ↔손(이) 뜨다. ㉡파는 물건이 잘 팔려 나가다.

손(이) 서투르다 구 일이 손에 익숙하지 아니하다.

손(이) 싸다 구 손(이) 빠르다㉠.

손이야 발이야 구 용서해 달라고 애처롭게 비는 모양.

손(이) 여물다 구 손끝(이) 여물다. *손끝.

손(이) 작다 구 ㉠마음이 후하지 못하여 씀씀이가 깐깐하고 작다. ㉡수단이 적다. ↔손(이) 크다.

손(이) 재다 구 손(이) 빠르다㉠.

손(이) 크다 구 ㉠마음이 후하여 씀씀이가 넉넉하다. ㉡수단이 많다. ↔손(이) 작다.

손² 명 **1** 딴 곳에서 찾아온 사람. ¶~을 맞이하다. **2** 지나다가 잠시 들른 사람. **3** 여관·음식점 따위 영업하는 집에 찾아온 사람. 객(客).

[손은 갈수록 좋고 비는 올수록 좋다] 비가 많이 오면 농사에 좋으나 찾아온 손님은 빨리 돌아가 주는 것이 고맙다는 뜻.

손(을) 치르다 구 큰일에 여러 손님을 대접하다.

손³ 명〔민〕 날수를 따라 여기저기로 다니면서 사람의 일을 방해한다는 귀신. ¶할머니는 ~ 없는 날을 잘 따지신다.

손: (孫) 명 '후손'의 준말. ¶~이 귀한 집/독자인 아들에게 자식이 없어 ~이 끊기게 되었다.

손⁴ 의명 손아랫사람을 일컬을 때 '사람'보다는 낮추고, '자'보다는 좀 대접하는 말. ¶그 ~/젊은 ~.

손⁵ 의명 물건을 한 손에 잡을 만한 수량을 세는 단위(《조기·암치·통배추 따위는 큰 것과 작은 것을 합한 것을 이르고, 미나리 따위는 한 줌을 이름》).

손⁶ 조 어미 '-다·-ㄴ다·-는다'의 뒤에 붙어, 양보의 뜻을 나타내는 보조사(《주로 '치더라도·치자' 따위와 함께 씀》). ¶아무리 재주가 있다~ 치더라도.

-손 (孫) 미 '대(代)·세(世)'의 뒤에 붙어, '자손'의 뜻을 나타냄. ¶오 대~.

손-가늠 [-까-] 명하타 손으로 대중하여 무게·길이 따위를 재는 짓. ¶무게〔길이〕를

~해 보다.

***손-가락** [-까-] 명 손끝에 달려 있는 다섯 개의 갈라진 가락.

손가락 안에 꼽히다 구 어떤 단체나 무리 중에서 몇 되지 않게 특별하다. ¶그는 다섯 손가락 안에 꼽히는 사람이다.

손가락(을) 꼽다 구 손가락으로 셀 수 있을 만큼 수효가 매우 적다. ¶선거 유세장에는 손가락을 꼽을 정도의 청중만이 와 있었다.

손가락 하나 까딱 않다 구 아무 일도 하지 않고 뻔뻔스레 놀고만 있다. 손톱 하나 까딱하지 않다.

손가락-질 [-까-] 명하타 **1** 손가락으로 가리키는 짓. **2** 남을 얕보거나 흉보는 짓.

손가락질(을) 받다 구 남에게 얕보이거나 비웃음을 당하다. ¶남의 손가락질 받을 만한 짓은 안 했다.

손-가방 [-까-] 명 손에 들고 다니는 작은 가방. 핸드백.

손-거스러미 [-꺼-] 명 손톱이 박힌 자리 주위에 살갗이 일어난 것. ¶~가 일다.

손-거울 [-꺼-] 명 손에 들고 쓰는 작은 거울. ¶~을 들여다보며 화장을 하다.

손-겪다 [-격따] 자 손님을 대접하다.

손-겪이 명하자 손님을 대접하는 일.

손-결 [-껼] 명 손의 살결. ¶~이 부드럽다.

손-공 (-功)[-꽁] 명 손을 놀려 이룬 공.

손:괘 (巽卦) 명 팔괘(八卦)의 하나. 상형(象形)은 '☴'으로 바람을 상징함. 준손(巽).

손:괴 (損壞) 명하타 어떤 물건을 부서뜨림.

손-국수 [-꾹-] 명 기계를 쓰지 않고, 손으로 직접 만든 국수.

손-그릇 [-끄름] 명 가까이 두고 쓰는 작은 세간《반짇고리 등》.

손-금 [-끔] 명 손바닥의 살결이 줄무늬를 이룬 금. 수상(手相).

손금(을) 보다 구 ㉠〔민〕 손금을 보고 그 사람의 운수·길흉을 판단하다. ㉡〈속〉 화투·골패·투전 따위, 패를 손바닥에 들고 보는 노름을 하다.

손금(을) 보듯 하다 구 낱낱이 환히 다 알다.

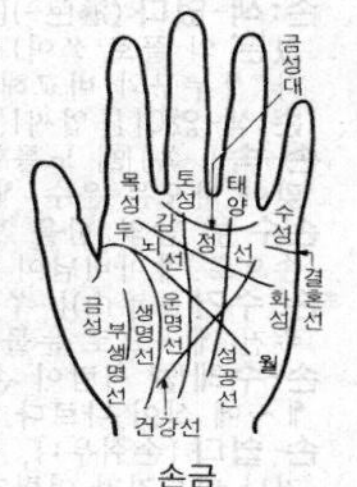

손금

손-기계 (-機械)[-끼- / -끼게] 명 동력을 쓰지 않고 사람의 손으로 돌리는 기계. 손틀. ↔발기계.

손-길 [-낄] 명 **1** 손바닥을 펴고 늘어뜨린 손. 또는 내밀어 뻗는 손. ¶~이 닿는 가까운 거리. **2** 돌보아 주거나 도와주는 일. ¶구원의 ~을 뻗다 / 사랑의 ~ / 따뜻한 구호의 ~을 기다리다. **3** 무엇을 하는 손의 움직임. 또는 가꾸고 다듬는 솜씨. ¶조상의 ~이 느껴지는 골동품 / 벼를 베는 농부의 ~이 바쁘다.

손길을 뻗치다 구 적극적인 도움·요구·간섭·침략 따위의 행위가 미치다. ¶눈에 보이지 않는 침략의 ~.

손-꼽다 자 **1** 손가락을 꼽아 수를 세다. ¶아이는 손꼽으며 더하기를 하고 있다. **2** 많은 가운데에서 특히 손가락을 꼽아 셀 정도로 뛰어나 있다. ¶손꼽을 만한 부자.

손꼽아 기다리다 구 기대에 차 날짜를 꼽으며 기다리다. ¶방학을 ~.

손-꼽히다 [-꼬피-] 자《'손꼽다2'의 피동》 많은 가운데에서 손가락으로 꼽아 셀 정도로 뛰어난 축에 속하다.

손-끝 [-끋] 명 **1** 손가락의 끝. ¶~ 하나 까딱하기 싫다. **2** 손때2. **3** 손을 놀려 하는 일솜씨. ¶~이 야무지다.

[손끝에 물도 안 튀긴다] 아무 일도 하지 않고 뻔뻔하게 놀고만 있다는 말.

손끝(에) 물이 오르다 구 구차하던 살림이 점차 부유해지다.

손끝(이) 맵다 구 손을 대어 건드렸거나 매만진 결과가 모질다. 손(이) 맵다.

손끝(이) 여물다 구 일하는 것이 빈틈없고 매우 야무지다. 손(이) 여물다.

***손녀** (孫女) 명 아들의 딸. 또는 딸의 딸.

손녀-딸 (孫女-) 명 '손녀'를 귀엽게 이르는 말.

손-놀림 명하자 손을 움직이는 일. 손의 동작. ¶~이 능숙하다.

손-누비 명 지은 옷이나 마른 옷감을 손으로 누비는 일. 또는 그 옷이나 옷감.

***손-님** 명 **1** '손2'의 높임말. ¶~을 받다 / ~을 치르다 / 이 고장에 처음 오신 ~들이니 잘 모셔야 한다 / 재래 시장에 ~이 끊겼다. **2** 결혼식·장례식에 참석하러 온 사람. **3** 공연·전시회 등에 구경하러 온 사람. **4** 영업 행위를 하는 교통편을 이용하는 사람. **5** '손님마마'의 준말.

손님-마마 (-媽媽) 명 '천연두'의 딴 이름. 별성(別星)마마. 준마마·손님. **--하다** 자 여불 천연두를 앓다.

손님-맞이 명 오는 손님을 맞아들이는 일.

손대기 명 잔심부름을 할 만한 아이.

손-대다 자 **1** 손으로 만지거나 건드리다. ¶그림에 손대지 마라. **2** 일을 시작하다. ¶출판 사업에 ~. **3** 어떤 일에 관계하다. ¶노름에 ~. **4** 남을 때리다. ¶네가 먼저 손댔기에 나도 때렸다. **5** 수정하다. 고치다. ¶헌 집이라 손댈 곳이 많다. **6** 공금이나 남의 돈 따위를 착복하다. ¶어려운 생활 속에서도 공금은 동전 한 닢 손대지 않았다. **7** 마음대로 처리하거나 다스리다. ¶나는 어떻게 손댈 수 없는 문제아였다. **8** 음식을 먹다. ¶어른보다 먼저 음식에 손대지 마라.

손-대야 [-때-] 명 작은 대야.

손-대중 [-때-] 명하타 손으로 쥐거나 들어 보아 어림으로 하는 헤아림. 또는 그 분량.

손-더듬이 명하타 무엇을 찾으려고 손으로 더듬는 일.

손-도장 (-圖章)[-또-] 명 도장 대신 찍는 엄지손가락의 무늬. 지장(指章).

손-독 (-毒)[-똑] 명 가려운 자리를 손으로 긁거나 헌 살에 손을 대어서 생긴 독기. ¶~이 오르다.

손-동작 (-動作)[-똥-] 명하자 손을 놀리는 동작. 손의 움직임. ¶~이 빠르다.

손-들다 〔손드니, 손드오〕 자 자기의 힘 이상의 것을 만나 항복하다. 굴복하다. 어이가 없어 내던져 포기하다. ¶저 고집쟁이에

겐 정말 손들었다.
손-등[-뜽] 명 손의 바깥쪽. 곧, 손바닥의 뒤. ¶이마에 흐르는 땀을 ~으로 닦다.
손-때 명 1 손으로 오랜 세월을 두고 만져서 길이 든 흔적. 2 손을 대어 건드리거나 매만졌기 때문에 생긴 때. 손끝.
손때(가) 먹다 구 그릇·기구 따위에 손이 많이 가 길이 들다.
손때(가) 묻다 구 오래 사용하여 손으로 만진 때가 끼어 있다. ¶손때 묻은 사전.
손때(를) 먹이다 구 ㉠광이 나게 하다. ㉡오랜 세월을 두고 길들이어 쓰다. ㉢어루만지어 기르다. 양육하다.
손-떠퀴 명 무슨 일에든지 손만 대면 좋거나 궂은일이 따르는 운수. ¶~가 사납다.
손-뜨겁다 〔손뜨거우니, 손뜨거워〕 형ㅂ불 손부끄럽다.
손:료 (損料)[솔-] 명 의복이나 세간 등을 빌려 주고, 그 닳고 상한 값으로 받는 돈.
손-마디 명 손가락의 마디. ¶~가 거칠다/투박한 농부의 ~.
손-맛[-맏] 명 1 손으로 만져 보고 느끼는 느낌. ¶~으로 보에 싸인 것을 알다. 2 낚싯대를 잡고 있을 때, 입질이나 물고 당기는 힘이 손에 전해 오는 느낌. 3 음식을 만들 때의 솜씨로 우러나오는 맛. ¶이 음식에는 어머니의 ~이 배어 있다.
손-모가지 명 〈속〉 1 손. 2 손목.
***손-목** 명 손과 팔이 이어진 부분. 곧, 손의 관절이 있는 곳. ¶~을 낚아채다.
[손목을 잡고 말리다] 기어코 하지 못하게 말리다.
손목-시계 (-時計)[-/-게] 명 손목에 차는 작은 시계.
손-바느질[-빠-] 명하자타 기계를 쓰지 않고 직접 손으로 하는 바느질.
***손-바닥**[-빠-] 명 손의 안쪽. 곧, 손등과 반대되는 곳. ¶~만 한 땅뙈기.
손바닥 들여다보듯 구 아주 분명하게. 모르는 것 없이. ¶그의 마음을 ~ 환하게 읽을 수 있다.
손바닥(을) 뒤집듯 구 ㉠갑자기 또는 노골적으로 태도를 바꾸기를 아주 쉽게. ㉡일하기를 매우 쉽게.
손-바람[-빠-] 명 1 일을 치러 나가는 솜씨나 힘. ¶~이 나다. 2 손을 흔들어서 내는 바람.
손-발 명 1 손과 발. ¶~을 가지런히 모으다. 2 자기 마음대로 부리는 사람의 비유. 수족(手足). ¶~ 노릇을 충실히 하다.
손발(을) 걷다 구 사람이 죽은 뒤, 몸이 굳어지기 전에 팔과 다리를 거두어 놓다.
손발이 되다 구 손과 발같이 그 사람의 뜻대로 움직이다. ¶남의 손발이 되어 일하다.
손발이 따로 놀다 구 모임이나 조직에서, 그 구성원들의 협동이 잘되지 않다. ¶임원들이 손발이 따로 논다.
손발(이) 맞다 구 서로 협조가 맞다. ¶도둑질도 손발이 맞아야 한다.
손:방 명 할 줄 모르는 솜씨. ¶수영은 아주 ~이다.
손-버릇[-뻐른] 명 1 손에 익은 버릇. ¶그는 민망할 때면 머리를 긁적이는 ~이 있다. 2 물건을 훔치거나 남을 때리는 따위의 나쁜 버릇. ¶~이 나쁘다.
손버릇(이) 사납다 구 물건을 훔치거나 망가뜨리거나 남을 때리는 버릇이 있다.
손-보기 명 어떤 일이나 물건에 결점이 없도록 보살피는 일. 손질.
손-보다 타 1 결점이 없도록 보살피다. ¶고장난 시계를 ~. 2 〈속〉 혼이 나도록 몹시 때리다. ¶까부는 놈은 내가 손봐 주겠다.
손부 (孫婦) 명 손자의 아내. 손자며느리.
손-부끄러이 부 손부끄럽게.
손-부끄럽다 〔손부끄러우니, 손부끄러워〕 형ㅂ불 무엇을 주거나 받으려고 손을 내밀었다가 허탕이 되어 무안하고 부끄럽다. 손뜨겁다.
손:비 (損費) 명 손익 계산에서, 일정 기간에 생긴 수익 때문에 든 비용.
손뼉 명 손바닥과 손가락을 합친 전체의 바닥. ¶~도 마주쳐야 소리가 난다.
손뼉(을) 치다 구 어떤 일에 찬성하거나 좋아하다. ¶남의 실패에 손뼉을 치다니.
손-사래[-싸-] 명 어떤 말을 부인하거나 남에게 조용하라고 할 때 손을 펴서 휘젓는 짓. ㊀손살.
손사래(를) 치다 구 거절이나 부인의 뜻으로 손을 펴서 마구 휘젓다.
손:상 (損傷) 명하타 1 깨지거나 상함. ¶~이 가지 않도록 조심해라. 2 병이 들거나 다침. ¶인명과 재산의 ~. 3 명예나 체면·가치 따위가 떨어짐. ¶명예를 ~시키는 행위/이미지의 ~.
손-살[-쌀] 명 손가락과 손가락 사이.
손:색 (遜色) 명 서로 견주어 보아서 못한 점. ¶물건은 조금도 ~이 없다.
손:색-없다 (遜色-)[-업따] 형 (주로 '손색없는'의 꼴로 쓰여) 비교하여 못한 점이 없다. ¶누구와 비교해도 손색없는 청년이다.
손:색-없이[-업씨] 부
손-속[-쏙] 명 노름할 때, 손대는 대로 잘 맞아 나오는 운수. ¶~이 좋다.
손수 부 남의 힘을 빌리지 않고 직접 자기 손으로. ¶아버님이 ~ 심으신 나무.
***손-수건** (-手巾)[-쑤-] 명 몸에 지니는 작은 수건. ¶~으로 눈물을 닦다.
손-수레 명 사람이 손으로 끄는 작은 수레. ¶~에 실어 나르다.
손-쉽다 〔손쉬우니, 손쉬워〕 형ㅂ불 처리하거나 다루기가 어렵지 않다. ¶손쉬운 방법.
손-시늉[-씨-] 명 손으로 하는 시늉.
손:실 (損失) 명하자타 잃거나 축이 나서 손해를 봄. 또는 그 손해. ¶전쟁은 많은 인명과 물자의 ~을 가져온다/경제적 ~이 크다/그의 요절은 우리의 큰 ~이다. ↔이득(利得).
손-심부름[-씸-] 명하자 몸 가까이 있는 일에 대한 잔심부름.
손-쓰다 〔손쓰니, 손써〕 ㊀자 어떤 일에 필요한 조치를 취하다. ¶너무 바빠서 손쓸 겨를이 없다. ㊁타 남에게 선심을 쓰다.
손-아귀 명 1 엄지손가락과 다른 네 손가락과의 사이. ¶그의 ~ 힘이 어찌나 센지 지금까지 손이 얼얼하다. 2 세력이 미치는 범위. ¶적의 ~에서 벗어나다.
손아귀에 넣다 구 완전히 자기 것으로 만

들거나 자기 통제 아래 두다.

손-아래 명 항렬이나 나이가 자기보다 아래인 관계. 또는 그런 관계에 있는 사람. 수하(手下). ¶~ 처남. ↔손위.

손아래-뻘 명 손아래가 되는 관계를 나타내는 말. 준아래뻘.

손아랫-사람 [-래싸-/-랟싸-] 명 손아래가 되는 사람. 수하자(手下者). 아랫사람. ¶상대방이 ~이라고 반말을 하면 되나. ↔손윗사람.

손-안 명 1 수중(手中)1. 2 세력을 부릴 수 있는 범위. ¶~에서 벗어나다.

손안에 넣다 구 자기 것으로 만들다. 차지하다.

손-어림 명하타 손으로 만지거나 들어 보아 대강 헤아림. 또는 그런 분량. 손짐작. ¶이 딸기는 ~으로 두 근은 되겠다.

손-위 명 항렬이나 나이가 자기보다 높은 관계. 또는 그런 관계에 있는 사람. ¶~ 올케. ↔손아래.

손윗-사람 [-위싸-/-윋싸-] 명 손위가 되는 사람. ¶~에게는 공경으로, 손아랫사람에게는 사랑으로 대하다. ↔손아랫사람.

손:익 (損益) 명 1 손해와 이익. ¶~을 따지지 않다. 2 경영의 결과로 생긴 자본 총액의 감소와 증가.

손:익 계:산서 (損益計算書)[-/-께-] 〖경〗 일정한 기간 동안의 사업 성적과 그에 따른 수익과 비용을 비교하여 손익의 정도를 나타내는 표. 손익표.

***손자** (孫子) 명 아들의 아들. 또는 딸의 아들.
[손자 턱에 흰 수염 나겠다] 무엇을 오래 기다리기가 싫증이 나고 지루하다.

손-자국 [-짜-] 명 손이 닿았던 흔적. ¶거울에 난 ~.

손자-며느리 (孫子-) 명 손자의 아내. 손부(孫婦). ¶사랑스러운 ~.

손-잡다 자 1 손과 손을 마주 잡다. ¶손잡고 들길을 거닐다. 2 힘을 합하여 함께 일을 하다. ¶앞으로 손잡고 잘해 보세.

***손-잡이** 명 무슨 물건에 덧붙여서 손으로 잡기 쉽게 된 부분. ¶~를 돌려 문을 열다.

손-장난 [-짱-] 명하자 1 쓸데없이 손을 놀려서 하는 장난. ¶~이 심한 아이. 2 노름을 달리 일컫는 말.

손-장단 [-짱-] 명 손으로 맞추어 치는 장단. ¶~에 맞춰 춤을 추다.

손:재 (損財) 명하자 재물을 잃어버림. 또는 그 재물.

손-재간 (-才幹)[-째-] 명 손재주. ¶~이 제법이다.

손:재-수 (損財數)[-쑤] 명 재물을 잃을 운수. ¶~를 조심하시오.

손-재주 [-째-] 명 손으로 무엇을 만들거나 다루는 재주. 손재간. ¶~가 뛰어나다.

손-전등 (-電燈)[-쩐-] 명 건전지를 전원으로 하여 불이 들어오게 된 휴대용의 작은 전등. 회중전등. 손등.

손주 (孫-) 명 손자와 손녀를 아울러 이르는 말.

손-지갑 (-紙匣)[-찌-] 명 돈 따위를 넣어 손에 가지고 다니는 작은 지갑.

***손-질** 명하타 1 손을 대어 잘 매만지는 일. 손보기. ¶문장을 ~하다 / ~이 잘된 정원. 2 손으로 때리는 짓. 매질.

손-짐작 [-찜-] 명하타 손어림. ¶~으로 어림하다.

손-짓 [-찓] 명하타 손을 놀려서 어떤 뜻을 나타내는 짓. ¶~으로 어서 가라고 했다.

손-찌검 명하타 손으로 남을 때리는 일. ¶~을 당하다.

손-톱 명 손가락 끝에 붙어 있어 그 부분을 보호하는 딱딱하고 얇은 조각. ¶~에 매니큐어를 바르다.
[손톱 밑에 가시 드는 줄은 알아도 염통 밑에 쉬스는 줄은 모른다] 사소한 이해관계는 밝아도 큰 문제는 잘 깨닫지 못한다.
[손톱 발톱이 젖혀지도록 벌어 먹인다] 어떤 사람을 위해 죽을 힘을 다해 애를 쓴다.

손톱도 안 들어가다 구 사람됨이 무척 야무지고 굳으며 인색하다.

손톱만큼도 구 아주 조금도(뒤에 부정하는 말이 따름). ¶인정이라곤 ~ 없다.

손톱을 튀기다 구 일은 하지 않고 놀면서 지내다.

손톱 하나 까딱하지 않다 구 손가락 하나 까딱 않다. *손가락.

손톱-깎이 명 손톱을 깎는 기구.

손톱-눈 [-톰-] 명 손톱의 양쪽 가장자리와 살의 사이.

손톱-묶음 [-톰-] 명 〖인〗 소괄호.

손-티 명 약간 곱게 얽은 얼굴의 마맛자국.

손-풀무 명 1 손잡이를 잡아당겼다 밀었다 하여 바람을 내는 풀무. 2 손잡이를 돌려 바람을 내는 풀무.

손-풍금 (-風琴) 명 아코디언.

손항 (孫行) 명 손자뻘 되는 항렬(종손·재종손 따위).

***손:해** (損害) 명 1 정신적으로나 물질적으로 본디보다 밑짐. ¶100만 원 ~를 보았다 / 내게 ~될 일은 하나도 없다 / 홍수로 엄청난 ~를 입었다. 2 해를 입음. ¶공부를 게을리 하면 너만 ~ 본다. 준손(損). ↔이익.

손해(가) 가다 구 손해가 되다. ¶이번 일에 나만 손해가 갔다.

손:해-나다 (損害-) 자 손해가 생기다. ¶이번에는 손해나지 않게 해라.

손:해 배상 (損害賠償) 〖법〗 법률에 따라 남에게 끼친 손해를 물어 주는 일. 또는 그런 돈이나 물건. ¶~을 청구하다.

손-화로 (-火爐) 명 한 손으로 들어 옮길 수 있는 작은 화로.

손-회목 명 손목의 잘록하게 들어간 곳.

***솔**[1] 명 1 〖식〗 소나무. 2 솔잎 모양이 그려져 있는 화투짝(1월이나 한 끗을 나타냄).
[솔 심어 정자라] 일을 시작하여 성공하기까지 까마득함.

***솔:**[2] 명 먼지나 때를 쓸어 떨어뜨리거나 풀칠할 때 쓰는 제구.

솔:[3] 명 '솔기'의 준말.

솔:[4] 명 〖의〗 피부병의 한 가지(살에 좁쌀 같은 것이 돋고 나중에는 그 속에 물이 생김).

솔 (이 sol) 명 〖악〗 서양 음계의 장음계에서 다섯째 음.

솔가 (率家) 명하자 온 집안 식구를 데려감.

솔-가리 [-까-] 명 1 말라서 땅에 떨어진 솔잎. ¶갈퀴로 ~를 긁다. 2 소나무 가지를 꺾어서 묶은 땔나무.

솔-가지 [-까-] 명 땔감으로 쓰려고 꺾어서 말린 소나무 가지. ¶~로 군불을 지피다.

솔개 명 〖조〗 수릿과에 속하는 새. 몸빛은 어두운 갈색이며 가슴에 흑색의 세로무늬가 있음. 날개 길이는 48 cm 정도이며, 꽁지는 제비처럼 교차됨. 공중을 맴돌며 지상의 들쥐·개구리 따위를 잡아먹음.

솔개 까치집 뺏듯 구 남의 것을 강제로 빼앗음을 이르는 말.

솔개-그늘 명 아주 작게 지는 그늘.

솔거 (率去) 명하타 여러 사람을 거느리고 감.

솔기 명 옷이나 천 따위의 두 폭을 맞대고 꿰맨 줄. 준솔.

솔깃-이 부 솔깃하게.

솔깃-하다 [-기타-] 형여불 그럴듯하게 보여 마음이 쏠리다. ¶그의 말에 모두 귀가 솔깃했다.

솔:다[1] 〔소니, 소오〕 자 **1** 물기가 있던 것이나 상처 따위가 말라서 굳어지다. ¶상처가 솔아서 진물이 멎다. **2** 물결이 세차게 굽이쳐 용솟음치다. 소쿠라지다.

솔:다[2] 〔소니, 소오〕 형 ('귀'와 함께 쓰여) 시끄러운 소리나 귀찮은 말을 너무 많이 들어서 귀가 아프다. ¶귀가 솔도록 듣다.

솔:다[3] 〔소니, 소오〕 자 '무솔다'의 준말.

솔:다[4] 〔소니, 소오〕 형 넓이나 폭이 좁다. ¶바지의 품이 너무 ~. ↔너르다.

솔:다[5] 〔소니, 소오〕 형 긁으면 아프고 그냥 두자니 가렵다.

솔:-대 [-때] 명 활을 쏠 때 과녁으로 쓰는 솔을 버티는 나무.

솔라닌 (solanine) 명 〖화〗 감자 따위의 새 눈에 들어 있는 자극성 있는 알칼로이드의 한 가지. 독성이 있어 많이 먹으면 구토·현기증 따위의 중독 증상을 일으킴《천식·간질병의 치료제로 씀》.

솔로 (이 solo) 명 〖악〗 독창이나 독주. ¶피아노 ~.

솔리스트 (프 soliste) 명 독창자. 독주자.

솔-문 (-門) 명 경축이나 환영의 뜻을 나타내기 위하여 푸른 솔잎을 입혀 세운 문.

***솔-바람** 명 소나무 사이를 스쳐 부는 바람. 송뢰(松籟).

솔:-바탕 명 활터의 활 쏘는 지점에서 솔대까지의 거리《보통 120보》.

솔발 (鉢鈸) 명 놋쇠로 만든 종 모양의 큰 방울《군령·경고 신호에 씀》.

솔발(을) 놓다 구 ㉠솔발을 흔들다. ㉡남의 비밀을 소문내다.

솔-방울 [-빵-] 명 소나무 열매의 송이.

솔-밭 [-받] 명 소나무가 많이 들어선 땅. ¶울창한 ~.

솔-보굿 [-뽀굳] 명 비늘같이 생긴 소나무의 껍질.

솔봉이 명 나이가 어리고 촌스러운 티를 벗지 못한 사람.

솔-불 [-뿔] 명 '관솔불'의 준말.

솔-뿌리 명 소나무의 뿌리.

솔선 (率先)[-썬] 명하자 남보다 앞장서서 먼저 함. ¶~하여 청소를 하다.

솔선-수범 (率先垂範)[-썬-] 명하자 남보다 앞장서서 행하여 다른 사람의 본보기가 됨. ¶매사에 ~하는 자세를 보이다.

솔솔 부 **1** 물이나 가루 등이 틈이나 구멍으로 조금씩 가볍게 새어 나오는 모양. ¶밀가루가 자루에서 ~ 샌다. **2** 이슬비나 눈 따위가 가볍게 내리는 모양. ¶~ 내리는 봄비. **3** 얽힌 실·끈 등이 쉽게 풀리는 모양. ¶실타래에서 실이 ~ 풀린다. **4** 말이나 글이 막힘없이 나오거나 써지는 모양. ¶말솜씨가 ~ 청산유수이다. **5** 바람이 부드럽게 부는 모양. ¶봄바람이 ~ 분다. **6** 냄새나 가는 연기 따위가 가볍게 풍기거나 피어오르는 모양. ¶그녀에게서 향수 냄새가 ~ 난다. 큰술술. **7** 얽히었던 일이 쉽게 풀리는 모양. ¶사업이 ~ 풀려 나가다. **8** 재미가 은근한 모양. ¶신혼 재미가 ~ 나다.

솔솔-바람 명 부드럽고 가볍게 계속 부는 바람.

솔:솔-이 부 솔기마다.

솔-숲 [-숩] 명 소나무가 우거진 숲. 송림(松林). ¶주위에 ~이 울창하다.

솔이-하다 (率易-) 형여불 언행이 까다롭지 않고 솔직하다.

솔-잎 [-립] 명 소나무의 잎. 송엽(松葉). ¶송충이는 ~을 먹고 산다.

솔잎-대강이 [-립때-] 명 짧게 깎아 빳빳이 일어선 머리.

솔정 (率丁)[-쩡] 명 자기 밑에 거느려 부리는 사람.

솔직-하다 (率直-)[-찌카-] 형여불 거짓이나 숨김이 없이 바르고 곧다. ¶솔직한 고백. **솔직-히** [-찌키] 부. ¶~ 털어놓다.

솔:-질 명하자타 솔로 먼지 등을 털거나 닦는 일. ¶그는 양복을 ~했다.

솔토지빈 (率土之濱) 명 온 나라의 영토 안.

솔-포기 명 가지가 다보록하게 퍼진 작은 소나무.

***솜:** 명 **1** 목화에서 씨를 뽑아내고 남은 섬유질《가볍고 부드러우며 탄력이 풍부하고 흡습성·보온성이 있어, 가공하여 직물과 그 밖에 용도로 널리 씀》. ¶~을 틀다 / ~을 넣은 이불. **2** 식물성·동물성·광물성 섬유나 화학 섬유의 뭉치. ¶아크릴 ~.

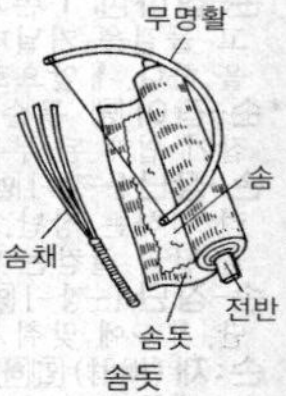

무명활
솜
솜채
전반
솜돗

솜돗

솜:-돗 [-돋] 명 솜반을 만드는 데 쓰는 돗자리.

솜:-몽둥이 명 베 조각 등에 솜을 싸서 몽둥이처럼 만든 물건《윤을 내거나 칠을 할 때 씀》.

솜:-뭉치 명 솜을 뭉쳐 놓은 덩어리. ¶배어 나오는 피를 ~로 닦아 내다.

[솜뭉치로 가슴을 칠 일이다] 몹시 답답하고 원통하다.

솜:-반 [-빤] 명 솜돗에 펴서 잠을 재운 반반한 솜 조각.

솜:-방망이 명 막대기나 쇠꼬챙이 끝에 솜뭉치를 묶어 붙여 만든 방망이《기름을 묻혀 횃처럼 불을 밝히는 데 씀》.

솜:-버선 명 솜을 넣은 두꺼운 버선.

솜:-병아리 명 알에서 갓 깬 병아리.

솜:-붙이 [-부치] 명 겹옷이나 홑옷을 입을 철에 입는 솜옷.

솜:-사탕 (-砂糖) 명 빙빙 도는 기계에 설탕

을 넣어 솜같이 부풀려 만든 과자.
솜솜 [부][하형] 마맛자국이 잘고 얕게 얽은 자국이 듬성듬성 있는 모양. ¶마맛자국이 ~한 얼굴. [큰]숨숨.
***솜씨** [명] **1** 손으로 물건을 만들거나 일을 하는 재주. ¶~가 서투르다 / ~를 발휘하다. **2** 일을 처리하는 수단이나 수완. ¶동아리를 이끄는 ~가 대단하다.
솜:-옷 [명] 솜을 넣어 지은 옷. 핫옷. ¶두툼한 ~ / ~을 지어 입다.
솜:-이불 [-니-] [명] 안에 솜을 두어 지은 이불. ¶두꺼운 ~.
솜:-채 [명] 펴 놓은 솜을 잠재우려고 두드리는, 대로 만든 채.
솜:-털 [명] 썩 잘고 보드랍고 고운 털. ¶~이 보얀 앳된 얼굴 / 버들개지가 ~같이 바람에 날리다.
솜:-틀 [명] 솜을 뜯어 부풀려 펴는 기계.
솟고라-지다 [솓꼬-] [자] **1** 용솟음치며 끓어오르다. **2** 솟구쳐 오르다.
솟구다 [솓꾸-] [타] 빠르고 날듯이 뛰어오르다. ¶몸을 솟구어 언덕에 뛰어오르다.
솟구-치다 [솓꾸-] [一][자] **1** 세차게 솟아오르다. ¶분수가 ~. **2** 감정이나 힘 따위가 급격히 솟아오르다. ¶솟구치는 부아. [二][타] 빠르고 세게 올리다. ¶몸을 솟구쳐 울타리를 뛰어넘다.
솟-나다 [솓-] [자] '소수나다'의 준말.
***솟다** [솓따] [자] **1** 아래에서 위로 또는 속에서 겉으로 세차게 움직이다. ¶불길이 ~ / 해가 솟았다. **2** 건물이나 산 같은 것이 우뚝 서다. ¶우뚝 솟아 있는 철탑. **3** 힘이나 의욕 따위가 생기다. ¶용기가 ~ / 부르면 절로 힘이 솟는 노래. **4** 땀이나 눈물 따위가 나다. ¶이마에 구슬땀이 송송 ~ / 눈물이 솟아 앞을 가리다.
솟:-대 [솓때] [명] 〖민〗 **1** 마을의 수호신 및 경계의 상징으로 마을 입구에 높이 세우던 장대《장대 끝에 나무로 만든 새를 붙임》. **2** 섣달 무렵에 농가에서 새해의 풍년을 바라는 뜻으로 볍씨를 주머니에 넣어 높이 달아매는 장대. **3** 솟대쟁이가 올라가 재주를 부리는 장대.
솟:대-쟁이 [솓때-] [명] 〖민〗 탈을 쓰고 솟대 꼭대기에 올라가 재주를 부리는 사람.
솟-보다 [솓뽀-] [타] 물건을 제대로 살펴보지 않고 비싸게 사다.
솟아-나다 [一][자] **1** 안에서 밖으로 나오다. ¶눈물이 ~ / 하늘이 무너져도 솟아날 구멍이 있다. **2** 힘이나 감정 따위가 생기다. ¶기쁨이 ~. [二][형] 여럿 가운데서 뚜렷하다.
***솟아-오르다** (-오르니, -올라) [자][르불] **1** 불쑥 나타나다. ¶불길이 ~ / 달이 동산 위에 솟아올랐다. **2** 힘이나 감정 따위가 힘차게 일어나다. ¶솟아오르는 열정(슬픔).
솟을-대문 (-大門) [-때-] [명] 행랑채의 지붕보다 높이 솟게 만든 대문. 고주(高柱) 대문.

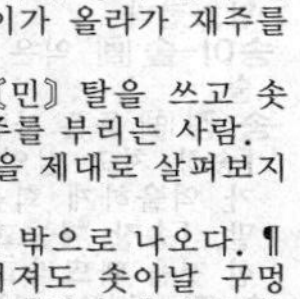
솟을대문

솟을-무늬 [-니] [명] 피륙 따위에 놓은 두드러진 무늬.
솟-치다 [솓-] [一][자] (주로 '화·분노' 따위의 부정적 감정 명사를 주어로 하여) 느낌 따위가 세차게 일어나다. [二][타] 위로 높게 올리다.
송:가 (頌歌) [명] 공덕을 기리는 노래.
송:고 (送稿) [명][하타] 신문·잡지·방송 기사 따위의 원고를 편집 담당자에게 보냄. ¶~가 늦다.
송고리 [명] '송골매'의 사냥꾼 말.
송골-매 (松鶻-) [명] 매[4].
송골-송골 [부] 땀이나 물방울·소름 따위가 살갗이나 표면에 잘게 많이 돋아나 있는 모양. ¶콧등에 땀이 ~ 맺히다.
***송:곳** [-곧] [명] 작은 구멍을 뚫는 데 쓰는 연장.
[송곳도 끝부터 들어간다] 일에는 순서가 있다. [송곳 박을 땅도 없다] ㉠대만원이다. ㉡부쳐 먹을 땅이라곤 조금도 없다.
송:곳-눈 [-곤-] [명] 날카롭게 쏘아보는 눈초리의 비유.
송:곳-니 [-곤-] [명] 〖생〗 앞니와 어금니 사이에 있는 뾰족한 이.
[송곳니가 방석니가 된다] 몹시 원통하다.
송과-선 (松果腺) [명] 〖생〗 솔방울 모양의 내분비 기관. 좌우 대뇌 반구 사이 셋째 뇌실(腦室)의 후부에 있음. 생식샘 자극 호르몬을 억제하는 멜라토닌을 분비함. 골윗샘.
송:구-스럽다 (悚懼-) (-스러우니, -스러워) [형][ㅂ불] 마음에 두렵고 거북한 느낌이 있다. ¶폐를 끼쳐 송구스럽습니다 / 송구스러워 어쩔 줄을 모르다. **송:구-스레** [부]
송:구-영신 (送舊迎新) [명][하자] 묵은해를 보내고 새해를 맞음. [준]송영(送迎).
송:구-하다 (悚懼-) [형][여불] 마음에 두렵고 거북하다. ¶이런 말씀을 드리게 되어 대단히 송구합니다.
송근-유 (松根油) [-뉴] [명] 솔뿌리를 건류(乾溜)하여 얻는, 테레빈유 비슷한 자극적인 냄새를 풍기는 무색의 기름《페인트·니스 등에 씀》.
송:금 (送金) [명][하자타] 돈을 부쳐 보냄. 또는 그 돈. ¶부모님께 생활비를 ~하다.
송기 (松肌) [명] 소나무의 속껍질《쌀가루와 섞어 떡도 만들고 죽도 쑴》.
송낙-뿔 [명] 둘 다 옆으로 꼬부라진 쇠뿔.
송:년 (送年) [명][하자] 한 해를 보냄. ¶~의 정을 나누다.
송:년-사 (送年辭) [명] 묵은해를 보내면서 하는 인사말이나 이야기. ↔신년사.
송:달 (送達) [명][하타] **1** 편지·서류 또는 물품을 보냄. ¶결정 사항은 후에 ~한다. **2** 소송 관계의 서류를 당사자나 소송 관계인에게 보내는 일.
송당-송당 [부][하타] **1** 연한 물건을 조금 작고 거칠게 자꾸 빨리 써는 모양. ¶호박을 ~ 썰다. **2** 바느질할 때에 거칠게 자꾸 호는 모양. ¶옷깃을 ~ 시치다. [큰]숭덩숭덩.
송:덕-비 (頌德碑) [명] 공덕을 기리기 위하여 세운 비. ¶~를 세워 공적을 기리다.
송:독 (誦讀) [명][하타] **1** 소리 내어 글을 읽음. **2** 외워서 읽음.
송두리-째 [부] 있는 전부를 모조리. ¶가산을 ~ 날리다 / 양식을 ~ 바꿔 놓다 / 마음을 ~ 흔들다.

송로 (松露)[-노] 명 1 솔잎에 맺힌 이슬. 2 〖식〗 알버섯과의 버섯. 봄에 솔밭 모래땅에 남. 둥근 덩어리 모양이며, 겉껍질은 원래 흰색이나 파내면 담갈색이 됨. 포자(胞子)가 미숙할 때 식용함.

송뢰 (松籟)[-뇌] 명 솔바람.

송:료 (送料)[-뇨] 명 물건을 부치는 데 드는 비용.

송린 (松鱗)[-닌] 명 물고기 비늘처럼 생긴 늙은 소나무의 껍질.

송림 (松林)[-님] 명 솔숲. ¶울창한 ~.

송백 (松柏) 명 1 소나무와 잣나무. 2 껍질을 벗겨 솔잎에 꿴 잣.

송:별 (送別) 명하타 떠나는 사람을 작별하여 보냄. ¶군대 가는 친구를 ~하다.

송:별-사 (送別辭)[-싸] 명 떠나는 사람에게 남아 있는 사람이 하는 인사말. 또는 그런 글. ¶~를 눈물로 낭송하다. 준송사(送辭).

송:별-회 (送別會) 명 송별의 서운함을 달래고 앞날의 행운을 바라는 뜻으로 베푸는 모임. ¶이민 가는 친구의 ~가 조촐하게 열렸다.

송:부 (送付) 명하타 물건을 부치어 보냄.

송:사 (送辭) 명 '송별사'의 준말.

송:사 (訟事) 명하타 1 〖역〗 백성끼리 분쟁이 있을 때, 관부에 호소하여 판결을 구하던 일. 2 〈속〉 소송(訴訟). ¶이웃 간에 ~를 벌이다.

송:사 (頌辭) 명 공덕을 기리는 말. ¶~를 올리다.

송:사리 명 1 〖어〗 송사릿과의 민물고기. 길이 3-4 cm 정도, 빛은 담회갈색, 옆구리에 잔 검은 점이 많이 있고 눈이 큼. 2 권력이 없는 약자나 하찮은 사람. ¶~만 처벌을 받았다.
[송사리 한 마리가 온 강물을 흐린다] 대수롭지 않은 존재의 부정적인 행위가 온 집단에 나쁜 영향을 끼침의 비유.

송:상 (送像) 명하타 텔레비전 따위에서, 화면을 전파로 보냄. ↔수상(受像).

송:상-기 (送像機) 명 텔레비전이나 전송 사진 따위에서, 화면을 전파로 보내는 장치. ↔수상기(受像機).

송송 부 1 연한 물건을 좀 잘게 빨리 써는 모양. ¶파를 ~ 썰다. 2 작은 구멍이 많이 뚫린 모양. ¶판장 벽에 탄알 자국이 ~ 나 있다. 3 피부에 잔 땀방울이나 소름 따위가 많이 돋은 모양. ¶콧등에 땀방울이 ~ 맺히다. 큰숭숭.

송:수-관 (送水管) 명 상수도의 물을 보내는 관.

송:수화-기 (送受話器) 명 1 송화기와 수화기. 2 전화기의 말을 보내고 받는 장치.

송:시 (頌詩) 명 공덕을 기리는 시.

송:신 (送信) 명하타 전화·전보·라디오 따위의 신호를 보냄. 또는 그런 일. ¶팩스로 자료를 ~했다. ↔수신(受信).

송:신-기 (送信機) 명 무선 통신·방송에서 신호를 고주파 전류로 바꾸어 송신 안테나를 통해 보내는 장치. ↔수신기.

송:신-소 (送信所) 명 방송 전파 따위를 송신하는 곳.

송아리 一명 열매나 꽃 등이 잘게 한데 모여 달린 덩어리. ¶포도 ~. 큰숭어리. 二의명 一을 세는 단위. ¶국화 한 ~. *송이.

***송아지** 명 어린 소.
[송아지 못된 것은 엉덩이에 뿔이 난다] 되지 못한 것이 엇나가는 짓을 한다는 뜻.

송알-송알 부 1 술·고추장 따위가 괴어 거품이 이는 모양. 2 땀방울·물방울이나 열매 따위가 방울방울 맺힌 모양. ¶~ 맺힌 이슬방울. 큰숭얼숭얼.

송액 (松液) 명 소나무의 뿌리를 자른 데에서 나오는 진.

송어 (松魚) 명 〖어〗 연어과의 바닷물고기. 연어 비슷한데 길이는 60 cm 정도이며, 등은 짙은 남색, 배는 은백색임. 산란기에 강으로 올라감.

송연 (松煙) 명 소나무를 태운 그을음《먹의 원료》.

송:연-하다 (竦然-·悚然-) 형여불 두려워 몸을 옹송그릴 정도로 오싹한 느낌이 있다. ¶모골(毛骨)이 ~. **송:연-히** 부

송:영 (送迎) 명하자타 1 가는 사람을 보내고 오는 사람을 맞음. ¶공항은 ~하러 나온 사람으로 늘 붐빈다. 2 '송구영신(送舊迎新)'의 준말.

송:영 (誦詠) 명하타 시가를 외어 읊조림.

송유 (松油) 명 솔가지를 구워 받은 기름.

송:유-관 (送油管) 명 석유나 원유 등을 딴 곳에 보내기 위한 관.

***송이** 一명 꽃·열매·눈 따위가 따로 다른 꼭지에 달린 한 덩이. ¶장미 ~를 코끝에 대어 보다. 二의명 一을 세는 단위. ¶꽃 한 ~. *송아리.

송이 (松栮) 명 〖식〗 송이과의 버섯. 솔밭 축축한 곳에 나는데, 줄기는 원통 모양이고 갓의 지름은 8-20 cm로, 독특한 향기와 맛을 지닌 대표적인 식용 버섯임. 송심(松蕈). 송이버섯.

송이-밤 명 까지 않은 밤송이 속에 들어 있는 밤. ↔알밤.

송이-버섯 (松栮-)[-섣] 명 〖식〗 '송이'를 분명히 일컫는 말.

송이-송이 부 송이마다 모두. ¶목련이 ~ 탐스럽다.

송이-술 명 익은 술독에서 전국으로 떠낸 술.

송:장 명 죽은 사람의 몸. 시신. 시체.
[송장 치고 살인났다] 섣불리 상관하였다가 억울하게 화를 당하는 경우를 이르는 말. [송장 빼놓고 장사 지낸다] 가장 긴요한 것을 빠뜨리고 일을 치른다는 말.

송:장 (送狀)[-짱] 명 송증(送證).

송:장-헤엄 명 배영(背泳).

송:적 (送籍) 명하타 혼인·양자 등으로 들어가는 집의 호적으로 옮겨 넣음.

송:전 (送電) 명하자 〖전〗 발전소에서 생산된 전력을 변전소로 보내는 일. ¶제한 ~.

송:정 (送呈) 명하타 윗사람에게 편지나 물건을 보내어 드림.

송:종 (送終) 명하자 장례에 관한 모든 일. 또는 장례를 끝마침.

송죽 (松竹) 명 소나무와 대나무. ¶~ 같은 절개.

송죽지절 (松竹之節) 명 소나무같이 꿋꿋하고 대나무같이 곧은 절개.

송:증 (送證)[-쯩] 명 물품을 보내는 사람이

받는 사람에게 보내는 물품 명세서. 송장(送狀).
송진 (松津) 명 소나무나 잣나무에서 나는 끈끈한 액체. 송지(松脂).
송:축 (頌祝) 명하타 경사를 기리고 축하함. 송도(頌禱).
송:출 (送出) 명하타 **1** 사람을 해외로 보냄. ¶근로자를 동남아로 ~하다. **2** 물품·전기·전파·정보 따위를 기계적으로 전달함. ¶프로그램의 순조로운 ~.
송충-이 (松蟲-) 명 솔나방의 애벌레. 몸은 누에 모양이며 흑갈색임. 온몸에 긴 털이 나 있으며 솔잎을 갉아먹는 해충임. 송충.
[송충이는 솔잎을 먹어야 한다] 자기 분수에 맞게 처신하여야 함의 비유.
송치 명 암소 배 속에 들어 있는 새끼.
송:치 (送致) 명하타 **1** 서류나 물건 따위를 보내어 정해진 곳에 이르게 함. **2**〖법〗수사 기관에서 검찰청으로, 또는 한 검찰청에서 다른 검찰청으로 피의자와 관련 서류를 넘겨 보냄. ¶범인을 검찰청으로 ~하다.
송판 (松板) 명 소나무를 켜서 만든 널빤지.
송편 (松-) 명 반죽한 멥쌀가루에 소를 넣고 빚어 솔잎을 깔고 찐 떡. 송병(松餠).
[송편으로 목을 따 죽지] 하찮은 일로 같잖게 성내거나 분해하는 사람에 대한 비유.
송:풍-기 (送風機) 명 바람을 일으켜 보내는 기계《갱내의 환기, 용광로 등의 통풍에 씀》.
송:하-인 (送荷人) 명 운송 계약에서, 물품의 운송을 맡기는 사람. ↔수하인(受荷人).
송:학 (宋學) 명 중국 송나라 때의 유학《복고적 색채를 가지며, 단순한 지식에서 실천으로 옮겨진 것이 특색임. 한나라·당나라 때의 훈고학과 대조됨》.
송학 (松鶴) 명 소나무 위의 학.
송화 (松花) 명 소나무의 꽃. 또는 그 꽃가루.
송:화 (送話) 명하자 전화 등으로 상대방에게 말을 보냄. ↔수화.
송:화-기 (送話器) 명 전화기에서 말을 보내는 장치《음성의 진동을 전류 진동으로 바꾸어 줌》. ↔수화기.
송:환 (送還) 명하타 전쟁 포로나 불법으로 입국한 사람 등을 본국으로 도로 돌려보냄. ¶불법 이주민들은 곧 ~될 것이다.
송홧-가루 (松花-)[-화까-/-홛까-] 명 소나무의 꽃가루. 또는 그것을 물에 넣고 휘저어 잡물을 없앤 뒤 말린 가루.
*__솥__ [솓] 명 쇠·양은 등으로 만든, 밥을 짓거나 국 따위를 끓이는 그릇. ¶~을 부뚜막에 걸다/~에 밥을 안치다.
[솥 떼어 놓고 삼 년이라] 오랫동안 결정을 짓지 못하고 망설인다. [솥 씻어 놓고 기다리기] 준비를 다 해 놓고 기다림. [솥에 넣은 팥이라도 익어야 먹지] 일은 너무 서두르면 안 된다.
솥-귀 [솓뀌] 명 솥의 운두 위로 두 귀처럼 뾰족이 돋은 부분.
솥-뚜껑 [솓-] 명 솥의 뚜껑. 소댕.
솥뚜껑 운전수 구 밥솥을 다루는 사람이라는 뜻으로, '가정주부'를 속되게 이르는 말.
솥-발 [솓빨] 명 솥 밑에 달린 세 개의 발. ¶세 사람이 ~처럼 앉다.
솥발-이 [솓빨-] 명 한배에서 난 세 마리의 강아지.
솥-전 [솓쩐] 명 솥 몸의 바깥 중턱에 둘러 댄 전《솥을 들거나 걸 때 씀》.
솥-젖 [솓쩓] 명 솥이 걸리도록 솥 몸의 바깥 중턱에 댄 서너 개의 쇳조각.
솨 부 **1** 나뭇가지나 물건 틈 사이로 스쳐 부는 바람 소리. **2** 비바람이 치거나 물결이 밀려오는 소리. ¶파도가 ~ 밀려온다. **3** 물·액체가 급히 흐르는 소리. ¶수돗물이 ~ 쏟아진다. 센쏴.
솨-솨 부 '솨' 하고 잇따라 나는 소리. ¶바람이 ~ 분다. 센쏴쏴.
솰솰 부 **1** 물 따위가 거침없이 자꾸 흐르는 모양이나 소리. ¶물이 ~ 흐른다. **2** 고운 가루나 모래 따위가 좁은 틈이나 구멍으로 거침없이 자꾸 흘러내리는 모양이나 소리. **3** 자꾸 머리털을 빗거나 짐승의 털을 손질하는 모양이나 소리.
쇄:골 (鎖骨) 명〖생〗가슴 좌우의 앞면 위쪽에 있어 'S' 자 모양을 이루는 한 쌍의 뼈《앞은 흉골에, 뒤는 견갑골(肩胛骨)에 접함》. 빗장뼈.
쇄:국 (鎖國) 명하자 외국과의 통상·교역을 금함. ↔개국.
쇄:국 정책 (鎖國政策) 외국과의 통상·교역을 금지하는 정책. ↔개방 정책.
쇄:금 (碎金) 명 **1** 금의 부스러기. **2** 금을 깨뜨리면 빛이 더 찬란하다는 뜻으로, 아름다운 시나 문장을 가리키는 말.
쇄:도 (殺到) 명하자 한꺼번에 세차게 몰려듦. ¶구입 문의가 ~하다/관객이 ~하다/인터뷰 요청이 ~하다.
쇄:락-하다 (灑落-·洒落-)[-라카-] 형여불 기분이나 몸이 시원하고 깨끗하다. ¶모처럼 심신이 ~.
쇄:빙-선 (碎氷船) 명 얼어붙은 바다나 강의 얼음을 깨뜨려 부수고 뱃길을 내는 배.
쇄:신 (刷新) 명하타 나쁜 폐단이나 묵은 것을 없애고 새롭게 함. ¶공직 사회의 기강을 ~하다/국정이 ~되다.
쇄:파 (碎破) 명하타 부수어 깨뜨림. 파쇄.
쇄:편 (碎片) 명 부스러진 조각.
쇄:항 (鎖港) 명하타 외국 선박의 입항을 금하여 통상을 하지 못하게 함.
*__쇠__ 명 **1** 철. ¶~를 녹이다. **2** 쇠붙이의 총칭. **3** '열쇠'의 준말. **4** '자물쇠'의 준말. ¶~를 채우다. **5** 〈속〉 돈. **6** 〈속〉 자석(磁石).
[쇠가 쇠를 먹고 살이 살을 먹는다] 친족이나 동류끼리 서로 다툼을 이름.
쇠-[1] 두 동식물의 이름 앞에 붙어 작은 종류의 뜻을 나타냄. ¶~고래/~기러기.
쇠:-[2] 두 '소의·소와 같은'의 뜻을 나타냄. ¶~가죽/~고기/~고집.
-쇠 미 일부 명사에 붙어 사내의 이름을 나타냄. ¶돌~/마당~/먹~.
쇠-가래 명 바닥이 쇠로 된 가래.
쇠:-가죽 명 소의 가죽. 소가죽. 우피(牛皮). ¶~으로 만든 지갑.
쇠가죽을 무릅쓰다 구 부끄러움이나 체면을 돌아보지 아니하다.
쇠:-간 (-肝) 명 소의 간. 소간. 우간(牛肝).
쇠-갈고리 명 쇠로 만든 갈고리.
쇠:-갈비 명 소의 갈비. 또는 소의 갈비로

만든 음식. 소갈비.
쇠경(衰境) 명 늙바탕. ¶~에 접어드신 어머니.
쇠:-고기 명 소의 고기. 소고기. 우육(牛肉). ¶수입 ~/~를 굽다.
쇠-고랑 명 〈속〉 수갑(手匣). ¶~을 차다. 준고랑.
쇠-고리 명 쇠로 만든 고리.
쇠:-고집(-固執) 명 몹시 센 고집. 또는 그런 사람. 소고집. 황소고집. ¶~을 부리다. [쇠고집과 닭고집이다] ㉠고집이 매우 세다. ㉡양쪽이 모두 못지 않게 고집이 세다.
쇠곤-하다(衰困-) 형여불 몸이 쇠약하고 피곤하다.
쇠:-골 명 소의 골.
쇠골(衰骨) 명 가냘프고 약하게 생긴 골격. 또는 그런 사람.
쇠-공이 명 쇠로 만든 공이.
쇠-구들 명 고래가 막히어 불을 때도 더워지지 않는 방.
쇠:-귀 명 소의 귀. 소귀. 우이(牛耳). [쇠귀에 경 읽기] 아무리 가르치고 일러주어도 알아듣지 못하거나 효과가 없음. 우이독경(牛耳讀經).
쇠-기둥 명 **1** 쇠로 만든 기둥. **2** 작두의 날을 끼우기 위하여 바탕에 박아 놓은 두 개의 쇳조각. *작두.
쇠-기러기 명 〔조〕 오릿과의 철새. 무논이나 습지, 초원 등에 떼 지어 삶. 몸은 기러기보다 작으며, 가슴과 배에 검은 얼룩무늬가 있음. 우리나라에서 월동(越冬)함.
쇠:-기름 명 소의 기름. 소기름. 우지(牛脂).
쇠:-기침 명 오래도록 낫지 않아 점점 더 심해진 기침.
쇠:-꼬리 명 **1** 소의 꼬리. 소꼬리. **2** 베틀신과 신대를 잇는 끈. [쇠꼬리보다 닭 대가리가 낫다] 크거나 훌륭한 것 중의 말단에 있는 것보다는 대수롭지 않은 데서라도 상석에 있는 것이 나음을 이르는 말.
쇠:꼬리-채 명 베틀에 달려, 당겨서 날과 씨를 서로 오르내리게 하는 장치.
쇠-꼬챙이 명 **1** 쇠로 만든 꼬챙이. **2** 매우 여위었으면서도 옹골차며 날카로움의 비유. ¶쇠꼬챙이 같은 성질.
쇠-끄트러기 명 **1** 물건을 만들고 남은 쇠부스러기나 동강. **2** 크기가 작은 쇠붙이.
쇠-나다 자 **1** 솥에 난 녹이 음식에 물들다. **2** 부스럼이 덧나다.
쇠다[1] 자 **1** 채소 따위가 너무 자라 뻣뻣하고 억세다. ¶파가 ~. **2** 한도를 지나쳐 점점 나쁜 쪽으로 심해지다. ¶병이 ~. **3** 성질이나 성품이 나빠지고 비뚤어지다.
쇠:다[2] 타 명절·생일 같은 날을 맞이하여 지내다. ¶구정을 쇠는 가정이 급격히 늘다/추석을 쇠러 시골에 가다.
-쇠다 어미 '-소이다'의 낮은말. ¶잘 알았~.
쇠-딱지 명 어린아이 머리에 눌어붙은 때.
쇠-똥[1] 명 쇠를 불에 달구어 불릴 때 튀는 부스러기. 철설(鐵屑). 철소(鐵梢).
쇠:-똥[2] 명 **1** 소의 똥. **2** 쇠딱지. [쇠똥도 약에 쓰려면 없다] 아주 흔하여 눈에 자주 띄던 것도 소용이 있어 찾게 되면 눈에 띄지 않게 되는 경우의 비유. [쇠똥에 미끄러져 개똥에 코 박은 셈이다] 대수롭지 않은 일에 연거푸 실수만 하고 일이 꼬여 들기만 하여 기가 막히고 어이가 없는 경우의 비유.
쇠:똥-구리 명 〔충〕 풍뎅잇과의 갑충. 길이 1.8cm 가량으로 몸빛은 검고 광택이 있으며, 짐승의 똥을 둥글리어 흙 속에 묻고 그 속에 산란함. 말똥구리. 쇠똥벌레.
쇠뜨기 명 〔식〕 속샛과의 여러해살이풀. 들에 남. 땅속줄기는 가로 뻗고, 땅위줄기는 영양경·포자경의 두 가지가 있음. 어린 포자경은 '뱀밥'이라 하여 식용함. 필두채(筆頭菜).
쇠락(衰落) 명하자 쇠약하여 말라서 떨어짐. ¶~의 기운이 역력하다.
쇠망(衰亡) 명하자 쇠퇴하여 망함. ¶~한 명문거족의 후예.
쇠멸(衰滅) 명하자 쇠퇴하여 멸망함. ¶찬란했던 문명의 ~.
쇠모(衰耗) 명하자 쇠퇴하여 줄어듦.
쇠목 명 장롱의 앞쪽 두 기둥 사이에 가로지르는 나무.
쇠-못[-몯] 명 쇠로 만든 못.
쇠-몽둥이 명 쇠로 만든 몽둥이. 철봉.
쇠-몽치 명 쇠로 만든 짤막한 몽둥이.
쇠-문(-門) 명 쇠로 된 문. 철문.
쇠문(衰門) 명 쇠퇴하여 기울어진 집안.
쇠문-이(衰門-) 명 집안을 망치는 사람이라는 뜻으로, 행실이 못되고 진취성이 없는 사람.
쇠-뭉치 명 뭉쳐진 쇳덩어리.
쇠미-하다(衰微-) 형여불 쇠잔하고 미약하다. ¶기억력이 ~.
쇠:-백정(-白丁) 명 소를 잡는 것을 업으로 삼는 사람. 쇠백장.
쇠-붙이[-부치] 명 **1** 금속. ¶~를 달구어 농기구를 만들다. **2** 철물이나 쇳조각 따위의 총칭.
쇠:-뿔 명 소의 뿔. 소뿔. 우각(牛角). [쇠뿔도 단김에 빼랬다] 무엇을 하려고 했으면 한창 열이 올랐을 때 망설이지 말고 곧 행동으로 옮기라는 말.
쇠-사슬 명 **1** 쇠로 만든 고리를 여러 개 죽 이어서 만든 줄. 철쇄(鐵鎖). ¶~에 묶인 죄수. **2** 억압이나 압박의 비유. ¶일제의 ~에서 벗어나 광복을 되찾다. 준사슬.
쇠-살문(-門) 명 쇠로 된 살대로 짠 문.
쇠:-살쭈 명 장에서 소를 팔고 사는 것을 흥정 붙이는 사람. 준살쭈.
쇠-살창(-窓) 명 쇠로 만든 살을 댄 창.
쇠상(衰相) 명 〔불〕 쇠한 모습.
쇠:-서 명 고기로서의 소의 혀.
쇠-솥[-솓] 명 쇠로 만든 솥.
쇠스랑 명 쇠로 서너 개의 발을 만들고 자루를 박은 갈퀴 모양의 농기구《땅을 고르거나 풀 무덤 따위를 쳐 내는 데 씀》.

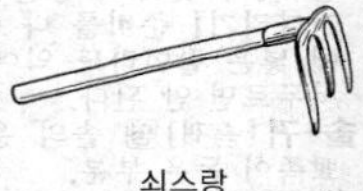
쇠스랑

쇠시리 명 〔건〕 기둥 모서리나 문살의 표면을 모양 있게 하기 위해 모를 접어 두 골이 나게 하는 일.
쇠:-심 명 **1** 소의 힘줄. **2** 소의 힘.

쇠ː심-떠깨 명 힘줄이 섞여 질긴 쇠고기. ㊀심떠깨.

쇠약(衰弱) 명하형 힘이 쇠하고 약함. ¶몸이 ~해져 술을 삼가다.

쇠양배양-하다 형여불 1 철없이 함부로 날뛰는 경향이 있다. 2 요량이 적고 분수가 없어 아둔하다.

쇠ː-여물 명 소에게 먹이는 여물. 소여물.

쇠용(衰容) 명 쇠약한 모습. 여윈 얼굴.

쇠운(衰運) 명 점점 줄어서 약해지는 운수. 기우는 운수. ¶~의 길을 걷다.

쇠잔(衰殘) 명하자 쇠하여 힘이나 세력이 점점 약해짐. ¶뚜렷한 ~의 징조.

쇠-잡이 명 농악에서, 꽹과리나 징을 잡고 치는 일. 또는 그런 사람.

쇠ː-장(-場) 명 소를 사고파는 장. 소장. 쇠전. 우(牛)시장.

쇠ː-전(-廛) 명 쇠장(場). ¶~이 서다 / 소를 ~에 내놓다.

쇠ː-족(-足) 명 고기로서의 소의 발.

쇠ː-죽(-粥) 명 소의 먹이로 짚과 콩·풀 따위를 섞어 끓인 죽.

쇠ː죽-가마(-粥-) 명 쇠죽을 쑤는 가마.

쇠증(衰症)[-쯩] 명 노쇠하여 생기는 증세.

쇠ː지랑-물 명 외양간 뒤에 괴어 있는, 소의 오줌이 썩어서 검붉게 된 물《거름으로 씀》.

쇠진(衰盡) 명하자 기력이나 세력이 점차로 쇠하여 없어짐. ¶기력이 점점 ~해 가는 것 같다.

쇠ː-짚신[-집씬] 명 소에게 일을 시킬 때 신기는 짚신.

쇠-차돌 명 산화철이 들어 있어 붉은빛·누른빛을 띤 차돌.

쇠-창살(-窓-)[-쌀] 명 쇠로 만든 창살.

쇠-채 명 거문고 따위를 타는 데 쓰는, 쇠로 만든 채.

쇠ː-코 명 1 소의 코. 2 보습 뒷면의 네모진 구멍 위에 가로로 지른 부분.

쇠ː-코뚜레 명 소의 코청을 꿰뚫어 끼는, 고리 모양의 나무. ㊀코뚜레.

쇠ː코-잠방이 명 여름에 농부가 일할 때 입는, 무릎까지 내려오는 짧고 얇은 바지.

쇠태(衰態) 명 쇠약한 상태나 모습.

쇠ː-털 명 소의 털. 소털. 우모(牛毛).
[쇠털같이 하고많은〔허구한〕 날] 헤아릴 수 없이 많은 나날의 비유. **[쇠털을 뽑아 제 구멍에 박는다]** 견식이 좁고 융통성이 없거나 고지식하다.

쇠퇴(衰退·衰頹) 명하자 기세나 상태가 쇠하여 전보다 못하여 감. ¶기억력의 ~ / 농어업의 ~.

쇠ː-파리 명 〖충〗 쇠파릿과의 곤충. 길이는 1.5 cm 정도, 빛은 황갈색에 검은 털이 빽빽이 남. 마소의 살갗에 파고들어 피를 빨며, 그 속에 알을 낳음. 애벌레는 피하 조직에 기생함.

쇠-푼 명 얼마 안 되는 돈. ¶~ 정도 있다고.

쇠ː-풀 명 〖식〗 볏과의 한해살이풀. 산야에 남. 높이는 30 cm 정도이며, 잎은 어긋나고 매우 얇음. 늦여름에 자색 꽃이 피고 잘고 가는 열매를 맺음.

쇠ː-풍경(-風磬) 명 소의 턱 밑에 다는, 풍경 모양의 방울.

쇠-하다(衰-) 자여불 힘이나 세력 따위가 점점 줄어 약해지다. ¶원기〔형세〕가 쇠해 가고 있다.

쇠-호두 명 껍풀이 딱딱하고 두꺼운 호두.

쇤ː-네 인대 '소인네'의 준말. 예전에, 상전(上典)에 대하여 하인·하녀 등이 자신을 낮추어 일컫던 말.
쇤네를 내붙이다 구 자기 스스로 쇤네라 일컬으며 비굴하게 아첨하다.

쇰직-하다[-지카-] 형여불 다른 것보다 좀 더 크거나 정도가 비슷하다.

쇳-냥(-兩)[쇤-] 명 돈냥. ¶~깨나 있다고 무척 건방지다.

쇳-돌[쇠똘 / 쇧똘] 명 쇠붙이의 성분이 든 광석(鑛石).

쇳-물[쇤-] 명 1 쇠의 녹이 우러나 검붉은 물. ¶빨래에 ~이 들다. 2 높은 열에 녹아 액체 상태로 된 쇠. ¶용광로에서 흘러나오는 ~.

쇳-소리[쇠쏘- / 쇧쏘-] 명 1 쇠붙이가 부딪쳐 나는 소리. 금속성(金屬聲). ¶기차가 ~ 몇 번 내더니 멈추었다. 2 쨍쨍 울리는 날카로운 목소리. ¶카랑카랑한 ~.

쇳-조각[쇠쪼- / 쇧쪼-] 명 1 쇠붙이의 조각. 철편. 2 냉담하고 경망한 사람의 비유.

쇳-줄[쇠쭐 / 쇧쭐] 명 〖광〗 광맥. ㊀줄.

쇼(show) 명 1 구경거리나 구경거리가 된 사건. ¶한바탕 ~가 벌어졌다. 2 〖연〗 춤과 노래를 엮어 무대에 올리는 연예 오락. ¶뮤지컬 ~. 3 남을 속이기 위해 일부러 꾸미는 일의 비유. ¶~를 부리다.

쇼맨십(showmanship) 명 특이한 언행으로 사람들의 이목을 끌고 즐겁게 하는 재능이나 기질.

쇼비니즘(chauvinism) 명 나라의 이익을 위해서는 수단과 방법을 가리지 않는, 광신적이고 배타적인 애국주의.

쇼-윈도(show window) 명 진열창. ¶~에 걸려 있는 고급 의상들. ㊀윈도.

쇼크(shock) 명 1 갑자기 당하는 큰일 때문에 생기는 놀라움과 동요. 심적 충격. ¶뜻하지 않은 사고에 ~를 받았다. 2 〖의〗 출혈이나 외상(外傷) 또는 돌발적인 자극 등으로 급격한 생체 기능의 저하, 의식 장애 등을 일으키는 증상. ¶주사(注射) ~로 경련을 일으키다.
쇼크(를) 먹다 구 〈속〉 충격을 심하게 받는 것을 이르는 말.

쇼크-사(shock死) 명 〖의〗 외상을 입었을 때나 수술을 할 때, 쇼크 증상을 일으켜 죽는 일. 충격사.

쇼킹-하다(shocking-) 형여불 충격을 받을 만큼 매우 놀랍다. ¶쇼킹한 사건.

쇼트닝(shortening) 명 제과·제빵·요리 등에 많이 쓰는 반고체 상태의 기름《콩기름·쇠기름·땅콩기름 등을 섞어 굳힌 것으로 100% 지방질임》.

쇼핑(shopping) 명하자 백화점이나 상점을 구경하고 돌아다니며 물건을 사는 일. 물건 사기. 장보기. ¶백화점에 ~하러 가다.

숄(shawl) 명 여자들이 장식이나 보온용으로 어깨에 걸치는 넓고 긴 천. 어깨걸이.

수¹ 명 생물에서, 새끼나 알을 배지 못하거나 열매를 맺지 못하는 성(性). ¶암과 ~를 감별하다. ↔암¹.

*수² ㊀명 일을 처리하는 방법이나 수단. ¶무슨 ~를 써서라도 이겨야지 / 뾰족한 ~가 없다 / 그런 ~에는 안 넘어간다. ㊁의명 (어미 '-은·-는·-을' 뒤에서 '있다'·'없다' 따위와 함께 쓰여) 일을 할 만한 힘이나 가능성. ¶있을 ~ 없는 일 / 기다리는 ~밖에 다른 방도가 없다.

수(가) 익다 구 일 따위가 손에 익거나 익숙해지다.

수(手) ㊀명 바둑이나 장기 등을 두는 솜씨. 또는 그 수준. ¶~를 읽다 / 한 ~ 가르쳐 줄까. ㊁의명 바둑·장기 등을 번갈아 두는 횟수를 세는 말. ¶한 ~ 물러 주게 / 몇 ~ 앞을 보다.

수(가) 깊다 구 바둑이나 장기 따위를 두는 기술이 상대방보다 우월하다.

수(가) 달리다 구 ㉠바둑이나 장기 따위를 두는 기술이 상대방보다 떨어지다. ㉡말이나 행동에서 상대방보다 못하다.

수(가) 세다 구 남을 휘어잡거나 다루는 힘이 매우 세차다.

수(水) 명 1 오행(五行)의 하나. 방위는 북쪽, 계절로는 겨울, 빛으로는 검정을 뜻함. 2 '수요일'의 준말.

수(秀) 명 성적 등급을 다섯 단계로 나눌 때의 가장 높은 단계《우의 위》.

수(壽) 명 1 오복의 하나로 오래 사는 일. ¶~를 누리다. 2 늙은 사람의 나이를 높여 이르는 말. ¶칠십 ~. 3 '수명'의 준말. ¶~를 다하다.

수:¹(數) 명 1 '운수'의 준말. ¶올해는 ~가 좋은 모양이다 / ~가 사나워 도둑을 맞은 거야. 2 좋은 운수. ¶~를 만나 횡재했다 / 복권에 당첨되다니 ~가 났네그려.

*수:² (數) ㊀명 1 셀 수 있는 사물의 크기를 나타내는 값. ¶관중의 ~ / ~가 모자라다. 2〔수〕자연수·분수·정수·유리수·무리수·실수·허수 등의 총칭. ㊁관 단위를 나타내는 말 앞에 쓰여, '몇·여러·약간'의 뜻을 나타냄. ¶~ 킬로미터 / ~ 톤에 이르는 밀수품.

수(를) 놓다 구 수를 계산하다.

수: (繡) 명 헝겊에 색실로 그림·글자 등을 바늘로 떠서 놓는 일. 또는 그 그림이나 글자. ¶~를 놓은 보자기.

수 (首) 의명 1 시나 노래를 세는 단위. ¶시조 한 ~를 읊다. 2 마리. ¶오리 한 ~.

수- 두 1 생물의 수컷을 나타냄. ¶~개미 / ~캐 / ~탉 / ~퇘지 / ~평아리 / ~소. 2 (짝이 있는 사물을 나타내는 일부 명사 앞에 붙어) '길게 튀어나온 모양의', '안쪽에 들어가는', '잘 보이는'의 뜻을 더하여 비유적으로 쓰는 말. ¶~키와 / ~톨쩌귀 / ~나사 / ~무지개. ↔암-.

수:-(數) 두 수와 관계되는 말 앞에 붙어, '여러·몇·약간'의 뜻을 나타냄. ¶~백만 / ~차례.

-수(手) 미 일부 명사 뒤에 붙어, 그에 종사하는 사람 또는 선수 등을 나타냄. ¶운전~ / 소방~ / 공격~ / 외야~.

-수 (囚) 미 '죄수'의 뜻을 나타냄. ¶미결~ / 사형~.

수가 (酬價)[-까] 명 보수로 주는 대가(代價). ¶의료 보험 ~.

수각 (水閣) 명 물가나 물 위에 지은 정자.

수간 (樹間) 명 나무와 나무 사이.

수간 (樹幹) 명 나무의 줄기.

수간 (獸姦) 명하자 짐승을 상대로 하는 변태적인 성행위.

수:간-모옥 (數間茅屋) 명 수간초옥.

수:간-초옥 (數間草屋) 명 몇 칸 안 되는 작은 초가(草家).

수-간호사 (首看護師) 명 종합 병원 등에서, 병동(病棟) 등 특정 단위에 속하는 간호사들의 우두머리.

수감 (收監) 명하타 죄인을 구치소나 교도소에 가두어 넣음. ¶~ 생활을 마감하고 집으로 돌아오다.

수갑 (手匣) 명 죄인이나 피의자의 양쪽 손목에 채우는 쇠로 만든 형구(刑具). 쇠고랑. ¶~을 차다.

수갑

수강 (受講) 명하타 강습이나 강의를 받음. ¶역사를 ~하다.

수:-개월 (數箇月) 명 두서너 달. 또는 여러 달. ¶~이 걸리다 / 이 일은 이미 ~ 전부터 추진되어 왔다.

수거 (收去) 명하타 거두어 감. ¶재활용 쓰레기를 ~하다.

*수:건 (手巾) 명 얼굴·몸 등을 닦기 위한 헝겊 조각. 타월.

수검 (受檢) 명하자 검사나 검열 등을 받음.

수검 (搜檢) 명하타 금제품(禁制品) 따위를 수색하여 검사함. 수험(搜驗).

수격 (手格) 명하타 주먹으로 침.

수결 (手決) 명 지난날, 도장 대신 자기 성명이나 직함 아래 자필로 쓰던 일정한 자형(字形). 수압(手押).

수결

수결(을) 두다 구 수결을 쓰다.

수경-성 (水硬性)[-썽] 명 석회·시멘트처럼 물속에서 굳어지는 성질.

수경-증 (手硬症)[-쯩] 명〔한의〕뇌척수막염 등으로 손이 싸늘해지고 뻣뻣해지는 증상. 수경(手硬).

수계 (水系)[-/-게] 명〔지〕지표의 물이 점차로 모여서 같은 물줄기를 이루는 계통《주체는 하천이지만 이에 딸린 호소도 같은 수계에 속함》. ¶낙동강 ~.

수계 (水界)[-/-게] 명 1 수권(水圈). 2 물과 육지의 경계.

수:고 명하자 일을 하는 데 힘을 들이고 애를 씀. 또는 그런 어려움. ¶~를 끼치다 / ~를 덜다 / ~가 많으셨습니다.

수고 (愁苦) 명하자 근심과 걱정으로 괴로워함.

수:고-롭다〔-로우니, -로워〕형ㅂ불 일을 처리하기가 괴롭고 고되다. ¶수고로운 일을 대신 맡아 주어 고맙네. 수:고-로이 부

수:고-비 (-費) 명 수고한 값으로 주는 돈. ¶~가 두둑하다.

수:고-스럽다〔-스러우니, -스러워〕형ㅂ불 일을 하기에 수고로움이 있다. ¶수고스럽

수도-관 (水道管) 명 상수도의 물이 통하는 관(管). ¶~을 매설하다.

수도-권 (首都圈)[-꿘] 명 수도를 중심으로, 인접 도시와 함께 이룬 대도시 지역《서울을 중심으로 한 경기도 일대》. ¶~ 개발 계획 / ~ 인구 집중을 억제하다.

수도-꼭지 (水道-) 명 수돗물이 나오게 하거나 그치게 하는 장치. 급수전. ¶~에서 물이 쏟아지다.

수도-승 (修道僧) 명 〖불〗 도를 닦는 중.

수도-원 (修道院) 명 〖가〗 수녀나 수사 등 수도자들이 일정한 규칙에 따라 공동생활을 하면서 수도하는 집.

수도-자 (修道者) 명 **1** 도를 닦는 사람. **2** 〖가〗 수사 또는 수녀.

수도-전 (水道栓) 명 수통(水筩).

수돗-물 (水道-)[-돈-] 명 상수도에서 나오는 물. ¶~ 공급이 24시간 끊기다.

수동 (手動) 명 기계 따위를 손으로 움직임. 또는 손으로만 움직이도록 된 것. ¶~으로 움직이는 장난감.

수동 (受動) 명 스스로 움직이지 않고 다른 것의 작용을 받아 움직임. 피동. ↔능동.

수동-성 (受動性)[-썽] 명 스스로 움직이지 않고 다른 것의 작용을 받아 움직이는 성질. ↔능동성.

수동-식 (手動式) 명 다른 동력을 이용하지 않고 손으로만 움직여 쓰도록 만든 방식. 또는 그런 것. ¶~ 세탁기.

수-동이 ⊟명 석유통을 광산에서 이르는 말. ⊟의명 광석 무게의 단위《37.5 kg》.

수동-적 (受動的) 관명 스스로 움직이지 않고 다른 것의 작용을 받아 움직이는 (것). ¶~인 입장. ↔능동적.

수동-태 (受動態) 명 〖언〗 주어가 어떤 동작의 대상이 되어 그 작용을 받는 관계를 보이는 동사의 형태. 피동태. ↔능동태.

수동-형 (受動形) 명 〖언〗 수동을 나타내는 낱말의 형태. 피동형.

수두 (水痘) 명 〖의〗 작은마마.

수두룩-이 부 수두룩하게.

수두룩-하다 [-루카-] 형여불 매우 흔하고 많다. ¶철을 만난 딸기가 수두룩하게 쌓여 있다. ㉧소도록하다.

수드라 (산 Sudra) 명 인도의 카스트 중에서 가장 낮은 지위인 노예 계급《주로 농업과 도살업(屠殺業)에 종사하였음》. 수다라(首陀羅).

수득 (收得) 명하타 거두어들여 제 것으로 함. ¶~세(稅).

수득 (修得) 명하타 배워서 체득함.

수득-수득 부하형 풀·뿌리·열매 따위가 시들고 말라서 거친 모양.

수득수실 (誰得誰失) 명 누가 이익을 얻고 누가 손해를 보는지 분명하지 않은 형편.

수들-수들 부하형 풀·뿌리·열매 따위가 시들고 말라서 생기가 없는 모양.

수:-땜 (數-) 명하자 앞으로 닥쳐올 나쁜 운수를 미리 다른 고난을 겪어서 대신함.

수-떨다 〔수떠니, 수떠오〕 자 수다스럽게 떠들다. ¶수떨지 말고 조용해라.

수라 (水刺) 명 〈궁〉 임금께 올리는 진지.

수라-상 (水刺床)[-쌍] 명 〈궁〉 임금에게 올리는 진짓상.

수라-장 (修羅場) 명 싸움이나 그 밖의 다른 일로 큰 혼란에 빠진 곳. 또는 그런 상태. 아수라장. ¶~을 이루다.

수락 (受諾) 명하타 요구를 받아들여 승낙함. ¶~ 여부를 결정하다.

수란-관 (輸卵管) 명 〖생〗 나팔관(喇叭管)2.

수람 (收攬) 명하타 인심 등을 거두어 잡음. ¶민심을 ~하다.

수랑 (守廊) 명 행랑과 조금 떨어진 객실.

수랭-식 (水冷式) 명 기계나 시설 따위의 열을 물로 식히는 방식. ↔공랭식.

수량 (水量) 명 물의 분량. ¶장마로 강의 ~이 많이 불었다.

***수:량** (數量) 명 수효와 분량. ¶공급 ~/~이 모자라다.

수럭-수럭 부하형 말이나 행동이 씩씩하고 시원스러운 모양. ¶늘 ~ 명랑하다.

수럭-스럽다 〔-스러우니, -스러워〕 형ㅂ불 수럭수럭한 데가 있다. **수럭-스레** 부

수런-거리다 자 여러 사람이 한데 모여 수선스럽게 자꾸 지껄이다. **수런-수런** 부하자. ¶~ 이야기하는 소리가 들린다.

수런-대다 자 수런거리다.

수렁 명 **1** 곤죽이 된 진흙과 개흙이 물과 섞여 괸 웅덩이《한번 빠지면 사정없이 들어감》. ¶~에 빠지다. **2** '헤어나기 힘든 처지'의 비유. ¶절망의 ~에서 건져 내다 / 4연패의 ~에 빠졌다.

수렁-논 명 수렁처럼 무른 개흙으로 된 논.

***수레** 명 사람이 타거나 짐을 싣는, 바퀴를 달아 굴러 가게 만든 기구. ¶소가 ~를 끌고 간다.

[수레 위에서 이를 간다] 때가 지난 뒤에 원망하다.

수려-하다 (秀麗-) 형여불 경치나 용모 따위가 빼어나게 아름답다. ¶이목구비가 ~.

수력 (水力) 명 **1** 물의 힘. **2** 〖물〗 물이 가지고 있는 운동 에너지 또는 위치 에너지를 이용하여 어떤 일을 하였을 때의 물의 동력. 또는 그 에너지.

수력 발전 (水力發電)[-쩐] 〖전〗 물의 힘을 이용하여 발전기를 돌려서 전기를 일으키는 발전 방식. ↔화력 발전.

수련 (垂憐) 명하타 가련히 여겨 돌봄.

수련 (修鍊·修練) 명하타 인격·기술·학문 등을 닦아서 단련함. ¶고된 ~을 수행하다.

수련 (睡蓮) 명 〖식〗 수련과의 여러해살이 수초. 연못·늪에 남. 뿌리줄기는 물 밑바닥으로 뻗고 수염뿌리가 많음. 잎은 물 위에 뜨며 말굽 모양임. 여름에 흰 꽃이 꽃줄기 끝에 한 송이씩 핌. 관상용임.

수련-의 (修鍊醫)[-/-이] 명 〖의〗 전문의의 자격을 얻기 위하여 병원 등에서 일정 기간 수련을 하는 인턴과 레지던트.

수렴 (水㾐) 명 무덤 속에 물이 괴어 송장이 해를 입음.

수렴 (收斂) 명하타 **1** 돈이나 물품 따위를 모아 거둠. **2** 의견이나 주장·여론 따위를 한데 모음. ¶여론 ~에 들어가다. **3** 방탕한 사람이 심신을 다잡음. **4** 오그라들게 함. ¶혈관이 ~되다. **5** 조세를 거두어들임. **6** 〖수〗 어떠한 변수 x가 어떤 유한 확정된 수 a에 한없이 가까워지는 일. 수속(收束). **7** 〖물〗 광선속(束)·유체·전류 등이 한 점에

모이는 일. 수속(收束). ↔발산.
수렴(垂簾)명하자 **1** 발을 드리움. 또는 그 발. **2**〖역〗'수렴청정'의 준말.
수렴-청정(垂簾聽政)명〖역〗임금이 어린 나이로 즉위하였을 때 왕대비나 대왕대비가 이를 도와 정사를 돌보던 일. 준수렴.
수렵(狩獵)명하타 사냥1. ¶~ 생활.
수령(守令)명〖역〗고려·조선 때, 각 고을을 맡아 다스리던 지방관(관찰사·목사·부사·군수 등). 원(員).
수령(受領)명하타 돈이나 물품을 받아들임. ¶보상금을 ~하다.
수령(首領)명 한 당파나 무리의 우두머리. ¶조직의 ~.
수령(樹齡)명 나무의 나이. ¶~이 400년쯤 되었다는 나무.
수로(水路)명 **1** 물길2. ¶~를 내어 물을 대다. **2** 뱃길. ¶~를 따라 배가 다니다. ↔육로. **3** 수영 경기에서 선수가 헤엄쳐 나가도록 정해 놓은 길. 레인(lane).
수로-교(水路橋)명 물길이 철로·도로 등을 횡단하여 지날 때 가설한 다리.
수로식 발전(水路式發電)[-쩐]〖전〗수력 발전의 하나. 호수나 하천의 물을, 수로를 바꾸어 발전소 위의 산으로 유도하여 자연낙차·자연유량(流量) 따위를 이용하여 발전하는 방식.

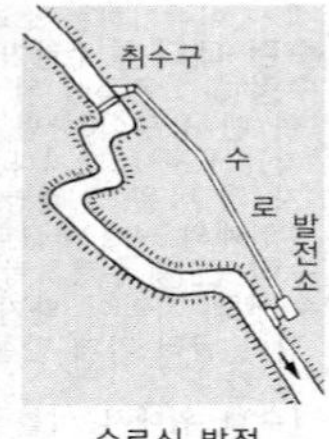

수로식 발전

수록(收錄)명하타 **1** 모아 기록함. 또는 그렇게 한 기록. **2** 책이나 잡지에 실음. ¶사진과 도해가 많이 ~된 사전.
수뢰(水雷)명 물속에서 폭발시켜 적의 함정을 파괴하는 무기(어뢰와 기뢰로 나뉨).
수뢰(受賂)명하자 뇌물을 받음. ¶~ 혐의로 구속되다. ↔증뢰.
수료(修了)명하타 일정한 학과를 다 배워 마침. ¶박사 과정을 ~하다.
수루(水樓)명 물가에 세운 누각.
수루(戍樓)명 적군의 동정을 살피기 위하여 성 위에 지은 누각.
수-류탄(手榴彈)명〖군〗근접 전투에서 사용하는 소형 폭탄(손으로 던져 터뜨려 적을 죽이거나 다치게 함). ¶~의 안전핀을 뽑다.
수륙(水陸)명 **1** 물과 육지. ¶~ 양면으로 교통이 편리한 곳. **2** 수로와 육로. ¶~의 요충지.
수륙-만리(水陸萬里)[-륭말-]명 바다와 육지에 걸쳐 만 리나 떨어진 먼 거리.
수륙 양:용(水陸兩用)[-륭냥-] 물 위에서나 육지에서나 다 쓰이는 것.
수르르부 **1** 뭉치거나 얽히거나 걸린 물건이 잘 풀리거나 흘러내리는 모양. ¶스커트가 ~ 흘러내리다/실이 ~ 풀리다. **2** 부드러운 바람이 천천히 부는 모양. ¶바람이 ~ 불어오다. **3** 물이나 가루 따위가 부드럽게 새어 나가는 모양. ¶밀가루가 ~ 새다. **4** 슬며시 졸음이 오거나 잠이 드는 모양. ¶~ 눈이 감기다. 작소르르.
수리명〖조〗독수릿과 수리속에 딸린 독수리·참수리·검독수리 따위 맹금의 총칭. 몸집이 크고 힘이 세며, 끝이 굽은 부리와 날카롭고 굵은 발톱을 가짐(산악이나 평야에 살며 낮에 들쥐·토끼 등을 잡아먹음).
수리(水利)명 **1** 수상 운송의 편리. **2** 음료수 또는 관개용·공업용으로 물을 이용하는 일. ¶~ 시설을 확충하다.
수리(受理)명하타 서류를 받아 처리함. ¶사표가 ~되다.
수리(修理)명하타 고장 난 곳이나 허름한 데를 손보아 고침. ¶고장 난 트랙터를 ~하여 사용하다.
수:리(數理)명 **1** 수학의 이론이나 이치. ¶~에 밝다. **2** 수학과 자연 과학을 아울러 이르는 말.
수리-수리부하형 눈이 흐려 보이는 것이 희미하고 어렴풋한 모양.
수리 안전답(水利安全畓) 수리·관개 시설이 잘되어 가뭄에도 안전하게 농사를 지을 수 있는 논. 안전답.
수림(樹林)명 나무가 우거진 숲. 나무숲. ¶~ 지대/~이 무성하다.
수립(竪立)명하타 꼿꼿하게 세움.
수립(樹立)명하타 국가나 정부, 제도·계획 따위를 이룩하여 세움. ¶새 정부가 ~되다/경제 개발 계획을 ~하다.
수마(水魔)명 아주 심한 수해. ¶~에 큰 피해를 당하다.
수마(睡魔)명 못 견디게 오는 졸음. ¶~에 깊이 빠지다.
수-마노(水瑪瑙)명 빛이 아름답고 광택이 나는 석영의 하나(홍·흑·백색의 세 가지).
수:만(數萬)수관 **1** 만의 두서너 배가 되는 수(의). ¶~의 군중. **2** 썩 많은 수효. ¶~개의 꽃송이.
수:-많다(數-)[-만타]형 (주로 '수많은'의 꼴로 쓰여) 수효가 매우 많다. ¶백사장의 수많은 원색의 물결. **수:-많이**[-만-]부. ¶~ 모인 사람들.
수-말명 말의 수컷. ↔암말.
수말(水沫)명 **1** 물거품1. 수포(水泡). **2** 물보라.
수매(收買)명하타 거두어 사들임. 또는 그런 일. ¶추곡 ~가 조정.
수맥(水脈)명 땅속을 흐르는 물의 줄기. 수리(水理). ¶~을 탐사하다.
수멍명 논에 물을 대거나 빼기 위해 방죽 따위의 밑에 뚫은 구멍.
수면(水面)명 물의 표면. ¶~에 달이 비치다.
수면(睡眠)명하자 **1** 잠을 자는 일. ¶~을 취하다. **2** 활동을 쉬는 상태의 비유. ¶~ 광구(鑛區).
수면-제(睡眠劑)명 잠을 자게 하는 약.
수명(壽命)명 **1** 생물이 살아 있는 기간. ¶~이 짧다. 준수(壽). **2** 물품이 사용에 견디는 기간. ¶이 등은 ~이 길지 않다.
수명-장수(壽命長壽)명 수명이 길어 오래도록 삶(어린아이의 명이 길어, 오래 살기를 비는 말).
수모(手母)명 전통 혼례 때, 신부의 단장 및 그 밖의 일을 곁에서 거들어 주는 여자.

수선-대다 자 수선거리다.
수선-스럽다 [-스러우니, -스러워] 형 ㅂ불 수선한 느낌이 있다. **수선-스레** 부
수선-화 (水仙花) 명 〔식〕 수선화과의 여러해살이풀. 따뜻한 지방의 해변에 남. 잎은 가늘고 길며 모여남. 1-2월에 달걀 모양의 비늘줄기에서 나오는 꽃줄기 끝에서 5-6개의 노란색 또는 흰색 꽃이 핌. 관상용임. 준수선.
수성 (水性) 명 **1** 물의 성질. **2** 물에 녹기 쉬운 성질. 수용성(水溶性). ¶~ 사인펜.
수성 (水星) 명 〔천〕 행성 중 가장 작고 태양에 제일 가까운 별《일몰 직후, 일출 직전에만 보임. 지름이 지구의 0.38배, 공전 주기는 88일, 자전 주기는 59일임》. 진성(辰星). 머큐리.
수성 (守成) 명하자 조상들이 이루어 놓은 일들을 그대로 잘 이어 나감.
수성 (守城) 명하자 성을 지킴.
수성 도료 (水性塗料) 수성 페인트.
수성-암 (水成岩) 명 퇴적암.
수성 페인트 (水性paint) 아교·카세인 따위 수용액에 안료를 혼합한 광택이 없는 페인트《주로 실내 장식에 씀》. 수성 도료.
수세 (水洗) 명하자 **1** 물로 깨끗이 씻음. **2** 사진에서, 네거티브 필름을 현상한 뒤 필름 겉면의 약액을 씻어 내는 일. **3**〔가〕 성수(聖水)로 씻는 방법의 한 가지. **4** '수세식(式)'의 준말.
수세 (水稅) 명 수리 시설에서 농업용수를 공급받는 농민이 내는 물 값인 농지 개량 조합비의 속칭.
수세 (水勢) 명 흐르는 물의 힘. 또는 그 형세.
수세 (收稅) 명하자 세금을 거두어들임.
수세 (守勢) 명 적을 맞아 지키는 태세. 또는 힘이 부쳐 밀리는 형세. ¶~에서 공세로 전환하다. ↔공세.
수세 (守歲) 명하자 〔민〕 음력 섣달 그믐날 밤에 집 안에 등촉을 밝히고 밤을 새우는 풍습《이날 밤에 자면 눈썹이 센다고 함》. 별세(別歲).
수-세공 (手細工) 명 손으로 만드는 세공.
수세미 명 **1** 설거지할 때 그릇을 씻는 데 쓰는 물건《예전에는 짚이나 수세미외로 만들었음》. **2** 심하게 구겨지거나 더러워진 물건의 비유. ¶옷이 ~가 되다.
수세-식 (水洗式) 명 변소에 급수 장치를 하여 오물이 물에 씻겨 내려가도록 처리하는 방식. 준수세(水洗).
수-소 명 소의 수컷. 모우(牡牛). 황소. ↔암소.
***수소** (水素) 명 〔화〕 무색·무미·무취의 가연성이 높은, 모든 물질 가운데 가장 가벼운 기체 원소《대기권의 상층부 및 동식물체에 널리 존재하며, 인공적으로는 물을 전기분해하거나 아연에 묽은 황산을 작용시켜 만듦》. [1번 : H : 1.0079]
수-소문 (搜所聞) 명하타 세상에 떠도는 소문을 찾아 살핌. ¶그의 거처를 ~하다.
수소 폭탄 (水素爆彈) 중(重)수소의 원자핵이 열핵 반응에 의해 융합하여 헬륨 원자핵을 만들 때 방출하는 막대한 에너지를 이용하여 만든 폭탄.
수속 (手續) 명하타 어떤 일을 수행 또는 처리하기 위해 거쳐야 하는 과정이나 단계. 절차. ¶출국 ~/~이 간단하다.
수송 (輸送) 명하타 기차나 자동차·선박·비행기 등으로 사람이나 물건을 실어 옮김.
수송-기 (輸送機) 명 사람이나 화물을 실어 나르는 데 사용하는 비행기.
수-쇠 명 **1** 맷돌 아래짝 한가운데에 박힌 뾰족한 쇠. 맷수쇠. **2** 자물쇠 안의 뾰족한 쇠. ↔암쇠. **3** 수톨쩌귀.
수수 명 〔식〕 볏과의 한해살이풀. 인도 원산. 높이는 1.5-3m 정도이며, 한여름에 줄기 끝에 원추꽃차례의 꽃이 피고 가을에 열매가 익음. 열매는 곡식으로 쓰고 줄기는 비를 만듦. 고량(高粱). 촉서(蜀黍).
수수 (收受) 명하타 **1** 거두어서 받음. **2**〔법〕 무상으로 금품을 받음. 또는 그런 행위《형법에서 수뢰죄 및 장물죄 따위를 이루는 요건이 됨》. ¶금품 ~ 행위.
수수 (授受) 명하타 물품을 주고받음. ¶뇌물을 ~하다.
수수-경단 (-瓊團) 명 찰수수 가루를 찬물에 반죽하여 둥글게 빚어 녹말을 묻히고 삶아서 냉수에 건져 식힌 다음 팥고물을 묻힌 떡.
수수-깡 명 수수의 줄기. 수숫대.
***수수께끼** 명 **1** 어떤 사물을 빗대어 말하여 알아맞히는 놀이. ¶~를 내다/~를 알아맞히다. **2** 사물이나 현상이 복잡하고 이상하여 그 내막을 알 수 없는 일. ¶~의 인간/영원한 ~로 남다.
수수-떡 명 찰수수 가루로 만든 떡.
수수러-지다 자 돛 따위가 바람에 부풀어 둥글게 되다.
수수-롭다 (愁愁-) [-로우니, -로워] 형 ㅂ불 서글프고 산란한 데가 있다. **수수-로이** 부
수수-료 (手數料) 명 국가나 공공 단체 또는 공공 기관이 특정한 사람을 위하여 공적인 일을 하였을 때, 그 보상으로 받는 요금.
수수-밥 명 찰수수로만 짓거나 수수쌀을 섞어 지은 밥.
수수-방관 (袖手傍觀) 명하타 팔짱을 끼고 보고만 있다는 뜻으로, 간섭하거나 거들지를 않고 그대로 버려둠. ¶~만 하고 있을 것인가.
수수-전병 (-煎餠) 명 찰수수 가루로 만든 전병. 촉서(蜀黍)전병. 출전병(秫煎餠).
수수-하다[1] 형 여불 시끄럽고 떠들썩하여 정신이 어지럽다.
수수-하다[2] 형 여불 **1** 사람의 성질이 꾸밈이나 거짓이 없고 까다롭지 않아 수월하고 무던하다. **2** 물건의 품질이나 겉모양 또는 사람의 옷차림 등이 그리 좋지도 나쁘지도 않고 어지간하다. ¶수수한 옷차림.
수숙 (嫂叔) 명 형제의 아내와 남편의 형제.
수-술 명 〔식〕 수술대와 꽃밥의 두 부분으로 된 식물의 생식 기관의 하나. 웅예(雄蕊). 수꽃술. ↔암술.
수술 (手術) 명하타 **1**〔의〕 피부, 또는 기타의 조직을 외과 기구로 째거나 잘라 병을 고치는 일. ¶~ 결과가 좋다. **2** 어떤 결함 따위를 근본적으로 고치는 일의 비유. ¶사회의 부조리를 ~하고 개혁하다.
수술-대 [-때] 명 수술의 꽃밥을 갖고 있는

가느다란 줄기. 꽃실. 화사(花絲). ↔암술대.
수술-대 (手術臺) 명 수술을 하기 위해 설비한 대. 메스대.
수숫-대 [-수때/-숟때] 명 수수깡.
수습 (收拾) 명하타 **1** 흩어진 사물을 거두어 정돈함. 수쇄. ¶유품을 ~하다. **2** 어지러운 마음이나 사태 따위를 가라앉히어 바로잡음. ¶사태를 ~하다/~ 국면에 접어들다.
수습 (修習) 명하타 학업이나 실무 따위를 배워 익힘. 또는 그런 일. ¶~ 기간.
수습-공 (修習工) 명 실무를 배워 익히는 과정에 있는 공원(工員).
수습-책 (收拾策) 명 사건을 수습하는 방책. ¶~을 발표하다.
수시 (收屍) 명하타 시신을 거두어 머리·팔다리를 바로잡음.
수시 걷다 구 고복(皐復)이 끝난 뒤, 시체가 굳기 전에 시신의 손발을 반듯이 펴서 끈으로 대충 묶다.
수시 (隨時) 명 일정하게 정하여 놓은 때 없이 그때그때 여건에 따름. ¶~ 점검/세율을 ~ 조정하기로 했다.
수시-로 (隨時-) 부 아무 때나 늘. ¶~ 변하는 날씨/~ 확인해 보다.
수식 (修飾) 명하타 **1** 겉모양을 꾸밈. **2** 〖언〗 문법에서 체언·용언에 말을 덧붙여 그 뜻을 더욱 분명하게 하는 일.
수:식 (數式) 명 수나 양을 나타내는 숫자나 문자를 계산 기호로 연결한 식《등식·부등식 따위》.
수식-어 (修飾語) 명 〖언〗 **1** 수식언. **2** 표현을 아름답고 강렬하게 또는 명확하게 하기 위하여 꾸미는 말.
수식-언 (修飾言) 명 〖언〗 뒤에 오는 체언이나 용언을 꾸미거나 한정하는 말《활용하지 않으며, 관형사와 부사가 이에 속함》. 수식어. 수식사(詞). 꾸밈말.
수신[1] (受信) 명하타 **1** 우편·전보 따위의 통신을 받음. 또는 그런 일. **2** 유무선(有無線) 통신·라디오·텔레비전 방송 따위의 신호를 받음. 또는 그런 일. ¶~ 상태가 좋다. ↔발신·송신.
수신[2] (受信) 명 금융 기관이 거래 관계에 있는 다른 금융 기관이나 고객으로부터 받는 신용. 곧, 예금을 받음. ¶~ 금리. ↔여신(與信).
수신 (修身) 명하자 마음과 행실을 바르게 하도록 심신을 닦는 일.
수:-신 (繡-) 명 수를 놓은 비단으로 만든 신. 수혜(繡鞋).
수신-기 (受信機) 명 유선·무선 통신기에서 신호나 정보 등의 통신을 받는 장치《텔레비전·팩스 따위》. ↔송신기.
수신-사 (修信使) 명 〖역〗 조선 말 고종 때, 일본에 보내던 사신.
수신-인 (受信人) 명 전화·전보·우편물 따위를 받는 사람. 수신자. ↔발신인.
수신-제가 (修身齊家) 명하자 마음과 몸을 닦아 수양하고 집안을 다스림.
수심 (水心) 명 **1** 수면의 중심. **2** 강이나 호수 따위의 한가운데.
수심 (水深) 명 물의 깊이. ¶~이 얕은 곳.
수심 (垂心) 명 〖수〗 삼각형의 각 꼭짓점에서 대변(對邊)에 내린 세 개의 수선(垂線)이 서로 만나는 점.
수심 (愁心) 명하자 매우 근심함. 또는 그런 마음. ¶얼굴에 ~이 가득하다.
수:십 (數十) 수관 열의 두서너 배가 되는 수. 또는 그런 수의. ¶책 ~ 권.
수압 (水壓) 명 물의 압력. ¶~이 높아 물이 콸콸 나온다.
수액 (樹液) 명 **1** 땅속에서 나무줄기를 통하여 잎으로 올라가는, 양분이 되는 액. **2** 나무껍질 등에서 분비되는 액《고무나무의 유액(乳液) 따위》.
수양 (收養) 명하타 남의 자식을 맡아 기름.
수양 (修養) 명하타 몸과 마음을 닦아 품성이나 지식·도덕 따위를 높은 경지로 끌어올림. ¶인격 ~/~을 쌓다.
수양-가다 (收養-) 자 남의 집에 수양딸 또는 수양아들로 가다.
수양-딸 (收養-) 명 남의 자식을 데려다 기른 딸. 양딸.
[수양딸로 며느리 삼는다] 자기에게 편한 대로 일을 처리하여 자신의 이익만 꾀한다.
수양-버들 (垂楊-) 명 〖식〗 버드나뭇과의 작은 낙엽 활엽 교목. 가지가 가늘고 길게 늘어지며, 잎은 어긋나고 피침 모양임. 봄에 노란 수꽃과 원기둥꼴의 이삭 모양을 한 암꽃이 핌.
수양-부모 (收養父母) 명 수양아버지와 수양어머니. 곧, 자기를 낳지 않았으나 길러 준 부모.
수양-아들 (收養-) 명 남의 자식을 데려다 기른 아들.
수양-오다 (收養-) 자 남의 집에 수양아들 또는 수양딸로 오다.
수어지교 (水魚之交) 명 물과 물고기의 관계처럼 아주 친밀하여 떨어질 수 없는 사이.
수:억 (數億) 수관 억의 두서너 갑절 되는 수효. 또는 그런 수의. ¶~을 벌어들이다/~ 년의 광년.
수업 (受業) 명하자 기술이나 학업의 가르침을 받음. 또는 그런 일.
수업 (修業) 명하타 기술이나 학업을 익히고 닦음. 또는 그런 일. ¶한의학을 ~하다.
***수업** (授業) 명하타 주로 학교에서 학업이나 기술을 가르쳐 주는 일. ¶~을 받다.
수:-없다 (數-) [-업따] 형 (주로 '수없는'의 꼴로 쓰여) 헤아릴 수 없이 많다. ¶도처에 수없는 명산들. **수:-없이** [-업씨] 부. ¶~ 몰려든 인파.
수여 (授與) 명하타 증서·상장이나 훈장 따위를 줌. ¶표창장 ~/우승자에게 상장과 상패가 ~되다.
수역 (水域) 명 수면의 일정한 구역. ¶위험 ~/전관(專管) ~.
수연 (壽宴·壽筵) 명 장수를 축하하는 잔치《보통 환갑잔치를 말함》.

삼대 수연(三大壽宴)

환갑연(還甲宴)…나이 예순한 살의 생일날에 베푸는 축하 잔치
회방연(回榜宴)…지난날, 과거에 급제한 지 60주년이 되는 해를 기념하던 잔치
회혼례(回婚禮)…해로하는 부부가 혼인한 지 예순 돌을 축하하는 잔치

수연-하다 (愁然-) 형여불 시름이나 걱정에 잠겨 있다.
수:열 (數列) 명 〔수〕 어떤 규칙에 따라 순번을 매긴 수를 a_1, a_2, a_3…a_n과 같이 번호 순으로 배열한 것《등차수열·등비수열·조화수열 따위가 있음》.
수염 (鬚髥) 명 **1** 성숙한 남자의 입가·턱·뺨에 나는 털. 나룻. ¶~이 덥수룩하다 / ~을 기른 노인. **2** 동물의 입 근처에 난 뻣뻣한 긴 털. **3** 벼·옥수수 등의 낟알 끝 또는 사이에 난 까끄라기나 털 모양의 것.
[수염이 대 자라도 먹어야 양반이다] 배가 불러야만 체면도 차릴 수 있다.
수염-발 (鬚髥-)[-빨] 명 길게 길러서 치렁치렁 늘어뜨린 수염의 채.
수염-뿌리 (鬚髥-) 명 〔식〕 **1** 원뿌리나 곁뿌리에 난, 가늘고 수염 같은 뿌리. **2** 원뿌리와 곁뿌리의 구별 없이 수염처럼 된 뿌리. 수근(鬚根).
***수영** (水泳) 명하자 스포츠나 놀이로서 물속을 헤엄치는 일. ¶~을 가르치다.
수영-복 (水泳服) 명 수영할 때 입는 옷.
수영-장 (水泳場) 명 수영하며 놀거나 수영 경기를 목적으로 설비한 곳. 풀장(pool場).
수예 (手藝) 명 자수·뜨개질 따위의 손으로 하는 재주.
수오지심 (羞惡之心) 명 자기의 옳지 못함을 부끄러워하고 남의 착하지 못함을 미워하는 마음.
수온 (水溫) 명 물의 온도.
수완 (手腕) 명 **1** 손회목. **2** 일을 꾸미거나 치러 나가는 재간. ¶~을 발휘하다 / ~이 좋다.
수완-가 (手腕家) 명 수완이 좋은 사람.
수요 (需要) 명 **1** 필요해서 얻고자 하는 일. **2** 〔경〕 구매력이 있는 사람이나 기업이 상품을 사들이려고 하는 욕망. 또는 그 총량. ¶~와 공급 / ~가 증가하다.
수요-량 (需要量) 명 소비자가 요구하는 상품의 양. ¶~과 공급량.
수요-일 (水曜日) 명 칠요일의 하나. 일요일로부터 넷째 날. 준수(水).
수욕 (羞辱) 명 부끄럽고 욕되는 일.
수욕 (獸慾) 명 짐승과 같은 음란한 성적 욕망. ¶~에 눈이 뒤집히다.
수용 (收用) 명하타 **1** 거두어들여 씀. **2** 〔법〕 공익 사업을 위해 특정물의 소유권 등의 권리를 강제로 국가나 제삼자의 소유로 옮김. ¶국가에 ~된 토지.
수용 (收容) 명하타 **1** 거두어서 넣어 둠. **2** 일정한 곳에 범법자·포로·난민·관객이나 물품 따위를 모아 넣음. ¶~ 인원 / 난민 ~ 시설.
수용 (受容) 명하타 받아들임. ¶요구 조건을 ~하다 / 외국 문화를 무비판적으로 ~하다.
수용-성 (水溶性)[-썽] 명 〔화〕 어떤 물질이 물에 녹는 성질. ¶~ 비타민. ↔지용성.
수용-소 (收容所) 명 많은 사람을 집단적으로 한곳에 가두거나 모아 넣는 곳. ¶난민 ~ / 포로 ~.
수용-액 (水溶液) 명 물질을 물에 녹인 액체《식염수 따위》.
수운 (水運) 명하타 강이나 바다를 이용해 물건이나 사람을 배로 실어 나름. ¶~을 이용하여 대량으로 운반하다.
수운 (輸運) 명하타 물건을 운반하는 일.
수원 (水源) 명 물이 흘러나오는 근원.
수원수구 (誰怨誰咎) 명하자 남을 원망하거나 책망할 것이 없음.
수원-지 (水源地) 명 강이나 냇물 등의 물이 흘러나오는 근원이 되는 곳.
수원-지 (水源池) 명 상수도에 보낼 물을 모아 두는 곳.
수월-수월 부하형 힘을 들이지 않고 아주 쉽게. 모두 수월하게. ¶일이 ~ 풀리다.
수월-스럽다 〔-스러우니, -스러워〕 형ㅂ불 보기에 수월한 듯하다. **수월-스레** 부
수월-찮다 [-찬타] 형 **1** 수월하지 아니하다. ¶여행비 마련이 ~. **2** 꽤 많다. ¶수월찮은 돈이 모이다.
수월-찮이 [-찬-] 부 수월찮게. ¶이사하면서 ~ 비용이 들었다.
수월-하다 형여불 일을 할 때 까다롭거나 힘들지 않아 하기가 쉽다. ¶작업이 수월하게 진행되다. **수월-히** 부. ¶생각보다 ~ 돈을 번 것 같다.
수위 (水位) 명 **1** 바다·강·호수·댐 등의 수면의 높이. ¶강의 ~가 높아지다. **2** 어떤 일이 진행되는 정도. ¶비판의 ~를 높이다 / 오염이 심각한 ~에 달하다.
수위 (守衛) 명하타 관청·회사·학교 등의 경비를 맡아봄. 또는 그런 일을 맡은 사람.
수위 (首位) 명 첫째가는 지위. ¶~를 차지하다.
수위 타:자 (首位打者) 야구에서, 타율이 가장 높은 타자. 리딩 히터.
수유 (授乳) 명하자 젖먹이에게 젖을 먹임. ¶모유 ~를 권장하다.
수유 (須臾) 명 잠시 동안.
수육 (-肉) 명 〔←숙육(熟肉)〕 삶아 익힌 쇠고기. 익은이. ¶~을 안주로 하다.
수은 (水銀) 명 〔화〕 상온(常溫)에서 유일하게 액체 상태로 있는 은백색의 금속 원소《천연으로 진사(辰沙)에서 얻어지며, 어느 금속과도 합금을 만들기 쉬움. 금의 정련·온도계·의약 등에 씀》. [80 번 : Hg : 200.6]
수은-등 (水銀燈) 명 〔물〕 전극을 넣은 진공 유리관 속에 수은 증기를 넣고 전압을 걸 때 발생하는 강렬한 빛을 이용한 방전관(放電管).
수은-주 (水銀柱) 명 〔물〕 수은 온도계나 수은 기압계의 유리 대롱에 채운 수은의 부분. ¶오늘 아침 ~가 영하로 내려갔다.
수음 (手淫) 명하자 손 따위로 자신의 생식기를 자극하여 성적 쾌감을 얻는 행위. 자위(自慰).
수의 (囚衣)[-/-이] 명 죄수가 입는 옷. 죄수옷. 죄수복.
수의 (壽衣·襚衣)[-/-이] 명 염습할 때 시체에 입히는 옷.
수의 (隨意)[-/-이] 명 자기 의사대로 함.
수의 (獸醫)[-/-이] 명 '수의사'의 준말.
수의 계:약 (隨意契約)[-/-이게-] 경쟁 또는 입찰에 따르지 않고 임의로 상대방을 선택하여 체결하는 계약.
수의-근 (隨意筋)[-/-이-] 명 〔생〕 척추동물에서 의지에 따라 움직일 수 있는 근육《가로무늬근(筋) 따위》. 맘대로근. ↔불

(不)수의근.

수의-사 (獸醫師)[-/-이-] [명] 가축의 병을 진찰·치료하는 의사. [준]수의.

수의-학 (獸醫學)[-/-이-] [명] 가축의 질병 치료 및 예방·위생·사육·관리·경영 따위를 연구하는 학문.

수익 (收益) [명][하자] 이익을 거둠. 또는 그 이익. ¶ ~이 높은 사업.

수익 (受益) [명][하자] 이익을 얻거나 받음.

수익-권 (受益權) [명] **1** 이익을 받는 권한. **2** 〔법〕 국가에 특정한 이익의 제공을 요구할 수 있는 국민의 권리《교육을 받을 권리, 근로권 따위》.

수익-성 (收益性) [명] 〔경〕 이익을 거둘 수 있는 정도. ¶ ~이 높다.

수인 (手印) [명] **1** 손바닥을 도장처럼 찍어서 증거로 삼는 일. **2** 자필의 서명 또는 문서.

수인 (囚人) [명] 죄수.

수:인 (數人) [명] 두서너 사람. 또는 대여섯 사람.

수-인사 (修人事) [명][하자] **1** 인사를 차림. 인사를 예법에 맞게 하는 일. ¶ ~를 나누다. **2** 사람으로서 할 수 있는 일을 다함.

수인사-대천명 (修人事待天命) [명] 사람의 할 바를 다하고 천명을 기다림.

수인성 전염병 (水因性傳染病) [-썽-뼝] 〔의〕 물이나 음식물에 들어 있는 세균에 의해 전염되는 질환《이질·장티푸스·콜레라 따위》.

수:일 (數日) [명] 두서너 날. 또는 대여섯 날. ¶ 작업은 ~ 내로 끝날 것이다.

수임 (受任) [명][하타] **1** 임무나 위임을 받음. **2** 〔법〕 위임 계약에 따라 법률 행위나 사무 처리를 맡음. ¶ 사건을 ~하다.

***수입** (收入) [명][하타] **1** 금품 등을 거두어들임. 또는 그 금품. ¶ ~이 늘어나다 / 그의 ~만으로는 대가족이 생활하기에 매우 힘들었다. **2** 개인·단체·국가 등이 합법적으로 벌어들이는 일정한 금액. ¶ 조세 ~. ↔지출.

수입 (輸入) [명][하타] **1** 외국의 물품을 사들임. ¶ ~을 개방하다 / ~ 허가를 받다. **2** 외국의 사상·문화·제도 등을 배워 들여옴. ¶ ~된 불교 문화. ↔수출.

수입-상 (輸入商) [명] 외국 물품을 수입하는 장사. 또는 그 상인. ↔수출상.

수입-원 (收入源) [명] 돈을 벌어들이는 원천. ¶ ~이 다양하다 / 그의 주된 ~은 부동산 임대업이다.

수입 의존도 (輸入依存度) 한 나라의 경제가 수입에 의존하는 정도《국민 소득이나 국민 총생산에서 차지하는 수입의 비율》.

수입 인지 (收入印紙) 국고 수입이 되는 세금·수수료 등을 징수하기 위해 붙이게 하는 정부 발행의 증표.

수입-품 (輸入品) [명] 외국에서 수입한 물품. ¶ ~에 관세를 부과하다. ↔수출품.

수입-환 (輸入換)[-이퐌] [명] 〔경〕 수출 어음을 지급인인 수입상이 부르는 말《보통 대금을 지급할 목적으로 수입상이 사들이는 환어음》. ↔수출환.

수자리 (戍-) [명][하자] 〔역〕 국경을 지키던 일. 또는 그런 병사. 위수(衛戍). ¶ ~를 살다.

수-자원 (水資源) [명] 농업·공업·발전용 따위의 자원이 되는 물. ¶ ~을 개발하다.

수자-직 (繻子織) [명] 날줄과 씨줄을 서로 얽혀 짜지 않고 일정하게 몇 올을 떼어 짜는 직조법의 하나《두껍고 윤이 남》.

수자-폰 (sousaphone) [명] 〔악〕 끝이 나팔꽃 모양으로 된 금관 악기의 하나.

수작 (秀作) [명] 뛰어난 작품. ¶ 근래 보기 드문 ~이다.

수작 (酬酌) [명][하자] **1** 술잔을 주고받음. **2** 말을 주고받음. 또는 그 말. ¶ ~을 붙이다. **3** 남의 언행이나 계획 따위를 낮잡아 하는 말. ¶ 더러운〔건방진〕 ~.

수-작업 (手作業) [명] 손으로 직접 하는 작업. ¶ 컴퓨터가 아닌 ~으로 하는 활판 조판 / 이 책의 컷은 ~이 필요하다.

수장 (水葬) [명][하타] 시체를 물속에 넣어 장사 지냄.

수장 (收藏) [명][하타] 거두어서 깊이 간직함. ¶ 박물관에 ~된 고미술품.

수장 (首長) [명] 집단·단체를 지배·통솔하는 사람. 우두머리. ¶ 국회의 ~.

수장 (袖章) [명] 군인·경찰관들의 정복 소매에 금줄 따위로 관등(官等)을 표시한 표장.

수재 (手才) [명] 손재주.

수재 (水災) [명] 홍수나 장마 따위로 인한 재해. ¶ ~를 당하다 / ~ 의연금을 내다.

수재 (秀才) [명] **1** 뛰어난 재주. 또는 머리가 좋고 재주가 뛰어난 사람. ¶ 전교 제일의 ~라는 평을 받다. **2** 예전에, 미혼 남자를 높여 이르던 말.

수재 (殊才) [명] 특별히 빼어난 재주나 재질.

수저 [명] **1** '숟가락'의 높임말. ¶ 할아버지께서 먼저 ~를 드셨다. **2** 숟가락과 젓가락. 시저. ¶ ~를 놓다.

수적 (水滴) [명] **1** 물방울. **2** 연적(硯滴).

수:적 (數的)[-쩍] [관][명] 숫자상으로 보는 (것). ¶ ~ 우세 / ~으로 열세에 놓이다.

수전 (水田) [명] 무논. ↔한전(旱田).

수전 (水戰) [명][하자] 물 위에서 하는 싸움. 해전(海戰).

수전-노 (守錢奴) [명] 돈을 모을 줄만 아는 인색한 사람의 낮춤말.

수전-증 (手顫症)[-쯩] [명] 〔의〕 자꾸 손이 떨리는 증세.

수절 (守節) [명][하자] **1** 절의(節義)를 지킴. **2** 정절을 지킴. ¶ ~ 과부. ↔실절(失節).

수절-하다 (秀絶-) [형][여불] 매우 뛰어나고 훌륭하다.

수젓-집 [-저찝 / -젇찝] [명] 수저를 넣어 두는 주머니.

수정 (水晶) [명] 〔광〕 석영의 한 가지. 육방 정계(六方晶系)의 결정으로 화학 성분은 이산화규소임《도장·장식품·광학 기계 등에 씀》. 수옥(水玉). 파리(玻璃). 크리스털.

수정 (受精) [명][하자] 암수의 생식 세포가 서로 하나로 합하는 현상. 정받이.

수정 (修正) [명][하타] 바로잡아서 고침. ¶ 궤도를 ~하다 / 계획이 크게 ~되다.

수정 (修訂) [명][하타] 글이나 글자 등의 잘못을 고침. ¶ 초판을 ~ 증보하다.

수정 (修整) [명][하타] **1** 고치어 정돈함. **2** 사진술에서, 원판의 흠을 지우거나 화상(畫像)을 손질하는 일.

수정 (授精) [명] 정자를 난자에 결합시키는 일.

수-정과 (水正果) 명 생강과 계피를 달인 물에 설탕이나 꿀을 탄 다음 곶감·잣을 넣어 만든 음료.
수정-관 (輸精管) 명 〔생〕 정소(精巢)에서 만든 정자를 정낭(精囊)으로 보내는 관.
수정-낭 (受精囊) 명 〔동〕 연체동물·절지동물 등의 암컷의 생식 기관의 하나. 수컷으로부터 받은 정자를 저장하는, 주머니 모양의 기관.
수정-란 (受精卵)[-난] 명 〔생〕 정자를 받아들여 수정을 한 난자. *무정란.
수정-막 (受精膜) 명 〔생〕 난자가 수정한 직후 그 주위에 형성되는 막《다른 정자의 침입을 막음》.
수정-안 (修正案) 명 원안(原案)의 잘못된 곳을 바로잡아 고친 의안. ¶본회의에서 ~이 통과되다.
수정 유리 (水晶琉璃)[-뉴-] 크리스털 글라스.
수정 자본주의 (修正資本主義)[-/-이] 자본주의 자체를 변혁하지 않고 자본주의 제도에 수정을 가하여 그 모순을 완화하려는 사상이나 정책.
수정-주의 (修正主義)[-/-이] 명 수정파 사회주의.
수정-체 (水晶體) 명 〔생〕 동공(瞳孔) 뒤에 있는 볼록 렌즈 모양의 투명체《눈에 들어온 빛을 굴절시켜 망막 위에 상을 맺음》.
수제 (手製) 명하타 손으로 만듦. 또는 그 제품. ¶~ 폭탄.
수제 (首題) 명 공문서의 첫머리에 쓰는 제목. ¶~에 관하여.
수제비 명 밀가루를 반죽하여 맑은장국 따위에 적당한 크기로 떼어 넣어 익힌 음식.
수제비(를) 뜨다 구 끓는 장국에 넣기 위해 반죽한 밀가루를 조금씩 떼다.
수-제자 (首弟子) 명 여러 제자 중 가장 뛰어난 제자. ¶~로 뽑히다.
수조 (水槽) 명 물을 담아 두는 큰 통. ¶~에 물을 모아 두다.
수조 (水藻) 명 물속에 나는 마름. 말.
수족 (手足) 명 **1** 손발. ¶~이 마비되다. **2** 손발과 같이 마음대로 부리는 사람. ¶남의 ~ 노릇을 하다.
수족-관 (水族館) 명 물속에 사는 생물을 기르며 그 생태·습성 따위를 일반에게 관람시키는 시설.
수종 (水腫) 명 〔의〕 몸의 조직 간격이나 체강(體腔) 안에 림프액·장액(漿液) 따위가 많이 괴어 몸이 붓는 병.
수:종 (數種) 명 몇 종류. 두서너 가지. ¶~에 이르는 상품.
수종 (樹種) 명 나무의 종류나 종자. ¶재래~/가로수의 ~을 교체하다.
수종 (隨從) 명하타 따라다님. 또는 따라다니며 시중을 드는 사람. ¶~을 들다.
수좌 (首座) 명 **1** 수석(首席)1. **2** 〔불〕 '국사(國師)'를 높여 이르는 말. **3** 〔불〕 절에서 참선하는 승려.
수주 (手珠) 명 여러 개의 나무 구슬을 끈에 꿰어 고리같이 만든 물건《주로 늙은이가 손에 들고 계속 돌려 손의 뻣뻣한 증세를 푸는 데 씀》.
수주 (受注) 명하타 주문을 받음. 특히, 생산업자가 제품의 주문을 받는 일. ¶~가 밀려들다. ↔발주(發注).
수주 (壽酒) 명 장수를 축하하는 술.
수주-대토 (守株待兎) 명 〔송(宋)나라의 한 농부가 나무그루에 토끼가 부딪쳐 죽은 것을 보고, 농사를 팽개치고 나무그루에 토끼가 나타나기를 기다렸다는 고사에서〕 한 가지 일에만 얽매여 발전을 모르는 어리석은 사람의 비유. 주수(株守).
***수준** (水準) 명 사물의 일정한 표준이나 정도. ¶~이 높다/~을 맞추다.
수준-급 (水準級)[-끕] 명 어느 정도 이상의 뛰어난 등급. ¶~에 이른 기량/틈틈이 배운 그녀의 바둑 솜씨는 ~이다.
수준-기 (水準器) 명 어떤 평면이 수평을 이루고 있는가를 조사하는 기계. 수평기(水平器). 준수준.
수줍다 형 부끄러워하는 태도가 있다. ¶수줍은 듯 얼굴을 붉히다.
수줍어-하다 자 여불 부끄러워하는 태도나 기색이 있다. ¶몹시 수줍어하는 새색시.
수줍음 명 수줍어하는 일. ¶~이 담긴 미소.
수중 (水中) 명 물속. 물 가운데. ¶~에서 식하는 생물.
수중 (手中) 명 **1** 손의 안. 손안. ¶적지 않은 돈을 ~에 넣다. **2** 자신의 힘이 미칠 수 있는 범위. 손아귀. ¶내 재산은 이미 다른 사람의 ~으로 넘어갔다.
수중 발레 (水中ballet) 싱크로나이즈드 스위밍.
수중-안경 (水中眼鏡) 명 물속에서 볼 수 있도록 만든 안경. 물안경.
***수-증기** (水蒸氣) 명 물이 증발하여 된 김. 기체 상태로 된 물. ¶거울에 ~가 서리다. 준증기.
수지 (手指) 명 손가락.
수지 (收支) 명 **1** 수입과 지출. ¶~가 균형 맞다. **2** 거래 관계에서 얻는 이익. ¶~가 맞지 않는 장사.
수지 (樹脂) 명 **1** 나무의 진. **2** 천연수지와 합성수지의 총칭.
수-지니 (手-) 명 길들인 매나 새매. 수진매. ↔산지니.
수지-맞다 [-맏따] 자 **1** 사업이나 장사 따위에서 이익이 남다. ¶수지맞는 장사. **2** 뜻하지 않게 좋은 일이 생기다. ¶복권이 당첨되다니 정말 수지맞았네그려.
수직 (手織) 명하타 손으로 직물을 짬. 또는 그 직물.
수직 (守直) 명하타 건물이나 물건 따위를 맡아서 지킴. 또는 그런 사람.
***수직** (垂直) 명 **1** 반듯하게 드리움. 또는 그런 상태. ¶거의 ~으로 물에 잠기다. **2** 〔수〕 직선과 직선, 직선과 평면, 평면과 평면이 직각을 이루는 상태.
수직 거:리 (垂直距離) 〔수〕 수직인 직선 위의 두 점 사이의 거리.
수직 분포 (垂直分布) 〔식〕 땅의 높이나 물의 깊이에 따라 나타나는 생물의 분포.
***수직-선** (垂直線) 명 수선(垂線).
수직 이:등분선 (垂直二等分線) 〔수〕 평면상에서 어느 선분을 수직으로 이등분하는 직선.
수진-본 (袖珍本) 명 소매 속에 넣고 다닐

만한 작은 책.

수질 (水質) 명 물의 성질. ¶ ~이 좋다 / ~을 오염시키다.

수질 (首絰) 명 상복을 입을 때 머리에 두르는, 짚에 삼 껍질을 감은 둥근 테.

수집 (收集) 명하타 거두어 모음. ¶재활용품을 ~하다.

수집 (蒐集) 명하타 취미나 연구를 위해 갖가지 물건이나 재료를 찾아 모음. 또는 그 물건이나 재료. ¶고서 ~ / 취업 정보를 ~하다.

수차 (水車) 명 **1** 물레방아. **2** 무자위.

수차 (收差) 명 〖물〗 한 점에서 나온 빛이 렌즈나 거울에 의해서 상을 만들 때, 광선이 완전히 한 점에 모이지 않아 상이 흐려지거나 비뚤어지거나 굽는 현상. ¶ ~가 큰 렌즈.

수:차 (數次) 명 여러 차례. 수차례. ¶ ~에 걸친 회담.

수찬 (修撰) 명하타 서책을 편집하여 펴냄.

수참-하다 (羞慚-) 형여불 매우 부끄럽다.

수참-하다 (愁慘-) 형여불 을씨년스럽고 구슬프다. 매우 비참하다.

수채 명 집 안에서 버린 허드렛물이 흘러 나가게 한 시설.

수채-화 (水彩畫) 명 서양화에서, 물감을 물에 풀어서 그린 그림. *유화(油畫).

수챗-구멍 [-채꾸- / -챋꾸-] 명 수채의 허드렛물이 빠져 나가는 구멍. ¶ ~을 뚫다.

수:처 (數處) 명 두서너 곳. 또는 여러 곳.

수척-하다 (瘦瘠-) [-처카-] 형여불 몸이 몹시 마르고 야위다. ¶그의 얼굴은 부쩍 수척해져 알아보기도 힘들 정도였다.

수:천 (數千) 수관 천의 두서너 배 되는 수. 또는 그런 수. ¶ ~ 명 / ~의 군사가 몰려오다.

수:-천만 (數千萬) 수관 **1** 천만의 두서너 배 되는 수. 또는 그런 수. ¶ ~ 원의 돈. **2** 헤아릴 수 없을 만큼 많은 수. ¶ ~ 마리의 메뚜기 떼.

***수첩** (手帖) 명 간단한 기록을 하기 위하여 몸에 지니고 다니는 작은 공책. ¶ ~에 기재하다.

수청 (守廳) 명 〖역〗 **1** 높은 벼슬아치 밑에서 심부름하던 일. **2** 아녀자·기생이 높은 벼슬아치에게 몸을 바쳐 시중을 들던 일. ¶ ~을 거절하다. **3** 청지기.

수청(을) 들다 구 기생이 높은 벼슬아치가 시키는 대로 시중들다.

수초 (手抄) 명하타 직접 기초를 잡아 초벌로 쓴 원고. 또는 그 기록. ¶전말을 ~해 두다.

수초 (水草) 명 〖식〗 물속이나 물가에 자라는 풀. 물풀.

수축 (收縮) 명하자 **1** 근육 따위가 오그라듦. ¶근육이 ~하다. **2** 부피나 규모가 줄어듦. ¶통화의 ~ / 목재는 습기로 ~되기 쉽다. ↔팽창(膨脹).

수축-포 (收縮胞) 명 일정한 율동으로 늘어났다 줄어들었다 하면서 배설과 호흡 작용을 하는 원생동물의 작은 세포.

***수출** (輸出) 명하타 국내 상품이나 기술을 외국으로 팔아 내보냄. ¶전자 기술 ~ / ~에 주력하다. ↔수입.

수출-불 (輸出弗) 명 물자를 해외에 수출하여 그 대금으로 받는 달러.

수출-상 (輸出商) [-쌍] 명 국산품을 수출하는 상인. ↔수입상.

수-출입 (輸出入) 명 수출과 수입. ¶ ~ 동향.

수출 자유 지역 (輸出自由地域) 외국인의 투자를 유치하여 수출을 진흥시키려고 지정한, 주로 바닷가에 자리하는 특정 지역 《면세 따위의 혜택을 줌》.

수출-품 (輸出品) 명 외국에 수출하는 물품. ¶ ~ 개발. ↔수입품.

수출-환 (輸出換) 명 〖경〗 수출업자가 수출 상품의 대금을 받기 위해 외국 수입상을 지급인으로 하는 어음을 발행한 환어음. 수출 어음. ↔수입환.

수취 (收取) 명하타 거두어들여 가짐.

수취 (受取) 명하타 받아 가짐.

수취-인 (受取人) 명 **1** 서류나 물건을 받는 사람. ¶ ~ 불명으로 우편물이 되돌아오다. **2** 〖법〗 일정한 금액을 지급받도록 어음·수표에 지정되어 있는 사람.

수치 (羞恥) 명 부끄러움. ¶ ~를 당하다 / 가문의 ~ / ~로 여기다.

수:치 (數値) 명 〖수〗 **1** 계산해 얻은 값. ¶높은 ~의 혈압. **2** 수식의 숫자 대신 넣는 수. 값.

수치-감 (羞恥感) 명 몹시 부끄러운 느낌. ¶ ~에 얼굴이 벌게지다 / ~으로 몸 둘 바를 모르다.

수치-스럽다 (羞恥-) [-스러우니, -스러워] 형ㅂ불 부끄러운 느낌이 있다. ¶그런 일은 입에 올리기도 ~. **수치-스레** 부

수치-심 (羞恥心) 명 부끄러움을 느끼는 마음. ¶ ~을 느끼다.

수-치질 (-痔疾) 명 항문 밖으로 콩알이나 엄지손가락만 한 것이 두드러져 나오는 치질. ↔암치질.

수칙 (守則) 명 행동·절차에 관하여 지켜야 할 사항을 정한 규칙. ¶근무 ~ / 물놀이하면서 안전 ~을 지키다.

수침 (水沈) 명하자 물에 잠기거나 가라앉음.

수침 (受鍼) 명하자 침을 맞음.

수:침 (繡枕) 명 수를 놓은 베개. 수베개.

수-캉아지 명 강아지의 수컷. ↔암캉아지.

수-캐 명 개의 수컷. ↔암캐.

수-컷 [-컨] 명 동물의 남성. ↔암컷.

수-코양이 명 '수고양이'의 잘못.

수크로오스 (sucrose) 명 〖화〗 사탕수수·사탕무 따위의 식물에 들어 있는 단사 정계의 결정. 물에 잘 녹으며, 맛이 달아 정제(精製)하여 설탕을 만듦. 자당(蔗糖).

수-키와 명 두 암키와 사이에 엎어 놓는 기와. ↔암키와.

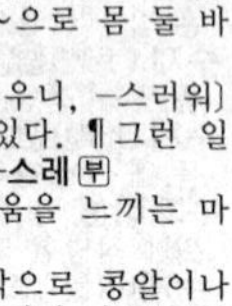

언강
미구
수키와

수탁 (受託) 명하타 **1** 의뢰나 부탁을 받음. **2** 남의 물건 따위를 맡음. ¶화물의 ~.

수탁-자 (受託者) 명 〖법〗 **1** 위탁을 받은 사람. ↔위탁자. **2** 신탁에서, 신탁 재산의 관리나 처분을 맡은 당사자. 수탁인.

수탈 (收奪) 명하타 강제로 빼앗음. ¶일제의 식민지 ~ 정책 / ~을 일삼다.

***수-탉** [-탁] 명 닭의 수컷. ↔암탉.

수탐 (搜探) 명하타 조사하고 탐지함. ¶정보를 ~하다 / ~을 당하다.
수-탕나귀 명 당나귀의 수컷. ↔암탕나귀. 준수나귀.
수태 (受胎) 명하타 아이나 새끼를 뱀. ¶인공 ~ / ~의 기미가 보이다.
수택 (水澤) 명 물이 질퍽하게 괸 못.
수택 (手澤) 명 **1** 물건에 손때가 묻어 생기는 윤기. ¶~본. **2** 물건에 남아 있는 옛 사람의 흔적.
수토 (水土) 명 **1** 물과 흙. **2** 도자기의 원료가 되는 흙의 하나.
수-톨쩌귀 명 암톨쩌귀에 꽂게 된 촉이 달린 돌쩌귀. ↔암톨쩌귀.
수통 (水桶) 명 물통1.
수통 (水筩) 명 **1** 물이 통하는 관. **2** 상수도의 물을 따라 쓰게 만든 장치. 수도전.
수통-스럽다 (羞痛-)〔-스러우니, -스러워〕 형ㅂ불 부끄럽고 분한 데가 있다. **수통-스레** 부
수통-하다 (羞痛-) 형여불 부끄럽고 분하다.
수-퇘지 명 돼지의 수컷. ↔암퇘지.
수퉁-니 명 〔←수퉁이〕〘충〙 크고 굵고 살진 이〔虱〕.
수:-틀 (繡-) 명 수를 놓을 때 바탕천을 팽팽하게 하기 위해 끼우는 틀. 자수틀.
수-틀리다 자 (주로 '수틀리면'의 꼴로 쓰여) 일이 뜻대로 되지 않아 마음에 들지 않다. ¶수틀리면 때려치울 거다.
수:판 (數板) 명 셈을 놓는 데 쓰는 제구. 주판(籌板). ¶~으로 계산을 해 보다.
수판(을) 놓다 구 어떤 일에 관해 이해득실을 따지다.
수:판-셈 (數板-) 명하자 수판으로 하는 셈.
수:판-질 (數板-) 명하자 **1** 수판으로 셈하는 일. **2** 이해득실을 따지는 행위. 주판질.
***수평** (水平) 명 **1** 기울지 않고 평평한 상태. ¶비행기가 ~을 이루며 날다. **2** 지구 중력의 방향과 직각을 이루는 방향. ¶~으로 이동하다.
수평-각 (水平角) 명 〘수〙 각의 두 변이 다 수평면 위에 있는 각.
수평 거:리 (水平距離) 수평면 위에 있는 두 점 사이의 거리.
수평-면 (水平面) 명 수선에 수직인 평면.
수평-선 (水平線) 명 **1** 하늘과 바다가 맞닿아 경계를 이루는 선《수평면 위의 직선》. ¶끝없는 ~ / ~ 너머로 해가 떠오르다. **2** 중력의 방향과 직각을 이루는 선. ¶수직선은 ~보다 길어 보인다.
수평-실 (水平-) 명 수평을 알기 위해 표준 틀에 맨 실.
수-평아리 명 병아리의 수컷. ↔암평아리. 준수평.
수포 (水泡) 명 **1** 물거품. **2** 헛된 결과. ¶모든 일이 ~로 돌아가다.
수포 (水疱) 명 〘한의〙 살가죽이 좁쌀이나 꽈리 또는 달걀만큼 부풀어 속에 물이 잡힌 것. 물집.
수표 (手票) 명 〘경〙 은행에 당좌 예금을 가진 사람이 일정한 금액을 그 지참인에게 지급해 줄 것을 은행에 위탁하는 유가 증권. ¶~를 발행하다.
수표 (手標) 명 돈이나 물건 따위를 대차(貸借)하거나 기탁 등을 할 때 주고받는 증서.
수:표 (數表) 명 〘수〙 사물의 양이나 성질 등을 나타낸 수치를 찾기 쉽게 만든 표《로그표·함수표 따위》.
***수풀** 명 **1** 나무가 무성하게 우거지거나 꽉 들어찬 곳. ¶~이 우거지다. **2** 풀·나무·덩굴이 한데 엉킨 곳. ¶우거진 ~을 헤치고 나아가다.
수프 (soup) 명 서양 요리에서, 고기나 채소 따위를 삶아서 맛을 낸 국물.
수피 (樹皮) 명 나무의 껍질.
수피 (獸皮) 명 짐승의 가죽.
수필 (水筆) 명 붓촉을 항상 먹물이나 잉크 따위에 찍어서 물기를 말리지 아니하고 쓰는 붓《만년필·펜·털붓 따위》.
***수필** (隨筆) 명 〘문〙 일정한 형식이 없이 체험이나 보고 느낀 것을 생각나는 대로 자유롭게 써 나가는 산문의 하나. 에세이. ¶세련된 정감을 표현한 ~.
수필-가 (隨筆家) 명 수필로 일가(一家)를 이룬 사람.
수필-집 (隨筆集) 명 수필을 모은 책.
수하 (手下) 명 **1** 손아래. **2** 부하. ¶그는 ~들을 잘 다룬다.
수하 (誰何) 一 인대 누구. ¶~를 막론하고. 二 명하자 〘군〙 어두워서 상대편을 식별하기 어려울 때, 경계하는 자세로 상대편의 정체나 아군끼리 약속한 암호를 확인함. ¶신병에게 ~하는 요령을 일러 주다.
수-하다 (壽-) 자여불 오래 살다. 장수를 누리다.
수-하물 (手荷物) 명 **1** 간편하게 들고 다닐 수 있는 짐. 손짐. **2** 기차 편에 쉽게 부칠 수 있는 작고 가벼운 짐.
수하-인 (受荷人) 명 목적지에 도달한 운송품의 인도를 받는 사람. ↔송하인(送荷人).
수학 (受學) 명하타 학문을 배움. ¶그와 나는 동문으로 ~하였다.
수학 (修學) 명하타 학업을 닦음. ¶외국에서 음악을 ~하고 돌아오다.
수:학 (數學) 명 수량 및 공간 도형의 성질에 관하여 연구하는 학문《대수학·기하학·삼각법·해석학·미분학·적분학 따위의 총칭》. ¶학생들은 흔히 ~이 어렵다고 한다.
수학 능력 (修學能力)[-항-녁] 전문대학 이상의 교육 기관에서, 교육 과정에 따른 학업을 닦을 수 있는 능력. ¶대학 ~ 시험. 준수능(修能).
수학-여행 (修學旅行)[-항녀-] 명 학생들이 실제로 보고 들어서 지식을 넓힐 수 있도록 교사의 인솔 아래 학교에서 실시하는 여행. ¶경주로 ~을 떠나다.
수한 (水旱) 명 장마와 가뭄.
수한 (壽限) 명 타고난 수명. 또는 목숨의 한도. ¶~이 짧다.
수합 (收合) 명하타 거두어 합함. ¶투표함을 ~하다.
수해 (水害) 명 장마나 홍수로 인한 피해. ¶~를 입다 / ~ 복구 작업에 나서다.
수해 (受害) 명하자 피해를 당함.
수해 (樹海) 명 울창한 삼림의 광대함을 바다에 비유한 말. ¶끝없는 ~.
수행 (修行) 명하자 **1** 행실·학문·기예 따위를 닦음. ¶~을 쌓다. **2** 불도(佛道)에 힘씀.

수행(遂行)명하타 일 따위를 생각하거나 계획한 대로 해냄. ¶직무를 ~하다.
수행(隨行)명하타 **1** 높은 지위에 있는 사람이나 일정한 임무를 띤 사람을 따라다님. 또는 그 사람. ¶외국을 방문 중인 대통령의 ~ 기자. **2** 따라서 행함.
수행-원(隨行員)명 높은 지위에 있는 사람을 따라다니며 그를 돕거나 보호하는 사람. 수행인.
수험(受驗)명하타 시험을 치름. ¶~ 준비/~ 공부.
수험-생(受驗生)명 시험을 치르는 학생. ¶~으로 가득한 독서실.
수험-표(受驗票)명 시험을 치르는 사람임을 증명하는 표. ¶~를 교부받다.
수혈(竪穴)명 땅 표면에서 아래로 곧게 파내려간 구멍.
수혈(輸血)명하자 중환자나 출혈이 심한 사람에게 그 혈액형과 같은 건강한 사람의 피를 혈관에 주입함.
수혈성 황달(輸血性黃疸)[-썽-]〖의〗B형 간염(肝炎) 바이러스를 가진 혈액을 수혈한 결과로 감염되는 간염. B형 간염.
수협(水協)명 '수산업 협동조합'의 준말.
수형(受刑)명하자 형벌을 받음. ¶교도소에서 ~ 생활을 하다.
수혜(受惠)[-/-헤]명 은혜를 입음. 혜택을 받음. ¶~ 대상자.
수혜-자(受惠者)[-/-헤-]명 혜택을 받는 사람. ¶무료 치료의 ~를 늘리다.
수호(守護)명하타 지키고 보호함. ¶문화를 ~하다.
수호(修好)명하자 나라와 나라가 사이좋게 지냄. ¶이웃 나라와 ~ 관계가 돈독하다.
수호-신(守護神)명 국가·민족·개인 등을 지키고 보호해 주는 신.
수호 조약(修好條約) 아직 국제법을 지킬 수 없는 나라와 통교할 때, 미리 일정한 규약을 명시해 준수할 것을 약속하는 조약.
수호-천사(守護天使)명〖가〗모든 사람을 선한 길로 이끌고 악에서 보호하는 천사.
수화(水火)명 물과 불.
수화(水化)명하자〖화〗물질이 물과 화합 또는 결합하는 현상.
수화(手話)명 농아자(聾啞者)들이 손짓으로 나타내는 의사 전달 방법. 지화(指話). *구화(口話).
수화(受話)명하자 전화를 받음. ↔송화.
수화-기(受話器)명 전화기나 무선기 등에서 전류를 음성으로 바꾸는 장치. 곧, 귀에 대고 듣는 부분. ↔송화기.
수확(收穫)명하타 **1** 익은 농작물을 거두어들임. 또는 그 농작물. ¶예상한 대로의 ~을 올리다. **2** 성과. ¶여행에서 얻은 ~/이번 협상에서 큰 ~을 거두었다.
수확-량(收穫量)[-황냥]명 수확한 양. 수확고. ¶가뭄으로 ~이 줄다.
수황-증(手荒症)[-쯩]명 병적으로 남의 것을 훔치는 손버릇.
수회(收賄)명하타 뇌물을 받음. 수뢰(受賂). ¶~ 혐의로 구속되다. ↔증회(贈賄).
수:회(數回)명 여러 번. 두서너 번. ¶~에 걸친 응시.
***수:효**(數爻)명 사물의 낱낱의 수. ¶가축의 ~를 헤아려 보다.
수훈(垂訓)명 후세에 전하는 교훈.
수훈(受勳)명하자 훈장을 받음.
수훈(首勳)명 첫째가는 큰 공훈.
수훈(殊勳)명 뛰어난 공훈. ¶~을 세우다.
수훈(樹勳)명하자 공훈을 세움.
숙계(肅啓)[-/-께]명 삼가 아룀《편지 첫머리에 쓰는 말》.
숙고(熟考)명하타 오래 깊이 생각함. ¶오랫동안의 ~ 끝에 결정했다.
숙공(宿工)명 오래 익혀서 숙달된 일.
숙군(肅軍)명하타 군의 기강을 바로잡기 위하여, 군 내부의 부정과 불상사에 관련된 군인이나 내부에 잠재하는 불순분자를 숙정(肅正)함.
숙기(淑氣)명 **1** 자연의 맑은 기운. **2** 이른 봄날의 화창하고 맑은 기운.
숙-김치(熟-)명 노인이 먹을 수 있게 무를 삶아서 담근 김치.
숙-깍두기(熟-)명 노인이 먹을 수 있게 무를 삶아 담근 깍두기.
***숙녀**(淑女)[숭-]명 **1** 교양·예의·품격을 갖춘 현숙한 여자. ¶재색을 겸비한 ~. **2** 다 자란 여자를 아름답게 이르는 말. ↔신사.
숙-녹피(熟鹿皮)[숭-]명 **1** 부드럽게 만든 사슴의 가죽. **2** 성질이 유순한 사람의 비유.
숙다자 **1** 앞으로 또는 한쪽으로 기울어지다. ¶기둥이 좀 숙었다. **2** 기운 따위가 줄어지다. ¶이제 더위도 점점 숙어 가는구나.
숙달(熟達)명하자타 익숙하고 통달함. ¶~된 운전/서예에 ~하다.
숙당(肅黨)명하타 정당이 내부의 잘못을 바로잡는 일. ¶대대적인 ~ 작업을 벌이다.
숙덕(宿德)명 오래도록 쌓은 덕망(德望).
숙덕(淑德)명 여성의 정숙하고 단아한 덕행.
숙덕-거리다자타 남이 알아듣지 못하게 잇따라 은밀히 이야기하다. ¶숙덕거리지 말고 공개해라. 작속닥거리다. 센쑥덕거리다. **숙덕-숙덕**부하자타
숙덕-공론(-公論)[-논]명하타 여러 사람이 모여 남이 알아듣지 못하게 숙덕거리는 의논. 센쑥덕공론.
숙덕-대다자타 숙덕거리다.
숙덕-이다자타 남이 알아듣지 못하게 낮은 목소리로 이야기하다. ¶그녀는 사람들이 뭐라고 숙덕이든 전혀 신경을 쓰지 않았다. 작속닥이다. 센쑥덕이다.
숙덜-거리다자타 작은 목소리로 좀 수선스럽게 자꾸 이야기하다. 작속달거리다. 센쑥덜거리다. **숙덜-숙덜**부하자타
숙덜-대다자타 숙덜거리다.
숙독(熟讀)명하타 익숙하도록 읽음. 뜻을 생각하며 자세히 읽음. ¶명작을 ~하다.
숙란(熟卵)[숭난]명 삶아 익힌 달걀. 돌알.
숙람(熟覽)[숭남]명하타 자세히 눈여겨 봄.
숙려(熟慮)[숭녀]명하타 곰곰이 잘 생각함. 숙사(熟思). ¶해결책을 ~하다.
숙련(熟練)[숭년]명하자 능숙하게 익힘. ¶~된 솜씨/~을 요하는 작업.
숙련-노동(熟練勞動)[숭년-]명 오랜 훈련 기간을 필요로 하는 노동. *단순 노동.
숙망(宿望)[숭-]명하타 오래도록 품은 소망. ¶남북통일은 우리의 ~이다.
숙맥(菽麥)[숭-]명 **1** 콩과 보리. **2** '숙맥불

변'의 준말. ¶물정 모르는 ~ 같은 녀석.
숙맥불변(菽麥不辨)[숭-] 명 콩과 보리를 구별하지 못한다는 뜻으로, 사리 분별을 못하는 어리석은 사람의 비유. 준숙맥.
숙면(熟眠)[숭-] 명하자 잠이 깊이 듦. 또는 그 잠. ¶~을 했더니 피로가 풀렸다.
숙명(宿命)[숭-] 명 날 때부터 타고난 운명. 피할 수 없는 운명. ¶~에 대항하다.
숙명-적(宿命的)[숭-] 관명 이미 정해진 운명에 의한 (것). ¶~인 사랑〔만남〕. 「니.
숙모(叔母)[숭-] 명 숙부의 아내. 작은어머
숙박(宿泊) 명하자 여관이나 호텔 따위에 들어 잠을 자고 머무름. ¶민가에 ~하다.
숙박-부(宿泊簿) 명 숙박인의 성명·주소 등을 적는 장부.
숙배(肅拜) 명하자 1 〖역〗 백성들이 왕이나 왕족에게 하던 절. 2 윗사람에게 보내는 편지 끝에 '삼가 인사를 드립니다'의 뜻으로 쓰는 말. 3 〖역〗 하직(下直)2.
숙변(宿便) 명 장(腸) 속에 오래 묵어 있는 대변. ¶~을 제거하다.
숙부(叔父) 명 아버지의 동생. 작은아버지.
숙-부드럽다〔숙부드러우니, 숙부드러워〕 형ㅂ불 1 언행이 참하고 부드럽다. ¶상냥하고 붙임성 있는 숙부드러운 아가씨. 2 물체가 노글노글 부드럽다. ¶숙부드러운 가죽 구두.
숙-부인(淑夫人) 명 〖역〗 조선 때, 정삼품 당상관 아내의 봉작(封爵).
숙사(宿舍) 명 1 숙박하는 집. ¶~할 여관을 찾다. 2 여러 사람이 집단으로 살고 있는 집. ¶독신 여성 ~.
숙사(塾舍) 명 1 숙생(塾生)들이 묵는 곳. 2 글방과 숙소를 겸한 서당.
숙생(塾生) 명 사숙(私塾)에 다니며 배우는 서생(書生).
숙설-간(熟設間)[-깐] 명 잔치와 같은 큰일 때에 음식을 만드는 곳. 숙수간.
숙설-거리다 자타 남이 알아듣지 못하게 말소리를 낮추어 자질구레하게 자꾸 이야기하다. 작속살거리다. **숙설-숙설** 부하자타
숙설-대다 자타 숙설거리다.
숙성(熟成) 명하자타 1 충분히 이루어짐. 2 〖화〗 물질이 적당한 온도에 의해 오랜 시간 동안에 서서히 발효되거나 콜로이드 입자가 생성되는 일. ¶김치는 ~ 기간을 잘 조절해야 제 맛이 난다. 3 동물체의 단백질·지방·글리코겐 등이 효소나 미생물의 작용으로 부패되지 않고 분해되어 특수한 향미를 내는 일.
숙성-하다(夙成-) 형여불 나이에 비하여 지각이나 발육이 빠르다. 조숙하다. ¶그 아이는 나이에 비해 꽤 ~.
숙소(宿所) 명 집을 떠나 임시로 묵는 곳. ¶~를 정하다.
숙소-갑사(熟素甲紗) 명 누인 실로 짠 갑사. 준숙소·숙갑사.
숙수(菽水) 명 콩과 물이라는 뜻으로, 변변치 못한 음식의 일컬음.
숙수(熟手) 명 1 잔치와 같은 큰일 때에 음식을 만드는 사람. 또는 그 일을 업으로 하는 사람. 2 어떤 일에 익숙한 사람.
숙수-간(熟手間)[-깐] 명 숙설간(熟設間).
숙수그레-하다 형여불 여러 개의 물건이 별로 크지도 작지도 않고 거의 고르다.
숙숙-하다(肅肅-)[-쑤카-] 형여불 엄숙하고 고요하다. **숙숙-히**[-쑤키] 부
숙시-주의(熟柹主義)[-/-이] 명 익은 감이 저절로 떨어지기를 기다리듯, 노력은 하지 않고 일이 저절로 잘되어 이익이 돌아올 때만을 기다리는 주의.
숙식(宿食) 명하자 자고 먹음. ¶~을 제공하다 / 오지 사람들과 ~을 같이하다.
숙식(熟識) 명하타 1 익히 잘 앎. 숙지(熟知). 2 친한 벗.
숙실(熟悉) 명하타 어떤 사정이나 상대의 의사 따위를 충분히 앎.
숙씨(叔氏) 명 남의 셋째 형이나 셋째 아우를 높여 이르는 말.
숙안(宿案) 명 미리부터 생각해 두었던 안.
숙야(夙夜) 명 이른 아침과 깊은 밤.
숙어(熟語) 명 1 두 개 이상의 낱말이 합하여 하나의 뜻을 나타내어, 마치 하나의 낱말처럼 쓰이는 말. ¶한자 ~. 2 특별한 뜻을 나타내는 성구(成句). 관용구. 익은말.
숙어-지다 자 1 앞으로 기울어지다. ¶졸음으로 자꾸 머리가 ~. 2 현상이나 기세 따위가 약해지다. ¶태풍의 기세가 점점 ~.
숙연-하다(肅然-) 형여불 고요하고 엄숙하다. ¶숙연한 자세로 묵념하다. **숙연-히** 부. ¶~ 옷깃을 여미다.
숙영(宿營) 명 군대가 병영을 떠나 다른 곳에 머무르는 일. 숙진(宿陣). ¶강가에서 ~하다.
숙원(宿怨) 명 오랫동안 품어 온 원한. ¶~을 풀지 못하고 가다.
숙원(宿願) 명 오래전부터 품어 온 염원이나 소원. ¶~을 이루다.
숙의(熟議)[-/-이] 명하타 깊이 생각하여 충분히 의논함. ¶~를 거듭하여 결정을 내리다.
***숙이다** 타 《'숙다'의 사동》 숙게 하다. ¶부끄러운 듯이 머리를 ~.
숙잠(熟蠶) 명 고치를 지을 수 있게 자란 누에. 익은누에.
숙적(宿敵) 명 오래전부터의 원수 또는 적수. ¶~을 쓰러뜨리다.
숙전(熟田) 명 해마다 농사짓는 밭.
숙정(肅正) 명하타 부정(不正)을 엄격히 다스려 바로잡음. ¶공무원의 기강을 ~하다.
숙정-하다(肅靜-) 형여불 정숙(靜肅)하다.
***숙제**(宿題) 명하자 1 학교에서 복습과 예습을 위해 내주는 과제. ¶~가 너무 많다 / ~하고 나가 놀다. 2 두고 생각해 보거나 해결해야 할 문제. ¶그 문제는 후일의 ~로 남겨 두자.
숙주 명 '숙주나물1'의 준말.
숙주(宿主) 명 기생(寄生) 생물이 기생하는 대상으로 삼는 생물. 기주(寄主).
숙주-나물 명 1 녹두에 물을 주어서 싹을 낸 나물. 준숙주. 2 숙주를 데쳐서 양념에 무친 반찬.
숙지(宿志·夙志) 명 오랫동안 마음에 품은 뜻. ¶~를 성취하다.
숙지(熟知) 명하타 익숙하게 충분히 앎. ¶작업 지침을 ~하다.
숙지근-하다 형여불 불꽃같이 맹렬하던 형세가 누그러져 가다. ¶더위가 다소 ~.

숙지다 [자] 어떤 현상이나 기세 따위가 차차 누그러지다. ¶더위가 숙져 가는 초가을.
숙직 (宿直) [명][하자] 관청·회사·학교 따위에서 밤에 교대로 잠을 자며 지키는 일. 또는 그런 사람. ¶～ 수당/동료 직원 대신 ～을 서다. ↔일직(日直).
숙질 (叔姪) [명] 아저씨와 조카.
숙채 (宿債) [명] 오래 묵은 빚.
숙채 (熟菜) [명] 익혀서 무친 나물.
숙청 (肅淸) [명][하타] 조직 내의 반대자들을 없앰. 특히, 독재 국가 등에서 내부의 반대파를 제거하는 일. ¶반대파를 ～하다.
숙청 (熟淸) [명] 찌끼를 없앤 맑은 꿀. *생청(生淸).
숙청-하다 (淑淸-) [형][여불] 성품이나 행동이 깨끗하고 정숙하다.
숙체 (宿滯) [명] 〖한의〗 묵은 체증.
숙취 (宿醉) [명] 이튿날까지 깨지 않는 취기. ¶～로 속이 울렁거린다.
숙친 (熟親) [명][하형] 사이가 스스럼없이 가까움. 또는 그 친분. ¶그와는 ～한 사이이다.
숙피 (熟皮) [명] 잘 다루어서 부드럽게 만든 가죽. 다룸가죽.
숙항 (叔行)[수캉] [명] 아저씨뻘의 항렬.
숙환 (宿患)[수콴] [명] 오래 묵은 병. ¶～으로 별세하다.
숙황 (熟荒)[수쾅] [명][하자] 풍년으로 쌀값이 내려, 농민이 도리어 곤궁해짐.
순 (旬) [명] 한 달을 셋으로 나눈 열흘 동안. ¶입학한 지 사오 ～이 지났다.
순 (巡) [一][명] **1** '순행(巡行)'의 준말. ¶～을 돌다. **2** 돌아오는 차례. ¶차분히 앉아 ～을 기다리다. **3** 활을 쏠 때 각 사람이 각각 화살을 다섯 대까지 쏘는 한 바퀴. [二][의명] [一]3을 세는 단위. ¶두 ～을 쏘았다.
순 (筍·笋) [명] 식물의 싹. ¶대나무 ～.
순 (純) [관] 다른 것이 섞이지 않은. 순수한. 순전한. ¶～ 살코기/～ 한국식.
순 [부] (주로 좋지 않은 뜻의 말 앞에 쓰여) '몹시·아주'의 뜻을 나타냄. ¶～ 거짓말/～ 깍쟁이/～ 도둑놈.
-순 (順) [미] 어떤 말 뒤에 붙어 차례를 나타냄. ¶가나다～/선착～.
순간 (旬刊) [명][하타] 열흘마다 간행함. 또는 그런 간행물. ¶～ 잡지.
순간 (旬間) [명] **1** 음력 초열흘께. **2** 열흘 동안의 기간.
***순간** (瞬間) [명] **1** 아주 짧은 동안. ¶결정적인 ～/최후의 ～이 다가오다. **2** 어떤 일이 일어난 바로 그때. ¶골을 넣는 ～ 모두들 환성을 질렀다.
순간-적 (瞬間的) [관][명] 아주 짧은 동안에 있는 (것). ¶～으로 일어난 사고.
순검 (巡檢) [명][하타] **1** 순찰하며 살핌. 또는 그런 일을 하는 사람. **2** 〖역〗 밤마다 순청(巡廳)에서 맡은 구역 안을 돌며 통행을 감시하던 일. **3** 〖역〗 조선 후기에, 경무청에 속해 있던 경리(警吏)《지금의 순경》.
순견 (純絹) [명] 순 명주실로만 짠 명주. 본견.
순결 (純潔) [명][하형] **1** 마음에 사욕(私慾)·사념(邪念) 따위가 없이 깨끗함. ¶～한 사랑. **2** 이성과 육체 관계가 없음. ¶～을 지키다.
순경 (巡警) [명][하타] **1** 순찰. **2** 경찰 공무원 계급의 하나《경장의 아래로 최하위직임》.
순:경 (順境) [명] 모든 일이 순조로운 경우. ¶～에서 자라다. ↔역경.
순경-음 (脣輕音) [명] 〖언〗 고어에서, 입술을 거쳐 나오는 가벼운 소리《ㅸ·ㆄ·ㅱ·ㅹ 등》.
순계 (純系)[-/-게] [명] 〖생〗 같은 유전 형질을 가진 것끼리만 생식을 대대로 계속해 온 계통.
순교 (殉教) [명][하자] 자기가 믿는 종교를 위하여 목숨을 바침. ¶믿음을 버리지 않고 ～의 길을 택하다.
순국 (殉國) [명][하자] 나라를 위하여 목숨을 바침. ¶～선열/～ 정신을 이어받다.
순금 (純金) [명] 다른 금속이 섞이지 않은 황금. 정금(正金). ¶～ 한 돈쭝/～ 반지.
순:기 (順氣) [명] **1** 풍작이 예상되는 순조로운 기후. **2** 도리에 맞는 올바른 기상(氣象). **3** 기후에 순응함. **4** 순조로운 기분.
순:-기능 (順機能) [명] 본래 목적한 대로 작용하는 긍정적인 기능. ↔역기능.
순년 (旬年) [명] 10년.
순:당-하다 (順當-) [형][여불] 순서나 도리에 맞아 당연하다. 마땅히 그리 되었어야 하다. ¶그가 내린 결정은 순당한 처사였다.
순대 [명] 돼지 창자 속에 쌀·두부·숙주나물 등을 넣고 삶은 음식.
순도 (純度) [명] 품질의 순수한 정도. ¶～ 99%의 금/～가 높다.
순:-되다 (順-)[-뙤-] [형] 사람들이 순직하고 진실하다. ¶곧고 순된 고향 사람들.
순-두부 (-豆腐) [명] 눌러서 굳히지 않은 두부. 수(水)두부. ¶～ 찌개.
순라 (巡邏)[술-] [명] **1** '순라군'의 준말. **2** '술래'의 본딧말.
순라-군 (巡邏軍)[술-] [명] 〖역〗 조선 때, 도둑이나 화재 등을 경계하기 위하여 밤에 도성 안을 순찰하던 군졸. ㊌순라.
순람 (巡覽)[술-] [명][하타] 여러 곳으로 돌아다니며 봄. ¶명승 고적을 ～하다.
순량 (純量)[술-] [명] 전체 무게에서 포장이나 용기 등의 무게를 뺀 순수한 무게.
순량-하다 (純良-·醇良-)[술-] [형][여불] 성품이 순진하고 선량하다. ¶순량한 백성.
순량-하다 (淳良-)[술-] [형][여불] 성품이 순박하고 선량하다.
순:량-하다 (順良-)[술-] [형][여불] 성질이 유순하고 선량하다. ¶순량한 마음.
순례 (巡禮)[술-] [명][하타] 종교상의 성지(聖地)·영지(靈地) 등을 찾아다니며 참배함. ¶성지를 ～하다.
순:로 (順路)[술-] [명] **1** 평탄한 길. **2** 사물의 마땅하고 올바른 길.
순록 (馴鹿)[술-] [명] 〖동〗 사슴과의 짐승. 북극 지방에 분포하며 암수 모두 뿔이 있음. 다리가 크고 억세어 길러서 소처럼 부리며, 고기와 젖은 식용함. *고라니.
순:류 (順流)[술-] [명][하자] **1** 물이 아래로 흐름. 또는 그 물의 흐름. **2** 형편이 돌아가는 대로 좇음. ¶정세의 ～를 따르다. ↔역류(逆流).
순:리 (順理)[술-] [명][하자] **1** 도리나 이치에 순종함. **2** 마땅한 이치나 도리. ¶～에 따르다/자연의 ～를 터득하다.
순:리-적 (順理的)[술-] [관][명] 도리나 이치에

순종하는 (것). ¶ ~으로 처리하다.
순망(旬望) 명 음력 초열흘과 보름.
순망-간(旬望間) 명 음력 초열흘부터 보름까지의 사이.
순망치한(脣亡齒寒) 명 〔입술이 없으면 이가 시리다는 뜻 : 춘추좌씨전(春秋左氏傳)에서 온 말〕 서로 이해관계가 밀접한 사이에, 하나가 망하면 다른 한편도 그 영향으로 온전하기 어려움을 비유한 말.
순면(純綿) 명 '순면직물'의 준말.
순-면직물(純綿織物)[-징-] 명 순전히 면사(綿絲)만으로 짠 직물. 준순면(純綿).
순모(純毛) 명 순수한 모직물이나 털실.
순미(純味) 명 다른 맛이 섞이지 아니한 순수한 맛.
순미(純美) 명하형 티 없이 깨끗하고 아름다움.
순미(醇味) 명 본디 지닌 그대로의 순수하고 진한 맛.
순박-하다(淳朴-·醇朴-)[-바카-] 형여불 순수하고 인정이 두텁다. ¶순박한 고향 친구들.
순발-력(瞬發力) 명 근육이 순간적으로 수축하면서 나는 힘. 순간적으로 힘을 낼 수 있는 능력. ¶저 선수는 ~이 뛰어나다.
순방(巡訪) 명하타 나라나 도시 따위를 차례로 방문함. ¶외무 장관의 유럽 ~/수해 지역을 ~하다.
순배(巡杯) 명하자 술자리에서 술잔을 차례로 돌림. 또는 그 술잔. ¶분위기에 따라 ~가 잦아지다.
순백(純白·醇白) 명하형 **1** 순수하게 흼. **2** '순백색'의 준말. ¶~의 유니폼. **3** 티 없이 맑고 깨끗함. ¶~의 마음.
순-백색(純白色) 명 순수한 흰빛. 새하얀 빛. 준순백.
순:번(順番) 명 차례로 돌아가는 번. 또는 그런 순서. ¶~을 기다리다.
순보(旬報) 명 **1** 열흘마다 내는 보고. **2** 열흘에 한 번씩 발간하는 신문·잡지.
순:복(順服) 명하자 순순히 복종함. ¶부모님께 ~하다.
순복(馴服) 명하자 길이 들어 잘 순종함.
순분(純分) 명 금이나 은화 또는 지금(地金)에 들어 있는 순금이나 순은의 함유량.
순사(巡査) 명 일제 강점기 때, 경찰관의 최하위 계급《지금의 순경에 해당함》.
순사(殉死) 명하자 **1** 나라를 위하여 목숨을 바침. **2** 죽은 왕이나 남편을 따라 자살함. 순절(殉節). ¶~한 부인.
순삭(旬朔) 명 초열흘과 초하루.
순:산(順產) 명하타 아무 탈 없이 순조롭게 아이를 낳음. 안산(安產). ¶~을 기원하다.
순:상(順喪) 명 늙은 부모가 젊은 자식보다 먼저 죽는 일. ↔악상(惡喪).
순색(純色) 명 다른 색이 섞이지 않은 순수한 빛깔. ¶그녀는 ~의 옷만을 고집해서 입는다.
***순:서**(順序) 명 정해 놓은 차례. ¶~가 바뀌다/~를 밟아 일을 하다.
순:서-도(順序圖) 명 〖컴〗 컴퓨터로 처리하고자 하는 작업의 내용·순서·명령 등을 기호나 도형을 써서 보기 쉽게 나타낸 그림.
순성(馴性) 명 **1** 사람을 잘 따르는 짐승의 성질. ¶~이 좋은 소. **2** 남이 하자는 대로 잘 따라 하는 성질.
순:성(順成) 명하타 어떤 일을 아무 탈 없이 잘 이룩함.
순-소득(純所得) 명 전체 소득에서 비용을 뺀 순수한 소득.
순속(淳俗) 명 순박한 풍속. 순풍(淳風).
순수(巡狩) 명하타 〖역〗 왕이 나라 안을 두루 살피며 돌아다니던 일.
순수(純粹) 명하형 **1** 다른 것이 조금도 섞이지 않음. ¶~한 증류수. **2** 사사로운 욕심이나 못된 생각이 없음. ¶~한 호의/젊은이 특유의 ~한 감수성.
순수 문학(純粹文學) 〖문〗 어떤 정치적·계몽적 동기에서 이루어진 공리주의적 또는 대중적·통속적이 아닌 순수한 예술적 충동에서 형성한 문학.
순수-비(巡狩碑) 명 〖역〗 임금이 순수(巡狩)한 곳을 기념하여 세운 비석. ¶진흥왕 ~.
순수-시(純粹詩) 명 〖문〗 순수하게 감동을 일으키는 정서적 요소만으로 쓴 시.
순수 이:성(純粹理性) 〖철〗 경험·인식을 가능하게 하는 선천적 인식 능력. ↔실천 이성.
순:순-하다(順順-) 형여불 **1** 성질이나 태도가 고분고분하고 온순하다. ¶묻는 말에 순순하게 대답하다. **2** 음식 맛이 순하다. ¶환자에게 순순한 음식을 제공하다. **순:순-히** 부. ¶~ 자백하다/범인은 아무 저항 없이 ~ 따랐다.
순순-하다(諄諄-) 형여불 타이르는 태도가 다정하고 친절하다. **순순-히** 부. ¶화를 참고 ~ 타이르다.
순시(巡視) 명하타 돌아다니며 살펴봄. 또는 그런 사람. ¶지방 관청을 ~하다/관할 구역을 ~하다.
순식-간(瞬息間) 명 극히 짧은 동안. ¶~에 벌어진 일/~에 매진되다.
순실-하다(純實-) 형여불 순직하고 참되다.
순실-하다(淳實-) 형여불 순박하고 참되다.
순애(純愛) 명 순수하고 깨끗한 사랑. ¶~를 바치다.
순애(殉愛) 명하자 사랑을 위하여 모든 것을 바침.
순양(巡洋) 명하타 해양을 순찰함.
순양(馴養) 명하타 짐승 따위를 길들여 기름. 순육.
순양-함(巡洋艦) 명 군함의 한 가지. 전함과 구축함의 중간 함종으로, 속력이 빠르고 전투력이 강함.
순여(旬餘) 명 열흘 남짓한 동안.
순연(巡演) 명하타 순회공연. ¶전국 각지를 ~하다.
순:연(順延) 명하타 순차로 기일을 연기함. ¶경기장 사정으로 ~하다.
순연-하다(純然-) 형여불 다른 것이 전혀 섞이지 아니하고 제대로 온전하다. **순연-히** 부
순열(殉烈) 명하자 충렬을 위하여 목숨을 바침. 또는 그런 사람.
순:열(順列) 명 **1** 차례대로 늘어선 줄. **2** 〖수〗 n개의 각기 다른 물건 가운데서 r개의 물건을 집어내어 일렬로 늘어놓은 것을, 'r개의 물건의 n순열'이라고 함. 기호

는 „P".

순월(旬月) 명 열흘이나 달포 가량.

순:위(順位) 명 순서를 나타내는 위치나 지위. ¶～ 결정전 / ～를 발표〔정〕하다.

순유(巡遊) 명하자 각처로 돌아다니며 놂. 역유(歷遊). ¶북유럽을 ～하다.

순은(純銀) 명 다른 것이 섞이지 않은 순수한 은. 정은(正銀).

순음(脣音) 명 〖언〗 입술소리. 양순음(兩脣音).

순:응(順應) 명하자 **1** 환경이나 변화에 적응하여 익숙해지거나 체계나 명령 따위에 적응하여 따름. ¶대세에 ～하다. **2** 〖생〗 환경의 변화에 따라 감각이나 감도가 알맞은 상태로 변화하는 일.

순-이익(純利益)[-니-] 명 총이익에서 총비용을 뺀 순전한 이익. 준순리·순익.

순익(純益) 명 '순이익'의 준말.

순일(旬日) 명 **1** 음력 초열흘. **2** 열흘 동안.

순일(純一) 명하형 다른 것이 섞이지 않고 순수함.

순-잎(筍-)[-닙] 명 순이 돋아 핀 잎.

순장(旬葬) 명 죽은 지 열흘 만에 지내는 장사. ¶장례식을 ～으로 치르다.

순장(殉葬) 명하타 〖역〗 왕이나 귀족이 죽었을 때, 살아 있는 신하나 종을 함께 묻던 일. 또는 그런 장례법.

순-전(旬前) 명 음력 초열흘 전.

순전-하다(純全-) 형여불 순수하고 완전하다. ¶이것은 순전한 사기다. **순전-히** 부. ¶그것은 ～ 내 잘못이야.

순절(殉節) 명하자 순사(殉死).

순:접(順接) 명 〖언〗 2개의 문장 또는 구(句)가 양립할 수 있는 관계에서 앞뒤 문장이 내용상 서로 맞서지 않고 순조롭게 이어지도록 접속하는 일(('그러므로, 그래서, 그러니' 따위를 씀)). ↔역접(逆接).

순정(純正) 명하형 **1** 순수하고 올바름. **2** 학문에서, 이론이나 형식을 중히 여기고 응용·경험을 도외시함. ¶～ 과학 / ～ 수학.

순정(純情) 명 순수한 감정이나 애정. ¶～ 가련한 처녀 / ～을 바쳐 사랑하다.

순:정-하다(順正-) 형여불 도리에 어긋나지 않고 올바르다.

순:조(順調) 명 탈이나 말썽 없이 잘되어 가는 상태.

순:조(順潮) 명하자 조수(潮水)의 흐름을 따름.

순:조-롭다(順調-)〔-로우니, -로워〕 형ㅂ불 일이 아무 탈이나 말썽 없이 예정대로 잘되어 가는 상태에 있다. ¶첫출발이 ～. **순:조-로이** 부. ¶사건이 ～ 해결되다.

순:종(順從) 명하자타 순순히 따름. ¶부모님 말씀에 ～하다.

순종(純種) 명 딴 계통과 섞이지 않은 순수한 종(種). *순계(純系).

순-지르기(筍-) 명하자 초목의 곁순을 잘라 내는 일. 순지름.

순-지르다(筍-)〔순지르니, 순질러〕 타르불 초목의 곁순을 잘라 내다.

순직(殉職) 명하자 직무를 다하다가 목숨을 잃음. ¶과로로 교단에서 ～하다.

순직-하다(純直-)[-지카-] 형여불 마음이 순박하고 곧다.

순진무구-하다(純眞無垢-) 형여불 티 없이 순진하다. ¶어린아이와 같은 순진무구한 표정.

순진-하다(純眞-) 형여불 **1** 꾸밈이 없고 순박하다. ¶순진한 고향 처녀. **2** 물정이 어두워 어리숙하다. ¶그녀는 너무 순진하여 세상 물정에 서투르다.

순:차(順次) 명 돌아오는 차례.

순:차-적(順次的) 관명 차례에 따라 하는 (것). ¶쉬운 것부터 ～으로 풀다.

순:차적 제:어(順次的制御) 〖컴〗 일정한 순서에 따라 제어 단계가 차례로 이루어지는 자동 제어((전기세탁기·전기밥솥·자동판매기 및 각종 공작 기계 등에 응용됨)).

순찰(巡察) 명하타 여러 곳을 돌아다니며 사정을 살핌. ¶밤거리를 ～하다.

순:천(順天) 명하자 '순천명'의 준말. ↔역천(逆天).

순:-천명(順天命) 명하자 하늘의 뜻에 따름. ↔역천명. 준순천.

순철(純鐵) 명 〖화〗 불순물이 전혀 섞이지 아니한 철((전자기·진공관·합금 등의 재료 및 내식판·촉매 등으로 씀)).

순치(馴致) 명하타 **1** 짐승을 길들임. **2** 어떤 상태에 점차 이르게 함.

순치-음(脣齒音) 명 〖언〗 아랫입술과 윗니 사이에서 나는 소리(('v, f' 등)).

순:탄-하다(順坦-) 형여불 **1** 성질이 까다롭지 않다. ¶순탄한 생활. **2** 길이 평탄하다. ¶도로 공사 중이라 길이 순탄치 않았다. **3** 아무 탈 없이 순조롭다. ¶순탄한 반생 / 작가로서의 생애는 순탄한 편이었다 / 작업이 출발부터 순탄치 않았다. **순:탄-히** 부

순통(純通) 명하자타 책을 외고 그 내용에 통달함. ¶논어에 ～하다.

순:편-하다(順便-) 형여불 순조롭고 편하다. **순:편-히** 부. ¶～ 살아가다.

순:풍(順風) 명 **1** 순하게 부는 바람. **2** 배가 가는 쪽으로 부는 바람. ¶～에 돛을 달다. ↔역풍(逆風).

***순:-하다**(順-) 형여불 **1** 성질이나 태도가 부드럽다. ¶순한 성격. **2** 바람이나 물결 따위가 부드럽다. ¶바람이 순하게 불다. **3** 맛이 독하지 않다. ¶이 담배는 ～. **4** 일이 까다롭지 않다. ¶작업이 순하게 끝을 맺었다. **순:-히** 부

순항(巡航) 명하타 배를 타고 여러 곳을 돌아다님.

순:항(順航) 명하자 **1** 순조롭게 항행함. 또는 그런 항행. ¶배가 ～ 중이다. **2** 일 따위가 순조롭게 진행됨의 비유. ¶말단부터 ～을 거듭해 마침내 사장이 되었다.

순항 미사일(巡航missile) 초저공을 비행하여, 레이더에 포착이 잘 되지 않으며 명중률이 높은 미사일. 크루즈 미사일.

순행(巡行) 명하자 여행이나 공부를 위해 여러 곳을 돌아다님. 준순(巡).

순:행(順行) 명하자 거스르지 않고 순서대로 행함. ↔역행.

순:행 동화(順行同化) 〖언〗 뒤에 오는 소리가 앞의 소리를 닮는 현상(('일년→일련, 종로→종노' 따위)). ↔역행 동화.

순화(純化) 명하타 불순한 것을 제거하여 순수하게 함.

순화 (馴化) [명][하자] 기후가 다른 땅에 옮겨진 생물이 점차 그 환경에 적응하는 일. ¶ 저 표범은 아직 ~되지 않았다.
순화 (醇化) [명][하타] **1** 정성 어린 가르침으로 감화함. ¶불량 학생을 ~하다. **2** 잡스러운 것을 걸러 순수하게 만듦. ¶국어의 ~. **3** 〘미술〙 재료를 취사선택하여 불순 요소를 없애는 일.
순환 (循環) [명][하자] 주기적으로 되풀이하여 돎. 또는 그런 과정. ¶계절의 ~/~ 지하철.
순환-계 (循環系)[-/-게] [명] 〘생〙 심장에서 나온 피가 전신을 순환하며 영양을 공급하고 노폐물을 수용하는 계통의 조직. 순환계통.
순환-기 (循環器) [명] 〘생〙 혈액을 순환시켜 몸의 각 조직에 영양을 나르고 노폐물을 배설하는 기관《심장·혈관·림프관 등》.
순환 논증 (循環論證) 〘논〙 논증되어야 할 명제를 논증의 근거로 하는 잘못된 논증. 순환론. 순환 논법.
순환 도:로 (循環道路) 일정한 지역을 순환할 수 있도록 만든 도로. ¶대도시의 ~.
순환-론 (循環論)[-논] [명] 〘논〙 순환 논증.
순환 소:수 (循環小數) 〘수〙 무한 소수의 하나. 소수점 이하의 어떤 자리 다음부터 숫자 몇 개가 같은 차례로 무한히 되풀이되는 소수《3.1414… 등》.
순회 (巡廻) [명][하타] 여러 곳을 돌아다님. ¶ 전국을 ~하며 견문을 넓히다.
순회-공연 (巡廻公演) [명] 여러 곳을 돌아다니면서 벌이는 공연. 순연(巡演). ¶전국 ~에 나서다.
순후 (旬後) [명] 음력 초열흘이 지난 뒤.
순후-하다 (淳厚-·醇厚-) [형][여불] 순박하고 인정이 두텁다.
*__숟-가락__ [一][명] 밥이나 국물을 떠먹는 식사용 기구《은·백통·놋쇠 등으로 만듦》. [二][의명] 밥 따위 음식물을 숟가락으로 뜨는 분량이나 횟수를 세는 단위. ¶두어 ~ 들다. [준] 숟갈.
숟가락(을) 놓다 [구] '죽다'의 완곡한 표현.
숟가락-질 [명][하자] 숟가락으로 음식을 떠먹는 일. ¶아직 어려서 ~이 서투르다.
숟가락-총 [명] 숟가락의 자루.
숟-갈 [명][의명] '숟가락'의 준말.
*__술__[1] [명] 알코올 성분이 있어 마시면 취하는 음료의 총칭. ¶~을 끊다/~을 담그다/~에 취하다.
[술 먹은 개] 술에 취해 멋대로 행동하는 사람을 욕하는 말. [술 받아 주고 뺨 맞는다] 남에게 후히 하고 도리어 해를 당함.
술을 치다 [구] 술을 잔에 따라 붓다.
술이 술을 먹다 [구] 취할수록 자꾸 더 술을 마시다.
술[2] [명] '쟁깃술'의 준말.
술:[3] [명] 가마·띠·끈·옷 따위의 끝에 달린 여러 가닥의 실.
술:[4] [명] 책이나 종이·피륙 등의 포갠 부피.
술 (戌) [명] 지지(地支)의 열한째.
술[5] [의명] 한 숟가락의 분량. ¶한 ~만 들어 보시오/국물을 몇 ~ 뜨다.
-술 (術) [미] '재주, 기술'의 뜻. ¶최면~/점성~/사교~.
술가 (術家) [명] 음양·복서(卜筮)·점술(占術)에 정통한 사람. 술객.
술객 (術客) [명] 술가.
술-고래 [명] 술을 많이 마시는 사람.
술-구더기 [-꾸-] [명] 걸러 놓은 술에 뜬 밥알.
술-국 [-꾹] [명] 술집에서 안주로 주는 된장국 따위.
술-기 (-氣)[-끼] [명] 술기운.
술-기운 [-끼-] [명] 술에 취한 기운. 주기(酒氣). ¶~이 돌다/~을 빌려 울분을 터뜨리다.
술-김 [-낌] [명] 술에 취한 김. ¶~에 떠든 말/~에 저지른 잘못.
술-꾼 [명] 술을 좋아하며 많이 마시는 사람.
술-내 [-래] [명] 술의 냄새. ¶입에서 지독한 ~가 풍기다.
술년 (戌年)[-련] [명] 태세(太歲)의 지지(地支)가 '술(戌)'로 된 해《갑술(甲戌)·병술(丙戌) 등》.
술-대접 (-待接) [명][하자타] 술을 차려 놓고 대접함. ¶~을 받다.
술-도가 (-都家)[-또-] [명] 술을 만들어 도매하는 집. 양주장.
술-독 [-똑] [명] **1** 술을 담그거나 담는 독. **2** 술을 많이 마시는 사람을 놓으로 일컫는 말. ¶~에 빠지다.
술-독 (-毒)[-똑] [명] 술 중독으로 얼굴에 나타나는 붉은 점이나 빛. 주독(酒毒). ¶~이 올라 얼굴이 검붉다.
술:-띠 [명] 양쪽 두 끝에 술을 단 가는 띠. 허리띠나 주머니 끈 등으로 씀.
*__술래__ [명] 〔←순라(巡邏)〕 술래잡기에서, 숨은 아이들을 찾아내는 아이.
술래-잡기 [명][하자] 여럿 가운데 한 아이가 술래가 되어 숨은 아이들을 찾아내는 놀이.
술렁-거리다 [자] 자꾸 어수선하게 소란이 일다. ¶갑작스러운 인사이동에 직원들은 술렁거렸다. **술렁-술렁** [부][하자]
술렁-대다 [자] 술렁거리다.
술렁-이다 [자] 어수선하게 들뜨다. ¶술렁이는 민심.
술-마당 [명] 술자리가 벌어진 마당.
술-망나니 [명] 술주정이 아주 심한 사람을 비난조로 일컫는 말.
술명-하다 [형][여불] 수수하고 훤칠하게 걸맞다. ¶술명한 차림새. **술명-히** [부]
술-밑 [-믿] [명] 누룩을 섞어 버무린 지에밥《술의 원료임》. 주모(酒母).
술-밥 [-빱] [명] **1** 술 담글 때 쓰는 지에밥. ¶~을 찌다. **2** 쌀에 술·간장·설탕 등을 섞어 지은 밥.
술-버릇 [-뻐른] [명] 술을 마시면 나타나는 버릇. 주벽(酒癖). ¶~이 고약하다.
술법 (術法)[-뻡] [명] 음양과 복술(卜術)에 관한 이치 및 그 실현 방법. 술수(術數).
술-벗 [-뻗] [명] 술로 사귄 벗. 또는 술을 함께 마시는 사람. 술친구. 주붕(酒朋).
술-병 (-病)[-뼝] [명] 술을 지나치게 많이 마셔서 생긴 병. ¶~이 나다.
술-병 (-甁)[-뼝] [명] 술을 담는 병의 총칭. 주병(酒甁). 주호(酒壺).
술부 (述部) [명] 서술부. *주부(主部).
술사 (術士)[-싸] [명] **1** 술가(術家). **2** 술책에

능한 사람.
술-살 [-쌀] 명 술을 마시고 찐 살. ¶ ~이 오르다.
술-상 (-床)[-쌍] 명 술과 안주를 차려 놓은 상. 주안(酒案). 주안상(床). ¶ 조촐한 ~ / ~을 보다 / ~을 방으로 들이다.
술생 (戌生)[-쌩] 명 술년(戌年)에 태어난 사람. 개띠.
술서 (術書)[-써] 명 술법에 관한 책.
술수 (術數)[-쑤] 명 **1** 음양·복서(卜筮) 등에 관한 이치. 술법. **2** 술책. ¶ ~를 쓰다 / ~에 능한 사람.
술술 부 **1** 물이나 가루 등이 조금씩 가볍게 새어 나오는 모양. ¶ 간장이 ~ 새는 항아리. **2** 가는 비나 눈이 가볍게 내리는 모양. ¶ 부슬비가 ~ 내리던 밤. **3** 문제·얽힌 실 따위가 풀려 나오는 모양. ¶ 어려운 문제를 ~ 풀다. **4** 말이나 글이 막힘없는 모양. ¶ 말이 ~ 잘 나온다. **5** 바람이 부드럽게 부는 모양. ¶ 벽 틈으로 찬바람이 ~ 불어온다. ㉸솔솔.
술-안주 (-按酒) 명 술 마실 때 곁들여 먹는 음식. 주효(酒肴).
술어 (述語) 명 **1** 〖언〗 서술어. **2** 〖논〗 논리의 판단이나 명제에서 주사(主辭)에 대하여 긍정 또는 부정의 입언(立言)을 하는 개념.
술월 (戌月) 명 월건(月建)의 지지(地支)가 술(戌)로 된 달《갑술(甲戌)·병술(丙戌) 등》.
술-자리 [-짜-] 명 술을 마시며 노는 자리. 술상을 베푼 자리. 주석(酒席). 술좌석. ¶ ~를 마련하다.
술-잔 (-盞)[-짠] 명 **1** 술을 따라 마시는 그릇. ¶ ~을 돌리다. **2** 몇 잔의 술. ¶ ~이나 마신 모양이지.
술잔을 나누다 구 함께 술을 마시다.
술-잔치 명 술을 마시며 즐기는 간단한 잔치. 주연(酒宴). ¶ ~를 벌이다.
술-장사 명하자 술을 파는 영업.
술-적심 명 밥 먹을 때 숟가락을 적신다는 뜻으로, 국·찌개 등 국물이 있는 음식을 이름. ¶ ~도 없는 밥을 먹었다.
술-좌석 (-座席)[-쫘-] 명 술자리. ¶ ~이 무르익어 간다.
술-주자 (-酒榨)[-쭈-] 명 술을 거르거나 짜내는 틀.
술-주정 (-酒酊)[-쭈-] 명 술에 취해 정신없이 하는 말이나 행동. ¶ 그는 ~이 심해서 동료들에게 따돌림을 받는다.
술-주정뱅이 (-酒酊-)[-쭈-] 명 주정뱅이.
술-질 명하자 음식을 먹을 때 숟가락을 쥐고 놀리는 일.
술-집 [-찝] 명 술을 파는 집. 주점(酒店).
술-찌끼 명 재강.
술책 (術策) 명 어떤 일을 꾸미는 꾀나 방법. 술수. ¶ ~을 꾸미다.
술-청 명 주로 선술집에서 술을 따라 놓는 곳. 목로.
술-추렴 명하자 **1** 술값을 여럿이 분담하여 내는 추렴. **2** 차례로 돌아가며 내는 술.
술-친구 (-親舊) 명 술로 사귄 친구. 술벗. 주붕(酒朋).
[술친구는 친구가 아니다] 술 마실 때 어울리는 친구는 참된 친구가 아니다.
술-타령 명하자 다른 일은 모두 제쳐 놓고 술만 찾거나 마시는 일. ¶ 친구는 애인한테 배신당한 후로는 밤낮으로 ~이다.
술파-제 (sulfa劑) 명 술파닐아미드 유도체 따위를 갖는 화학 요법제《화농성 질환을 비롯하여 거의 모든 세균성 질환의 치료에 씀》.
술-판 명 술자리가 벌어진 판. 또는 술을 마시는 자리. ¶ ~이 거의 끝날 무렵에서야 그가 헐레벌떡 들어왔다.
술회 (述懷) 명하타 마음속에 품고 있는 여러 가지 생각을 말함. 또는 그런 말. ¶ 당시의 사정을 담담히 ~하다.
***숨:** 명 **1** 사람이나 동물이 코나 입으로 공기를 들이마시고 내쉬는 기운. 또는 그렇게 하는 일. ¶ 좀 뛰고 나니 ~이 가쁘다. **2** 채소 따위의 생생하고 빳빳한 기운. ¶ ~을 죽인 배추.
[숨이 턱에 닿다] 몹시 숨이 차다.
숨 쉴 사이 없다 구 좀 쉴 만한 시간적 여유가 전혀 없다. ¶ 숨 쉴 사이 없이 지껄이다.
숨(을) 거두다 구 '죽다'를 완곡하게 이르는 말. ¶ 그는 갑작스러운 사고로 숨을 거두었다.
숨(을) 끊다 구 스스로 죽거나 남을 죽이다.
숨(을) 넘기다 구 숨을 더 이상 쉬지 못하고 죽다.
숨(을) 돌리다 구 ㉠가쁜 숨을 가라앉히다. ㉡바쁜 중에 잠시 휴식을 취하다. ¶ 일이 밀려 숨 돌릴 틈도 없다.
숨(이) 가쁘다 구 어떤 일이나 사태가 몹시 힘에 겹거나 급박하다.
숨(이) 끊어지다 구 '죽다'를 완곡하게 이르는 말. ¶ 사고 현장에서 응급실로 옮기는 도중 숨이 끊어졌다.
숨(이) 넘어가는 소리 구 몹시 다급하여 급하게 내는 소리.
숨(이) 막히다 구 숨이 막힐 정도로 긴장하거나 답답함을 느끼다. ¶ 숨 막히는 순간.
숨(이) 붙어 있다 구 간신히 살아 있다.
숨(이) 죽다 구 ㉠채소 따위의 생생하고 빳빳한 기운이 없어지다. ㉡활동이 멎다.
숨:-결 [-껼] 명 **1** 숨을 쉴 때의 상태. 또는 숨의 속도나 높낮이. ¶ ~이 거칠다. **2** 사물 현상의 어떤 기운이나 느낌. ¶ 대자연의 ~.
숨:-골 [-꼴] 명 〖생〗 연수(延髓).
숨:-구멍 [-꾸-] 명 **1** 숫구멍. **2** 답답한 상황에서 좀 벗어남의 비유. ¶ 대부를 받으니 자금난에 ~이 좀 트인다. **3** 〖충〗 곤충류의 몸뚱이 옆에 있는 숨쉬는 구멍. 기공(氣孔). **4** 〖식〗 식물의 잎이나 줄기의 겉껍질에 있는 작은 구멍《탄소 동화 작용을 하며, 몸속의 수분과 이산화탄소의 증산(蒸散)을 조절함》.
숨:-기 (-氣)[-끼] 명 숨기운.
***숨기다** 타 《'숨다'의 사동》 드러나지 않게 감추다. 남이 알지 못하게 하다. ¶ 이름을 ~ / 조금도 숨길 생각은 없었다.
숨:-기운 [-끼-] 명 숨을 쉬는 기운. 숨기.
숨김-없다 [-업따] 형 감추거나 드러내지 않는 일이 없다. ¶ 숨김없는 사실. **숨김-없이** [-업씨] 부. ¶ ~ 털어놓다.
숨김-표 (-標) 명 〖언〗 알면서도 일부러 드러내지 않음을 나타내는 문장 부호의 하나

《'××, ○○' 따위》.

숨:-넘어가다 자 숨이 끊어져 죽다. ¶숨넘어가겠다, 천천히 먹어라.

*__숨:다__ [-따] 자 **1** 보이지 않게 몸을 감추다. ¶인파 속에 ~. **2** (주로 '숨은'의 꼴로 쓰여) 겉으로 드러나지 않다. ¶숨은 공이 크다 / 숨은 뜻이 있다.

*__숨바꼭-질__ 명하자 **1** 숨은 사람을 찾아내는 아이들의 놀이. **2** 헤엄칠 때 물속으로 숨는 짓. **3** 무엇이 숨었다 보였다 하는 일. ¶새벽이 되니 ~하던 별들도 사라져 간다. 준 숨박질.

숨:-소리 [-쏘-] 명 숨을 쉬는 소리. ¶~를 가쁘게 내다.

숨숨 부하형 얼굴에 마맛자국 따위가 듬성듬성 있는 모양. 작솜솜.

숨:-죽이다 자 **1** 숨을 멈추다. **2** 숨소리가 들리지 않을 정도로 조용히 하다. ¶숨죽이고 주위를 살피다.

숨:-지다 자 마지막 숨을 거두다. 죽다. ¶교통사고로 ~.

숨:-차다 형 **1** 숨을 쉬기가 어렵다. ¶숨차서 더는 못 뛰겠다. **2** 어떤 일이 매우 힘겹거나 급박하다. ¶지난해는 외환 위기를 벗어나려고 숨차게 달려온 시간이었다.

숨:탄-것 [-걷] 명 숨을 받아 태어난 것이라는 뜻으로, 동물을 일컫는 말.

숨:-통 (-筒) 명 **1** 〖생〗 기관(氣管)1. ¶~을 끊다. **2** 생존 또는 어떤 상태를 유지하는 중요한 부분. ¶~을 조여 오는 앞날의 불안 / 자금 조달의 ~이 트이다.

숨:-표 (-標) 명 〖악〗 쉼표 없는 곳에서 숨을 쉬는 표《기호 : ',·V' 따위》.

숫-[1] [숟] 투 '더럽혀지지 않아 깨끗한'의 뜻. ¶~처녀 / ~총각 / ~음식.

숫-[2] [숟] 투 ('양, 염소, 쥐' 앞에 붙어) 수컷임을 나타냄. ¶~양 / ~염소 / ~쥐. *수-.

숫-구멍 [숟꾸-] 명 갓난아이 정수리의 굳지 않아서 숨 쉴 때마다 발딱발딱 뛰는 곳. 숨구멍. 정문(頂門).

숫-국 [숟꾹] 명 숫보기로 있는 사람이나 진솔대로 있는 물건.

숫-기 (-氣)[숟끼] 명 활발하여 부끄럼이 없는 기운. ¶~가 없는 사람이라 장사도 못한다.

숫기(가) 좋다 구 수줍어하지 않는 활발한 기색이 많다.

숫-눈 [순-] 명 쌓인 채 그대로 있는 눈.

숫-돌 [숟똘] 명 칼 따위 연장을 갈아 날을 세우는 데 쓰는 돌. ¶~에 낫을 갈다.

숫-되다 [숟뙤-] 형 순진하고 어수룩하다. ¶숫된 총각.

숫-백성 (-百姓)[숟빽-] 명 거짓을 모르는 순박한 백성.

숫-보기 [숟뽀-] 명 **1** 숫된 사람. **2** 숫총각이나 숫처녀.

숫-사람 [숟싸-] 명 거짓이 없고 숫된 사람.

숫-스럽다 [숟쓰-]〔숫스러우니, 숫스러워〕 형ㅂ불 순진하고 어수룩한 데가 있다. **숫-스레** [숟쓰-] 부

숫-양 (-羊)[순냥] 명 양의 수컷. ↔암양.

숫-염소 [순념-] 명 염소의 수컷. ↔암염소.

숫-음식 (-飮食)[숟-] 명 만들어 놓은 채 고스란히 있는 음식.

*__숫:자__ (數字)[수짜 / 숟짜] 명 **1** 수를 나타내는 글자《1·2·3··· 또는 一·二·三··· 따위》. **2** 숫자로 표시되는 수량적인 사항. ¶~에 뛰어나다.

숫-접다 [숟쩝-]〔숫저우니, 숫저워〕 형ㅂ불 순박하고 진실하다.

숫제 [숟쩨] 부 **1** 처음부터 차라리. 아예. ¶만나기 싫거든 ~ 가지도 마라. **2** 거짓이 아니고 진실로. ¶~ 굶겠다지 뭐야.

숫-지다 [숟찌-] 형 순박하고 인정이 두텁다.

숫-처녀 (-處女)[숟-] 명 남자와 성적 관계가 한 번도 없는 처녀.

숫-총각 (-總角)[숟-] 명 여자와 성적 관계가 한 번도 없는 총각.

숫-티 [숟-] 명 숫된 몸가짐이나 모양. ¶그녀에겐 아직도 ~가 남아 있다.

숫-하다 [수타-] 형여불 순박하고 어수룩하다.

숭고 (崇古) 명하타 옛 문물을 높여 소중히 여김.

숭고-하다 (崇高-) 형여불 뜻이 높고 고상하다. ¶숭고한 사명을 받들다.

숭굴-숭굴 부하형 **1** 얼굴이 귀염성 있고 너그럽게 생긴 모양. **2** 성질이 너그럽고 원만한 모양.

숭늉 명 밥을 푼 솥에 물을 부어 데운 것. ¶~이 구수하다.

숭늉에 물 탄 격 구 ㉠사람이나 음식이 매우 싱거운 모양. ㉡아무런 재미도 없이 밍밍한 모양.

숭덩-숭덩 부 **1** 연한 물건을 큼직하고 거칠게 자꾸 빨리 써는 모양. ¶배추김치를 ~ 썰다. **2** 바느질할 때 드문드문 거칠게 자꾸 호는 모양. ¶이불잇을 ~ 꿰매다. 작송당송당. 센쑹덩쑹덩.

숭모 (崇慕) 명하타 우러러 사모함.

숭문 (崇文) 명하자 글을 숭상함. 또는 문학을 높임. ¶한문 중심의 ~ 교육.

숭배 (崇拜) 명하타 **1** 우러러 공경함. ¶조상을 ~하다. **2** 종교적 대상을 우러러 신앙함. ¶우상을 ~하다.

숭불 (崇佛) 명하자 부처·불교를 숭상함.

숭상 (崇尙) 명하타 높여 소중히 여김. ¶학문을 ~하다.

숭숭 부 **1** 연한 물건을 조금 굵직하게 빨리 써는 모양. ¶배추를 ~ 썰어 국에 넣다. **2** 조금 큰 구멍이 많이 뚫린 모양. ¶창호지에 구멍이 ~ 뚫려 있다. **3** 땀방울·소름·털 따위가 나거나 돋은 모양. ¶털이 ~ 난 원숭이의 몸 / 이마에 땀방울이 ~ 맺히다. 작송송.

숭신 (崇信) 명하타 우러러 공경하여 믿음.

숭신 (崇神) 명하자 신을 숭상함.

숭앙 (崇仰) 명하타 공경하여 우러러봄.

숭:어 명 〖어〗 숭엇과의 물고기. 몸길이 70 cm 내외로 옆으로 납작하고 몸빛은 회청색임. 머리는 비교적 작은데 폭이 넓음. 태평양·대서양의 열대 지역 및 우리나라의 전 연해에 분포함.

[숭어가 뛰니까 망둥이도 뛴다] ㉠남이 한다고 분별없이 덩달아 따라나섬의 비유. ㉡제 분수나 처지는 생각지 않고 잘난 사

람을 무조건 따름의 비유.
숭:어-뜀 명 광대가 넘는 재주의 하나. 손을 땅에 짚고 잇따라 거꾸로 뛰어넘음.
숭어리 ㊀명 열매나 꽃 따위가 굵게 모여 달린 덩어리. ㊁의명 열매나 꽃 따위가 굵게 모여 달린 덩어리를 세는 단위. ¶모란꽃 세 ~. ㉶송아리.
숭얼-숭얼 부 땀방울이나 물방울, 열매 따위가 많이 맺힌 모양. ¶어항에 물방울이 ~ 맺혀 있다. ㉶송알송알.
숭엄-하다 (崇嚴-) 형여불 높고 고상하며 엄숙하다. ¶숭엄한 백두 영봉.
숭유 (崇儒) 명하자 유교를 숭상함.
*__숯__ [숟] 명 나무를 숯가마에 넣어 구워 낸 검은 덩어리《연료로 함》. 목탄(木炭).
[숯이 검정 나무란다] 자기 흉은 생각지 않고 남의 허물을 들추어 낸다.
숯-가마 [숟까-] 명 숯을 구워 내는 장치.
숯-검정 [숟껌-] 명 숯의 그을음.
숯-등걸 [숟뜽-] 명 숯이 타고 남은 굵은 토막《불을 피우면 연기가 남》.
숯-머리 [순-] 명 숯내를 맡아 아픈 머리.
숯-먹 [순-] 명 소나무의 철매를 기름에 개어 만든 먹. 송연묵. ↔참먹.
숯-불 [숟뿔] 명 숯이 타는 불. 탄화(炭火). ¶~에 떡을 굽다.
숯-장수 [숟짱-] 명 1 숯을 파는 사람. 2 얼굴이 검은 사람의 별명.
숯-쟁이 [숟쨍-] 명 숯 굽는 사람을 낮잡아 이르는 말.
숱 [숟] 명 머리털 따위의 부피나 분량. ¶머리의 ~이 많다.
숱-지다 [숟찌-] 형 숱이 많다. ¶눈썹이 숱진 사람.
숱-하다 [수타-] 형여불 아주 많다. ¶숱한 사연 / 숱한 공직자들이 옷을 벗었다 / 숱하게 쌓인 물건들.
*__숲__ [숩] 명 '수풀'의 준말. ¶소나무 ~.
숲-정이 [숩쩡-] 명 마을 근처에 있는 수풀.
쉬[1] 명 파리의 알. ¶파리가 ~를 슬다.
쉬:[2] ㊀명 〈소아〉 오줌. 또는 오줌을 눔. ㊁감 〈소아〉 어린아이에게 오줌을 누라고 부추기는 소리.
쉬:[3] 부 '쉬이'의 준말.
쉬:[4] 감 떠들지 말라는 뜻으로 하는 소리. ¶~, 조용히 해라.
쉬:다[1] 자 음식이 상하여 맛이 시금하게 변하다. ¶여름철엔 음식이 쉬이 쉰다.
쉬:다[2] 자 목청에 탈이 나 목소리가 흐려지다. ¶감기로 목이 ~.
*__쉬:다__[3] 자타 1 피로를 풀려고 몸을 편안히 두다. ¶바빠서 쉴 사이가 없다. 2 사물이 움직임을 멈추다. ¶쉬지 않고 돌아가는 기계. 3 잠을 자다. ¶밤새 편히 쉬게. 4 결근 또는 결석하다. ¶오늘은 아파서 회사를 쉬어야겠다. 5 잠시 머무르다. ¶그 일은 좀 쉬었다 하세.
쉬:다[4] 타 1 호흡하다. ¶깊이 숨을 ~. 2 한숨을 짓다. ¶그는 요즘 걱정거리가 있는지 한숨을 쉬기가 일쑤다.
쉬:다[5] 타 피륙의 빛깔을 곱게 하려고 뜨물에 담가 두다.
쉬르레알리슴 (프 surréalisme) 명 초현실주의.
쉬:쉬-하다 타여불 남이 알까 두려워 말이 나지 않게 하다. ¶쉬쉬한다고 누가 모르나.
쉬-슬다 〔쉬스니, 쉬스오〕 자 파리가 알을 여기저기에 낳다.
쉬어 감명 '열중쉬어' 자세보다 편한 자세를 취하라는 구령. 또는 그 구령에 따라 하는 동작.
쉬엄-쉬엄 부하자타 쉬어 가면서 천천히 길을 가거나 일하는 모양. ¶급하지 않으니 서두르지 말고 ~해라.
쉬이 부 1 쉽게. ¶어떻게 ~ 잊을 수가 있을까. 2 가까운 장래에. ¶~ 한번 찾아뵙겠습니다. ㊟쉬.
쉬이-보다 타 가볍게 또는 쉽게 보다.
쉬이-여기다 타 가볍게 또는 쉽게 생각하다.
쉬지근-하다 형여불 냄새가 조금 쉰 듯하다. ¶아침에 지어 놓은 밥이 ~.
쉬척지근-하다 형여불 냄새가 몹시 쉰 듯하다.
쉬-파리 명 〖충〗 쉬파릿과의 파리. 수컷은 암컷보다 작음. 길이 1-1.5 cm, 빛은 회색. 여름에 육류·부패 식품에 쉬를 깔김.
쉬:-하다 자여불 〈소아〉 오줌 누다.
*__쉰:__ 수관 열의 다섯 배가 되는 수(의). ¶~ 남짓 / ~은 넘은 듯.
쉰:-내 명 음식 등이 쉬어서 나는 시금한 냄새. ¶~ 나는 찌개.
쉼:-표 (-標) 명 1 〖언〗 문장 부호의 하나. 반점(,), 모점(、), 가운뎃점(·), 쌍점(:), 빗금(/)이 있는데 흔히 반점만을 이름. 2 〖악〗 악보에서, 쉼을 나타내는 표. 휴지부.
*__쉽:다__ 〔쉬우니, 쉬워〕 형ㅂ불 1 힘들거나 어렵지 않다. ¶쉬운 문제 / 쉽지 않은 일. 2 (주로 '-기(가) 쉽다'의 꼴로 쓰여) 가능성이 많다. ¶칼을 잘못 다루면 베기 ~. 3 (주로 '않다'와 함께 쓰여) 예사롭거나 흔하다. ¶이번 일은 쉽게 포기하지 않겠다. ↔어렵다.
쉽게 여기다 구 ㉠쉽게 생각하다. ㉡깔보다.
쉽:-사리 부 매우 쉽게. 순조롭게.
슈미즈 (프 chemise) 명 여자의 양장용 속옷의 하나《보온과 땀 흡수를 위해 입음》.
슈-크림 (프 chou+cream) 명 반죽한 밀가루를 구운 다음 그 속에 크림을 넣어 만든 서양 과자.
슈팅 (shooting) 명하타 1 구기에서, 골이나 바스켓을 향해 공을 차거나 던져 넣는 일. 2 영화를 촬영하는 일.
슈퍼 (super) 명 '슈퍼마켓'의 준말.
슈퍼마켓 (supermarket) 명 판매원이 거의 없고 물건을 살 사람이 직접 물건을 고르고 물건 값은 계산대에서 치르도록 되어 있는 규모가 큰 소매점. ㊟슈퍼.

> **'슈퍼마켓'**
>
> 원어인 supermarket의 철자 t에 영향을 받아서 '슈퍼마켙'으로 잘못 쓰는 경우가 많다. '외래어 표기법'에서 ㅌ은 받침으로 쓰지 않는다.

슈퍼맨 (superman) 명 초능력을 가진 사람. 초인.

슈퍼컴퓨터 (supercomputer) 명 〖컴〗 과학 기술 계산 전용의 초고속·초대형 컴퓨터《기상 예보·원자로 설계·우주 개발·원자력 계산·물질의 합성 연구 등에 이용하고 있음》. *마이크로컴퓨터·메인 프레임 컴퓨터·미니컴퓨터.
슛 (shoot) 명하자타 **1** 구기에서, 바스켓이나 골을 향해 공을 던지거나 차는 일. **2** 영화에서, 촬영을 시작하는 일.
스낵-바 (snack bar) 명 간단히 먹고 마실 수 있는 간이식당.
스냅 (snap) 명 **1** 똑딱단추. **2** 움직이는 물체를 빠른 속도로 찍는 사진. 스냅 사진. **3** 야구에서, 손목의 힘을 이용하여 공을 재빠르게 던지는 일.
스냅-숏 (snapshot) 명 영화에서, 시사적인 인물이나 사건을 순간적으로 찍은 장면.
스노-타이어 (snow tire) 명 눈길 주행용의 특수한 타이어《미끄러짐을 방지하는 깊은 홈을 새겼음》.
스님 명 〖불〗 **1** 중이 자기의 스승을 이르는 말. **2** '중'의 높임말.
스라소니 명 〖동〗 고양잇과의 짐승. 깊은 삼림에 삶. 몸의 길이는 1m 정도이고 살쾡이 비슷함. 앞발보다 뒷발이 길며 귀가 크고 뾰족함. 나무에 잘 오르고 헤엄을 잘 침.
스란-치마 명 폭이 넓고 발이 보이지 않는 긴 치마.
스러지다 자 **1** 형태가 차츰 희미해지면서 없어지다. ¶ 스러져 가는 눈이 군데군데 남아 있다. **2** 불기운이 사위어 없어지다. ¶ 숯불이 차차 스러져 가다. 작사라지다.
-스럽다 〔-스러우니, -스러워〕 미 ㅂ불 (일부 명사 뒤에 붙어) '그러한 성질이 있다'는 뜻의 형용사를 만듦. ¶ 영광~ / 불안~ / 사랑~.
-스레하다 미 여불 -스름하다.
스로인 (throw-in) 명하타 축구나 농구 따위에서, 몸에 닿고 경기장 밖으로 나간 공을 상대팀에서 두 손으로 높이 들어 경기장 안으로 던지는 일.
스르르 부 **1** 얽히거나 맨 것이 저절로 풀리는 모양. ¶ 매듭이 ~ 풀리다. **2** 얼음이나 눈 따위가 저절로 녹는 모양. ¶ 입 안에서 솜사탕이 ~ 녹다. **3** 졸음이 슬며시 오는 모양. ¶ 눈이 ~ 감기다. **4** 미끄러지듯 슬며시 움직이는 모양. ¶ 창문이 ~ 열렸다. 작사르르.
-스름하다 미 여불 (빛깔이나 형상을 나타내는 어근에 붙어) 빛이 옅거나 형상이 비슷하다는 뜻의 형용사를 이루는 말. -스레하다. ¶ 거무~ / 둥그~.
스리 명 음식을 먹다가 볼을 깨물어 생긴 상처.
스리피스 (three-piece) 명 세 가지로 갖추어진 한 벌의 양복《보통 남자용은 조끼·재킷·바지, 여자용은 재킷·스커트·블라우스》.
스릴 (thrill) 명 간담을 서늘하게 하거나 마음을 졸이게 하는 느낌. 긴장감. 전율. ¶ ~ 만점의 추리 영화.
스마트-하다 (smart-) 형 여불 몸가짐이 단정하고 맵시가 있다. 또는 모양이 말쑥하다. ¶ 스마트한 매무시.
스매시 (smash) 명하타 테니스·탁구·배구 따위에서, 공을 네트 너머로 세게 내려 꺾어 치는 일.
스멀-거리다 자 살갗에 벌레 따위가 자꾸 기어가는 것처럼 근질거리다. **스멀-스멀** 부 하자
스멀-대다 자 스멀거리다.
스며-나오다 자 액체·기체·빛 따위가 틈 사이로 조금씩 나오다. ¶ 식당에서 스며나오는 음식 냄새.
스며-들다 〔-드니, -드오〕 자 속으로 배어들다. ¶ 뼛속까지 스며드는 추위.
스모그 (smog) 명 자동차의 배기가스나 공장에서 내뿜는 연기가 안개와 같은 상태를 이룬 것. ¶ 광화학 ~ / ~ 공해.
스무 관 스물을 나타내는 말. ¶ 돼지 ~ 마리 / ~살.
스무-고개 명 스무 번까지의 질문으로 문제를 알아맞히게 하는 오락.
스무-째 수관 순서가 스무 번째가 되는 차례(의).
***스물** 수 열의 갑절. ¶ 갓 ~이 넘어 보이는 젊은이.
스물두-째 수관 순서가 스물두 번째가 되는 차례(의).
스미다 자 **1** 물이나 기름 같은 액체가 배어들다. ¶ 물이 스펀지에 ~. **2** 기체·바람 따위가 흘러들다. ¶ 찬 바람이 창문을 통해 스미는 것 같다. **3** 마음에 사무치다. ¶ 가슴속 깊이 스미는 고독감.
스산-하다 형 여불 **1** 쓸쓸하고 어수선하다. ¶ 찬바람 몰아치는 스산한 겨울 풍경. **2** 날씨가 흐리고 으스스하다. ¶ 유난히 스산한 겨울 날씨 / 바람이 스산하게 분다. **3** 마음이 가라앉지 않고 뒤숭숭하다. ¶ 기분이 ~.
스스럼-없다 [-업따] 형 조심스럽거나 부끄러운 마음이 없다. ¶ 스스럼없는 사이. **스스럼-없이** [-업씨] 부. ¶ ~ 행동하다.
스스럽다 〔스스러우니, 스스러워〕 형 ㅂ불 **1** 정분이 두텁지 않아 조심스럽다. ¶ 스스러운 사이. **2** 수줍고 부끄러운 느낌이 있다. ¶ 혼자 대하기는 ~.
***스스로** ㊀부 **1** 저절로. ¶ 꽃은 ~ 핀다. **2** 자진하여. ¶ ~ 공부하다. **3** 제 힘으로. ¶ 자기 일은 ~ 처리해야 한다. ㊁명 자기 자신. ¶ ~에게 물어보라.
***스승** 명 자기를 가르쳐 주는 사람. 선생. 사부(師傅). ¶ 양서는 훌륭한 ~이다.
스웨터 (sweater) 명 털실로 두툼하게 짠 상의. ¶ 털이 북실북실한 ~.
***스위치** (switch) 명 **1** 전기 회로를 이었다 끊었다 하는 장치. ¶ ~를 끄다 / ~를 켜다 / ~를 누르다 / ~를 내리다. **2** 레슬링에서, 공방(攻防) 태세나 전술을 바꾸는 일. **3** 야구에서, 부진한 투수를 바꾸는 일.
스윙 (swing) 명 **1** 권투에서, 팔을 휘둘러 상대편을 치는 행위. **2** 야구에서, 배트를 휘두르는 일. ¶ ~ 아웃. **3** 골프에서, 골프채를 휘두르는 일. **4** 〖악〗 강렬한 리듬과 새로운 화성에 의한 재즈 음악의 한 스타일.
스쳐-보다 [-처-] 타 **1** 곁눈질하여 슬쩍 보다. ¶ 지나치면서 집 안을 ~. **2** 대강대강 보다. ¶ 그 책은 한 번 스쳐본 적이 있다.
스치다 자타 **1** 서로 살짝 닿으면서 지나가다. ¶ 차가운 공기가 얼굴을 스쳐 간다 / 구

수한 냄새가 코끝을 ~. 2 어떤 느낌·생각·표정 따위가 잠깐 떠올랐다가 곧 사라지다. ¶불길한 예감이 머리를 ~.
스카시 (SCSI) 명 〔Small Computer System Interface〕 《컴》 컴퓨터에서, 주변 장비를 연결하는 데 쓰는 직렬 인터페이스《전송 속도가 빠르고 장치의 연결과 분리가 쉬움》.
스카우트 (scout) 명하타 우수한 운동선수나 연예인 등을 물색하고 발탁하는 사람. 또는 그런 일.
스카이다이빙 (skydiving) 명 비행기에서 뛰어내려, 공중을 활공하다가 낙하산을 펴고 내려와 목표 지점에 정확히 착지(着地)하는 것을 겨루는 스포츠.
스카이웨이 (skyway) 명 산마루로 이어져 뻗은 관광 도로.
스카치-위스키 (Scotch whisky) 명 스코틀랜드산의 위스키.
스카치-테이프 (Scotch tape) 명 접착용 셀로판테이프의 상표명.

스카프

스카프 (scarf) 명 장식·방한용의 얇은 천《여성이 머리를 싸매거나 목에 두름》.
스칼라 (scalar) 명 《물》 하나의 수치만으로 완전히 표시되는 양. 방향의 구별이 없는 물리적 수량《질량·에너지·밀도·전기량 따위》.
스캐너 (scanner) 명 1 《인》 색도 분해기의 하나. 2 《컴》 그림이나 사진 또는 문자 따위를 복사하듯 읽어서 컴퓨터의 그래픽 정보로 바꾸는 입력 장치.
스캔들 (scandal) 명 충격적이고 부도덕한 사건. 또는 불명예스러운 평판이나 소문. 추문. ¶정치적 ~에 휘말리다.
스커트 (skirt) 명 서양식 여자 치마.
스컹크 (skunk) 명 《동》 족제빗과의 동물. 주로 북아메리카에 분포함. 족제비와 비슷한데 위험이 닥치면 항문샘에서 악취가 나는 액체를 뿜어내어 적을 막음.
***스케이트** (skate) 명 구두 바닥에 쇠 날을 붙이고 얼음판 위를 지치는 운동구. ¶~를 타다.
스케이트보드 (skateboard) 명 길쭉한 두꺼운 판자 밑에 롤러를 붙인 놀이 기구《두 발을 올려놓고 선 자세로 탐》.
스케이팅 (skating) 명하자 스케이트를 신고 얼음판 위를 지침.
스케일 (scale) 명 1 일이나 계획 따위의 틀이나 범위. 규모. ¶~이 큰 사업을 벌이다. 2 인물의 도량. ¶~이 작은 인물.
스케줄 (schedule) 명 시간에 따라 구체적으로 짠 계획. 또는 그런 계획표. 시간표. 일정표. ¶~이 빡빡하다 / ~에 따라 일정을 진행시키다.
스케치 (sketch) 명하타 1 어떤 사건이나 내용의 전모를 간단하게 적음. ¶그의 짧은 생애를 간단히 ~하다. 2 《문》 줄거리나 내용에 작위성이 없는 단편. 3 《미》 어떤 사물의 모양을 간추려 그린 그림. 사생. ¶설경 ~ 여행을 떠나다. 4 《음》 작곡하기 전에, 악상이나 대강의 줄거리를 소묘적으로 적는 일. 또는 묘사적인 소곡(小曲).
스코어 (score) 명 1 경기의 득점. 또는 득점표. ¶~를 점검해 보다. 2 《악》 총보(總譜).
스콜 (squall) 명 열대 지방의 소나기《거의 매일 오후에 강풍·우레와 함께 옴》.
스콜라 철학 (schola哲學) 《철》 8–17 세기에 걸친 유럽 중세의 기독교 교권 확립을 위한 신학 중심의 철학. 번쇄(煩鎖) 철학.
스쿠버 (scuba) 명 휴대용 수중(水中) 호흡기《애퀄렁은 이 상표명임》.
스쿠터 (scooter) 명 1 한쪽 발을 올려놓고, 다른 발로 땅을 차며 달리는 외발 롤러스케이트. 2 소형 오토바이의 하나.

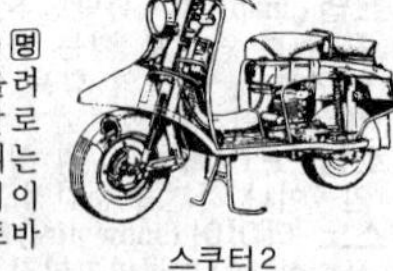
스쿠터2

스쿼시 (squash) 명 1 과일즙을 소다수로 묽게 하고 설탕을 넣은 음료. ¶레몬 ~. 2 사방이 벽으로 둘러싸인 코트에서, 두 사람이 라켓으로 고무공을 벽에 맞히어 공이 마루에 두 번 튕기기 전에 되받아 치는 구기 경기.
스퀴즈 플레이 (squeeze play) 야구에서, 3루의 주자를 타자의 번트(bunt)로 득점을 꾀하는 공격법.
스크랩 (scrap) 명하타 신문·잡지 등에서 필요한 글이나 사진 등을 오려 냄. 또는 그런 조각.
스크럼 (scrum) 명 1 럭비에서, 양편 선수가 어깨를 맞대고 그 사이로 굴려 넣은 공을 자기편 쪽으로 빼내어 돌리는 일. ¶~을 짜다. 2 여럿이 팔을 꽉 끼고 횡대를 이루는 일. ¶~을 짜고 행진하다.
스크롤 (scroll) 명 《컴》 컴퓨터에서, 모니터의 화면에 나타난 내용이 상하 또는 좌우로 움직이는 일.
스크린 (screen) 명 1 영화나 환등(幻燈)의 영사막(映寫幕). 또는 그 영화. 은막. 2 사진 제판에서, 원화(原畫)의 농담을 그물코 모양의 점으로 나타내는 유리나 필름의 막.
스크립터 (scripter) 명 영화 촬영 현장에서, 촬영 및 연출 사항 기록계.
스크립트 (script) 명 1 영화나 방송의 대본과 각본 따위의 원고. ¶~ 라이터. 2 필기체의 활자.
스키 (ski) 명 눈 위를 지치는 데 쓰는 가늘고 써 긴 판상(板狀)의 기구. 또는 그것을 사용하는 눈 위의 스포츠. ¶~를 타다.
스킨 다이빙 (skin diving) 물안경·물갈퀴 등 간단한 보조 용구로 하는 잠수(潛水).
스킨-로션 (skin lotion) 명 피부 보호에 쓰는 중성(中性) 화장수.
스타 (star) 명 1 인기 있는 연예인이나 운동선수. ¶개그계의 ~가 탄생하다. 2 〈속〉 장성(將星)이나 그 계급. ¶투 ~.
스타디움 (라 stadium) 명 관람석이 있는, 규모가 큰 경기장.
스타일 (style) 명 1 복식이나 머리 따위의 모양. 맵시. ¶새로운 ~의 의상. 2 일정한 방식. ¶회사 경영 ~. 3 문학 작품에서, 개성 있는 형식이나 구성의 특질. 4 문학·미술·건축·음악 따위에서, 어떤 유파나 시대를 대표하는 특유한 형식.

스타카토 (이 staccato) 명 〖악〗 한 음표 한 음표씩 끊어서 연주하는 일. 또는 그 기호. 기호는 '·'. 끊음표. 단음 기호.

스타킹 (stocking) 명 **1** 목이 긴 여자용 양말. **2** 야구나 축구 등 운동을 할 때 신는, 바닥이 없이 발바닥에 조금 걸치는 양말.

스타트 (start) 명하자 출발. 출발점. ¶쾌조의 ~ / ~가 좋지 않다.

스타트를 끊다 구 처음으로 어떤 일을 시작하다.

스타팅 멤버 (starting member) 선수 교대를 할 수 있는 단체 경기에서, 처음에 출장하는 선수. 선발 멤버.

스태그플레이션 (stagflation) 명 〖경〗 불황 중에도 물가가 계속 오르는 현상.

스태미나 (stamina) 명 원기. 정력. 힘.

스태프 (staff) 명 **1** 간부. 참모. 참모진. **2** 연극·영화의 제작에서, 연기자 이외의 제작에 관계하는 모든 사람《원작·제작·감독·각색·음악 등을 담당하는 사람》. 제작진.

스탠드 (stand) 명 **1** 물건을 세우는 대(臺). **2** 경기장의 계단식 관람석. 관중석. ¶~를 가득 메운 관중.

스탠드-바 (stand bar) 명 서서 마시는 서양식 선술집.

스탠딩 스타트 (standing start) 중·장거리 경주에서, 선 자세로 출발하는 방식. ↔크라우칭 스타트.

스탠바이 (←stand-by) 명 **1** 정식 방송이 시작되기 전에 프로듀서가 스태프와 출연자에게 준비하라고 외치는 소리. **2** 돌발 사태로 예정된 방송 프로그램이 취소될 때를 대비해서 마련한 임시 프로그램. **3** 무선 전신에서 조정을 하고 발신·수신을 기다림.

스탬프 (stamp) 명 **1** 소인(消印). **2** 명승고적이나 특별한 행사를 기념하기 위해 찍는 고무도장. ¶기념 ~.

스턴트-맨 (stunt man) 명 영화나 텔레비전 드라마의 위험한 장면에서, 배우의 대역을 하는 사람.

스테레오 (stereo) 명 2개 이상의 스피커를 사용하여 입체감을 낼 수 있게 한 음향 방식. 또는 그 장치.

스테레오 타입 (stereo type) **1** 연판(鉛版). **2** 틀에 박힌 사고방식.

스테로이드 (steroid) 명 〖화〗 스테롤과 그와 유사한 분자 구조를 가진 화합물의 총칭. 동식물계에 널리 분포하며 성(性)호르몬·담즙산 등이 있는데, 특수한 생리 작용이나 약리 작용을 함.

스테롤 (sterol) 명 〖화〗 스테로이드의 유기 알코올의 총칭. 동식물계에 널리 분포하는 지방질 성분의 하나임《콜레스테롤·에르고스테롤 따위가 있음》.

스테아르-산 (←stearic酸) 명 〖화〗 고급 포화 지방산의 하나. 백색 결정으로 동식물 유지 중에 글리세린과의 에스테르로서 함유됨《양초·비누·연고·좌약 등의 원료》.

스테이지 (stage) 명 무대1.

스테이크 (steak) 명 **1** 서양 요리의 하나로, 두툼하게 썰어서 굽거나 지진 고기. **2** '비프스테이크'의 준말.

스테인드-글라스 (stained glass) 명 색유리를 쓰거나 무늬나 그림을 색으로 나타낸 장식용 판유리.

스테인리스-강 (stainless鋼) 명 니켈·크롬 등을 많이 넣어 녹슬거나 부식되지 않도록 한 강철. 스테인리스 스틸. 불수강(不銹鋼).

스텐실 (stencil) 명 글자나 무늬, 그림 따위의 모양을 오려 낸 뒤, 그 구멍에 물감을 넣어 롤러로 눌러서 그림을 만드는 일.

스텝 (step) 명 볼링이나 춤에서, 동작의 기본이 되는 발과 몸의 움직임. ¶음악에 맞춰 ~을 밟다.

스텝 (steppe) 명 시베리아 서남부 등지에 있는, 나무가 자라지 않는 온대 초원 지대.

스토리 (story) 명 이야기. 줄거리. ¶이 영화는 ~보다는 화면 구성이 뛰어나다.

스토브 (stove) 명 난로.

스토아-학파 (Stoa學派) 명 〖철〗 기원전 3세기 초에 제논(Zenon)이 창시한 그리스 철학의 한 학파. 윤리학을 중시하고, 금욕과 극기를 통하여 자연에 순종하는 생활을 이상으로 삼았음.

스토커 (stalker) 명 좋아하는 사람, 특히 연예인이나 운동선수 등을 따라다니며 귀찮게 하거나 괴롭히는 사람.

스톡-옵션 (stock option) 명 〖경〗 자사(自社) 주식 매입권. 회사가 임직원에게 일정 기간이 지난 후 일정 수량의 자사 주식을 매입 또는 처분할 수 있도록 부여한 권리.

스톱 (stop) 명하자타 **1** 멈춤. 또는 멈추라는 말. **2** 〖악〗 오르간 따위의 음색 또는 음넓이를 바꾸기 위한 마개. 음전(音栓).

스톱워치 (stopwatch) 명 경기나 학술 연구에서 초보다 더 작은 단위의 시간을 재는 데 쓰는 시계. 초시계.

스튜 (stew) 명 서양 요리의 하나. 육류에 버터와 조미료를 넣고 잘게 썬 감자·당근·마늘 등을 섞어 끓인 음식.

스튜디오 (studio) 명 **1** 사진사·화가·공예가 등의 작업장. 제작실. **2** 영화의 촬영소. **3** 방송국의 방송실.

스튜어드 (steward) 명 여객기·여객선 따위에서 승객을 돌보는 남자 승무원. ↔스튜어디스.

스튜어디스 (stewardess) 명 여객기·여객선 따위에서 승객을 돌보는 여자 승무원. ↔스튜어드.

스트라이커 (striker) 명 축구·배구에서, 득점력이 뛰어난 공격수.

스트라이크 (strike) 명 **1** 동맹 파업. 동맹 휴교. **2** 야구에서, 투수가 던진 공이 타자의 겨드랑이와 무릎 사이를 지나가는 일. **3** 볼링에서, 제1구로 열 개의 핀을 모두 쓰러뜨리는 일. ¶연속해서 ~를 치다.

스트레스 (stress) 명 **1** 〖의〗 감당하기 어려운 상황에 처할 때 느끼는 육체적·정신적 긴장 상태. ¶~ 해소. **2** 억양. 어세(語勢). 강세. 악센트. **3** 〖물〗 변형력.

스트레이트 (straight) 명 **1** '곧장, 곧, 바로 임'의 뜻으로, 어떤 상황이 연속적임. ¶~로 이기다. **2** 야구에서, 커브나 슬라이더에 대한 직구(直球). **3** 권투에서, 팔을 쭉 뻗어 타격하는 동작. **4** 양주에 물 따위를 타지 않고 그냥 마심. 또는 그 술.

스트레칭 (stretching) 명 몸과 팔다리를 쭉 펴는 일. ¶~ 체조.
스트렙토마이신 (streptomycin) 명 〖약〗 항생 물질의 한 가지《결핵·폐렴·세균성 이질 따위의 치료약》. 준마이신.
스트로 (straw) 명 빨대.
스티로폴 (독 Styropor) 명 '스티로폼'의 잘못.
스티로폼 (Styrofoam) 명 발포(發泡) 스티렌 수지(樹脂)의 상표명. 작은 기포(氣泡)를 무수히 지닌 합성 수지로 단열재(斷熱材)·포장 재료·흡음재(吸音材)·장식재 따위로 널리 씀.
스티치 (stitch) 명 자수나 양재에서 바늘로 뜬 한 땀이나 한 코. 또는 바느질 방법.
스티커 (sticker) 명 **1** 선전 광고 또는 어떤 표지(標識) 따위로 붙이는 종이 표. **2** 교통 경찰관이 교통 법규 위반자에게 떼어 주는 처벌의 서류.
스틸 (steel) 명 강철.
스팀 (steam) 명 **1** 증기. 김. **2** 증기 난방 장치. ¶~이 들어오다.
스파게티 (이 spaghetti) 명 가늘고 구멍이 없는 국수로 만든 이탈리아식 요리.
스파링 (sparring) 명 권투에서, 실전과 똑같이 3분씩 끊어서 하는 연습 경기. ¶공개 ~.
스파이 (spy) 명 간첩.
스파이크 (spike) 명 **1** 구두 밑창에 박는 뾰족한 징이나 못. **2** 배구에서, 공을 상대방 쪽으로 강하게 내리치는 공격. **3** '스파이크 슈즈'의 준말.
스파이크 슈즈 (spike shoes) 바닥에 뾰족한 징이나 못을 박은 운동화. 러닝 슈즈. 준스파이크.
스파크 (spark) 명 방전할 때의 불꽃.
스패너 (spanner) 명 너트·볼트 등을 죄거나 푸는 공구.
스펀지 (sponge) 명 고무나 합성수지 따위로 해면(海綿)처럼 만든 것《쿠션이나 물건을 닦는 재료로 씀》.
스페어-타이어 (spare tire) 명 자동차의 펑크에 대비한 예비 타이어.
스페이드 (spade) 명 심장 모양의 나뭇잎을 검은 색으로 그린 트럼프의 카드.
스페이스 (space) 명 **1** 공간. **2** 신문·잡지 등의 여백의 지면.
스펙터클-하다 (spectacle–) 형여불 거대하다. 웅장하다.
스펙트럼 (spectrum) 명 〖물〗 가시광선·자외선·적외선 따위를 분광기(分光器)로 분해하였을 때, 파장에 따라 배열되는 성분.
스펠링 (spelling) 명 주로 유럽 어의 바른 철자(법).
스포이트 (네 spuit) 명 잉크·물약 등을 옮겨 넣을 때 쓰는 고무주머니가 달린 유리관.
스포츠 (sports) 명 여가 활동·경쟁·육체적 단련 등의 요소를 지닌 모든 신체 운동의 일컬음.
스포츠맨-십 (sportsmanship) 명 정정당당하고 공명하게 경기를 하는 정신이나 태도.
스포츠 센터 (sports center) **1** 여러 가지 운동 시설이 갖추어진 체육관. **2** 각종 경기장이 모여 있는 곳.
스포츠-카 (sports car) 명 스피드 본위로 만들어진 오락용·경주용의 소형 자동차.
스포트라이트 (spotlight) 명 **1** 〖연〗 무대의 한 부분이나 한 인물을 밝게 비추는 조명 방식. 또는 그런 조명. **2** 세상 사람들의 주목·관심 등의 비유. 각광. 주시(注視). ¶~를 받다.
스포티-하다 (sporty–) 형여불 복장 따위가 경쾌하다. 날렵하다. ¶스포티한 차림.
스폰서 (sponsor) 명 **1** 행사나 자선 사업 따위에 기부금을 내어 돕는 사람. 후원자. **2** 상업 방송에서 프로그램을 제공하는 광고주. ¶~ 없는 자국(自局) 프로그램.
스푼 (spoon) 명 양식에 쓰는 숟가락. ¶~으로 수프를 떠먹다.
스프레이 (spray) 명 **1** 분무. 분무기. **2** 머리 형태를 고정하는 데 쓰는 미용 재료.
스프링 (spring) 명 용수철.
스프링클러 (sprinkler) 명 **1** 천장에 설비한 자동 소화(消火) 설비. **2** 작물이나 잔디에 자동적으로 물을 주는 데 사용하는 장치. 살수기.
스피드 (speed) 명 속력. 속도. ¶~를 내다.
스피드 건 (speed gun) 자동차의 속도나 야구에서 투수의 투구 속도 등을 측정하는 기계.
스피츠 (spitz) 명 개의 한 품종. 짧고 뾰족한 얼굴에 귀가 서고, 몸은 희고 긴 털로 덮임《애완용》.
스피커 (speaker) 명 소리를 크게 해 멀리까지 들리게 하는 제구. 확성기.
스핀 (spin) 명 **1** 구기 종목에서, 공이 회전하는 일. **2** 피겨 스케이팅에서, 제자리에 외발로 서서 몸을 회전하는 일.
스핑크스 (Sphinx) 명 **1** 고대 오리엔트 신화에 나오는, 사람의 머리와 사자의 몸을 가진 괴물《이집트에서는 왕자의 권력을 상징함》. **2** 그리스 신화의 괴물. 상반신은 여자이고 하반신은 날개가 돋친 사자의 모습으로, 행인에게 수수께끼를 물어 풀지 못하면 죽였다고 함.
슬개건 반:사 (膝蓋腱反射) 무릎 반사.
슬개-골 (膝蓋骨) 명 〖생〗 무릎 앞 한가운데에 있는 작은 종지 모양을 한 뼈. 종지뼈. 무릎뼈.
슬겁다 〔슬거우니, 슬거워〕 형ㅂ불 **1** 집이나 세간 따위가 겉으로 보기보다 속이 너르다. **2** 마음이 너그럽고 미덥다. ¶마음 씀씀이가 ~. 작살갑다.
슬그머니 부 **1** 남이 모르게 넌지시. ¶~ 사라지다 / 선물을 ~ 놓고 가다. **2** 혼자 마음속으로 은근히. ¶~ 걱정이 되다. 작살그머니. 준슬그니·슬그미.
슬근-거리다 자 물체끼리 맞닿아 가볍게 자꾸 비벼지다. **슬근-슬근** 부하자
슬근-대다 자 슬근거리다.
슬근-슬쩍 부 남몰래 슬며시 재빠르게. ¶강의실을 ~ 빠져나가다.
슬금-슬금 부 남이 모르게 눈치를 보아 가면서 슬며시 행동하는 모양. ¶~ 흩어지다. 작살금살금.
***슬기** 명 사리를 밝히고 분명하게 처리해 가는 능력. ¶여러 사람의 ~를 모으다 / ~로 어려움에서 벗어나다.
***슬기-롭다** 〔-로우니, -로워〕 형ㅂ불 슬기가

있다. ¶슬기로운 아내 / 유혹을 슬기롭게 물리치다. **슬기-로이** [부]

슬다[1] 〔스니, 스오〕 [자] **1** 푸성귀 따위에 진딧물 따위가 붙어서 시들어 죽어 가다. **2** 몸에 돋았던 부스럼이나 소름 자국이 없어지다.

슬다[2] 〔스니, 스오〕 [자] **1** 쇠붙이에 녹이 생기다. ¶칼에 녹이 빨갛게 슬었다. **2** 곰팡이가 생기다. ¶오래된 빵에 곰팡이가 슬었다.

슬다[3] 〔스니, 스오〕 [타] 벌레나 물고기 등이 알을 깔겨 놓다. ¶나방이 나뭇잎에 알을 ~ / 쉬파리가 생선 토막에 쉬를 슬었다.

슬다[4] 〔스니, 스오〕 [타] **1** 쇠붙이를 불에 달구어 무르게 하다. **2** 풀이 센 빨래를 손질하여 풀기를 죽이다.

슬라이드 (slide) [명] 환등기에 넣어 영사(映寫)할 수 있게 만든 필름. ¶환등기로 ~를 비춰 보다.

슬라이드 글라스 (slide glass) 현미경에서, 조사하려는 것을 올려놓는 투명한 유리. 깔유리.

슬라이딩 (sliding) [명] **1** 미끄러짐. 활주(滑走). **2** 야구에서, 미끄러지면서 베이스를 밟는 일. 또는 그런 동작.

슬랙스 (slacks) [명] 느슨하고 헐렁한 바지.

슬럼 (slum) [명] 도시의 빈민굴. 빈민가.

슬럼프 (slump) [명] **1** 〘경〙 경기(景氣)가 침체되어 있는 현상. ¶경기가 ~에서 회복되고 있다. **2** 운동선수가 부진 상태에 빠지는 일. ¶~에 빠지다.

슬레이트 (slate) [명] **1** 주로 지붕을 덮는 데 쓰는 석판(石板). **2** 시멘트와 석면을 섞어 센 압력으로 눌러 만든, 물결 모양의 얇은 판《지붕을 덮거나 벽을 치는 데 씀》.

슬로건 (slogan) [명] 주의·주장 따위를 간결하게 나타낸 짧은 어구. 표어. 구호. ¶~을 내걸다.

슬로 모션 (slow motion) 고속도 촬영을 한 영화에서, 화면의 움직임이 실제 속도보다 느리게 보이도록 영사하는 일. 또는 그런 느린 동작.

슬롯-머신 (slot machine) [명] 동전을 넣고 기계를 조작하여 정해진 짝을 맞추면 현금이 나오는 자동 도박기.

슬리퍼 (slipper) [명] 뒤축이 없이 발끝만 꿰게 되어 있는 실내용 신발.

슬립 (slip) [명] 여성 양장용 속옷의 하나. 소매 없는 원피스 모양으로, 어깨에 가는 끈으로 걸어 입음.

슬립

슬며시 [부] **1** 드러나지 않게 넌지시. ¶~ 옆구리를 찌르다 / 방문을 ~ 열고 들어가다. **2** 마음속으로 은근히. ¶~ 부아가 치밀다. (작)살며시.

슬몃-슬몃 [-면쓸면] [부] 잇따라 슬며시. (작)살몃살몃. ¶그는 ~ 뒤로 물러나 앉았다.

슬슬 [부] **1** 드러나지 않게 슬그머니 움직이는 모양. ¶~ 눈치를 보다. **2** 눈이나 설탕 따위가 모르는 사이에 녹는 모양. ¶입에 넣으니 초콜릿이 ~ 녹는다. **3** 남을 슬그머니 속이거나 꾀거나 달래는 모양. ¶잔뜩 약이 올라 있는 아내를 ~ 구슬리다. **4** 바람이 부드럽게 부는 모양. ¶바람이 ~ 불어온다. **5** 가만가만 문지르거나 긁는 모양. ¶손자의 등을 ~ 긁어 주다. **6** 서두르지 않고 천천히. ¶시간이 되었으니 ~ 일어나자. (작)살살.

슬쩍 [부] **1** 남모르게 재빨리. ¶빼앗기지 않으려고 ~ 감추다. **2** 힘들이지 않고 가볍게. ¶~ 눈을 흘기며 웃다. **3** 심하지 않게 약간. ¶나물을 ~ 데치다. (작)살짝.

슬쩍-슬쩍 [부] **1** 남의 눈을 피해 잇따라 재빠르게. ¶~ 집어 내가다. **2** 힘들이지 않고 잇따라 가볍게. ¶손의 물기를 ~ 허리춤에 문지르다. **3** 심하지 않게 약간씩. (작)살짝살짝.

슬쩍-하다 [-쩌카-] [타][여불] 〈속〉 남의 물건을 훔치다. ¶소매치기가 남의 지갑을 슬쩍하려다 들키다.

슬퍼-하다 [타][여불] 슬픈 마음이 되다. 슬프게 여기다. ¶무엇 때문에 그렇게 슬퍼하는가.

***슬프다** 〔슬프니, 슬퍼〕 [형] 원통한 일을 당하거나 불쌍한 일을 보고 마음이 아프고 괴롭다. ¶슬픈 노래 / 슬프게 울다 / 슬플 때나 즐거울 때나. ↔기쁘다.

슬픔 [명] 슬픈 마음이나 느낌. ¶~을 술로 달래다 / ~이 복받쳐 서럽게 울다. ↔기쁨.

슬피 [부] 슬프게. ¶한없이 ~ 울다.

슬하 (膝下) [명] 무릎의 아래라는 뜻으로, 부모의 곁. ¶편모 ~에서 자라다.

슴벅-거리다 [자타] 눈까풀을 움직여 자꾸 눈을 감았다 떴다 하다. (작)삼박거리다. (센)씀벅거리다. **슴벅-슴벅** [부][하자타]

슴벅-대다 [자타] 슴벅거리다.

슴벅-이다 [자타] 눈까풀을 움직여 눈을 감았다 뜨다.

슴베 [명] 칼·호미·괭이 등의 자루 속에 들어간 부분.

습격 (襲擊) [명][하타] 갑자기 상대편을 덮침. ¶어둠을 틈타 ~하다 / 불의의 ~을 당하다.

습곡 (褶曲) [명] 〘지〙 지각에 작용하는 횡압(橫壓)으로 지층에 주름이 지는 현상.

***습관** (習慣) [명] 버릇. ¶일찍 일어나는 ~을 들이다.

습관-성 (習慣性) [-썽] [명] **1** 습관이 되어 버린 성질. **2** 어떤 병증이 습관적으로 되풀이되는 성질. ¶~ 구토증 / ~ 탈구(脫臼). **3** 〘물〙 관성.

습관-적 (習慣的) [관][명] 습관처럼 되어 있는 (것). ¶고단해지면 ~으로 담배를 피운다.

습관-화 (習慣化) [명][하자타] 버릇으로 되거나 버릇이 되게 함. ¶일찍 자는 것이 ~되어 있다.

습구 (濕球) [명] 〘물〙 건습구(乾濕球) 온도계에서, 축축한 헝겊으로 싼 온도계의 구부(球部). ↔건구(乾球).

***습기** (濕氣) [명] 축축한 기운. ¶~가 찬 방.

-습니까 [습-] [어미] ㄹ 이외의 받침 있는 용언의 어간 등에 붙어, 합쇼할 자리에서 의문을 나타내는 종결 어미. ¶높~ / 작~ / 있~ / 가셨~. *-ㅂ니까.

-습니다 [습-] [어미] ㄹ 이외의 받침 있는 어간 등에 붙어, 합쇼할 자리에 현재의 동작이나 상태를 있는 그대로 나타내는 종결 어미. ¶그것과 같~ / 아주 좋~ / 지금 오셨~. *-ㅂ니다.

'-습니다'

합쇼체의 종결 어미로 받침 있는 어간 뒤에 쓰인다. '-읍니다'는 비표준어이다. 명사형은 '-음' 어미를 붙인다.

1. **종결 어미**

먹습니다(○)	먹읍니다(×)
갔습니다(○)	갔읍니다(×)
없습니다(○)	없읍니다(×)
좋습니다(○)	좋읍니다(×)

2. **명사형**

갔음(○)	갔슴(×)
없음(○)	없슴(×)
먹음(○)	먹슴(×)

습도 (濕度) 명 〖물〗 대기 중에 들어 있는 수증기의 정도. 또는 그것을 나타내는 양. ¶ 방 안의 ~를 조절하다.

습도-계 (濕度計)[-/-게] 명 대기 중의 습도를 재는 계기.

습독 (習讀) 명하타 글을 익혀 읽음.

습득 (拾得) 명하타 주인 잃은 물건을 주워서 얻음. ¶ 주민 등록증을 ~하다. ↔분실.

습득 (習得) 명하타 배워서 자기 것으로 함. ¶ 언어 ~이 빠르다 / 기술을 ~하다.

-습디까 어미 ㄹ 이외의 받침 있는 어간에 붙어, 하오할 자리에서 지난 일을 돌이켜 묻는 뜻을 나타내는 종결 어미. ¶ 많~ / 거기 있~ / 언제 왔~. *-ㅂ디까.

-습디다 어미 ㄹ 이외의 받침 있는 어간에 붙어, 하오할 자리에 지난 일을 돌이켜 말하는 뜻을 나타내는 종결 어미. ¶ 영화가 좋~ / 사람이 많~. *-ㅂ디다.

습생 (濕生) 명하자 〖식〗 식물이 습한 곳에서 자라남. ↔건생(乾生).

습성 (習性) 명 **1** 버릇이 되어 버린 성질. ¶ 식사 후 담배 피우는 ~. **2** 동물의 행동에 나타나는, 그 종(種)에 특유한 성질. ¶ 딱따구리는 부리로 나무를 쪼는 ~이 있다.

습성 (濕性) 명 공기 중에서 잘 마르지 않는, 젖어 있는 성질. ↔건성(乾性).

습속 (習俗) 명 생활화된 풍속. 습관이 된 풍속. ¶ 예는 원시시대부터의 ~이다.

습습-하다 [-쓰파-] 형여불 마음이나 하는 행동이 활발하고 너그럽다. ¶ 그는 성격이 습습해서 인망이 높다.

습식 (濕式) 명 용액이나 용제(溶劑) 따위의 액체를 쓰는 방식. ↔건식(乾式).

습-신 (襲-) 명 염습(殮襲)할 때 시체에 신기는 종이로 만든 신.

습용 (襲用) 명하타 그전대로 그냥 씀.

습윤 기후 (濕潤氣候) 강수량이 증발량보다 많은 지방의 기후. ↔건조 기후.

습윤-하다 (濕潤-) 형여불 습기가 많은 느낌이 있다.

습의 (襲衣)[-/-이] 명 장례 때 시체에 입히는 옷.

습자 (習字) 명하자 글씨 쓰기를 익힘. 특히, 붓글씨 쓰기를 연습함. ¶ ~ 연습.

습자-지 (習字紙) 명 글씨 쓰기를 연습할 때 쓰는 얇은 종이.

습작 (習作) 명하타 시·소설·그림 따위의 작법이나 기법을 익히기 위하여 연습 삼아 짓거나 그려 봄. 또는 그런 작품. ¶ ~ 기간.

습장 (濕葬) 명 시체를 습하게 처리하는 장법(葬法)의 하나《매장이나 수장 따위》.

습-전지 (濕電池) 명 〖물〗 전해액을 사용하는 전지. ↔건(乾)전지.

-습죠 어미 '-습지요'의 준말. ¶ 제가 맡~.

습지 (濕地) 명 습기가 많은 축축한 땅.

습지 (濕紙) 명 도배를 할 때에, 풀칠한 종이가 고르게 잘 붙도록 그 위를 문지르는 축축한 종이.

-습지요 어미 ㄹ 이외의 받침 있는 용언의 어간에 붙어, 합쇼할 자리에서 확실하다고 믿는 사실을 주장하거나 물음을 나타내는 종결 어미. ¶ 제가 기다리고 있~ / 시골은 역시 공기가 맑~. ㊟-습죠.

습진 (濕疹) 명 〖의〗 개선충(疥癬蟲)으로 인하여 살갗에 생기는 염증《좁쌀알 같은 작은 융기가 돋아나며 가려움》.

습포 (濕布) 명하자 염증을 가라앉히기 위하여, 물이나 약액에 적신 헝겊을 환부에 대어 치료하는 일. 또는 그 헝겊.

습-하다 (襲-)[스파-] 타여불 시신을 씻기고 옷을 갈아입히다.

습-하다 (濕-)[스파-] 형여불 축축하다.

승 (承) 명 한시(漢詩) 등에서, 처음의 뜻을 이어받는 구. *기(起).

승 (乘) 명하타 〖수〗 **1** '승법(乘法)'의 준말. **2** '곱하기'의 구용어.

승 (勝) ㊀명 승부 따위에서 이기는 일. ¶ 첫 ~을 올리다 / 바둑에서 흑이 반집 ~을 거두었다. ㊁의명 운동 경기에서, 이긴 횟수를 세는 단위. ¶ 7전 4~3패. ↔패(敗).

승 (僧) 명 〖불〗 **1** 비구와 비구니의 총칭. 출가 사문(沙門). 승려. **2** '승가(僧伽)'의 준말.

승가 (僧伽) 명 〖불〗 절에 살면서 불도를 닦고 실천하는 사람들의 집단. ㊟승(僧).

승가 (僧家) 명 **1** 중들이 모여 사는 집. 곧, 절. **2** 중의 사회.

승가람마 (僧伽藍摩) 명 〖불〗 중이 살면서 불도를 닦는 집. ㊟가람.

승강 (昇降) 명하자 오르고 내림.

승강 (乘降) 명하자타 배·기차·자동차 등을 타고 내림.

승강-구 (昇降口) 명 층계를 오르내리는 출입구.

승강-구 (乘降口) 명 기차 따위를 타고 내리기 위하여 드나드는 문.

승강-기 (昇降機) 명 동력을 써서 사람이나 화물을 아래위로 나르는 장치. 엘리베이터. ¶ ~가 고장이 나다.

승강-이 (昇降-) 명하자 자기 주장을 서로 고집하여 옥신각신함. ¶ 사소한 일로 ~를 벌이다.

승강-장 (乘降場) 명 정거장·정류소에서 차를 타고 내리는 곳.

승개-교 (昇開橋) 명 가동교(可動橋)의 하나. 다리 양쪽 끝에 철탑을 세우고 큰 배가 지날 때는 다리 전체가 오르내

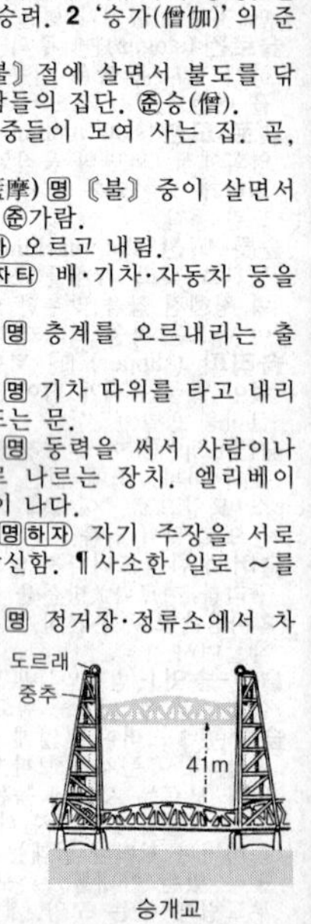

도르래
중추
41m

승개교

리게 한 다리. 승강교.
승객 (乘客) 명 배나 차·비행기 등을 타는 손님. ¶버스 ～/～을 태우다.
승겁-들다 〔-드니, -드오〕 ㊀타 힘들이지 않고 저절로 이루다. ㊁형 몸 달아 하지 않고 천연스럽다.
승격 (昇格)[-껵] 명하자타 지위나 등급 따위가 오름. ¶종합 대학으로 ～하다/광역시로 ～시키다.
승경 (勝景) 명 뛰어난 경치. ¶설악산의 ～은 가히 볼만하였다.
승계 (昇階·陞階)[-/-게] 명하자 품계가 오름. 승진.
승계 (承繼)[-/-게] 명하타 **1** 뒤를 이어받음. ¶대통령직을 ～하다. **2** 다른 사람의 권리나 의무를 이어받음. ¶호주의 ～.
승교 (乘轎) 명 가마[4].
승교-바탕 (乘轎-) 명 사람이 들어앉게 된 승교의 밑바탕. 가맛바탕.
승구 (承句) 명 한시(漢詩)에서 절구의 제2구, 또는 율시의 제3구 및 제4구.
승군 (僧軍) 명 승려들로 조직된 군대. 승병(僧兵). ¶임진왜란이 일어나자 ～이 큰 역할을 했다.
승근 (乘根) 명 〖수〗 거듭제곱근.
승급 (昇級·陞級) 명하자 급수나 등급이 오름. ¶태권도 ～ 심사.
승급 (昇給) 명 봉급이나 급료 따위가 오름. ¶～이 크게 오르다.
승기 (勝機) 명 이길 수 있는 기회. ¶～를 놓치다/결정적인 ～를 잡다.
승낙 (承諾) 명하타 청하는 바를 들어줌. ¶～이 떨어지다/결혼을 ～하다.
승냥이 명 〖동〗 갯과의 짐승. 산에서 떼 지어 삶. 이리와 비슷한데 주둥이와 사지(四肢)는 짧고, 귀는 곧으며 꼬리를 늘어뜨림.
승니 (僧尼) 명 〖불〗 비구와 비구니.
승단 (昇段) 명하자 태권도·유도·바둑 등의 단수가 오름. ¶～ 심사.
승려 (僧侶)[-녀] 명 출가하여 불도를 닦는 사람. 중.
승률 (勝率)[-뉼] 명 경기 등에서 이긴 비율 《이긴 경기의 수를 전체 경기의 수로 나눈 백분율》. ¶～이 떨어지다.
***승리** (勝利)[-니] 명하자 겨루어 이김. ¶최후의 ～/그의 뛰어난 활약으로 팀을 ～로 이끌었다. ↔패배.
승리 투수 (勝利投手)[-니-] 야구에서, 팀의 승리에 결정적인 역할을 한 투수.
승마 (乘馬) 명하자 **1** 말을 탐. **2** 사람이 말을 타고 여러 가지 동작을 함. 또는 그런 경기.
승명 (僧名) 명 법명(法名)1.
승모-근 (僧帽筋) 명 〖생〗 등의 한가운데 선에서 시작하여 다른 근육과 함께 어깨뼈의 운동을 맡은 삼각형의 근육.
승무 (僧舞) 명 장삼을 걸치고 고깔을 쓰고서 북채를 쥐고 추는 민속춤《간간이 법고(法鼓)를 침》.
승무-원 (乘務員) 명 차·배·비행기 등에 타고 운행과 승객에 관한 일을 맡아 하는 사람. ¶비행기 ～.
승법 (乘法)[-뻡] 명 〖수〗 '곱셈·곱하기'의 구용어. ㊤승(乘).
승벽 (勝癖) 명 '호승지벽(好勝之癖)'의 준말.
승벽(을) 부리다 구 어떻게 해서든지 이기려고 기를 쓰다.
승병 (僧兵) 명 승군(僧軍).
승보 (勝報) 명 싸움·경기에 이긴 소식. 또는 그런 보도. ¶～를 듣고 환호성을 올리다. ↔패보(敗報).
승복 (承服) 명하자 **1** 납득하여 따름. ¶이런 결정에는 절대로 ～할 수 없다. **2** 죄를 스스로 고백함.
승복 (僧服) 명 승려의 옷. 승의(僧衣).
승부 (勝負) 명 이김과 짐. 승패. ¶～를 가리다〔결정짓다〕.
승부-수 (勝負手) 명 바둑이나 장기에서, 판국의 승패를 좌우하는 결정적인 수. ¶패색이 짙어지자 마지막 ～를 던졌다.
승부-욕 (勝負慾) 명 싸움이나 경기 등에서 이기고자 하는 욕심. ¶지나친 ～으로 자주 반칙을 범하다/～이 강한 사람이다.
승부-차기 (勝負-) 명 축구에서 무승부일 때, 양 팀에서 각각 일정한 수의 선수를 내어 페널티 킥을 차서 승패를 결정하는 일.
승산 (勝算) 명 이길 가능성. ¶～이 있다/～은 반반이다.
승선 (乘船) 명하자 배를 탐. ¶시간이 없다고 ～을 재촉한다.
승세 (乘勢) 명하자 유리한 형세나 기회를 탐.
승세 (勝勢) 명 이기거나 성공할 기세. ¶～가 뚜렷하다/～를 굳히다.
승소 (勝訴) 명하자 소송에 이김. ¶원고의 ～로 재판이 끝나다. ↔패소(敗訴).
승수 (乘數)[-쑤] 명 어떤 수에 곱하는 수《3×2에서 2의 일컬음》. 곱수. ↔피승수.
승승-장구 (乘勝長驅) 명하자 싸움에 이긴 여세를 타서 계속 몰아침. ¶～로 이기다.
승압 (昇壓) 명하자 〖전〗 전압을 높임. ¶110V를 220V로 높이는 ～ 공사를 하다. ↔강압(降壓).
승압 변:압기 (昇壓變壓器) 〖전〗 선로(線路)에 직렬로 넣어 전압을 높이는 변압기. 승압기.
승용 (乘用) 명 사람이 타고 다니는 데 사용함. 또는 그런 것.
승용-차 (乘用車) 명 사람이 타고 다니는 데 쓰는 자동차. ¶승차감이 뛰어난 ～.
승운 (乘運) 명하자 좋은 운수를 탐.
승운 (勝運) 명 이길 운수. ¶～이 따르다.
승은 (承恩) 명하자 **1** 신하가 임금에게서 특별한 은혜를 받음. **2** 여자가 임금의 총애를 받아 잠자리를 같이함. ¶～을 입다.
승의 (僧衣)[-/-이] 명 승려가 입는 옷. 승복(僧服).
승인 (承認) 명하타 **1** 어떤 사실을 마땅하다고 인정함. ¶이사회의 ～을 받다/부모의 ～을 받고 여행을 가다. **2** 국가·정부 등에 대하여, 그 국제법상의 지위를 인정하는 일. ¶신생 국가를 ～하다.
승인 (勝因) 명 **1** 이긴 원인. ¶～은 단결에 있었다. **2** 〖불〗 특별히 좋은 인연.
승자 (勝者) 명 싸움이나 경기에서 이긴 사람. 승리자. ¶～도 패자도 잘 싸운 경기. ↔패자(敗者).

승적 (僧籍) 명하자 〖불〗 승려의 신분으로 등록함. 또는 그런 호적. ¶~에 올리다《중이 되다》.
승전 (勝戰) 명하자 싸움에 이김. 승첩(勝捷). ¶~을 거듭하다. ↔패전(敗戰).
승전-고 (勝戰鼓) 명 싸움에서 이겼을 때 치는 북. ¶~를 울리다.
승점 (勝點)[-쩜] 명 **1** 승리를 가져오는 점수. ¶~을 올리다. **2** 이겨서 얻은 점수. ¶한국은 2승 1패로 ~ 2점을 얻었다.
승정-원 (承政院) 명 〖역〗 조선 때, 왕명의 출납을 맡았던 관아.
승제 (乘除) 명 곱하기와 나누기.
승지 (承旨) 명 〖역〗 **1** 고려 때, 밀직사의 좌우와 부승지의 총칭. **2** 조선 때, 왕명의 출납을 맡아보던 승정원의 도승지·좌승지·우승지·좌부승지·우부승지·동부승지의 총칭.
승직 (昇職·陞職) 명하자 직위가 오름. 직위를 올림. ↔강직.
승진 (昇進·陞進) 명하자 직위가 오름. ¶~할 기회를 놓치다 / ~이 빠르다 / 유능한 사원을 발탁해 ~시키다.
승차 (乘車) 명하자 차를 탐. ¶택시가 ~를 거부하다 / 차례대로 ~합시다. ↔하차(下車).
승차-감 (乘車感) 명 달리는 차체의 흔들림에 따라 탑승자가 느끼는 안락한 기분.
승차-권 (乘車券)[-꿘] 명 차표.
승창 명 직사각형의 가죽 두 끝에 네모진 다리를 대어 접고 펼 수 있게 만든, 휴대하기에 편리한 걸상. 승상(繩床).
승척 (繩尺) 명 **1** 먹줄과 자. **2** 일정한 규율이나 규칙. **3** 노끈으로 만든 긴 자《측량할 때 씀》.
승천 (昇天) 명하자 하늘에 오름. ¶이 연못은 용이 ~했다고 전해진다.
승통 (承統) 명하자 종가의 대를 이음.
승:패 (勝敗) 명 이김과 짐. 승부. ¶정신력이 ~를 좌우한다.
승하 (昇遐) 명하자 임금이 세상을 떠남. ¶임금의 ~를 애도하다. *붕어(崩御).
승-하선 (乘下船) 명하자 배를 타고 내림. 승선(乘船)과 하선(下船).
승-하차 (乘下車) 명하자 차를 타고 내림.
승합 (乘合) 명하자 합승.
승합-자동차 (乘合自動車) 명 보통 7인(人) 이상이 탈 수 있는 자동차. 준승합차.
승합-차 (乘合車) 명 '승합자동차'의 준말.
승화 (昇華) 명하자 **1** 어떤 사물이나 현상이 더 높은 수준으로 발전하는 일. ¶국민적 민족 문화 운동으로 ~시키다. **2** 〖화〗 고체가 액체를 거치지 않고 직접 기체가 되는 현상《요오드·나프탈렌·드라이아이스 따위에서 볼 수 있음》. **3** 〖심〗 정신 분석에서, 심리 현상의 근저가 되는 욕구나 충동이 사회적으로 보람을 주는 예술·종교 활동 등으로 전환하는 일.
***시:** (市) 명 **1** 도시를 중심으로 하는 지방 행정 구역 단위《특별시·광역시 및 도에 딸린 일반 시가 있음》. ¶~만의 예산으로 축구장을 짓는다고 한다. **2** '시청'의 준말. ¶~에 가서 확인하다. *구(區)·군(郡)·도(道)[2].
시 (是) 명 옳거나 맞는 일. ¶~와 비를 가리다. ↔비(非).
***시** (時) 一명 **1** 사람이 태어난 시각. ¶그가 태어난 ~. **2** 때[1]. ¶~를 잘 만나다. 二의명 **1** 시간의 단위. 하루의 1/24. ¶지금 몇 ~냐 / 벌써 두 ~가 넘었다. **2** (일부 명사나 '-을' 뒤에 쓰여) 어떤 일이나 현상이 일어난 때나 경우. ¶운전 ~ 휴대 전화 사용을 금함 / 결근 ~에는 사전에 알릴 것.
***시** (詩) 명 **1** 문학의 한 장르. 자연과 인생에 대한 감흥·사상 등을 함축적이고 운율적인 언어로 표현한 글. ¶~를 짓다 / ~를 낭송하다. **2** 한시(漢詩).
시 (C, c) 명 **1** 영어의 셋째 자모의 이름. **2** 섭씨 온도를 나타내는 기호. ¶영상 7도 ~. **3** 성적의 평가 등급. ¶~ 학점.
시 (이 si) 명 〖악〗 장음계의 일곱 번째 계이름.
시 감 마음에 들지 않거나 시큰둥할 때 내는 말. ¶~, 까짓것.
시- 두 (어두음이 된소리·거센소리·'ㅎ'이고 첫 음절의 모음이 음성인 말 앞에서) 색의 짙고 선뜻함을 나타냄. ¶~뻘겋다 / ~커멓다 / ~퍼렇다 / ~허옇다. 작새-. *싯-.
시- (媤) 두 '시집'의 뜻. ¶~누이.
-시- 선어미 **1** 받침 없는 용언의 어간에 붙어, 존경하는 뜻을 나타냄. ¶아버님께서 오~었다 / 키가 크~다. *-으시-. **2** 서술격 조사 '이다'의 어간에 붙어, 존경의 뜻을 나타냄《받침 없는 말 앞에서는 '이'가 생략되기도 함》. ¶아버님이~다 / 고명한 학자~다.
***시:가** (市街) 명 **1** 도시의 큰 길거리. **2** 인가나 상가가 많은 번창한 곳. 저잣거리.
시:가 (市價)[-까] 명 상품이 매매되는 가격. 시장 가격. ¶~보다 싸다.
시:가 (始價)[-까] 명 증권 거래소에서, 그 날의 첫 거래 시세. ↔종가(終價).
시가 (時價)[-까] 명 일정한 시기의 물건 값. 시세. ¶~보다 싸게 팔다.
시가 (媤家) 명 시집.
시가 (詩歌) 명 **1** 가사를 포함한 시문학의 통칭. **2** 시와 노래.
시가 (cigar) 명 엽궐련.
시가렛 (cigarette) 명 궐련.
시:가-전 (市街戰) 명하자 시가지에서 하는 전투. ¶~이 벌어지다.
시:가-지 (市街地) 명 도시의 큰 길거리를 이루는 지역.
***시각** (時刻) 명 **1** 시간의 한 시점. ¶해 뜨는 ~. **2** 짧은 시간. ¶~을 다투다.
시:각 (視角) 명 **1** 사물을 관찰하고 파악하는 기본적인 자세. ¶~의 차이. **2** 〖물〗 물체의 두 끝에서 눈에 이르는 두 직선이 이루는 각.
시:각 (視覺) 명 〖생〗 빛의 에너지가 눈의 망막을 자극하여 일어나는 감각.
시:각-적 (視覺的) 관명 눈으로 보는 (것). ¶~인 형상화 / 사진 따위 ~인 자료.
***시간** (時間) 一명 **1** 어떤 시각과 시각과의 사이. ¶~은 돈이다. **2** 시각. ¶마감 ~. **3** 어떤 행동을 할 틈. 어떤 일을 하기로 정해진 동안. ¶휴식 ~ / 잠을 잘 ~도 없다. **4** 〖철〗 과거에서 현재와 미래로 무한히 연속되는 것. ↔공간. 二의명 하루

의 24분의 1이 되는 동안. 60분 동안. ¶ 여덟 ~의 작업.
시간 가는 줄 모르다 구 몹시 바쁘거나 일에 몰두하여 시간이 어떻게 지났는지 알지 못하다.
시간을 벌다 구 시간적인 여유를 더 확보하다. ¶시간을 벌기 위해 꾀병을 앓다.
시간 강:사(時間講師) 매주 정해진 시간에만 강의를 하고 그 시간에 따라 급료를 받는 강사.
시간-관념(時間觀念) 명 시간을 소중히 여기거나 약속된 시간을 지키려는 마음. ¶ ~이 철저한 사람.
시간-급(時間給) 명 한 시간에 얼마씩 계산하여 주는 급료. ↔성과급. 준시급.
시간-대(時間帶) 명 하루 가운데, 어떤 시각과 어떤 시각까지의 일정한 시간. ¶출퇴근 ~를 조정하다.
시간-문제(時間問題) 명 오래지 않아 곧 해결될 문제. ¶협상 타결도 이제는 ~이다.
시간-적(時間的) 관명 시간에 관한 (것). ¶ ~(인) 여유. ↔공간적.
시간-제(時間制) 명 일정한 시간에만 일을 하는 것. ¶ ~ 근무.
***시간-표**(時間表) 명 **1** 시간을 일정하게 나누어 할 일 따위를 적어 넣은 표. ¶수업 ~ / 원래 ~대로라면 국어 시간이다. **2** 비행기·기차·자동차·배 따위의 발착 시간을 적어 놓은 표.
시객(詩客) 명 시를 즐겨 짓는 풍류객. 시인(詩人).
시거에 부 **1** 우선 급한 대로. **2** 머뭇거리지 말고 곧.
시-건방지다 형 시큰둥하게 건방지다. ¶주제넘게 시건방진 소리하지 마라.
시:경(市警) 명 시(市) 지방 경찰청. ¶서울 ~.
시경(詩經) 명 오경(五經)의 하나. 중국 최고(最古)의 시집으로, 주(周)나라 초부터 춘추 시대까지의 시 311편을 수록함. 공자(孔子)가 편찬하였다고 하나 확실하지 않음. 모시(毛詩).
***시계**(時計)[-/-게] 명 시간을 재거나 시각을 나타내는 장치의 총칭. ¶~가 느리다 / ~를 보다 / ~를 차다.
시:계(視界)[-/-게] 명 시야(視野)1. ¶ ~가 넓어지다 / 비 내린 뒤라 ~가 좋다.
시계-추(時計錘)[-/-게-] 명 괘종시계 등에 매달린 추《좌우로 흔들림에 따라 일정한 속도로 태엽이 풀리게 됨》. 시계불알.
***시골** 명 **1** 도시에서 떨어진 지방. ¶ ~ 풍경. **2** 고향. ¶추석 때 ~에 가려고 한다.
시골-내기 [-래-] 명 시골에서 나서 자란 사람을 낮잡아 이르는 말.
시골-뜨기 명 견문이 좁은 시골 사람을 얕잡아 이르는 말.
시골-티 명 시골 사람의 촌스러운 모양이나 태도. 촌티. ¶ ~ 나는 소년.
시:공(施工) 명하타 공사를 시행함. ¶ ~ 중인 교량 / 아파트를 ~하다.
시공(時空) 명 시간과 공간. ¶ ~을 초월하다.
시-공간(時空間) 명 **1** 시간과 공간. **2**〖물〗 삼차원의 공간에 제사차원으로서 시간을 가한 사차원의 세계. 시공 세계. 사차원 공간. 사차원 세계.
시:공-자(施工者) 명 공사를 맡아서 하는 사람 또는 회사. ¶ ~를 선정하다.
시과(時果) 명 그 계절에 나는 과일.
시구(詩句)[-꾸] 명 시의 구절. ¶좋아하는 ~를 암송하다.
시국(時局) 명 현재 당면한 국내 및 국제 정세나 대세. ¶ ~ 강연회 / ~이 어수선하다 / ~ 탓으로 돌리다.
시국-관(時局觀) 명 당면한 시국을 보는 관점이나 견해. ¶ ~의 차이.
시:굴(試掘) 명하타〖광〗광물의 채굴 가치가 있는지를 조사하기 위하여 시험적으로 파 보는 일.
시궁 명 더러운 물이 빠지지 않고 썩어서 질척질척하게 된 도랑.
시궁-쥐 명〖동〗쥣과의 동물. 집 부근의 시궁창에 삶. 몸은 크며 귀는 두껍고 짧으며 등의 한가운데에는 검고 긴 털이 빽빽이 남. 페스트균을 옮김.
시궁-창 명 **1** 시궁의 바닥. 또는 그 속. ¶ ~에서 고약한 냄새가 난다. **2** 몹시 더럽거나 지저분한 환경 또는 그런 처지의 비유. [시궁창에서 용이 났다] 개천에서 용 난다.
시그널 (signal) 명 **1** 신호. **2** 신호기(機). 특히, 철도의 신호기.
시그널 뮤직 (signal music) 연속적 또는 정기적인 방송 프로그램에서 그 방송의 전후에 연주하는 음악.
시그마 (Σ, σ, ς) 명 **1** 그리스 어의 열여덟째 자모. **2**〖수〗총합(總合)을 나타내는 기호《Σ를 씀》.
시그무레-하다 형여불 깊은 맛이 있게 조금 신 듯하다. 거시크무레하다.
시근-거리다[1] 자타 고르지 않고 거칠고 가쁘게 숨 쉬는 소리가 자꾸 나다. 또는 그런 소리를 자꾸 내다. 작새근거리다[1]. 센씨근거리다. **시근-시근**[1] 부하자타
시근-거리다[2] 자 뼈마디가 자꾸 시근하다. 작새근거리다[2]. 거시큰거리다. **시근-시근**[2] 부하형. ¶무릎 관절이 ~하다.
시근-대다[1] 자타 시근거리다[1].
시근-대다[2] 자 시근거리다[2].
시근덕-거리다 자타 숨소리가 매우 거칠고 가쁘게 자꾸 나다. 또는 그런 소리를 자꾸 내다. 작새근덕거리다. 센씨근덕거리다.
시근덕-시근덕 부하자타
시근덕-대다 자타 시근덕거리다.
시근-벌떡 부하자타 숨이 차서 시근거리며 헐떡이는 모양. 작새근발딱. 센씨근벌떡.
시근벌떡-거리다 자타 숨이 차서 계속 시근거리며 헐떡거리다. 작새근발딱거리다. 센씨근벌떡거리다. **시근벌떡-시근벌떡** 부하자타
시근벌떡-대다 자타 시근벌떡거리다.
시근-하다 형여불 뼈마디가 저리고 시다. 작새근하다. 거시큰하다.
시글-시글 부하형 우글우글 들끓는 모양.
시:금(試金) 명하타 금속이나 합금의 성분을 분석함. 또는 그렇게 하여 그 품위나 품질을 정함.
시금떨떨-하다 형여불 맛이나 냄새 따위가

좀 시면서 떫다. ¶살구가 ~. ㉦시금털털하다.

시:금-석 (試金石) 명 1 〖화〗 경도가 높고 검은 빛깔의 돌《귀금속의 순도를 판정하는 데 씀》. 층샛돌. 2 가치·능력 등을 시험해 알아보는 기회나 사물의 비유.

시금-시금 부하형 여럿이 다 시금하거나 매우 시금한 모양. ㉧새금새금. ㉦시큼시큼.

시금씁쓸-하다 형여불 맛이 조금 시면서 쓰다.

시금치 명 〖식〗 명아줏과의 한해살이풀 또는 두해살이풀. 뿌리는 담홍색, 줄기는 비었고 여름에 녹색의 잔 꽃이 핌. 잎은 어긋나고 세모진 달걀꼴을 하고 있는데 비타민과 철분이 많아 널리 재배 식용함.

시금털털-하다 형여불 맛이나 냄새 따위가 조금 시면서 떫다. ㉥시금떨떨하다.

시금-하다 형여불 조금 신맛이 있다. ㉧새금하다. ㉦시큼하다.

시급-하다 (時急-)[-그파-] 형여불 시각이 몹시 절박하고 급하다. ¶대책이 ~. 시급-히 [-그피] 부. ¶~ 해결되어야 할 과제.

*시기 (時期) 명 어떤 일이나 현상이 진행되는 시점. 때. ¶여행하기에 적당한 ~.

시기 (時機) 명 적당한 때나 기회. ¶결혼할 ~를 놓치다 / 지금은 말할 ~가 아니다.

시기 (猜忌) 명하타 남이 잘되는 것을 샘을 내서 미워함. ¶사랑은 ~하지 않는다 / 그의 뛰어난 능력을 ~하다.

시기-상조 (時機尙早) 명 어떤 일을 하는데 때가 아직 이름. ¶기업 공개는 아직 ~이다. ㊣상조.

시기-심 (猜忌心) 명 남이 잘되는 것을 샘하고 미워하는 마음. 암기.

시-꺼멓다 [-머타]〔시꺼머니, 시꺼머오〕 형 ㅎ불 1 매우 꺼멓다. ¶시꺼먼 눈썹. 2 언행이 매우 엉큼하다. ¶속이 시꺼먼 사람. ㉧새까맣다. ㉦시커멓다.

[시꺼먼 도둑놈] 마음씨가 몹시 음흉하고 험악한 사람의 비유.

시-꺼메지다 자 시꺼멓게 되다. ¶오래 구워 시꺼메진 고기. ㉧새까매지다. ㉦시커메지다.

시끄럽다〔시끄러우니, 시끄러워〕 형ㅂ불 1 듣기 싫게 떠들썩하다. ¶시끄러운 소리. 2 말썽이 나서 어지러운 상태이다. ¶시끄러운 세상. 3 마음에 들지 않아 귀찮고 성가시다. ¶시끄럽게 굴지 마라.

시끌벅적-하다 [-쩌카-] 형여불 많은 사람이 들끓어 시끄럽게 떠들어 대다. ¶떠들어 대는 아이들로 교실 안은 시끌벅적했다.

시끌시끌-하다 형여불 1 몹시 시끄럽다. ¶손님들로 시끌시끌한 술집. 2 일이 마구 얽혀 정신이 어지럽다. ¶테러 사건으로 세상이 ~.

시나리오 (scenario) 명 1 영화 장면이나 그 순서, 배우의 대사(臺詞)·동작 등을 적은 대본. 영화 각본. ¶~를 공모하다. 2 미리 짜 놓은 계획 또는 안(案). ¶전쟁 ~ / ~대로 일이 진행되다.

시나리오의 종류

1. **오리지널 시나리오**…영화 촬영을 위하여 창작한 각색하지 않은 시나리오
2. **각색 시나리오**…소설·희곡·다큐멘터리 따위를 영화 촬영에 적합하게 각색한 시나리오
3. **레제 시나리오**(Lesescenario)…단순히 읽게 하기 위하여 만든 시나리오

시나브로 부 모르는 사이에 조금씩 조금씩. ¶쌓인 눈이 ~ 녹아 없어지다.

시나위 명 〖악〗 1 기악(器樂)의 하나. 장단은 산조(散調)와 같으나 향피리·대금·해금·장구 등 여러 악기로 편성하여 연주하는 합주 음악. ☞민속악. 2 당악(唐樂)에 대한 '향악(鄕樂)'의 일컬음.

시난-고난 부하자 병이 심하지 않으면서 오래 앓는 모양.

*시:내 명 산골짜기나 평지에서 흐르는 자그마한 내. ¶집 앞을 흐르는 ~.

시:내 (市內) 명 시의 구역 안. 도시의 안. ¶~에 살다 / ~를 돌아다니다. ↔시외.

시:내-버스 (市內bus) 명 시내에서 일정한 구간을 운행하는 버스. ¶~ 요금 인상 / ~ 노선을 연장하다. *시외버스.

시:냇-가 [-내까 / -낻까] 명 물이 흐르는 시내의 가. ¶~의 버드나무.

*시:냇-물 [-낸-] 명 시내에서 흐르는 물. ¶~이 졸졸 흐르다.

시너 (thinner) 명 도료(塗料)의 점성도(粘性度)를 낮추기 위해 섞는 혼합 용제(溶劑).

시네마-스코프 (Cinema-Scope) 명 특수 렌즈를 써서 넓은 범위를 압축하여 촬영하고, 이를 다시 확대하여 와이드 스크린에 영사하는 영화. ㊣시네스코.

시:녀 (侍女) 명 1 지난날, 지체 높은 사람의 가까이에서 시중을 들던 여자. 2 통치자나 권력자의 비위에 맞추어 무조건 복종하는 사람의 비유.

시누 (媤-) 명 '시누이'의 준말.

시-누이 (媤-) 명 남편의 누이. ¶손아래 ~. ㊣시뉘·시누.

시늉 명하자 어떤 모양이나 동작을 흉내 내는 짓. ¶우는 ~을 하다 / 술잔을 입에 대는 ~만 했다.

시늉-말 명 흉내말.

시니어 (senior) 명 1 연장자. 선배. 2 상급 학생. ↔주니어.

시니컬-하다 (cynical-) 형여불 냉소적인 태도가 있다. ¶시니컬한 미소.

*시다 형 1 맛이 식초와 같다. ¶살구가 매우 ~. 2 눈이 강한 빛을 받아 슴벅슴벅 찔리는 듯하다. ¶용접 불꽃을 보았더니 눈이 ~. 3 뼈마디가 삐어서 시근시근하다. ¶발목이 ~. 4 하는 짓이 비위에 거슬리다. ¶눈꼴이 ~.

시단 (詩壇) 명 시인들의 사회. ¶~에 꽤 알려진 사람.

시:달 (示達) 명하타 상부에서 하부로 명령이나 통지 등을 문서로 전달함. ¶작업 진행 방침을 ~하다.

시달리다 자 괴로움이나 성가심을 당하다. ¶격무에 ~ / 죽음의 공포에 ~ / 악몽에 시달려 잠을 설치다 / 더위에 시달려 식욕을 잃다.

시답다〔시다우니, 시다워〕 형ㅂ불〔←실(實)답다〕 (주로 '시답지 않다'의 꼴로 쓰

여) 마음에 차거나 들어서 만족스럽다. ¶ 호의를 시답지 않게 여기다.

시답잖다 [-짠타] 형 〔←실(實)답지 않다〕 보잘것없어 마음에 차지 않다. ¶ 시답잖은 태도를 보이다.

***시대** (時代) 명 **1** 역사적으로 어떤 표준에 따라 구분한 일정한 기간. ¶ 우주 ~ / 부족 국가 ~. **2** 지금 있는 그 시기. ¶ ~의 총아 / ~를 앞서 가다 / ~에 뒤떨어지다.

시대-상 (時代相) 명 어떤 시대의 되어 가는 모든 형편. 또는 한 시대의 사회상. ¶ ~을 반영한 작품.

시대-적 (時代的) 관명 그 시대에 특징적인 (것). ¶ 그 영화의 ~(인) 배경은 1960년대이다.

시대-착오 (時代錯誤) 명 새로운 시대의 경향에 뒤떨어진 생각이나 방식으로 대처하는 일. 아나크로니즘.

시댁 (媤宅) 명 '시가(媤家)'의 높임말.

시:도 (試圖) 명하타 무엇을 이루어 보려고 계획하거나 행동함. ¶ 난(蘭) 재배를 ~해 보다.

시:동 (始動) 명하자타 **1** 처음으로 움직이기 시작함. 또는 그렇게 되게 함. **2** 발전기·전동기·증기 기관·내연 기관 등의 운전을 개시함. 또는 그렇게 되게 함. 기동(起動). ¶ ~을 걸다 / ~이 꺼지다.

시:동 (侍童) 명 지난날, 귀인(貴人) 밑에서 심부름하던 아이.

시-동생 (媤同生) 명 남편의 남동생. 시아주비.

***시들다** 〔시드니, 시드오〕 자 **1** 꽃·풀 등이 물기가 말라 생기가 없어지다. ¶ 꽃이 ~. **2** 기운이 빠져 생기가 없고 풀이 죽다. ¶ 시드는 얼굴. **3** 기세가 약해지다. ¶ 시들지 아니하는 예술에 대한 열정.

시들먹-하다 [-머카-] 형여불 기운이나 의욕이 시들한 데가 있다. ¶ 시들먹한 표정.

시들-부들 부하형 약간 시들어 생기가 없고 부드러워진 모양. ¶ ~한 배춧잎.

시들-시들 부하형 약간 시들어 힘이 없는 모양. ¶ 가뭄으로 ~ 말라 가는 벼.

시들-하다 형여불 **1** 마음에 차지 않아 내키지 않다. ¶ 시들한 표정을 하고 있다 / 영어에 대한 관심이 시들해졌다. **2** 보잘것없다. **3** 꽃·풀 등이 시들어서 생기가 없다. ¶ 날씨가 뜨거워 나뭇잎이 ~.

시디 (CD) 명 〔compact disk〕 '콤팩트디스크'의 약칭.

시디-롬 (CD-ROM) 명 〔compact disk read only memory〕 〖컴〗 콤팩트디스크에 데이터를 기록해 둔 읽기 전용의 기억 장치.

시디-시다 형 맛이 썩 시다. ¶ 살구가 ~.

시뜻-이 부 시뜻하게.

시뜻-하다 [-뜨타-] 형여불 **1** 마음이 내키지 않아 시들하다. **2** 어떤 일에 물리거나 지루해져서 조금 싫증나는 기색이 있다. ㉮시틋하다.

-시라 어미 받침 없는 동사 어간이나 ㄹ 받침 용언의 어간에 붙어, 간접 명령이나 불특정 다수에 대한 공손한 명령을 나타내는 종결 어미. ¶ 기대하~ / 보~. *-으시라.

시래기 명 배추의 잎이나 무청을 말린 것. 청경(靑莖). ¶ ~로 국을 끓이다.

시래깃-국 [-기꾹 / -긷꾹] 명 시래기를 넣어 끓인 토장국.

시:량 (柴糧) 명 땔나무와 먹을 양식.

시럽 (syrup) 명 **1** 당밀에 시트르산 등으로 신맛이 나게 하고 향료·색소를 넣어 착색한 음료. **2** 설탕물에 과즙·생약 따위의 액을 넣어 걸쭉한 액체로 만든 약제.

시렁 명 물건을 얹기 위해 가로지른 두 개의 긴 나무.

시:력 (視力) 명 물체의 존재나 형상을 인식하는 눈의 능력. ¶ ~ 검사 / ~이 약해지다 / ~을 재다.

시:련 (試鍊·試練) 명하타 **1** 의지나 사람됨 등을 시험하여 봄. **2** 겪기 어려운 단련이나 고난. ¶ ~에 부딪치다 / ~을 헤쳐 나가다.

시론 (時論) 명 **1** 한 시대의 여론. **2** 그때그때 일어나는 시사에 대한 평론이나 의론. **3** 〖역〗 조선 정조 때, 벽론(僻論)과 맞서던 시파(時派)의 당론.

시론 (詩論) 명 시(詩)의 본질·양식에 관한 이론. 또는 그 평론.

시:료 (試料) 명 〖화〗 시험·검사·분석 등에 쓰는 물질 또는 생물. ¶ ~를 분석하다.

시루 명 떡이나 쌀 등을 찌는 데 쓰는 둥근 질그릇《모양은 자배기 같고 바닥에 구멍이 몇 개 뚫렸음》. ¶ ~에 떡을 안치다. [시루에 물 퍼 붓기] 공을 들여도 효과가 없음의 비유.

시룻방석
시루
시룻번
솥
시루

시루-떡 명 떡가루에 콩·팥 등을 섞어 시루에 켜를 안쳐 찐 떡.

시룻-번 [-루뻔 / -룯뻔] 명 시루를 솥에 안칠 때 그 틈에서 김이 새지 않도록 바르는 반죽. 준번.

시룽-거리다 자 경솔하고 방정맞게 까불며 자꾸 지껄이다. 작새롱거리다. **시룽-시룽** 부하자

시룽-대다 자 시룽거리다.

시룽-새룽 부하자 실없이 방정맞게 까불며 자꾸 지껄이는 모양.

시류 (時流) 명 그 시대의 풍조나 경향. ¶ ~에 영합하다 / ~를 따르다.

시르-죽다 자 **1** 기운을 차리지 못하다. ¶ 시르죽어 가는 목소리. **2** 기를 펴지 못하다. [시르죽은 사람] 몰골이 초췌하고 초라한 행색을 놀려 이르는 말.

***시름** 명 늘 마음에 걸려 풀리지 않는 근심과 걱정. ¶ ~에 잠기다〔젖다〕 / ~을 달래다〔놓다〕.

시름-겹다 〔-겨우니, -겨워〕 형ㅂ불 못 견딜 정도로 시름이 많다. ¶ 시름겨운 어머니의 표정.

시름-시름 부 **1** 병세가 더하거나 낫지도 않으면서 오래 끄는 모양. ¶ ~ 앓더니 결국 몸져눕고 말았다. **2** 비·눈 등이 조용히 자꾸 내리는 모양. ¶ ~ 내리는 눈.

시름-없다 [-업따] 형 **1** 근심·걱정으로 맥이 없다. ¶ 시름없는 목소리. **2** 아무 생각이 없다. **시름-없이** [-업씨] 부. ¶ ~ 먼 산을 바라보다.

시리다 형 **1** 몸의 한 부분에 찬 기운을 느끼

다. ¶바닥이 몹시 ~. 2 찬 것 등이 닿아 통증을 느끼다. ¶얼음물을 마셨더니 이가 ~. 3 (주로 '눈'과 함께 쓰여) 빛이 강하여 바로 보기 어렵다. ¶눈이 시리도록 하얗게 쌓인 눈.

시리즈 (series) 명 1 같은 종류의 연속 기획물《연속 출판물·연속극·영화 따위》. 2 특별 기획에 따른 일련의 경기. ¶한국 ~.

시:립 (市立) 명 시의 경비로 설립하고 관리하는 것. ¶~ 도서관.

시:말-서 (始末書)[-써] 명 일을 잘못한 사람이 그 일의 경위를 자세히 적은 문서. 전말서(顚末書). ¶~를 제출하다.

시맥 (翅脈) 명 곤충의 날개에 무늬처럼 갈라져 있는 맥.

시먹다 형 버릇이 나빠 남의 충고를 듣지 않다.

***시멘트** (cement) 명 토목이나 건축 재료로 쓰는 접합제《보통 점토(粘土)를 포함한 석회석이나 석고를 구워 가루로 만든 것임》. ¶~ 블록 / ~ 벽.

시:명 (示明) 명하타 일반에게 자세히 알림.

시모 (媤母) 명 시어머니.

시-모녀 (媤母女) 명 시어머니와 며느리.

시목 (柴木) 명 땔나무.

시:묘 (侍墓) 명하자 부모의 거상 중 그 무덤 옆에서 움막을 짓고 3년간 사는 일.

시:무 (始務) 명하자 1 어떤 일을 맡아보기 시작함. 2 관공서 등에서 새해 들어 업무를 시작함. ↔종무.

시무룩-이 부 시무룩하게. ¶~ 앉아 있다.

시무룩-하다 [-루카-] 형여불 마땅치 않아 말이 없고 언짢은 기색이 있다. ¶시무룩한 표정으로 앉아 있다. 작새무룩하다. 센씨무룩하다.

시문 (詩文) 명 시가(詩歌)와 산문.

시물-거리다 자 1 입술을 약간 실그러뜨리며 소리 없이 자꾸 웃다. 작새물거리다. 센씨물거리다. 2 한데 어울리지 않고 자꾸 능청스럽게 굴다. **시물-시물** 부하자

시물-대다 자 시물거리다.

시뮬레이션 (simulation) 명 어떤 문제나 현상 따위를 예측하고 해석하기 위하여 실제와 비슷한 모형을 만들어 모의적으로 실험하여 그 결과로 해결 방법을 연구하는 일.

시뮬레이터 (simulator) 명 비행기·자동차 따위의 작동이나 운전 등의 훈련을 위하여, 컴퓨터로 실제 장면과 같도록 만든 장치.

***시:민** (市民) 명 1 시에 살고 있는 사람. 시의 주민. ¶민주 ~ / ~의 관심을 모으다. 2 공민권을 가지는 국민. ¶~의 의무.

시:민-권 (市民權)[-꿘] 명 시민으로서의 행동·재산·사상·신앙의 자유가 보장되고 정치에 참여할 수 있는 권리. ¶미국의 ~을 얻다.

시:민 혁명 (市民革命)[-형-] 절대제(絕對制)를 타도하고 법률상 자유·평등한 시민 계급이 지배하는 사회를 건설하는 혁명.

시:발 (始發) 명하자 1 맨 처음의 출발이나 발차. ¶서울역에서 ~한다. 2 어떤 일의 처음. 3 병세가 처음 생김. ¶이 병의 ~은 체한 때부터였다.

시:발-역 (始發驛)[-력] 명 기차나 전철이 처음 출발하는 역. ↔종착역(終着驛).

시:발-점 (始發點)[-쩜] 명 1 첫 출발하는 지점. 2 일이 처음 시작되는 계기. ¶부부 싸움의 ~은 사소한 것이었다.

시방 (時方) 명부 지금. ¶~ 하고 있는 일.

시:방-서 (示方書) 명 공사 따위에서 일정한 순서를 적은 문서. 제품 또는 공사에 필요한 재료의 종류나 품질, 사용처·시공 방법 등 설계 도면에 나타낼 수 없는 사항을 기록한 문서.

시:범 (示範) 명하타 모범을 보임. ¶~ 경기 / 태권도 ~을 보이다.

시:범-적 (示範的) 관명 모범을 보이는 (것). ¶영어 교육을 ~으로 실시하다.

시보 (時報) 명 1 그때그때의 보도. 또는 그런 글을 실은 신문이나 잡지. 2 표준 시간을 알리는 일.

시:보 (試補) 명 어떤 관직에 임명되기까지 그 사무에 실제로 종사하며 익히는 일. 또는 그런 직위.

시부 (媤父) 명 시아버지.

시부렁-거리다 자타 주책없이 실없는 말을 함부로 자꾸 지껄이다. ¶입속으로 뭐라고 ~ / 무얼 시부렁거리고 있나. 작사부랑거리다. 센씨부렁거리다. **시부렁-시부렁** 부하자타

시부렁-대다 자타 시부렁거리다.

시-부모 (媤父母) 명 시아버지와 시어머니.

시부저기 부 별로 힘들이지 않고 거의 저절로. 작사부자기.

시부적-시부적 부하자 계속 시부저기 행동하는 모양. 작사부작사부작.

시분할 시스템 (時分割system) 〖컴〗 복수의 사용자가 한 대의 컴퓨터를 여러 대의 단말기를 통해 공동으로 이용하는 시스템.

시:비 (是非) 명하자타 1 옳음과 그름. 잘잘못. ¶~를 가리다. 2 옳으니 그르니 하는 말다툼. ¶~가 붙다〔일다〕 / ~를 걸다.

시:비 (施肥) 명하자 논밭에 거름을 줌. 거름주기. ¶때에 맞추어 ~하다.

시비 (柴扉) 명 사립문.

시비 (詩碑) 명 시를 새긴 비석.

시:비-곡직 (是非曲直) 명 옳고 그르고 굽고 곧음. 시비선악. ¶~을 가리다〔묻다〕.

시:비-조 (是非調)[-쪼] 명 트집을 잡아 시비하는 듯한 말투. ¶말마다 ~다.

시:비지심 (是非之心) 명 사단(四端)의 하나. 시비를 가릴 줄 아는 마음.

시뻐-하다 타여불 마음에 차지 않아 시들하게 여기다. ¶내 말이라면 늘 시뻐한다.

시-뻘겋다 [-거타]〔시뻘거니, 시뻘거오〕 형 ㅎ불 몹시 뻘겋다. ¶얼굴이 시뻘겋게 달아오르다. 작새빨갛다.

시-뻘게지다 자 시뻘겋게 되다. ¶수건이 피로 ~. 작새빨개지다.

시-뿌옇다 [-여타]〔시뿌예, 시뿌여니, 시뿌여오〕 형ㅎ불 아주 뿌옇다. ¶안개가 시뿌옇게 끼다. 작새뽀얗다.

시-뿌예지다 자 아주 뿌옇게 되다. 작새뽀얘지다.

시쁘다 〔시쁘니, 시뻐〕 형 마음에 차지 않아 떨떠름하다. ¶시쁜 표정으로 돈을 받는다.

시쁘둥-하다 형여불 마음에 차지 않아 시들한 기색이다. ¶시쁘둥한 표정.

시:사 (示唆) 명하타 미리 간접적으로 나타

냄. ¶부정적인 ~를 풍기다.
시사 (時事) 명 그 당시에 일어난 갖가지 세상일. ¶~ 문제를 다룬 보도.
시사-만평 (時事漫評) 명 당시에 일어난 갖가지 세상일을 생각나는 대로 한 비평.
시사-물 (時事物) 명 **1** 여러 가지 사회적 사건에 대한 기사. **2** 시사 문제를 다룬 간행물이나 방송 프로그램.
시사-성 (時事性) [-썽] 명 사회적 사건이 내포하고 있는 시대적·사회적 성격. ¶~을 띤 영화.
시사-적 (時事的) 관명 사회적 사건에 관한 (것). ¶~인 관점.
시:사-회 (試寫會) 명 영화나 광고 따위를 일반에게 공개하기 전에 시험적으로 상영하기 위한 모임. ¶~에 초대되다.
시:상 (施賞) 명하타 상장이나 상품·상금 따위를 줌. ¶~ 대상자를 선정하다.
시상 (詩想) 명 **1** 시의 구상. ¶~을 가다듬다. **2** 시에 나타난 사상이나 감정. **3** 시적인 생각이나 상념. ¶~에 잠기다.
시새다 자타 '시새우다'의 준말.
시새우다 ㊀타 자신보다 나은 사람을 미워하고 싫어하다. ¶친구의 성공을 시새우지 마라. ㊁자 서로 남보다 낫게 하려고 다투다. ¶시새워 공부하다. ㊟시새다.
시새움 명하타 시새우는 일. 또는 그런 마음. ¶유능한 친구를 ~하다. ㊟시샘.
시샘 명하타 '시새움'의 준말. ¶꽃을 ~하는 듯 비가 내린다.
시:생-대 (始生代) 명 〖지〗 선캄브리아대(先Cambria代)를 둘로 나누었을 때의 첫째 시대《약 45억 년 전부터 25억 년 전까지의 기간에 해당되며 생명이 최초로 태어난 시기임》.
시서 (詩書) 명 **1** 시와 글씨. **2** 시경과 서경.
***시:선** (視線) 명 **1** 눈이 가는 길. 또는 눈의 방향. 눈길. ¶~을 따갑게 느끼다 / ~을 힘없이 거두다. **2** 주의나 관심. ¶환경 문제를 대하는 세인의 ~.
시선 (詩仙) 명 **1** 선풍(仙風)이 있는 천재적인 시인. **2** 시 짓기에만 몰두하고 세상일을 잊은 사람. **3** 두보(杜甫)를 시성(詩聖)이라 일컫는 데 대하여, 이백(李白)을 일컫는 말.
시선 (詩選) 명 시를 뽑아 모은 책.
시:설 (柹雪) 명 곶감 거죽에 돋은 흰 가루. 시상(柹霜).
***시:설** (施設) 명하타 도구·기계·장치 따위를 베풀어 설비함. 또는 그런 설비. ¶편의 ~ / 기계 ~ / 공용 안테나를 ~하다.
시설-거리다 자 싱글싱글 웃으면서 수다스럽게 자꾸 지껄이다. ㉶새살거리다. **시설-시설** 부하자
시설-대다 자 시설거리다.
시성 (詩聖) 명 **1** 역사상 뛰어난 위대한 시인. **2** 이백(李白)을 시선(詩仙)이라 일컫는 데에 대하여 두보(杜甫)를 일컫는 말.
시:성-식 (示性式) 명 〖화〗 유기 화합물의 성질을 밝히기 위해 분자 중의 원자나 원자단의 존재를 나타내는 화학식.
시세 (時勢) 명 **1** 그 당시의 형세나 형편. ¶~ 모르는 소리 하지 마라. **2** 시가(時價). ¶~ 변동 / ~가 나다〔없다〕.
[시세도 모르고 값을 놓는다] 물건의 가치도 모르면서 평가한다.
시세가 기울다 구 형세가 불리해지다.
시세(가) 닿다 구 값이 시세에 맞다.
시:-세포 (視細胞) 명 〖생〗 빛을 받아들여 사물을 볼 수 있게 하는 동물의 감각 세포의 한 가지.
시소 (seesaw) 명 긴 널판의 한가운데를 괴어 그 양쪽 끝에 사람이 타고 서로 오르락내리락하는 놀이 기구.

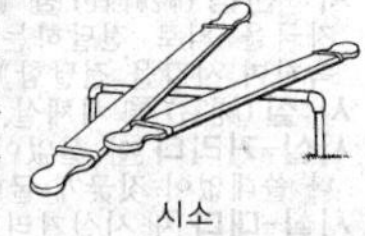
시소

시소-게임 (seesaw game) 명 주로 운동 경기에서, 기량이 비슷하여 일진일퇴의 접전을 벌임. 백중전. ¶손에 땀을 쥐게 하는 ~을 벌이다.
시속 (時俗) 명 그 시대의 풍속. 시습. ¶성인(聖人)도 ~을 좇는다 / ~ 물정에 밝다.
시속 (時速) 명 한 시간을 단위로 잰 평균 속도. ¶~ 80 km로 달리는 차.
시숙 (媤叔) 명 남편의 형제. 아주버니.
시:술 (施術) 명하자타 의술이나 최면술 따위의 술법을 베풂. 또는 그런 일. ¶~ 결과가 좋다.
시스템 (system) 명 **1** 어떤 목적을 위한 질서 있는 방법·체계·조직 따위. ¶관리 ~. **2** 〖컴〗 필요한 기능을 실현하기 위하여 관련된 요소를 일정한 법칙에 따라 조합한 집합체.
시습 (時習) 명하타 **1** 배운 것을 때때로 다시 익힘. **2** 시속(時俗).
시:승 (市升) 명 〖역〗 옛날 시장에서 쓰던 되. 장되.
시:승 (試乘) 명하타 차·배·말 따위를 시험적으로 타 봄. ¶새 자가용을 ~하다.
시시 (CC, cc) 의명 〔cubic centimeter〕 가로·세로·높이가 각 1 cm인 부피. 곧, 세제곱센티미터《1/1000 리터》.
시시각각 (時時刻刻) 명 각각의 시각. ¶~으로 동태를 주시하다 / 대결의 순간이 ~ 다가오다.
시시껄렁-하다 형여불 시시하고 끌답지 않다. ¶시시껄렁한 이야기.
시시덕-거리다 자 실없이 웃으면서 계속 지껄이다. ¶친구와 시시덕거리며 길을 긷다. ㊟시시거리다.
시시덕-대다 자 시시덕거리다.
시시-때때로 (時時-) 부 '때때로'의 힘줌말. ¶생각이 ~ 변하다.
시시-로 (時時-) 부 때때로. ¶~ 나를 괴롭히는 망상 / 머리 모양이 ~ 바뀌다.
시:시비비 (是是非非) 명하자타 옳은 것은 옳다고 하고 그른 것은 그르다고 함. ¶~가 뚜렷해지다.
시시-콜콜 부하형히부 **1** 마음씨나 하는 짓이 좀스럽고 야박한 모양. **2** 자질구레한 것까지 낱낱이 따지거나 다루는 모양. ¶남의 일을 ~ 캐묻다 / ~ 일러바치다.
시시 티브이 (CCTV) 〔closed circuit television〕 폐회로 텔레비전.
시시-하다 형여불 **1** 신통한 데가 없고 보잘것없다. ¶시시한 이야기 / 듣기보다 ~. **2** 좀스럽고 쩨쩨하다. ¶시시하게 굴다.
시식 (時食) 명 그 철에 특별히 있는 음식.

또는 그 철에 알맞은 음식.
시:식 (試食) 명하타 음식의 맛이나 요리 솜씨를 보려고 시험 삼아 먹어 봄. ¶백화점 ~ 코너로 손님들이 몰려들었다.
시:신 (屍身) 명 송장. ¶~을 안장하다.
시:-신경 (視神經) 명 〘생〙 망막에서 받은 자극을 뇌로 전달하는 신경《제 2 뇌신경에 속하며 시각을 전달함》. ¶~이 마비되다.
시:실 (屍室) 명 시체실.
시실-거리다 자 실없이 자꾸 까불고 웃거나 쓸데없이 짓궂게 굴다. **시실-시실** 부하자
시실-대다 자 시실거리다.
시심 (詩心) 명 시흥(詩興)이 돋는 마음. 시정(詩情). ¶~이 일다.
시아르티 (CRT) 명 〔cathoderay tube〕 텔레비전·싱크로스코프·컴퓨터의 모니터로 쓰이는 브라운관의 정식 이름을 줄여서 이르는 말. 음극관.
시아르티 디스플레이 장치 (CRT display 裝置) 〘컴〙 〔CRT는 cathoderay tube의 약칭〕 브라운관에 문자나 도형을 나타내는 컴퓨터 단말 장치. 영상 표시 장치. 음극선관 표시기.
시-아버지 (媤-) 명 남편의 아버지. 시부(媤父).
시-아주버니 (媤-) 명 남편의 형.
시:안 (試案) 명 시험적으로 또는 임시로 만든 계획이나 의견. ¶~을 검토하다.
시안화-칼륨 (cyaan化Kalium) 명 〘화〙 이산화탄소를 정제할 때, 산화철에 흡수되어 생긴 시안화물로 만드는 조해성이 강한 무색의 결정《매우 유독하며 금·은의 야금, 살충제 등에 씀》. 청산가리.
시앗 [-앋] 명 남편의 첩. ¶~을 보다. [시앗을 보면 길가의 돌부처도 돌아앉는다] 남편이 첩을 얻으면 부처같이 점잖고 인자하던 부인도 시기하고 증오하게 됨의 비유. [시앗이 시앗 꼴을 못 본다] 시앗이 자기 시앗은 더 못 본다는 말.
시:야 (視野) 명 **1** 시력이 미치는 범위. 시계. ¶~에서 사라지다 / ~가 탁 트이다. **2** 사물에 대한 식견이나 사려가 미치는 범위. ¶~가 넓은 사람.
시:약 (試藥) 명 〘화〙 화학 분석에서, 물질을 검출 또는 정량하는 데 쓰는 약품.
시-어머니 (媤-) 명 남편의 어머니.
-시어요 어미 ('이다'의 어간, 받침 없는 동사나 ㄹ 받침 동사의 어간에 붙어) 해요할 자리에서, 설명·의문·명령의 뜻을 나타내는 종결 어미. ¶잡수~ / 어서 가~ / 집에 계~. 준-셔요. *-으시어요.
시 언어 (C言語) 〘컴〙 프로그램을 기계어 명령에 가까운 형태로 기술할 수 있는 프로그래밍 언어《간결한 표현 형식, 풍부한 제어 구조, 데이터 구조, 연산자(演算子)가 특징임》.
시에이디 (CAD) 명 〔computer aided design〕 컴퓨터를 이용한 디자인.
시에이 티브이 (CATV) **1** 〔cable TV〕 케이블 티브이. **2** 〔community antenna television〕 공동 청취 안테나 시설. 또는 이를 이용하여 수신하는 텔레비전.
시에프 (CF) 명 〔commercial film〕 광고 선전용 텔레비전 필름. ¶~ 촬영.
시에프 (cf.) 명 〔라 confer〕 '비교하라·참조하라'는 뜻으로 쓰는 기호.
시엠 (CM) 명 〔commercial message〕 텔레비전이나 라디오 따위에서 방송하는 상업용 광고 선전 문구.
시엠-송 (CM song) 명 광고 선전용 노래.
시:여 (施與) 명하타 남에게 물건을 거저 줌.
시여 조 호격(呼格) 조사 '여'의 높임말. ¶어버이~ / 어머니~. *이시여.
시역 명 힘이 드는 일.
시:역 (始役) 명하타 토목이나 건축 따위 공사를 시작함. ¶댐 공사를 ~하다.
시:연 (試演) 명하타 연극·무용 등을 일반에게 공개하기에 앞서 시험적으로 상연함.
시:영 (市營) 명 시(市)의 사업으로 경영함. 또는 그 사업. ¶~ 아파트.
시옷 [-옫] 명 한글 자모 'ㅅ'의 이름.
시:외 (市外) 명 도시에 가까운 지역. ¶~로 바람을 쐬러 나가다. ↔시내(市內).
시-외가 (媤外家) 명 남편의 외가.
시:외-버스 (市外bus) 명 시내에서 그 도시 바깥 지역까지 운행하는 버스. ¶~ 터미널. *시내버스.
시:용 (施用) 명하타 베풀어서 사용함. ¶~ 결과에 만족하다.
시:용 (試用) 명하타 시험적으로 써 봄. ¶신개발 약을 ~하다.
시우 (時雨) 명 철을 맞추어 오는 비.
시우-쇠 명 무쇠를 불려서 만든 쇠붙이의 하나.
시운 (時運) 명 시대나 그때의 운수. ¶~을 잘 타고나다 / ~을 얻다.
시운 (詩韻) 명 **1** 시의 운율. **2** 시의 운자(韻字).
시:-운전 (試運轉) 명하타 기차·배·자동차 또는 기계 따위를 새로 만들거나 수리하였을 때, 시험적으로 해 보는 운전. ¶고속 전철을 ~하다.
***시울** 명 눈이나 입 등의 언저리. ¶~이 붉어지다.
시:원 (始原) 명 사물·현상 따위가 시작되는 처음. ¶불의 ~.
시원섭섭-하다 [-써파-] 형여불 한편으로는 시원하면서도 다른 한편으로는 섭섭하다. ¶막내딸을 시집보내고 나니 마음이 시원섭섭하구나.
시원-스럽다 [-스러우니, -스러워] 형ㅂ불 시원한 태도나 느낌이 있다. ¶시원스러운 태도 / 대답이 ~. **시원-스레** 부
시원-시원 부하형히부 언행이나 생김새가 매우 시원한 모양. ¶~ 처리해 나가는 일솜씨 / ~한 대답 / ~히 말 좀 해 보아라.
시원-찮다 [-찬타] 형 **1** 시원하지 아니하다. ¶대답이 ~ / 솜씨가 ~. **2** 몸이나 상태 따위가 좋지 않다. ¶요새 몸이 좀 시원찮아 / 기계가 시원찮게 돌아간다. 준션찮다.
***시원-하다** 형여불 **1** 알맞게 선선하다. ¶새벽녘의 시원한 공기. **2** 답답한 마음이 풀리어 후련하다. ¶빚을 갚고 나니 마음이 ~. **3** 가렵거나 속이 더부룩하던 것이 사라져 기분이 상쾌하다. ¶소화제를 먹었더니 속이 시원해졌다. **4** 언행이 활발하고 명랑하다. ¶말솜씨가 ~. **5** 음식의 국물 맛이 텁텁하지 않다. ¶시원한 동치미 국물. **6** 확

시:청-료 (視聽料)[-뇨] 명 텔레비전을 시청하는 데 내는 요금.
시:청-률 (視聽率)[-뉼] 명 텔레비전의 특정한 프로그램이 시청되고 있는 정도. ¶치열한 ~ 경쟁.
시:청-자 (視聽者) 명 텔레비전을 시청하는 사람. ¶~의 의견을 청취하다.
***시:체** (屍體) 명 송장. ¶~를 매장하다.
시체 (時體) 명 그 시대의 풍습과 유행. ¶~ 상품/ ~ 학생.
시:체-실 (屍體室) 명 병원에서 시체를 넣어 두는 곳. 사체실(死體室). 시실(屍室).
시쳇-말 (時體-)[-첸-] 명 그 시대에 유행하는 말. ¶우리의 만남은 ~로 운명이 아니었던지.
시:초 (始初) 명 맨 처음. ¶분쟁의 ~/그 작업은 ~부터 잘못되었다.
시:추 (試錐) 명하타 〖광〗 지하자원의 탐사, 지층의 구조나 상태 등을 조사하기 위해 땅속 깊이 구멍을 파는 일. 보링.
시추에이션 (situation) 명 소설이나 연극·영화 등에서, 극적인 장면이나 상황.
시치근-하다 형여불 '시척지근하다'의 준말.
시치다 타 바느질을 할 때 여러 겹을 맞대어 듬성듬성 호다. ¶치마폭을 ~.
시치름-하다 一형여불 시치미를 떼고 태연한 태도로 있다. ¶아무 일도 없는 듯이 시치름하게 앉아 있다. 二자여불 짐짓 태연한 기색을 꾸미다. 작새치름하다. **시치름-히** 부
시치미 명 알고도 모르는 체, 자기가 하고도 하지 않은 체하는 말이나 짓. 준시침.
시치미(를) 떼다 구 짐짓 모르는 체, 자기가 하고도 하지 않은 체하다. ¶그렇게 시치미를 떼도 나는 다 알고 있지.
시침 명 1 '시치미'의 준말. 2 '시침질'의 준말.
시:침 (施鍼) 명하타 몸에 침을 놓음.
시침 (時針) 명 시계의 시를 가리키는 짧은 바늘. 단침(短針).
시침-바느질 명하타 양복 등을 완성하기 전에 몸에 맞는가를 보기 위하여 임시로 시치는 바느질. 가봉(假縫).
시침-질 명하타 바늘로 시치는 짓. 준시침.
시침-하다 一형여불 시치미를 떼는 태도가 있다. 二자여불 짐짓 쌀쌀한 기색을 꾸미다. 작새침하다.
시-커멓다 [-머타] 〔시커머니, 시커머오〕 형ㅎ불 몹시 꺼멓다. ¶시커먼 구름/ 시커먼 속셈. 작새카맣다. 센시꺼멓다.
시-커메지다 자 시커멓게 되다. 작새카매지다. 센시꺼메지다.
시컨트 (secant) 명 〖수〗 삼각 함수의 하나. 직각 삼각형의 빗변과 한 예각을 낀 밑변과의 비를 그 각에 대하여 일컫는 말. 기호는 sec. 세크. ↔코사인.
시쿰-시쿰 부하형 여럿이 다 시쿰한 모양. 매우 시쿰한 모양. 작새콤새콤.
시쿰-하다 형여불 깊은 맛이 있게 조금 신맛이 있다. 작새콤하다.
시퀀스 (sequence) 명 1 영화에서, 몇 개의 장면이 모여 하나의 장면을 이룬 부분. 2 학습에서, 단원이 발전하여 가는 차례.
시크무레-하다 형여불 깊은 맛이 있게 조금 시큼하다. ¶시크무레한 땀내가 코를 찌른다. 작새크무레하다. 여시그무레하다.
시큰-거리다 자 뼈마디 따위에 저리고 신 느낌이 자꾸 들다. ¶발을 헛디뎌 발목이 시큰거린다. 작새큰거리다. 여시근거리다.
시큰-시큰 부하형. ¶손목이 ~하다.
시큰-대다 자 시큰거리다.
시큰둥-하다 형여불 1 말이나 행동이 주제넘고 건방지다. ¶녀석의 거동이 ~. 2 달갑지 않거나 못마땅하여 시들하다. ¶시큰둥한 태도.
시큰-하다 형여불 뼈마디가 매우 저리고 시다. ¶슬픈 장면에 콧날이 ~. 작새큰하다. 여시근하다.
시큼-시큼 부하형 여럿이 다 시큼한 모양. 작새큼새큼. 여시금시금.
시큼-하다 형여불 냄새나 맛 따위가 조금 시다. ¶막걸리 맛이 ~. 작새큼하다. 여시금하다.
***시키다** 타 1 어떤 일이나 행동을 하게 하다. ¶청소를 ~/마다하는 일을 억지로 ~. 2 음식 따위를 만들어 오거나 가지고 오도록 주문하다. ¶식당에 백반을 ~.
-시키다 미 명사 뒤에서 '하게 하다'의 뜻을 나타냄. ¶입학~/복직~/화해~.
시탄 (柴炭) 명 땔나무와 숯 또는 석탄.
시태 (時態) 명 그 당시의 세상 형편.
시퉁-머리 명 〈속〉 주제넘고 건방진 짓.
시퉁머리 터지다 구 〈속〉 하는 짓이 매우 주제넘고 건방지다. ¶그 시퉁머리 터진 짓 좀 그만해라.
시퉁-스럽다 [-스러우니, -스러워] 형ㅂ불 시퉁한 데가 있다. **시퉁-스레** 부
시퉁-하다 형여불 1 하는 짓이 주제넘고 건방지다. 2 달갑지 않거나 못마땅하다. ¶시퉁한 표정.
시트 (sheet) 명 좌석·침대 따위의 아래위로 덧씌우는 천.
시트르-산 (←citric酸) 명 〖화〗 레몬이나 밀감 등의 과실 속에 있는 염기성의 산《무색 무취의 결정체로, 물과 알코올에 잘 녹고 신맛이 있어 청량음료·의약·염색 등에 씀》. 레몬산(lemon酸). 구연산(枸櫞酸).
시트콤 (sitcom) 명 〔situation comedy〕 〖연〗 코미디 형식의 하나. 무대와 등장 인물은 같으나 매회 다른 이야기를 다루는 방송 코미디.
시틋-이 부 시틋하게.
시틋-하다 [-트타-] 형여불 1 마음이 내키지 않아 시들하다. 2 어떤 일에 물리거나 지루해져서 싫증이 난 기색이 있다. ¶이제 그 일은 ~. 여시뜻하다.
시티 (CT) 명 〔computed tomography〕 인체의 횡단면을 각 방향에서 X선 등으로 촬영하여, 그 상을 컴퓨터로 처리하여 진단하는 기기. 시티 스캐너.
시티 스캐너 (CT scanner) 시티(CT).
시티 촬영 (CT撮影) 컴퓨터 단층 촬영.
시파 (柴杷) 명 씨를 뿌리고 흙을 덮거나 평평하게 고를 때 쓰는 농기구.
시파 (時派) 명 〖역〗 조선 후기에 일어난 당파의 하나. 사도(思悼) 세자를 동정한 남인(南人) 계열로, 사도 세자를 무고하고 비방

한 벽파(僻派)와 대립함.
시:판 (市販) 명하타 '시중 판매'의 준말. ¶ ~ 가격 / 신제품의 ~을 개시하다 / ~ 중인 각종 사전류.
시-퍼렇다 [-러타] [시퍼러니, 시퍼러오] 형 ㅎ불 **1** 매우 퍼렇다. ¶ 강물이 ~. **2** 춥거나 겁이 나 몹시 질려 있다. ¶ 시퍼렇게 변한 입술. 작새파랗다. **3** 위풍이나 권세가 당당하다. ¶ 서슬이 ~. **4** 날 따위가 날카롭다. ¶ 칼날이 시퍼런 비수.
시-퍼레지다 자 시퍼렇게 되다. 작새파래지다.
시편 (詩篇) 명 **1** 편 단위의 시. **2** 시를 모아 묶은 책.
시평 (時評) 명 **1** 시사에 관한 평론. ¶ 사회 ~. **2** 그 당시의 비평이나 평판.
시평 (詩評) 명 시에 대한 비평.
시풍 (詩風) 명 시인의 작품에 나타나는 독특한 기풍.
시피유 (CPU) 명 [central processing unit] 〖컴〗 중앙 처리 장치.
시:하 (侍下) 명 부모나 조부모를 모시고 있는 처지. 또는 그런 처지의 사람.
시하 (時下) 명 '이때'·'요즈음'의 뜻으로 편지에 쓰는 말. ¶ ~ 엄동설한에 ….
시학 (詩學) 명 시의 본질과 원리 또는 창작에 관한 기법 등을 연구하는 학문.
시한 (時限) 명 일정하게 정한 기간이나 시각. ¶ ~ 내에 끝내다 / ~이 다 되다.
시한-부 (時限附) 명 어떤 일에 일정한 시간의 한계를 둠. ¶ ~ 조건 / ~ 인생.
시한-폭탄 (時限爆彈) 명 일정한 시간 후에 저절로 폭발하도록 장치한 폭탄.
시합 (試合) 명하타 운동이나 그 밖의 경기 따위에서, 서로 기량을 겨루어 승부를 다툼. 겨루기. ¶ 야구 ~ / ~은 계속된다.
시:행 (施行) 명하타 **1** 실지로 행함. ¶ 명령대로 ~할 것. **2** 법령을 공포한 후 그 효력을 발생시킴. ¶ ~에 관한 규칙.
시:행-령 (施行令) [-녕] 명 〖법〗 법률 시행에 필요한 규정을 주요 내용으로 하는 명령《보통 대통령령으로 제정됨》. ¶ 노동법 ~ 공포.
시:행-착오 (試行錯誤) 명 **1** 학습 양식의 하나. 학습자가 과제에 당면하여 여러 동작을 반복하다가 우연히 성공한 후 반복하던 무익한 동작은 배제하게 되는 일. **2** 과제를 해결할 전망이 서지 않을 때, 시도와 실패를 반복하여 그 과제를 추구하는 일. ¶ ~가 거듭된 끝에 해결책을 마련하였다.
시향 (時享) 명 **1** 매년 음력 2월·5월·8월·11월에 가묘에 지내는 제사. **2** 음력 10월에 5대 이상의 조상 산소에 드리는 제사. 시제(時祭).
시-허옇다 [-여타] [시허여니, 시허여오] 형 ㅎ불 매우 허옇다. 작새하얗다.
시-허예지다 자 시허옇게 되다. 작새하얘지다.
***시험** (試驗) 명하타 **1** 재능·실력·지식 따위의 수준이나 정도를 일정한 절차에 따라 알아봄. ¶ 기말 ~을 치르다. **2** 사물의 성질·능력 등을 실지로 경험하여 봄. ¶ 새 컴퓨터의 성능을 ~하다.
시험-관 (試驗官) 명 시험 문제를 내거나 시험장의 감독 및 그 성적을 채점하는 사람.
***시험-관** (試驗管) 명 〖화〗 실험에 사용하는, 한쪽 끝이 막힌 길쭉한 원통형의 유리관.
시험관 아기 (試驗管-) 〖의〗 난자를 몸 밖으로 꺼내어 유리관 안에서 정자와 수정시킨 뒤, 60시간 배양해서 다시 모체의 자궁에 착상(着床)시켜 완전한 태아로 발육시킨 아기《1978년 영국에서 처음으로 탄생됨》.
시험-대 (試驗臺) 명 **1** 자연 과학에 관한 현상을 시험하고 연구할 수 있도록 만든 대. **2** 가치나 기량 따위를 시험하는 자리. ¶ ~에 오르다.
시험-장 (試驗場) 명 **1** 재능이나 기량 따위를 일정한 절차에 따라 검사하고 평가하기 위한 시설을 갖추어 놓은 곳. ¶ 운전면허 ~. **2** 사물의 성질이나 기능을 실지로 증험하기 위한 시설을 갖추어 놓은 곳. 시험소. ¶ 농업 ~.
시험-지 (試驗紙) 명 **1** 시험 문제가 적힌 종이나 답안을 쓰는 종이. 시험용지. ¶ ~를 채점하다. **2** 〖화〗 화학 실험에 쓰는 시약(試藥)을 바른 특수 종이《리트머스 시험지 따위》.
시험-지옥 (試驗地獄) 명 '잦은 시험이나 지나친 경쟁에 따른 시험으로 몹시 고통을 당하는 처지'의 비유.
시:현 (示現·示顯) 명하타 **1** 나타내 보임. **2** 신불이 영험을 나타내는 일. **3** 〖불〗 부처나 보살이 중생을 제도하기 위해 여러 가지 모습으로 바꾸어 나타나는 일.
시:혜 (施惠) [-/-헤] 명하자 은혜를 베풂. 또는 그 은혜.
시호 (豺虎) 명 **1** 승냥이와 호랑이. **2** 사납고 악독한 사람을 비유한 말.
시호 (詩號) 명 시인의 아호.
시화 (詩畫) 명 **1** 시와 그림. **2** 시를 곁들인 그림. ¶ 그는 ~에 뛰어난 재능을 가졌다.
시:황 (市況) 명 상품이나 주식 등의 매매 또는 거래의 상황. 시장의 경기. 상황(商況). ¶ 농산물 ~.
시효 (時效) 명 〖법〗 일정한 법규에 의해 생기는 권리를 취득 또는 소멸시키는 기간. ¶ 취득[소멸] ~.
시후 (時候) 명 춘하추동 사시(四時)의 절후.
시흥 (詩興) 명 시를 짓고 싶은 마음. 또는 시에 대한 흥취. ¶ 술 몇 잔에 ~이 절로 일다 / ~에 젖다.
***식** (式) ㊀명 **1** 일정한 전례·표준·기준. **2** '의식'의 준말. ¶ ~이 거행되다. **3** 〖수〗 숫자·문자·기호 따위를 써서 이들 사이의 수학적 관계를 나타낸 것《수식·함수식(函數式)·분자식 따위와 공식·방정식 등이 있음》. 산식(算式). ¶ x를 구하는 ~을 써라. ㊁의명 일정한 방식이나 투. ¶ 그런 ~이라면 더 이상 나올 필요 없다.
식 부 좁은 틈으로 김이나 바람이 세차게 나오는 소리. 또는 그 모양.
-식 (式) 미 **1** 법식이나 방식을 나타냄. ¶ 한국~ / 자동~ / 현대~. **2** '의식'의 뜻을 나타냄. ¶ 기념~ / 개업~ / 송별~.
식간 (食間) 명 끼니때와 끼니때의 사이. ¶ ~에 복용하십시오.
식객 (食客) 명 **1** 예전에, 세력가의 집에 얹혀 있으면서 문객 노릇을 하던 사람. **2** 하는 일 없이 남의 집에 얹혀 얻어먹고 지내는 사람.

식견 (識見) 명 학식과 견문. 곧, 사물을 분별할 수 있는 능력. 견식. ¶ ~이 높다 / ~을 기르다.

식경 (食頃) 명 밥을 먹을 동안. ¶ 약속과는 달리 한 ~이 지나서야 오다.

식곤-증 (食困症)[-쯩] 명 음식을 먹은 후 몸이 나른하고 졸음이 오는 증세. ¶ ~을 느끼다.

***식구** (食口) 명 한집에서 같이 살며 끼니를 함께하는 사람. 식솔(食率). ¶ 딸린 ~가 많다 / 그와 한 ~가 되다.

식권 (食券) 명 식당 등에서 음식과 바꾸는 표. ¶ 우리 회사에서는 점심 값으로 ~을 준다.

식기 (食器) 명 음식을 담는 그릇.

***식다** 자 **1** 더운 기가 없어지다. ¶ 국이 ~. **2** 열성이 줄다. 감정이 누그러지다. ¶ 교육열이 ~ / 열정이 ~. **3** 어떤 일이 때가 지나 시들하게 되다. ¶ 경기가 끝날 때쯤에는 응원의 열기도 식어 갔다. **4** 땀이 마르다. ¶ 바람에 땀이 ~. **5** (주로 '식은'의 꼴로 쓰여) 실속없이 허황하며 싱겁다. ¶ 식은 소리를 잘하다.

식은 죽 먹기 구 아주 쉬운 일의 비유.

식단 (食單) 명 **1** 식당 등에서, 음식의 종목과 값을 적은 표. 차림표. 메뉴. **2** 가정 등에서, 일정한 기간 동안 먹을 음식의 종류 및 순서를 계획하여 짠 표. 식단표. ¶ 일주일 간의 ~을 짜다.

***식당** (食堂) 명 **1** 건물 안에 식사를 할 수 있도록 시설을 갖춘 방. **2** 음식물을 만들어 파는 가게. ¶ ~에서 식사를 하다.

식당-차 (食堂車) 명 열차에 식당의 설비를 갖추어 놓은 찻간.

식대 (食代) 명 **1** 음식을 먹은 값으로 치르는 돈. ¶ ~를 치르다. **2** 지난날, 공역(公役)에서 순서대로 교대하여 밥을 먹던 일.

식도 (食道) 명 〖생〗 고등 동물의 소화기 계통의 한 부분으로 목구멍에서 위까지에 이르는 부분.

식-도락 (食道樂) 명 여러 가지 음식을 두루 맛보는 것을 즐거움으로 삼는 일. ¶ ~을 즐기다.

***식량** (食糧)[싱냥] 명 양식. ¶ 북한 ~ 문제 해결에 협력하다 / 풍년으로 ~이 남는다.

식량-난 (食糧難)[싱냥-] 명 흉작(凶作)·인구 과잉 등으로 식량이 모자라서 겪는 어려움.

식료-품 (食料品)[싱뇨-] 명 음식 재료가 되는 물품《육류·채소류 등 주(主)식품 외의 것을 가리킴》. ¶ ~을 구입하다.

식모 (食母)[싱-] 명 남의 집에 고용되어 주로 부엌일을 맡아 해 주는 여자. ¶ ~를 살다 / ~를 두다.

식목 (植木)[싱-] 명하자 나무를 심음. 또는 그 나무. 식수(植樹).

식목-일 (植木日)[싱-] 명 국가에서 산림녹화를 위해서 정한, 나무를 심는 날《매년 4월 5일》.

***식물** (植物)[싱-] 명 〖생〗 생물을 동물과 함께 둘로 분류한 것의 하나. 나무나 풀과 같이 한곳에 고정하여, 공기·흙·물에서 영양분을 섭취하여 살아가는 생물. ↔동물.

식물-도감 (植物圖鑑)[싱-] 명 일정한 식물 구계 안의 모든 식물을 채집하여 그 형상·생태 등을 정리하여 밝히고 이에 설명을 붙인 책. 식물지(誌).

식물-성 (植物性)[싱-썽] 명 **1** 식물에서만 볼 수 있는 성질. **2** 식물에서 얻어지는 것.

식물-원 (植物園)[싱-] 명 〖식〗 식물학의 연구 및 식물에 관한 지식의 보급을 위해 많은 종류의 식물을 모아 재배하는 곳.

식물-인간 (植物人間)[싱-] 명 대뇌의 상해(傷害)로 의식과 운동 기능은 상실되었으나, 호흡·소화·배설·순환 등의 기능은 유지되는 환자.

식물-체 (植物體)[싱-] 명 식물 또는 식물의 형태.

식물-학 (植物學)[싱-] 명 〖식〗 동물학에 상대되는 생물학의 한 부문. 식물에 관한 모든 사항을 연구하는 자연 과학. ↔동물학.

식민 (植民·殖民)[싱-] 명하자 강대국이 본국과 종속 관계에 있는 나라에 정치적·경제적 목적을 위하여 자국민을 이주시키는 일. 또는 그 이주민.

식민-지 (植民地)[싱-] 명 본국의 밖에 있으면서 본국의 특수한 지배를 받는 지역.

식반 (食盤) 명 음식을 차려 놓는 상.

식별 (識別) 명하타 분별하여 알아봄. ¶ 흐릿하지만 ~이 가능하다.

식복 (食福) 명 음식을 먹을 기회를 잘 만나게 되는, 타고난 분복. 먹을 복. ¶ ~이 없다 / ~은 타고난다.

식비 (食費) 명 먹는 데 드는 비용. 식대. ¶ ~가 크게 든다.

식빵 (食-) 명 밀가루를 효모를 넣고 반죽하여 구운 주식용의 빵. ¶ ~에 버터를 발라 먹다.

식사 (式辭) 명하자 식장에서 그 식에 대해 인사로 말함. 또는 그 말.

***식사** (食事) 명하자 끼니로 음식을 먹음. 또는 그 음식. ¶ ~ 시간 / 아침 ~를 빵으로 대신하다.

식상 (食傷) 명하자 **1** 음식을 먹은 뒤 복통이나 토사 등이 나는 병. **2** 같은 음식이나 사물의 되풀이로 물리거나 질림. ¶ 기름진 음식에 ~하다 / 그저 그런 프로에 ~했다.

식생 (植生) 명 어떤 지역에서 사는 특유한 식물의 집단.

***식-생활** (食生活) 명 생활 중 먹는 것에 관한 분야. ¶ ~을 개선하다 / ~ 수준이 향상되다.

식성 (食性) 명 **1** 음식에 대하여 좋아하고 싫어하는 성미. ¶ ~이 변하다. **2** 〖동〗 동물의 먹이에 대한 습성《초식성·육식성·잡식성 따위로 나눔》.

식솔 (食率) 명 한 집안에 딸린 구성원. 가족. 식구. ¶ 거느린 ~이 많다.

식수 (食水) 명 식용으로 쓰는 물. 음료수. ¶ ~가 풍부하다.

식수 (植樹) 명하자 식목.

식수-난 (食水難) 명 식수의 부족으로 겪는 어려움. ¶ 계속된 가뭄으로 ~을 겪다.

식순 (式順) 명 의식을 진행하는 순서. ¶ ~에 따라 진행하다.

식식 부하타 숨을 매우 가쁘고 거칠게 쉬는 소리. ¶숨을 ~ 내쉬며 달리다. 작색색. 센씩씩.
식식-거리다 자타 숨을 잇따라 가쁘고 거칠게 쉬는 소리가 자꾸 나다. 또는 그런 소리를 자꾸 내다. ¶분을 이기지 못하고 ~. 작색색거리다. 센씩씩거리다.
식식-대다 자타 식식거리다.
식언(食言) 명하자 앞서 한 말이나 약속과 다르게 말함. 거짓말을 함. ¶~을 일삼다.
식염(食塩) 명 먹는 소금.
식염-수(食塩水) 명 식염을 탄 물. 소금물.
식욕(食慾) 명 음식을 먹고 싶어하는 욕망. 밥맛. ¶왕성한 ~.
식용(食用) 명하타 먹을 것으로 씀. 또는 그런 물건. ¶~ 기름.
식용-개구리(食用-) 명 〔동〕 '황소개구리'를 식용한다 하여 일컫는 말.
식용 색소(食用色素) 음식물에 빛깔을 내기 위하여 들이는 색소. 향기가 있고 몸에 해롭지 않은 색소.
식용-유(食用油)[-뉴] 명 15℃에서 완전한 액상(液狀)이 되는 식용의 기름《참기름·콩기름·땅콩기름 등의 식물성 기름, 경유(鯨油)·어유(魚油) 등의 동물성 기름》. 준식유(食油).
식용 작물(食用作物)[-장-] 식용으로 재배하는 농작물《곡식·채소 등》.
식육(食肉) 명하자 **1** 고기를 먹음. **2** 식용으로 하는 고기. ¶~ 가공품.
식은-땀 명 **1** 몸이 쇠약하여 병적으로 나는 땀. 냉한(冷汗). ¶감기로 밤새 ~을 흘리다. **2** 몹시 긴장하거나 놀랐을 때 나는 땀. *진땀.
식음(食飮) 명하타 먹고 마심. 또는 그런 일. ¶~을 전폐하다.
식이 요법(食餌療法)[-뻡] 〔의〕 음식물의 품질·성분·분량 등을 조절하여 직접 질병을 치료하거나 예방하는 방법.
식인-종(食人種) 명 사람을 잡아먹는 풍습이 있는 미개 인종.
식자(植字) 명하타 활판 인쇄에서, 문선공(文選工)이 뽑아 놓은 활자를 원고대로 짜는 일. 또는 그런 일. 조판.
식자(識者) 명 식견이 있는 사람.
식자-우환(識字憂患) 명 학식이 있는 것이 도리어 근심을 사게 된다는 말.
식장(式場) 명 식을 거행하는 장소. ¶~이 하객으로 붐비다.
식전(式典) 명 의식(儀式).
식전(食前) 명 **1** 아침밥을 먹기 전. 곧, 이른 아침. ¶~부터 웬 소동이냐. **2** 밥을 먹기 전. ¶~에 약을 먹다. ↔식후.
식전-바람(食前-)[-빠-] 명 아침밥을 먹기 전의 이른 때. ¶~에 달려오다.
식-중독(食中毒) 명 〔의〕 상한 음식물을 먹은 후 설사·구토·전신 부조(不調) 등의 증상이나 피부에 발진이 생기는 중독 상태. ¶특히 여름철에는 ~을 조심해야 한다.
식지(食指) 명 집게손가락. 인지(人指).
식체(食滯) 명 〔한의〕 먹은 음식이 소화가 잘 되지 않는 병.
***식초**(食醋) 명 식용으로 쓰는 액체 조미료《초산이 들어 있어 시고 약간의 단맛이 남》. ¶고추장에 ~를 치다.
식충(食蟲) 명 **1** 벌레를 잡아먹음. **2** 식충이.
식충 식물(食蟲植物)[-싱-] 〔식〕 벌레잡이 식물.
식충-이(食蟲-) 명 밥만 먹고 하는 일 없이 지내는 사람의 별명. 밥벌레. 식충.
식-칼(食-) 명 부엌에서 쓰는 칼. 식도(食刀). ¶~로 고기를 저미다.
식탁(食卓) 명 식사용의 탁자. ¶푸짐한 ~/~에 오른 반찬들이 먹음직스럽구나.
식탁-보(食卓褓) 명 식탁 위에 까는 천.
식탈(食頉) 명 먹은 것이 잘못되어 생기는 병. ¶과식으로 ~이 나다.
식탐(食貪) 명하자 음식을 탐내는 일. ¶~이 심하다.
식판(食板) 명 밥, 국, 서너 가지의 반찬을 담을 수 있도록 우묵하게 칸을 나누어 만든 식기. ¶플라스틱 식판.
***식품**(食品) 명 사람이 일상적으로 섭취하는 음식물. *식료품.
식품 의약품 안전처(食品醫藥品安全處) 〔법〕 중앙 행정 기관의 하나. 국무총리실 소속으로 식품·의약품·의약 부외품·마약 따위에 관한 사무를 맡아봄.
식해(食醢)[시캐] 명 생선젓2.
식혜(食醯)[시켸/시케] 명 쌀밥을 엿기름으로 삭혀서 설탕을 넣고 차게 식힌 음료. 감주(甘酒).
식후(食後)[시쿠] 명 밥을 먹은 뒤. ¶이 약은 ~에 드세요. ↔식전.
식후-경(食後景)[시쿠-] 명 좋은 구경도 배가 불러야 볼 맛이 난다는 말. ¶금강산도 ~이라.
***식히다**[시키-] 타 《'식다'의 사동》 더운 것을 식게 하다. ¶머리를 ~/땀을 ~/열정을 ~.
***신**[1] 명 발에 신고 걷는 데 쓰는 물건.
신을 거꾸로 신고 나가다 구 반가운 사람을 맞으러 허둥지둥 뛰어나가다.
신[2] 명 흥미나 열성이 생겨 매우 좋아진 기분. ¶~이 나서 춤을 추다.
[신에 붙잖다] 마음에 꼭 차지 않다. [신이야 넋이야 한다] 하고 싶은 말을 거침없이 마구 털어놓음의 비유.
신(申) 명 지지(地支)의 아홉째. 원숭이를 상징함.
신(辛) 명 천간(天干)의 여덟째.
신(臣) ㊀명 신하. ㊁인대 신하가 임금에게 대하여 자기를 일컫던 말.
신:(信) 명 오상(五常)의 하나. 믿음성이 있고 성실함.
신(神) 명 **1** 종교의 대상으로 우주를 주재하는 초인간적 또는 초자연적 존재. ¶~의 섭리. **2** 귀신. **3** 〔종〕 하느님. **4** '신명(神明)'의 준말.
신(이) 내리다 구 무당에게 신이 붙어 영적인 행동을 하다.
신(scene) 명 극이나 영화의 장면. ¶마지막 ~을 찍다.
신-(新) 두 '새로운'의 뜻을 나타냄. ¶~세계/~기록/~세대. ↔구-(舊).
신간(新刊) 명하타 책을 새로 간행함. 또는 그 책. ¶~ 안내/~ 서적을 구입하다. ↔

구간(舊刊).
신건-이 명 언행이 싱거운 사람. ¶~ 같은
신검(身檢) 명 '신체검사'의 준말. ⌊녀석.
신격(神格)[-껵] 명 신으로서의 자격이나 격식. ¶~을 갖추다. *인격.
신경(神經) 명 1 〖생〗 중추의 흥분을 몸의 각 부분에 전하고, 몸의 각 부분의 자극을 중추에 전하는 실 모양의 기관. 2 어떤 일을 느끼거나 생각하는 힘. ¶연속되는 격무로 ~이 날카로워지다.
신경(을) 쓰다 구 대수롭지 아니한 일에까지 세심하게 생각하거나 걱정하다. ¶별일 아니니 신경 쓸 것 없네.
신경-계(神經系)[-/-게] 명 몸의 각 기관계(器官系)를 연락하여 하나의 유기체로 통일하는 한 계통의 기관《중추 신경계·말초 신경계 등으로 구별됨》.
신경-과민(神經過敏) 명 사소한 자극에도 민감한 반응을 보이는 신경계의 불안정한 상태. ¶심각한 ~ 증세를 보이다 / ~으로 정신과 치료를 받다.
신경-성(神經性)[-썽] 명 신경 계통의 이상으로 병이나 증세가 나타나는 것. ¶~ 위장병에 걸리다.
신경 쇠약(神經衰弱) 〖의〗 신경계의 피로가 쌓여 생기는 여러 가지 질환《감정이 발작적으로 변하여 성을 내거나 비관하기 쉽고, 쉽게 권태나 피로를 느끼며 기억력이 감퇴되고 불면증에 잘 걸림》.
신경-전(神經戰) 명 1 적극적인 공격을 피하고 모략·선전 등으로 적의 신경을 피로하게 하여 사기를 떨어뜨리는 전술. 또는 그런 싸움. 2 경쟁 관계에 있는 개인이나 단체 사이에서, 말이나 행동으로 상대방의 신경을 자극하는 일. ¶차기 대권 후보자들이 치열한 ~을 벌이다.
신경-질(神經質) 명 신경이 예민하여 사소한 일에도 곧잘 흥분하는 성질. ¶그는 자주 ~을 부린다.
신경-통(神經痛) 명 〖의〗 일정한 감각 신경의 분포 구역에 발작적으로 일어나는 심한 통증. ¶~으로 고생하다.
신-경향(新傾向) 명 사상과 풍속 등이 옛 풍조에서 벗어나려는 경향.
신고(申告) 명하타 1 국민이 법령의 규정에 따라 행정 관청에 일정한 사실을 진술·보고하는 일. ¶딸의 출생을 ~하다 / 화재 ~를 받고 긴급 출동하다. 2 〖군〗 새로 발령받거나 승진된 사람이 소속 상관이나 지휘관에게 자신의 성명과 계급 및 업무를 보고함. ¶소대장에게 전입 ~하다.
신고(辛苦) 명하자 어려운 일을 당하여 몹시 애씀. 또는 그런 고생. ¶온갖 ~를 겪다.
신고-스럽다(辛苦-)〔-스러우니, -스러워〕 형ㅂ불 몹시 고생스럽다. **신고-스레** 부
신곡(新曲) 명 새로 지은 곡. ¶~을 내다 / ~을 발표하다.
신공(神工) 명 1 물건 따위를 신묘하게 만듦. 또는 그 물건. 2 물건을 신묘하게 잘 만드는 사람.
신공(神功) 명 1 신령의 공덕. 2 불가사의한 공적. 3 〖가〗 기도와 선공(善功).
신관 명 '얼굴'의 존칭. ¶~이 좋으십니다.
신:관(信管) 명 탄환·폭탄·어뢰 등에 장치하여 폭약을 터뜨리는 장치.
신관(新官) 명 1 새로 임명된 관리. 2 새로 부임한 관리. ¶~ 사또가 부임하다. ↔구관(舊官).
신관(新館) 명 새로 지은 건물. ¶학교 ~. ↔구관(舊館). ⌈(舊教).
신교(新教) 명 〖기〗 프로테스탄트. ↔구교
신교-도(新教徒) 명 신교를 신봉하는 교도. ↔구(舊)교도.
신-교육(新教育) 명 1 옛날의 한학 중심의 교육에 대해 현대의 학교 교육. 2 종래의 형식적·획일적·주지적(主知的) 교육에 대해 생활을 통한 자유·개성·환경을 존중하는 새로운 교육.
신구(新舊) 명 새것과 헌것. 신고(新古). ¶~ 세력의 화합.
신-국면(新局面)[-궁-] 명 새로 벌어진 국면. ¶~이 전개되다.
신권(神權)[-꿘] 명 1 신의 권위. 2 〖역〗 신에게서 받은 신성한 권력. 3 〖가〗 성직자의 직권.
신규(新規) 명 1 새로운 규정 또는 규모. 2 새로이 하는 일. ¶~ 자금 지원 / ~로 채용하다.
신기(神技) 명 매우 뛰어난 기술이나 재주. ¶~에 가까운 솜씨.
신기(神氣) 명 1 만물을 만드는 원기(元氣). 2 신비롭고 불가사의한 운기(雲氣). ¶~가 감돌다. 3 정신과 기운. ¶~가 뛰어나다.
신기다 타 《'신다'의 사동》 신게 하다. ¶작은 신을 억지로 ~.
신-기록(新記錄) 명 종전보다 뛰어난 새로운 기록. ¶~을 세우다.
신기-롭다(神奇-)〔-로우니, -로워〕 형ㅂ불 신묘하고 기이한 느낌이 있다. ¶신기롭게 보이다. **신기-로이** 부
신기-롭다(新奇-)〔-로우니, -로워〕 형ㅂ불 새롭고 기이한 느낌이 있다. ¶신기로운 현상. **신기-로이** 부
신:기루(蜃氣樓) 명 1 온도나 습도의 관계로 대기의 밀도가 층층이 달라져, 광선의 굴절로 인하여 엉뚱한 곳에 어떤 사물의 모습이 나타나는 현상. 2 공중누각.
신-기원(新紀元) 명 1 새로운 기원. 2 획기적인 사실로 말미암아 나타나는 새로운 시대. ¶~을 열다.
***신기-하다**(神奇-) 형여불 신묘하고 기이하다. ¶신기한 일이 일어났다.
신기-하다(新奇-) 형여불 새롭고 기이하다. ¶아이는 새 장난감이 신기한지 계속 만지작거렸다.
신-나다 자 흥이 나서 기분이 몹시 좋아지다. ¶신나게 춤을 추다.
신년(申年) 명 태세(太歲)의 지지(地支)가 신(申)으로 된 해《갑신년(甲申年)·병신년(丙申年) 등》. 원숭이해.
신년(新年) 명 새해. ¶~을 맞이하다. ↔구년(舊年).
신년-사(新年辭) 명 새해를 맞이하여 하는 공식적인 인사말. 연두사. ¶~를 발표하다. ↔송년사.
***신:념**(信念) 명 굳게 믿는 마음. ¶~이 굳다 / ~을 지키다 / ~에 차다.

*신다 [-따] 타 신·양말·버선 따위를 발에 꿰다. ¶양말〔스타킹〕을 ~ / 구두를 신고 뛰니 발이 아프지.
신단 (神壇) 명 신령에게 제사 지내는 단. ¶~을 쌓다.
신당 (神堂) 명 신령을 모신 집.
신당 (新黨) 명 새로 조직한 정당. ¶~을 창당하다 / ~에 가입하다.
신-대륙 (新大陸) 명 1 새로 발견한 대륙. 2 남북아메리카 및 오스트레일리아.
신덕 (神德) 명 신의 공덕. ¶~을 입다.
신데렐라 (Cinderella) 명 1 유럽 옛 동화 속의 여주인공《계모와 그의 딸에게 학대받다가 친어머니의 영혼의 도움으로 왕자와 결혼하게 됨》. 2 무명의 신세에서 하루아침에 명사나 스타가 된 여자의 비유. ¶은막의 ~로 떠오르다.
신:도 (信徒) 명 종교를 믿는 사람. ¶독실한 불교 ~.
신-도시 (新都市) 명 대도시 주변에 계획적으로 새로 건설된 주거 지역. ¶~가 들어서다.
신동 (神童) 명 재주와 슬기가 남달리 썩 뛰어난 아이. 준동. ¶그는 어렸을 때 ~으로 불렸다.
신드롬 (syndrome) 명 〖의〗 증후군(症候群). ¶스타 ~ / ~에 빠지다.
신-들리다 (神-) 자 사람에게 초인간적인 영적(靈的) 존재가 씌다《열중도·기량 등이 남다를 때 씀》. ¶그의 연주는 마치 신들린 듯했다.
신디케이트 (syndicate) 명 1 〖경〗 생산 할당이나 공동 판매 따위를 독점적으로 행하는 조직. 2 〖경〗 공채와 사채 따위의 인수 금융 조직. 3 미국에서 매춘·마약 따위에 관계하는 대규모 범죄 조직.
신-딸 (神-) 명 늙은 무당의 대를 잇는 젊은 무당. *신어미.
신랄-하다 (辛辣-)[실-] 형여불 1 맛이 매우 쓰고 맵다. 2 분석이나 비평 따위가 매우 날카롭고 매섭다. ¶신랄하게 공격하다. 신랄-히 [실-] 부
신랑 (新郞)[실-] 명 곧 결혼할 남자나 갓 결혼한 남자. 새서방. ¶~을 맞이하다.
신랑-감 (新郞-)[실-깜] 명 신랑이 될 만한 인물. 또는 앞으로 신랑이 될 사람. ¶나무랄 데 없는 ~이다. ↔신붓감.
*신령 (神靈)[실-] 명 풍습으로 섬기는 모든 신. 준영.
신령-님 (神靈-)[실-] 명 〖민〗 '신령'을 공대하여 일컫는 말. 검님.
신령-스럽다 (神靈-)[실-]〔-스러우니, -스러워〕 형ㅂ불 신통하고 영묘한 데가 있다. 신령-스레 [실-] 부
신령-하다 (神靈-)[실-] 형여불 신통하고 영묘하다. ¶신령한 영산.
신록 (新綠)[실-] 명 늦봄이나 초여름에 새로 돋은 잎의 푸른빛. ¶~의 계절.
신:뢰 (信賴)[실-] 명하타 굳게 믿고 의지함. ¶~를 저버릴 수 없다 / ~할 만한 자료.
신:뢰-감 (信賴感)[실-] 명 굳게 믿고 의지할 만한 느낌. ¶~을 보여 주다.
신:뢰-도 (信賴度)[실-] 명 믿고 의지하는 정도. ¶~가 떨어지다.
신:뢰-성 (信賴性)[실-썽] 명 믿음성. ¶~을 확보하다.
신료 (臣僚)[실-] 명 1 모든 신하. 많은 신하. 2 신하의 동료.
신-맛 [-맏] 명 식초와 같은 시큼한 맛. 산미(酸味). ☞맛[1].

> **여러 가지 신맛〔酸味〕**
>
> 1. **단순한 신맛**
> 새곰하다, 새콤하다, 새금하다, 새큼하다, 시굼하다, 시쿰하다, 시금하다, 시큼하다, 새그무레하다, 시그무레하다, 새크무레하다, 시크무레하다, 시디시다《'새곰새곰' 따위 첩어는 생략》
> 2. **신맛과 단맛**
> 새콤달콤하다, 새큼달큼하다.
> 3. **신맛과 쓴맛**
> 시금씁쓸하다, 시큼씁쓸하다.
> 4. **신맛과 떫은맛**
> 시금떨떨하다, 시금털털하다.

신:망 (信望) 명하타 믿고 기대함. 또는 그런 믿음과 덕망. ¶~이 두터운 사람.
신-면목 (新面目) 명 달라진 새로운 모양새. ¶~을 나타내다.
*신명 명 흥겨운 신과 멋. ¶~이 나다 / ~을 내다.
신명 (身命) 명 몸과 목숨. 구명(軀命). ¶~을 바쳐 충성을 다하다 / ~을 다해 돕다.
신명 (神明) 명 하늘과 땅의 신령. ¶천지~에게 맹세하다. 준신(神).
신명 (晨明) 명 새벽녘.
신명-지다 형 신나고 멋들어지다.
신묘 (神妙) 명하형 신기하고 영묘함. ¶고려청자의 ~한 빛깔.
신:문 (訊問) 명하타 1 알고 있는 사실을 캐어물음. 2 증인·피고인 등에 대해 말로 물어 사건을 조사함.
*신문 (新聞) 명 1 새로운 소식이나 견문. 2 새로운 사건이나 화제에 따른 보도·해설·비평을 신속하게 널리 전달하는 정기 간행물. ¶~을 발행〔구독〕하다 / ~에 게재하다. 3 '신문지'의 준말.
신-문명 (新文明) 명 새 시대의 새로운 문명. 주로, 봉건 시대의 문명에 대하여 자본주의적 문명을 일컬음. ¶~에 접하다.
신문-사 (新聞社) 명 신문을 발행하는 회사.
신문-지 (新聞紙) 명 1 신문 기사를 실은 종이. 2 신문을 포장 등 다른 용도에 쓸 때에 일컫는 말. ¶~를 깔고 앉다. 준신문.
신-문학 (新文學) 명 〖문〗 갑오개혁 이후 개화 사상의 영향을 받아 서구의 문예 사조를 받아들인 새로운 형식과 내용의 문학.
신-물 명 1 〖생〗 음식에 체하여 트림할 때 위에서 목구멍으로 넘어오는 시척지근한 물. 2 지긋지긋하고 진저리가 나는 일.
신물(이) 나다 구 하기 싫은 일을 오래 하여 지긋지긋하고 진절머리가 나다.
신물 (神物) 명 신령스럽고 기묘한 물건.
신미 (辛味) 명 매운맛.
신미 (新米) 명 햅쌀. ↔고미(古米).
신미 (新味) 명 새로운 맛.
신민 (臣民) 명 군주국(君主國)에서 관리와

백성을 아울러 이르는 말.
신-바람 [-빠-] 명 어깻바람. ¶ ~에 취하다 / ~이 나다.
신발 명 '신[1]'을 똑똑하게 일컫는 말.
신-발명 (新發明) 명하타 새로 발명함. 또는 그런 발명.
신발-장 (-欌)[-짱] 명 '신장'의 낮은말.
신방 (神方) 명 효험이 있는 약방문.
신:방 (訊訪) 명하타 사람을 찾아봄.
신방 (新房) 명 신랑·신부가 첫날밤을 치르도록 새로 차린 방. ¶ ~에 들다.
신법 (新法)[-뻡] 명 **1** 새로 제정한 법. ¶ ~을 공포하다. ↔구법(舊法). **2** 새로운 방법.
신변 (身邊) 명 몸과 몸의 주위. ¶ ~ 보호를 요청하다 / ~에 위험을 느끼다 / ~이 안전하다.
신변-잡기 (身邊雜記) 명 자기 주위에서 일어나는 여러 가지 일들을 적은 수필체의 글. ¶ ~를 모아 책을 만들다.
신병 (身柄) 명 보호나 구금의 대상이 되는 본인의 몸. ¶ ~을 확보〔인도〕하다.
신병 (身病) 명 몸에 생긴 병. 신양(身恙). ¶ ~을 치료하다.
신병 (新兵) 명 새로 입대한 병사. ¶ 훈련소에 ~으로 입소하다. ↔고병(古兵)·고참병.
신보 (申報) 명하타 고하여 알림.
신보 (新報) 명 **1** 새로운 소식. **2** 새로 간행된 신문이나 잡지.
신보 (新譜) 명 **1** 새로운 악보. **2** 새로 취입한 음반. ¶ 그의 ~가 날개 돋친 듯 팔린다.
신:복 (信服) 명하타 믿고 복종함.
신-볼 [-뽈] 명 신의 폭. ¶ ~이 좁아서 발이 아프다 / 오래 신어서 ~이 늘어나다.
신:봉 (信奉) 명하타 사상이나 학설·교리 따위를 믿고 받듦. ¶ 그는 민주주의를 굳건히 ~하고 있다.
신:부 (信否) 명 믿을 수 있는 일과 믿을 수 없는 일.
신부 (神父) 명 〘가〙 사제(司祭) 서품을 받은 성직자《주교 다음가는 위치로, 성사를 집행하고 미사를 드리며 강론을 함》.
신부 (新婦) 명 곧 결혼할 여자나 갓 결혼한 여자. ¶ 신랑 ~가 신혼여행을 떠나다.
신부-례 (新婦禮) 명하자 신부가 시집에 와서 처음으로 예를 올림. 또는 그 예식.
신:-부전 (腎不全) 명 〘의〙 신장의 생리 기능 장애 상태《고혈압, 빈혈, 요소·질소 등의 노폐물의 축적, 오줌의 비중 저하 따위의 증상을 나타냄》.
신분 (身分) 명 **1** 개인의 사회적 지위. ¶ ~에 맞는 행동을 하다. **2** 사람의 법률상 지위나 자격. ¶ 딸의 ~으로 법정 상속을 요구하다.
신분 제:도 (身分制度) 봉건 시대에, 신분을 몇 등급으로 나누어 세습시키던 제도.
신분-증 (身分證)[-쯩] 명 신분증명서.
신분-증명서 (身分證明書) 명 관청이나 회사 또는 학교 따위에서 각기 그에 딸린 사람임을 증명하는 문서. 신분증.
신불 (神佛) 명 신령과 부처.
신붓-감 (新婦-)[-부깜 / -붇깜] 명 신부로 삼을 만한 인물. 또는 앞으로 신부가 될 처녀. ¶ 참한 ~을 물색하다. ↔신랑감.
신비 (神秘) 명하형 보통의 이론이나 상식으로는 이해할 수 없을 만큼 매우 신기하고 묘함. ¶ ~의 세계 / ~한 이야기.
신비-롭다 (神秘-)〔-로우니, -로워〕 형ㅂ불 신기하고 묘하다. **신비-로이** 부
신비-스럽다 (神秘-)〔-스러우니, -스러워〕 형ㅂ불 신기하고 묘한 느낌이 있다. **신비-스레** 부. ¶ 산보다 낮은 구름이 ~ 보인다.
신비-주의 (神秘主義)[- / -이] 명 순수한 내면적 직관과 직접적 체험에 따라 최고 실재자를 인식하려는 종교상·철학상·문학상의 경향.
신:빙 (信憑) 명하타 믿어서 근거나 증거로 삼음. ¶ 출처가 분명한 그 정보는 ~할 만하다.
신:빙-성 (信憑性)[-썽] 명 자백·증언 등에 대하여 신용할 수 있는 정도나 성질. ¶ 상습범의 진술이어서 ~이 거의 없다.
***신:사** (紳士) 명 **1** 태도나 행동이 점잖고 예의가 바르며 교양이 있는 남자. ¶ ~답지 않은 행동. **2** '남자'의 미칭. ¶ ~용. **3** 〈속〉 양복으로 차려입은 남자. ¶ 시골 ~. ↔숙녀.
신:사-도 (紳士道) 명 신사로서 품위를 유지하기 위해 지켜야 할 도리. ¶ ~를 발휘하다 / ~를 지키다.
신:사-복 (紳士服) 명 성인 남자들이 평상시에 입는 양복. ¶ ~ 차림.
신:사-적 (紳士的) 관명 신사다운 (것). ¶ ~(인) 태도 / ~으로 대하다.
신:사-협약 (紳士協約) 명 **1** 비공식적인 국제 협정. **2** 서로 상대방을 믿고 맺는 사적인 비밀 협정. 신사협정.
신산 (辛酸) 명하형 **1** 맛이 맵고 심. **2** 세상살이의 힘들고 고생스러운 일. ¶ 온갖 ~을 다 겪다.
신산 (神山) 명 **1** 신을 모신 산. **2** 신선이 산다는 산. **3** 영산(靈山).
신상 (身上) 명 개인에 관한 일이나 형편. ¶ ~에 관한 이야기를 숨김없이 털어놓다.
신상-명세서 (身上明細書) 명 개인의 신상에 관한 사항을 자세히 적은 기록. ¶ ~를 작성하다.
신:상-필벌 (信賞必罰) 명 공이 있는 사람에게 반드시 상을 주고, 죄가 있는 사람에게 반드시 벌을 주는 일. 상벌을 공정하고 엄중히 하는 일.
신-새벽 명 아주 이른 새벽.
신색 (神色) 명 '안색(顔色)'의 높임말.
신생 (申生) 명 〘민〙 신년(申年)에 태어난 사람. 원숭이띠.
신생 (新生) 명하자 **1** 사물이 새로 생김. ¶ ~ 농구팀. **2** 새로 생기거나 태어남.
신생-대 (新生代) 명 〘지〙 지질 시대 중 가장 새로운 시대《심한 지각 변동과 화산 운동이 있었고, 종자식물·연체동물·포유류 등이 많았으며 인류 생활에서 가장 중요한 시대로 제3기·제4기로 크게 나뉨》.
신생-아 (新生兒) 명 갓난아이.
신서 (新書) 명 새로 나온 책.
신석기 시대 (新石器時代) 고고학상 구석기 시대와 금속기 시대의 중간으로, 석기 문화의 최성기를 이룬 시대.
신선 (神仙) 명 도를 닦아서 인간 세상을 떠나 자연과 벗하여 늙지 않고 오래 산다는 상상의 사람. 선인(仙人).

신선 (新選) 명하타 새로 뽑음.
신선-놀음 (神仙-) 명 신선처럼 걱정·근심 없이 즐겁고 편안하게 지낸다는 뜻으로, 해야 할 일을 다 잊고 어떤 놀이에 열중함. [신선놀음에 도낏자루 썩는 줄 모른다] 재미있는 일에 정신이 팔려 시간 가는 줄 모른다.
신선-도 (新鮮度) 명 1 먹을거리의 싱싱한 정도. ¶~가 뛰어나다 / ~를 유지하다. 2 새롭고 산뜻한 정도.
신선-도 (神仙圖) 명 신선이 노니는 모양을 그린 그림.
신선-로 (神仙爐)[-설-] 명 상 위에 놓고 열구자를 끓이는 그릇 또는 그것에 끓인 음식《굽 높은 대접 모양인데 그 가운데 숯불을 담는 통이 있음》.

신선로

신선-미 (新鮮味) 명 새롭고 산뜻한 맛이나 기분. ¶깊이와 ~를 더해 주는 명구들.
신선-하다 (新鮮-) 형여불 1 새롭고 산뜻하다. ¶신선한 충격. 2 채소나 생선 따위가 싱싱하다. ¶과일은 제철이 되어야 ~.
신설 (新設) 명하타 새로 설치함. ¶~ 공항 / 도서관을 ~하다.
신성 (神聖) 명하형 거룩하고 성스러움. ¶~을 모독하다 / 왕권은 ~하여 침범할 수 없다고 한다.
신성 (晨星) 명 샛별.
***신세** (身世) 명 1 한 사람의 처지나 형편《가련하거나 외롭거나 가난한 경우를 이름》. ¶한순간에 ~를 망치다. 2 남에게 도움을 받거나 괴로움을 끼치는 일. ¶~만 끼쳐 죄송합니다.
신세(를) 지다 구 남에게 도움을 받다.
신-세계 (新世界)[-/-게] 명 1 새롭게 생활하거나 활동하는 장소. ¶~가 전개되다. 2 신대륙. ↔구세계.
신-세기 (新世紀) 명 새로운 세기. ¶~가 시작되다.
신-세대 (新世代) 명 새로운 세대. ¶~ 감각. ↔구세대.
신세-타령 (身世-) 명하자 자기 신세를 넋두리하듯 뇌까리는 일. 또는 그런 이야기.
신-소리 명 상대방의 말을 엉뚱한 다른 말로 슬쩍 받아넘기는 말《'감사합니다'라는 말에 '감만 사오지 말고 사과도 사오시오' 라고 하는 따위》.
신-소설 (新小說) 명 갑오개혁 이후의 개화기를 시대 배경으로 하여 이루어진 소설《고대 소설과 현대 소설의 과도기적 소설로, 계급 타파·개화·계몽·자유 연애·자주 의식 등이 그 주제임》. ↔구소설.
신-소재 (新素材) 명 금속이나 플라스틱 등과 같은 종래의 재료에는 없는 뛰어난 특성을 가진 소재(素材)의 총칭《뉴세라믹스·복합 재료·형상 기억 합금·광섬유 따위》.
신:-소체 (腎小體) 명 〘생〙 신장의 피질에 있는 지름 0.1-0.2 mm 정도의 공 모양의 소체《신장 기능의 최소 단위임》. 말피기 소체.
신:속-하다 (迅速-)[-소카-] 형여불 날쌔고 빠르다. ¶ 신속한 행동. **신:속-히** [-소키] 부. ¶~ 배달하다.
신수 (身手) 명 1 사람의 얼굴에 나타난 건강 색. 2 용모와 풍채. ¶~가 훤하다.
신수 (身數) 명 한 사람의 운수. ¶~가 불길하다.
신술 (神術) 명 신기한 술법. 불가사의한 재주. ¶~을 닦다.
신승 (辛勝) 명하자 경기 따위에서 간신히 이김. ↔낙승(樂勝).
신-시가 (新市街) 명 기존 도시에서 새로 번어 나가 발전한 시가. ¶~에 거주하다.
신-시대 (新時代) 명 새로운 시대. ¶~에 걸맞는 인물. ↔구시대.
신시사이저 (synthesizer) 명 〘악〙 전자 악기의 하나. 전자 회로를 이용하여 음을 여러 가지 음색으로 합성해 냄. 대개 건반 악기임.
신-시조 (新時調) 명 〘문〙 개화기 이후에 서유럽에서 들어온 시의 기법과 정신을 도입한 시조. 현대 시조.
신식 (新式) 명 새로운 방식이나 형식. ¶~ 결혼 / ~ 무기. ↔구식.
신신-당부 (申申當付) 명하타 신신부탁. ¶어머니께서 몸조심하라고 ~하셨다.
신신-부탁 (申申付託) 명하타 되풀이하여 간절히 하는 부탁. ¶아내는 올해는 담배를 꼭 끊으라고 ~하였다.
신신-하다 (新新-) 형여불 1 아주 신선하다. ¶신선한 채소와 생선. 2 새로운 데가 있다. 3 마음에 들게 시원스럽다. ¶신신한 대답을 듣다. *싱싱하다. **신신-히** 부
신:실 (信實) 명하형히부 믿음직하고 착실함. ¶집안일을 ~히 잘 보살피다.
신:심 (信心) 명 1 옳다고 굳게 믿는 마음. ¶자식에 대한 부모의 두터운 ~. 2 종교를 믿는 마음. ¶구원에 대한 기독교인들의 확고한 ~.
신안 (新案) 명 새로운 고안이나 제안.
신:앙 (信仰) 명하타 신이나 초자연적인 절대자를 믿고 받드는 일. ¶~을 가지다.
신:앙-심 (信仰心) 명 신이나 초자연적인 절대자를 믿는 마음. ¶~이 두텁다.
신:애 (信愛) 명하타 믿고 사랑함. 또는 그 믿음과 사랑. ¶~가 지극하다.
신:약 (信約) 명하타 믿음으로써 약속함. ¶~은 반드시 지켜라.
신약 (神藥) 명 신통한 효험이 있는 약.
신약 (新藥) 명 1 새로 제조·판매되는 약품. ¶~을 개발하다. 2 양약(洋藥).
신약 성:서 (新約聖書) 기독교의 성서 중 예수 탄생 후의 신의 계시를 기록한 것《예수의 복음과 제자들의 전도 기록 및 그 편지들로 이루어짐. 모두 27권》. 준신약.
신약-하다 (身弱-)[-야카-] 형여불 몸이 허약하다. ¶젊었을 때부터 신약하여 늘 약을 달고 있다.
신어 (新語) 명 새로 생긴 말. 또는 새로 귀화한 외래어. 새말. ¶~사전을 편찬하다.
신-어미 (神-) 명 〘민〙 젊은 무당에게 신의 계통을 전해 준 나이 많은 무당. *신딸.
신:언 (愼言) 명하자 말을 삼감. 신구(愼口).
신언서판 (身言書判) 명 예전에, 인물을 고르는 데 기준으로 삼던 조건《신수·말씨·문필·판단력》.
신-여성 (新女性)[-녀-] 명 개화기 때, 신식

교육을 받은 여자.
신역 (身役) 명 몸으로 치르는 노역(勞役). ¶고된 ~을 치렀다.
신열 (身熱) 명 병으로 인한 열. ¶~에 시달리다.
신예 (新銳) 명 새롭고 기세가 날카로움. 또는 그러한 것이나 사람. ¶~ 작가를 발굴하다 / ~ 무기를 개발하다.
신:용 (信用) 명하타 1 틀림없다고 믿고 씀. ¶~할 수 없는 물건. 2 믿고 의심하지 않음. ¶자네 말을 ~해 보겠네. 3 평판이 좋고 인망이 있음. ¶~이 없는 사람 / ~을 잃다.
신:용 거:래 (信用去來) 〖경〗 1 매매한 대금의 결재를 뒷날로 정하는 거래. 2 증권 회사가 고객에게서 일정한 증거금을 받고, 고객에게 매수 대금 또는 매매 증권을 대부하여 결제하게 하는 거래.
신:용-장 (信用狀)[-짱] 명 〖경〗 은행이 수입업자 또는 해외 여행자의 의뢰에 따라, 그 신용을 보증하기 위하여 발행하는 증서. 엘시(L/C).
신:용 카드 (信用card) 카드 회사와 가맹점이 제휴하여 행하는 신용 판매 제도. 또는 거기에 쓰는 카드《은행에 예금이 있는 사람은 카드로 가맹점에서 현금 없이도 물건을 살 수 있음》. 크레디트 카드.
신우 (神佑) 명 신의 도움. 신조(神助).
신:우 (腎盂) 명 〖생〗 척추동물의 신장 안에 있는 빈 곳《오줌은 이곳에 모였다가 방광으로 빠짐》.
신원 (身元) 명 개인에 관련되는 자료《주소·본적·신분·직업·품행 등》. ¶~을 보증하다 / 정확한 ~ 파악에 나서다.
신원 (伸冤) 명하타 원통한 일을 풂.
신원 보증 (身元保證) 1 사람의 신상·자력(資力) 등의 확실함을 책임지는 일. 2 고용 계약에서 피고용자가 고용주에게 손해를 끼칠 경우, 그 배상을 위해 일정한 금전을 담보로 내게 하거나 보증인을 세워 배상 의무를 지게 하는 일.
신월 (新月) 명 1 초승달. 2 음력 초하루에 보이는 달. 곧, 달과 해의 황경(黃經)이 같아진 때의 달.
신위 (神位) 명 죽은 사람의 영혼이 의지할 자리《지방(紙榜)이나 고인의 사진 따위》. ¶~에 절을 올리다.
신음 (呻吟) 명하자 1 병이나 고통으로 앓는 소리를 냄. ¶밤새 ~하는 걸 보니 무척 괴로운 모양이다. 2 고통이나 괴로움으로 고생하며 허덕임.
*__신:의__ (信義)[-/-이] 명 믿음과 의리. ¶~가 두텁다 / ~를 저버리다.
신의 (神醫)[-/-이] 명 의술이 뛰어나 병을 신통하게 고치는 의원.
신이-하다 (神異-) 형여불 새롭고 이상하다.
신-익다 (神-)[-닉-] 형 일에 경험이 많아서 어떤 일에도 익숙하다.
신:인 (信認) 명하타 믿고 인정함. ¶대외 ~도(度)가 높다.
신인 (神人) 명 1 신과 사람. 2 신과 같이 신령하고 숭고한 사람. 3 〖기〗 '예수 그리스도'의 일컬음.
신인 (新人) 명 1 새색시. 2 예술계·체육계 등의 분야에 새로 등장한 사람. ¶~을 발굴하다. 3 현재의 인류와 같은 종(種)인 호모 사피엔스에 속하는 화석 인류《그리말디인·크로마뇽인 등》.
신:임 (信任) 명하타 믿고 일을 맡김. 또는 그 믿음. ¶사장의 ~이 두텁다.
신임 (新任) 명하자 새로 임명되거나 취임함. 또는 그 사람. ¶~ 인사.
신:임-장 (信任狀)[-짱] 명 파견국의 원수나 외무 장관이 상대국에 특정한 사람을 외교 사절로 파견하는 취지를 통고하는 공문. ¶~을 제정하다.
신입 (新入) 명하자 어떤 모임이나 단체에 새로 들어옴. ¶~ 단원.
신입-생 (新入生) 명 새로 입학한 학생. ¶~ 환영회 / ~을 모집하다.
신:자 (信者) 명 종교를 믿는 사람. 신도. ¶독실한 ~.
신작 (新作) 명하타 작품 따위를 새로 지어 만듦. 또는 그 작품. ¶~을 발표하다.
신작-로 (新作路)[-장노] 명 옛날의 좁은 길에 대하여, 자동차가 다닐 수 있도록 넓게 새로 낸 길. ¶~가 뚫리다. ↔구로(舊路).
신-장 (-欌)[-짱] 명 신을 넣어 두는 장. 신발장.
신장 (身長) 명 사람의 키. ¶~을 재다.
신장 (伸張) 명하자타 물체나 세력 따위를 늘려 넓게 펴거나 뻗침. 또는 넓게 펴지거나 뻗음. ¶국력을 ~하다.
신장 (新粧) 명하타 건물 따위를 새로 단장함. 또는 그 단장.
신장 (新裝) 명하타 1 시설이나 외관 따위를 새로 장치함. 또는 그 장치. ¶~개업. 2 새로운 복장.
신:장 (腎臟) 명 〖생〗 척추동물의 오줌 배설 기관《사람에게는 척추 양쪽에 한 쌍이 있는데 강낭콩 모양임》. 콩팥.
신장-률 (伸張率)[-뉼] 명 경기·매출·수출 따위가 기준 연도에 비해 늘어난 비율. ¶높은 수출 ~ / ~이 떨어지다.
신-적 (神的)[-쩍] 관명 신과 같은 (것). 신에 관한 (것). ¶~(인) 존재.
신전 (神前) 명 신령의 앞. ¶~에 빌다.
신전 (神殿) 명 신령을 모신 전각(殿閣).
신접 (新接) 명하자 1 새로 살림을 차려 한 가정을 이룸. 2 다른 곳에서 옮겨 와서 새로 자리 잡고 삶.
신접-살림 (新接-) 명하자 처음으로 차린 살림살이. 신접살이. ¶~을 시작하다.
신접-살이 (新接-) 명하자 신접살림.
신정 (新正) 명 1 새해의 첫머리. 2 양력 설.
신제 (新制) 명 새로운 제도나 체제. ↔구제(舊制).
신:조 (信條) 명 1 종교 단체에서 신앙의 조목으로 정하여 신자에게 믿게 하는 교리. 2 굳게 믿어 지키고 있는 생각. ¶근검절약을 생활의 ~로 삼다.
신조 (神助) 명 신의 도움.
신조 (新造) 명하타 새로 만듦.
신종 (新種) 명 1 새로운 종류. ¶~의 개발. 2 새로 발견되거나, 새로이 인공적으로 만들어진 생물의 종류. ¶~이 나타나다.
신주 (神主) 명 죽은 사람의 위패.
[신주 개 물려 보내겠다] 하는 짓이 칠칠

실그러-뜨리다 타 한쪽으로 비뚤어지게 하거나 기울어지게 하다. ㉠샐그러뜨리다. ㉥씰그러뜨리다.
실그러-지다 자 한쪽으로 비뚤어지거나 기울어지다. ㉠샐그러지다. ㉥씰그러지다.
실그러-트리다 타 실그러뜨리다.
실근(實根) 명 〖수〗 대수 방정식의 실수인 근. ↔허근(虛根).
실:-금 명 1 그릇 따위에 가늘게 생긴 금. ¶~이 생기다. 2 실같이 가늘게 그은 금. **실금(이) 가다** 구 그릇 등이 깨어져서 가는 금이 생기다.
실금(失禁) 명하자 대소변을 참지 못하고 쌈.
실긋-거리다 [-귿꺼-] 자타 한쪽으로 비뚤어지거나 기울어지게 자꾸 움직이다. 또는 그렇게 되게 하다. ㉠샐긋거리다. ㉥씰긋거리다. **실긋-실긋** [-귿씰귿] 부하자타
실긋-대다 [-귿때-] 자타 실긋거리다.
실긋-하다 [-그타-] 형여불 물건이 한쪽으로 비뚤어지거나 기울어져 있다. ㉠샐긋하다. ㉥씰긋하다.
실기(失期) 명하자 시기를 놓침.
실기(失機) 명하자 기회를 잃거나 놓침.
실기(實技) 명 실지의 기능이나 기술. ¶~ 위주의 교육.
실기(實記) 명 실제의 사실을 있는 그대로 적은 기록.
실기죽-거리다 자타 물체가 자꾸 한쪽으로 천천히 기울어지거나 비뚤어지다. 또는 그렇게 되게 하다. ㉠샐기죽거리다. ㉥씰기죽거리다. **실기죽-실기죽** 부하자타
실기죽-대다 자타 실기죽거리다.
실기죽-샐기죽 부하자타 물체가 자꾸 한쪽으로 천천히 기울어지거나 비뚤어지는 모양. ㉥씰기죽쌜기죽.
실:-꾸리 명 둥글게 감은 실뭉치.
실:-날 [-랄] 명 실의 올.
실:날-같다 [-랄깓따] 형 1 아주 가늘다. 2 목숨이나 희망 따위가 끊어지거나 사라질 듯하다. **실:날-같이** [-랄까치] 부 [실낱같은 목숨] 실낱같이 가냘픈 목숨.
실내(室內)[-래] 명 1 방이나 건물의 안. ¶~ 온도. ↔실외. 2 남의 아내의 일컬음.
실내-악(室內樂)[-래-] 명 〖악〗 '실내 음악'의 준말.
실내 음악(室內音樂)[-래-] 〖악〗 방 안이나 작은 집회실에서 연주하기에 알맞은 음악《이중주곡에서 팔중주곡까지 있음》. ㊟실내악.
실내 장식(室內裝飾)[-래-] 건축물 내부를 그 쓰임에 따라 아름답게 장식하는 일.
실내-화(室內靴)[-래-] 명 건물 안에서만 신는 신.
실농(失農)[-롱] 명하자 1 농사지을 때를 놓침. 2 농사에 실패함.
실-농군(實農軍)[-롱-] 명 1 착실한 농군. 2 실지로 농사를 지을 힘이 있는 사람. 실농가(實農家).
실:-눈 [-룬] 명 1 가늘고 긴 눈. 2 가늘게 뜬 눈. ¶~을 짓다 / 아기가 ~을 뜨고 잔다 / 해를 ~으로 바라보다.
실-답다(實-)〔실다우니, 실다워〕 형ㅂ불 진실하고 꾸밈이 없으며 미덥다. ¶실답지 않은 말 / 실다운 친구.
실덕(失德)[-떡] 명하자 1 덕망을 잃음. 또는 그런 행실. 2 점잖은 사람의 허물.
실:-도랑 명 폭이 아주 좁고 작은 도랑.
실:-뜨기 명 실의 두 끝을 마주 매어 두 손에 건 다음에 두 쪽 손가락에 얼기설기 얽어 가지고 두 사람이 주고받으면서 여러 가지 모양을 만드는 놀이.

실뜨기

실:-띠 명 실을 꼬아서 만든 띠.
실랑이 명하자 '실랑이질'의 준말.
실랑이-질 명하자 남을 못 견디게 굴어 괴롭히는 짓. ¶~를 당하다. ㊟실랑이.
실력(實力) 명 1 실제의 힘이나 능력. ¶~이 모자라 낙방했다 / 연극 무대에서 ~을 쌓은 연기파. 2 강제력이나 무력(武力). ¶~을 행사하다.
실력-자(實力者) 명 실질적인 권력이나 역량을 갖고 있는 사람. ¶정계의 ~로 떠올랐다.
실례(失禮) 명하자 말이나 행동이 예의에 벗어남. 또는 그런 말이나 행동. ¶~를 범하다 / ~를 무릅쓰고 부탁하다 / ~합니다만 지금 몇 시입니까.
실례(實例) 명 구체적인 실제의 예. ¶~를 들다 / 그런 ~는 또 있다.
실-로(實-) 부 참으로. ¶~ 위대한 인물이다 / ~ 어이없는 일이다.

실로폰

***실로폰**(xylophone) 명 타악기의 하나《대(臺) 위에 나무 토막을 배열하여, 두 개의 채로 때리거나 비벼서 소리를 냄》. 목금.
실록(實錄) 명 1 사실을 그대로 적은 기록. ¶제2차 세계 대전 ~. 2 〖역〗 한 임금이 재위(在位)한 동안의 사적(事蹟)을 편년체로 기록한 것. ¶조선 역대의 ~.
실루엣(프 silhouette) 명 1 윤곽 안을 검게 칠한 사람의 얼굴 그림. 2 그림자 그림만으로 표현한 영화 장면. 3 옷의 전체적인 윤곽. ¶우아한 ~의 웨딩드레스.

실루엣1

실룩 부하자타 근육의 한 부분이 실그러지게 움직이는 모양. ¶입술을 ~ 움직이다. ㉠샐룩. ㉥씰룩.
실룩-거리다 자타 자꾸 실룩하다. 또는 자꾸 실룩하게 하다. ㉠샐룩거리다. ㉥씰룩거리다. **실룩-실룩** 부하자타
실룩-대다 자타 실룩거리다.
실룩-샐룩 부하자타 실룩거리며 샐룩거리는 모양. ㉥씰룩쌜룩.
실리(實利) 명 실지로 얻은 이익. 실익. ¶~에 너무 영악하다 / 명분보다 ~를 좇다.
실리다 一자 《'싣다'의 피동》 글이나 짐이 실음을 당하다. ¶논문이 잡지에 ~. 二타 《'싣다'의 사동》 글이나 짐을 싣게 하다.
실리-주의(實利主義)[- / -이] 명 공리(功

利)주의.
실리콘 (silicone) 명 〔화〕 규소 유기 화합물의 중합체(重合體)의 총칭. 300℃의 고온이나 영하 60℃의 저온에도 견디고, 전기 절연성도 좋아 응용 범위가 넓음. 실리콘 수지. 규소 수지.
실린더 (cylinder) 명 〔공〕 내연 기관이나 증기 기관 등의 피스톤이 왕복하는 원통형의 부분. 기통(氣筒).
실:-마리 명 **1** 감겨 있거나 헝클어진 실의 첫머리. **2** 문제나 사건을 해결하는 데에 도움이 될 사실이나 정보. 단서(端緖). ¶해결의 ~를 찾다 / 타결의 ~가 보이다.
실망 (失望) 명하자 희망을 잃어버림. 일이 뜻대로 되지 않아 낙심함. 실의(失意). ¶~에 빠지다 / 시험에 떨어져 ~이 크다.
실망-감 (失望感) 명 희망이나 일이 뜻대로 되지 않아 마음이 상한 느낌. ¶기대는 한 순간에 ~으로 변하였다.
실명 (失名) 명 이름이 전하지 않아 알 길이 없음. ¶작자 ~의 시조.
실명 (失明) 명하자타 눈이 멂. ¶교통사고로 한쪽 눈을 ~하다.
실명 (實名) 명 실제의 이름. 진짜 이름. 본명. ¶금융 ~제. ↔가명.
실명-씨 (失名氏) 명 무명씨.
실모 (實母) 명 친어머니.
실무 (實務) 명 실제의 업무. ¶~를 익히다 / ~에 종사하다 / ~에 경험이 많다.
실무-자 (實務者) 명 실지로 사무를 담당하는 사람. 실무에 능숙한 사람. ¶~를 만나게 해주시오.
실무-적 (實務的) 관명 **1** 실무에 관계되는 (것). ¶~(인) 문제. **2** 실무에 능숙한 (것). ¶~인 사람.
실물 (失物) 명하자 물건을 잃음. 또는 그런 물건. ¶~을 습득하다.
실물 (實物) 명 **1** 실제로 있는 물건이나 사람. ¶~ 크기의 사진. **2** 주식이나 상품 등의 현품. 현물. ¶~ 매매가 활발하다.
실물-대 (實物大)[-때] 명 실물과 꼭 같은 크기. ¶~의 초상화.
실:-바람 명 **1** 솔솔 부는 바람. **2** 〔기상〕 풍력 1의 바람. 초속 0.3-1.5 m로 부는 바람. 지경풍. ☞풍력 계급.
실:-밥 [-빱] 명 **1** 옷 등에 누벼져 있는 실. ¶옷솔기 사이로 ~이 드러나다. **2** 옷을 뜯을 때에 뽑아내는 실의 부스러기. ¶치맛단의 ~이 풀어지다.
실백 (實柏) 명 실백잣. ¶식혜에 ~을 띄우다.
실백-잣 (實柏-)[-짣] 명 껍데기를 벗긴 알맹이 잣. ¶약밥에 ~을 두다.
실:-뱀 명 〔동〕 뱀과의 파충류의 하나. 몸이 실 모양으로 긴데, 4분의 1은 꼬리임. 등은 녹색을 띤 연한 갈색, 배는 황백색임.
실:-버들 명 가늘고 길게 늘어진 버들. '수양버들'의 다른 이름.
실:-보무라지 [-뽀-] 명 실의 부스러기.
실부 (實父) 명 친아버지.
실-부모 (實父母) 명 친부모(親父母).
실:-비 명 실처럼 가늘게 내리는 비. ¶신록 위에 ~가 보슬보슬 내린다.
실비 (實費) 명 실지로 드는 비용. ¶~로 식사를 제공하다.
실사 (實事)[-싸] 명 사실로 있는 일. 사실.
실사 (實査)[-싸] 명하타 실제로 검사하거나 조사함. ¶재고품 ~ / 공직자 재산 ~에 착수하다.
실사 (實寫)[-싸] 명하타 실물·실경·실황 등을 그리거나 찍음. 또는 그런 그림이나 사진. ¶~ 촬영.
실사 (實辭)[-싸] 명 〔언〕 명사·용언의 어간처럼 실질적인 뜻을 나타내는 말. 실질 형태소. ↔허사(虛辭)1.
실사-구시 (實事求是)[-싸-] 명 〔한서(漢書)의 하간헌왕전(河間獻王傳)에 유래하며, 조선 후기에 김정희(金正喜)가 학문을 하는 데 가장 요긴한 방법이라고 강조한 말〕 사실에 토대를 두어 진리를 탐구하는 일.
실-사회 (實社會)[-싸-] 명 실제의 사회.
실-살 (實-)[-쌀] 명 겉으로 드러나지 않은 실제의 이익.
실살-스럽다 (實-)[-쌀-]〔-스러우니, -스러워〕 형ㅂ불 겉으로 드러남이 없이 내용이 충실하다. **실살-스레** [-쌀-] 부
실상 (實狀)[-쌍] ㊀명 실제의 상태나 내용. ¶~을 파악하다. ㊁부 실제로는. ¶~ 잘못은 제게 있습니다.
실상 (實相)[-쌍] 명 실제의 모양이나 상태. ¶북한의 ~.
실상 (實像)[-쌍] 명 〔물〕 한 물체의 각 점에서 나온 광선이 렌즈 따위를 통과한 다음, 각각 한곳에 다시 모여서 생기는 실제의 상(像). ↔허상(虛像).
실색 (失色)[-쌕] 명하자 놀라서 얼굴빛이 변함. ¶아연(啞然)~하다.
실-생활 (實生活)[-쌩-] 명 이론 또는 공상이 아닌 실제의 생활. ¶연구 성과를 ~에 응용하다.
실선 (實線)[-썬] 명 제도나 설계도에서 끊어진 곳이 없이 이어져 있는 선.
실성 (失性)[-썽] 명하자 정신에 이상이 생김. 미침. ¶~한 사람처럼 혼자서 중얼거리다.
실세 (失勢)[-쎄] 명하자 세력을 잃음. ¶~를 회복하다. ↔득세(得勢).
실세 (實勢)[-쎄] 명 **1** 실제의 세력이나 기운. 또는 그것을 지닌 사람. ¶~는 더 크다 / ~들의 각축. **2** 실제의 시세.
실소 (失笑)[-쏘] 명하자 **1** 자기도 모르게 나오는 어처구니없는 웃음. ¶~를 자아내다 / ~를 금치 못하다. **2** 실수로 웃는 웃음.
실-소 (實-)[-쏘] 명 농사용의 튼튼한 소.
실-소득 (實所得) 명 실제로 버는 소득.
실-속 (實-)[-쏙] 명 **1** 실제로 알맹이가 되는 내용. ¶잡담만 하지 말고 ~ 있는 대화를 해라. **2** 알짜 이익. ¶~을 채우다.
실수 (失手)[-쑤] 명하자타 **1** 부주의로 잘못함. 또는 그런 행위. ¶~ 없는 사람 / ~를 저지르다. **2** 실례(失禮).
실수 (實收)[-쑤] 명 **1** 실제의 수입이나 수확. 실수입. ¶~ 백만 원. **2** 실제의 수확고.
실수 (實需)[-쑤] 명 '실수요'의 준말. ↔가수(假需).
실수 (實數)[-쑤] 명 **1** 추정이 아닌 실제의 수량. **2** 〔수〕 유리수와 무리수의 총칭. ↔허수(虛數). **3** 〔컴〕 컴퓨터에서 사용하는

수 가운데 소수점이 붙어 있는 형태의 것.
실-수요 (實需要) 명 실제로 소비하기 위한 수요. 준실수. ↔가(假)수요.
실-수요자 (實需要者) 명 실제로 필요해서 사거나 얻고자 하는 사람. ¶～를 위한 대책을 마련하다.
실-수익 (實收益)[-쑤-] 명 실제의 수익.
실-수입 (實收入)[-쑤-] 명 실수(實收) 1.
실습 (實習)[-씁] 명하타 실제로 또는 실물로 배우고 익힘. ¶매일 운전을 ～하고 있다 / ～ 시설이 잘된 요리 학원.
*__실시__ (實施)[-씨] 명하타 실제로 시행함. 실행. ¶인구 조사를 ～하다 / 버스 전용 차선제가 ～되다.
실시간 처:리 (實時間處理) 〖컴〗 데이터가 발생할 때마다 즉시 처리하고 그 결과를 출력하거나 요구에 대하여 응답하는 방식. 즉시 처리. 리얼타임 처리. *일괄 처리.
실시 등:급 (實視等級)[-씨-] 〖천〗 육안이나 이와 같은 감도를 가진 장치로 본 경우의 별의 광도의 등급. 겉보기 등급.
실신 (失神)[-씬] 명하자 병이나 충격 따위로 정신을 잃음. 상신(喪神). ¶딸의 사망 소식에 ～하다.
실실 부하자 소리 없이 실없게 슬며시 웃는 모양. ¶웃음을 ～ 흘리다.
실심 (失心)[-씸] 명하자 근심 때문에 마음이 산란하고 맥이 빠짐. 상심(喪心).
실심 (實心)[-씸] 명 진심(眞心).
실쌈-스럽다 〔-스러우니, -스러워〕 형ㅂ불 말이나 행동이 착실하다. **실쌈-스레** 부
실:-안개 명 엷게 낀 안개.
실어 (失語) 명하자 **1** 잘못 말함. 실언. **2** 말할 수 있는 기능을 잃어 말을 잊어버리거나 바르게 말하지 못함. ¶뇌를 다쳐 ～ 상태가 되다.
실어-증 (失語症)[-쯩] 명 〖의〗 뇌질환의 하나. 명확하게 말로 표현하지 못하거나 다른 사람의 말을 이해하지 못하는 병증. ¶～에 걸렸는지 말을 하지 않는다.
실언 (失言) 명하자 실수로 잘못 말함. 또는 그 말. 말실수. ¶～을 이해해 주세요.
실업 (失業) 명하자 **1** 생업을 잃음. **2** 노동자가 노동력을 가지고도 노동할 기회를 얻지 못하거나 일자리를 잃음. ¶시급한 ～ 문제의 해결.
실업-가 (實業家) 명 상공업이나 금융업 등 사업을 경영하는 사람. ¶그는 건실하고 양심적인 ～이다.
실업-계 (實業系)[-/-께] 명 실업의 범위나 영역. ¶～로 진학하다.
실업-계 (實業界)[-/-께] 명 실업가들로 이루어진 사회.
실업-률 (失業率)[-엄뉼] 명 노동력을 가진 인구 가운데 실업자가 차지하는 비율. ¶～의 점차적인 감소.
실업-자 (失業者) 명 직업을 잃거나 얻지 못한 사람.
실-없다 [-업따] 형 말이나 하는 짓이 실답지 못하다. ¶실없는 행동. **실-없이** [-업씨] 부. ¶～ 지껄이는 말.
[실없는 말이 송사(訟事) 간다] 무심히 한 말 때문에 큰 소동이 일어날 수도 있음을 이르는 말.

실역 (實役) 명 현역으로서 치르는 병역.
실연 (失戀) 명하자 〔←실련(失戀)〕 연애에 실패함. 또는 이루지 못한 연애. ¶～으로 인한 마음의 상처.
실연 (實演) 명하자타 **1** 실제로 해 보임. ¶마술을 ～해 보이다. **2** 배우 등이 무대에서 극을 연기함.
실:-오라기 명 실오리. ¶～ 같은 희망.
실:-오리 명 한 가닥의 실. 실오라기. ¶～ 하나 걸치지 않다.
실온 (室溫) 명 실내의 온도. ¶약을 ～에 보관하다.
실외 (室外) 명 방의 밖. 바깥. ¶～ 경기〔체조〕. ↔실내.
실용 (實用) 명하타 실제로 씀. 또는 실질적인 쓸모. ¶～ 가치.
실용 단위 (實用單位) 〖물〗 기본 단위나 유도 단위와는 별도로 실용에 맞게 습관적으로 쓰는 단위《마력(馬力)·옴(ohm)·볼트(volt) 따위》.
실용-문 (實用文) 명 실생활에서 쓰는 글《편지·공문 따위》.
실용-성 (實用性)[-썽] 명 실제로 쓸모가 있는 성질. ¶～을 강조한 그릇 제품.
실용신안-권 (實用新案權)[-꿘] 명 산업 재산권의 하나. 고안을 독점할 수 있는 권리.
실용-적 (實用的) 관명 실제로 사용하기에 알맞은 (것). ¶～인 과학.
실용-주의 (實用主義)[-/-이] 명 〖철〗 실생활에 유용한 지식과 실용성이 있는 생각만이 진리로서의 가치가 있다고 하는 주장. 프래그머티즘.
실용-품 (實用品) 명 실생활에 쓸모가 있는 물품.
실용-화 (實用化) 명하타 실제로 쓰거나 쓰게 함.
실은 (實-) 부 사실은. 실제로는. ¶～ 네 말이 옳다 / ～ 그 여자는 내 동생일세.
실의 (失意)[-/-이] 명하자 뜻이나 의욕을 잃음. 실망(失望). ¶～에 빠지다〔잠기다〕.
실익 (實益) 명 실제의 이익. 실리. ¶～에 급급하다.
실인 (實印) 명 인감 증명으로 되어 있는 인감도장.
실자 (實子)[-짜] 명 자기가 낳은 아들. 친아들.
실자 (實字)[-짜] 명 한자에서, 형상이 있는 사물을 나타내는 글자《일(日)·월(月)·목(木) 따위》.
실장 (室長)[-짱] 명 '실'자가 붙은 부서를 책임지고 있는 사람. ¶기획실 ～으로 발탁되다.
실재 (實在)[-째] 명하자 **1** 실제로 존재함. ¶～의 인물. **2** 〖철〗 실제로 존재하는 사물·사상(事象)·사유 또는 체험. 인간의 의식에서 독립하여 객관적으로 존재하는 것. ↔가상(假象).
실재-론 (實在論)[-째-] 명 〖철〗 일반적으로 사물을 어떤 인식이나 주관에서 독립해 존재한다고 하는 입장. ↔관념론.
실재-성 (實在性)[-째썽] 명 〖철〗 주관적 관념·상상 등에서 독립한 객관적·현실적 존재성. 현실성.
실재-적 (實在的)[-째-] 관명 실재하는 또는

실재로서의 특성이 있는 (것). ¶ ~ 존재.
실적 (實積)[-쩍] 명 실제의 용적이나 면적. 알부피. ¶ ~을 측정하다.
실적 (實績)[-쩍] 명 실제로 이룬 업적이나 공적. ¶ 판매 ~을 올리다 / ~에 따라 임금이 책정된다.
실전 (實戰)[-쩐] 명 실제의 싸움. ¶ ~을 방불케 하는 훈련 / ~에 임하다.
실절 (失節)[-쩔] 명하자 절개를 지키지 못함. 실정(失貞). ↔수절(守節).
실점 (失點)[-쩜] 명하타 경기나 승부 등에서 점수를 잃음. 또는 그 점수. ¶ ~을 만회하다. ↔득점.
실정 (失政)[-쩡] 명하자 정치를 잘못함. 또는 잘못된 정치. ¶ ~이 거듭되다.
실정 (實情)[-쩡] 명 **1** 실제의 사정이나 형세. ¶ ~에 어둡다 / 현지 ~을 살피다. **2** 진실한 마음. 진정.
실정-법 (實定法)[-쩡뻡] 명 〔법〕 현실적으로 행하여지고 있는 법.
실제 (實弟)[-쩨] 명 같은 부모에게서 태어난 아우. 친아우.
***실제** (實際)[-쩨] 명 실지의 경우나 형편. 사실. ¶ ~로 체험하다 / 이론과 ~는 다르다.
실조 (失調)[-쪼] 명 조화나 균형을 잃음. ¶ 영양 ~로 병원에 입원하다.
실족 (失足)[-쪽] 명하자 **1** 발을 잘못 디딤. ¶ ~해서 추락하다. **2** 행동을 잘못함.
실존 (實存)[-쫀] 명하자 **1** 실제로 존재함. 또는 그런 존재. **2** 〔철〕 인식이나 의식에서 독립해 사물이 존재하는 일. **3** 〔철〕 가능적 존재로서의 본질에 대해 현실적 존재.
실존-주의 (實存主義) [-쫀- / -쫀-이] 명 〔철〕 실존 철학에 기초를 두는 사상상(思想上)의 입장.
실존 철학 (實存哲學)[-쫀-] 〔철〕 19세기의 합리주의적 관념론 및 실증주의에 대한 반동으로 일어난 주체적 존재로서의 실존을 중심 개념으로 하는 철학적 입장.
실종 (失踪)[-쫑] 명 **1** 종적을 잃음. ¶ 개혁이 ~되고 있다. **2** 사람의 소재 및 생사를 알 수 없게 됨. ¶ 산사태로 ~된 피서객들.
실종-자 (失踪者)[-쫑-] 명 **1** 실종된 사람. ¶ 태풍으로 ~가 발생하다. **2** 법원에서 실종 선고를 받은 사람.
실증 (實證)[-쯩] 명하타 **1** 확실한 증거. **2** 실제로 증명함. 또는 그런 사실.
실증-성 (實證性)[-쯩썽] 명 사실이나 실험에 의한 증명, 즉 과학적 증명이 가능한 성질.
실증-적 (實證的)[-쯩-] 관명 사고(思考)에 의해 논증하는 것이 아니라, 경험적 사실의 관찰과 실험에 의해 적극적으로 증명되는 (것).
실증-주의 (實證主義)[-쯩- / -쯩-이] 명 〔철〕 형이상학적 사변을 배척하고 사실에 근거하여, 관찰과 실험으로 현상 간의 관계와 법칙을 연구하는 입장. 실증론. 실증철학.
실지 (實地)[-찌] 명 **1** 실제의 처지나 경우. ¶ ~로 있던 일 / ~ 경험에서 얻은 교훈 / ~ 훈련을 받다. **2** 실제의 장소. 현장. ¶ ~ 답사를 실시하다.
실지-로 (實地-)[-찌-] 부 실제로. ¶ ~ 겪었던 일.
실직 (失職)[-찍] 명하자 직업을 잃음. ¶ 남편의 ~으로 아내가 부업을 시작했다. ↔취직.
***실질** (實質)[-찔] 명 실제로 있는 본바탕. 실체. ¶ ~ 소득 / ~ 성장률.
실질 임:금 (實質賃金)[-찔-] 〔경〕 임금의 실질적인 가치를 나타내는 금액《명목 임금을 물가 지수로 나누어 구함》.
실질-적 (實質的)[-찔쩍] 관명 실질에 맞는 (것). ¶ ~인 이익 / ~인 남녀간의 평등. ↔형식적.
실질 형태소 (實質形態素)[-찔-] 〔언〕 구체적인 대상이나 동작·상태와 같이, 실질적인 뜻을 나타내는 형태소《'철수가 밥을 먹었다.'에서 '철수·밥·먹'을 가리킴》. 실사(實辭). ↔형식(形式) 형태소.
실쭉 부하자타 **1** 어떤 감정의 표현으로 입·눈이 한쪽으로 실긋하고 움직이는 모양. ¶ ~ 웃다. **2** 마음에 차지 않아 약간 고까워하는 몸가짐을 하는 모양. 작샐쭉. 센씰쭉.
실쭉-거리다 자타 **1** 입이나 눈이 한쪽으로 실그러지게 자꾸 움직이다. **2** 마음에 차지 않아 얼굴을 자꾸 실그러뜨리다. 작샐쭉거리다. **실쭉-실쭉** 부하자타
실쭉-대다 자타 실쭉거리다.
실쭉-샐쭉 부하자타 실쭉거리며 샐쭉거리는 모양. ¶ 누나는 ~ 삐치기를 잘한다.
실쭉-하다 [-쭈카-] 형여불 **1** 입이나 눈이 한쪽으로 실그러져 있다. **2** 마음에 차지 않아 고까워하는 태도가 있다. 작샐쭉하다.
실책 (失策) 명 **1** 잘못된 계책. **2** 야구 등 경기에서, 실수함. 에러. ¶ ~을 저지르다.
***실천** (實踐) 명하타 실지로 행함. ¶ 말로 떠벌리지 말고 ~을 해라. ↔이론.
실천-가 (實踐家) 명 행동으로 실천하는 사람.
실천-궁행 (實踐躬行) 명하자 실제로 이행함.
실천-력 (實踐力)[-녁] 명 실천하는 능력.
실천 이:성 (實踐理性) 〔철〕 도덕적 자율의 원리에 입각하여, 이론 이성보다 우위에서 의지·행위를 규정하는 적극적인 이성《칸트 철학의 중요 개념임》. ↔순수(純粹) 이성.
실천-적 (實踐的) 관명 실천에 근거를 두는 (것). 행위에 관한 (것). ¶ 전통의 ~ 계승. ↔이론적.
실:-첩 명 여자가 쓰는 손그릇의 하나《종이로 만들어, 실이나 헝겊 조각 등을 담음》.
실체 (實體) 명 **1** 실제의 물체. 또는 외형에 대한 실상(實相). ¶ 사건의 ~를 파악하다. **2** 〔철〕 늘 변하지 않고 일정하게 지속하면서 사물의 근원을 이루는 것.
실체-화 (實體化) 명하타 〔철〕 단순한 속성 또는 추상적 개념을 객관화하여 독립적 실체로 만드는 일.
실추 (失墜) 명하타 명예나 위신 따위를 떨어뜨리거나 잃음. ¶ 권위를 ~시키다 / 부정부패로 공직자의 품위가 ~되다.
실측 (實測) 명하타 실제로 측량함. ¶ ~한 결과는 지적도상의 면적보다 넓었다.
실컷 [-컫] 부 마음에 원하는 대로 한껏. 마음껏. ¶ 주말에 ~ 자다 / 놀이 동산에서 ~ 뛰어놀다.

실크 (silk) 명 **1** 생사(生絲). **2** 견직물.
실크 로드 (Silk Road) 아시아 내륙을 횡단하여 중국과 서아시아·유럽을 연결했던 고대의 통상로《중국 특산인 비단의 통상로였던 데서 유래한 말》. 비단길.
실큼-하다 형 여불 싫은 생각이 있다.
실:-타래 명 긴 실을 쉽게 풀어 쓸 수 있게 사려 놓은 뭉치. ¶～를 풀다.
실탄 (實彈) 명 쏘아서 실제로 효력을 낼 수 있는 탄알. ¶～을 장전하다.
실태 (實態) 명 있는 그대로의 상태. 또는 실제의 형편. ¶인구 분포의 ～를 조사하다 / 자연 환경 ～를 점검하다.
실:-터 명 집과 집 사이의 길고 좁은 빈 터. ¶～에 상추와 고추를 심다.
실:-테 명 물레의 얼레 따위에 일정하게 감은 실의 분량.
실토 (實吐) 명 하자타 거짓 없이 사실대로 말함. ¶자신의 감정을 ～하다.
실-토정 (實吐情) 명 하자타 사정이나 심정을 숨김없이 말함. ¶그 누구에게 ～한단 말인가.
실:-톱 명 얇은 널빤지에 도림질을 하는 실같이 가는 톱.

등쇠

실톱

실:-톳 [-톧] 명 방추형(紡錘形)으로 감아 놓은 실뭉치《피륙을 짤 때 북에 넣어 씀》.
실:-퇴 (-退) 명 〘건〙 좁게 놓은 툇마루.
실투 (失投) 명 하자 야구·농구 따위에서 공을 잘못 던지는 일. 또는 그 공. ¶투수의 ～로 홈런이 터졌다.
실:-파 명 〘식〙 몸이 가느다란 파. ¶～를 송송 썰어 넣은 달걀찜.
실팍-지다 형 사람이나 물건이 실한 데가 있다. ¶실팍진 암탉을 잡아 상에 올리다.
실팍-하다 [-파카-] 형 여불 사람이나 물건이 매우 실해 보이다. ¶새로 산 식탁 다리가 ～.
실:-패 명 실을 감아 두는 작은 도구.
***실패** (失敗) 명 하자 일을 잘못하여 그르침. ¶8강 진출에 ～했다 / ～는 성공의 어머니. ↔성공.
실:-핏줄 [-피쭐 / -핃쭐] 명 〘생〙 모세 혈관.
실-하다 (實-) 一 타 여불 떡고물로 쓸 깨를 물에 불려서 껍질을 벗기다. 二 형 여불 **1** 튼튼하다. ¶실하게 생긴 젊은이. **2** 재산이 넉넉하다. **3** 속이 옹골지다. ¶배추 속이 실하게 차다. **4** 믿을 수 있다. ¶실하게 일하다. **실-히** 부 족히. 실하게. ¶～ 열 근은 되겠다.
실학 (實學) 명 **1** 실제로 소용되는 학문. **2** 〘역〙 조선 중엽, 성리학의 관념을 벗어나 실생활의 유익을 목표로 한 학문. 실사구시(實事求是)와 이용후생 및 경세치용(經世致用) 따위에 관해 연구하였음.
실학-파 (實學派) 명 〘역〙 조선 중엽, 청나라를 통하여 들어온 서양 문명의 영향을 받고 일어난 실학을 주장하던 학자들.
실행 (失行) 명 하자 좋지 않은 행동을 함. 또는 그런 행실.
실행 (實行) 명 하타 **1** 실제로 행함. ¶～ 가능성 / 지시 사항을 바로 ～에 옮기다. **2** 〘컴〙 컴퓨터를 프로그램에 따라 작동시키는 일.
실향 (失鄕) 명 하자 고향을 잃거나 빼앗김. ¶～의 아픔을 사실적으로 표현한 시.
실향-민 (失鄕民) 명 고향을 잃고 타향에서 지내는 사람. ¶통일을 기원하는 ～들.
***실험** (實驗) 명 하타 **1** 실제로 시험함. **2** 과학에서, 이론이나 현상을 관찰하고 측정함. ¶신약의 효능 ～. **3** 예술에서, 새로운 형식이나 방법을 시도하는 일. ¶～ 연극.
실험-식 (實驗式) 명 〘화〙 화합물의 조성을 원소 기호로 가장 간단하게 표시하는 화학식.
실험-실 (實驗室) 명 실험하기 위해 기구와 장비를 설치한 방.
실험-적 (實驗的) 관 명 **1** 실지로 관찰하고 기록하는 방법에 따른 (것). **2** 시험 삼아 해 보는 (것). ¶～으로 도입하다.
***실현** (實現) 명 하타 실제로 나타나거나 나타냄. ¶어린 시절의 꿈을 ～시키다.
실현-성 (實現性) [-썽] 명 실현될 가능성. ¶～이 희박한 이야기.
실형 (實兄) 명 친형.
실형 (實刑) 명 집행 유예가 아닌, 실제로 받는 형벌《징역·금고·사형 따위》. ¶그는 ～을 선고받았다.
실혼 (失魂) 명 하자 몹시 두려워서 정신을 잃음. ¶～ 낙담.
실화 (失火) 명 하자 잘못해 불을 냄. 또는 그 불. ¶～인지 방화인지 수사하다. ↔방화.
실화 (實話) 명 실지로 있었던 이야기. ¶～를 바탕으로 만든 영화.
실황 (實況) 명 실제의 상황. ¶마라톤 경기 ～을 녹화하다.
실효 (失效) 명 하자 효력을 잃음. ¶기일이 지나 ～되다.
실효 (實效) 명 실제의 효과. ¶운동과 식사 조절로 체중 감소의 ～를 거두다.
***싫다** [실타] 형 **1** 마음에 언짢다. ¶보기도 싫은 사람. **2** 하고 싶은 마음이 없다. ¶공부하기 ～.
[싫은 매는 맞아도 싫은 음식은 못 먹는다] 무슨 짓을 하더라도 싫은 음식만은 먹을 수 없다는 뜻.
***싫어-하다** [실-] 타 여불 싫게 여기어 꺼리다. ¶나는 뱀을 싫어한다 / 수학을 ～.
싫-증 (-症) [실쯩] 명 싫은 생각이나 느낌. 염증. ¶지루해서 ～이 나다.
심 명 소의 심줄. 쇠심.
심 (心) 명 **1** 죽에 곡식 가루를 잘게 뭉쳐 넣은 덩이《팥죽의 새알심 따위》. **2** 종기 따위의 구멍에 약을 발라 찔러 넣은 헝겊이나 종잇조각. **3** 나무의 고갱이. **4** 무 따위의 뿌리 속에 섞인 질긴 줄기. **5** 양복저고리 어깨나 깃 같은 데를 빳빳하게 하기 위해 넣는 헝겊. ¶양복 깃에 ～을 넣다. **6** 연필대 따위의 가운데에 있는, 글씨를 쓰게 된 부분. ¶～이 가늘다. **7** 촛불의 심지. 촉심(燭心).
-심 (心) 미 '마음'의 뜻. ¶공포～ / 허영～.
심:각-성 (深刻性) 명 문제나 상황이 매우 중대하고 긴박함. ¶사태의 ～ / 환경 오염의 ～을 깨닫다.
심:각-하다 (深刻-) [-가카-] 형 여불 상태나 정도가 깊고 중대하다. 또는 절박함이 있

다. ¶심각한 표정〔문제〕/심각한 교통 체증. **심:각-히** [-가키] 뷔. ¶아이들의 조기 유학은 ~ 생각해야 한다.
심간 (心肝) 명 **1** 심장과 간. **2** 깊은 마음속.
심경 (心境) 명 마음의 상태. ¶~의 변화를 일으키다/억울한 ~을 토로하다.
심:경 (深境) 명 깊은 경지(境地).
심계 (心界)[-/-게] 명 **1** 마음의 세계. ¶군자는 ~를 다스릴 줄 알아야 한다. **2** 마음이 편하거나 편하지 못한 형편.
심계 (心悸)[-/-게] 명 사람 몸의 왼편 가슴의 전면 제오륵(第五肋) 사이에서 들을 수 있는 심장의 고동.
심:곡 (深谷) 명 깊은 골짜기.
심골 (心骨) 명 **1** 마음과 뼈. **2** 깊은 마음속.
심교 (心交) 명 마음을 터놓고 사귀는 벗.
심:교 (深交) 명하자 정분이 깊은 교제.
심:구 (深究) 명하타 깊이 연구함.
심근 (心筋) 명 심장의 벽을 이루는 두꺼운 근육.
심근 경색증 (心筋梗塞症) 〔의〕 관상 동맥이나 그 가지에 혈전(血栓)·전색(栓塞) 등이 생겨 갑작스럽게 혈액 순환 장애가 일어나 심근 전체가 괴사(壞死)하는 질환.
심금 (心琴) 명 외부의 자극을 받아 미묘하게 움직이는 마음.
심금(을) 울리다 구 자극을 받아 감동을 일으키다. ¶심금을 울리는 바이올린 선율.
심급 (審級) 명 〔법〕 동일 사건을 반복하여 심판하는 각각 다른 법원 사이의 심판 순서. 또는 그 상하 계급.
심기 (心氣) 명 마음으로 느끼는 기분. ¶할머니의 ~가 불편하다.
심기다 一타 ('심다'의 사동) 심게 하다. 二자 ('심다'의 피동) 심음을 당하다.
심기-일전 (心機一轉)[-쩐] 명하자 어떤 동기로 지금까지 품었던 생각과 마음의 자세를 완전히 바꿈. ¶~의 기회.
심:난-하다 (甚難-) 형여불 몹시 어렵다. 지난하다. ¶심난했던 지난날을 생각하니 눈물이 앞을 가린다.
심낭 (心囊) 명 심장과 대혈관의 기부를 싼 얇은 막. 심막(心膜). 염통주머니.
***심:다** [-따] 타 **1** 풀·나무의 뿌리 따위를 땅에 묻다. ¶동산에 나무를 ~/마당에 고추를 ~. **2** 마음에 확실히 자리 잡게 하다. ¶친절과 웃음으로 좋은 인상을 ~. **3** 새로운 사상이나 문화를 뿌리박게 하다.
심-대 (心-)[-때] 명 수레바퀴·팽이 등의 중심을 이루는 대. 축(軸).
심:대-하다 (甚大-) 형여불 매우 크다. ¶심대한 영향을 끼치다/남북 분단이 우리에게 미치는 고통은 말할 수 없이 ~.
심덕 (心德) 명 어질고 너그러운 마음씨. ¶~이 무던한 며느리.
심:도 (深度) 명 깊은 정도. ¶~ 있는 평론/신앙의 ~를 더해 가다.
심독 (心讀) 명하타 마음속으로 읽음. *묵독(默讀).
심-돋우개 (心-) 명 등잔의 심지를 돋우는 쇠꼬챙이.
심드렁-하다 형여불 **1** 마음에 탐탁지 않아 관심이 없다. ¶심드렁하게 반문하다/심드렁한 표정을 짓다. **2** 병이 더 중해지지도 않고 오래 끌다. **심드렁-히** 뷔
심란-하다 (心亂-)[-난-] 형여불 마음이 어수선하다. ¶심란하여 책을 읽을 수가 없다/입시 문제로 몹시 ~.
심려 (心慮)[-녀] 명하타 마음속으로 걱정함. 또는 그런 걱정. ¶~를 끼쳐 죄송합니다.
심:려 (深慮)[-녀] 명하타 마음 깊이 생각함. 또는 그런 생각.
심력 (心力)[-녁] 명 **1** 마음과 힘. ¶~을 기울이다/~을 다하여 어머니를 간호하다. **2** 마음이 미치는 힘.
심령 (心靈)[-녕] 명 **1** 의식의 본바탕. **2** 〔철〕 육체를 떠나서 존재한다고 생각되는 마음의 주체. **3** 〔심〕 과학으로는 설명할 수 없는 신비하고 불가사의한 심적 현상.
심령-술 (心靈術)[-녕-] 명 특이한 심령 현상을 일으키는 여러 가지 기술.
심로 (心勞)[-노] 명하자 마음을 수고스럽게 씀. 또는 그런 수고. ¶~를 끼치다/~가 쌓여 병이 나다.
심리 (心理)[-니] 명 〔심〕 **1** 마음의 움직임과 의식의 상태. ¶사춘기 청소년의 ~를 연구하다. **2** '심리학'의 준말.
심리 (審理)[-니] 명하타 〔법〕 사실 관계 및 법률 관계를 명확히 하려고 법원이 증거나 방법 따위를 심사하는 행위.
심리-극 (心理劇)[-니-] 명 〔심〕 사회적 부적응이나 인격 장애의 진단 및 치료를 목적으로 하는 방법으로서의 극. 사이코드라마.
심리 묘:사 (心理描寫)[-니-] 〔문〕 소설 등에서, 인물의 심리 상태나 심리적 변화를 그려 내는 일.
심리-전 (心理戰)[-니-] 명 명백한 군사적 적대 행위 없이 적군이나 상대국 국민에게 심리적인 자극과 압력을 주어 자기 나라의 정치·외교·군사 면에 유리하도록 이끄는 전쟁. 심리 전쟁.
심리-학 (心理學)[-니-] 명 〔심〕 생물체의 의식의 작용 및 현상에 관한 정신생활의 특질을 연구하는 학문. 준심리.
심-마니 명 산삼 캐는 일을 업으로 삼는 사람. 채삼꾼.
심-메 명 산삼을 캐러 산에 가는 일.
심메(를) 보다 구 산삼의 싹을 찾아내다.
심:모 (深謀) 명 깊은 계략이나 음모.
심목 (心目) 명 **1** 사물을 알아보는 마음과 눈. **2** 〔건〕 기둥의 중심선.
심문 (審問) 명하타 **1** 자세히 따져서 물음. **2** 민사 소송에서, 당사자 및 그 밖의 이해관계인에게 서면 또는 구술(口述)로 개별적으로 진술의 기회를 주는 일. ¶피고를 ~하다.
심미 (審美) 명 아름다움을 살펴 찾음.
심미-안 (審美眼) 명 아름다움을 살펴 찾는 안목.
심-박동 (心搏動) 명 〔생〕 심장이 주기적으로 줄었다 늘어났다 하는 운동.
심방 (心房) 명 〔생〕 심장 내강(內腔)의 상반부를 차지하는 부분(좌우로 구분됨). 염통방. *심실(心室).
심방 (尋訪) 명하타 방문하여 찾아봄. 심문(尋問). ¶가정 ~.
심벌 (symbol) 명 **1** 상징. **2** 기호.
심벌즈 (cymbals) 명 〔악〕 쇠붙이로 둥글넓

적하게 만든 타악기의 하나《두 장을 마주 치거나 한 장을 막대기로 쳐서 소리를 냄》.

심벽 (心壁) 명 흙으로 쌓은 둑 등에서, 물이 밖으로 새지 않도록 진흙 같은 재료를 그 심(心)에 넣는 벽체(壁體).

심병 (心病) 명 **1** 마음속의 근심. **2** 〖의〗 기쁘거나 슬픈 일로 심적 충격을 받을 경우에 까무러치는 병.

심-보 (心-)[-뽀] 명 마음보. ¶~가 고약스럽다.

심복 (心腹) 명 **1** 가슴과 배. **2** 매우 요긴하여 없어서는 안 될 사물. **3** '심복지인'의 준말. ¶~ 부하/~이 되어 일하다.

심복지인 (心腹之人) 명 마음 놓고 믿을 수 있는 부하. 준심복.

심:부 (深部) 명 깊은 부분. ¶조직의 ~를 파헤치다.

***심:부름** 명하자 남의 시킴이나 부탁을 받아 대신 해 주는 일. ¶~을 보내다.

심:부름-꾼 명 심부름을 하는 사람. ¶~을 부르다.

심-부전 (心不全) 명 〖의〗 대혈관을 통해서 심장으로 돌아오는 혈액을 심장이 충분히 내보내지 못하는 상태.

심사 (心思) 명 **1** 마음. ¶~가 편치 않다. **2** 고약한 마음보. ¶~가 나다/~를 부리다. [심사는 좋아도 이웃집 불붙는 것 보고 좋아한다] 원래 좋은 사람이라 할지라도 사람은 흔히 남의 불행을 좋아하는 경향이 있다는 말.

심사가 꼴리다 구 심술궂은 생각이 자꾸 일어나다.

심사(가) 사납다 구 마음보가 나쁘고 심술궂다. ¶그 사람은 심사가 사나워 말을 걸기가 무섭다.

심사가 틀리다 구 잘 대하려는 마음이 비뚤어져서 일을 방해하려는 마음이 나다.

심:사 (深思) 명하타 깊이 생각함. 또는 깊은 생각. 담사(潭思).

심사 (審査) 명하타 자세히 조사하여 등급이나 당락 따위를 결정함. ¶~에서 탈락하다/위원들의 ~ 결과를 듣다.

심:사-숙고 (深思熟考) 명하타 깊이 잘 생각함. ¶~하여 결정하다/~ 끝에 재수(再修)하기로 결심했다.

심산 (心算) 명 속셈. ¶돈을 줘도 안 받으니 무슨 ~인지 모르겠다.

심:산 (深山) 명 깊은 산.

심:산-유곡 (深山幽谷)[-뉴-] 명 깊은 산속의 으슥한 골짜기.

심살-내리다 [-쌀래-] 자 잔근심이 늘 마음에서 떠나지 아니하다.

심상 (心狀) 명 마음의 상태.

심상 (心喪) 명 상복은 입지 않되 상제와 같은 마음으로 언행을 삼감.

심상 (心象) 명 〖심〗 감각 기관의 자극 없이 의식 속에 떠오르는 인상. 이미지.

심상 (心想) 명 마음속의 생각.

심상-하다 (尋常-) 형여불 대수롭지 않고 예사롭다. 범상하다. ¶심상치 않은 사태. **심상-히** 부. ¶~ 보아 넘기지 마라.

심성 (心性) 명 **1** 타고난 마음씨. 심성정(心性情). ¶고운〔나약한〕 ~. **2** 〖불〗 변하지 않는 참된 마음.

심:성-암 (深成岩) 명 〖광〗 마그마가 지하에서 천천히 식어 굳어져서 이루어진 화성암.

심술 (心術) 명 **1** 온당하지 않게 고집을 부리는 마음. ¶공연한 ~로 남을 괴롭히다. **2** 남을 괴롭히기를 좋아하거나 남이 잘못되는 것을 좋아하는 심보.

심술(을) 내다 구 심술을 부리기 시작하다.

심술(을) 피우다 구 심술을 드러내다.

심술-궂다 (心術-)[-굳따] 형 심술이 매우 많다. ¶심술궂게 생긴 놈.

심술-기 (心術氣)[-끼] 명 심술을 내는 기색이나 태도. ¶표정에 ~가 가득하다.

심술-꾸러기 (心術-) 명 심술이 많은 사람. 심술쟁이.

심술-부리다 (心術-) 자 심술궂은 행동을 하다.

***심술-쟁이** (心術-) 명 심술꾸러기. ¶소문난 ~ 영감.

심신 (心身) 명 마음과 몸. ¶~을 단련하다/~이 피로하다.

심신 (心神) 명 마음과 정신.

심신 장애자 (心神障礙者) 〖법〗 정신 기능에 장애가 있는 사람《심신 상실자와 심신 미약자 또는 박약자로 나누어짐》.

심실 (心室) 명 〖생〗 심장 내강(內腔)의 하반부를 차지하는 부분《근육질의 벽을 가지고 있으며 그 수축하는 작동으로 혈액을 몸으로 내보냄》. *심방(心房).

심:심-산천 (深深山川) 명 아주 깊은 산천.

심심찮다 [-찬타] 형 (주로 '심심찮게'의 꼴로 쓰여) 드물지 않고 꽤 잦다. ¶심심찮게 손님들이 찾아들었다.

심심-파적 (-破寂) 명하자 심심풀이. ¶~으로 하는 농담.

심심-풀이 명하자 심심함을 잊고 시간을 보내기 위하여 무엇을 함. 심심파적. ¶~로 잡지를 읽다/~로 뜨개질을 하다.

심심-하다[1] 형여불 맛이 조금 싱겁다. ¶심심하게 간을 하다. 작삼삼하다. **심심-히** 부

***심심-하다**[2] 형여불 시간 보내기가 지루하고 재미가 없다. ¶심심해서 못 견디겠다/심심하던 참인데 자네 잘 왔네. **심심-히** 부

심:심-하다 (深甚-) 형여불 (주로 '심심한'의 꼴로 쓰여) 마음의 표현 정도가 매우 깊고 간절하다. ¶심심한 사과의 말씀을 드립니다/심심한 경의를 표하는 바입니다. **심:심-히** 부

심-쌀 (心-) 명 죽을 끓일 때 넣는 쌀.

심:악-스럽다 (甚惡-)〔-스러우니, -스러워〕 형ㅂ불 보기에 가혹하고 야박한 태도가 있다. **심:악-스레** 부

심:악-하다 (甚惡-)[-아카-] 형여불 **1** 몹시 악하다. **2** 가혹하고 인정이 없다.

심안 (心眼) 명 사물을 살펴 분별하는 능력. 또는 그런 작용. 마음눈. ↔육안.

심:야 (深夜) 명 깊은 밤. ¶~ 방송〔영업〕/~에도 불야성을 이루고 있는 거리.

심약-하다 (心弱-)[-야카-] 형여불 마음이 여리고 약하다. ¶심약한 성격〔기질〕.

심:연 (深淵) 명 **1** 깊은 못. 소(沼). **2** 좀처럼 헤어나기 힘든 깊은 구렁의 비유. ¶절망적인 ~에 빠지다/인간성의 어두운 ~을 들여다보다.

심열 (心熱) 명 **1** 무엇을 간절히 바라는 마

음. **2**〔한의〕 울화로 생기는 열.
심:오-하다 (深奧-) [형][여불] 사상이나 이론 따위가 깊고 오묘하다. ¶심오한 교의(敎義) / 심오한 이치.
심원 (心願) [명][하타] 마음으로 바람. 또는 그런 일. ¶아들의 합격을 ~하는 어머니들의 소망.
심:원-하다 (深遠-) [형][여불] 쉽게 헤아릴 수 없을 만큼 깊다. ¶심원한 철리(哲理)를 깨닫다.
심:의 (審議)[-/-이] [명][하타] 심사하고 논의함. ¶개정안을 ~하다 / ~를 통과하다.
심:의-회 (審議會)[-/-이-] [명] 어떤 사항을 심의하기 위하여 모이는 회. ¶~를 소집하다.
심이 (心耳) [명] 〔생〕 좌우 심방의 일부가 귀처럼 앞쪽으로 튀어나온 부분.
심인 (心因) [명] 정신적·심리적인 원인. ↔외인(外因).
심인 (尋人) [명][하자] 사람을 찾음. 또는 찾는 사람. ¶~ 광고를 내다.
심장 (心腸) [명] 마음의 속내.
*__심장__ (心臟) [명] **1**〔생〕 혈관 계통의 중추적 구실을 하는 기관《혈액을 신체 각부에 순환시킴》. 염통. ¶환자의 ~ 박동이 고르지 않다. **2** 사물의 중심이 되는 중요한 곳의 비유. ¶자동차의 ~이라 할 수 있는 엔진. **3** 뱃심을 두고 이르는 말.
심장을 찌르다 [구] ㉠핵심을 찌르거나 공격하다. ㉡감정이나 마음을 자극하다.
심장이 강하다 [구] 비위가 좋고 뱃심이 세다.
심장이 끓다 [구] 어떤 마음이 용솟음치다.
심장이 약하다 [구] 마음이 약하고 숫기가 없다. 뱃심이 없다.
심장 마비 (心臟痲痺) 〔의〕 심장의 기능이 갑자기 정지되는 일. ¶~를 일으키다.
심장-병 (心臟病)[-뼝] [명] 〔의〕 심장에 생기는 병의 총칭《심장 내막염·심장 판막증·심장염·심장 파열 등》.
심장-부 (心臟部) [명] **1** 심장이 있는 부분. **2** 중심이 되는 가장 중요한 부분의 비유. ¶국가 통치의 ~ / 적의 ~를 강타하다.
심:장-하다 (深長-) [형][여불] 깊고 함축성이 있다. ¶의미가 심장한 말.
심재 (心材) [명] 나무줄기의 중심부에 있는 단단한 부분. 또는 그것으로 된 재목.

수피 변재 심재

심재

심적 (心的)[-쩍] [관][명] 마음에 관한 (것). ¶~(인) 고통〔타격〕. ↔물적.
심전-도 (心電圖) [명] 심장의 수축에 따르는 활동 전류를 곡선으로 기록한 도면.
심절 (心絕) [명][하자] 마음을 끊는다는 뜻에서, 교제를 아주 끊어 버림.
심:절-하다 (深切-) [형][여불] 깊고 절실하다.
심정 (心情) [명] 마음속에 품고 있는 생각이나 감정. ¶~을 이해하다 / 괴로운 ~을 털어놓다.
심주 (心柱) [명] 마음의 줏대.
심-줄 [-쭐] [명] '힘줄'의 변한말. ¶목에 ~을 세우고 항의하다.
심중 (心中) [명] 마음속. ¶~을 헤아리다 / ~에 묻어 두다.
심:중-하다 (深重-) [형][여불] **1** 생각이 깊고 침착하다. **2** 심각하고 중대하다. **심:중-히** [부]. ¶~ 생각해 보다.
심증 (心證) [명] **1** 마음에 받는 인상(印象). **2**〔법〕 법관이 소송 사건 심리에서 얻은 인식 상태나 확신의 정도. ¶~을 굳히다.
심지 (心-) [명] **1** 남포등·초·등잔 따위에 불을 붙이기 위해 꼬아서 꽂은 실이나 헝겊. 등심(燈心). ¶호롱불의 ~를 돋우다. **2** 남포나 폭탄 따위를 터뜨리기 위하여 불을 붙이게 되어 있는 줄. ¶뇌관 ~에 불을 붙이다. **3** 구멍이나 틈에 박는 솜이나 헝겊. ¶상처가 난 자리에 ~를 박다.
심지 (心地) [명] 마음의 본바탕. 마음자리. 심전(心田). ¶~가 따뜻한 사람.
심지 (心志) [명] 마음에 품은 의지. ¶~가 강하다 / ~가 굳은 사람.
심지가 깊다 [구] 생각하는 것이 성숙하고 믿음직하다. ¶그는 심지가 깊어 믿을 만하였다.
심:지어 (甚至於) [부] 심하다 못해 나중에는. ¶~ 주먹질까지 했다.
심:충 (深衷) [명] 깊은 속마음.
심취 (心醉) [명][하자] 어떤 일이나 사람에 빠져 마음을 빼앗김. ¶그 작가의 작품에 ~하다.
심:취 (深醉) [명][하자] 술 따위에 몹시 취함. ¶~하여 정신을 잃다.
심:층 (深層) [명] 속의 깊은 층. ¶청소년 문제를 ~ 취재하다.
심:층 심리학 (深層心理學)[-니-] 정신의 의식적 부분에 대해 무의식적 부분의 기능을 연구하는 심리학.
심토 (心土) [명] 표토(表土) 아래층의 토양.
심-통 [명] 〔광〕 여러 도막으로 끊어져 있는 광맥.
심통 (心-) [명] 마땅치 않게 여기는 나쁜 마음. ¶~이 사납다 / ~을 부리다. *심술.
[심통이 놀부 같다] 놀부처럼 마음이 곱지 못하고 욕심이 많다.
심통 (心痛) [명][하형] 마음이 괴롭고 아픔. ¶~한 표정을 짓다.
심:통 (深痛) [명][하자] 몹시 아파하거나 슬퍼함. 또는 그런 슬픔.
*__심:판__ (審判) [명][하타] **1**〔법〕 사건을 심리해 판단 또는 판결함. ¶~을 기다리다. **2** 경기에서 규칙의 준수 여부나 승패 등을 판정함. 또는 그런 일이나 사람. ¶~이 공정하다. **3**〔기〕 하느님이 세상의 선악을 가려 불의한 사람에게 벌을 내림. 또는 그런 일. ¶최후의 ~.
심:판-관 (審判官) [명] **1** 심판원. **2** 군사 법원의 재판관으로 임명된 군판사 이외의 장교.
심:판-대 (審判臺) [명] **1** 심판원이 경기를 심판하도록 만든 대. **2** 선악이나 가부에 대한 판단을 내리는 자리. ¶~에 오르다.
심:판-원 (審判員) [명] 경기의 심판을 하는 사람. 심판관. 엄파이어. 레퍼리.
심폐 (心肺)[-/-페] [명] 심장과 폐.
심포니 (symphony) [명] 〔악〕 교향곡.
심포니 오케스트라 (symphony orchestra)

〖악〗 교향악단.

심포지엄 (symposium) 명 한 문제를 두 명 이상이 각기 다른 면에서 고찰한 바를 설명한 후, 청중·사회자 등의 질문에 답변하는 토론의 한 형식.

심피 (心皮) 명 〖식〗 속씨식물에서 암술이 되는 잎.

***심:-하다** (甚-) 형 여불 정도가 지나치다. ¶ 통증이 ~/말이 너무 ~. **심:-히** 부. ¶~ 괴롭다.

심:해 (深海) 명 깊은 바다. 보통 수심이 200 m 이상의 깊은 곳. ¶~ 어로 작업. ↔ 천해.

심:해-어 (深海魚) 명 수심 200-1000 m 의 깊은 바다 속에서 사는 어류.

심혈 (心血) 명 **1** 심장의 피. **2** 가지고 있는 최대의 힘. ¶연구에 ~을 기울이다.

심:-호흡 (深呼吸) 명 하자 폐 속으로 될 수 있는 한 많은 공기가 드나들게 하는 호흡. 깊은숨. ¶정상에 올라 ~을 하다.

심혼 (心魂) 명 마음과 혼. 마음과 정신. ¶ ~을 기울이다.

심화 (心火) 명 **1** 마음속에서 북받치는 울화. ¶~가 나다/~를 끓이다. **2** 〖한의〗 마음속의 울화로 가슴이 답답하고 몸에 열이 나는 병. 심화병.

심:화 (深化) 명 하자 타 정도가 점점 깊어짐. 또는 깊어지게 함. ¶감정 대립이 한층 ~ 되다/빈부 격차가 더욱 ~되다.

심회 (心懷) 명 마음속에 품고 있는 생각이나 느낌. 심서(心緒). ¶~를 달래다.

심:후-하다 (深厚-) 형 여불 깊고 두텁다.

심흉 (心胸) 명 가슴속 깊이 간직한 마음. ¶ ~을 꿰뚫어 보다.

***십** (十) 수 관 열. ¶~의 2배는 20이다/ ~ 년의 세월.

[십 년 세도 없고 열흘 붉은 꽃 없다] 부귀영화란 오래 지속하지 못한다.

십간 (十干) 명 천간(天干).

십-계명 (十誡命)[-/-께-] 명 〖기〗 하느님이 모세를 통하여 이스라엘 민족에게 내렸다는 열 가지의 계시《어버이를 공경할 것, 간음하지 말 것, 도둑질하지 말 것 등》.

십년-감수 (十年減壽)[심-] 명 하자 수명이 십 년이 줄어든다는 뜻으로, 심한 공포나 위험 따위를 겪고 하는 말. ¶얼마나 혼났는지 ~했다.

십년-공부 (十年工夫)[심-] 명 오랜 세월을 두고 쌓은 공.

[십년공부 나무아미타불; 십년공부 도로 아미타불] 오랫동안 공들여 해 온 일이 허사가 됨을 이르는 말.

십대 (十代) 명 **1** 열 번째의 대. ¶~째 서울에 살고 있다. **2** 10세에서 19세까지의 나이. 또는 그 나이의 사람들.

십만 (十萬)[심-] 수 관 만(萬)의 열 배가 되는 수효. ¶~에 달하는 군중/~ 대군을 이끌다/~ 원.

십분 (十分) 부 넉넉히. 충분히. ¶~ 이해하다/능력을 ~ 발휘하다.

-십사 어미 받침이 없는 동사 어간에 붙어, '바람'·'소망'을 나타내는 합쇼체의 종결어미. ¶소원을 들어 주~ 하고 빌었다. *-으십사.

십상 ㊀명 〔←십성(十成)〕 썩 잘된 일이나 물건을 두고 이르는 말. ¶주머니칼로는 ~이다. ㊁부 꼭 맞게. 썩 잘 어울리게. ¶책상으로 쓰기에 ~ 좋다.

십상 (十常) 명 '십상팔구'의 준말. ¶날마다 술이나 퍼먹다가는 몸 상하기 ~이다.

십상-팔구 (十常八九) 명 열에 여덟이나 아홉 정도로 거의 예외가 없음. 십중팔구. ¶ 늦게 일어났으니 지각은 ~이다. 준십상.

십시일반 (十匙一飯) 명 밥 열 술이 한 그릇이 된다는 뜻으로, 여러 사람이 힘을 합하면 한 사람을 돕기 쉬움을 이르는 말.

십오-야 (十五夜) 명 음력 보름날 밤. 삼오야(三五夜). ¶~ 밝은 달.

십이-시 (十二時) 명 하루를 열둘로 나누어 십이지(十二支)의 이름을 붙여 일컫는 열두 시(時).

십이-월 (十二月) 명 **1** 한 해 열두 달 중의 마지막 달. **2** 섣달.

십이-율 (十二律) 명 〖악〗 전통 국악에서 열두 음의 이름《육률(六律)과 육려(六呂)》.

십이-지 (十二支) 명 지지(地支)를 달리 이르는 말.

십이지-장 (十二指腸) 명 〖생〗 소장(小腸)의 일부로서 위(胃)의 유문(幽門)에 이어지는 부분《길이는 25-30 cm 이며, 'C' 자 형으로 굽음. 점액과 소화액을 분비하며 쓸개즙과 췌액을 받아들여 소화를 도움》. 샘창자.

십이지장-충 (十二指腸蟲) 명 〖동〗 선충류의 기생충《몸은 젖빛, 길이는 1 cm 정도이고, 사람의 십이지장에 기생함》. 채독벌레.

십인-십색 (十人十色) 명 사람의 모습이나 생각이 저마다 다름. ¶사람의 얼굴이 저마다 ~이다.

십일-월 (十一月) 명 **1** 한 해 열두 달 중 열한째의 달. **2** 동짓달.

십일-조 (十一租)[-쪼] 명 **1** 〖역〗 중세 유럽 교회가 교구민에게 과세 대상의 10분의 1의 비율로 징수하던 세. **2** 〖기〗 교인들이 자기 수입의 10분의 1을 헌납함을 일컬음.

십자 (十字) 명 '十' 자와 같은 모양.

십자-가 (十字架) 명 **1** 예전에, 서양에서 죄인을 못 박아 죽이던 십자형의 형틀. **2** 〖기〗 기독교도를 상징하는 '十' 자 모양의 표《예수가 못 박혀 죽은 표상으로서 예배의 대상임》.

십자가를 지다 구 큰 죄나 고난 따위를 떠맡다.

십자-군 (十字軍) 명 **1** 〖역〗 중세 서유럽의 기독교도가 이슬람교도를 정벌하고자 일으킨 전쟁(1096-1291). **2** 이상이나 신념을 위해 집단적 전투를 하는 군대. ¶평화의 ~.

십자-로 (十字路) 명 네거리.

십-자매 (十姉妹) 명 〖조〗 참새목의 새. 참새 비슷하며 길이는 12 cm 정도이고, 빛은 희며 가슴에 갈색 띠가 있고 눈알은 붉음.

십자-수 (十字繡) 명 실을 십자형으로 엇갈리게 놓는 수. 크로스스티치.

십자 포화 (十字砲火) 전후좌우에서 쏘아 교차되어 떨어지는 포탄. 십자화(火).

십자-표 (十字表) 명 가로나 세로로 읽어도 모두 말이 되는 그림표.

십자-형 (十字形) 명 한자의 열십자꼴. 곧, '十'의 형상.

십장 (什長) 명 **1** 공사장 같은 데서 인부를 감독·지시하는 우두머리. **2**〔역〕 병졸 열 사람 가운데의 두목.

십-장생 (十長生) 명 죽지 않고 오래 산다는 열 가지. 곧, 해·산(山)·물·돌·구름·소나무·불로초(不老草)·거북·학·사슴.

십전 (十全) 명하형 **1** 모두가 갖추어져 전혀 결점이 없음. 완전함. **2** 조금도 위험이 없음. 안전함.

십종 경:기 (十種競技) 육상 경기의 하나. 한 선수가 이틀 동안 열 종목을 겨루어 얻은 총득점으로 등수를 가리는 경기(《첫날에 100 m·400 m 달리기·멀리뛰기·포환던지기·높이뛰기, 둘째 날에 110 m 장애물 달리기·원반던지기·장대높이뛰기·창던지기·1,500 m 달리기 등을 겨룸》).

십중-팔구 (十中八九) 명 십상팔구(十常八九). ¶그의 말은 ~ 거짓말이다.

십지 (十指) 명 열 손가락.

십진급-수 (十進級數) 명〔수〕 십진법으로 얻은 여러 가지의 단위에 붙는 이름(《십·백·천·만·억, 또는 할·푼·리·모 따위》).

십진-법 (十進法)[-뻡] 명 숫자 0·1·2·3·4·5·6·7·8·9를 기수(基數)로 하고, 9에 1을 더한 것을 10으로 하여, 순차로 10배마다 윗자리로 하나씩 올라가는 수의 표시법. 곧, 백·천·만 따위가 붙음. 십승법(十乘法).

십진-분류법 (十進分類法)[-불-뻡] 명 도서 분류법의 하나. 10개의 기초류(基礎類)로 나눠, 그 아래에 10개의 강·목을 두고 모든 것을 아라비아 숫자로 표기함.

십진-수 (十進數) 명〔수〕 십진법으로 나타낸 수. 십단위수.

십팔-금 (十八金) 명 금의 순도를 나타내는 말로, 순금의 금분(金分)을 24라 할 때 금분 18을 가진 금.

십팔-기 (十八技) 명 중국에서 전해 온 18가지 무예. 십팔반무예.

십팔-번 (十八番) 명 〈속〉 가장 자랑으로 여기는 재주. 특히, 가장 잘 부르는 노래. 장기(長技). ¶장타령이 그의 ~이다.

싯- [싣] 두 (어두음이 울림소리이고 첫 음절의 모음이 'ㅓ'·'ㅜ'인 말 앞에서) 빛깔이 짙고 선뜻함을 나타내는 말. ¶~누렇다. 작샛-. *시-.

싯-누렇다 [싣-러타]〔싯누러니, 싯누러오〕 형ㅎ불 매우 누렇다. ¶홍수가 진 들판이 온통 ~. 작샛노랗다.

싯-누레지다 [싣-] 자 싯누렇게 되다. ¶흙먼지를 뒤집어쓴 옷이 싯누레졌다. 작샛노래지다.

싯다르타 (산 Siddhārtha) 명〔불〕 석가모니가 출가하기 전, 태자 때의 이름.

싯-멀겋다 [싣-거타]〔싯멀거니, 싯멀거오〕 형ㅎ불 빛깔이 매우 멀겋다. 작샛말갛다.

싯-멀게지다 [싣-] 자 싯멀겋게 되다. 작샛말개지다.

싯-발 (詩-)[시빨/싣빨] 명 시를 지을 때 다는 운자(韻字).

싯발(을) 달다 구 ㉠한시를 처음 배워 겨우 압운(押韻)을 다는 법을 익히게 되다. ㉡시를 지을 때 운자를 달다.

싱건-지 명 김장 때 삼삼하게 담근 무김치. 싱건김치.

싱겁다〔싱거우니, 싱거워〕 형ㅂ불 **1** 짜지 않다. ¶찌개가 ~. **2** 술이나 담배 따위의 맛이 독하지 않다. **3** 말이나 행동이 상황에 어울리지 않게 어색하다. ¶싱거운 사람. **4** 주위 여건에 체격이 어울리지 아니하다. ¶싱겁게 키만 크다.

[싱겁기는 고드름장아찌라] 사람이 매우 멋없고 싱겁기만 하다는 말.

싱그럽다〔싱그러우니, 싱그러워〕 형ㅂ불 싱싱하고 향기롭다. ¶싱그러운 5월의 신록/싱그러운 꽃향기.

싱그레 부하자 눈과 입을 슬며시 움직이며 소리 없이 부드럽게 웃는 모양. ¶대답 대신 ~ 웃는다. 작생그레. 센씽그레.

싱글 (single) 명 **1** 한 개. 단일. ¶~ 홈런/~ 침대. **2** 테니스·탁구 따위에서, 단식 시합. **3** 〈속〉 독신. ¶그는 아직 ~이라더라.

싱글 부 눈과 입을 슬며시 움직이며 소리 없이 정답게 웃는 모양.

싱글-거리다 자 눈과 입을 슬며시 움직이며 소리 없이 정답게 자꾸 웃다. ¶혼자 좋아서 ~. 작생글거리다. 센씽글거리다. **싱글-싱글** 부하자

싱글-대다 자 싱글거리다.

싱글-벙글 부하자 눈과 입을 슬며시 움직이며 소리 없이 정답고 환하게 웃는 모양. ¶아이가 엄마를 보고 ~하다. 센씽글뻥글.

싱글-베드 (single bed) 명 일인용의 작은 침대. *더블베드.

싱긋 [-귿] 부하자 눈과 입을 슬며시 움직이며 소리 없이 가볍게 웃는 모양. ¶눈이 마주치자 ~ 웃으며 인사를 하다. 작생긋. 센싱끗·씽긋·씽끗.

싱긋-거리다 [-귿꺼-] 자 소리 없이 자꾸 정답게 눈웃음치다. 작생긋거리다. **싱긋-싱긋** [-귿씽귿] 부하자

싱긋-대다 [-귿때-] 자 싱긋거리다.

싱긋-빙긋 [-귿삥귿] 부하자 눈과 입을 슬며시 움직이며 소리 없이 가볍게 슬쩍 웃는 모양. 센씽긋뻥긋·씽끗뻥끗.

싱긋-이 부 싱긋. ¶대답 대신 ~ 웃다. 작생긋이. 센싱끗이·씽긋이·씽끗이.

싱끗 [-끋] 부하자 소리 없이 가볍게 슬쩍 눈웃음치는 모양. ¶그는 ~ 한 번 웃어 보이더니 가 버린다. 작생끗. 여싱긋. 센씽끗.

싱끗-거리다 [-끋꺼-] 자 소리 없이 자꾸 정답게 눈웃음치다. 작생끗거리다. **싱끗-싱끗** [-끋씽끋] 부하자

싱끗-대다 [-끋때-] 자 싱끗거리다.

싱끗-이 부 싱끗. 작생끗이. 여싱긋이. 센씽끗이.

싱둥-하다 형여불 싱싱하게 생기가 있다.

싱숭-생숭 부하형 마음이 들떠서 어수선하고 갈팡질팡하는 모양. ¶인사이동으로 사무실 분위기가 ~하다/졸업을 앞둔 언니의 마음은 ~해 보였다.

***싱싱-하다** 형여불 **1** 본디 그대로의 생기가 있다. ¶생선이 ~. **2** 빛깔이 맑고 산뜻하다. ¶싱싱한 나뭇잎. **3** 원기가 왕성하다. ¶싱싱한 젊음. 작생생하다. 센씽씽하다. **싱싱-히** 부

싱크-대 (sink臺) 명 조리할 때나 설거지를 할 때 쓰는 부엌 세간. 설거지대(臺).

싱크로나이즈드 스위밍 (synchronized

swimming) 음악 리듬에 맞춰 수영하면서 기술의 정확함과 표현의 아름다움을 겨루는 경기의 일종《솔로·듀엣과 4-8인이 하는 팀의 3종목이 있음》. 수중 발레.

싱크홀 (sinkhole) 명 땅이 움푹 꺼져 생긴 구멍. 또는 그렇게 땅이 갑자기 꺼지는 현상.

***싶다** [십따] 보형 1 용언의 어미 '-고'의 뒤에 쓰여, 하고자 하는 마음이나 욕구를 나타냄. ¶가고 ~/자고 ~/좋은 것을 가지고 싶어 하는 것은 인지상정이다. 2 (←시프다) 어미 '-ㄴ가'·'-은가'·'-는가'·'-ㄹ까'·'-을까'의 뒤에 쓰여, 근사함이나 추측됨을 확실하지 않게 나타냄. ¶너무 많은가 ~/무엇인가 싶어 보았더니 별것 아니더라. 3 어미 '-면' 뒤에 쓰여, 그렇게 되었으면 좋겠다는 뜻을 나타냄. ¶이겼으면 ~/그게 사실이면 ~/사실이 아니었으면 ~.

-싶다 [십따] 미 '듯'이나 '성'에 붙어서 '듯싶다'나 '성싶다'를 이룸. ¶내일쯤 갈 듯 ~/꼭 될 성~.

ㅆ (쌍시옷[-옫]) 《언》 'ㅅ'의 된소리. 혀앞바닥을 윗잇몸에 거의 붙이다시피 바짝 올려 날숨이 그 사이를 비집고 나오면서 마찰하여 나는 안울림소리.

-ㅆ- 선어미 'ㅏ'·'ㅓ'로 끝나는 받침 없는 어간 뒤에서, '-았-'·'-었-'의 '아'·'어'가 탈락된 꼴. ¶온 마을에 홍수가 났다/그는 집으로 갔다. *-았-·-었-.

싸각 부 1 사과나 과자 따위를 씹을 때 나는 소리. 2 갈대 따위가 스칠 때 나는 소리. 큰써걱. 여사각.

싸각-거리다 자타 1 배·사과 따위가 씹히는 소리가 자꾸 나다. 또는 그런 소리를 자꾸 내다. ¶아이가 사과를 싸각거리며 먹는다. 2 갈대 같은 것이 스치는 소리가 자꾸 나다. 또는 그런 소리를 자꾸 내다. 큰써걱거리다. 여사각거리다. **싸각-싸각** 부하자타

싸각-대다 자타 싸각거리다.

싸개 명 1 물건을 싸는 종이나 헝겊. ¶책~. 2 '싸개통'의 준말. ¶~가 나다. 3 '갓싸개'의 준말.

싸개-질 명하타 1 물건을 포장하는 일. 2 의자나 침대 등의 눕거나 앉을 자리를 헝겊이나 가죽으로 싸는 일.

싸개-통 명 1 여러 사람이 둘러싸고 다투며 승강이를 벌이는 판. ¶그런 ~에 무슨 장사가 되겠느냐. 2 여러 사람에게 둘러싸여 욕먹는 일. 준싸개.

싸개-판 명 싸개통이 벌어진 판. ¶~에 휘말리다.

싸고-돌다 (-도니, -도오) 타 1 중심을 싸고 그 둘레에서 움직이다. 2 누구를 두둔하여 행동하다. ¶당신 아이만 싸고돌지 마시오. 준싸돌다.

싸구려 一명 값이 싸거나 품질이 좋지 않은 물건. ¶~ 옷이라도 그녀가 입으면 맵시가 났다. 二감 상인이 손님을 끌기 위해 싸다는 뜻으로 외치는 소리.

싸느랗다 [-라타] (싸느라니, 싸느라오) 형 ㅎ불 1 날씨가 쌀쌀하게 차다. ¶가을비 온 뒤의 싸느란 날씨. 2 찬 느낌이 들 정도로 싸늘하다. ¶볼이 ~. 3 갑자기 놀라거나 무서워 마음속에 찬 기운이 도는 것 같다. ¶표정이 싸느랗게 굳어지다. 큰써느렇다. 여사느랗다.

***싸늘-하다** 형여불 1 날씨 같은 것이 선선하고 추운 느낌이 있다. ¶싸늘한 겨울 날씨. 2 시체 같은 것이 찬 느낌을 주다. ¶시신은 벌써 싸늘해졌다. 3 마음속에 차가운 기운이 돌다. ¶분위기가 ~. 큰써늘하다. 여사늘하다. **싸늘-히** 부

***싸다**[1] 타 1 보자기나 종이 등으로 물건을 안에 넣고 보이지 않게 하다. ¶이 물건을 싸 주시오. 2 보살펴 두둔하다. 감싸다.

싸다[2] 타 불씨를 꾸러미 속에 넣어 불 지를 자리에 놓다.

싸다[3] 타 똥·오줌 등을 가리지 못하고 함부로 누다.

싸다[4] 형 1 들은 말 따위를 잘 퍼뜨리다. ¶입이 싸서 따돌림을 받다. 2 걸음이 빠르다. ¶싸게 걷다. 3 물레 같은 것이 재빠르게 돌다. ¶싸게도 돈다. 4 불기운이 세다. ¶싼 불로 끓이다. 5 성질 같은 것이 곧고 굳세다. ¶성깔이 너무 ~. 6 기울기가 가파르다. ¶물매가 ~.

***싸다**[5] 형 1 물건 값이 마땅한 값보다 적다. ¶철 지난 옷을 싸게 팔다. ↔비싸다. 2 저지른 일에 비해서 받는 벌이 마땅하거나 오히려 적다. ¶하는 짓을 보면 욕먹어 ~. [싼 것이 비지떡] 값이 싼 물건은 그만큼 품질도 떨어진다는 말.

싸-다니다 자타 여기저기 채신없이 바삐 돌아다니다. ¶어디를 그렇게 싸다니다가 지금 오니. 준싸대다.

싸-대다 자타 '싸다니다'의 준말.

싸-돌다 (싸도니, 싸도오) 타 '싸고돌다'의 준말.

싸-돌아다니다 자타 여기저기 마구 돌아다니다. ¶밤이 이슥하도록 ~.

싸라기 명 1 쌀의 부스러기. ¶~로 쑨 죽. 2 '싸라기눈'의 준말.

싸라기-눈 명 빗방울이 갑자기 찬 바람을 만나 얼어 떨어지는 쌀알 같은 눈. 준싸라기·싸락눈.

싸락-눈 [-랑-] 명 '싸라기눈'의 준말. ¶~이 날리다.

싸리 명 《식》 싸리나무.

싸리-나무 명 《식》 콩과의 낙엽 활엽 관목. 산지에 남. 잎은 세 잎이 나오고 한여름에 짙은 자색이나 홍자색 꽃이 핌. 나무껍질은 섬유용으로 씀. ¶~로 울타리를 치다.

싸리-문 (-門) 명 싸릿가지를 엮어 만든 문.

싸리-버섯 [-섣] 명 《식》 싸리버섯과의 버섯. 산속의 활엽수 숲 밑에 남. 높이와 폭은 15 cm 정도이며, 모양은 양배추와 비슷함. 가지 끝은 담자색 또는 자홍색이며, 다른 곳은 흼. 가을에 식용함.

싸리-비 명 싸리의 가지를 묶어 만든 비. 주로 마당비로 씀.

싸릿-개비 [-리깨-/-릳깨-] 명 싸리의 한 줄기나 쪼갠 한 도막.

싸릿-대 [-리때/-릳때] 명 싸리의 줄기. ¶~로 만든 회초리.

싸-매다 타 보자기 따위로 물건을 싸서 풀어지지 않게 꼭 매다. ¶상처를 붕대로 ~.

싸-안다 [-따] 타 1 두 팔로 감싸 안다. ¶아이가 얼굴을 싸안고 울다. 2 싸서 안다. ¶

아기를 포대기로 ~.
***싸우다** 자 **1** 말이나 힘·무기 따위로 상대를 이기려고 다투다. ¶사소한 일로 ~. **2** 기량의 우열을 가리다. ¶권투 시합에서 우승을 놓고 ~. **3** 장애·곤란 등을 극복하려고 애쓰다. ¶병마와 ~ / 가난과 싸워 가며 공부하다.
싸울-아비 명 무사(武士).
***싸움** 명하자 싸우는 일. ¶~이 벌어지다. 준쌈.
[싸움은 말리고 흥정은 붙이랬다] 나쁜 일은 말리고 좋은 일은 권하는 것이 좋다.
싸움-꾼 명 싸움을 잘하는 사람. ¶그는 ~으로 소문이 났다.
싸움-닭 [-딱] 명 닭싸움에 이용하는 수탉. 투계(鬪鷄).
싸움-질 명하자 싸우는 짓. ¶그는 툭하면 ~을 벌인다.
싸움-터 명 전쟁이나 싸움이 벌어진 곳. 전장(戰場). 전지(戰地). 전쟁터. ¶~로 나가다. 준쌈터.
싸움-판 명 싸움이 벌어진 판. ¶밤낮 술타령에 아무하고나 ~을 벌인다. 준쌈판.
싸이다[1] 자 **1** 《'싸다[1]'의 피동》 둘러쌈을 당하다. ¶보자기에 싸인 옷가지. **2** 헤어나지 못할 만큼 분위기나 상황에 뒤덮이다. ¶수심에 싸인 얼굴 / 의문에 싸인 죽음. 준쌔다.
싸이다[2] 타 《'싸다[3]'의 사동》 대소변을 싸게 하다. ¶아이에게 오줌을 ~.
싸-잡다 타 **1** 한꺼번에 그 가운데 들게 하다. ¶모두를 싸잡아서 비난하다. **2** 손 따위로 움켜잡다. ¶그는 돈다발을 두 손으로 꼭 싸잡았다.
싸-잡히다 [-자피-] 자 《'싸잡다'의 피동》 싸잡음을 당하다. ¶싸잡혀 야단을 맞다.
싸-전 (-廛) 명 쌀과 그 밖의 곡식을 파는 가게. 미전(米廛).
[싸전에 가서 밥 달라고 한다] 성질이 몹시 급함의 비유.
싸-지르다[1] 〔싸지르니, 싸질러〕 자타르불 〈속〉 싸다니다.
싸-지르다[2] 〔싸지르니, 싸질러〕 타르불 **1** 〈속〉 싸다[2]. **2** 〈속〉 싸다[3].
싸:-하다 형여불 혀나 목구멍 또는 코에 아린 듯한 느낌이 있다. ¶겨자 맛이 코에 ~.
***싹**[1] 명 **1** 씨앗·줄기 따위에서 처음 돋는 어린잎이나 줄기. ¶~이 트다. **2** 어떤 기운이 움트기 시작하는 시초의 비유. ¶농촌 근대화의 ~이 자라기 시작하다. **3** '싹수'의 준말.
싹도 없다 구 자취가 전혀 보이지 않다.
싹이 노랗다 구 가능성이나 희망이 애초부터 보이지 않는다는 말. 싹수가 노랗다.
싹[2] 부 **1** 종이나 헝겊 따위를 한 번에 베는 소리. 또는 그 모양. **2** 거침없이 밀거나 쓸거나 비비는 소리. 또는 그 모양. ¶불도저로 ~ 밀어 버리다. 큰썩. **3** 조금도 남기지 않고 죄다. ¶핏기가 ~ 가시다. 여삭. **4** 전혀 책임을 회피하거나 모른 체하는 모양. ¶~ 돌아서서 모른 체하다.
싹둑 부 연한 물건을 단번에 베거나 자르는 모양이나 소리. ¶사과를 ~ 한 입 베다. 큰썩둑. 여삭둑.
싹둑-거리다 타 연한 물건을 계속해서 베거나 자르는 소리를 내다. 큰썩둑거리다. 여삭둑거리다. **싹둑-싹둑** 부하타. ¶미용사가 긴 머리카락을 ~ 자르다.
싹둑-대다 타 싹둑거리다.
싹둑싹둑-하다 [-뚜카-] 형여불 글이 토막토막 끊어져 문맥이 순조롭지 않다.
싹-수 명 앞길이 트일 낌새나 징조. ¶~가 있다 / ~가 틀렸다. 준싹.
싹수가 노랗다 구 싹이 노랗다. *싹[1].
싹수-없다 [-업따] 형 장래성이 없다. 준싹없다. **싹수-없이** [-업씨] 부
싹-싹 부 **1** 여러 번 싹 하는 모양. 또는 그 소리. ¶종이를 ~ 자르다. **2** 조금도 남김없이 죄다. ¶돈을 ~ 쓸어 가다. **3** 거침없이 자꾸 밀거나 쓸거나 비비는 소리. 또는 그 모양. ¶~ 쓸어라 / ~ 문질러라 / 잘못했다고 ~ 빌다. 큰썩썩. 여삭삭.
싹싹-거리다 자타 싹싹 소리가 자꾸 나다. 또는 그런 소리를 자꾸 내다. 큰썩썩거리다. 여삭삭거리다.
싹싹-대다 자타 싹싹거리다.
싹싹-하다 [-싸카-] 형여불 눈치가 빠르고 사근사근하다. ¶싹싹하게 대답하다 / 싹싹한 맛이라고는 조금도 없는 여자다.
싹쓸-바람 명 〖기상〗 풍력 계급 12의 바람. 초속 32.7m 이상의 바람으로, 흔히 '태풍'이라 일컬음. ☞풍력 계급.
싹-쓸이 명하타 남김없이 싹 쓸어 없앤다는 뜻으로, 모두 없애거나 차지하는 일. ¶판돈을 ~하다.
싹-트다 〔싹트니, 싹터〕 자 어떤 생각·감정이나 현상 따위가 처음 생겨나다. ¶새로운 인식이 ~ / 사랑이 ~.
싼-값 [-갑] 명 시세에 비하여 헐한 값. 염가. ¶집을 ~에 내놓다 / ~으로 사다.
싼-흥정 명하타 싼값으로 사고파는 일. ↔ 비싼흥정.
***쌀** 명 **1** 벼의 껍질을 벗긴 알맹이. **2** '입쌀'의 준말. **3** 볏과의 곡식 껍질을 벗긴 알의 총칭《보리쌀·좁쌀 등》.
쌀-가게 [-까-] 명 쌀을 파는 가게. 싸전.
쌀-가루 [-까-] 명 쌀을 빻아 만든 가루.
쌀-값 [-깝] 명 쌀을 팔고 사는 값. 쌀금. ¶~이 안정되어 있다.
쌀강-거리다 자 설익은 콩이나 밤 등이 가볍게 씹히는 소리나 느낌이 자꾸 나다. 큰썰겅거리다. 여살강거리다. 거살캉거리다·쌀캉거리다. **쌀강-쌀강** 부하자
쌀강-대다 자 쌀강거리다.
쌀-강아지 명 털이 짧고 보드라우며 윤기가 반지르르한 강아지.
쌀개[1] 명 방아 허리에 가로 맞추어 방아가 걸려 있도록 만든 나무 막대기.
쌀-개[2] 명 털이 짧고 보드라우며 윤기가 반지르르한 개.
쌀-겨 [-껴] 명 쌀을 찧을 때 나오는 가장 고운 속겨.
쌀-금 [-끔] 명 쌀값. ¶풍년이 들어 ~이 떨어졌다.
쌀-깃 [-낃] 명 갓난아이에게 배냇저고리를 입히기 전에 몸을 둘러싸는 보드라운 헝겊 조각.
쌀-눈 [-룬] 명 쌀의 씨눈.
쌀-독 [-똑] 명 쌀을 넣어 두는 독.

[쌀독에서 인심 난다] 자신이 넉넉해야 다른 사람도 도울 수 있다. [쌀독에 앉은 쥐] 부족함이 없이 넉넉한 상태에 놓임을 이르는 말.

쌀-되 [-뙤] 명 1 쌀을 되는 데 쓰는 그릇. ¶~로 쌀을 퍼 담다. 2 한 되 남짓한 쌀. ¶불쌍한 사람인데 ~나마 줘야지.

쌀-뜨물 명 쌀을 씻고 난 뿌연 물.

쌀랑-하다 형 여불 1 사늘한 기운이 있어 조금 추운 듯하다. ¶쌀랑한 아침 공기 / 난로가 꺼져서 방 안이 ~. 2 갑자기 놀라 가슴 속에 찬 바람이 도는 듯한 느낌이 있다. 큰 썰렁하다. 여 살랑하다.

쌀-말 명 한 말 남짓한 쌀.

쌀-밥 명 입쌀로 지은 밥. 이밥. 백반. 흰밥.

쌀-벌레 명 1 쌀을 갉아먹는 벌레. 2 하는 일 없이 놀고먹는 사람의 비유.

쌀-보리 명 〖식〗 볏과의 한해살이 재배초. 보리의 한 종류로 수염이 짧고 껍질이 쉽게 벗겨짐. 나맥(裸麥). ↔겉보리.

쌀쌀[1] 부 1 짧은 다리로 가볍게 기어 다니는 모양. 2 마음이 들떠서 쏘다니는 모양. 여 살살[1].

쌀쌀[2] 부하형 배가 조금씩 쓰리며 아픈 모양. ¶배 속이 ~ 아프다. 여 살살[3].

쌀쌀-거리다 자 1 잇따라 가볍게 이리저리 기어 다니다. ¶아이가 방 안을 쌀쌀거리며 기어 다닌다. 2 마음이 들떠서 계속 돌아다니다. 3 머리를 계속해서 가볍게 흔들다. 큰 썰썰거리다. 여 살살거리다.

쌀쌀-대다 자 쌀쌀거리다.

쌀쌀-맞다 [-맏따] 형 성격이나 행동이 따뜻한 정이나 붙임성이 없이 차갑다. ¶쌀쌀맞은 표정을 짓다 / 쌀쌀맞게 굴지 마라.

쌀쌀-하다 형 여불 1 날씨나 바람 따위가 으스스하게 차다. 큰 쓸쓸하다. 2 정다운 맛이 없고 냉정하다. ¶사람을 대하는 태도가 ~. **쌀쌀-히** 부. ¶아주 ~ 거절하다.

쌀-알 명 쌀의 하나하나의 알. 낟알. 미립(米粒). ¶흩어진 ~을 주워 담다.

쌀-자루 [-짜-] 명 쌀을 담는 자루. ¶쌀을 ~에 담다.

쌀-장사 명하자 쌀을 사고파는 영업.

쌀-장수 명 쌀장사를 하는 사람.

쌀-집 [-찝] 명 쌀을 파는 가게. 쌀가게.

쌀캉-거리다 자 설익은 콩이나 밤 따위가 가볍게 씹히는 소리가 자꾸 나다. 큰 썰컹거리다. 여 살강거리다. 센 쌀강거리다. **쌀캉-쌀캉** 부하자. ¶콩이 덜 익어 ~하다.

쌀캉-대다 자 쌀캉거리다.

쌈[1] 명 김·상추·배추속대·취 등으로 밥과 반찬을 싼 음식.

쌈:[2] 명하자 '싸움'의 준말.

쌈[3] 의명 1 바늘 24개를 단위로 세는 말. ¶바늘 한 ~. 2 〖광〗 금의 무게를 나타내는 단위《한 쌈은 금 백 냥쭝임》. 3 피륙 따위를 다듬기에 알맞은 분량으로 싸 놓은 덩이를 세는 단위. ¶빨랫감 한 ~을 빨다.

쌈-김치 명 '보쌈김치'의 준말.

쌈박 부하자 작고 연한 물건이 잘 드는 칼에 쉽게 베어지는 모양. 또는 그 소리. 큰 썸벅. 여 삼박. 센 쌈빡.

쌈박-거리다 자타 눈까풀이 움직이며 눈이 자꾸 감겼다 떠졌다 하다. 또는 그렇게 되게 하다. 큰 씀벅거리다. 여 삼박거리다. **쌈박-쌈박**[1] 부하자타

쌈박-대다 자타 쌈박거리다.

쌈박-쌈박[2] 부하자형 잘 드는 칼에 쉽게 자꾸 베어지는 모양. 또는 그 소리. 큰 썸벅썸벅. 여 삼박삼박[2]. 센 쌈빡쌈빡.

쌈빡 부하자 잘 드는 칼에 쉽게 베어지는 모양. 또는 그 소리. ¶호박을 ~ 자르다. 큰 썸뻑. 여 삼박·삼빡·쌈박.

쌈빡-쌈빡 부하자형 잘 드는 칼에 쉽게 자꾸 베어지는 모양. 또는 그 소리. 큰 썸뻑썸뻑. 여 삼박삼박·삼빡삼빡·쌈박쌈박.

쌈지 명 담배·돈 따위를 담는 작은 주머니.

쌈짓-돈 [-지똔 / -짇똔] 명 쌈지에 있는 돈이라는 뜻으로, 적은 돈을 일컫는 말. [쌈짓돈이 주머닛돈, 주머닛돈이 쌈짓돈] 그 돈이 그 돈이어서 구별할 필요가 없음의 비유.

쌉싸래-하다 형 여불 쌉쌀한 듯하다. ¶쌉싸래한 씀바귀 맛. 큰 씁쓰레하다.

쌉싸름-하다 형 여불 쌉싸래하다.

쌉쌀-하다 형 여불 조금 쓴맛이 있다. ¶국이 좀 ~. 큰 씁쓸하다.

***쌍** (雙) 의명 1 둘씩 짝을 이룬 것. ¶남녀가 ~을 짓다. 2 둘을 하나로 묶어 세는 단위. ¶한 ~의 신혼부부 / 비둘기 한 ~. 3 '두 짝으로 이루어짐'의 뜻. ¶~가락지.

쌍-가마[1] (雙-) 명 머리 위 정수리에 가마가 둘 있음. 또는 그런 사람.

쌍-가마[2] (雙-) 명 〖역〗 말 두 필이 각각 앞뒤 채를 메고 가는 가마. 쌍교. 가교(駕轎).

쌍갈-지다 (雙-) 자 두 갈래로 갈라지다.

쌍검 (雙劍) 명 '쌍수검(雙手劍)'의 준말.

쌍-곡선 (雙曲線) 명 〖수〗 한 평면 위의 두 꼭짓점에서의 거리의 차가 일정한 점의 궤적으로 나타나는 곡선.

쌍관-법 (雙關法) [-뻡] 명 〖문〗 한시 작법의 하나. 상대되는 두 사물을 읊을 때, 서로 대응시키면서 한 편(篇)이나 단(段)의 골자를 구성하는 수사법. 준 쌍관(雙關).

쌍교 (雙轎) 명 〖역〗 쌍가마[2].

쌍구 (雙鉤) 명 1 붓을 잡는 법의 한 가지《엄지와 집게손가락 및 가운뎃손가락으로 붓대를 걸쳐 잡음》. 쌍구법. ↔단구. 2 글씨를 베낄 때, 글자의 획 주위로 돌려 가며 가늘게 줄을 그어 표시하는 법.

쌍-구균 (雙球菌) 명 두 개의 균체(菌體)가 짝을 이루어 고치 모양을 한 구균《폐렴균·임균(淋菌) 따위》.

쌍구-법 (雙鉤法) [-뻡] 명 쌍구(雙鉤)1.

쌍-권총 (雙拳銃) 명 양손에 각각 하나씩 쥔 두 개의 권총. ¶~을 뽑아 들다.

쌍그렇다 [-러타] [쌍그러니, 쌍그러오] 형 ㅎ불 찬 바람이 불 때 베옷이나 여름옷 등을 입은 모습이 매우 쓸쓸하다.

쌍그레 부하자 눈과 입을 귀엽게 움직이며 소리 없이 부드럽게 웃는 모양. 여 상그레.

쌍글-거리다 자 눈과 입을 귀엽게 움직이며 소리 없이 정답게 자꾸 웃다. 여 상글거리다. **쌍글-쌍글** 부하자

쌍글-대다 자 쌍글거리다.

쌍긋 [-귿] 부하자 눈과 입을 귀엽게 움직이며 소리 없이 가볍게 웃는 모양. 큰 썽긋.

[여]상긋. [센]쌍끗.
쌍긋-거리다 [-귿꺼-] [자] 눈과 입을 귀엽게 움직이며 소리 없이 가볍게 자꾸 웃다. ¶아기가 쌍긋거리며 엄마를 쳐다본다. [큰]썽긋거리다. **쌍긋-쌍긋** [-귿-귿] [부][하자]
쌍긋-대다 [-귿때-] [자] 쌍긋거리다.
쌍긋-빵긋 [-귿-귿] [부][하자] 눈과 입을 귀엽게 움직이며 소리 없이 가볍고 환하게 웃는 모양. [큰]썽긋뻥긋. [여]상긋방긋. [센]쌍끗빵끗.
쌍긋-이 [부] 쌍긋. ¶그녀는 ~ 웃기만 했다. [큰]썽긋이. [여]상긋이. [센]쌍끗이.
쌍-기역 (雙-) [명] 〖언〗 한글의 합성 자모인 'ㄲ'의 이름.
쌍-까풀 (雙-) [명] 쌍꺼풀.
쌍-꺼풀 (雙-) [명] 겹으로 된 눈꺼풀. 또는 그런 눈. 쌍까풀. ¶~ 수술을 받다.
쌍끗 [-끋] [부][하자] 다정하게 얼핏 눈웃음치는 모양. [큰]썽끗. [여]상긋·상끗·쌍긋.
쌍끗-거리다 [-끋꺼-] [자] 다정한 얼굴로 계속해서 가볍게 눈웃음치다. [큰]썽끗거리다. [여]상긋거리다. **쌍끗-쌍끗** [-끋-끋] [부][하자]
쌍끗-대다 [-끋때-] [자] 쌍끗거리다.
쌍끗-빵끗 [-끋-끋] [부][하자] 소리 없이 가볍고 환하게 웃는 모양. [큰]썽끗뻥끗. [여]상긋방긋·상끗방끗·쌍긋빵긋.
쌍끗-이 [부] 쌍끗. [큰]썽끗이. [여]상긋이·상끗이·쌍긋이.
쌍-년 [명] 〈비〉 쌍스러운 여자. [여]상년.
쌍-놈 [명] 〈비〉 쌍스러운 남자. [여]상놈.
쌍동-딸 (雙童-) [명] 한 태(胎)에서 나온 두 딸. 쌍생녀.
쌍동-밤 (雙童-) [명] 한 톨 안에 두 쪽이 들어 있는 밤. ¶~을 까다.
쌍동-아들 (雙童-) [명] 한 태(胎)에서 나온 두 아들. 쌍생자.
쌍-되다 [-뙤-] [형] 말이나 행동이 예의가 없어 보기에 천하다. [여]상되다.
쌍두-마차 (雙頭馬車) [명] **1** 말 두 마리가 끄는 마차. ¶~를 끌다. **2** 어떤 분야에서 주축이 되는 두 사람이나 사물 등의 비유. ¶그 두 회사는 식품업계의 ~이다.
쌍-둥이 (雙-) [명] 한 태(胎)에서 나온 두 아이. 쌍생아.
쌍둥이-자리 (雙-) [명] 황도의 12 별자리 중의 제4 별자리(하지 때 해가 이 별자리 가까이 옴).
쌍-디귿 (雙-) [명] 〖언〗 한글의 합성 자모 'ㄸ'의 이름.
쌍-떡잎 (雙-)[-떵닙] [명] 〖식〗 한 개의 배(胚)에서 나온 두 개의 떡잎. 복자엽(複子葉). 쌍자엽(雙子葉). ↔외떡잎.
쌍떡잎-식물 (雙-植物)[-떵닙씽-] [명] 〖식〗 속씨식물에 속하는 한 강(綱). 배(胚)에는 마주난 두 개의 떡잎이 있고, 줄기는 비대(肥大)하며, 잎맥은 그물맥임. 쌍자엽식물. ↔외떡잎식물.
쌍룡 (雙龍)[-뇽] [명] 한 쌍의 용.
쌍륙 (雙六)[-뉵] [명] 오락의 하나. 편을 갈라 차례로 두 개의 주사위를 던져 나오는 사위대로 말을 써서 먼저 궁에 들여보내는 놀이. ¶~을 즐기다.
쌍륙(을) 치다 [구] 쌍륙을 할 때 주사위를 던지다.
쌍륜 (雙輪)[-뉸] [명] **1** 앞뒤 또는 양쪽 옆에 달린 두 개의 바퀴. **2** 바퀴가 둘 달린 수레. 쌍륜차(車). ¶짐을 ~에 싣다.
쌍-말 [명][하자] 쌍스러운 말. [여]상말.
쌍무 (雙務) [명] 계약 당사자 양쪽이 서로 지는 의무. ¶~ 계약을 맺다.
쌍-무지개 (雙-) [명] 쌍을 지어 선 무지개. ¶~가 뜨다.
쌍-반점 (雙半點) [명] 〖언〗 가로쓰기에 쓰는 ';'의 이름(문장을 일단 끊었다가 이어서 설명을 더 계속할 때 씀). 세미콜론(semicolon).
쌍-받침 (雙-) [명] 똑같은 자음이 겹쳐서 된 된소리 받침(ㄲ·ㅆ 따위). *겹받침.
쌍발 (雙發) [명] **1** 발동기를 두 대 가짐. ¶~ 전투기. **2** 총구가 둘임. ¶~ 권총.
쌍발-기 (雙發機) [명] 엔진이 두 개 달린 비행기.
쌍방 (雙方) [명] 양쪽. 양방(兩方). ¶~의 이해와 협조.
쌍벌-죄 (雙罰罪)[-쬐] [명] 〖법〗 어떤 행위에 관련된 양쪽 당사자를 모두 처벌하는 죄(간통죄·뇌물죄 따위).
쌍벽 (雙璧) [명] **1** 두 개의 구슬. **2** 여럿 가운데 우열을 가리기 어려운, 특히 뛰어난 둘. ¶문단의 ~.
쌍봉 (雙峰) [명] 나란히 솟은 두 개의 봉우리.
쌍분 (雙墳) [명] 같은 묏자리에 합장하지 않고 나란히 쓴 부부의 두 무덤.
쌍-비읍 (雙-) [명] 〖언〗 한글의 합성 자모 'ㅃ'의 이름.
쌍생 (雙生) [명][하자타] 동시에 두 아이가 태어남. 또는 두 아이를 낳음.
쌍생-아 (雙生兒) [명] 쌍둥이.
쌍-소리 [-쏘-] [명] 쌍스러운 말·소리. [여]상소리.
쌍수 (雙手) [명] 두 손. ¶~를 들어 맞이하다.
쌍수-검 (雙手劍) [명] 양손에 한 자루씩 쥐는 칼. ¶~을 휘두르다. [준]쌍검.
쌍-스럽다 [-쓰-] 〔쌍스러우니, 쌍스러워〕 [형][ㅂ불] 말이나 행동이 보기에 교양 없고 천하다. ¶쌍스럽게 굴지 마라. [여]상스럽다. **쌍-스레** [-쓰-] [부]
쌍-시옷 (雙-)[-옫] [명] 〖언〗 한글의 합성 자모 'ㅆ'의 이름.
쌍-심지 (雙心-) [명] 한 등잔에 있는 두 개의 심지. ¶~를 해 넣은 등잔.
쌍심지(를) 켜다 [구] 몹시 화를 내며 눈을 크게 뜨고 노려보다. ¶눈에 쌍심지를 켜고 덤비다.
쌍심지-서다 (雙心-) [자] 화가 몹시 나 두 눈에 핏발이 서다. 쌍심지나다. 쌍심지오르다.
쌍심지-오르다 (雙心-) 〔-오르니, -올라〕 [자] 쌍심지서다.
쌍쌍 (雙雙) [一][명] 둘 이상의 쌍. ¶남녀가 ~으로 어울리다. [二][부] '쌍쌍이'의 준말.
쌍쌍-이 (雙雙-) [부] 둘씩 둘씩. 또는 암수가 각각 쌍을 지은 모양. ¶남녀가 ~ 춤을 추다 / 나비들이 ~ 꽃밭을 날다. [준]쌍쌍.
쌍안 (雙眼) [명] 양안(兩眼).
쌍안-경 (雙眼鏡) [명] 〖물〗 두 개의 망원경의 광축(光軸)을 나란히 붙여, 두 눈으로 멀리까지 볼 수 있는 광학 기계.

쌍-이응 (雙-) 명 훈민정음 반포 당시에 쓰던 한글의 옛 자모 'ㆀ'의 이름.

쌍익 (雙翼) 명 양쪽 날개. 양쪽의 깃.

쌍점 (雙點) 명 **1** 두 점. **2** 문장 부호 ':'의 이름《내포되는 종류를 들 때, 간단한 설명을 덧붙일 때 쓰며, 시(時)와 분(分), 장과 절(節) 따위를 구분할 때에도 씀》. 콜론.

쌍-지읒 (雙-)[-읃] 명 〖언〗 한글의 합성 자모 'ㅉ'의 이름.

쌍-지팡이 (雙-) 명 **1** 다리가 성하지 못한 사람이 짚는 두 개의 지팡이. ¶~를 의지하고 산다. **2** 참견을 잘하는 사람을 비꼴 때 덧붙여 쓰는 말.

쌍지팡이를 짚고 나서다 구 어떤 일에 대하여 적극적으로 반대하거나 간섭하다.

쌍-칼 (雙-) 명 **1** 쌍수검(雙手劍). **2** 양손에 한 자루씩의 칼을 잡고 쓰는 사람.

쌍태 (雙胎) 명 한 태에 둘을 뱀. 또는 그 아이나 새끼. ¶~를 배다.

쌍화-탕 (雙和湯) 명 피로 회복과 기혈(氣血)이 허한 것을 보충하는 탕약《백작약·숙지황·천궁 따위를 넣어 달임》.

쌍-희자 (雙喜字)[-히짜] 명 그림·자수 등에서 쓰는 '囍'의 이름.

囍

쌍희자

쌍-히읗 (雙-)[-읃] 명 〖언〗 한글 옛 자모 'ㆅ'의 이름.

***쌓:다** [싸타] 一타 **1** 물건을 겹겹이 포개다. ¶책을 벽에 기대어 ~. **2** 차곡차곡 포개어 구조물을 이루다. ¶축대를 ~. **3** 덕이나 공적을 여러 번 세우다. ¶공적을 ~. **4** 기술·경험 등을 거듭 닦거나 이루다. ¶기술〔훈련〕을 ~. 二보동 (동사 뒤에서 '-어 쌓다'의 꼴로 쓰여) 앞말이 뜻하는 행동을 반복하거나 그 행동의 정도가 심함을 나타냄. ¶아기가 계속 울어 쌓는다.

***쌓이다** [싸-] 자 《'쌓다'의 피동》 **1** 여러 개의 물건이 겹치다. ¶책장에 먼지가 뽀얗게 ~. **2** 근심·걱정이 겹치다. ¶걱정이 쌓이면 병이 된다. **3** 할 일이 많이 밀리다. ¶잔뜩 쌓인 일감. **4** 훌륭한 기술·경험을 얻게 되다. ¶그동안 쌓인 경험이 어려운 일을 해결하였다. 준쌔다.

쌔근-거리다 자타 **1** 가쁘고 고르지 않은 숨쉬는 소리가 자꾸 나다. 또는 그런 소리를 자꾸 내다. **2** 어린아이가 곤히 잠들어서 조용하게 숨 쉬는 소리가 자꾸 나다. 큰씨근거리다. 여새근거리다. **쌔근-쌔근**[1] 부하자타

쌔근-대다 자타 쌔근거리다.

쌔근덕-거리다 자타 쌔근거리고 헐떡거리다. 몹시 쌔근거리다. 큰씨근덕거리다. 여새근덕거리다. **쌔근덕-쌔근덕** 부하자타

쌔근덕-대다 자타 쌔근덕거리다.

쌔근-발딱 부하자타 숨이 차서 쌔근거리며 할딱이는 모양. ¶뭐가 급한지 ~ 뛰어오다. 큰씨근벌떡. 여새근발딱. 거쌔근팔딱.

쌔근발딱-거리다 자타 숨이 차서 쌔근거리며 할딱거리다. 큰씨근벌떡거리다. 여새근발딱거리다. **쌔근발딱-쌔근발딱** 부하자타

쌔근발딱-대다 자타 쌔근발딱거리다.

쌔근-쌔근[2] 부 어린애가 곤하게 깊이 자는 모양. ¶아이가 ~ 잠이 들다.

쌔근-팔딱 부하자타 숨이 가빠서 쌔근거리면서 몹시 할딱거리는 모양. ¶~ 뛰어가다. 큰씨근펄떡. 여새근발딱.

쌔:다 자 **1** '싸이다'의 준말. **2** '쌓이다'의 준말. **3** (주로 '쌘·쌨다'의 꼴로 쓰여) '흔한, 흔하게 있다'의 뜻을 나타냄. ¶아이 방에는 장난감들이 쌔고 쌨다.

쌔무룩-이 부 쌔무룩하게.

쌔무룩-하다 [-루카-] 형여불 마음에 못마땅해서 말이 없이 뾰로통하다. 큰씨무룩하다. 여새무룩하다.

쌔비다 타 〈속〉 남의 물건을 훔치다. ¶남의 지갑을 쌔비고 줄행랑을 치다.

쌕쌕 부하타 숨을 고르고 가늘게 쉬는 소리. ¶아이는 ~ 숨을 쉬며 잠이 들었다. 큰씩씩. 여색색.

쌕쌕-거리다 타 숨을 계속해서 가늘고 세게 쉬다. 또는 쌕쌕하는 숨소리를 잇따라 내다. 큰씩씩거리다.

쌕쌕-대다 타 쌕쌕거리다.

쌘:-구름 명 적운(積雲).

쌘:-비구름 명 적란운(積亂雲).

쌜그러-뜨리다 타 쌜그러지게 하다. 큰씰그러뜨리다. 여샐그러뜨리다.

쌜그러-지다 자 한쪽으로 배뚤어지거나 기울어지다. 큰씰그러지다. 여샐그러지다.

쌜그러-트리다 타 쌜그러뜨리다.

쌜긋-하다 [-그타-] 형여불 물건이 한쪽으로 배뚤어져 있다. 큰씰긋하다. 여샐긋하다.

쌜기죽-거리다 자타 쌜그러지게 계속하여 천천히 움직이다. 큰씰기죽거리다. 여샐기죽거리다. **쌜기죽-쌜기죽** 부하자타

쌜기죽-대다 자타 쌜기죽거리다.

쌜룩 부하자타 근육의 한 부분이 또는 한 부분을 샐그러지게 움직이는 모양. ¶경련이 이는지 눈언저리가 ~한다. 큰씰룩. 여샐룩.

쌜룩-거리다 자타 근육의 한 부분이 샐그러지게 자꾸 움직이다. 또는 그렇게 하다. ¶그녀는 뾰로통한 얼굴로 작은 입술을 쌜룩거렸다. 큰씰룩거리다. 여샐룩거리다. **쌜룩-쌜룩** 부하자타

쌜룩-대다 자타 쌜룩거리다.

쌜룩-이다 자타 근육의 한 부분이 샐그러지게 움직이다. 또는 그렇게 하다. ¶피곤하면 눈두덩이가 쌜룩인다.

쌜쭉 부하자타 **1** 어떤 감정을 나타내면서 입이나 눈이 샐그러지게 움직이는 모양. ¶골이 나 입을 ~ 내밀다. **2** 마음에 차지 않아서 매우 고까워하는 태도를 나타내는 모양. ¶그는 아내의 ~하는 모습까지도 사랑스러워했다. 큰씰쭉.

쌩 부하자 **1** 세찬 바람이 나뭇가지 따위에 부딪쳐 나는 소리. ¶바람이 ~ 불어온다. **2** 사람이나 물체가 빠르고 세차게 지나가는 소리나 모양. ¶자동차가 내 앞을 ~ 지나간다. 큰씽.

쌩그레 부하자 소리 없이 지그시 눈웃음치는 모양. ¶할머니는 ~ 웃으시며 손자를 꼭 안으신다. 큰씽그레. 여생그레.

쌩글-거리다 자 소리 없이 눈만 움직여 정답게 자꾸 웃다. ¶아기가 엄마 품에서 쌩글거린다. 큰씽글거리다. 여생글거리다. **쌩글-쌩글** 부하자

쌩글-대다 자 쌩글거리다.

쌩긋 [-귿] 부하자 소리 없이 은근하게 얼핏 눈웃음치는 모양. 큰씽긋. 여생긋. 센쌩끗.
쌩긋-거리다 [-귿꺼-] 자 소리 없이 정답게 자꾸 눈웃음치다. ¶그녀는 쌩긋거리며 다가왔다. 큰씽긋거리다. **쌩긋-쌩긋** [-귿-귿] 부하자
쌩긋-대다 [-귿때-] 자 쌩긋거리다.
쌩긋-뺑긋 [-귿-귿] 부하자 소리 없이 정답고 가볍게 눈웃음치는 모양. 큰씽긋뻥긋. 센쌩끗뺑끗.
쌩긋-이 부 쌩긋. ¶~ 웃다. 큰씽긋이. 여생긋이. 센쌩끗이.
쌩끗 [-끋] 부하자 소리 없이 은근하게 얼핏 눈웃음치는 모양. 큰씽끗. 여생긋·생끗·쌩긋.
쌩끗-거리다 [-끋꺼-] 자 소리 없이 정답게 자꾸 눈웃음치다. ¶아내는 미안한 표정으로 다가와 쌩끗거렸다. 큰씽끗거리다. **쌩끗-쌩끗** [-끋-끋] 부하자
쌩끗-대다 [-끋때-] 자 쌩끗거리다.
쌩끗-뺑끗 [-끋-끋] 부하자 소리 없이 정답고 가볍게 눈웃음치는 모양. 큰씽끗뻥끗. 여생끗뱅끗·쌩긋뺑긋.
쌩끗-이 부 쌩끗. 큰씽끗이. 여생긋이·생끗이·쌩긋이.
쌩쌩 부 **1** 세찬 바람이 나뭇가지 등에 잇따라 부딪쳐 나는 소리. ¶바람이 ~ 불다. **2** 사람이나 물체가 빠르게 잇따라 지나가는 소리나 모양. ¶자동차들이 ~ 달린다. 큰씽씽.
쌩쌩-하다 형여불 **1** 힘이나 기운 따위가 왕성하다. ¶나이는 먹었어도 아직은 ~. **2** 썩거나 축나지 않고 성하거나 생기가 있다. ¶이 채소는 아직 ~. 큰씽씽하다. 여생생하다. **쌩쌩-히** 부
쌩이-질 명하자 '씨양이질'의 준말.
써 부 '그것을 가지고, 그것으로 인하여'의 뜻을 나타내는 접속 부사.
써걱 부 **1** 사과나 과자 따위를 씹을 때 나는 소리. **2** 갈대 따위가 약간 스치는 소리. **3** 벼·보리·밀 따위를 벨 때 나는 소리. 작싸각. 여서걱.
써걱-거리다 자타 **1** 사과나 과자를 씹을 때와 같은 소리가 자꾸 나다. **2** 갈대 같은 것이 스치는 소리가 자꾸 나다. **3** 벼·보리·밀 따위를 베는 소리가 잇따라 나다. 작싸각거리다. **써걱-써걱** 부하자타
써걱-대다 자타 써걱거리다.
써-내다 타 글씨나 글을 써서 내놓다. ¶교수에게 논문을 ~.
써-넣다 [-너타] 타 글씨를 적어 넣다. 기입하다. ¶빈칸에 알맞은 말을 써넣으시오.
써느렇다 [-러타] [써느러니, 써느러오] 형ㅎ불 **1** 기후가 선선하다. **2** 물체의 온도나 기온이 꽤 찬 듯하다. ¶써느렇게 식은 방바닥. **3** 갑자기 놀라거나 무서워 찬 기운이 나는 것 같다. ¶왠지 그의 표정이 ~. 작싸느랗다. 여서느렇다.
써늘-하다 형여불 **1** 찬 느낌이 있다. ¶써늘한 방/날씨가 ~. **2** 갑자기 놀라거나 무서워 찬 기운이 느껴지다. ¶등골이 ~. 작싸늘하다. 여서늘하다. **써늘-히** 부
써다 자 조수(潮水)가 빠지거나 괴었던 물이 새어서 줄다.

써레

써:레 명 갈아 놓은 논의 바닥을 고르거나 흙덩이를 잘게 하는 데 쓰는 농구《소나 말이 끎》.
써:레-몽둥이 명 써레의 몸이 되는 나무.
써:레-질 명하자 써레로 논바닥을 고르거나 흙덩이를 깨는 일.
써:렛-발 [-레빨/-렏빨] 명 써레몽둥이에 박은, 끝이 뾰족한 나무.
써:리다 타 써레질을 하다. 준썰다.
써-먹다 타 어떤 목적에 이용하다. ¶이런 때 써먹으려고 챙겨 둔 도구.
썩[1] 부 **1** 지체 없이 빨리. ¶~ 물러나지 못할까. **2** 훨씬 뛰어나게. ¶~ 좋아진 품질.
썩[2] 부 **1** 칼이나 가위 등으로 종이나 연한 물건을 단번에 베는 소리. 또는 그 모양. **2** 거침없이 밀거나 쓸어 나가는 모양. ¶땀을 ~ 닦고 다시 달리다. 작싹[2]. 여석[2].
***썩다** ㅡ자 **1** 물질이 부패균의 작용으로 나쁜 상태가 되다. ¶음식이 ~/나무가 ~. **2** 사용되지 않고 묵다. ¶금고의 돈이 썩고 있다. **3** 재주나 능력이 발휘되지 못하다. ¶촌구석에서 썩기에는 아까운 사람이다. **4** 사고방식 따위가 건전하지 못하다. ¶썩어 빠진 정신 상태. **5** 정치가 문란하다. ¶썩은 정치. ㅡ자타 **1** 걱정이나 근심 따위로 마음이 몹시 상하다. ¶속이 푹푹 ~. **2** <속> 어떤 곳에 얽매여 있다. ¶교도소에서 3년을 썩었다.
[썩은 동아줄 같다] 힘없이 뚝뚝 끊어지거나 맥없이 쓰러지는 모양의 비유. [썩은 새끼로 범〔호랑이〕 잡기] 어수룩한 계책과 허술한 준비로 큰일을 하겠다고 덤비는 어리석음의 비유. [썩은 생선에 쉬파리 끓듯] 먹을 것이나 이익이 생기는 곳에 어중이떠중이가 모여드는 모양의 비유.
썩둑 부 연한 것을 단번에 자르거나 베는 모양이나 소리. ¶호박을 ~ 자르다. 작싹둑. 여석둑.
썩둑-거리다 타 연한 물건을 칼로 계속해서 베거나 자르다. 작싹둑거리다. 여석둑거리다. **썩둑-썩둑** 부하타
썩둑-대다 타 썩둑거리다.
썩-썩 부 **1** 종이나 헝겊 따위를 칼이나 가위로 거침없이 자꾸 베는 모양. 또는 그 소리. ¶무를 ~ 썰다. **2** 거침없이 밀거나 쓸거나 비비는 모양. 또는 그 소리. ¶밥에 고추장을 ~ 비비다. 작싹싹. 여석석.
썩썩-거리다 자타 썩썩 소리가 자꾸 나다. 또는 그런 소리를 자꾸 내다. 작싹싹거리다. 여석석거리다.
썩썩-대다 자타 썩썩거리다.
썩은-새 명 오래되어 썩은 이엉.
썩이다 타 《'썩다ㅡ'의 사동》 걱정·근심 따위로 마음을 상하게 하다. ¶그놈은 부모 속을 썩일 대로 썩이다가 죽었다.
썩히다 [써키-] 타 《'썩다ㅡ'의 사동》 썩게 하다. ¶부품이 없어 기계를 ~/일자리가 없어 재주를 썩히고 있다.
썰겅-거리다 자 설익은 곡식이나 열매 따위가 씹히는 소리가 자꾸 나다. ¶밤이 덜

삶아졌는지 썰겅거린다. ㉧쌀강거리다. ㉨설겅거리다. ㉦설컹거리다·썰컹거리다. **썰겅-썰겅** 뷔하자형

썰겅-대다 자 썰겅거리다.

*__썰:다__ 〔써니, 써오〕 타 **1** 어떤 물체를 칼 따위로 토막 내다. ¶파를 숭숭 ~/무를 큼직하게 썰어 깍두기를 담그다. **2** '써리다'의 준말.

썰렁-거리다 자타 **1** 조금 서늘한 바람이 가볍게 자꾸 불다. ¶서늘한 바람이 아침저녁으로 썰렁거린다. **2** 팔을 가볍게 저어 바람을 내면서 걷다. ㉨설렁거리다. **썰렁-썰렁** 뷔하자타

썰렁-대다 자타 썰렁거리다.

썰렁썰렁-하다 형여불 서늘한 기운이 있어 매우 추운 듯하다. ㉨설렁설렁하다.

썰렁-하다 형여불 **1** 서늘한 기운이 있어 조금 춥다. ¶강바람이 제법 ~. **2** 갑자기 놀라 가슴속에 찬바람이 도는 느낌이 있다. ㉧쌀랑하다. ㉨설렁하다. **3** 있어야 할 것이 없어 허전한 느낌이 있다. ¶재잘대던 아이들이 나가고 나니 집 안이 썰렁했다.

썰레-놓다 [-노타] 타 안 될 일이라도 되도록 마련하다.

썰레-썰레 뷔 머리나 꼬리 등을 좌우로 가볍게 흔드는 모양. ¶고개를 ~ 흔들다. ㉨설레설레. ㉟썰썰.

*__썰매__ 명 **1** 눈 위나 얼음판에서 사람이나 짐을 싣고 끄는 기구. **2** 얼음 위에서 미끄럼 타는 제구. ¶~를 타다.

썰-물 명 달의 인력으로 조수가 밀려 나가 해면이 낮아지는 현상. 또는 그 바닷물. ¶~ 때 조개를 줍다. ↔밀물.

썰썰-거리다 자 **1** 잇따라 가볍게 기어 다니다. **2** 마음이 들떠서 계속 돌아다니다. **3** 머리를 계속해서 가볍게 흔들다. ㉧쌀쌀거리다. ㉨설설거리다.

썰썰-대다 자 썰썰거리다.

썰썰-하다 형여불 속이 빈 것처럼 출출한 느낌이 있다. ¶배가 썰썰하여 잠이 오지 않는다.

썰컹-거리다 자 설익은 곡식이나 열매 같은 것을 씹는 소리가 자꾸 나다. ㉧쌀캉거리다. ㉨설겅거리다. ㉥썰겅거리다. **썰컹-썰컹** 뷔하자

썰컹-대다 자 썰컹거리다.

썸벅 뷔하자 잘 드는 칼에 크고 연한 물건이 쉽게 베어지는 모양. 또는 그 소리. ¶수박을 ~ 자르다. ㉧쌈박. ㉨섬벅. ㉥썸뻑.

썸벅-썸벅 뷔하자형 자꾸 썸벅 베어지는 모양. 또는 그 소리. ㉧쌈박쌈박. ㉨섬벅섬벅. ㉥썸뻑썸뻑.

썸뻑 뷔하자 잘 드는 칼에 크고 연한 물건이 쉽게 베어지는 모양. 또는 그 소리. ㉧쌈빡. ㉨섬벅·섬뻑·썸벅.

썸뻑-썸뻑 뷔하자형 자꾸 썸뻑 베어지는 모양. 또는 그 소리. ㉧쌈빡쌈빡. ㉨섬벅섬벅·섬뻑섬뻑·썸벅썸벅.

썽긋 [-귿] 뷔하자 다정하게 얼핏 눈웃음치는 모양. ㉧쌍긋. ㉨성긋. ㉥썽끗.

썽긋-거리다 [-귿꺼-] 자 다정한 태도로 계속해서 가볍게 눈웃음치다. ㉧쌍긋거리다. **썽긋-썽긋** [-귿-귿] 뷔하자

썽긋-대다 [-귿때-] 자 썽긋거리다.

썽긋-뻥긋 [-귿-귿] 뷔하자 소리 없이 가볍고 환하게 웃는 모양. ㉧쌍긋빵긋. ㉨성긋벙긋. ㉥썽끗뻥끗.

썽긋-이 뷔 썽긋. ㉧쌍긋이. ㉨성긋이. ㉥썽끗이.

썽끗 [-끋] 뷔하자 다정하게 얼핏 눈웃음치는 모양. ㉧쌍끗. ㉨성긋·썽긋·성끗.

썽끗-거리다 [-끋꺼-] 자 다정한 얼굴로 계속해서 가볍고 환하게 눈웃음치다. ㉧쌍끗거리다. **썽끗-썽끗** [-끋-끋] 뷔하자

썽끗-대다 [-끋때-] 자 썽끗거리다.

썽끗-뻥끗 [-끋-끋] 뷔하자 소리 없이 가볍고 자연스럽게 웃는 모양. ㉧쌍끗빵끗. ㉨성긋벙긋·성끗벙끗·썽긋뻥긋.

썽끗-이 뷔 썽끗. ㉧쌍끗이. ㉨성긋이·성끗이·썽긋이.

쏘가리 명 《어》 농엇과의 민물고기. 몸의 길이는 40-50cm 정도, 머리가 길고 입도 크며 머리와 등에 보라색을 띤 회색 무늬가 곱게 보임. 식용·관상용으로 사육됨.

쏘곤-거리다 자타 낮은 소리로 자꾸 속삭이듯 말하다. ¶무슨 얘기인지 계속해서 쏘곤거린다. ㉭쑤군거리다. ㉨소곤거리다. **쏘곤-쏘곤** 뷔하자타

쏘곤-대다 자타 쏘곤거리다. ¶뒤에서 쏘곤대니 수업에 방해된다.

*__쏘다__ 타 **1** 화살이나 총탄 따위를 발사하다. ¶과녁을 향해 ~. **2** 벌레가 침으로 찌르다. ¶벌이 팔을 ~. **3** 말이나 시선으로 상대방을 매섭게 공격하다. ¶버릇없는 아이에게 한마디 톡 쏘아 주었다. **4** 매운맛이나 강한 냄새가 코나 입 안을 강하게 자극하다. ¶겨자 맛이 콧속을 톡 ~.

쏘-다니다 자타 아무 데나 마구 돌아다니다. ¶거리를 ~. ㉟쏘대다.

쏘삭-거리다 타 **1** 자꾸 들추고 뒤지며 쑤시다. ¶화롯불을 ~. **2** 자꾸 꾀거나 추겨서 마음이 흔들리게 하다. ¶공연히 사람을 쏘삭거려 분란을 일으키다. ㉭쑤석거리다.

쏘삭-쏘삭 뷔하타

쏘삭-대다 타 쏘삭거리다.

쏘시개 명 '불쏘시개'의 준말.

쏘아-보다 타 날카롭게 노려보다. ¶쏘아보는 눈초리가 매섭구나.

쏘아-붙이다 [-부치-] 자타 날카로운 말투로 상대방을 몰아세우다. ¶쏘아붙이고 나니 속이 후련하다. ㉟쏴붙이다.

쏘이다[1] 자 《'쏘다'의 피동》 쏨을 당하다. ¶벌에게 ~/쐐기에 쏘인 곳이 종일 쓰렸다. ㉟쐬다.

> **'쏘였다'와 '쐬었다'**
>
> '벌에 쏘이었다'에서 '쏘이었다'의 피동 접미사 '-이-'는 앞 음절에 올라 붙어 줄어지기도 하고('쐬-'), 뒤 음절에 내리 이어지면서 줄어지기도 한다('쏘였-'). 한글 맞춤법 제38항 참조.
>
> 벌에 쏘이었다.(○)
> 벌에 쏘였다.(○)
> 벌에 쐬었다.(○)

쏘이다[2] 타 쐬다[2]. ¶강바람을 ~.

쏙 뷔 **1** 약간 내밀거나 들어간 모양. ¶양볼

에 보조개가 ~ 패었다. **2** 쉽게 밀어 넣거나 뽑아내는 모양. ¶밭에서 배추 한 포기를 ~ 뽑았다. **3** 말을 거리낌 없이 꺼내는 모양. ¶어른들 이야기에 아이가 ~ 끼어드는 게 아니란다. **4** 제외되거나 참여하지 않는 모양. ¶친구들이 나만 ~ 빼고는 놀러 갔다. **5** 옷차림이나 몸매가 매끈한 모양. ¶새 옷을 ~ 빼입다. **6** 마음에 꼭 드는 모양. ¶그 책은 내 마음에 ~ 든다. ㉡쑥.

쏙닥-거리다 자타 작은 소리로 자꾸 가만가만 이야기하다. ㉡쑥덕거리다. ㉥속닥거리다. **쏙닥-쏙닥** 부하자타

쏙닥-대다 자타 쏙닥거리다.

쏙닥-이다 자타 작은 소리로 가만히 이야기하다. ㉡쑥덕이다. ㉥속닥이다.

쏙달-거리다 자타 남이 알아듣지 못하도록 작은 소리로 조금 수선스럽게 자꾸 이야기하다. ¶아이들이 한쪽 구석에서 쏙달거리고 있다. ㉡쑥덜거리다. ㉥속달거리다. **쏙달-쏙달** 부하자타

쏙달-대다 자타 쏙달거리다.

쏙살-거리다 자타 자질구레한 말로 쏙닥거리다. ¶너희들끼리만 쏙살거리느냐. ㉥속살거리다. **쏙살-쏙살** 부하자타

쏙살-대다 자타 쏙살거리다.

쏙-쏙 부 **1** 여러 군데가 다 쏙 내밀거나 들어간 모양. **2** 자꾸 밀어 넣거나 뽑아내는 모양. ¶구멍마다 ~ 밀어 넣다. **3** 자꾸 쑤시듯 아픈 모양. ¶뼈마디가 ~ 쑤신다. **4** 기억이나 인상이 선명하게 새겨지는 모양. ¶그 연설은 가슴속에 ~ 들어온다. ㉡쑥쑥.

쏜살-같다 [-갇따] 형 쏜 화살과 같이 매우 빠르다. ¶쏜살같은 급류〔시간〕. **쏜살-같이** [-가치] 부. ¶~ 달음질치다.

[쏜살같고 총알 같다] 매우 빠르게 내닫는 모양의 비유.

***쏟다** 타 **1** 그릇에 담긴 것을 한꺼번에 나오게 하다. ¶우유를 바닥에 ~. **2** 마음속에 품은 것을 털어놓다. ¶고민거리를 쏟아 놓다. **3** 마음이나 정신 따위를 어떤 대상이나 일에 기울이다. ¶독서에 정신을 ~. **4** 피나 눈물 따위를 흘리다. ¶눈물을 ~.

쏟-뜨리다 타 '쏟다'의 힘줌말. ¶물을 ~.

***쏟아-지다** 자 **1** 한꺼번에 바깥으로 나오다. ¶물이 바닥에 ~. **2** 눈물이나 땀·피 따위가 많이 흐르다. ¶땀이 비오듯 ~. **3** 어떤 일이나 대상, 현상이 한꺼번에 생기다. ¶쏟아지는 박수갈채 / 신기록〔관심·하품〕이 ~. **4** 비나 눈, 햇빛 등이 많이 또는 강하게 내리거나 비치다. ¶눈이 펑펑 ~.

쏟-트리다 타 쏟뜨리다.

쏠 명 작은 폭포.

쏠:다 〔쏘니, 쏘오〕 타 쥐나 좀 등이 물건을 물어뜯다. ¶쥐가 찬장을 ~ / 누에가 뽕잎을 쏠아 먹다.

쏠리다 자 **1** 물체가 한쪽으로 기울거나 몰리다. ¶버스가 급정거하는 바람에 앞으로 쏠려 넘어졌다. **2** 마음이나 눈길이 어떤 것에 끌리다. ¶시선이 그녀에게 ~ / 마음이 쏠리는 참신한 의견.

쏠쏠-하다 형여불 품질·정도·수준 등이 웬만하고 쓸 만하다. ¶수입이 ~ / 그녀의 음식 솜씨가 ~. ㉡쑬쑬하다. **쏠쏠-히** 부

쏴 부 **1** 나뭇가지나 물건의 틈 사이로 바람이 스쳐 부는 소리. **2** 비바람이 치거나 물결이 밀려오는 소리. ¶비바람이 ~ 몰아친다 / 파도가 ~ 밀려오다. **3** 물·액체가 급히 또는 세차게 흐르거나 쏟아지는 소리. ¶골짜기가 가까워지자 ~ 물 흐르는 소리가 들렸다. ㉥솨.

쏴-쏴 부 **1** 나뭇가지나 물건의 틈 사이로 자꾸 스쳐 부는 바람 소리. **2** 자꾸 비바람이 치거나 물결이 밀려오는 소리. **3** 물이 잇따라 급히 내려가거나 나오는 소리. ㉥솨솨.

쐐 부 **1** 나뭇가지나 물건의 틈 사이로 몰아쳐 부는 바람 소리. **2** 소나기가 몰아쳐 내리는 소리. **3** 액체가 급히 나오거나 흐르는 소리.

쐐:기[1] 명 물건의 틈에 끼워 틈을 메우거나 벌어지게 하는 데 쓰는 '브이(V)' 형의 물건.

쐐기(를) 박다〔치다〕 구 ㉠두 사람의 이야기에 끼어들어 방해를 하다. ㉡뒤탈이 없도록 미리 단단히 다짐을 두다. ㉢남을 이간하기 위해 훼방을 놓다.

쐐:기[2] 명 〔충〕 쐐기나방의 애벌레. 살에 닿으면 몹시 아프고 부어오름.

쐐:기 문자 (-文字)[-짜] 〔언〕 기원전 3500-1000 년에 바빌로니아와 아시리아와 고대 페르시아 등 서남아시아에서 쓰인 쐐기 모양의 글자. 설형 문자.

쐬:다[1] 자 '쏘이다[1]'의 준말. ¶쐐기에 ~. ☞쏘이다[1].

쐬:다[2] 타 몸이나 얼굴에 바람이나 연기 등을 직접 받다. 쏘이다. ¶찬 바람을 쐬니 속이 시원해진다.

쑤군-거리다 자타 목소리를 낮추어 비밀히 자꾸 말하다. ¶쑤군거리는 말소리에 귀를 기울이다. ㉠쏘곤거리다. ㉥수군거리다. **쑤군-쑤군** 부하자타

쑤군-대다 자타 쑤군거리다.

쑤군덕-거리다 자타 목소리를 낮추어 어수선하게 자꾸 쑤군거리다. ¶둘이서만 쑤군덕거리더니 밖으로 나가 버렸다. ㉥수군덕거리다. **쑤군덕-쑤군덕** 부하자타

쑤군덕-대다 자타 쑤군덕거리다.

***쑤다** 타 곡식의 알이나 가루를 물에 끓여 익히다. ¶메주를 ~ / 죽을 쑤어 먹다.

쑤석-거리다 타 **1** 함부로 들추고 뒤지며 쑤시다. ¶아이가 젓가락으로 저금통을 쑤석거린다. **2** 가만히 있는 사람을 자꾸 추기거나 꾀어 마음이 흔들리게 하다. ¶얌전한 사람 괜히 쑤석거리지 마라. ㉠쏘삭거리다. **쑤석-쑤석** 부하타

쑤석-대다 타 쑤석거리다.

쑤시다[1] 자 신체의 한 부분이 바늘로 찌르듯이 아프다. ¶공연히 옆구리가 쿡쿡 쑤신다.

쑤시다[2] 타 **1** 물체의 틈이나 구멍 같은 데를 막대기나 꼬챙이로 찌르다. ¶이를 ~ / 벌집을 ~. **2** 여러 사람 사이로 틈을 벌리거나 만들다. ¶사람들을 쑤시고 만원 전철에 타다. **3** 사실을 알아내려고 이모저모 조사하다. ¶신문 기자가 비리 사건을 쑤시고 다닌다. **4** 일자리를 구하거나 관계를 맺으려고 여기저기 비집고 들어가다. ¶일자리 때문에 여기저기 쑤셔 보다.

쑥[1] 명 〔식〕 국화과의 여러해살이풀. 높이 60-90 cm, 잎의 뒷면은 젖빛 솜털이 있고 향기가 남. 들에 절로 나며 7-10 월에 분홍

색 꽃이 핌. 식용·약재 등으로 씀.
쑥² 명 순하고 어리석은 사람의 비유. ¶하는 짓이 영 ~이더군.
쑥³ 부 **1** 깊이 들어가거나 불룩하게 내미는 모양. ¶배를 ~ 내밀고 걷다. **2** 깊이 밀어 넣거나 길게 뽑아내는 모양. ¶무를 ~ 뽑다. **3** 말이나 행동을 경솔하고 기탄없이 하는 모양. ¶~ 말을 꺼내다. **4** 대번에 빠지거나 터지는 모양. ¶도랑물이 ~ 빠지다. **5** 기운이나 살이 줄어드는 모양. ¶힘이 ~ 빠지다. **6** 어떤 일에 제외되거나 참여하지 않는 모양. ¶뒤로 ~ 빠지다. ㉕쏙.
쑥-갓 [-깓] 명 《식》 국화과의 한해살이풀 또는 두해살이풀. 채소의 한 가지로 높이 30-70 cm, 잎은 어긋나고 깃 모양으로 갈라져 있으며 독특한 향미가 있어 쌈이나 나물로 먹음.
쑥-대 명 쑥의 줄기.
쑥-대강이 명 머리털이 마구 흐트러져 어지럽게 된 머리. 쑥대머리.
쑥대-김 명 종이같이 얇게 만든 돌김.
쑥대-머리 명 쑥대강이.
쑥대-밭 [-받] 명 **1** 쑥이 우거진 거친 땅. **2** 매우 어지럽거나 못 쓰게 된 모양의 비유. ¶집안이 ~이 되다 / 단번에 ~을 만들다. ㊟쑥밭.
쑥덕-거리다 자타 여럿이 모여 주위를 살펴 가면서 은밀하게 자꾸 이야기하다. ¶한쪽 구석에서 여사원들끼리 ~. ㉕쏙닥거리다. ㉔숙덕거리다. **쑥덕-쑥덕** 부하자타
쑥덕-공론 (-公論) [-논] 명하자타 비밀히 쑥덕거리는 공론. ㉔숙덕공론.
쑥덕-대다 자타 쑥덕거리다.
쑥덕-이다 자타 여럿이 낮은 목소리로 은밀하게 이야기하다. ¶무언가 한참을 ~. ㉕쏙닥이다. ㉔숙덕이다.
쑥덜-거리다 자타 여럿이 남모르게 조금 수선스럽게 자꾸 이야기하다. ㉕쏙달거리다. ㉔숙덜거리다. **쑥덜-쑥덜** 부하자타
쑥덜-대다 자타 쑥덜거리다.
쑥-밭 [-빧] 명 '쑥대밭'의 준말.
쑥-버무리 명 쌀가루와 쑥을 한데 버무려서 시루에 찐 떡.
쑥-색 (-色) 명 마른 쑥의 빛깔처럼 잿빛을 띤 진한 녹색. ¶~ 저고리.
쑥-스럽다 〔쑥스러우니, 쑥스러워〕 형ㅂ불 하는 짓이나 그 모양이 격에 어울리지 않아 어색하고 싱거운 데가 있다. ¶낯선 사람을 만나자니 ~ / 사랑한다고 말하기가 쑥스러웠다. **쑥-스레** 부
쑥-쑥 부 **1** 자꾸 밀어 넣거나 뽑아내는 모양. ¶잡초를 ~ 뽑다. **2** 자꾸 빠지거나 터지는 모양. ¶물이 ~ 빠지다. **3** 기운이나 살이 자꾸 주는 모양. ¶웬일인지 요즘은 살이 ~ 빠진다. **4** 때가 깨끗이 없어지는 모양. ¶이 세제는 때가 ~ 잘 빠진다. **5** 거리낌 없이 자꾸 경솔하게 말하며 나서는 모양. ¶아무 일에나 ~ 잘 나서다. **6** 크게 올라가거나 내려가는 모양. ¶성적이 ~ 오르다. **7** 앞으로 자꾸 나아가거나 앞에 불쑥불쑥 나타나는 모양. ¶대열은 앞으로 ~ 나갔다. **8** 많이 커지거나 자라는 모양. ¶수염이 ~ 자라다. ㉕쏙쏙.
쑬쑬-하다 형여불 품질이나 정도 따위가 웬만하고 쓸 만하다. ㉕쏠쏠하다. **쑬쑬-히** 부
쑹덩-쑹덩 부 **1** 연한 물건을 큼직큼직하게 자꾸 써는 모양. ¶굵은 파를 ~ 썰다. **2** 바느질을 거칠게 자꾸 호는 모양. ㉔숭덩숭덩.
쓰개 명 머리에 쓰는 물건의 총칭.
쓰개-치마 명 지난날, 여자가 외출할 때 머리와 몸의 윗부분을 가리던 치마.
쓰기 명 초등학교 등에서 가르치는, 국어 학습의 한 부분. 자기의 생각이나 느낌을 글로 표현하는 일. *말하기·듣기·읽기.
***쓰:다¹** 〔쓰니, 써〕 타 **1** 붓·펜·연필 등으로 획을 그어 일정한 글자의 모양을 이루게 하다. ¶아이가 글씨를 또박또박 ~. **2** 글을 짓다. ¶소설을 쓰는 작가.

> **'써라'와 '쓰라'**
>
> '쓰라'의 '-라'는 문어체에서 쓰는 명령형의 종결 어미이다. 일상적으로는 '써라'의 '-어라' 명령형 어미를 쓰는 것이 자연스럽다.
>
> | (구어체) | (문어체) |
> |---|---|
> | 써라 | 쓰라 |
> | 먹어라 | 먹으라 |
> | 입어라 | 입으라 |

***쓰다²** 〔쓰니, 써〕 타 **1** 모자 등을 머리에 얹다. ¶가발을 ~. **2** 우산이나 양산 따위를 받쳐 들다. ¶비가 오니 내 우산을 쓰고 가거라. **3** 얼굴에 어떤 물건을 걸거나 덮어 가리다. ¶마스크를 ~ / 이불을 머리끝까지 ~. **4** 먼지나 가루 따위를 몸에 덮은 상태가 되다. ¶석탄 가루를 까맣게 ~. **5** 억울한 지목을 당하거나 죄를 입게 되다. ¶누명을 ~.
***쓰다³** 〔쓰니, 써〕 타 **1** 사람을 두어 일을 하도록 부리다. ¶가정부를 ~. **2** 온 정신을 기울이다. ¶머리를 써서 일하다. **3** 힘이나 노력 따위를 들이다. ¶나도 힘을 쓰겠다. **4** 시간이나 돈을 들이다. ¶경비를 ~ / 돈을 많이 써서 걱정이다. **5** 어떤 일을 하는 데에 재료나 도구, 수단을 이용하다. ¶설탕을 적게 ~. **6** 약을 먹이거나 바르다. ¶한약을 ~. **7** 빚을 지다. ¶여기저기서 돈을 끌어 ~. **8** 어떤 말이나 언어를 사용하다. ¶그는 아무에게나 반말을 쓴다.
쓰다⁴ 〔쓰니, 써〕 타 묏자리를 잡아 시체를 묻다. ¶명당자리에 뫼를 ~.
쓰다⁵ 〔쓰니, 써〕 타 윷놀이 따위에서 말을 옮기다. ¶말을 잘못 써서 지고 말았다.
***쓰다⁶** 〔쓰니, 써〕 형 **1** 맛이 소태의 맛과 같다. ¶이 쑥은 아주 쓰군. **2** 입맛이 없다. ¶감기 탓인지 입이 몹시 ~. **3** 마음이 언짢고 괴롭다. ¶뒷맛이 ~. ↔달다⁴.
[쓰다 달다 말이 없다] 어떤 문제에 대하여 아무 반응이나 의사 표시가 없다. [쓴 것이 약] 당장은 달갑지 않지만 사실은 도움이나 교훈이 된다.
***쓰다듬다** [-따] 타 **1** 귀엽거나 탐스러워 손으로 쓸어 주다. ¶머리를 ~. **2** 살살 달래어 마음을 가라앉히다. ¶남편은 우울증으로 고생하는 아내의 아픈 마음을 쓰다듬어 주었다.
쓰디-쓰다 〔-쓰니, -써〕 형 **1** 몹시 쓰다. ¶

쓰디쓴 약을 억지로 먹다. **2** 몹시 괴롭다. ¶쓰디쓴 경험.

쓰라리다 형 **1** 상처가 쓰리고 아리다. ¶매운 음식을 먹었더니 속이 ~. **2** 마음이 몹시 괴롭다. ¶낙방의 쓰라린 경험.

쓰러-뜨리다 타 쓰러지게 하다. ¶발을 걸어 바닥에 ~.

***쓰러-지다** 자 **1** 한쪽으로 쏠려 넘어지다. ¶태풍에 가로수가 ~. **2** 기업 등이 제 기능을 하지 못하는 상태가 되다. ¶자금난에 시달리다가 쓰러진 회사가 많다. **3** 병이나 과로 따위로 앓아눕거나 죽다. ¶이 일은 쓰러지는 한이 있어도 내가 끝내겠다.

쓰러-트리다 타 쓰러뜨리다.

쓰렁-쓰렁 부 **1** 비밀히 하는 모양. **2** 일을 정성껏 하지 않는 모양.

***쓰레기** 명 비로 쓴 먼지나 내버릴 물건의 총칭. ¶~를 버리다 / ~ 분리수거를 권장하다.

쓰레기-차 (-車) 명 쓰레기를 운반하여 버리는 청소차.

쓰레기-통 (-桶) 명 쓰레기를 담거나 모아 두는 통. ¶~을 한구석으로 치워라.

쓰레-받기 명 비로 쓴 쓰레기 따위를 받아 내는 기구.

쓰레-질 명하타 비로 쓸어 청소하는 일.

쓰르라미 명 〖충〗 매밋과의 곤충. 적갈색에 녹색과 흑색의 점이 있음. 엄지벌레는 여름에 나타나며 수컷은 '쓰르람쓰르람' 하고 욺. 저녁매미.

쓰리다 형 **1** 쑤시는 듯이 아프다. ¶양파 때문에 눈이 ~. **2** 몹시 시장하거나 과음하여 배 속이 아픈 듯이 거북하다. ¶배가 고프더니 속까지 쓰렸다. **3** 마음이 쑤시는 것처럼 아프고 괴롭다. ¶부모를 여읜 슬픔에 가슴이 ~.

쓰이다[1] 一자 《'쓰다[1]'의 피동》 글씨가 써지다. ¶칠판에 쓰인 글씨를 옮겨 적다 / 책에 쓰여 있는 내용을 검토하다. 준씌다. 二타 《'쓰다[1]'의 사동》 글씨를 쓰게 하다. ¶동생에게 붓글씨를 쓰여 보았더니 엉망이었다.

***쓰이다**[2] 자 《'쓰다[3]'의 피동》 씀을 당하다. 통용되다. ¶많이 쓰이는 물건.

***쓰임-새** 명 무엇이 쓰이는 자리나 그 기능. ¶목재는 ~가 다양하다.

쓱 부 **1** 슬쩍 사라지는 모양. ¶어느새 ~ 없어지다. **2** 슬그머니 내밀거나 들어가는 모양. ¶웃으면서 ~ 들어서다. **3** 빨리 지나가는 모양. ¶빠른 걸음으로 ~ 지나가다. **4** 슬쩍 문지르거나 비비는 모양. ¶수건으로 눈물을 ~ 닦아 내다.

쓱싹 부 **1** 톱질이나 줄질을 할 때 나는 소리. **2** 잘못을 슬쩍 얼버무려 해치우는 모양. ¶~ 해치우다.

쓱싹-거리다 자타 톱질이나 줄질을 하는 소리가 자꾸 나다. 또는 그런 소리를 자꾸 내다. **쓱싹-쓱싹** 부하자타

쓱싹-대다 자타 쓱싹거리다.

쓱싹-하다 [-싸카-] 타여불 **1** 잘못을 얼버무리다. **2** 셈 등을 맞비겨 버리다. ¶주고받을 돈을 서로 쓱싹해 버리다. **3** 〈속〉 슬쩍 제 것으로 하다. ¶회식비를 ~ / 모금한 돈을 ~.

쓱-쓱 부 **1** 자꾸 슬쩍 문지르거나 비비는 모양. ¶땀을 수건으로 ~ 문지르다. **2** 일을 거침없이 손쉽게 해치우는 모양. ¶그는 어려운 일도 군소리 없이 ~ 잘해 낸다.

쓴-맛 [-맏] 명 **1** 씀바귀나 소태 따위의 맛과 같은 맛. 고미(苦味). **2** 달갑지 않은 경험. ¶사업 실패라는 ~을 보다. ↔단맛. ☞맛[1].

[쓴맛 단맛 다 보았다] 세상의 괴로움과 즐거움을 다 겪었다는 말.

> **여러 가지 쓴맛〔苦味〕**
>
> 1. **단순한 쓴맛**
>   씁쓰름하다, 씁쓰레하다, 씁싸래하다, 씁쓸하다, 씁쌀하다, 쓰디쓰다
> 2. **단맛과 쓴맛**
>   달곰씁쌀하다, 달곰씁쓸하다
> 3. **신맛과 쓴맛**
>   시금씁쓸하다, 시큼씁쓸하다

쓴-웃음 명 어이가 없거나 마지못해 짓는 웃음. ¶~을 짓다〔머금다〕.

쓸개 명 〖생〗 쓸개즙을 일시적으로 저장·농축하는 얇은 막(膜)의 주머니로 된 내장. 간의 밑에 있으며, 이 쓸개의 수축으로 쓸개즙을 수담관으로 보냄. 담(膽). 담낭(膽囊).

[쓸개 빠진 놈] 정신을 바로 차리지 못한 사람의 비유.

쓸개(가) 빠지다 구 하는 짓이 사리에 맞지 않고 줏대가 없음을 욕으로 하는 말.

쓸개-즙 (-汁) 명 〖생〗 소화액의 하나. 간세포에서 만들어져 쓸개에 저장되었다가 십이지장으로 감《지방의 소화를 촉진시킴》.

쓸까스르다 〔쓸까스르니, 쓸까슬러〕 타르불 남을 추기었다 낮추었다 하여 비위를 거스르다.

***쓸다**[1] 〔쓰니, 쓰오〕 타 **1** 비로 쓰레기 등을 모아 버리다. ¶마당을 ~ / 눈을 ~. **2** 가볍게 쓰다듬거나 문지르다. ¶손으로 배를 쓸어 주다. **3** 질질 끌어서 바닥을 스치다. ¶바닥을 쓸고 지나가는 스커트 자락. **4** 유행병이 널리 퍼지거나 태풍이나 홍수 따위로 피해를 당하다. ¶홍수가 쓸고 간 자리는 참담했다. **5** 독차지하다. ¶판돈을 몽땅 ~.

쓸다[2] 〔쓰니, 쓰오〕 타 줄 따위로 문질러 닳게 하다. ¶줄로 톱날을 ~.

쓸데-없다 [-떼업따] 형 필요 없다. 공연하다. 소용없다. ¶쓸데없는 소리〔생각〕 / 쓸데없는 물건을 버리다. **쓸데-없이** [-떼업씨] 부 공연히. ¶~ 돈을 낭비하다.

쓸리다[1] 자 풀 먹인 옷 등에 살이 문질려 살갗이 벗겨지다.

쓸리다[2] 자 비스듬히 기울어지다. ¶벼가 ~.

쓸리다[3] 자 《'쓸다[1]'의 피동》 쓺을 당하다. ¶낙엽이 바람에 ~ / 여러 채의 집이 홍수에 쓸려 갔다 / 치맛자락이 길어 걸을 때마다 바닥에 쓸린다.

***쓸-모** 명 쓸 만한 가치. 쓰이게 될 자리. ¶뛰어난 재능이라도 갈고 닦아야 ~가 생기는 법이다.

쓸모-없다 [-업따] 형 쓸 만한 가치가 없다. ¶아무짝에도 쓸모없어 보이는 녀석. **쓸모-없이** [-업씨] 부

***쓸쓸-하다** 형여불 **1** 날씨가 좀 차고 음산하

다. ¶쓸쓸하고 바람이 찬 겨울 들판. (작)쌀쌀하다. **2** 외롭고 적적하다. ¶쓸쓸한 생활 / 쓸쓸한 최후를 맞다. **쓸쓸-히** 부

쓸어-버리다 타 부정적인 것을 모조리 없애다. ¶잡념을 쓸어버리고 일에 열중하다.

쓿다 [쓸타] 타 쌀·조·수수 따위의 곡식을 찧어 속껍풀을 벗기고 깨끗하게 하다.

씀바귀 명 〘식〙 국화과의 여러해살이풀. 산이나 들에 절로 남. 높이 약 30cm, 잎이 가늘고 길며, 초여름에 노란색 꽃이 핌. 쓴맛이 나며 봄에 나물로 먹음.

씀벅-거리다 자타 눈꺼풀이 자꾸 움직여 빨리 감겼다 떠졌다 하다. 또는 그렇게 되게 하다. (작)쌈박거리다. (여)슴벅거리다. **씀벅-씀벅** 부하자타

씀벅-대다 자타 씀벅거리다.

씀씀-이 명 **1** 돈이나 물건 따위를 쓰는 정도나 모양. ¶~가 헤프다 / ~는 늘고 수입은 줄어 생활이 곤란하다. **2** 어떤 일이나 사람에 대한 생각이나 관심의 정도. ¶마음 ~가 남다르다.

씁쓰레-하다 형여불 맛이 좀 쓴 느낌이 있다. (작)쌉싸래하다.

씁쓰름-하다 형여불 씁쓰레하다.

씁쓸-하다 형여불 **1** 맛이 조금 쓰다. (작)쌉쌀하다. **2** 달갑지 않아 언짢거나 꺼림칙하다. ¶씁쓸한 표정을 짓다. **씁쓸-히** 부

씌다[1] [씨-] 자 '쓰이다'의 준말.

씌다[2] [씨-] 자 귀신 따위에 홀리다.

씌다[3] [씨-] 타 '씌우다'의 준말. ¶아기에게 모자를 ~.

씌우개 [씨-] 명 덮어씌우는 물건.

***씌우다** [씨-] 타 《'쓰다[2]'의 사동》 **1** 머리에 쓰게 하다. ¶모자를 ~. **2** 허물을 남의 탓으로 돌리다. ¶누명을 ~. (준)씌다[3].

***씨**[1] 명 **1** 식물의 씨방 안의 싹이 터서 새 개체가 될 단단한 물질. 씨앗. 종자(種子). ¶~ 없는 수박 / ~를 발라내고 먹어라. **2** 동물이 생겨나는 근본. ¶~가 좋은 말. **3** 가문의 혈통이나 근원. ¶왕후장상의 ~가 따로 있나. **4** 어떤 일의 근원. ¶갈등의 ~.

씨가 마르다 구 어떤 종류의 것이 모조리 없어지다.

씨가 먹히다 구 조리에 닿고 실속이 있다.

씨도 남기지 않다 구 아무것도 남기지 아니하다.

씨를 말리다 구 아무것도 남기지 않고 모조리 없애다.

씨를 뿌리다 구 ㉠파종(播種)하다. ㉡사물의 근원을 만들다. ¶불화의 ~.

씨[2] 명 천이나 돗자리 따위를 짤 때 가로로 놓는 실·노끈·새끼 따위. ↔날[3].

***씨** (氏) ㊀명 같은 성(姓)의 계통을 표시하는 말. ㊁의명 성명 또는 이름 뒤에 붙여 존대하는 뜻을 나타내는 호칭어. ¶박미연 ~ / 미정 ~. ㊂인대 이름 대신 높여 일컫는 말. ¶~는 당대 문단의 거목이었다.

-씨 (氏) 미 성을 나타내는 말에 붙어 존대의 뜻을 나타냄. ¶전주 이~ / 김~ / 박~.

씨근-거리다 자타 가쁘고 고르지 않은 숨쉬는 소리가 거칠게 자꾸 나다. 또는 그렇게 하다. ¶씨근거리며 뛰어오다. (작)쌔근거리다. (여)시근거리다. **씨근-씨근** 부하자타

씨근-대다 자타 씨근거리다.

씨근덕-거리다 자타 몹시 씨근거리다. (작)쌔근덕거리다. (여)시근덕거리다. **씨근덕-씨근덕** 부하자타

씨근덕-대다 자타 씨근덕거리다.

씨근-벌떡 부하자타 흥분되거나 배가 불러 가쁘게 숨을 쉬는 모양. (작)쌔근발딱. (여)시근벌떡. (거)씨근펄떡.

씨근벌떡-거리다 자타 흥분되거나 배가 불러 자꾸 가쁘게 숨을 쉬다. (작)쌔근발딱거리다. (여)시근벌떡거리다. **씨근벌떡-씨근벌떡** 부하자타

씨근벌떡-대다 자타 씨근벌떡거리다.

씨근-펄떡 부하자타 숨이 차서 씨근거리며 헐떡이는 모양. (작)쌔근팔딱. (센)씨근벌떡.

씨-껍질 명 〘식〙 식물의 씨를 싸고 있는 껍질. 겉씨껍질과 속씨껍질의 구별이 있음. 겉씨껍질은 굳고 혁질이며 표면에 각종 무늬가 있음. 종피(種皮).

씨-내리 명하자 지난날, 혈손(血孫)이 아이를 낳지 못할 때, 다른 남자를 들여 아이를 배게 하던 일. *씨받이.

씨-눈 명 배(胚).

씨-닭 [-닥] 명 씨를 받기 위하여 기르는 닭. 종계(種鷄).

씨-도둑 명 한 집안에 대대로 전해 오는 버릇·모습·전통·가풍(家風) 따위에서 벗어난다는 뜻의 비유.

[**씨도둑은 못한다**] ㉠그 집안이 지녀 온 내력은 아무도 없애지 못한다는 말. ㉡아버지와 자식은 모습이나 성격이 비슷하여 속일 수가 없다는 말.

씨-돼지 명 씨를 받으려고 기르는 돼지. 종돈(種豚).

씨르래기 명 〘충〙 여치.

***씨름** 명하자 **1** 두 사람이 샅바를 넓적다리에 걸어 서로 잡고 힘과 재주를 부려 먼저 넘어뜨려 승부를 겨루는 우리나라 고유의 경기. 각력(角力). **2** 어떤 대상을 극복 또는 체득하기 위해 노력하는 일. ¶책과 며칠째 ~을 하고 있다.

씨름-판 명 씨름을 하는 판. ¶~을 벌이다.

씨-말 명 종마(種馬).

씨무룩-이 부 씨무룩하게.

씨무룩-하다 [-루카-] 형여불 몹시 불만스러운 태도로 별로 말이 없다. ¶그는 씨무룩한 태도로 앉아 있다. (여)시무룩하다.

씨물-거리다 자 입술을 조금 씰그러뜨리며 소리 없이 자꾸 웃다. (작)쌔물거리다. (여)시물거리다. **씨물-씨물** 부하자

씨물-대다 자 씨물거리다.

씨-받이 [-바지] 명하자 **1** 채종(採種). **2** 지난날, 아내에게 이상이 있어 대를 잇지 못할 경우에 다른 여자가 대신 낳아 주던 일. 또는 그 여자. *씨내리·대리모(代理母).

씨-방 (-房) 명 〘식〙 암술의 일부로서 암술대 밑에 붙은 통통한 주머니 모양의 부분 《그 안에 밑씨가 들어 있음》. 자방(子房).

씨부렁-거리다 자타 실없는 말을 주책없이 함부로 자꾸 지껄이다. ¶욕설을 ~ / 그 노인은 툭하면 혼자서 씨부렁거린다. (여)시부렁거리다. **씨부렁-씨부렁** 부하자타

씨부렁-대다 자타 씨부렁거리다.

씨-뿌리 명 〘식〙 번식시키기 위하여 씨앗으로 삼는 뿌리. 종근(種根).

씨-소 명 종우(種牛).
씨-실 명 피륙을 가로 건너 짜는 실. 위사(緯絲). ↔날실.

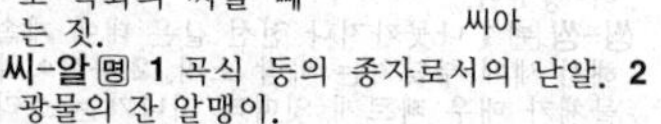

씨아 명 목화의 씨를 빼는 기구.
씨아-손 명 씨아의 손잡이.
씨아-질 명하자 씨아로 목화의 씨를 빼는 짓.
씨-알 명 **1** 곡식 등의 종자로서의 낟알. **2** 광물의 잔 알맹이.
씨알-머리 명 〈속〉 남의 혈통을 일컫는 말.
씨-암탉 [-탁] 명 씨를 받기 위하여 기르는 암탉.
***씨앗** [-앋] 명 **1** 곡식이나 채소 따위의 씨. 종자. ¶ ~을 뿌리다 / ~에서 싹이 트다. **2** 커질 수 있는 사물의 근원. ¶희망의 ~.
씨양이-질 명하자 한창 바쁠 때 쓸데없는 일로 남을 귀찮게 하는 짓. ¶ ~ 그만 하고 일이나 좀 도와라. 준쌩이질.
씨-젖 [-젇] 명 〚식〛 배(胚)젖.
씨-조개 명 씨를 받기 위하여 기르는 조개. 종패.
씨족 (氏族) 명 원시 사회에서 공동의 조상을 가진 혈족 단체.
씨-주머니 명 〚식〛 자낭(子囊).
씨-줄 명 **1** 피륙 따위를 짤 때의 씨. **2** 〚지〛 위선(緯線). ↔날줄.
씨-짐승 명 씨를 받으려고 기르는 짐승. 종축(種軸).
씩 부 소리 없이 한 번 싱겁게 웃는 모양. ¶ 혼자서 ~ 웃다.
-씩 미 **1** 같은 수효로 나누는 뜻을 나타냄. ¶세 개~ 나누어 주다. **2** 수량 등을 나타내는 말 뒤에 붙어, '제각기'의 뜻을 나타냄. ¶하나~ 둘~ 떼를 지어 몰려가다 / 한 개에 얼마~ 합니까. **3** 크기나 정도를 나타내는 말 뒤에 붙어, 그와 거의 같음을 나타냄. ¶주먹만큼~ 한 돌멩이.
씩씩 부하자타 매우 숨이 가빠서 거칠게 쉬는 소리. 작쌕쌕. 여식식.
씩씩-거리다 자타 잇따라 가쁘고 거칠게 숨을 쉬다. 또는 그런 소리를 잇따라 내다. ¶화를 못 참고 ~. 작쌕쌕거리다. 여식식거리다.
씩씩-대다 자타 씩씩거리다.
***씩씩-하다** [-씨카-] 형여불 굳세고 위엄이 있다. 용감하다. ¶씩씩하게 행진하다.
씰그러-뜨리다 타 한쪽으로 비뚤어지거나 기울어지게 하다. 작쌜그러뜨리다. 여실그러뜨리다.
씰그러-지다 자 한쪽으로 비뚤어지거나 기울어지다. 작쌜그러지다. 여실그러지다.
씰그러-트리다 타 씰그러뜨리다.
씰긋-거리다 [-귿꺼-] 자타 씰그러질 듯이 계속해서 움직이다. 또는 그렇게 하다. 여실긋거리다. **씰긋-씰긋** [-귿-귿] 부하자타
씰긋-대다 [-귿때-] 자타 씰긋거리다.
씰긋-하다 [-그타-] 형여불 물체가 한쪽으로 조금 비뚤어져 있다. 작쌜긋하다. 여실긋하다.
씰기죽-거리다 자타 씰그러지게 계속해서 천천히 움직이다. 작쌜기죽거리다. 여실기죽거리다. **씰기죽-씰기죽** 부하자타
씰기죽-대다 자타 씰기죽거리다.
씰기죽-쌜기죽 부하자타 작은 물체가 계속해서 천천히 한쪽으로 기울어지거나 쏠리는 모양. 여실기죽샐기죽.
씰룩 부하자타 근육의 한 부분이 실그러지게 움직이는 모양. 작쌜룩. 여실룩.
씰룩-거리다 자타 근육의 한 부분이 자꾸 실그러지게 움직이다. 또는 그렇게 하다. ¶입술을 ~ / 엉덩이를 씰룩거리며 걷다. 작쌜룩거리다. 여실룩거리다. **씰룩-씰룩** 부하자타
씰룩-대다 자타 씰룩거리다.
씰룩-쌜룩 부하자타 근육의 한 부분이 실그러졌다 샐그러졌다 하며 자꾸 움직이는 모양. 여실룩샐룩.
씰쭉 부하자타 **1** 어떤 감정을 나타내면서 입이나 눈을 실그러뜨리는 모양. **2** 마음에 차지 않아서 매우 아니꼬워하는 태도를 드러내는 모양. 작쌜쭉. 여실쭉.
씹 명하자 〈비〉 **1** 여자의 성기. **2** 성교.
***씹다** 타 **1** 입에 넣어 계속 깨물다. ¶밥을 꼭꼭 씹어 먹다 / 손톱을 잘근잘근 ~. **2** 〈속〉 남을 나쁘게 말하다. ¶동료를 ~.
씹히다 [씨피-] ㊀자 《'씹다'의 피동》 **1** 씹음을 당하다. ¶김치가 사각사각 ~. **2** 남에게 씹는 말을 듣다. ¶남에게 씹힐 행동을 하지 마라. ㊁타 《'씹다'의 사동》 씹게 하다. ¶아이에게 껌을 ~.
씻-가시다 [씯까-] 타 씻어서 더러운 것이 없게 하다.
씻기다 [씯끼-] ㊀자 《'씻다'의 피동》 씻음을 당하다. ¶먼지투성이의 거리가 빗물에 ~. ㊁타 **1** 《'씻다'의 사동》 씻게 하다. **2** 남의 몸 따위를 씻어 주다. ¶아기의 얼굴을 ~.
씻김-굿 [씯낌굳] 명 〚민〛 주로 전라도 지방에서 하는, 죽은 사람의 영혼을 깨끗이 씻어 주어 극락왕생하게 하고, 자손의 복을 비는 굿.
***씻다** [씯따] 타 **1** 물이나 휴지 따위로 때나 더러운 것을 없애다. ¶손발을 깨끗이 ~ / 구두의 흙을 씻어 내다. **2** 누명이나 오해 등에서 벗어나 떳떳하게 되다. ¶ 오명을 ~ / 씻을 수 없는 치욕. **3** 마음속에 응어리를 없애다. ¶영원히 씻지 못할 원한. **4** 좋지 않은 현상에서 벗어나다. ¶한동안의 부진을 ~ / 하루의 피로를 ~ / 갈증을 시원하게 씻어 주다.
씻은 듯 부신 듯 구 아무것도 남지 않고 깨끗해진 모양. ¶액운이 ~ 사라지다.
씻은 듯이 구 아주 깨끗하게. ¶병이 ~ 나았다.
씻-부시다 [씯뿌-] 타 그릇 등을 씻어 깨끗이 하다.
씽 부하자 **1** 나뭇가지 따위에 부딪치는 세찬 바람 소리나 모양. ¶바람이 ~하고 귓가를 스쳤다. **2** 사람이나 물체가 매우 빠르고 세차게 지나가는 소리나 모양. 작쌩.
씽그레 부하자 은근한 태도로 부드럽게 눈웃음치는 모양. 작쌩그레. 여싱그레.
씽글-거리다 자 은근한 태도로 부드럽게 자꾸 눈웃음치다. 작쌩글거리다. 여싱글거

리다. **씽글-씽글** 부하자
씽글-대다 자 씽글거리다.
씽글-뻥글 부하자 입만 벌리고 소리 없이 부드럽고 환하게 웃는 모양. ¶~ 기뻐하다. 여싱글벙글.
씽긋 [-귿] 부하자 은근한 태도로 가볍게 얼핏 눈웃음치는 모양. 작쌩긋. 여싱긋. 센씽끗.
씽긋-거리다 [-귿꺼-] 자 은근한 태도로 소리 없이 가볍게 자꾸 눈웃음치다. 작쌩긋거리다. **씽긋-씽긋** [-귿-귿] 부하자
씽긋-대다 [-귿때-] 자 씽긋거리다.
씽긋-뻥긋 [-귿-귿] 부하자 소리 없이 가볍게 슬쩍 눈웃음치는 모양. 작쌩긋뺑긋. 여싱긋빙긋. 센씽끗뻥끗.
씽긋-이 부 씽긋. 작쌩긋이. 여싱긋이. 센씽끗이.
씽끗 [-끋] 부하자 은근한 태도로 가볍게 슬쩍 눈웃음치는 모양. ¶그녀가 ~ 웃으며 인사한다. 작쌩끗. 여싱긋·싱끗·씽긋.
씽끗-거리다 [-끋꺼-] 자 은근한 태도로 계속해서 가볍게 눈웃음치다. 작쌩끗거리다. **씽끗-씽끗** [-끋-끋] 부하자
씽끗-대다 [-끋때-] 자 씽끗거리다.
씽끗-뻥끗 [-끋-끋] 부하자 소리 없이 가볍게 슬쩍 눈웃음치는 모양. 작쌩끗뺑끗. 여싱긋빙긋·씽긋뻥긋.
씽끗-이 부 씽끗. 작쌩끗이. 여싱긋이·싱끗이·씽긋이.
씽-씽 부 **1** 나뭇가지나 전선 같은 데에 계속해서 세게 부딪치는 바람 소리. **2** 사람이나 물체가 매우 빠르게 잇따라 지나가는 소리나 모양. ¶고속도로에서 자동차들이 ~ 달린다. 작쌩쌩.
씽씽-하다 형여불 **1** 힘이나 기운 따위가 썩 왕성하다. **2** 시들거나 상하지 않고 생기가 있다. ¶씽씽한 과일. 작쌩쌩하다. 여싱싱하다. **씽씽-히** 부

ㅇ (이응) **1** 한글 자모의 여덟째 글자. **2** 자음의 하나. 음절의 첫소리로서는, 음가(音價)가 없고, 받침에서는, 혀뿌리로 입천장의 뒤끝 목젖 달린 곳을 막고 목에서 나오는 소리를 콧구멍 안으로 보내어 거기서 나는 탁음임. 곧 첫소리에는 실제 음가가 없음과 같고, 받침에서는 'ㄱ'의 콧구멍 울림소리가 됨.

아[1] [명] 〔언〕 한글의 모음 글자 'ㅏ'의 이름.
[아 해 다르고 어 해 다르다] 같은 내용의 이야기라도 이렇게 말하여 다르고 저렇게 말하여 다르다는 말.

아[2] [감] **1** 놀람·당황·초조 등을 나타내거나 급할 때에 내는 소리. ¶~, 깜짝이야 / ~, 알았다 / ~, 깜빡 잊었군. **2** 상대의 주의를 끌기 위하여 하는 말에 앞서서 내는 소리. ¶~, 이 사람아 / ~, 자네 좀〔잠깐〕/ ~, 그래서야 되겠는가. (큰)어.

아[3] [감] **1** 기쁨·슬픔·칭찬·뉘우침·귀찮음·절박감 등을 나타낼 때 내는 소리. ¶~, 슬프도다 / ~, 세월은 잘도 간다 / ~, 참 잘했다. **2** 모르던 것을 알아차렸을 때 내는 소리. ¶~, 그런 줄도 모르고 엉뚱한 생각만 했구나. (큰)어.

아[4] [조] 받침 있는 명사 뒤에 붙어 손아랫사람이나 짐승·사물 따위를 부를 때에 쓰는 호격 조사. ¶복동~ / 달~ 달~ 밝은 달~ / 바둑~, 이리 오너라. *야.

아:- (亞) [투] **1** '다음 가는'의 뜻. ¶~열대. **2** 〔화〕 '무기산(無機酸)의 산소 원자가 첫 번째로 적다'는 뜻. ¶~황산. *과(過)-.

-아 (兒) [미] **1** '어린아이'의 뜻을 나타내는 말. ¶신생~. **2** '남자다운 씩씩한 남자'의 뜻. ¶풍운~ / 행운~.

-아 [어미] 끝음절이 'ㅏ'·'ㅗ'로 된 어간에 붙어 쓰이는 어미. 'ㅏ'를 끝음절로 한 어간에 받침이 없을 때에는 줄어지는 것이 원칙임. (가아서→가서, 자아야→자야). **1** 부사형을 이루는 전성 어미. ¶어렵게 살~가다 / 속이 좁~ 보이다. **2** 동사 어간에 붙어, 서술·의문·청유(請誘)·명령을 나타내고, 형용사에 붙어 서술·의문을 나타내는 반말의 종결 어미. ¶나중에 갚~ / 함께 보~ / 아이 좋~. *-어·-여.

***아가** ㊀[명] '아기'를 귀엽게 부르는 말. ¶엄마, ~가 울어. ㊁[감] **1** 아기를 부를 때 쓰는 말. ¶~, 이리 온. **2** 시부모가 시집온지 얼마 안 되는 며느리를 친근하게 부르는 말. ¶~, 전화 받아라.

아가리 [명] **1** 〈속〉 입. ¶~ 닥치고 있어. **2** 병·그릇·자루 따위의, 내용물을 넣고 꺼내고 하는 구멍의 입구. ¶병 ~ / 자루 ~를 벌리다. (준)가리.

아가리(를) 놀리다 [구] 〈속〉 '말을 하다'를 낮잡아 이르는 말.

아가리(를) 닥치다 [구] 〈속〉 입을 다물고 아무 말도 하지 아니하다.

***아가미** [명] 〔동〕 물속에서 사는 동물, 특히 어류(魚類)에 발달한 호흡 기관. 붉은 빗살 모양으로 여기에 혈관이 분포하여 물 속의 산소를 흡수함.

***아가씨** [명] **1** 처녀나 젊은 여자를 대접하여 부르는 말. **2** 손아래 시누이를 이르는 말.

아가페 (그 agapē) [명] 〔종〕 종교적인 무조건적 사랑. 곧, 신이 죄인인 인간에 대하여 자기를 희생하며 가엾게 여기는 사랑. *에로스(eros).

아갈-잡이 [명][하타] 소리를 지르지 못하게 입을 헝겊이나 솜 따위로 틀어막는 짓.

아감-구멍 [-꾸-] [명] 〔어〕 물고기의 아감딱지 뒤쪽에 있는 열공(裂孔)《숨쉴 때 물이 드나들게 함》. 아가미구멍.

아감-딱지 [명] 〔어〕 물고기의 머리 양쪽에 있어 아가미를 덮어 보호하는 골질의 얇은 판. 아가미덮개.

아감-뼈 [명] 〔어〕 물고기의 아가미 안에 있는 궁상골(弓狀骨)《아가미를 보호하는 역할을 함》. 아가미뼈.

아감-젓 [-젇] [명] 생선의 아가미와 이리로 담근 젓.

아관 파천 (俄館播遷) 〔역〕 조선 말, 건양(建陽) 1년(1896) 2월 11일부터 약 1년간에 걸쳐 고종(高宗)과 태자가 친(親)러시아 세력에 의하여 러시아 공사관으로 옮겨서 거처한 사건.

아교 (阿膠) [명] 갖풀.

아교-질 (阿膠質) [명] 아교같이 끈적끈적한 성질. 또는 그런 물질.

아교-풀 (阿膠-) [명] 갖풀.

아구-창 (牙口瘡·鵝口瘡) [명] 〔한의〕 **1** 어린아이의 입술과 잇몸이 헐어서 썩는 병. 아감창(牙疳瘡). **2** 태열로 입 안이 헐고 혀에 백태가 끼는, 신생아의 병.

아:군 (我軍) [명] **1** 자신이 속한 편의 군대. ¶~이 승리하다. ↔적군. **2** 자신이 속한 편. 자신이 속한 편 선수.

아궁이 [명] 〔건〕 가마나 방이나 솥에 불을 때기 위하여 만든 구멍. ¶~에 불을 지피다〔때다〕.

아귀[1] [명] **1** 물건의 갈라진 곳. ¶손~ / 입~. **2** 두루마기나 여자 속곳의 옆을 터 놓은 구멍. ¶~를 트다. (준)귀. **3** 씨의 싹이 트고 나오는 곳. ¶~가 트다. **4** 활의 줌통과 오금이 닿은 오긋한 부분.

아귀(가) 맞다 [구] ㉠앞뒤가 어긋나지 않고 꼭 들어맞다. ㉡일정한 수량 따위가 들어맞다.

아귀(가) 무르다 [구] ㉠마음이 굳세지 못하여 남이 하자는 대로 하다. ¶그렇게 아귀가 무르니 어쩌지. ㉡손으로 잡는 힘이 약하다.

아귀(를) 맞추다 [구] 일정한 기준에 들어맞

게 하다.

아귀² 명 〖어〗 아귓과의 바닷물고기. 암초나 해조가 있는 바다 밑에 살며, 길이 60 cm 가량, 머리가 넓고 입이 큼. 넓적한 몸은 비늘이 없이 피질 돌기로 덮였음. 맛이 좋음. 안강(鮟鱇). 안강어.

아:귀 (餓鬼) 명 1 〖불〗 계율을 어기거나 악업을 저질러 아귀도에 빠진 귀신《늘 굶주린다고 함》. 2 염치없이 먹을 것이나 탐하는 사람. 3 성질이 사납고 탐욕스러운 사람.

아귀-다툼 명하자 1 〈속〉 말다툼. 2 서로 헐뜯고 기를 쓰며 다투는 일.

아귀-세다 형 1 마음이 굳세어 남에게 잘 휘어들지 아니하다. 2 남을 휘어잡는 힘이나 수완이 있다. 3 손으로 잡는 힘이 세다.

아귀-아귀 부 욕심 사납게 음식을 입에 잔뜩 넣어 씹어 먹는 모양. 큰어귀어귀.

아귀-차다 형 1 아귀가 매우 세다. 2 의지가 굳세고 하는 일이 야무지다.

아귀-힘 형 손아귀에 잡아 쥐는 힘.

아그레망 (프 agrément) 명 특정한 사람을 외교 사절로 하는 데에, 파견될 상대국에서 사전에 동의하는 의사 표시.

아근-바근 부하자 1 짝 맞춘 자리가 벌어져 있는 모양. 2 마음이 서로 맞지 않아 틀어지는 모양. 큰어근버근.

아금-받다 형 1 야무지고 다부지다. 2 무슨 기회든지 재빠르게 붙잡아 이용하는 성질이 있다.

아긋-아긋 [-귿-귿] 부하형 물건의 각 조각이 이가 맞지 아니하여 끝이 조금씩 어긋나 있는 모양. 큰어긋어긋.

아긋-이 부 아긋하게.

아긋-하다 [-그타-] 형여불 1 이가 꼭 맞지 않고 조금 어그러져 있다. ¶아긋하게 한 자가 된다. 2 틈이 조금 벌어져 있다. 큰어긋하다.

***아기** 명 1 어린 젖먹이 아이를 귀엽게 이르는 말. ¶~를 업다. 2 나이 어린 딸이나 며느리를 귀엽게 이르는 말. 3 주로 동식물 이름 앞에 쓰여 짐승의 작은 새끼나 식물을 귀엽게 일컫는 말. ¶~ 사슴 / ~ 나무.

아:기 (雅氣) 명 1 맑은 기운. 2 아담하고 고상한 기품. 3 풍류를 좋아하는 기질.

아기똥-거리다 자 몸집이 작은 사람이 몸을 좌우로 흔들면서 느리게 걷다. 큰어기뚱거리다. **아기똥-아기똥** 부하자

아기똥-대다 자 아기똥거리다.

아기-살 명 짧고 작은 화살《1천 보 이상을 날며, 날쌔고 촉이 날카로워 갑옷·투구를 뚫음》. 세전(細箭). 가는대.

아기-씨 명 1 시집갈 만한 또래거나 갓 시집온 색시를 높여 이르던 말. 2 여자 아이에 대한 높임말. 소저(小姐). 3 손아래 시누이를 높여 이르던 말.

아기-자기 부하형 1 여러 가지가 오밀조밀 어울려 예쁜 모양. ¶~한 표현 / ~한 멋 / ~하게 꾸며 놓은 방. 2 잔재미가 있고 즐거운 모양. ¶~한 신혼 생활.

아기작-거리다 자 팔다리를 자연스럽게 놀리지 못하며 더디 걷다. 큰어기적거리다. **아기작-아기작** 부하자

아기작-대다 자 아기작거리다.

아기족-거리다 자 팔다리를 마음대로 놀리지 못하고 느리게 억지로 겨우 걷다. 큰어기죽거리다. **아기족-아기족** 부하자

아기족-대다 자 아기족거리다.

아기-집 명 〖생〗 자궁(子宮).

***아까** 一명 조금 전. ¶~와 같이 하면 된다. 二부 조금 전에. ¶~ 내가 뭐라고 했지.

아까시-나무 명 〖식〗 콩과에 속하는 낙엽 활엽 교목. 높이 12-15 m. 잎은 우상 복생(羽狀複生)인데, 9-19 개의 소엽(小葉)은 긴 타원상의 달걀꼴임. 5-6 월에 백색 꽃이 총상(總狀)꽃차례로 잎겨드랑이에서 피고, 협과(莢果)는 선상(線狀)의 긴 타원형이며 10 월에 익음. 북아메리카 원산. 재목은 철도 침목·기구재 등으로 쓰며, 잎은 사료 및 약용함. 개아까시아나무.

아까워-하다 타여불 아깝게 여기다. 섭섭하게 여기어 손에서 떼기를 꺼리다. ¶목숨을 ~ / 아까워하지 말고 버릴 건 버려라.

***아깝다** 〔아까우니, 아까워〕 형ㅂ불 1 소중하고 값진 것을 잃어 섭섭하거나 서운한 느낌이 있다. ¶그 유망한 청년이 죽다니, 참 아까운 일일세 / 돈을 만원이나 잃어버리다니 아이구 아까워라. 2 소중하여 버리거나 내놓기가 싫다. ¶돈이 아까워 쓰지 않고 지내다 / 목숨이 아까우면 꼼짝 마라. 3 소중하여 함부로 쓰기가 어렵다. ¶아까운 재능을 썩히다 / 가는 세월이 ~.

***아끼다** 타 1 아깝게 여기다. ¶어찌 온정을 아끼리까. 2 소중히 여기어 함부로 쓰지 아니하다. ¶시간을 아끼어 쓰다 / 제 몸을 ~ / 비용을 한푼이라도 아끼자. 3 마음에 들어 관심을 쏟고 위하는 마음을 가지다. ¶그 사람을 아끼는 마음.

[아끼는 것이 찌로 간다 ; 아끼다 똥 된다] 아끼고 쓰지 아니하면 무용지물(無用之物)이 되고 만다.

아낌-없다 [-업따] 형 남에게 주거나 쓰는 데 아까워하는 마음이 없다. ¶아낌없는 박수를 보내다. **아낌-없이** [-업씨] 부. ¶~ 지면을 할애하다 / 애인을 위해 ~ 돈을 쓰다.

아나운서 (announcer) 명 뉴스를 보도하거나 실황 방송·사회 등을 맡아 하는 사람. ¶스포츠 중계를 전담한 ~. *뉴스 캐스터·앵커맨.

아나키스트 (anarchist) 명 무정부주의자.

아나키즘 (anarchism) 명 무정부주의.

아낙 명 1 부녀자가 거처하는 곳을 점잖게 일컫는 말. 내간(內間). 2 '아낙네'의 준말.

아낙-네 [-낭-] 명 남의 집 부녀자를 통속적으로 이르는 말. 내인(內人). 준아낙.

아날로그 (analogue) 명 〖물〗 수치를 길이라든가 각도 또는 전류라고 하는 연속된 물리량으로 나타내는 일. *디지털(digital).

***아내** 명 결혼한 여자를 그 남편에 상대하여 이르는 말. 처. ↔남편.

[아내가 귀여우면 처갓집 말뚝 보고도 절한다] 한 가지에 마음을 빼앗기면 다른 사물까지도 좋아진다는 말.

아냐 감 '아니야'의 준말.

아네모네 (라 anemone) 명 〖식〗 미나리아재빗과의 여러해살이풀. 지중해 지방 원산의 원예 식물로, 줄기 높이 20 cm 가량, 봄에 줄기 끝에 적·자·청·백색 등의 꽃이 핌. 내동성(耐凍性)의 알뿌리가 있음. 관상용임.

ㅇ

아-녀자 (兒女子) 명 1 어린이와 여자. 2 여자를 낮추어 이르는 말.
아노미 (프 anomie) 명 1 행위를 규제하는 공통 가치나 도덕 기준을 잃은 혼돈 상태. 2 〖심〗 불안·자기 상실감·무력감 등에서 볼 수 있는, 적응하지 못하는 현상.
아뇨 감 '아니요'의 준말.
아느작-거리다 자 부드럽고 길고 가느다란 나뭇가지·풀잎 따위가 잇따라 춤추듯 가볍게 흔들리다. ¶버드나무가 바람에 아느작거린다. 준아늑거리다. **아느작-아느작** 부 하자
아느작-대다 자 아느작거리다.
아늑-하다 [-느카-] 형 여불 1 포근히 싸여 안기듯 편안하고 조용한 느낌이 있다. ¶아늑한 방. 2 따뜻하고 포근한 느낌이 있다. ¶아늑한 봄날. 큰으늑하다. **아늑-히** [-느키] 부
아늘-거리다 자 빠르고 가볍게 아느작거리다. **아늘-아늘** 부 하자
아늘-대다 자 아늘거리다.
아늠 명 볼을 이루고 있는 살.
*__아니__[1] 부 1 용언 앞에 쓰여 부정 또는 반대의 뜻을 나타내는 말. ¶~ 가다. 준안. 2 앞에 말한 사실을 보다 강조하기 위하여 쓰는 말. ¶공자(孔子)는 중국, ~ 세계의 위인이다.
[아니 땐 굴뚝에 연기 날까] 어떤 결과에는 반드시 원인과 사실이 있음.
아니 할 말로 구 말하기는 좀 무엇하지만. ¶~, 발 좀 밟히면 어때.
아니[2] 감 1 그렇지 아니하다는 뜻을 대답으로 하는 말. ¶올 테냐. ~, 못 가/~, 그렇지 않소. 2 말의 강조나 새삼스럽게 의심스러움을 나타낼 때에 쓰는 말. ¶~, 이게 뭐냐/~, 이런 멍청이가 있나.
아니꼽다 [아니꼬우니, 아니꼬워] 형 ㅂ불 1 비위가 뒤집혀 구역이 날 듯하다. 2 밉살스런 언행이 눈에 거슬려 불쾌하다. ¶아니꼬운 사나이/아니꼬워서 못 보겠다.
아니꼽살-스럽다 [-스러우니, -스러워] 형 ㅂ불 매우 아니꼬운 데가 있다. **아니꼽살-스레** 부
*__아니다__ 형 어떤 사실을 부정할 때 쓰이는 말. ¶고래는 어류가 ~/거기가 아니고 여기다/희망이 전혀 없는 것도 ~.
[아닌 밤중에 홍두깨 (내밀듯)] 갑자기 엉뚱한 말이나 행동을 불쑥 함.
아니나 다를까 [다르랴] 구 과연 예측한 바와 같다는 말. ¶~, 그는 또 늦었다.
아닌 게 아니라 구 과연 그러하다는 말. 미상불. ¶~, 그게 사실이구나.
아닌 밤중에 구 ㉠뜻하지 않은 밤중에. ㉡뜻밖의 때에. ¶아니, ~ 무슨 뚱딴지 같은 소리냐.

> **'아니오'와 '아니요'**
>
> **아니오** 형용사 '아니다'의 어간 '아니-'에 종결 어미 '-오'가 붙은 형태로 '-오'가 없으면 온전한 문장이 되지 않는다.
> 예 이것은 책이 아니오.
>
> **아니요** '아니'라는 부사에 말을 듣는 상대방을 높여 주는 뜻을 나타내는 보조사 '요'가 붙은 형태로, '아니'만으로도 쓸 수 있다.
> 예 이거 네 책이니?
> 아니(요), 철수 책이에요.

아니리 명 〖악〗 판소리에서, 창(唱)하는 중간에 장면의 변화나 정경 묘사를 위하여 이야기하듯 엮어 나가는, 창 아닌 말. *발림[2]·추임새.
아니-야 감 아랫사람이나 대등한 관계에 있는 사람이 묻는 말에 부정하게 대답할 때 쓰는 말. ¶~, 그것은 틀렸다. 준아냐.
아니-요 감 하오할 자리에서 그렇지 않다는 뜻으로 하는 말. ¶~, 그렇지는 않아요. 준아뇨.
아니-참 감 어떤 생각이 갑자기 떠올랐을 때 그 말 앞에 쓰이는 말. ¶~, 내 정신 좀 봐.
*__아니-하다__ 보동 보형 여불 동사·형용사의 '-지' 뒤에 쓰여 부정(否定)의 뜻을 나타내는 말. ¶자지 ~/먹지 ~/그다지 곱지 ~. 준않다.
아다지오 (이 adagio) 명 〖악〗 1 안단테보다는 느리게, 라르고보다는 빠르게 연주하라는 뜻. 2 소나타·모음곡(曲) 등에서 느린 악장의 통칭.
아닥-치듯 [-듣] 부 매우 심하게 말다툼하는 모양. ¶동네 꼬마들이 ~ 싸우다.
아:담 (雅談) 명 고아하고 조촐한 이야기.
아담 (Adam) 명 구약 성서에 등장하는 인류의 시조인 남자《히브리 어로 '사람'의 뜻》. ¶~과 이브.
아:담-스럽다 (雅淡-) [-스러우니, -스러워] 형 ㅂ불 고상하면서 담백한 데가 있다. **아:담-스레** 부
아:담-하다 (雅淡-·雅澹-) 형 여불 고상하고 담백하다. ¶아담한 몸매/방을 아담하게 꾸미다. **아:담-히** 부
-아도 어미 'ㅏ'·'ㅑ'·'ㅗ' 모음으로 된 용언의 어간에 붙어 그 사실을 인정하나 그 다음 말과는 상관 없음을 나타내는 연결 어미. ¶키는 작~ 힘이 장사다/아무리 보~ 쓸 만한 것이 없다/네가 옳~ 참아야 한다. *-어도.
아동 (兒童) 명 1 어린아이. 어린이. ¶미취학 ~. 2 초등학교에 다니는 나이의 아이. 학동(學童).
아동-극 (兒童劇) 명 〖연〗 1 어린이들이 하는 연극. 어린이극. 2 아동을 대상으로 상연하는 연극. 준동극.
아동-기 (兒童期) 명 사람의 개체 발달의 한 시기로 6-7 세에서 12-13 세까지의 시기.
아동 문학 (兒童文學) 〖문〗 1 어린이를 대상으로 교육성과 흥미를 고려하여 의식적으로 창작한 문학. 2 어린이들이 창작한 문학 작품.
아동-복 (兒童服) 명 아이들이 입도록 만든 옷. 어린이 옷.
아둔-하다 형 여불 슬기롭지 못하고 머리가 둔하다.
아드-님 명 남의 아들의 경칭. ↔따님.
아드득 부 하자타 1 이를 한 번 세게 가는 소리. 2 작고 단단한 물건을 힘껏 깨물어 부서뜨리는 소리. ¶사탕을 ~ 깨물었다. 큰

으드득.
아드득-거리다 자타 아드득 소리가 자꾸 나다. 또는 그런 소리를 자꾸 내다. 큰으드득거리다. **아드득-아드득** 부하자타
아드득-대다 자타 아드득거리다.
아드등-거리다 자 서로 제 생각만 고집하여 양보하지 않고 자꾸 다투다. 큰으드등거리다. **아드등-아드등** 부하자. ¶그들은 만나기만 하면 ~ 다툰다.
아드등-대다 자 아드등거리다.
아드레날린 (adrenaline) 명 〔화〕 척추동물의 부신 수질(副腎髓質)에서 분비되는 호르몬의 일종《혈압을 높이고, 지혈 작용 따위를 함》.
아득-바득 부하자 몹시 고집을 부리거나 애를 쓰는 모양. ¶~ 우겨대다.
아득-하다 [-드카-] 형여불 **1** 아련하게 보이거나 소리가 희미하게 들리다. ¶아득한 수평선 / 엄마의 부르는 소리가 ~. **2** 까마득하게 오래되다. ¶아득한 옛날. **3** 어떻게 하면 좋을지 막연하다. ¶살아갈 길이 아득하기만 하다. **4** 정신이 아찔하고 흐리멍덩하다. ¶취기가 돌아 의식이 아득하여 주저앉았다. 큰어득하다. **아득-히** [-드키] 부. ¶~ 먼 하늘 / ~ 먼 옛날.
*__아들__ 명 남자로 태어난 자식. ↔딸.
아들-놈 [-롬] 명 **1** '아들자식'을 겸손하게 이르는 말. **2** '아들'을 낮잡아 이르는 말.
아들-딸 명 아들과 딸. 자녀.
아들-아이 명 **1** 남에게 자기 아들을 이르는 말. ¶제 ~가 가지고 갈 겁니다. **2** 아들로 태어난 아이. ↔딸아이. 준아들애.
아들-애 명 '아들아이'의 준말. ↔딸애.
아들-자 명 〔수〕 길이나 각도를 정밀하게 잴 때에 쓰는 보조자. 부척(副尺). 버니어.

아들자

아들-자식 (-子息) 명 **1** 남에게 자기 아들을 이르는 말. ¶이번에 제 ~은 군에 입대합니다. **2** 아들로 태어난 자식.
아:등 (我等) 인대 우리[2].
아등그러-지다 자 **1** 빳빳하게 말라 배틀어지다. **2** 날씨가 점점 흐려서 음산하여지다. 큰으등그러지다.
아등-바등 부하자 몹시 악지스럽게 자꾸 애를 쓰거나 우겨 대는 모양. ¶~ 우겨대다 / ~하게 살아가다.
아딧-줄 [-디쭐 / -딛쭐] 명 풍향을 맞추기 위하여 돛에 매어서 쓰는 줄. 준앗줄.
아따 감 무엇이 몹시 심하거나 못마땅할 때 내는 소리. ¶~, 춥기도 하다. 큰어따.
아뜩-아뜩 부하형 정신이 어지럽고 자꾸 까무러칠 듯한 모양. 큰어뜩어뜩.
아뜩-하다 [-뜨카-] 형여불 갑자기 머리가 어지러워 까무러칠 듯하다. ¶눈앞이 ~. 큰어뜩하다. **아뜩-히** [-뜨키] 부
-아라 어미 **1** 'ㅏ'·'ㅗ'의 모음으로 된 동사 어간에 붙어서 명령하는 뜻을 나타내는 종결 어미. ¶받~ / 보~ / 좇~. *-어라·-으라. **2** 'ㅏ'·'ㅗ'의 모음으로 된 형용사 어간에 붙어서 감탄의 뜻을 나타내는 종결 어미. ¶아이 좋~ / 달도 밝~. *-어라·-여라.

아라베스크 (프 arabesque) 명 **1** 아라비아에서 시작된 직선·당초(唐草) 등을 묘하게 배열한 장식 무늬《벽면 장식에 쓰임》. **2** 〔문〕 아라비아적(的)이라는 뜻에서, 다양성 있는 문예 작품을 이름. **3** 〔악〕 아라비아풍(風)의 화려한 장식이 많은 악곡. **4** 발레 기교의 하나《한쪽 다리로 서서 다른 쪽 다리는 곧게 뒤로 뻗친 자세》.
아라비아 숫:자 (Arabia數字) [-수짜 / -숟짜] 보통 산술에서 쓰는 0,1,2,3,4,5,6,7,8,9의 10개의 숫자《인도에서 시작되어 아라비아 사람들이 유럽으로 전하였음》. 산용(算用) 숫자.
아라한 (阿羅漢) 명 〔산 arahan〕 〔불〕 **1** 소승 불교에서, 온갖 번뇌를 끊고 사제(四諦)의 이치를 밝히어 얻어서 세상 사람들의 우러름을 받을 만한 공덕을 갖춘 성자(聖者). **2** 생사를 초월하여 배울 만한 법도가 없게 된 경지의 부처. 준나한.
아람 명 밤이나 상수리가 충분히 익어 저절로 떨어질 정도가 된 상태. 또는 그 열매. ¶밤송이의 ~이 벌어지다.
아람(이) 불다 구 충분히 익은 아람이 나무에서 떨어지거나 떨어질 상태에 있다.
아람-치 명 자기의 것으로 가져오는 몫.
아랍 (Arab) 명 **1** 아랍 인. **2** 아랍 어.
아랍 어 (Arab語) 〔언〕 셈 어족에 속하는 언어. 현재 아라비아 및 중동 일부 지역과 북아프리카에서 씀.
아랍 인 (Arab人) 아라비아 및 근동 지방 등에 사는, 아랍 어를 쓰는 여러 민족의 총칭. 이슬람교를 믿음.
아랑 명 소주를 곤 뒤에 남은 찌꺼기.
아랑곳 [-곧] 명하자타 (주로 '안 하다'·'하지 않다'와 함께 쓰여) 남의 일에 나서서 알려고 들거나 참견하는 짓. ¶~하지 않고 지나가다 / 주머니 사정은 ~하지 않다.
아랑곳-없다 [-곧업따] 형 남의 일을 알려고 들거나 참견할 필요가 없다. ¶정치 따위는 아랑곳없는 듯한 태도. **아랑곳-없이** [-곧업씨] 부
*__아래__ 명 **1** 기준으로 삼는 것보다 상대적으로 낮은 방향이나 위치. ¶눈을 ~로 내리깔다. **2** 물건의 머리의 반대쪽. ¶~에서 다섯째 줄. **3** 지위나 연령, 신분, 수량이 낮은 쪽. ¶위로는 왕으로부터 ~로는 백성에 이르기까지 / 그는 나보다 두 살 ~다. **4** 수준·정도·질 등이 다른 것보다 못한 쪽. ¶성적이 평균보다 ~다. **5** 지배·영향을 받는 처지나 범위. ¶부모 ~에 있는 아이들 / 이러한 상황 ~에서는 곤란하다. **6** 아래·다음에 적은 것. ¶자세한 것은 ~와 같습니다. ↔위.
아래-아 명 〔언〕 옛 모음 'ㆍ'의 이름.
아래-옷 [-옫] 명 아랫도리옷. ↔윗옷.
아래-위 명 아래와 위. 상하. 위아래.
아래위-턱 명 아랫사람과 윗사람의 구별.
아래윗-막이 [-윈-] 명 물건의 양쪽 머리를 막는 부분.
아래윗-벌 [-위뻘 / -윋뻘] 명 옷의 한 벌을 이루는 아랫벌과 윗벌.
아래윗-집 [-위찝 / -윋찝] 명 아랫집과 윗집.
아래-짝 명 위아래로 한 벌을 이루는 물건

의 아래에 있는 짝. ↔위짝.
아래-쪽 명 아래를 가리키는 방향. 아래가 되는 쪽. ¶강의 ~. ↔위쪽.
아래-채 명 여러 채로 된 집의 아래쪽에 있는 집채. ↔위채.
아래-층 (-層) 명 여러 층으로 된 것의 아래에 있는 층. 하층(下層). ↔위층.
아래-턱 명 아래쪽의 턱. 하악(下顎). ¶~에 난 수염. ↔위턱.
아래턱-뼈 명 〖생〗 아래턱을 이루는 뼈.
아래-통 명 아랫부분의 둘레. ¶~이 가늘다. ↔위통.
아랫-간 (-間)[-래깐/-랟깐] 명 방이 둘로 나뉘어 있는 한옥에서, 아궁이에 가까운 쪽에 있는 방. ↔윗간.
아랫-것 [-래껃/-랟껃] 명 〈속〉 지체가 낮은 사람. 하인.
아랫-길 [-래낄/-랟낄] 명 **1** 아래쪽에 있는 길. **2** 품질이 그만 못한 물품. 또는 그 품질. ↔윗길.
아랫-녘 [-랜녁] 명 **1** 전라도·경상도의 일컬음. **2** 앞대. ↔윗녘.
아랫-니 [-랜-] 명 〔←아랫이〕 아랫잇몸에 난 이. ↔윗니.
아랫-단 [-래딴/-랟딴] 명 옷 아래 가장자리를 안으로 접어 붙이거나 감친 부분.
아랫-도리 [-래또-/-랟또-] 명 **1** 허리의 아래의 부분. ↔윗도리. **2** '아랫도리옷'의 준말.
아랫도리-옷 [-래또-옫/-랟또-옫] 명 아랫도리에 입는 옷. 준아랫도리.
아랫-돌 [-래똘/-랟똘] 명 아래에 있는 돌. [아랫돌 빼서 윗돌 괴고 윗돌 빼서 아랫돌 괴기] 일이 몹시 급할 때 임시변통으로 이리저리 둘러맞추어 감.
아랫-동네 [-래똥-/-랟똥-] 명 아래쪽에 있는 동네.
아랫-동아리 [-래똥-/-랟똥-] 명 **1** 물체의 아래가 되는 부분. ¶나무의 ~. 준아랫동. **2** 〈속〉 아랫도리.
아랫-마기 [-랜-] 명 아랫도리에 입는 옷. ↔윗마기.
아랫-마을 [-랜-] 명 아래쪽에 있는 마을. 준아랫말.
아랫-막이 [-랜-] 명 물건의 아래쪽 머리를 막은 부분. ↔윗막이.
아랫-머리 [-랜-] 명 아래위가 같은 물건의 아래쪽 끝 부분. ↔윗머리.
아랫-목 [-랜-] 명 구들 놓은 방에서 아궁이에 가까운 쪽의 방바닥. ¶~에 좌정하다/~에서 몸을 지지다. ↔윗목.
아랫-물 [-랜-] 명 **1** 흘러가는 아래쪽의 물. **2** 어떤 직급 체계에서 하위직. ↔윗물.
아랫-바람 [-래빠-/-랟빠-] 명 **1** 물 아래쪽에서 불어오는 바람. **2** 연 날릴 때 동풍을 이르는 말. ↔윗바람.
아랫-반 (-班)[-래빤/-랟빤] 명 아래위로 등급을 나눌 경우 아래가 되는 반. ↔윗반.
아랫-방 (-房)[-래빵/-랟빵] 명 이어져 있는 방들 가운데에서 아궁이에 가까운 방. ↔윗방.
아랫-배 [-래빼/-랟빼] 명 배꼽 아래쪽의 배. ¶~에 힘을 주다/~가 볼록 나오다. ↔윗배.
아랫-벌 [-래뻘/-랟뻘] 명 아랫도리에 입는 옷. 아랫도리옷. ↔윗벌.
아랫-사람 [-래싸-/-랟싸-] 명 **1** 손아랫사람. **2** 자기보다 지위나 신분이 낮은 사람. ¶~의 말에 귀를 기울이다. ↔윗사람.
아랫-사랑 (-舍廊)[-래싸-/-랟싸-] 명 **1** 아래채에 위치한 사랑. ↔윗사랑. **2** 작은사랑.
아랫-입술 [-랜닙-] 명 아래쪽의 입술. ¶~을 깨물다. ↔윗입술.
아랫-잇몸 [-랜닌-] 명 아래쪽의 잇몸.
아랫-자리 [-래짜-/-랟짜-] 명 **1** 아랫사람들이 앉는 자리. 하좌(下座). **2** 낮은 지위의 자리. **3** 낮은 쪽의 자리. ↔윗자리. **4** 〖수〗 십진법에서, 어느 자리보다 낮은 다음 자리.
아랫-집 [-래찝/-랟찝] 명 바로 아래쪽에 이웃하여 있는 집. ↔윗집.
아:량 (雅量) 명 속이 깊고 너그러운 마음씨. ¶~을 베풀다/넓은 ~으로 잘못을 용서했다.
아련-하다 형여불 똑똑히 분간하기 힘들게 어렴풋하다. 분명하지 않고 희미하다. ¶기억이 ~/먼 산이 ~/종소리가 아련하게 들려온다. **아련-히** 부
아렴풋-이 부 아렴풋하게. 큰어렴풋이.
아렴풋-하다 [-푸타-] 형여불 **1** 기억이 또렷하지 않고 흐릿하다. ¶아렴풋한 옛날 생각. **2** 잘 보이거나 들리지 않고 흐릿하다. ¶아렴풋한 불빛/아렴풋하게 들리는 새소리. **3** 잠이 깊이 들지 않다. ¶잠이 아렴풋하게 들다. 큰어렴풋하다.
아:령 (啞鈴) 명 쇠붙이나 플라스틱 따위로 만들며, 두 끝에 공처럼 생긴 쇠뭉치를 달아 양손에 하나씩 쥐고 팔운동을 하는 운동 기구《한 쌍이 한 벌임》.
아령칙-이 부 아령칙하게.
아령칙-하다 [-치카-] 형여불 기억이나 형체가 또렷하지 않다. 큰어령칙하다.
아로록-다로록 부하형 조금 성기고 연하게 여기저기 고르게 알록달록한 모양. 큰어루룩더루룩.
아로-새기다 타 **1** 글자나 무늬 따위를 또렷하고 정교하게 새기다. ¶자개 무늬를 아로새긴 장롱. **2** 마음속에 분명히 기억해 두다. ¶기쁨을 가슴 깊이 ~.
아롱 명 '아롱이'의 준말. 큰어룽.
아롱-거리다 자 또렷하지 아니하고 흐리게 아른거리다. 큰어룽거리다. **아롱-아롱**[1] 부하자
아롱-다롱 부하형 여러 가지 빛깔의 작은 점이나 줄이 여기저기 고르지 않고 배게 무늬를 이룬 모양. 큰어룽더룽.
아롱-대다 자 아롱거리다.
아롱-무늬 [-니] 명 점이나 줄로 된 아롱아롱한 무늬.
아롱-사태 명 쇠고기 뭉치사태의 한가운데에 붙은 살덩이.
아롱-아롱[2] 부하형 점이나 줄이 고르게 무늬를 지어 아른거리는 모양. 큰어룽어룽[2].
아롱-이 명 아롱진 점이나 무늬. 또는 그런 점이나 무늬가 있는 짐승이나 물건. 큰어룽이. 준아롱.
아롱-지다 一자 아롱아롱한 점이나 무늬가

생기다. 二형 아롱아롱한 점이나 무늬가 있다. 큰어룽지다.

아뢰다 타 1 '말하여 알리다'의 경어. ¶임금에게 ~. 2 윗사람 앞에서 풍악을 연주하여 드리다. ¶풍류를 ~.

아:류 (亞流) 명 1 둘째가는 사람이나 사물. 2 문학·예술·학문에서 모방하는 일이나 그렇게 한 것. 또는 그런 사람.

아르 (프 are) 의명 미터법에 의한 면적 단위 (《100 m^2. a로 표시》).

아르곤 (argon) 명 〔화〕 공기 중에 약 1% 포함되어 있는 무색·무취·무미의 비활성 원소(《다른 원소와 화합하지 않으며 영하 187℃에서 액화함》). [18번 : Ar : 39.948]

아르렁 부하자 작고 사나운 짐승이 성내어 우는 소리. 또는 그 모양. 큰으르렁.

아르렁-거리다 자 1 잇따라 아르렁 소리를 지르다. 2 순하지 못한 말로 서로 자꾸 다투다. 큰으르렁거리다. **아르렁-아르렁** 부하자

아르렁-대다 자 아르렁거리다.

아르르[1] 부하자 1 춥거나 아스스할 때 몸이 떨리는 모양. 2 애처롭거나 아까워서 떨다시피 하는 모양. 큰으르르.

아르르[2] 부하형 좀 알알한 듯한 느낌. ¶매운 김치를 먹었더니 혀끝이 ~하다.

아르바이트 (독 Arbeit) 명하자 일·노동의 뜻으로, 학생이나 직업인의 부업. ¶~로 학비를 벌다 / ~하는 학생들이 늘고 있다.

아르에스시 (RSC) 명 〔referee stop contest〕 아마추어 권투에서, 위험 방지를 위한 주심의 시합 정지.

아르오티시 (ROTC) 명 〔Reserve Officers' Training Corps〕 예비 장교 훈련단. 학생 군사 훈련단(《대학생에게 군사 훈련을 실시하여 졸업과 동시에 장교로 임명하는 제도》). 통칭은 학군단.

아르페지오 (이 arpeggio) 명 〔악〕 펼침화음.

아른-거리다 자 1 무엇이 보였다 안 보였다 하다. 2 그림자가 희미하게 움직이다. 3 물이나 거울에 비친 그림자가 흔들리어 안정되지 못하다. ¶호수 위에 비친 달빛이 아른거린다. 큰어른거리다. **아른-아른** 부하자. ¶~하는 아지랑이가 향불 연기처럼 오른다.

아른-대다 자 아른거리다.

아:른-스럽다 〔-스러우니, -스러워〕 형 ㅂ불 1 어린 사람이 어른인 체하는 태도가 있다. 2 어린아이의 말이나 행동이 어른 같은 데가 있다. 큰어른스럽다. **아:른-스레** 부

*__아름__ 一명 두 팔을 벌려 껴안은 둘레의 길이. ¶~이 넘는 느티나무. 二의명 1 두 팔로 껴안은 길이를 세는 단위. ¶세 ~. 2 두 팔을 둥글게 모아 만든 둘레 안에 들 만한 분량을 세는 단위. ¶꽃다발 한 ~.

아름-거리다 자타 1 말이나 행동을 우물쭈물 똑똑하지 않게 하다. 2 일을 엉터리로 하여 눈을 속이다. 큰어름거리다. **아름-아름** 부하자타

*__아름답다__ 〔아름다우니, 아름다워〕 형 ㅂ불 1 보거나 듣기에 즐겁고 좋은 느낌을 가지게 할 만하다. 예쁘고 곱다. ¶아름다운 꽃 / 아름다운 목소리 / 경치가 ~. 2 행동이나 마음씨가 훌륭하고 갸륵하다. ¶아름다운 우정 / 가정생활을 아름답게 가꾸어 나가다.

아름-대다 자타 아름거리다.

아름-드리 명 둘레가 한 아름이 넘는 큰 나무나 물건. ¶~ 소나무 / ~ 기둥.

아름작-거리다 자타 느리게 아름거리다. 큰어름적거리다. **아름작-아름작** 부하자타

아름작-대다 자타 아름작거리다.

아름-차다 형 1 힘에 벅차다. 힘에 겹다. 2 보람차다.

아리다 형 1 음식이 몹시 매워 혀끝이 알알한 느낌이 있다. ¶입이 ~. 2 다친 살이 찌르듯이 아프다. ¶상처가 아려 움직이지 못하다. 3 마음이 몹시 고통스럽다. ¶불쌍한 생각으로 가슴이 아렸다.

아리땁다 〔아리따우니, 아리따워〕 형ㅂ불 마음이나 태도나 자태가 사랑스럽고 아름답다. ¶아리따운 처녀.

*__아리랑__ 명 '아리랑 타령'의 준말.

아리랑 타령 〔악〕 우리나라의 대표적 민요의 하나. 준아리랑.

아리송-하다 형여불 비슷비슷한 것이 뒤섞여 있어 분간하기 어렵다. ¶그의 태도가 ~. 큰어리숭하다. 준알쏭하다.

아리아 (이 aria) 명 〔악〕 1 오페라 등에서 악기의 반주가 있는, 길고도 서정적인 내용의 독창곡(《매우 선율적임》). 영창(詠唱). 2 서정적인 소가곡이나 그 기악곡.

아리아리-하다 형여불 1 여러 가지가 모두 아리송하다. 큰어리어리하다. 2 계속 아린 느낌이 있다. ¶입 안이 ~.

아리오소 (이 arioso) 명 〔악〕 다소 서창적(敍唱的)인 독창곡. 또는 그 기악곡(《엄밀하게는 아리아풍(風)의 레시터티브를 말함》).

아릿-거리다 [-릳꺼-] 자 1 아렴풋하게 자꾸 눈앞에 어려 오다. 2 말이나 행동이 활발하지 못하고 생기 없이 움직이다. 큰어릿거리다. **아릿-아릿** [-릳-릳] 부하자

아릿-대다 [-릳때-] 자 아릿거리다.

아릿-하다 [-리타-] 형여불 혀끝이 조금 아린 느낌이 들다. ¶아릿한 맛이 나다. 큰어릿하다.

아마 (亞麻) 명 〔식〕 아마과의 한해살이풀. 중앙아시아 원산. 높이 1m 안팎. 잎은 어긋나며 피침형(披針形). 늦봄에 벽자색의 다섯잎꽃이 피고, 삭과(蒴果)는 둥글며 황갈색 씨가 열 개 들어 있음. 껍질은 섬유로, 씨는 기름을 짜는 데 씀.

아마[1] (←amateur) 명 '아마추어'의 준말. ¶~ 권투 / 바둑이 ~ 3단이다. ↔프로.

*__아마__[2] 부 단정할 수는 없으나, 짐작하거나 그럴 가능성이 큰 말 앞에서 '거의'·'대개'의 뜻으로 쓰이는 말. ¶~ 올 테지 / ~ 지금쯤 끝났겠지 / ~ 괜찮을 것이다.

아마-도 부 '아마'의 강조어.

아마인-유 (亞麻仁油)[-뉴] 명 아마의 씨로 짠 기름(《도료(塗料)·인주·인쇄 잉크 등을 만드는 데 씀》). 아마유.

아마추어 (amateur) 명 취미로 문학·학문·예술·기술·스포츠 등을 즐기는 사람. 비전문가. ¶~ 무선가 / ~ 스포츠 / ~ 극(劇). 준아마. ↔프로페셔널.

아말감 (amalgam) 명 〔화〕 백금·철·니켈·망

간·코발트 등을 제외한 다른 금속과 수은의 합금《금·은의 야금, 거울의 반사면, 치과용 충전재(充塡材) 따위에 씀》.

아메리칸 인디언 (American Indian) 남북 아메리카의 원주민족《피부는 구릿빛, 머리는 흑색, 눈동자는 검음. 태고에 동부 아시아에서 베링 해협을 거쳐 이주했음》.

아메바 (amoeba) 명 〔생〕 단세포의 원생동물. 크기는 0.02–0.5 mm. 형태가 일정하지 않으며, 위족(僞足)을 내밀어 기어다니면서 먹이를 싸서 흡수함.

아멘 (히 amen) 감 〔기·가〕 기도나 찬미의 끝에 그 내용에 동의하거나 이루어지기 바란다는 뜻으로 쓰는 말. ¶예수님의 이름으로 기도 드립니다. ~.

아명 (兒名) 명 아이 때의 이름. 유명(乳名). ↔관명(冠名).

아:명 (雅名) 명 아담하고 운치 있는 이름.

아모레 (이 amore) 명 〔악〕 '애정을 가지고·사랑스럽게'의 뜻. 아모로소.

아:목 (亞目) 명 〔생〕 생물 계통 분류의 한 단계《목(目)과 과(科)의 중간에 둠》.

아몬드 (almond) 명 〔식〕 편도(扁桃).

***아:무** ㊀인대 꼭 이름을 지정하지 않는 대명사. ¶~나 가거라. ㊁관 **1** 어떤 사물이든지 특별히 지정하지 않고 이를 때 쓰는 말. ¶~ 날 ~ 시. **2** '아무런, 어떠한'의 뜻. ¶~ 생각 없이 갔었다 / ~ 말도 하지 않았다 / ~ 소용이 없다.

아:무-개 인대 '아무'의 낮춤말. ¶김 ~라는 사람이오.

아:무-것 [-걷] 명 **1** 무엇이라고 꼭 지정하지 않고 이를 때 쓰는 말. 어떤 것. ¶~이든 좋다. **2** (주로 '아니다'와 함께 쓰여) 중요하거나 특별한 어떤 것. ¶~도 아닌 일로 다투고 있구나.

아:무래도 부 **1** '아무러하여도'의 준말. ¶그런 일은 ~ 좋다. **2** '아무리 하여도'의 준말. ¶~ 영어론 너를 못 당하겠다.

아:무러면 부 '아무러하면'의 준말. ¶~ 그가 갈까 / ~ 굶어 죽겠냐.

아:무러-하다 형 여불 **1** 구체적으로 정하지 않은 어떤 상태나 조건에 놓여 있다. ¶아무러하든 그 일은 꼭 해야 한다. **2** (주로 '아무러한'의 꼴로 쓰여) '전혀 어떠한'의 뜻으로 쓰는 말. ¶아무러한 대답도 하지 못했다. 준아무렇다.

***아:무런** 관 (주로 '않다'·'없다'·'못하다' 따위의 부정적인 말과 함께 쓰여) '전혀 어떠한'의 뜻을 나타내는 말. ¶그래봤자 ~ 소용도 없다 / 그 일과는 ~ 관계도 없다.

아:무런들 준 아무러한들. ¶옷이야 ~ 어떠냐.

아:무렇게 [-러케] 준 아무러하게. ¶~나 생각하지 않는다.

아:무렇다 [-러타] 〔아무러니, 아무러오〕 형 ㅎ불 '아무러하다'의 준말. ¶아무렇지도 않은 듯이 질문하다.

아:무려나 감 아무렇게나 하려거든 하라고 승낙하는 말. ¶~, 좋을 대로 해 보렴.

아:무려니 감 그렇게 되지 않기를 바라면서 설마의 뜻을 나타내는 말. ¶~, 그럴라고.

아:무려면 감 말할 것도 없이 그렇다는 뜻. ¶~ 그러면 그렇지 / ~ 그렇고 말고. 준아무렴.

아:무렴 감 '아무려면'의 준말. ¶~, 가지요. 준암².

***아:무리** ㊀부 **1** '제아무리'의 준말. ¶~ 예뻐도 양귀비만 못하다 / ~ 돈이 많아도 낭비해서는 안 된다. **2** 암만 그렇다 해도 그럴 수는 없다는 말. ¶~ 오뉴월에 눈이야 올라구. **3** 자꾸. 거듭. ¶~ 생각해도 그 이름이 생각나지 않는다. ㊁감 결코 그럴 리가 없다는 뜻으로 하는 말. 설마. 어쩌면. ¶~, 그가 그런 말을 했을 리가 있나.

[아무리 바빠도 바늘허리 매어 쓰지 못한다] 아무리 바빠도 갖출 것은 갖추어야 일을 제대로 할 수 있다.

아:무-짝 명 아무 방면. ¶~에도 못 쓸 놈이로구나.

아:무-쪼록 부 될 수 있는 대로. 모쪼록. 간절히 바라기는. ¶~ 빨리 다녀오시오.

아:무튼 부 일의 형편·상태 따위가 어떻게 되어 있든. 어떻든. 어쨌든. 하여튼. ¶~ 세상은 시끄럽게 됐다.

> **'아무튼'**
>
> 이전의 맞춤법에서 '아뭏든'으로 쓰던 것을 현행 맞춤법에서 '아무튼'으로 고쳐 적기로 하였다. 용언의 활용형이 아닌 독립한 별개의 단어인 부사로 굳어 버린 말이므로 소리나는 대로 적는다.

아:무튼지 ㊀부 일의 형편·상태 등이 어떻게 되어 있든지. 어떻든지. 어쨌든지. ¶~ 합격은 해 놓고 봐야지. ㊁준 아무러하든지. ¶이러니저러니 이유는 묻지 말고 ~ 자초지종이나 들어 봅시다.

아:문 (亞門) 명 〔생〕 동식물 분류의 한 단계. 문(門)과 강(綱)의 중간에 둠.

아문 (衙門) 명 〔역〕 **1** 상급의 관아. **2** 관아의 총칭.

아물-거리다 자 **1** 눈이나 정신이 희미해져서 아지랑이가 낀 것같이 느껴지다. **2** 말이나 행동을 똑똑히 하지 않고 꼬물거리다. **3** 정신이 자꾸 희미해지다. ¶오래되어 그의 모습이 ~. **아물-아물** 부하자

아물다 〔아무니, 아무오〕 자 부스럼이나 상처가 나아 살이 맞붙다. ¶상처가 ~.

아물-대다 자 아물거리다.

아물리다 타 **1** 《'아물다'의 사동》 부스럼이나 상처에 새살이 나와 맞붙게 하다. ¶흉터 생기지 않게 상처를 잘 ~. **2** 셈을 끝막다. ¶늦게야 계산을 아물리고 퇴근했다. **3** 이리저리 벌어진 일을 잘되도록 어우르거나 잘 맞추다.

아미 (蛾眉) 명 누에나방의 촉수(觸鬚)처럼 털이 짧고 초승달 모양으로 길게 굽은 아름다운 눈썹《미인의 눈썹》.

아미를 숙이다 구 여자가 머리를 다소곳이 숙이다.

아미노-산 (amino酸) 명 〔화〕 단백질의 가수분해에 의하여 생기는 유기 화합물의 총칭《아미노기 및 카르복시기를 지니며, 글리신·아스파라긴·리신 등이 있음》.

아미타 (阿彌陀) 명 〔불〕 아미타불.

아미타-불 (阿彌陀佛) 명 〔불〕 서방 정토의

부처의 이름《모든 중생을 제도하려는 대원(大願)을 품은 부처로서, 이 부처를 염(念)하면 죽은 뒤에 극락정토에 태어날 수 있다고 함》.

아밀라아제 (amylase) 명 〔화〕 녹말·글리코겐(glycogen) 따위를 가수 분해 하여 말토오스(maltose)·글루코오스(glucose) 따위를 만드는 효소(酵素).

아바-마마 (-媽媽) 명 〈궁〉 임금이나 임금의 아들딸이 그 아버지를 일컫던 말.

아방가르드 (프 avant-garde) 명 **1** 전위대(前衛隊). **2** 제1차 세계 대전 때부터 유럽에서 일어난 예술 운동. 기성 관념이나 유파를 부정하고 새로운 것을 이룩하려는 입체파·표현파·추상파·초현실파 등 혁신적 예술의 총칭. 전위파(派).

아방-궁 (阿房宮) 명 **1** 〔역〕 중국 진시황(秦始皇)이 상림원(上林苑)에 지은 궁전《유적은 산시(陝西) 성 웨이수이(渭水)의 남쪽 아방촌(阿房村)에 있음》. **2** '지나치게 크고 화려한 집'의 비유.

***아버-님** 명 '아버지'의 높임말.

***아버지** 명 **1** 남자인 어버이. 부친. **2** 자녀를 둔 남자를 자식에 대한 관계로 일컫는 말. ¶영희 ~. **3** 〔기〕 삼위일체 제일위인 '하나님'을 친근하게 일컫는 말. 천부(天父).

아범 명 **1** 아버지의 비칭. **2** 윗사람이 자식 있는 남자를 친근히 일컫는 말. **3** 예전에, 늙은 남자 하인을 대접하여 이르던 말. ↔ 어멈.

아베 마리아 (라 Ave Maria) **1** 〔가〕 성모 마리아를 축복·찬미하는 기도문. 성모송(聖母誦). **2** 〔악〕 성모 마리아의 찬송가.

아베크-족 (avec族) 명 젊은 남녀의 동행(同行). 연인 관계에 있는 남녀 한 쌍.

아보가드로-수 (Avogadro數) 명 〔물〕 0℃, 1기압의 기체 1 cm^3 중의 분자 수(=2.69×10^{19}), 또는 1 g 분자 중의 분자 수(=6.023×10^{23}).

아부 (阿附) 명하자 남의 비위를 맞추어 알랑거림. ¶상사에게 ~하다.

아비 명 **1** 〈속〉 아버지의 낮춤말. ¶그 ~에 그 아들. **2** 자식을 낳은 뒤에, 며느리가 시부모에게 자기 남편을 가리키는 말. ¶~는 오늘 좀 늦는답니다. **3** 자식이 있는 아들을 그의 부모가 부르거나 이르는 말. ¶~야, 이리 좀 오너라.

아비-규환 (阿鼻叫喚) 명 **1** 〔불〕 무간지옥의 고통을 못 참아 울부짖는 소리. **2** 여러 사람이 참담한 지경에 빠져 울부짖는 참상의 형용. ¶사고 현장은 그야말로 ~이었다.

***아빠** 명 〈소아〉 아버지.

***아뿔싸** 감 잘못되거나 언짢은 일을 뉘우쳐 깨달았을 때 내는 소리. ¶~, 이건 낭패로군. 큰어뿔싸. 거하뿔싸.

아:사 (餓死) 명하자 굶어 죽음. 기사(饑死).

아사달 (阿斯達) 명 〔역〕 단군 조선 개국 때의 도읍지《지금의 평양 부근의 백악산(白岳山) 또는 황해도 구월산이라고도 함》.

아:사지경 (餓死之境) 명 굶어서 죽게 된 지경. 아사선상. ¶~에 이르다.

아삭 부하자타 연한 과실 따위를 깨물 때 나는 소리. ¶사과를 ~하고 깨물었다. 큰어석. 센아싹.

아삭-거리다 자타 자꾸 아삭 소리가 나다. 또는 자꾸 그런 소리를 내다. 큰어석거리다. 센아싹거리다. **아삭-아삭** 부하자타

아삭-대다 자타 아삭거리다.

아서 감 '아서라'의 준말. ¶~, 그럼 못써.

-아서 어미 'ㅏ, ㅗ' 모음으로 된 어간 뒤에 붙어서 이유나 근거 또는 시간적 선후 관계를 나타내는 연결 어미. ¶돈이 많~ 좋겠다 / 기회를 보~ 출발하겠다. *-어서·-여서.

아서-라 감 해라할 자리에 그렇게 하지 말라고 금하는 말. ¶~, 넘어지겠다. 준아서.

아성 (牙城) 명 **1** 예전에, 주장(主將)이 있던 내성(內城). 본거(本據). ¶적의 ~. **2** 매우 중요한 근거지. ¶철옹성 같은 ~을 무너뜨리다.

아:성 (亞聖) 명 유학에서, 공자 다음가는 현인《맹자(孟子)를 이름》.

아세톤 (acetone) 명 〔화〕 독특한 냄새가 나고 휘발성이 있는 무색투명한 액체로 대표적인 케톤(ketone). 용제(溶劑)로서 널리 쓰이는 외에 아세테이트 섬유·의약품의 원료로 씀. 프로파논.

아세트-산 (←acetic酸) 명 〔화〕 자극성 냄새와 신맛을 지닌 무색의 액체. 탄소·산소·수소 화합물로 산성의 약한 일염기산임. 생체 내에서는 당(糖)·아미노산·지방산 등의 대사 산물(代謝産物)로 중요함. 식초산. 구칭 : 초산.

아세틸렌 (acetylene) 명 〔화〕 탄화칼슘에 물을 부어 만드는 폭발하기 쉬운 무색의 유독성 기체《강한 빛을 내며 연소하므로 등화용(燈火用)으로 쓰며, 산소와 혼합해서 철판의 용접·절단에 씀. 기타 유기 합성의 중요 원료임》. 아세틸렌가스.

아수라 (阿修羅) 명 〔불〕 팔부중(八部衆)의 하나. 악귀의 세계에서 싸우기를 좋아하는 귀신. 준수라(修羅).

아수라-장 (阿修羅場) 명 수라장. ¶장내는 순식간에 ~으로 변하였다.

아쉬움 명 아쉬워하는 마음. ¶동메달에 그치는 ~을 남겼다 / ~을 감추지 못하다.

아쉬워-하다 타여불 **1** 필요할 때 모자라거나 없어서 안타깝고 서운하고 만족스럽지 못하게 여기다. ¶돈을 ~. **2** 미련이 남아 서운하게 여기다. ¶이별을 ~.

아쉽다 〔아쉬우니, 아쉬워〕 형ㅂ불 **1** 필요할 때 없거나 모자라서 안타깝고 서운하고 만족스럽지 못하다. ¶요새는 단돈 천 원이 ~. **2** 미련이 남아 아깝고 서운하다. ¶아쉬운 여름 방학이 끝났다.

아쉬운 대로 구 부족하나마 그냥 그대로. ¶~ 라면으로 끼니를 때우다.

아쉬운 소리 구 없거나 부족해 남에게 달라고 또는 빌리려고 사정하는 말. ¶그런대로 남에게 ~는 안 하고 산다.

아스라-이 부 아스라하게. ¶~ 떠오르는 어린 시절의 추억.

아스라-하다 형여불 **1** 아슬아슬하게 높거나 까마득하게 멀다. ¶아스라한 산꼭대기. **2** 기억이나 소리가 분명하지 않고 희미하다. ¶지난날의 기억이 아스라하게 떠오르다. 준아스랗다.

아스스 부하형 차거나 싫은 것이 몸에 닿을 때 소름이 끼치는 모양. 큰오스스·으스스.
아스키 (ASCII) 명 〔컴〕 아스키코드.
아스키-코드 (ASCII code) 명 〔American Standard Code for Information Interchange〕 〔컴〕 미국 표준 정보 교환용 코드. 정보 처리 시스템, 통신 시스템 및 이에 관련된 장치에서 정보를 교환하기 위해 쓰이는 부호화한 문자 체계. 아스키.
아스파라거스 (asparagus) 명 〔식〕 백합과의 여러해살이풀. 유럽 원산. 잎은 퇴화하여 갈색의 비늘처럼 되고, 가는 가지가 잎의 대용임. 초여름에 담황색 꽃이 피고 장과(漿果)가 익음. 어린순은 식용함.
아스파라긴 (asparagine) 명 〔화〕 아미노산(酸)의 하나. 식물계에 널리 분포되어 있으나, 특히 감자나 싹튼 콩류(類) 등에 많이 함유됨. 생체 안에서 질소의 저장 및 공급의 일을 함.
아스팍 (ASPAC) 명 〔Asian and Pacific Council〕 아시아 태평양 이사회.
아스팔트 (asphalt) 명 〔화〕 석유 중에 포함된 고체 또는 반고체의 탄화수소《점착성·방수성·전기 절연성이 강하여 도로포장·건축 재료·전기 절연 등에 이용됨》.
아스피린 (aspirin) 명 〔약〕 '아세틸살리실산'의 상품명《흰 결정성 가루로 해열제·진통제로 씀》.
아슥-아슥 부하형 여럿이 모두 한쪽으로 조금 비뚤어져 있는 모양. 큰어슥어슥.
아슬랑-거리다 자타 몸이 작고 키가 작은 사람이나 짐승이 계속 찬찬히 걸어 다니다. 큰어슬렁거리다. **아슬랑-아슬랑** 부하자타
아슬랑-대다 자타 아슬랑거리다.
아슬-아슬 부하형 **1** 매우 위태로운 고비를 당하여 몸에 소름이 끼치게 두려움을 느끼는 모양. ¶참으로 ~한 묘기다 / ~하게 사고를 모면하다. **2** 소름이 끼칠 듯이 계속 차가운 느낌이 드는 모양. 큰오슬오슬·으슬으슬.
아슴푸레 부하형 **1** 밝지도 어둡지도 않으면서 희미하게 흐린 모양. **2** 기억이 잘 나지 않고 좀 흐리마리한 모양. ¶~한 기억을 더듬다. **3** 똑똑히 보이거나 들리지 않고 희미한 모양. ¶~ 들려오는 종소리. 큰어슴푸레.
***아시아** (Asia) 명 〔지〕 6대주의 하나. 동반구 북부에 있으며, 서쪽은 유럽과 접함. 세계 육지의 3분의 1을 차지함. 아시아 주.
아싹 부하자타 연한 과실 따위를 깨물 때에 나는 소리. 큰어썩. 여아삭.
아싹-거리다 자타 계속해서 아싹 소리가 나다. 또는 계속해서 그런 소리를 내다. 큰어썩거리다. 여아삭거리다. **아싹-아싹** 부하자타
아싹-대다 자타 아싹거리다.
아씈 부하형 갑자기 무섭거나 차가울 때 몸이 약간 움츠러지는 모양. 큰으쓱.
아:씨 명 아랫사람들이 젊은 부녀자를 높여 부르는 말. 주의 '阿氏'로 씀은 취음.
아-아 감 **1** 의외의 일을 당했을 때 내는 소리. ¶~ 큰일 났군. 큰어어. **2** 감격·탄식할 때 내는 소리. ¶~, 좋아라. **3** 떼 지어 싸울 때, 기운을 돋우려고 내는 소리.
아:악 (雅樂) 명 〔악〕 **1** 옛날 우리나라에서 의식 따위에 정식으로 쓰던 궁정용 고전 음악. 아부악(雅部樂). ☞국악(國樂).
아:악-기 (雅樂器) 명 〔악〕 아악을 연주할 때 쓰는 악기.
아야 감 **1** 아파서 내는 소리. ¶~, 때리지 마. **2** 무슨 일이 그릇되었을 때 내는 소리. ¶~, 글렀구나.
-아야 어미 'ㅏ·ㅗ'의 모음 어간 뒤에 붙는 종속적 연결 어미. **1** 뒷말에 대한 조건이 꼭 필요함을 나타냄. ¶손발이 맞~ 성사가 되지 / 맛이 좋~ 사지. **2** 가정을 아무리 확대해도 영향이 없음을 나타냄. ¶아무리 많~ 별수 없다 / 아무리 보~ 소용없다. *-어야·-여야.
-아야만 어미 연결 어미 '-아야'의 힘줌말. ¶고통을 참~ 이겨낼 수 있다. *-어야만.
-아야지 어미 '-아야 하지'의 준말. ¶오늘은 빌린 돈을 꼭 갚~ / 화가 나지만 내가 참~. *-어야지.
아얌 명 지난날, 겨울에 부녀자가 나들이할 때 추위를 막으려고 머리에 쓰던 쓰개《좌우에 털을 대고 위는 터졌으며, 뒤에는 아얌드림이 달렸음》.

아얌

아양 명 아녀자가 귀염을 받으려고 알랑거리는 몸짓이나 말. ¶아버지에게 갖은 ~을 떨고 있다 / 순진해서 ~을 부릴 줄도 모른다 / 할머니 앞에서 ~을 부리다.
아양-스럽다 〔-스러우니, -스러워〕 형ㅂ불 아양을 부리는 태도가 있다. 교태가 있다. **아양-스레** 부
아:어 (雅語) 명 바르고 우아한 말. 아담한 말. 아언(雅言). ↔속어.
아역 (兒役) 명 연극이나 영화 등에서, 어린이의 역. 또는 그 역을 맡은 연기자. ¶그녀는 ~ 배우 때도 유명하였다.
***아연** (亞鉛) 명 〔광〕 청백색으로, 부서지기 쉬운 광택 있는 금속 원소. 습기 있는 공기에 접하면 회백색이 됨. 섬(閃)아연광·능(菱)아연광으로서 존재함. 주로 철판이나 강철의 산화 방지용 도금에 많이 쓰이나 유기·양은 등의 합금에도 씀. [30번 : Zn : 65.38]
아연 (俄然) 부하형히부 급작스러운 모양. ¶회의장에는 ~ 긴장감이 감돌았다.
아연 (啞然) 부하형히부 너무 놀라 어안이 벙벙한 모양. ¶~한 표정을 짓다.
아연-실색 (啞然失色)[-쌕] 명하자 뜻밖의 일에 너무 놀라서 얼굴빛이 변함. ¶그 소식을 접하자 ~하고 말았다.
아:-열대 (亞熱帶)[-때] 명 〔지〕 열대와 온대의 중간 지대. 대체로 남북 위도 각각 20~30° 사이의 지대.
아:열대 기후 (亞熱帶氣候)[-때-] 〔지〕 열대와 같이 고온 다습한 여름과 비교적 온화한 겨울이 있는 기후.
아:열대-림 (亞熱帶林)[-때-] 명 난대림.
아예 부 **1** 애초부터. 당초부터. ¶~ 문제도 되지 않는다. **2** 절대로. 조금도. ¶~ 믿지 마라. **3** 차라리. 전적으로. ¶그런 말은 ~

무시해라.

아옹[1] 부 고양이가 우는 소리.

아옹[2] 감 얼굴을 가리고 있다가 손을 떼면서 어린아이를 보며 어르는 소리.

아옹-거리다[1] 자 고양이가 자꾸 울다. 아옹-아옹[1] 부하자

아옹-거리다[2] 자 1 소견 좁은 사람이 자기 뜻에 맞지 않아 투덜거리다. 2 사이가 나빠 대수롭지 않은 일로 서로 투덜거리며 다투다. ¶ 그들은 만나기만 하면 아옹거린다.

아옹-아옹[2] 부하자

아옹-다옹 부하자 서로 트집을 잡아 자꾸 다투는 모양. ¶ 만나기만 하면 ~ 다투다.

아옹-대다[1] 자 아옹거리다[1].

아옹-대다[2] 자 아옹거리다[2].

-아요 어미 'ㅏ·ㅗ'의 모음으로 된 용언의 어간 뒤에 붙어 예사 높임 또는 친근미가 담긴 서술·청원·의문·명령의 뜻을 나타내는 종결 어미. ¶ 내 손을 잡~.

***아우** 명 동기나 같은 항렬의 남자 사이에서 나이가 적은 사람. ¶ 형만 한 ~ 없다.

아우(를) 보다 구 아우가 생기다.

아우(를) 타다 구 동생이 생긴 뒤에 아이의 몸이 여위다.

아우-님 명 '아우'의 높임말.

아우러-지다 자 여럿이 한 덩어리나 한 판을 이루게 되다. 큰어우러지다.

아우르다 [아우르니, 아울러] 타르불 1 여럿이 조화되어 한 덩어리나 한 판이 되게 하다. 2 윷놀이에서, 두 바리 이상의 말을 같이 합치다. 큰어우르다.

아우성 (-聲) 명 여럿이 기세를 올리며 악을 써 지르는 소리. 여럿이 뒤섞여 부르짖는 소리. ¶ 군중의 ~ 소리가 천지를 뒤흔드는 듯했다.

아우성-치다 (-聲-) 자 여럿이 함께 기세를 올려 소리를 지르다. ¶ 살려 달라고 ~.

아우트라인 (outline) 명 1 사물의 윤곽. 또는 윤곽만 그린 스케치. ¶ 설계의 ~을 잡아 보다. 2 일의 간추린 줄거리. ¶ 계획의 ~을 설명하다.

아욱 명 〖식〗 아욱과의 한해살이풀. 밭에 재배함. 높이 50-70 cm, 잎은 넓은 달걀꼴. 여름에 백색 또는 담홍색의 작은 다섯잎꽃이 피고 삭과(蒴果)는 모가 졌음. 연한 줄기와 잎은 먹음. ¶ ~국 / ~죽.

아울러 부 1 그것과 함께. 그에 덧붙여서. ¶ 정세가 정상으로 되돌아감과 ~ 안정을 되찾았다 / 사업의 성공과 ~ 건강을 빕니다. 2 여럿을 한데 합하여. 동시에 함께. ¶ 재색(才色)을 ~ 갖추다 / 지혜와 용기를 ~ 가지다.

아울리다 자 1 한데 섞여서 고르게 보이다. 격식에 맞다. ¶ 옷과 아울리는 모자. 2 《'아우르다'의 피동》 아우름을 당하다. 큰어울리다.

아웃 (out) 명 1 테니스·탁구·배구 등의 구기(球技)에서, 일정한 선 밖으로 공이 나가는 일. ¶ ~을 선언하다. 2 야구에서, 타자나 주자가 공격할 자격을 잃는 일. ¶ 우익수 뜬공으로 ~되다. ↔세이프. 3 골프에서, 1 라운드 18홀의 전반 9홀을 이르는 말.

아웃-복싱 (out+boxing) 명 권투에서, 상대방의 접근을 허용하지 않고 떨어져서 공격하는 전법. ↔인파이팅.

아웃사이더 (outsider) 명 1 사회의 기성 틀에서 벗어나 독자적인 사상을 지니고 행동하는 사람. 2 국외자.

아웃사이드 (outside) 명 테니스·배구·축구·탁구 등에서, 공이 일정한 경계선 밖으로 나가는 일. ↔인사이드.

아웃커브 (outcurve) 명 야구에서, 투수가 던진 공이 타자 앞에 와서 갑자기 바깥쪽으로 꺾이는 일. 또는 그런 공. ↔인커브.

아웃-코너 (←outside corner) 명 야구에서, 타자 위치에서 보아 홈 베이스 중앙부의 바깥 부분. 외각(外角). ↔인코너.

아웃코스 (out+course) 명 1 야구에서, 타자에게서 먼 쪽으로 지나가는 공의 길. 2 육상 경기에서, 트랙의 바깥쪽으로 도는 주로(走路). ↔인코스.

아웃 포커스 (out+focus) 영화·사진에서, 일부러 초점을 맞추지 않고 흐릿하게 나타나도록 촬영하는 기법.

아웃풋 (output) 명 1 전기의 출력. 2 산업에서 원료·노동력 따위의 생산 요소를 투입하여 만들어 낸 재화나 서비스. 또는 그 총량. 3 〖컴〗 출력(出力)3. ↔인풋. 4 레코드 플레이어나 녹음기를 확성기에 연결하는 장치.

아웅-다웅 부하자 '아옹다옹'의 큰말.

아유 감 1 뜻밖에 일어난 일에 대한 놀라움을 나타내는 소리. ¶ ~, 깜짝이야. 2 힘에 부치거나 피곤할 때 내는 소리. ¶ ~, 힘들어. 큰어유.

아음 (牙音) 명 〖언〗 훈민정음에서 'ㄱ·ㄲ·ㆁ·ㅋ'의 일컬음. 어금닛소리.

***아이** 명 1 나이가 어린 사람. 준애. 2 '자식'의 속칭. 아자(兒子). ¶ 우리 ~가 이번에 졸업을 합니다. 3 아직 태어나지 않았거나 막 태어난 사람. ¶ ~를 낳다 / ~를 배다.

[아이도 낳기 전에 포대기 장만한다] 제때가 되기도 전에 너무 서둔다. [아이도 사랑하는 데로 붙는다] 사람은 정이 많은 데로 따라간다. [아이 말도 귀여겨들으랬다] 누구의 말이든 흘려듣지 마라. [아이 보는 데는 찬물도 못 마신다] 남의 흉내를 잘 냄을 비유한 말. [아이 싸움이 어른 싸움 된다] 작은 일이 큰일로 번질 수 있다. [아이 자라 어른 된다] 불완전한 것이 차차 발전해 완전하여진다.

아이가 지다 구 달이 차기 전에 태아가 죽어서 나오다.

아이(를) 배다 구 태내에 아이를 가지게 되다. 잉태하다.

아이(를) 지우다 구 달이 차기 전에 태아를 죽여서 꺼내다.

아이 보채듯 구 몹시 졸라 대는 모양.

아이 감 1 남에게 무엇을 조르거나 마음에 내키지 않을 때 내는 소리. ¶ ~, 빨리 줘요 / ~, 그것도 몰라. 2 '아이고'의 준말.

아이고 감 1 아플 때, 힘들 때, 놀랄 때, 원통할 때, 기막힐 때 따위에 나오는 소리. ¶ ~, 큰일 났구나. 큰어이구. 준아이·애고. 2 반갑거나 좋을 때 내는 소리. ¶ ~, 살아 있으니 이렇게 만나는구나. 3 우는 소리. 특히, 상중(喪中)에 곡하는 소리.

참다.
악단 (樂團) 명 〘악〙 **1** 음악을 연주하기 위해 조직된 단체. **2** '악극단'의 준말.
악단 (樂壇) 명 음악가들의 사회. 악계.
악담 (惡談) 명하자 남을 헐뜯거나 저주함. 또는 그 말. ¶~을 퍼붓다. ↔덕담.
악당 (惡黨) 명 **1** 악한 무리. 나쁜 도당. 악도(惡徒). ¶~의 소굴로 들어가다. **2** 나쁜 짓을 일삼는 사람. 악한. ¶이름난 ~이다.
악대 (樂隊) 명 기악의 합주대. 주로 취주악의 단체를 이름.
악덕 (惡德) 명 도덕에 어긋나는 나쁜 마음이나 나쁜 짓. ¶~ 기업인이 추방되다. ↔선덕. **--하다** [-떠카-] 형여불 마음씨나 행실이 도덕에 어긋나 있다. ¶악덕한 업주를 구속하다.
악독 (惡毒) 명하형히부 마음이 악하고 독살스러움. ¶~한 흉계에 걸려들다.
악독-스럽다 (惡毒-) 〔-스러우니, -스러워〕 형ㅂ불 마음이 흉악하고 독살스러운 데가 있다. ¶보기엔 그래도 악독스러운 데가 있다. **악독-스레** 부
악-돌이 명 기를 쓰며 모질게 덤비기를 잘하는 사람. ¶~에겐 당할 방법이 없다.
악동 (惡童) 명 **1** 행실이 나쁜 아이. ¶그것은 순전히 ~들의 짓이다. **2** 장난꾸러기.
악랄 (惡辣)[앙날] 명하형히부 악독하고 잔인함. ¶~한 수단을 쓰다.
악력 (握力)[앙녁] 명 손아귀로 무엇을 쥐는 힘. 손아귀 힘. ¶~이 대단하다.
악령 (惡靈)[앙녕] 명 원한을 품고 사람에게 재앙을 내린다는 죽은 사람의 영혼. ¶~이 재앙을 내리다.
악률 (樂律)[앙뉼] 명 〘악〙 **1** 음악의 가락. 악조(樂調). **2** 음을 음률의 높낮이에 따라서 이론적으로 정돈한 체계《십이율·평균율 따위》.
악마 (惡魔)[앙-] 명 **1** 종교나 민속 신앙에서 까닭 없이 사람에게 재앙을 내리고 해를 끼치는 악한 귀신. **2** 〘불〙 불도 수행을 방해하는 악한 귀신. **3** 매우 악독한 짓을 하는 사람. ¶그 사람은 양의 탈을 쓴 ~였다.
악-머구리 [앙-] 명 잘 우는 개구리라는 뜻으로, '참개구리'를 일컫는 말.
[악머구리 끓듯] 많은 사람이 모여 소란하게 떠듦.
악명 (惡名)[앙-] 명 악하다는 소문이나 평판. ¶~이 높다 / ~을 떨치다.
악몽 (惡夢)[앙-] 명 나쁜 꿈. 불길하고 무서운 꿈. ¶~에 시달리다.
악-물다 [앙-] 〔악무니, 악무오〕 타 매우 성이 나거나 아플 때, 또는 단단히 결심할 때에 아래위 이를 꽉 물다. ¶이를 악물고 돈을 모으다. 큰윽물다.
악-물리다 [앙-] 자 《'악물다'의 피동》 악묾을 당하다. 큰윽물리다.
악-바리 명 **1** 성미가 깔깔하고 고집이 세며 모진 사람. **2** 지나치게 똑똑하고 영악한 사람. ¶그는 보통 ~가 아니다.
악법 (惡法) 명 **1** 사회에 해를 끼치는 나쁜 법률. **2** 나쁜 방법.
***악보** (樂譜) 명 가곡 또는 악곡을 일정한 기호를 써서 기록한 것. 곡보(曲譜). 음보(音譜). ¶~에 따라 연주하다.
악사 (樂士) 명 악기로 음악을 연주하는 사람. ¶거리의 ~.
악상 (惡喪) 명 젊어서 부모보다 먼저 죽은 자식의 상사(喪事). ¶~이 나다 / 설상가상으로 ~을 당했다. ↔순상(順喪).
악상 (樂想) 명 **1** 음악의 주제·구성·곡풍(曲風) 등에 관한 작곡상의 착상. ¶~이 떠오르다. **2** 음악 속에 표현된 사상.
악서 (惡書) 명 읽어서 해로운 나쁜 책. ¶~를 추방하자. ↔양서(良書).
악-선전 (惡宣傳) 명하타 나쁘게 말하는 일. 남에게 해를 끼치기 위하여 나쁜 소문을 퍼뜨리는 일. ¶후보자들끼리 ~을 일삼고 있다.
악설 (惡舌·惡說) 명하자 **1** 나쁘게 말함. 또는 그런 말. ¶은인에게 ~을 퍼붓다. **2** 남을 해치려고 못되게 말함. 또는 그런 말. 악언(惡言).
악성 (惡性) 명 **1** 모질고 악독한 성질. ¶~ 유언비어가 떠돌다. **2** 병이 고치기 어렵거나 생명을 위협할 정도로 심함. ¶~ 종양이 발견되다. ↔양성.
악성 (樂聖) 명 음악계에서 성인(聖人)이라고 할 만큼 뛰어난 음악인. ¶~ 베토벤의 작품.
악-세다 형 **1** 악착스럽고 세차다. **2** 생선의 뼈나 식물의 잎, 줄기가 빳빳하고 세다. 큰억세다.
악센트 (accent) 명 **1** 〘언〙 말이나 글 가운데 어떤 요소를 음의 고저, 장단 및 강세를 이용하여 강조하는 일. 또는 그 부호. ¶그의 말에는 아직도 영어의 ~가 남아 있다. **2** 〘악〙 음절과 음절 사이의 셈여림 관계. 강세. **3** 복장·건축·도안 등의 디자인에서 전체의 조화를 어느 한 점에 의해 강조하는 일. 또는 그 물건. ¶가슴 부분에 ~를 두다.
악수 (握手) 명하자 친애·화해·인사·감사 등의 뜻을 나타내기 위해 손을 내밀어 마주 잡는 일. ¶웃으며 ~를 나누다.
악수 (惡手) 명 바둑이나 장기에서 잘못 두는 나쁜 수. ↔호수(好手).
악-순환 (惡循環) 명 **1** 순환이 좋지 않음. 또는 나쁜 현상이 되풀이됨. ¶빈곤의 ~이 거듭되다. **2** 밀접한 상호 관계가 있는 것이 서로 관련하여 무제한으로 악화하는 일. 인플레이션 말기에, 물가가 폭등하면 임금이 인상되고, 따라서 통화가 증발되어 다시 물가의 폭등을 촉진하는 관계 등이 그 예임. ¶생산·소비 불균형의 ~.
악습 (惡習) 명 나쁜 습관. 못된 버릇. ¶~을 타파하다 / ~을 뿌리 뽑다.
악식 (惡食) 명하자 **1** 나쁜 음식. 또는 그런 음식을 먹음. ↔호식(好食). **2** 〘불〙 금제(禁制)를 어기고 육식을 함.
악식 (樂式) 명 〘악〙 악곡의 형식《리드·변주곡·론도·소나타·푸가 등의 형식이 있음》.
악신 (惡神) 명 사람에게 재앙을 준다는 나쁜 신. 화신(禍神). ¶~이 저주하다.
악심 (惡心) 명 나쁜 마음. 악의. ¶~이 생기다 / ~을 먹다〔품다〕. ↔선심(善心).
악-쓰다 〔악쓰니, 악써〕 자 악을 내어 소리 지르거나 행동하다. ¶악쓰는 소리에 놀라서 잠을 깼다.
악악-거리다 자 불만이나 화가 나서 자꾸

ㅇ

소리치다. ¶악악거리지 말고 잘 생각해라.
악악-대다 자 악악거리다.
악어(鰐魚) 명 〖동〗 악어목에 속하는 파충의 총칭. 인도·아프리카·중국 등지에 분포함. 도마뱀 비슷한데 썩 커서 2-10m에 달하며, 각질(角質)의 비늘로 덮였고, 긴 꼬리는 헤엄치는 데와 먹이를 치는 무기가 됨. 뒷다리의 발가락엔 물갈퀴가 있음. 가죽은 여러 가지 용도로 널리 이용됨.
악업(惡業) 명 **1** 좋지 못한 짓. **2**〖불〗 전생(前生)의 나쁜 행위. ¶~을 쌓고 있구나. ↔선업(善業).
악역(惡役) 명 **1** 놀이·연극·영화 등에서 악인으로 분장하는 배역. 악인역. ¶그는 ~ 담당이다. **2** 실제 생활에서 사람들의 미움을 받을 만한 일을 하는 사람이나 역할.
악역(惡疫) 명 악성의 유행성 전염병《콜레라·페스트 등》.
악역-무도(惡逆無道)[아경-] 명하형 비길 데 없이 악독하고 도리에 어긋남.
악연(惡緣) 명 **1** 좋지 않거나 불행한 인연. 악인연. ¶~을 맺다. **2** 도저히 헤어질 수 없는 남녀의 인연. **3**〖불〗 나쁜 일을 하도록 유혹하는 주위의 환경.
악-영향(惡影響) 명 나쁜 영향. ¶사회에 ~을 끼치다.
악용(惡用) 명하타 잘못 쓰거나 나쁜 일에 씀. ¶지위를 ~하다 / 개인적으로 ~될 우려가 있다. ↔선용(善用).
악우(惡友) 명 나쁜 벗. 사귀어서 해로운 벗. ↔양우.
악운(惡運) 명 **1** 사나운 운수. ¶~이 끼다. ↔호운(好運). **2** 나쁜 일을 해도 그에 대한 벌을 받지 않고 흥하는 운수. ¶~이 세다.
악의(惡意)[-/-이] 명 **1** 남에게 해를 끼치려는 나쁜 마음. 악심(惡心). ¶~ 없는 사람 / ~를 품다. **2** 나쁜 뜻. ¶~로 해석하다. ↔선의.
악의-악식(惡衣惡食)[-/-이-] 명하자 맛없는 음식을 먹고 허름한 옷을 입음. 조의조식. ↔호의호식.
악인(惡人) 명 악한 사람. ¶천성은 ~이 아니다. ↔선인.
악인-악과(惡因惡果) 명 〖불〗 나쁜 일을 하면 반드시 나쁜 결과가 따름. ↔선인선과(善因善果).
악장(樂長) 명 음악 연주 단체의 우두머리.
악장(樂章) 명 **1**〖역〗 조선 때, 나라의 제전이나 연례(宴禮) 때에 연주하던 주악을 기록한 가사. **2**〖악〗 소나타·교향곡 등과 같이 여러 개의 소곡(小曲)이 모여서 큰 악곡이 되는 경우의 각 소곡.
악장-치다 자 악을 쓰며 싸우다.
악재(惡材) 명 '악재료'의 준말. ¶대기업의 부도 사태가 ~로 작용하다.
악-재료(惡材料) 명 **1**〖경〗 주식 시세를 하락시키는 원인이 되는 조건. 준악재. **2** 나쁜 재료. ↔호(好)재료.
악전(樂典) 명 〖악〗 박자·속도·음정 등 악보에 쓰이는 모든 규범을 설명한 책. 또는 그 규범.
악전-고투(惡戰苦鬪) 명하자 악조건을 무릅쓰고 죽을힘을 다하여 싸움. ¶~ 끝에 고지를 탈환하였다.
악절(樂節) 명 〖악〗 두 악구(樂句)로 이루어지고 하나의 완전한 악상을 표현하는 구절《여덟 소절이 한 악절을 이룸》.
악정(惡政) 명 백성을 괴롭히고 나라를 망치는 그릇된 정치. 비정(秕政). ¶~에 시달리다 / ~을 견디다 못해 난을 일으키다. ↔선정.
악조(樂調) 명 음악의 곡조. 악률(樂律).
악-조건(惡條件)[-껀] 명 나쁜 조건. ¶시련이나 ~에 굴하지 않다 / 다리 부상의 ~을 무릅쓰고 완주하였다. ↔호조건.
악종(惡種) 명 **1** 나쁜 종류. **2** 성질이 흉악한 사람이나 동물. 악물(惡物). ¶아무개 하면 세상이 다 아는 ~이다.
악증(惡症) 명 **1** 악질(惡疾). **2** 못된 짓. **3** 악의가 있는 짜증.
악지 명 잘 안될 일을 무리하게 해내려는 고집. ¶~를 부리다 / ~가 세다 / ~를 세우다 / ~를 쓰다. 큰억지.
악지(를) 빼다 구 체벌을 가하여 악지스러운 마음씨를 뽑아 버리다.
악지-스럽다〔-스러우니, -스러워〕 형ㅂ불 악지를 부리는 데가 있다. 큰억지스럽다.
악지-스레 부
악질(惡疾) 명 질이 나쁜 병. 고치기 힘든 병. 악병. ¶~이 마을을 휩쓸다.
악질(惡質) 명 성질이 모질고 나쁨. 또는 그런 사람. ¶질적으로 ~이다. ↔양질(良質).
악짓-손 [-찌쏜/-찓쏜] 명 무리하게 악지로 해내는 솜씨. 큰억짓손.
악착(齷齪) 명하형히부 **1** 작은 일에도 끈기 있고 모짊. ¶~을 떨며 대들다 / ~을 부리다. **2** 도량이 썩 좁음. **3** 잔인하고 끔찍스러움. 큰억척.
악착-같다(齷齪-)[-깓따] 형 끈기가 있고 모질다. 악착스럽다. ¶누굴 닮아 악착같은지 모르겠다. 큰억척같다. **악착-같이**[-까치] 부. ¶~ 해내다.
악착-꾸러기(齷齪-) 명 매우 악착스러운 사람. 큰억척꾸러기.
악착-빼기(齷齪-) 명 아주 악착스러운 아이. 큰억척빼기.
악착-스럽다(齷齪-)〔-스러우니, -스러워〕 형ㅂ불 악착한 데가 있다. 끈기 있고 모진 데가 있다. 큰억척스럽다. **악착-스레** 부. ¶~ 모은 돈으로 불우 이웃을 돕다.
악창(惡瘡) 명 고치기 힘든 모진 부스럼.
악처(惡妻) 명 행실이나 성질이 악독한 아내. ↔양처(良妻).
악-천후(惡天候) 명 몹시 나쁜 날씨. ¶~로 비행기 운항이 결항되었다.
악취(惡臭) 명 나쁜 냄새. ¶~를 풍기다 / ~가 나다 / ~가 코를 찌른다.
악-취미(惡趣味) 명 **1** 좋지 못한 취미. ¶너는 참 별난 ~를 가졌구나. **2** 괴벽스러운 취미.
악-패듯[-듣] 부 사정없이 몹시 심하게. ¶아이가 ~ 울어 댔다.
악평(惡評) 명하타 나쁘게 평함. 또는 나쁜 평판이나 평가. ¶~이 나다 / ~을 듣다. ↔호평(好評).
악폐(惡弊)[-/-페] 명 나쁜 폐단.
악풍(惡風) 명 **1** 나쁜 풍습·풍속. ¶~에 물들다. **2** 모진 바람.